FLEURUS
junior

DICTIONNAIRE ENCYCLOPÉDIQUE

EDITIONS
FLEURUS

BEACONSFIELD
BIBLIOTHÈQUE • LIBRARY

ÉDITIONS FLEURUS, 15-27, RUE MOUSSORGSKI - 75018 PARIS

Direction d'ouvrage
Marie Garagnoux et Hubert Deveaux
avec la collaboration de
Frédérique Longuépée et Blandine Serret

Direction artistique
ELSE

Rédaction langue
Anne Feffer • Joëlle Guyon-Vernier • Sylvie Hudelot • Nathalie Kristy

Rédaction encyclopédie
Sous la direction de Jean-Paul Dupré

Marianne Bonneau • Anne Bouin • Sophie Chavignon
Sophie Chevalier • Anne Collas • Emmanuelle Fillion • Vanina Pialot

Illustration
Personnages et logos : Harvey Stevenson

Dessins documentaires : Bernard Alunni • Isabelle Arslanian • Laurent Blondel • William Fraschini
Henriette d'Hausen • Dominic Landra • Marie-Christine Lemayeur
Gérard Marié • Krystyna Mazoyer • Michel Saemann • Tom Sam You •
Valérie Stetten-Dehoux • Dominique Thibault • Jean Torton

Relecture - Correction - Consultants
Claire Chatellard • Jacques Devert • Jean Grobla • Anne-Catherine Heinisch •
Éliane Melloux • Pascale et Alain Pengam • Céline de Quéral

Maquette
ELSE
avec la collaboration de
Dominique Bennejean • Blaise Daures • Anne-Laurence Darrasse

Conception et réalisation

Hubert Deveaux & Co

Équipe éditoriale des Éditions Fleurus
Janine Boudineau • Daniel Boudineau

Maquette couverture
Daniel Boudineau

avant-propos

Le château Frontenac
à Québec.

Quatre lexicographes, auteurs de dictionnaires de langue destinés aux enfants, et une équipe de rédacteurs sous la direction d'un spécialiste des encyclopédies pour la jeunesse ont réuni leurs compétences et celles de graphistes et de dessinateurs pour réaliser le *Fleurus Junior*.

Cet ouvrage est à la fois un dictionnaire de langue, une encyclopédie de culture générale, un outil d'apprentissage et un livre qui se consulte pour le plaisir. Afin de faciliter l'accès à l'information, les mots de la langue et les noms propres ont été réunis dans un même ordre alphabétique : la nomenclature retenue recouvre les 20 000 mots du vocabulaire de base qui doivent être connus des enfants de huit à douze ans ; les 1000 noms propres ont été choisis en fonction des programmes scolaires du primaire et de la culture générale que doivent posséder les enfants de la tranche d'âge visée.

• Un dictionnaire de langue

La présentation des mots de la langue est volontairement simplifiée.
Le mot chef de famille et ses dérivés apparaissent en rouge, les remarques (synonymes, contraires, homonymes, difficultés de prononciation…) en vert. La signalétique ne comporte que deux codes (puce et flèche) pour que le jeune lecteur se repère immédiatement.

• Une encyclopédie culturelle

Les biographies des écrivains, artistes, musiciens et savants importants, les œuvres marquantes, tous les États du monde, les principales capitales étrangères et les préfectures françaises constituent le fondement d'une culture générale essentielle à la compréhension du monde actuel.

• Un outil pour l'école

L'histoire, la géographie, les sciences naturelles des programmes scolaires apparaissent sous forme de biographies, de développements encyclopédiques illustrés et de planches thématiques. 120 aide-mémoire répartis dans le dictionnaire présentent les tableaux de conjugaison, les notions de base de la grammaire et des mathématiques : l'enfant en prend ainsi connaissance au fil de sa lecture.

• Un livre plaisir

Les sports, les techniques et bien d'autres sujets qui passionnent les enfants font également l'objet de planches et d'articles illustrés. Les informations sont balisées à l'aide de logos animés par un personnage différent pour chaque lettre. Et afin que le lecteur prenne plaisir à circuler dans le dictionnaire, les personnages de ces logos s'amusent avec les mots dans un jeu-devinette qui court tout au long des pages.

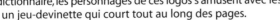

La Naissance de Vénus

les mots de la langue

Leur présentation est très simple, il te suffit de retenir les quelques explications de ce tableau pour utiliser ton dictionnaire facilement.

Les • introduisent les différentes catégories grammaticales du mot.

Ces numéros **1.** et **2.** indiquent que ces deux mots, qui s'écrivent et se prononcent de la même façon, sont deux mots différents.

La flèche → t'indique que tu dois aller regarder le mot **éclairer**.

→ conjug. T'indique que tu trouveras le modèle de conjugaison du verbe **plâtrer** au mot **aimer**

La phonétique [dekatl5] t'indique comment prononcer ce mot. Le tableau des signes phonétiques se trouve au mot **phonétique** page 815.

---

décapotable adj. et n. f.
• adj. Qui est équipé d'une capote qu'on peut ouvrir ou fermer. *S'acheter une voiture décapotable.*
• n. f. Voiture décapotable.

1. grêle n. f. Pluie qui tombe sous la forme de gouttes gelées. *La grêle a endommagé les cultures. Il grêle souvent en montagne,* il tombe de la grêle. *Des grêlons gros comme des billes,* des grains de glace qui tombent quand il grêle.

2. grêle adj. **1** Qui est long et mince et paraît fragile. *Une petite fille aux jambes grêles.* **2** Qui a un son aigu et faible. *Une voix grêle.* **3** *Intestin grêle :* partie la plus longue et la plus étroite de l'intestin.

éclairage n. m. → **éclairer.**

plâtrer v. → conjug. **aimer.** **1** Recouvrir, enduire de plâtre. *Plâtrer un mur, une fissure.* **2** Mettre un plâtre sur un membre fracturé. *On lui a plâtré le bras.*

plat, plate adj. et n. m.
• adj. **1** Qui n'a ni creux ni bosse. *Camper sur un terrain plat.* **2** Qui est peu profond. *Une assiette plate.* **3** Qui n'est pas très épais ou qui n'est pas très haut. *Des chaussures plates, à talons plats.* **4** Au figuré. Qui manque de caractère, d'originalité. *Ce roman est écrit dans un style plat et ennuyeux.* **5** *À plat :* à l'horizontale. *Il a posé son livre à plat sur le bureau.* **6** *À plat* dégonflé. *Un pneu à plat.* **7** *Être à plat :* être épuisé.
Synonymes : fade, insipide (4). Contraire : creux (2).

décathlon n. m. Compétition d'athlétisme qui comporte dix épreuves.
On prononce [dekatl5].

La ou les catégories grammaticales, adj. et n. f. , suivent toujours le mot.

Les mots **grêle** et **grêlons** sont des dérivés du nom **grêle**.

Les numéros *1*, *2* et *3* présentent les différents sens du mot **grêle**.

Tu trouveras en fin d'article, imprimées en vert, les remarques grammaticales, les particularités d'emploi et l'origine du mot.

Le numéro (*4*) te précise que **fade** et **insipide** sont les synonymes du quatrième sens de **plat**.
Le numéro (*2*) t'indique que **creux** est le contraire de son second sens.

---

les modèles de conjugaison

acquérir	16	créer	281	faire	433	payer	799	servir	984
aimer	30	croire	285	falloir	434	peindre	801	siéger	986
aller	39	croître	286	finir	447	plaindre	825	sortir	1002
assaillir	83	cueillir	291	fuir	474	plaire	826	suffire	1019
asseoir	88	cuire	292	gésir	492	pleuvoir	833	suivre	1021
avoir	107	déchoir	303	haïr	522	pourvoir	857	tracer	1064
battre	125	devoir	331	jeter	598	pouvoir	858	traire	1066
boire	140	digérer	334	joindre	599	prendre	863	vaincre	1084
bouillir	147	dire	337	lire	631	promener	875	valoir	1085
clore	228	dormir	346	mettre	687	ranger	899	venir	1091
conclure	246	écrire	366	modeler	699	recevoir	906	vêtir	1097
connaître	251	envoyer	397	modifier	701	répondre	925	vivre	1104
coudre	274	essuyer	410	moudre	716	résoudre	932	voir	1105
courir	277	être	417	mourir	717	rire	945	vouloir	1110
couvrir	279	faillir	432	mouvoir	719	savoir	973		

les abréviations

adj.	adjectif
adv.	adverbe
art.	article
conj.	conjonction
conjug.	conjugaison
f.	féminin
interj.	interjection
inv.	invariable
m.	masculin
n.	nom
pl.	pluriel
prép.	préposition
pron.	pronom
sing.	singulier
v.	verbe

les noms propres

Tous les noms propres font l'objet d'encadrés. Ces encadrés ont une couleur qui t'indique dans quel domaine tu te trouves : géographie (vert), histoire (jaune), art* (violet), sciences et techniques (orange).
Tu peux aussi te repérer grâce au héros de la lettre.

Sciences et techniques
Les scientifiques, les grands inventeurs, les découvreurs, leur vie et leurs travaux.

Musique
Les plus grands compositeurs, leur biographie et leurs principales œuvres.

Littérature
Les écrivains et les philosophes, leur vie, leurs œuvres. Les héros de la littérature.

Les biographies des peintres sont illustrées par une de leurs œuvres.

Les pays

Pour tous les États du monde, tu trouveras : le drapeau, la localisation sur le globe, la superficie, le nom des habitants et leur langue, la monnaie, la capitale, le régime politique et les principales informations économiques et historiques.

Histoire

De la préhistoire au XXIᵉ siècle, les personnages, les événements et les lieux de l'histoire.

Les préfectures
Toutes les préfectures françaises, leurs principales caractéristiques et les monuments qu'elles abritent.

Le nombre et le nom des habitants
Le code du département

Géographie
Les principaux sommets, fleuves, villes et sites géographiques du monde avec leurs particularités.

---

les aide-mémoire

Les principales règles de grammaire et les notions de base des mathématiques sont présentées à leur ordre alphabétique sur des petites pages de carnet.

---

le jeu

Chaque lettre de ce dictionnaire a son héros, d'Anatole à Zozo. Leurs aventures sont racontées en images, en haut de certaines pages. Sauras-tu reconstituer leur histoire ? Aide-toi du petit dessin qui se promène dans la page, il t'indique les mots qui constituent cette histoire imprimée en bleu. Si tu n'as pas trouvé, regarde la solution page 1117.

échevelé, ée adj. Qui a les cheveux en désordre. *À son réveil, Elvis est échevelé.*

les planches

Elles regroupent l'essentiel des programmes scolaires du primaire. Elles présentent aussi des sujets de culture… et de plaisir !

Aa

Mais qu'arrive-t-il à Anatole?

ANATOLE

a– préfixe. Indique la négation, l'absence. *Un bruit anormal est un bruit qui n'est pas normal.*

à prép. Introduit de nombreux compléments. *1* Le lieu. *Habiter à Marseille.* *2* Le temps. *Partir à 8 heures.* *3* Le moyen. *Se déplacer à bicyclette.* *4* La manière. *La pêche à la ligne.* *5* Le prix. *Des cerises à 4 euros le kilo.* *6* L'appartenance. *Ce disque est à moi.* *7* La destination. *Une machine à écrire.* *8* Introduit le complément d'un verbe transitif indirect ou d'un adjectif. *Ressembler à son père. Un livre facile à lire.*
Ne pas confondre «à» et «a» (sans accent), forme de la troisième personne du singulier du présent de l'indicatif du verbe avoir.
Suivi des articles «le» ou «les», «à» devient «au» ou «aux»: aller au marché, la chasse aux papillons.

abaisser v. → conjug. **aimer.** *1* Faire descendre à un niveau plus bas. *Ce ventilateur va permettre d'abaisser un peu la température.* *2* Au figuré. **S'abaisser:** Faire une chose humiliante, déshonorante. *Ne pas s'abaisser à répondre à une provocation.*
L'abaissement de cette manette permet l'ouverture de la porte, le fait de l'abaisser (*1*).

abandon n. m. *1* Action d'abandonner une personne ou un animal. *L'abandon d'un enfant est puni par la loi.* *2* Fait d'abandonner une activité. *Il y a eu plusieurs abandons pendant la course.* *3* À l'abandon: qui est laissé sans soin. *Ce jardin à l'abandon est couvert de ronces.*

abandonner v. → conjug. **aimer.** *1* Laisser une personne ou un animal et ne plus s'en occuper. *Elle a recueilli un petit chat qui avait été abandonné.* *2* Partir d'un lieu, le quitter. *Abandonner Paris pour aller vivre en province.* *3* Renoncer à poursuivre une activité. *Un sportif qui abandonne la compétition.*

abaque n. m. Tablette servant à faire des opérations arithmétiques.

Il y a 3 000 ans, les Babyloniens utilisent, pour calculer, de petits cailloux qu'ils disposent dans deux sillons tracés sur le sol, dans le bois ou la pierre. Un sillon représente les unités, l'autre les dizaines. Cette façon de calculer est ensuite perfectionnée par les Romains, sous la forme d'une tablette comprenant des rangées de pièces coulissantes. En Chine, un système similaire se développe dès le IXe siècle av. J.-C. Il arrive en France au XIXe siècle : c'est le boulier, un cadre comprenant des tiges métalliques où coulissent des billes.

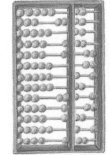

Abaque chinois.

abasourdir v. → conjug. **finir.** Étonner énormément. *On est abasourdi par la nouvelle de sa mort.*

abat-jour n. m. inv. Accessoire en tissu ou en papier qu'on fixe sur une lampe pour atténuer la lumière.

abats n. m. pl. Parties des animaux de boucherie telles que le foie, le cœur, le poumon, la cervelle, les tripes, etc. *Les abats sont vendus par le tripier.*

abattage n. m. → **abattre.**

abattant n. m. Partie d'un meuble qu'on peut lever ou abaisser. *Une table à abattant.*

abattre v. → conjug. **battre.** *1* Faire tomber par terre. *Abattre un mur, un arbre.* *2* Tuer quelqu'un avec une arme à feu. *Un gangster a été abattu par la police.* *3* Tuer un animal. *Abattre un troupeau malade.*

4 Décourager ou déprimer quelqu'un. *Il est profondément abattu par son échec.* **5** *S'abattre :* tomber brusquement sur quelque chose. *Un violent orage s'est abattu sur la région.*

> *L'abattage d'un arbre, d'un animal,* c'est l'action de les abattre (**1, 3**). *Il est dans un état d'abattement,* il est très abattu (**4**). *Un abattoir* est un bâtiment dans lequel on abat (**3**) les animaux de boucherie.

abbaye n. f. Bâtiment dans lequel des moines ou des religieuses vivent en communauté sous l'autorité d'un abbé ou d'une abbesse.
On prononce [abei].

abbé n. m. **1** Prêtre de la religion catholique. **2** *Père abbé :* Moine qui dirige une abbaye.
> *Une abbesse* dirige une abbaye de religieuses.

abc n. m. Ensemble des choses élémentaires qu'il faut savoir dans tel domaine. *Connaître l'alphabet est l'abc pour apprendre à lire.*
On prononce [abese].

abcès n. m. Accumulation de pus dans une partie du corps. *La gencive est enflée, il doit y avoir un abcès sous la dent.*

Abd el-Kader

Émir algérien né en 1808 et mort en 1883. En 1832, Abd el-Kader, qui se destinait à la religion, s'engage dans la lutte contre la colonisation de l'Algérie par les Français. Il prend la tête de la résistance armée. Ses victoires le rendent très populaire dans son pays. Les troupes françaises lui livrent alors une guerre sans merci et, en 1847, Abd el-Kader est contraint de se rendre.
Après cinq ans de détention en France, il s'installe à Damas et consacre le reste de sa vie à la méditation religieuse et à l'écriture.

abdiquer v. → conjug. **aimer.** Renoncer à quelque chose, en particulier au pouvoir. *Après sa défaite à Waterloo, Napoléon abdiqua.*
> *Le peuple apprit l'abdication du roi,* que le roi avait abdiqué.

abdomen n. m. Partie du corps qui renferme l'appareil digestif.
On prononce [abdɔmɛn]. **Synonyme : ventre.**
> *Une douleur abdominale* est une douleur dans l'abdomen. *Les abdominaux* sont les muscles de l'abdomen.

abeille n. f. Insecte volant qu'on élève dans une ruche. *Les abeilles produisent du miel et de la cire.*

Abel

Figure de la Bible reprise par le Coran, fils cadet d'Adam et Ève. Abel offre à Dieu son troupeau tandis que son frère aîné Caïn lui offre les fruits de sa récolte. Jaloux que Dieu ait préféré l'offrande d'Abel à la sienne, Caïn tue son frère.
***Regarde aussi* Caïn.**

aberrant, ante adj. Qui n'est pas raisonnable. *C'est aberrant de vouloir sortir se promener sous un tel orage !*
Synonymes : absurde, insensé.
> *Je ne veux pas écouter ces aberrations,* ces paroles aberrantes.

abêtir v. → conjug. **finir.** Rendre bête. *Ce feuilleton stupide abêtit les téléspectateurs.*

abîme n. m. Gouffre profond. *Ce géographe étudie les abîmes sous-marins.*

abîmer v. → conjug. **aimer.** Mettre en mauvais état, détériorer. *Sa montre est abîmée, elle ne marche plus.*

abject, ecte adj. Qui est méprisable et inspire le dégoût. *Un crime abject a été commis.*
Synonymes : ignoble, odieux.

abjurer v. → conjug. **aimer.** Renier sa religion. *Au XVIIe siècle, certains protestants ont dû abjurer le protestantisme pour échapper aux persécutions.*
> *Après son abjuration, Henri IV devint catholique,* après qu'il eut abjuré.

ablette n. f. Petit poisson d'eau douce au ventre argenté.

ablutions n. f. pl. *Faire ses ablutions :* faire sa toilette.

aboiement n. m. → **aboyer.**

abois n. m. pl. *Être aux abois :* être dans une situation qui ne laisse plus aucun espoir.

abolir v. → conjug. **finir.** Supprimer une loi ou une coutume. *En France, la peine de mort a été abolie.*
> *Aux États-Unis, l'abolition de l'esclavage date de 1865,* l'esclavage a été aboli en 1865.

abominable adj. **1** Qui inspire l'horreur, le dégoût. *Commettre un crime abominable.* **2** Qui est très désagréable. *Nous avons eu un temps abominable.*
Synonymes : affreux, horrible.
> *Un cadavre abominablement mutilé,* de façon abominable (**1**).

abondant, ante adj. Qui existe quelque part en très grande quantité. *Les illustrations sont abondantes dans ce livre.*

Il a neigé abondamment, les chutes de neige ont été abondantes. *Les agriculteurs se réjouissent de l'abondance des récoltes,* que les récoltes soient abondantes. *Les poissons abondent dans cette rivière,* ils sont très abondants.

abonner v. → conjug. **aimer.** Payer par avance pour recevoir un journal à son domicile ou pour bénéficier d'un service comme le téléphone. *S'abonner à une revue d'équitation.*

L'abonnement à une revue, c'est le fait d'y être abonné. *Un journal qui a de nombreux abonnés :* des personnes ayant un abonnement.

abord n. m. *1* Manière dont une personne entre en contact avec les autres, se laisse plus ou moins facilement aborder. *Il n'est pas d'un abord très facile, il m'intimide un peu.* *2* Au pluriel. Les environs immédiats. *Les embouteillages du dimanche soir aux abords de Paris.* **Regarde aussi** d'abord.

abordable adj. D'un prix raisonnable. *Le prix d'un ordinateur a baissé, il commence à être abordable.* **Contraires : inabordable, cher.**

abordage n. m. Action de se mettre bord à bord avec un navire pour s'en rendre maître. *À l'abordage !*

aborder v. → conjug. **aimer.** *1* Arriver au rivage, pour un bateau. *2* Arriver à un endroit difficile ou dangereux. *Aborder un sommet par la face nord.* *3* S'approcher de quelqu'un pour lui parler. *4* Commencer à parler d'un sujet. *Aborder un problème délicat.* **Synonyme : accoster (*1*) et (*3*).**

aborigène adj. et n. Qui habite un pays depuis ses origines. *Des populations aborigènes. Les Aborigènes d'Australie.*

aboutir v. → conjug. **finir.** *1* Se terminer quelque part. *Chemin qui s'arrête net, qui n'aboutit nulle part.* *2* Au figuré. Avoir pour résultat. *Discussions qui n'aboutissent à rien. L'enquête est sur le point d'aboutir.*

L'aboutissement d'une recherche, c'est la manière dont elle aboutit, c'est le résultat.

aboyer v. → conjug. **essuyer.** Pousser son cri, quand il s'agit du chien.

Les aboiements du chien m'ont réveillé.

abracadabrant, ante adj. Extravagant, invraisemblable. *Inventer une histoire abracadabrante.*

Abraham

Personnage de la Bible, considéré par les religions juive, chrétienne et musulmane comme le père des croyants au Dieu unique. Abraham est le père d'Isaac, ancêtre du peuple juif, et d'Ismaël, ancêtre du peuple arabe. Dieu lui offre, ainsi qu'à sa descendance, le pays de Canaan, l'actuelle Palestine (c'est la Terre promise). Abraham s'y rend avec sa femme Sara, depuis la ville d'Ur, en Mésopotamie. Pour mettre sa foi à l'épreuve, Dieu lui demande de sacrifier Isaac. Constatant qu'Abraham s'apprête à lui obéir, Dieu sauve Isaac au dernier moment.

Regarde aussi Isaac.

abrasif, ive adj. et n. m. Se dit d'une matière qui nettoie ou polit par frottement. *Une poudre abrasive. Le papier de verre est un abrasif.*

abréger v. → conjug. **siéger.** Rendre bref, réduire. *Abréger un texte trop long.* **Synonymes : raccourcir, résumer.**

Écrire un mot en abrégé, en l'abrégeant.

s'abreuver v. → conjug. **aimer.** Boire, quand il s'agit d'un animal.

Un abreuvoir est un bac ou un endroit où les animaux peuvent s'abreuver.

abréviation n. f. Mot en abrégé, dont on n'a gardé que la première lettre ou quelques lettres seulement. *Gym est l'abréviation de gymnastique.*

abri n. m. *1* Endroit qui protège contre un danger ou contre les intempéries.

Abou-Simbel

Site archéologique d'Égypte, au bord du Nil. Abou-Simbel comporte deux temples édifiés au XIIIᵉ siècle. av. J.-C. à l'initiative du pharaon Ramsès II : le temple du pharaon et celui de son épouse Néfertari.
Le temple du pharaon est dédié à plusieurs dieux, dont Amon. À l'entrée, quatre colosses taillés dans le grès de la montagne représentent Ramsès II. Le temple de la reine, plus petit, est dédié à la déesse Hathor.
Plus de 3 000 ans après la construction des temples d'Abou-Simbel, la mise en place du barrage d'Assouan menace le site d'inondation : en 1964, les deux

L'entrée du temple de Ramsès II telle qu'elle devait être à l'origine.

temples sont découpés en gros blocs et reconstruits 64 m plus haut, à l'abri des eaux du Nil.

Des abris antiatomiques. **2** À l'abri : en sécurité, hors d'atteinte. *Se mettre à l'abri de la pluie.*

S'abriter du vent, se mettre à l'abri. *Un Abribus,* c'est un arrêt d'autobus où l'on peut s'abriter.

Le mot « Abribus » s'écrit avec une majuscule car c'est le nom d'une marque.

abricot n. m. Fruit à gros noyau, à la chair et à la peau jaune orangé.

L'abricotier, c'est l'arbre qui produit les abricots.

s'abriter v. → **abri.**

abroger v. → conjug. **ranger.** Annuler une loi, un décret.
Synonyme : abolir.

L'abrogation de la peine de mort, c'est le fait de l'abroger.

abrupt, upte adj. **1** Très raide, escarpé. *Un sentier abrupt.* **2** Au figuré. Brutal, sans ménagement. *Répondre de façon abrupte.*

abruti, ie n. Familier. Personne stupide. *Espèce d'abruti !*

abrutir v. → conjug. **finir.** Diminuer la faculté de penser, de réagir. *Trop regarder la télévision abrutit.*

Ce bruit est abrutissant, il abrutit. *Son abrutissement est dû à la fatigue :* le fait qu'il soit abruti.

abscisse n. f. Une des coordonnées servant à représenter la position d'un point dans un plan.

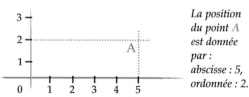

La position du point A est donnée par : abscisse : 5, ordonnée : 2.

absence n. f. **1** Fait d'être absent. *Les absences trop fréquentes d'un élève.* **2** Manque. *Il fait preuve d'une totale absence d'humour.* **3** Moment de distraction ou trou de mémoire. *Avoir des absences à la suite d'un accident.*
Contraire : présence (**1**) et (**2**).

absent, e adj. **1** Qui n'est pas là. *La maîtresse sera absente demain.* **2** Au figuré. Qui n'est pas attentif à ce qui l'entoure, distrait. *Depuis ce matin, tu as l'air complètement absent !*

Il s'est absenté quelques instants, il était absent.

abside n. f. Partie d'une église située derrière le chœur, généralement en forme de demi-cercle.

absolu, ue adj. Complet, total. *Avoir une confiance absolue en un ami.*
Contraire : relatif.

Rester absolument sans bouger, de façon absolue, totalement.

absolutisme n. m. Régime politique dans lequel tous les pouvoirs sont détenus par une seule et même personne.

Instauré par le roi Henri IV puis par Louis XIII et son ministre Richelieu, l'absolutisme, ou monarchie absolue, atteint sa forme la plus extrême sous le règne de Louis XIV.
Convaincu de détenir son autorité de Dieu, le Roi-Soleil, qui déclare « L'État, c'est moi », exerce pendant 54 ans, de 1661 à 1715, un pouvoir sans partage. Il s'entoure de ministres dévoués et efficaces mais prend les décisions importantes et gouverne sans premier ministre.

absorbant, ante adj. **1** Qui absorbe. *Papier absorbant.* **2** Au figuré. Qui occupe entièrement l'esprit. *Un travail absorbant.*
Synonyme : accaparant (**2**).

absorber v. → conjug. **aimer.** **1** Laisser pénétrer et retenir un liquide. *La terre sèche absorbe l'eau.* **2** Boire ou manger. *Il n'a rien absorbé d'autre que de l'eau aujourd'hui.* **3** Au figuré. Occuper entièrement. *Être absorbé dans sa lecture.*
Synonymes : s'imprégner de (**1**), accaparer (**3**).

s'abstenir v. → conjug. **venir.** **1** Éviter de faire quelque chose. *Merci de vous abstenir de fumer.* **2** Ne pas voter.

Il y a 50 % d'abstentions, la moitié des électeurs se sont abstenus (**2**). *S'il y a trop d'abstentionnistes, il faudra recommencer le vote,* s'il y a trop de gens qui s'abstiennent.

abstraction n. f. *Faire abstraction de quelque chose :* ne pas en tenir compte. *Essaie de faire abstraction de tes problèmes !*

abstrait, aite adj. Qui représente non quelque chose de réel, de concret, mais des idées conçues par l'esprit. *Le bonheur, la liberté sont des notions abstraites.*
Contraire : concret.

L'art abstrait est une forme d'art née vers 1910. Les artistes qui appartiennent à ce mouvement ne cherchent plus à reproduire le monde réel, les objets ou les personnes.
Regarde page ci-contre.

absurde adj. Qui est contraire au bon sens, à la raison. *C'est absurde de partir maintenant, alors que l'orage vient d'éclater.*
Synonymes : aberrant, insensé, stupide.

C'est une absurdité de signer un document avant de l'avoir lu, c'est une action absurde.

L'art abstrait ne cherche pas à reproduire ce qui existe réellement. Cette forme d'art s'oppose à l'art figuratif, qui est une évocation plus ou moins ressemblante de la réalité.

■ L'artiste abstrait donne libre cours à son imagination. Il recherche la beauté à travers le mariage des formes et des couleurs lorsqu'il est peintre ou à travers l'utilisation de nouveaux matériaux lorsqu'il est sculpteur.

L'Oiseau, *sculpture en métal poli (1940).* **Constantin Brancusi** *(1876-1957) crée un langage nouveau, éloigné du figuratif par la pureté de la ligne et l'élan de la forme.*

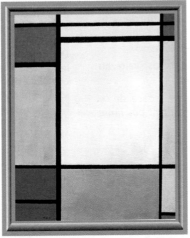

Composition I *(1931).* **Piet Mondrian** *(1872-1944) joue un rôle important dans la diffusion d'un art abstrait à structure géométrique.*

Lignes angulaires *(1930).* **Vassili Kandinsky** *(1866-1944) est l'un des fondateurs de l'art abstrait.*

Contemporain-Vega-Pâl *(1969).* **Victor Vasarely** *(1908-1997), dans cette composition à structure géométrique, donne une impression d'expansion et de relief.*

Sentiers ondulés *(1942).* **Jackson Pollock** *(1912-1956). L'enchevêtrement des lignes exprime le dynamisme et la violence, toujours présents dans son œuvre.*

Portrait de madame P. dans le Sud *(1939).* **Paul Klee** *(1879-1940), pour réaliser ce portrait, « s'amuse » en n'utilisant que des formes géométriques, quadrilatères, cercles.*

Le peintre russe Kazimir **Malevitch (1878-1935)** atteint l'abstraction absolue avec son tableau monochrome, (c'est-à-dire d'une seule couleur) : *Carré blanc sur fond blanc.*

abuser v. → conjug. **aimer.** Consommer avec excès quelque chose, ou profiter de quelque chose avec exagération. *Si tu abuses du chocolat, tu vas être malade. Abuser de la générosité de quelqu'un.*

L'*abus* d'alcool est très dangereux, le fait d'en abuser. L'usage *abusif* de ce médicament est nuisible à la santé, un usage qui constitue un abus, qui dépasse les limites fixées. *Profiter* **abusivement** *d'une situation,* c'est en profiter de façon abusive.

abyssin n. m. Chat d'une race au corps svelte, au pelage fauve et aux oreilles pointues.

acabit n. m. *De cet acabit :* de cette espèce, de ce genre. *Des gens de cet acabit ne méritent pas notre confiance.*

On prononce [akabi].

acacia n. m. Arbre épineux.

L'acacia de nos régions est appelé robinier par les botanistes. Ses fleurs blanches en grappes odorantes font d'excellents beignets et donnent son goût particulier au miel d'acacia.

académie n. f. *1* Société qui réunit des écrivains, des savants ou des artistes. *2* Division administrative qui regroupe tous les établissements scolaires d'une région, sous la direction d'un recteur. *Les dates de vacances varient selon les académies.*

Une réunion d'*académiciens*, de membres d'une académie (*1*).

Académie française

Institution fondée en 1634 par Richelieu, ministre de Louis XIII. L'Académie française est la gardienne de la langue française.

Les 40 académiciens qui la composent sont chargés de la rédaction d'un dictionnaire et de sa mise à jour en fonction de l'évolution de la langue.

Huit éditions sont parues depuis 1694 ; les académiciens travaillent à la neuvième depuis 1986.

En 1933, l'Académie a aussi publié une grammaire. Lors de sa nomination, chaque académicien reçoit un habit vert, un chapeau appelé bicorne, une cape et une épée.

Il prononce un discours de réception qui est un hommage à son prédécesseur.

Élu à vie, il est appelé « immortel ».

---

acajou n. m. Bois rouge-brun utilisé pour faire des meubles. *Un bureau en acajou.*

acariâtre adj. Qui a un caractère désagréable, hargneux. *Ce vieil homme acariâtre n'est pas sympathique.*

acarien n. m. Minuscule animal appartenant au même groupe que les araignées.

Certains acariens sont parasites des plantes et des animaux, auxquels ils peuvent transmettre des maladies. D'autres vivent dans l'eau, le sol, les matelas, les moquettes… Les acariens de la poussière sont responsables, chez l'homme, d'allergies comme l'asthme. En montagne, ils disparaissent au-dessus de 1 400 m d'altitude.

Acarien velouté, que l'on trouve dans les jardins, grossi 40 fois.

accabler v. → conjug. **aimer.** Faire supporter à quelqu'un un travail trop fatigant ou une chose trop pénible. *Ces élèves sont accablés de travail. Il fait 40 degrés, nous sommes accablés de chaleur.*

La chaleur est *accablante*, la chaleur nous accable. Il est dans un état d'*accablement* depuis la mort de sa fille, dans l'état d'un homme accablé.

accalmie n. f. Calme momentané après une tempête ou un orage. *Les pêcheurs attendent une accalmie pour sortir leurs bateaux.*

accaparer v. → conjug. **aimer.** Garder pour soi tout seul, au détriment des autres. *N'accapare pas la parole et laisse un peu les autres s'exprimer.*

accéder v. → conjug. **digérer.** *1* Atteindre un lieu. *Ce chemin permet d'accéder à la plage. 2* Au figuré. Parvenir à une fonction, à une situation. *Il a accédé au poste de directeur.*

Ranger ses livres dans un endroit *accessible*, un endroit auquel on peut facilement accéder (*1*). Son *accession* au pouvoir est contestée, le fait qu'il ait accédé (*2*) au pouvoir.

accélérer v. → conjug. **digérer.** *1* Augmenter la vitesse d'un véhicule. *Accélérer pour doubler un camion. 2* Faire aller plus rapidement. *Il faut accélérer les travaux.*

Contraires : freiner (*1*), ralentir.

Appuie sur l'*accélérateur*, sur la pédale qui sert à accélérer (*1*). *Quand on court, l'accélération du pouls est une chose normale,* le fait que le pouls s'accélère (*2*) est normal.

accent n. m. *1* Signe placé au-dessus de certaines voyelles et qui peut en modifier la prononciation. *2* Manière de prononcer particulière aux habitants d'une région ou d'un pays. *Les gens n'ont pas le même accent en Bourgogne et dans le Midi. 3* Mettre l'accent sur quelque chose : insister sur quelque chose.

LES ACCENTS

Les accents sont des signes auxiliaires apparus au cours de l'évolution de l'écriture du français.
Les principaux accents : **l'accent aigu, l'accent grave, l'accent circonflexe**, ne sont utilisés dans l'écriture qu'à partir de 1530 par l'imprimeur Robert Estienne et le médecin Jacobus Sylvius. Ils remplacent alors certaines lettres : eschole (école) ; fidelle (fidèle) ; hospital (hôpital) ; feste (fête) ; estre (être) ; secrette (secrète)…

● **l'accent aigu** est le plus utilisé : le café, la sévérité…

● **l'accent grave** se rencontre surtout avant une syllabe muette : mère, crème…

● **l'accent circonflexe** remplace souvent un «s» disparu : tête (teste), côte (coste)…

❖ On trouve aussi, sur certaines voyelles, le **tréma**. Il oblige à séparer deux voyelles dans la prononciation : le caïman, naïf…

accentuer v. → conjug. **aimer.** *1* Mettre un accent sur une voyelle. *N'oublie pas d'accentuer la préposition «à».* *2* S'accentuer : augmenter, devenir plus important. *Avec la crise économique, le nombre des chômeurs s'est accentué.*
   On déplore l'accentuation de la hausse des prix, le fait que la hausse des prix s'accentue (*2*).

accepter v. → conjug. **aimer.** *1* Vouloir bien prendre ce qui est offert. *Accepte ces fleurs, je les ai cueillies pour toi.* *2* Consentir à faire quelque chose. *Accepterais-tu de m'accompagner ?* *3* Accueillir, admettre quelqu'un au sein d'un groupe. *Ce nouvel élève a été bien accepté dans la classe.*
Contraire : refuser (*1*) et (*2*).
   Cette proposition n'est pas acceptable, on ne peut pas l'accepter (*1*). *Sous réserve de son acceptation dans le club,* sous réserve qu'il soit accepté (*3*) dans le club.

accès n. m. *1* Voie qui permet d'accéder quelque part. *Ce chemin est un des accès qui mènent à la plage.* *2* Brusque manifestation d'une maladie ou d'un sentiment. *Un accès de fièvre, de colère.*

accessible adj., **accession** n. f. → accéder.

accessoire adj. et n. m.
● adj. Qui n'est pas important, pas indispensable. *Ce n'est qu'un problème accessoire.*
Synonyme : secondaire. Contraire : essentiel.
● n. m. Élément qui complète de façon utile un équipement, sans être indispensable. *Il a acheté des accessoires pour sa voiture : des enjoliveurs et un autoradio.*

Prendre un manteau et accessoirement un parapluie, de façon accessoire.

accident n. m. Événement malheureux qui arrive de façon imprévue. *Il y a eu un accident sur l'autoroute, un camion a percuté une voiture.*
   Sa mort est accidentelle, elle est due à un accident. *Mourir accidentellement,* par accident.

accidenté, ée adj. et n.
● adj. Qui comporte des creux, des bosses ou de fortes pentes. *Le moto-cross se pratique sur des circuits accidentés.*
● adj. et n. Qui a été victime d'un accident. *Une voiture accidentée. Les accidentés de la route.*

accidentel adj., **accidentellement** adv. → accident.

acclamer v. → conjug. **aimer.** Accueillir quelqu'un ou quelque chose avec des cris enthousiastes. *Après le match de football, les champions ont été acclamés par la foule.*
   Les acclamations du public, les cris de joie poussés pour acclamer.

acclimater v. → conjug. **aimer.** Adapter à un nouveau climat ou à un nouveau milieu. *Cette plante tropicale n'a pas pu s'acclimater aux pays froids.*
   Aller au jardin d'acclimatation, aller dans un zoo où l'on peut voir des animaux de pays lointains qui ont été acclimatés.

accolade n. f. *1* Signe qui sert à réunir plusieurs lignes ({). *2 Donner l'accolade à quelqu'un :* le prendre dans ses bras pour le saluer ou le féliciter.

accommodant, ante adj. Qui est d'une humeur facile et avec qui il est facile de s'entendre.

accommodement n. m. Accord ou arrangement. *Trouver un accommodement pour réconcilier deux personnes.*

accommoder v. → conjug. **aimer.** *1* Préparer un aliment pour le manger. *Accommoder un lapin avec des carottes et du vin blanc. 2 S'accommoder de quelque chose :* s'en contenter. *S'accommoder des restes.*

accompagner v. → conjug. **aimer.** *1* Aller avec quelqu'un quelque part, pour lui tenir compagnie ou lui servir de guide. *Accompagner ses enfants à l'école. 2* Jouer d'un instrument de musique pour soutenir quelqu'un qui chante. *Un pianiste et un guitariste accompagnent la chanteuse.*
   Les enfants partiront avec un accompagnateur, une personne qui les accompagnera (*1*). *Chanter sans accompagnement,* sans musicien qui accompagne (*2*).

a
b
c
d
e
f
g
h
i
j
k
l
m
n
o
p
q
r
s
t
u
v
w
x
y
z

accompli, ie adj. *1* Qui est très bon dans sa matière. *C'est un musicien accompli. 2 Un fait accompli :* une situation à laquelle on ne peut rien changer. *Il l'a mise devant le fait accompli, elle n'a rien pu dire.*

accomplir v. → conjug. **finir.** *1* Faire quelque chose entièrement, jusqu'au bout. *Ils ont accompli leur mission. 2 S'accomplir :* se réaliser. *Son rêve s'est accompli.*

> *L'accomplissement de ses vœux,* c'est le fait que ses vœux se soient accomplis.

accord n. m. *1* Entente ou arrangement entre des personnes. *Signer un accord de paix. 2* Autorisation, consentement. *Demander l'accord de ses parents pour pouvoir sortir. 3* Ensemble de notes qu'on joue en même temps sur un instrument de musique. *Jouer quelques accords d'un morceau de piano. 4* Fait de s'accorder, pour les mots d'une phrase. *L'accord du participe passé.*
Regarde aussi d'accord.

accordéon n. m. Instrument de musique muni de touches et comportant un soufflet.

> *Un accordéoniste* est un musicien qui joue de l'accordéon.

accorder v. → conjug. **aimer.** *1* Accepter de donner quelque chose à quelqu'un. *On lui a accordé une semaine de repos. 2* Régler un instrument de musique. *Il accorde sa guitare. 3 S'accorder :* être d'accord avec quelqu'un. *Ils s'accordent à trouver ce film trop long. 4* Mettre un mot au même genre et au même nombre qu'un autre mot. *L'adjectif s'accorde en genre et en nombre avec le nom, le verbe s'accorde avec le sujet.*

accoster v. → conjug. **aimer.** *1* Se ranger le long d'un quai. *Le bateau d'Anatole vient d'accoster, il s'apprête à débarquer. 2* Aborder quelqu'un pour lui parler. *Accoster un passant pour avoir un renseignement.*

> *L'accostage d'un bateau,* c'est le fait d'accoster (*2*).

accotement n. m. Bord d'une route. *Se garer sur l'accotement pour changer une roue crevée.*

accoucher v. → conjug. **aimer.** Donner naissance à un bébé. *Elle est enceinte de huit mois et doit accoucher le mois prochain.*

> *Le papa a assisté à l'accouchement,* au moment où la maman a accouché. *L'accoucheur* est un médecin spécialiste des accouchements.

s'accouder v. → conjug. **aimer.** S'appuyer sur ses coudes. *S'accouder à la fenêtre.*

> *Les accoudoirs du fauteuil sont cassés,* les parties du fauteuil sur lesquelles on s'accoude.

s'accoupler v. → conjug. **aimer.**
S'unir pour se reproduire quand il s'agit des animaux.

> *L'accouplement d'un mâle et d'une femelle,* c'est le fait qu'un mâle et une femelle s'accouplent.

accourir v. → conjug. **courir.** Arriver en courant. *Ils sont accourus à son secours.*

s'accoutrer v. → conjug. **aimer.** S'habiller d'une manière bizarre. *S'accoutrer de vieilles nippes pour le carnaval.*

> *Qu'est-ce que c'est que cet accoutrement ?* cette façon de t'accoutrer ?

accoutumer v. → conjug. **aimer.** Habituer. *Il a du mal à s'accoutumer à la chaleur.*

> *Une période d'accoutumance à l'altitude,* c'est une période pendant laquelle on s'y accoutume.

accroc n. m. Déchirure faite à un vêtement. *En descendant de l'arbre, elle a fait un accroc à sa robe.*
On prononce [akro].

accrochage n. m. *1* Action d'accrocher quelque chose. *Le peintre a fait lui-même l'accrochage de ses tableaux. 2* Accident sans gravité entre deux véhicules.

accrocher v. → conjug. **aimer.** *1* Suspendre quelque chose à un crochet. *Accrocher un miroir, un tableau. 2* Heurter légèrement un véhicule. *Accrocher un cycliste et une voiture en doublant. 3 S'accrocher :* se cramponner fermement à quelque chose. *Emporté par le torrent, il a pu être sauvé en s'accrochant aux branches d'un arbre.*

accroître v. → conjug. **croître.** Rendre plus grand ou plus important. *Ces engrais permettent d'accroître la production.*
Synonyme : augmenter. Contraire : diminuer.

> *Redouter un accroissement du chômage,* c'est redouter que le chômage ne s'accroisse.

s'accroupir v. → conjug. **finir.** Plier ses genoux pour s'asseoir sur ses talons. *Les enfants se sont accroupis pour observer les fourmis.*

accu n. m. Synonyme familier d'accumulateur.

accueillir v. → conjug. **cueillir.** Recevoir quelqu'un à son arrivée quelque part. *Nos amis nous ont accueillis plusieurs jours. Aller accueillir quelqu'un à l'aéroport.*

> *L'accueil des visiteurs,* c'est le fait de les accueillir. *Des gens accueillants* sont des gens qui accueillent bien, qui sont hospitaliers.

acculer v. → conjug. **aimer.** Placer quelqu'un dans une situation fâcheuse à laquelle il ne peut plus échapper. *Les supermarchés ont acculé beaucoup de petits commerçants à la faillite.*

accumuler v.→ conjug. **aimer.** Réunir une grande quantité de choses, amasser, entasser. *Il a accumulé de vieux vêtements dans son placard.*

Un *accumulateur* est un appareil qui accumule de l'électricité et la transforme en courant électrique. *Une* *accumulation* *d'indices,* des indices qui se sont accumulés.

accuser v. → conjug. **aimer.** *1* Dire qu'une personne est coupable, qu'elle a fait quelque chose de mal. *On l'a accusé d'avoir déchiré le livre de sa sœur.* *2* Rendre plus évident, faire ressortir. *Ce pull-over noir accuse la blancheur de son visage.* *3* Accuser réception d'une lettre, d'un paquet, signaler qu'on l'a bien reçu.

Ces *accusations* sont graves, ces mots qui accusent. *Les* *accusés* *ont été condamnés à la prison pour vol,* les personnes qu'on accusait (*1*). *Prononcer des paroles* *accusatrices,* des paroles qui accusent (*1*).

acéré, ée adj. Pointu et coupant. *Les griffes acérées de l'aigle.*

achalandé, ée adj. Où les clients ont le choix entre de nombreuses marchandises. *Un magasin bien achalandé.*

s'acharner v. → conjug. **aimer.** Faire des efforts obstinés pour réaliser quelque chose. *S'acharner à trouver la solution d'un problème.*

Remporter une victoire après un combat *acharné,* un combat dans lequel les adversaires s'acharnent. *Notre équipe a joué avec* *acharnement,* en s'acharnant.

achat n. m. *1* Action d'acheter. *Faire l'achat d'un nouvel ordinateur.* *2* Ce que l'on a acheté. *Payer ses achats par chèque.*

acheminer v. → conjug. **aimer.** Transporter des choses à l'endroit où on attend leur livraison. *Acheminer des médicaments, de la nourriture par avion.*

L'*acheminement* du courrier, la manière de l'acheminer.

acheter v. → conjug. **modeler.** Donner une certaine somme d'argent pour avoir quelque chose. *Elle a acheté un cadeau d'anniversaire pour son petit frère.*

Il y a beaucoup d'*acheteurs* et d'*acheteuses dans le grand magasin,* des personnes qui achètent.

achever v. → conjug. **promener.** Finir entièrement. *Les élèves achèvent la décoration de l'école avant la kermesse.*

Synonyme : terminer. Contraire : commencer.

Le magasin sera ouvert après l'*achèvement* des travaux, quand les travaux seront achevés.

Achille

Personnage de la mythologie grecque, héros de la guerre de Troie. Son histoire est racontée par le poète Homère dans *l'Iliade*. Achille est le fils de la nymphe Thétis. À sa naissance, celle-ci le trempe dans le Styx, le fleuve des enfers, dont les eaux rendent invulnérable. Seul le talon par lequel elle le tient n'est pas touché par l'eau magique. Vainqueur de nombreux combats pendant le siège de Troie, Achille semble invincible, mais il meurt à cause d'une flèche, décochée par Pâris, qui le touche au talon. Depuis, le « talon d'Achille » désigne le point faible de quelqu'un.

acide adj. et n. m.

• adj. Qui a un goût piquant. *Il y a trop de vinaigre dans cette sauce, elle est acide.*

• n. m. Produit chimique qui transforme ou détruit certains matériaux.

L'*acidité* du jus de citron, son goût acide. *Un paquet de bonbons* *acidulés,* au goût un peu acide.

acier n. m. Métal très dur composé de fer et de carbone. *L'acier sert à fabriquer des lames de couteau, des rails, des câbles.*

Une *aciérie* est une usine où l'on fabrique de l'acier.

acné n. f. Maladie de la peau dans laquelle des petits boutons se forment surtout sur le visage.

acolyte n. m. Personne qui accompagne toujours quelqu'un ou qui est son complice.

acompte n. m. Somme d'argent que l'on verse d'avance sur le prix total. *Pour ce téléviseur qui coûte 1 000 euros, il a versé 200 euros d'acompte.* Synonyme : avance.

Aconcagua

Sommet le plus haut du continent américain (6 959 m). Situé dans la cordillère des Andes, en Argentine (près de la frontière avec le Chili), l'Aconcagua est un volcan éteint. Sa première ascension a été réalisée par le Suisse Mathias Zurbriggen, en 1897.

aconit n. m. Plante vénéneuse qui pousse dans les montagnes d'Europe et d'Asie centrale.

Açores

Archipel portugais de l'Atlantique, situé à 1 500 km au large du Portugal. Les Açores sont constituées de neuf îles volcaniques dont le plus haut sommet est un volcan en activité, le Pico Alto (2 351 m). Le climat est doux et humide grâce à la présence de l'anticyclone des Açores. Lorsqu'il atteint l'Europe, cet anticyclone apporte du beau temps. Les 253 000 habitants de l'archipel (les Açoréens) vivent du tourisme, de la pêche, de l'élevage et de l'agriculture. L'archipel appartient au Portugal depuis 1432 (sauf entre 1580 et 1640, où il est occupé par l'Espagne). Il sert souvent d'escale aux bateaux européens qui naviguent vers l'Amérique.

à-côté n. m. **Plur. : des à-côtés.** Ce qui n'est pas essentiel. *Ne pas s'occuper des à-côtés du problème.*

à-coup n. m. **Plur. : des à-coups.** *1* Secousse qui se produit de façon irrégulière dans le fonctionnement d'une machine. *2 Par à-coups,* de manière irrégulière. *Un élève qui ne travaille que par à-coups.*

acoustique n. f. Qualité des sons que l'on entend dans un endroit. *La mauvaise acoustique d'un théâtre.*

acquérir v. *1* Acheter. *Il a acquis un terrain pour sa villa. 2* Obtenir quelque chose grâce à des recherches. *La police a acquis la preuve de son innocence.*

Trouver un acquéreur pour sa voiture, quelqu'un qui l'acquiert (*1*), un acheteur.

acquiescer v. → conjug. **tracer.** Dire ou faire comprendre qu'on est d'accord. *Acquiescer d'un signe de tête.*
Synonyme : approuver.
Il a donné son acquiescement, il a acquiescé.

acquisition n. f. *1* Action d'acquérir. *Faire l'acquisition d'une maison. 2* Ce que l'on a acquis. *Montre-moi tes acquisitions.*
Synonyme : achat.

acquit n. m. *Par acquit de conscience :* pour être sûr d'avoir pris toutes les précautions et de n'avoir rien à se reprocher.

acquitter v. → conjug. **aimer.** Déclarer qu'une personne est innocente. *Le jury a acquitté l'accusé.*
Contraire : condamner.
L'avocat a obtenu l'acquittement de son client, que son client soit acquitté.

âcre adj. Qui est irritant, piquant. *Cette fumée âcre fait mal à la gorge.*
L'âcreté de ce fruit trop vert me brûle la langue, son goût âcre.

acrobate n. m. Artiste qui fait des exercices périlleux d'équilibre ou de voltige. *Les trapézistes, les équilibristes sont des acrobates.*
Les clowns font des acrobaties, ils font des tours d'acrobate. *Les cavaliers exécutent des pirouettes acrobatiques,* des acrobaties.

acropole n. f. Partie haute fortifiée des anciennes cités grecques.

La conjugaison du verbe
ACQUÉRIR 3ᵉ groupe

indicatif présent	**j'acquiers,**
	il ou elle acquiert,
	nous acquérons,
	ils ou elles acquièrent
imparfait	**j'acquérais**
futur	**j'acquerrai**
passé simple	**j'acquis**
subjonctif présent	**que j'acquière**
conditionnel présent	**j'acquerrais**
impératif	**acquiers, acquérons,**
	acquérez
participe présent	**acquérant**
participe passé	**acquis**

Acropole

Citadelle située sur un rocher dominant la ville grecque d'Athènes. Au vᵉ siècle av. J.-C., Périclès y fait construire plusieurs temples. Le plus grand et le plus célèbre est le Parthénon, dédié à la déesse Athéna. L'Érechtéion est, lui, dédié à Athéna et au dieu Poséidon. Il est admiré pour la beauté des statues qui soutiennent son porche, les caryatides. L'accès à l'Acropole se fait par une entrée monumentale, les Propylées.

acrylique adj. et n. m.
● adj. Qui est fait à partir de certains produits chimiques. *Une peinture acrylique.*
● n. m. Tissu synthétique. *Une jupe en acrylique.*

acte n. m. *1* Ce que fait une personne. *Accomplir un acte de bravoure.* *2* Texte écrit qui établit la légalité d'un fait. *Un acte de naissance, de mariage, de décès.* *3* Chaque partie d'une pièce de théâtre. *Une comédie en cinq actes.*

acteur, trice n. Personne qui interprète un rôle, au cinéma ou au théâtre. *Cet acteur a beaucoup de talent.*
Synonyme : comédien.

actif, ive adj. *1* Qui est dynamique, énergique, qui fait beaucoup de choses. *Il est bien trop actif pour avoir le temps de s'ennuyer.* *2* Qui agit efficacement. *Ces cachets sont très actifs contre la migraine.*
  Rechercher **activement** les coupables, c'est les rechercher de manière active, énergique (*1*).

action n. f. *1* Ce que fait quelqu'un qui agit. *Sauver un enfant de la noyade, c'est une action courageuse.* *2* Effet produit par quelque chose. *Le lac a gelé sous l'action du froid.* *3* Déroulement des événements dans un livre, un film, etc. *Dans cette scène, l'action se passe au Maroc.* *4* Part du capital d'une société qu'une personne peut acheter. *Acheter des actions à la Bourse.*
  Les **actionnaires** sont les gens qui possèdent les actions (*4*).

actionner v. → conjug. **aimer.** Faire fonctionner un mécanisme, le mettre en marche. *En cas d'incendie, les pompiers actionnent la sirène.*

activement adv. → **actif.**

activer v. → conjug. **aimer.** *1* Rendre plus rapide, accélérer. *Il faudrait activer les travaux pour finir avant l'hiver.* *2* Rendre plus fort, plus vif. *Le vent a activé le feu.* *3* S'activer : se dépêcher, s'affairer. *Toute la classe s'active pour préparer la fête de l'école.*

activité n. f. *1* Fait d'être actif, dynamique. *Malgré son âge, il déborde d'activité.* *2* Façon de s'occuper, de passer son temps. *En vacances, ses principales activités sont le vélo et la natation.* *3* Animation qui règne quelque part. *Les jours de fête, il y a une grande activité dans le village.*

actualiser v. → conjug. **aimer.** Rendre quelque chose plus actuel, en l'adaptant à l'époque présente. *Ce vieux manuel est dépassé, il a vraiment besoin d'être actualisé.*

actualité n. f. *1* Ce qui se passe actuellement dans le monde. *Il achète chaque jour le journal pour être au courant de l'actualité.* *2* Au pluriel. Présentation, à la télévision, des événements qui se passent actuellement.

actuel, elle adj. *1* Qui existe dans le présent, à cet instant. *La situation économique actuelle n'est pas très bonne.* *2* Qui correspond bien à notre époque. *Le sujet de ce vieux film reste très actuel.*

actuellement adv. En ce moment, pour le moment. *Actuellement, ils sont en vacances.*

acupuncture n. f. Façon de soigner un malade en piquant des points précis de son corps avec des aiguilles très fines.
  Prendre rendez-vous chez un **acupuncteur**, un médecin spécialiste d'acupuncture.

Adam

Figure de la Bible reprise par le Coran, premier homme créé par Dieu, qui l'a façonné à partir de la terre. Son histoire est racontée dans le premier livre de la Bible (la Genèse). Adam est chassé du Paradis terrestre (l'Éden) pour avoir désobéi à Dieu en mangeant le fruit de l'arbre de la connaissance du Bien et du Mal.

adaptable adj. → **adapter.**

adaptateur n. m. Petit appareil qui permet d'adapter un appareil électrique à divers usages.

adaptation n. f. *1* Fait de s'adapter. *Cet élève a des problèmes d'adaptation dans ce collège.* *2* Action d'adapter une œuvre littéraire. *L'adaptation d'un roman pour le cinéma.*

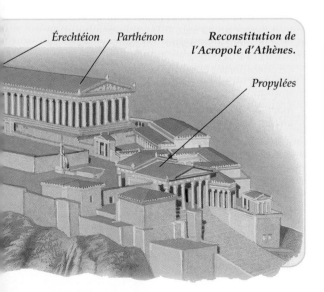

Érechtéion Parthénon *Reconstitution de l'Acropole d'Athènes.*

Propylées

adapter

adapter v. → conjug. **aimer.** *1* Fixer un objet sur un autre. *Adapter un nouveau manche à un balai.* *2* Transformer une œuvre littéraire pour en faire un film ou une pièce de théâtre. *3* *S'adapter* : s'habituer à un nouvel environnement, à une nouvelle situation. *Il a eu du mal à s'adapter à son nouveau collège.*

   Un tuyau **adaptable** *à un robinet,* qu'on peut adapter (*1*) à un robinet.

additif n. m. Produit qu'on ajoute à un autre. *Les colorants et les conservateurs sont des additifs.*

addition n. f. *1* Celle des quatre opérations de l'arithmétique qui consiste à ajouter plusieurs nombres pour en trouver la somme. *2* Petit papier sur lequel est indiqué le prix à payer au café, au restaurant. *Demander l'addition au garçon de café.*

L'ADDITION

L'addition est symbolisée
par le signe **+**.
Elle permet de calculer la somme
de deux ou plusieurs nombres.

■ L'addition est **commutative**,
c'est-à-dire que l'ordre dans lequel
les nombres sont additionnés est indifférent.
$12 + 8 + 4 = 8 + 12 + 4 = 4 + 8 + 12 = 24$
■ L'addition est **associative**,
c'est-à-dire qu'on peut écrire :
$12 + (8 + 4) = (12 + 8) + 4 = (12 + 4) + 8 = 24$

La table d'addition
↓

0	1	2	3	4	5	6	7	8	9	
1	2	3	4	5	6	7	8	9	10	Le résultat
2	3	4	5	6	7	8	9	10	11	de l'addition
3	4	5	6	7	8	9	10	11	12	se trouve à
4	5	6	7	8	9	10	11	12	13	l'intersection
5	6	7	8	9	10	11	12	13	14	des lignes
6	7	8	9	10	11	12	13	14	15	portant
7	8	9	10	11	12	13	14	15	16	les deux
8	9	10	11	12	13	14	(15)	16	17	nombres.
9	10	11	12	13	14	15	16	17	18	

---

additionner v. → conjug. **aimer.** *1* Faire l'addition de plusieurs nombres. *Si tu additionnes 10 et 3, tu obtiens 13.* *2* Ajouter une substance à une autre. *Boire de l'eau additionnée de sirop de menthe.*

adduction n. f. Transport de l'eau d'un endroit à un autre grâce à des conduits. *Ces tranchées ont été creusées pour des travaux d'adduction d'eau.*

Adélie

Territoire français situé en Antarctique. La terre Adélie est un immense champ de glace presque aussi vaste que la France. Elle est battue par des vents violents et soumise à des températures comprises entre 0 °C et − 40 °C.
Découverte en 1840 par le navigateur Jules Dumont d'Urville, qui lui donne le prénom de sa femme, la terre Adélie abrite seulement une base scientifique où des chercheurs étudient le milieu polaire.

adepte n. *1* Partisan d'une doctrine, d'une religion. *Des adeptes d'une secte.* *2* Personne qui pratique une activité, un sport. *C'est un adepte du surf.*

adéquat, ate adj. Qui est parfaitement approprié à son usage. *Un tire-bouchon est l'instrument adéquat pour déboucher une bouteille.*
On prononce [adekwa, at].

Ader Clément

Ingénieur français né en 1841 et mort en 1925. Clément Ader est considéré comme le père de l'aviation. En 1890, il fait décoller l'*Éole,* un engin plus lourd que l'air muni d'un moteur à vapeur : il s'élève à 20 cm du sol et parcourt une distance de 50 m. Sept ans plus tard, Ader invente le mot « avion », à partir du latin *avis* qui veut dire « oiseau ».

adhérer v. → conjug. **digérer.** *1* Rester fortement fixé sur une surface. *Ce vieux papier peint se décolle, il n'adhère pas bien au mur.* *2* Devenir membre d'un parti, d'un groupe. *Ses parents ont décidé d'adhérer au mouvement écologiste.*

   Ces pneus ont une bonne **adhérence***, ils adhèrent (*1*) bien à la route. Les* **adhérents** *d'un parti sont les gens qui ont adhéré (*2*) à ce parti. Le Scotch est un ruban* **adhésif***, fait pour adhérer (*1*). L'***adhésion** *à un club est le fait d'y adhérer (*2*).*

adieu interj. et n. m.
● interj. Mot de salutation qu'on dit à quelqu'un qu'on quitte pour longtemps ou pour toujours. *Adieu ! Je pars en vacances !*
● n. m. *Faire ses adieux* : dire au revoir.

adjacent, ente adj. *1* Qui est situé juste à côté d'autre chose. *Des ruelles adjacentes à la grande rue.* *2* Se dit de deux angles qui ont le même sommet et un côté commun.
Regarde aussi **angle.**

L'ADJECTIF

L'adjectif accompagne le nom pour le qualifier (adjectif qualificatif) ou pour le déterminer (déterminants possessifs, démonstratifs, numéraux, indéfinis, interrogatifs et exclamatifs).
L'adjectif s'accorde avec le nom.

Classe des adjectifs

Qualificatifs :

- masc. sing. → petit, grand, haut, agréable…
- fém. sing. → petite, grande, haute, agréable…
- masc. plur. → petits, grands, hauts, agréables…
- fém. plur. → petites, grandes, hautes, agréables…

Numéraux :

- masc. sing. → zéro, un, deux… premier, second…
- fém. sing. → zéro, une, deux… première, seconde…
- masc. plur. → quatre-vingts, deux cents… premiers, seconds…
- fém. plur. → quatre-vingts, deux cents… premières, secondes…

Possessifs :

- masc. sing. → mon, ton, son, notre, votre, leur.
- fém. sing. → ma, ta, sa, notre, votre, leur.
- masc. plur. → mes, tes, ses, nos, vos, leurs.
- fém. plur. → mes, tes, ses, nos, vos, leurs.

Indéfinis :

- masc. sing. → aucun, certain, maint, même…
- fém. sing. → aucune, certaine, mainte, même…
- masc. plur. → aucuns, certains, maints, mêmes…
- fém. plur. → aucunes, certaines, maintes, mêmes…

Démonstratifs :

- masc. sing. → ce, cet
- fém. sing. → cette
- masc. plur. → ces
- fém. plur. → ces

Interrogatifs - Exclamatifs :

- masc. sing. → quel
- fém. sing. → quelle
- masc. plur. → quels
- fém. plur. → quelles

adjectif n. m. Mot qui accompagne un nom pour le qualifier ou le déterminer.
Regarde le tableau ci-dessus.

adjoint, e n. Personne qui seconde une autre personne dans son travail et qui peut la remplacer. *Le maire était représenté par son adjoint.*

adjudant n. m. Grade de sous-officier.

adjuger v. → conjug. **ranger.** *1* Attribuer quelque chose en récompense. *C'est la meilleure élève, on lui a adjugé le premier prix. 2* S'adjuger : prendre pour soi, aux dépens des autres. *Il s'est adjugé les meilleurs morceaux.*

admettre v. → conjug. **mettre.** *1* Accepter quelqu'un dans un groupe ou dans un lieu. *Elle espère ne pas redoubler son CM2 et être admise en sixième. 2* Accepter ou tolérer quelque chose. *La maîtresse n'admet pas que les élèves chahutent. 3* Reconnaître que quelque chose est vrai ou juste. *J'admets que j'ai eu tort de le gronder.*

administrateur, trice n. → administrer.

administration n. f. *1* Action d'administrer un groupe, une entreprise. *C'est le maire qui dirige l'administration de sa commune. 2* L'Administration : ensemble des services publics d'un pays et de ses fonctionnaires. *Entrer dans l'Administration.*
Faire des démarches administratives, qui concernent l'Administration (*2*).

administrer v. → conjug. **aimer.** *1* Diriger, organiser, gérer un groupe de personnes. *Un préfet administre un département ou une région. 2* Faire absorber un médicament à quelqu'un. *Administrer un sédatif à un malade.*
Les administrateurs de l'entreprise se sont réunis, les personnes chargées de l'administrer (*1*). *Le maire a convoqué ses administrés*, les gens de la commune qu'il administre (*1*).

admirer v. → conjug. **aimer.** Considérer avec émerveillement quelqu'un ou quelque chose qu'on trouve beau ou remarquable. *S'arrêter pour admirer le paysage. J'admire son courage.*
Je trouve ce spectacle admirable, digne d'être admiré. *Cet enfant dessine admirablement*, de façon admirable. *Une chanteuse entourée de ses nombreux admirateurs*, des gens qui l'admirent. *Il regarde le tableau d'un air admiratif*, qui exprime l'admiration. *Regarder admirativement*, c'est regarder d'un air admiratif. *Avoir de l'admiration pour quelqu'un*, c'est le sentiment qu'on éprouve pour quelqu'un qu'on admire.

admissible adj. *1* Qu'on peut admettre, accepter. *Elle a eu envers ses parents un comportement difficilement admissible. 2* Qui a été reçu à la première épreuve d'un examen. *Elle est admissible à l'oral du baccalauréat.*
Contraire : inadmissible.

admission n. f. Action d'admettre quelqu'un, fait d'être admis quelque part, dans un groupe, à un examen, etc. *On l'a félicité pour son admission en sixième.*

adolescent, ente n. Garçon ou fille qui a un âge intermédiaire entre l'enfance et l'âge adulte. *Au collège, les professeurs enseignent à des adolescents.*
> Pendant l'*adolescence*, le corps se transforme, pendant la période de la vie où l'on est adolescent.

s'adonner v. → conjug. **aimer.** Se consacrer à une activité. *S'adonner au sport et à la lecture pendant ses vacances.*

adopter v. → conjug. **aimer.** *1* S'occuper légalement d'un enfant né d'autres parents comme si c'était son propre enfant. *Ce couple a décidé d'adopter une petite fille.* *2* Approuver, en particulier par un vote. *Adopter une loi, un projet.*
> Un enfant *adoptif* est un enfant qu'on a adopté (*1*), des parents *adoptifs* sont des parents qui ont adopté (*1*) un enfant. *Envisager l'adoption d'un enfant,* c'est envisager de l'adopter (*1*).

adorable adj. Qui est gentil ou charmant. *Les enfants ont été adorables pendant le spectacle.*

adorateur, trice n. *1* Personne qui adore Dieu ou une divinité. *Les anciens Égyptiens étaient des adorateurs du Soleil.* *2* Personne qui a une grande admiration pour quelqu'un. *Une star entourée de ses nombreux adorateurs.*

adoration n. f. *1* Action d'adorer Dieu ou une divinité. *Ce tableau représente l'adoration des Rois mages.* *2* Être en adoration devant quelqu'un : avoir pour lui un sentiment d'amour ou d'admiration.

adorer v. → conjug. **aimer.** *1* Vénérer Dieu ou une divinité. *Les Grecs adoraient Zeus, le dieu du Ciel et de l'Univers.* *2* Aimer beaucoup. *Il adore ses enfants. Elle adore aller au théâtre.*

s'adosser v. → conjug. **aimer.** Appuyer son dos contre quelque chose. *Ne t'adosse pas sur ce mur, la peinture n'est pas sèche !*

adoubement n. m. Au Moyen Âge, cérémonie pendant laquelle un jeune noble était armé chevalier.

adoucir v. → conjug. **finir.** Rendre plus doux. *Elle utilise un savon au miel pour adoucir sa peau. Il fait moins froid, le temps s'est adouci.*
> Un *adoucissant* pour le linge est un produit qui le rend plus doux. *On constate un adoucissement de la température,* que le temps devient plus doux.

1. adresse n. f. *1* Indication de l'endroit où habite une personne. *Ils ont changé d'adresse puisqu'ils ont déménagé.* *2* À l'adresse de quelqu'un : à son intention.

2. adresse n. f. Qualité d'une personne adroite. *Il admire l'adresse des acrobates.*
Synonyme : habileté. Contraire : maladresse.

adresser v. → conjug. **aimer.** *1* Envoyer, faire parvenir quelque chose à quelqu'un. *Je n'ai pas encore reçu le colis qu'il m'a adressé.* *2* Adresser la parole à quelqu'un : lui parler. *3* S'adresser à quelqu'un : lui parler, ou faire appel à lui. *Pour avoir des renseignements, il faut s'adresser à la gardienne.* *4* S'adresser à quelqu'un : lui être destiné, le concerner. *Ce film s'adresse à un public jeune.*

> **Adriatique**
>
> **B**ras de la mer Méditerranée, situé entre la côte est de l'Italie et la péninsule des Balkans. La mer Adriatique a une largeur moyenne de 180 km et une superficie d'environ 155 000 km². Les côtes italiennes abritent ses principaux ports : Trieste, Venise, Ancône, Bari et Brindisi. Les rivages des Balkans sont rocheux et ont un relief beaucoup plus découpé.

adroit, oite adj. *1* Qui est habile dans ses gestes. *Il faut être très adroit pour faire ces découpages sans se tromper.* *2* Qui sait se tirer d'une situation délicate. *Il a tenu un discours très adroit pour ne choquer personne.*
Synonyme : habile. Contraire : maladroit.
> *Marcher adroitement sur une poutre,* c'est marcher de façon adroite.

adulte adj. et n.
● adj. Qui a atteint son développement définitif et qui a fini sa croissance. *Les chiens adultes sont capables de se reproduire.*
● n. Personne adulte, qui est sortie de l'adolescence. *Un film réservé aux adultes.*
Synonyme : grande personne.

adultère n. m. Fait d'être infidèle à son mari ou à sa femme.

advenir v. → conjug. **venir.** Se produire par hasard, arriver. *Un drame est advenu l'année dernière dans cette mine de charbon.*

adverbe n. m. Mot invariable qui accompagne un verbe, un adjectif ou un autre adverbe.
Regarde page ci-contre.

adversaire n. *1* Personne qui s'oppose à une autre dans un combat ou une compétition. *Les deux adversaires sont montés sur le ring.* *2* Personne hostile à une pratique, à une idée. *Les adversaires et les partisans de la chasse.*

L'ADVERBE

L'adverbe modifie ou précise le sens d'un verbe, d'un adjectif, ou d'un autre adverbe.

*Il parle **trop**. Il est **très** bavard.*
*Il se trompe **souvent**.*
L'adverbe est invariable.

Classe des adverbes

Lieu →	ici, là, dedans, dehors, ailleurs…
Manière →	bien, vite, mal, rapidement…
Temps →	aujourd'hui, demain, hier, jamais, déjà, toujours, souvent…
Quantité →	peu, beaucoup, trop, très, tant…
Affirmation →	oui, si, certainement…
Négation →	ne… pas, ne… plus, ne… jamais, non…
Doute →	peut-être, sans doute, probablement…

adverse adj. Qui s'oppose à quelqu'un d'autre. *Le magistrat laisse la parole à la partie adverse.*

adversité n. f. Situation malheureuse ou malchance qui paraissent dues au sort. *Essayer de ne pas perdre courage dans l'adversité.*

aérer v. → conjug. **digérer.** Faire entrer de l'air frais dans un local. *Ouvre la fenêtre pour aérer ta chambre.*
Une bouche d'**aération** est une ouverture qui permet d'aérer un local.

aérien, enne adj. **1** Qui se rapporte à l'air, à l'atmosphère. *Un planeur se déplace grâce aux courants aériens.* **2** Qui est relatif aux avions et à l'aviation. *Un trafic aérien très dense. Un hélicoptère abattu lors d'une attaque aérienne.*

aéroclub n. m. Club composé d'un petit aérodrome où des amateurs apprennent à piloter des petits avions.

aérodrome n. m. Terrain aménagé pour permettre aux avions de décoller et d'atterrir.

aérodynamique adj. Qui présente peu de résistance à l'air. *Grâce à sa forme aérodynamique, cette voiture roule très vite.*
L'**aérodynamisme** du TGV, c'est sa forme aérodynamique.

aérogare n. f. Dans un aéroport, ensemble des bâtiments qui sont destinés aux voyageurs. *C'est dans le hall de l'aérogare qu'il faut faire enregistrer les bagages.*

aéroglisseur n. m. Véhicule qui se déplace sur l'eau ou sur la terre ferme en glissant sur un coussin d'air.

La couche d'air (le « coussin ») sur lequel se déplace l'aéroglisseur est produite par de puissants jets d'air situés à la base de l'engin. Celui-ci, propulsé par des hélices, glisse sur l'air et avance donc sans aucun contact avec le sol ou l'eau. Le premier aéroglisseur date de 1959.
Également appelés hovercrafts, les aéroglisseurs ont assuré la traversée entre la France et l'Angleterre pendant de nombreuses années.

aéronautique n. f. et adj.
• n. f. Science et technique de la construction des avions, des fusées et de la navigation aérienne.
• adj. Qui concerne l'aéronautique. *Son père travaille dans l'industrie aéronautique.*

aéroplane n. m. Ancienne appellation de l'avion.

aéroport n. m. Ensemble des installations, des bâtiments et des pistes aménagés pour l'entretien et le trafic des avions.

aérosol n. m. Récipient qui permet de projeter un liquide sous pression en fines gouttelettes. *De la laque pour cheveux vendue en aérosol.*

affable adj. Qui est aimable et courtois. *Un commerçant affable.*

affaiblir v. → conjug. **finir.** Rendre plus faible, moins fort. *Être très affaibli par la maladie. Le vent s'affaiblit peu à peu.*
La cataracte entraîne l'**affaiblissement** de la vue, celle-ci s'affaiblit.

affaire n. f. **1** Chose dont on doit s'occuper ou qui pose un problème. *Régler une affaire urgente. Une affaire délicate.* **2** Chose qui concerne quelqu'un. *Ne te mêle pas de ses affaires.* **3** Achat ou marché plus ou moins avantageux. *Faire une bonne, une mauvaise affaire.* **4** Avoir affaire à quelqu'un : être en rapport avec lui. **5** Faire l'affaire : convenir. *Il n'a pas été retenu pour ce travail, il ne faisait pas l'affaire.* **6** Se tirer d'af-

s'affairer

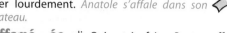

faire : se sortir d'une difficulté. **7** Au pluriel. Vêtements ou objets qui appartiennent à quelqu'un. *Ranger ses affaires dans l'armoire.* **8** Au pluriel. Activités économiques, commerciales ou industrielles. *Les affaires marchent bien. Une femme d'affaires.*

s'affairer v. → conjug. **aimer.** S'occuper de façon très active à faire quelque chose. *Les enfants s'affairent à préparer le sapin de Noël.*
> Il est trop *affairé* pour prendre le temps de déjeuner, il s'affaire sans cesse.

s'affaisser v. → conjug. **aimer. 7** Baisser de niveau sous l'effet d'un poids trop grand. *La route s'est affaissée par endroits.* **2** Tomber, s'effondrer sans forces. *Le blessé s'est affaissé sur le sol.*
> L'*affaissement* du terrain a provoqué des dégâts, le fait qu'il se soit affaissé (**7**).

s'affaler v. → conjug. **aimer.** Se laisser tomber lourdement. *Anatole s'affale dans son bateau.*

affamé, ée adj. Qui a très faim. *Rentrer affamé après une longue randonnée.*

affectation n. f. **7** Manque de simplicité, de naturel, de spontanéité. *S'exprimer avec affectation.* **2** Fait d'être affecté à un poste, à une fonction. *Un instituteur qui attend son affectation.*
> Parler sur un ton *affecté*, avec affectation (**7**).

affecter v. → conjug. **aimer. 7** Faire semblant de ressentir un sentiment. *Affecter la gaieté alors qu'on est triste.* **2** Nommer quelqu'un à une fonction, à un poste. *Cet enseignant a été affecté en province.* **3** Destiner quelque chose à un certain usage. *Cet argent doit être affecté à la construction d'une école.* **4** Émouvoir profondément quelqu'un, lui causer de la peine. *Ce deuil l'a beaucoup affecté.*

affectif, ive adj. Qui concerne les sentiments, les émotions. *Une vie affective très mouvementée.*

affection n. f. **7** Sentiment d'attachement ou de tendresse qu'on éprouve pour quelqu'un. *Avoir beaucoup d'affection pour ses petits-enfants.* **2** Maladie. *L'eczéma est une affection de la peau.*

affectionner v. → conjug. **aimer.** Avoir un goût marqué pour quelque chose. *Affectionner les promenades solitaires.*

affectueux, euse adj. Qui manifeste de l'affection, de la tendresse. *Elle est très affectueuse avec son petit frère.*
> Je vous embrasse *affectueusement*, de manière affectueuse.

affermir v. → conjug. **finir.** Rendre plus ferme ou plus solide. *Affermir son autorité.*

Cet appareil de musculation permet l'affermissement des muscles, il permet de les affermir.

affichage n. m. → **afficher.**

affiche n. f. Grande feuille de papier imprimée qu'on colle sur un mur pour annoncer quelque chose. *Des affiches de cinéma.*
> Une *affichette* est une petite affiche.

afficher v. → conjug. **aimer. 7** Annoncer quelque chose par une affiche. *Les menus de la cantine sont affichés.* **2** Montrer ouvertement à tout le monde. *Afficher sa colère en protestant vivement.*
> Un panneau d'*affichage* permet d'afficher (**7**) des renseignements.

affichette n. f. → **affiche.**

affilé, ée adj. Qui est bien aiguisé et coupant. *Une épée à la lame affilée.*

d'affilée adv. Sans aucune interruption. *Marcher six heures d'affilée.*

s'affilier v. → conjug. **modifier.** Devenir membre d'un groupe, d'un parti. *Il a décidé de s'affilier à un club d'échecs.*
> Son *affiliation* au syndicat est récente, le fait qu'il s'y soit affilié.

affinité n. f. Attirance entre des personnes qui ont les mêmes goûts ou des points communs. *N'avoir aucune affinité avec ses voisins.*

affirmatif, ive adj. et n. f.
● adj. Qui marque l'affirmation. *Espérer une réponse affirmative.*
Synonyme : positif. Contraire : négatif.
● n. f. *Répondre par l'affirmative :* dire oui.

affirmer v. → conjug. **aimer.** Dire avec force qu'une chose est vraie. *On nous a affirmé qu'il restait des places pour le spectacle.*
Synonymes : assurer, certifier.
> Cette *affirmation* est fausse, ce qu'on nous affirme.

affleurer v. → conjug. **aimer.** Arriver juste au niveau d'une surface. *Des rochers qui affleurent à marée basse.*

affliger v. → conjug. **ranger.** Causer de la peine, du chagrin. *Être très affligé par la mort d'un ami.*
> Ses résultats scolaires sont *affligeants*, ils nous affligent. *Ce deuil a plongé toute la famille dans l'affliction :* la famille était affligée.

affluence n. m. → **affluer.**

affluent n. m. Cours d'eau qui se jette dans une autre rivière ou dans un fleuve. *L'Eure est un affluent de la Seine.*

L'endroit où l'affluent rejoint le cours d'eau principal s'appelle le confluent.

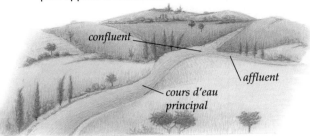

confluent

affluent

cours d'eau
principal

affluer v. ➜ conjug. **aimer.** Arriver en grand nombre au même moment dans un même endroit. *L'été, les vacanciers affluent sur cette plage.*

Les heures d'*affluence* sont les heures où tout le monde afflue quelque part. *Craindre l'*afflux *des voyageurs*, le fait que beaucoup de voyageurs affluent.

affoler v. ➜ conjug. **aimer.** Causer une peur très vive ou une grande inquiétude. *Tout le monde s'est affolé quand le feu s'est déclaré.*

Le nombre *affolant d'accidents*, qui affole, inquiète. *Reste calme, pas d'*affolement, ne t'affole pas.

affranchir v. ➜ conjug. **finir.** *1* Rendre sa liberté à quelqu'un, ou son indépendance à un pays. *Affranchir un esclave. Un pays affranchi de la domination ennemie.* *2* Mettre sur une lettre ou un colis le timbre correspondant au prix de l'envoi. *Affranchir sa lettre avant de l'envoyer.*

L'*affranchissement de ce colis est de 6 euros*, le prix à payer pour l'affranchir (*2*).

affreux, euse adj. *1* Qui est très laid, hideux. *Change de robe, celle-ci est affreuse!* *2* Qui est très mauvais ou désagréable. *Il fait un temps affreux.* Synonyme : **horrible.**

Il a été *affreusement torturé par ses ravisseurs*, de façon affreuse.

affront n. m. Insulte faite en public à quelqu'un à qui l'on manifeste du mépris. *Il est humilié par l'affront qu'il a subi.*

affronter v. ➜ conjug. **aimer.** *1* Faire face avec courage à un danger ou à une difficulté. *Les pêcheurs ont affronté la tempête.* *2* *S'affronter* : s'opposer ou se battre. *Un* affrontement *entre ces deux pays paraît imminent*, le fait que ces deux pays s'affrontent (*2*).

affût n. m. *1* Endroit où le chasseur se cache pour attendre le gibier. *2* Au figuré. *Être à l'affût de quelque chose* : épier, guetter pour saisir une occasion. *Il est toujours à l'affût des nouveautés.*

affûter v. ➜ conjug. **aimer.** Synonyme d'aiguiser. *Affûter des couteaux qui ne coupent plus.*

Afghanistan

État islamique d'Asie centrale. C'est un pays très montagneux au climat rude. Les routes sont rares et les communications intérieures très difficiles. Une partie de la population, nomade, pratique l'élevage. 75 % des terres sont improductives. À côté de l'artisanat traditionnel (tapis, travail du bois et du cuir), l'industrie textile (filatures de laine et de coton) s'est développée mais les réserves de cuivre, de fer et de gaz naturel sont peu exploitées.

Suite aux attentats terroristes du 11 septembre 2001, les États-Unis ont lancé une offensive qui a renversé le régime en place. Une autorité intérimaire a été mise en place.

652 090 km²
22 930 000 habitants :
les Afghans
Langues : pachtou, dari
(ancien persan), ouzbek
Monnaie : afghani
Capitale : Kaboul

afin de prép., **afin que** conj. Indiquent le but d'une action. *Il travaille afin de réussir son examen. Parler fort afin que tout le monde entende.* Synonymes : **pour, pour que.**

Afrique

Un des six continents. L'Afrique s'étend sur environ 8 000 km du nord au sud. Le Kilimandjaro, en Tanzanie, est son point culminant (5 895 m). L'Afrique est le berceau de l'humanité : c'est là que les plus anciens fossiles humains ont été découverts. À partir du XVᵉ siècle, ses côtes sont explorées par les Européens, qui y installent des comptoirs (ports de commerce). Jusqu'à la fin du XVIIIᵉ siècle, des millions d'Africains sont capturés et réduits en esclavage. Longtemps colonies des puissances européennes, les pays africains ont aujourd'hui gagné leur indépendance.

Regarde p. 24 et 25.

l'Afrique

La superficie de l'Afrique est de 30 millions de km².
Elle compte 30 490 km de côtes. Cinq grands fleuves la parcourent,
dont le Nil qui est l'un des trois plus longs fleuves du monde.

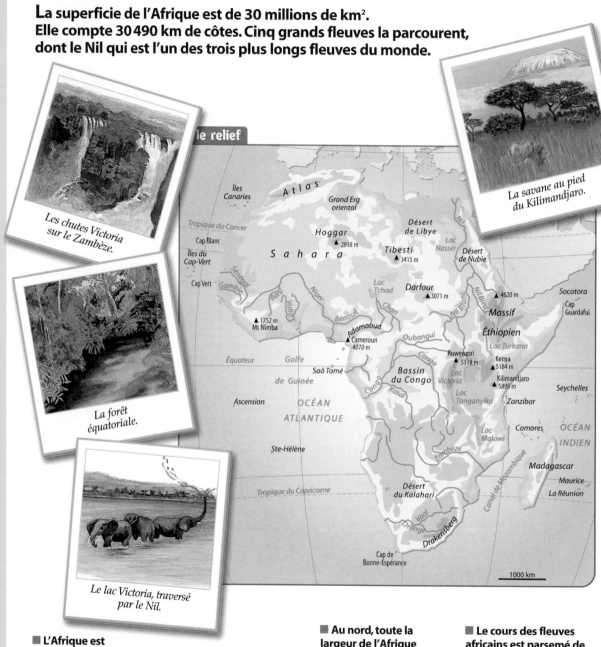

Les chutes Victoria
sur le Zambèze.

La savane au pied
du Kilimandjaro.

La forêt
équatoriale.

Le lac Victoria, traversé
par le Nil.

le relief

Îles Canaries
Atlas
Grand Erg oriental
Tropique du Cancer
Cap Blanc
Hoggar ▲ 2918 m
Sahara
Désert de Libye
Nil
Lac Nasser
Désert de Nubie
Îles du Cap-Vert
Cap Vert
Tibesti ▲ 3415 m
Sénégal
Gambie
Bani
Niger
Volta
Bénoué
Lac Tchad
Chari
Darfour ▲ 3071 m
Nil Blanc
Nil Bleu
▲ 4620 m
Massif Éthiopien
Socotora
Cap Guardafui
▲ 1752 m Mt Nimba
Cameroun 4070 m
Adamaoua
Oubangui
Lac Turkana
Équateur
Golfe
Saô Tomé
de Guinée
Congo
Kasaï
Bassin du Congo
Congo
Ruwenzori ▲ 5119 m
Lac Victoria
Kenya ▲ 5184 m
Kilimandjaro ▲ 5895 m
Seychelles
Zanzibar
Ascension
OCÉAN ATLANTIQUE
Lac Tanganyika
Comores
OCÉAN INDIEN
Ste-Hélène
Lac Malawi
Madagascar
Zambèze
Canal de Mozambique
Maurice
La Réunion
Tropique du Capricorne
Désert du Kalahari
Vaal
Orange
Drakensberg
Cap de Bonne-Espérance
1000 km

■ L'Afrique est
le continent le plus
chaud du monde.
Seules l'Afrique du Nord
(ou Maghreb) et l'Afrique
du Sud bénéficient d'un
climat plus tempéré.

■ Près de l'équateur,
le climat chaud et humide
favorise le développe-
ment de la forêt
équatoriale.

■ Au nord, toute la
largeur de l'Afrique
est occupée par le
Sahara, le plus grand
désert du monde.
■ La savane africaine est
le royaume des grands
mammifères.

■ Le cours des fleuves
africains est parsemé de
chutes et de rapides qui
bloquent la navigation.
■ L'ensemble des îles
africaines occupe
622 000 km². Madagascar
est la plus grande.

L'Afrique compte environ 850 millions d'habitants.
La population est jeune : près de la moitié des Africains ont moins de 15 ans.

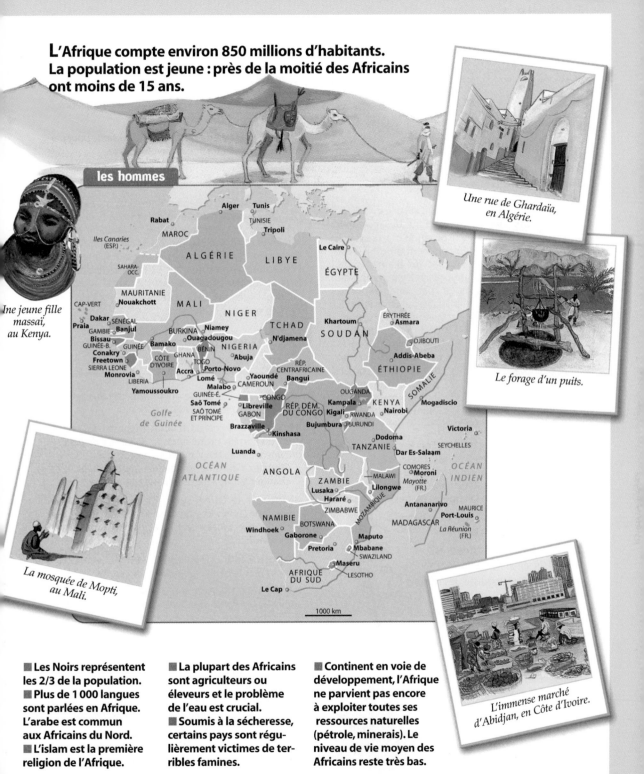

les hommes

Une rue de Ghardaïa, en Algérie.

Une jeune fille massaï, au Kenya.

Le forage d'un puits.

La mosquée de Mopti, au Mali.

L'immense marché d'Abidjan, en Côte d'Ivoire.

Alger — Tunis — TUNISIE — Tripoli
Rabat — MAROC
Iles Canaries (ESP.)
ALGÉRIE — LIBYE — Le Caire — ÉGYPTE
SAHARA-OCC.
MAURITANIE — Nouakchott — MALI — NIGER — TCHAD — Khartoum — ERYTHRÉE — Asmara
CAP-VERT — Dakar — SÉNÉGAL — Niamey — N'djamena — SOUDAN — DJIBOUTI
Praia — GAMBIE — Banjul — BURKINA — Ouagadougou
Bissau — GUINÉE-B. — Bamako — BÉNIN — NIGERIA — Abuja — Addis-Abeba
Conakry — GUINÉE — CÔTE — GHANA — TOGO — RÉP. — ÉTHIOPIE
Freetown — D'IVOIRE — Accra — Porto-Novo — CENTRAFRICAINE
SIERRA LEONE — Lomé — Yaoundé — Bangui — SOMALIE
Monrovia — Malabo — CAMEROUN
LIBERIA
Yamoussoukro — GUINÉE-É. — OUGANDA — KENYA
Saô Tomé — CONGO — Kampala — Nairobi — Mogadiscio
Golfe — Libreville — RÉP. DÉM. — Kigali
de Guinée — SAÔ TOMÉ — GABON — DU CONGO — RWANDA
ET PRÍNCIPE — Brazzaville — Bujumbura — BURUNDI — Victoria
Kinshasa — Dodoma — SEYCHELLES
Luanda — TANZANIE — Dar Es-Salaam
OCÉAN — ANGOLA — COMORES — Moroni — OCÉAN
ATLANTIQUE — ZAMBIE — MALAWI — Mayotte — INDIEN
Lusaka — Lilongwe — (FR.)
Hararé — Antananarivo — MAURICE
ZIMBABWE — Port-Louis
NAMIBIE — BOTSWANA — MADAGASCAR — La Réunion
Windhoek — Maputo — (FR.)
Gaborone — Mbabane
Pretoria — SWAZILAND
Maséru
AFRIQUE — LESOTHO
DU SUD
Le Cap

1000 km

■ Les Noirs représentent les 2/3 de la population.
■ Plus de 1 000 langues sont parlées en Afrique. L'arabe est commun aux Africains du Nord.
■ L'islam est la première religion de l'Afrique.

■ La plupart des Africains sont agriculteurs ou éleveurs et le problème de l'eau est crucial.
■ Soumis à la sécheresse, certains pays sont régulièrement victimes de terribles famines.

■ Continent en voie de développement, l'Afrique ne parvient pas encore à exploiter toutes ses ressources naturelles (pétrole, minerais). Le niveau de vie moyen des Africains reste très bas.

Afrique du Sud

Afrique du Sud

République située à l'extrême sud du continent africain. L'Afrique du Sud est formée de hauts plateaux qui s'abaissent vers l'océan Atlantique et l'océan Indien. Ses différents climats permettent des cultures variées. Son sous-sol très riche en fait la première puissance économique du continent africain. C'est le premier producteur d'or et de diamants du monde. Le pays a longtemps été dirigé par une minorité blanche qui refusait la citoyenneté aux Noirs. L'État n'a supprimé l'apartheid (la ségrégation des Noirs et des Blancs) qu'en 1991. L'Afrique du Sud est membre du Commonwealth.

1 221 040 km²
44 759 000 habitants :
les Sud-Africains
Langues : afrikaans,
anglais, xhosa,
zoulou, sotho...
Monnaie : rand
Capitale : Pretoria

agacer v. → conjug. **tracer.** Énerver ou mettre en colère. *Le bruit de cette tondeuse m'agace.*
Arrête de parler en même temps que moi, c'est aga-çant, cela m'agace. *Cette grève a provoqué l'agace-ment des usagers*, le fait que les usagers sont agacés.

agaric n. m. Nom collectif des champignons à chapeau et à lamelles.

agate n. f. Pierre fine très dure, formée de couches multicolores.

agave n. f. Plante grasse des régions arides.

L'agave est originaire du Mexique. Ses fleurs peuvent s'élever à 10 m de hauteur. Ses grandes feuilles sont charnues et retiennent l'eau à leur base. Elles servent à fabriquer une fibre textile, le sisal. On tire de la sève de l'agave des boissons alcoolisées : le pulque (sève fermentée) et le mescal (sève distillée). En distillant les fruits, on obtient la tequila.

âge n. m. **1** Nombre des années qui se sont écoulées depuis la naissance de quelqu'un. *Ils ont tous les deux six ans, ils ont le même âge.* **2** Grande période de l'histoire de l'humanité. *L'âge de la pierre a précédé l'âge du fer.* **3** *Troisième âge :* période de la vie qui correspond au début de la vieillesse.

âgé, ée adj. **1** Vieux. *Une maison de retraite pour personnes âgées.* **2** *Être âgé de* : avoir tel âge.

Agen

Ville française de la Région Aquitaine, située sur la Garonne. Agen possède un patrimoine historique important : la cathédrale Saint-Caprais, aux styles roman et gothique mélangés, l'église des Jacobins datant du XIIe siècle et des hôtels particuliers de la Renaissance. Un musée des Beaux-Arts abrite des faïences de Bernard Palissy, artiste natif d'Agen.
La ville, située au cœur d'une région agricole, est célèbre pour ses pruneaux.

47 *Préfecture du Lot-et-Garonne*
32 180 habitants : les Agenais

agence n. f. Entreprise qui fournit certains services à ses clients. *Une agence de voyages.*

agencer v. → conjug. **tracer.** Disposer des choses dans un certain ordre. *Après la naissance de bébé, ils ont agencé leur chambre différemment.*
Changer l'agencement d'un appartement, c'est changer la manière dont il est agencé.

agenda n. m. Carnet sur lequel on peut noter jour après jour les choses qu'on a à faire et ses rendez-vous. *Chaque année, elle achète un nouvel agenda.* **On prononce** [aʒɛ̃da].

s'agenouiller v. → conjug. **aimer.** Se mettre à genoux. *Les fidèles s'agenouillent pour prier.*

agent n. m. **1** Personne qui travaille dans certaines sociétés. *Un agent immobilier, un agent d'assurances.* **2** Fonctionnaire de police qui s'occupe de la circulation et du maintien de l'ordre. *Demander sa route à un agent.* **3** *Complément d'agent :* complément d'un verbe à la voix passive, qui désigne la personne qui fait l'action. *Dans la phrase « Il a été récompensé par le maître », « maître » est le complément d'agent.*

agglomération n. f. Groupe d'habitations. *Dans les agglomérations, la vitesse des voitures est limitée.*

aggloméré n. m. Matière formée à partir de petits morceaux de bois qui ont été pressés et collés ensemble. *Une étagère en aggloméré.*

s'agglomérer v. → conjug. **digérer.** Devenir une masse compacte. *En s'agglomérant, la neige a formé des congères.*

s'agglutiner v. → conjug. **aimer.** Se rassembler en une foule compacte. *Aux heures de pointe, les gens s'agglutinent dans le métro.*

aggraver v. → conjug. **aimer.** Rendre plus grave, plus pénible ou plus important. *Ce n'est pas la peine d'aggraver la situation. Son état s'est aggravé, on craint le pire.*
> On redoute une *aggravation* de son état de santé, que son état de santé ne s'aggrave.

agile adj. Qui a des mouvements souples et rapides. *Cet enfant est agile comme un chat.*
> Le singe saute de branche en branche avec *agilité*, de manière agile.

agir v. → conjug. **finir.** *1* Faire quelque chose, mener une action. *Assez parlé, maintenant agissons.* *2* Se comporter, se conduire. *Il a agi avec élégance.* *3* Produire un effet. *Ce somnifère agit très vite.* *4* Il s'agit de (+ verbe) : il faut. *Il s'agit de se dépêcher pour être à l'heure.* *5* Il s'agit de (+ nom) : il est question de. *Il s'agit de l'ami dont je t'ai parlé hier soir.*

agissements n. m. pl. Actes malhonnêtes ou condamnables. *La police cherche à mettre fin aux agissements des délinquants.*

agitateur, trice n. Personne qui pousse les autres à la révolte.

agitation n. f. *1* Mouvements de gens qui s'agitent. *Quelle agitation avant le départ !* *2* Mécontentement qui se traduit par des manifestations. *Réprimer l'agitation étudiante.*

agité, ée adj. Qui bouge beaucoup. *Aujourd'hui, la mer est agitée. Essayer de calmer un enfant trop agité.* Contraire : calme.

agiter v. → conjug. **aimer.** *1* Remuer, secouer dans tous les sens. *Agite bien la bouteille de jus de fruits avant de l'ouvrir.* *2* S'agiter : bouger dans tous les sens. *Arrête de t'agiter et calme-toi.*

agneau n. m. Plur. : **des agneaux.** Petit de la brebis. *Des agneaux viennent de naître dans la bergerie.*

agonie n. f. Moment qui précède la mort. *Il n'y a plus d'espoir, le malade est à l'agonie.*
> Le blessé *agonise*, il est à l'agonie.

agrafe n. f. Petit crochet métallique qui sert à fixer ensemble des feuilles de papier.
> *Agrafer des papiers,* c'est les attacher avec des agrafes. *Une agrafeuse* est un petit appareil qui sert à agrafer.

agraire adj. Qui concerne l'agriculture, les terres cultivées. *Une réforme agraire.*

agrandir v. → conjug. **finir.** Rendre plus grand. *Agrandir sa maison. Faire agrandir une photo.*
> Cette photo mérite un *agrandissement,* d'être agrandie.

agréable adj. *1* Qui procure du plaisir. *Cette terrasse au bord de la mer est très agréable.* *2* Qui est sympathique. *Nos voisins sont agréables.* Contraire : désagréable.
> J'ai été *agréablement* surpris par son succès, d'une façon agréable (*1*).

agréer v. → conjug. **créer.** *1* Accepter, autoriser officiellement. *Cette clinique est agréée par la Sécurité sociale.* *2* Synonyme d'accepter, dans les formules de politesse à la fin d'une lettre. *Veuillez agréer mes sentiments respectueux.*

agrément n. m. *1* Accord, autorisation. *Attendre l'agrément du propriétaire pour abattre un mur.* *2* D'agrément : qu'on fait pour le plaisir. *Ce n'est pas un voyage d'affaires, c'est un voyage d'agrément.*

agrémenter v. → conjug. **aimer.** Ajouter quelque chose d'agréable ou de joli à quelque chose. *Ils ont agrémenté leur jardin de fleurs et de fontaines.*

agrès n. m. plur. Appareils de gymnastique. *Les anneaux, les barres, le trapèze sont des agrès.*

agresser v. → conjug. **aimer.** Attaquer violemment. *On l'a agressé pour lui voler son argent.*
> Commettre une *agression,* c'est l'action d'agresser quelqu'un. *La police a arrêté l'agresseur,* la personne qui a commis l'agression.

agressif, ive adj. Qui a tendance à attaquer les autres avec des gestes ou des paroles, même si on ne lui a rien fait. *Cet homme est agressif, il faut s'en méfier.*
> Répondez sans *agressivité*, sans être agressif.

agression n. f. → agresser.

agressivité n. f. → agressif.

agriculture n. f. Ensemble des activités qui consistent à produire des fruits, des légumes et autres végétaux, et à élever des animaux utiles à l'homme.
> Les *agriculteurs* sont des gens qui vivent de l'agriculture. *Discuter de la politique agricole de l'Europe,* celle qui concerne l'agriculture.

agripper v. → conjug. **aimer.** Saisir quelque chose ou quelqu'un en le serrant très fort. *Il s'est agrippé au bastingage pour ne pas tomber à l'eau.*

agroalimentaire adj. Qui transforme les produits agricoles en produits alimentaires. *L'industrie agro-alimentaire.*

b c d e f g h i j k l m n o p q r s t u v w x y z

agronomie n. f. Science destinée à améliorer l'agriculture. *Un institut d'agronomie.*
    Une *agronome* est une femme spécialiste d'agronomie. *Cet ingénieur fait des recherches agronomiques, qui concernent l'agronomie.*

agrume n. m. Fruit juteux à la peau épaisse. *Les oranges, les citrons, les clémentines sont des agrumes.*

aguerrir v. → conjug. **finir.** Habituer à mieux supporter les choses pénibles. *S'aguerrir contre le froid.*

aguets n. m. plur. *Être aux aguets :* guetter en restant immobile et attentif. *Les chasseurs sont aux aguets.*

ah ! interj. Mot qui sert à exprimer la joie, la surprise, l'admiration, le mécontentement. *Ah ! que c'est beau ! Ah ! c'est toi ? Ah ! tu m'énerves !*

ahuri, ie adj. Qui est très étonné par les événements, au point de paraître stupide. *Il est resté ahuri en apprenant la nouvelle.*
    Un état d'*ahurissement*, c'est l'état d'une personne ahurie. *Cette histoire est ahurissante, et j'ai du mal à y croire*, cette histoire me laisse ahuri.

aide n. f. et n.
• n. f. *1* Action d'aider quelqu'un. *J'ai besoin de ton aide pour accrocher ce tableau. 2 À l'aide de quelque chose :* en s'en servant. *Il marche à l'aide d'une canne.*
• n. Personne qui aide quelqu'un dans son travail. *Ce grand cuisinier a de nombreux aides.*

aide-mémoire n. m. Petit livre qui résume ce qu'il faut savoir sur un sujet particulier. *Un aide-mémoire d'histoire de France.*

aider v. → conjug. **aimer.** *1* Joindre ses efforts à ceux de quelqu'un d'autre. *Des amis m'ont aidé à déménager. 2 S'aider de quelque chose :* s'en servir. *On s'aide d'un marteau pour enfoncer des clous.*

aide-soignant, ante n. Plur. : des aides-soignants, des aides-soignantes. Personne qui aide les infirmiers dans un hôpital.

aïe ! interj. Cri qu'on pousse quand on a mal ou quand on se fait mal. *Aïe ! Je suis tombé ! crie Anatole.* **On prononce** [aj]. **Homonyme : ail.**

aïeul, aïeule n. Plur. : des aïeux. Littéraire. *1* Grand-père, grand-mère. *2* Au pluriel. Les ancêtres.

aigle n. m. Grand rapace qui construit son aire dans la montagne. *Les aigles ont un gros bec crochu.*
    L'*aiglon* est le petit de l'aigle.

aigre adj. et n. m.
• adj. *1* Qui est désagréablement piquant et acide au goût. *Ce vin aigre n'est plus bon. 2* Au figuré. Qui est

désagréable ou agressif. *Une remarque dite sur un ton aigre.*
• n. m. *Tourner à l'aigre :* prendre un caractère plus violent, plus agressif. *La discussion tourne à l'aigre, il va y avoir de la bagarre.*
    Un vin *aigrelet* est un vin légèrement aigre (*1*).

aigre-doux, aigre-douce adj. **Plur. : aigres-doux, aigres-douces.** Qui a un goût aigre et doux à la fois. *Une sauce aigre-douce.*

aigrelet, ette adj. → **aigre.**

aigrette n. f. *1* Touffe de plumes sur la tête de certains oiseaux. *Les paons et les hérons portent une aigrette. 2* Héron blanc, qui a de longues plumes sur la tête.

aigreur n. f. *1* Goût aigre. *Je n'apprécie pas l'aigreur de ces fruits. 2* Au figuré. Caractère aigre ou amer d'un propos. *Répondre avec aigreur.*

aigrir v. → conjug. **finir.** *1* Rendre un aliment aigre. *Le temps orageux a aigri le lait. 2* Au figuré. Rendre quelqu'un amer ou irritable. *Ses déceptions et ses échecs l'ont aigri.*

aigu, uë adj. *1* Se dit d'un son perçant, très élevé. *Chanter d'une voix aiguë. 2* Intense, violent. *Ressentir une douleur aiguë dans le ventre.*
Contraire : grave (*1*).
***Regarde aussi* angle.**

aiguillage n. m. → **aiguiller.**

aiguille n. f. *1* Fine tige d'acier pointue avec laquelle on coud. *Enfiler du fil dans une aiguille. 2 Aiguille à tricoter,* tige de métal ou de plastique avec laquelle on tricote. *3* Fine tige métallique et creuse que l'on adapte à une seringue pour faire une injection. *4* Tige rigide qui tourne sur le cadran d'une montre, d'une horloge. *La grande aiguille indique les minutes, la petite aiguille les heures. 5* Feuille rigide, étroite et pointue des conifères. *Aiguilles de pin, de sapin.*
On prononce [egyij].

aiguiller v. → conjug. **aimer.** *1* Faire passer un train d'une voie à une autre. *2* Au figuré. Orienter. *Ses parents veulent l'aiguiller vers des études médicales.*
    L'*aiguillage* est l'appareil qui permet d'aiguiller (*1*) un train.

aiguilleur, euse n. *1* Personne qui manœuvre un aiguillage. *2 Aiguilleur du ciel,* personne chargée de guider et de contrôler le vol des avions.

aiguillon n. m. Dard des abeilles, des guêpes, des scorpions.

aiguiser v. → conjug. **aimer.** Rendre plus coupant, affûter. *Aiguiser un couteau, un rasoir.*

aïkido n. m. Art martial japonais.

Inventé en 1931 par le Japonais Ueshiba Morihei, l'aïkido est un sport d'autodéfense. Signifiant «recherche pour l'unification des énergies vitales», il a pour principe de neutraliser la force de son attaquant. Il se pratique à mains nues et se base sur des mouvements de rotation du corps et des prises au niveau des articulations. L'aïkido compte sept grades – chaque grade est un «dan». Plus de 200 000 personnes pratiquent l'aïkido dans le monde, dont 60 000 en France.

ail n. m. **Plur. : des ails ou des aulx.** Plante dont on utilise les gousses pour assaisonner les aliments. *L'aïoli est un plat méditerranéen à base d'ail.*
Homonyme : aïe.

aile n. f. *1* Organe de certains animaux qui leur sert à voler. *Les oiseaux et les chauves-souris ont une paire d'ailes, les insectes en ont deux paires.* *2* Chacune des deux parties planes et allongées d'un avion qui le soutiennent en l'air. *3* Partie d'un bâtiment qui se trouve à droite ou à gauche de la partie centrale. *Les deux ailes d'un château.* *4* Partie de la carrosserie d'une voiture qui se trouve au-dessus de chaque roue. *Lors de l'accident, l'aile de leur voiture a été arrachée.* *5* Extrémité gauche ou droite de la ligne d'attaque d'une équipe de football, de rugby. *6 Ailes du nez,* parties du nez situées de chaque côté, au-dessus des narines.
Un insecte ailé, c'est un insecte qui a des ailes (1).
Les ailiers d'une équipe de football, de rugby, ce sont les joueurs placés aux ailes (5).

aileron n. m. *1* Extrémité de l'aile d'un oiseau. *2* Nageoire triangulaire de certains poissons. *Ailerons de requin.* *3* Volet articulé situé à l'arrière de l'aile d'un avion.

ailier n. m. → aile.

ailleurs adv. À un autre endroit. *Ne restons pas ici, allons ailleurs.*
Regarde aussi d'ailleurs.

aimable adj. Qui cherche à faire plaisir, à être agréable. *Elle a été très aimable avec moi.*
Synonyme : gentil.
Il lui a répondu aimablement, de façon aimable.

aimant n. m. Corps qui a la propriété d'attirer les objets en fer et en acier.
L'aiguille aimantée de la boussole a les propriétés d'un aimant.

Tout aimant, quelle que soit sa forme (barre, fer à cheval…), possède deux pôles situés à ses extrémités. Ce sont les parties où l'aimantation est la plus forte. Lorsqu'on suspend une barre aimantée à un fil, l'un des pôles prend la direction du nord : on lui a donné le nom de pôle nord ; par opposition, on a appelé l'autre le pôle sud.
Si l'on rapproche deux aimants, on constate que les pôles de même nature (nord et nord ; sud et sud) se repoussent alors que les pôles de nature différente (nord et sud) s'attirent.

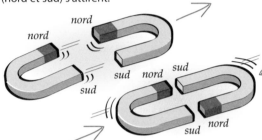

aimer v. *1* Éprouver de l'amour, être amoureux. *Roméo et Juliette s'aiment.* *2* Éprouver de l'affection, de l'amitié, de la tendresse. *Elle aime beaucoup ses cousins.* *3* Avoir du goût pour quelque chose, être content de faire quelque chose. *Aimer le chocolat, le football. Aimer lire.* *4* Aimer mieux : préférer. *Aimer mieux jouer que travailler.*
Regarde page suivante.

aine n. f. Partie du corps située entre le bas du ventre et le haut de la cuisse.
Homonyme : haine.

aîné, ée adj. et n. Qui est né avant les autres. *La fille aînée. L'aîné de la famille.*

ainsi adv. *1* De cette façon. *Ça ira mieux ainsi.* *2 Pour ainsi dire :* presque. *Je n'ai pour ainsi dire rien mangé.* *3 Ainsi que :* comme. *Ainsi que je vous l'avais annoncé, je serai absent la semaine prochaine.* *4 Ainsi que :* et aussi. *Son père ainsi que sa mère travaillent à l'hôpital.*

air n. m. *1* Mélange gazeux que respirent les êtres vivants et qui constitue l'atmosphère. *2 Regarder en l'air :* regarder vers le ciel. *3* Apparence d'une personne, expression de son visage. *Avoir un drôle d'air. Prendre un air déçu.* *4 Avoir l'air :* sembler, paraître. *Elle a l'air contente. Ça a eu l'air de lui faire plaisir.* *5* Mélodie, musique. *Fredonner l'air d'une chanson.*
Homonymes : aire, ère.

La conjugaison du verbe AIMER
verbe régulier du 1er groupe

→ indicatif

présent	j'aime	passé	j'ai aimé
	tu aimes	composé	tu as aimé
	il ou elle aime		il ou elle a aimé
	nous aimons		nous avons aimé
	vous aimez		vous avez aimé
	ils ou elles aiment		ils ou elles ont aimé
imparfait	j'aimais	plus-que-	j'avais aimé
	tu aimais	parfait	tu avais aimé
	il ou elle aimait		il ou elle avait aimé
	nous aimions		nous avions aimé
	vous aimiez		vous aviez aimé
	ils ou elles aimaient		ils ou elles avaient aimé
passé simple	j'aimai	passé antérieur	j'eus aimé
	tu aimas		tu eus aimé
	il ou elle aima		il ou elle eut aimé
	nous aimâmes		nous eûmes aimé
	vous aimâtes		vous eûtes aimé
	ils ou elles aimèrent		ils ou elles eurent aimé
futur simple	j'aimerai	futur antérieur	j'aurai aimé
	tu aimeras		tu auras aimé
	il ou elle aimera		il ou elle aura aimé
	nous aimerons		nous aurons aimé
	vous aimerez		vous aurez aimé
	ils ou elles aimeront		ils ou elles auront aimé

→ conditionnel

présent	j'aimerais
	tu aimerais
	il ou elle aimerait
	nous aimerions
	vous aimeriez
	ils ou elles aimeraient
passé	j'aurais aimé
	tu aurais aimé
	il ou elle aurait aimé
	nous aurions aimé
	vous auriez aimé
	ils ou elles auraient aimé

→ infinitif

présent	aimer
passé	avoir aimé

→ subjonctif

présent	que j'aime	passé	que j'aie aimé
	que tu aimes		que tu aies aimé
	qu'il ou elle aime		qu'il ou elle ait aimé
	que nous aimions		que nous ayons aimé
	que vous aimiez		que vous ayez aimé
	qu'ils ou elles aiment		qu'ils ou elles aient aimé
imparfait	que j'aimasse	plus-que-	que j'eusse aimé
	que tu aimasses	parfait	que tu eusses aimé
	qu'il ou elle aimât		qu'il ou elle eût aimé
	que nous aimassions		que nous eussions aimé
	que vous aimassiez		que vous eussiez aimé
	qu'ils ou elles aimassent		qu'ils ou elles eussent aimé

→ participe

présent	aimant
passé	aimé (s), ée (s)
	ayant aimé

→ impératif

présent	aime
	aimons
	aimez
passé	aie aimé
	ayons aimé
	ayez aimé

L'air que nous respirons est essentiellement composé d'azote (78 %) et d'oxygène (21 %). Le 1 % restant est formé de dioxyde de carbone, de vapeur d'eau et de gaz rares tels que l'ozone, l'hydrogène, le néon, le krypton, le xénon, le méthane, le monoxyde de carbone et l'hélium. Un homme consomme en moyenne 4 000 litres d'air par jour. La Terre est entourée d'une couche d'air épaisse d'environ 150 km appelée couche atmosphérique ou atmosphère. *Regarde ci-dessous.*

aire n.f. *1* Espace, terrain aménagé pour une activité. *Aire de jeu. Aire de repos. Aire d'atterrissage.* *2* Mesure d'une surface, superficie. *Calculer l'aire d'un triangle.* *3* Nid des oiseaux de proie. *L'aire d'un aigle.*

> Homonymes : air, ère.
>
> *Regarde aussi* surface.

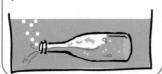

airelle n.f. Arbrisseau dont les fruits sont des baies comestibles.

aisance n. f. *1* Absence de gêne, d'effort dans la manière de faire quelque chose. *Parler avec beaucoup d'aisance.* *2* Situation de fortune qui permet de vivre confortablement. *Vivre dans l'aisance.*

aise n.f. *1* *Être à l'aise :* ne pas être gêné. *Il est à l'aise dans ses vêtements.* *2* *Mal à l'aise :* gêné, embarrassé. *Cette fille me met mal à l'aise.* *3* *Se mettre à l'aise :* s'installer confortablement.

aisé, ée adj. *1* Qui vit dans l'aisance. *Une famille aisée.* *2* Qui se fait sans effort, sans difficulté. *Un travail aisé.*

> Il a réussi *aisément*, de façon aisée (*2*), facilement.

aisselle n. f. Creux qui se trouve sous le bras, à l'endroit où il rejoint le thorax.

Ajaccio

Ville française située sur la côte ouest de la Corse. Ajaccio abrite le port le plus important de l'île. La ville possède de beaux monuments, dont la cathédrale Notre-Dame-de-la-Miséricorde, le palais Fesh et la chapelle impériale. Un musée est consacré à Napoléon Ier dans la maison Bonaparte, où il est né.

2A

Préfecture de la Corse-du-Sud
54 697 habitants : les Ajacciens

---

l'air

L'air est présent partout, il est indispensable à la vie.

■ **L'air est invisible.**
La bouteille vide est en réalité pleine d'air. L'eau remplit la bouteille en chassant l'air qu'elle contient.

■ **L'air est pesant.** Le ballon gonflé est plus lourd que le ballon dégonflé. Un litre d'air pèse environ 1,29 g.

la couche atmosphérique

■ Elle protège la Terre des radiations dangereuses du Soleil.

rayons du Soleil

atmosphère

Terre

■ **Privés d'air, animaux et végétaux meurent.**
Le feu s'éteint.

■ **L'air comprimé est utilisé** dans les pneumatiques des automobiles, les bouteilles des plongeurs sous-marins, les aéro-glisseurs, etc.

■ **L'air liquide** est de l'air qui a été comprimé puis refroidi à – 190 °C. Il est de couleur bleue.

ajonc

ajonc n. m. Arbrisseau épineux à fleurs jaunes. **On prononce** [aʒɔ̃].

ajouré, ée adj. Percé de nombreuses ouvertures décoratives. *Un tissu ajouré.*

ajourner v. → conjug. **aimer.** Remettre à plus tard. *Ils ont dû ajourner leur départ en vacances.*
L'ajournement d'un rendez-vous, c'est le fait de le remettre à plus tard.

ajouter v. → conjug. **aimer.** **1** Mettre en plus. *La sauce est parfaite, il ne faut plus rien y ajouter.* **2** Dire en plus. *Ajouter un mot.*

ajustage n. m. → ajuster.

ajusté, ée adj. Se dit d'un vêtement qui serre le corps. *Une robe ajustée.*
Contraire : ample.

ajuster v. → conjug. **aimer.** Assembler deux choses de façon qu'elles s'adaptent bien. *Ce n'est pas le bon couvercle, je n'arrive pas à l'ajuster à la boîte.*
L'ajustement d'un tuyau à un robinet, c'est l'action de les ajuster. *Faire l'ajustage d'une pièce mécanique*, c'est la mettre en état de s'ajuster à une autre. *Un ajusteur*, c'est un ouvrier spécialisé dans l'ajustage des pièces.

Akhenaton

Pharaon qui règne sur l'Égypte de 1372 à 1354 av. J.-C., époux de la reine Néfertiti.
Son vrai nom est Aménophis IV. Arrivé au pouvoir, il supprime le culte des diverses divinités égyptiennes et impose, avec sa femme Néfertiti, celui d'un dieu unique : Aton, le disque solaire.
Il se nomme alors lui-même Akhenaton, «Celui qui plaît à Aton». Devant l'opposition des prêtres du culte d'Amon, Akhenaton décide d'abandonner Thèbes (la ville du dieu Amon) pour fonder près de Karnak une nouvelle capitale entièrement vouée au culte d'Aton : Akhetaton.
Après sa mort, le pharaon Toutankhamon, successeur d'Akhenaton, revient à Thèbes et rétablit les anciens cultes.

Aladin

Héros du conte *Aladin ou la Lampe merveilleuse.* Aladin est envoyé à la recherche d'une lampe par un magicien malfaisant. Après avoir réussi à échapper à celui-ci, il frotte la lampe pour la nettoyer : il en sort un puissant génie capable d'exaucer ses vœux. C'est ainsi qu'Aladin, modeste fils de tailleur, épouse la fille du sultan. *Aladin ou la Lampe merveilleuse* appartient au recueil de contes *les Mille et Une Nuits.* Composé d'histoires variées originaires d'Orient, ce recueil, rédigé en arabe à partir du XIᵉ siècle, est traduit en français au XVIIIᵉ siècle.

alambic n. m. Appareil qui sert à fabriquer de l'alcool par distillation. *Les alambics sont généralement en cuivre.*

alambiqué, ée adj. Qui est compliqué, qui manque de simplicité. *De longues phrases alambiquées.*

alarmant adj. → alarmer.

alarme n. f. **1** Signal qui avertit d'un danger. *Leur maison est équipée d'une alarme.* **2** Donner l'alarme : avertir d'un danger.

alarmer v. → conjug. **aimer.** Inquiéter beaucoup. *Inutile de s'alarmer, il n'y a rien de grave.*
Un état de santé alarmant, qui alarme, inquiète. *Tenir des propos alarmistes*, des propos qui alarment l'opinion.

Alaska

État le plus grand des États-Unis, situé au nord-ouest du Canada. L'Alaska, qui signifie «le continent» dans la langue des Inuits, est une immense péninsule (1 530 000 km²).
Le relief est très montagneux ; le mont McKinley (6 194 m) est le plus haut sommet d'Amérique du Nord. À l'intérieur des terres, le climat est très rude (jusqu'à – 57 °C).
L'économie de l'Alaska est fondée sur ses importantes richesses minières : pétrole et gaz naturel, mais aussi or, cuivre, charbon et fer.
L'Alaska appartient aux États-Unis depuis 1867. La péninsule était en effet russe depuis 1741, date de son exploration par le Danois Vitus Bering, au service du tsar Pierre le Grand.

Albanie

Petite république de la péninsule balkanique, au bord de la mer Adriatique. L'Albanie est un pays montagneux, couvert à un tiers de forêts. La population, essentiellement rurale, vit dans une très grande pauvreté. L'industrie est très peu développée. Depuis 1990, le régime politique est en crise et de nombreux Albanais ont quitté leur pays pour émigrer en Italie ou en Grèce.

28 750 km²
3 141 000 habitants :
les Albanais
Langues : albanais, grec
Monnaie : nouveau lek
Capitale : Tirana

albâtre n. m. Pierre blanche et translucide. *On utilise l'albâtre pour faire des sculptures.*

albatros n. m. Très gros oiseau marin, blanc et gris.
On prononce [albaᴛʀos].

Albi

Ville française de la Région Midi-Pyrénées, située sur le Tarn, au sud-ouest du massif central. Une splendide cathédrale-forteresse gothique en briques roses domine Albi. Le palais épiscopal abrite le musée du peintre Toulouse-Lautrec, natif de la ville. Au début du XIIIᵉ siècle, Albi est la scène d'un violent conflit entre l'Église catholique, soutenue par le roi de France Philippe II Auguste, et les cathares (appelés «albigeois» dans cette région), membres d'un mouvement religieux en pleine expansion.

81 *Préfecture du Tarn*
49 106 habitants : les Albigeois

albinos adj. et n. Qui a la peau, les cheveux ou les poils très blancs. *Un lapin albinos. Cet homme est un albinos.*
On prononce [albinos].

album n. m. **1** Livre illustré. *Il s'est acheté un album de B. D.* **2** Sorte de livre dans lequel on peut classer des photos, des collections diverses, etc. *Ranger ses* timbres dans un album. **3** Synonyme de disque. *Acheter un album de son chanteur préféré.*

alchimie n. f. Science occulte très répandue au Moyen Âge, dont les recherches consistaient à trouver, grâce à des expériences en laboratoire, l'élixir de longue vie et le secret pour transformer les métaux en or.
Les *alchimistes* étaient les personnes qui pratiquaient l'alchimie.

alcool n. m. **1** Substance chimique qu'on obtient par la fermentation et la distillation du jus de raisin ou de céréales. *Cette boisson est garantie sans alcool.* **2** Boisson qui contient cette substance. *La bière et le whisky sont des alcools fabriqués avec du malt.* **3** Liquide qui sert à désinfecter les plaies. *Nettoyer une blessure avec de l'alcool.*
On prononce [alkɔl].
L'*alcoolémie*, c'est le taux d'alcool (**1**) dans le sang. Un *alcoolique* est une personne tellement intoxiquée par l'alcool (**2**) qu'elle ne peut plus s'en passer. *Il ne boit jamais de boissons* alcoolisées, *de boissons qui contiennent de l'alcool (**1**). Lutter contre l'*alcoolisme,* c'est lutter contre la maladie des gens alcooliques.

alcootest n. m. Sorte de ballon dans lequel on fait souffler un chauffeur, pour savoir s'il n'a pas trop bu d'alcool pour pouvoir conduire.
On prononce [alkɔtɛst].

aléa n. m. Risque qu'on ne peut pas prévoir. *Ce métier comporte des aléas.*

aléatoire adj. Qui dépend du hasard et qu'on ne peut pas prévoir. *Sa réussite est très aléatoire.*

Alençon

Ville française de la Région Basse-Normandie, située sur la Sarthe. Alençon est un centre agricole et industriel, surtout agroalimentaire et possède deux belles églises gothiques, Notre-Dame et Saint-Léonard.
La ville est réputée pour sa dentelle, appelée «point d'Alençon». La première manufacture de dentelle a été installée dans la ville en 1665 à l'initiative de Colbert.

61 *Préfecture de l'Orne*
30 379 habitants : les Alençonnais

alentours n. m. plur. Lieux qui entourent un endroit. *Aux alentours de Paris, il y a de belles forêts.*
Synonyme : environs.

b c d e f g h i j k l m n o p q r s t u v w x y z

alerte

1. alerte adj. Dont les mouvements sont vifs et rapides. *Grand-père fait du sport pour rester alerte.*

2. alerte n. f. Signal qui prévient d'un danger. *Dès que le feu s'est déclaré, les voisins ont donné l'alerte.*
  Alerter les pompiers, c'est leur donner l'alerte, les prévenir qu'il y a le feu.

Alésia

Reconstitution des fortifications romaines d'Alésia.

Ancienne ville gauloise, située dans l'actuelle Côte-d'Or, en Bourgogne. En 52 av. J.-C., l'armée romaine commandée par Jules César assiège Alésia pour mettre fin à la résistance des Gaulois réunis autour de Vercingétorix. Jules César fait construire d'impressionnantes fortifications autour de la ville. Après 40 jours de siège, les Gaulois sont réduits à la famine. Vercingétorix rend lui-même les armes à César. Emmené à Rome, il est exécuté en prison.

alevin n. m. Très jeune poisson, qui sert à peupler les rivières, les étangs ou les lacs.

Alexandre le Grand

Roi de Macédoine né en 356 et mort en 323 av. J.-C. Devenu roi à vingt ans, Alexandre le Grand est l'un des plus grands chefs militaires de l'histoire. Après s'être rendu maître de la Grèce, Alexandre sort vainqueur de la guerre contre le roi perse Darius III. Il s'empare de son empire, puis poursuit ses conquêtes jusqu'au fleuve Indus. Il fonde plusieurs villes sur son passage, comme Alexandrie en Égypte. À sa mort, ses généraux se partagent l'immense empire qu'il a constitué.

alexandrin n. m. En poésie, vers qui comporte douze syllabes. *«À vaincre sans péril, on triomphe sans gloire» est un alexandrin tiré de la pièce de Corneille le Cid.*

alfa n. m. Plante vivace dont les feuilles servent à fabriquer des cordes et de la pâte à papier. *L'alfa est utilisé pour la confection des espadrilles.*

algèbre n. m. Méthode de calcul dans laquelle certains nombres sont remplacés par des lettres dont il faut trouver la valeur. *$x + 5 = 9$ est une formule d'algèbre.*
  Une équation algébrique est une équation qui a rapport à l'algèbre.

Algérie

République démocratique et populaire d'Afrique du Nord.
L'Algérie est située au cœur du Maghreb, entre le Maroc et la Tunisie. La majeure partie de ce pays quatre fois plus vaste que la France est occupée par le désert du Sahara. Le nord, plus accueillant, profite d'un climat méditerranéen et concentre 95 % de la population.
L'agriculture (blé, agrumes, légumes secs, dattes, olives) et l'élevage ne couvrent pas les besoins alimentaires. L'industrie est peu développée et l'exportation du pétrole et du gaz est indispensable au pays. Le chômage touche 28 % de la population. Celle-ci est très jeune : près des trois quarts ont moins de trente ans.

2 381 741 km²
31 266 000 habitants :
les Algériens
Langues : arabe,
tamazight, français
Monnaie : dinar
Capitale : Alger

L'Algérie, colonie française depuis 1852, devient indépendante après un conflit qui se déroule entre 1954 et 1962. Depuis 1992, l'instabilité politique et la montée en puissance des islamistes fanatiques plongent le pays dans la violence.

algue n. f. Plante qui vit dans l'eau. *Les algues ont la particularité de ne pas avoir de racines.*

Ali Baba

Héros du conte *Ali Baba et les quarante voleurs*. Ali Baba, artisan pauvre, surprend une bande de quarante voleurs qui pénètre dans la caverne où est caché leur butin grâce à une formule magique : «Sésame, ouvre-toi !»

Une fois les voleurs partis, Ali Baba entre à son tour dans la caverne et accède à un fabuleux trésor.

L'histoire d'Ali Baba fait partie du recueil de contes *les Mille et Une Nuits*.

Regarde aussi Aladin.

alibi n. m. Preuve qui permet d'affirmer qu'une personne qu'on suspecte d'un crime ou d'un délit n'était pas présente sur les lieux au moment où ce crime a été commis. *Avoir un bon alibi.*

aliéné, ée n. Ancien mot pour désigner un fou. *Un asile d'aliénés.*

aligner v. → conjug. **aimer.** Disposer, ranger sur une même ligne. *Les poteaux de la clôture sont bien alignés.*

Dans cette rue, l'*alignement* des maisons est parfait, les maisons sont parfaitement alignées.

aliment n. m. Produit qui sert de nourriture aux êtres vivants. *Les fruits et les légumes sont des aliments très sains.*

Suivre un régime *alimentaire*, qui concerne les aliments.

Le corps puise dans les aliments les produits dont il a besoin pour son développement et son entretien. **Regarde p. 36 et 37.**

alimentation n. f. Manière de se nourrir, de s'alimenter.

Une alimentation équilibrée doit apporter une quantité suffisante d'aliments variés. Quand la nourriture est fournie en quantité insuffisante, on parle de sous-alimentation. Celle-ci entraîne un amaigrissement.
Une alimentation qui n'est pas équilibrée entraîne la malnutrition, responsable de maladies telles que le rachitisme (manque de vitamine C). L'excès de nourriture conduit à l'obésité. **Regarde p. 36 et 37.**

alimenter v. → conjug. **aimer.** *1* Fournir des aliments. *On alimente le malade avec du bouillon de légumes.* *2* Fournir ce qui est nécessaire, approvisionner. *Alimenter une chaudière en mazout.*
Synonyme : nourrir (1).

alinéa n. m. Dans un texte, ligne qui se trouve en retrait. *Commencer un nouveau paragraphe par un alinéa.*

s'aliter v. → conjug. **aimer.** Se mettre au lit, quand on est malade. *Le médecin lui a conseillé de s'aliter quelques jours.*

alizé n. m. Vent régulier qui souffle sur les océans, entre les tropiques.

Allah

Dieu des musulmans. Allah, dont le nom signifierait «le Dieu», est, selon l'islam, le Dieu unique créateur de l'Univers.
Au début du VIIe siècle, il transmet sa parole au prophète Mahomet, par l'intermédiaire de l'ange Gabriel. Ces révélations forment le Coran, livre sacré des musulmans.

allaiter v. → conjug. **aimer.** Donner le sein à un nourrisson, ou nourrir de lait un petit. *Elle allaite son bébé. La chatte allaite ses chatons.*

L'*allaitement* est l'action d'allaiter.

allécher v. → conjug. **digérer.** Attirer quelqu'un, lui faire envie en flattant son goût, son odorat, etc. *Être alléché par les odeurs qui viennent de la cuisine.*

Une odeur *alléchante* est une odeur qui allèche, qui est appétissante.

1. allée n. f. Chemin assez large généralement bordé d'arbres dans un jardin, un parc, un bois. *L'allée qui mène au château est bordée de tilleuls.*

2. allées n. f. plur. *Allées et venues :* déplacements de personnes qui circulent dans tous les sens. *La police surveille les allées et venues du suspect.*

alléger v. → conjug. **siéger.** Rendre plus léger ou moins important. *Alléger un sac à dos. Alléger les programmes scolaires.*
Contraire : alourdir.

Beaucoup espèrent un *allégement* des impôts, que les impôts seront allégés.

allégorie n. f. Expression d'une idée abstraite au moyen d'une image symbolique.

allègre adj. Qui est gai, vif, plein d'entrain. *Il est d'humeur allègre ce matin.*

Marcher *allègrement*, c'est marcher d'un pas allègre.

allégresse n. f. Joie très vive, enthousiasme. *Quand la guerre s'est terminée, il y a eu dans tout le pays des scènes d'allégresse.*

la chaîne alimentaire

Entre animaux et végétaux d'un même milieu de vie, il existe des relations alimentaires organisées comme une véritable chaîne.
Prédateurs (ceux qui mangent) et proies (ceux qui sont mangés) forment les maillons des chaînes alimentaires.

■ Un milieu est en équilibre quand aucune espèce animale ou végétale ne disparaît ou ne prolifère.

■ Les activités humaines déséquilibrent ou désorganisent parfois des chaînes alimentaires. Par exemple, la pollution des sols, des étangs, des rivières par des insecticides entraîne la disparition de certaines espèces. Le ou les maillons manquants sont à l'origine de la prolifération d'espèces qui n'ont plus de prédateurs.

■ L'élimination de certains rapaces a entraîné la prolifération de nombreux rongeurs.
■ Des dégâts importants ont été causés au pied de barrages et sur les rives des cours d'eaux par la prolifération de rats musqués importés d'Amérique et n'ayant pas de prédateurs.

Larves d'insectes vivant sous l'eau.

Le goujon dévore goulûment les larves d'insectes.

Le brochet, carnivore, se nourrit du goujon.

Le pêcheur, dernier maillon de la chaîne, capture le brochet.

Les feuilles mortes – ou humus – constituent le premier maillon de la chaîne.

Les larves d'insectes sont les décomposeurs de cette litière.

La mésange se nourrit de petits vers et d'insectes.

La martre dévore l'oiseau, sa proie favorite.

Les protides, les glucides, les lipides, les vitamines et l'eau sont les éléments indispensables au développement et à l'entretien de la vie. Une alimentation équilibrée doit comporter la bonne quantité de chacun de ces éléments.

les protides

On les trouve dans le poisson, la viande rouge, les œufs, le lait, le fromage, les yaourts… Ils favorisent la croissance. Un gramme de protides fournit 16,7 kJ.

les glucides

On les trouve dans les pâtes, le riz, le pain, le sucre, la confiture… Ils sont une source d'énergie. Un gramme de glucides fournit 16,7 kJ.

les lipides

On les appelle aussi corps gras. On les trouve dans le beurre, l'huile, la margarine… Ils servent à stocker l'énergie. Un gramme de lipides fournit 37,6 kJ.

l'eau

C'est la seule boisson indispensable à notre corps ; il est nécessaire d'en boire beaucoup.

les vitamines

On les trouve dans les fruits et les légumes frais. Elles ont chacune une fonction particulière : la vitamine A favorise la croissance, la vitamine C permet de lutter contre la fatigue et les infections, la vitamine D fixe le calcium sur les os…

Quelques bonnes règles

- Consommer des aliments très variés
- Prendre ses repas à heures fixes
- Faire un petit déjeuner copieux
- Bien mastiquer les aliments
- Manger dans le calme
- Ne pas trop manger le soir
- Boire au moins 1,5 l d'eau par jour

En comptant le goûter, nous prenons 1 460 repas par an !

Les kilojoules (kJ)

La quantité d'énergie apportée par chaque élément se mesure en kilojoules (kJ). Un enfant de 10 ans a besoin en moyenne d'un peu plus de 10 000 kJ par jour.

TROIS EXEMPLES DE MENUS ÉQUILIBRÉS

Salade
Steak
Purée
Fromage
Fruits

Potage
Poisson
Endives
Fromage
Fruits

Crudités
Poulet
Pâtes
Fromage
Fruits

Les plantes se nourrissent aussi…

Les plantes se nourrissent d'éléments puisés dans l'atmosphère et dans le sol. Les racines puisent dans le sol l'eau et les sels minéraux dont les plantes ont besoin. Les feuilles, sous l'action de la lumière du soleil et de la chlorophylle, absorbent le dioxyde de carbone qui se trouve dans l'atmosphère. C'est la sève qui transporte ces éléments dans toute la plante. L'engrais qui fertilise le sol permet un meilleur développement.

pluie

dioxyde de carbone absorbé par les feuilles

eau et sels minéraux absorbés par les racines

Allemagne

Länder et villes principales

Rélief est peu accidenté. De vastes plaines s'étendent au nord, auxquelles succèdent, au centre, des massifs anciens couverts de forêts. Le Sud, plus montagneux, est dominé par les Alpes bavaroises, dont le point culminant est le Zugspitze (2 963 m).

République fédérale située au centre de l'Europe. L'Allemagne est constituée de 16 États fédérés, sortes de régions appelées « Länder ».

■ Le relief est peu accidenté. De vastes plaines s'étendent au nord, auxquelles succèdent, au centre, des massifs anciens couverts de forêts. Le Sud, plus montagneux, est dominé par les Alpes bavaroises, dont le point culminant est le Zugspitze (2 963 m).

■ Pays le plus peuplé d'Europe, l'Allemagne est la 3e puissance économique du monde. Les vallées du Rhin et de la Ruhr concentrent une grande part de la production industrielle. Stuttgart abrite les usines automobiles Porsche et Mercedes, et Hambourg est un port maritime très actif. Francfort est la capitale de la finance.

■ Munich est le centre artistique et culturel le plus important, Heidelberg est un haut lieu de recherche et d'enseignement universitaire.

■ Entre 1949 et 1990, l'Allemagne est séparée en deux États : l'Allemagne de l'Est et l'Allemagne de l'Ouest.

En 1961, l'Allemagne de l'Est fait construire, au centre de Berlin, un mur séparant Berlin-Ouest de Berlin-Est. La porte de Brandebourg devient l'un des symboles de l'Allemagne divisée. Elle est rouverte en 1989, après la chute du mur de Berlin.

■ Depuis sa réunification en 1990, l'Allemagne est un géant politique qui exerce une forte influence sur les autres pays de l'Union européenne. Berlin, redevenue capitale en 1990, est le siège du Parlement depuis 1999.

Le Zugspitze, le plus haut sommet d'Allemagne.

357 030 km²
82 414 000 habitants :
les Allemands
Langues : allemand
Monnaie : euro
(ex-deutsche Mark)
Capitale : Berlin

La porte de Brandebourg, à Berlin.

Heidelberg, ville universitaire et touristique.

Le port de Hambourg, important pôle industriel.

aller v. et n. m.

• v. *1* Se déplacer vers un lieu. *Je vais au marché. Ils vont en vacances à la mer.* *2* Mener, aboutir, conduire quelque part. *Ce chemin va jusqu'à la plage.* *3* Se sentir physiquement dans tel état, se porter. *Comment vas-tu ? Je vais très bien.* *4* Convenir à quelqu'un. *Cette robe te va très bien !* *5* Suivi d'un infinitif, exprime un futur proche. *Fais attention, tu vas tomber. Il va faire beau.* *6* *S'en aller* : partir, quitter un lieu. *Il pleut, allons-nous-en.*

• n. m. *1* Trajet qu'on effectue dans un seul sens pour aller quelque part. *Je vais faire l'aller en bus et le retour à pied.* *2* Billet de transport valable pour une seule direction. *Acheter un aller Paris-Caen.*

Contraire : retour.

La conjugaison du verbe ALLER 3e groupe

indicatif présent	je vais, il ou elle va, nous allons, ils ou elles vont
imparfait	j'allais
futur	j'irai
passé simple	j'allai
subjonctif présent	que j'aille
conditionnel présent	j'irais
impératif	va, allons, allez
participe présent	allant
participe passé	allé

allergie n. f. Réaction anormale du corps à certains aliments ou à certains produits. *Cette crème pour les mains lui donne des allergies.*
Il est allergique aux chats, les chats lui donnent de l'allergie.

alliage n. m. Métal obtenu en mélangeant plusieurs métaux, ou un métal avec d'autres substances. *Le laiton est un alliage de zinc et de cuivre.*

alliance n. f. *1* Accord conclu entre des pays, des partis politiques, etc. *2* Anneau généralement porté à l'annulaire par les personnes mariées.
Des alliés sont des gens qui ont conclu une alliance (1). S'allier à un autre pays, c'est conclure une alliance (1) avec lui.

alligator n. m. Reptile proche du crocodile, que l'on trouve en Amérique et en Chine.

allô ! interj. Premier mot que l'on dit au début d'une communication téléphonique. *Allô ! Qui est à l'appareil ?*
Homonyme : halo.

allocation n. f. Somme d'argent qui est versée régulièrement à quelqu'un. *Des allocations familiales sont versées aux familles qui ont des enfants.*

allocution n. f. Discours très bref. *Le ministre a prononcé une allocution lors de l'inauguration.*

allongé, ée adj. Dont la forme est étendue en longueur. *Elle a un visage allongé.*

allongement n. f. Augmentation de longueur ou de durée. *L'allongement des vacances favorise le tourisme.*

allonger v. → conjug. **ranger.** *1* Synonyme de rallonger. *Allonger une robe de quelques centimètres.* *2* Étendre, déplier un membre. *Il n'y a même pas de place pour allonger ses jambes !* *3* *S'allonger* : s'étendre, se mettre en position horizontale. *Elle s'est allongée pour se reposer un peu.*

allouer v. → conjug. **aimer.** Accorder une somme d'argent. *Allouer une indemnité aux victimes de la guerre.*

allumage n. m. Dans un moteur, système électrique qui permet l'inflammation du combustible et le démarrage.

allumer v. → conjug. **aimer.** *1* Mettre le feu à quelque chose. *Allumer les bougies d'un gâteau d'anniversaire.* *2* Mettre en marche un appareil électrique. *Allumer une lampe, la radio.*
Contraire : éteindre.

allumette n. f. Petit bâton en bois, avec une extrémité enduite d'un produit qui s'enflamme quand on le frotte sur un grattoir.

allure n. f. *1* Vitesse à laquelle se déplacent une personne, un animal, un véhicule. *Le galop est l'allure la plus rapide du cheval.* *2* Apparence, aspect. *Tu as une drôle d'allure avec ces vieux vêtements !* *3* Distinction, élégance. *Cette femme est très distinguée, elle a beaucoup d'allure.*

allusion n. f. Façon de parler, de manière vague et imprécise. *Grand-père fait souvent allusion à sa jeunesse.*
Un propos allusif est un propos qui contient une allusion. Parler allusivement, c'est parler de façon allusive.

alluvions n. f. plur. Dépôts de graviers, de terre, de boue apportés par un cours d'eau.

aloès n. m. Plante des régions chaudes dont les feuilles charnues fournissent une résine utilisée en pharmacie et en cosmétique. *Certaines espèces d'aloès fournissent une fibre textile.*
On prononce [alɔɛs].

alors adv. et conj.
• adv. *1* À ce moment-là, en ce temps-là. *Il n'était alors qu'un enfant.* *2* Dans ces conditions, dans ce cas. *Il va pleuvoir, alors il vaut mieux prendre un parapluie.*
• conj. *Alors que :* bien que. *Il va se baigner alors qu'il est malade.*

alouette n. f. Petit oiseau, qui vit surtout dans les champs. *L'alouette a un plumage brun.*

alourdir v. → conjug. **finir.** Rendre plus lourd. *Ces livres alourdissent inutilement ton cartable.*
Contraire : alléger.
   *Craindre un **alourdissement** des impôts,* c'est craindre que les impôts ne soient alourdis.

alpage n. m. Pâturage en haute montagne. *L'été, les troupeaux montent paître dans les alpages.*

Alpes

Chaîne montagneuse la plus haute d'Europe. Les Alpes forment un arc de cercle qui s'étend sur 1 200 km d'ouest en est, de la France à la Slovénie, en passant par la Suisse, l'Italie, le Liechtenstein et l'Autriche. Dans le massif du Mont-Blanc, deux grands fleuves prennent naissance : le Rhin et le Rhône. Le mont Blanc lui-même est le point culminant des Alpes (4 807 m). Le lac Léman et le lac de Constance sont leurs deux plus grands lacs.
   Les Alpes sont découpées en vallées profondes et en cols d'altitude (Mont-Cenis, Grand-Saint-Bernard, Saint-Gothard, Simplon).
   Un important réseau de tunnels facilite la circulation. Aujourd'hui, l'économie s'appuie surtout sur le tourisme.

alphabet n. m. Ensemble des lettres qui servent à transcrire les sons d'une langue et qui sont classées dans un ordre précis, en français de A à Z.
   *L'ordre **alphabétique** d'un dictionnaire,* c'est l'ordre de l'alphabet.

alphabétiser v. → conjug. **aimer.** Apprendre à lire et à écrire à des personnes analphabètes.
   *L'**alphabétisation** des travailleurs étrangers,* c'est l'action de les alphabétiser.

alphanumérique adj. En informatique, se dit d'un clavier qui comporte à la fois des lettres et des chiffres.

alpin, ine adj. Qui concerne la chaîne des Alpes. *Les massifs alpins.*

alpinisme n. m. Sport des ascensions en montagne. *Les **alpinistes** sont les personnes qui pratiquent l'alpinisme.*

Le mot alpinisme vient de « Alpes » : c'est en effet dans les Alpes que débute, en 1786, l'ère de l'alpinisme, avec l'ascension du mont Blanc en 1786 par le Dr Paccard et le guide J. Balmat. Après plus d'un siècle de tentatives et de progrès dans tous les massifs de la planète, les années 1950-1960 marquent la conquête des 14 plus hauts sommets du monde. Dans l'Himalaya, l'Everest (8 846 m) est conquis en 1953. Aujourd'hui l'alpinisme est un sport de plus en plus pratiqué, parfois au mépris d'une connaissance suffisante de la montagne.

Alsace

Région administrative de l'est de la France. L'Alsace compte deux départements : le Haut-Rhin et le Bas-Rhin. Région frontalière, elle fait longtemps, avec la Lorraine, l'objet de conflits entre la France et l'Allemagne. Sa capitale, Strasbourg, est depuis 1992 le siège du Parlement européen et occupe une position privilégiée au centre des échanges économiques européens.

Altamira

Site préhistorique d'Espagne, dans la province de Santander. Découvertes en 1879, les grottes d'Altamira ont révélé des peintures réalisées entre 15 000 et 10 000 av. J.-C. De couleur rouge ou noire, celles-ci représentent des bisons, des biches et des sangliers.

altération n. f. → altérer.

altercation n. f. Dispute vive entre deux personnes. *Avoir une altercation avec son voisin.*

altérer v. → conjug. **digérer.** *1* Abîmer, endommager quelque chose. *Les couleurs se sont altérées à cause du soleil.* *2* Donner soif.
   *Cette mauvaise odeur est due à une **altération** du produit,* au fait que le produit s'est altéré (*1*).

alternance n. f. → alterner.

alternatif, ive adj. Qui va régulièrement tantôt dans un sens, tantôt dans l'autre. *Le mouvement alternatif du balancier d'une horloge.*

alternative n. f. Choix entre deux possibilités. *Accepter ou refuser, il n'y a pas d'autre alternative.*

alternativement adv. À tour de rôle. *Se relayer au volant en conduisant alternativement.*

alterner v. → conjug. **aimer.** Se succéder de façon régulière, à tour de rôle. *Faire alterner le travail et le repos.*
   L'alternance des saisons, c'est le fait que les saisons alternent.

altesse n. f. Titre donné à un prince ou à une princesse.

altier, ière adj. Qui manifeste une attitude fière et dédaigneuse. *Un air altier.*
Synonyme : hautain.

altimètre n. m. Appareil qui sert à mesurer l'altitude d'un lieu.

altitude n. f. Hauteur d'un lieu par rapport au niveau de la mer. *Le mont Blanc culmine à 4 807 m d'altitude.*

alto n. m. Instrument de musique à quatre cordes, plus grave que le violon.

altruisme n. m. Qualité d'une personne qui aime s'intéresser aux autres et les aider.
   Une personne altruiste fait preuve d'altruisme.
Contraire : égoïsme.

aluminium n. m. Métal blanc léger. *L'aluminium est utilisé dans de nombreuses industries.*
On prononce [alyminjɔm].

alunir v. → conjug. **finir.** Se poser sur la Lune. *La fusée a aluni sans dommage.*
   Au moment de l'alunissage des astronautes, au moment où ils ont aluni.

alvéole n. f. Petite cavité de cire construite par les abeilles dans la ruche.

amabilité n. f. Qualité d'une personne aimable. *Il a eu l'amabilité de me raccompagner.*
Synonyme : gentillesse.

amadouer v. → conjug. **aimer.** Attendrir quelqu'un en le flattant ou en lui faisant des promesses, pour obtenir quelque chose de lui. *Il essaie d'amadouer le vendeur pour obtenir une réduction.*

amaigrir v. → conjug. **finir.** Rendre maigre ou plus maigre. *Elle est très amaigrie par la maladie.*

Elle suit un régime amaigrissant, un régime destiné à l'amaigrir. *Tu devrais suivre une cure d'amaigrissement,* une cure pour t'amaigrir.

amalgame n. m. Mélange de choses ou de personnes hétéroclites. *Un amalgame de gens très différents.*
   Une population très disparate s'est amalgamée dans ce quartier, une population qui forme un amalgame.

amande n. f. Graine comestible de l'amandier.
   L'amandier est l'arbre qui produit les amandes.
      Homonyme : amende.

L'amandier est très répandu dans les pays méditerranéens. Son bois rosé est apprécié en ébénisterie. Ses fruits, frais ou secs, sont utilisés en cuisine, en pâtisserie, en confiserie (pâte d'amandes, nougats, dragées) et en cosmétique (lait d'amande).

Écale.

Amande. *Coque.*

amanite n. f. Champignon.

La plupart des amanites poussent dans les bois. Certaines sont comestibles et délicieuses, comme l'amanite des Césars, mais attention, d'autres sont toxiques, comme l'amanite tue-mouches. Les plus dangereuses sont l'amanite phalloïde, l'amanite vireuse et l'amanite printanière, qui sont mortelles.
***Regarde aussi* champignon.**

Amanite phalloïde.

amant n. m. Homme avec lequel une femme a des relations sexuelles sans être mariée avec lui.

amarre n. f. Cordage qui sert à attacher un bateau à un point fixe.
   Amarrer un bateau, c'est l'attacher avec des amarres.

amaryllis n. f. Plante ornementale à gros bulbe, qui donne de grandes fleurs.
On prononce [amarilis].

amas n. m. Accumulation de choses qui forment un tas. *Il y a un amas de détritus devant la porte.*
   Amasser des paperasses, c'est en faire un amas.

amateur n. m. **1** Personne qui a un goût particulier pour quelque chose. *C'est un amateur d'opéra.* **2** Personne qui pratique un sport ou un art pour son plaisir, sans en faire son métier. *Peindre en amateur.*

amazone n. m. *Monter en amazone :* pour une femme, monter à cheval avec les deux jambes du même côté.

Amazone

Amazone

Fleuve d'Amérique du Sud. L'Amazone prend naissance dans les Andes et se jette dans l'Atlantique, traversant d'ouest en est toute la forêt amazonienne. C'est, avec le Nil, l'un des plus grands fleuves du monde (7 025 km). Par son débit, c'est le premier. Son bassin est si vaste et ses affluents si nombreux (1 100) qu'on l'appelle «le fleuve-mer». Son estuaire mesure 100 km de largeur.

ambassadeur, drice n. Diplomate qui représente son pays dans un pays étranger.
> Une *ambassade* est un bâtiment où réside l'ambassadeur et où sont installés ses services.

ambiance n. f. *1* Atmosphère plus ou moins agréable qui règne quelque part. *Il y a une très bonne ambiance dans cette classe.* *2* Atmosphère gaie, pleine d'entrain. *Mettre de l'ambiance dans une soirée.*

ambiant, ante adj. Propre au milieu dans lequel on se trouve. *Aérer pour renouveler l'air ambiant.*

ambidextre adj. Qui se sert avec autant d'habileté de sa main droite et de sa main gauche.

ambigu, uë adj. Qui a plusieurs sens et qu'on peut interpréter de plusieurs façons. *Sa réponse est ambiguë et manque de clarté.*
> L'*ambiguïté* d'une phrase, c'est son caractère ambigu.

ambitieux, euse adj. *1* Qui a l'ambition de réussir socialement. *Il est trop ambitieux pour se contenter de sa situation actuelle.* *2* Qui dénote de l'ambition. *Ton projet est trop ambitieux, tu risques d'échouer.*

ambition n. f. *1* Volonté de réussir dans la société. *Cet homme est prêt à tout pour satisfaire son ambition.* *2* Désir très fort de réaliser un but. *Sa seule ambition est d'avoir une vie heureuse.*

ambre n. m. *1* Ambre jaune : résine fossile translucide. *Avec l'ambre jaune, on fait des bijoux.* *2* Ambre gris : substance parfumée produite par le cachalot.

ambré, ée adj. *1* Qui a la couleur de l'ambre jaune. *Un vin ambré.* *2* Qui a le parfum de l'ambre gris. *Une eau de toilette ambrée.*

ambulance n. f. Voiture servant au transport des malades et des blessés.
> Un *ambulancier* est une personne qui conduit une ambulance.

ambulant, ante adj. Qui se déplace d'un lieu à un autre pour exercer son métier, vendre sa marchandise, etc. *Un marchand ambulant. Un théâtre ambulant.*

âme n. f. *1* Partie de l'être humain qui serait à l'origine de la pensée et des sentiments, par opposition au corps matériel. *Certains pensent que l'âme est immortelle.* *2* Rendre l'âme : mourir.

améliorer v. → conjug. **aimer.** Rendre meilleur. *Améliorer ses résultats. Sa santé s'est améliorée.*
Contraire : aggraver.
> On espère une *amélioration* du temps, que le temps va s'améliorer.

amen interj. Mot que l'on dit à la fin d'une prière dans les religions juive et chrétienne. *Amen est un mot hébreu qui veut dire «ainsi soit-il».*
On prononce [amεn].

aménager v. → conjug. **ranger.** Transformer un lieu pour le rendre plus pratique ou plus agréable. *Il veut aménager cette pièce pour en faire son bureau.*
> L'*aménagement* d'une maison, c'est l'ensemble des travaux pour l'aménager.

amende n. f. Somme d'argent qu'on doit payer quand on n'a pas respecté la loi. *Il a eu une amende pour excès de vitesse.*
Synonyme : contravention. Homonyme : amande.

amener v. → conjug. **promener.** *1* Conduire, mener quelqu'un quelque part. *Amener son bébé chez le pédiatre.* *2* Transporter vers un lieu. *Ces câbles amènent l'électricité dans les villages.* *3* Causer, occasionner quelque chose. *Cette histoire risque de t'amener des ennuis.* *4* Pousser quelqu'un à faire quelque chose. *Son échec va l'amener à réfléchir.*

Aménophis IV → Akhenaton.

s'amenuiser v. → conjug. **aimer.** Devenir plus petit. *Notre espoir de le voir guérir s'amenuise.*

amer, ère adj. *1* Qui a un goût âpre et souvent désagréable. *Ce café n'est pas bon, il est trop amer.* *2* Au figuré. Qui cause de la peine ou de la déception. *Ses vacances ratées lui ont laissé un souvenir amer.*
> Je regrette *amèrement* de l'avoir invité, de façon amère (*2*).

Amérique

Un des six continents. Le continent américain est formé de l'Amérique du Nord, de l'Amérique du Sud et de l'isthme qui les relie, l'Amérique centrale. Il s'étire sur près de 20 000 km du nord au sud. Le mot «Amérique» vient du prénom du navigateur italien Amerigo Vespucci. Il atteint le Nouveau Monde dix ans après sa découverte par Christophe Colomb. Sept ans plus tard, un géographe allemand baptise ainsi le continent.

Regarde p. 44 à 47.

amerrir v. → conjug. **finir.** Se poser sur un plan d'eau. *Le vaisseau spatial a amerri sur l'océan Pacifique.*

L'amerrissage d'un hydravion, le fait qu'il amerrit.

amertume n. f. *1* Goût amer d'un aliment ou d'une boisson. *Mettre du sucre dans son café pour en diminuer l'amertume.* *2* Au figuré. Sentiment de tristesse ou ressentiment dû à une déception. *C'est avec amertume qu'il repense à son échec.*

améthyste n. f. Pierre précieuse de couleur violette. *On fait des bijoux avec les améthystes.*

ameublement n. m. Ensemble des meubles et de la décoration d'une pièce, d'un appartement ou d'une maison.

ameublir v. → conjug. **finir.** Rendre une terre plus meuble, plus légère. *Ameublir la terre avant de semer.*

ameuter v. → conjug. **aimer.** Rassembler beaucoup de personnes, en faisant du bruit ou du scandale. *Ses cris ont ameuté tout le voisinage.*

ami, ie n. Personne à laquelle on est lié par un sentiment d'affection, pour qui on a de la sympathie. *Pour fêter son anniversaire, elle a invité ses meilleurs amis.*
Contraire : ennemi.

à l'amiable adv. En se mettant d'accord directement, sans avoir recours à une autorité. *Faire un constat d'accident à l'amiable.*

amiante n. f. Matière minérale qui résiste au feu. *On a découvert que l'amiante était très dangereuse pour la santé.*

amical, ale adj. Qui manifeste de l'amitié, qui exprime la sympathie. *Il m'a salué d'un geste amical.*

Bavarder amicalement avec quelqu'un, c'est bavarder de façon amicale avec lui.

amidon n. f. Matière végétale blanche, qui est utilisée pour fabriquer la colle. *Le blé, le riz, les pommes de terre contiennent de l'amidon.*

amincir v. → conjug. **finir.** Rendre ou faire paraître plus mince. *Elle aimerait trouver des vêtements qui l'amincissent.*

Une crème amincissante est une crème destinée à amincir.

amiral, aux n. m. Officier du grade le plus élevé dans la marine militaire.

amitié n. f. Sentiment qu'on a pour quelqu'un avec qui l'on est ami. *Leur amitié est ancienne puisqu'ils sont amis depuis l'enfance.*

amnésie n. f. Diminution ou perte de la mémoire. *Il souffre d'amnésie, il ne se souvient plus de son nom.*

Une personne amnésique est une personne qui souffre d'amnésie.

Amnesty International

Organisation internationale fondée à Londres en 1961 et représentée dans 56 pays.
Amnesty International a pour objectif de faire respecter la Déclaration universelle des droits de l'homme. Elle lutte contre la torture et la peine de mort, et intervient pour la libération de personnes emprisonnées abusivement du fait de leurs opinions, de leur langue, de leur origine ethnique, de leur couleur ou de leur sexe. Elle est financée par des dons privés et compte plus d'un million d'adhérents dans le monde. En 1977, elle a reçu le prix Nobel de la paix.

SON CRIME: PENSER.
SI ON L'OUBLIE, IL MOURRA.

amnistie n. f. Suppression de certaines condamnations ou amendes, pour les personnes auxquelles elles étaient infligées. *Certains prisonniers ont bénéficié d'une amnistie après les élections.*

Amnistier quelqu'un, c'est lui accorder une amnistie.

amoindrir v. → conjug. **finir.** Rendre moins fort ou moins important. *Il est très amoindri par la maladie.*

L'amoindrissement de ses ressources, c'est le fait que ses ressources s'amoindrissent, diminuent.

s'amollir v. → conjug. **finir.** Devenir plus mou. *Avec la chaleur, le chocolat s'est amolli.*
Synonyme : se ramollir.

l'Amérique du Nord et l'Amérique centrale

L'Amérique du Nord occupe une superficie d'environ 24,3 millions de km². On y trouve une grande variété de climats et une végétation très diversifiée.

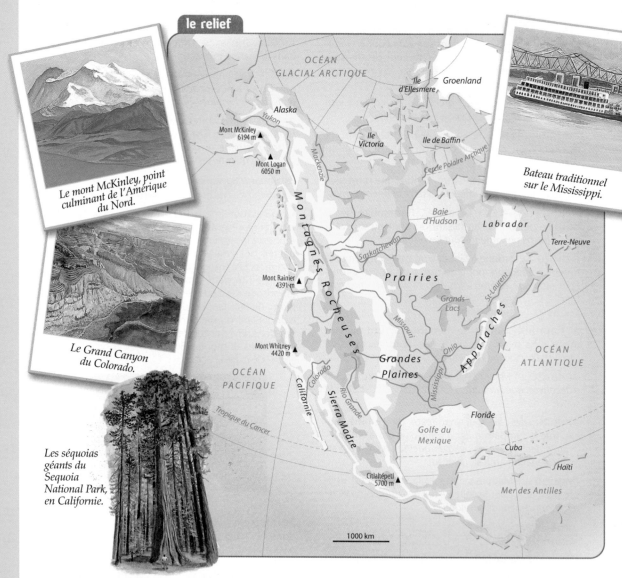

le relief

Le mont McKinley, point culminant de l'Amérique du Nord.

Le Grand Canyon du Colorado.

Les séquoias géants du Sequoia National Park, en Californie.

Bateau traditionnel sur le Mississippi.

OCÉAN GLACIAL ARCTIQUE

Île d'Ellesmere — Groenland

Alaska
Yukon

Mont McKinley 6194 m

Mont Logan 6050 m

Île Victoria

Île de Baffin

Cercle Polaire Arctique

Mackenzie

Baie d'Hudson

Labrador

Terre-Neuve

Saskatchewan

Prairies

Grands Lacs

St-Laurent

Appalaches

Mont Rainier 4391 m

Montagnes Rocheuses

Missouri

Ohio

OCÉAN ATLANTIQUE

Mont Whitney 4420 m

Grandes Plaines

Colorado

California

Rio Grande

Sierra Madre

Mississippi

OCÉAN PACIFIQUE

Tropique du Cancer

Floride

Golfe du Mexique

Cuba

Haïti

Citlaltépeti 5700 m

Mer des Antilles

1000 km

■ Trois grandes zones structurent le relief :
• les Appalaches, à l'est, qui sont un grand massif montagneux ;
• les Grandes Plaines centrales, qui renferment les cinq Grands Lacs,
les plus étendus du monde ;
• les montagnes Rocheuses, à l'ouest, qui s'étendent sur plus de 5 000 km et offrent des paysages grandioses comme Glacier National Park.

■ L'Alaska est une des plus grandes péninsules du monde. C'est une région montagneuse très froide.
■ Deux fleuves immenses, le Mississippi et le Missouri, sont utilisés pour
le transport des marchandises.
■ L'Amérique centrale est une étroite bande de terre volcanique d'environ 520 000 km², au relief accidenté.

44

Au nord, les États-Unis, le Mexique et le Canada regroupent 429 millions d'habitants. Les 7 pays de l'Amérique centrale totalisent 38 millions d'habitants.

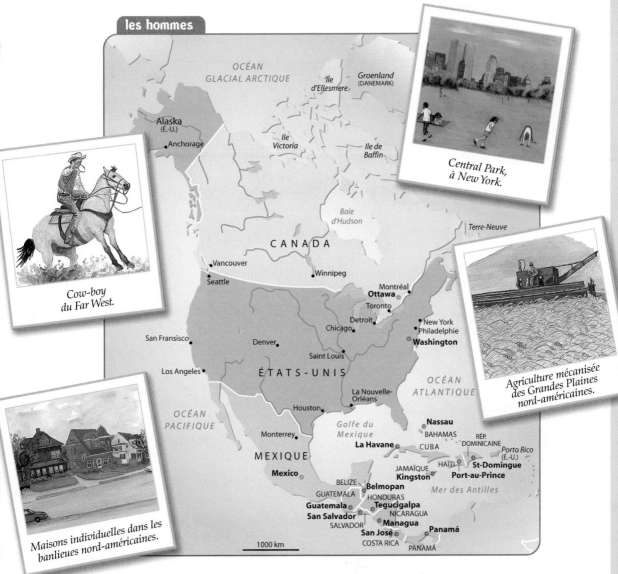

les hommes

OCÉAN GLACIAL ARCTIQUE

Île d'Ellesmere

Groenland (DANEMARK)

Alaska (É.-U.)

Anchorage

Île Victoria

Île de Baffin

Central Park, à New York.

Baie d'Hudson

Terre-Neuve

C A N A D A

Cow-boy du Far West.

Vancouver

Winnipeg

Seattle

Montréal

Ottawa

Toronto

Detroit

Chicago

New York
Philadelphie
Washington

San Fransisco

Denver

Saint Louis

OCÉAN ATLANTIQUE

Los Angeles

É T A T S - U N I S

Agriculture mécanisée des Grandes Plaines nord-américaines.

La Nouvelle-Orléans

OCÉAN PACIFIQUE

Houston

Nassau

Golfe du Mexique

BAHAMAS

Monterrey

La Havane

CUBA

RÉP. DOMINICAINE

Porto Rico (É.-U.)

M E X I Q U E

JAMAÏQUE

HAÏTI

St-Domingue

Mexico

Kingston

Port-au-Prince

BELIZE

Belmopan

Mer des Antilles

GUATEMALA

HONDURAS

Guatemala

Tegucigalpa

San Salvador

NICARAGUA

SALVADOR

Managua

Panamá

San José

COSTA RICA

PANAMÁ

1000 km

■ Les États-Unis et le Canada sont des pays riches en ressources minérales et pétrolières. Ils exportent leurs produits dans le monde entier. Ils ont aussi une agriculture et une industrie très développées qui les placent au premier rang mondial.
■ Un agriculteur moyen peut nourrir environ 70 personnes.
■ Le Mexique n'a pas une économie aussi florissante que ses voisins du Nord. Il possède toutefois les gisements de pétrole et de gaz naturel parmi plus grands du monde.
■ L'Amérique centrale est une région en voie de développement. L'économie est essentiellement fondée sur l'agriculture et le petit commerce. Seul le Guatemala a des ressources pétrolières.

Maisons individuelles dans les banlieues nord-américaines.

l'Amérique du Sud

L'Amérique du Sud s'étend sur environ 17,8 millions de km². Le relief accidenté de l'Ouest contraste avec les immenses bassins des fleuves du Nord et les pampas du Sud-Est. Le climat dominant est tropical.

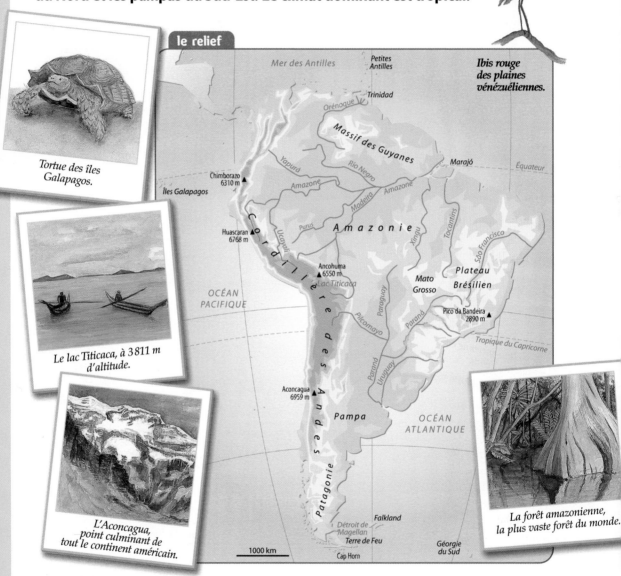

Ibis rouge des plaines vénézuéliennes.

Tortue des îles Galapagos.

Le lac Titicaca, à 3811 m d'altitude.

le relief

Mer des Antilles
Petites Antilles
Trinidad
Orénoque
Massif des Guyanes
Yapurá
Rio Negro
Marajó
Équateur
Chimborazo 6310 m
Amazone
Amazone
Îles Galapagos
Purus
Madeira
Amazonie
Huascaran 6768 m
Ucayali
Xingu
Tocantins
São Francisco
Ancohuma 6550 m
Lac Titicaca
Mato Grosso
Plateau Brésilien
OCÉAN PACIFIQUE
Paraguay
Pico da Bandeira 2890 m
Aconcagua 6959 m
Pilcomayo
Paraná
Tropique du Capricorne
Pampa
Uruguay
OCÉAN ATLANTIQUE
Paraná
Patagonie
Falkland
Détroit de Magellan
Terre de Feu
Géorgie du Sud
1000 km
Cap Horn

L'Aconcagua, point culminant de tout le continent américain.

La forêt amazonienne, la plus vaste forêt du monde.

■ La cordillère des Andes, chaîne volcanique, s'étend de la Colombie au Chili.
■ Le bassin de l'Amazone forme une plaine aussi vaste que l'Europe.

■ Le Rio Salado partage en deux la grande plaine argentine : le Gran Chaco, plaine couverte de bois, marais et étangs, et la Pampa, immense étendue très arrosée et fertile.

■ La forêt amazonienne, avec ses 4 millions de kilomètres carrés, est la plus grande réserve d'oxygène de la Terre. Plus de la moitié des espèces animales

et végétales de la planète y vivent.
■ La Patagonie, à l'extrême sud du continent, est constituée de terres inhospitalières, pour la plupart inhabitées.

Plus de 362 millions d'habitants sont répartis sur 12 pays à la géographie et au développement inégaux. L'accroissement rapide de la population de certains États crée des déséquilibres sociaux.

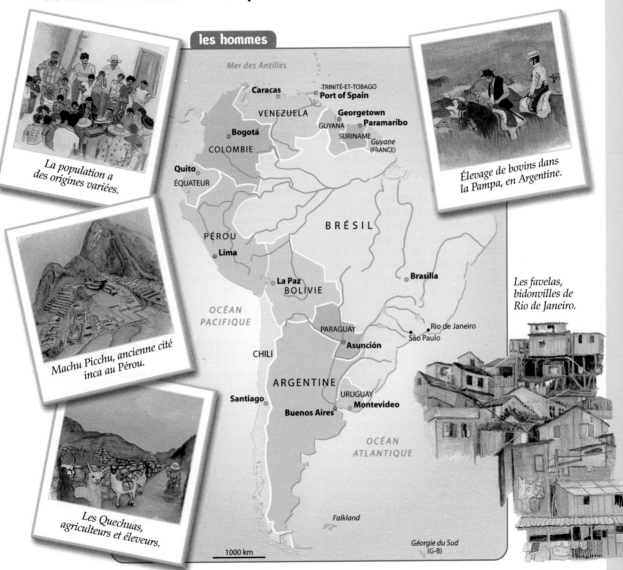

les hommes

La population a des origines variées.

Machu Picchu, ancienne cité inca au Pérou.

Les Quechuas, agriculteurs et éleveurs.

Élevage de bovins dans la Pampa, en Argentine.

Les favelas, bidonvilles de Rio de Janeiro.

Mer des Antilles

Caracas
TRINITÉ-ET-TOBAGO
Port of Spain
VENEZUELA
Georgetown
Bogotá
GUYANA
Paramaribo
SURINAME
COLOMBIE
Guyane (FRANCE)
Quito
ÉQUATEUR

BRÉSIL

PÉROU
Lima

Brasilia

La Paz
BOLIVIE

OCÉAN PACIFIQUE

PARAGUAY
Rio de Janeiro
São Paulo
Asunción

CHILI

ARGENTINE

URUGUAY
Santiago
Montevideo
Buenos Aires

OCÉAN ATLANTIQUE

Falkland

1000 km

Géorgie du Sud (G-B)

■ À l'origine composée de peuples indiens, la population d'Amérique a connu, à partir du xvᵉ siècle, l'arrivée des colons européens et des esclaves africains.

■ Les Quechuas, gardiens de la tradition inca, vivent dans les Andes centrales.
■ Le portugais est la langue officielle du Brésil. L'espagnol est parlé presque partout ailleurs.

■ Beauté des paysages et richesse du passé indien favorisent un tourisme en plein développement.
■ L'agriculture (café, cacao, canne à sucre, élevage) a longtemps

dominé dans l'économie. Aujourd'hui, on exploite les immenses ressources naturelles, c'est ainsi que de nombreux pays s'industrialisent, tels le Venezuela et le Brésil.

amonceler v. → conjug. **jeter.** Mettre en tas, accumuler, entasser. *Elle laisse ses papiers s'amonceler sur son bureau au lieu de les ranger.*

Un **amoncellement** de livres, c'est un ensemble de livres amoncelés.

Amon-Rê

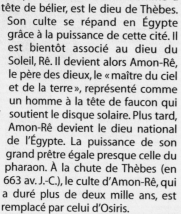

Divinité de la mythologie égyptienne. Amon, représenté comme un homme à tête de bélier, est le dieu de Thèbes. Son culte se répand en Égypte grâce à la puissance de cette cité. Il est bientôt associé au dieu du Soleil, Rê. Il devient alors Amon-Rê, le père des dieux, le « maître du ciel et de la terre », représenté comme un homme à la tête de faucon qui soutient le disque solaire. Plus tard, Amon-Rê devient le dieu national de l'Égypte. La puissance de son grand prêtre égale presque celle du pharaon. À la chute de Thèbes (en 663 av. J.-C.), le culte d'Amon-Rê, qui a duré plus de deux mille ans, est remplacé par celui d'Osiris.

amont n. m. Partie d'un cours d'eau la plus proche de la source par rapport à un point donné. *Sur le Rhône, Lyon est en amont d'Avignon.* **Contraire : aval.**

amorce n. f. *1* Appât pour les poissons. *Ce pêcheur utilise des asticots comme amorces.* *2* Dispositif qui permet de déclencher une explosion. *3* Petite charge de poudre enveloppée dans du papier. *Les enfants jouent avec des pistolets à amorces.*

amorcer v. → conjug. **tracer.** *1* Utiliser comme amorce pour attirer le poisson. *Amorcer avec des asticots.* *2* Placer une amorce sur une charge d'explosif. *Attention, la mine est amorcée et risque d'exploser.* *3* Commencer à faire quelque chose. *L'avion amorce la descente.*

amorphe adj. Qui est mou, manque d'énergie. *Cette canicule nous rend amorphes.*

amortir v. → conjug. **finir.** Diminuer la force ou l'intensité. *Amortir un bruit, un choc.*

Les **amortisseurs** de la voiture servent à amortir les secousses.

amour n. m. *1* Sentiment profond d'affection et d'attirance physique qu'on éprouve pour quelqu'un. *Malgré le temps, leur amour est toujours aussi fort.* *2* Attachement très fort entre des personnes.

L'amour des parents pour leurs enfants. *3* Goût ou intérêt très vif pour quelque chose ou pour une activité. *L'amour de la musique, l'amour du jeu.* *4* Faire l'amour avec quelqu'un : avoir des relations sexuelles avec lui.

Amour

Fleuve d'Extrême-Orient. L'Amour, long de 4 354 km, prend naissance en Chine. Il marque, sur 1 600 km, la frontière entre ce pays et la Russie (Sibérie), au nord de laquelle il se jette. L'Amour est une importante voie navigable.

amoureux, euse adj. et n. *1* Qui éprouve de l'amour pour quelqu'un. *Ils s'aiment, ils sont amoureux depuis longtemps.* *2* Qui a un goût très vif pour quelque chose. *C'est une amoureuse de la nature.*

S'embrasser **amoureusement**, c'est s'embrasser comme des amoureux.

amour-propre n. m. Sentiment qu'on a de sa propre valeur, de sa dignité. *C'est par amour-propre qu'il a refusé qu'on l'aide.* **Synonyme : fierté.**

amovible adj. Que l'on peut, à volonté, enlever ou remettre. *Des sièges de voiture amovibles.*

Ampère André Marie

Physicien et chimiste français né en 1775 et mort en 1836. Scientifique brillant, Ampère fait de nombreuses découvertes dans des disciplines variées. Étudiant l'action des courants électriques sur les objets aimantés, il fonde une nouvelle science : l'électromagnétisme. En électricité, il invente le télégraphe électrique et la bobine, et crée les mots « tension » et « courant électrique ». Il a laissé son nom à l'unité servant à mesurer l'intensité du courant électrique, l'ampère.

amphibie adj. *1* Qui peut vivre à la fois dans l'air et dans l'eau. *Les grenouilles, les tortues de mer, les crabes sont des animaux amphibies.* *2* Qui peut se déplacer sur terre et dans l'eau. *Des véhicules amphibies.*

amphibien n. m. Animal amphibie.

Les amphibiens, qui comprennent les grenouilles et les tritons, sont des animaux vertébrés qui peuvent vivre à la fois dans l'eau et sur la terre. Les ancêtres des amphibiens étaient des poissons. **Regarde page ci-contre.**

On compte plus de 4 000 espèces d'amphibiens, réparties en trois groupes : les salamandres et les tritons (400 espèces), les grenouilles, les rainettes et les crapauds (3 500 espèces) et les cécilies (200 espèces).

■ Les salamandres et les tritons (urodèles) ont un corps allongé et une queue.

■ Les grenouilles, les rainettes et les crapauds (anoures) ont un corps plus trapu, sans queue.

■ Les cécilies (apodes) n'ont pas de pattes et ressemblent à de gros vers de terre.

■ La peau des amphibiens est nue et fine. Elle joue souvent un rôle plus important dans la respiration que les poumons. Souvent très colorée, elle est un moyen de défense contre les prédateurs.

■ La plupart des amphibiens pondent des œufs.

■ La température du corps des amphibiens varie en fonction de la température ambiante.

■ Les amphibiens sont de petite taille (15 à 20 cm). La salamandre du Japon peut cependant atteindre 1,50 m de longueur et le crapaud géant d'Amérique du Sud plus de 30 cm. La plus petite grenouille, qui vit au Brésil, mesure moins de 1 cm !

La salamandre est un urodèle.

Le crapaud commun est un anoure.

Le triton européen est un urodèle.

La cécilie est un apode.

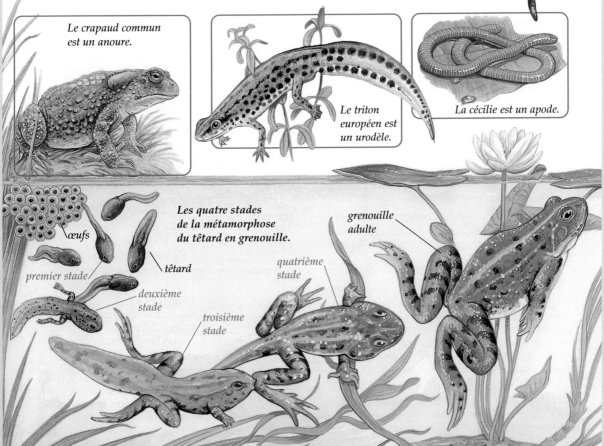

Les quatre stades de la métamorphose du têtard en grenouille.

œufs

premier stade

têtard

deuxième stade

troisième stade

quatrième stade

grenouille adulte

amphithéâtre n. m. *1* Dans l'Antiquité, théâtre circulaire avec des gradins, où avaient lieu les jeux du cirque. *2* Grande salle circulaire ou en demi-cercle garnie de gradins. *À l'université, certains cours ont lieu dans des amphithéâtres.*

Reconstitution d'un amphithéâtre romain.

amphore n. f. Vase antique en terre cuite, à deux anses.

Dans l'Antiquité, les amphores à fond pointu servent à transporter de l'huile, du vin, des graines... Les amphores grecques décoratives, ornées de peintures, possèdent un socle.

ample adj. Qui est large et ne serre pas. *Elle préfère porter des vêtements amples pour être à l'aise.*

amplement adv. Largement, de façon plus que suffisante. *Gagner amplement sa vie.*

ampleur n. f. *1* Caractère ample d'un vêtement. *2* Importance, étendue de quelque chose. *Constater l'ampleur de la catastrophe.*

amplifier v. → conjug. **modifier.** Augmenter la puissance ou l'importance de quelque chose. *Adapter un micro pour amplifier le son. Les journaux ont amplifié cette affaire.*

> *Sa chaîne stéréo a deux* **amplificateurs**, *deux appareils qui amplifient le son.*

ampoule n. f. *1* Petite boule de verre qui contient un filament que le courant électrique rend lumineux. *Une ampoule de 100 watts.* *2* Petit tube de verre qui contient un médicament liquide. *Des ampoules de vitamine C.* *3* Petit gonflement de la peau rempli de liquide. *Avoir des ampoules aux pieds.*
Synonyme : **cloque** (*3*).

amputer v. → conjug. **aimer.** Opérer quelqu'un pour lui couper un membre ou une partie d'un membre. *Il a été amputé d'un bras après son accident.*

Une **amputation** *est une opération chirurgicale qui consiste à amputer.*

Amsterdam

Capitale des Pays-Bas, située au nord du pays sur l'Amstel. Bâtie sur une centaine de petites îles, la ville est sillonnée de canaux que franchissent plusieurs centaines de ponts. Son port est relié à la mer du Nord par un canal. Façades anciennes du centre historique et immeubles modernes font d'Amsterdam un centre touristique important. La ville abrite de nombreux musées, tels la maison de Rembrandt, où le peintre a vécu jusqu'à sa mort, le musée Van Gogh et la maison d'Anne Frank, où la jeune fille et sa famille se cachèrent afin d'échapper aux nazis. Amsterdam compte plus de 700 000 habitants.

amulette n. f. Petit objet que certaines personnes portent sur elles comme un porte-bonheur.

Amundsen Roald

Explorateur norvégien né en 1872, mort en 1928. Entre 1903 et 1906, Amundsen est le premier à traverser en bateau les eaux gelées du nord de l'Amérique, entre l'Atlantique et le Pacifique (le « passage du Nord-Ouest »). Au cours de cette expédition, il détermine le pôle magnétique Nord. En 1911, il se lance à la conquête du pôle Sud. Il est le premier à l'atteindre, un mois avant l'Anglais Robert Scott. Il poursuit ses explorations en dirigeable et en avion. En 1928, il disparaît dans l'océan Arctique à bord de son appareil, en allant secourir un compagnon.

amuser v. → conjug. **aimer.** Distraire quelqu'un, lui procurer du plaisir. *Ce spectacle de marionnettes a beaucoup amusé les enfants. Les élèves s'amusent dans la cour.*

> *C'est un jeu très* **amusant**, *qui amuse beaucoup. Quel est ton* **amusement** *préféré ?* Quelle est l'activité qui t'amuse le plus ?

amygdale n. f. Chacune des deux glandes situées au fond de la gorge.
On prononce [amidal].

an n. m. *1* Période de douze mois. *Marie est née le 12 mars 1999 ; le 12 mars 2000, elle aura un an.* *2* Le jour de l'An : le 1ᵉʳ janvier, le premier jour de l'année. **Homonyme : en.**

anachronique adj. Qui ne correspond pas du tout à l'époque concernée. *Relever un détail anachronique dans un film historique.*

> Une course cycliste dans un village gaulois, c'est un *anachronisme*, un fait anachronique.

anaconda n. m. Serpent d'Amérique du Sud qui peut mesurer jusqu'à 7 m de longueur.

anagramme n. f. Mot qu'on obtient en changeant l'ordre des lettres d'un autre mot. *« Chine » est une anagramme de « niche ». « Singe » est une anagramme de « signe ».*

analogie n. f. Point commun entre des choses, ressemblance. *L'analogie entre l'homme et le singe.*

> Il m'est arrivé une aventure *analogue* à la tienne, qui présente une analogie avec la tienne.

analphabète adj. et n. Qui ne sait ni lire ni écrire. *Il n'est jamais allé à l'école, il est totalement analphabète.*

> L'*analphabétisme* est un véritable fléau, le fait d'être analphabète.

analyse n. f. Recherche des différents éléments dont une chose est formée. *L'analyse grammaticale permet d'étudier la nature et la fonction des mots dans une phrase.*

> *Analyser* une eau, c'est en faire l'analyse.

ananas n. m. Gros fruit à pulpe jaune cultivé dans les régions tropicales.
On prononce [anana ou ananas].

anarchie n. f. Grand désordre dû à l'absence d'autorité et de règles. *L'anarchie règne dans ce pays depuis que le gouvernement a démissionné.*

> On lui reproche la gestion *anarchique* de son entreprise, une gestion qui relève de l'anarchie.

anatomie n. f. Science qui étudie comment le corps des êtres vivants est constitué. *Les étudiants en médecine étudient l'anatomie.*

> Ce dessin *anatomique* permet de comprendre la circulation du sang, ce dessin qui relève de l'anatomie.

ancestral, ale, aux adj. Qui a été transmis par les ancêtres. *Une tradition ancestrale.*

ancêtre n. m. Personne dont on descend, à un degré plus éloigné que les grands-parents. *On fait des recherches sur ses ancêtres grâce à la généalogie.*

anchois n. m. Petit poisson argenté. *Ces filets d'anchois ont été conservés dans le sel.*

ancien, enne adj. et n.

● adj. *1* Qui existe depuis longtemps. *Cette église est ancienne, elle date du Moyen Âge.* *2* Qui a cessé d'avoir la fonction qu'il avait. *Un ancien directeur d'usine.*
Synonyme : vieux (1). Contraires : moderne, récent (1) ; nouveau (2).

● n. Personne qui occupe depuis longtemps une fonction. *Les anciens transmettent leur savoir.*

anciennement adv. À une époque lointaine, autrefois. *La Bastille était anciennement une prison.*

ancienneté n. f. *1* Caractère de ce qui est ancien. *L'ancienneté de ces statuettes est incontestable.* *2* Temps passé dans une fonction, un emploi. *Il a déjà dix ans d'ancienneté dans l'entreprise.*

> **Ancien Régime**
>
> **O**n désigne ainsi la période qui précède la Révolution française de 1789. L'Ancien Régime s'étend du règne du roi François Iᵉʳ à celui de Louis XVI.

ancolie n. f. Plante vivace aux fleurs de couleurs variées, dont les pétales forment une sorte de cornet.

ancre n. f. Pièce d'acier ou de fer fixée à une chaîne ou un câble, que l'on jette au fond de l'eau pour immobiliser un bateau. *Le voilier a jeté l'ancre dans une crique.*
Homonyme : encre.

ancrer v. → conjug. **aimer**. *1* Immobiliser un bateau au moyen d'une ancre. *Leur bateau est ancré dans le port.* *2* Au figuré. Fixer de façon durable une idée dans l'esprit. *Ce souvenir est bien ancré dans sa mémoire.*

> **Andersen** Hans Christian
>
> **É**crivain danois, né en 1805, mort en 1875. Après une enfance très pauvre, Andersen connaît la célébrité grâce à ses *Contes*. Il en publie, au total, près de 150, ainsi que des romans et des autobiographies. *Le Vilain Petit Canard*, oisillon noir et laid rejeté par les canards, qui finit par se transformer en un cygne majestueux, est inspiré de sa propre vie.
> Les histoires d'Andersen, d'une grande poésie, enchantent des générations de lecteurs. Parmi les plus connues : *la Petite Sirène, la Bergère et le Ramoneur, la Petite Fille aux allumettes, les Habits de l'empereur, la Reine des neiges…*

Andes

Chaîne de montagnes d'Amérique du Sud longeant l'océan Pacifique. S'étirant sur 8 000 km, la cordillère des Andes est la plus longue chaîne du monde. De nombreux sommets, dont certains sont des volcans encore en activité (comme le Nevado del Ruiz), dépassent 5 000 m d'altitude. Le point culminant est l'Aconcagua (6 959 m).

Plus peuplées que les plaines et les plateaux qu'elles bordent, les Andes comptent plusieurs capitales, parmi lesquelles La Paz, capitale de la Bolivie, construite à 3 800 m d'altitude.

Encore peu exploité, le sous-sol andin est très riche en minéraux variés : or, cuivre, plomb, mercure…

Andorre

Principauté des Pyrénées, située entre la France et l'Espagne. Avec une superficie de 450 km², Andorre est l'un des plus petits États du monde. Région montagneuse au climat rude, il doit l'essentiel de ses ressources à un tourisme très important. Placée sous la double suzeraineté de la France et de l'Espagne pendant plus de sept siècles, Andorre se dote, en 1993, de sa première Constitution, puis elle entre à l'ONU. La principauté maintient cependant ses deux coprinces : le président de la République française et l'évêque espagnol d'Urgel. Ensemble, ils nomment le chef de son gouvernement.

450 km²
69 000 habitants :
les Andorrans
Langues : catalan,
français, espagnol
Monnaie : euro (ex-
peseta, franc français)
Capitale : Andorre-
la-Vieille

andouille n.f. **1** Charcuterie constituée de boyau de porc farci de tripes, qui se mange froide. **2** Familier. Personne stupide ou maladroite.

Une andouillette est une petite andouille (1) que l'on mange cuite ou grillée.

âne n. m. **1** Mammifère domestique plus petit que le cheval, aux longues oreilles et au poil le plus souvent gris. **2** Personne stupide et ignorante.

L'ânesse est la femelle de l'âne (1). L'ânon est le petit de l'âne (1) et de l'ânesse.

anéantir v. → conjug. **finir.** Détruire entièrement. *La grêle a anéanti les récoltes.*

La guerre a provoqué l'anéantissement de cette nation, le fait que cette nation a été anéantie.

anecdote n. f. Petite histoire qui raconte un fait amusant ou intéressant, mais qui n'est pas essentiel. *Il nous raconte toujours des anecdotes très drôles sur son enfance.*

Faire un récit anecdotique de ses vacances, c'est en faire un récit qui relève de l'anecdote.

anémie n. f. Maladie du sang due à un manque de globules rouges. *L'anémie provoque une très grande fatigue.*

Être anémié, c'est souffrir d'anémie. Cet enfant anémique est vraiment très pâle, il doit souffrir d'anémie.

anémone n. f. Plante aux fleurs de couleurs vives et variées. *Les anémones fleurissent au printemps.*

ânerie n. f. Propos ou acte stupide. *Cesse de dire de telles âneries !*
Synonymes : bêtise, sottise.

ânesse n. f. → âne.

anesthésie n. f. Suppression de la sensibilité à la douleur avant une opération chirurgicale. *Pour cette petite opération, une simple anesthésie locale sera suffisante.*

Anesthésier un malade, c'est lui faire une anesthésie. L'anesthésique est le médicament utilisé pour faire une anesthésie. Avant son opération, il a rendez-vous avec l'anesthésiste, le médecin spécialisé dans les anesthésies.

aneth n. m. Plante aromatique, aux fines feuilles vert foncé. *Manger une tranche de saumon à l'aneth.*
On prononce [anɛt].

anfractuosité n. f. Creux dans une roche. *Escalader un rocher en s'aidant des anfractuosités pour s'agripper.*

ange n. m. **1** Être surnaturel qui apporte un message de Dieu, dans certaines religions. *Les anges sont représentés avec des ailes.* **2** Au figuré. Personne très aimable. *Cet enfant est un ange.* **3** Être aux anges : être très heureux.

Angelico Fra

Peintre italien né vers 1400 et mort en 1455. Son vrai nom est Guido di Pietro. Il devient moine dominicain sous le nom de Fra Giovanni da Fiesole (*Fra* est le diminutif de *fratello*, « frère » en italien).

Fra Angelico, l'un des maîtres de la peinture de la Renaissance italienne, réalise de magnifiques fresques pour les édifices religieux, dont la chapelle de Nicolas V du Vatican. Ses œuvres aux couleurs lumineuses traduisent sa foi chrétienne profonde, ce qui lui vaut le surnom d'*Angelico* (« l'Angélique »). Parmi les plus connues, l'on peut citer *le Couronnement de la Vierge*, ainsi que *l'Annonciation*.

l'Annonciation

angélique adj. Qui est digne d'un ange. *Un visage, une patience angélique.*

Angers

Ville française de la Région Pays de la Loire, située sur la Maine. Angers est un centre industriel (informatique et électronique notamment), mais aussi agroalimentaire (production de Cointreau) et culturel. Importante cité gallo-romaine, Angers devient capitale de l'Anjou au IXᵉ siècle. Elle voit se construire au cours des siècles le château des comtes d'Anjou, entouré d'une enceinte dotée de 17 tours. Elle abrite également une cathédrale gothique du XIIIᵉ siècle.

49   ***Préfecture du Maine-et-Loire***
156 327 habitants : les Angevins

angine n. f. Inflammation de la gorge. *Sa fièvre est due à une angine.*

angle n. m. **1** Figure géométrique. **2** Endroit formé par deux lignes qui se coupent. *La maison se trouve à l'angle de deux rues.*

L'angle est la figure formée par deux demi-droites ayant même origine ou deux demi-plans qui se coupent. La mesure des angles s'exprime en degrés (°), en grades (gr) ou en radians (rad).

Angle plat : ses côtés sont sur la même droite, il est égal à 180°.

Angle droit : ses côtés sont perpendiculaires, il est égal à 90°.

Angle obtus : il est supérieur à 90°.

Angle aigu : il est inférieur à 90°.

Angles adjacents : ils ont le même sommet et un côté commun.

Angles supplémentaires : leur somme est égale à 180°.

Angles complémentaires : leur somme est égale à 90°.

Angleterre → Royaume-Uni.

anglicisme n. m. Mot d'origine anglaise. « *Sandwich* », « *basket* » sont des anglicismes.

angoisse n. f. Très grande inquiétude qui entraîne un sentiment de malaise. *Chaque fois qu'elle prend l'avion, elle ressent une profonde angoisse.*

Ce film est **angoissant**, il cause de l'angoisse.
Angoisser quelqu'un, c'est lui causer de l'angoisse.

Angola

République de l'Afrique sud-tropicale. L'Angola est un pays montagneux (un haut plateau couvre l'essentiel du territoire), à l'exception d'une bande côtière fertile. Il est très pauvre, malgré l'existence de ressources minières (pétrole et diamant) et agricoles (café, canne à sucre, maïs…). Ancienne colonie portugaise devenue indépendante en 1975, l'Angola est ravagé par la guerre civile depuis lors.

1 246 700 km²
13 184 000 habitants : les Angolais
Langues : portugais, umbundu, kimbundu…
Monnaie : kwanza
Capitale : Luanda

angora adj. *1* Qui a des poils longs et très doux. *Une chatte angora.* *2* Se dit de la laine qui est faite avec des poils de lapin ou de chèvre angora. *Ce pull en laine angora est très doux.*

Angoulême

Ville française de la Région Poitou-Charente, située sur la Charente. Ancienne capitale de l'Angoumois, Angoulême conserve des fortifications sur la ville haute, bâtie sur un éperon rocheux. La cathédrale Saint-Pierre, qui date du XIIᵉ siècle, est un chef-d'œuvre de l'art roman. La ville basse, moderne, abrite différents secteurs d'activité : industries textiles, papeterie, armement, industries mécaniques et électriques.
Depuis 1974, la ville accueille chaque année le Festival international de la bande dessinée.

16 *Préfecture de la Charente*
46 324 habitants : les Angoumoisins

anguille n. f. Poisson de forme très allongée.
L'anguille n'a pas d'écailles. Sa peau est très visqueuse, ce qui la rend difficile à saisir. On dit d'ailleurs «glisser comme une anguille».
L'anguille vit dans les rivières et dans les lacs, mais elle se reproduit dans la mer des Sargasses (au nord des Antilles). Pour cela, les anguilles d'Europe traversent plusieurs milliers de kilomètres, à travers tout l'océan Atlantique ! Dans la mer des Sargasses, l'anguille pond des milliers d'œufs avant de mourir. Les jeunes anguilles retournent ensuite vers les rivières.

anguleux adj. Qui forme des sortes d'angles vifs. *Il est très maigre et son visage est anguleux.*

anicroche n. f. Petit incident fâcheux. *Notre séjour s'est bien déroulé, sans aucune anicroche.*

animal, aux n. m. et adj.
● n. m. *1* Être vivant doué de mouvement et de sensibilité, par opposition aux végétaux. *L'homme, le tigre, l'éléphant sont des animaux.* *2* Être vivant autre que l'être humain. *Les vaches, les poules, les lapins sont des animaux de la ferme.*
Synonyme : bête (*2*).
● adj. Qui concerne les animaux, les bêtes. *Cette espèce animale est protégée.*
Un parc animalier est un parc où l'on peut voir des animaux (2) qui vivent en liberté.

Environ 1,7 million d'espèces d'animaux ont été recensées, mais on pense qu'il en existe au moins 12 millions. Les insectes à eux seuls représentent plus de 1 million des espèces connues. Les mammifères, dont fait partie l'homme, n'en comptent que 4 200. *Regarde p. 56 et 57.*

animateur, trice n. *1* Personne qui dirige et anime une réunion, un spectacle, une émission. *Cet animateur est chargé d'une émission de variétés.* *2* Personne chargée d'organiser des activités pour un groupe. *Cet été, elle sera animatrice dans une colonie de vacances.*

animation n. f. *1* Caractère de ce qui est animé. *Ce quartier est mort, il n'y a aucune animation.* *2* Travail de l'animateur. *Il faudrait développer les animations dans ce quartier difficile.* *3* Au cinéma, technique des dessins animés.

animé, ée adj. *1* Qui est plein de mouvement, de vie, d'activité. *Cette rue commerçante est toujours très animée.* *2* Être animé : être vivant par opposition aux objets. *Les animaux et les plantes sont des êtres animés.*

animer v. → conjug. **aimer.** *1* Faire bouger. *Pour animer une marionnette, tire sur le fil.* *2* Être l'animateur d'une réunion, d'un débat, d'un spectacle ou d'un groupe. *Plusieurs journalistes animent le débat.* *3* Pousser à agir. *La passion et l'enthousiasme l'animent.* *4* S'animer : devenir animé, vivant. *Dans mon quartier, c'est surtout le soir que les rues s'animent.*

animosité n. f. Sentiment d'agressivité ou d'hostilité envers quelqu'un. *Je te fais cette critique sans aucune animosité.*

anis n. m. Plante que l'on utilise pour parfumer certains produits. *Du sirop d'anis. Des bonbons à l'anis.*
On prononce [ani] **ou** [anis].
Un apéritif anisé est parfumé à l'anis.

ankylose n. f. Raideur des articulations. *Avoir les genoux bloqués par un peu d'ankylose.*
Si tu restes longtemps dans la même position, tu vas t'ankyloser, tu vas ressentir une ankylose.

annales n. f. plur. Histoire des événements d'une époque. *C'est un joueur de basket exceptionnel, il restera dans les annales.*

Annapurna

Sommet du massif de l'Himalaya. Situé au Népal, le sommet de l'Annapurna (8 078 m) est l'un des plus hauts du monde. Il est, en 1950, la première montagne de plus de 8 000 m à être gravie. L'alpiniste Maurice Herzog, qui dirige l'équipe, y perd ses doigts, gelés durant l'ascension.

anneau, eaux n. m. *1* Objet circulaire pour accrocher, retenir. *L'anneau d'un porte-clefs.* *2* Bijou circulaire qui se porte au doigt. *Un anneau de mariage. Un anneau d'argent.* *3* Objet, chose qui a la forme d'un anneau. *Saturne est une planète entourée d'anneaux lumineux.* *4* Au pluriel. Cercles de métal attachés à deux cordes fixées à un portique, pour faire de la gymnastique.

année n. f. *1* Période de douze mois qui dure du 1er janvier au 31 décembre. *Fêter la nouvelle année.* *2* Période de douze mois à partir de n'importe quelle date. *Il a voyagé à l'étranger pendant plusieurs années.* *3* *Année scolaire :* période de dix mois entre la rentrée des classes et le début des grandes vacances.

année-lumière n. f. **Plur. : des années-lumière.** Distance parcourue en un an par la lumière (environ 9 400 milliards de kilomètres).

annexe adj. et n. f.
● adj. Qui complète quelque chose ou qui s'ajoute à quelque chose. *En plus du loyer, il faut compter des dépenses annexes pour le chauffage, l'électricité.*
● n. f. Bâtiment séparé près d'un bâtiment principal. *La bibliothèque est dans l'annexe de l'école.*

annexer v. → conjug. **aimer.** Prendre un territoire pour le placer sous son autorité. *L'Allemagne a annexé l'Alsace de 1940 à 1944.*
    L'annexion d'une région, d'une ville à un pays, c'est l'action de l'annexer.

annihiler v. → conjug. **aimer.** Détruire complètement. *Les inondations ont annihilé le travail de toute une année.*

anniversaire n. m. *1* Jour qui rappelle un événement qui s'est produit le même jour au cours d'une autre année dans le passé. *Le 14 juillet, les Français fêtent l'anniversaire de la prise de la Bastille.* *2* Jour qui rappelle la date de naissance d'une personne. *Elle a invité ses amis pour fêter son anniversaire.*

annonce n. f. *1* Nouvelle information, avis. *À l'annonce de la victoire, les supporters ont crié de joie.* *2* Texte publié dans un journal pour vendre, acheter, louer ou rechercher quelque chose. *Lire les petites annonces.*

annoncer v. → conjug. **tracer.** *1* Informer, faire connaître quelque chose. *Annoncer une bonne nouvelle. La météo annonce des orages.* *2* Être le signe, l'indication de quelque chose. *Les premiers bourgeons annoncent l'arrivée du printemps.*

annoter v. → conjug. **aimer.** Écrire des remarques, des commentaires sur un texte. *Annoter un devoir.*
    *L'institutrice a écrit des **annotations** dans la marge de mon cahier,* elle l'a annoté.

annuaire n. m. Livre qui regroupe divers renseignements et qui paraît chaque année. *Chercher une adresse dans l'annuaire téléphonique.*

annuel, elle adj. Qui revient, qui se reproduit chaque année. *La kermesse annuelle de l'école.*
    *Cotiser **annuellement** à un club de sport,* de façon annuelle.

annulaire n. m. Le quatrième doigt de la main en comptant à partir du pouce. *L'alliance de mariage se porte généralement à l'annulaire.*

annuler v. → conjug. **aimer.** *1* Déclarer que quelque chose n'est pas valable. *Annuler des élections.* *2* Faire savoir que l'on ne peut pas faire ce qui était prévu. *Annuler un rendez-vous, un voyage.*
    *Si vous changez d'avis, vous pouvez demander l'**annulation** de votre commande,* la faire annuler.

anoblir v. → conjug. **finir.** Donner un titre de noblesse. *Le roi avait le pouvoir d'anoblir.*

anodin, ine adj. Qui n'est pas important ou qui n'est pas grave. *Une blessure anodine. Une remarque anodine.*

anomalie n. f. Chose bizarre, inhabituelle ou anormale. *Dans ce dessin, il y a des anomalies, le jeu consiste à les découvrir.*

ânon n. m. → âne.

ânonner v. → conjug. **aimer.** Lire ou réciter quelque chose de manière hésitante. *Ânonner une récitation.*

anonyme adj. *1* Qui n'indique pas son nom. *Un bienfaiteur anonyme.* *2* Se dit d'une lettre envoyée par quelqu'un qui cache son nom.
    *Cet écrivain préfère garder l'**anonymat**,* il préfère rester anonyme (*1*).

le règne animal

On divise le règne animal en deux grands groupes : les protozoaires et les métazoaires, que l'on classe en différents embranchements.

> **Les protozoaires**
> Animaux ne comportant qu'une cellule.

➤ Ce sont des animaux microscopiques (paramécie, amibe…).

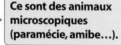

> **Les métazoaires**
> Animaux faits de nombreuses cellules.

➤ Ce sont des **invertébrés** s'ils ne possèdent pas de colonne vertébrale.

➤ Ce sont des **vertébrés** s'ils possèdent une colonne vertébrale.

les vertébrés

■ **Les mammifères (lapin, chat…).** Leur peau est recouverte de poils. La plupart ont quatre pattes. Ils sont vivipares et les femelles allaitent leurs petits grâce à leurs mamelles.

Le chat est un mammifère.

■ **Les poissons (truite, thon…).** Leur peau est recouverte d'écailles qui ne sont pas soudées. Ils vivent dans l'eau.

Le saumon est un poisson.

■ **Les reptiles (lézard, serpent…).** Leur peau est recouverte d'écailles soudées. Ils ont quatre pattes ou aucune. La plupart sont ovipares et ne couvent pas leurs œufs.

Le lézard est un reptile.

■ **Les oiseaux (merle, corbeau…).** Leur peau est recouverte de plumes. Ils ont deux pattes et deux ailes. Ils sont ovipares et couvent leurs œufs.

Le geai est un oiseau.

■ **Les amphibiens (grenouille, triton, salamandre…).** Leur peau est nue. Ils ont quatre pattes. Ils sont ovipares et pondent dans l'eau.

La grenouille est un amphibien.

■ Les **arthropodes** regroupent :
- les **insectes** (mouche, papillon, sauterelle…).
Ils ont 6 pattes (3 paires) et une paire d'antennes sur la tête. Leur corps est en trois parties.
- les **crustacés** (crabe, crevette, écrevisse…).
Ils ont 5 paires de pattes et 2 paires d'antennes.
- les **arachnides** (araignée, scorpion…).
Ils ont 8 pattes (4 paires) et pas d'antennes.
- les **myriapodes** (scolopendre…).
Ils ont un grand nombre de pattes et une paire d'antennes.

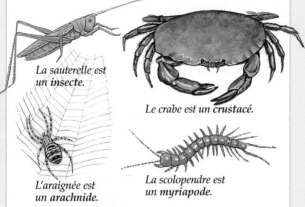

La sauterelle est un insecte.

Le crabe est un crustacé.

L'araignée est un arachnide.

La scolopendre est un myriapode.

■ Les **spongiaires** (éponge).
Leur corps est mou, en forme de sac.

L'éponge est un spongiaire.

■ Les **vers plats ou plathelminthes** (ténia…).
Ils n'ont pas de coquille. Leur corps est aplati en forme de ruban.

Le ténia est un plathelminthe.

■ Les **vers annelés**, ou **annélides** (lombric, sangsue…).
Ils n'ont pas de coquille. Leur corps est mou et formé d'anneaux.

Le lombric est un annélide.

■ Les **cnidaires** (méduse, anémone de mer…).
Leur corps est mou et porte des tentacules autour d'un orifice.

La méduse est un cnidaire.

■ Les **échinodermes** (oursin, étoile de mer…).
Leur corps est protégé par une carapace souvent munie d'aiguillons articulés ou fixes.

L'étoile de mer est un échinoderme.

■ Les **mollusques** (coque, moule, escargot, bigorneau, poulpe calmar, seiche…).
Ils ont une coquille externe, qui protège leur corps, ou interne. Ils n'ont pas de pattes. On les classe en 3 groupes :
- les **bivalves**, dont la coquille est en 2 parties ;
- les **gastéropodes**, dont la coquille est en une seule partie ;
- les **céphalopodes**, dont la coquille n'est pas visible.

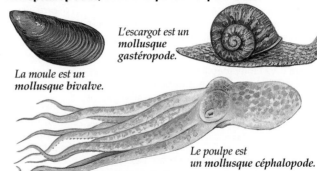

L'escargot est un mollusque gastéropode.

La moule est un mollusque bivalve.

Le poulpe est un mollusque céphalopode.

anorak

anorak n. m. Veste imperméable, à capuchon.

anormal, ale, aux adj. Qui n'est pas habituel. *Un froid anormal pour la saison. Ce bébé n'arrête pas de pleurer, c'est anormal.*
Synonymes : bizarre, inhabituel. Contraire : normal.
Il est anormalement silencieux aujourd'hui, de façon anormale, inhabituelle.

anse n. f. *1* Partie par laquelle on peut prendre, tenir un objet. *Les anses d'un panier. L'anse d'un pichet. 2* Petite baie peu profonde. *Le voilier recherche une anse pour jeter l'ancre.*

antagonisme n. m. Rivalité qui oppose des personnes, des pays, des idées.
Synonyme : conflit.
Séparer des antagonistes, des gens qu'oppose un antagonisme, des adversaires, des concurrents.

d'antan adv. Littéraire. D'autrefois. *Des airs d'antan.*

antarctique adj. Qui est situé près du pôle Sud.

Antarctique

Continent de l'hémisphère Sud, recouvert de glace à 98 %. Il enregistre les plus basses températures du globe (- 60 °C), ainsi que les vents les plus violents (jusqu'à 320 km/h). Occupé seulement par quelques équipes de scientifiques, le territoire est protégé par un traité interdisant jusqu'en 2041 l'exploitation des ressources de son sous-sol.
L'Antarctique est également un océan. Zone de rencontre des océans Atlantique, Pacifique et Indien, il est en partie couvert de glace (la banquise). Ses eaux sont très riches en plancton et en petits crustacés (krill).

Regarde aussi **pôles.**

antécédent n. m. *1* Nom ou pronom représenté par un pronom relatif dans la proposition suivante. *Dans la phrase «J'ai lu le livre que tu m'avais prêté», «livre» est l'antécédent de «que». 2* Au pluriel. Actes qu'une personne a accomplis dans le passé. *Le juge a été informé des mauvais antécédents de l'accusé.*

antenne n. f. *1* Objet métallique qui permet de capter ou de diffuser les émissions de radio ou de télévision. *Une antenne de télévision. 2* Tige allongée et mobile à l'avant de la tête de certains insectes et de certains crustacés. *Les fourmis se servent de leurs antennes pour se diriger.*

antérieur, e adj. *1* Qui a existé ou s'est produit avant. *Les dinosaures ont vécu à une période antérieure à notre époque. 2* Qui est situé en avant ou devant.

Le chien a deux pattes antérieures et deux pattes postérieures.
Contraire : postérieur.
Cette histoire s'est passée antérieurement à ta naissance, de façon antérieure (1), avant.

anthologie n. f. Livre qui réunit certains textes choisis. *Une anthologie de poèmes du Moyen Âge.*

anthracite n. m. Charbon noir et brillant qui brûle très lentement.

anthropologie n. f. Science qui étudie les caractéristiques de la vie des êtres humains.
Un anthropologue est un spécialiste de l'anthropologie. Un ouvrage anthropologique traite d'anthropologie.

anthropophage n. Personne qui mange de la chair humaine.
Synonyme : cannibale.

anthurium n. m. Plante originaire des régions tropicales.
On prononce [ɑ̃tyrjɔm].

Les feuilles de l'anthurium sont très brillantes et ont des nervures très apparentes. Les fleurs, en forme d'épi, peuvent être de différentes couleurs.

anti– préfixe. Indique l'opposition *(antialcoolique)* ou la protection *(antiatomique).*

antialcoolique adj. Qui combat l'alcoolisme. *Faire partie d'une association antialcoolique.*

antiatomique adj. Qui protège des effets dangereux des radiations atomiques. *Un abri antiatomique.*

antibiotique n. m. Médicament qui empêche le développement d'infections causées par des micro-organismes. *En cas d'angine, le médecin prescrit des antibiotiques.*

antibrouillard adj. inv. Se dit de phares qui permettent d'éclairer la route à travers le brouillard.

antichambre n. f. Salle où les visiteurs attendent d'être reçus. *L'antichambre d'un ministre.*

anticiper v. → conjug. **aimer.** Imaginer à l'avance un événement comme s'il s'était déjà produit. *Nous avons des chances de gagner ce match, mais n'anticipons pas !*
Dans un roman d'anticipation, l'auteur anticipe sur des événements qui pourraient se produire dans le futur.

anticlérical, ale, aux adj. Qui est contre l'influence du clergé, de l'Église dans les affaires publiques d'un pays. *Un parti politique anticlérical.*

L'*anticléricalisme* est l'attitude d'un groupe anticlérical.

anticonformiste adj. et n. Qui refuse de se conformer aux idées de tout le monde. *Elle refuse de suivre la mode, c'est une anticonformiste.*
Contraire : conformiste.

L'*anticonformisme*, c'est la manière d'être, l'attitude des personnes anticonformistes.

anticorps n. m. Substance produite par l'organisme d'un être vivant pour se défendre contre des substances étrangères dangereuses.

anticyclone n. m. Zone de hautes pressions atmosphériques dans laquelle le temps est ensoleillé.

antidater v. → conjug. **aimer.** Noter une date antérieure à la date réelle sur un document. *Antidater une lettre.*

antidote n. m. Substance qui combat les effets d'un poison, contrepoison.

antigel n. m. Produit que l'on ajoute à un liquide pour l'empêcher de geler.

Antilles

Archipel situé à l'est du continent américain, entre la mer des Antilles (ou mer des Caraïbes) et l'océan Atlantique. Les Antilles forment un arc de cercle qui s'étend sur 2 000 km de l'Amérique du Nord (golfe du Mexique) à l'Amérique du Sud (côtes du Venezuela). L'archipel comprend :
• au nord-ouest, les Grandes Antilles : Cuba, Jamaïque, Haïti et Porto Rico ;
• au sud et à l'est, les Petites Antilles, parmi lesquelles on trouve les Antilles françaises (Martinique et Guadeloupe).
La plupart des îles des Antilles sont montagneuses, et certaines portent des volcans en activité. Situées en zone tropicale, elles sont fréquemment victimes de cyclones. Elles réunissent près de 40 millions d'habitants. Très développées sur le plan touristique, elles enregistrent un déclin des cultures tropicales traditionnelles (canne à sucre, banane, ananas).
Lorsqu'elles sont découvertes par Christophe Colomb à la fin du XVe siècle, les Antilles sont peuplées par les Caribs (ou Caraïbes). Elles connaissent ensuite l'arrivée des colons européens et des esclaves africains.

antilope n. f. Mammifère herbivore aux longues cornes, qui court très vite grâce à ses longues pattes fines. *Les antilopes vivent en Afrique et en Asie.*

antimilitariste adj. et n. Qui est opposé à l'armée. *Des antimilitaristes ont organisé une manifestation pour la paix.*

antipathie n. f. Sentiment que l'on éprouve envers une personne que l'on n'aime pas.
Contraire : sympathie.

Cet homme est très antipathique, il inspire de l'antipathie.

antipodes n. m. plur. *1* Endroit de la Terre qui se trouve exactement à l'opposé d'un autre endroit. *Le pôle Nord est aux antipodes du pôle Sud. 2* Au figuré. *Aux antipodes :* tout à fait à l'opposé. *Son histoire est aux antipodes de la vérité.*

antipoison adj. inv. *Centre antipoison :* hôpital où l'on donne des soins aux personnes qui ont avalé un poison.

antiquité n. f. *1* Objet ancien qui possède une certaine valeur. *Un magasin d'antiquités. 2* Avec une majuscule. Période des débuts de l'histoire où sont nées les plus anciennes civilisations comme la civilisation grecque, la civilisation romaine.

Antigua-et-Barbuda

État des Petites Antilles situé au nord de la Guadeloupe. Bénéficiant d'un climat tropical, les deux îles d'Antigua-et-Barbuda ont longtemps vécu de la culture du coton et de la canne à sucre. Aujourd'hui, le tourisme représente la grande majorité des ressources de ces deux petites îles. Découvertes par Christophe Colomb en 1493, colonies britanniques à partir de 1632, Antigua-et-Barbuda forment un État indépendant depuis 1981. C'est un pays membre du Commonwealth.

440 km²
73 000 habitants :
les Antiguais et Barbudiens
Langue : anglais
Monnaie : dollar des Caraïbes orientales
Capitale :
Saint John's

b
c
d
e
f
g
h
i
j
k
l
m
n
o
p
q
r
s
t
u
v
w
x
y
z

Des objets, des statues, des monuments antiques, qui datent de l'Antiquité (**2**). *Un antiquaire est* une personne qui vend des antiquités (**1**).
Regarde aussi Grèce et Rome.

antiraciste adj. et n. Qui lutte contre le racisme. *Une association antiraciste.*

antisémite adj. et n. Qui se conduit de manière raciste envers les juifs.
Lutter contre l'antisémitisme, lutter contre le comportement des antisémites.

antisepsie n. f. Moyen utilisé pour combattre les infections causées par des microbes.
On utilise des antiseptiques pour désinfecter les plaies, des produits provoquant l'antisepsie.

antitétanique adj. Qui protège du tétanos. *Le médecin lui a fait un vaccin antitétanique.*

antituberculeux, euse adj. Qui protège de la tuberculose. *La vaccination antituberculeuse est obligatoire en France pour les enfants.*

antiviral, ale, aux adj. Qui protège des virus. *Des médicaments antiviraux pour lutter contre le sida.*

antivol n. m. Dispositif de sécurité placé sur une voiture, un vélo, pour empêcher le vol.

antonyme n. m. Mot de sens contraire à un autre. *« Impossible » est l'antonyme de « possible ».*

antre n. m. Caverne où s'abrite un animal sauvage. *L'antre de la lionne.*

anus n. m. Petit orifice qui termine le tube digestif et par lequel passent les excréments.
On prononce [anys].

Anvers

Deuxième ville de Belgique située sur l'Escaut, à 80 km de la mer du Nord. Anvers abrite l'un des ports les plus actifs d'Europe grâce à la largeur du fleuve, qui permet aux bateaux de remonter jusqu'à la ville. Anvers est aussi un centre culturel et touristique. La ville compte près de 470 000 habitants

anxieux, euse adj. Très inquiet. *Elle est très anxieuse quand son bébé est malade.*
Synonyme : angoissé.
Les alpinistes attendaient anxieusement les secours, de façon anxieuse. *Il attend les résultats de son examen avec anxiété,* il est anxieux.

aorte n. f. Artère qui part du cœur et se ramifie en artères plus petites.

août n. m. Huitième mois de l'année, qui a 31 jours.
On prononce [u] **ou** [ut].

Apaches

Peuple indien d'Amérique du Nord, composé de différentes tribus du sud-ouest des États-Unis. Avant la colonisation du continent par les Européens, les Apaches sont des nomades qui vivent de la chasse du bison, de la cueillette et de l'agriculture.
À partir du milieu du XIXe siècle, ils s'engagent dans une lutte sans merci contre l'armée américaine, au cours de laquelle s'illustre Geronimo, un de leurs chefs. Les Apaches sont en grande partie massacrés. Aujourd'hui, comme les autres peuples indiens d'Amérique du Nord, ils vivent cantonnés dans des réserves.

Geronimo (1829-1909).

apaiser v. → conjug. **aimer.** Rendre plus calme, moins violent. *Chanter une berceuse pour apaiser un bébé qui pleure. Ce sirop apaise la toux.*
Dire des mots apaisants à quelqu'un, des mots pour l'apaiser, le calmer. *Loin de l'agitation de la ville, on ressent un sentiment d'apaisement,* on est apaisé.

aparté n. m. *En aparté :* tout bas, en confidence. *Il m'a parlé de ses ennuis en aparté.*

apathique adj. Mou, sans énergie. *Cette chaleur rend les élèves complètement apathiques.*
Il ne sort pas de son apathie, de son état apathique.

apercevoir v. → conjug. **recevoir.** **1** Voir de loin ou voir peu distinctement. *Je vous ai aperçu dans le métro.* **2** *S'apercevoir :* remarquer, se rendre compte. *Elle s'est aperçue qu'elle avait oublié son porte-monnaie chez elle.*
Synonyme : entrevoir (1).

aperçu n. m. Vue d'ensemble, exposé rapide. *Donner, en quelques mots, un aperçu de la situation.*

apéritif n. f. Boisson, le plus souvent alcoolisée, servie avant le repas. *Prendre l'apéritif chez des amis.*

apesanteur n. f. Absence de pesanteur. *Dans la cabine spatiale, les astronautes sont en état d'apesanteur.*

à peu près adv. Presque, environ. *Ils sont arrivés à peu près au même moment.*

à-peu-près n. m. inv. Ce qui n'est pas précis. *Donne des explications claires au lieu de te contenter d'à-peu-près.*

apeuré, ée adj. Qui a peur. *Le lièvre, apeuré, s'est enfui à l'approche du chasseur.*

aphone adj. Qui n'arrive plus à parler. *Elle a tellement crié qu'elle est complètement aphone.*

Aphrodite

Divinité de la mythologie grecque, déesse de l'Amour et de la Beauté. Elle correspond à Vénus chez les Romains. Selon les récits, Aphrodite naît soit des amours de Zeus et de la déesse Dioné, soit de l'écume de la mer. Elle épouse Héphaïstos, le dieu du Feu, mais elle a de nombreuses unions avec d'autres dieux (dont Arès, dieu de la Guerre) et avec des mortels. Elle a plusieurs enfants célèbres dans la mythologie : Harmonie, Éros, Antéros, Priape, Hermaphrodite, Énée. En aidant Pâris à enlever Hélène, Aphrodite est à l'origine de la guerre de Troie.

aphte n. m. Petite lésion dans la bouche.

aphteux, euse adj. *Fièvre aphteuse :* maladie contagieuse causée par un virus qui atteint surtout les vaches mais qui peut se transmettre à l'homme.

à-pic n. m. **Plur. : des à-pics.** Pente très raide.

apiculture n. f. Élevage des abeilles afin de récolter le miel et la cire qu'elles produisent.
　　Les *apiculteurs* et les *apicultrices* pratiquent l'apiculture.

apitoyer v. → conjug. **essuyer.** Attendrir. *À force de pleurer, il a fini par apitoyer ses parents.*

Il a besoin de votre aide et non de votre apitoiement, que vous soyez apitoyé.

aplanir v. → conjug. **finir.** *1* Mettre au même niveau en supprimant les creux et les bosses. *On a aplani la route au rouleau compresseur.* *2* Au figuré. Faire disparaître ce qui est gênant, ennuyeux et difficile. *Nous pourrons réaliser ce projet quand nous aurons aplani certaines difficultés.*

aplatir v. → conjug. **finir.** Rendre plat. *Elle aplatit la pâte à tarte avec un rouleau à pâtisserie.*

aplomb n. m. *1* Confiance en soi, souvent exagérée. *Elle a menti avec un tel aplomb que j'ai failli la croire.* *2* *D'aplomb :* stable, en bon équilibre. *Cette table n'est pas d'aplomb.*

apnée n. f. *Plonger en apnée :* plonger en retenant son souffle, sans bouteille d'oxygène.

apocalypse n. f. Catastrophe terrifiante qui évoque la fin du monde. *Après le tremblement de terre, les secouristes découvraient un spectacle d'apocalypse.*
　　Les rescapés ont fait un récit apocalyptique de leur naufrage, un récit qui évoque une apocalypse.

apogée n. m. Le sommet, le degré le plus haut. *Ce sportif est à l'apogée de sa carrière.*

Apollinaire Guillaume

Poète français, né en 1880 et mort en 1918. Son vrai nom est Wilhelm Apollinaris de Kostrowitzky. Apollinaire s'engage dès le début de la guerre et est blessé à la tête par un éclat d'obus en 1916.
Il est le porte-parole des mouvements artistiques du début du xxᵉ siècle, tels le cubisme et le fauvisme. Il devient l'ami des peintres d'avant-garde comme Braque, Picasso et Matisse. Apollinaire révolutionne la poésie de son époque. *Alcools* (1913) est un recueil de poèmes écrits sans aucune ponctuation, dans *Calligrammes* (1918), les vers sont disposés de façon à représenter des formes, comme un jet d'eau ou une mandoline. Avec *les Mamelles de Tirésias* (1917), Apollinaire est considéré comme l'un des précurseurs du surréalisme, mouvement littéraire laissant libre cours à l'imagination né dans les années 1920.

b
c
d
e
f
g
h
i
j
k
l
m
n
o
p
q
r
s
t
u
v
w
x
y
z

Apollon

Apollon

Divinité de la mythologie grecque, dieu de la Lumière et de la Beauté. Il correspond à Phébus chez les Romains. Fils de Zeus et de Léto, Apollon a une sœur jumelle, Artémis. Dieu protecteur, il est toutefois capable de terribles colères. Également dieu de la Musique et de la Poésie, il joue à merveille de sa lyre et guide le chœur des Muses ; dieu de la Divination, il transmet ses prophéties à Pythie, la prêtresse de l'oracle de Delphes.
Considéré comme le plus beau des dieux, Apollon a de nombreuses aventures amoureuses. Beaucoup de sculpteurs et de peintres antiques l'ont représenté.

apologie n. f. Éloge. *Faire l'apologie d'un homme, d'une idée, d'une œuvre.*

apoplexie n. f. Arrêt brutal du fonctionnement du cerveau qui fait perdre connaissance. *Il a failli mourir d'apoplexie.*

a posteriori adv. En se basant sur l'expérience. *Prouver un fait scientifique en raisonnant a posteriori.*
Contraire : a priori.

apostrophe n. f. *1* Signe en forme de virgule, qui signale l'élision d'une voyelle. *Dans «l'ours», on met une apostrophe entre le «l» et le «o» de «ours».* *2* Paroles que l'on adresse à quelqu'un de manière brusque et impolie. *Lancer des apostrophes à l'arbitre.*
Il apostrophait les passants dans la rue, il leur lançait des apostrophes (2).

apothéose n. f. Moment le plus grandiose, le plus extraordinaire. *S'il gagne aux jeux Olympiques, ce sera l'apothéose de sa carrière d'athlète.*

apôtre n. m. *1* Chacun des douze disciples de Jésus-Christ. *2* Au figuré. Personne qui défend une idée. *Être l'apôtre de la liberté.*

apparaître v. → conjug. **connaître.** *1* Commencer à se montrer ou à être visible. *Des voiliers apparaissaient à l'horizon.* *2* Commencer à exister. *Cette nouvelle mode est apparue cet été.* *3* Paraître, avoir l'air. *Cette aventure m'apparaît bizarre.*
Contraire : disparaître (*1*, *2*).

appareil n. m. *1* Objet fabriqué pour exécuter certaines choses. *Le lave-linge, la machine à café sont des*

appareils ménagers. *Un appareil dentaire.* *2* Avion. *Le décollage de l'appareil aura lieu dans une heure.*
3 Ensemble des organes de notre corps qui ont une même fonction. *L'estomac fait partie de l'appareil digestif.*
Un appareillage électrique ou électronique est un ensemble d'appareils.

appareiller v. → conjug. **aimer.** Lever l'ancre pour partir. *Le bateau a appareillé pour l'Amérique.*
C'est le moment de l'appareillage, le moment où le bateau appareille.

apparemment adv. Selon les apparences, d'après ce que l'on peut voir. *Tout est éteint, apparemment il n'y a personne.*
On prononce [aparamã].

apparence n. f. *1* Allure, aspect. *Un vieillard d'apparence majestueuse.* *2* Ce qui apparaît extérieurement, mais qui ne correspond pas à la réalité. *Elle a l'air antipathique, mais ce n'est qu'une apparence.*

apparent, e adj. *1* Visible. *Il s'est enfui en laissant les marques apparentes de son passage.* *2* Qui n'est pas ce qu'il paraît en réalité. *Il cache son inquiétude sous une tranquillité apparente.*

apparenté, ée adj. Qui a des liens familiaux avec quelqu'un. *Par son mariage avec ma cousine, il est apparenté à ma famille.*

apparition n. f. *1* Fait d'apparaître, de se montrer. *Nous sortirons dès l'apparition des premiers rayons de soleil.* *2* Forme visible d'un être surnaturel, fantôme. *Il ne croit pas aux apparitions.*
Contraire : disparition (*1*).

appartement n. m. Habitation de plusieurs pièces dans un immeuble. *Louer un appartement.*

appartenir v. → conjug. **venir.** *1* Être en la possession de quelqu'un. *Cette maison appartient à mon oncle.* *2* Faire partie de quelque chose. *Appartenir à un club de natation.*
Elles ont la même appartenance politique, elles appartiennent (2) au même parti politique.

appât n. m. *1* Nourriture qui sert à attirer les animaux que l'on veut capturer. *Le poisson a mordu à l'appât.* *2* Au figuré. Ce qui attire, attrait. *Ce vieil avare ne résiste pas à l'appât du gain.*
Proposer des promotions pour appâter les clients, pour les attirer par un appât (2).

appauvrir v. → conjug. **finir.** Rendre pauvre. *Le chômage a appauvri de nombreuses familles.*
Contraire : enrichir.
La guerre a entraîné l'appauvrissement de la population, celle-ci est appauvrie.

appel n. m. *1* Cri. *Entendre un appel. Lancer des appels au secours. 2* Communication téléphonique. *Enregistrer des appels sur un répondeur téléphonique. 3* Faire l'appel : appeler chaque personne une à une pour noter sa présence ou son absence. *4* Faire appel à quelqu'un : le contacter pour lui demander une aide, un service, un conseil. *Faire appel à un ami.*

appeler v. → conjug. **jeter.** *1* Utiliser sa voix ou faire des gestes pour demander à quelqu'un de venir. *Elle s'est retournée quand je l'ai appelée. 2* Téléphoner. *Anatole appelle le réparateur de bateaux. 3* Donner un nom. Ils ont appelé leur bébé Joachim. Ma sœur s'appelle Alice.*
Synonyme : nommer (*3*).

appellation n. f. Nom donné à une chose, désignation. *Un animal peut être désigné sous des appellations différentes selon les régions.*

appendice n. m. Petite poche qui termine le gros intestin.
On prononce [apɛ̃dis].
Il a été opéré de l'appendicite, d'une inflammation de l'appendice.

appentis n. m. Petit bâtiment qui s'appuie contre le mur d'un bâtiment plus grand. *Un appentis de jardinier.*

s'appesantir v. → conjug. **finir.** Insister de façon exagérée. *Inutile de s'appesantir sur ce sujet !*

appétit n. m. Besoin ou envie de manger. *Cet enfant a beaucoup d'appétit.*
Un plat appétissant est un plat qui ouvre l'appétit.

applaudir v. → conjug. **finir.** Battre des mains pour exprimer son admiration. *Applaudissez les artistes !*
Le chanteur a été accueilli par les applaudissements du public, par le public qui l'applaudissait.

application n. f. *1* Action de mettre, d'étendre une chose sur une autre. *L'application de cette pommade soulage les brûlures. 2* Mise en pratique, manière d'utiliser. Apprendre les règles de grammaire et leurs applications. 3* Soin, attention. *Lire avec application.*

applique n. f. Petite lampe fixée au mur.

appliquer v. → conjug. **aimer.** *1* Étendre une chose sur une autre. *Appliquer du vernis sur un meuble. 2* Mettre en pratique. Pour faire une opération, il faut appliquer les règles de calcul. 3* S'appliquer : faire avec beaucoup de soin et d'attention.*
À l'école, le règlement est applicable à tous les élèves, il doit être appliqué (2).

appoint n. m. *Faire l'appoint :* donner la somme exacte que l'on doit pour un achat. *Prête-moi un peu de monnaie pour faire l'appoint.*

appointements n. m. plur. Salaire. *Il a réclamé une augmentation de ses appointements.*

apport n. m. Contribution, participation. *Cette découverte est un apport au progrès de la médecine.*

apporter v. → conjug. **aimer.** *1* Porter quelque chose dans un endroit. *Nous avons apporté des glaces pour le dessert. 2* Produire, provoquer. Ce déménagement a apporté de nombreux changements dans notre vie. 3* Donner, fournir. Apporter son soutien à ses amis. 4* Apporter du soin, de l'attention à quelque chose : mettre beaucoup de soin, d'attention à le faire.*

apposer v. → conjug. **aimer.** Inscrire quelque chose. *Apposer sa signature au bas d'un contrat.*

apposition n. f. Mot ou groupe de mots que l'on met à côté d'un nom ou d'un pronom pour donner une précision. *Dans la phrase « Il joue avec Pierre, le fils de nos voisins », « le fils de nos voisins » est en apposition à « Pierre ».*

apprécier v. → conjug. **modifier.** *1* Évaluer à peu près. *La nuit, il est difficile d'apprécier les distances. 2* Aimer particulièrement. J'apprécie votre franchise.*
Avoir du temps pour ses loisirs, c'est appréciable, c'est quelque chose que l'on apprécie (2). L'institutrice a noté ses appréciations sur mon devoir, la manière dont elle l'apprécie (1).

appréhender v. → conjug. **aimer.** *1* Arrêter quelqu'un. *Les policiers ont appréhendé le voleur. 2* S'inquiéter de ce qui va arriver. Il appréhende la rentrée des classes.*
Synonyme : redouter (*2*).
Il éprouve un peu d'appréhension avant la compétition, il appréhende (2) le résultat.

apprendre v. → conjug. **prendre.** *1* Faire des efforts, des exercices pour savoir quelque chose. *Apprendre à faire du vélo. 2* Enseigner. Mon père m'apprend à dessiner. 3* Avoir une information. J'ai appris la naissance de votre bébé. 4* Informer, faire savoir quelque chose. Il nous a appris qu'il était reçu à son examen.*

apprenti, ie n. Personne qui apprend un métier. *Un apprenti dans un atelier de menuiserie.*
Elle est entrée en apprentissage chez un grand couturier, elle y est entrée comme apprentie.

s'apprêter v. → conjug. **aimer.** Être sur le point de faire quelque chose. *Je m'apprête à sortir.*

apprivoiser v. → conjug. **aimer.** Apprendre à un animal sauvage à vivre auprès des hommes. *Apprivoiser un renard.*
Synonyme : domestiquer.

approbateur

approbateur, trice, approbation → approuver.

approchant, ante adj. Ressemblant, voisin, analogue, comparable. *Je voudrais ce modèle de blouson ou quelque chose d'approchant.*

approcher v. → conjug. **aimer.** *1* Mettre plus près. *Approche ton assiette du plat.* *2* Être proche dans le temps. *L'heure de la sortie approche.* *3* Être près d'atteindre quelque chose. *Nous approchons du village.* *4* S'approcher : s'avancer près d'un lieu, d'une chose. *Le réparateur s'approche du bateau d'Anatole.*
Synonyme : rapprocher (*1*). Contraire : éloigner (*1*).
*Les voyageurs avancent sur le quai à l'approche du départ, quand le départ approche (*2*).*

approfondir v. → conjug. **finir.** *1* Creuser plus en profondeur. *Approfondir un puits, un fossé.* *2* Au figuré. Chercher à connaître quelque chose à fond. *Avant de prendre une décision, je vais approfondir la question.*

approprié, ée adj. Qui convient. *Pour bien jardiner, il est préférable d'avoir les outils appropriés.*

s'approprier v. → conjug. **modifier.** Prendre une chose pour soi-même. *Il s'est approprié mes jouets.*

approuver v. → conjug. **aimer.** Être d'accord avec les actes, les paroles d'une personne. *Je vous approuve d'avoir refusé cette proposition.*
Contraire : désapprouver.
Il a donné son approbation à notre projet, il l'a approuvé. Un regard, un ton approbateurs, qui indiquent qu'on approuve.

approvisionner v. → conjug. **aimer.** Fournir ce qu'il faut, ce qui est nécessaire. *Des avions ont approvisionné les réfugiés en nourriture et en médicaments.*
Dans cette région, il y a eu des problèmes d'approvisionnement, des problèmes pour approvisionner les gens.

approximatif, ive adj. Qui n'est pas très précis. *Cette tour a une hauteur approximative de 20 mètres.*
Contraires : exact, précis.
Je pense qu'on est à 10 kilomètres du village, mais c'est une approximation, une distance approximative. Le voyage a duré approximativement huit heures, de façon approximative, environ.

appui n. m. *1* Ce qui est fait pour soutenir, pour servir de support. *Les points d'appui d'un mur.* *2* Au figuré. Aide apportée à quelqu'un. *Si tu as des ennuis, tu peux compter sur mon appui.* *3* À l'appui : pour appuyer ce que l'on affirme. *Démontrer la vérité, preuves à l'appui.*
Synonyme : soutien (*2*).

appuie-tête n. m. inv. Coussin fixé au-dessus du dossier d'un siège de voiture pour appuyer sa tête.

appuyer v. → conjug. **essuyer.** *1* Faire tenir en appui contre un support. *Appuyer une échelle contre un tronc d'arbre. S'appuyer au mur.* *2* Exercer une pression. *Appuyer sur un bouton.* *3* Apporter son appui. *S'il veut obtenir cet emploi, j'appuierai sa demande.*
Synonyme : soutenir (*3*).

âpre adj. *1* Qui donne une impression désagréable, qui râpe la langue. *Ils ont mangé des baies sauvages au goût âpre.* *2* Au figuré. Dur, rude, pénible. *Remporter la victoire après un âpre combat.*
*Les deux adversaires luttent avec âpreté, leur lutte est âpre (*2*). Se disputer âprement, de façon âpre (*2*).*

après prép., adv. et préfixe.
● prép. Indique : *1* Ce qui suit dans le temps, plus tard. *Il est arrivé après moi.* *2* Ce qui est plus éloigné dans l'espace. *La pharmacie est juste après la poste.* *3* Après tout : en fin de compte. *Après tout, ça m'est égal.*
● adv. Plus tard. *Il a acheté une maison, mais il a déménagé un an après.*
● préfixe. Indique ce qui suit, ce qui se passe après. *L'après-midi.*
***Regarde aussi** d'après.*

après-demain adv. Le jour qui suit le lendemain. *Rendez-vous après-demain à la piscine.*

après-midi n. m. ou n. f. inv. Partie de la journée qui dure de midi jusqu'au soir. *On a passé l'après-midi à faire du vélo.*

après-ski n. m. inv. Chaussure que l'on porte à la montagne quand on retire ses chaussures de ski.

après-vente adj. inv. *Service après-vente* : service qui permet à un client de faire entretenir et réparer un appareil qu'il a acheté.

âpreté n. f. → âpre.

a priori adv. À première vue, avant toute vérification. *A priori, ce projet semble intéressant.*
Contraire : a posteriori.

à-propos n. m. inv. Caractère d'une parole ou d'un acte qui convient à la situation. *Une réponse pleine d'à-propos.*

à propos de prép. En ce qui concerne telle ou telle chose. *À propos de ce voyage, quand partez-vous ?*

apte adj. Qui a les capacités nécessaires pour faire quelque chose. *À son âge, il est apte à prendre des décisions tout seul.*
Contraire : inapte.
Elle n'a aucune aptitude pour le chant, elle n'y est pas apte.

aquaculture n. f. Technique de culture de plantes aquatiques et d'élevage d'animaux aquatiques.
On prononce [akwakyltyʀ].

Les **aquaculteurs** sont des professionnels de l'aquaculture.

aquarelle n. f. Peinture réalisée sur papier en se servant de couleurs délayées dans l'eau.
On prononce [akwaʀɛl].

aquarium n. m. Récipient en verre dans lequel on élève des poissons ou d'autres animaux aquatiques.
On prononce [akwaʀjɔm].

aquatique adj. Qui vit dans l'eau. Les algues sont des plantes aquatiques.
On prononce [akwatik].

aqueduc n. m. Canal souterrain ou aérien qui conduit l'eau d'un point à un autre.

Dès le IIIe siècle av. J.-C., les Romains construisent des aqueducs gigantesques pour alimenter Rome en eau comme l'Aqua Marcia. Ils en édifient ensuite dans tout l'Empire romain, en particulier celui du pont du Gard, au Ier siècle ap. J.-C., long de 273 m et dont les restes surplombent encore le Gardon à 49 m de hauteur.

L'Aqua
Marcia, à Rome.

aquilin adj. m. Se dit d'un nez fin et allongé, courbé comme un bec d'aigle.

Aquitaine

Région administrative du sud-ouest de la France. L'Aquitaine compte cinq départements : la Dordogne, la Gironde, les Landes, le Lot-et-Garonne et les Pyrénées-Atlantiques. Bénéficiant d'un climat humide et doux, c'est une région à forte vocation agricole : vigne, maïs, cultures fruitières et tabac. L'exploitation de la forêt landaise est à l'origine d'une industrie de la pâte à papier très active. La capitale, Bordeaux, est un grand centre industriel et commercial. L'Aquitaine connaît un tourisme important grâce, en particulier, à ses 200 km de côtes bordées de dunes et d'étangs.

Ara du Brésil.

ara n. m. Grand perroquet d'Amérique du Sud.

L'ara possède un bec très puissant et un plumage brillant aux couleurs éclatantes. Parmi les très nombreuses espèces, l'ara du Brésil, avec sa longue queue, peut mesurer jusqu'à 1 m. L'ara s'apprivoise et peut même apprendre à répéter des mots.

arabesque n. f. Ligne sinueuse qui s'enroule en formant des courbes élégantes.

Arabie saoudite

Royaume de la péninsule Arabique. La quasi-totalité du territoire est occupée par le désert. Troisième producteur mondial de pétrole, ce pays à l'économie prospère possède aussi de grandes réserves de gaz naturel. Grâce à un gigantesque programme d'irrigation du désert, l'Arabie saoudite a considérablement développé son agriculture. Les deux villes saintes de l'Islam sont situées à l'ouest du territoire : La Mecque, lieu de naissance du prophète Mahomet, où les musulmans se rendent en pèlerinage ; et Médine, où se trouve le tombeau de Mahomet. Le royaume d'Arabie saoudite est créé en 1932. C'est une monarchie dans laquelle l'Islam est la religion d'État : le roi doit gouverner selon la loi islamique (la charia). La création de partis politiques y est interdite.

2 149 690 km²
23 520 000 habitants :
les Saoudiens
Langue : arabe
Monnaie : riyal
Capitale : Riyad

arachide n. f. Plante tropicale originaire d'Amérique du Sud.

L'arachide est cultivée pour ses fruits, qui se développent

sous terre et qui contiennent plusieurs graines. On appelle ces graines arachides ou cacahuètes, un nom qui vient du mot aztèque *tlacacahuatl*. On en tire de l'huile (d'arachide), du beurre (de cacahuète) ou on les consomme grillées.

Aragon Louis

Écrivain et poète français né en 1897 et mort en 1982. Aragon participe à diverses revues d'avant-garde, et publie son premier roman (*Anicet ou le Panorama*) en 1921.

Au côté d'André Breton, il est l'un des fondateurs du surréalisme, mouvement littéraire et artistique laissant libre cours à l'imagination. Après son adhésion au parti communiste en 1927 et sa rencontre avec l'écrivain Elsa Triolet, Aragon s'oriente vers un style plus classique. Pendant la Seconde Guerre mondiale, il entre dans la Résistance. Ses engagements politiques et son amour pour Elsa alimentent sa création littéraire. Son soutien à Staline a été et reste l'objet de vives controverses.

Ses romans les plus célèbres sont *le Paysan de Paris* (1926), *les Beaux Quartiers* (1936) et *Aurélien* (1945). Parmi les poèmes dédiés à sa compagne, les plus connus sont *les Yeux d'Elsa* (1942) et *le Fou d'Elsa* (1963).

araignée n. f. Petit animal qui possède huit pattes articulées. *L'araignée tisse une toile afin de capturer les insectes dont elle se nourrit.*

Aral (mer d')

Mer intérieure d'Asie centrale. La mer d'Aral se situe dans une zone désertique à 40 m au-dessous du niveau de la mer.

L'utilisation abusive de ses deux affluents pour l'irrigation a entraîné une catastrophe écologique sans précédent : la superficie de la mer d'Aral s'est tellement réduite que les habitations qui bordaient ses rivages dans les années 1960 en sont aujourd'hui éloignées de plusieurs kilomètres ! Un programme de sauvetage international est actuellement mis en place.

arbalète n. f. Arme de guerre du Moyen Âge.

L'arbalète est un arc perfectionné qui a notamment été utilisé pendant la guerre de Cent Ans. Elle est dotée d'un mécanisme pour tendre la corde : celle-ci est maintenue dans une encoche et la flèche glissée

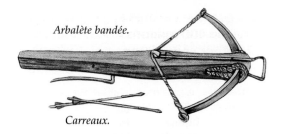

Arbalète bandée.

Carreaux.

dans une rainure. En actionnant la détente, la corde se libère et propulse la flèche (le carreau).

Le tir à l'arbalète, comme le tir à l'arc, est aujourd'hui un sport.

arbitrage n. m. *1* Contrôle exercé par un arbitre au cours d'une compétition. *L'arbitrage d'un match. 2* Règlement d'un désaccord. *Le conflit a été résolu grâce à un arbitrage impartial.*

arbitraire adj. Qui dépend de la volonté d'une seule personne. *Il a été victime d'une arrestation arbitraire lors de la manifestation.*

Cette punition a été fixée **arbitrairement**, de façon arbitraire, sans tenir compte de la justice.

arbitre n. m. *1* Personne dont le métier est d'assurer le respect des règles au cours d'un match, d'un jeu. *L'arbitre a sifflé les arrêts de jeu. 2* Personne choisie pour décider qui a tort et qui a raison. *Servir d'arbitre pour régler un désaccord.*

arbitrer v. → conjug. **aimer.** *1* Contrôler le déroulement d'une compétition, d'un jeu, en faisant respecter les règles. *Arbitrer un match de foot. 2* Intervenir dans un désaccord pour dire qui a raison et qui a tort. *Arbitrer une dispute.*

arborer v. → conjug. **aimer.** Porter quelque chose sur soi en voulant se faire remarquer. *Il arbore une casquette aux couleurs de son équipe.*

arbre n. m. *1* Grande plante dont le tronc se ramifie en branches à partir d'une certaine hauteur. *2* Tige métallique qui tourne sur elle-même grâce à un moteur et transmet un mouvement à des roues de voiture, à une pièce de machine. *3* Arbre généalogique : dessin en forme d'arbre représentant les liens de parenté qui unissent les membres d'une famille.

*Les noisetiers, les framboisiers sont des **arbustes** ou des **arbrisseaux**, de petits arbres. Des fougères **arborescentes** ont des formes rappelant celles d'un arbre. L'écureuil est un animal **arboricole**, qui vit dans les arbres. L'**arboriculture** est la culture des arbres fruitiers et des arbres d'ornement. Acheter un pommier, un magnolia chez un **arboriculteur**, un spécialiste d'arboriculture.*

Regarde p. 67 à 71.

Les premiers arbres apparaissent il y a environ 400 millions d'années. Tous ceux que nous connaissons aujourd'hui existaient déjà il y a 5 millions d'années.

■ On peut séparer les arbres en **résineux**, dont les feuilles sont des aiguilles, et en feuillus, qui portent des «vraies» feuilles. Les résineux sont des conifères (leurs fruits sont des cônes).

■ Les feuillus sont beaucoup plus nombreux : on en connaît plus de 60 000 espèces alors qu'on ne recense que 500 espèces de résineux.

■ Le feuillage d'un arbre peut être persistant : l'arbre porte toujours des feuilles, les anciennes sont continuellement remplacées par des nouvelles ;

ou caduc : les feuilles tombent toutes à l'approche de l'hiver. Mis à part le mélèze, les résineux ont un feuillage persistant tandis que les feuillus, pour la plupart, ont des feuilles caduques.

l'âge des arbres

■ La durée de vie des arbres est très variable : les bouleaux vivent 30 à 40 ans, les chênes peuvent atteindre 400 ans, les ifs et les oliviers 2 500 ans et les séquoias 4 000 ans !

■ Sur la coupe transversale du tronc, on détermine l'âge d'un arbre en comptant les cernes clairs : chacun correspond à une année de croissance. Cette méthode de datation s'appelle la dendrochronologie.

écorce

aubier

moelle

la photosynthèse

La photosynthèse est le phénomène chimique qui permet à l'arbre de se nourrir et de grandir. Il se produit grâce à la **chlorophylle** (matière verte qui compose la feuille) et à l'énergie dégagée par le soleil. La chlorophylle transforme le dioxyde de carbone contenu dans l'air et rejette de l'oxygène. La sève ainsi obtenue se répand dans toutes les parties vivantes de l'arbre.

Regarde aussi alimentation.

eau et dioxyde de carbone de l'air

oxygène

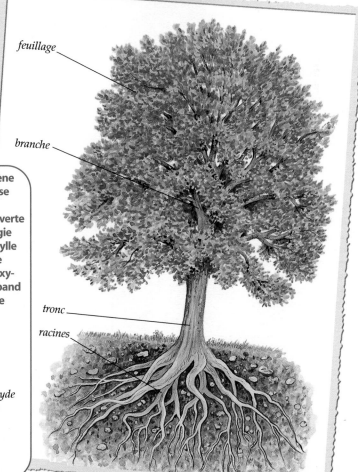

feuillage

branche

tronc

racines

les arbres
les feuillus des régions tempérées

Mimosa.

Aulne.

Bouleau.

Charme.

■ Les feuillus dominent dans les régions tempérées. La forêt française, par exemple, compte deux tiers de feuillus, principalement des chênes et des hêtres, pour un tiers de résineux.

■ De nombreux feuillus sont des arbres « à bois », largement utilisés dans l'industrie du meuble. Les feuilles peuvent être simples (un seul limbe) ou composées (plusieurs limbes).

Châtaignier.

Marronnier.

Chêne.

Hêtre.

Peuplier d'Italie.

Orme champêtre.

Saule.

Platane.

Tilleul.

Érable.

Frêne.

Sorbier.

feuillus des climats chauds

Baobab.

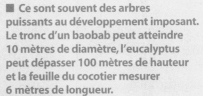

Eucalyptus.

Cocotier.

■ Ce sont souvent des arbres puissants au développement imposant. Le tronc d'un baobab peut atteindre 10 mètres de diamètre, l'eucalyptus peut dépasser 100 mètres de hauteur et la feuille du cocotier mesurer 6 mètres de longueur.

les arbres
les résineux

Épicéa.

Mélèze.

Pin sylvestre.

Séquoia
géant.

Cèdre du Liban.

Sapin de Douglas.

Genévrier.

un arbre sacré

■ Appelé « l'arbre aux 40 écus » par les Chinois qui le considèrent comme un arbre sacré, le gingko appartient à un groupe d'arbres préhistoriques dont il est la seule espèce survivante. Son feuillage est caduc.

Pin parasol.

Pin maritime.

If
commun.

Gingko.

les fruitiers des climats tempérés

Abricotier.

Pêcher.

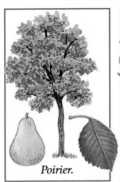
Poirier.

Prunier.

Pommier.

fruitiers des climats chauds

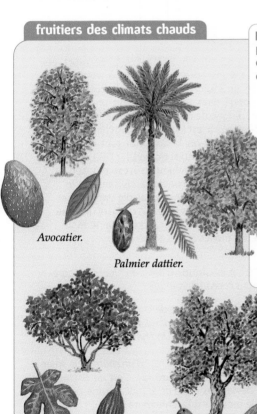

Avocatier.

Palmier dattier.

Oranger.

Figuier.

Olivier.

■ Les agrumes occupent une place importante parmi les fruits des régions méditerranéennes et tropicales.

Orange.

Pamplemousse.

Mandarine.

Citron.

Cerisier.

Noyer.

Noisetier.

Amandier.

arc n. m. *1* Arme constituée d'une tige souple que l'on courbe en tendant une corde et qui sert à lancer des flèches. *2* Portion de cercle. *3* Forme courbe d'une voûte. *4* *Arc de triomphe :* monument constitué d'un portique voûté en forme d'arc et construit pour célébrer un événement glorieux.
   L'archer bande son arc, le tireur à l'arc (*1*).

arcade n. f. *1* *Arcade sourcilière :* partie en forme d'arc au-dessus de l'œil, où poussent les sourcils. *2* Au pluriel. Galerie couverte soutenue par une rangée de piliers qui forment des ouvertures en arc. *Une place entourée d'arcades.*

arc–boutant n. m. Plur. : des arcs-boutants. Construction en forme d'arc destinée à soutenir l'extérieur d'un mur.

L'arc-boutant apparaît vers 1100, avec les églises de style gothique. Celles-ci possèdent en effet des voûtes grandioses qui exercent de très fortes pressions sur les murs. Ces derniers doivent donc être soutenus de l'extérieur pour ne pas s'écrouler.

s'arc–bouter v. → conjug. **aimer.** Appuyer de tout son poids pour pousser ou pour résister. *S'arc-bouter à un rocher pour ne pas tomber.*

arceau, eaux n. m. Objet courbé en forme d'arc. *Les arceaux d'un jeu de croquet.*

arc–en–ciel n. m. Plur. : des arcs-en-ciel. Demi-cercle lumineux multicolore qui se forme dans le ciel quand le soleil apparaît à travers les gouttes de pluie.

archaïque adj. Qui est très ancien et ne s'utilise plus à notre époque.
Synonymes : désuet, périmé. Contraire : moderne. On prononce [aʀkaik].
   Bouter est un **archaïsme** *signifiant pousser,* un mot archaïque.

arche n. f. *1* Voûte en forme d'arc pour soutenir un pont, un aqueduc. *2* *L'arche de Noé,* dans la Bible, grand vaisseau construit par Noé sur l'ordre de Dieu pour sauver du Déluge l'espèce humaine et les espèces animales.

archéologie n. f. Science qui étudie les vestiges des anciennes civilisations.

Des fouilles **archéologiques,** *des fouilles relevant de l'archéologie. Des* **archéologues** *ont découvert une cité gauloise,* des spécialistes de l'archéologie.

archéoptéryx n. m. Oiseau préhistorique qui s'apparente aux reptiles par sa queue et ses dents.

archer n. m. → **arc.**

archet n. m. Baguette d'un violon ou d'un violoncelle. *Le musicien fait vibrer les cordes de son violon avec un archet.*

archevêque n. m. Prêtre d'un rang plus élevé qu'un évêque et dont dépendent plusieurs diocèses.

archi– préfixe. Indique un degré supérieur. *Un récit archifaux est très faux.*

Archimède

Savant grec, né en 287 av. J.-C. et mort en 212 av. J.-C. En prenant son bain, Archimède découvre un important principe physique : «Tout corps plongé dans un liquide subit une poussée verticale, dirigée de bas en haut, égale au poids du fluide déplacé» (c'est le principe d'Archimède). Une révélation qui, dit-on, le fait sortir tout nu dans la rue en criant *Eurêka !* (j'ai trouvé).
Mais le principe d'Archimède n'est pas son unique trouvaille : il invente la vis sans fin, le levier, la poulie, l'engrenage, calcule une bonne approximation du nombre «Pi» (π) et met au point un planétarium pour représenter le mouvement des étoiles et des planètes.

archipel n. m. Groupe d'îles. *L'archipel des Açores se trouve dans l'océan Atlantique.*

architecture n. f. *1* Art de concevoir, de construire des édifices. *Faire des études d'architecture.* *2* Forme, disposition d'un édifice. *Un château fort à l'architecture imposante.*
   La splendeur **architecturale** *d'un château,* la splendeur de son architecture (*2*). *C'est un* **architecte** *qui a dessiné les plans de la maison,* une personne dont le métier est l'architecture (*1*).

L'histoire de l'architecture se confond avec celle de l'humanité. Elle commence il y a 4 000 ans avec les pyramides des Égyptiens et se poursuit à travers des styles et des techniques différents jusqu'à nos jours. **Regarde p. 74 et 75.**

archives n. f. plur. Documents qui sont classés pour garder les traces d'événements, de faits anciens. *Les archives de l'histoire d'une ville.*

arctique adj. Qui est situé près du pôle Nord. *Partir en expédition dans les terres arctiques.*

Arctique

Ensemble des terres et des mers situées autour du pôle Nord, et limitées par le cercle polaire arctique. L'Arctique englobe les terres et les îles du nord de l'Amérique, de l'Europe et de l'Asie, le Groenland et l'océan glacial Arctique.

L'océan glacial Arctique (1 400 000 km²) est en grande partie recouvert par la banquise, dont la superficie est moins importante en été. Les icebergs, énormes blocs de glace flottants, y rendent la navigation particulièrement difficile.

Regarde aussi **pôles.**

Ardennes

Massif partagé entre la France, la Belgique et le Luxembourg. Les Ardennes sont constituées d'un plateau peu élevé (entre 400 et 700 m d'altitude) et sont très boisées. Leur nom vient d'ailleurs du celtique *Ar den*, qui veut dire « le chêne ». La Meuse et les affluents de la Moselle ont creusé de profondes vallées où se concentrent les principales villes industrielles du département des Ardennes, telles que Sedan ou Charleville-Mézières. Au cours de la Première et de la Seconde Guerre mondiale, les Ardennes sont le théâtre de combats meurtriers entre les troupes françaises et allemandes.

ardent, e adj. *1* Brûlant. *La chaleur ardente du soleil.* *2* Au figuré. Violent, passionné. *Un amour ardent.*
Il souhaitait **ardemment** *retourner dans son pays, de façon ardente (2).*

ardeur n. f. Vivacité, entrain. *Lutter avec ardeur pour gagner.*

ardoise n. f. *1* Roche gris foncé que l'on peut fendre facilement en plaquettes. *Un toit d'ardoises.* *2* Tablette utilisée pour écrire, qui était fabriquée autrefois avec des plaquettes d'ardoise.

ardu, ue adj. Très difficile à comprendre ou à faire. *Un travail ardu.*
Contraires : **aisé, facile.**

are n. m. Unité de mesure utilisée pour calculer la superficie d'un terrain et qui est égale à 100 m².

arène n. f. *1* Piste au centre d'un amphithéâtre. *Le torero affronte le taureau dans l'arène.* *2* Au pluriel.

Amphithéâtre où se déroulent les corridas. *Les arènes de Nîmes accueillent de nombreuses corridas.*

arête n. f. *1* Os fin et allongé du squelette des poissons. *2* Ligne où se coupent deux surfaces. *Les 12 arêtes d'un cube. L'arête d'un toit.*

argent n. m. *1* Métal blanc, brillant. *L'argent est un métal précieux. Un bijou en argent.* *2* Billets, pièces de monnaie dont on se sert pour payer. *Dépenser, gagner de l'argent. Prêter de l'argent à quelqu'un.*
*Elle a beaucoup d'*argenterie*, de la vaisselle, des couverts en argent (1).*

argenté, ée adj. *1* Qui est recouvert d'une couche d'argent. *Un plat en métal argenté.* *2* Qui a la couleur blanche et brillante de l'argent. *Sous la lune, la mer prend des reflets argentés.*

argentin, ine adj. Qui produit un son clair comme celui des pièces d'argent qui s'entrechoquent. *Un tintement argentin. Une voix argentine.*

Argentine

République fédérale d'Amérique du Sud. L'Argentine s'étire sur 3 700 km, de la Bolivie au cap Horn. Bordée à l'ouest par la cordillère des Andes, elle est occupée au centre et au nord par la Pampa, vaste plaine où prédominent l'agriculture et l'élevage. Les troupeaux de plusieurs millions de bovins qui y vivent sont gardés par des cavaliers appelés *gauchos*. Le sous-sol est riche en pétrole, gaz et uranium.

L'Argentine est très peu peuplée. Les habitants, essentiellement d'origine européenne, se concentrent dans les grandes agglomérations, comme Buenos Aires et Còrdoba.

2 780 400 km²
37 981 000 habitants :
Les Argentins
Langue : espagnol
Monnaie : peso
Capitale : Buenos Aires

argile n. f. Terre qui forme une pâte molle quand on l'imbibe d'eau. *L'argile est utilisée pour fabriquer des briques, des poteries.*
Synonyme : **glaise.**
Un sol **argileux** *ne laisse pas passer l'eau,* il contient de l'argile.

l'architecture

Chaque époque, chaque civilisation a développé son propre style d'architecture, souvent inspiré par les édifices du passé.

le monde antique

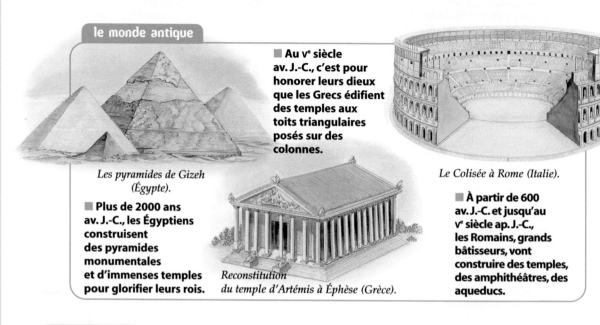

■ Au Vᵉ siècle av. J.-C., c'est pour honorer leurs dieux que les Grecs édifient des temples aux toits triangulaires posés sur des colonnes.

Les pyramides de Gizeh (Égypte).

■ Plus de 2000 ans av. J.-C., les Égyptiens construisent des pyramides monumentales et d'immenses temples pour glorifier leurs rois.

Reconstitution du temple d'Artémis à Éphèse (Grèce).

Le Colisée à Rome (Italie).

■ À partir de 600 av. J.-C. et jusqu'au Vᵉ siècle ap. J.-C., les Romains, grands bâtisseurs, vont construire des temples, des amphithéâtres, des aqueducs.

le Moyen Âge

■ Du VIᵉ au XVᵉ siècle, l'art byzantin, essentiellement religieux, s'inspire des styles grec et romain, ajoutant dômes et nefs multiples à ses basiliques.

■ À partir du Xᵉ siècle, l'époque romane va s'étendre pendant un siècle et demi dans tout l'Occident. L'art roman s'inspire des techniques romaine (d'où son nom) mais aussi byzantine et islamique.

■ Au milieu du XIIᵉ siècle débute l'époque gothique, qui s'étendra jusqu'au début du XVIᵉ siècle. L'art gothique naît dans le domaine royal français. C'est l'ère de construction des grandes cathédrales mais aussi d'imposants bâtiments civils.

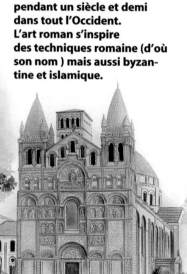

L'église Sainte-Sophie de Constantinople (Turquie).

La cathédrale d'Angoulême (France).

L'hôtel de ville de Bruges (Belgique).

Née au XVe siècle en Italie, la Renaissance touche la France au XVIe siècle. L'art de la Renaissance est marqué par un retour aux modèles grec et romain de l'Antiquité. C'est l'époque de la construction des châteaux de la Loire.

Le château de Chenonceau (France).

XVIIe–XVIIIe siècles

Le château de Versailles (France).

Au début du XVIIe siècle naît en Italie un style d'architecture aux formes exubérantes. Ce style baroque se répand dans toute l'Europe. Un style classique, pur, dépouillé, tourné vers la recherche de l'équilibre, mais toujours influencé par l'art gréco-romain lui succède.

XIXe–XXe siècles

■ Au XIXe siècle, l'emploi de nouveaux matériaux, comme le fer, la fonte, l'acier, le béton et le verre, crée une grande diversité de styles. C'est l'époque de l'éclectisme.

■ Le XXe siècle est marqué par une volonté de création de formes nouvelles en opposition au passé. C'est un art nouveau, fonctionnel, qui s'installe, utilisant tous les matériaux récents et les techniques nouvelles.

Cette architecture contemporaine est hardie, souvent capable d'extraordinaires prouesses.

La chapelle de Ronchamp (France).

Les tours de Manhattan à New York (États-Unis).

L'Opéra Garnier à Paris (France).

La pyramide du Louvre à Paris (France).

argot n. m. Langage utilisant des mots très familiers. *« Fric » est un mot d'argot qui signifie « argent ». « Pif » signifie « nez ».*
Utiliser des expressions **argotiques**, qui appartiennent à l'argot.

argument n. m. Raison que l'on donne pour convaincre quelqu'un ou pour prouver quelque chose. *Avoir de bons arguments pour défendre son opinion.*
L'avocat a obtenu la libération de son client grâce à une **argumentation** *convaincante, grâce à un ensemble d'arguments.* **Argumenter** *contre un budget,* c'est donner des arguments pour s'opposer à son vote. *Il a bien préparé son* **argumentaire**, l'exposé de tous les arguments qui lui permettent de défendre son opinion.

Ariane

Personnage de la mythologie grecque. Ariane est la fille de Minos, roi de Crète, et de Pasiphaé, sa femme. Elle tombe amoureuse de Thésée, roi d'Athènes, venu en Crète pour combattre le Minotaure, enfermé dans le Labyrinthe. Ariane offre à Thésée une pelote de fil qu'il déroule derrière lui, ce qui lui permet de retrouver la sortie du Labyrinthe après avoir tué le monstre (depuis, l'expression « le fil d'Ariane » signifie « le fil conducteur »). Ariane part avec Thésée pour Athènes, mais celui-ci l'abandonne sur une île. Elle y est découverte par Dionysos, dieu de la Vigne et du Vin, qui l'épouse.
Les Européens ont donné son nom à leur fusée spatiale.

***Regarde aussi* Minotaure *et* espace.**

aride adj. Sec et sans végétation. *On ne pouvait rien cultiver dans ces plaines arides.*
Contraire : fertile.
*Les récoltes sont maigres à cause de l'***aridité** *du sol, de son caractère aride.*

aristocratie n. f. Ensemble des nobles. *Avant la Révolution de 1789, l'aristocratie française jouissait de nombreux privilèges.*
Synonyme : noblesse.
Les **aristocrates** *sont des personnes qui appartiennent à l'aristocratie. Avoir une allure* **aristocratique**, qui rappelle les aristocrates.

arithmétique n. f. Partie des mathématiques qui concerne l'étude des nombres. *Il préfère l'arithmétique à la géométrie.*

Arlequin

Personnage de la *commedia dell'arte*, forme de théâtre populaire italien où l'improvisation a une large part. Habillé d'un costume composé de pièces de tissu multicolores, Arlequin représente, au XVIe siècle en Italie, un valet fripon et paresseux. Pierrot et Colombine l'accompagnent souvent dans ses aventures. On retrouve le personnage d'Arlequin dans la pièce de Goldoni *Arlequin, le valet de deux maîtres*.
Lorsqu'il apparaît sur les scènes françaises, il devient un personnage naïf et sensible, comme dans la pièce *Arlequin poli par l'amour*, de Marivaux.

armateur n. m. Personne qui possède des bateaux qu'elle équipe pour la pêche ou pour le commerce.

armature n. f. Ensemble d'éléments qui servent à consolider, à maintenir quelque chose. *Ma tente de camping est montée sur une armature métallique.*

arme n. f. **1** Instrument destiné à se défendre ou à attaquer. *Le malfaiteur arrêté par la police possédait une arme à feu.* **2** Au figuré. Moyen qui sert à lutter contre une personne, une idée. *L'intelligence est souvent une arme plus efficace que la force.* **3** *Prendre les armes :* se préparer à combattre. **4** Au pluriel. Synonyme d'armoiries. *Les armes d'une famille royale.*

armé, ée adj. **1** Qui a une arme sur soi. *Le bandit était armé.* **2** Qui est renforcé par une armature de métal. *Un mur en béton armé.*

armée n. f. **1** Ensemble des forces militaires d'un État. *Entrer dans l'armée.* **2** Grande quantité ; foule. *La vedette était attendue par ses admirateurs et par une armée de photographes.*
Synonyme : multitude (2).

armement n. m. Ensemble des armes que porte un soldat ou que possède un pays. *Une part importante du budget de ce pays est consacrée chaque année à l'armement.*

Arménie

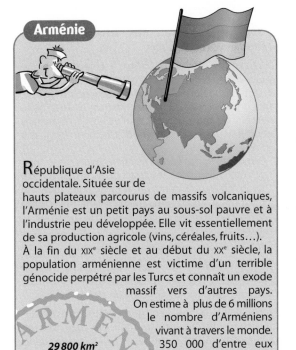

République d'Asie occidentale. Située sur de hauts plateaux parcourus de massifs volcaniques, l'Arménie est un petit pays au sous-sol pauvre et à l'industrie peu développée. Elle vit essentiellement de sa production agricole (vins, céréales, fruits…). À la fin du XIXe siècle et au début du XXe siècle, la population arménienne est victime d'un terrible génocide perpétré par les Turcs et connaît un exode massif vers d'autres pays. On estime à plus de 6 millions le nombre d'Arméniens vivant à travers le monde. 350 000 d'entre eux vivent en France. Devenue république soviétique à partir de 1936, elle proclame son indépendance en 1991.

29 800 km²
3 072 000 habitants :
les Arméniens
Langues : arménien,
russe
Monnaie : dram
Capitale : Erevan

Armstrong Neil Alden

Astronaute américain né en 1930. Il est d'abord pilote d'essai avant d'être sélectionné en 1962 pour faire partie des astronautes de la NASA. Tout d'abord responsable de la mission Gemini 8 (1966), il dirige ensuite la mission lunaire Apollo XI, qui décolle en 1969 de la base de lancement de cap Canaveral, en Floride. Le 21 juillet 1969, il est le premier homme à marcher sur la Lune. Cet exploit sans précédent, retransmis en direct, est suivi par des millions de téléspectateurs à travers le monde.

armer v. → conjug. **aimer.** *1* Donner des armes pour combattre. *Armer une troupe de soldats.* *2* Régler une arme à feu pour qu'elle soit prête à tirer. *Armer un fusil.* *3* Régler le mécanisme d'un appareil pour qu'il soit prêt à s'enclencher. *Armer un appareil photo.* *4* Équiper un bateau de tout ce qui est nécessaire pour naviguer. *5* *S'armer :* prendre quelque chose comme arme. *S'armer de bâtons avant la bataille.* *6* Au figuré. Rassembler ses forces, se préparer pour affronter quelque chose. *Ce travail sera difficile, il faut s'armer de courage.*
Contraire : désarmer (*1*).

armistice n. m. Accord passé entre deux pays en guerre pour cesser les combats. *Si l'armistice est respecté, un traité de paix pourra être signé.*

armoire n. f. Meuble haut, fermé par une ou plusieurs portes, destiné au rangement.

armoiries n. f. plur. Emblème d'une ville, d'une famille. *Les armoiries du seigneur étaient gravées au fronton de son château.*
Synonymes : armes, blason.

casque clos
visière pouvant se relever
épaulière
cubitière
gantelet
cuirasse
cotte de mailles
cuissard
jambière
soleret

armure n. f. Ensemble de pièces métalliques (casque, bouclier, cuirasse) servant à protéger le corps des soldats.

Le bouclier égyptien ou la cuirasse romaine sont en cuir renforcé d'une armature métallique. Avec le perfectionnement du travail du fer, les armures évoluent. Les Wisigoths portent de grandes tuniques composées de plaquettes métalliques. Au Moyen Âge, les chevaliers rapportent des Croisades la cotte de mailles orientale.

Avec l'arbalète, apparaissent les armures couvrant entièrement le corps. Elles permettent de dévier les tirs mortels, mais elles sont si lourdes (30 kg !) qu'elles sont délaissées avec l'apparition des armes à feu. Il ne resta que le casque et la cuirasse, eux-mêmes abandonnés lors de la Première Guerre mondiale et remplacés aujourd'hui par le gilet pare-balles.

armurerie n. f. Atelier où l'on fabrique des armes ou magasin où l'on vend des armes.

armurier n. m. Personne qui fabrique ou vend des armes.

arnica n. m. ou f. Plante vivace à fleurs jaunes qui pousse dans les montagnes. *De l'arnica on extrait une teinture qui soigne les contusions.*

arobase n. m. Signe (@) du clavier d'un micro-ordinateur qui sert à écrire une adresse électronique.

aromate n. m. Plante utilisée pour donner du goût à un plat. *En entrant chez l'épicier, on sent le parfum des aromates : laurier, basilic, fenouil, cannelle…*
Le laurier, le basilic sont des plantes aromatiques, qui servent d'aromates. On peut aromatiser la salade avec du basilic, lui ajouter cette plante aromatique.

Les plantes aromatiques contiennent des substances appelées huiles essentielles, qui leur donnent leur parfum et leur saveur. Ces huiles ont souvent des propriétés médicinales.
Regarde page ci-contre.

arôme n. m. Odeur agréable qui se dégage d'une plante, d'un aliment, d'une boisson. *L'arôme délicat des violettes.*

arpenter v. → conjug. **aimer.** Marcher en faisant de grandes enjambées. *Il arpentait la rue sans remarquer les passants qui le croisaient.*

arqué, ée adj. Courbé en forme d'arc. *On assemble des planches de bois arquées pour fabriquer un tonneau.*

arquebuse n. f. Arme à feu du xve siècle.

L'arquebuse, ou «canon à main», est l'ancêtre du fusil. Apparue vers 1476, elle est si lourde qu'elle doit être maniée par deux soldats. Puis elle se perfectionne et s'allège. Mais la cadence de tir reste très lente : un coup toutes les deux à cinq minutes. Il faut en effet le temps d'enflammer la poudre à l'aide d'une mèche. L'arquebuse est remplacée par le mousquet vers 1570.

arrachage n. m. → **arracher.**

d'arrache-pied adv. Avec acharnement. *Lutter d'arrache-pied pour gagner.*

arracher v. → conjug. **aimer.** *1* Enlever en tirant. *Arracher des broussailles. Se faire arracher une dent.* *2* Obtenir quelque chose avec beaucoup de peine. *Arracher la victoire au dernier moment.* *3* Tirer péniblement ou brusquement quelqu'un de l'état dans lequel il se trouve. *La sonnerie du téléphone l'arracha à ses rêves.*
De nos jours on utilise des machines pour l'arrachage des betteraves, pour les arracher (1). Mentir comme un arracheur de dents, un dentiste d'autrefois qui racontait à ses patients qu'ils ne souffriraient pas quand il leur arracherait (1) une dent.

arraisonner v. → conjug. **aimer.** Arrêter un navire en pleine mer pour faire des contrôles.

arrangement n. m. *1* Manière d'arranger, d'installer. *Il aimerait changer l'arrangement de sa chambre.* *2* Accord, conciliation. *Conclure un arrangement.*

arranger v. → conjug. **ranger.** *1* Mettre dans un certain ordre. *Ils ont bien arrangé leur appartement.* *2* Remettre en état, réparer. *L'ordinateur est en panne, il faut le faire arranger.* *3* Donner satisfaction, convenir. *Si tu pouvais me prêter ta voiture, ça m'arrangerait.* *4* S'arranger : aller mieux, s'améliorer. *Si demain le temps s'arrange, nous ferons un pique-nique.* *5* S'arranger : s'organiser, se débrouiller. *Il s'est arrangé pour trouver des places pour le spectacle.* *6* S'arranger : se mettre d'accord, s'entendre. *Après une longue discussion, ils ont fini par s'arranger.*
Il a réglé son problème grâce à un employé très arrangeant, qui accepte de s'arranger (6).

Arras

Ville française de la Région Nord, située sur les bords de la Scarpe. Grand carrefour routier, Arras est un centre commercial important où le textile est une activité dominante.
La ville, qui existe depuis l'Antiquité, a été détruite à plusieurs reprises au cours de son histoire. Au Moyen Âge, elle est la capitale européenne de la tapisserie. Au xve siècle, elle est rasée sur l'ordre de Louis XI. L'abbaye Saint-Vaast (viie siècle) est reconstruite trois siècles plus tard. Bombardée au cours de la Première Guerre mondiale, Arras abrite encore des maisons et des bâtiments de la Renaissance, qui ont été restaurés.

62 ***Préfecture du Pas-de-Calais***
43 566 habitants : les Arrageois

C'est à cause du fort parfum qu'elles dégagent et de leur goût prononcé que l'on se sert des plantes aromatiques pour parfumer la nourriture. On les utilise également pour fabriquer des parfums, des liqueurs, des infusions et des médicaments.

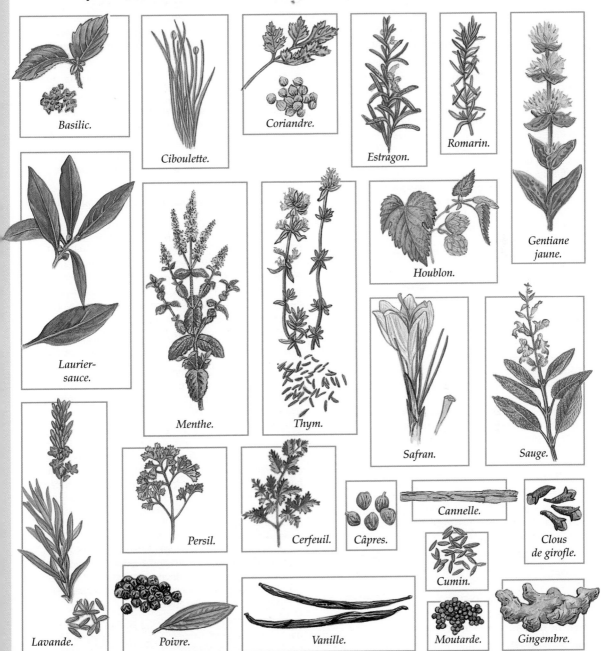

Basilic.

Ciboulette.

Coriandre.

Estragon.

Romarin.

Gentiane jaune.

Laurier-sauce.

Menthe.

Thym.

Houblon.

Safran.

Sauge.

Lavande.

Persil.

Cerfeuil.

Câpres.

Cannelle.

Clous de girofle.

Cumin.

Poivre.

Vanille.

Moutarde.

Gingembre.

arrestation n. f. → arrêter.

arrêt n. m. *1* Fait de s'arrêter. *Ne descendez pas avant l'arrêt complet du train.* *2* Endroit où s'arrête un véhicule pour déposer et faire monter les usagers. *Un arrêt de bus.* *3* *Sans arrêt :* sans cesse, sans interruption. *Cette nuit, le bébé a pleuré sans arrêt.*

1. arrêté, ée adj. *1* Définitif, qui ne changera pas. *Elle a des idées arrêtées sur l'éducation des enfants.*

2. arrêté n. m. *1* Décision prise par un ministre, par un représentant de l'Administration. *Un arrêté préfectoral.*

arrêter v. → conjug. **aimer**. *1* Empêcher ou interrompre le déplacement, le fonctionnement de quelque chose. *Il a arrêté sa voiture devant la maison. J'ai arrêté la radio avant de partir.* *2* Cesser. *Elle n'arrête pas de parler en classe.* *3* Faire prisonnier. *Arrêter un malfaiteur.* *4* Décider, faire un choix. *Nous allons arrêter la date de notre prochain rendez-vous.* *5* *S'arrêter :* faire une halte. *On s'est arrêté près d'un bois pour pique-niquer.* *6* *S'arrêter de faire quelque chose :* cesser de le faire. *Arrêtez-vous de crier !* *7* Cesser de fonctionner. *Ma montre s'est arrêtée.*
> *Le cambrioleur est en état d'*arrestation, *il a été arrêté (*3*).*

arrhes n. f. plur. Somme d'argent payée d'avance sur le prix total d'un achat, d'une location. *Verser des arrhes pour la réservation d'une chambre d'hôtel.*

arrière n. m., adj. inv., adv., préfixe.
• n. m. *1* Partie située derrière. *Il a freiné pour ne pas heurter l'arrière du camion.* *2* Dans les sports d'équipe, joueur placé en défense. *Les arrières et le goal doivent empêcher l'équipe adverse de marquer des buts.*
• adj. inv. Situé à l'arrière. *Les feux arrière d'une voiture s'allument automatiquement au freinage.*
• adv. *En arrière :* derrière les autres ou derrière soi. *Ne restez pas en arrière du groupe. Jetez un regard en arrière.*
• préfixe. Indique ce qui est ou reste en arrière, derrière. *L'arrière-train d'un animal.*
Contraire : avant.

arriéré, ée adj. Qui est resté loin du progrès, du monde moderne. *Un pays arriéré. Des idées arriérées.*
Contraire : avancé.

arrière-boutique n. f. Plur. : des arrière-boutiques. Pièce à l'arrière d'un magasin. *Le droguiste entrepose des marchandises dans son arrière-boutique.*

arrière-garde n. f. Plur. : des arrière-gardes. Troupe de soldats placés à l'arrière d'une armée en marche pour assurer sa protection.

arrière-goût n. m. Plur. : des arrière-goûts. Goût qui reste dans la bouche après avoir absorbé quelque chose. *Ce soda a un arrière-goût désagréable de médicament.*

arrière-grand-mère n. f. Plur. : des arrière-grands-mères. Mère de la grand-mère ou du grand-père.

arrière-grand-père n. m. Plur. : des arrière-grands-pères. Père de la grand-mère ou du grand-père.

arrière-grands-parents n. m. plur. Parents du grand-père ou de la grand-mère.

arrière-pays n. m. inv. Partie d'une région qui se trouve en arrière de la zone côtière. *L'arrière-pays niçois est montagneux.*

arrière-pensée n. f. Plur. : des arrière-pensées. Pensée que l'on garde secrète, cachée. *Parler sans arrière-pensée.*

arrière-petits-enfants n. m. plur. Enfants des petits-enfants.

arrière-plan n. m. Plur. : des arrière-plans. Ce qui paraît le plus éloigné dans un paysage, sur un tableau, sur une photo. *D'ici on a une belle vue du village avec les montagnes à l'arrière-plan.*

arrière-saison n. f. Plur. : des arrière-saisons. Époque de l'année où l'automne se termine. *Un temps froid et humide d'arrière-saison.*

arrière-train n. m. Plur. : des arrière-trains. Arrière du corps de certains animaux à quatre pattes. *L'arrière-train d'un chien.*

arrimer v. → conjug. **aimer**. Attacher solidement un chargement. *Le capitaine fait arrimer la cargaison avant de prendre la mer.*

arriver v. → conjug. **aimer**. *1* Atteindre l'endroit vers lequel on s'est déplacé. *J'arriverai chez toi vers midi.* *2* Se produire, se réaliser. *Il lui arrive rarement d'être en retard. Cela n'arrive pas souvent.* *3* Parvenir à faire quelque chose. *Je n'arrive pas à faire cet exercice.* *4* Approcher. *Rentrons vite, la pluie arrive !* *5* Atteindre un certain niveau. *Il m'arrive à l'épaule. L'eau m'arrive au menton.*
Contraire : partir (*1*).
> *Il n'y a plus de légumes aujourd'hui, il faudra attendre le prochain* arrivage, *que la marchandise arrive (*1*). Les premiers* arrivants *sont les personnes qui sont arrivées (*1*) les premières. Nous attendons tous votre* arrivée *avec impatience, le moment où vous allez arriver (*1*).*

arriviste n. Personne décidée à réussir dans la vie par n'importe quel moyen. *On ne peut pas lui faire confiance, c'est un arriviste.*

arrogance n. f. Attitude méprisante et pleine d'insolence vis-à-vis des autres. *Je ne peux plus supporter votre arrogance!*

Parler à quelqu'un sur un ton **arrogant**, sur un ton plein d'arrogance, hautain.

arrondir v. → conjug. **finir.** *1* Rendre rond ou plus rond. *Le bébé grossit, son visage s'arrondit.* *2* Au figuré. Faire un compte rond en ajoutant ou en retranchant quelque chose. *Je te dois 2,75 euros, mais j'arrondis à 3.*

Un couteau à bout **arrondi**, de forme plus ou moins ronde.

arrondissement n. m. Division administrative. *En France, les départements, les cantons, les grandes villes sont divisés en arrondissements.*

arroser v. → conjug. **aimer.** Mouiller avec de l'eau ou un autre liquide. *Arroser des plantes. Arroser un rôti avec le jus de cuisson.*

On a lavé la terrasse avec le tuyau d'**arrosage**, le tuyau qui sert à arroser. *Une arroseuse* est un véhicule qui sert à nettoyer les rues en les arrosant. *Un arrosoir* est un récipient pour arroser les plantes.

arsenal, aux n. m. *1* Lieu où l'on construit, où l'on répare, où l'on équipe les navires de guerre. *2* Grande quantité d'armes et de munitions assemblées dans un endroit. *La police a découvert un véritable arsenal dans le repaire des terroristes.*

arsenic n. m. Poison violent.

art n. m. *1* Ensemble des activités humaines destinées à créer des œuvres remarquables par leur beauté. *La peinture, la sculpture, la musique sont des arts. Une œuvre d'art.* *2* Ensemble des œuvres d'art d'une période ou d'un pays. *L'art égyptien.* *3* Méthode, technique qui permet de réaliser certaines choses. *Apprendre l'art de la navigation.* *4* Talent, don. *Cette fille a l'art de faire rire.*

artère n. f. *1* Vaisseau sanguin qui transporte le sang qui sort du cœur vers les organes du corps. *2* Grande rue. *L'artère principale de la ville est décorée.*

Le médecin a vérifié ma tension **artérielle**, la pression du sang qui circule dans les artères (*1*).

arthrose n. f. Maladie qui atteint les articulations. *Mon grand-père souffre d'une arthrose du genou.*

artichaut n. m. Légume dont la base des feuilles et le cœur sont comestibles.

article n. m. *1* Déterminant du nom. *2* Texte publié dans un journal sur un sujet donné. *Ce journaliste écrit de très bons articles sur l'actualité scientifique.* *3* Paragraphe d'un texte officiel. *Lisez tous les articles de ce contrat avant de le signer.* *4* Objet mis en vente. *Les articles de sport sont au fond du magasin.*

L'ARTICLE

L'article appartient à la classe des déterminants. Il fait partie du groupe nominal. On distingue 3 sortes d'articles :

● Les articles définis (simples, élidés, contractés)

singulier	masculin	le, l', au (à le), du (de le)
	féminin	la, l'
pluriel	masculin et féminin	les, aux (à les), des (de les)

● Les articles indéfinis

singulier	masculin	un
	féminin	une
pluriel	masculin et féminin	des

● Les articles partitifs

singulier	masculin	du, de l'
	féminin	de la, de l'
pluriel	masculin et féminin	des

❖ L'article **défini** s'emploie lorsque celui à qui l'on s'adresse connaît ou peut identifier les personnes, les animaux ou les choses dont on parle.

❖ L'article **élidé** s'emploie devant une voyelle ou un h muet : *l'amour de l'histoire.*

❖ L'article **partitif** s'emploie devant un nom non dénombrable : *il boit du lait.*

→ Il ne faut pas confondre :

· **des** (article défini contracté = **de les**) : *le nid des oiseaux*, et **des** (article indéfini) : *des oiseaux dans l'arbre.*

· **du** (article défini contracté = **de le**) : *la niche du chien*, et **du** (article partitif) : *le chat mange du poisson.*

---

articulation n. f. *1* Endroit du corps où les os s'articulent entre eux. *2* Manière d'articuler les mots. *Lire un texte en faisant attention à l'articulation.* **Synonyme : prononciation (*2*).**

Des douleurs **articulaires** sont des douleurs qui se produisent au niveau des articulations (*1*).

On distingue plusieurs types d'articulations : les articulations immobiles (c'est le cas des liaisons entre les os du crâne) ; les articulations semi-mobiles, qui ne permettent que de tout petits mouvements.

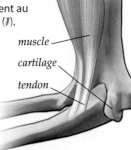

muscle
cartilage
tendon

Articulation du coude.

(liaisons entre les vertèbres) ; et les articulations mobiles, qui permettent des mouvements plus amples (articulations des bras et des jambes, par exemple). Les articulations mobiles sont maintenues par des ligaments qui relient les os entre eux. Les surfaces osseuses en contact sont protégées par un revêtement souple, le cartilage, et glissent l'une sur l'autre grâce à un liquide lubrifiant, la synovie, qui diminue les frottements.

articuler v. → conjug. **aimer.** *1* Prononcer les mots, les phrases de façon claire et distincte. *Lire à haute voix en articulant.* *2* S'articuler : être uni par une jointure qui permet les mouvements. *L'avant-bras s'articule au bras au niveau du coude.*

 Une poupée avec des bras et des jambes articulés, formés d'éléments qui s'articulent (*2*) entre eux.

artifice n. m. Tromperie, ruse. *Gagner la confiance de quelqu'un par des artifices.*

artificiel, elle adj. Produit par l'homme. *Des plantes artificielles.*
Contraire : naturel.

 Peut-on créer artificiellement un être humain ?, de manière artificielle.

artillerie n. f. *1* Matériel militaire constitué par l'ensemble des canons d'une armée. *2* Ensemble des troupes d'une armée qui utilisent les canons pour combattre. *Un régiment d'artillerie.*

 Un artilleur est un soldat qui sert dans l'artillerie.

artisan n. m. Personne exerçant un métier manuel et travaillant à son compte. *Un tisserand, un maçon, un potier sont des artisans.*

 Des tapis artisanaux sont des tapis fabriqués par des artisans. Ce sont des objets fabriqués artisanalement, de manière artisanale. *L'artisanat,* c'est l'activité pratiquée par les artisans.

artiste n. *1* Créateur d'œuvres d'art. *Les tableaux de plusieurs artistes ont été rassemblés pour une exposition.* *2* Personne qui interprète une œuvre théâtrale ou musicale. *Le spectacle a réuni de nombreux artistes :* acteurs, chanteurs, musiciens.

 Le théâtre, la danse, le dessin sont des activités artistiques, exercées par des artistes (*1*).

arum n. m. Plante sauvage ou cultivée.
On prononce [aʀɔm].

L'arum est une plante aux feuilles triangulaires. Ses petites fleurs forment un épi qui se trouve au centre d'un large cornet. Les baies rouges de l'arum sont toxiques.

as n. m. *1* Carte à jouer comportant un seul signe. *Les quatre as d'un jeu de cartes.* *2* Face d'un dé ou d'une moitié de domino marquée d'un seul point. *3* Personne qui réussit brillamment dans son domaine. *Ma mère est un as du bricolage.*
On prononce [as].

1. ascendant, e adj. Qui va en montant. *Le mouvement ascendant de l'air chaud.*
Contraire : descendant.

2. ascendant n. m. *1* Parent dont on descend. *Dans notre famille, nous avons des ascendants italiens.* *2* Influence, domination. *Il subit l'ascendant de son ami.*
Contraire : descendant (*1*).

 Un Canadien d'ascendance française, qui a des ascendants (*1*) français.

ascenseur n. m. Appareil qui transporte des personnes d'étage en étage. *Monter, descendre en ascenseur.*

ascension n. f. Action de monter, d'escalader. *Entreprendre l'ascension du mont Blanc.*

ascète n. m. Personne qui vit dans la solitude, la pauvreté et la prière. *Cet homme religieux vivait comme un ascète, à l'écart de tous.*

 Certains moines pratiquent l'ascétisme, ils mènent une vie d'ascète.

aseptiser v. → conjug. **aimer.** Désinfecter un endroit, un objet. *Les instruments chirurgicaux doivent être aseptisés avant une opération.*

asexué, e adj. *1* Qui n'a pas de sexe. *2* Reproduction asexuée :* reproduction de certains végétaux qui s'effectue sans l'intervention de graines.

Asie

Un des six continents, le plus grand et le plus peuplé. Majoritairement située dans l'hémisphère Nord, l'Asie est séparée de l'Europe par l'Oural, de l'Afrique par la mer Rouge et de l'Amérique par le détroit de Béring. L'Asie centrale est montagneuse : elle est constituée de hauts plateaux (notamment les plateaux du Tibet), bordés au sud par l'Himalaya.
On peut diviser l'Asie en deux grandes parties : l'Asie occidentale (Moyen-Orient), des côtes est de la Méditerranée jusqu'à l'Afghanistan, et l'Asie orientale (Extrême-Orient) qui s'étend jusqu'au Japon.

Regarde p. 84 à 87.

---

asile n. m. Refuge, abri. *La mairie a servi d'asile pour les réfugiés.*

aspect n. m. Manière dont une personne ou une chose apparaît à nos yeux. *Un vieil homme à l'aspect sévère.*
On prononce [aspɛ].

asperge n. f. Plante potagère.

De la racine de l'asperge sortent chaque année des bourgeons qui s'allongent en tiges. Ces tiges, appelées turions, se consomment cuites, avec une sauce (mayonnaise, vinaigrette).

asperger v. → conjug. **ranger.** Projeter de l'eau, un liquide. *Il m'a aspergé d'eau froide avec le tuyau d'arrosage.*

aspérité n. f. Partie saillante d'une surface. *Ses pieds butaient sur les aspérités du chemin.*

asphalte n. m. Substance noirâtre dont on se sert pour recouvrir les routes.
Synonymes : bitume, goudron.

asphyxie n. f. Étouffement causé par l'arrêt de la respiration. *Les pompiers ont sauvé plusieurs personnes victimes d'asphyxie.*
> *La fumée a failli nous* **asphyxier**, nous faire mourir par asphyxie.

aspic n. m. Espèce particulière de vipère dont le museau est retroussé.

aspiration n. f. *1* Action d'aspirer un liquide, des poussières. *Vider un bassin à l'aide d'un tuyau d'aspiration.* *2* Désir, espoir, souhait. *Ce métier correspond à toutes mes aspirations.*

aspiré, ée adj. « *h* » *aspiré* : la lettre « h » au début de certains mots, qui indique qu'il ne faut pas faire la liaison avec le mot précédent. *Le « hêtre », le « héros » commencent par un « h » aspiré.*

aspirer v. → conjug. **aimer.** *1* Faire pénétrer de l'air dans ses poumons. *Aspirer une bouffée d'air frais.* *2* Attirer quelque chose à l'aide d'un appareil. *Aspirer un liquide avec une pompe.* *3* Souhaiter avec force. *Après un tel effort, je n'aspire qu'à dormir.*
> *Un* **aspirateur** *est un appareil qui sert à aspirer (2)* la poussière.

aspirine n. f. Médicament utilisé pour combattre la fièvre, soulager certaines douleurs.

s'assagir v. → conjug. **finir.** Devenir plus sage. *Il s'assagira en grandissant.*

assaillir v. Attaquer violemment. *Des inconnus ont assailli un passant pour le voler.*
> *La victime ne connaissait pas ses* **assaillants**, les personnes qui l'ont assaillie.

La conjugaison du verbe

ASSAILLIR 3ᵉ groupe

indicatif présent	j'assaille
	il ou elle assaille
	nous assaillons
	ils ou elles assaillent
imparfait	j'assaillais
	nous assaillions
	vous assailliez
futur	j'assaillirai
passé simple	j'assaillis
subjonctif présent	que j'assaille,
	que nous assaillions,
	que vous assailliez
conditionnel présent	j'assaillirais
impératif	assaille, assaillons,
participe présent	assaillant
participe passé	assailli

---

assainir v. → conjug. **finir.** Rendre plus sain, plus propre. *Assainir l'eau d'une rivière, d'un lac, d'un canal.*
> *Pour utiliser l'eau de la rivière, il faudra faire des travaux d'***assainissement**, destinés à assainir l'eau.

assaisonner v. → conjug. **aimer.** Mettre du sel, des épices dans un plat pour lui donner plus de goût.
> *Une salade servie avec un délicieux* **assaisonnement**, un mélange d'ingrédients pour l'assaisonner.

assassiner v. → conjug. **aimer.** Tuer volontairement quelqu'un. *Il l'a assassiné pour le voler.*
> *L'***assassin** a été arrêté*, la personne qui a assassiné quelqu'un. *Cet homme est coupable de plusieurs* **assassinats**, il a assassiné plusieurs personnes.

assaut n. m. Attaque menée pour prendre une ville, un lieu fortifié. *Monter à l'assaut d'une forteresse.*

assécher v. → conjug. **digérer.** Éliminer l'eau ou l'humidité d'un lieu. *On a asséché le canal pour le nettoyer.*
> *Pour cultiver ces marais, il faut faire des travaux d'***assèchement**, des travaux pour les assécher.

assembler v. → conjug. **aimer.** *1* Réunir pour former un tout. *Assembler des dalles pour faire une terrasse.* *2* S'assembler : se réunir, se rassembler. *Ils s'assemblent sur la place pour l'arrivée de la course.*
> *Un patchwork est un* **assemblage** *de morceaux de tissu*, des morceaux de tissu assemblés (*1*). *Une* **assemblée** *est un groupe de gens assemblés (*2*).

asséner v. → conjug. **digérer.** Frapper violemment. *Asséner un coup de poing à quelqu'un.*

a b c d e f g h i j k l m n o p q r s t u v w x y z

l'Asie

Avec près de 45 millions de km², l'Asie est le plus vaste des continents et s'étend sur 9 fuseaux horaires. On y trouve une extrême variété de reliefs et de climats : d'une région à l'autre, l'écart des températures peut atteindre 130 °C (+ 55 °C en Syrie, - 70 °C en Sibérie). Les déserts d'Asie centrale ne reçoivent que quelques millimètres de pluie par an tandis qu'il en tombe plus de 10 mètres au sud-est du continent.

Rennes dans la toundra.

Plateau désertique du Nedjd en Arabie saoudite.

Conifères et bouleaux de la taïga.

Ours blanc dans le milieu polaire.

Pêche à l'esturgeon dans la mer Caspienne.

Inondation au Bangladesh dans le delta du Brahmapoutre.

■ Près du cercle polaire domine la toundra, végétation de mousses, de lichens et d'herbes basses. L'hiver la température peut descendre jusqu'à - 70 °C. C'est le milieu de vie de l'ours blanc.
■ Dans les immenses plaines et plateaux de Sibérie, le climat est si froid que le sol reste gelé en profondeur toute l'année et la végétation est très pauvre : c'est la taïga, qui s'étend sur de grands espaces.
■ Au centre du continent s'élèvent de hautes chaînes de montagnes alignées d'est en ouest. L'une d'elles, l'Himalaya, compte plus de 10 sommets (dont l'Everest) qui dépassent 8 000 m.

■ De puissants fleuves comme le Gange, le Brahmapoutre, l'Indus, le Yangzi Jiang et le Mékong descendent de l'Himalaya et forment de vastes deltas très fertiles.

Ils sont redoutés pour les inondations qu'ils provoquent.
■ La mer Caspienne, avec une superficie de près de 400 000 km², est la plus grande mer intérieure du globe.

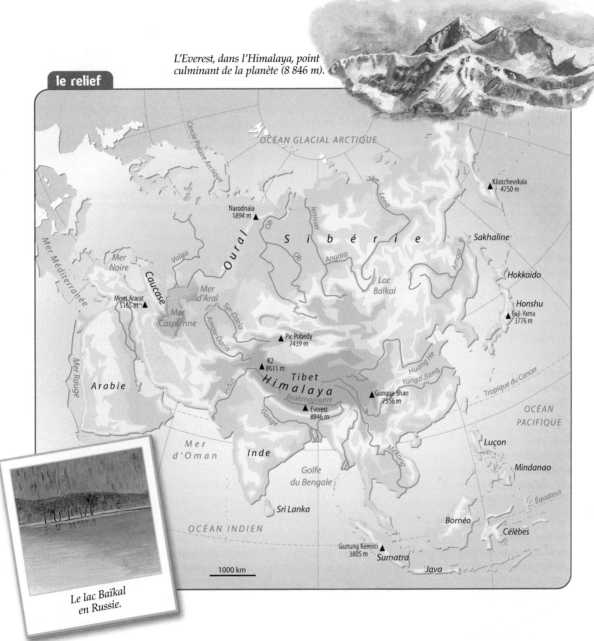

L'Everest, dans l'Himalaya, point culminant de la planète (8 846 m).

le relief

OCÉAN GLACIAL ARCTIQUE

Cercle Polaire Arctique

Kliotchevskaïa
4750 m

Narodnaïa
1894 m

S i b é r i e

Sakhaline

Ob

Lena

Iénisseï

Mer Méditerranée

Mer Noire

Volga

O u r a l

Ob

Angara

Lac Baïkal

Amour

Hokkaido

Caucase

Mer d'Aral

Honshu

Mont Ararat
5165 m

Mer Caspienne

Syr-Daria

Amou-Daria

Fuji-Yama
3776 m

Pic Pobedy
7439 m

K2
8611 m

T i b e t

Huang Hé

Yangzi Jiang

Tropique du Cancer

Arabie

Mer Rouge

Indus

H i m a l a y a

Brahmapoutre

Gongga Shan
7556 m

OCÉAN PACIFIQUE

Gange

Everest
8846 m

Mer d'Oman

I n d e

Mékong

Luçon

Mindanao

Golfe du Bengale

Équateur

Sri Lanka

Bornéo

Célèbes

OCÉAN INDIEN

Gunung Kerenci
3805 m

Sumatra

Java

1000 km

Le lac Baïkal en Russie.

■ Le lac Baïkal est le lac le plus profond de la Terre. Il constitue la plus grande réserve d'eau douce de la planète.

■ Le sud de l'Asie est découpé par une succession de péninsules : l'Arabie, à l'ouest, est une région sèche où le désert prédomine tandis que l'Inde, la péninsule indochinoise et la Malaisie sont soumises au climat de mousson, qui favorise le développement d'une végétation luxuriante.
■ Les grandes îles volcaniques de l'Indonésie, des Philippines et du Japon bordent le sud et l'est du continent. Le volcan le plus célèbre est le Fuji-Yama ; il possède un caractère sacré pour les Japonais.

l'Asie

Plus de la moitié de la population du globe, 3 milliards 800 millions d'habitants, vit en Asie. Cette population, qui croît rapidement, se partage en une grande variété de peuples et de cultures. L'Inde et la Chine sont les deux pays les plus peuplés de la Terre.

Un Mongol à cheval.

Chinois à bicyclette à Pékin.

Indienne dans le Gange.

Un mariage japonais traditionnel.

cultures en terrasses

■ Le Moyen-Orient, qui s'étend de la mer Rouge à l'Afghanistan, tire sa richesse de ses ressources en pétrole et en gaz naturel. La majorité des habitants est arabe et 90 % de la population pratique la religion islamique.

■ Le sous-continent indien, formé de l'Inde et du Pakistan, est une terre où pauvreté et richesse se côtoient. On y parle plus de 1 650 langues et trois systèmes d'écriture différents sont utilisés. La production agricole est importante, l'industrie peu développée.

■ L'Asie du Sud-Est, constituée de la Chine du Sud, de l'Indonésie et des Philippines, connaît un fort développement économique grâce à sa position maritime, à son climat et à ses nombreuses ressources naturelles.

Un émir arabe du Koweït.

■ La culture du riz en Asie remonte à plusieurs millénaires, vraisemblablement plus de 7 000 ans ! Pour bien se développer, cette céréale, base de la nourriture des Asiatiques, nécessite chaleur et humidité. Le climat de mousson lui convient parfaitement. Comme la production doit croître avec l'augmentation de la population, tout l'espace cultivable possible est occupé. Dans les montagnes, le riz est cultivé en terrasses.

■ L'Extrême-Orient, constitué par la Chine, la Corée et le Japon, est la partie la plus peuplée du continent.

Sur le modèle du Japon, grande puissance industrielle, l'ensemble de l'Extrême-Orient prospère rapidement.

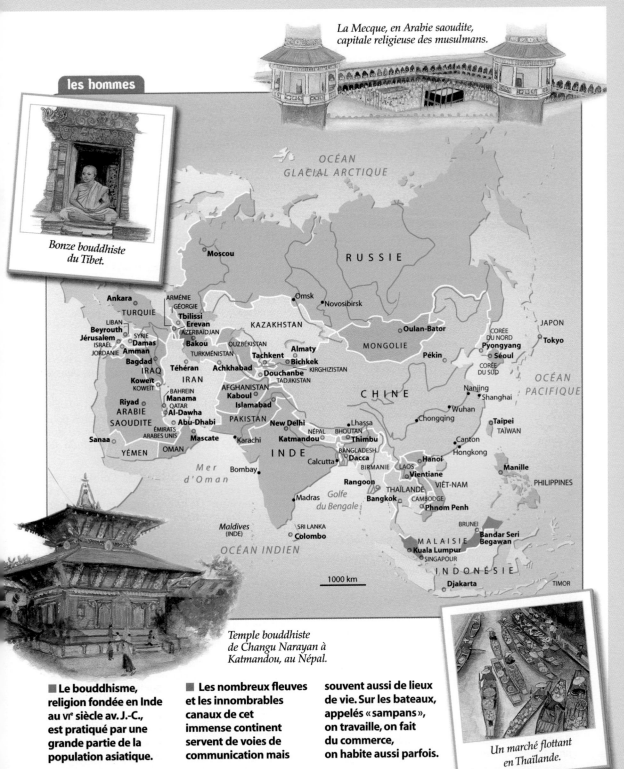

La Mecque, en Arabie saoudite, capitale religieuse des musulmans.

Bonze bouddhiste du Tibet.

OCÉAN GLACIAL ARCTIQUE

Moscou

RUSSIE

Ankara
TURQUIE
LIBAN
Beyrouth
Jérusalem
ISRAËL
Damas
SYRIE
JORDANIE
Amman
Bagdad
IRAQ
Koweït
KOWEÏT
BAHREIN
Riyad
Manama
QATAR
ARABIE
Al-Dawha
SAOUDITE
ÉMIRATS
Abu-Dhabi
ARABES UNIS
Sanaa
Mascate
YÉMEN
OMAN

ARMÉNIE
GÉORGIE
Tbilissi
Erevan
AZERBAÏDJAN
Bakou
TURKMÉNISTAN
Achkhabad
Téhéran
IRAN
AFGHANISTAN
Kaboul
Islamabad
PAKISTAN

Omsk
Novosibirsk

KAZAKHSTAN

OUZBÉKISTAN
Tachkent
Almaty
Bichkek
KIRGHIZISTAN
Douchanbe
TADJIKISTAN

MONGOLIE
Oulan-Bator

Pékin

CHINE

Nanjing
Shanghai
Wuhan
Chongqing

CORÉE DU NORD
Pyongyang
Séoul
CORÉE DU SUD

JAPON
Tokyo

OCÉAN PACIFIQUE

New Delhi
NÉPAL
BHOUTAN
Lhassa
Katmandou
Thimbu
Karachi
INDE
Calcutta
Dacca
BANGLADESH
Bombay

Mer d'Oman

Madras
Golfe du Bengale

Rangoon
BIRMANIE
THAÏLANDE
Bangkok
LAOS
Vientiane
VIÊT-NAM
Hanoï
Canton
Hongkong
Taipei
TAÏWAN

Manille
PHILIPPINES

CAMBODGE
Phnom Penh

Maldives
(INDE)

SRI LANKA
Colombo

OCÉAN INDIEN

1000 km

BRUNEI
Bandar Seri Begawan
MALAISIE
Kuala Lumpur
SINGAPOUR

INDONÉSIE

Djakarta

TIMOR

Temple bouddhiste de Changu Narayan à Katmandou, au Népal.

■ Le bouddhisme, religion fondée en Inde au VIᵉ siècle av. J.-C., est pratiqué par une grande partie de la population asiatique.

■ Les nombreux fleuves et les innombrables canaux de cet immense continent servent de voies de communication mais souvent aussi de lieux de vie. Sur les bateaux, appelés «sampans», on travaille, on fait du commerce, on habite aussi parfois.

Un marché flottant en Thaïlande.

87

assentiment n. m. Acceptation, accord. *C'est avec l'assentiment de ses parents qu'il a arrêté ses études.*

s'asseoir v. Poser ses fesses sur un siège ou sur le sol. *Les enfants se sont assis sur le sable.*

Il y a huit places assises dans le compartiment, où l'on peut s'asseoir.

La conjugaison du verbe

ASSEOIR 3e groupe

Il existe deux façons de conjuguer ce verbe.

indicatif présent	**j'assieds, il ou elle assied**
	nous asseyons
	ils ou elles asseyent
imparfait	**j'asseyais**
futur	**j'assiérai**
passé simple	**j'assis**
subjonctif présent	**que j'asseye**
conditionnel présent	**j'assiérais**
impératif	**assieds, asseyons, asseyez**
participe présent	**asseyant**
participe passé	**assis**

indicatif présent	**j'assois, il ou elle assoit**
	nous assoyons
	ils ou elles assoient
imparfait	**j'assoyais**
futur	**j'assoirai**
passé simple	**j'assis**
subjonctif présent	**que j'assoie**
conditionnel présent	**j'assoirais**
impératif	**assois, assoyons, assoyez**
participe présent	**assoyant**
participe passé	**assis**

---

asservir v. → conjug. **finir.** Soumettre quelqu'un à son pouvoir. *Les envahisseurs avaient conquis le pays et avaient asservi la population.*

Un peuple qui lutte pour se libérer de son asservissement, de son état asservi.

assez adv. *1* Suffisamment. *Il est assez grand pour aller tout seul à l'école. 2* Moyennement. *Il est assez grand pour son âge. 3* En avoir assez de quelqu'un ou de quelque chose :* être fatigué de les supporter. *J'en ai assez d'entendre vos disputes.*

assidu, ue adj. Qui fait quelque chose avec application, avec persévérance. *C'est un enfant très assidu en classe.*

Il travaille avec assiduité, il se montre assidu. *Il pratique assidûment le foot,* de façon assidue.

assiéger v. → conjug. **siéger.** Encercler un lieu pour s'en emparer. *Assiéger une ville, une forteresse.*

Les villageois résistent aux assiégeants, à ceux qui assiègent le village.

assiette n. f. Récipient dans lequel on sert la nourriture que l'on mange. *On sert le potage dans des assiettes creuses.*

Il a du mal à finir son assiettée de soupe, le contenu de son assiette.

La terminaison en té

Les noms féminins terminés par **té** ne prennent pas de e final.
Exemples : *la bonté, la beauté, la charité…*

Exceptions :
Tous les noms indiquant le contenu :
l'assiet**tée**, la brouet**tée**, la pla**tée**…

Les cinq mots suivants :
la dic**tée**, la je**tée**, la mon**tée**, la pâ**tée**, la por**tée**.

---

assigner v. → conjug. **aimer.** Attribuer d'autorité quelque chose à quelqu'un. *Le metteur en scène a assigné à chaque acteur le rôle qu'il doit jouer dans la pièce.*

assimilation n. f. *1* Processus qui permet aux aliments de se transformer à l'intérieur du corps pour le nourrir. *2* Au figuré. Fait de comprendre ce que l'on apprend et de s'en souvenir. *L'assimilation des connaissances.*

assimiler v. → conjug. **aimer.** *1* Considérer ou traiter une personne ou une chose comme semblable à une autre. *On ne peut pas assimiler un sportif amateur à un sportif professionnel. 2* Transformer ce qu'on absorbe pour nourrir notre corps. *Ce bébé grandit vite, il assimile bien tout ce qu'il mange. 3* Au figuré. Comprendre ce que l'on apprend et s'en souvenir. *Les élèves ont bien assimilé la leçon de géographie, ils connaissent maintenant tous les fleuves de France.*

Une nourriture assimilable, une nourriture que l'on peut assimiler (*2*).

assis, e adj. → **s'asseoir.**

assises n. f. plur. *Cour d'assises :* tribunal chargé de juger les personnes accusées d'un crime.

assistance n. f. *1* Ensemble des personnes qui assistent à un spectacle. *À la fin de la pièce, toute l'assistance a applaudi. 2* Aide, secours. *Porter assistance à une personne en danger, à un blessé.*

assistant, ante n. *1* Personne qui aide quelqu'un

dans son travail. *L'assistante du chirurgien-dentiste note les rendez-vous.* **2** *Assistant social :* personne dont le travail est d'aider les personnes malades ou en difficulté.

assister v. ➜ conjug. **aimer.** *1* Être présent, voir et entendre ce qu'il se passe. *Assister à un spectacle, à une bagarre.* **2** Aider, soutenir. *Assister quelqu'un dans son travail.*

associer v. ➜ conjug. **aimer.** *1* Faire participer quelqu'un à un travail, à une entreprise. *Ce scientifique a associé des étudiants à ses recherches.* **2** *S'associer :* se mettre ensemble, s'unir pour réaliser quelque chose. *Ils se sont associés pour ouvrir un restaurant.*
> *Mes parents appartiennent à une **association** de consommateurs, un groupe de personnes qui s'associent (**2**). Elle dirige une entreprise avec de nombreux **associés**, des personnes qui se sont associées (**2**) à elle.*

assoiffé, ée adj. Qui a très soif. *Les enfants ont très chaud et ils sont assoiffés.*

assombrir v. ➜ conjug. **finir.** *1* Rendre sombre. *De gros nuages ont brusquement assombri le ciel.* **2** Au figuré. Attrister ou inquiéter. *La nouvelle du départ de son ami l'avait assombri.*

assommer v. ➜ conjug. **aimer.** *1* Frapper quelqu'un pour lui faire perdre connaissance. *Il a assommé un passant pour lui voler son portefeuille.* **2** Familier. Ennuyer. *Arrête de t'agiter, tu m'assommes.*
> *Cette conversation est vraiment **assommante**, elle nous assomme (**2**).*

assortir v. ➜ conjug. **finir.** Mettre ensemble des choses qui s'harmonisent bien. *Assortir son sac et ses chaussures.*
> *Sur la table, une coupe contenait un **assortiment** de fruits, des fruits assortis.*

Assouan

Ville du sud de l'Égypte, sur le Nil. Assouan est surtout connue pour son barrage, construit sur le Nil entre 1960 et 1970. Haut de 111 m et long de 3,6 km, cet ouvrage permet l'irrigation permanente de plus de 300 000 hectares de terre. L'eau qu'il retient forme le lac Nasser, deuxième lac artificiel du monde par sa superficie (5 000 km²). Les eaux du barrage ont recouvert de nombreux sites archéologiques. Certains temples ont été déplacés pour ne pas être engloutis.
Regarde aussi Abou-Simbel.

s'assoupir v. ➜ conjug. **finir.** S'endormir lentement. *Après le repas, les invités s'étaient assoupis.*
> *Un coup de sonnette le tira de son **assoupissement**, il s'était assoupi.*

assouplir v. ➜ conjug. **finir.** Rendre plus souple. *Utiliser un produit pour assouplir le linge.*
> *Faire des exercices d'**assouplissement**, des exercices pour s'assouplir.*

assourdir v. ➜ conjug. **finir.** *1* Rendre sourd pendant un instant. *Le bruit des klaxons nous assourdit.* **2** Atténuer les sons. *Les murs épais assourdissent les bruits extérieurs.*
> *Une musique **assourdissante**, qui assourdit (**1**).*

assouvir v. ➜ conjug. **finir.** Calmer, apaiser. *Ce morceau de pain n'avait pas assouvi sa faim.*
> *Il ne pense qu'à l'**assouvissement** de sa vengeance, qu'à assouvir son désir de vengeance.*

assumer v. ➜ conjug. **aimer.** Prendre quelque chose en charge, en accepter les conséquences. *C'est un très bon pilote, capable d'assumer les risques de son métier.*

assurance n. f. *1* Garantie. *Vous serez remboursé, je vous en donne l'assurance.* **2** Contrat qui garantit contre certains risques. *Prendre une assurance contre le vol et l'incendie. Une compagnie d'assurances.* **3** Confiance en soi. *Avoir de l'assurance. Perdre son assurance.*

assuré, ée adj. et n.
● adj. Qui est sûr de soi ; décidé, ferme. *Parler d'une voix assurée.*
Contraire : timide.
● n. Personne qui a signé un contrat d'assurance. *Rembourser un assuré.*

assurément adv. Certainement. *Êtes-vous de mon avis ? Assurément !*

assurer v. ➜ conjug. **aimer.** *1* Affirmer quelque chose avec certitude. *Je vous assure qu'il n'y a absolument pas d'erreur.* **2** Prendre des garanties contre certains risques en signant un contrat. *Vous serez remboursé en cas de vol ou d'incendie en faisant assurer votre appartement.* **3** Remplir une tâche, faire un travail. *Il assure la surveillance du parking pendant la nuit.* **4** *S'assurer :* vérifier. *Assure-toi que tout est prêt pour le repas.*

aster n. m. Plante ornementale aux fleurs blanches, violettes ou roses.
On prononce [astɛʀ].

astérisque n. m. Signe en forme d'étoile (*) placé après un mot pour attirer l'attention.

Astérix

Astérix

Personnage de bande dessinée, héros des aventures d'*Astérix le Gaulois*. Astérix est créé en 1959 par le dessinateur Albert Uderzo.

Ses aventures, qui se situent vers 50 av. J.-C., sont écrites par René Goscinny, puis, à la mort de celui-ci (1977), par Uderzo lui-même. Astérix est un guerrier gaulois plein d'astuce et d'assurance. Il vit dans un petit village breton qui résiste à la conquête romaine grâce à la potion magique du druide Panoramix. Astérix et son ami Obélix, capables de mettre en déroute des légions entières de soldats, parcourent l'Empire romain et d'autres régions du monde. Les aventures d'Astérix comptent aujourd'hui plus de 30 épisodes, traduits dans une quarantaine de langues.

asthme n. m. Maladie qui provoque des difficultés de respiration.
On prononce [asm].
Elle est ***asthmatique****,* elle a de l'asthme.

asticot n. m. Larve de la mouche qui ressemble à un petit ver blanc. *On utilise les asticots comme appâts pour pêcher.*

asticoter v. ➔ conjug. **aimer.** Familier. Agacer. *Tu vas finir par le mettre en colère si tu continues à l'asticoter.*

astigmate adj. et n. Qui ne distingue pas nettement les objets à cause d'une courbure anormale de l'œil.

astiquer v. ➔ conjug. **aimer.** Faire briller en frottant. *Astiquer un meuble, astiquer ses chaussures.*

astre n. m. Étoile, planète. *Grâce au télescope, on peut observer les astres.*

astreindre v. ➔ conjug. **peindre.** Obliger quelqu'un à faire quelque chose. *Astreindre un sportif à un entraînement sévère.*
Synonyme : contraindre.
Faire un travail ***astreignant****,* un travail qui astreint.

astrologie n. f. Étude des mouvements des astres et de leur influence sur la vie des hommes et sur leur avenir.
Elle ne croit pas aux prédictions ***astrologiques****,* aux prédictions que l'on fait en se basant sur l'astrologie. *Les* ***astrologues*** *sont des personnes qui pratiquent l'astrologie.*

astronaute n. Personne qui voyage dans un vaisseau spatial.
Synonymes : cosmonaute, spationaute.

*L'****astronautique*** est la science de la navigation dans l'espace.

astronomie n. f. Science qui étudie les mouvements et la composition des astres dans l'Univers.
Les ***astronomes*** *sont des spécialistes de l'astronomie.*
***Regarde aussi* ciel.**

astronomique adj. *1* Qui se rapporte à l'astronomie. *Pour regarder les astres, on utilise une lunette astronomique. 2* Au figuré. Très grand, très important, exagéré. *Un prix astronomique.*

astuce n. f. *1* Ruse, moyen ingénieux. *Il a trouvé une astuce pour entrer sans payer. 2* Plaisanterie ou jeu de mots. *Faire des astuces.*
C'est une personne ***astucieuse****,* pleine d'astuce (*1*), ingénieuse, très habile. *Il a répondu* ***astucieusement*** *à cette question,* de manière astucieuse, très habile.

asymétrique adj. Qui est formé de deux parties qui ne sont pas symétriques. *La décoration de la façade du château est asymétrique.*
*L'****asymétrie*** *d'une construction,* son caractère asymétrique.

atèle n. m. Singe d'Amérique du Sud aux membres très longs.

atelier n. m. Lieu de travail d'un artiste ou d'un artisan. *L'atelier d'un sculpteur. Un atelier de menuiserie.*

athée n. et adj. Personne qui ne croit pas à l'existence de Dieu.
*L'****athéisme****,* c'est la doctrine des personnes athées.

Athéna

Divinité de la mythologie grecque, déesse de la Guerre et de la Sagesse. Elle correspond à Minerve chez les Romains. Athéna est la fille de Zeus et de Métis, déesse de la Prudence. Elle sort tout armée du front de son père, qui avait avalé Métis. Guerrière, Athéna est aussi la conseillère des dieux et la protectrice des mortels. Elle offre l'olivier, symbole de paix, à Athènes, qui devient sa cité. Protectrice de la littérature, des arts et des sciences, elle est le symbole de la civilisation grecque.

Athènes

Ville du sud-est de la Grèce. Grâce à son port, Le Pirée, Athènes s'étend jusqu'à la mer Méditerranée. Près du tiers de la population grecque habite l'agglomération d'Athènes qui concentre les institutions politiques et l'activité économique du pays. La ville elle-même compte près de 750 000 habitants. C'est l'une des plus grandes capitales touristiques du monde. Elle abrite de nombreux monuments antiques, comme le Parthénon dédié à la déesse Athéna, situé sur l'Acropole, et de splendides musées.

Regarde aussi **Grèce.**

athlète n. **1** Personne qui pratique un des sports faisant partie de l'athlétisme. **2** Personne très musclée. *C'est une femme mince et **athlétique**, c'est une athlète. L'**athlétisme**,* c'est un ensemble de sports individuels.

L'athlétisme est le sport le plus ancien. Les Celtes pratiquaient des compétitions de lancer 2 000 ans avant notre ère et les premiers jeux Olympiques eurent lieu en 776 av. J.-C. à Olympie, en Grèce.
L'athlétisme regroupe la course à pied, le saut et le lancer, ainsi que des épreuves combinées.
Course à pied : vitesse, course de haies, demi-fond (800 m à 3 000 m), marathon (42,195 km), relais.
Saut : hauteur, perche, longueur, triple saut.

Lancer : poids, disque, javelot, marteau.
Parmi les épreuves combinées, le décathlon, réservé aux hommes, compte dix épreuves : 100 m, 110 m haies, 400 m, 1 500 m, longueur, hauteur, perche, poids, disque et javelot. L'heptathlon, réservé aux femmes, compte sept épreuves : 100 m haies, 200 m, 800 m, longueur, hauteur, poids et javelot.

Atlantique

Deuxième océan du globe par sa superficie, l'Atlantique est celui sur lequel naviguent le plus grand nombre de bateaux.
En forme de S, il résulte de la séparation de l'Amérique et de l'Afrique autrefois soudées l'une à l'autre. Sa profondeur moyenne de 3 000 m peut atteindre 9218 m (fosse de Porto Rico).
Il est parcouru par une chaîne de montagnes sous-marines dont quelques sommets émergent pour former des îles le plus souvent volcaniques : les Açores, Sainte-Hélène…
Les côtes de l'océan Atlantique subissent des variations climatiques importantes, dues à la présence des courants chauds (Gulf Stream…) ou froids (Labrador…).

atlas n. m. Livre composé de cartes géographiques. **On prononce** [atlas].

Atlas

Personnage de la mythologie grecque. Atlas est un Géant. Ayant combattu les dieux de l'Olympe aux côtés des Titans, il est condamné par Zeus à porter la voûte du ciel sur ses épaules. C'est la raison pour laquelle la première vertèbre du cou, qui soutient la tête, a été appelée atlas.
Atlas est également devenu le nom des recueils de cartes géographiques et historiques. C'est aussi le nom d'un massif montagneux d'Afrique du Nord dont on pensait, dans l'Antiquité, qu'il soutenait le ciel.

atmosphère n. f. **1** Couche gazeuse qui entoure la Terre et certaines planètes. **2** Au figuré. Ambiance. *La fête s'est déroulée dans une atmosphère joyeuse.*
*La pluie et le vent sont des phénomènes **atmosphériques**, qui ont lieu dans l'atmosphère.*

atoll n. m. Récif de corail des mers tropicales.

Les atolls se présentent sous la forme d'anneaux qui enferment un lagon, étendue d'eau qui communique avec la mer par des brèches.

Perche.

Course.

*Lancer
du disque.*

L'océan Pacifique est parsemé d'atolls. Le plus grand du monde, situé dans l'archipel Marshall (non loin de l'Australie), est long de 120 km.

barrière
de corail   lagon

atome n. m. Particule minuscule de la matière. *Les atomes s'unissent entre eux pour former des molécules. L'énergie* **atomique** *est produite par la désagrégation des atomes.*

atomiseur n. m. Flacon qui vaporise le liquide qu'il contient quand on appuie sur son bouchon. *Un atomiseur d'eau de Cologne.*

atout n. m. *1* Couleur qui vaut plus que les autres quand on joue à certains jeux de cartes. *Atout cœur.* *2* Au figuré. Avantage. *Il est très grand, c'est un bon atout s'il veut devenir basketteur.*

âtre n. m. Partie d'une cheminée où l'on fait le feu. *Le feu s'éteint, il ne reste que des cendres dans l'âtre.*

atroce adj. *1* Qui est d'une terrible cruauté. *La victime a subi d'atroces supplices.* *2* Qui est horrible à supporter. *Une douleur atroce.*
   Commettre des **atrocités**, *des actes atroces (1).*
   Souffrir **atrocement**, *de manière atroce (2).*

s'attabler v. → conjug. **aimer.** S'installer à une table. *À la cantine, les enfants se sont attablés pour déjeuner.*

attachant, ante adj. → attacher.

attache n. f. *1* Objet qui sert à attacher, à fixer, à faire tenir ensemble. *Une agrafe, un bouton, une ficelle, une courroie, une épingle sont des attaches.* *2* Au pluriel. Liens qui unissent à une personne, à une chose, à un lieu. *Il a gardé des attaches avec des cousins qui vivent à l'étranger.*

attacher v. → conjug. **aimer.** *1* Fixer au moyen d'une corde, d'une chaîne. *Attacher un bateau au quai.* *2* Fixer l'une à l'autre les deux parties d'une chose. *Attacher ses lacets. Attacher sa ceinture de sécurité.* *3* S'attacher à quelqu'un : se mettre à éprouver de l'affection pour lui. *Elle s'est très vite attachée à l'infirmière qui la soignait.* *4* Attacher de l'importance à une chose :* la considérer comme importante.

C'est une personne **attachante**, *on s'attache (3) à elle. Avoir de l'*attachement *pour quelqu'un, c'est être attaché (3) à lui.*

attaque n. f. *1* Fait d'attaquer, de commencer un combat. *Repousser une attaque de l'ennemi.* *2* Critique violente. *Il a refusé de répondre aux attaques des journalistes.*
Synonymes : assaut, offensive (1).

attaquer v. → conjug. **aimer.** *1* S'élancer au combat. *Les soldats ont reçu l'ordre d'attaquer.* *2* Se jeter sur quelqu'un pour le frapper, pour le blesser, l'agresser. *Des voyous ont attaqué un passant.* *3* Critiquer violemment. *Des journalistes attaquent la politique du gouvernement.* *4* Commencer, entreprendre. *Dès ce soir, j'attaque la lecture de ce roman.* *5* Abîmer, détruire. *Certains insectes attaquent le bois.*
   Lutter contre les **attaquants**, *ceux qui attaquent (1).*

s'attarder v. → conjug. **aimer.** *1* Rester trop longtemps quelque part. *La nuit tombe, il vaut mieux ne pas s'attarder.* *2* Passer trop longtemps à faire quelque chose. *Ne vous attardez pas sur ces détails !*

atteindre v. → conjug. **peindre.** *1* Parvenir à un endroit. *Le bateau atteindra la côte demain.* *2* Parvenir à attraper, à toucher quelque chose. *Le ballon est sur le toit, il faudrait une échelle pour l'atteindre. Atteindre son but.* *3* Frapper ou blesser. *Une pierre l'a atteint au front.*

atteinte n. f. *1* Être hors d'atteinte, dans un endroit impossible à atteindre. *L'eau de Javel est rangée hors d'atteinte des enfants.* *2* Porter atteinte : faire du tort, nuire. *Tous ces commérages lui ont porté atteinte.*

atteler v. → conjug. **jeter.** Attacher un animal à une charrue, à une voiture, pour qu'il les tire. *Atteler des bœufs, des chevaux.*
   La diligence est tirée par un **attelage** *de six chevaux, par six chevaux attelés.*

attelle n. f. Élément rigide qui maintient un os fracturé dans la bonne position.
Les attelles peuvent être en bois, en métal ou en plastique.

attendre v. → conjug. **répondre.** *1* Rester à un endroit jusqu'à ce que quelqu'un arrive ou que quelque chose se passe. *Je vous attends devant la poste. Elle attend un coup de téléphone.* *2* Espérer, souhaiter. *Il attend des nouvelles de sa famille.* *3* Attendre un enfant : être enceinte. *4* S'attendre à quelque chose : prévoir que quelque chose va arriver. *Je ne m'attendais pas à gagner.*

attendrir v. → conjug. **finir.** Émouvoir. *Son petit air timide et triste nous a attendris.*

Ces chatons qui jouent avec leur mère sont atten-drissants, ils nous attendrissent. Elle contemple son bébé avec attendrissement, elle est attendrie.

attentat n. m. Acte violent dirigé contre quelqu'un dans le but de le tuer. *Être victime d'un attentat.*

Attenter à la vie de quelqu'un, commettre un attentat contre lui.

attente n. f. *1* Moment passé à attendre. *Veuillez patienter, l'attente ne sera pas longue. 2* Prévision, espoir. *Un tel succès a dépassé notre attente.*

attention n. f *1* Attitude de quelqu'un qui concentre son esprit sur un sujet sans se laisser distraire. *Il écoute avec attention mes conseils. Fais attention aux voitures. 2* Marque d'intérêt, d'affection envers quelqu'un. *Il est plein d'attention pour moi.*

Une élève attentive, qui écoute avec attention (1). Lisez attentivement l'énoncé du problème, de façon attentive (1). Une personne attentionnée est une personne qui est pleine d'attentions pour les autres (2).

atténuer v. → conjug. **aimer.** Rendre moins intense, diminuer. *Les calmants ont atténué ses douleurs.*

Les circonstances atténuantes d'un crime, les faits qui atténuent sa gravité. On prévoit une atténuation de la chaleur, la chaleur va s'atténuer.

atterrer v. → conjug. **aimer.** Accabler, consterner. *Cette défaite humiliante nous a atterrés.*

atterrir v. → conjug. **finir.** Se poser à terre. *Notre avion a atterri à l'aéroport d'Orly.*

L'avion se dirige vers la piste d'atterrissage, où il va atterrir.

attester v. → conjug. **aimer.** Certifier, garantir. *J'atteste que l'homme accusé est innocent de ce crime.*

Vous devez fournir une attestation de domicile, un document qui atteste que l'adresse de votre domicile est exacte.

Attila

Rois des Huns, né vers 395 et mort en 453. Attila devient roi en 434. À partir de 446, il unifie les tribus des Huns, peuple nomade et guerrier d'Asie centrale installé dans le bassin du Danube, et se met à leur tête pour attaquer l'Empire romain. Il soumet les Germains, envahit les Balkans, la Grèce, puis la Gaule. Il y est vaincu en 451 à la bataille des champs Catalauniques (en Champagne), par le général romain Aetius. L'année suivante, il s'attaque à l'Italie, mais épargne Rome. Son empire s'effondre après sa mort. On prête à ce redoutable guerrier ces paroles : «Là où mon cheval est passé, l'herbe ne repousse plus.»

attirail n. m. Ensemble d'objets, d'accessoires utilisés pour une même activité. *Un attirail de pêcheur, de photographe.*

attirer v. → conjug. **aimer.** *1* Faire venir vers quelque chose. *La confiture attire les guêpes. 2* Inspirer de l'intérêt ou de la sympathie. *C'est une femme charmante qui attire tous ceux qui la rencontrent.*

Contraires : éloigner, repousser.

Quand on ressent une attirance pour quelqu'un, on est attiré (2) par lui. Une région attirante pour les touristes, une région qui les attire (2).

attiser v. → conjug. **aimer.** Ranimer un feu pour qu'il soit plus vif. *Attiser le feu avec un soufflet.*

attitude n. f *1* Manière de se tenir. *Elle a une attitude très naturelle sur cette photo. 2* Façon d'agir, de se comporter envers les autres. *Avoir une attitude agressive.*

Synonymes : comportement (2), conduite (2).

attraction n. f. *1* Force naturelle qui attire. *Dans un vaisseau spatial, les astronautes ne sont plus soumis à l'attraction terrestre. 2* Jeu ou spectacle. *Un parc d'attractions.*

attrait n. m. Attirance, séduction. *L'attrait du danger, du risque.*

Un spectacle attrayant, plein d'attrait.

attrape-nigaud n. m. **Plur. : des attrape-nigauds.** Tromperie destinée à attraper les gens naïfs. *Cette loterie n'est qu'un attrape-nigaud.*

attraper v. → conjug. **aimer.** *1* Réussir à prendre, à saisir, à capturer. *Attraper un ballon. Attraper des insectes. Attraper quelqu'un par le bras. 2* Être contaminé par une maladie. *Attraper la rougeole. 3* Familier. Gronder, punir. *Il s'est fait attraper par l'institutrice. 4* Familier. Tromper. *Il se croit très rusé, mais il ne m'a pas attrapé.*

Un marchand de farces et attrapes, un marchand qui vend toutes sortes d'objets pour faire des farces, pour attraper (4) quelqu'un.

attrayant, ante adj. → **attrait.**

attribuer v. → conjug. **aimer.** *1* Décerner, accorder. *Attribuer le premier prix d'interprétation à quelqu'un. Attribuer le premier rôle d'une pièce de théâtre à un comédien. 2* Considérer qu'une personne est l'auteur de quelque chose. *On attribue ce tableau à un peintre célèbre.*

attribut n. m. Adjectif relié à un nom par les verbes être, paraître, devenir… *Dans la phrase «Ces marguerites sont magnifiques», «magnifiques» est l'attribut de «marguerites».*

attribution n. f. *1* Action de donner, d'accorder quelque chose. *Les ouvriers ont obtenu l'attribution d'une prime. 2* Au pluriel. Ce qu'une personne est chargée de faire dans sa profession, dans son travail. *Les attributions d'une secrétaire.*

attrister v. → conjug. **aimer.** Rendre triste. *Ces paroles méchantes m'ont attristé.*
Contraire : réjouir.

s'attrouper v. → conjug. **aimer.** Se rassembler. *Les voyageurs s'attroupent devant le bateau pour embarquer.*
Contraire : se disperser.

> *Cette bagarre a provoqué un* ***attroupement*** *dans la rue,* des personnes se sont attroupées.

au art. Forme résultant de la combinaison de la préposition « à » et de l'article « le ».

aubaine n. f. Chance imprévue. *Il a eu deux places gratuites pour le spectacle, quelle aubaine !*

aube n. f. *1* Lever du jour. *S'éveiller à l'aube. 2* Robe blanche. *Le prêtre porte une aube pour dire la messe. 3* Roue à aubes : roue à pales qui tourne entraînée par le poids de l'eau. *La roue à aubes d'un moulin.*

aubépine n. f. Arbuste épineux dont les fleurs, blanches ou roses, sont très parfumées.

auberge n. f. Hôtel ou restaurant à la campagne.

> *Un* ***aubergiste*** *est une personne qui tient une auberge.*

aubergine n. f. Plante potagère dont le fruit se mange comme un légume.

Originaire d'Inde, l'aubergine est cultivée autour de la Méditerranée. Les fruits violets sont, eux aussi, appelés aubergines.

aubergiste n. → **auberge.**

Auch

Ville française de la Région Midi-Pyrénées, située sur le Gers. Auch est un centre agricole et commercial célèbre pour son foie gras et son armagnac, eau-de-vie de renommée mondiale. La ville est dominée par une cathédrale de style flamboyant. Auch est l'ancienne capitale de la Gascogne. Elle voit naître, en 1611, le comte d'Artagnan, capitaine des mousquetaires de Louis XIII et Louis XIV, qu'Alexandre Dumas immortalise en 1844 dans son roman *les Trois Mousquetaires.*

32 *Préfecture du Gers*
23 501 habitants : les Auscitains ou les Auchois

aucun, aucune adj. et pron.
- adj. Pas un seul, pas une seule. *Il n'y a aucune raison de s'inquiéter.*
- pron. Pas un, pas une. *Je ne connais aucun des invités, aucune de tes amies.*

audace n. f. Comportement d'une personne qui prend des risques. *Il faut beaucoup d'audace pour monter un cheval sauvage.*
Synonymes : hardiesse, intrépidité.

> *C'est une femme* ***audacieuse,*** *qui a de l'audace.*

au-delà adv. et n. m.
- adv. Plus loin. *Je ne veux pas que tu nages au-delà de la bouée.*
- n. m. *L'au-delà* : ce qu'il y a après la mort.

audible adj. Que l'on peut entendre. *Il faudrait monter le son, la musique est à peine audible.*
Contraire : inaudible.

audience n. f. *1* Rendez-vous avec une personne importante. *Le ministre a accordé une audience aux représentants des syndicats. 2* Séance d'un tribunal. *Le juge a interrogé les témoins au cours de l'audience. 3* Ensemble des auditeurs d'une radio, des téléspectateurs ou des lecteurs d'un journal. *La direction de la chaîne a arrêté cette émission dont l'audience était insuffisante.*

audiovisuel, elle adj. Qui utilise à la fois le son et l'image. *Une méthode d'enseignement audiovisuelle.*

auditeur, trice n. Personne qui écoute une émission, une conférence, un discours.

> *L'* ***auditoire*** *a applaudi,* l'ensemble des auditeurs.

audition n. f. *1* Capacité d'une personne à entendre les sons. *En vieillissant, mon grand-père commence à avoir des troubles de l'audition. 2* Présentation que fait un artiste devant une personne dans le but de se faire engager. *L'impresario reçoit un chanteur pour une audition.*

> *Il a des troubles* ***auditifs,*** *de l'audition (1).*

auditorium n. m. Endroit spécialement aménagé pour enregistrer de la musique ou pour écouter des concerts.
On prononce [oditɔrjɔm].

auge n. f. Bassin de forme allongée dans lequel on place la nourriture destinée aux animaux.

augmenter v. → conjug. **aimer.** *1* Rendre plus élevé ou développer. *Augmenter les salaires. 2* Devenir plus important. *Le nombre des touristes a augmenté depuis l'an dernier.*
Contraires : diminuer, baisser.

> *Tout le monde se plaint de l'* ***augmentation*** *des prix,* du fait qu'ils augmentent.

augure n. m. *Bon augure, mauvais augure :* bon signe, mauvais signe. *Il a sûrement réussi à son examen, son sourire est de bon augure.*

Auguste

Empereur romain, né en 63 av. J.-C. et mort en 14 apr. J.-C. Son vrai nom est Octave. Adopté par son grand-oncle Jules César, Octave est désigné pour lui succéder. À la mort de César, Octave s'allie avec deux généraux, Antoine et Lépide, pour gouverner l'Empire romain : Octave reçoit l'Occident, Antoine l'Orient et Lépide, l'Afrique. Après avoir écrasé une révolte de Lépide et vaincu Antoine, Octave reprend seul tout l'empire. Il reçoit le titre d'Auguste, qui signifie «consacré par les augures». Dans l'histoire romaine, le «Siècle d'Auguste» correspond à une période de paix et de développement des arts.

aujourd'hui adv. *1* Le jour où l'on est. *Aujourd'hui, c'est mercredi, ils vont à la piscine.* *2* À notre époque. *Aujourd'hui, les hommes sont capables de voyager dans l'espace.*

aulne n. m. Arbre qui pousse dans les régions humides.
On écrit aussi : aune.
On prononce [oln] **ou** [on].

aulx n. m. plur. **➜ ail.**

aumône n. f. Argent que l'on donne à un mendiant. *Il fait souvent l'aumône avec générosité.*

aumônier n. m. Prêtre qui exerce ses activités dans un lycée, un hôpital, une prison.

aune n. m. **➜ aulne.**

auparavant adv. D'abord, avant autre chose. *Je te rejoins, mais auparavant je dois terminer ce travail.*

auprès de prép. À côté de, près de. *Il est resté auprès de sa mère pendant qu'elle était malade.*

auquel pron. Forme de «lequel» combiné avec la préposition «à».

auréole n. f. *1* Anneau lumineux au-dessus de la tête de Jésus-Christ et des saints dans les tableaux. *2* Trace en forme de cercle qui reste sur un tissu à l'endroit où une tache a été nettoyée. *La nappe est pleine d'auréoles.*

au revoir interj. et n. m. Mots que l'on dit à une personne que l'on quitte et que l'on pense revoir.

auriculaire n. m. Le petit doigt de la main.

aurifère adj. Qui contient de l'or. *Ce terrain aurifère a beaucoup de valeur.*

Aurillac

Ville française de la Région Auvergne, située sur les bords de la Jordanne. Avec ses laiteries et ses fromageries, ses foires réputées et ses fabriques de meubles ou de parapluies, Aurillac est un centre économique dont l'importance est reconnue dans la région. Au cœur du vieux quartier, on trouve l'abbaye d'Aurillac, qui date du IXe siècle. C'est là que Gerbert, qui devient en 999 le premier pape français (sous le nom de Sylvestre II), a grandi.

15 *Préfecture du Cantal*
32 718 habitants : les Aurillacois

aurore n. f. Lumière brillante qui apparaît à l'horizon avant le lever du soleil. *À l'aurore, le ciel devient rose.*

ausculter v. **➜** conjug. **aimer.** Écouter les bruits produits par le cœur, par la respiration. *Pendant la visite médicale, le médecin ausculte les enfants.*
*Le médecin a découvert les signes de sa maladie à l'*auscultation*, quand il l'a ausculté.*

auspices n. m. plur. Littéraire. *Sous d'heureux auspices :* dans des conditions favorables à la réussite. *Sa carrière a débuté sous d'heureux auspices, il a été nommé dans sa région préférée.*

aussi adv. et conj.
• adv. *1* Également. *Il a eu un cadeau et moi aussi.* *2* Autant, de manière égale. *Elle est aussi jolie que sa sœur.* *3* Tellement. *Je ne savais pas que tu étais aussi mauvais joueur !*
• conj. Indique la conséquence. *Je sais d'expérience qu'il est serviable, aussi je suis très surprise qu'il refuse de t'aider.*

aussitôt adv. et conj.
• adv. Tout de suite, immédiatement. *Quand j'ai eu besoin de lui, il est venu aussitôt.*
• conj. Indique le début d'une action. *Je te promets de te téléphoner aussitôt que je serai revenue de mon voyage de noces.*
Synonyme : dès que.

austère adj. Qui est sérieux, sans fantaisie, sans ornement. *Des vêtements noirs et austères. Un vieillard austère.*
*Ce religieux vit dans la solitude et l'*austérité*, il vit de façon austère.*

Austerlitz

Austerlitz

Bataille qui oppose, le 2 décembre 1805, les troupes de l'empereur Napoléon Ier à celles des empereurs François II d'Autriche et Alexandre Ier de Russie. Appelée aussi «bataille des Trois Empereurs», la bataille d'Austerlitz se déroule en Moravie, région centrale de l'actuelle République tchèque. Remportée par l'armée de Napoléon Ier (la Grande Armée), elle est le symbole du génie militaire napoléonien.

Elle marque également le début de l'avancée de l'empire napoléonien en Europe. Le bronze des canons dérobés à l'ennemi lors de cette bataille sert à construire, en 1810 à Paris, la colonne Vendôme, à la gloire de la Grande Armée.

austral, ale adj. Situé au sud. *L'hémisphère austral.*
Contraire : boréal.

Australie

État fédéral d'Océanie, membre du Commonwealth.
Vaste comme 14 fois la France, l'Australie est la plus grande île du monde. Elle est occupée en son centre par un immense désert. Isolée des autres continents depuis plus de 50 millions d'années, l'Australie abrite des mammifères étonnants qui ont disparu quasiment partout ailleurs : ce sont les marsupiaux, dont font partie les kangourous et les koalas.
La population, d'origine européenne à plus de 90 %, se concentre dans les grandes villes du littoral : Canberra, Sydney, Melbourne, Darwin… L'économie est essentiellement fondée sur l'élevage (moutons) et l'exploitation des ressources minières (diamant, or, uranium…). Découverte par les Européens au XVIIe siècle, l'Australie est colonisée par les Anglais à partir de 1788.
Auparavant, elle n'est peuplée que par les Aborigènes, peuple nomade vivant de chasse et de cueillette.

7 741 220 km²
19 544 000 habitants :
les Australiens
Langue : anglais
Monnaie :
dollar australien
Capitale : Canberra

autant adv. *1* En même quantité, en même nombre, en même valeur. *Il y a autant de filles que de garçons dans ma classe. 2* En si grand nombre. *Cet arbre n'a jamais donné autant de cerises que cette année. 3 D'autant plus que :* encore plus. *Il est d'autant plus content d'avoir réussi qu'il ne s'y attendait pas.*

autel n. m. Table sur laquelle le prêtre célèbre la messe.
Homonyme : hôtel.

auteur n. m. *1* Personne qui écrit des livres ou qui réalise une œuvre artistique ou scientifique. *Molière est l'auteur de l'Avare. 2* Personne responsable d'un acte. *L'auteur du vol s'est enfui.*

authentique adj. *1* Qui n'est pas une copie, une reproduction. *Ce tableau est une œuvre authentique de Renoir. 2* Qui est absolument vrai, certain. *Un récit authentique, des faits authentiques.*
Des experts vérifient l'**authenticité** de ce tableau, le fait qu'il est authentique. Ils ont **authentifié** ces poteries, ils ont dit qu'elles étaient authentiques (*1*).

autiste adj. et n. Qui n'arrive plus à communiquer avec le monde extérieur, avec les autres. *Un enfant autiste.*
L'**autisme** est la maladie des autistes.

auto n. f. Automobile. *Une belle auto.*

auto– préfixe. Signifie «soi-même». *L'autodiscipline,* c'est la discipline qu'on s'impose à soi-même.

autobiographie n. f. Récit qu'une personne écrit elle-même pour raconter sa propre vie.

autobus n. m. Véhicule qui sert au transport régulier des personnes dans une ville. *Prendre l'autobus.*
Synonyme : bus.

autocar n. m. Véhicule qui assure les transports collectifs de personnes en dehors des villes.
Synonyme : car.

autochtone n. Personne qui est originaire du pays où elle vit.
Synonyme : indigène. On prononce [otokton]**.**

autocollant, e adj. et n. m.
• adj. Qui se colle tout seul. *Des timbres autocollants.*
• n. m. Image ou vignette autocollante. *Un cartable recouvert d'autocollants.*

autodéfense n. f. Fait de se défendre par ses propres moyens en cas d'attaque.

autodictée n. f. Texte d'une dictée que l'on apprend par cœur et que l'on doit écrire ensuite sans le modèle.

autodidacte n. Personne qui a étudié seule, par elle-même, sans l'aide de professeurs.

autodiscipline n. f. Discipline qu'une personne s'impose à elle-même.

auto–école n. f. **Plur. : des auto-écoles.** Établissement où des moniteurs préparent des personnes à passer le permis de conduire.

autographe n. m. Signature d'une personne célèbre. *Le champion signe des autographes à ses supporters.*

automate n. m. Machine animée par un mécanisme intérieur, qui a l'aspect d'un être vivant et imite ses mouvements.

automatique adj. *1* Qui fonctionne seul grâce à un mécanisme. *L'ouverture de ces portes est automatique.* *2* Que l'on fait sans réfléchir. *Il a éteint la lumière d'un geste automatique.*

> La minuterie s'éteint *automatiquement* au bout d'une minute, de façon automatique (*1*). Certains métros ont été *automatisés*, ils fonctionnent de façon automatique (*1*). Organiser l'*automatisation* d'une usine, l'équiper en machines automatiques (*1*).

automne n. m. Saison de l'année qui vient après l'été. *L'automne dure du 22 ou du 23 septembre jusqu'au 21 ou 22 décembre suivant les années.* **On prononce** [otɔn].

> En octobre, les feuilles des arbres prennent des teintes *automnales*, les teintes jaunes, rousses ou brunes de l'automne.

automobile n. f. et adj.

• n. f. Véhicule à moteur servant à transporter des personnes.
Synonymes : auto, voiture.

• adj. Qui concerne les automobiles. *Le sport automobile. Cette rue est interdite aux automobilistes,* aux personnes qui conduisent une automobile.

Le sport automobile regroupe toutes les compétitions disputées sur routes (rallyes, courses de côte…) ou sur circuits (vitesse, endurance).

Départ des 24 Heures du Mans (1999).

Il représente un enjeu économique important pour l'industrie automobile.
C'est en 1894 qu'a lieu la première course automobile. Les véhicules fonctionnent au pétrole ou à la vapeur (vitesse moyenne : 17 km/h). Depuis cette époque, pilotes et constructeurs s'affrontent sur des distances plus longues et des circuits fermés.
Les 24 Heures du Mans, course d'endurance pour prototypes, sont créées en 1923. Le premier championnat du monde de Formule 1 date de 1950. C'est un ensemble de Grands Prix qui se courent dans une quinzaine de pays.
Regarde p. 98 et 99.

autonome adj. *1* Qui se gouverne tout seul, librement. *Un territoire autonome.* *2* Qui est capable de faire les choses seul, sans l'aide de personne. *Cet enfant a grandi, il est maintenant autonome.*

autonomie n. f. *1* Droit, pour un territoire, de se gouverner lui-même. *Cette province a obtenu son autonomie.* *2* Temps pendant lequel un appareil peut fonctionner sans apport d'énergie supplémentaire. *Ce portable a cinq heures d'autonomie ; après, il faut le recharger.*

> Les *autonomistes* bretons demandent l'autonomie (*1*) de leur région.

autoportrait n. m. Portrait d'une personne peinte par elle-même.

autopsie n. f. Examen médical détaillé d'un cadavre pour déterminer ce qui a causé la mort.

autoradio n. m. Poste de radio spécialement fabriqué pour les voitures.

autorail n. m. Véhicule à moteur thermique qui circule sur rails et sert au transport des voyageurs.

autoriser v. → conjug. **aimer.** Donner la permission de faire quelque chose. *Le professeur l'a autorisé à sortir avant la fin du cours.*
Synonyme : permettre. Contraires : défendre, interdire.

> Je viendrai chez toi à condition que mes parents m'en donnent l'*autorisation*, s'ils m'y autorisent.

autorité n. f. *1* Pouvoir ou droit de commander, de donner des ordres. *Ces ouvriers travaillent sous l'autorité d'un contremaître.* *2* Qualité de celui qui sait se faire obéir. *Elle a beaucoup d'autorité sur ses enfants.* *3* Au pluriel. Représentants de l'État qui possèdent certains pouvoirs.

> Une personne *autoritaire*, c'est une personne qui veut toujours montrer son autorité (*2*). L'*autoritarisme*, c'est la manière d'agir d'une personne qui montre trop d'autorité (*2*).

l'automobile

C'est l'invention du moteur à explosion, en 1860, par le Français Étienne Lenoir, puis celle du premier moteur à essence, en 1885, par l'Allemand Gottlieb Daimler, qui ont permis le développement de l'industrie automobile.

1770

■ Le premier engin à vapeur, construit par le Français Joseph Cugnot, fait le trajet Paris-Vincennes à la vitesse de 3 km/h.

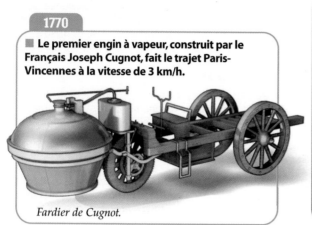

Fardier de Cugnot.

1886

■ Première voiture qui fonctionne avec un moteur à explosion à essence.

Voiture de Daimler.

1899

■ Grâce à cette première conduite intérieure, les passagers sont maintenant à l'abri des intempéries.

Renault.

1905

■ C'est l'automobile la plus célèbre du début du XXᵉ siècle. À partir de 1912, elle est construite en série par la première chaîne de montage américaine.

Ford type « T ».

1946

■ Après la Seconde Guerre mondiale, la voiture se démocratise. La 4CV est le symbole de cette démocratisation.

4 CV Renault.

1948

■ Naissance de cette petite voiture économique, tout-terrain, qui sera vendue à plusieurs millions d'exemplaires.

2CV Citroën.

1950

■ La création du championnat du monde de Formule 1 marque le développement du sport automobile. Les voitures de Formule 1, conçues pour la vitesse sur circuit, permettent de faire progresser l'ensemble de la recherche automobile.

Formule 1 (années 50).

Formule 1 (années 90).

1959

■ Cette automobile bénéficie de tous les progrès techniques de l'époque. Confortable, rapide et sûre, c'est la voiture américaine qui fera rêver le monde entier.

Ford Edsel.

1999

■ Avec son encombrement minimal, sa faible consommation, ses normes de sécurité maximales, cette voiture répond aux préoccupations des conducteurs de la fin du XXe siècle.

Citroën Xsara Picasso.

et demain ?

■ La voiture de demain devra être non polluante, silencieuse, au coût d'entretien réduit. Sera-t-elle électrique ? Tous les grands constructeurs cherchent le véhicule qui correspondra à ces nouveaux critères, mais il reste encore beaucoup de difficultés à surmonter.

Concept-car.

autoroute n. f. Route sans carrefour où la circulation se fait sur deux voies séparées.

Le réseau autoroutier d'un pays, l'ensemble des autoroutes.

auto–stop n. m. Action qui consiste à faire signe aux automobilistes pour se faire prendre à bord de leur voiture. *Faire de l'auto-stop.*

Les auto-stoppeurs, les auto-stoppeuses sont des personnes qui font de l'auto-stop.

autour adv., **autour de** prép.
- adv. Dans ce qui entoure une chose. *Une jolie fontaine avec des fleurs autour.*
- prép. Indique : **1** Ce qui environne un lieu. *Porter un foulard autour du cou. Les voitures tournent autour du rond-point.* **2** Une approximation. *J'ai dépensé autour de 600 euros pour ce voyage.*

autre adj. et pron.
- adj. **1** Différent. *Je voudrais un autre verre, s'il te plaît, celui-ci est sale.* **2** Supplémentaire. *Veux-tu un autre gâteau ?*
- pron. Une personne ou une chose qui sont autres. *Mon cahier est déchiré, j'en voudrais un autre. Les uns vont à la mer, les autres à la montagne.*

autrefois adv. Dans le temps passé. *Autrefois la France s'appelait la Gaule.*
Synonyme : jadis. Contraires : actuellement, aujourd'hui.

autrement adv. **1** Différemment. *La prochaine fois, je me débrouillerai autrement.* **2** Sinon. *Va te coucher, autrement tu seras fatigué demain.*

autre part adv. Ailleurs. *Va donc ranger tes affaires autre part.*

autruche n. f. Grand oiseau à longues pattes. *L'autruche court très vite, mais elle ne peut voler.*

autrui pron. Les autres personnes. *C'est un homme généreux qui s'intéresse à autrui.*

auvent n. m. Petit toit au-dessus d'une porte.

Auvergne

Région administrative du centre de la France. L'Auvergne compte quatre départements : l'Allier, le Cantal, la Haute-Loire et le Puy-de-Dôme. Située au cœur du Massif central, elle offre une grande variété de paysages : plateaux, plaines, hauts reliefs volcaniques (monts du Velay, puy de Sancy...), forêts et lacs.

L'agriculture occupe un quart de la population, mais les campagnes se dépeuplent au profit des villes, notamment de Clermont-Ferrand.

Les ressources liées à l'exploitation des eaux minérales (Vichy, Volvic…), ainsi que le thermalisme, constituent une part importante de l'économie auvergnate.

Son nom vient des Celtes qui furent battus par César à Alésia : les Arvernes.

aux art. Forme résultant de la combinaison de la préposition « à » et de l'article « les ».

Autriche

République fédérale d'Europe centrale. Pays montagneux occupé aux trois quarts par les Alpes, l'Autriche est boisée sur un tiers de son territoire.

La population se concentre en grande partie dans la plaine du Danube, au nord-est, où se trouve Vienne, ainsi que dans le Burgendland, au sud-est du pays.

L'économie est très diversifiée : textile, métallurgie, chimie, sidérurgie, élevage, exploitation forestière. Elle est dominée par les ressources liées à un tourisme très actif, celui des sports d'hiver en particulier.

La république d'Autriche existe depuis 1920. Au cours de la Seconde Guerre mondiale, occupée par l'Allemagne nazie, elle fait partie du IIIe Reich. L'Autriche est un État neutre depuis 1955. Elle fait partie de l'Union européenne.

83 850 km²
8 111 000 habitants :
les Autrichiens
Langues : allemand,
serbo-croate, hongrois,
tchèque, slovène
Monnaie : euro
(ex-Schilling)
Capitale : Vienne

Auxerre

Ville de la Région Bourgogne, située sur les bords de l'Yonne. Auxerre possède d'importantes activités de services (banque, assurance...), mais c'est aussi une ville industrielle (machines-outils, machines agricoles, cartonnage, imprimeries). La crypte Saint-Germain date du IXᵉ siècle. La cathédrale Saint-Étienne présente des architectures variées : crypte de style roman (XIᵉ siècle) et chœur gothique bourguignon du XIIIᵉ siècle.
Fondée par les Romains, Auxerre est, à l'époque gallo-romaine, un important centre de communications. Dans le courant du XIIᵉ siècle, elle appartient à l'empereur de Constantinople. Elle devient française en 1371.

89 *Préfecture de l'Yonne*
40 292 habitants : les Auxerrois

auxiliaire adj., n. et n. m.
• adj. Qui aide. *Des troupes auxiliaires.*
• n. Personne qui apporte son aide. *Les infirmières sont des auxiliaires indispensables pour les médecins.*
• n. m. Verbe qui sert à former les temps composés des autres verbes. « *Être* » *et* « *avoir* » *sont des auxiliaires.*

auxquels, auxquelles pron. Forme de « lesquels » ou de « lesquelles » combinée à la préposition « à ».

s'avachir v. → conjug. **finir.** *1* Se déformer à l'usage. *Son vieux manteau s'était avachi.* *2* Se laisser aller mollement. *Il s'est avachi sur le divan.*

aval n. m. Partie d'un cours d'eau comprise entre le lieu où l'on se trouve et l'embouchure de ce cours d'eau. *Sur le Rhône, Valence est en aval de Lyon.*
Contraire : amont.

avalanche n. f. Coulée de neige qui se détache d'une montagne et dévale la pente.

Lorsqu'il tombe une grande quantité de neige qui n'adhère pas aux couches anciennes, il y a risque d'avalanche. Il suffit alors d'une vibration, produite par exemple par le passage d'un skieur, ou d'un brusque radoucissement de l'atmosphère, pour qu'une avalanche se déclenche. Une avalanche peut atteindre 300 km/h et tout dévaster sur son passage.

avaler v. → conjug. **aimer.** *1* Absorber des aliments ou des boissons. *Elle a avalé un jus de fruits avant de partir.* *2* Au figuré et familier. Accepter de croire quelque chose. *L'histoire que tu me racontes est difficile à avaler.*

avance n. f. *1* Progression, marche en avant. *Stopper l'avance de l'ennemi.* *2* Fait d'être en avant, devant quelqu'un. *Dès le départ, ce cheval a pris de l'avance.* *3* Fait d'arriver avant l'heure prévue. *Être en avance. Organiser quelque chose à l'avance.* *4* Somme d'argent versée avant la date prévue pour le paiement total. *Recevoir une avance sur son salaire.* *5* Fait de dépasser les autres, d'être à l'avant-garde. *Cet enfant est en avance pour son âge.*
Contraire : retard (*3*).

avancé, ée adj. *1* Tardif. *Il s'est couché à une heure avancée.* *2* Qui est en avance sur les autres. *Un enfant très avancé pour son âge.* *3* Qui est nouveau, très moderne, en avance par rapport à son époque. *Avoir des idées très avancées.*
Synonyme : précoce (*2*). Contraire : arriéré (*2*, *3*).

avancement n. m. *1* Progrès, développement. *Ce grand savant a contribué à l'avancement de la science.* *2* Progression à un grade plus élevé. *Cet employé a obtenu de l'avancement.*

avancer v. → conjug. **tracer.** *1* Déplacer vers l'avant, approcher. *Il a avancé son fauteuil près du feu.* *2* Aller vers l'avant. *La voiture avançait lentement. Il s'est avancé vers moi.* *3* Progresser. *Mon travail n'a pas beaucoup avancé.* *4* Faire quelque chose plus tôt que prévu. *Nous avons avancé l'heure de notre départ.* *5* Indiquer une heure plus avancée que l'heure réelle. *Ma montre avance de quelques minutes.* *6* Prêter de l'argent. *Pourrais-tu m'avancer 10 euros ?*
Contraires : reculer (*1*), retarder (*4*, *5*).

Exemple d'avalanche de neige poudreuse. Il existe deux autres sortes d'avalanches : la neige peut se détacher de la montagne par plaques ou glisser en longues coulées le long d'une pente.

avalanche

avant prép., adv., n. m., adj. et préfixe.

• prép. Indique : *1* Ce qui précède dans le temps. *Il est parti avant nous. Je serai là avant la nuit.* *2* Ce qui est plus près dans l'espace. *La poste est juste avant la place.* Contraire : **après**.

• adv. *1* Plus tôt. *Je ne l'avais jamais vu avant.* *2* En avant : vers ce qui est situé devant soi. *Il avançait dans le noir, les mains en avant.* Synonyme : **auparavant** (*1*). Contraire : **en arrière** (*2*).

• n. m. *1* Partie qui est devant. *L'avant d'un bateau, d'une voiture.* *2* Joueur qui joue près des buts de l'adversaire. *Les avants d'une équipe de football.*

• adj. inv. Qui est situé devant. *Mon chien s'est blessé la patte avant.*

• préfixe. Indique ce qui est placé devant ou ce qui se produit avant. *L'avant-veille d'aujourd'hui, c'est avant-hier.*

avantage n. m. *1* Supériorité. *Sa musculature lui donne un avantage sur ses adversaires. Cette maison a l'avantage d'être proche du village.* *2* Prendre l'avantage : dominer un adversaire dans une compétition. *Notre équipe est en train de prendre l'avantage.* Contraires : **désavantage, inconvénient, handicap** (*1*).
    Sa connaissance de l'anglais l'a **avantagé**, *lui a donné un avantage. Il a loué une maison à un prix* **avantageux**, *un prix qui est un avantage. Il a* **avantageusement** *réglé cette affaire*, de façon avantageuse, profitable.

avant-bras n. m. inv. Partie du bras entre le coude et le poignet. *Il a des tatouages sur les avant-bras.*

avant-centre n. m. Plur. : **des avants-centres.** Au football, celui des avants qui joue au centre.

avant-dernier, ère adj. Plur. : **avant-derniers, avant-dernières.** Qui est immédiatement avant le dernier. *Nous étions placés à l'avant-dernière rangée.*

avant-garde n. f. Plur. : **des avant-gardes.** *1* Partie d'une armée qui marche en avant de l'ensemble des troupes. *2* Au figuré. Ce qui est très nouveau, très en avance sur son temps. *Ce couturier est à l'avant-garde de la mode.* Contraire : **arrière-garde**.

avant-goût n. m. Plur. : **des avant-goûts.** Première impression qui annonce ce qui va suivre. *Cette longue traversée en bateau nous donne un avant-goût des vacances.*

avant-hier adv. Le jour qui a précédé hier. *Aujourd'hui c'est lundi, il est parti samedi, donc avant-hier.*

avant-propos n. m. inv. Petite introduction au début d'un livre. *Dans son avant-propos, l'auteur explique pourquoi il a écrit ce roman.* Synonyme : **préface**.

avant-veille n. f. Plur. : **des avant-veilles.** Jour qui précède immédiatement la veille du jour dont il est question. *Le 30 décembre est l'avant-veille du jour de l'An.*

avare adj. et n.

• adj. et n. Qui ne pense qu'à amasser de l'argent sans jamais vouloir en dépenser. *Elle est tellement avare qu'elle ne prêterait même pas 10 centimes. Ce vieil avare refuse d'aider ses enfants.*

• adj. Qui n'accorde pas facilement quelque chose. *Ce professeur est très avare de compliments.*
    *L'*avarice*, c'est le défaut des personnes avares.*

avarie n. f. Dégât subi par un bateau. *Et voilà, l'avarie du bateau d'Anatole est réparée.*

avarié, ée adj. Endommagé, abîmé. *De la viande avariée.*

avatar n. m. Mésaventure, changement malheureux. *Un voyage qui a comporté de nombreux avatars.*

avec prép. Indique : *1* L'accompagnement. *Il est sorti avec un ami.* *2* La cause. *Avec ce froid, les fruits ont gelé.* *3* Le moyen. *Découper du papier avec des ciseaux.* *4* De telle ou telle manière. *Répondre avec franchise.* Contraire : **sans**.

avenant, ante adj. Accueillant, aimable. *Les clients sont reçus par une vendeuse avenante.*

avènement n. m. Moment où un souverain arrive au pouvoir.

avenir n. m. *1* Ce qui arrivera dans le futur. *Il s'intéresse plus à l'avenir qu'au passé.* *2* À l'avenir : à partir de maintenant, désormais. *À l'avenir, j'écouterai vos conseils.* *3* Situation future. *Il est encore trop jeune pour penser à son avenir.*

aventure n. f. *1* Événement important qui se produit de façon imprévue. *Hier, nous avons vécu une aventure amusante.* *2* Entreprise pleine de risques et d'imprévu. *Il est devenu marin parce qu'il aimait l'aventure.* *3* Dire la bonne aventure : prédire l'avenir.
    Il s'est **aventuré** *dans le bois à la nuit tombante, c'était une aventure (*2*). Un* **aventurier** *est un homme qui aime l'aventure (*2*).*

aventureux, euse adj. *1* Qui comporte de nombreuses aventures. *Rêver d'une vie aventureuse.* *2* Risqué, hasardeux. *Une entreprise aventureuse.*

aventurier, ère n. → aventure.

avenue n. f. Large rue en ligne droite dans une ville. *Une avenue bordée de platanes.*

s'avérer v. → conjug. **digérer.** Se montrer, se révéler. *Il n'y a aucun indice, l'enquête s'avère très difficile.*

averse n. f. Pluie brusque et abondante, qui dure peu de temps. *Mets-toi à l'abri pendant cette averse !*

b
c
d
e
f
g
h
i
j
k
l
m
n
o
p
q
r
s
t
u
v
w
x
y
z

aversion n. f. Sentiment de dégoût, de violente antipathie. *Il éprouve une grande aversion pour ses voisins.*

avertir v. → conjug. **finir.** Informer, prévenir. *On nous a avertis que cette randonnée était dangereuse.*
*Elle n'a pas tenu compte de mes **avertissements**,* de ce que je lui avais dit pour l'avertir. *Un **avertisseur*** est un appareil sonore que l'on déclenche pour avertir d'un danger.

aveu n. m. → **avouer.**

aveuglant, ante adj. **1** Qui éblouit. *Une lumière aveuglante.* **2** Évident, incontestable. *Une vérité aveuglante.*

aveugle adj. et n.
• adj. et n. Qui est privé de la vue. *Un vieillard aveugle. L'aveugle est guidé par un chien.*
• adj. Qui manque de bon sens, de réflexion, de clairvoyance. *La colère le rend aveugle. Elle a une confiance aveugle en lui.*

aveuglement n. m. Manque de jugement, de discernement. *Il s'enfonce dans l'erreur par aveuglement.*

aveuglément adv. Sans réfléchir, sans se poser de question. *Il obéit aveuglément à son père.*

aveugler v. → conjug. **aimer.** Éblouir. *Cette lumière nous aveugle.*

à l'aveuglette adv. **1** Sans rien voir. *Avancer à l'aveuglette.* **2** Au figuré. Au hasard, sans avoir les informations nécessaires. *Décider à l'aveuglette.*

aviateur, trice n. Personne qui pilote un avion.

aviation n. f. **1** Ensemble des activités qui concernent la navigation aérienne. *L'histoire de l'aviation a commencé au XIXᵉ siècle.* **2** Armée aérienne. *Combattre dans l'aviation.*

Dès le XVᵉ siècle, Léonard de Vinci imagine une machine volante et invente le principe de l'hélice et de l'hélicoptère. Les premiers vols planés ont lieu à partir de 1860, mais l'histoire de l'aviation ne commence vraiment qu'en 1890, avec Clément Ader, qui fait décoller l'*Éole,* un engin doté d'un moteur à vapeur.
Regarde p.104 et105.

aviculture n. f. Élevage des oiseaux, en particulier de la volaille.
*Les **aviculteurs*** sont des agriculteurs spécialisés dans l'aviculture. *Un établissement **avicole**,* où l'on pratique l'aviculture.

avide adj. Qui désire énormément une chose. *Il est avide d'apprendre.*
*Il lit un roman avec **avidité**,* il est avide de connaître la fin. *Il recherche **avidement** les honneurs,* de façon avide.

Avignon

Ville de la Région Provence-Alpes-Côte d'Azur, située sur les bords du Rhône et de la Durance. Avignon est un centre commercial important (fruits, légumes et vin) et une ville industrielle (activités chimiques et agroalimentaires). La ville possède un magnifique palais de style gothique du XIVᵉ siècle, le palais des Papes. Ses remparts datent de la même période. Le pont Saint-Bénezet (le *pont d'Avignon* de la chanson) est plus ancien (XIIᵉ siècle). Avignon compte plusieurs musées (musée du Petit-Palais, musée Calvet). Elle accueille chaque été un festival international de théâtre réputé, créé en 1947 par le metteur en scène Jean Vilar. De 1309 à 1417, Avignon est la cité des papes de l'Église catholique. Jusqu'en 1791, elle reste propriété de la papauté, installée à Rome.

84 *Préfecture du Vaucluse*
88 312 habitants : les Avignonnais

s'avilir v. → conjug. **finir.** Se déshonorer. *Il s'est avili en trahissant son ami.*

avion n. m. Appareil volant qui se déplace grâce à un ou plusieurs moteurs et dont les ailes assurent sa stabilité dans l'air.
Regarde p.104 et105.

aviron n. m. **1** Rame. *Le vent tombe, nous rentrerons à l'aviron, en ramant.* **2** Sport nautique qui consiste à faire des courses sur des bateaux à rames.

Déjà connu dans l'Antiquité, l'aviron se pratique sur des embarcations longues et effilées pouvant accueillir 1, 2, 4 ou 8 rameurs (le skiff ne comporte qu'un seul rameur).
Les rameurs sont assis sur des sièges coulissants, les pieds fixés dans des repose-pieds, ce qui permet d'amplifier le mouvement des rames (avirons) et d'accélérer la vitesse. Le barreur donne la cadence.
L'aviron fait partie des disciplines olympiques depuis 1908.

l'aviation

C'est au cours du XXe siècle, en moins de cent ans, que des progrès techniques extraordinaires rendront possible la conquête de l'air.

1783

■ Pilâtre de Rozier et le marquis d'Arlandes effectuent le premier vol humain à bord de cette montgolfière.

La montgolfière de Pilâtre de Rozier.

1890

■ Ader réalise le premier avion pourvu d'un moteur à vapeur qui vole sur une distance de 50 m à 20 cm au-dessus du sol.

L'Éole d'Ader.

1909

■ Blériot traverse la Manche, de Calais à Douvres, à bord d'un avion qu'il a construit lui-même.

Le monoplan de Blériot.

1910

■ Henri Fabre réalise le premier vol d'un appareil capable de décoller et de se poser sur l'eau.

L'hydravion de Fabre.

1929

Le Graf Zeppelin.

■ Un des plus gros dirigeables effectue le premier tour du monde en 21 jours, avec 60 personnes à bord ! L'enveloppe de ces ballons contenait un gaz plus léger que l'air, de l'hélium ou de l'hydrogène.

1927

■ L'aviateur américain Charles Lindbergh réussit la première traversée de l'Atlantique, de New York à Paris, en 33 h 30, sur un monomoteur baptisé Spirit of Saint Louis.

Le Spirit of Saint Louis.

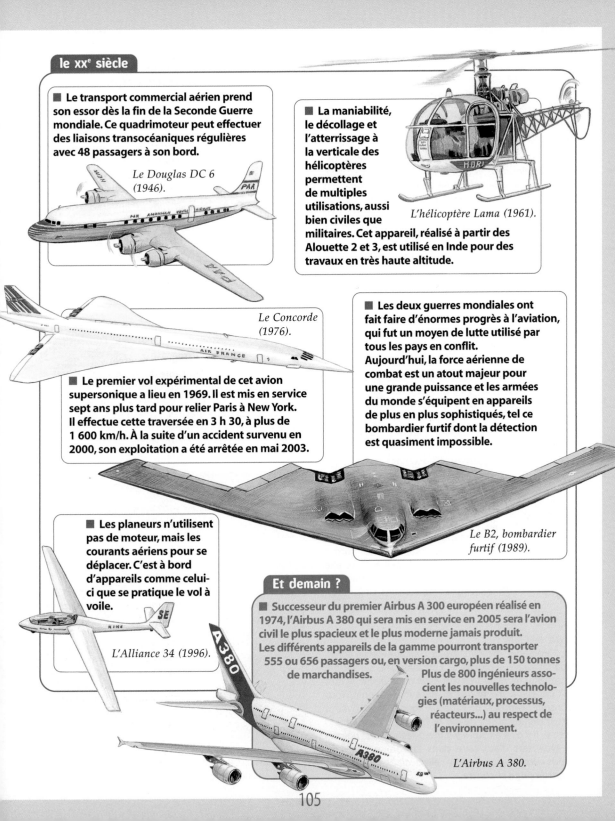

■ **Le transport commercial aérien prend son essor dès la fin de la Seconde Guerre mondiale. Ce quadrimoteur peut effectuer des liaisons transocéaniques régulières avec 48 passagers à son bord.**

Le Douglas DC 6 (1946).

■ **La maniabilité, le décollage et l'atterrissage à la verticale des hélicoptères permettent de multiples utilisations, aussi bien civiles que militaires. Cet appareil, réalisé à partir des Alouette 2 et 3, est utilisé en Inde pour des travaux en très haute altitude.**

L'hélicoptère Lama (1961).

Le Concorde (1976).

■ **Les deux guerres mondiales ont fait faire d'énormes progrès à l'aviation, qui fut un moyen de lutte utilisé par tous les pays en conflit. Aujourd'hui, la force aérienne de combat est un atout majeur pour une grande puissance et les armées du monde s'équipent en appareils de plus en plus sophistiqués, tel ce bombardier furtif dont la détection est quasiment impossible.**

■ **Le premier vol expérimental de cet avion supersonique a lieu en 1969. Il est mis en service sept ans plus tard pour relier Paris à New York. Il effectue cette traversée en 3 h 30, à plus de 1 600 km/h. À la suite d'un accident survenu en 2000, son exploitation a été arrêtée en mai 2003.**

Le B2, bombardier furtif (1989).

■ **Les planeurs n'utilisent pas de moteur, mais les courants aériens pour se déplacer. C'est à bord d'appareils comme celui-ci que se pratique le vol à voile.**

L'Alliance 34 (1996).

Et demain ?

■ **Successeur du premier Airbus A 300 européen réalisé en 1974, l'Airbus A 380 qui sera mis en service en 2005 sera l'avion civil le plus spacieux et le plus moderne jamais produit. Les différents appareils de la gamme pourront transporter 555 ou 656 passagers ou, en version cargo, plus de 150 tonnes de marchandises. Plus de 800 ingénieurs associent les nouvelles technologies (matériaux, processus, réacteurs...) au respect de l'environnement.**

L'Airbus A 380.

avis n. m. *1* Opinion, point de vue. *J'aimerais avoir ton avis sur ce problème délicat.* *2* Note destinée à informer. *Le magasin est fermé, un avis est affiché sur la vitrine.*

avisé, ée adj. Prudent, réfléchi. *C'est une personne très avisée.*

aviser v. → conjug. **aimer.** *1* Avertir, prévenir, informer. *Demain, nous vous aviserons de notre décision.* *2* S'aviser de quelque chose : s'en apercevoir, s'en rendre compte. *Je me suis avisé trop tard de mon erreur.* *3* S'aviser de faire quelque chose : oser le faire, essayer de le faire. *Je t'avertis : ne t'avise pas de me reparler sur ce ton !*

1. avocat, ate n. Personne dont le métier est de défendre un accusé devant les tribunaux. *L'avocat a plaidé l'innocence de son client.*

2. avocat n. m. Fruit en forme de poire, à la peau vert foncé, à gros noyau, qui pousse dans les pays chauds.

L'avocatier est l'arbre sur lequel poussent les avocats.

L'écorce très fine de l'avocat peut être verte ou violette, lisse ou granuleuse. La chair, riche en matières grasses, est comestible. On peut en extraire de l'huile qui sert, par exemple, à la fabrication de produits de beauté.

avoine n. f. Céréale originaire du Moyen-Orient.

Comme le blé, l'orge, le maïs, le riz et le seigle, l'avoine appartient au groupe des graminées. Elle est cultivée depuis environ 4 500 ans. On consomme ses grains sous forme de flocons ou de bouillie. Mais elle sert essentiellement à nourrir les chevaux et les volailles. Une ration d'avoine pour un cheval s'appelle un picotin.

avoir v. et n. m.

• v. *1* Posséder. *Avoir un vélo de course. Avoir un chien. Avoir les cheveux blonds.* *2* Éprouver une sensation, un sentiment. *Avoir très soif. Avoir de la peine.* *3* Être âgé de. *Elle a trente ans.* *4* Recevoir, obtenir. *Nous avons eu beaucoup de cadeaux pour Noël.* *5* Avoir à faire quelque chose : devoir le faire. *Elle a du linge à laver.* *6* Il y a : il existe. *Il y a des oiseaux sur le balcon.* *7* Avoir sert d'auxiliaire dans la conjugaison des temps composés : *j'ai couru ; elle avait beaucoup ri.* **Regarde page ci-contre.**

• n. m. Ce qu'une personne possède. *Il a dépensé tout son avoir pour s'acheter une maison.*

avoisinant, ante adj. Qui est proche, voisin. *Ils ont cueilli des fleurs dans les champs avoisinants.*

avortement n. m. *1* Interruption de la grossesse. *2* Au figuré. Échec. *L'avortement de son projet l'a beaucoup déçu.*

avorter v. → conjug. **aimer.** *1* Interrompre une grossesse avant son terme. *Avorter à la suite d'un accident.* *2* Au figuré. Échouer. *Tous ses projets ont avorté.*

avouer v. → conjug. **aimer.** *1* Reconnaître, admettre. *J'avoue que je ne suis pas très doué pour les maths !* *2* Reconnaître que l'on est coupable. *Le voleur a fini par avouer.*

L'assassin a fait des **aveux***, il a avoué son crime (*2*).
Il a fait cela dans un but* **avouable***, qu'il peut avouer (*1*) sans honte.*

avril n. m. *1* Quatrième mois de l'année, qui a 30 jours. *2* Poisson d'avril : farce que l'on fait traditionnellement le 1er avril.

axe n. m. *1* Tige qui passe au milieu d'un objet et autour de laquelle cet objet peut tourner. *L'axe d'une roue.* *2* Ligne qui passe au milieu d'une chose et la partage en deux parties symétriques. *Couper une feuille en deux suivant son axe.* *3* Grande route qui relie deux régions, deux villes. *La circulation est bloquée sur l'axe Paris-Lyon.*

Aymé Marcel

Écrivain français né en 1902 et mort en 1967. Après avoir exercé divers métiers, Marcel Aymé, dès 1926, écrit des romans où il dépeint souvent le monde rural. À partir de 1933, il peut se consacrer entièrement à l'écriture grâce au succès de *la Jument verte.* Marcel Aymé est l'auteur d'une œuvre originale, souvent drôle, fortement marquée par son goût du fantastique et son attachement pour les personnages pittoresques. Romancier, il est également auteur de pièces de théâtre dont : *Clérambard* (1950), *la Tête des autres* (1952)… On lui doit également de célèbres contes pour enfants : *les Contes du chat perché,* à partir de 1934. Parmi ses romans les plus célèbres, il faut citer *Travelingue* (1941), *le Passe-Muraille* (1943) et *la Vouivre* (1943). Plusieurs de ses œuvres ont été adaptées au cinéma.

---

azalée n. f. Arbuste originaire d'Asie que l'on cultive pour ses fleurs aux teintes variées.

La conjugaison
du verbe AVOIR

→ indicatif

présent		passé composé	
	j'ai		j'ai eu
	tu as		tu as eu
	il ou elle a		il ou elle a eu
	nous avons		nous avons eu
	vous avez		vous avez eu
	ils ou elles ont		ils ou elles ont eu

imparfait		plus-que-parfait	
	j'avais		j'avais eu
	tu avais		tu avais eu
	il ou elle avait		il ou elle avait eu
	nous avions		nous avions eu
	vous aviez		vous aviez eu
	ils ou elles avaient		ils ou elles avaient eu

passé simple		passé antérieur	
	j'eus		j'eus eu
	tu eus		tu eus eu
	il ou elle eut		il ou elle eut eu
	nous eûmes		nous eûmes eu
	vous eûtes		vous eûtes eu
	ils ou elles eurent		ils ou elles eurent eu

futur simple		futur antérieur	
	j'aurai		j'aurai eu
	tu auras		tu auras eu
	il ou elle aura		il ou elle aura eu
	nous aurons		nous aurons eu
	vous aurez		vous aurez eu
	ils ou elles auront		ils ou elles auront eu

→ conditionnel

présent	
	j'aurais
	tu aurais
	il ou elle aurait
	nous aurions
	vous auriez
	ils ou elles auraient

passé	
	j'aurais eu
	tu aurais eu
	il ou elle aurait eu
	nous aurions eu
	vous auriez eu
	ils ou elles auraient eu

→ infinitif

présent	avoir
passé	avoir eu

→ subjonctif

présent		passé	
	que j'aie		que j'aie eu
	que tu aies		que tu aies eu
	qu'il ou elle ait		qu'il ou elle ait eu
	que nous ayons		que nous ayons eu
	que vous ayez		que vous ayez eu
	qu'ils ou elles aient		qu'ils ou elles aient eu

imparfait		plus-que-parfait	
	que j'eusse		que j'eusse eu
	que tu eusses		que tu eusses eu
	qu'il ou elle eût		qu'il ou elle eût eu
	que nous eussions		que nous eussions eu
	que vous eussiez		que vous eussiez eu
	qu'ils ou elles eussent		qu'ils ou elles eussent eu

→ participe

présent	ayant
passé	eu (s), eue (s)
	ayant eu

→ impératif

présent	
	aie
	ayons
	ayez

passé	
	aie eu
	ayons eu
	ayez eu

Azerbaïdjan

République du Caucase. L'Azerbaïdjan est montagneux au nord et à l'ouest ; le reste du territoire est occupé par des plaines. Il possède 800 km de côtes sur la mer Caspienne. Les gisements de pétrole et de gaz naturel sont les principales richesses de ce pays dont l'économie est fragile. Ancienne république soviétique, l'Azerbaïdjan devient indépendant en 1991. Depuis 1988, il est en conflit avec l'Arménie (son voisin de l'ouest), qui réclame la possession du Haut-Karabakh, dont la population est majoritairement arménienne.

86 600 km²
8 297 000 habitants :
les Azerbaïdjanais
Langues : turc,
russe, arménien
Monnaie : manat
Capitale :
Bakou

Azincourt

Bataille de la guerre de Cent Ans qui se déroule le 25 octobre 1415 à Azincourt, dans le nord de la France. Elle oppose l'armée française du roi Charles VI aux troupes anglaises menées par Henri V. Ces dernières, pourtant inférieures en nombre, écrasent, grâce à la mobilité de leurs archers, les soldats français encombrés par des armures pesant près de 30 kg. La bataille d'Azincourt marque le début de la domination anglaise sur une grande partie de la France.

azote n. m. Gaz présent en très grande quantité dans l'air atmosphérique.
Des engrais azotés contiennent de l'azote.

Aztèques

Ancien peuple du continent américain, appelé également « Mexicas ». Au XIIᵉ siècle, sans doute venus du Nord, les Aztèques se fixent sur le territoire de l'actuel Mexique. Deux siècles plus tard, ils bâtissent leur capitale dans une région marécageuse du lac Texcoco. Ils la nomment Tenochtitlán, (« la ville au milieu du lac »). Cette cité deviendra Mexico. Forts d'une solide organisation sociale et militaire, les Aztèques soumettent la plupart des peuples d'Amérique centrale en moins de deux siècles et fondent un puissant empire. Au début du XVIᵉ siècle, celui-ci est anéanti par les troupes du conquérant espagnol Cortés, allié aux autres peuples indiens opprimés. La civilisation aztèque a laissé de très nombreux vestiges archéologiques, parmi lesquels de monumentales pyramides, où étaient pratiqués d'innombrables sacrifices humains.

Le dieu des Prêtres et des Arts, Quetzalcóatl (l'« oiseau serpent »).

azur n. m. Littéraire. Couleur d'un bleu intense et lumineux.
Une mer azurée a la couleur de l'azur.

Bb

Drôle de journée pour Barnabé…

BARNABÉ

baba n. m. Gâteau à la pâte légère imbibée de rhum.

Babel (tour de) → **Babylone.**

babines n. f. plur. Lèvres de certains animaux. *Les babines du chien, du singe.*

babiole n. f. Objet, chose sans valeur, sans importance.

bâbord n. m. Côté gauche d'un bateau, en regardant vers l'avant. *Navire pirate à bâbord !*
Contraire : tribord.

babouche n. f. Chaussure en cuir sans talon.

babouin n. m. Singe d'Afrique au museau allongé, vivant en tribu.

baby–foot n. m. inv. Football de table.
Mot anglais qui se prononce [babifut]**.**

baby–sitter n. **Plur. : des baby-sitters.** Personne payée pour garder des enfants en l'absence de leurs parents.
Mot anglais qui se prononce [babisitœʀ]**.**
Faire du baby-sitting, c'est travailler comme baby-sitter.

1. bac n. m. *1* Bateau à fond plat servant à traverser un fleuve, un lac, un bras de mer. *2* Récipient de forme variée. *Bac à sable. Bac à glaçons.*

2. bac n. m. Abréviation de baccalauréat.

baccalauréat n. m. Examen qui termine les études secondaires.
En abrégé : bac.

Babylone

Ancienne ville de Mésopotamie, sur les bords de l'Euphrate, dont il reste des ruines très importantes au nord de Bagdad, l'actuelle capitale de l'Irak. Fondée vers 2300 av. J.-C., c'est la capitale de la civilisation babylonienne qui dominera le Proche-Orient pendant plus de 15 siècles. La ville connaît son apogée sous le règne de Nabuchodonosor II (605-562 av. J.-C.). On attribue les jardins suspendus à une reine de légende : Sémiramis. Cette succession de collines et de terrasses est considérée comme l'une des Sept Merveilles du monde. Une grande tour à sept étages, la ziggourat, semble être à l'origine du mythe biblique de la tour de Babel : cet édifice élevé pour permettre aux hommes d'atteindre le ciel, provoque la colère de Dieu qui donne alors aux hommes des langages différents, les empêchant de se comprendre.

Bacchus

Divinité de la mythologie romaine, dieu de la Vigne, du Vin et de la Végétation. Il est l'équivalent du dieu Dionysos de la mythologie grecque. Bacchus est honoré lors de grandes fêtes nocturnes appelées Bacchanales. Celles-ci finissent par atteindre un tel degré de débauche et de violence qu'elles sont interdites à Rome à partir de 180 av. J.-C.

Bach Jean-Sébastien

Compositeur allemand né en 1685 et mort en 1750. Issu d'une grande famille de musiciens, Bach est initié très jeune par son père au violon. Orphelin à dix ans, il apprend avec son frère l'orgue, le clavecin et devient un organiste de renom. Réputé pour la virtuosité de ses improvisations, il travaille à la cour du duc de Weimar et, à la fin de sa vie, il rejoint Frédéric II de Prusse. Ses œuvres puisent dans les traditions musicales française, italienne et allemande.

Chrétien fervent, le compositeur écrit de nombreux morceaux de musique d'église. Parmi ses œuvres majeures, on peut citer les *Six Concertos brandebourgeois* ou *l'Art de la fugue*, qu'il achève juste avant de mourir.

bâche n. f. Grande toile imperméable servant à protéger de la pluie ou des taches. *On a bâché la toiture avant de poser les tuiles,* on l'a recouverte d'une bâche.

bachelier, ère n. Personne qui a obtenu le baccalauréat.

bacille n. m. Sorte de microbe, de bactérie. **On prononce** [basil].

bâcler v. → conjug. **aimer.** Familier. Exécuter un travail trop vite, sans soin. *Bâcler ses devoirs.*

bacon n. m. Lard fumé. *Des œufs au bacon.* **Mot anglais qui se prononce** [bekɔn].

bactérie n. f. Être vivant de taille microscopique, constitué d'une seule cellule. *La tuberculose est une infection bactérienne,* causée par une bactérie. *La bactériologie est la science qui étudie les bactéries. Un médicament bactéricide permet de tuer les bactéries.*

badaud n. m. Personne qui flâne et regarde le spectacle de la rue.

badge n. m. Insigne portant une inscription ou un dessin, que l'on accroche à son vêtement. *Le personnel de l'hôpital porte un badge.*

badigeonner v. → conjug. **aimer.** *1* Poser un badigeon sur une façade, un mur. *2* Enduire une partie du corps d'un liquide pharmaceutique. *Badigeonner un coude écorché avec un désinfectant.* *Le badigeon est un enduit liquide à base de chaux qui sert à badigeonner les murs.*

badminton n. m. Jeu consistant à envoyer un volant au-dessus d'un filet avec des raquettes. **Mot anglais qui se prononce** [badmintɔn].

Les premiers jeux de volant remontent à l'Antiquité. Le badminton dérive d'un jeu de volant français des XVIIe et XVIIIe siècles. La première partie officielle de badminton a lieu en 1873, à Badminton House, en Angleterre. Le badminton se pratique en salle à 2 ou 4 joueurs (simple ou double). Le terrain mesure

Bacon Francis

Peintre britannique né en 1909 et mort en 1992. Tout d'abord décorateur, Bacon commence à peindre en 1929. Il détruit un grand nombre de ses premières toiles ; ses véritables débuts, marqués par ses premières expositions, se situent à la fin des années 1940. Bacon s'inspire souvent de photographies ou d'images de film. Ses personnages, au visage et au corps violemment déformés, expriment l'angoisse et la solitude. Parmi ses œuvres les plus célèbres, on peut citer la série des *Crucifixions* et *Double Portrait de Lucien Freud et Frank Auerbach*.

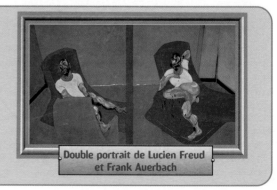

Double portrait de Lucien Freud et Frank Auerbach

13,40 m de longueur sur 5,18 m de largeur pour un simple ou 6,10 m pour un double. Le volant est constitué de 16 plumes fixées en cercle sur une base. La raquette, très légère, pèse entre 85 et 120 g. Le but du jeu est d'envoyer le volant au sol dans le camp adverse. Le badminton est entré aux jeux Olympiques en 1992.

baffle n. m. Haut-parleur d'une chaîne stéréo.

bafouer v. → conjug. **aimer**. Tourner en dérision, ridiculiser.

bafouiller v. → conjug. **aimer**. Parler d'une manière indistincte et embarrassée, bredouiller. *Bafouiller sous l'effet de l'émotion, de la surprise.*
Synonyme : bredouiller.
Un bafouillage incompréhensible, des paroles dites en bafouillant.

bagage n. m. *1* Valise ou sac dans lequel on met ses affaires en voyage. *Faire ses bagages. Un bagage à main par personne est autorisé dans l'avion. 2* Au figuré. Ensemble des connaissances acquises. *Il a un bon bagage scientifique.*
Le sens *1* s'emploie presque toujours au pluriel, le sens *2* toujours au singulier.

bagarre n. f. Familier. Échange de coups entre deux ou plusieurs personnes.
Se bagarrer, c'est prendre part à une bagarre. *Ce garçon est un bagarreur*, il cherche la bagarre.

bagatelle n. f. Chose sans importance, broutille. *Se disputer pour une bagatelle.*

bagne n. m. Pénitencier où l'on enfermait les condamnés aux travaux forcés.
Autrefois, les bagnards étaient envoyés en Guyane, les condamnés au bagne.

bagou n. m. Familier. Grande facilité à parler, en particulier pour convaincre. *Mon frère a vraiment un sacré bagou.*
On écrit aussi : bagout.

bague n. f. Anneau simple ou orné d'une pierre précieuse, que l'on porte au doigt.

baguette n. f. *1* Petit bâton mince. *La baguette du chef d'orchestre. En Chine, on mange avec des baguettes. 2* Pain long et mince.

Bahamas

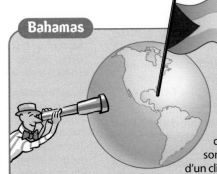

Monarchie constitutionnelle d'Amérique centrale, située au nord des Antilles. Les Bahamas sont un vaste archipel constitué de plus de 700 îles, dont environ 30 sont habitées. Elles bénéficient d'un climat chaud l'été et doux l'hiver.

Le tourisme représente la majeure partie des ressources des Bahamas. L'agriculture et l'industrie sont peu développées.
C'est dans une île des Bahamas que Christophe Colomb touche le Nouveau Monde (le continent américain) en 1492. Sous domination britannique à partir de 1783, l'archipel obtient son indépendance en 1973 et devient membre du Commonwealth.

13 880 km²
310 000 habitants :
les Bahaméens
Langue : anglais
Monnaie : dollar bahaméen
Capitale : Nassau

Bahreïn

Monarchie constitutionnelle du golfe Persique. Bahreïn est un archipel composé de 33 îles au climat chaud et humide. Le pétrole, qui y a été découvert en 1932, représente encore la majeure partie des ressources du pays, bien que ses réserves soient actuellement en voie d'épuisement.
Très importante place financière, le Bahreïn connaît depuis quelques années un développement touristique fort important.
Placé sous la domination de l'Empire britannique à partir de 1861, Bahreïn est indépendant depuis 1971.

710 km²
709 000 habitants :
les Bahreïniens
Langue : arabe
Monnaie : dinar de Bahreïn
Capitale : Manama

a b c d e f g h i j k l m n o p q r s t u v w x y z

bahut n. m. Buffet campagnard bas dont la partie supérieure se rabat.

baie n. f. *1* Partie d'une côte en forme d'anse, petit golfe. *2* Large ouverture vitrée. *Une grande baie donne sur la mer. 3* Petit fruit à pépins. *Les groseilles, les cassis, les mûres sont des baies.*

baigner v. → conjug. **aimer.** *1* Mettre dans un bain, dans de l'eau, dans la mer. *Baigner un bébé. Se baigner dans une rivière. 2* Être immergé dans un liquide. *Viande qui baigne dans l'huile. 3* Quand on parle d'une mer : border. *L'Atlantique baigne l'ouest de la France.*
   La baignade n'est pas autorisée, le fait de se baigner. *Un baigneur a failli se noyer*, une personne qui se baignait. *Dans la salle de bains il y a une baignoire*, le récipient dans lequel on se baigne.

Baïkal

Lac de Russie situé au sud de la Sibérie. Avec 636 km de longueur et une largeur moyenne de 48 km, le lac Baïkal fait partie des dix plus grands lacs du monde. Il contient à lui seul 20 % des réserves mondiales d'eau douce. C'est également le lac le plus profond du monde (1 620 m). Il abrite plus de 2 600 espèces végétales et animales, dont la plupart sont inconnues ailleurs. Alimenté par 336 rivières, il se déverse dans l'Angara, sur laquelle est construite la centrale nucléaire d'Irkoutsk. Gravement menacé par la pollution chimique et par le déboisement de ses berges, le lac Baïkal a été inscrit par l'Unesco au patrimoine mondial de l'humanité en 1996.

bail n. m. **Plur. : des baux.** Contrat passé entre un propriétaire et un locataire, précisant le prix de la location et sa durée. *Signer un bail de trois ans.*

bâiller v. → conjug. **aimer.** Ouvrir grand la bouche en inspirant, de façon involontaire. *Bâiller de fatigue, d'ennui.*
   Ne pouvoir retenir un bâillement, l'action de bâiller.

bâillon n. m. Bandeau que l'on pose sur la bouche de quelqu'un pour l'empêcher de crier, d'appeler.
   Le prisonnier est bâillonné, on lui a mis un bâillon.

bain n. m. *1* Eau dans laquelle on se lave ou on se baigne. *Se faire couler un bain. 2* Fait de se mettre dans l'eau pour se laver ou se baigner. *Prendre un bain. 3 Bain de soleil :* action d'exposer son corps au soleil pour bronzer.

bain-marie n. m. Manière de faire cuire lentement dans un récipient plongé dans l'eau bouillante.

baïonnette n. f. *1* Arme pointue qui s'ajuste au bout d'un fusil. *2 Ampoule à baïonnette :* munie de deux petites barres qui s'enclenchent dans les encoches de la douille.

La baïonnette est inventée vers 1640. Elle est alors fabriquée à Bayonne, ville de laquelle elle tire son nom. L'armée française en est dotée pour la première fois en 1671, mais c'est Vauban qui, en 1703, fait réellement adopter son usage. La baïonnette est utilisée jusqu'à la Première Guerre mondiale pour le combat de proximité, le corps à corps. Abandonnée pendant un temps, elle est aujourd'hui à nouveau utilisée sur les fusils d'assaut. Sa lame mesure entre 35 et 55 cm.

Fusil d'assaut muni de sa baïonnette.

Baïonnette (détail).

baiser v. et n. m.
• v. → conjug. **aimer.** Poser ses lèvres. *Baiser le front d'un enfant. Baiser la main d'une dame.*
• n. m. Fait de poser ses lèvres sur le visage de quelqu'un. *Un baiser d'adieu.*

baisser v. → conjug. **aimer.** *1* Mettre plus bas, faire descendre. *Baisser une étagère. 2* Diriger vers le bas. *Baisser les yeux. 3* Incliner, pencher. *Baisser la tête. Se baisser pour ramasser quelque chose. 4* Diminuer de hauteur, de force ou d'intensité. *Le niveau du fleuve a baissé. Sa vue baisse, il a besoin de nouvelles lunettes. Baisse le son de la télévision !*
   Le thermomètre indique une forte baisse, la température a baissé.

bajoue n. f. Joue de certains animaux. *Bajoue de porc.*

bal n. m. **Plur. : des bals.** Fête où l'on danse.
Homonyme : balle.

se balader v. → conjug. **aimer.** Familier. Se promener.
   Faire une balade, c'est aller se promener.

baladeur n. m. Lecteur de cassettes ou de CD portatif et muni d'écouteurs.
Synonyme : Walkman (avec une majuscule car c'est un nom de marque).

balafre n. f. Entaille au visage faite par une arme tranchante.
   Un visage balafré, qui porte une balafre.

balai n. m. Ustensile de ménage composé d'un manche et d'une brosse. **Homonyme : ballet.**

Un balai-brosse est un balai muni d'une brosse à poils durs pour frotter le carrelage. *Une balayette* est un petit balai à manche court.

balance n. f. Instrument servant à peser. *La balance est le symbole de la justice.*
***Regarde* poids.**

balancer v. → conjug. **tracer.** *1* Faire aller d'un côté puis de l'autre. *Balancer son cartable au bout de son bras. Arrête de te balancer sur ta chaise ! 2* Familier. Jeter pour se débarrasser. *Balancer son vieux fauteuil sur le trottoir.*
Le balancement des barques dans le port, elles se balancent sous l'effet de la houle.

balancier n. m. Pièce d'une horloge, qui effectue un mouvement régulier de va-et-vient.

balançoire n. f. *1* Planche suspendue à deux cordes, sur laquelle on se balance. *2* Pièce de bois mise en équilibre, sur laquelle se balancent deux personnes assises à chaque bout.

balayer v. → conjug. **payer.** *1* Nettoyer avec un balai. *2* Au figuré. Pousser devant soi, emporter. *Le vent a balayé tous les nuages.*
Un balayeur, c'est un employé municipal chargé de balayer les rues. *Le balayage des rues,* l'action de les balayer. *Les balayures* sont les détritus qui ont été balayés.

balayette → **balai.**

balbutier v. → conjug. **modifier.** Dire quelque chose d'une manière hésitante et en articulant mal, bredouiller. *Balbutier des excuses.*
Répondre par des balbutiements, des paroles dites en balbutiant.

balcon n. m. Terrasse étroite faisant saillie sur la façade d'un immeuble. *Barnabé prend le frais sur son balcon.*

baldaquin n. m. Tenture placée au-dessus d'un lit, et dont les plis retombent en formant des rideaux.

Le mot baldaquin vient de l'italien *baldacchino,* qui désigne, au XIVe siècle, une « étoffe de soie de Bagdad ».
À l'époque, le baldaquin est en effet façonné à l'aide de riches draperies ; il surmonte les trônes et les sièges des personnages importants. Appelé aussi « ciel de lit », il est d'abord accroché aux poutres, puis fixé sur quatre colonnes. Aujourd'hui, le baldaquin est utilisé en ameublement, comme décoration au-dessus d'un lit.

Baléares

Archipel espagnol de la Méditerranée, situé au large du golfe de Valence (Espagne). Les Baléares comptent quatre îles principales (Majorque, Minorque, Ibiza et Formentera) et quelques îlots. Réputées pour la douceur de leur climat et leurs stations balnéaires, elles accueillent chaque année plus de 4 millions de touristes. Après avoir connu, tout au long de leur histoire, de multiples dominations, les Baléares sont depuis 1983 une province autonome de l'Espagne.

baleine n. f. Grand mammifère marin qui se nourrit de plancton.
La baleine allaite son baleineau, son petit. *Un baleinier* est un navire équipé pour la pêche à la baleine.

La baleine bleue, qui peut mesurer jusqu'à 33 m de longueur et peser 190 tonnes, est le plus grand animal ayant jamais existé.

balise n. f. Marque ou signal délimitant une voie ou indiquant un danger. *Les balises d'une piste d'atterrissage, du chenal d'un port.*
On a balisé la piste de ski, on a posé des balises. *Le balisage des chemins de grande randonnée sert à guider les randonneurs,* le fait de les baliser.

balistique n. f. et adj.
• n. f. Science du mouvement des projectiles, en particulier ceux qui sont lancés par une arme à feu.
• adj. Qui concerne le mouvement des corps lancés dans l'espace, des projectiles. *Une fusée est un engin balistique.*

balivernes n. f. plur. Paroles sans intérêt, sans importance. *Débiter des balivernes.*

Balkans

Péninsule du sud-est de l'Europe, située entre la mer Adriatique et la mer Noire. Les Balkans sont formés de la Croatie, de la Bosnie-Herzégovine, de la Yougoslavie, de l'Albanie, de la Macédoine, de la Bulgarie, de la Grèce et de la partie européenne de la Turquie. La péninsule des Balkans est une région montagneuse. Le climat continental domine, sauf près des côtes et dans le sud de la péninsule. L'économie est surtout basée sur l'agriculture. De nombreux conflits, souvent d'origine religieuse, ainsi qu'une forte émigration vers l'Europe de l'Ouest, ont gêné le développement économique de cette région.

ballade

ballade n. f. Poème composé de strophes régulières.
Homonyme : balade.

ballant, e adj. Qui se balance dans le vide. *Aide-moi, au lieu de rester comme ça les bras ballants !*

ballast n. m. *1* Lit de pierres sur lequel reposent les traverses d'une voie ferrée. *2* Réservoir d'eau de mer d'un sous-marin. *Quand il est rempli, le ballast permet au sous-marin de plonger.* *3* Compartiment étanche servant à transporter de l'eau douce ou du carburant liquide à bord d'un bateau.

balle n. f. *1* Petite boule généralement élastique, qui sert à jouer. *Balle de tennis, de ping-pong.* *2* Projectile en métal d'une arme à feu. *Blessure par balle.*
Homonyme : bal.

ballerine n. f. *1* Danseuse de ballet. *2* Chaussure légère et plate inspirée des chaussons de danse.

ballet n. m. *1* Spectacle de danse. *2* Troupe de danseurs et de danseuses.
Homonyme : balai.

ballon n. m. *1* Grosse balle, généralement revêtue de cuir. *Ballon de football, de basket, de rugby.* *2* Fine enveloppe de caoutchouc gonflée avec de l'air ou avec un gaz plus léger que l'air. *Lâcher de ballons.* *3* Grosse boule remplie de gaz qui peut transporter des passagers. *Voyage en ballon.*
> *Se sentir ballonné*, c'est se sentir le ventre gonflé comme un ballon.

ballot n. m. Paquet d'affaires ou de marchandises.

ballottage n. m. Situation d'un candidat à une élection qui n'a pas obtenu suffisamment de voix pour être élu au premier tour. Dans ce cas, il faut un deuxième tour de vote pour départager les deux candidats arrivés en tête.

ballotter v. → conjug. **aimer.** Secouer en tous sens. *Être ballotté à l'arrière d'une voiture sur une mauvaise route.*

balluchon n. m. Petit paquet de vêtements enveloppé dans un tissu noué.
On écrit aussi : baluchon.

balnéaire adj. *Station balnéaire :* lieu touristique connu pour ses bains de mer.

balourd, e adj. Qui est maladroit et sans finesse.
> *On lui a reproché sa balourdise,* son caractère balourd.

balsa n. m. Bois d'Amérique centrale très léger utilisé pour construire des maquettes et des modèles réduits.

baluchon n. m. → **balluchon.**

balustrade n. f. Barrière qui empêche de tomber. *Balustrade d'un balcon, d'un pont.*

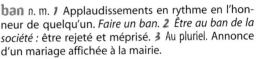

Balzac Honoré de

Écrivain français né en 1799 et mort en 1850. Balzac commence à écrire en 1819; il devient célèbre dix ans plus tard, avec *les Chouans* (1829) puis *Scènes de la vie privée* (1830). Il a très vite l'idée du projet monumental qui l'occupera toute sa vie : décrire son époque à partir d'une observation très minutieuse de ses contemporains. C'est *la Comédie humaine*.

Pendant vingt ans, Balzac, travailleur acharné capable d'écrire quinze heures d'affilée, se consacre à créer un monde complet réunissant plus de 2 000 personnages, dont un certain nombre se retrouvent d'un livre à l'autre. *La Comédie humaine* compte, en tout, 91 romans (plus 46 inachevés à la mort de l'écrivain), parmi lesquels on peut citer *la Peau de chagrin* (1831), *Eugénie Grandet* (1833), *le Père Goriot* (1834-1835), *le Lys dans la vallée* (1836), *les Illusions perdues* (1837-1843), *la Cousine Bette* (1846)…

bambin n. m. Petit enfant.

bambou n. m. Plante d'origine tropicale, de la famille des graminées, à longue tige cylindrique.

La tige creuse du bambou est cloisonnée de nœuds. Elle peut atteindre 40 m de hauteur et un diamètre de 30 cm. Sous les climats chauds et humides, la croissance du bambou peut être très rapide : jusqu'à 1 m en 24 heures ! Le bambou a de multiples usages : construction de maisons, fabrication de paniers, de meubles, de chapeaux, d'instruments de musique… Les pousses de bambou sont utilisées dans la cuisine chinoise.

ban n. m. *1* Applaudissements en rythme en l'honneur de quelqu'un. *Faire un ban. 2 Être au ban de la société* : être rejeté et méprisé. *3* Au pluriel. Annonce d'un mariage affichée à la mairie.
Homonyme : banc.

banal, ale, als adj. *1* Qui n'a rien d'exceptionnel, courant, ordinaire. *Le rhume est une maladie banale. 2* Qui manque d'originalité. *Une plaisanterie banale.*
Il ne dit que des **banalités**, des choses banales (*2*). *Une voiture de police **banalisée**,* que rien ne permet de distinguer d'une voiture banale (*1*).
Attention au masculin pluriel : banals.

banane n. f. Fruit de forme allongée, à peau épaisse. *Un régime de bananes.*
Le **bananier**, *arbre des pays chauds,* produit des bananes. *Une **bananeraie** est une plantation de bananiers.

banc n. m. *1* Siège pouvant accueillir plusieurs personnes. *Se reposer sur un banc public. 2* Grande quantité de poissons se déplaçant ensemble. *Banc de thons, de sardines. 3* Couche de sable affleurant à la surface.
On prononce [bã]. Homonyme : ban.

bancaire adj. → **banque.**

bancal, e, als adj. Dont les pieds sont de longueur inégale. *Table bancale.*
Contraire : stable. Attention au masculin pluriel : bancals.

bandage n. m. → **bander.**

1. bande n. f. *1* Groupe de personnes ou d'animaux. *Une bande de copains. Les lionnes chassent en bande. 2 Faire bande à part* : se tenir à l'écart.

2. bande n. f. *1* Morceau d'étoffe, de cuir, de papier, etc., long et étroit. *2* Long ruban de tissu élastique pour maintenir un pansement, soulager une foulure. *3 Bande magnétique* : ruban sur lequel on enregistre des sons ou des sons et des images. *4 Bande dessinée* ou *B. D.* : histoire racontée en dessins.

bandeau n. m. Bande de tissu pour retenir les cheveux ou couvrir les yeux de quelqu'un.

bander v. → conjug. **aimer.** *1* Entourer d'un bandage ou d'un bandeau. *Bander un genou. Bander les yeux de quelqu'un. 2* Tendre avec effort. *Bander la corde d'un arc. Bander ses muscles.*
Il a un **bandage** autour du front, un pansement.

banderole n. f. Grande bande de tissu qui porte une inscription.

bandit n. m. Malfaiteur, brigand, gangster. *Barnabé aperçoit un bandit.*
La police lutte contre le **banditisme**, les actes des bandits.

bandoulière n. f. Courroie servant à porter à l'épaule un sac, un objet. *Bandoulière d'un appareil photo. Porter son sac en bandoulière.*

Bangladesh

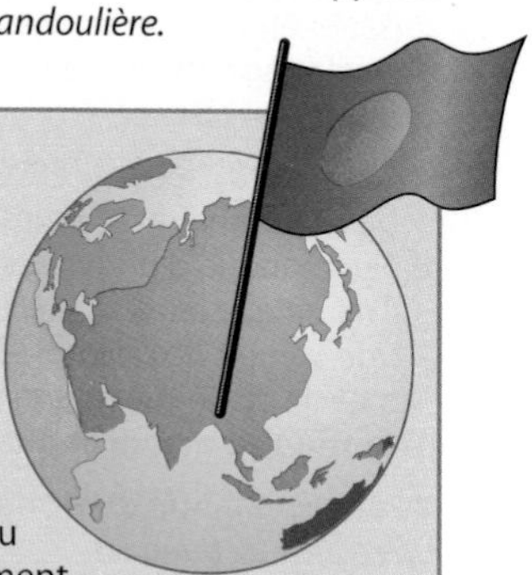

République populaire du sud de l'Asie, sur le golfe du Bengale. Le Bangladesh, dont le nom signifie «pays du Bengale», est essentiellement constitué par le delta du Gange et du Brahmapoutre. Lors de la mousson, saison de pluies torrentielles, il subit d'importantes inondations et les cyclones sont fréquents. Il souffre du surpeuplement et d'une situation politique instable.

Ses ressources sont essentiellement agricoles. Après s'être appelé Pakistan oriental à partir de 1947, le pays devient indépendant en 1971 sous le nom de Bangladesh. Il est membre du Commonwealth.

144 000 km²
143 809 000 habitants :
les Bangladais
Langues : bengali, anglais
Monnaie : taka
Capitale : Dacca ou Dhaka

banjo n. m. Sorte de petite guitare ronde. **On prononce** [bãdʒo].

Le banjo est constitué d'un cadre rond en bois recouvert d'une peau tendue, d'un long manche étroit et de 5 cordes. Les cordes sont pincées avec un petit morceau d'écaille ou de métal, et produisent un son bref et percutant. Originaire d'Afrique, le banjo est introduit aux États-Unis par les esclaves africains au xviie siècle.
Il est intégré dans les orchestres de musique populaire américaine à la fin du xixe siècle.
Il tient aussi une place importante dans le jazz de La Nouvelle-Orléans, né au début du xxe siècle.

banlieue n. f. Ensemble des localités situées autour d'une grande ville. *La banlieue de Lyon, de Paris.*
*Les **banlieusards** viennent à Paris en autobus*, les habitants de la banlieue.

bannière n. f. Drapeau, étendard. *La bannière d'un club de football.*

bannir v. → conjug. **finir.** Exiler quelqu'un, le condamner à quitter son pays.

banque n. f. Établissement qui reçoit de l'argent et peut en prêter. *Déposer, retirer de l'argent à la banque. Quel est le numéro de son compte **bancaire** ?* Son compte à la banque. *Demander un rendez-vous à son **banquier**,* au directeur de la banque.

banquet n. m. Festin, repas de fête. *Un banquet de mariage.*

banquette n. f. Siège à plusieurs places. *Banquette de restaurant. Banquette d'un train.*

banquise n. f. Amas de glace formé par la congélation de l'eau des mers polaires.

baobab n. m. Arbre d'Afrique tropicale.

Pouvant mesurer jusqu'à 20 m de hauteur, le baobab est surtout impressionnant par son tronc ventru et volumineux qui peut atteindre 10 m de diamètre et 23 m de circonférence !
Le baobab peut vivre très longtemps ; on estime que le plus vieux aurait plus de 4000 ans. Son bois est très tendre et contient de grandes quantités d'eau. Ses fruits, de la taille d'une grosse orange, sont appelés pains de singe. Ils sont comestibles ; en Afrique, on presse leur pulpe pour préparer une boisson.

baptême n. m. **1** Sacrement par lequel on devient chrétien. **2** *Baptême de l'air :* premier vol en avion. **On prononce** [batɛm].

baptiser v. → conjug. **aimer. 1** Donner à quelqu'un le sacrement du baptême. *Il n'est pas baptisé.* **2** Donner un nom ou un surnom. *Baptiser une maison, un animal.* **On prononce** [batize].

baquet n. m. Cuve en bois.

1. bar n. m. *1* Lieu où l'on sert à boire, café. *Entrer dans un bar.* *2* Comptoir d'un café. *Commander une limonade au bar.*

2. bar n. m. Poisson de couleur argentée réputé pour sa chair.
Synonyme : loup.

baragouiner v. → conjug. **aimer.** Mal parler une langue étrangère. *Il baragouine quelques mots de russe.*

baraque n. f. Construction provisoire. *Baraque de forains. Baraque de chantier.*
　　Ces réfugiés sont hébergés dans un baraquement, un ensemble de baraques.

baratin n. m. Familier. Bavardage mensonger, boniment.
　　Il cherche à me baratiner, à me tromper par du baratin. *C'est un baratineur,* il baratine souvent.

Barbade (La)

Monarchie constitutionnelle des Petites Antilles.
La Barbade est une île au relief doux et possède de grandes plages de sable. Elle bénéficie d'un climat tropical tempéré par les alizés (vents d'est).
Dotée d'un aéroport international, la Barbade connaît un afflux de touristes très important. En 1519, l'île, inhabitée, est découverte par les Espagnols, qui la baptisent Barbade pour évoquer les racines apparentes de ses figuiers, qui ressemblent à des poils de barbe. Sous domination britannique à partir de 1627, la Barbade acquiert son indépendance en 1966. Elle est membre du Commonwealth.

430 km²
269 000 habitants :
les Barbadiens
Langue : anglais
Monnaie : dollar
de la Barbade
Capitale : Bridgetown

barbant, ante adj. → **barber.**

barbare adj. et n.
● adj. Cruel, féroce. *Un crime barbare.*

● n. Personne cruelle ou grossière. *Ils se sont comportés comme des barbares, ils ont tout saccagé.*
　　Des soldats ont commis des actes de barbarie, des actes barbares.

barbarisme n. m. Grosse faute de langage. « *Ils croivent* » au lieu de « *ils croient* » ou « *on s'avait arrêté* » au lieu de « *on s'était arrêté* » sont des barbarismes.

barbe n. f. *1* Poil des joues, de la lèvre supérieure et du menton. *Se laisser pousser la barbe.* *2* Familier. Chose ennuyeuse. *Quelle barbe !*
　　Il y a plusieurs barbus sur cette photo, plusieurs hommes qui portent la barbe. *Napoléon III portait une barbiche,* une petite barbe à la pointe du menton.

barbecue n. m. Gril au charbon de bois pour faire des grillades en plein air.
Mot anglais qui se prononce [baʀbəkju].

barbelé adj. et n. m. plur. *Du fil de fer barbelé* ou *des barbelés :* du fil de fer hérissé de pointes pour clôturer un pâturage, un terrain militaire, etc.

barber v. → conjug. **aimer.** Familier. Ennuyer. *Il me barbe avec ses histoires.*
　　C'est barbant d'avoir des devoirs à faire, cela me barbe.

barbiche n. f. → **barbe.**

barboter v. → conjug. **aimer.** Remuer dans l'eau, patauger. *Les moineaux barbotent dans le caniveau.*

barboteuse n. f. Vêtement de bébé à culotte bouffante, qui se ferme entre les jambes.

barbouiller v. → conjug. **aimer.** *1* Salir. *Avoir la figure barbouillée de chocolat.* *2 Se sentir barbouillé* ou *avoir l'estomac barbouillé :* avoir mal au cœur.

barbu adj. → **barbe.**

barbue n. f. Poisson de mer plat, voisin du turbot.

barda n. m. Familier. Chargement encombrant.

1. barde n. m. Poète et chanteur de la Gaule et de l'Irlande antique.

2. barde n. f. Mince tranche de lard dont on entoure certaines viandes avant cuisson.
　　Barder un rôti, c'est l'entourer d'une barde.

bardé, ée adj. *Être bardé de diplômes, de médailles :* en avoir beaucoup.

barème n. m. Table de comptes tout prêts. *Les salaires d'une entreprise sont calculés selon un barème.*

baril n. m. Petit tonneau. *Baril de lessive, de pétrole.*

bariolé, ée adj. Qui a des couleurs voyantes et variées. *Un tissu bariolé.*

Bar-le-Duc

Ville française de la Région Lorraine, située sur les bords de l'Ornain. Bar-le-Duc est un centre administratif qui regroupe des activités de services. La ville compte aussi quelques industries textiles et alimentaires ainsi que des entreprises de haute technologie. Elle possède notamment une collégiale du XIVe siècle, l'église Saint-Étienne. Bar-le-Duc est la patrie de Raymond Poincaré, président de la République française de 1913 à 1920.

55 *Préfecture de la Meuse*
18 079 habitants : les Barisiens

barman n. m. **Plur. : des barmans ou des barmen.** Serveur dans un bar.
Mot anglais qui se prononce [barman].

bar–mitsva n. f. inv. Cérémonie religieuse juive marquant l'entrée des garçons dans l'âge adulte.

Barnard Christian

Chirurgien sud-africain né en 1922 et mort en 2001. Spécialisé dans la chirurgie à cœur ouvert (technique qu'il introduit en Afrique du Sud), Barnard oriente ses recherches vers la transplantation cardiaque.
Il réalise, en 1967, la première greffe de cœur sur un patient âgé de 55 ans. Celui-ci supporte l'opération, mais décède 18 jours plus tard d'une pneumonie.

baromètre n. m. Instrument qui donne la mesure de la pression atmosphérique. *Le baromètre est au beau fixe, à la pluie.*

baron, onne n. Titre de noblesse inférieur à celui de comte ou de comtesse.

baroque n. m. et adj.
• n. m. Style d'architecture et de sculpture des XVIIe et XVIIIe siècles, caractérisé par l'exubérance et la richesse de l'ornementation.
• adj. *1* Qui appartient à ce style. *Une église italienne baroque.* *2* Excentrique, bizarre. *Une idée baroque.*

barque n. f. Petit bateau à rames, sans pont.

barquette n. f. *1* Tartelette en forme de petite barque. *2* Petite boîte en plastique, en carton, en bois ou en aluminium. *Barquette de fraises.*

barracuda n. m. Poisson carnassier qui peut atteindre 2 m de longueur et s'attaque aux humains s'il se sent menacé.

barrage n. m. *1* Barrière, obstacle installé en travers d'une route pour la barrer. *Barrage de police.* *2* Grand mur construit sur une rivière pour retenir l'eau.

Les barrages sont destinés soit à contrôler un cours d'eau pour en éviter les crues, soit à produire de l'électricité s'ils comportent une centrale hydroélectrique. La retenue d'eau des barrages peut servir à l'irrigation ou être utilisée comme base de loisirs. Les plus grands barrages du monde peuvent dépasser 150 m de hauteur. La construction des grands barrages pose des problèmes écologiques (inondations) et humains (déplacement des populations).

Barrage de Glenn Canyon en Arizona.

barre n. f. *1* Morceau de bois ou de métal long et étroit. *Barre de fer.* *2* Agrès de gymnastique. *Barres parallèles. Barre fixe.* *3* Grande tringle en bois scellée dans le mur, servant d'appui aux danseurs. *Faire des exercices à la barre.* *4* Levier du gouvernail d'un bateau. *Tenir la barre.* *5* Trait droit. *Une barre oblique. La barre d'une fraction.* *6* Dans un tribunal, emplacement réservé aux témoins. *7* Barrière de vagues déferlantes, parallèle à la côte. *8* *Être à la barre :* diriger. *9* Familier. *Avoir un coup de barre :* se sentir soudainement très fatigué. *10* Familier. *C'est le coup de barre :* c'est excessivement cher.

barreau n. m. *1* Petite barre. *Les barreaux d'une échelle.* *2* Ensemble des avocats d'un tribunal. *Le barreau de Marseille.*

barrer v. → conjug. **aimer.** *1* Empêcher le passage. *Les insurgés ont barré la rue.* *2* Tenir la barre d'un bateau. *Pendant mon stage de voile, j'ai appris à barrer.* *3* Rayer, supprimer. *Barrer un nom d'une liste.*
   Le barreur d'un voilier tient la barre (2).

barrette n. f. Petite pince pour les cheveux.

barricade n. f. Obstacle fait de matériaux divers pour barrer une rue.

barricader v. → conjug. **aimer.** *1* Bloquer une ouverture. *Barricader une porte avec une armoire.* *2* Se barricader : s'enfermer à double tour pour ne voir personne.

barrière n. f. Clôture fermant un passage, un champ, une propriété. *Barrière automatique d'un passage à niveau.*

barrique n. f. Tonneau de 200 litres. *Mettre du vin en barrique.*

barrir v. → conjug. **finir.** Pousser son cri, quand il s'agit de l'éléphant ou du rhinocéros.
> *L'éléphant pousse un **barrissement**, il barrit.*

baryton n. m. Chanteur dont la voix se situe entre celle du ténor et celle de la basse.

1. bas, basse adj., adv., n. m. et n. f.
• adj. *1* Qui a peu de hauteur. *Appartement bas de plafond. Chien bas sur pattes.* *2* D'un faible niveau. *Marée basse.* *3* Dont l'intensité est faible. *Températures basses.* *4* Qui a un son grave. *Clarinette basse.* *5* Peu cher, peu élevé. *Acheter un ordinateur à bas prix.* *6* De qualité médiocre. *Les bas morceaux du bœuf. Avoir la vue basse.* *7* Mesquin, méprisable. *Des sentiments bas.* *8* À voix basse : à mi-voix. *9* En bas âge : très jeune.
Contraires : haut (*1, 2*), élevé (*3, 5, 7*), aigu (*4*).
> Se comporter *bassement*, c'est agir d'une manière basse (*7*). *Flatter quelqu'un avec **bassesse**,* d'une façon basse (*7*).

• adv. *1* À faible hauteur. *Les hirondelles volent bas le soir.* *2* En murmurant. *Parler tout bas.* *3* Mettre bas : donner naissance à son petit, quand il s'agit d'un mammifère. *4* À bas ! : exprime la révolte, l'hostilité. *À bas le tyran !*
Contraires : haut (*1, 2*), vive ! (*4*).
• n. m. La partie inférieure. *Il habite le bas du village. Monte à l'étage, ne reste pas en bas.*
• n. f. *1* La plus grave des voix d'hommes. *2* Sons les plus graves. *On entend trop les basses dans cet enregistrement.* *3* Contrebasse ou guitare pouvant produire des sons graves.
> *Un **bassiste** est un joueur de contrebasse ou de guitare basse (*3*).*
Homonyme : bât.

2. bas n. m. Sous-vêtement féminin en maille souple couvrant le pied et la jambe jusqu'à mi-cuisse.
Homonyme : bât.

basalte n. m. Roche volcanique de couleur noire.
> *Une coulée **basaltique** est constituée de basalte.*

basané, ée adj. Brun ou bruni par le soleil. *Un teint basané.*

bas-côté n. m. **Plur. : des bas-côtés.** Bord d'une route. *Le stationnement est interdit sur les bas-côtés.*

bascule n. f. *1* Balance à plate-forme pour peser des objets très lourds. *2* À bascule : qui permet de se balancer d'avant en arrière. *Fauteuil, cheval à bascule.*

basculer v. → conjug. **aimer.** Tomber ou faire tomber à la renverse. *À force de te balancer, tu vas finir par basculer du haut de ta chaise ! Basculer une brouette pour la vider.*

base n. f. *1* Partie inférieure ou basse. *Base d'un édifice.* *2* Côté d'un triangle opposé à l'angle pris comme sommet. *3* Principe fondamental, fondement. *Les bases d'un accord ont été posées.* *4* Principal composant. *Le riz est la base de l'alimentation en Chine.* *5* Centre militaire regroupant installations, matériel et personnel. *Base aérienne, navale.* *6* Ensemble des membres d'un syndicat, des militants d'un parti politique. *Les dirigeants et la base.* *7* Base de données : ensemble de fichiers informatiques contenant des données reliées entre elles. *8* Au pluriel. Connaissances nécessaires pour progresser dans une matière. *Manquer de bases en solfège.*

base-ball n. m. Jeu opposant deux équipes de neuf joueurs.
Mot anglais qui se prononce [bɛzbɔl]. On écrit aussi baseball.

Le base-ball dérive du cricket. Le premier match a lieu dans le New Jersey (États-Unis) en 1846. Ce sport est aujourd'hui pratiqué dans 80 pays ; mais il est surtout populaire aux États-Unis et au Japon.
Le terrain, carré, est marqué de piquets appelés bases. Le jeu oppose deux équipes de neuf joueurs. La balle lancée par un joueur doit être renvoyée à l'aide d'une batte par un des neuf joueurs de l'équipe adverse. Le batteur doit ensuite courir de base en base jusqu'à ce que la balle soit reprise par l'équipe adverse. Les défenseurs portent un gant de cuir. L'arbitre et l'attrapeur ont le visage, le buste et les jambes protégés. La balle est en effet très dure et lancée violemment.

bas-fond n. m. **Plur. : des bas-fonds.** Endroit où l'eau est peu profonde mais la navigation possible.

basilic n. m. **1** Plante aromatique utilisée comme condiment. **2** Grand lézard du continent américain capable de courir sur ses deux pattes arrière.

Originaire d'Inde, le basilic est utilisé dans les pays méridionaux pour parfumer les plats. Mélangé avec de l'ail et de l'huile d'olive, il devient le *pistou* de Provence, ou le *pesto* d'Italie. Il existe deux variétés de basilic : à grandes feuilles et à petites feuilles. Son odeur a la propriété d'éloigner les moustiques. **Homonyme : basilique.**

basilique n. f. Très grande église.

Dans l'Antiquité, les basiliques romaines, grands édifices de forme rectangulaire, servent de tribunal et de lieu de réunion et de commerce. Au début du Moyen Âge en Occident, des édifices religieux sont construits sur ce modèle. Ils comportent généralement une haute coupole au-dessus de l'autel, comme dans la basilique Saint-Pierre de Rome, une des plus grandes basiliques du monde.

basket n. m. et n. f.
• n. m. Jeu opposant deux équipes de cinq joueurs. **Mot anglais qui se prononce** [baskɛt]. **On dit aussi : basket-ball** [baskɛtbɔl].
Une équipe de cinq basketteurs, joueurs de basket.

Le basket-ball est inventé en 1891 aux États-Unis. Il se joue sur un terrain rectangulaire de 28 m sur 15 m. Un panier est fixé aux deux extrémités, à 3,05 m du sol (*basket* veut dire panier en anglais). Le jeu consiste à marquer le maximum de paniers chez l'équipe adverse. Le ballon peut être passé, lancé, frappé, roulé, ou dribblé d'une seule main. Il est interdit de faire plus d'un pas avec le ballon. Le basket-ball est entré aux jeux Olympiques en 1936 pour les messieurs, en 1976 pour les dames.
• n. f. Chaussure de sport montante.

basque (Pays)

Région commune au sud-ouest de la France et au nord-ouest de l'Espagne, s'étendant de part et d'autre des Pyrénées. Près de 90 % des 20 000 km² du territoire du Pays basque se trouvent du côté espagnol. La partie française, très touristique sur la côte, est incluse dans le département des Pyrénées-Atlantiques. Ses villes les plus connues sont Bayonne et Biarritz. Le Pays basque est une région soucieuse de préserver sa culture, ses traditions et sa langue (le basque est parlé, du côté français, par environ 80 000 personnes). Une minorité revendique l'autonomie de façon parfois violente.

bas-relief n. m. **Plur. : des bas-reliefs.** Sculpture faisant légèrement saillie sur un fond.

On trouve des bas-reliefs sur les sarcophages égyptiens, les temples grecs et romains, les frontons d'église…

Reconstitution d'un bas-relief du Panthéon.

basse adj. et n. f. → **bas.**

basse-cour n. f. **Plur. : des basses-cours.** Cour d'une ferme, où l'on élève les volailles et les lapins.

bassement adv., **bassesse** n. f. → **bas.**

basset n. m. Chien très bas sur pattes.

Basse-Terre

Ville française de Guadeloupe, située au sud-ouest de l'île de Basse-Terre. Basse-Terre se trouve non loin du volcan de la Soufrière. Son port donne sur la mer des Antilles. L'exportation de bananes représente la plus grande partie de ses ressources. Fondée en 1643 par les Français, Basse-Terre perd de l'importance à partir du XVIIIe siècle en raison du développement de Pointe-à-Pitre.

971 *Préfecture de la Guadeloupe*
12 667 habitants : les Basse-Terriens

bassin n. m. **1** Pièce d'eau. *Le bassin du jardin du Luxembourg.* **2** Partie d'un port où se trouvent les bateaux. **3** Partie d'une piscine. *Grand, petit bassin.* **4** Région arrosée par un fleuve et ses affluents. *Le bassin du Rhône, de la Loire.* **5** Vaste plaine en forme de cuvette. *Le Bassin parisien.* **6** Région dont le sous-sol est exploité pour ses gisements. *Bassin minier.* *7* Ensemble des os situés à la base de la colonne vertébrale, sur lesquels s'articulent les os des cuisses. *La femme a le bassin plus large que l'homme.*

bassine n. f. Grande cuvette à anses. *Bassine à confiture.*

bassiste n. m. → **bas.**

basson n. m. Instrument à vent en bois au son très grave.

Bastia

Ville française de Corse, située sur la côte nord-est. Port commercial le plus important de l'île, Bastia est un centre économique actif.
Son économie repose sur l'industrie de matériel agricole ainsi que l'agroalimentaire, le tabac et la pêche.
Bastia possède une citadelle du XIVe siècle.
La ville est fondée au XIVe siècle par les Génois qui dominent alors la Corse. Elle devient française quand l'île est vendue à la France en 1768.

2B *Préfecture de la Haute-Corse*
39 016 habitants : les Bastiais

Bastille

Ancienne forteresse militaire de l'est de Paris. La Bastille est construite entre 1370 et 1382. Au XVIIe siècle, Richelieu, Premier ministre de Louis XIII, la transforme en prison d'État. Les prisonniers y sont envoyés sur lettre du roi («lettre de cachet»). Symbole de la monarchie absolue, la Bastille est prise par les Parisiens le 14 juillet 1789, au début de la Révolution française. Sa démolition est achevée en 1790. Le 14 Juillet est la fête nationale française depuis 1880. Aujourd'hui, l'emplacement de la forteresse est occupé par la place de la Bastille.

bastingage n. m. Barrière bordant le pont d'un bateau.

---

bastion n. m. *1* Construction en saillie venant renforcer une enceinte fortifiée. *2* Au figuré. Ce qui constitue le meilleur soutien, la défense la plus efficace. *Département qui est un bastion du socialisme.*

bas–ventre n. m. **Plur. : des bas-ventres.** Partie inférieure du ventre.

bât n. m. *1* Sorte de selle sur laquelle on arrime le fardeau d'une bête de somme. *2* *C'est là où le bât blesse :* c'est là le point faible de quelqu'un ou de quelque chose.

bataille n. f. *1* Combat entre deux groupes ennemis. *2* Au figuré. Lutte. *Bataille électorale.* *3* *Cheval de bataille :* sujet favori.
*Il faut **batailler** pour défendre ses idées,* livrer une bataille (2). *Il a un tempérament **batailleur**,* il aime la bataille (2).

bataillon n. m. Unité militaire sous les ordres d'un commandant, qui regroupe plusieurs compagnies.

bâtard, e adj., n. et n. m.
● adj. *1* Se disait autrefois d'un enfant né de parents non mariés. *2* Se dit d'un animal qui est issu du croisement de deux races. *3* Figuré. Qui n'exprime pas un choix clair. *Solution bâtarde.*
● n. *1* Enfant bâtard. *2* Animal bâtard.
● n. m. Pain plus court et plus large que la baguette.

batavia n. f. Variété de laitue.

bateau n. m. *1* Véhicule conçu pour naviguer. *2* Abaissement de la bordure d'un trottoir devant une porte cochère, un garage.
*Le **batelier** conduit les bateaux sur les rivières ou les canaux.*
Regarde p. 122 à 124.

bâti, e adj. *Bien bâti :* bien proportionné, robuste, quand il s'agit d'une personne.

bâtiment n. m. *1* Construction, édifice, immeuble, grande maison. *Cette école comporte plusieurs bâtiments.* *2* Ensemble des activités visant à la construction. *Un maçon est un ouvrier du bâtiment.* *3* Grand navire. *Bâtiment de guerre.*

bâtir v. → conjug. **finir.** *1* Construire sur le sol. *Bâtir un nouvel hôpital.* *2* Assembler à grands points les parties d'un vêtement.

bâtisse n. f. Grand bâtiment.

bâton n. m. *1* Long morceau de bois rond. *Bâton de berger.* *2* Objet de forme cylindrique. *Bâton de colle, de rouge à lèvres.* *3* *Parler à bâtons rompus :* sans suite dans la conversation. *4* *Mettre des bâtons dans les roues :* faire obstacle aux projets de quelqu'un.
*Un **bâtonnet** de réglisse est un petit bâton.*

les bateaux

L'origine des bateaux remonte à la préhistoire : les toutes premières embarcations sont de simples troncs d'arbres sur lesquels on se déplace à califourchon. Plus tard, les troncs sont assemblés pour former des radeaux, ou creusés, donnant naissance aux premières pirogues.

Pirogue préhistorique.

■ Dans les régions de roseaux ou de papyrus, les radeaux et les premières barques sont faits de tiges assemblées (sur le Nil, cette technique remonte à plus de 6 000 ans).

■ La voile apparaît vers 3 000 av. J.-C. sur les embarcations égyptiennes.
Les premières voiles, faites de peaux de bêtes tendues sur des pieux, aident au déplacement, tandis qu'une « rame-gouvernail » placée à l'arrière du bateau permet de mieux se diriger.

galère romaine

Les Grecs développent des navires de guerre à deux ou trois rangs de rameurs, mesurant entre 30 et 40 m de longueur. Les Romains utilisent des galères de même type qui peuvent transporter jusqu'à 200 hommes.

bateau phénicien

À partir de 1100 av. J.-C., les Phéniciens construisent des navires de commerce pour transporter leurs marchandises dans toute la Méditerranée.

drakkar viking

Les Vikings parcourent les mers à bord de drakkars, bateaux rapides à voile carrée, à partir du IXe siècle apr. J.-C.

bateau du Moyen Âge

À la fin du Moyen Âge, la navigation progresse grâce à l'invention du gouvernail d'étambot, fixé en permanence dans l'axe de la coque.

clipper

À la fin du XVIIIᵉ siècle, le clipper, un trois-mâts rapide, représente les derniers progrès de la navigation à voile avant que les bateaux à vapeur ne dominent les mers.

caravelle

Au XVᵉ siècle, les Portugais mettent au point un bateau à coque ronde, la caravelle. C'est à bord d'un navire de ce type que Christophe Colomb atteint l'Amérique en 1492.

Bateau à aubes.

bateaux à vapeur

■ **Si la machine à vapeur est inventée à la fin du XVIIᵉ siècle, les tentatives pour l'installer sur les bateaux échouent pendant près d'un siècle. Dans les premiers navires à vapeur, mis au point dans les années 1780, la machine à vapeur actionne une roue à aubes qui bat l'eau pour faire avancer le navire. Vers 1840, cette dernière est remplacée par l'hélice, qui permet de gagner en vitesse.**

Paquebot à vapeur.

les bateaux

■ **Les moteurs Diesel équipent les bateaux dès 1902. Un peu plus de 50 ans plus tard est mise au point la propulsion nucléaire, notamment utilisée sur les sous-marins et les porte-avions.**
Les bateaux à moteur se diversifient et se spécialisent : bateaux de pêche (chalutiers), bateaux fluviaux servant au transport de marchandises (péniches), pétroliers…

péniche

Ce bateau fluvial peut transporter de 150 à 350 tonnes de marchandises, soit l'équivalent de 10 gros camions.

pétrolier

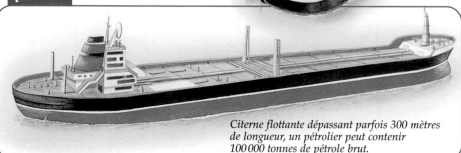

Citerne flottante dépassant parfois 300 mètres de longueur, un pétrolier peut contenir 100 000 tonnes de pétrole brut.

porte-avions

Ce géant à propulsion nucléaire peut accueillir des dizaines d'avions de chasse.

chalutier

Il traîne un énorme filet de pêche en forme d'entonnoir qui racle le fond de la mer ou qui capture les poissons entre deux eaux.

sous-marin

Un sous-marin nucléaire peut rester plusieurs mois en plongée et parcourir des milliers de kilomètres.

batracien n. m. Synonyme ancien d'amphibien.

battage n. m. *1* Action de battre le blé. *Avant les machines, le battage du blé pour séparer les grains des épis se faisait manuellement. 2* Familier. Publicité tapageuse. *On a fait tout un battage pour le lancement de cette nouvelle voiture.*

battant adj. et n. m.
• adj. *1 Avoir le cœur battant :* qui bat très fort. *2 Pluie battante :* très violente.
• n. m. *1* Petit marteau suspendu à l'intérieur d'une cloche, qui la fait sonner en tapant sur ses parois. *2* Partie mobile d'une porte ou d'une fenêtre. *Porte à double battant.*

batte n. f. Bâton servant à frapper la balle, au base-ball.

battement n. m. *1* Mouvement et bruit de quelque chose qui bat. *Battement d'un volet mal fermé. Battement du cœur. 2* Intervalle de temps, délai. *J'ai juste un quart d'heure de battement pour aller de l'école au stade.*

batterie n. f. *1* Ensemble de pièces d'artillerie. *Batterie aérienne, antichar. 2* Ensemble d'ustensiles de cuisine. *Batterie de casseroles. 3* Ensemble d'éléments produisant de l'électricité. *La batterie de la voiture est à plat, il faut la recharger. 4* Instrument de musique composé de grosses caisses, de cymbales, de tam-tams. *Tenir la batterie dans un groupe de jazz.*
Le *batteur* tient la batterie (*4*) dans un orchestre.

batteur n. m. → batterie, battre.

battre v. *1* Donner des coups, frapper. *Se battre avec des bâtons. 2* Remporter une victoire, vaincre. *Napoléon a été battu à Waterloo. Battre son père aux échecs. 3* Taper ou fouetter pour transformer une chose. *Battre des blancs d'œufs en neige. Battre le blé. 4* Parcourir un lieu pour l'explorer. *Battre la campagne. 5* Être animé de battements. *Son cœur a cessé de battre. 6* Au figuré. *Se battre pour, contre quelque chose. Il se bat pour trouver du travail. 7 Battre en retraite :* reculer, abandonner le terrain, quand il s'agit d'une armée. *8 Battre la mesure :* marquer le rythme d'un morceau de musique avec la main ou avec une baguette.
Les gendarmes ont organisé une *battue* pour retrouver un malfaiteur, ils battent (*4*) la région. Un *batteur* électrique sert à battre (*3*) les œufs.

battu, ue adj. *1 Sol en terre battue :* sol en terre tassée et durcie. *2 Avoir les yeux battus :* avoir les yeux très cernés. *3 Sortir des sentiers battus :* avoir une attitude peu conformiste, originale.

battue n. f. → battre.

Baudelaire Charles

Poète français né en 1821 et mort en 1867. Après une enfance difficile et révoltée, marquée par le pensionnat dès l'âge de sept ans, Baudelaire s'embarque en 1841 pour les Indes. Il en revient avec un goût profond pour l'exotisme. De retour à Paris, il devient journaliste, critique d'art et critique littéraire. Il traduit également les œuvres de l'auteur américain Edgar Allan Poe. Baudelaire est un personnage tourmenté, hanté par la maladie et la mort. À travers l'écriture, il est à la recherche perpétuelle d'un monde idéal. Son recueil le plus célèbre, *les Fleurs du mal* (1857), fait scandale à l'époque ; il est condamné pour immoralité par la justice. Citons aussi : *Spleen de Paris* (1864) et *Petits Poèmes en prose* (1869).

baudet n. m. Âne. *Chargé comme un baudet.*

baudrier n. m. *1* Bande de cuir ou d'étoffe portée en bandoulière et soutenant un sabre, une épée. *2* Harnais d'alpiniste, de spéléologue, de parachutiste.

baudroie n. f. Poisson marin à grosse tête.

La baudroie est un grand poisson des côtes européennes, qui peut mesurer jusqu'à 1,70 m. Sa tête,

---

La conjugaison du verbe
BATTRE 3e groupe

indicatif présent	**je bats, il ou elle bat, nous battons, ils ou elles battent**
imparfait	**je battais**
futur	**je battrai**
passé simple	**je battis**
subjonctif présent	**que je batte**
conditionnel présent	**je battrais**
impératif	**bats, battons, battez,**
participe présent	**battant**
participe passé	**battu**

baudruche

très grosse, est surmontée d'un long filament dont l'extrémité est renflée. La baudroie agite ce filament pour attirer les poissons dont elle se nourrit. Chez les poissonniers, la baudroie est vendue sous le nom de lotte.

baudruche n. f. Caoutchouc très fin dont on fait les ballons.

baume n. m. *1* Pommade aromatique utilisée en frictions. *2* *Mettre du baume au cœur* : atténuer le chagrin.

bauxite n. f. Roche de couleur rougeâtre exploitée comme minerai d'aluminium.

bavarder v. → conjug. **aimer.** Parler beaucoup, de choses et d'autres. *Bavarder au lieu d'écouter la maîtresse.*

Elle est très *bavarde*, elle passe son temps à bavarder. *On lui reproche son bavardage*, le fait qu'elle bavarde.

bave n. f. *1* Salive qui s'écoule de la bouche ou de la gueule. *Bave du crapaud.* *2* Liquide gluant sécrété par certains mollusques. *Bave de l'escargot.*

baver v. → conjug. **aimer.** *1* Laisser couler de la bave. *Il a un chien qui bave tout le temps.* *2* Couler en débordant. *Ton stylo à encre a encore bavé sur la poche de ton pantalon.*

baveux, euse adj. *Omelette baveuse* : pas très cuite.

bavoir n. m. Petite serviette qu'on attache autour du cou des bébés.

bavure n. f. *1* Tache d'encre ou de peinture qui a coulé. *2* Figuré. Erreur ou faute dans l'accomplissement d'une action. *Une bavure policière.*

Bayard

Gentilhomme français né vers 1475 et mort en 1524. Son nom complet est Pierre Terrail, seigneur de Bayard ; il est surnommé « chevalier sans peur et sans reproche », en raison de sa bravoure et de ses qualités humaines. Bayard se place successivement au service des rois de France Charles VIII, Louis XII et François Ier. Il s'illustre durant les guerres d'Italie, en particulier lors de la bataille de Marignan (1515), victoire française. À l'issue de celle-ci, François Ier demande à être armé chevalier de la main de Bayard.

Bayeux (Tapisserie de)

Immense tapisserie (70 m de longueur sur 50 cm de hauteur) réalisée au XIe siècle. Conservée au Musée de la Reine-Mathilde à Bayeux (Calvados), elle raconte la conquête de l'Angleterre par Guillaume le Conquérant en 58 épisodes et nous renseigne sur les navires, les armes et les costumes des Normands à cette époque. Elle est appelée « tapisserie de la reine Mathilde », car on a longtemps cru qu'elle avait été brodée par Mathilde, épouse de Guillaume.

Un détail de la tapisserie.

bazar n. m. *1* Magasin où l'on vend toutes sortes d'objets. *2* Familier. Lieu en désordre. *Ta chambre est un vrai bazar.*

B. C. G. n. m. Vaccin antituberculeux. B. C. G. est l'abréviation de « *Bacille de Calmette et Guérin* ».

B. D. n. f. Bande dessinée.

béant, ante adj. Grand ouvert. *Une plaie béante.*

béat, ate adj. Qui exprime un contentement exagéré, un peu niais. *Un air béat.*

Il sourit *béatement*, d'une manière béate.

béatitude n. f. Bonheur parfait.

beau, bel, belle, beaux adj., adv., n. m. et n. f.
• adj. *1* Qui réjouit l'œil ou l'oreille. *Un beau tableau. Un beau jardin. Une belle voix.*

126

2 Qui est digne d'admiration. *Un beau travail. Une belle action.* **3** Gros, important. *Un beau poulet. Une belle somme.* **4** Ensoleillé. *Une belle journée d'automne.* **5** *Un beau jour :* un certain jour. *Un beau jour, il est revenu.*

L'adjectif « beau » devient « bel » devant une voyelle ou un « h » muet : un bel enfant ; un bel hiver.

La *beauté* d'un visage, le fait qu'il est beau (*1*).

• adv. **1** *Avoir beau :* s'efforcer vainement. *J'ai eu beau lui expliquer, il ne comprend toujours rien aux fractions.* **2** *De plus belle :* encore plus. *Il pleut de plus belle.* **3** *Bel et bien :* sans aucun doute, réellement. *Il est bel et bien mort.*

• n. m. **1** *Faire le beau :* se tenir debout sur ses pattes arrière quand il s'agit d'un chien. **2** *C'est du beau ! :* c'est une mauvaise action.

• n. f. Dans un jeu, partie jouée après la revanche pour départager deux adversaires.

beaucoup adv. **1** En grand nombre, en grande quantité. *Il y a beaucoup d'élèves dans cette classe. Avoir beaucoup d'argent.* **2** De nombreuses personnes ou choses. *Beaucoup sont du même avis. Il y avait beaucoup à dire.* **3** Extrêmement, infiniment. *Ce livre m'a beaucoup plu. Merci beaucoup. C'est beaucoup mieux comme ça.*

beau–fils n. m. **Plur. : des beaux-fils.** **1** Fils que le mari ou la femme a eu avant son mariage actuel. **2** Gendre.

beau–frère n. m. **Plur. : des beaux-frères.** **1** Frère du mari ou de la femme. **2** Mari de la sœur.

beaujolais n. m. Vin du Beaujolais, région située au nord-est du Massif central.

beau–père n. m. **Plur. : des beaux-pères.** **1** Père du mari ou de la femme. **2** Deuxième mari de sa mère, pour un enfant.

beauté n. f. → beau.

beaux–arts n. m. plur. Ensemble des arts plastiques : peinture, dessin, gravure, sculpture, architecture. *Faire les beaux-arts à Paris.*

beaux–parents n. m. plur. Père et mère du mari, pour la femme, ou père et mère de la femme, pour le mari.

bébé n. m. **1** Nouveau-né ou enfant en bas âge. **2** Très jeune animal. *Bébé phoque.*

bec n. m. **1** Bouche cornée des oiseaux, formée de deux mandibules. **2** Embouchure de certains instruments à vent. *Bec d'une clarinette. Flûte à bec.* **3** Extrémité pointue de certains récipients. *Bec d'une théière. Bec verseur d'une casserole.*

bécasse n. f. Oiseau migrateur aux petites pattes et au très long bec.
La *bécassine* est un petit oiseau proche de la bécasse.

bec–de–lièvre n. m. **Plur. : des becs-de-lièvre.** Malformation de la lèvre supérieure de quelqu'un, fendue à la naissance.

béchamel n. f. Sauce blanche faite de beurre, de farine et de lait.

bêche n. f. Outil de jardinage composé d'une petite pelle plate et large et d'un manche.
Bêcher une plate-bande avant de semer, en retourner la terre avec une bêche.

becquée n. f. Ce qu'un oiseau prend dans son bec pour nourrir ses petits. *Le rouge-gorge donne la becquée à ses oisillons.*

bedonnant, ante adj. Qui a un gros ventre. *Obélix est un Gaulois bedonnant.*

bée adj. *Être, rester bouche bée :* la bouche ouverte sous l'effet de la stupeur ou de l'admiration.

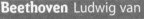

Beethoven Ludwig van

Compositeur allemand né en 1770 et mort en 1827. Fils et petit-fils de musiciens, Beethoven donne son premier concert à l'âge de huit ans. Dans les années 1790, il étudie à Vienne auprès de grands compositeurs comme Joseph Haydn et Antonio Salieri. Vers 1798, les premiers signes de sa surdité se manifestent. Devenu totalement sourd à l'âge de 47 ans, il ne cesse pourtant de composer jusqu'à sa mort. Beethoven est très influencé par les idées de liberté transmises par la Révolution française. Extrêmement créatif, il est l'auteur d'une œuvre considérable dont, entre autres, 32 sonates, 5 concertos et 9 symphonies. Parmi ses compositions les plus connues, il faut citer : la sonate *Au clair de lune, la 3e Symphonie* (*la Symphonie héroïque*), *la 5ᵉ Symphonie* (*la Symphonie du destin*), *la 6ᵉ Symphonie* (*la Symphonie pastorale*)… Le prélude à *l'Ode à la joie* de *la 9ᵉ Symphonie* a été choisi comme hymne européen.

beffroi n. m. Tour haute d'une ville munie d'un carillon, ou clocher d'une église, d'où l'on faisait le guet.

Au Moyen Âge, le beffroi est une tour montée sur roues qui sert à attaquer les remparts d'une ville assiégée. Il est ensuite construit comme une tour de guet pour surveiller les alentours d'une ville,

Le beffroi de Gand, en Belgique.

et comprend des cloches pour que les gardes sonnent l'alarme. On installa de grandes horloges dans les beffrois à partir du XIVᵉ siècle.

bégayer v. → conjug. **payer.** Souffrir d'un trouble de la parole consistant à répéter de façon saccadée certaines syllabes.
   Répondre par un **bégaiement***, en bégayant. Il est* **bègue***, il bégaie.*

bégonia n. m. Plante ornementale aux fleurs de couleurs vives et aux tiges cassantes.

bègue adj. → **bégayer.**

beige adj. et n. m. Qui est d'une couleur marron très clair. *Le lapin de garenne a le poil beige. Elle est souvent habillée en beige.*

beignet n. m. Pâte frite, enrobant un morceau de fruit, de légume, etc. *Beignet aux pommes.*

bel adj. → **beau.**

bêler v. → conjug. **aimer.** Pousser son cri, quand il s'agit du mouton ou de la chèvre.
   L'agneau appelle sa mère avec des **bêlements***.*

belette n. f. Petit mammifère carnivore.

La belette a un corps souple et effilé ; son nom dérive de « belle ». De couleur rousse sur le dos, claire sous le ventre, elle peut devenir entièrement blanche l'hiver dans les régions froides. Elle vit en Europe, en Asie et en Afrique du Nord. Ses proies préférées sont les lapins et les mulots.

Belfort

Ville française de la Région Franche-Comté, située entre le Jura et les Vosges, près des frontières suisse et allemande. Belfort est un important centre industriel et commercial, et un lieu de passage vers les pays européens. La ville conserve une porte, vestige des fortifications construites sous la direction de Vauban en 1686.
Une statue en grès rouge sculptée par Auguste Bartholdi entre 1875 et 1880, le lion de Belfort, commémore le siège subi par la ville au cours de la guerre de 1870.

90 *Préfecture du Territoire de Belfort*
52 521 habitants : les Belfortains

Belgique

État fédéral d'Europe de l'Ouest, situé au nord-est de la France, sur la mer du Nord. La Belgique a aussi des frontières communes avec les Pays-Bas, l'Allemagne et le Luxembourg. Elle est composée de trois régions, dotée chacune d'un parlement : Flandres, Wallonie, Bruxelles-Capitale.

■ La Belgique est un pays au relief plat, parcouru de cours d'eau et de canaux, sauf dans sa partie sud-est, occupée par le massif ardennais. Le climat est doux et humide.

Bruges et l'un de ses nombreux ponts.

■ Les industries de pointe, chimie, biotechnologie, notamment en Flandre, ainsi que tout un secteur de services sont très développés. L'agriculture est extensive. Elle produit des céréales (en particulier du blé) et des plantes industrielles (betteraves).

■ La population belge se répartit en deux communautés principales : flamande (environ 53 % de la population) et francophone (environ 44 %). Ce partage a parfois créé quelques tensions dans le pays.

La plaine flamande traversée de canaux.

■ Longtemps sous domination espagnole, puis française, la Belgique devient une monarchie neutre et indépendante en 1831. Elle est occupée par l'Allemagne pendant la Seconde Guerre mondiale. En 1993, une nouvelle Constitution en fait un État fédéral, mais le pays reste une monarchie constitutionnelle, et garde un roi à sa tête.

■ La Belgique appartient à l'Union européenne.

La vieille ville d'Anvers vue du port.

La Grand-Place à Bruxelles.

Régions et villes principales

Ostende • Bruges
FLANDRE-OCC.
Courtrai
FLANDRE-ORIENT.
Gand
Anvers
ANVERS
LIMBOURG
Hasselt
BRUXELLES
BRABANT FLAMAND
Louvain
Wavre
BRABANT WALLON
Tournai
HAINAUT
Mons
Charleroi
Namur
NAMUR
Dinant
Liège
LIÈGE
Bastogne
LUXEMBOURG
Arlon
Lys · Escaut · Sambre · Meuse · Ourthe · Meuse · Semois

100 km

BELGIQUE

30 500 km²
10 296 000 habitants :
les Belges
Langue : français,
néerlandais (flamand),
allemand
Monnaie : euro
(ex-franc belge)
Capitale : Bruxelles

bélier n. m. *1* Mouton mâle. *2* Longue poutre en bois dont on se servait au Moyen Âge pour enfoncer une porte ou défoncer une muraille.

Belize

Monarchie constitutionnelle d'Amérique centrale, située entre le Mexique et le Guatemala, et bordée par la mer des Antilles. C'est un petit pays qui bénéficie d'un climat tropical humide.

Son économie repose principalement sur l'exploitation de la forêt et de la canne à sucre. Colonie anglaise à partir de 1862, Belize est indépendant depuis 1981 et membre du Commonwealth.

22 960 km²
251 000 habitants :
les Béliziens
Langues : anglais,
espagnol, langues
indiennes
Monnaie :
dollar bélizéen
Capitale : Belmopan

Bell Alexander Graham

Physicien américain né en 1847 et mort en 1922, inventeur du téléphone. Professeur de langage des signes dans une école de sourds-muets, Bell s'intéresse très tôt aux techniques pouvant permettre aux sourds d'entendre.
Ses recherches aboutissent à la création d'un appareil transformant les oscillations acoustiques en oscillations électriques.
À partir de cet appareil, il met au point le premier téléphone, qui fonctionne en 1876. Bell est également l'inventeur de plusieurs procédés d'enregistrement du son.

belladone n. f. Plante répandue dans les taillis, dont les baies noires sont extrêmement toxiques.

Bellay Joachim du

Poète français né en 1522 et mort en 1560. Il suit des études linguistiques et littéraires avec son ami Pierre de Ronsard. En 1549, il publie *Défense et illustration de la langue française*, texte qui définit l'orientation des sept poètes de la Pléiade, le mouvement littéraire dont Ronsard et du Bellay sont les plus célèbres représentants. Du Bellay est l'auteur d'œuvres comme *l'Olive* (1549-1550), un poème contenant 115 sonnets, *les Regrets* (1558, 191 sonnets), *les Antiquités de Rome* (1558) et *le Poète courtisan* (1559).

belle adj. → **beau**.

belle-famille n. f. Plur. : des belles-familles. Famille du mari, pour la femme, ou famille de la femme, pour le mari.

belle-fille n. f. Plur. : des belles-filles. *1* Fille que le mari ou la femme a eue avant son mariage actuel. *2* Bru.

belle-mère n. f. Plur. : des belles-mères. *1* Mère du mari ou de la femme. *2* Deuxième femme de son père, pour un enfant.

belle-sœur n. f. Plur. : des belles-sœurs. *1* Sœur du mari ou de la femme. *2* Femme du frère.

belligérant, ante adj. Qui est en guerre. *Pays belligérants et pays neutres.*

belliqueux, euse adj. Qui est d'un tempérament guerrier ou agressif. *Un peuple, un garçon belliqueux.* Contraire : pacifique.

belote n. f. Jeu de cartes très populaire, se jouant avec 32 cartes.

bémol n. m. Signe placé devant une note de musique, indiquant qu'il faut l'abaisser d'un demi-ton. *Un si bémol.*

bénédiction n. f. Prière par laquelle un religieux appelle la protection de Dieu sur quelqu'un ou quelque chose. Contraire : malédiction.

bénéfice n. m. Ce que l'on gagne en revendant plus cher ce qu'on a acheté ou produit. Synonymes : gain, profit.

bénéficiaire n. et adj.
• n. Personne qui bénéficie d'un profit, d'un avantage, d'un droit. *Le bénéficiaire d'un testament.*
Il a bénéficié d'une remise sur l'achat d'un ordinateur, il en a été le bénéficiaire.
• adj. Qui fait des bénéfices. *Entreprise bénéficiaire.*

bénéfique adj. Bienfaisant, salutaire. *Le caractère calme de son ami a une influence bénéfique sur lui.*

Benelux

Union économique constituée par la Belgique, les Pays-Bas et le Luxembourg. Le Benelux, créé en 1944, a pour but de faciliter les échanges commerciaux entre ces trois pays, par ailleurs membres de l'Union européenne.

benêt n. m. Homme ou garçon niais, un peu nigaud. **Contraires : futé, malin.**

bénévole adj. et n. Qui fait quelque chose sans y être obligé et sans être payé. *Secouriste bénévole. Cours d'alphabétisation faisant appel à des bénévoles. Il fait du* bénévolat, *il est bénévole. Elle travaille* bénévolement *pour une association,* d'une manière bénévole.

bengali n. m Petit oiseau aux couleurs vives originaire d'Asie et d'Afrique.

bénin, bénigne adj. Qui est sans gravité. *Une tumeur bénigne n'est pas cancéreuse.*

Bénin

République d'Afrique de l'Ouest. Pays pauvre, le Bénin est essentiellement agricole (manioc, cacaoyer…). Il pratique également l'élevage. Le Bénin reçoit une aide internationale pour son développement.

112 620 km²
6 558 000 habitants :
les Béninois
Langues : français, fon, adja, yorouba, bariba, dendi
Monnaie : franc CFA
Capitale : Porto-Novo

Colonie française à partir de 1894, le pays porte alors le nom de Dahomey. Il devient indépendant en 1960, et prend le nom de Bénin en 1975.

bénir v. → conjug. Donner sa bénédiction. *Le prêtre bénit les jeunes mariés.*

bénit, ite adj. *Pain bénit, eau bénite :* qui ont reçu la bénédiction d'un prêtre.

bénitier n. m. Petite cuvette en pierre contenant de l'eau bénite, placée à l'entrée d'une église.

benjamin, ine n. Personne la plus jeune d'une famille ou d'un groupe.

benne n. f. *1* Partie arrière d'un camion, destinée au transport des matériaux, et qui peut basculer. *2* Cabine d'un téléphérique.

béquille n. f. *1* Canne munie d'une poignée sur laquelle on s'appuie pour marcher. *2* Support qui maintient debout à l'arrêt une bicyclette, un vélomoteur ou une moto.

bercail n. m. Familier. *Rentrer au bercail :* chez soi, retrouver sa famille.

bercer v. → conjug. **tracer.** Balancer doucement, avec un mouvement régulier.
Un **berceau** est un lit pour bébé, dans lequel on peut le bercer. *Elle chante une* **berceuse** *à son enfant,* une chanson douce. *Le* **bercement** *des barques au gré des vagues,* elles sont bercées par la houle.

béret n. m. Coiffure sans bords, plate et ronde.

berge n. f. Bord d'un cours d'eau.

berger, ère n. et n. m.
• n. *1* Personne dont le métier est de garder les moutons. *2* Étoile du berger : autre nom de la planète Vénus, ainsi appelée car elle est la première à s'allumer le soir ou la dernière à s'éteindre le matin.
• n. m. Chien de berger. *Berger allemand.*

bergerie n. f. Bâtiment où l'on abrite les moutons.

bergeronnette n. f. Petit oiseau à longue queue vivant au bord de l'eau.

Berlin

Capitale de l'Allemagne située au nord-est du pays, sur les bords de la Spree. Berlin est un grand centre administratif où siège le gouvernement allemand. La porte de Brandebourg, construite en 1788, est le symbole de Berlin.
Après la Seconde Guerre mondiale, la ville est partagée en deux secteurs : l'ouest est contrôlé par les Américains, les Anglais et les Français, l'est par les Russes. À partir de 1961, la guerre froide opposant les Occidentaux aux Soviétiques engendre la construction d'un mur qui sépare ces deux secteurs et divise l'Allemagne. Berlin compte près de 3,5 millions d'habitants.
En 1989, la destruction du mur de Berlin est à l'origine de la réunification du pays.

berline n. f. Voiture à quatre portes.

berlingot n. m. *1* Bonbon en forme de pyramide. *2* Emballage de cette forme. *Berlingot de lait.*

Berlioz Hector

Compositeur français né en 1803 et mort en 1869. Berlioz abandonne très tôt ses études de médecine pour se consacrer à la musique. Souvent critiqué de son vivant, cet ami de Wagner et de Liszt compose des œuvres empreintes de romantisme et de modernité. Il écrit ses symphonies comme de véritables pièces de théâtre et est également l'auteur d'opéras et de musique religieuse. Son œuvre la plus célèbre est la *Symphonie fantastique* (1830). Citons aussi : *Requiem* (1837), *Roméo et Juliette* (1839) et *la Damnation de Faust* (1846).

bermuda n. m. Short s'arrêtant au-dessus du genou.

bernard-l'ermite n. m. inv. Petit crustacé qui se loge dans des coquilles abandonnées.

berne n. f. *Drapeau en berne :* drapeau que l'on hisse à mi-hauteur ou qu'on ne déploie pas, en signe de deuil.

Berne

Capitale de la Suisse située à l'ouest du pays, sur les bords de l'Aar. Partagée entre un quartier médiéval et un quartier moderne, Berne est à la fois une cité culturelle et artistique attirant de nombreux touristes et un centre commercial et bancaire important. Son nom proviendrait de l'allemand « Bär » signifiant « ours », animal emblème de la ville. Berne compte près de 137 000 habitants.

berner v. → conjug. **aimer.** Tromper quelqu'un en le tournant en ridicule. *Se faire berner par un beau parleur.*

Bernstein Leonard

Compositeur et chef d'orchestre américain né en 1918 et mort en 1990. De 1958 à 1969, Bernstein dirige l'orchestre philharmonique de New York, puis mène une carrière internationale. À travers ses conférences et ses livres, il sensibilise un large public à l'art musical. Son œuvre la plus connue est la comédie musicale *West Side Story* (1957).

Besançon

Ville française de la Région Franche-Comté, située sur les bords du Doubs. Besançon est célèbre pour son horlogerie et sa micromécanique. Une citadelle construite au XVIIᵉ siècle par Vauban domine cette cité qui a vu naître Victor Hugo et les frères Lumière, inventeurs du cinématographe.

25 *Préfecture du Doubs*
122 308 habitants : les Bisontins

besogne n. f. Travail imposé. *Une rude besogne.*

besoin n. m. *1* Chose nécessaire. *Manger, boire et dormir sont des besoins vitaux. 2 Avoir besoin :* ressentir comme nécessaire. *J'ai besoin de ton aide. 3 Être dans le besoin :* dans une situation de grande pauvreté.

bestial, ale, aux adj. Se dit d'un comportement instinctif, qui ramène l'homme à l'état de bête.

bestiaux n. m. plur. Gros animaux de la ferme. *Foire aux bestiaux.*
Le *bétail* est l'ensemble des bestiaux d'une exploitation agricole.

bestiole n. f. Petite bête, en particulier un insecte.

best-seller n. m. **Plur. : des best-sellers.** Livre qui connaît un gros succès et une grosse vente. **Mot anglais qui se prononce [bɛstsɛlœr].**

bétail n. m. → **bestiaux.**

1. bête adj. Qui est peu intelligent.
Synonymes : stupide, sot, imbécile.
Il a agi *bêtement*, d'une façon bête, sans réfléchir.

2. bête n. f. Animal.

bêtise n. f. *1* Caractère d'une personne bête, stupidité. *2* Action ou parole irréfléchies, sottise. *3* Chose sans importance. *Se fâcher pour une bêtise.*

béton n. m. Matériau de construction fait d'un mélange de sable, de gravier, de ciment et d'eau.
On prépare le béton dans une *bétonneuse* ou une *bétonnière*, des machines dans lesquelles sont mélangés le sable, le gravier, le ciment et l'eau.

bette n. f. Plante potagère comestible proche de la betterave dont on consomme les côtes blanches et les parties vertes.
On dit aussi : blette.

betterave n. f. Plante cultivée pour sa racine charnue. *Betterave sucrière, ou fourragère, ou rouge.*

beugler v. → conjug. **aimer.** Pousser son cri, quand il s'agit d'un bovin.
Le taureau pousse un *beuglement.*

beur n. Jeune né en France et dont les parents sont des travailleurs immigrés venus du Maghreb.

beurre n. m. Corps gras alimentaire obtenu en battant la crème du lait de vache. *Sandwich jambon beurre.*
Beurrer sa tartine, la recouvrir de beurre. *On sert le beurre à table dans un beurrier*, un récipient spécial.

bévue n. f. Erreur, méprise due à l'ignorance ou à la maladresse, l'étourderie. *Commettre une grosse bévue.*

Bhoutan

Royaume d'Asie enclavé entre la Chine et l'Inde. Le Bhoutan, dont le nom signifie «Extrémité du Tibet», est un petit pays en majeure partie occupé par les montagnes de l'Himalaya. Sa population est surtout rurale. Sous domination britannique à partir de 1910, puis indienne en 1949, le Bhoutan devient indépendant en 1971. Les moines bouddhistes sont très influents dans ce pays.

47 000 km²
2 190 000 habitants :
les Bhoutanais
Langues : dzong-ka, népali
Monnaie : ngultrum
Capitale : Thimbou

bi– Préfixe. Signifie « deux fois ». *Un avion biplace. Un chat bicolore.*

biais n. m. *1* Moyen détourné. *Trouver un biais.* *2* En biais, de biais : de côté, en oblique. *Jeter un coup d'œil en biais. Traverser un carrefour en biais.*

bibelot n. m. Petit objet décoratif. *Un dessus de cheminée couvert de bibelots.*

biberon n. m. Petite bouteille en plastique ou en verre, munie d'une tétine, servant à nourrir ou à faire boire un bébé. *Stériliser un biberon.*

bible n. f. *1* *La Bible :* l'Ancien et le Nouveau Testament. *2* Livre que l'on consulte souvent, qui apporte des réponses à beaucoup de questions. *Cette encyclopédie du cheval, c'est une vraie bible.*
Abraham est un personnage biblique, un personnage de la Bible (*1*).

Recueil des textes sacrés des religions juive et chrétienne, la Bible comprend deux parties : l'Ancien Testament, commun aux religions juive et chrétienne, et le Nouveau Testament, qui n'est reconnu que par les chrétiens. La majeure partie de l'Ancien Testament (qui compte 39 livres pour les juifs et les protestants, 45 pour les catholiques) est écrite en hébreu entre le XIᵉ et le IIᵉ siècle av. J.-C. Le Nouveau Testament, dans lequel figurent les Évangiles et les Actes des Apôtres, est constitué de 27 livres rédigés en grec après la mort de Jésus-Christ.
Traduite en plus de 2 000 langues, la Bible est le livre le plus vendu dans le monde.

bibliothèque n. f. *1* Meuble ou étagères contenant des livres. *Ranger sa bibliothèque.* *2* Bâtiment ou salle où l'on peut consulter et emprunter des livres. *Bibliothèque municipale.*
Un bibliothécaire est une personne qui travaille dans une bibliothèque.

biblique adj. → **bible**.

biceps n. m. Muscle du bras.

biche n. f. Femelle du cerf.

bicolore adj. Qui est de deux couleurs.

bicorne n. m. Chapeau à deux pointes ou « cornes ».

bicyclette n. f. Véhicule à deux roues, muni d'un guidon et d'un pédalier qui entraîne la roue arrière par l'intermédiaire d'une chaîne. *Barnabé court vers sa bicyclette.*

Les premiers engins de locomotion à deux roues sont connus dès l'Antiquité. Cependant, les ancêtres directs de la bicyclette n'apparaissent qu'à partir de la fin du XVIIIᵉ siècle, notamment avec le célérifère, engin en bois inventé en 1790 par un Français, le baron de Sivrac. On fait avancer ce véhicule dépourvu de pédales en posant l'un après l'autre les pieds sur le sol. En 1839, l'Écossais MacMillan ajoute des pédales et un système de leviers, mais c'est en 1861 que le Français Pierre Michaux invente le véritable pédalier, qu'il fixe sur la roue avant : le premier vélocipède est né.
Regarde p. 135.

bidet n. m. Cuvette basse et sur pied, servant à se laver.

bidon n. m. Récipient en métal fermé par un bouchon, destiné à transporter des liquides.

bidonville n. m. Quartier misérable de certaines grandes villes, dont les maisons sont faites de matériaux de récupération.

bidule n. m. Familier. Petit objet.
Synonymes : machin, truc.

bielle n. f. Tige rigide qui sert à communiquer le mouvement entre deux pièces, dans un moteur.

Biélorussie

Biélorussie

République d'Europe de l'Est, située au nord de l'Ukraine. La Biélorussie, dont le nom signifie « Russie blanche », est principalement constituée de plaines et de collines. Une grande partie de son territoire a été touché par la catastrophe nucléaire de Tchernobyl (1986) et plusieurs régions sont encore contaminées aujourd'hui. République de l'URSS à partir de 1922, elle devient indépendante en 1991.

207 600 km²
9 940 000 habitants :
les Biélorusses
Langues : biélorusse,
russe, polonais, ukrainien
Monnaie : rouble
biélorusse
Capitale : Minsk

bien adj., adv., interj., et n. m.
● adj. **1** Bon, satisfaisant. *C'est très bien comme ça, inutile d'en rajouter.* **2** Qui est en bonne forme, à l'aise. *Je ne me sens pas très bien. Je ne suis pas bien dans ces chaussures, elles me serrent.* **3** Qui est juste, honnête. *Ce n'est pas bien de voler.*
● adv. **1** De manière satisfaisante, agréable, juste, sage. *J'ai bien dormi. Elle danse bien. Nous avons été très bien reçus. Tu as bien fait de lui dire la vérité.* **2** Très. *Tu m'as l'air bien pensif!* **3** Beaucoup. *On a bien ri.* **4** Au moins. *Il y a bien un mois qu'elle n'a pas donné de ses nouvelles.* **5** Vraiment, réellement. *Tu peux très bien faire ça tout seul.* **6** Volontiers. *J'irais bien avec vous, mais j'ai beaucoup de travail.*
● interj. **1** Marque l'approbation. *Bien, très bien!* **2** Eh bien : marque l'interrogation. *Eh bien? Réponds!*
● n. m. **1** Ce qui est juste, honnête, qui a une valeur morale. *Faire le bien.* **2** Ce qui est agréable, utile. *Ça m'a fait du bien de parler. Faire quelque chose pour le bien de quelqu'un.* **3** Ce que l'on possède, richesse. *Avoir beaucoup de biens.*

bien-aimé, ée adj. et n. Se dit de quelqu'un que l'on aime tendrement.

bien-être n. m. **1** Fait de se sentir bien. *Éprouver du bien-être.* **2** Situation de confort matériel. *Vivre dans le bien-être.*
Synonyme : aisance (2). Contraires : malaise (1), gêne, besoin (2).

bienfaisance n. f. Action de faire le bien, la charité. *Œuvre de bienfaisance.*
On prononce [bjɛ̃fəzɑ̃s].

bienfaisant, ante adj. Qui fait du bien.
On prononce [bjɛ̃fəzɑ̃].

bienfait n. m. Effort bénéfique. *Les bienfaits d'une marche en montagne.*
    *Un généreux **bienfaiteur** a donné une grosse somme pour les réfugiés,* une personne bienfaisante.

bien-fondé n. m. Ce qui dans une action, une demande, est en accord avec la loi ou avec la justice. *Le bien-fondé d'une revendication.*

bienheureux, euse adj. Très heureux. *Un bienheureux hasard.*

bien que conj. Exprime une opposition. *Bien qu'il ait plus de quatre-vingts ans, il continue de faire ses 10 kilomètres à pied tous les jours.*
Synonyme : quoique. Après « bien que », on emploie le subjonctif.

bienséance n. f. Façon polie de se comporter. *La bienséance veut qu'on laisse sa place à une personne âgée dans le métro.*
Synonyme : savoir-vivre.

bien sûr adv. Certainement, évidemment. *Si j'aime être en vacances ? Bien sûr!*

bientôt adv. Dans peu de temps. *Tu as bientôt fini ?*

bienveillance n. f. Compréhension et gentillesse vis-à-vis des autres. *Montrer de la bienveillance envers quelqu'un.*
Contraire : malveillance.
    *Le directeur surveille la cour d'un air **bienveillant**,* avec bienveillance.

bienvenu, ue adj. et n. f.
● adj. Qui arrive au bon moment. *Son aide est bienvenue.*
● n. f. *Souhaiter la bienvenue à quelqu'un,* l'accueillir par des paroles aimables.

1. bière n. f. Boisson alcoolisée fabriquée à partir de l'orge et du houblon. *Bière brune ou blonde.*

2. bière n. f. Cercueil. *La mise en bière est le moment où l'on place le mort dans le cercueil.*

bifteck n. m. Tranche de bœuf à griller. *Bifteck haché.*
Synonyme : steak.

bifurquer v. → conjug. **aimer**. **1** Se diviser en deux branches. *Une route qui bifurque.* **2** Prendre une autre direction. *Le train bifurque sur une voie de garage.*
    *Prenez à gauche à la **bifurcation**,* là où la route bifurque (**1**).

la bicyclette

Du célérifère du XVIIIᵉ siècle au vélo de course de l'an 2000, l'histoire de la bicyclette est une suite d'inventions.

Le célérifère du baron de Sivrac.

le grand-bi

Le grand-bi, encore appelé bicycle ou bi, utilise le système de pédalier du vélocipède de Pierre Michaux. Sa roue avant est trois fois plus grande que la roue arrière; elle peut atteindre 1,50 m de diamètre.

la draisienne

Mise au point en 1817 par le baron allemand Karl Friedrich Drais, elle est munie d'un guidon qui permet de diriger la roue avant.

la bicyclette

La première bicyclette « moderne » est mise au point en 1869 par le Français André Guilmet. Elle possède une chaîne de transmission, un pédalier disposé sur le cadre, et ses roues avant et arrière ont à peu près la même taille.

le vélo de course

La bicyclette est améliorée au fil des années, notamment avec les pneus, inventés par l'Écossais John B. Dunlop en 1888 et qui remplacent les roues en caoutchouc plein. Le frein apparaît en 1902, le dérailleur en 1925. Des matériaux très légers sont de plus en plus utilisés.

---

bigamie n. f. Situation d'une personne qui est mariée à deux personnes en même temps.
La religion musulmane autorise les hommes à être bigames, à pratiquer la bigamie.

bigarré, ée adj. Qui a des couleurs variées, bariolé.
La bigarrure d'un tissu, son aspect bigarré.

bigarreau, eaux n. m. Variété de cerise rouge et blanche, à chair ferme.

bigarrure n. f. → bigarré.

bigorneau, eaux n. m. Petit mollusque marin comestible, dont la coquille ressemble à celle d'un escargot.

bigoudi n. m. Petit rouleau autour duquel on enroule les cheveux par mèches pour les faire boucler.

bijou n. m. **Plur. : des bijoux.** Objet travaillé dans une matière précieuse, destiné à la parure.
On peut acheter une montre dans une bijouterie, un magasin qui vend des bijoux. Le bijoutier fabrique et vend des bijoux.

bilan n. m. **1** État annuel des comptes d'une société, d'une entreprise. *Dresser un bilan.* **2** Résultat d'ensemble. *Le bilan d'une catastrophe.*

bilatéral, ale, aux adj. Qui a deux côtés ou qui se rapporte à deux côtés. *Un stationnement bilatéral est autorisé sur les deux côtés d'une rue.*

a b c d e f g h i j k l m n o p q r s t u v w x y z

bilboquet n. m. Jeu d'adresse.

Le but du jeu est de lancer en l'air une boule percée et de la rattraper à l'aide d'un bâton qui doit s'enfiler dans le trou. Le bilboquet est très à la mode à la cour du roi de France Henri III, vers 1580.

bile n. f. *1* Suc digestif amer sécrété par le foie. *2* Familier. *Se faire de la bile :* s'inquiéter.

La vésicule biliaire est l'organe qui sécrète la bile.

bilingue adj. *1* Qui parle deux langues. *Son père est américain et sa mère française, il est bilingue. 2* Qui est écrit dans deux langues. *Un dictionnaire bilingue anglais-français.*

Le bilinguisme du Canada, le fait pour ce pays d'être bilingue (*1*).

billard n. m. Jeu pratiqué sur une table rectangulaire où l'on pousse une boule avec un long bâton appelé queue, pour toucher deux autres boules.

bille n. f. *1* Petite boule de verre ou de métal. *Jouer aux billes. 2* Grosse pièce de bois.

billet n. m. *1* Monnaie de papier. *Un billet de 10 euros. 2* Ticket permettant d'entrer quelque part ou d'emprunter un moyen de transport. *Billet de train, billet d'avion.*

billetterie n. f. *1* Endroit où l'on vend des billets. *Billetterie d'un musée. 2* Distributeur automatique de billets de banque ou de titres de transport.

billot n. m. Bille de bois dont une des surfaces est plane, pour couper du bois ou de la viande.

bimensuel, elle adj. Qui paraît deux fois par mois. *Une revue bimensuelle.*

bimestriel, elle adj. Qui paraît tous les deux mois.

bimoteur n. m. Avion muni de deux moteurs.

binaire adj. Qui est composé de deux éléments. *Un rythme binaire, à deux temps.*

binette n. f. Sorte de petite pioche à bout rectangulaire.

Il bine son potager, il retourne la terre avec une binette.

biniou n. m. Sorte de cornemuse bretonne.

biodégradable adj. Qui se détruit naturellement. *Les matières plastiques ne sont pas biodégradables.*

biographie n. f. Histoire de la vie d'une personne.

Il existe plusieurs biographes de Napoléon, des auteurs qui ont écrit sa biographie. *Faire une recherche biographique,* c'est chercher des informations sur la biographie d'une personne.

biologie n. f. Science de la vie et des êtres vivants.

Les biologistes recherchent un vaccin contre le sida, des spécialistes de biologie.

biologique adj. *1* Qui se rapporte à la biologie. *Les lois biologiques. 2* Qui est obtenu sans engrais ni insecticides chimiques. *Légumes biologiques.*

biologiste n. m. → biologie.

bipède n. m. Qui marche sur deux pieds. *L'homme est un bipède.*

bique n. f. Familier. Chèvre.

Une biquette est une jeune chèvre.

biréacteur n. m. Avion muni de deux réacteurs.

Birmanie → Myanmar.

1. bis, e adj. Gris-beige. *Le pain bis doit sa couleur au son qu'il contient. Une nappe en toile bise.*
Au masculin, on prononce [bi].

2. bis adv. et interj.
● adv. Indique la répétition d'un numéro. *Il habite au 2 bis de la rue des Bleuets.*
● interj. Cri par lequel le public demande à voir ou à entendre une nouvelle fois un numéro ou un morceau de musique.
On prononce [bis].

bisannuel, elle adj. *1* Qui a lieu tous les deux ans. *Une foire bisannuelle. 2* Plante bisannuelle :* dont le développement dure deux ans.

biscornu, ue adj. Qui a une forme irrégulière. *Une maison toute biscornue.*

biscotte n. f. Tranche de pain de mie séchée au four.

biscuit n. m. Gâteau sec.

bise n. f. *1* Vent du nord sec et froid. *2* Familier. Baiser. *Faire une bise à sa grand-mère.*

biseau, eaux n. m. Bord d'un objet taillé en oblique. *Biseau d'une lame de sabre.*

Une glace biseautée a des bords taillés en biseau.

bison n. m. Grand bœuf sauvage à la bosse laineuse. *Le massacre des bisons d'Amérique.*

bissectrice n. f. Demi-droite qui divise un angle en deux angles égaux.

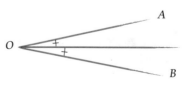

OI est la bissectrice de l'angle AOB. L'angle AOI est égal à l'angle BOI.

bissextile adj. *Année bissextile :* année de 366 jours (et non 365), qui revient tous les quatre ans. *Le mois de février d'une année bissextile comporte 29 jours, et non 28.*

bistouri n. m. Instrument tranchant utilisé par le chirurgien pour inciser.

bistre adj. D'une couleur brune tirant sur le gris. *La fatigue lui donne des cernes bistres sous les yeux.*

bistro n. m. Familier. Café ou café-restaurant. **On écrit aussi : bistrot.**

bitume n. m. Revêtement des chaussées et des trottoirs. **Synonyme : asphalte.**

bivouac n. m. Campement provisoire de plein air. *Les alpinistes décident de bivouaquer à mi-pente, ils installent leur bivouac sur la paroi.*

bizarre adj. Qui est inhabituel, étrange. *Une odeur bizarre. Une manie bizarre.* **Synonymes : curieux, insolite, saugrenu. Contraires : banal, habituel, normal.** *Il a répondu bizarrement, d'une façon bizarre. L'orthographe de la langue française est pleine de bizarreries, de choses bizarres.*

Bizet Georges

Compositeur français né en 1838 et mort en 1875. La virtuosité de Bizet, entré au Conservatoire à l'âge de 9 ans, est immédiatement remarquée par Liszt et Berlioz. À 19 ans, il obtient le prestigieux prix de Rome et séjourne trois ans en Italie. À son retour, Bizet compose l'opéra *les Pêcheurs de perles* (1863), suivi en 1872 de *l'Arlésienne.* Mais le succès le boude. Miné par la maladie, il meurt prématurément à l'âge de 37 ans. *Carmen* (1875), son œuvre la plus célèbre, est aujourd'hui l'opéra le plus joué à travers le monde.

---

blafard adj. D'un blanc terne. *Un teint blafard.*

blague n. f. *1* Plaisanterie. *Raconter des blagues.* *2* Farce. *Faire une blague à quelqu'un.*

Le crémier aime bien blaguer avec ses clients, dire des blagues (*1*).

blaireau n. m. *1* Mammifère omnivore. *Un terrier de blaireau.* *2* Sorte de gros pinceau à manche court pour se savonner la barbe avant le rasage.

Le blaireau est un animal trapu et court sur pattes, long d'environ 80 cm. Sa fourrure est épaisse, sa tête est bicolore et ses pattes sont noires. Le blaireau vit dans un terrier profond d'où il sort la nuit pour chasser. L'hiver, il hiberne. Les poils du blaireau sont utilisés pour fabriquer de gros pinceaux.

blâme n. m. Sanction, réprimande prononcée officiellement contre quelqu'un. *Cet élève a été blâmé en conseil de discipline,* puni d'un blâme. *Une action blâmable* mérite un blâme.

blanc, blanche adj., n., n. m. et n. f.
● adj. *1* De la couleur du lait ou de la neige. *Des draps bien blancs. Des cheveux blancs.* *2* D'une couleur claire. *Du raisin blanc. Du pain blanc. Du bois blanc.* *3* Qui n'est pas écrit, vierge. *Feuille blanche. Mettre un bulletin blanc dans l'urne.* *4* *Nuit blanche :* nuit passée sans dormir. *5* *Voix blanche :* voix sans timbre, sous l'effet de la frayeur, de l'inquiétude, de la tristesse. *6* *Examen blanc :* examen passé dans les conditions réelles, mais dont le résultat ne compte pas. *7* *Donner carte blanche à quelqu'un :* lui laisser l'entière liberté de faire quelque chose comme il veut.
● n. Être humain ayant la peau claire. *Les Blancs et les Noirs.*
● n. m. *1* Couleur blanche. *Le blanc réfléchit la lumière.* *2* Peinture blanche. *Un tube de blanc.* *3* Espace non écrit. *Laisser un blanc entre deux paragraphes.* *4* Substance ou partie blanche. *Le blanc d'œuf. Le blanc de l'œil. Du blanc de poireau.* *5* Vin blanc. *6* *Chèque en blanc :* signé, mais sans montant ni destinataire. *7* *Tirer à blanc :* avec une cartouche sans balle.
● n. f. Note de musique équivalant à la moitié d'une ronde ou à deux noires.
Un mur blanchâtre, d'une couleur qui tire sur le blanc. *La blancheur immaculée de la colombe,* sa couleur blanche.

blanc-bec n. m. **Plur. : des blancs-becs.** Jeune homme à la fois inexpérimenté et trop sûr de lui.

blanchâtre adj., **blancheur** n. f. → blanc.

blanchir v. → conjug. **finir**. *1* Rendre blanc. *L'eau de Javel blanchit le linge. Blanchir une façade à la chaux.* *2* Devenir blanc. *Ses cheveux ont blanchi.* *3* Au figuré. Laver d'un soupçon. *Les conclusions de l'enquête l'ont blanchi de cette accusation.*
Synonymes : innocenter (*3*), disculper (*3*).

blanchisserie n. f. Magasin où l'on donne à laver et à repasser des vêtements, du linge.

blanquette n. f. Ragoût de veau en sauce blanche.

blasé, ée adj. Qui est devenu indifférent à tout. *Il est tellement gâté que rien ne lui fait plus plaisir, il est blasé.*
Synonyme : désabusé.

blason n. m. Emblème d'une famille noble ou d'une ville.

blasphème n. m. Parole qui outrage la religion. *Blasphémer, c'est dire des blasphèmes. Tenir des propos blasphématoires*, qui constituent un blasphème.

blatte n. f. Insecte appelé aussi cafard ou cancrelat.

La blatte vit dans les habitations et se nourrit de détritus. Elle mesure de 2 à 3 cm de longueur et est surtout nocturne. Elle se multiplie très rapidement.

Blatte commune.

blazer n. m. Veste généralement en flanelle bleu marine.
Mot anglais qui se prononce [blazɛʀ].

blé n. m. Céréale dont on moud le grain pour obtenir de la farine.

Le blé est une des plus anciennes cultures du monde. Cette céréale était en effet cultivée il y a plus de 6 000 ans en Égypte et en Mésopotamie. Les principales variétés sont le blé tendre, utilisé pour la fabrication du pain, le blé dur, pour la semoule et les pâtes, et le blé noir ou sarrasin, pour les galettes.

Épi (40 à 60 grains).

Tige (paille).

blême adj. Très pâle. *Un teint blême.*
Il a blêmi sous l'affront, il est devenu blême.

Aviateur et industriel français né en 1872 et mort en 1936. Blériot est le premier à réussir la traversée de la Manche en avion.
Il réalise cet exploit le 25 juillet 1909, à bord du *Blériot XI*, un monoplan qu'il a lui-même construit.
Parti de Calais, en France, à 4 h 35, il atterrit à Douvres, en Angleterre, à 5 h 13. Blériot est également le constructeur du Spad, célèbre avion de combat utilisé lors de la Première Guerre mondiale.

blesser v. → conjug. **aimer**. *1* Faire une plaie, une contusion. *Il a été mortellement blessé dans un accident. Ces chaussures me blessent au talon.* *2* Offenser, faire de la peine. *Il ne m'a pas invité, et ça m'a blessé.*
Elle m'a dit des paroles blessantes, qui m'ont blessé (*2*). *L'accident a fait trois blessés*, trois personnes qui ont été blessées (*1*).

blessure n. f. *1* Plaie. *Ta blessure au genou s'est bien refermée.* *2* Offense, humiliation. *Une blessure d'amour-propre.*

blet, blette adj. Qui est trop mûr. *Poire blette.*

blette n. f. → **bette**.

bleu, bleue adj. et n. m.
• adj. *1* De la couleur du saphir ou d'un ciel sans nuage. *2* Très peu cuit, quand il s'agit d'une viande grillée. *Vous voulez votre steak bleu, saignant ou à point ?*
• n. m. *1* Couleur bleue. *Le bleu turquoise de la mer en Grèce.* *2* Meurtrissure bleue sur la peau à la suite d'un coup. *Se faire un bleu.* *3* Fromage contenant des moisissures. *Bleu de Bresse.*
4 *Bleu de travail :* combinaison d'ouvrier en toile bleue. *Les nouveau-nés ont les yeux bleuâtres*, d'une couleur qui tire sur le bleu. *Le ciel bleuit progressivement avec le lever du jour*, devient bleu. *Un blanc bleuté*, qui comporte une nuance de bleu. *Le bleuet est une fleur des champs d'un bleu intense.*

blinder v. → conjug. **aimer**. *1* Renforcer avec un revêtement métallique. *2* Au figuré et familier. Endurcir. *Se blinder contre les critiques.*
On a doublé la porte d'entrée avec un blindage en acier, on l'a blindée (*1*). *Un régiment de blindés*, composé de véhicules militaires (char, tank…) blindés (*1*).

blizzard n. m. Vent glacial du Grand Nord, qui accompagne les tempêtes de neige.

bloc n. m. *1* Gros morceau. *Bloc de pierre. 2* Ensemble de feuilles détachables. *Bloc de papier à lettres, d'ordonnances. 3 Faire bloc contre quelqu'un :* s'unir contre lui. *4 Bloc opératoire :* ensemble des installations réservées aux interventions chirurgicales. *5 À bloc :* à fond, complètement. *Pneus gonflés à bloc. 6 En bloc :* en totalité. *Les grévistes ont refusé en bloc toutes les propositions du directeur.*

blocage n. m. → **bloquer.**

bloc-notes n m. Bloc de papier à feuilles détachables. *Je note les courses que je dois faire sur un bloc-notes.*

blocus n. m. Siège d'une ville, d'un port ou d'un pays, destiné à couper toute communication avec l'extérieur.
On prononce [blɔkys].

Blois

Ville française de la Région Centre, située sur les bords de la Loire. Blois est une ville industrielle aux activités variées : chimie, électricité, construction mécanique, chocolaterie, imprimerie… Dans son château, dont les différentes parties ont été construites entre les XIIIᵉ et XVIIᵉ siècles, François Iᵉʳ fit édifier un magnifique escalier au style italien. La ville possède également une cathédrale et plusieurs églises à l'architecture remarquable.
Blois voit naître, en 1462, le roi de France Louis XII. En 1588, la ville est le théâtre de l'assassinat du duc de Guise, commandité par le roi Henri III.

41 *Préfecture du Loir-et-Cher*
51 832 habitants : les Blésois

blond, blonde adj. *1* De la couleur la plus claire, quand il s'agit des cheveux. *Des cheveux blond cendré. 2* Jaune. *Bière blonde. Tabac blond.*
Contraire : brun.

bloquer v. → conjug. **aimer.** *1* Arrêter ou empêcher un mouvement. *Bloquer des roues avec une cale. Être bloqué par la neige dans un village de montagne. 2* Empêcher le passage, obstruer. *La route est bloquée par une manifestation.*
*Le **blocage** du ballon par le gardien de but,* l'action de le bloquer (*1*).

se blottir v. → conjug. **finir.** Se recroqueviller ou se serrer contre quelqu'un. *Enfant qui se blottit dans les bras de sa mère.*

blouse n. f. Vêtement de travail que l'on porte par-dessus ses vêtements. *Blouse blanche du médecin.*

blouson n. m. Veste de sport courte et resserrée aux hanches. *Blouson de cuir. Blouson en jean.*

blue-jean n. m. **Plur. : des blue-jeans.** Pantalon en toile bleue très solide, avec de nombreuses poches et des coutures apparentes.
Synonyme : jean. Mot anglais qui se prononce [bludʒin].

blues n. m. Chant mélancolique, au rythme lent, des esclaves noirs dans les plantations de coton du sud des États-Unis, et musique qui s'en inspire. *Chanteur de blues.*
Mot anglais qui se prononce [bluʒ].

bluff n. m. Attitude, parole ou action ayant pour but d'impressionner, de faire illusion.
Synonymes : vantardise, esbroufe, frime. Mot anglais qui se prononce [blœf].
*Il a voulu me **bluffer** en prétendant avoir plongé de dix mètres,* il a fait du bluff.

B. N. F.

Sigle de la Bibliothèque nationale de France. La B.N.F. est un établissement public dont la vocation est de conserver un exemplaire de chaque publication française. Installée à Paris, elle occupe deux sites, l'un rue de Richelieu, l'autre inauguré en 1998 sur les bords de la Seine. La B.N.F abrite plus de 13 millions de livres stockés sur quelque 420 km d'étagères et reçoit chaque année 80 000 nouveaux ouvrages.

boa n. m. Grand serpent d'Amérique du Sud, non venimeux, qui étouffe ses proies dans ses anneaux.

bob n. m. Petit chapeau rond en toile, dont on peut relever les bords.

Bobigny

Ville française de la Région Île-de-France, située en banlieue parisienne, sur le canal de l'Ourcq. Bobigny possède des petites industries, des activités de services et une faculté de médecine. La ville doit son développement à sa proximité avec Paris.

93 *Préfecture de la Seine-Saint-Denis*
44 318 habitants : les Balbyniens

bobine n. f. Petit cylindre sur lequel on enroule quelque chose. *Bobine de fil. Bobine de film.*

bobo n. m. Familier. Petite blessure sans gravité.

bobsleigh

bobsleigh n. m. Traîneau articulé à plusieurs places qui peut glisser très rapidement sur la glace.
Mot anglais qui se prononce [bɔbslɛg].

Monté sur quatre patins articulés de 70 cm de longueur, le bobsleigh embarque deux ou quatre bobbeurs. Il est dirigé à l'aide d'un volant par le premier bobbeur. Le dernier manœuvre les freins. Les courses de vitesse ont lieu en plusieurs manches sur des pistes glacées longues de 1 200 à 1 500 m. Les virages très relevés des pistes rendent les courses très spectaculaires mais aussi très dangereuses (le bobsleigh peut atteindre 200 km/h). Le bobsleigh figure aux jeux Olympiques depuis 1924.

bobtail n. m. **Plur. : des bobtails.** Chien de berger à poils très longs et rêches.
Mot anglais qui se prononce [bɔbtɛl].

bocage n. m. Région de prés et de champs bordés par des haies ou par des arbres. *Le Bocage normand.*

bocal, aux n. m. Récipient en verre à large ouverture. *Un bocal de cornichons, de cerises à l'eau-de-vie.*

Boccace

Écrivain italien né en 1313 et mort en 1375. Son vrai nom est Giovanni Boccaccio. Boccace préfère la carrière des lettres à celle de la banque à laquelle son père le destinait.
Avec son ami Pétrarque, il est l'un des précurseurs de l'humanisme, mouvement de la Renaissance qui rompt avec l'inspiration du Moyen Âge pour renouer avec celle de l'Antiquité.
L'œuvre la plus célèbre de Boccace, le *Décaméron*, est un recueil d'une centaines de nouvelles où les personnages racontent leur joie de vivre et leurs intrigues amoureuses.

bœuf n. m. **1** Taureau castré. **2** Viande de bovin. *Un ragoût de bœuf.*
On prononce [bœf] **au singulier et** [bø] **au pluriel.**

1. bogue n. m. Défaut d'un logiciel, qui entraîne des anomalies de fonctionnement.
Synonyme : bug.

2. bogue n. f. Enveloppe garnie de piquants de la châtaigne.

Boileau Nicolas

Écrivain français né en 1636 et mort en 1711. Grand admirateur des auteurs latins tels Horace et Juvénal, Boileau se place en défenseur du style classique. En 1677, cet ami de Molière et de Racine est chargé d'écrire l'histoire de Louis XIV. Quelques années plus tard, il entre à l'Académie française. Parmi ses œuvres les plus célèbres, il faut citer *les Satires*, petites pièces critiques sur les mœurs de son temps, et *l'Art poétique*, poème fixant les règles de l'écriture classique.

boire v. **1** Avaler un liquide. *Boire un jus de fruits.* **2** Absorber de l'alcool en quantité excessive. *Il a arrêté de boire.* **3** Absorber un liquide, quand il s'agit d'un sol ou d'une matière poreuse. *La terre boit l'eau.* **4** *Boire les paroles de quelqu'un :* l'écouter avec avidité, avec admiration.
*Veux-tu une **boisson** chaude ?* Un liquide qui peut se boire.

La conjugaison du verbe	
BOIRE 3e groupe	
indicatif présent	**je bois, il ou elle boit, nous buvons, ils ou elles boivent**
imparfait	**je buvais**
futur	**je boirai**
passé simple	**je bus**
subjonctif présent	**que je boive**
conditionnel présent	**je boirais**
impératif	**bois, buvons, buvez**
participe présent	**buvant**
participe passé	**bu**

bois n. m. **1** Matière dont sont faits les troncs des arbres. *Du bois de chêne.* **2** Terrain couvert d'arbres. *Se promener dans le bois.* **3** Au pluriel. Cornes ramifiées des cerfs, des rennes, etc. *Les bois des cervidés tombent et repoussent* chaque année. **4** Instrument de musique à vent en bois. *Le basson, le hautbois, etc., font partie de la famille des bois. Une région boisée*, couverte de bois (**2**). *Un mur avec des boiseries*, des panneaux décoratifs en bois (**1**).

boisson n. f. → boire.

boîte n. f. **1** Récipient généralement muni d'un couvercle. *Boîte à chaussures. Boîte de conserve.* **2** *Boîte à lettres* ou *boîte aux lettres* : boîte dans laquelle le facteur prend ou dépose le courrier. **3** *Boîte de vitesses* : partie du moteur d'une voiture qui contient les engrenages des changements de vitesse. **4** *Boîte noire* : appareil électronique qui enregistre les données du vol d'un avion, et qui permet d'en vérifier après coup le déroulement. **5** *Boîte de nuit* : discothèque.
Ne pas confondre « boîte » avec « il boite », du verbe « boiter ».

boiter v. → conjug. **aimer.** Marcher en penchant d'un côté. *Sa blessure le fait boiter.*
Synonyme : claudiquer.
Il boitille depuis son opération du genou, il continue de boiter un peu.

boiteux, euse adj. **1** Qui boite. *Un cheval boiteux.* **2** Qui n'est pas stable, branlant. *Une table boiteuse.*

boîtier n m. Boîte, étui qui contient un appareil ou un mécanisme. *Boîtier d'un appareil photo.*

boitiller v. → boiter.

bol n. m. **1** Récipient rond pour les boissons. **2** Contenu d'un bol. *Un bol de chocolat chaud.*

boléro n. m. Petit gilet de femme court, sans manches ni boutons.

bolet n. m. Champignon à pied charnu, sans lamelles, dont certaines espèces, comme le cèpe, sont d'excellents comestibles.

bolide n. m. Voiture très rapide.

bombance n. f. *Faire bombance :* faire un très bon repas, festoyer.

Bombay (ou : Mumbai)

Deuxième ville de l'Inde située sur la côte ouest de l'Inde. Bombay abrite le plus grand port de l'océan Indien. C'est un important centre d'affaires où l'industrie et le commerce sont florissants. Le textile tient une grande place. Le port, l'aéroport et les nombreuses liaisons ferroviaires sont à l'origine de ce développement. La ville est très peuplée, elle compte plus de 12,5 millions d'habitants. C'est là que se trouve le plus grand bidonville du monde, le Dharavi. L'architecture est un mélange de style colonial anglais et de constructions modernes. Bombay est le centre de l'industrie du cinéma indien. Au XIXe siècle, Bombay est une des capitales de l'Inde Britannique.

bombe n. f. **1** Engin explosif. *Désamorcer une bombe à retardement.* **2** Récipient contenant une substance sous pression. *Bombe insecticide.* **3** Chapeau rond et rigide des cavaliers. *Mettre une bombe pour monter à cheval.*
La gare a été bombardée, elle a reçu des bombes, elle a subi *un bombardement* des avions ennemis. *Un bombardier* est un avion qui lance des bombes.

bombé, ée adj. Arrondi, renflé. *Avoir le front bombé.*

bombyx n.m. Papillon dont la chenille est le ver à soie.

bôme n. f. Barre horizontale sur laquelle s'attache la partie basse de la grand-voile d'un bateau.
Homonyme : baume.

bon, bonne adj., adv., interj. et n. m.
● adj. **1** Qui a les qualités qu'il faut. *Une bonne terre.*

Bolivie

République d'Amérique du Sud. La Bolivie se répartit entre la cordillère des Andes à l'ouest et une région de vastes plaines à l'est. Elle n'a pas d'accès à la mer. L'exploitation minière (or, argent, étain) constitue le principal revenu de cet État qui compte parmi les plus pauvres de l'Amérique du Sud. La culture du coca, le plus souvent illégale, aboutit à la fabrication de quelque 400 tonnes de cocaïne par an. Au XVIe siècle, la Bolivie est sous domination espagnole. Les Espagnols y fondent La Paz (siège du gouvernement), à 3 800 m d'altitude. Le pays devient indépendant en 1825.

1 098 581 km²
8 645 000 habitants :
les Boliviens
Langues : espagnol,
quechua, aymara, guarani
Monnaie : boliviano
Capitale : Sucre

Avoir une bonne vue. **2** Qui fait bien son travail, habile, ou qui tient bien son rôle. *Un bon vendeur. C'est un bon père.* **3** Bienveillant, généreux. *Un homme bon. Un bon geste.* **4** Exact, correct, juste. *Le résultat est bon. Arriver au bon moment.* **5** Qui a une valeur intellectuelle ou artistique, qui est bien fait. *Un bon film. C'est du bon travail.* **6** Agréable, plaisant. *Un bon dessert. Une bonne odeur.* **7** Gros ou grand. *Prendre une bonne fessée. J'attends depuis un bon moment.*

> *Ce vieillard a un regard plein de* **bonté**, *qui manifeste que c'est un homme bon.*

● adv. **1** *Il fait bon :* la température est agréable, ni trop chaude, ni trop froide. **2** *Sentir bon :* avoir une odeur agréable. **3** *Tenir bon :* résister.

● interj. **1** Indique la satisfaction, l'approbation. *Bon ! Ça ira comme ça !* **2** *Ah bon ! :* indique la surprise. *Ah bon ? Il dort encore ?*

● n. m. Papier qui donne droit à quelque chose. *Bon d'essence. Bon de réduction.*

Bonaparte → **Napoléon Iᵉʳ Bonaparte.**

bonbon n. m. Friandise à base de sucre.
> *Une* **bonbonnière** *est une boîte à bonbons.*

bonbonne n. f. Grosse bouteille. *Bonbonne de gaz.*

bonbonnière n. f. → bonbon.

bond n. m. **1** Saut. *Le kangourou avance par bonds.* **2** Au figuré. *Bond en avant :* progrès soudain et rapide. **3** Au figuré. *Faire faux bond à quelqu'un :* manquer un rendez-vous ou manquer à une promesse.

 Barnabé **bondit** *sur le bandit*, il saute sur lui d'un bond.

bondé, ée adj. Plein, comble. *Métro bondé.*

bondir v. → bond.

bonheur n. m. **1** État dans lequel on se trouve quand on est complètement heureux. **2** Ce qui rend heureux. *Quel bonheur de vous revoir !* **3** *Par bonheur :* par chance. **4** *Porter bonheur :* provoquer la chance.

bonhomie n. f. Bonté et simplicité dans les manières. *Accueillir quelqu'un avec bonhomie.*

bonhomme n. m. Plur. : des bonshommes. Familier. Homme ou garçon. *Un petit bonhomme.*
On prononce [bɔnɔm] **au singulier et** [bɔ̃zɔm] **au pluriel.**

boniment n. m. Discours trompeur. *Dire, raconter des boniments.*

bonjour n. m. **1** Formule de salutation. *Bonjour, monsieur. Vous lui direz bonjour de ma part.* **2** *Simple comme bonjour :* tout à fait simple.

bon marché adj. inv. Qui ne coûte pas cher. *Des fruits bon marché.*
Synonyme : avantageux.

Bonnard Pierre

Peintre, illustrateur et graveur français né en 1867 et mort en 1947. Bonnard rejoint très tôt le groupe des nabis, artistes inspirés de l'art traditionnel japonais et influencés par Gauguin, qui privilégient les larges aplats de couleurs pures. Il utilise une palette aux couleurs chaudes et vibrantes. Parmi ses œuvres les plus célèbres, il faut citer *Femmes au jardin* (1891), *la Partie de croquet* (1892), *la Place Clichy* (1912) et *Déjeuner* (1927).

La Partie de croquet

1. bonne adj. → bon.

2. bonne n. f. Domestique logée chez ses patrons. *Chambre de bonne.*

bonne femme n. f. Plur. : des bonnes femmes. Familier. Femme.

bonnement adv. *Tout bonnement :* tout simplement.

bonnet n. m. **1** Coiffure souple et sans bord. *Bonnet de laine.* **2** *Prendre quelque chose sous son bonnet :* en prendre la responsabilité.

bonneterie n. f. Fabrication et commerce de sous-vêtements, chaussettes, etc. *Articles de bonneterie.*

bonsaï n. m. Arbre nain cultivé en pot.
On écrit aussi : bonzaï.

Bonsaï est un mot japonais qui signifie « arbre en pot ». L'art de la culture du bonsaï, d'origine chinoise, s'est transmis au Japon au XIIᵉ siècle. Le but est d'obtenir un arbre miniature dont la forme et le feuillage ressemblent à ceux de l'arbre correspondant dans la nature. Le plant est maintenu dans un pot étroit ; sa croissance est contrôlée par des coupes fréquentes des branches et des racines.

bon sens n. m. Capacité à bien juger. *Avoir beaucoup de bon sens. Manquer de bon sens.*

bonsoir n. m. Formule de salutation du soir.

bonté n. f. → **bon.**

bonus n. m. Réduction qu'on accorde sur le prix de l'assurance d'une voiture aux conducteurs qui n'ont pas eu d'accident.
Contraire : malus. On prononce [bɔnys]**.**

bonzaï n. m. → **bonsaï.**

bonze n. m. Moine bouddhiste.

boomerang n. m. Arme utilisée par les aborigènes australiens, constituée d'une lame de bois dur.
Mot anglais qui se prononce [bumʀɑ̃g]**.**

Le boomerang revient vers le lanceur s'il ne touche pas sa cible. Le lancer du boomerang est devenu un sport. Ses records : 90 km/h de vitesse et 238 m de distance avant retour.

bord n. m. *1* Contour, limite d'une surface. *Le bord de la table. Au bord de la mer. 2 Monter à bord :* sur un bateau ou dans un avion. *3 Être au bord des larmes :* tout près de pleurer.

bordeaux n. m. et adj.
• n. m. Vin produit dans la région de Bordeaux.
• adj. De la couleur de ce vin, rouge grenat.

Bordeaux

Ville française de la Région Aquitaine, située sur les bords de la Garonne. Bordeaux abrite un port maritime sur la Gironde. Le commerce des célèbres vins de Bordeaux est la principale activité.
La cathédrale Saint-André, le palais Gallien, le Grand-Théâtre ou la porte de Bourgogne témoignent du passé historique florissant de la ville. Bordeaux possède aussi des musées (préhistoire, art contemporain). En 1154, à la suite du mariage d'Aliénor d'Aquitaine avec Henri Plantagenêt, la ville devient territoire anglais avant d'être rattachée à la France en 1453.

33 **Préfecture de la Gironde**
218 948 habitants : les Bordelais

border v. → conjug. **aimer.** *1* Former le bord d'une chose. *Une rangée d'arbres bordent la route. 2* Replier le bord des draps et des couvertures sous le matelas. *Border un enfant dans son lit.*

bordure n. f. Bord, lisière. *J'habite en bordure de forêt.*

boréal, ale, aux adj. Qui est au nord ou près du pôle Nord. *Hémisphère boréal. Mers boréales.*
Contraire : austral.

borgne adj. Qui ne voit plus que d'un œil. *Un homme borgne.*

borne n. f. *1* Pierre ou marque indiquant les limites d'un terrain ou une distance. *Les bornes kilométriques. 2* Au pluriel et au figuré. Limites. *Une bêtise sans bornes.*

borné, ée adj. Dont l'esprit, la faculté de comprendre sont limités, étroits. *Une personne bornée.*
Synonyme : obtus. Contraire : ouvert.

se borner v. → conjug. **aimer.** Se limiter à quelque chose, se contenter de faire quelque chose. *Pour toute réponse, elle se borna à un signe de tête.*

Borodine Alexandre

Compositeur russe né en 1833 et mort en 1887. Borodine apprend seul la musique. En 1863, il rejoint le «groupe des Cinq», compositeurs qui veulent créer une musique au style russe inspirée par le folklore et la culture de leur pays. Borodine consacre plus de vingt ans à son œuvre principale, *le Prince Igor*, qu'il laisse pourtant inachevée.

Bosch Jérôme

Peintre flamand né vers 1450 et mort vers 1516. Son vrai nom est Jheronimus Van Aken. Son œuvre traite notamment des thèmes de la morale, du bien et du mal, et de la religion. Sur ses tableaux (une trentaine), se mêlent, à côté de personnages réalistes inspirés de la culture populaire, des êtres fantastiques et monstrueux. Parmi ses œuvres les plus célèbres, on peut citer *le Jardin des délices, le Jugement dernier* et *la Charette de foin.*

La Charette de foin

Bosco

Bosco Henri

Poète et écrivain français né en 1888 et mort en 1976. Les principaux romans de Bosco, qui ont pour cadre la Provence, sont imprégnés d'une atmosphère surnaturelle. Parmi eux, on peut citer *l'Âne Culotte* (1937), *l'Enfant et la rivière* (1945), *le Mas Théotime* (1945) et *Malicroix* (1948).

Bosnie-Herzégovine

République de la péninsule des Balkans. La Bosnie est un pays montagneux. La population se partage en trois communautés : les Musulmans, les Serbes (orthodoxes) et les Croates (catholiques). Ce pays très pauvre a été ruiné par la guerre de 1992-1995. République de l'ex-Yougoslavie, la Bosnie devient indépendante en 1992.
Un violent conflit oppose alors les Croates et les Musulmans aux Serbes, qui déclenchent une guerre civile, entraînant massacres et expulsions des populations non serbes. Le traité de paix, signé en 1995, aboutit à la création d'un État de Bosnie-Herzégovine constitué de deux entités autonomes : la Fédération croato-musulmane et la République serbe de Bosnie. Encore très fragile, le pays se reconstruit lentement.

51 129 km²
4 126 000 habitants :
les Bosniaques
Langues : bosniaque,
serbe et croate
Monnaie : Mark
convertible (KM)
Capitale : Sarajevo

Bosphore

Détroit situé en Turquie et séparant l'Europe de l'Asie. Le Bosphore est long de 30 km. Ce bras de mer, dont le nom signifie en grec « passage de la vache », ouvre une voie de communication entre la mer Noire et la mer de Marmara. La ville d'Istanbul est construite du côté européen, sur sa rive ouest.

bosquet n. m. Petit groupe d'arbres.

bosse n. f. *1* Enflure due à un choc. *J'ai une grosse bosse sur le front. 2* Grosseur dans le dos résultant d'une malformation de la colonne vertébrale. *3* Protubérance naturelle sur le dos de certains animaux. *Bosse du dromadaire, du zébu. 4* Partie en relief d'une surface. *Route pleine de bosses.*
Quasimodo était **bossu**, il avait une bosse (*2*).

bot adj. *Pied bot :* pied difforme.

botanique n. f. et adj.
● n. f. Science qui étudie les plantes.
● adj. *Jardin botanique :* où l'on cultive différentes espèces de plantes, pour les étudier et les présenter au public.
Un **botaniste** nous a donné le nom des fleurs des dunes, un spécialiste de la botanique.

Botswana

République du sud de l'Afrique. Le Botswana est occupé aux deux tiers par le vaste désert du Kalahari. Deuxième producteur mondial de diamants après l'Afrique du Sud, il exploite aussi le cuivre, le nickel et le charbon. La population rurale vit essentiellement de l'élevage bovin itinérant, pratiqué dans les zones de savane. Les Bochimans, peuple nomade qui pratique la cueillette et la chasse, vivent dans le désert du Kalahari. Indépendant depuis 1966, le Botswana est membre du Commonwealth.

581 730 km²
1 770 000 habitants :
les Botswanais
Langues : setswana,
anglais
Monnaie : pula
Capitale : Gaborone

botte n. f. *1* Chaussure qui couvre le pied et le mollet. *Bottes d'équitation, de moto. 2* En escrime, coup donné avec la pointe de l'épée ou du fleuret. *3* Assemblage de fleurs, de légumes, etc., dont les tiges sont liées. *Une botte de poireaux, de radis. Mettre de la paille en bottes.*
Le chat **botté** du conte portait des bottes (*1*). L'hiver, elles mettent des **bottillons**, des bottes (*1*) courtes et fourrées.

Botticelli Alessandro

Peintre italien né vers 1445 et mort vers 1510. Son vrai nom est Alessandro di Mariano Filipepi. Élève de deux peintres italiens renommés, Filippo Lippi et Verrocchio, Botticelli possède son propre atelier à partir de 1470. Il peint pour les grandes familles de Florence, notamment celle des Médicis. De 1481 à 1482, il se rend à Rome, où il réalise plusieurs fresques pour la chapelle Sixtine du Vatican. Peintre de la lumière et du mouvement, cet artiste de la Renaissance italienne puise son inspiration dans les mythes de l'Antiquité ainsi que dans les thèmes religieux. Il a peint de nombreuses madones. *Le Printemps* (vers 1478), *la Naissance de Vénus* (vers 1484) et *le Couronnement de la Vierge* (vers 1488) comptent parmi ses œuvres les plus célèbres.

La Naissance de Vénus

bottine n. f. Chaussure montante de femme, très ajustée autour de la cheville.

bouc n. m. *1* Mâle de la chèvre. *2* Petite barbe à la pointe du menton. *3* *Bouc émissaire :* personne que l'on rend responsable de fautes commises par d'autres.

bouche n. f. *1* Ouverture dans le bas du visage, communiquant avec l'appareil digestif et avec les voies respiratoires. *Respirer par la bouche. Avoir une grande bouche. 2* Ouverture, orifice. *Bouche d'égout. Bouche de métro. 3 Faire la fine bouche :* faire le difficile. *4 Rester bouche bée :* la bouche grande ouverte sous l'effet de la surprise, de l'admiration.

bouche-à-bouche n. m. inv. Méthode destinée à réanimer une personne asphyxiée, consistant à lui insuffler régulièrement dans la bouche de l'air de ses propres poumons.

bouchée n. f. *1* Morceau de nourriture. *Une bouchée de viande. 2* Bonbon fourré au chocolat. *3* Au figuré. *Une bouchée de pain :* un prix dérisoire. *Acquérir un* terrain pour une bouchée de pain. *4* Au figuré. *Mettre les bouchées doubles :* redoubler d'efforts.

1. boucher v. → conjug. **aimer.** *1* Fermer une ouverture ou un passage. *Boucher un trou. Se boucher le nez. Le camion-poubelle bouche la rue. 2* Fermer avec un bouchon. *Du cidre bouché. 3 Se boucher :* se couvrir, quand il s'agit du ciel. *Un horizon bouché.*

2. boucher, ère n. Personne ayant pour métier de vendre de la viande.
La **boucherie** est le magasin que tient le boucher.

Boucher François

Peintre français né en 1703 et mort en 1770. Boucher est profondément influencé par Watteau, dont il reproduit 125 œuvres lors de son apprentissage. Artiste de la légèreté, du raffinement et de la joie de vivre, il est très apprécié par l'aristocratie de son époque. Grand protégé de Mme de Pompadour, il réalise de multiples travaux de décoration au château de Versailles. En 1765, il est nommé premier peintre du roi Louis XV. Parmi ses œuvres les plus connues, on peut citer *Diane sortant du bain, le Triomphe de Vénus* et *l'Enlèvement d'Europe.*

L'Enlèvement d'Europe

bouche-trou n. m. **Plur. : des bouche-trous.** Personne ou chose qu'on utilise pour occuper une place laissée vide. *Servir de bouche-trou.*

bouchon n. m. *1* Objet servant à boucher un récipient, une bouteille. *2* Embouteillage. *On signale un bouchon de 5 km sur l'autoroute du Sud.*

bouchonner v. → conjug. **aimer.** *1* Frictionner un cheval avec de la paille pour le nettoyer et le sécher. *2* Former un embouteillage. *Ça bouchonne aux abords de Lyon.*

boucle n. f. *1* Anneau ou rectangle servant à fermer une ceinture, une courroie. *2* *Boucle d'oreille* : bijou qu'on accroche à l'oreille. *3* Coude formé par un fleuve ou une rivière. *Les boucles de la Seine.* *4* Mèche de cheveux qui s'enroule sur elle-même. *Une boucle s'échappe de son chignon.*

Une petite fille aux boucles blondes, dont les cheveux font des petites boucles (*4*).

boucler v. → conjug. **aimer.** *1* Fermer au moyen d'une boucle. *Il ne faut jamais oublier de boucler sa ceinture de sécurité.* *2* Faire des boucles. *Elle a les cheveux qui bouclent naturellement.* *3* Encercler, cerner. *Après la manifestationde ce matin, la police a bouclé le quartier.*

bouclette n. f. → boucle.

bouclier n. m. Plaque épaisse que les guerriers portaient à un bras pour parer les coups.

Bouddha

Sage du nord de l'Inde né vers 560 av. J.-C. et mort vers 476. Il est le fondateur du bouddhisme. Son vrai nom est Siddhârta Gautama. Son surnom, Bouddha, signifie « l'Éveillé ». Fils de prince, Bouddha s'émeut des souffrances endurées par les hommes et décide de renoncer à toute richesse pour se consacrer à la méditation. Après avoir reçu « la Révélation », il enseigne sa doctrine, permettant à chacun d'atteindre le nirvâna, le bonheur absolu. À sa mort, sa philosophie se répand en Asie centrale et en Chine.

bouddhisme n. m. Religion et philosophie très répandues en Extrême-Orient.

Les moines bouddhistes sont des adeptes du bouddhisme.

***Regarde* religion.**

bouder v. → conjug. **aimer.** Montrer qu'on est de mauvaise humeur en prenant un air renfrogné, et en refusant de parler. *Cette habitude qu'il a de bouder est agaçante.*

Depuis quelques jours, il a l'air boudeur, l'air de quelqu'un qui boude. *Arrête ta bouderie,* arrête de bouder.

boudin n. m. *1* Charcuterie faite d'un long boyau rempli de sang et de graisse de porc. *Boudin noir.* *2* *Boudin blanc* : boyau rempli d'une farce de viande blanche liée avec du lait et des œufs.

boudiné, ée adj. *1* Serré dans un vêtement trop étroit. *Il se sent boudiné dans son costume neuf.* *2* Se dit de doigts courts et gros.

boue n. f. Terre détrempée. *Les canards adorent patauger dans la boue.*

Homonymes : bout (n. m.) **et bout** (3e personne du singulier du verbe bouillir).

Un chemin boueux est recouvert de boue.

bouée n. f. *1* Anneau de caoutchouc ou de plastique rempli d'air, qui permet de se maintenir à la surface de l'eau. *Apprendre à nager sans bouée. Bouée de sauvetage.* *2* Objet flottant servant à baliser l'entrée d'un port, à repérer un casier pour la pêche, etc.

boueux adj. → boue.

bouffant, ante adj. Ample et gonflant. *Un pantalon de clown bouffant.*

bouffée n. f. *1* Souffle qui sort de la bouche. *Tirer des petites bouffées de sa pipe.* *2* Souffle d'air. *Sortez respirer une bouffée d'air frais.* *3* Accès subit. *Une bouffée de fièvre.*

bouffi, ie adj. Gonflé, boursouflé. *Avoir les yeux, le visage bouffis.*

bouffon, onne n. m. et adj.

• n. m. Homme dont le rôle était d'amuser le roi et sa cour par ses pitreries, ses plaisanteries.

• adj. Qui fait rire par son côté grotesque. *Une histoire bouffonne.*

bougeoir n. m. Objet servant de support à une bougie.

bouger v. → conjug. **aimer.** *1* Faire un mouvement. *« Plus un geste ! Ne bouge plus ! »* dit Barnabé. *2* Changer de place ou de lieu. *Passe cet après-midi, je ne bouge pas de chez moi.*

Elle a la bougeotte, elle ne peut pas s'empêcher de bouger.

bougie n. f. *1* Bâton de cire ou de paraffine entourant une mèche que l'on fait brûler. *Autrefois, on s'éclairait à la bougie.* *2* Pièce d'un moteur de voiture. *Les bougies produisent une étincelle qui enflamme le mélange d'air et d'essence, permettant à la voiture de démarrer.*

bougonner v. → conjug. **aimer.** Grommeler entre ses dents, avec mauvaise humeur.

Cet enfant est bougon, il bougonne.

bouillabaisse n. f. Soupe de poissons provençale.

bouillant, e adj. *1* Qui est très chaud ou en train de bouillir. *Elle verse de l'eau bouillante sur le thé.* *2* Au figuré. *Bouillant d'impatience :* dans un état de grande impatience.

bouillie n. f. *1* Aliment pour bébé fait de farine et de lait. *2* *En bouillie :* écrasé. *Des fruits en bouillie au fond du sac.*

bouillir v. *1* Être en ébullition, former des bulles sous l'effet de la chaleur. *L'eau bout à 100 ℃.* *2* Cuire dans un liquide qui bout. *Légumes bouillis.* *3* Au figuré. *Bouillir de colère, d'impatience :* être dans un état de grande colère, de grande impatience.

La conjugaison du verbe	
BOUILLIR 3ᵉ groupe	
indicatif présent	**je bous, il ou elle bout, nous bouillons, ils ou elles bouillent**
imparfait	**je bouillais**
futur	**je bouillirai**
passé simple	**je bouillis**
subjonctif présent	**que je bouille**
conditionnel présent	**je bouillirais**
impératif	**bous, bouillons, bouillez**
participe présent	**bouillant**
participe passé	**bouilli**

bouilloire n. f. Récipient à couvercle et à bec, servant à faire bouillir de l'eau.

bouillon n. m. *1* Bulles qui se forment à la surface d'un liquide qui bout. *Retirer la sauce du feu dès le premier bouillon.* *2* Sorte de potage obtenu avec le liquide qui a servi à faire cuire des légumes ou de la viande.

bouillonner v. → conjug. **aimer.** *1* Former des bouillons ou des grosses bulles. *La soupe est prête, elle bouillonne.* *2* Au figuré. Être dans un état de grande agitation. *Bouillonner d'impatience.*
  Le *bouillonnement* de l'eau au pied de la cascade, l'eau bouillonne (*1*).

bouillotte n. f. Récipient en caoutchouc étanche, que l'on remplit d'eau bouillante pour chauffer un lit.

boulanger, ère n. Personne qui fait le pain et le vend.
  Je vais à la *boulangerie* chercher des croissants, au magasin du boulanger.

boule n. f. Objet rond. *Une boule de pain. Une boule de neige.*
  Faire des *boulettes* de mie de pain, des petites boules.

bouleau n. m. **Plur. : des bouleaux.** Arbre des régions froides et tempérées, à petites feuilles et à l'écorce blanc argenté striée de noir.
Homonyme : boulot.

bouledogue n. m. Chien aux pattes torses et au museau écrasé.

boulet n. m. *1* Boule de métal dont on chargeait les canons. *2* Boule de métal qu'on attachait à la cheville des bagnards.

boulette n. f. → **boule.**

boulevard n. m. Large avenue.
En abrégé : bd.

bouleverser v. → conjug. **aimer.**
1 Mettre sens dessus dessous, chambouler. *Bouleverser un ordre, des habitudes.* *2* Causer une violente émotion. *L'annonce de sa mort m'a bouleversée.*
  Les rescapés ont donné un témoignage *bouleversant* de la catastrophe, qui a bouleversé (*2*) les auditeurs. *Un bouleversement politique,* c'est un changement brutal qui bouleverse (*1*) un pays.

Boulez Pierre

Compositeur et chef d'orchestre français né en 1925. Tout en suivant une formation scientifique, Boulez suit des cours au Conservatoire de Paris. Il s'impose rapidement avec des compositions musicales originales. Ses œuvres, dont *le Marteau sans maître* et *Répons*, exercent une profonde influence sur la musique contemporaine. Parallèlement à ses créations, il mène une carrière internationale de chef d'orchestre. Dans les années 70, il crée l'Institut de recherche et de coordination acoustique/musique (IRCAM), dont il assure la direction jusqu'en 1991.

boulier n. m. Système inventé en Chine, composé de boules qui glissent sur des tringles, servant à faire certains calculs.

boulimie n. f. Besoin anormal de manger.

boulon n. m. Ensemble constitué d'une vis et de son écrou, servant à fixer ensemble deux éléments. *Resserrer les boulons d'une roue.*

1. boulot, otte adj. Petit et gros, quand il s'agit d'une personne. *Une fillette boulotte.*

2. boulot n. m. Familier. Travail. *Au boulot !*
Homonyme : bouleau.

boum interj. Onomatopée qui désigne le bruit d'une explosion. *Boum ! On a crevé.*

bouquet n. m. *1* Assemblage de fleurs coupées. *Composer un bouquet.* *2* Petit groupe d'arbres isolés. *3* Bouquet garni : thym, laurier et persil servant à parfumer les plats mijotés. *4* Parfum d'un vin. *5* Familier. *C'est le bouquet !* Il ne manquait plus que ça !

bouquetin n. m. Chèvre sauvage vivant dans les montagnes.

bouquin n. m. Familier. Livre. *Ranger ses bouquins. Elle bouquine sans arrêt,* elle est toujours plongée dans un bouquin. *Les bouquinistes des quais de la Seine,* les vendeurs de bouquins d'occasion.

bourbeux, euse adj. Couvert de boue, boueux. *Un sol bourbeux. L'eau bourbeuse d'un ruisseau.*

bourbier n. m. Endroit bourbeux.

bourdon n. m. *1* Sorte de grosse abeille velue. *2* Grosse cloche au son grave. *Bourdon d'une cathédrale.*

bourdonnement n. m. Bruit sourd, grave et continu. *Le bourdonnement d'une mouche, d'un hanneton. La ruche bourdonne,* elle émet un bourdonnement.

bourg n. m. Village important. *Le samedi est jour de marché au bourg. Il n'y a pas de poste dans la bourgade où j'habite,* dans le petit bourg.

Bourg-en-Bresse

Ville française de la Région Rhône-Alpes. Bourg-en-Bresse est un centre commercial agricole réputé pour son marché aux volailles, et en particulier pour les poulets de Bresse. L'activité industrielle y est également bien développée. La ville possède une église gothique de style flamboyant datant du XVIᵉ siècle.

01 *Préfecture de l'Ain 43 008 habitants : les Bressans ou les Burgiens*

bourgeois, oise n. et adj.
• n. *1* Au Moyen Âge, habitant d'un bourg, d'une ville commerçante. *2* Personne appartenant à une couche sociale aisée, et n'exerçant pas un métier manuel.
Contraires : manant, noble (*1*) ; ouvrier, paysan (*2*).
• adj. Qui concerne la bourgeoisie. *Le 16ᵉ arrondissement de Paris est un quartier bourgeois.*
Contraire : populaire.
L'ensemble des bourgeois constitue la bourgeoisie.

bourgeon n. m. Petite excroissance sur les branches et les tiges d'une plante qui, en s'ouvrant, donne naissance à une feuille ou à une fleur.
Les arbres bourgeonnent au printemps, ils se couvrent de bourgeons.

Il existe deux sortes de bourgeons :
• les bourgeons à bois, de forme effilée, qui donneront de nouvelles branches garnies de feuilles ;
• les bourgeons à fleurs, plus gros et plus ronds, qui donneront des branches porteuses de fleurs.
Le chou-fleur est un gros bourgeon comestible.

Bourgeon à bois. *Bourgeon à fleurs.*

Bourges

Ville française de la Région Centre. Bourges regroupe de nombreuses petites industries qui assurent une activité commerciale importante. La belle cathédrale gothique Saint-Étienne, datant des XIIᵉ et XIIIᵉ siècles, l'hôtel Jacques-Cœur, du XVᵉ siècle, ainsi que de nombreux musées témoignent du riche passé historique de la cité. Un festival de musique, « Le Printemps de Bourges », s'y déroule chaque année.
Pendant la guerre de Cent Ans, le roi de France Charles VII, qui règne de 1422 à 1461, fait de Bourges sa ville de résidence, raison pour laquelle il est appelé « roi de Bourges ».

18 *Préfecture du Cher 76 075 habitants : les Berruyers*

Bourgogne

Région administrative du centre-est de la France. La Bourgogne compte quatre départements : Côte-d'Or, Nièvre, Saône-et-Loire et Yonne. Son relief est varié : plateaux calcaires, massif peu élevé du Morvan, vallées humides et grande plaine de la Saône.
La Bourgogne est réputée pour ses élevages mais surtout pour ses vignobles de renommée internationale. Sa capitale, Dijon, est située dans la Côte-d'Or.

bourgogne n. m. Vin rouge ou blanc réputé, de la région de Bourgogne.

bourrade n. f. Coup donné du poing, du coude ou de l'épaule pour pousser quelqu'un. *Une bourrade amicale.*

bourrage n. m. → **bourrer.**

bourrasque n. f. Coup de vent bref et violent.

bourratif adj. → **bourrer.**

bourreau n. m. **1** Personne qui exécute les condamnés à mort. **2** Personne qui martyrise d'autres personnes, tortionnaire. *Un bourreau nazi.* **3** Au figuré. *Un bourreau de travail :* quelqu'un qui est capable de travailler beaucoup et longtemps.

bourrée n. f. Danse folklorique du centre de la France. *Une bourrée auvergnate.*

bourrelet n. m. **1** Bande de mousse ou de feutre avec laquelle on calfeutre le tour des portes et des fenêtres pour empêcher l'air froid de passer. **2** Pli de graisse sur le corps de quelqu'un.

bourrer v. → conjug. **aimer.** **1** Remplir complètement en tassant. *Bourrer une valise. Bourrer sa pipe.* **2** Familier. *Se bourrer :* se gaver, se goinfrer. *Se bourrer de pain.* **3** *Bourrer quelqu'un de coups :* le frapper à coups redoublés. **4** Familier. *Bourrer le crâne de quelqu'un :* lui répéter sans cesse la même chose pour l'abrutir.

> *Ce gâteau est* **bourratif**, *il bourre (**2**) l'estomac. Cette publicité en continu dans le magasin, quel* **bourrage** *de crâne ! Cela bourre (**4**) le crâne des clients.*

bourriche n. f. Panier haut sans anses. *Bourriche d'huîtres.*

bourru, ue adj. Peu aimable, renfrogné. *Un air bourru.* **Contraire : affable.**

1. bourse n. f. **1** Petit sac de cuir fermé par un cordon, où l'on mettait autrefois son argent. **2** Somme d'argent versée à un élève ou à un étudiant, pour l'aider à financer ses études.

> *Elle est* **boursière**, *elle a obtenu une bourse (**2**).*

2. Bourse n. f. Lieu public où les gens de la finance achètent et vendent des actions, des valeurs immobilières.

> *Une transaction ou une opération* **boursière**, *qui concerne la Bourse.*

boursouflé, ée adj. Enflé, gonflé, bouffi. *Visage boursouflé.*

> *La peinture de ce mur présente des* **boursouflures**, *des endroits boursouflés.*

bousculer v. → conjug. **aimer.** **1** Pousser, heurter. *Bousculer quelqu'un pour passer.* **2** Brusquer, faire se dépêcher. *Il n'aime pas qu'on le bouscule.*

> *C'est la* **bousculade** *sur le quai,* la foule se bouscule (**1**) pour monter dans le train.

bouse n. f. Excrément des bovins.

bousier n. m. Scarabée qui fait des petites boules avec de la bouse, dans lesquelles il pond ses œufs.

boussole n. f. Instrument composé d'un cadran et d'une aiguille aimantée mobile, et qui sert à s'orienter.

La partie aimantée de l'aiguille se dirige toujours vers le nord magnétique. On peut ainsi repérer aisément les autres points cardinaux. Ce principe est découvert vers l'an 1000 par les Chinois. Transmise en Occident à la fin du XIIe siècle par l'intermédiaire des Arabes, la boussole est couramment utilisée dans la navigation à partir du XIVe siècle.

bout n. m. **1** Extrémité. *Le bout du nez. Le bout de la rue.* **2** Petite partie, morceau. *Bout de ficelle. Bout de fromage.* **3** Dernière partie d'une chose, fin. *Arriver au bout de son travail.* **4** *Venir à bout d'une chose :* réussir à l'achever.

Homonymes : boue (n. f.) **et bout** (3e personne du singulier du verbe bouillir).

boutade n. f. Plaisanterie.

boute-en-train n. m inv. Personne qui met les autres en train, qui a une gaieté communicative.

bouteille n. f. **1** Récipient muni d'un goulot, servant à contenir un liquide. *Bouteille de vin, d'huile.* **2** Contenu d'une bouteille. *Boire une bonne bouteille.* **3** Récipient métallique contenant du gaz sous pression. *Bouteille de butane.*

boutique n. f. Magasin. *La boutique d'alimentation du quartier ouvre le dimanche.*

bouton n. m. **1** Bourgeon. *Des roses en bouton.* **2** Petite pièce, souvent ronde, servant à fermer un vêtement. **3** Petit élément d'un appareil ou d'un mécanisme, que l'on tourne ou sur lequel on appuie. *Bouton de porte, de sonnette.* **4** Petite bosse qui apparaît à la surface de la peau.

> *Il fait froid,* **boutonne** *ton manteau,* ferme les boutons (**2**). *Elle porte une fleur à la* **boutonnière**, *la fente dans laquelle on passe le bouton (**2**). Un adolescent* **boutonneux**, *dont le visage est couvert de boutons (**4**).*

bouton-d'or n. m. **Plur. : des boutons-d'or.** Fleur des prés de couleur jaune d'or.

boutonner v., **boutonneux** adj., **boutonnière** n. f. → **bouton.**

bouture n. f. Partie d'une plante que l'on coupe pour la planter et lui faire prendre racine. *Mes boutures de géranium ont pris.*

Bataille qui oppose, le 27 juillet 1214, les troupes du roi de France Philippe II Auguste et une coalition composée d'Anglais, d'Allemands et de Flamands, menée par Jean sans Terre, roi d'Angleterre. Celui-ci souhaite empêcher le développement du royaume de France.
Remportée par l'armée du roi de France, la bataille de Bouvines (près de Lille) donne aux Français le sentiment d'une certaine unité nationale, inconnu jusqu'alors.

bouvreuil n. m. Petit oiseau des jardins, au plumage gris et noir et à la poitrine rouge.

bovidé n. m. Famille des mammifères ruminants.

bovin adj. et n. m.
• adj. Qui se rapporte au bœuf. *La race bovine.*
• n. m. Sous-famille des bovidés comprenant le bœuf (taureau, vache, veau), le buffle et le bison.

bowling n. m. Jeu de quilles sur piste.
Mot anglais qui se prononce [buliŋ].

Le premier jeu de quilles, retrouvé dans une tombe de l'Égypte ancienne, remonte à 5200 av. J.-C. Connu en Grèce et à Rome, il est arrivé en France au Moyen Âge. Il a été introduit en Amérique par les émigrants européens.

Le bowling américain se pratique en salle. Les boules sont lourdes (7,2 kg) et comportent trois trous par lesquels on les tient. On les lance sur une piste

longue de 18,92 m. Le but du jeu est de faire tomber les dix quilles qui se trouvent à l'extrémité de la piste. Le joueur qui fait tomber les dix quilles avec une seule boule réussit un *strike*.

box n. m. *1* Stalle d'écurie pour un seul cheval. *2* Compartiment d'un garage pour une voiture. *3* Espace cloisonné dans un lieu public. *Box des accusés, au tribunal.*
Homonyme : boxe.

boxe n. f. Sport de combat qui oppose deux adversaires munis de gants qui se frappent à coups de poing (boxe anglaise) ou à coups de poing et de pied (boxe française).
Les *boxeurs* montent sur le ring, ceux qui font de la boxe. Il a appris à *boxer* très jeune, à pratiquer la boxe.
Homonyme : box.

La boxe anglaise est un sport très violent, survivance d'un ancien jeu de cirque gréco-romain, le pugilat. Les boxeurs sont classés en catégories selon leur poids, du poids « plume » (57 kg) au « super-lourd » (plus de 86 kg), sans compter les poids plus légers (« paille », « mouche » ou « coq »). Un match de boxe se joue en plusieurs reprises ou rounds. Il se déroule sur un ring carré (de 4,90 m à 6,10 m de côté) qui est entouré de trois ou quatre hauteurs de cordes. Le but est de mettre l'adversaire K.-O. (knock-out) ou de le battre aux points. Les principaux coups sont le direct, le crochet (coup demi-circulaire), l'uppercut (donné de bas en haut), le swing (coup en demi-cercle avec balancement du corps). Porter un coup défendu peut entraîner la disqualification.

La boxe française est un sport de défense issu à la fois de la boxe anglaise et de la savate, qui se pratiquait en France dans les années 1820. Elle allie les coups de pied et les coups de poing. Chacun des combats comporte trois reprises de deux minutes chacune.

1. boxer v. → conjug. **aimer.** → boxe.

2. boxer n. m. Chien de garde au nez retroussé et à la mâchoire puissante, dont le poil court et brillant est généralement de couleur fauve. **On prononce** [bɔksɛr].

boxeur n. m. → boxe.

boyau n. m. **Plur. : des boyaux.** *1* Intestin des animaux. *2* Pneu d'un vélo de course. *3* Passage étroit. *Boyau de mine.*

boycott n. m. Refus de prendre part à une action ou d'acheter un produit, pour manifester son désaccord. **Mot anglais qui se prononce** [bɔjkɔt]. **On dit aussi : boycottage.**
Ce pays a décidé de boycotter les jeux Olympiques, de pratiquer le boycott.

bracelet n. m. *1* Bijou circulaire que l'on porte autour du poignet. *2* Lien de cuir ou d'une autre matière, servant à attacher une montre au poignet.

braconner v. → conjug. **aimer.** Chasser ou pêcher sans permis.
Le garde-chasse a surpris des braconniers, des chasseurs en train de braconner. *Il les a arrêtés pour braconnage,* pour avoir braconné.

brader v. → conjug. **aimer.** Vendre à bas prix.
Il y a une braderie annuelle dans ma ville, une foire où l'on vend des objets et des vêtements bradés.

braguette n. f. Fente verticale sur le devant d'un pantalon ou d'un short.

Brahma

Divinité de la religion hindoue. Brahma, créateur du monde, est l'un des principaux dieux de l'hindouisme, aux côtés de Vishnou (protecteur des hommes) et de Shiva (divinité de la mort). Il est toutefois moins vénéré que ces deux derniers. Brahma est souvent représenté avec quatre têtes et quatre bras, debout sur un cygne ou sur un trône de lotus.

Brahms Johannes

Compositeur allemand né en 1833 et mort en 1897. Musicien précoce, Brahms apprend la musique auprès de son père. Sa carrière prend son véritable essor en 1853, lorsqu'il rencontre le compositeur Robert Schumann.
Brahms fait de nombreuses tournées comme pianiste et chef d'orchestre, en Allemagne, mais aussi au Danemark et en Hongrie. En 1862, il se fixe à Vienne pour se consacrer à la composition.
La musique de Brahms, à la charnière du classicisme et du romantisme, est rigoureuse, structurée et brillante.
Le compositeur laisse une œuvre importante : près de trois cents lieder (pièces chantées), quatre symphonies (de 1876 à 1885) ainsi qu'une cinquantaine de sonates, variations et ballades pour piano.

braillard n. m. → brailler.

braille n. m. Écriture en relief à l'usage des aveugles.

Le braille est mis au point au XIXe siècle par le Français Louis Braille. Aveugle dès l'âge de trois ans, celui-ci devient professeur à l'Institution des aveugles en 1828, où il perfectionne un système de lecture utilisant le toucher de points imprimés en relief sur des feuilles de carton.
Dans l'alphabet braille, chaque lettre est composée de 1 à 6 points inscrits dans un rectangle de deux points sur trois. Le système comprend également les chiffres et les signes mathématiques. Il permet de réaliser de nombreuses publications.
Aujourd'hui, il équipe également les claviers des ordinateurs.

brailler v. → conjug. **aimer.** Parler, chanter ou pleurer très fort. *Barnabé se met à brailler pour appeler les gendarmes. J'ai été réveillé en pleine nuit par des braillards, des gens qui braillaient.*

braire v. → conjug. **traire.** Pousser son cri, quand il s'agit de l'âne.
Les braiments de l'âne sont assourdissants.

braise n. f. Petits morceaux de bois qui brûlent sans flamme. *Faire griller des brochettes sur la braise.*

braisé, ée adj. Cuit dans un récipient fermé et à feu doux. *Des endives braisées.*

bramer v. → conjug. **aimer.** Pousser son cri, quand il s'agit du cerf.

brancard n. m. *1* Chacune des deux barres de bois d'une charrette entre lesquelles on attelle un animal. *2* Sorte de lit fait d'une toile tendue entre deux barres, servant à transporter les blessés ou les malades.
Synonyme : civière (*2*).
Les brancardiers ont emmené le blessé, les personnes qui portent le brancard (2).

branche n. f. *1* Ramification qui part du tronc d'un arbre. *Secouer les branches du prunier pour faire tomber les fruits. 2* Partie articulée de certains objets. *Les branches d'une paire de lunettes. 3* Au figuré. Domaine, secteur. *Ils travaillent dans la même branche.*
Le toit de la cabane est fait avec des branchages, avec un ensemble de branches (1).

brancher v. → conjug. **aimer.** Raccorder à un circuit, à un réseau. *Brancher le téléphone, un aspirateur. Faire le branchement d'un téléphone, c'est le brancher au réseau.*

branchie n. f. Organe de respiration des animaux aquatiques (poissons, mollusques, crustacés, têtards).

brandir v. → conjug. **finir.** Agiter quelque chose à bout de bras pour menacer ou attirer l'attention. *Brandir un drapeau.*

branlant, ante adj. → **branler.**

branle n. m. *Mettre en branle :* mettre en mouvement, en action. *Toute la famille s'est mise en branle pour retrouver le chat.*

branle-bas n. m. inv. Agitation désordonnée. *La cloche sonne, c'est le branle-bas général dans la classe.*

branler v. → conjug. **aimer.** Bouger, ne pas être stable. *Avoir une dent qui branle.*
L'escabeau est branlant, il branle, il est instable.

braque n. m. Chien de chasse à poil ras et aux oreilles pendantes.

Peintre français né en 1882 et mort en 1963. Peintre décorateur de formation, Braque étudie les arts plastiques à Paris. Ses premières œuvres s'inscrivent dans le courant du fauvisme, mouvement du début du xxᵉ siècle qui joue avec les couleurs pures. De la rencontre de Braque avec Picasso naît le cubisme, mouvement artistique qui rejette les lois de la perspective pour multiplier, sur la même toile, les angles de vue d'un même objet. Braque utilise souvent la technique du trompe-l'œil ainsi que les collages de papier, de sable ou de bois. Il réalise aussi des sculptures, des reliefs gravés sur plâtre, des bijoux et des vitraux. Parmi ses œuvres les plus connues, citons : une nature morte, *le Violon et la cruche* (1910) et *Femme à la guitare* (1913).

Femme à la guitare

braquer v. → conjug. **aimer.** *1* Diriger vers un point. *Braquer un fusil, des jumelles sur des oiseaux. 2* Faire tourner les roues d'un véhicule en manœuvrant le volant. *Braquer à gauche. 3* Se braquer :* s'opposer avec entêtement, se buter.

bras n. m. *1* Membre supérieur, qui va de l'épaule à la main. *Lever, croiser les bras. 2* Au figuré. *Baisser les bras :* renoncer. *3* Accoudoir d'un siège. *Les bras d'un fauteuil. 4* Le bras droit de quelqu'un :* son plus proche collaborateur. *5* Bras de mer :* partie de mer entre deux terres rapprochées.
Une brassée de fleurs, c'est autant de fleurs qu'on peut tenir entre ses bras (1). On reconnaît les membres du service d'ordre à leur brassard, à la bande de tissu qu'ils portent autour du bras (1).

brasier n. m. Masse de matières en feu lors d'un incendie. *L'immeuble n'était plus qu'un immense brasier.*

à bras-le-corps adv. Par le milieu du corps et en serrant avec ses deux bras. *Saisir quelqu'un à bras-le-corps.*

brassage n. m. *1* Action de brasser la bière. *2* Fait de se mélanger pour former un tout. *Le brassage des populations.*

brassard n. m. → bras.

brasse n. f. Nage sur le ventre dans laquelle les bras et les jambes se plient et se détendent simultanément.

brassée n. f. → bras.

brasser v. → conjug. **aimer. 1** *Brasser la bière :* la fabriquer en mélangeant le malt et l'eau. **2** Mélanger en remuant. *Brasser la salade.* **3** *Brasser des affaires :* en traiter beaucoup en même temps.

    Le *brasseur*, c'est la personne qui brasse (*1*) la bière, le fabricant.

brasserie n. f. **1** Usine où l'on fabrique la bière. **2** Grand café-restaurant.

brasseur, euse n. → brasser.

brassière n. f. Petite chemise de bébé à manches longues, qui s'attache dans le dos.

brave adj. **1** Courageux. *Il n'a pas été très brave.* **2** Honnête et gentil. *Ce sont de braves gens.*

    Il est monté sur le toit par *bravade*, pour paraître brave (*1*). Il s'est battu avec *bravoure*, il s'est montré brave (*1*). Il a *bravement* affronté l'ennemi, avec bravoure (*1*).

braver v. → conjug. **aimer. 1** Affronter courageusement. *Braver le danger.* **2** S'opposer orgueilleusement à quelqu'un. *Elle a osé braver le directeur.*

bravo n. m. et interj.
● n. m. Applaudissements, cris d'approbation. *Elle est arrivée sous les bravos du public.*
● interj. Exprime son approbation, son admiration. *Tu es arrivé le premier, bravo !*

bravoure n. f. → brave.

break n. m. Voiture dont l'arrière s'ouvre par un hayon et qui peut être utilisée comme une fourgonnette. **Mot anglais qui se prononce** [bʀɛk].

brebis n. f. Mouton femelle.

brèche n. f. Ouverture dans un mur, une clôture. *Ils ont fait une brèche dans la haie pour passer.*

bréchet n. m. Os en saillie sur la poitrine des oiseaux.

bredouille adj. Sans avoir rien pris, rien obtenu. *Il est revenu bredouille de la chasse.*

bredouiller v. → conjug. **aimer.** Parler d'une façon confuse. *Il a bredouillé quelques excuses.*

    Je n'ai rien compris à ses *bredouillements*, aux paroles qu'il a bredouillées.

bref, brève adj. Qui dure peu de temps. *Ils nous ont fait une brève visite.*

breloque n. f. Petit bijou de peu de valeur qu'on attache à une chaîne, à un bracelet.

Brésil

République fédérale d'Amérique du Sud. Le Brésil est composé de 26 États et d'un district fédéral. Environ 16 fois plus grand que la France, c'est le pays le plus vaste d'Amérique du Sud, dont il occupe près de la moitié du territoire. Le Brésil offre une grande diversité de paysages : immensités désertiques du Sertão, forêt amazonienne, montagnes et pampa du Sud, plages… La population se concentre dans les régions de l'Est et du Sud-Est où se trouvent les grandes cités de São Paulo, Rio de Janeiro et Porto Alegre. Neuvième puissance économique mondiale, premier producteur de café, le Brésil possède d'immenses ressources agricoles et minières. Son essor économique, bien que spectaculaire, laisse à l'écart les trois quarts de sa population, qui vivent dans une grande pauvreté.

Découvert en 1500 par le navigateur portugais Cabral, le Brésil connaît la domination du Portugal jusqu'en 1825, date à laquelle il devient indépendant. Brasília, la capitale, est construite de toutes pièces au milieu d'une région désertique, à partir de 1957. Elle remplace l'ancienne capitale Rio de Janeiro.

8 547 400 km²
176 257 000 habitants :
les Brésiliens
Langue : portugais du Brésil
Monnaie : real
Capitale : Brasília

Bretagne

Région administrative de l'ouest de la France. La Bretagne compte quatre départements : Côtes-d'Armor, Finistère, Ille-et-Vilaine et Morbihan. Sa capitale est Rennes. Pays de bocages, aux massifs peu élevés entaillés de vallées, la Bretagne bénéficie d'un climat doux et humide. Sa côte abrite de nombreux ports de pêche. Elle est la région française qui compte le plus d'agriculteurs. Tardivement rattachée à la France (1532), la Bretagne conserve un lien étroit avec sa langue et ses traditions.

bretelle n. f. *1* Courroie passée sur l'épaule pour porter un objet. *La bretelle d'un fusil.* *2* Au pluriel. Bandes de tissu passant sur les épaules pour retenir un vêtement. *Bretelles de pantalon. Robe à bretelles.* *3* Route qui relie une autoroute au réseau routier.

breuvage n. m. Boisson ayant des propriétés ou un goût particuliers. *Un mystérieux breuvage.*

brève adj. → **bref.**

brevet n. m. *1* Diplôme que l'on obtient après avoir passé un examen. *Brevet de pilotage. Brevet des collèges.* *2* Papier officiel certifiant qu'une personne est bien l'auteur d'une invention.
> *Breveter une invention,* c'est la protéger par un brevet (*2*).

bribe n. f. Petit bout, fragment. *Des bribes de gâteau. Des bribes de conversation.*

bric-à-brac n. m. inv. Amas d'objets de toutes sortes. *Sa chambre est encombrée par tout un bric-à-brac.*

de bric et de broc adv. Avec des éléments de diverses provenances. *Maison faite de bric et de broc.*

bricolage n. m. → **bricoler.**

bricole n. f. Chose sans valeur, sans importance. *Il m'a acheté une petite bricole. Se disputer pour des bricoles.*
Synonymes : babiole, broutille.

bricoler v. → conjug. **aimer.** *1* Faire des petits travaux manuels d'aménagement ou de réparation. *Elle adore bricoler.* *2* Réparer ou transformer quelque chose sommairement. *Il a bricolé la télécommande.*
> *Il est doué pour le bricolage,* il bricole très bien. *Ma sœur est très bricoleuse,* elle sait bricoler (*1*).

bride n. f. Harnais placé sur la tête du cheval et qui sert à le diriger. *La bride comprend le mors et les rênes.*
> *Brider un cheval,* c'est lui mettre la bride.

bridé, ée adj. *Yeux bridés :* yeux dont les paupières semblent étirées sur les côtés.

brider v. → **bride.**

bridge n. m. *1* Jeu de cartes qui se joue à quatre, avec cinquante-deux cartes. *2* Appareil dentaire qui remplace une ou plusieurs dents manquantes.

brie n. m. Fromage de vache à pâte molle, fabriqué dans la Brie.

brièvement adv. En peu de mots. *Répondre brièvement.*

brigade n. f. Groupe de militaires ou de policiers. *Brigade de gendarmerie. Brigade anticriminalité.*
> *Le bandit de Barnabé est arrêté par le brigadier,* le chef d'une brigade de gendarmerie.

brigand n. m. Bandit d'autrefois.

brigandage n. m. Vol à main armée commis par des bandes de malfaiteurs.

brillant, ante adj. et n. m.
• adj. *1* Qui brille. *Des cheveux brillants.* *2* Qui est remarquable, qui sort du commun. *Un élève brillant.*
• n. m. Diamant taillé.
> *Passer brillamment un test,* de manière brillante (*2*).

briller v. → conjug. **aimer.** *1* Émettre ou réfléchir une lumière vive. *Le soleil brille. Le parquet ciré brille.* *2* Se distinguer par ses dons, ses qualités. *Il ne brille pas par son intelligence.*

brimade n. f. Vexation, humiliation que l'on fait subir à quelqu'un.
> *Être brimé,* soumis à des brimades.

brin n. m. *1* Tige fine et allongée. *Brin d'herbe, de paille, de persil.* *2* Chacun des fils qui forment une corde, un câble. *3* Petite quantité. *Il n'y a pas un brin d'air aujourd'hui.*

brindille n. f. Petite branche fine. *Un feu de brindilles.*

brinquebaler v. → conjug. **aimer.** Se balancer dans tous les sens. *La voiture brinquebale sur les pavés.*
On écrit aussi : bringuebaler.

brio n. m. Aisance et talent brillant. *Parler avec brio.*

brioche n. f. Pâtisserie légère, souvent en forme de boule.

brique n. f. Pavé de terre cuite servant de matériau de construction. *Une maison en brique.*
> *Une briqueterie,* c'est une usine où l'on fabrique des briques.

briquer v. → conjug. **aimer.** Nettoyer à fond en frottant. *Briquer le sol.*

briquet n. m. Petit appareil qui produit du feu.

brisant n. m. → **briser.**

brise n. f. Vent léger.

brisé, ée adj. *Ligne brisée :* ligne faite de segments de droite qui se suivent en formant des angles.

brise-glace n. m. inv. Navire renforcé à l'avant pour briser la glace dans les mers froides.

briser v. → conjug. **aimer.** *1* Casser. *Le verre s'est brisé.* *2* Au figuré. Interrompre, détruire. *Briser une carrière, une amitié.* *3* Se briser : éclater contre un obstacle en formant de l'écume, en parlant de la mer, des vagues.
Synonyme : déferler (*3*).
> *Un brisant* est un rocher sur lequel les vagues se brisent (*3*).

bristol n. m. Papier rigide et lisse utilisé pour les cartes de visite.

broc n. m. Récipient à anse et à bec verseur. *Remplir un broc d'eau.*
On prononce [bRo].

brocanteur, euse n. Commerçant qui achète et vend des vieux objets.
Une brocante, c'est un magasin ou une foire où les brocanteurs vendent leurs objets.

broche n. f. *1* Bijou muni d'une épingle que l'on fixe sur un vêtement. *2* Tige de métal pointue que l'on passe dans une viande pour la faire rôtir. *Poulet cuit à la broche.*

brocher v. → conjug. **aimer.** Assembler les feuilles qui composent un livre et les coller dans une couverture souple. *Un livre broché.*
Une brochure, c'est un petit livre broché.

brochet n. m. Grand poisson d'eau douce.

Le brochet peut atteindre plus d'un mètre de longueur. La couleur vert foncé de son dos lui permet de se confondre avec son environnement pour surprendre ses proies. Ses mâchoires sont garnies de plusieurs centaines de dents acérées. Le brochet est un prédateur capable d'accélérations très rapides, qui se nourrit de petits poissons, de grenouilles et même d'oiseaux.

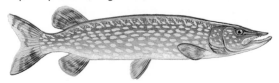

brochette n. f. *1* Petite broche sur laquelle on enfile des morceaux de viande, de poisson ou de légumes pour les faire griller. *2* Aliments ainsi grillés. *Manger une brochette d'agneau.*

brochure n. f. → **brocher.**

brocoli n. m. Variété de petit chou-fleur vert.

broder v. → conjug. **aimer.** *1* Coudre des dessins sur un tissu pour le décorer. *Broder une nappe. 2* Au figuré. Ajouter des détails inventés pour rendre un récit plus intéressant.
Faire de la broderie, c'est broder (*1*).

bronche n. f. Chacun des deux conduits qui vont de la trachée-artère aux poumons.
La bronchite est une maladie des bronches.

broncher v. → conjug. **aimer.** Manifester son mécontentement. *Il a obéi sans broncher.*

bronchite n. f. → **bronche.**

brontosaure n. m. Reptile fossile du groupe des dinosaures.

Le brontosaure vivait il y a environ 160 millions d'années. Cet animal herbivore est l'un des plus gros animaux de tous les temps. Il pouvait dépasser 20 m de longueur, 5 m de hauteur et peser plus de 30 tonnes! Le brontosaure avait des pattes massives, une grande queue et un cou démesurément long.

bronzage n. m. → **bronzer.**

bronze n. m. Métal brun fait d'un alliage de cuivre et d'étain.

bronzer v. → conjug. **aimer.** Avoir la peau qui brunit au soleil. *Elle est revenue de vacances toute bronzée.*
Admirez mon bronzage, la couleur que ma peau a prise en bronzant.

brosse n. f. *1* Instrument de nettoyage fait d'un assemblage de poils ou de fibres monté sur un support. *Brosse à dents, à cheveux, à habits. 2* Cheveux en brosse : cheveux coupés court et droit.
Brosser ses ongles, c'est les nettoyer avec une brosse. *Le brossage des cheveux*, c'est l'action de les brosser.

brouette n. f. Petite caisse montée sur une roue et que l'on pousse devant soi.

brouhaha n. m. Bruit confus de voix. *Le brouhaha des conversations.*

brouillard n. m. Concentration de fines gouttelettes d'eau en suspension dans l'air.

brouiller v. → conjug. **aimer.** *1* Rendre trouble. *Des parasites brouillent l'image de la télévision. Avoir la vue brouillée. 2* Se brouiller : se fâcher. *Il s'est brouillé avec tous ses amis.*
Leur brouille est finie, ils ne sont plus brouillés (*2*).

brouillon, onne adj. et n. m.
• adj. Désordonné, confus. *Elle est moins brouillonne qu'avant.*
• n. m. Premier texte qu'on écrit avant de le corriger et de le recopier. *Le brouillon d'une lettre.*

broussaille n. f. *1* Végétation sauvage formée d'arbustes rabougris et de ronces. *Le fond du jardin est envahi par les broussailles.* *2* Au figuré. *Cheveux en broussaille :* décoiffés et emmêlés.

brousse n. f. *1* Végétation des régions tropicales, et notamment d'Afrique. *2* Étendue où pousse cette végétation.

La brousse est composée de plantes clairsemées, d'arbrisseaux, d'arbustes, d'épineux, elle résulte souvent de la déforestation opérée par l'homme.

brouter v. → conjug. **aimer.** Arracher l'herbe avec les dents pour la manger. *Les vaches broutent.*

broutille n. f. Chose sans valeur, sans importance. *Inutile d'en parler, ce sont des broutilles.*
Synonymes : **babiole, bricole.**

broyer v. → conjug. **essuyer.** *1* Écraser quelque chose pour le réduire en miettes ou en poudre. *Broyer du poivre.* *2* *Broyer du noir :* être triste, déprimé.
Un *broyeur* est une machine qui sert à broyer (*1*).
Le *broyage* est l'action de broyer (*1*).

bru n. f. Épouse du fils.
Synonyme : **belle-fille.**

Bruegel l'Ancien

Peintre flamand né vers 1525 et mort en 1569. Son vrai nom est Pieter Bruegel. Ses premières œuvres, largement influencées par celles de son compatriote Jérôme Bosch, sont peuplées de monstres et d'êtres fantastiques. Considéré comme l'un des plus grands peintres flamands du XVIᵉ siècle, Bruegel l'Ancien laisse une œuvre qui décrit avec réalisme la vie populaire de son époque. Parmi ses tableaux les plus célèbres, il faut citer : *les Mendiants, les Jeux d'enfants, le Triomphe de la Mort,* la série des *Saisons, Margot la folle…*

brugnon n. m. Pêche à peau lisse.

bruine n. f. Petite pluie fine.
Il bruine depuis ce matin, il tombe de la bruine.

bruissement n. m. Bruit léger et confus. *Un bruissement d'ailes.*

bruit n. m. *1* Ensemble de sons. *Les bruits de la rue. Il y a trop de bruit ici.* *2* Au figuré. Nouvelle qui se répand partout, rumeur. *Le bruit court qu'ils ont déménagé.*
Faire le *bruitage* d'un film, c'est lui ajouter des bruits (*1*) qui accompagnent l'action.

brûlant, ante adj., **brûlé** n. m. → **brûler.**

à brûle-pourpoint adv. Brusquement, sans qu'on s'y attende. *Poser une question à brûle-pourpoint.*

brûler v. → conjug. **aimer.** *1* Détruire par le feu. *Brûler de vieux papiers.* *2* Flamber, être en feu. *Le feu brûle dans la cheminée. La grange est en train de brûler.* *3* Trop cuire. *Le rôti a brûlé.* *4* Blesser ou abîmer par le feu ou par une chaleur trop forte. *Elle s'est brûlé la main. Il a brûlé sa chemise en la repassant.* *5* Ne pas s'arrêter. *Brûler un feu rouge.* *6* Être impatient de faire quelque chose. *Elle brûle de le revoir.*
Il y a une odeur de *brûlé,* l'odeur de quelque chose qui brûle (*2, 3*). Attention, l'assiette est *brûlante,* elle est très chaude, elle risque de brûler (*4*). Le *brûleur* d'une chaudière, c'est l'endroit où le combustible (gaz, mazout) brûle (*2*). Une *brûlure* de cigarette, c'est une blessure qu'on se fait en se brûlant (*4*).

brumaire n. m. Deuxième mois du calendrier républicain (fin octobre, fin novembre).

brume n. f. Brouillard léger.
Le temps est brumeux, il y a de la brume.

brun, brune adj. et n.
• adj. Qui est d'une couleur sombre, entre le marron et le noir. *Ours brun.*

Margot la folle

• n. Qui a les cheveux bruns. *Il préfère les brunes. Une tache brunâtre* est d'une couleur qui tire sur le brun. *Sa peau a bruni au soleil,* est devenue brune.

Brunei

Sultanat d'Asie situé sur la côte nord-ouest de Bornéo. Le Brunei, petit pays au climat chaud et humide, est en grande partie couvert par la forêt tropicale. Les gisements de pétrole et de gaz naturel assurent aux habitants un des plus hauts niveaux de vie du monde.

Sous domination britannique à partir de 1888, le Brunei accède à l'indépendance en 1984 et devient membre du Commonwealth. Le pays est dirigé par un sultan au pouvoir absolu, célèbre pour son palais aux 1788 pièces. Le sultan est considéré comme l'homme le plus riche de la planète.

5 770 km²
350 000 habitants :
les Brunéiens
Langue : malais
Monnaie : dollar de Brunei
Capitale : Bandar Seri Begawan

brusque adj. *1* Qui manque de douceur. *Avoir des gestes brusques. 2* Soudain et inattendu. *Une brusque envie de partir.*
Synonymes : brutal (*1* et *2*), subit (*2*).

Le temps a brusquement changé, de manière brusque (*2*). *Traiter quelqu'un avec brusquerie,* c'est le traiter d'une manière brusque (*1*).

brusquer v. → conjug. aimer. *1* Traiter quelqu'un sans douceur. *Je n'aime pas qu'on me brusque. 2* Faire quelque chose plus vite que prévu. *Brusquer son départ.*

brusquerie n. f. → brusque.

brut, ute adj. Qui est à l'état naturel, qui n'a pas encore été transformé. *Pétrole brut.*
On prononce [bʀyt] **au masculin et au féminin.**

brutal, ale, aux adj. *1* Violent. *C'est un garçon brutal. 2* Soudain et inattendu. *Un changement brutal de température.*
Synonymes : brusque (*2*), subit (*2*).

Je ne supporte plus sa brutalité, son comporte-

ment brutal (*1*). *Brutaliser quelqu'un,* c'est le traiter avec brutalité.

brutalement adv. *1* De façon brutale, violente. *Il l'a frappé brutalement. 2* Brusquement, soudain. *L'orage a éclaté brutalement.*

brutaliser v., **brutalité** n. f. → brutal.

brute n. f. Personne brutale, violente. *Quelle brute !*

Bruxelles

Capitale de la Belgique située dans la région de Bruxelles-Capitale, sur la Senne. Les réseaux autoroutier, ferroviaire et fluvial de Bruxelles en font un centre économique et industriel très actif. La ville abrite de magnifiques monuments, dont, sur la Grand-Place, les maisons des corporations, aux façades baroques (XVIIe siècle) et l'hôtel de ville (XVe siècle). Elle possède aussi une cathédrale gothique (XIIIe-XVIIe siècle), la cathédrale Saint-Michel et de riches musées (musée d'Art et d'Histoire, musée des Beaux- Arts…). La ville compte près de 135 000 habitants, l'agglomération plus de 950 000. Bruxelles est le siège du Conseil des ministres et de la Commission de l'Union européenne, et celui du Conseil de l'OTAN (Organisation du traité de l'Atlantique Nord).

bruyant, ante adj. Qui fait beaucoup de bruit. *Une classe très bruyante.*
Arrêtez d'éternuer bruyamment ! d'une manière bruyante.

bruyère n. f. Plante sauvage aux petites fleurs violettes ou roses, qui pousse sur la lande.

buanderie n. f. Pièce de la maison dans laquelle on s'occupe du linge.

buccal, ale, aux adj. Relatif à la bouche. *Médicament à prendre par voie buccale.*

buccin n. m. Mollusque marin dont la coquille est enroulée en spirale.

Le buccin appartient à la même famille que l'escargot : les gastéropodes. Sa coquille peut mesurer jusqu'à 15 cm de longueur.
Le buccin est carnivore. Il possède une sorte de langue râpeuse qu'il utilise pour percer la coquille des autres mollusques dont il se nourrit. Comestible, il est couramment connu sous le nom de bulot.

a b c d e f g h i j k l m n o p q r s t u v w x y z

bûche n. f. *1* Morceau de bois destiné à être brûlé. *Ajouter une bûche dans la cheminée. 2 Bûche de Noël :* gâteau en forme de bûche que l'on mange au moment de Noël.

bûcher n. m. Amas de bois sur lequel on brûlait les condamnés à mort. *Jeanne d'Arc est morte sur le bûcher à Rouen.*

bûcheron, onne n. Personne dont le métier est d'abattre des arbres.

bucolique adj. Qui évoque les charmes de la campagne. *Un paysage bucolique.*

budget n. m. *1* Ensemble des recettes et des dépenses d'une famille, d'une entreprise. *Un budget est équilibré quand les dépenses ne dépassent pas les recettes. 2* Somme d'argent dont on dispose. *Avoir un petit budget.*

    Un contrôle budgétaire concerne le budget (1).

buée n. f. Vapeur d'eau qui se dépose en fines gouttelettes sur une surface froide. *Les vitres sont couvertes de buée.*

buffet n. m. *1* Meuble où l'on range la vaisselle, les couverts. *2* Table où se trouvent les plats et les boissons servis lors d'une réception. *3* Café-restaurant installé dans une gare. *Retrouvons-nous au buffet de la gare.*

Buffet Bernard

Peintre français né en 1928 et mort en 1999. Artiste figuratif, Buffet est fidèle aux compositions académiques ainsi qu'aux règles de la perspective. Ses peintures, marquées de traits noirs verticaux, expriment souvent la tristesse et une vision pessimiste du monde. Leurs tons dominants sont souvent les gris et les beiges. Parmi ses œuvres, on peut citer : *l'Homme à l'œuf sur le plat* (1947), *le Filet* (1948), *le Cirque* (1955), *Jeanne d'Arc* (1957)…

Le Filet

buffle n. m. Mammifère ruminant d'Afrique et d'Asie, proche du bœuf. *Le buffle est un bovidé.*

Buffon Georges

Naturaliste et écrivain français né en 1707 et mort en 1788. Son nom complet est Georges Louis Leclerc, comte de Buffon. Nommé en 1739 intendant du Jardin du roi (l'actuel Muséum national d'histoire naturelle à Paris), Buffon est un naturaliste passionné. Il partage son temps entre la capitale et son domaine de Montbard, qu'il transforme en parc botanique expérimental.

En compagnie d'autres scientifiques, il consacre quarante ans de sa vie à la rédaction de son *Histoire naturelle.* Cet ouvrage colossal, qui compte 36 volumes, répertorie et décrit l'ensemble du monde animal, minéral et végétal connu à l'époque. Cette œuvre rencontre un immense succès. Buffon est élu à l'Académie française en 1753.

building n. m. Immeuble moderne très haut. **Mot anglais qui se prononce** [bildiŋ].

buis n. m. Arbuste à petites feuilles vert foncé qui ne tombent pas en hiver.

buisson n. m. Petit groupe serré d'arbustes sauvages.

buissonnière adj. f. *Faire l'école buissonnière :* se promener au lieu d'aller en classe.

bulbe n. m. Partie renflée de certaines plantes, qui reste enfouie dans la terre et leur permet de repousser chaque année.

Semblable à un gros bourgeon, un bulbe est formé d'une tige courte entourée de feuilles épaisses disposées en écailles. Il contient les réserves nécessaires au développement de la future plante. La partie inférieure du bulbe donne naissance aux racines, sa partie supérieure aux feuilles et à la fleur. La tulipe, la jacinthe, la jonquille, le lis sont des plantes à bulbe. L'oignon et l'ail sont des bulbes comestibles.

Bulbe de lis.   *Bulbe de jacinthe.*   *Coupe d'un oignon.*

Bulgarie

République du sud-est de l'Europe.
Traversée par la chaîne des Balkans, la Bulgarie est un pays de montagnes et de vallées. Ses ressources sont agricoles (céréales, fruits, vigne et culture traditionnelle des roses) et industrielles (sidérurgie, métallurgie, textile, agroalimentaire et électronique). La population se concentre dans les bassins et dans la plaine du Danube. Royaume indépendant à partir de 1908, la Bulgarie devient, en 1946, une république démocratique dirigée par un parti unique, le parti communiste. Les premières élections libres ont lieu en 1990, et le régime devient parlementaire.

110 912 km²
7 965 000 habitants :
les Bulgares
Langues :
bulgare, turc
Monnaie : nouveau lev
Capitale : Sofia

bulldozer n. m. Gros engin monté sur chenilles et servant à creuser et à déplacer la terre.
Mot anglais qui se prononce [byldɔzɛʀ].

bulle n. f. **1** Petite boule remplie d'air ou de gaz qui se forme dans un liquide. *Des bulles de savon.* **2** Dans une bande dessinée, espace entouré d'un trait où se trouvent les paroles ou les pensées des personnages.

bulletin n. m. **1** Document sur lequel figurent les notes d'un élève et les appréciations des professeurs. *Avoir un bon, un mauvais bulletin.* **2** *Bulletin de vote :* papier sur lequel est inscrit le nom du candidat choisi, dans une élection. *Les électeurs mettent leur bulletin de vote dans l'urne.* **3** Émission d'informations à la radio ou à la télévision. *Le bulletin météo.*

bulot n. m. → **buccin.**

bungalow n. m. Petite maison de vacances très simple, sans étage. *Un bungalow en bord de mer.*
Mot anglais qui se prononce [bœ̃galo].

buraliste n. Personne qui tient un bureau de tabac.

bureau n. m. **Plur. : des bureaux. 1** Table, parfois munie de tiroirs, sur laquelle on écrit, on travaille. **2** Pièce où est installé un bureau (**1**) et où l'on travaille. *Il s'est enfermé dans son bureau pour travailler.* **3** Lieu où travaillent les employés d'une entreprise ou d'une administration. *Son père la dépose à l'école*

en allant au bureau. **4** Endroit ouvert au public et où sont installés certains services. *Bureau de poste.* **5** *Bureau de tabac :* endroit où l'on vend des cigarettes, des timbres.

bureaucrate n. Fonctionnaire ou employé qui exerce sa fonction de manière routinière, sans prendre d'initiative et sans se sentir responsable.
Dans un système **bureaucratique**, *les bureaucrates exercent un pouvoir abusif. La* **bureaucratie**, *c'est le pouvoir des bureaucrates.*

burette n. f. Petit récipient à long bec verseur pour verser de l'huile de graissage dans un mécanisme.

Burgondes

Ancien peuple barbare d'origine scandinave installé en Germanie et en Gaule du vᵉ ou vɪᵉ siècle. Les Burgondes envahissent l'est de la Gaule au début du vᵉ siècle. Vaincus par les Romains, ils obtiennent le droit de s'établir en Savoie. De là, ils s'étendent dans la vallée du Rhône (le nom de Bourgogne dérive de Burgondes). Conquis par les Francs, le royaume burgonde disparaît en 534.

burin n. m. Outil d'acier tranchant servant à creuser le bois, le métal ou la pierre. *Gravure au burin.*

buriné, ée adj. Marqué de rides profondes. *Un marin au visage buriné.*

Burkina Faso

République d'Afrique de l'Ouest. Le Burkina Faso ou Burkina est formé par un plateau peu élevé, couvert de steppes et de savanes. C'est un des pays les plus pauvres du monde. L'agriculture et l'élevage bovin sont souvent compromis par la sécheresse. Colonie française à partir de 1919, le pays devient indépendant en 1960. Après une succession de dictatures, il s'achemine depuis 1991 vers un régime démocratique.

274 200 km²
12 624 000 habitants :
les Burkinabés
Langues : français,
moré, dioula…
Monnaie : franc CFA
Capitale :
Ouagadougou

burlesque adj. Drôle et étonnant.

burnous n. m. Grande cape de laine à capuchon, portée par les Arabes.
On prononce [byʀnu] **ou** [byʀnus].

Burundi

République d'Afrique centrale. Enclavé entre le Rwanda, la Tanzanie et le Congo, le Burundi est un pays de hauts plateaux.

Ses ressources sont agricoles (maïs et manioc, mais aussi café, thé et coton). La population du Burundi est formée de deux ethnies : les Hutus (à environ 85 %) et les Tutsis.

Sous domination belge à partir de 1916, le Burundi devient indépendant en 1962. Le pouvoir est aux mains des Tutsis. Les Hutus sont à plusieurs reprises victimes de massacres. Au début des années 1990, un régime démocratique est mis en place, mais un coup d'État militaire tutsi déclenche un violent conflit (1993-1996). Ce dernier fait plusieurs centaines de milliers de morts et entraîne le départ de près de un million de Hutus. Aujourd'hui, la tension entre les deux communautés reste très vive.

27 830 km²
6 602 000 habitants :
les Burundais
Langues : kirundi, français, swahili
Monnaie : franc burundais
Capitale : Bujumbura

bus n. m. Autobus.

buse n. f. Oiseau rapace qui vit le jour.

busqué, ée adj. Recourbé, arqué. *Un nez busqué.*

buste n. m. *1* Partie du corps qui va du cou à la taille. *2* Sculpture représentant le haut du corps de quelqu'un.

but n. m. *1* Endroit que l'on veut atteindre, objectif. *Un but de promenade. 2* Au figuré. Ce que l'on veut faire, intention. *Son but est d'être le premier de sa classe. 3* Dans certains sports, endroit où l'on cherche à faire entrer le ballon. *Gardien de but. 4* Point marqué quand le ballon pénètre dans cet endroit. *Notre équipe a gagné par deux buts à un.*
On prononce [by] **ou** [byt].
→ *Le buteur* est le joueur qui marque les buts (*4*).

butane n. m. Gaz employé comme combustible.

buter v. → conjug. **aimer.** *1* Heurter le pied contre un obstacle. *Il a buté contre le trottoir. 2* Au figuré. Se heurter à une difficulté. *Buter sur un problème. 3* Se buter :* s'entêter. *Il se bute pour un rien.*
→ *Il a un air buté,* l'air de quelqu'un qui se bute (*3*).

buteur, euse n. → **but.**

butin n. m. Ce que l'on a volé. *Se partager le butin.*

butiner v. → conjug. **aimer.** Recueillir le pollen et le nectar des fleurs. *Les abeilles butinent.*

butoir n. m. Obstacle placé à l'extrémité d'une voie ferrée, pour arrêter les trains.

butte n. f. *1* Petite colline, monticule.

buvable adj. Que l'on peut boire. *Ce lait est trop vieux, il n'est plus buvable.*

buvard n. m. Papier spécial qui sèche l'encre.

buvette n. f. Petit local où l'on sert des boissons.

buveur, euse n. Personne qui a l'habitude de consommer une boisson. *Une buveuse de thé.*

Byzance

Ancienne ville de la région de Thrace, sur le Bosphore, à l'emplacement de l'actuelle Istanbul. Fondée par les Grecs vers 658 av. J.-C., Byzance connaît successivement la domination des Macédoniens et des Romains. En 324 apr. J.-C., l'empereur Constantin désigne le site pour devenir la capitale de l'Empire romain d'Orient et fait construire Constantinople, inaugurée en 330. Cette dernière devient Istanbul en 1453.

Regarde aussi Constantinople.

Cc

CUNÉGONDE

*Que va faire
Cunégonde
aujourd'hui ?*

c' → ce.

ça pron. Familier. Cela ou ceci. *Comment ça va ? Donne-moi ça !*
Homonymes : çà, sa.

çà adv. *Çà et là :* dans divers endroits. *Il y a quelques méduses çà et là sur la plage.*
Homonymes : ça, sa.

cabalistique adj. Mystérieux, incompréhensible. *Des formules cabalistiques.*

caban n. m. Veste longue en tissu épais, comme en portent les marins.

cabane n. f. Petite maison construite de façon rudimentaire. *Les enfants ont construit une cabane avec des branchages.*
  Un *cabanon* est une petite cabane.

cabaret n. m. Endroit où on présente un spectacle et où on peut boire, dîner et danser.

cabas n. m. Grand sac pour faire les courses.

cabestan n. m. Appareil servant à tirer de lourdes charges.

câble —

tambour —

Sur les bateaux, le cabestan sert à soulever ou tirer les voiles, les ancres ou les filets de pêche. Il se compose d'une pièce verticale cylindrique appelée tambour, sur laquelle s'enroulent la corde ou le câble. Le cabestan est manœuvré manuellement ou à l'aide d'un moteur.

cabillaud n. m. Morue fraîche.

cabine n. f. **1** Petit local servant à un usage déterminé. *Cabine téléphonique. Cabine d'essayage. Cabine de bain.* **2** Chambre à bord d'un bateau. **3** Partie d'un véhicule où se tient le conducteur ou le pilote. *Cabine de pilotage.*

cabinet n. m. **1** *Cabinet de toilette :* petite pièce où se trouve un lavabo. **2** Au pluriel. W.-C., toilettes. **3** Bureau d'un avocat, d'un médecin, d'un dentiste. **4** Ensemble des collaborateurs d'un ministre, d'un préfet. **5** Département d'un musée qui conserve des collections particulières. *Le cabinet des estampes de ce musée est très riche.*

câble n. m. **1** Cordage très résistant. *Le câble d'un téléphérique.* **2** Ensemble de fils métalliques servant à conduire le courant. *Câble électrique. Câble téléphonique.* **3** Procédé de diffusion de programmes de télévision. *Être abonné au câble.*
  Notre immeuble est câblé, il reçoit le câble (**3**). *Le câblage de notre rue est en cours,* l'action de la câbler (**3**).

cabochard, arde adj. et n. Familier. Entêté. *Cet âne est particulièrement cabochard.*

cabosser v. → conjug. **aimer.** Abîmer par des bosses. *La voiture est toute cabossée.*

cabotage n. m. Navigation à peu de distance des côtes.
  Un *caboteur* est un bateau qui fait du cabotage.

cabotin, ine adj. et n. Qui cherche à se faire remarquer par un comportement théâtral, peu naturel.
  Parfois, son cabotinage m'amuse, son comportement de cabotin. *Elle ne peut s'empêcher de cabotiner,* de faire la cabotine.

Cabral

Navigateur portugais né vers 1467 et mort vers 1526. Cabral est chargé par le roi du Portugal Manuel Ier de rejoindre les Indes par l'est, en contournant l'extrémité sud de l'Afrique (le cap de Bonne-Espérance). Il part du Portugal le 9 mars 1500, à la tête de 13 navires. S'écartant considérablement, vers l'ouest, de la route prévue, il atteint le 23 avril 1500 une terre inconnue qu'il baptise «Terre de la Vraie Croix». Cabral vient de toucher la côte du Brésil, trois mois après le navigateur espagnol Pinzón. Il fait de ce pays une possession portugaise, puis repart vers l'est. Il passe le cap de Bonne-Espérance et arrive en Inde (à Calicut) au mois de septembre. Il y établit un comptoir commercial, et rentre au Portugal en 1501.

se cabrer v. → conjug. **aimer.** Se dresser sur ses membres postérieurs. *Le cheval s'est cabré.*

cabri n. m. Petit de la chèvre, chevreau.

cabriole n. f. Petit saut, galipette. *Faire des cabrioles.*

cabriolet n. m. Voiture décapotable.

caca n. m. Familier. Excrément.

cacahuète n. f. Graine de l'arachide, qui se mange grillée.
On prononce [kakawɛt]. **On écrit aussi : cacahouète.**

cacao n. m. Graine qui sert à fabriquer le chocolat.
Le cacaoyer est un arbuste tropical qui produit le cacao.

Les fèves de cacao sont contenues dans un fruit de 20 cm environ, la cabosse, qui pousse directement sur le tronc et les branches de l'arbre. Chaque cabosse contient de 30 à 40 fèves constituées d'une matière grasse (le beurre de cacao). Grillées et broyées, les fèves donnent la poudre de cacao, à partir de laquelle on fabrique le chocolat. La graisse de cacao est utilisée en confiserie, en pharmacie et en cosmétique. Originaire d'Amérique du Sud, le cacao est introduit en Europe en 1502 par Christophe Colomb. Les cacaoyers sont aujourd'hui cultivés dans les régions tropicales d'Amérique du Sud et d'Afrique.

Fleur.

Fève. Cabosse.

cacatoès n. m. Perroquet qui porte sur la tête une grande huppe colorée.

cachalot n. m. Gros mammifère marin qui possède des dents. *Le cachalot est un cétacé.*

cache n. m. Feuille de papier ou de carton servant à cacher une partie d'un texte, d'une image.

cache-cache n. m. inv. Jeu où l'un des joueurs cherche à trouver les autres qui se sont cachés.

cachemire n. m. Tissu ou tricot très doux fait avec du poil de chèvre du Cachemire.

cache-nez n. m. inv. Écharpe. *N'oublie pas ton cache-nez, il fait froid.*

cacher v. → conjug. **aimer. 1** Mettre quelque chose ou quelqu'un là où on ne peut pas le trouver. *Cacher un trésor. Il s'est caché dans le grenier.* **2** Empêcher de voir. *Cet arbre nous cache le paysage.* **3** Au figuré. Ne pas montrer, ne pas exprimer. *Cacher sa joie.*
Synonyme : dissimuler.

cachère adj. inv. Se dit d'un aliment préparé comme le prescrit la religion juive. *De la viande cachère.*
On écrit aussi : casher et kasher.

cachet n. m. **1** Marque imprimée à l'aide d'un tampon. *Le cachet postal indique le lieu et la date d'envoi d'une lettre.* **2** Argent que touche un acteur ou un musicien. *Un gros cachet.* **3** Comprimé. *Un cachet d'aspirine.*

cacheter v. → conjug. **jeter.** Fermer une enveloppe.
Contraire : décacheter.

cachette n. f. **1** Endroit secret où l'on peut cacher quelque chose ou se cacher. *Il ne veut pas sortir de sa cachette.* **2** En cachette : en se cachant, secrètement.

cachot n. m. Cellule de prison étroite et sombre.

cachotterie n. f. Petit secret que l'on ne veut pas dire. *Faire des cachotteries.*
C'est un cachottier, il aime faire des cachotteries.

cachou n. m. Petite pastille noire et parfumée.

cacophonie n. f. Mélange de sons désagréables à l'oreille.

cactus n. m. Plante grasse à piquants des climats chauds et secs.
On prononce [kaktys].

Les cactus appartiennent à la famille des cactacées, un groupe qui compte plus de 2 000 espèces. Ils possèdent en général des tiges très épaisses, qui contiennent des réserves d'eau leur permettant de survivre dans les régions arides. Leurs feuilles sont très réduites pour limiter l'évaporation : elles forment des épines. Les fleurs, souvent très colorées, ont une vie très courte.

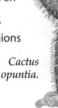

Cactus opuntia.

c.–à–d. abrév. → c'est-à-dire.

cadastre n. m. Ensemble des documents indiquant le plan de toutes les propriétés d'une commune, ainsi que le nom des propriétaires.
Un plan cadastral représente le cadastre de la commune.

cadavre n. m. Corps d'une personne ou d'un animal morts.
Il a un teint cadavérique, il est aussi pâle qu'un cadavre.

Caddie n. m. Petit chariot métallique pour transporter ses courses dans les supermarchés, ou ses bagages dans les gares ou les aéroports.
Ce mot s'écrit avec une majuscule car c'est le nom d'une marque.

cadeau n. m. **Plur. : des cadeaux.** Objet que l'on offre à quelqu'un. *Un cadeau d'anniversaire. Elle lui a fait cadeau d'un livre.*

cadenas n. m. Petit boîtier muni d'un arceau servant à fermer une porte, à attacher une chaîne.
La malle est cadenassée, fermée avec un cadenas.

cadence n. f. *1* Succession régulière de sons, de mouvements. *Marquer la cadence. Marcher en cadence.* *2* Vitesse d'exécution d'un travail, d'une action. *Accélérer la cadence.*
Ils défilent au pas cadencé, en cadence (*1*).

cadet, ette adj. et n. Qui est moins âgé qu'un autre. *Elle a deux sœurs cadettes. Il est mon cadet de trois ans.*

cadrage n. m. → cadrer.

cadran n. m. *1* Partie d'une horloge, d'une montre ou d'un réveil sur laquelle se déplacent les aiguilles. *2 Cadran solaire :* dispositif qui indique l'heure grâce à une tige dont l'ombre tourne avec le soleil.

cadre n. m. *1* Bordure qui entoure un miroir, un tableau. *Mettre une photographie dans un cadre. 2* Au figuré. Ce qui limite un domaine, un sujet. *Cela sort du cadre de mes fonctions. 3* Décor, milieu, entourage. *Vivre dans un cadre agréable. 4* Ensemble des tubes qui constituent l'armature d'un vélo. *5* Personne exerçant une fonction de direction ou de contrôle dans une entreprise.

cadrer v. → conjug. **aimer.** *1* Orienter et régler son appareil photo ou sa caméra de façon à mettre en place l'image. *La photo est mal cadrée. 2* Au figuré. Correspondre, concorder. *Ses notes ne cadrent pas avec ses résultats habituels.*
Le cadrage est bon, l'image est bien cadrée (*1*).

cadreur, euse n. Personne dont le métier est de faire fonctionner une caméra.
Synonyme : cameraman.

caduc, caduque adj. Qui tombe chaque année. *Arbre à feuilles caduques.*
Contraire : persistant.

cafard n. m. *1* Petit insecte brun au corps aplati qui vit dans les endroits habités. *2* Familier. *Avoir le cafard :* être triste, déprimé.
Synonymes : blatte (*1*), cancrelat (*1*).
Il est un peu cafardeux, il a le cafard (*2*).

café n. m. *1* Graine d'un arbuste que l'on grille et que l'on moud pour faire une boisson. *2* La boisson ainsi faite. *Boire une tasse de café. 3* Endroit où l'on sert des boissons. *Aller au café.*
Le caféier est un arbuste tropical qui produit le café (*1*). *La caféine* est une substance excitante présente dans le café (*1*). *Une cafetière,* c'est un appareil ou un récipient pour préparer le café (*2*).

Les grains de café sont contenus dans des fruits appelés cerises. Chaque cerise renferme deux grains de café qui, une fois grillés (on dit « torréfiés »), sont réduits en poudre pour la préparation du café. La caféine contenue dans le café est une substance excitante qui, prise en grande quantité, peut être nocive pour l'organisme.
Le caféier, originaire des bords de la mer Rouge, est cultivé dès le VIIe siècle av. J.-C. Il est introduit en France dans les années 1640. Le Brésil et la Colombie sont aujourd'hui les premiers producteurs de café du monde.

Cerises.

Grains.

Fleur.

cafétéria n. f. Endroit où l'on sert des boissons, des sandwichs, des repas rapides. *La cafétéria d'un centre commercial, d'un hôpital.*

cafetière n. f. → **café.**

cafouiller v. → conjug. **aimer.** Familier. Mal fonctionner, s'embrouiller. *Il cafouille dans ses explications.*
Il y a eu un peu de *cafouillage*, ça a cafouillé.

cage n. f. *1* Abri fermé par des barreaux ou des grillages, où l'on enferme des animaux. *La cage aux lions. 2* Cage d'escalier, d'ascenseur : espace où est installé un escalier, un ascenseur, dans une maison, un immeuble. *3* Cage thoracique : squelette du thorax.

cageot n. m. Caisse légère pour transporter des fruits, des légumes.

cagibi n. m. Petit local servant de débarras.

cagnotte n. f. Argent versé par plusieurs personnes et mis en commun. *Faire une cagnotte.*

cagoule n. f. *1* Capuchon qui couvre toute la tête, avec des trous à l'endroit des yeux. *2* Sorte de bonnet qui couvre la tête et le cou.
Synonyme : passe-montagne.

cahier n. m. Feuilles de papier assemblées entre elles et protégées par une couverture. *Cahier de brouillon. Cahier de textes. Cahier à spirale.*
Homonyme : cailler.

cahin–caha adv. Tant bien que mal, difficilement. *Les affaires vont cahin-caha.*

Cahors

Ville française de la Région Midi-Pyrénées, située sur les bords du Lot. Cahors est un centre administratif et commercial (notamment fruits, truffes et vin). Son université est rattachée à celle de Toulouse. C'est aussi une ville touristique, dotée d'une cathédrale à coupoles de style roman de la fin du XIIe siècle, la cathédrale Saint-Étienne. Le pont fortifié Valentré, du XIVe siècle, enjambe le Lot. Au début du XIVe siècle, le pape Jean XXII crée l'université de la ville.

46 *Préfecture du Lot*
21 432 habitants : les Cadurciens

cahot n. m. Secousse d'une voiture sur un terrain irrégulier.
Homonyme : chaos.
La voiture cahote, elle est cahotante, elle est secouée par des cahots. *Le chemin est cahoteux*, il provoque des cahots.

cahute n. f. Petite cabane, hutte.

caïd n. m. Familier. Chef de bande. *Il veut jouer les caïds.*

caillasse n. f. Familier. Cailloux, pierraille. *Marcher dans la caillasse.*

caille n. f. Oiseau migrateur, ressemblant à une petite perdrix.

cailler v. → conjug. **aimer.** Devenir épais, coaguler. *Le lait a caillé.*
Homonyme : cahier.

caillot n. m. Petite masse de sang qui a coagulé.

caillou n. m. **Plur. : des cailloux.** Petite pierre.
Le chemin est caillouteux, il y a beaucoup de cailloux.

caïman n. m. Crocodile d'Amérique, à museau court et large.

Caïn

Figure de la Bible, reprise par le Coran, fils aîné d'Adam et Ève. Caïn, qui est cultivateur, offre à Dieu sa récolte de fruits, mais ne supporte pas que celui-ci préfère l'offrande de son frère Abel (son troupeau) : il tue Abel par jalousie. Caïn, devenu le premier criminel de l'humanité, est maudit et condamné à errer indéfiniment.

caisse n. f. *1* Grande boîte ou coffre pour emballer ou transporter des marchandises, pour ranger des objets. *Des caisses de vin. Une caisse à outils. 2* Tiroir ou meuble où un commerçant range l'argent qu'il reçoit. *Caisse enregistreuse. 3* Endroit où l'on paie, dans un magasin, un cinéma. *Les caisses d'un supermarché. 4* Guichet d'une banque où se font les paiements. *5* Grosse caisse : gros tambour.
Une caissette est une petite caisse (*1*). *Le caissier* est la personne qui tient la caisse (*3* et *4*) dans un magasin, une banque.

cajoler v. → conjug. **aimer.** Câliner, dorloter. *Elle aime se faire cajoler.*

cajou n. m. Fruit dont l'amande, appelée *noix de cajou*, se consomme grillée comme la cacahuète.

Le cajou, ou anacarde, est le fruit de l'anacardier, un arbre des régions tropicales. On élimine l'enveloppe du fruit, qui contient une huile irritante, en le faisant griller (torréfaction). Cette huile est utilisée pour éliminer les verrues.

Noix de cajou.

cake n. m. Gâteau aux fruits confits et aux raisins secs.
Mot anglais qui se prononce [kɛk].

calamar n. m. Mollusque marin possédant dix tentacules, voisin de la seiche.
On dit aussi : calmar.

calamité n. f. Grand malheur qui frappe une population, catastrophe.

calandre n. f. Partie, généralement métallique, qui se trouve à l'avant d'une voiture, devant le radiateur.

calanque n. f. Crique étroite et escarpée, en Méditerranée.

calao n. m. Grand oiseau d'Asie du Sud et d'Afrique.
Les calaos sont caractérisés par leur énorme bec de couleur vive, surmonté par une excroissance appelée casque. Ils utilisent ce casque pour les combats et pour faire tomber les fruits dont ils se nourrissent. Il existe de nombreuses espèces de calaos, dont la taille varie entre 40 cm et 1,30 m. Ils vivent généralement dans les arbres. Les grands calaos se nourrissent de fruits, tandis que les petits consomment plutôt des insectes. Pendant la reproduction, la femelle s'enferme dans un trou d'arbre qu'elle bouche, ne laissant qu'un minuscule orifice par lequel le mâle vient l'alimenter.

calcaire n. m. et adj.
• n. m. Roche sédimentaire comme la craie ou le marbre.
• adj. Qui contient du calcaire. *Terrain calcaire. Eau calcaire.*

calciner v. → conjug. **aimer.** Brûler, carboniser. *Après l'incendie de la forêt, il ne restait que des troncs calcinés.*

calcium n. m. Métal blanchâtre présent dans de nombreux matériaux naturels ainsi que dans les organismes vivants. *Le lait contient du calcium.*
On prononce [kalsjɔm].

calcul n. m. *1* Opération faite avec des nombres. *Il s'est trompé dans ses calculs. 2* Arithmétique. *Être bon en calcul. 3* Raisonnement, prévision. *C'était un mauvais calcul de quitter l'autoroute. 4* Petite pierre qui se forme dans les reins ou dans la vésicule biliaire. *Les calculs peuvent provoquer de vives douleurs.*

Une calculatrice est une machine électronique qui effectue des calculs (1). Une calculette est une calculatrice de poche.

calculateur, trice adj. Qui sait combiner habilement des actions en vue d'obtenir un résultat. *Il est rusé et calculateur.*

calculatrice n. f. → calcul.

calculer v. → conjug. **aimer.** *1* Déterminer par le calcul. *Calculer la surface d'un triangle. 2* Prévoir, évaluer. *Il a mal calculé son coup.*

calculette n. f. → calcul.

cale n. f. *1* Ce que l'on place sous un objet pour l'empêcher de bouger. *Mettre une cale sous le pied d'une table bancale. 2* Partie d'un navire située sous le pont, où l'on entrepose les marchandises. *3 Cale sèche :* bassin qu'on peut mettre à sec pour réparer la coque d'un navire.

calé, ée adj. Familier. Qui est compétent dans un domaine. *Elle est calée en géographie.*

calebasse n. f. Récipient fait d'une courge vidée et séchée.

calèche n. f. Voiture à cheval à quatre roues, munie d'une capote repliable à l'arrière.

caleçon n. m. *1* Sous-vêtement d'homme en forme de short. *2* Pantalon de femme très moulant.

calembour n. m. Jeu de mots. *«C'est assez! dit la baleine»* est un calembour car la baleine est un cétacé.

calendrier n. m. Tableau indiquant les jours et les mois d'une année, ainsi que les fêtes.
Toutes les sociétés ont eu besoin de mesurer le temps et l'ont divisé en jours, mois et années. Ces divisions correspondent au temps de rotation de la Terre et aux mouvements du Soleil et de la Lune. Il existe donc trois grands types de calendriers : les calendriers solaires, lunaires ou semi-lunaires. Chaque civilisation a créé son propre système calendaire.
Regarde page suivante.

cale-pied n. m. **Plur. : des cale-pieds.** Dispositif fixé sur la pédale d'un vélo pour empêcher le pied de glisser.

calepin n. m. Petit carnet.

caler v. → conjug. **aimer.** *1* Empêcher de bouger au moyen d'une cale. *Caler une chaise. 2* S'arrêter brusquement. *Le moteur a calé.*

calfeutrer v. → conjug. **aimer.** *1* Boucher les fentes d'une porte ou d'une fenêtre pour empêcher l'air de passer. *2 Se calfeutrer :* s'enfermer. *Se calfeutrer chez soi.*

les calendriers

Les premiers calendriers remontent à l'Antiquité. Celui que nous utilisons aujourd'hui date du XVIe siècle. Il a été institué par le pape Grégoire XIII, c'est pourquoi on l'appelle grégorien. À côté de ce calendrier devenu universel, subsistent toujours des calendriers religieux.

Dès 4 000 av. J.-C., les Égyptiens utilisent un calendrier solaire. Les Babyloniens, eux, se fondent sur les cycles lunaires. Chez les Romains, le calendrier est lunaire jusqu'en 46 av. J.-C., date à laquelle Jules César instaure le calendrier solaire « julien » qui sera en vigueur jusqu'au XVIe siècle.

❖ Dans le calendrier grégorien, l'année, divisée en 365 jours, représente le temps de rotation de la Terre autour du Soleil, qui est d'environ 365 jours et 6 heures.

❖ Tous les 4 ans, l'année compte 366 jours (année bissextile), ce qui permet de rattraper le retard accumulé, c'est-à-dire 24 heures.

❖ Le jour est le temps approximatif de rotation de la Terre sur elle-même (24 h).

❖ Le mois correspond à une division arbitraire de l'année en 12 ; il varie entre 28 et 31 jours.

❖ La semaine est un cycle de 7 jours dont l'origine est religieuse (temps mis par Dieu pour créer le monde) et astronomique (temps d'un quartier de lune). Dans l'ère chrétienne, les années sont comptées à partir de la naissance de Jésus-Christ.

le calendrier républicain

En 1793, la Révolution française remplace le calendrier grégorien par le calendrier républicain. Il restera en usage jusqu'en 1806. L'année débute le 22 septembre. Elle est divisée en 12 mois de 30 jours, répartis en périodes de 10 jours appelées décades.

Les années sont comptées à partir de 1792 (date de proclamation de la République) : an I, an II, an III…

Le nom des mois évoque la saison.

- En été : messidor (moissons), thermidor (chaleur) et fructidor (fruits).
- En automne : vendémiaire (vendanges), brumaire (brume) et frimaire (frimas).
- En hiver : nivôse (neige), pluviôse (pluie) et ventôse (vent).
- Au printemps : germinal (germination), floréal (floraison) et prairial (prairie).

Représentation de frimaire.

d'autres calendriers

Les juifs comptent les années à partir de la création du monde (3761 av. J.-C.) ; les musulmans à partir de la date de l'hégire, année où Mahomet s'enfuit à Médine (622 ap. J.-C.). Les Chinois se basent sur un calendrier lunaire ; leur année commence entre le 21 janvier et le 19 février de la nôtre.

Un calendrier traditionnel chinois.

calibre n. m. *1* Diamètre intérieur du canon d'une arme. *Pistolet de 7,65 mm de calibre.* *2* Diamètre, grosseur de quelque chose. *Des oranges de même calibre.*

Calibrer des fruits, c'est les classer selon leur calibre (*2*).

calice n. m. *1* Enveloppe extérieure d'une fleur, qui s'ouvre quand elle fleurit. *2* Coupe dans laquelle le prêtre offre le vin de messe.

Généralement de couleur verte, le calice est formé par l'ensemble des sépales, la plupart du temps soudés les uns aux autres. Quand la fleur est en bouton, il entoure et protège la corolle (ensemble des pétales), les étamines et le pistil.

calice

Fleur de lin.

Regarde aussi **fleurs.**

calife n. m. Chef suprême des musulmans, autrefois.

à califourchon adv. Assis en ayant une jambe de chaque côté. *Être à califourchon sur un banc.*

câlin, ine adj. et n. m.
● adj. Qui aime les caresses, les gestes tendres. *Elle est très câline.*
● n. m. Geste tendre, caresse. *Fais-moi un câlin.*

Câliner un enfant, c'est lui faire des câlins, le cajoler.

calleux, euse adj. Dont la peau est rugueuse et épaisse à cause de frottements répétés. *Avoir des mains calleuses.*

calligraphie n. f. Écriture élégante, régulière et décorative.

Elle a calligraphié son carton d'invitation, elle l'a écrit en calligraphie.

callosité n. f. Endroit où la peau est calleuse. *Avoir des callosités aux mains.*

calmant n. m. → **calmer.**

calmar n. m. → **calamar.**

calme adj. et n. m.
● adj. *1* Qui n'est pas agité, qui n'est pas bruyant. *Une mer calme. Un quartier calme.* *2* Qui est d'humeur paisible, qui n'est pas nerveux. *Ce sont des enfants très calmes.*
● n. m. *1* Absence d'agitation, de bruit. *Apprécier le calme de la campagne.* *2* État d'une personne paisible, calme. *Garder, perdre son calme.*

Répondez-moi calmement, avec calme (*2*), sans vous énerver.

calmer v. → conjug. **aimer.** *1* Rendre calme, apaiser. *Il a réussi à les calmer. Calmez-vous !* *2* Rendre moins fort, soulager. *Calmer une douleur.*

Le médecin lui a prescrit un calmant, un médicament qui calme (*2*) la douleur ou l'angoisse.

calomnie n. f. Accusation mensongère qu'on lance contre quelqu'un pour lui faire du tort.

Cette lettre est calomnieuse, elle contient des calomnies. *Vous m'avez calomnié*, vous avez dit des calomnies sur moi. *C'est un calomniateur*, quelqu'un qui dit des calomnies.

calorie n. f. Unité servant à mesurer l'énergie fournie par les aliments. *Pour maigrir, il faut un régime pauvre en calories.*

calot n. m. Grosse bille.

calotte n. f. *1* Petit bonnet rond qui couvre le sommet du crâne. *2* Calotte glaciaire : masse de glace qui recouvre les régions polaires.

calque n. m. Copie d'un dessin faite directement grâce à un papier transparent appelé *papier-calque.*

calumet n. m. Pipe à long tuyau que fumaient les Indiens d'Amérique du Nord. *Le calumet de la paix.*

calvaire n. m. *1* Croix en plein air qui rappelle la mort du Christ. *2* Au figuré. Longue souffrance.

Calvin

Réformateur religieux, pasteur et écrivain français, né en 1509 et mort en 1564. Son vrai nom est Jean Cauvin. Après des études de droit et de théologie, Calvin se passionne pour les questions religieuses et la Réforme protestante initiée par Martin Luther, dont il partage les idées. Il est contraint de quitter la France, où les protestants sont persécutés, et se rend à Bâle, en Suisse. Il rédige *Institution de la religion chrétienne* (1536), où il affirme la souveraineté absolue de Dieu, qui seul peut décider du salut des hommes, et rejette la hiérarchie de l'Église.
Installé à Genève à partir de 1541, il devient peu à peu un chef religieux redouté qui édicte des règles de conduite très strictes. Il n'hésite pas à employer la terreur pour faire triompher ses idées.
Sur la fin de sa vie, Calvin se consacre à l'étude et à l'enseignement. Sa doctrine, le calvinisme, est l'un des grands courants du protestantisme.

calvitie n. f. État d'une personne chauve.
On prononce [kalvisi].

camarade n. Personne avec laquelle on partage une même activité et qu'on aime bien. *Des camarades de classe.*

Ils ont des relations de bonne **camaraderie**, ils sont camarades, ils s'entendent bien.

Camargue

Région géographique du sud-est de la France, située en Provence, sur le delta du Rhône, dans le département des Bouches-du-Rhône. C'est une vaste étendue plate et marécageuse où sont pratiquées quelques cultures, notamment celle du riz. La vocation de cette région sauvage est avant tout l'élevage des chevaux et des taureaux noirs. Les troupeaux sont menés par des hommes à cheval appelés gardians. La Camargue, dotée depuis 1970 d'un grand parc naturel régional de 86 300 hectares, est aussi le refuge de nombreux animaux : chevaux camarguais, flamants roses, hérons…
Arles est la grande cité camarguaise. La ville des Saintes-Maries-de-la-Mer est un lieu de pèlerinage pour les Gitans.

Cambodge

Monarchie constitutionnelle d'Asie du Sud-Est, située sur le golfe de Thaïlande. Le pays, constitué de plateaux et de plaines, est traversé par le fleuve Mékong et ses affluents. Il est soumis au climat de mousson. La population, concentrée autour du fleuve, vit de la culture du riz et de l'exploitation des forêts.
Protectorat français à partir de 1863, le Cambodge devient indépendant en 1953. À partir de 1975, son histoire est marquée par une terrible dictature (menée par Pol Pot et les Khmers rouges). Le territoire est occupé par l'armée vietnamienne de 1978 à 1989. En 1993, une nouvelle Constitution est mise en place. L'économie du pays, ruinée par la guerre, se relève lentement et connaît une croissance modeste.

181 040 km²
13 810 000 habitants :
les Cambodgiens
Langues : khmer,
français, anglais,
vietnamien
Monnaie : riel
Capitale : Phnom Penh

cambouis n. m. Graisse ou huile noircie. *Des taches de cambouis.*

cambrer v. → conjug. **aimer.** Redresser le corps en creusant le dos. *Cambrer la taille, les reins. Avoir le dos trop cambré.*

La **cambrure** du dos, c'est la partie cambrée du dos.

cambrioler v. → conjug. **aimer.** Entrer de force dans un endroit et y commettre un vol. *Leur appartement a été cambriolé pendant les vacances.*

Il y a eu plusieurs **cambriolages** dans l'immeuble, plusieurs appartements ont été cambriolés. *La police a retrouvé les **cambrioleurs**,* les auteurs du cambriolage.

cambrure n. f. → cambrer.

caméléon n. m. Lézard qui vit principalement en Afrique, en Inde et à Madagascar.

Les caméléons mesurent entre 5 et 30 cm de long. Leur tête est souvent pourvue de crêtes ou de cornes. Leurs yeux protubérants, très mobiles, s'orientent indépendamment l'un de l'autre. Un caméléon peut regarder dans deux directions à la fois. Ces cousins du lézard vivent dans les arbres, et se nourrissent d'insectes. Ils les capturent à l'aide de leur longue langue collante qu'ils projettent en avant. Les caméléons sont généralement verts, jaunes ou bruns, tons qui leur permettent de se fondre dans leur environnement. Mais ils modifient aussi leur couleur en fonction de leur humeur, et peuvent devenir rouges ou noirs s'ils sont en colère !

camélia n. m. Arbuste toujours vert originaire d'Asie, qui donne des fleurs appelées aussi *camélias.*

camelot n. m. Marchand qui vend dans la rue des objets peu chers.

camelote n. f. Familier. Marchandise de mauvaise qualité. *Cette montre s'est cassée tout de suite, c'est de la camelote.*

camembert n. m. Fromage rond à pâte molle, fait avec du lait de vache. *Camembert de Normandie.*

caméra n. f. Appareil servant à faire des films. *Caméra de cinéma, de télévision.*

cameraman n. m. Cadreur.
Mot anglais qui se prononce [kameraman]**.**

Cameroun

République de la côte ouest de l'Afrique, située sur le golfe de Guinée. Alors que le Nord, où sévit la sécheresse, est le domaine de la savane, le Sud, au climat humide, est en grande partie couvert par la forêt équatoriale. Le point culminant est un volcan, le mont Cameroun (4 070 m). La population comprend plus de 200 ethnies. Elle se concentre dans les villes du Sud-Ouest, notamment à Yaoundé et à Douala. L'économie est basée à la fois sur les ressources agricoles, l'exploitation forestière et les richesses pétrolières et minières. La présence de grands parcs naturels sur le territoire permet aussi une importante activité touristique.

475 440 km²
15 729 000 habitants :
les Camerounais
Langues : français,
anglais, bassa, douala,
ewondo…
Monnaie : franc CFA
Capitale : Yaoundé

Sous domination allemande à partir de 1884, le Cameroun est partagé entre la France et l'Angleterre entre 1919 et 1922. Il devient indépendant entre 1961 et 1962. Le Cameroun est membre du Commonwealth depuis 1995.

Caméscope n. m. Caméra portative servant à faire des films en vidéo.
Ce mot s'écrit avec une majuscule car c'est le nom d'une marque.

camion n. m Gros véhicule pour le transport des marchandises
　　Le camionneur est la personne qui conduit un camion. *Une camionnette* est un petit camion.

camomille n. f. Plante vivace dont la fleur est utilisée en infusion.

camoufler v. → conjug. **aimer.** Rendre difficile à voir ou à reconnaître. *Les soldats ont camouflé les chars en les recouvrant de branchages.*
　　Les soldats sont en tenue de camouflage, ils portent une tenue de couleur bigarrée qui leur permet de se camoufler.

camp n. m. *1* Terrain où est installée une armée. *2* Campement. *Un camp scout. 3* Lieu où sont regroupées des personnes. *Camp de réfugiés, de prisonniers. 4* Groupe qui s'oppose à un autre. *Les joueurs sont divisés en deux camps.*
Homonyme : quand.

campagnard, arde adj. et n. Qui est de la campagne. *Un accent campagnard. Les campagnards et les citadins.*

campagne n. f. *1* Région située loin des villes, où il y a des champs, des bois. *Avoir une maison à la campagne. 2* Expédition militaire. *Les campagnes de Napoléon Ier. 3* Ensemble d'opérations ayant pour but de faire connaître quelque chose. *Une campagne publicitaire. Une campagne électorale.*

campagnol n. m. Petit rat à queue courte qui vit dans les champs.

campanule n. f. Plante à fleurs mauves ou roses en forme de clochettes.

campement n. m. Installation provisoire. *Un campement de nomades.*

camper v. → conjug. **aimer.** *1* Faire du camping. *Ils campent au bord d'un lac. 2 Se camper :* prendre une attitude assurée, provocante. *Il s'est campé devant la porte.*
　　Les campeurs sont les personnes qui campent (*1*).

camphre n. m. Substance à l'odeur forte utilisée dans certaines pommades.

camping n. m. *1* Manière de passer des vacances en dormant sous une tente, dans une caravane ou dans un camping-car. *Faire du camping. 2* Terrain spécialement aménagé pour les campeurs.
Mot anglais qui se prononce [kãpiŋ].

camping-car n. m. Plur. : des camping-cars. Camionnette aménagée pour le camping.

Camus Albert

Écrivain français né en Algérie en 1913 et mort en 1960. Sa santé fragile le contraint à abandonner ses études de philosophie. Il publie son premier recueil d'essais en 1937. Son roman *l'Étranger* (1942) et un essai, *le Mythe de Sisyphe* (1942), lui assurent le succès. Il y exprime ses réflexions sur la difficile condition humaine et l'absurdité de la vie. Ces thèmes sont repris dans d'autres romans : *la Peste* (1947), *la Chute* (1956), des essais : *l'Homme révolté* (1951), et des pièces de théâtre comme *les Justes* (1949). Ses œuvres sont également marquées par l'évocation de l'atmosphère de son pays natal, l'Algérie. Camus reçoit le prix Nobel de littérature en 1957.

Canada

Canada

500 km

Ellesmere

Îles de la Reine-Élisabeth

Banks

•Inuvik

Arctic Bay

Victoria

Île de Baffin

YUKON

•Whitehorse

NUNAVUT

Iqaluit

TERRITOIRES DU NORD-OUEST

Yellowknife

Baie d'Hudson

COLOMBIE-BRITANNIQUE

Churchill

Schefferville

TERRE-NEUVE

ALBERTA

MANITOBA

Edmonton

QUÉBEC

St. John's

SASKATCHEWAN

ÎLE-DU-PRINCE-ÉDOUARD

Victoria

Vancouver

•Calgary

ONTARIO

Charlottetown

Fredericton

Regina

Winnipeg

Québec

Halifax

Thunder Bay

St. Laurent

NOUVELLE-ÉCOSSE

Montréal

OTTAWA

NOUVEAU-BRUNSWICK

Toronto

Grands Lacs

Provinces et villes principales

Les gratte-ciel de Montréal dominent le Saint-Laurent.

État fédéral d'Amérique du Nord, second pays du monde par sa superficie après la Russie, constitué de dix provinces et de trois territoires.

■ Près de la moitié du Canada est occupée par une masse montagneuse peu élevée, le bouclier canadien, qui encercle la baie d'Hudson. À l'ouest s'étend de vastes plaines dominées par les hauts sommets de la chaîne côtière pacifique (6 050 m au mont Logan). Au sud-est s'étend la région des Grands Lacs et du fleuve Saint-Laurent. L'ensemble du pays connaît un climat rigoureux qui rend les conditions de vie difficiles. De grands espaces, notamment dans le Nord, sont inhabités. Le pays est traversé d'est en ouest, sur 7 821 km, par une route appelée Transcanadienne.

■ Le Canada est un pays riche, au niveau de revenu élevé et à l'économie florissante. La production céréalière (blé, orge) est une des plus importantes du monde. L'exploitation des forêts, qui couvrent la moitié du pays, en fait le deuxième exportateur mondial de bois.

Les ressources du sous-sol (pétrole, gaz, uranium, charbon, zinc, nickel, or, plomb, argent…) permettent le développement d'un puissant secteur industriel et technologique.

■ Le Canada est peu peuplé, avec deux fois moins d'habitants que la France pour une superficie vingt fois supérieure. La population, concentrée près du Saint-Laurent et des Grands Lacs, parle l'anglais (70 %) et le français.

■ Le Québec, grande province à l'est du pays, est francophone à 80 %. Il compte plus de 7 millions d'habitants, dont 50 % habitent l'agglomération de Montréal.

■ Jacques Cartier explore le Canada à partir de 1534 et en fait une possession française. Le pays passe sous domination britannique en 1763. Autonome dès 1867, il devient indépendant en 1926, et membre du Commonwealth.

CANADA

9 970 610 km²
31 271 000 habitants :
les Canadiens
Langues : anglais,
français
Monnaie : dollar
canadien
Capitale : Ottawa

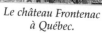

Le Saint-Laurent pris par les glaces.

Le château Frontenac à Québec.

canaille n. f. Personne malhonnête, crapule, gredin.

canal n. m. **Plur. : des canaux. 1** Cours d'eau creusé par l'homme pour la navigation. **2** Conduit qui sert à amener l'eau jusqu'aux cultures.

Canaletto (le)

Peintre et graveur italien né en 1697 et mort en 1768. Son vrai nom est Giovanni Antonio Canal. Pendant plusieurs années, Venise, sa ville natale, est l'unique sujet de ses œuvres (*la Place Saint-Marc, le Pont Rialto, le Grand Canal…*). Il peint la ville sous tous les angles, à toutes les saisons, sous toutes les lumières.
Son style est précis et minutieux, et ses œuvres fidèles à la nature, tant par les couleurs et les tons que par la justesse des perspectives. De 1746 à 1755, Canaletto séjourne à Londres, où il peint des paysages de campagne et des vues de cités (*Terrasse de Richmond, Château de Warwick…*). De retour en Italie, il est élu à l'Académie de Venise en 1763.

Venise, l'entrée du Grand Canal et l'église de la Salute

canalisation n. f. Tuyau servant à faire passer un liquide, un gaz.

canaliser v. → conjug. **aimer. 1** Rendre un cours d'eau navigable en l'aménageant. *Canaliser une rivière.* **2** Diriger des choses, des personnes dans un sens déterminé. *Canaliser une foule.*

canapé n. m. **1** Long siège à dossier pour plusieurs personnes. **2** *Canapé-lit :* canapé qui peut se transformer en lit. **3** Petite tranche de pain garnie, servie en apéritif, ou lors d'un buffet. *Canapés au fromage.*

canard n. m. Oiseau aux pattes palmées et au large bec, qui sait nager. *Il existe des canards sauvages et des canards domestiques.*

canari n. m. Petit oiseau jaune de la famille du serin, qui chante très bien.

cancan n. m. Familier. Commérage, ragot. *Elle adore écouter les cancans.*

cancer n. m. Maladie très grave provoquée par le développement désordonné des cellules. *Cancer du poumon. Cancer du sein.*
Le tabac, l'amiante sont *cancérigènes*, ils peuvent provoquer un cancer. *Un cancéreux, une cancéreuse* sont des personnes qui ont un cancer. *Un cancérologue* est un médecin spécialiste du cancer.

cancre n. m. Élève paresseux et très mauvais.

candélabre n. m. Grand chandelier à plusieurs branches.

candeur n. f. Naïveté sincère et innocente.
Il a un air candide, plein de candeur. *Elle sourit candidement,* d'une façon candide.

candi adj. m. *Sucre candi :* sucre en gros morceaux irréguliers.

candidat, ate n. Personne qui se présente à une élection, à un examen, à un poste.
Elle a posé sa candidature aux élections, elle a déclaré qu'elle était candidate.

candide adj., **candidement** adv. → **candeur.**

cane n. f. Femelle du canard.
Homonyme : canne.
Le *caneton* est le petit de la cane et du canard.

canette n. f. **1** Petite cane. **2** Petite boîte métallique ou petite bouteille contenant une boisson. *Une canette de bière.* **3** Petite bobine autour de laquelle est enroulé le fil dans une machine à coudre.

canevas n. m. **1** Grosse toile spéciale sur laquelle on fait de la tapisserie. **2** Plan d'un roman, d'un exposé.

caniche n. m. Chien à poil frisé.

canicule n. f. Période de très grande chaleur.
Il fait un temps caniculaire, un temps de canicule.

canif n. m. Petit couteau de poche dont la lame se replie.

canin, ine adj. Qui concerne les chiens. *Une exposition canine.*

canine n. f. Dent pointue située entre les incisives et les prémolaires.

Les canines sont au nombre de 4 (2 par mâchoire). Ce sont des dents pointues, qui servent à déchirer les aliments. Elles sont nettement développées chez les animaux du groupe des carnivores, et prennent alors le nom de crocs.
***Regarde aussi* dents.**

caniveau n. m. Plur. : des caniveaux. Bordure qui longe le trottoir et dans laquelle s'écoule l'eau.

canne n. f. *1* Bâton sur lequel on s'appuie pour marcher. *2* *Canne à pêche* : longue perche à laquelle on attache un fil pour pêcher à la ligne. *3* *Canne à sucre* : plante vivace tropicale à grande tige dont on extrait du sucre.
Homonyme : cane.

La canne à sucre appartient au groupe des graminées. La tige principale de la plante peut atteindre 3 à 5 m de hauteur ; elle mesure de 2 à 5 cm de diamètre. Cette plante est cultivée pour le sucre qu'elle renferme (cent tonnes de canne donnent de 10 à 12 tonnes de sucre), et pour le jus qu'on en tire. Celui-ci est utilisé pour fabriquer le rhum, que l'on obtient par la distillation.
Originaire d'Asie (Inde), la canne à sucre est cultivée dans les régions à climat tropical. Les Antilles, le Brésil et l'Inde sont les plus grands producteurs.

cannelle n. f. Poudre aromatique faite avec l'écorce d'un arbre, le cannelier. *Compote de pommes à la cannelle.*

cannibale adj. et n. Se dit de quelqu'un qui mange de la chair humaine.
Synonyme : anthropophage.
Le *cannibalisme*, c'est le fait d'être cannibale.

canoë n. m. Barque légère que l'on manœuvre à l'aide d'une pagaie simple.

Le canoë est originaire d'Amérique du Nord, où les Indiens l'utilisent pour naviguer sur les lacs et les étangs. Il est alors en bois. À partir du début du xxᵉ siècle, sa pratique devient un sport, et l'embarcation est bientôt construite en plastique pour être plus légère.
Le terme de canoë-kayak désigne le sport dans lequel on utilise soit un canoë, soit un kayak.
Ce dernier est différent du canoë : il est dirigé à l'aide d'une pagaie double, et une «jupe» imperméable entoure la taille du pagayeur. Le kayak était à l'origine un canot esquimau (inuit) utilisé pour la pêche en mer. Le canoë et le kayak entrent aux jeux Olympiques en 1936.

canon n. m. *1* Pièce d'artillerie faite d'un long tube de métal et servant à lancer des obus (autrefois des boulets). *2* Tube cylindrique d'où sortent les balles, dans une arme à feu. *Le canon d'un fusil, d'un revolver.* *3* Chant dans lequel la mélodie est reprise successivement par plusieurs voix, de façon décalée. *Chanter en canon.*
La *canonnade* s'est enfin arrêtée, le tir des canons (*1*). L'artillerie a *canonné* les positions ennemies, elle les a bombardées avec des canons (*1*).

cañon n. m. → canyon.

canoniser v. → conjug. **aimer.** Faire entrer un personnage dans le catalogue des saints de l'Église catholique.
C'est le pape qui prononce la *canonisation* d'un personnage, qui le canonise.

canonnade n. f., **canonner** v. → canon.

canot n. m. Petit bateau sans pont, à rames ou à moteur. *Canot de sauvetage.*
Ils ont *canoté* sur le lac, ils se sont promenés en canot. Ils font du *canotage*, une promenade en canot.

cantal n. m. Fromage d'Auvergne fait avec du lait de vache.

cantate n. f. Morceau de musique pour un orchestre et une ou plusieurs voix.

cantatrice n. f. Chanteuse d'opéra.

cantine n. f. *1* Endroit où l'on sert à déjeuner, dans une école ou une entreprise. *2* Grosse malle en bois ou en métal.

cantique n. m. Chant religieux. *Les cantiques de Noël.*

canton n. m. *1* Division administrative d'un arrondissement, regroupant plusieurs communes. *Le chef-lieu de canton est la ville principale d'un canton.* *2* Chacun des vingt-trois États qui forment la Suisse.
Les élections *cantonales* servent à élire les conseillers généraux du canton (*1*).

Canoë-kayak.

à la cantonade adv. En s'adressant à tous ceux qui sont présents. *Parler à la cantonade.*

cantonal, ale, aux adj. → canton.

cantonner v. → conjug. **aimer.** *1* Loger des soldats provisoirement dans un lieu. *La troupe est cantonnée chez l'habitant.* *2* Au figuré. *Se cantonner :* s'enfermer, se limiter. *Elle se cantonne dans un silence prudent.*
   Les soldats sont rentrés au *cantonnement*, là où ils sont cantonnés (*1*).

cantonnier n. m. Ouvrier chargé de l'entretien des routes et des chemins.

canular n. m. Histoire inventée pour tromper quelqu'un et s'amuser à ses dépens.

canyon n. m. Gorge généralement étroite, aux parois abruptes, creusée en terrain calcaire par un cours d'eau.
On écrit aussi : cañon. On prononce [kanjɔn].

Le Grand Canyon (Arizona, États-Unis).
Profondeur : environ 1,6 km.
Largeur moyenne : 16 km.
Longueur : plus de 320 km.

caoutchouc n. m. Matière élastique et imperméable.
On prononce [kautʃu].
   Une toile *caoutchoutée* est une toile enduite de caoutchouc. *Ces champignons sont caoutchouteux*, ils ont la consistance du caoutchouc.

Le caoutchouc naturel est obtenu après transformation du latex, liquide blanchâtre produit par l'hévéa, arbre des régions tropicales d'Amérique du Sud. Pour garder sa souplesse et être utilisé dans la fabrication de nombreux objets dont les pneumatiques, le caoutchouc doit être vulcanisé, c'est-à-dire traité avec du soufre. Il existe aussi un caoutchouc synthétique, fabriqué industriellement, qui constitue les trois quarts de la production mondiale actuelle.
Le caoutchouc, connu des Mayas, n'est introduit en Occident qu'à partir du XVIIIᵉ siècle. À la fin du XIXᵉ siècle, l'hévéa est cultivé dans les pays d'Asie, qui sont aujourd'hui les premiers producteurs de caoutchouc naturel.
On donne aussi le nom de caoutchouc à une plante grimpante à larges feuilles originaire d'Amérique du Sud, cultivée comme plante d'intérieur.

cap n. m. *1* Pointe de terre qui s'avance dans la mer. *2* Direction d'un navire ou d'un avion. *Le bateau a mis le cap sur le large.*
Homonyme : cape.

capable adj. *1* Qui peut faire quelque chose. *Es-tu capable de rentrer tout seul de l'école ?* *2* Qui a des compétences, des aptitudes. *C'est un garçon très capable.*
Contraire : incapable.

capacité n. f. *1* Aptitude, compétence. *Il a de grandes capacités intellectuelles.* *2* Contenance d'un récipient. *La capacité de ce pichet est de un litre.*

cap Canaveral

Cap des États-Unis, situé sur la côte est de la Floride. À cap Canaveral se trouve un centre spatial américain dirigé par la NASA, organisme chargé de l'étude, de la mise au point et du lancement de satellites et d'engins spatiaux. De 1963 à 1973, ce cap porte le nom de cap Kennedy, en mémoire du président américain assassiné en 1963.

cape n. f. *1* Grand manteau sans manche. *2* *Rire sous cape :* rire en se cachant.
Homonyme : cap.

Capet Hugues

Roi de France né vers 941 et mort en 996. Hugues Capet est le premier roi de la dynastie des Capétiens. En juillet 987, à la mort de Louis V, le dernier Carolingien, il est proclamé roi à Noyon, en Île-de-France. Aussitôt élu, il se fait sacrer par l'évêque de Reims et reçoit ainsi le soutien de l'Église. Hugues Capet règne jusqu'à sa mort. Il fait couronner son fils Robert de son vivant ; celui-ci lui succède sous le nom de Robert II le Pieux.

Capétiens

Dynastie de rois de France qui règne de 987 à 1328. La dynastie des Capétiens est fondée par Hugues Capet ; elle succède sur le trône de France à celle des Carolingiens. Les Capétiens mettent en place l'ensemble des institutions de la monarchie française. Les premiers rois capétiens désignant et faisant couronner leur fils héritier de leur vivant, ils instaurent de façon durable le principe de la monarchie héréditaire. À l'origine les Capétiens ne possèdent que quelques terres entre la Seine et la Loire. À la fin de la dynastie, le territoire royal couvre la quasi-totalité de la France actuelle, à l'exception de la Bretagne, de l'Aquitaine, de la Flandre et de la Bourgogne.

En 1328, Charles IV le Bel meurt sans avoir eu de fils. Il n'y a plus de Capétiens en ligne directe. Le trône de France est alors repris par les Valois (de 1328 à 1589), puis par les Bourbons (de 1589 à 1830), deux branches issues des Capétiens.

capharnaüm n. m. Lieu en désordre. *Sa chambre est un vrai capharnaüm.*
On prononce [kafaʀnaɔm].

capillaire adj. *1* Qui concerne les cheveux. *Lotion capillaire. 2 Vaisseaux capillaires :* vaisseaux sanguins très fins (comme des cheveux).

capitaine n. m. *1* Officier d'un grade supérieur à celui de lieutenant. *2* Officier qui commande un navire de commerce. *3* Chef d'une équipe sportive. *Le capitaine d'une équipe de football.*

1. capital, ale, aux adj. *1* Très important, essentiel. *Il a joué un rôle capital dans cette affaire. 2 Peine capitale :* peine de mort.

2. capital n. m. **Plur. : des capitaux.** *1* Ensemble des biens que possède une personne ou une entreprise. *Il dispose d'un joli capital en immeubles et en terres. 2* Au pluriel. Argent que l'on investit. *Il lui manque encore des capitaux pour créer sa société.*

capitale n. f. *1* Ville où se trouve le gouvernement d'un État. *Paris est la capitale de la France. 2* Lettre plus grande que les autres et d'une forme particulière. *Le titre est écrit en capitales.*
Synonyme : majuscule (2).

capitalisme n. m. Système économique dans lequel l'essentiel des capitaux, des entreprises, des terres, appartient à des particuliers et non à l'État.

capitaliste adj. et n.
● adj. Relatif au capitalisme. *Les pays capitalistes.*
● n. Personne qui investit des capitaux dans une entreprise et qui en retire un profit.

Capitole

La plus célèbre des sept collines sur lesquelles Rome est construite. Dans l'Antiquité, la colline porte un temple dédié à Jupiter Capitolin, à Junon et à Minerve. La légende raconte que le Capitole a été sauvé d'une invasion gauloise en 390 av. J.-C. par les oies consacrées à Junon : lorsque les Gaulois attaquent une nuit, par surprise, les oiseaux poussent des cris si perçants qu'ils donnent l'alerte et font fuir les envahisseurs.
La place du Capitole de Rome se trouve au pied de la colline. Dessinée par Michel-Ange, elle est entourée de superbes palais.

capitonné, ée adj. Garni d'un rembourrage maintenu par des piqûres. *Une porte capitonnée.*

capituler v. → conjug. **aimer.** Se rendre à l'ennemi. *L'armée a dû capituler.*
La ***capitulation*** de l'ennemi a mis fin à la guerre, le fait qu'il a capitulé.

caporal n. m. **Plur. : des caporaux.** Militaire qui a le grade le moins élevé.

capot n. m. Partie mobile qui recouvre le moteur d'une voiture. *Ouvrir le capot.*

capote n. f. *1* Manteau militaire. *2* Toit pliant en toile imperméable d'une voiture décapotable.

capoter v. → conjug. **aimer.** Se renverser sur le toit. *La voiture a capoté.*

câpre n. f. Bouton de fleur d'un arbuste qu'on conserve dans le vinaigre pour servir de condiment.
Le ***câprier*** est l'arbuste qui produit les câpres.

caprice n. m. Envie soudaine et passagère. *Faire des caprices.*
C'est un enfant ***capricieux***, il fait des caprices.

câprier n. m. → **câpre.**

capsule n. f. *1* Petit couvercle de métal ou de plastique qui ferme une bouteille. *2 Capsule spatiale :* partie habitable d'un véhicule spatial.

capter v. → conjug. **aimer.** *1* Recueillir et canaliser. *Capter l'eau d'une rivière. 2* Recevoir à l'aide d'un appareil. *Capter une émission de télévision. 3* Chercher à obtenir ou à retenir. *Capter l'attention de quelqu'un.*

capteur n. m. *Capteur solaire :* dispositif qui transforme le rayonnement du soleil en électricité.

captif, ive adj. et n. Qui est enfermé, prisonnier. *Un oiseau captif. Les captifs ont été libérés.*
Certains animaux ne supportent pas la ***captivité***, le fait d'être captif.

captiver v. → conjug. **aimer.** Intéresser, passionner. *Elle est captivée par sa lecture.*
  C'est une histoire captivante, qui captive.

captivité n. f. → **captif.**

capturer v. → conjug. **aimer.** Attraper, prendre vivant. *Capturer un voleur. Capturer un tigre.*
  Les chasseurs sont fiers de leur capture, de l'animal qu'ils ont capturé.

capuchon n. m. **1** Partie d'une veste, d'un manteau qui peut se rabattre sur la tête. **2** Bouchon d'un stylo.
  La capuche de son blouson est amovible, le capuchon (**1**).

capucine n. f. Plante parfois grimpante, originaire d'Amérique du Sud.
  La capucine possède de grandes fleurs aux différents tons de jaune orangé. Ses feuilles, grandes et rondes, poussent au bout d'un long pétiole. On peut consommer les fleurs et les feuilles de la capucine en salade.

Cap-Vert

République située dans l'océan Atlantique, à l'ouest de l'Afrique, à 500 km au large du Sénégal. Le Cap-Vert est composé d'une dizaine d'îles volcaniques, dont 8 sont habitées. La plupart ont un relief montagneux. Le climat est très sec, les ressources naturelles pratiquement inexistantes. L'agriculture regroupe des cultures vivrières (maïs, manioc…) et des cultures pour l'exportation (bananes et café). Seul le tourisme représente une source de revenus, mais l'archipel reste très pauvre. Colonie du Portugal à partir de 1460, le Cap-Vert devient indépendant en 1975.

4 030 km²
454 000 habitants :
les Cap-Verdiens
Langues : portugais,
créole
Monnaie : escudo
cap-verdien
Capitale : Praïa

caquet n. m. *Rabaisser ou rabattre le caquet de quelqu'un :* l'obliger à se taire en le vexant.

caqueter v. → conjug. **jeter.** Pousser de petits cris répétés, quand il s'agit de la poule. *Les poules caquettent quand elles pondent.*

1. car conj. Indique la cause. *Il est essoufflé, car il a couru.*
Homonymes : carre, quart.

2. car n. m. Autocar. *Il a raté le car.*

carabine n. f. Fusil léger. *Carabine à air comprimé.*

carabiné, ée adj. Familier. Très fort. *Une grippe carabinée.*

caracoler v. → conjug. **aimer.** Faire des petits sauts de droite et de gauche, quand il s'agit d'un cheval.

caractère n. m. **1** Signe d'écriture ou d'imprimerie. *Écrire en petits caractères, en gros caractères.* **2** Signe distinctif, particularité. *Ces douleurs ont tous les caractères d'une crise d'appendicite.* **3** Manière d'être, d'agir. *Avoir bon caractère, mauvais caractère.* **4** *Avoir du caractère :* être énergique, avoir une personnalité originale.

caractériel, elle adj. et n. Qui a un caractère difficile, agressif. *Un enfant caractériel.*

caractériser v. → conjug. **aimer.** Être le signe distinctif de quelque chose ou de quelqu'un. *C'est l'élégance qui le caractérise.*

caractéristique adj. et n. f.
● adj. Se dit de ce qui caractérise quelque chose ou quelqu'un. *Le chant caractéristique des cigales.*
● n. f. Signe caractéristique. *Les caractéristiques d'un nouveau vélo.*

carafe n. f. Bouteille de verre à goulot étroit. *Une carafe d'eau.*

carambolage n. m. Série d'accidents entre plusieurs voitures qui se suivent. *Il y a eu un carambolage sur l'autoroute.*

caramel n. m. **1** Sucre cuit avec un peu d'eau et devenu brun et parfumé. **2** Bonbon au caramel.
  Un gâteau caramélisé, c'est un gâteau recouvert de caramel (**1**).

carapace n. f. Enveloppe dure et protectrice, qui recouvre le corps de certains animaux. *La carapace des langoustes, des tortues.*

carat n. m. **1** Quantité d'or pur contenue dans un objet en or. *Or à dix-huit carats.* **2** Unité de poids pour les diamants et les pierres précieuses, qui vaut 0,2 gramme.

Caravage (le)

Peintre italien né vers 1571 et mort en 1610. Son vrai nom est Michelangelo Merisi.

La peinture du Caravage est réaliste. Son œuvre est marquée par l'utilisation de la technique du clair-obscur, un jeu d'ombre et de lumière qui donne du relief et de la profondeur aux éléments de ses tableaux. Ces derniers sont souvent représentés sur un fond sombre. Les œuvres du Caravage ont princi-palement pour thème des scènes religieuses (*la Mort de la Vierge*, *la Nativité*, *la Résurrection de Lazare…*), mais il a aussi traité d'autres sujets, comme *le Joueur de luth*, *la Diseuse de bonne aventure* et *le Jeune homme au panier de fruits*.

Le style du Caravage, le caravagisme, se répand dans toute l'Europe et influence de nombreux peintres, dont l'Espagnol Vélasquez, le Français Georges de La Tour et les Hollandais Rembrandt et Vermeer.

Jeune homme au panier de fruits

caravane n. f. *1* Groupe de personnes ou de véhi-cules qui voyagent ensemble. *Une caravane de camions.* *2* Véhicule aménagé pour le camping et tiré par une voiture.

Faire du caravaning, c'est faire du camping en caravane (*2*).

caravelle n. f. Bateau à voiles utilisé aux XVe et XVIe siècles.

carbone n. m. Substance très répandue dans la nature, qui est le constituant essentiel du charbon et entre dans la composition de tous les organismes vivants.

Le gaz carbonique est un mélange de carbone et d'oxygène.

carboniser v. → conjug. **aimer**. Brûler, calciner. *Le rôti est carbonisé.*

carburant n. m. Combustible liquide qui sert à faire fonctionner un moteur. *L'essence est un carburant.*

carburateur n. m. Partie du moteur où se fait le mélange du carburant et de l'air.

carcan n. m. *1* Collier de fer qu'on attachait autrefois au cou d'un criminel pour l'exposer sur la place publique. *2* Au figuré. Ce qui gêne la liberté. *Le carcan de la discipline.*

carcasse n. f. Squelette d'un animal mort. *Une car-casse de poulet.*

Carcassonne

Ville française de la Région Languedoc-Roussillon, située sur les bords de l'Aude et du canal du Midi. Carcassonne est un centre commercial, principale-ment viticole (vins de l'Aude), et possède quelques industries. C'est aussi un important centre touris-tique, en raison de ses vestiges historiques. La vieille ville (la Cité), perchée sur un éperon rocheux, est la plus grande forteresse du Moyen Âge en Europe. Elle a été restaurée au XIXe siècle par l'architecte Viollet-le-Duc. Son enceinte double, qui comporte de nom-breuses tours, abrite le château comtal, du début du XIIe siècle. La ville est d'abord occupée par les Romains à partir du Ier siècle, et par les Wisigoths, qui construisent ses premières fortifications, au Ve siècle ; elle passe ensuite aux mains de plusieurs grandes familles du Sud-Ouest. En 1209, le seigneur français Simon de Montfort prend Carcassonne. La ville est rattachée à la couronne de France en 1247.

11

Préfecture de l'Aude
46 216 habitants : les Carcassonnais

cardiaque adj. et n.
• adj. Qui concerne le cœur. *Le rythme cardiaque.*
• adj. et n. Qui est malade du cœur.

cardigan n. m. Veste tricotée à manches longues, boutonnée sur le devant.

1. cardinal, ale, aux adj. *1 Nombre cardinal :* qui indique une quantité. *1, 2, 3, 4, 5… sont des nombres cardinaux.* *2 Points cardinaux :* les quatre points qui servent de repère pour s'orienter (le nord, l'est, le sud, l'ouest).

Contraire : ordinal (*1*).

2. cardinal n. m. **Plur. : des cardinaux.** Haut per-sonnage de l'Église catholique. *Les cardinaux élisent le pape.*

cardiologue n. Médecin spécialiste des maladies du cœur.

carême n. m. Pour les catholiques, période de pénitence de quarante jours précédant la fête de Pâques.

carence n. f. Absence ou insuffisance de quelque chose. *Avoir une carence en calcium.*

caresse n. f. Action de passer doucement la main sur quelqu'un ou sur un animal en signe de tendresse. *Faire une caresse à un enfant.*
Caresser un chat, c'est lui faire des caresses. *C'est un chat très caressant,* il aime qu'on le caresse.

cargaison n. f. Ensemble des marchandises transportées par un navire, un avion ou un camion.

cargo n. m. Navire réservé au transport des marchandises.

cari n. m. *1* Poudre jaune composée de plusieurs épices et utilisée dans la cuisine indienne. *2* Plat préparé avec cette poudre. *Un cari d'agneau.*
On écrit aussi : cary ou curry.

caribou n. m. Renne du Canada.

caricature n. f. Dessin qui exagère de façon comique les particularités physiques d'une personne.
Cet homme politique est facile à caricaturer, on en fait facilement la caricature. *Un caricaturiste,* c'est un dessinateur qui fait des caricatures.

carie n. f. Maladie de la dent qui creuse progressivement l'émail et l'ivoire.
Il a une molaire cariée, attaquée par la carie.

carillon n. m. *1* Ensemble de cloches qui sonnent ensemble. *2* Horloge qui sonne les heures.
Les cloches carillonnent, sonnent en carillon (*1*), ensemble.

carlin n. m. Petit chien à poil ras et à museau aplati.

carlingue n. f. Partie d'un avion occupée par les passagers et l'équipage.

carmin adj. inv. D'un rouge éclatant. *Des ongles carmin.*

carnage n. m. Tuerie, massacre.

carnassier n. m. Animal qui se nourrit de proies vivantes.

carnaval n. m. **Plur. : des carnavals.** Grande fête avec des défilés, des bals, qui se termine le Mardi gras. *Le carnaval de Rio de Janeiro.*

carnet n. m. *1* Petit cahier. *Carnet d'adresses. Carnet de notes. 2* Ensemble de billets, de tickets détachables. *Carnet de timbres. Carnet de chèques.*

carnivore adj. et n. Qui mange de la viande.
Les carnivores possèdent une mâchoire composée de dents adaptées pour couper, déchirer et broyer la chair. Les quatre canines sont appelées crocs chez les animaux et les molaires sont en nombre variable selon les espèces.
Regarde p. 178 et 179.

Carolingiens

Dynastie de rois Francs qui règne de 751 à 987. Le premier roi carolingien est Pépin le Bref, qui évince le dernier Mérovingien (Childéric III), en 751. Les Carolingiens tirent leur nom de Carolus (Charles en latin) : selon les interprétations, il s'agirait de Charles Martel, père de Pépin le Bref, ou de Charlemagne, fils de ce dernier, le plus célèbre représentant de la dynastie.
Avec Charlemagne, le territoire des Carolingiens devient un vaste Empire chrétien qui s'étend hors de la Gaule, et connaît une intense activité intellectuelle et culturelle. Après la mort de Charlemagne, l'Empire se fragilise. En 843, il est divisé entre les trois fils de Louis Ier le Pieux. Après deux tentatives de réunification, il prend fin en 885. Les Carolingiens continuent de régner en Germanie jusqu'en 911 et en France jusqu'en 987, où ils sont remplacés par les Capétiens.

carotide n. f. Artère du cou qui conduit le sang à la tête.

carotte n. f. Plante potagère dont on mange la racine rouge-orangée crue ou cuite.

carpe n. f. Grand poisson d'eau douce.

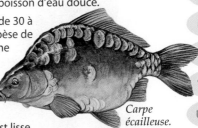

La carpe mesure de 30 à 70 cm de long et pèse de 2 à 15 kg. Sa bouche est munie de barbillons et sa nageoire dorsale est très longue. Selon les variétés, le corps est lisse (carpe-cuir) ou couvert d'écailles (carpe écailleuse). La carpe trouve sa nourriture sur les fonds vaseux, qu'elle fouille inlassablement de ses barbillons.

Carpe écailleuse.

carpette n. f. Petit tapis.

carquois n. m. Étui pour mettre les flèches.

carre n. f. Baguette de métal qui borde la semelle d'un ski.
Homonymes : car, quart.

les carnivores

On divise l'ordre des carnivores en deux grands groupes : ceux qui sont amphibies et munis de nageoires (pinnipèdes) et ceux qui sont terrestres et munis de pattes (fissipèdes).

Certains carnivores, comme l'homme ou l'ours, peuvent également se nourrir de végétaux ; ils sont alors omnivores.

La plupart des carnivores terrestres sont munis de griffes robustes leur permettant de saisir leurs proies.

les carnivores terrestres

les félidés

Jaguar.

Chat.

Regarde aussi félins.

Tigre.

les carnivores marins

Phoque.

Otarie.

Morse.

d'autres carnivores terrestres

Hyène.

Raton laveur.

Opossum.

les mustélidés

Zibeline.

Martre.

Furet.

Belette.

Hermine.

Loutre.

Blaireau.

Fouine.

Putois.

Vison.

les ursidés

Grizzly.

Ours brun
d'Europe.

Ours
polaire.

les canidés

Renard.

Fennec.

Loup.

Chacal.

Chien.

Coyote.

Regarde aussi **chiens.**

carré, ée adj. et n. m.
● adj. **1** Qui a la forme d'un carré. *Une pièce carrée.*
2 *Mètre carré :* mesure de surface correspondant à un carré ayant un mètre de côté. *Cette pièce mesure 8 mètres carrés (ou 8 m²).*
● n. m. **1** Quadrilatère dont les quatre côtés égaux forment quatre angles droits. **2** *Carré d'un nombre :* ce nombre multiplié par lui-même. *Le carré de 4 est 16 (4 x 4).*

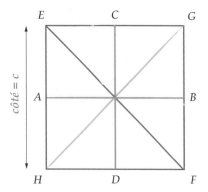

AB et *CD* sont les **médianes** du carré. Elles sont égales et se coupent à angle droit en un point qui est le centre du carré. *EF* et *GH* sont les **diagonales** du carré. Elles sont égales et se coupent à angle droit en un point qui est le centre du carré.
Si c est la valeur du côté du carré, c × 4 est le périmètre du carré, et c × c est l'aire du carré.

carreau n. m. **Plur. : des carreaux. 1** Petite plaque plate servant à recouvrir un sol ou un mur. *Les carreaux de la salle de bains sont bleus.* **2** Vitre d'une fenêtre. *Il y a encore un carreau de cassé.* **3** Petit dessin carré. *Elle porte une veste à carreaux.* **4** Une des quatre couleurs du jeu de cartes, représentée par un losange rouge.
*Le **carrelage** de la cuisine a été changé,* les carreaux (**1**) du sol ou des murs. *Le sol de la pièce est **carrelé**,* recouvert de carreaux (**1**).

carrefour n. m. Endroit où se croisent plusieurs rues ou plusieurs routes.

carrelage n. m., **carreler** v. → **carreau.**

carrément adv. Franchement. *Je lui ai dit carrément qu'il m'ennuyait.*

carrière n. f. **1** Lieu où on extrait des matériaux de construction (sable, pierres, gravier). **2** Profession comportant des étapes. *Elle fait une brillante carrière de médecin.*

carriole n. f. Petite charrette à deux roues généralement couverte.

Mathématicien et écrivain anglais né en 1832 et mort en 1898. Son vrai nom est Charles Lutwidge Dodgson. Après avoir rédigé de nombreux ouvrages mathématiques, Lewis Carroll publie, en 1865, un récit plein de fantaisie, qui se moque de la logique des adultes : *Alice au pays des merveilles.* Son héroïne est une petite fille qui s'endort. Un rêve l'entraîne dans un monde imaginaire où elle rencontre toutes sortes de personnages fantastiques. Elle conquiert immédiatement les enfants et connaît un immense succès dans le monde entier.
En 1872, Carroll publie une suite à son premier récit : *De l'autre côté du miroir,* suivi en 1876 d'un poème, *la Chasse au snark. Sylvie et Bruno,* un roman en deux volumes, paraît de 1889 à 1893.

carrossable adj. Où les voitures peuvent rouler facilement. *Ce chemin boueux n'est pas carrossable.*

carrosse n. m. Luxueuse voiture tirée par des chevaux, utilisée autrefois.

carrosserie n. f. Partie extérieure en tôle d'une voiture. *Le capot, les ailes, les portières font partie de la carrosserie.*
*On apporte sa voiture accidentée chez un **carrossier**,* chez un professionnel qui répare les carrosseries.

carrure n. f. Largeur du dos, d'une épaule à l'autre. *Cet athlète a une carrure impressionnante.*

cartable n. m. Sac d'écolier pour mettre les affaires de classe.

carte n. f. **1** Dessin qui représente une région du monde, un pays. *Ce petit village n'est pas indiqué sur cette carte de France.* **2** Petit carton qui fait partie d'un jeu, et qui comporte des figures et des dessins. *Jouer aux cartes.* **3** Liste des plats et des boissons, dans un café ou un restaurant. *Demander la carte au serveur.* **4** *Carte de crédit :* carte à puce qui permet de payer des achats et de retirer de l'argent dans les distributeurs. **5** *Carte d'électeur :* document administratif qui permet de voter aux élections. **6** *Carte d'identité :* document officiel qui prouve l'identité de quelqu'un.

7 *Carte postale :* carton illustré sur une face, l'autre face servant à écrire. **8** *Carte de visite :* petit carton qui porte le nom, l'adresse, le numéro de téléphone, etc., de quelqu'un.
Homonyme : kart.

Carthage

Cité antique du nord de l'Afrique, située sur la côte est du golfe de Tunis, sur la Méditerranée. Carthage est fondée au IXᵉ siècle av. J.-C. par les Phéniciens, peuple de navigateurs et de commerçants.
Carthage est une cité commerciale et maritime florissante. Elle établit des comptoirs en Méditerranée et fait commerce avec le monde antique. Trois guerres successives l'opposent à Rome : ce sont les guerres puniques (de 264 à 146 av. J.-C.), qui se soldent par la défaite de Carthage. Devenue romaine en 44 av. J.-C., Carthage est définitivement détruite en 698 ap. J.-C.

Cartier Jacques

Navigateur français né en 1491 et mort en 1557. Au nom du roi de France François Iᵉʳ, Cartier entreprend en 1534 une expédition destinée à découvrir des terres nouvelles « riches en or et autres choses précieuses ».
Parti de Saint-Malo, il navigue vers l'ouest et aborde la côte canadienne sur la presqu'île de Gaspésie, le 24 juillet 1534. Il y plante une croix aux armes du roi de France en signe de prise de possession. Lors d'un second voyage, en 1535, Cartier remonte un grand fleuve auquel il donne le nom du saint du jour, le Saint-Laurent. Il découvre le village indien de Stadaconé, la future ville de Québec. Poursuivant sa remontée du fleuve, il arrive à Hochelaga. Ce village se trouve au pied d'une colline qu'il nomme le mont Royal, et qui deviendra Montréal. Bien reçu par les habitants, Jacques Cartier commerce avec eux et installe, peu à peu, les bases de la colonisation française.
Après un troisième voyage, en 1541, Cartier rentre définitivement en France, où il se consacre à la rédaction du compte rendu de ses expéditions.

cartilage n. m. Tissu organique blanc, dur et élastique.
*Le nez est **cartilagineux**, il est fait de cartilage.*

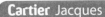
cartilage

Dans les articulations, le cartilage recouvre les extrémités des os en contact : il forme une surface lisse qui leur permet de glisser l'un contre l'autre.
On trouve aussi du cartilage dans d'autres parties du corps : le nez, le pavillon de l'oreille, le larynx et la trachée-artère. La destruction du cartilage dans les articulations provoque des rhumatismes.

cartographie n. f. Art de réaliser les cartes géographiques.
*Elle est **cartographe**, elle réalise des cartes de géographie.*

cartomancien, ne n. Personne qui prétend prédire l'avenir en le lisant dans des jeux de cartes.

carton n. m. **1** Papier très épais et rigide. *Le carton est plus solide que le papier.* **2** Boîte ou emballage en carton. *Elle déménage et elle cherche des cartons pour ranger ses livres.*
*Un ouvrage **cartonné** est un ouvrage relié avec du carton (**1**).*

carton–pâte n. m. Carton fabriqué avec des vieux papiers, des chiffons et de la colle. *Un décor en carton-pâte.*

cartouche n. f. **1** Tube qui contient de la poudre et un projectile, qu'on place dans une arme à feu. *Le chasseur a oublié de mettre une cartouche dans son fusil.* **2** Petit tube en plastique qui contient de l'encre. *Ce stylo à plume marche avec des cartouches.*
*Le chasseur prend sa **cartouchière**, l'étui dans lequel il range ses cartouches (**1**).*

cary n. m. → **cari.**

cas n. m. **1** Ce qui arrive, ou situation dans laquelle on peut se trouver. *Il a neigé dans cette région, c'est vraiment un cas exceptionnel.* **2** Manifestation d'une maladie. *Il y a plusieurs cas d'oreillons à l'école.* **3** *Au cas où, en cas de :* si une telle chose arrive. *Au cas où je ne pourrais pas venir, je te préviendrais. En cas d'accident, il faut prévenir la famille.* **4** *En tout cas :* quoi qu'il arrive, de toute façon. **5** *Faire cas de quelque chose :* y faire attention.

casanier, ère adj. Qui n'aime pas sortir ou voyager, mais qui aime rester chez soi. *On lui reproche d'être trop casanier.*

casaque n. f. Veste en soie que portent les jockeys.

Au XVᵉ siècle, la casaque est un vêtement d'homme à larges manches, qui se porte par-dessus les habits. Un siècle plus tard, on appelle ainsi le vêtement que les soldats portent sur leur armure. Au XVIIᵉ siècle, la casaque désigne le manteau des mousquetaires, marqué d'une croix blanche.

cascade n. f. *1* Chute d'eau. *2* Exercice périlleux d'un acrobate, d'un acteur de cinéma. *Ce film comporte plusieurs scènes de cascades en voiture.*

> *C'est un cascadeur qui remplace l'acteur,* un comédien spécialisé dans les cascades (*2*).

case n. f. *1* Habitation traditionnelle des pays chauds faite de paille, de branches. *2* Compartiment d'un tiroir, d'une boîte. *Les cases d'une boîte à outils.* *3* Chacun des carrés tracés sur une surface. *Un échiquier a 64 cases : 32 cases noires et 32 cases blanches.*

caser v. → conjug. **aimer.** Familier. Trouver la place qui convient à une chose. *On aura du mal à caser tous ces livres dans la bibliothèque.*

caserne n. f. Bâtiment où sont logés les militaires, les pompiers.

casher adj. → **cachère.**

casier n. m. *1* Meuble de rangement qui contient une série de cases, de compartiments. *Les élèves ont chacun un casier pour ranger leurs affaires.* *2 Casier judiciaire :* bulletin officiel où sont inscrites les condamnations prononcées contre quelqu'un.

casino n. m. Établissement où l'on joue surtout de l'argent.

casoar n. m. Oiseau coureur d'Australie et de Nouvelle-Guinée.

Le casoar peut atteindre 1,80 m de hauteur. Son plumage rêche, tombant, est de couleur noire. Son cou et sa tête sans plumes sont vivement colorés de bleu, de jaune et de rouge. Il possède, sur le haut du crâne, une crête osseuse appelée casque. Le casoar est incapable de voler, mais il est très rapide à la course. C'est un oiseau solitaire qui vit en forêt et se nourrit de fruits.

Caspienne (mer)

Mer intérieure la plus vaste du monde (360 000 km²), située à la limite de l'Europe et de l'Asie. Sa profondeur varie de 25 m au nord à près de 1 000 m au sud. Le niveau de la mer Caspienne (environ 28 m au-dessous du niveau des océans) baisse régulièrement car son alimentation en eau est insuffisante et ne compense pas l'évaporation due au climat aride. La pêche y est encore très active, même si elle cède progressivement le pas à l'exploitation d'importants gisements de pétrole. La mer Caspienne est reliée à la mer Noire et à la mer Baltique par des fleuves, notamment la Volga pour l'Europe du Nord. Ces voies de communication assurent des débouchés aux grands ports situés sur ses rives : Bakou, Astrakhan, Makhatchkala, Turkmenbashi.

casque n. m. *1* Coiffure rigide qui sert à protéger la tête. *Pour les motards, le port du casque est obligatoire.* *2* Appareil qui comporte deux écouteurs. *Il met son casque pour écouter de la musique.*

> *Sur un chantier, les ouvriers doivent être casqués,* ils doivent porter un casque (*1*).

casquette n. f. Coiffure qui a une visière. *Il met une casquette pour se protéger du soleil.*

cassant, ante adj. *1* Qui peut facilement se casser. *Ce bois est trop cassant pour en faire des étagères.* *2* Qui est brusque, autoritaire. *Parler d'un ton cassant.*

casse n. f. *1* Choses cassées. *Il y a eu de la casse pendant le déménagement.* *2* Endroit où l'on met les voitures hors d'usage. *Cette voiture est bonne pour la casse.*

casse-cou n. m. inv. Personne qui aime prendre des risques. *C'est un vrai casse-cou sur ses rollers.*

casse-croûte n. m. inv. Familier. Repas léger ou sandwich, qu'on mange rapidement. *Emporter des casse-croûte pour la randonnée.*

casse-noix n. m. inv. Ustensile pour casser la coque des noix, des amandes, des noisettes.

casser v. → conjug. **aimer.** *1* Mettre un objet en morceaux, le briser. *Casser un verre.* *2* Mettre un appareil hors d'usage. *Il a cassé son lecteur de cassettes, il ne peut plus écouter de musique.* *3* Familier. *Casser les oreilles :* faire trop de bruit. *4 Casser les prix :* les faire baisser fortement.

casserole n. f. Ustensile de cuisine assez profond muni d'un manche, qui sert à faire cuire les aliments, à chauffer les liquides.

casse-tête n. m. inv. Chose très compliquée. *Cette situation est un véritable casse-tête.*

cassette n. f. *1* Coffret pour mettre des objets précieux, de l'argent, etc. *2* Boîtier qui contient une bande magnétique, qu'on utilise pour enregistrer des sons ou des images. *Acheter des cassettes pour son magnétoscope.*

1. cassis n. m. Baie noire comestible que l'on trouve sur un arbuste du même nom. *Avec le cassis, on peut faire du sirop ou des confitures.*
On prononce [kasis].

2. cassis n. m. Creux, enfoncement en travers d'une route. *Ralentir à l'approche d'un cassis.*
On prononce [kasi].

cassoulet n. m. Ragoût fait d'un mélange de haricots blancs et de différentes viandes.

cassure n. f. Endroit où un objet a été cassé. *Il a recollé la lampe, la cassure est à peine visible.*

castagnettes n. f. plur. Instrument de musique fait de deux pièces de bois réunies par un petit cordon, que l'on fait claquer dans la paume de la main en les frappant l'une contre l'autre.

caste n. f. Groupe de gens qui se croient supérieurs aux autres.

castor n. m. Rongeur qui a des pattes palmées et une queue plate.

Le castor peut dépasser 70 cm de long. Il vit près des cours d'eau, où il se nourrit de plantes aquatiques et d'écorces d'arbres. Grâce à ses dents de devant (les incisives), énormes et tranchantes, il peut abattre des arbres et en couper les branches. Bon nageur, il se sert de sa large queue aplatie comme gouvernail. Le castor d'Amérique vit dans des huttes de branchages reliées par des tunnels. Il construit des barrages qui peuvent mesurer jusqu'à 500 m de longueur ! Le castor d'Europe creuse des terriers dans les berges et ne fait pas de barrages.

castrer v. → conjug. **aimer.** Priver de ses organes génitaux un animal mâle. *Un chapon est un coq qui a été castré.*
Synonyme : châtrer.

cataclysme n. m. Grande catastrophe naturelle. *Les cyclones, les tremblements de terre sont des cataclysmes.*

catacombes n. f. plur. Souterrains qui servaient de cimetière. *À Paris, on peut visiter des catacombes.*

catafalque n. m. Sorte d'estrade destinée à recevoir un cercueil, lors d'une cérémonie funéraire.

catalogue n. m. Brochure ou livre qui présente une liste d'objets à vendre. *Elle feuillette un catalogue de jouets.*

catamaran n. m. Voilier qui a deux coques.

catapulte n. f. Machine de guerre utilisée dans l'Antiquité et au Moyen Âge.

Ce sont les Grecs qui inventent la catapulte, au Vᵉ siècle av. J.-C. C'est une machine en bois. Il en existe de petits modèles, déplacés au cours des batailles, et des gros, utilisés quand les armées assiègent des villes.
Le projectile peut être une pierre, un boulet de plomb ou un produit enflammé. Certains projectiles peuvent peser près de 100 kg et être lancés à plus de 500 m ! Il existe aussi des catapultes équipées d'une sorte d'arc, pour lancer des flèches. Les catapultes sont utilisées jusqu'à la fin du XVᵉ siècle. Aujourd'hui, on donne le nom de catapulte au système qui permet aux avions de décoller du pont des porte-avions.

cataracte n. f. *1* Grande chute d'eau sur le cours d'un fleuve. *2* Maladie de l'œil, qui rend le cristallin opaque.

catastrophe n. f. Événement dramatique qui arrive brutalement. *Les incendies de forêt ont provoqué une catastrophe écologique.*
Synonyme : désastre.
   Le bilan des inondations est catastrophique, *il a le caractère d'une catastrophe.*

catch n. m. Sorte de lutte très violente.
   Les catcheurs *se battent sur un ring,* les personnes qui pratiquent le catch.

catéchisme n. m. Instruction religieuse qu'on dispense aux jeunes chrétiens. *Dans ce village, c'est le curé qui fait le catéchisme.*

catégorie n. f. Ensemble de personnes, d'animaux ou de choses qui appartiennent à la même espèce ou qui ont des caractères communs. *La guitare et la contrebasse font partie de la catégorie des instruments à cordes.*

catégorique adj. Qui est clair, net et sans équivoque. *Il nous a répondu d'un ton catégorique.*
    Il a refusé **catégoriquement** *ma proposition,* de façon catégorique.

caténaire n. f. Système de suspension du câble qui distribue le courant électrique aux trains.

cathédrale n. f. Grande église qui se trouve sous l'autorité de l'évêque.

Le mot cathédrale vient du latin *cathedra*, qui signifie « siège » ou « chaire ». C'est pour cela qu'il désigne une église où siège un évêque.
Regarde page ci-contre.

catholique adj. et n.
● adj. Qui est de religion chrétienne et qui reconnaît l'autorité du pape. *Ses voisins sont catholiques, ils vont à la messe le dimanche.*
● n. Personne catholique.
    Le **catholicisme,** *c'est la religion des catholiques.*

en catimini adv. En cachette, discrètement. *Il s'est servi en catimini dans le réfrigérateur.*

Caucase

Chaîne de montagnes séparant l'Europe de l'Asie. Le Caucase, d'une largeur d'environ 150 km, s'étend sur 1 250 km de la mer Noire à la mer Caspienne. Son point culminant est le mont Elbrous (5 642 m), un ancien volcan. Le Caucase est divisé en deux parties : le Grand Caucase, au nord, qui comporte de nombreux sommets dépassant 4 000 m, et le Petit Caucase, au sud, moins élevé et bénéficiant d'un climat moins rude. C'est là, dans les dépressions et les bassins intérieurs, que vit une grande partie de la population. Le sous-sol est riche en gisements : pétrole, cuivre, charbon, manganèse, dont l'exploitation se développe. La chaîne, qui reste difficilement franchissable, abrite un grand nombre de peuples d'origines diverses qui ne cohabitent pas toujours aisément.

cauchemar n. m. Mauvais rêve, qui fait peur ou qui angoisse. *Il a rêvé que son avion s'écrasait : c'était un cauchemar.*
    Une scène **cauchemardesque,** *qui produit une impression semblable à un cauchemar.*

cause n. f. **1** Raison ou origine d'un événement, d'une action, d'un fait. *La police enquête sur les causes de l'explosion.* **2** Idée ou action qu'on défend, qu'on soutient. *Militer pour la cause des sans-abri.* **3** *À cause de* : en raison de, par l'action de. *Les fruits ont gelé à cause du froid.* **4** *Remettre en cause* : revenir sur une décision ou une opinion.
    C'est le brouillard qui a **causé** *l'accident,* qui en est la cause (**1**).

1. causer v. → **cause.**

2. causer v. → conjug. **aimer.** Parler, bavarder avec quelqu'un. *Causer avec ses voisins.*
    Faire la **causette** *avec quelqu'un,* c'est causer avec lui.

caustique adj. **1** Qui brûle et ronge la peau. *Mets des gants pour utiliser ce produit caustique.* **2** Au figuré. Qui blesse par des moqueries. *Ses amis redoutent son esprit caustique.*

caution n. f. Somme d'argent versée au début d'une location, qui reste en dépôt et qui est rendue à la fin de la location.

cautionner v. → conjug. **aimer.** Soutenir une idée, un projet. *Refuser de cautionner une entreprise trop périlleuse.*

cavalcade n. f. Défilé désordonné et bruyant d'un groupe de personnes. *Arrêtez cette cavalcade dans les escaliers !*

cavalerie n. f. Ensemble des troupes qui combattaient à cheval.

1. cavalier, ère adj. Qui est désinvolte et qui manque de respect. *Il s'est invité à dîner, j'ai trouvé ça un peu cavalier de sa part.*
    Il a répondu **cavalièrement,** *de façon cavalière.*

2. cavalier, ère n. **1** Personne qui monte à cheval. *Cet excellent cavalier a gagné de nombreux concours hippiques.* **2** Personne avec qui on forme un couple dans un bal, une cérémonie. *Il a ouvert le bal avec sa cavalière.*

cavalièrement adv. → **cavalier 1.**

cave n. f. Pièce située au sous-sol d'une maison ou d'un bâtiment. *Descendre à la cave chercher du vin.*

caveau n. m. Plur. : des caveaux. Dans un cimetière, construction souterraine qui sert de tombeau. *Il a été enterré dans le caveau de famille.*

caverne n. f. Grand trou naturel dans un rocher. *Les hommes de la préhistoire vivaient dans les cavernes.* Synonyme : grotte.

caverneux, euse adj. Se dit d'une voix grave et profonde.

C'est au début du Moyen Âge que les cathédrales acquièrent un rôle essentiel dans la vie religieuse et sociale des cités occidentales.

■ Les cathédrales sont d'abord de style roman, mais, dès la première moitié du XIIᵉ siècle, de nouvelles techniques de construction sont utilisées pour permettre l'édification de bâtiments plus vastes et plus prestigieux : c'est l'avènement du style gothique.

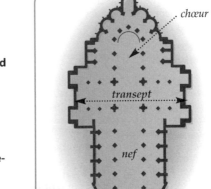

plan type d'une cathédrale

chœur

transept

nef

porche

*Les **rosaces**. Elles décorent les façades et laissent, elles aussi, entrer la lumière. Elles sont souvent monumentales.*

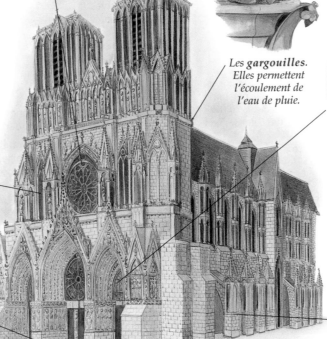

*Les **vitraux**. Ils laissent entrer la lumière dans la cathédrale.*

*Les **gargouilles**. Elles permettent l'écoulement de l'eau de pluie.*

*Le **tympan**. Il ferme le haut des ouvertures. Il est le plus souvent sculpté de scènes religieuses.*

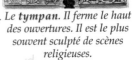

*Le **parvis**. C'est un lieu de rassemblement social au Moyen Âge.*

*Les **arcs-boutants**. Ils soutiennent les murs de la cathédrale.*

Reconstitution d'une cathédrale gothique et des différents éléments qui la composent.

Regarde aussi gothique et roman.

caviar n. m. Œufs, noirs ou gris, de l'esturgeon, au goût très délicat.

cavité n. f. Partie creuse dans quelque chose. *Des oiseaux viennent nicher dans les cavités de la falaise.* **Synonymes : creux, trou.**

Cayenne

Ville française de Guyane, située à l'embouchure de la rivière Cayenne, sur la côte Atlantique. Le port de Cayenne est un important centre commercial par lequel la Guyane exporte bananes, or, épices, bois tropicaux précieux, et importe l'essentiel de ses besoins en nourriture. Un aéroport international est situé près de la ville.
La ville est fondée par les Français en 1637. Les Hollandais et les Français se disputent le site, qui devient officiellement français en 1713. En 1852, le terrible bagne de Cayenne est ouvert dans les îles du Salut, au large de la ville. Il est fermé en 1945.

973 *Préfecture de la Guyane*
50 675 habitants : les Cayennais

C.D. n. m. Disque sur lequel les sons enregistrés sont lus par un laser.
Synonymes : compact disc, disque compact.

C.D. Rom n. m. inv. → **cédérom.**

1. ce, cet, cette adj. démonstratifs. **Plur. : ces.** Déterminants qui permettent de désigner la personne ou la chose dont on parle. *Ce film est drôle. Je connais cet homme. Cette femme est très belle. Ces fleurs sentent bon.*
Devant un nom masculin qui commence par une voyelle ou un « h » muet, « ce » devient « cet » : cet été, cet hôpital. Homonymes : se, sept, set.

2. ce pron. démonstratif. S'emploie seulement devant le verbe être, pour désigner quelqu'un ou quelque chose. *C'est moi. Ce sont des enfants.*
Devant les formes du verbe être qui commencent par une voyelle, le pronom « ce » devient « c' ». Homonyme : se.

ceci pron. démonstratif. Désigne la chose la plus proche. *Mange d'abord ceci, tu mangeras le reste plus tard.*
Synonyme : ça.

cécité n. f. État d'une personne aveugle.

céder v. → conjug. **digérer.** *1* Se casser ou s'écrouler. *Le toit a cédé sous le poids de la neige. 2* Laisser quelque chose à quelqu'un. *Céder sa place. Céder le*

passage à un piéton. 3 Ne pas résister, ou ne pas s'opposer. *Arrête de céder à tous ses caprices !*

cédérom n. m. Disque compact qui contient des textes, des images et des sons.
On écrit aussi : C.D. Rom.

cédille n. f. Petit signe placé sous un c quand il est suivi de a, o ou u, pour indiquer qu'on doit prononcer [s]. *Dans les mots : « français », « façon », « déçu », le c s'écrit avec une cédille.*

cèdre n. m. Grand conifère originaire d'Afrique et d'Asie, au bois très odorant.

Les cèdres sont des arbres de grande taille, atteignant communément 40 m de hauteur pour le cèdre de l'Atlas, mais jusqu'à 80 m pour celui de l'Himalaya. Leur feuillage est persistant : leurs aiguilles ne tombent pas en hiver. Dans le sud de la France, ces arbres, principalement le cèdre de l'Atlas, ont servi au reboisement de forêts incendiées. Leur bois de couleur rouge est dur et imputrescible ; il est utilisé dans la fabrication de meubles.

Cèdre du Liban.

Les cèdres peuvent vivre très longtemps. Le cèdre du Liban, symbole de ce pays, peut dépasser 2 000 ans !

ceinture n. f. *1* Bande de cuir ou de tissu qui maintient un vêtement autour de la taille. *Si tu es trop serré, desserre ta ceinture. 2* Milieu du corps. *Se baigner jusqu'à la ceinture. 3* Niveau atteint par quelqu'un qui pratique certains arts martiaux. *Il est ceinture noire de judo. 4* Ceinture (de sécurité) : sangle qui permet aux passagers d'un avion ou d'un véhicule de s'attacher pour être maintenus en cas de choc. 5* Familier. *Se serrer la ceinture : diminuer ses dépenses.*
    Ceinturer quelqu'un, c'est l'attraper, le saisir au niveau de la ceinture (*2*). *Un ceinturon* est une large ceinture (*1*).

cela pron. démonstratif. Désigne la chose la plus éloignée. *Nous verrons cela demain.*
Synonyme : ça.

célébration n. f. → **célébrer.**

célèbre adj. Qui est très connu. *Picasso est un peintre célèbre.*

célébrer v. → conjug. **digérer.** Fêter un événement par une cérémonie. *Le 14 juillet, on célèbre l'anniversaire de la prise de la Bastille.*
La célébration de leur mariage est fixée pour le 20 juin, leur mariage sera célébré le 20 juin.

célébrité n. f. *1* Grand renom, notoriété. *C'est grâce à ce film que cet acteur a atteint la célébrité. 2* Personne célèbre. *Pour ce festival, on attend des célébrités.*

céleri n. m. Plante potagère originaire d'Europe dont il existe deux variétés.
Céleri branche.
Le céleri-rave est cultivé pour sa racine comestible, le céleri en branches pour ses côtes (les tiges qui soutiennent les feuilles).

céleste adj. Du ciel. *Les astres sont des corps célestes.*

célibataire adj. et n. Qui n'est pas marié. *Elle a deux sœurs : l'une est mariée, l'autre est célibataire.*
Le célibat est la situation d'une personne célibataire.

Céline Louis-Ferdinand

Médecin et écrivain français né en 1894 et mort en 1961. Son vrai nom est Louis Ferdinand Destouches. Après la Première Guerre mondiale, où il a été blessé, Céline entreprend des études de médecine. À partir de 1927, il mène de front la médecine et l'écriture. Son premier roman, *Voyage au bout de la nuit* (1932), obtient le prix Renaudot. Dans ce livre, antimilitariste et anticolonialiste, Céline introduit la langue parlée dans la langue écrite et invente même des mots. Son deuxième roman, *Mort à crédit* (1936), confirme cette révolution littéraire. Cependant, à partir de 1937, la publication de textes d'une extrême violence contre les juifs ruine sa réputation. Accusé de collaboration avec le nazisme et condamné par la France pour trahison, Céline s'exile au Danemark, où il est arrêté et emprisonné. Amnistié en 1951, il rentre en France et publie d'autres romans.

celle, celles pron. → **celui.**

cellier n. m. Pièce généralement fraîche où l'on conserve des provisions, du vin.

Cellophane n. f. Feuille de plastique fin et transparent, qui sert à emballer.
Ce mot s'écrit avec une majuscule car c'est le nom d'une marque.

cellule n. f. *1* Petite pièce fermée ou isolée. *La cellule d'un prisonnier. Une cellule de moine. 2* Le plus petit élément qui constitue les organismes vivants.
La cellule est l'unité de base de tous les êtres vivants (animaux, plantes, bactéries…). Elle ne peut être observée qu'au microscope car elle se mesure en millième de millimètre ou micron.
Certains organismes, comme les bactéries et les amibes, ne possèdent qu'une seule cellule (on dit qu'ils sont unicellulaires), mais la plupart en contiennent des millions : ils sont pluricellulaires.

cellulite n. f. Accumulation de graisse sous la peau de certaines parties du corps, en particulier les cuisses et les hanches.

cellulose n. f. Substance qui se trouve dans la membrane des cellules végétales.

Celsius Anders

Physicien et astronome suédois né en 1701 et mort en 1744. Celsius met au point, en 1742, l'échelle de température prenant le degré centigrade, ou degré Celsius, comme unité de mesure de la chaleur. Cette échelle a pour point 0 la température de solidification de l'eau et pour point 100 sa température d'ébullition. Le degré Celsius s'écrit « °C ».

Celtes

Ensemble de peuples indo-européens qui, à la fin du Ier millénaire av. J.-C, occupe une grande partie de l'Europe centrale et de l'Ouest. Les Celtes sont probablement originaires du sud de l'actuelle Allemagne (des vestiges y indiquent leur présence dès le IIe millénaire av. J.-C.).
Par vagues d'invasions successives, ils occupent tout ou partie des territoires qui sont aujourd'hui les îles Britanniques, la France, la Belgique, l'Espagne, l'Italie du Nord, l'Allemagne et la Tchécoslovaquie.
Divisés en nombreuses tribus, souvent rivales, les Celtes ont en commun la langue, la religion et les coutumes. Les Celtes de Gaule, d'Irlande et de Bretagne (actuelle Grande-Bretagne), ont des prêtres respectés et puissants, les druides.
Les Celtes sont des guerriers redoutables mais aussi de bons agriculteurs et d'habiles artisans. Ils excellent dans le travail du bois et des métaux. Ce sont les Germains et les Romains qui mettent fin aux conquêtes celtes au cours des IIe et Ier siècles av. J.-C. Les Celtes de Gaule, les Gaulois, sont soumis par Jules César.

celui, celle pron. démonstratif. **Plur. : ceux, celles.** Représente la personne ou la chose dont on parle ou que l'on montre. *Ce n'est pas mon vélo, c'est celui de mon frère. Leur maison est celle qui donne sur le jardin. Ceux qui veulent venir doivent s'inscrire.*
« Celui-ci » indique ce qui est le plus proche, « celui-là » indique ce qui est le plus éloigné.
Homonymes de « celle » : sel, selle. Homonymes de « ceux » : ce, se.

cendre n. f. Poudre grise qui reste quand on a fait brûler quelque chose. *Il faut ramasser la cendre qui s'est accumulée dans la cheminée.*
Un *cendrier* est un récipient où l'on met les cendres d'une cigarette.

censé, ée adj. Qui est supposé faire quelque chose. *Il est en train de jouer, alors qu'il est censé faire ses devoirs.*
Homonyme : sensé.

censeur n. m. **1** Personne chargée de la discipline dans un lycée. *Le censeur a convoqué plusieurs élèves.* **2** Personne chargée de censurer des livres ou des films. *Les censeurs n'ont pas autorisé la sortie de ce film.*

censure n. f. Contrôle qu'un gouvernement exerce sur les livres et les films, pour décider s'ils seront autorisés ou non à paraître. *Ce film pornographique a été interdit par la censure.*
Censurer certains passages d'un livre, c'est les interdire par la censure.

centaure n. m. Créature légendaire, moitié homme, moitié cheval, de la mythologie grecque.
Les Centaures sont nés de l'union d'Ixion, un roi devenu immortel, avec un nuage auquel Zeus avait donné l'apparence de sa femme Héra. Ils vivent en Thessalie, une région de la Grèce. Craints des mortels, les Centaures sont des monstres sanguinaires qui mènent une vie de violence et de débauche.

centenaire adj. et n. → cent.

centi– Préfixe qui, placé devant une unité de mesure, la divise par cent. *Centigramme, centilitre.*

centigramme n. m. Centième partie d'un gramme. **En abrégé : cg.**

centilitre n. m. Centième partie d'un litre. **En abrégé : cl.**

centime n. m. Centième partie d'un franc. *Ce stylo valait 10 francs et 20 centimes.*

centimètre n. m. **1** Centième partie d'un mètre. *Cette règle mesure 30 centimètres.* **2** Ruban marqué tous les centimètres, qui sert à prendre des mesures. **En abrégé : cm (1).**

CENT
S'écrit **C** en chiffres romains.

- adj. Dix fois dix. *Un billet de deux cents francs.*
- n. m. **1** Le chiffre ou le nombre cent. *Tirer le cent à la loterie.* **2** Pour cent : exprime un pourcentage. *La moitié d'un effectif représente cinquante pour cent de cet effectif (50 %).*
Au pluriel, « cent » reste invariable quand il est suivi d'un autre nombre : on écrit « trois cents », mais « trois cent cinquante ».
Homonymes : sang, sans.

centième
- adj. et n. Qui occupe le rang ou la place numéro 100 dans une série. *Il est arrivé centième au marathon.*
- n. m. Chaque partie d'un tout qui a été divisé par cent. *Un centimètre est le centième d'un mètre.* On écrit aussi : 1/100.

centaine
n. f. **1** Ensemble formé de plus ou moins cent personnes ou choses. *Il y avait une centaine de personnes à la réunion.* **2** Groupe de cent unités. *Dans 750, le chiffre des centaines est 7.*

centenaire
- adj. et n. Qui a cent ans ou davantage. *Des arbres centenaires. Le premier centenaire d'une famille.*
- n. m. Centième anniversaire d'un événement. *Fêter le centenaire d'un événement.*

centuple
n. m. Nombre cent fois plus grand qu'un autre. *Huit cents est le centuple de 8.*
Il a centuplé sa mise, il l'a multipliée par cent.

La guerre de Cent Ans oppose la France à l'Angleterre de 1337 à 1453. Pendant 116 ans, les deux royaumes se livrent des batailles acharnées pour la possession de la couronne de France.

la peste noire

■ En 1328, le roi de France Charles IV meurt sans héritier. Son neveu Édouard III, roi d'Angleterre, prétend alors à la couronne de France.
Les grands seigneurs du royaume lui préfèrent Philippe VI de Valois qui s'empare du duché de Guyenne, alors possession anglaise.
Édouard III réplique aussitôt en prenant le titre de roi de France. C'est cet épisode qui marque le début du conflit.

Même si la guerre est interrompue par de longues trêves, c'est une période de misère et de souffrance, pour la France surtout, où se déroulent tous les combats. Au désastre des défaites comme Crécy (1346), Poitiers (1356), Azincourt (1415), s'ajoute l'épidémie de peste noire qui frappe l'Europe à partir de 1347 et fait 5 millions de morts en France.

Bertrand Du Guesclin.

■ Vers 1370, les Anglais subissent quelques revers face à Du Guesclin. Mais c'est à partir de 1429 que le redressement des Français commence

véritablement, grâce à l'ardeur de Jeanne d'Arc. En 1453, les Anglais ne possèdent plus, en France, que la ville de Calais.

Jeanne d'Arc.

Le 25 octobre 1415, à Azincourt, la chevalerie française trop lourdement armée, tombe sous les flèches des archers anglais.

Centrafricaine

Centrafricaine (République)

République du centre de l'Afrique.
La République centrafricaine est constituée d'un vaste plateau peu élevé traversé par de nombreux cours d'eau. Le Nord connaît un climat chaud et sec, tandis que le Sud, au climat humide, est couvert de forêts. La population est peu importante par rapport à l'étendue du territoire. Le coton et le bois représentent l'essentiel des ressources d'exportation. L'industrie est peu développée, malgré des réserves de pétrole, d'uranium, d'or et surtout de diamants.
Colonie française à partir de 1905 sous le nom d'Oubangui-Chari, le pays prend le nom de République centrafricaine en 1958 et devient indépendant en 1960. Il connaît ensuite dictatures et coups d'État, jusqu'aux élections démocratiques de 1993. Depuis 1996, la République centrafricaine connaît à nouveau un climat de violence.

622 980 km²
3 819 000 habitants :
les Centrafricains
Langues : français, sango
Monnaie : franc CFA
Capitale : Bangui

central, ale adj. → **centre**.

centrale n. f. Usine qui produit de l'énergie électrique. *Il habite près d'une centrale nucléaire.*

centraliser v. → conjug. **aimer.** Regrouper en un même endroit. *C'est ce service qui centralise toutes les demandes.*
La **centralisation** de l'Administration, c'est le fait qu'elle soit centralisée.

centre n. m. *1* Point qui se situe au milieu, à égale distance des bords d'un espace ou d'une surface. *Au centre de la table, il y a un trou pour mettre un parasol. 2* Lieu qui a une certaine importance, où règne une certaine activité. *Ce quartier est un centre d'affaires. 3* Tendance politique située entre la gauche et la droite. *C'est le candidat du centre qui a été élu. 4* Centre commercial : endroit où sont regroupés de nombreux magasins. *5* Centre d'intérêt : domaine qui intéresse quelqu'un.
Il habite un quartier **central**, qui se trouve au centre (*1*) d'une ville. On a **centré** une photo sur la

page, on l'a placée au centre (*1*). *Les candidats cen*tristes sont ceux qui appartiennent au centre (*3*).

centre-ville n. m. **Plur. : des centres-villes.** Quartier central d'une ville, le plus animé.

centrifuge adj. Se dit d'une force qui repousse un objet vers l'extérieur, en l'éloignant du centre.

centriste adj. → **centre**.

centuple n. m. → **cent**.

centurion n. m. Officier de la légion romaine, dans l'Antiquité. *Chaque centurion commande cent soldats.*

cep n. m. Pied de vigne.
On prononce [sɛp]. Homonyme : cèpe.

cépage n. m. Variété de plant de vigne. *Ce vin est fabriqué avec différents cépages.*

cèpe n. m. Gros champignon comestible, à chapeau brun.
Homonyme : cep.

cependant conj. Introduit une opposition avec ce qui vient d'être dit. *Il avait dit qu'il serait absent, et cependant il est là.*
Synonymes : néanmoins, pourtant.

céramique n. f. Matériau qu'on fait cuire à haute température pour fabriquer des objets. *Mettre des carreaux de céramique autour d'une baignoire.*

cerceau n. m. **Plur. : des cerceaux.** Cercle de bois que les enfants faisaient rouler à l'aide d'un bâton.

cercle n. m. *1* Surface plane limitée par une courbe fermée dont tous les points sont à égale distance d'un point appelé centre. *2* Ensemble de personnes disposées en rond. *Un cercle de curieux s'est formé autour du camelot. 3* Groupe de personnes qui se réunissent. *Un cercle d'amis, un cercle littéraire.*

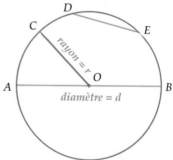

AB, qui passe par le centre O, partage le cercle en deux parties égales, deux demi-cercles, c'est un diamètre (d). OC, qui correspond à la moitié d'un diamètre, est un rayon (r). DE est une corde. La partie de cercle limitée par DE est un arc de cercle.

Le symbole « Pi », qui s'écrit π, est le rapport de la circonférence du cercle à son diamètre. π est approximativement égal à 3,14. Le périmètre du cercle correspond à $\pi \times d$. Son aire correspond à $\pi \times r \times r$.

cercueil n. m. Caisse en bois dans laquelle on met le corps d'un mort avant de l'enterrer.

céréale n. f. *1* Plante cultivée pour ses graines. *2* Au pluriel. Flocons de certaines céréales, que l'on mange dans du lait. *Manger des céréales au petit déjeuner.* **Regarde ci-dessous.**

cérébral, ale adj. **Plur. : cérébraux, cérébrales.** Du cerveau. *Mourir d'une lésion cérébrale.*

cérémonie n. f. *1* Célébration solennelle d'un événement. *Après la cérémonie du mariage, il y a un grand repas.* *2* Sans cérémonie :* très simplement.

Le *cérémonial,* c'est l'ensemble des règles à respecter lors d'une cérémonie (*1*).

cérémonieux, euse adj. Qui manque de naturel et de simplicité. *Ne sois pas si cérémonieux avec tes amis.*

cerf n. m. Mammifère mâle, qui porte sur la tête des cornes appelées bois. *Le cerf est un ruminant.* **On prononce [sɛʀ]. Homonymes : serf, serre, serres.**

cerfeuil n. m. Plante aromatique, plus fine que le persil.

cerf-volant n. m. **Plur. : des cerfs-volants.** Jouet en tissu ou en papier tendu sur une armature, qu'on fait voler au vent en le manœuvrant avec une ficelle. **On prononce [sɛʀvɔlɑ̃].**

Les Chinois utilisent le cerf-volant dès 2000 ans av. J.-C pour communiquer avec les dieux. Il se répand ensuite dans toute l'Asie, puis en Europe, comme instrument de loisir.
À partir du XVIIIe siècle, des scientifiques s'en servent pour étudier ce qui se passe dans l'atmosphère (tempé-

les céréales

La plupart des céréales appartiennent à la famille des graminées. Leurs graines sont utilisées pour l'alimentation des hommes et des animaux.

Millet.

Riz.

Sorgho.

Avoine.

Maïs.

Blé.

Seigle.

Sarrasin.

Orge.

■ **La culture des céréales remonte aux débuts de l'agriculture, il y a plus de 7 000 ans.**

Cergy-Pontoise

rature, vent, humidité, etc.). En 1752, Benjamin Franklin utilise un cerf-volant pour démontrer que la foudre est une décharge électrique.

Aujourd'hui, le cerf-volant est un sport de loisir, mais également de compétition. Des records d'altitude, de vitesse, de pilotage sont homologués. Certains cerfs-volants sont de véritables œuvres d'art.

Cergy-Pontoise

Ville française de la Région Île-de-France, située sur les bords de l'Oise. Créée en 1966, Cergy-Pontoise est une ville nouvelle qui regroupe onze communes dont Cergy et Pontoise. La proximité de Paris, l'importance du réseau de communications ainsi que la création de plusieurs bases de loisirs ont permis le développement de nombreuses activités. Cergy-Pontoise dont la population est en constante augmentation est un pôle administratif et commercial actif.

95

Pontoise (préfecture du Val-d'Oise)
28 661 habitants : les Pontoisiens
Cergy-Pontoise (ville nouvelle)
181 301 habitants : les Cergypontains

cerise n. f. Petit fruit rond, à noyau, du cerisier. *Cunégonde a ramassé un énorme panier de cerises.*
*Un **cerisier** est un arbre fruitier qui donne des cerises.*

cerne n. m. Marque sous les yeux qui apparaît quand on est fatigué ou malade.
*Il a les yeux **cernés**, il a les yeux marqués de cernes.*

cerner v. → conjug. **aimer.** Entourer de tous côtés, encercler. *La police a cerné tout le quartier.*

certain, aine adj. et pron. plur.
• adj. **1** Qui est sûr, convaincu de quelque chose. *Il est certain d'avoir raison.* **2** Qu'on ne peut pas mettre en doute. *Avec un tel bulletin scolaire, c'est certain qu'il*

passera en sixième. **3** Indique une quantité ou une connaissance imprécises. *Il y a déjà un certain temps qu'il est parti. Un certain monsieur Dupont t'a demandé.*
*Le ciel est noir, il va **certainement** pleuvoir,* de façon certaine (**2**).
• pron. plur. Quelques personnes. *Certains ont jugé ce film trop violent.*

certes adv. Bien sûr, assurément. *Ce ne sera sans doute pas facile, certes, mais on va y arriver.*

certificat n. m. **1** Document officiel qui certifie quelque chose. *Un certificat de naissance. Le médecin lui a fait un certificat médical.* **2** Diplôme qui prouve la réussite à un examen. *Il a passé le certificat d'aptitude professionnelle.*

certifier v. → conjug. **modifier.** Affirmer, garantir que quelque chose est certain. *On nous a certifié que ce billet est toujours valable.*

certitude n. f. **1** Chose sûre et certaine. *On sait que la terre est ronde, c'est maintenant une certitude.* **2** Sentiment d'être certain de quelque chose. *J'ai la certitude qu'il va réussir.*

cérumen n. m. Matière jaune qui se forme dans les oreilles.
On prononce [sɛʀymɛn].

Cervantès

Romancier espagnol né en 1547 et mort en 1616. Son vrai nom est Miguel de Cervantes Saavedra. Après une courte carrière militaire, Cervantès se consacre à l'écriture.
Il est l'auteur de pièces de théâtre et, en 1585, d'un roman qui le fait connaître, *Galatée.* Mais ce n'est qu'en 1605 qu'il publie la première partie de *Don Quichotte*, une parodie des romans de chevalerie de l'époque. Le héros est un gentilhomme errant et idéaliste, qui se prend pour un chevalier et rêve de grandeur et de justice, tandis que son écuyer Sancho Pança fait preuve d'un solide bon sens. L'épisode le plus connu du livre est celui où Don Quichotte attaque des moulins à vent qu'il prend pour des géants à abattre. Mais le héros se heurte à la réalité quotidienne, où l'héroïsme n'a pas cours. *Don Quichotte*, dont la seconde partie est publiée en 1615, assure à Cervantès un immense succès aussi bien en Espagne que dans le reste de l'Europe.

cerveau n. m. **Plur. : des cerveaux.** Organe situé dans le crâne, qui commande tout le système nerveux.

En moyenne, le cerveau pèse un peu plus de 1 kg. C'est une masse de couleur grise dans sa partie extérieure et blanche dans sa partie intérieure. Il est divisé en deux hémisphères symétriques : les hémisphères cérébraux. *Regarde aussi* **nerveux.**

lobe frontal

lobe temporal

lobe pariétal

lobe occipital

cervelet

moelle épinière

Chaque hémisphère est composé de plusieurs lobes.

cervelet n. m. Petit organe situé à l'arrière du cerveau.

cervelle n. f. Cerveau des animaux, qui peut se manger.

cervical, ale adj. **Plur. : cervicaux, cervicales.** Du cou. *Il a conduit longtemps et a mal aux vertèbres cervicales.*

ces adj. démonstratif. → **ce 1.**

César Jules

Général et homme politique romain né en 100 av. J.-C. et mort en 44 av. J.-C. Son vrai nom est Caius Julius Caesar. Dès 78 av. J.-C., il obtient le soutien du peuple. En 60, il forme avec Crassus et Pompée le premier triumvirat (union chargée de diriger la République). Élu consul, il entreprend la guerre des Gaules en 58, et soumet Vercingétorix en 52. Après la mort de Crassus, il refuse d'obéir aux ordres de Pompée, lui livre bataille et l'écrase. En 49, César marche sur Rome et se rend maître de l'Italie. En 44, il devient dictateur et consul à vie, et reçoit le titre d'Imperator. Il entreprend de profondes réformes et réorganise l'État. Une conspiration menée par Cassius et Brutus met fin à ses ambitions : le 15 mars 44 (jour des ides de mars), il est poignardé en pleine séance du Sénat. Ses écrits, en particulier les *Commentaires de la guerre des Gaules* (51), constituent une mine d'information sur cette période de l'histoire.

césarienne n. f. Opération chirurgicale pratiquée pour sortir un enfant du ventre de sa mère, quand la naissance ne peut pas se faire normalement.

cessation n. f. → **cesser.**

sans cesse adv. Sans arrêt, continuellement. *Le bébé a pleuré sans cesse cette nuit.*

cesser v. → conjug. **aimer.** Ne pas continuer ou ne pas durer. *Cessez de crier! Attendons que la tempête cesse pour sortir.*
Synonyme : (s') arrêter.
Espérer la cessation des combats, le fait que les combats cessent.

cessez-le-feu n. m. inv. Arrêt des combats, dans une guerre. *Les deux pays ont signé un cessez-le-feu.*

c'est-à-dire conj. Introduit une explication ou une précision. *Il arrive demain, c'est-à-dire dimanche.*
En abrégé : c.-à-d.

cet adj. démonstratif. → **ce 1.**

cétacé n. m. Mammifère qui vit dans la mer. *Les baleines, les dauphins, les cachalots sont des cétacés.*

cette adj. démonstratif. → **ce 1.**

ceux pron. démonstratif. → **celui.**

Cézanne Paul

Peintre français né en 1839 et mort en 1906. Les premières œuvres de Cézanne sont des natures mortes et des portraits. Sa rencontre avec Camille Pissarro est déterminante. Il se rapproche du courant impressionniste sans toutefois s'y intégrer. Dans ses peintures, les différents volumes ont des contours précis et les plans sont bien délimités par des aplats de couleurs. L'art de Cézanne influence le cubisme et le fauvisme. La série de *la Montagne Sainte-Victoire*, de même que *les Joueurs de cartes, la Maison du pendu, le Vase bleu* sont des œuvres célèbres.

Les joueurs de cartes

chacal n. m. **Plur. : des chacals.** Sorte de chien sauvage, qu'on trouve en Afrique et en Asie, qui se nourrit de cadavres.

chacun, une pron. indéfini. Chaque personne ou chaque chose. *Pour la fête de l'école, chacun devra apporter un gâteau.*

Chagall Marc

Peintre et décorateur français d'origine russe né en 1887 et mort en 1985. Chagall suit des cours d'art moderne à Saint-Pétersbourg et se rend à Paris en 1910. Il y est influencé par les nouveaux courants de la peinture : le fauvisme et, surtout, le cubisme. Il retourne en Russie, où il fonde une école d'art. Chagall s'installe définitivement en France en 1923, et obtient la nationalité française en 1937.

Les légendes populaires juives, le folklore russe et ses voyages sont ses sources d'inspiration. Chagall réalise des gravures pour illustrer les livres (les *Fables* de La Fontaine, la *Bible*…), des vitraux et des céramiques. Parmi ses tableaux les plus célèbres, citons *À la Russie, aux ânes et aux autres* (1911), *Autoportrait au verre de vin* (1917) et *Songe d'une nuit d'été* (1939). On lui doit également le plafond de l'Opéra Garnier à Paris.

◆ Songe d'une nuit d'été ◆

chagrin n. m. Profonde tristesse. *Il a eu beaucoup de chagrin en apprenant la mort de son chat.*

> *Cette nouvelle nous a* **chagrinés,** *elle nous a causé du chagrin.*

chahut n. m. Agitation bruyante et désordonnée. *Le maître ne tolère aucun chahut pendant les cours.* **Synonyme : tapage.**

Certains élèves aiment **chahuter,** *faire du chahut. Les élèves trop* **chahuteurs** *ont été punis,* ceux qui ont trop chahuté.

chaîne n. f. **1** Suite d'anneaux, le plus souvent métalliques, attachés les uns aux autres. *Porter une chaîne autour du cou. La chaîne du vélo est cassée.* **2** Ensemble de montagnes. *La chaîne des Pyrénées.* **3** Groupe d'établissements commerciaux. *Ces hôtels appartiennent à la même chaîne.* **4** Réseau de télévision. *Sur quelle chaîne passe ce film ?* **5** Ensemble d'appareils reliés entre eux, pour écouter des disques ou la radio. *Pour son anniversaire, il aimerait une chaîne stéréo.* **6** Dans une usine, méthode de travail où chaque ouvrier fait le même geste pour fabriquer des objets en série. **7** *En chaîne :* en série. *Des accrochages en chaîne sur l'autoroute.* **Homonyme : chêne.**

> *Une* **chaînette** *est une petite chaîne* (**1**). *Un* **chaînon** est un anneau d'une chaîne (**1**).

chair n. f. **1** Matière constituée par les muscles du corps. *La chair du bœuf est rouge.* **2** Partie tendre d'un fruit. *La chair de cette pêche est juteuse.* **3** *Avoir la chair de poule :* avoir les poils qui se hérissent sous l'effet du froid ou de la peur. **4** *En chair et en os :* en personne. **Homonymes : chaire, cher, chère.**

chaire n. f. Tribune élevée, dans une église. *Les prêtres montaient en chaire pour faire leur sermon.* **Homonymes : chair, cher, chère.**

chaise n. f. **1** Siège avec un dossier et sans accoudoirs. **2** *Chaise longue :* siège pliant à dossier inclinable. *Elle aime s'allonger sur une chaise longue au soleil.*

chaland n. m. Bateau à fond plat qui sert au transport des marchandises.

châle n. m. Grand morceau d'étoffe dont on se couvre les épaules.

chalet n. m. Maison de bois, à la montagne.

chaleur n. f. **1** Température élevée. *Dans cette région, il a fait une chaleur exceptionnelle.* **2** Au figuré. Empressement, enthousiasme. *Défendre quelqu'un avec chaleur.*

> *Faire un accueil* **chaleureux** *à quelqu'un,* c'est l'accueillir avec chaleur (**2**). *Remercier* **chaleureusement** *quelqu'un,* c'est le remercier avec chaleur (**2**).

challenge n. m. Épreuve sportive qui met en jeu un titre de champion. **On prononce** [ʃalɛndʒ].

challenger n. m. Sportif qui dispute le titre de champion à un autre, lors d'un challenge. **On prononce** [ʃalɛndʒœʀ].

Châlons-en-Champagne

Ville française de la Région Champagne-Ardenne, située sur les bords de la Marne. La commercialisation des vins de Champagne fait de Châlons un important marché viticole. La ville a aussi développé un secteur industriel actif orienté vers la construction mécanique, l'automobile et la chimie. La cité abrite de beaux édifices religieux : l'église Notre-Dame-en-Vaux (XIIᵉ siècle) et la cathédrale Saint-Étienne (XIIIᵉ-XVIIᵉ siècle).
C'est entre Châlons (Catalaunum au temps des Romains) et Troyes qu'a lieu, en 451, la bataille des champs Catalauniques, au cours de laquelle Attila, roi des Huns, est vaincu par le général romain Aetius. Anciennement Châlons-sur-Marne, la ville prend le nom de Châlons-en-Champagne en 1996.

51 *Préfecture de la Marne*
50 338 habitants : les Châlonnais

chaloupe n. f. Grand canot de sauvetage. *Les naufragés sont montés à bord d'une chaloupe.*

chalumeau n. m. **Plur. : des chalumeaux.** Appareil qui projette un jet de gaz enflammé. *Un chalumeau sert à découper ou à souder.*

chalut n. m. Grand filet de pêche en forme d'entonnoir, attaché à l'arrière d'un bateau.
Un chalutier est un bateau de pêche équipé pour la pêche au chalut.

Pendant la pêche, le chalutier tire derrière lui, à la vitesse de 3 à 5 km/h, le chalut, long de 40 à 60 m. Toutes les deux à trois heures, le chalut est hissé sur le pont du bateau, à l'aide de câbles et de treuils, afin d'en retirer les poissons pêchés et de les trier. Sur les chaluts-usines, ceux-ci sont aussitôt traités pour la conservation (le plus souvent congelés).
Certains chalutiers sont munis de sondeurs, appareils à ultrasons qui détectent les bancs de poissons jusqu'à plus de 2 000 m du bateau. Les chalutiers pêchent souvent pendant plusieurs jours d'affilée.

se chamailler v. → conjug. **aimer.** Familier. Se disputer pour des petites choses. *Vous n'allez pas vous chamailler pour des bonbons !*

chamarré, ée adj. Décoré d'ornements ou aux couleurs très vives. *Le costume chamarré d'un clown.*

Chambéry

Ville française de la Région Rhône-Alpes, située au confluent de l'Albane et de la Leysse. Chambéry est un centre administratif, commercial et industriel (métallurgie, agroalimentaire…). Le tourisme y est très actif. La ville abrite notamment un château du Moyen Âge et une cathédrale des XVᵉ-XVIᵉ siècles, la cathédrale Saint-François-de-Sales.
De 1232 à 1562, Chambéry est la capitale des comtes puis des ducs de Savoie. Elle devient définitivement française en 1860 seulement.

73 *Préfecture de la Savoie*
57 592 habitants : les Chambériens

Chambord

Château du Val de Loire, l'un des plus beaux et des plus grands des châteaux de la Loire. Sa construction, ordonnée par le roi de France François Iᵉʳ, débute en 1519 et s'achève en 1537. Ce chef-d'œuvre de la renaissance est constitué d'un donjon central à quatre tours, relié par des galeries aux tours d'angle. On y compte 365 cheminées et 440 pièces dont certaines possèdent des plafonds décorés de salamandres, emblème de François Iᵉʳ. Au centre du donjon se trouve un grand escalier de pierre fait de deux spirales qui se superposent sans se rencontrer : deux personnes peuvent ainsi monter et descendre sans jamais se voir.
Le château de Chambord est l'un des lieux de résidence du roi Louis XIV. C'est là que ce dernier assiste à la première représentation du *Bourgeois gentilhomme*, célèbre pièce de théâtre de Molière.

chambranle n. m. Encadrement fixe d'une porte ou d'une fenêtre. *Le chambranle de cette fenêtre est en bois.*

chambre n. f. **1** Pièce dans laquelle on dort. *Il y a trois chambres dans cette maison, une pour les parents et deux pour les enfants.* **2** *Chambre à air :* tuyau de caoutchouc rempli d'air à l'intérieur d'un pneu. **3** *Chambre des députés :* Assemblée nationale, où les députés votent les lois.

Chambre des députés

Assemblée de députés, une des deux chambres qui forment le Parlement français (la seconde est le Sénat). La Chambre des députés porte le nom d'Assemblée nationale depuis 1946.
L'Assemblée nationale prépare et vote les lois, et contrôle le budget du gouvernement. Les membres qui la composent, les députés, sont élus pour cinq ans au suffrage universel. Mais le président de la République a le pouvoir de dissoudre l'Assemblée pour provoquer une nouvelle élection.

chameau n. m. **Plur. : des chameaux.** Grand mammifère ruminant, qui a deux bosses sur le dos.

*Le **chamelier** est l'homme qui conduit les chameaux. La **chamelle** est la femelle du chameau.*

Le chameau, ou chameau de Bactriane, appartient à la même famille que le lama (famille des camélidés). Il a deux bosses ; c'est un proche parent du dromadaire, qui n'en a qu'une. Ces bosses sont des réserves de graisse que l'animal utilise pour pallier le manque d'eau (son organisme peut en effet produire de l'eau à partir de cette graisse).
Très résistant, le chameau peut rester plusieurs semaines sans boire, mais absorber plus de 100 litres d'eau en une seule fois. Les chameaux vivent en Asie centrale. Domestiqués depuis l'Antiquité, ce sont des animaux robustes qui peuvent parcourir plus de 40 km par jour en portant de lourdes charges.

chamois n. m. Mammifère ruminant à cornes recourbées, qui vit dans les montagnes.

Le chamois vit dans les montagnes du sud de l'Europe, notamment les Alpes et les Pyrénées. Appelé isard dans les Pyrénées, c'est un proche parent de la chèvre, dont il a à peu près la taille.
Son pelage, dans les tons de bruns sur le corps, est blanc sur le front et le cou. Le mâle et la femelle portent de petites cornes lisses, recourbées vers l'arrière. Vif et agile, le chamois est capable de bonds prodigieux. Les chamois vivent en petits groupes.
L'été, on les rencontre en haute montagne, dans des zones très escarpées ; l'hiver, ils descendent plus bas, vers les forêts.

champ n. m. **1** Étendue de terre cultivée. *Un champ de blé, de tournesols, de maïs.* **2** Grand terrain aménagé pour certaines activités. *Un champ de courses.* **3** Domaine d'action, d'activité. *Depuis qu'il lit beaucoup, le champ de ses connaissances s'est élargi.* **4** *Champ de bataille :* endroit où se déroule une bataille. **5** *À tout bout de champ :* à tout moment ou à la moindre occasion. *Arrête de m'interrompre à tout bout de champ !*
On prononce [ʃã]. Homonyme : chant.

champagne n. m. Vin qui pétille, fabriqué en Champagne. *On boit souvent le champagne à l'occasion des fêtes, des anniversaires.*

Champagne

Ancienne province située au nord-est de la France et formant une partie de l'actuelle Région Champagne-Ardenne. Les paysages de la Champagne sont variés. On distingue d'est en ouest : la Champagne humide, argileuse, où dominent les prairies d'élevage, la Champagne sèche ou crayeuse, vouée à la forêt et à la culture céréalière, et la région des vignobles, en bordure de l'Ile-de-France. C'est là, entre les villes de Reims et d'Épernay, qu'est produit le champagne, un vin pétillant réputé dans le monde entier.

Le territoire de la Champagne a souvent été, au cours de l'histoire, ravagé par de violents conflits (guerre de Cent Ans, guerre de Religions…). De 1915 à 1918, au cours de la Première Guerre mondiale, elle est le théâtre des terribles «batailles de Champagne» qui opposent l'Allemagne et la France.

Champ-de-Mars

Vaste esplanade de Paris située entre l'École militaire et la tour Eiffel, sur la rive gauche de la Seine. Le Champ-de-Mars, dont l'emplacement est à l'origine destiné aux manœuvres militaires, est dessiné en 1765 par l'architecte qui a également conçu l'École militaire. Il devient plus tard le premier champ de courses hippiques de Paris. Le 14 juillet 1790, il accueille une fête qui célèbre le premier anniversaire de la Révolution française. À partir de 1867, le Champ-de-Mars est le lieu de plusieurs expositions universelles, dont celle de 1889, pour laquelle est édifiée la tour Eiffel.

champêtre adj. Des champs ou de la campagne. *Les travaux champêtres. Une fête champêtre.*

champignon n. m. **1** Plante de formes diverses, dans certains cas constituée d'un pied surmonté d'un chapeau. *Les champignons poussent dans les lieux humides.* **2** Parasite des plantes, des animaux ou de l'homme. *Une mycose est une maladie de la peau due à des champignons.*

Une **champignonnière**, est un lieu où l'on cultive des champignons (**1**).

Regarde page suivante.

champion, onne n. **1** Sportif ou équipe qui ont été les meilleurs dans une compétition. **2** Personne remarquable dans un certain domaine. *C'est vraiment un champion en informatique!*

Notre équipe a gagné le **championnat**, elle est devenue la championne (**1**).

Champollion Jean-François

Égyptologue français né en 1790 et mort en 1832, déchiffreur des hiéroglyphes. Passionné par l'Égypte ancienne, Champollion entreprend, en 1821, l'étude de la pierre de Rosette. Ce bloc de basalte noir trouvé près du village de Rosette, en Égypte, porte une déclaration en faveur du pharaon Ptolémée V. Ce texte est écrit en grec, en hiéroglyphes et en une autre écriture égyptienne, le démotique. En comparant les trois écritures, Champollion parvient à comprendre et à déchiffrer les hiéroglyphes. Il publie, en 1824, un *Précis du système hiéroglyphique*. Il dirige ensuite une expédition scientifique en Égypte puis, en 1831, est nommé au Collège de France. Champollion est également l'auteur d'autres ouvrages sur les hiéroglyphes et d'un livre sur les monuments d'Égypte, publiés après sa mort.

Champs-Élysées

Grande avenue de Paris. L'avenue des Champs-Élysées, souvent appelée «la plus belle avenue du monde», s'étend sur 1880 m, de la place de la Concorde jusqu'à la place Charles-de-Gaulle, où se dresse l'arc de triomphe. C'est une artère très animée et très touristique. L'avenue des Champs-Élysées date du XVIIe siècle. Elle a été conçue, en 1670, par l'architecte André Le Nôtre, qui a aussi dessiné le jardin du château de Versailles.

Dans la mythologie grecque, les champs Élysées sont le séjour promis aux hommes vertueux et aux héros après leur mort.

chance n. f. **1** Hasard qui fait que quelqu'un se trouve favorisé. *C'est grâce à la chance qu'elle a gagné.* **2** Probabilité pour qu'une chose arrive. *Le ciel est noir, il y a des chances pour qu'il pleuve.*
Contraire : malchance (1).

Une personne **chanceuse** est une personne qui a bénéficié de la chance (**1**).

chanceler v. → conjug. **jeter.** Perdre l'équilibre et être sur le point de tomber. *L'homme blessé chancelle un moment avant de s'écrouler à terre.*

Le blessé a une démarche **chancelante**, il chancelle.

les champignons

Longtemps considérés comme des végétaux, les champignons, dont on a recensé plus de 200 000 espèces, forment en fait un groupe à part. Ils n'ont ni racines, ni tige, ni feuilles, ni chlorophylle. Ils se développent en général dans les lieux humides sur des matières organiques mortes (humus des forêts, bois mort…), dont ils accélèrent la décomposition.

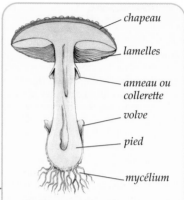

- chapeau
- lamelles
- anneau ou collerette
- volve
- pied
- mycélium

*Le **mycélium** assure la croissance du champignon.*
*Les **spores** contenues dans les lamelles servent à la reproduction.*

comestibles

Sur les milliers de champignons connus, seul un petit nombre est comestible. Certains sont très recherchés (le cèpe, la truffe). À part le champignon de Paris, ils sont rarement cultivés. La cueillette des champignons nécessite de bien connaître leurs caractéristiques : certains, normalement comestibles, deviennent toxiques s'ils sont cueillis trop vieux (vesse-de-loup), ou pas assez cuits (la morille).

Champignon de Paris.

Agaric ou rosé.

Cèpe de Bordeaux.

Girolle.

Lactaire délicieux.

Morille.

Vesse-de-loup.

Mousseron vrai.

Pleurote en huître.

Truffe.

Russule jolie.

Oronge vraie.

Trompette-de-la-mort.

vénéneux

Les champignons vénéneux contiennent des poisons appelés toxines. Si on les consomme, elles provoquent des intoxications alimentaires plus ou moins graves ; certaines sont mortelles.

Amanite tue-mouches.

Bolet Satan.

Clitocybe de l'olivier.

mortels

Amanite printanière.

Amanite phalloïde.

Amanite vireuse.

chanceux, euse adj. → **chance.**

chandail n. m. Gros tricot de laine. *Il a prévu plusieurs chandails pour le ski.*
Synonyme : pull-over.

chandelier n. m. Grand bougeoir à pied, où l'on peut mettre plusieurs bougies.

chandelle n. f. Sorte de bougie, fabriquée autrefois avec de la graisse de bœuf ou de mouton.

change n. m. *1* Action de changer une monnaie en une autre. *Commander des dollars dans un bureau de change.* *2* Couche jetable pour bébé. *3* *Gagner* ou *perdre au change :* se trouver avantagé par un changement ou un échange.

changeant, ante adj. → **changer.**

changement n. m. *1* Fait de changer. *On signale un changement de temps pour demain. Changement de propriétaire.* *2* *Changement de vitesse :* mécanisme qui permet de changer les vitesses sur une voiture.

changer v. → conjug. **ranger.** *1* Devenir différent. *Le temps change très vite, on ne sait pas comment s'habiller.* *2* Remplacer une chose ou une personne par une autre. *Changer les assiettes pour le dessert. Changer de professeur.* *3* Rendre différent, transformer. *Cette nouvelle coiffure l'a beaucoup changée.* *4* Mettre une couche propre à un bébé. *5* Échanger une monnaie contre une autre. *Je suis allé à la banque changer des dollars.* *6* *Se changer :* mettre d'autres vêtements.
> Au printemps, le temps est très *changeant*, il change (*1*) très vite.

chanson n. f. Texte qui a été mis en musique et qui se chante. *Apprendre des chansons aux enfants.*
> Une *chansonnette* est une petite chanson.

chant n. m. *1* Art de chanter. *Étudier le chant dans une chorale.* *2* Synonyme de chanson. *Aimer les chants populaires.* *3* Sons émis par les oiseaux. *Le chant des pinsons, des fauvettes.*
Homonyme : champ.

chanter v. → conjug. **aimer.** *1* Émettre des sons musicaux. *Elle chante une berceuse à son bébé. Entendre des oiseaux chanter.* *2* *Faire chanter quelqu'un :* essayer d'obtenir quelque chose de lui sous la menace.
> *Faire du chantage à une personne,* c'est la faire chanter (*2*). *Elle parle avec un accent chantant,* un accent qui chante (*1*), qui est mélodieux. *Un chanteur de rock, une chanteuse d'opéra* sont des personnes qui chantent (*1*). *Elle chantonne souvent en faisant ses devoirs,* elle chante (*1*) doucement, à mi-voix.

chantier n. m. Endroit où se font des travaux de démolition, de construction ou de rénovation. *Ce chantier est interdit au public.*

chantilly n. f. Crème fraîche fouettée et sucrée, qui peut accompagner un dessert. *Acheter de la chantilly pour mettre sur des fraises.*

chantonner v. → **chanter.**

chanvre n. m. Plante annuelle.
La tige du chanvre peut atteindre 5 m de hauteur ; ses feuilles palmées sont disposées en éventail. Ses graines (chènevis) peuvent servir de nourriture aux oiseaux en cage.
Le chanvre est cultivé pour les fibres contenues dans sa tige, que l'on utilise pour fabriquer des cordes et des tissus.
Une de ses variétés, le chanvre indien, fournit le haschisch ou marihuana.

Chanvre indien.

chaos n. m. Très grand désordre. *Depuis le coup d'État, ce pays est plongé dans le chaos.*
On prononce [kao]. Homonymes : cahot, K.O.
> *Un amas chaotique de ruines* évoque le chaos.

chaparder v. → conjug. **aimer.** Familier. Voler quelque chose de peu de valeur. *Chaparder des cerises chez son voisin.*
> *Le chapardage de quelques pommes n'est pas bien grave !* Le fait de les avoir chapardées.

chape n. f. Couche de ciment qu'on applique sur un sol pour le rendre lisse.

chapeau n. m. **Plur. : des chapeaux.** *1* Coiffure assez rigide, que l'on porte surtout à l'extérieur. *Elle porte un chapeau de paille pour se protéger du soleil.* *2* Partie supérieure d'un champignon. *Le chapeau du cèpe.* *3* Familier. *Sur les chapeaux de roues :* à très grande vitesse.

chapelet n. m. Objet formé de boules enfilées, qu'on fait glisser l'une après l'autre en disant des prières.

chapelier, ère n. Personne qui fabrique ou vend des chapeaux d'hommes.

chapelle n. f. *1* Petite église. *J'aperçois une chapelle au flanc de la montagne.* *2* Partie annexe d'une église qui possède un autel.

chapelure n. f. Miettes de pain sec ou de biscottes écrasées. *On se sert de la chapelure pour faire frire ou gratiner certains aliments.*

chapiteau n. m. **Plur. : des chapiteaux. *1*** Partie supérieure d'une colonne. *2* Grande tente pour abriter un cirque, un spectacle.

Dorique.

Ionique.

Corinthien.

Composite.

Toscan.

Les chapiteaux des colonnes diffèrent par leur forme et leurs décorations. Les cinq types (ou ordres) classiques sont : le dorique (forme carrée), le ionique (enroulement de volutes), le corinthien (les décorations imitent des feuilles d'acanthe), le toscan (dérivé du dorique) et le composite (mélange du ionique et du corinthien). Il existe d'autres types de chapiteaux : égyptien, byzantin, islamique, roman, gothique…

chapitre n. m. Chacune des parties que comporte un livre. *Un livre divisé en 8 chapitres.*

Chaplin Charlie

Acteur, cinéaste et musicien britannique né en 1889 et mort en 1977. Chaplin débute très tôt une carrière de comédien. Il s'installe en 1912 aux États-Unis, où il devient cinéaste. En 1913, il crée et interprète le personnage de Charlot, qu'il met ensuite en scène dans des dizaines de films muets.

Son héros, à l'allure comique, à la démarche en canard, est sympathique et attachant. Au gré des scénarios, il affronte les multiples situations de la vie quotidienne avec candeur et confiance.

Derrière ses histoires tragi-comiques, Chaplin réalise une véritable satire de la société. Avec *la Ruée vers l'or* (1925), *le Cirque* (1928), *les Lumières de la ville* (1931), il connaît rapidement un succès mondial. Avec *les Temps Modernes* (1936) puis *le Dictateur* (1940), son premier film parlant, il introduit dans ses films une dimension plus politique.

chaque adj. indéfini. Désigne une personne ou une chose en particulier. *Chaque élève de la classe doit rendre son devoir. Chaque disque est rangé soigneusement dans sa pochette.*

char n. m. *1* Dans l'Antiquité, voiture à deux roues tirée par un ou plusieurs chevaux. *2* Voiture décorée pour les défilés de carnaval. *Des chars fleuris. 3* Engin de guerre blindé.

Équipé de chenilles, le char peut rouler sur n'importe quel type de terrain. Il est armé d'un canon, et parfois de lance-missiles. Le char apparaît au cours de la Première Guerre mondiale. Modernisé, plus efficace, il joue un rôle déterminant lors de la Seconde Guerre mondiale.

*Char français
de la Seconde Guerre mondiale.*

charabia n. m. Familier. Langage confus, incompréhensible ou incorrect. *Il ne comprend rien à ce charabia.*

charade n. f. Devinette qui consiste à trouver un mot à partir de mots d'une syllabe, qui sont définis et qui forment le même son. *Exemple : mon premier miaule (chat), mon deuxième est le contraire de tard (tôt), et mon tout est une grande et belle maison (château).*

charançon n. m. Insecte coléoptère très nuisible aux cultures.

char à voile n. m. Véhicule muni d'une voile.

Le char à voile est équipé de trois ou quatre roues, ou de patins pour glisser sur la glace.

Les premiers chars à voile sportifs apparaissent à la fin du XIXᵉ siècle, et les premières compétitions ont lieu en 1909.

Les chars à voile sont classés par catégories selon les dimensions de

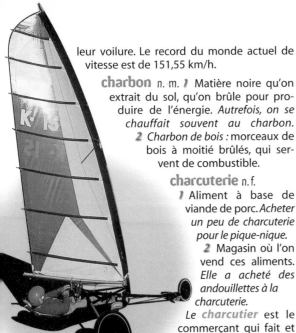

leur voilure. Le record du monde actuel de vitesse est de 151,55 km/h.

charbon n. m. *1* Matière noire qu'on extrait du sol, qu'on brûle pour produire de l'énergie. *Autrefois, on se chauffait souvent au charbon.* *2* *Charbon de bois :* morceaux de bois à moitié brûlés, qui servent de combustible.

charcuterie n. f.
1 Aliment à base de viande de porc. *Acheter un peu de charcuterie pour le pique-nique.* *2* Magasin où l'on vend ces aliments. *Elle a acheté des andouillettes à la charcuterie.* Le **charcutier** est le commerçant qui fait et vend de la charcuterie (*1*).

Chardin Jean-Baptiste Siméon

Peintre français né en 1699 et mort en 1779. Chardin est l'auteur de scènes de la vie quotidienne (*le Bénédicité, la Mère laborieuse, l'Enfant au toton*…) et de nombreuses natures mortes (*le Buffet, le Coffret de fumeur, le Vase de fleurs*…). Il peint de façon réaliste le monde qui l'entoure en utilisant la couleur et les reflets de lumière pour rendre l'intimité d'un cadre de vie ou la douceur d'une atmosphère. Vers la fin de sa vie, il réalise des tableaux au pastel, dont *Chardin aux bésicles*, un autoportrait.

Le Bénédicité

chardon n. m. Plante sauvage aux feuilles et à la tige épineuses.

chardonneret n. m. Petit oiseau chanteur, au plumage très coloré. *Le chardonneret a du rouge sur la tête et du jaune sur les ailes.*

charge n. f. *1* Ce que porte ou transporte quelqu'un, un animal ou un véhicule. *Ce cartable est une charge trop lourde pour un enfant.* *2* Tâche, mission à accomplir. *Avoir la charge de nourrir le chat pendant les vacances.* *3* Quantité de poudre ou de munitions d'une arme à feu. *4* Attaque brusque et violente. *La charge de la police a fait des blessés.* *5* *Être à la charge de quelqu'un :* dépendre entièrement de lui. *6* *Prendre en charge quelqu'un ou quelque chose :* s'en occuper entièrement. *7* *Revenir à la charge :* insister beaucoup pour obtenir un résultat. *8* *À charge de revanche :* à la condition que l'on rende la pareille pour un service rendu. *9* Au pluriel. Frais d'entretien d'un immeuble. *Les charges ne sont pas comprises dans le prix du loyer.* *10* Au pluriel. Preuves de culpabilité d'un accusé. *De nombreuses charges pèsent sur le suspect.*

chargement n. m. *1* Action de charger. *C'est lui qui s'occupe du chargement des bagages.* *2* Marchandises chargées pour être transportées. *Le camion s'est renversé et a perdu tout son chargement.*

charger v. → conjug. **ranger.** *1* Mettre une charge sur un animal, dans une voiture pour le transporter. *Charger ses bagages dans le coffre de la voiture.* *2* Confier à quelqu'un le soin ou la responsabilité de faire quelque chose. *Je te charge de poster mon courrier.* *3* Introduire dans une arme ou un appareil ce qui est nécessaire pour qu'ils fonctionnent. *Charger une carabine, un appareil photo.* *4* Attaquer quelqu'un en se précipitant sur lui. *Restez très loin des éléphants, sinon ils vont charger !*

chargeur n. m. Pièce d'une arme à feu dans laquelle on met les cartouches. *Le chasseur a rempli le chargeur de son fusil.*

chariot n. m. Petite voiture à quatre roues. *Tu prendras un chariot à l'aéroport pour transporter tes bagages.*

charité n. f. Bonté et générosité envers quelqu'un. *Faire preuve de charité en aidant les sans-abri.* C'est une personne **charitable**, qui fait preuve de charité.

charivari n. m. Bruit assourdissant, vacarme.

charlatan n. m. Personne qui trompe les gens en abusant de leur confiance ou de leur naïveté. *Elle n'avait pas compris que c'était un charlatan.*

Charlemagne

Charlemagne

Roi des Francs et empereur d'Occident né en 742 et mort en 814. Son nom en latin est Carolus Magnus, ce qui signifie Charles le Grand. Fils de Pépin le Bref, Charlemagne devient roi des Francs en 768. Il entreprend de nombreuses campagnes militaires pour agrandir son royaume. Il conquiert l'Italie du Nord sur les Lombards et une partie de la Germanie sur les Saxons.

Devenu le plus puissant souverain d'Occident, Charlemagne se fait sacrer empereur en l'an 800 par le pape Léon III, à Rome. Il s'installe ensuite à Aix-la-Chapelle, qui devient la capitale de l'empire. Charlemagne dote son royaume d'une bonne administration. Il répartit le pouvoir entre des comtes qui font appliquer ses lois (les capitulaires), et qui lui doivent une fidélité absolue. Il s'appuie aussi sur l'Église, et développe l'instruction en faisant ouvrir une école dans chaque évêché. Sous Charlemagne renaissent aussi la culture et les arts.

À la mort de Charlemagne, son empire revient à son fils Louis Ier le Pieux.

Regarde aussi Carolingiens.

Charles Martel

Prince franc né vers 688 et mort en 741. Charles Martel devient maire du palais du royaume mérovingien : c'est une sorte de Premier ministre qui gouverne à la place du souverain. À cette époque, les rois s'occupaient si peu des affaires du royaume qu'on les appelait les « rois fainéants ».

Charles, lui, mène une vigoureuse politique d'unification et de défense du royaume. Il lutte à la fois contre les Saxons, les Frisons, les Bourguignons. Sa détermination lui vaut le surnom de Martel, qui signifie « marteau ».

En 732, il arrête à Poitiers une invasion des Arabes, qui mènent leurs conquêtes au nom de l'islam, ce qui en fait un personnage respecté dans tout le monde chrétien. Il devient le véritable chef de l'État franc.

À sa mort, ses fils Carloman et Pépin le Bref lui succèdent.

Regarde aussi Carolingiens et Mérovingiens.

Charles Quint

Empereur d'Allemagne, roi d'Espagne et de Sicile né en 1500 et mort en 1558. Charles Quint (ou Charles V) appartient à la dynastie des Habsbourg. Il gouverne dès l'âge de 15 ans et est élu empereur du Saint Empire romain germanique à 19 ans.

Charles Quint cherche à pacifier la vie politique et religieuse dans son immense empire « sur lequel jamais le soleil ne se couche ». Il se heurte à de nombreux conflits et complots, et son règne est marqué par des guerres avec les rois de France François Ier et Henri II, les princes allemands et les Turcs. En 1556, ne pouvant atteindre son but, il abdique et se retire dans un couvent.

Charleville–Mézières

Ville française de la Région Champagne-Ardenne, située sur les bords de la Meuse. Proche de la frontière belge, Charleville-Mézières est un centre industriel, commercial et administratif. La ville possède une basilique de style gothique du XVIe siècle et une place du XVIIe siècle, la place Ducale. En 1608, Charleville est fondée par le duc Charles de Gonzague (qui lui donne son nom) en face de Mézières. Les deux communes sont réunies sous le nom de Charleville-Mézières en 1966.

08 *Préfecture des Ardennes*
58 092 habitants : les Carolomacériens

charmant, ante adj. → charme 2.

1. charme n. m. Arbre à bois blanc et dur. *Le charme porte des fleurs en épis, qu'on appelle des chatons.*
Une *charmille* est une allée ou une tonnelle composées de petits charmes.

2. charme n. m. Attrait, troublant et mystérieux, exercé par quelqu'un ou par un lieu. *Ce garçon a beaucoup de charme. Le charme d'une région.*
Charmer une personne, c'est la séduire par son charme. *Un homme charmant* est un homme qui charme. *Elle a un sourire charmeur*, un sourire qui cherche à charmer.

charmille n. f. → charme 1.

charnel, elle adj. Qui concerne les sensations physiques ou l'instinct sexuel. *Les plaisirs charnels.*

charnier n. m. Fosse où sont entassés des cadavres.

charnière n. f. Ensemble de deux pièces métalliques articulées, qui permet d'ouvrir et de fermer une porte, une fenêtre.

charnu, ue adj. Qui a beaucoup de chair ou une chair épaisse. *Ce poulet de ferme est bien charnu.*

charogne n. f. Cadavre d'un animal qui est en train de pourrir. *La puanteur d'une charogne.*
> *Le chacal, la hyène, le vautour sont des charognards, ils se nourrissent de charognes.*

charpente n. f. Ensemble des pièces de bois, des poutres qui soutiennent un toit.
> *Un charpentier fabrique et pose des charpentes.*

charpie n. f. *Mettre en charpie :* déchirer, réduire en petits morceaux. *Le chien a mis les coussins en charpie.*

charrette n. f. Voiture à deux roues, tirée le plus souvent par un cheval.
> *Un charretier est une personne qui conduit une charrette.*

charrier v. → conjug. **modifier.** Entraîner dans son courant. *Cette rivière est sale, elle charrie des déchets.*

charrue n. f. *1* Machine agricole munie d'un ou plusieurs socs et qui sert à labourer. *2* *Mettre la charrue avant les bœufs :* commencer par ce qu'on devrait faire en dernier.

charte n. f. Document écrit qui fixe le règlement et les grands principes d'une organisation. *La Charte des Nations unies a été signée en 1945.*

charter n. m. Avion dont les places sont proposées à tarif réduit.
Mot anglais qui se prononce [ʃaʀtɛʀ].

Chartres

Ville française de la Région Centre, située sur les bords de l'Eure. Chartres, au cœur de la Beauce, est un important centre agricole. L'activité industrielle y est bien développée et la proximité de Paris contribue à son dynamisme. La ville est célèbre pour sa cathédrale gothique (XIe-XIIIe siècles) aux vitraux remarquables. Dans l'Antiquité, Chartres est la capitale des Carnutes, peuple celte dont elle tire son nom.

28 *Préfecture de l'Eure-et-Loir*
42 059 habitants : les Chartrains

---

chartreux n. m. *1* Chat d'une race au poil gris. *2* Moine de l'ordre religieux fondé par saint Bruno.

chas n. m. Trou d'une aiguille à coudre. *On passe le fil dans le chas.*
On prononce [ʃa]. **Homonyme : chat.**

chasse n. f. *1* Action de chasser les animaux. *La chasse de ces oiseaux migrateurs est interdite. 2* Action

de poursuivre quelqu'un. *Faire la chasse aux fraudeurs. 3* *Chasse d'eau :* jet d'eau puissant qui nettoie la cuvette des toilettes.

chassé-croisé n. m. Plur. : *des chassés-croisés.* Mouvement de personnes qui se cherchent sans arriver à se rencontrer, ou de deux groupes qui se croisent. *L'été, c'est un immense chassé-croisé sur les routes.*

chasse-neige n. m. inv. Véhicule utilisé pour déblayer les routes enneigées.

chasser v. → conjug. **aimer.** *1* Poursuivre des animaux pour les attraper ou les tuer. *Chasser le sanglier. 2* Forcer quelqu'un à partir. *Il a été chassé de son pays. 3* Éloigner, faire disparaître quelque chose. *Le vent devrait chasser les nuages.*

chasseur n. m. *1* Personne qui chasse les animaux. *Les chasseurs ont tué des lièvres et des faisans. 2* Avion de guerre. *Un chasseur à réaction.*

châssis n. m. Armature rigide qui soutient un ensemble. *Le châssis d'une voiture supporte la carrosserie et le moteur.*

chaste adj. *1* Qui s'abstient des plaisirs sexuels. *Rester chaste avant son mariage. 2* Qui est pudique. *Un baiser chaste.*
> *Pour un religieux, faire vœu de chasteté, c'est promettre de rester chaste (1).*

chat n. m. Petit mammifère, domestique ou sauvage, au poil doux.
Homonyme : chas.
> *La chatte est la femelle du chat.*
Regarde aussi félins.

châtaigne n. f. Fruit comestible du châtaignier.
> *Le châtaignier est l'arbre qui donne des châtaignes.*

Le châtaignier peut atteindre 20 à 25 m de hauteur. Ses fruits, les châtaignes, mûrissent de septembre à novembre et sont enfermées dans une coque hérissée de piquants, la bogue. Le châtaignier pousse dans les régions tempérées. Il est cultivé pour ses châtaignes, dont certaines variétés sont appelées marrons. Son bois est dur et résistant. Il est utilisé pour fabriquer des charpentes.

bogue

châtain, aine adj. Se dit des cheveux brun clair. *Avoir les cheveux châtains.*

château n. m. **Plur. : des châteaux. *1*** Grande et belle habitation. *Ce château est entouré d'un grand parc.* **2** *Château fort :* château fortifié du Moyen Âge, protégé par des murailles et des fossés. **3** *Château d'eau :* réservoir qui alimente en eau les habitants d'une localité.

Ces **châtelains** *sont très riches,* ces gens qui possèdent un château.

Chateaubriand François René de

Écrivain français né en 1768 et mort en 1848. Chateaubriand passe sa jeunesse en Bretagne. En 1791, après une courte carrière militaire qu'il abandonne au moment de la Révolution française, il s'embarque pour l'Amérique. Il en revient en 1792, émigre à Londres et rentre finalement en France en 1800. Ces diverses expériences lui fournissent la trame de ses œuvres : *Atala* (1801), *René* et *le Génie du christianisme* (1802), *les Natchez* (1800-1826), *le Voyage en Amérique* (1827)… Chateaubriand fait longtemps de la politique, mais y renonce à partir de 1830. Le chef-d'œuvre de l'écrivain est le récit de sa vie, *Mémoires d'outre-tombe,* qu'il entreprend en 1809 et dont il n'achève la première version qu'en 1841. Ces Mémoires sont publiés juste après sa mort.

Châteauroux

Ville française de la Région Centre, située sur les bords de l'Indre. Châteauroux est un important centre agricole. De nombreuses industries (métallurgie, chimie, mécanique, alimentaire, manufacture de tabac) s'y sont développées. La cité est dominée par le château Raoul (Xe siècle), qui est à l'origine de son nom. On peut aussi y voir l'église des Cordeliers (XIIIe siècle) et celle de Saint-Martial (XIIe-XVe siècles).

36

Préfecture de l'Indre
52 345 habitants : les Castelroussins

chat–huant n. m. **Plur. : des chats-huants.** Grand oiseau rapace nocturne.
Synonyme : hulotte.

châtier v. → conjug. **modifier.** Infliger un châtiment à quelqu'un. *Les criminels seront châtiés.*

chatière n. f. Petite ouverture au bas d'une porte, qui permet aux chats de passer.

châtiment n. m. Punition sévère infligée à quelqu'un. *Des châtiments corporels.*

chaton n. m. **1** Petit du chat. *La chatte allaite ses chatons.* **2** Grappe de fleurs en forme d'épi de certains arbres. *Les saules, les peupliers ont des chatons.*

chatouiller v. → conjug. **aimer.** Toucher légèrement certains endroits sensibles du corps de quelqu'un, pour provoquer son rire. *Le bébé rit quand on le chatouille.*

Faire des **chatouilles** *à quelqu'un,* c'est l'action de le chatouiller. *Un enfant très* **chatouilleux** *est très* sensible aux chatouilles.

chatoyer v. → conjug. **essuyer.** Avoir des reflets changeants selon la lumière. *Un diamant qui chatoie.*

La soie est une étoffe **chatoyante,** qui chatoie.

châtrer v. → conjug. **aimer.** Synonyme de castrer.

chatte n. f. → **chat.**

chaud, chaude adj., **chaud** n. m. et adv.

• adj. **1** Qui est à une température élevée. *Laisse refroidir le lait, il est trop chaud.* **2** Qui permet de ne pas avoir froid. *En hiver, on porte des vêtements chauds.* **3** Au figuré. Qui est vif, passionné. *La discussion a été chaude, ils ont failli se battre !*
Contraire : froid (*1*). Homonymes : chaux, show.
• n. m. *Au chaud :* dans un endroit chaud. *Il a la grippe et doit rester au chaud.*
• adv. **1** *Avoir chaud :* avoir une sensation de chaleur. **2** *Avoir eu chaud :* avoir échappé de justesse à une catastrophe, à un danger. **3** *Il fait chaud :* la température est élevée.

chaudement adv. **1** De façon à avoir bien chaud. *Habille-toi chaudement car il gèle dehors.* **2** Au figuré. Avec chaleur et enthousiasme. *Féliciter chaudement quelqu'un pour son succès.*

chaudière n. f. Appareil qui produit de la chaleur et de l'eau chaude. *Une chaudière au gaz, au mazout.*

chaudron n. m. Récipient muni d'une anse, qu'on suspendait autrefois au-dessus du feu d'une cheminée pour cuire les aliments. *Un chaudron en cuivre.*

chauffage n. m. **1** Installation qui permet de chauffer une maison, un appartement. *Allumer le chauffage dès qu'il fait froid.* **2** *Chauffage central :* installation qui permet de chauffer un appartement ou un immeuble à partir d'une seule chaudière.

chauffard n. m. Mauvais conducteur, imprudent et dangereux. *C'est un chauffard qui a failli écraser mon chien.*

chauffe-eau n. m. inv. Appareil qui fournit l'eau chaude. *Certains chauffe-eau fonctionnent au gaz, d'autres à l'électricité.*

chauffer v. → conjug. **aimer**. *1* Devenir chaud. *Le biberon est en train de chauffer.* *2* Rendre chaud. *Il faut beaucoup de radiateurs pour chauffer cette grande maison.* *3* Se chauffer : s'exposer à une source de chaleur. *Se chauffer devant un feu de cheminée.*

chaufferie n. f. Local où est installée une chaudière.

chauffeur n. m. Personne qui conduit un véhicule. *Un chauffeur de taxi très aimable.*

chaume n. m. *1* Partie inférieure de la tige des céréales, qui reste en terre après la moisson. *2* Paille utilisée pour couvrir le toit de certaines maisons.

chaumière n. f. Petite maison, souvent modeste, au toit de chaume.

Chaumont

Ville française de la Région Champagne-Ardenne, située au confluent de la Marne et de la Suize. Chaumont est un centre administratif et commercial actif. Le centre historique de la ville conserve des maisons du Moyen Âge, et l'église Saint-Jean-Baptiste (XIIIᵉ-XVIᵉ siècles), de style gothique.
En 1814, l'Angleterre, la Russie, la Prusse et l'Autriche signent à Chaumont un pacte d'alliance contre l'empereur Napoléon Iᵉʳ : le « Traité de Chaumont ».

52 *Préfecture de la Haute-Marne*
28 365 habitants : les Chaumontais

chaussée n. f. Partie d'une route ou d'une rue où les voitures circulent.

chausser v. → conjug. **aimer**. *1* Mettre des chaussures. *Chausse tes bottes pour aller jardiner !* *2* Avoir telle pointure de chaussures. *Elle chausse du 38.*

chausse-trappe n. f. **Plur. : des chausse-trappes.** Piège qu'on tend à quelqu'un. *Cet exercice est plein de chausse-trappes !*
On écrit aussi : chausse-trape.

chaussette n. f. Vêtement qui couvre le pied et parfois une partie de la jambe. *Ces grandes chaussettes en laine sont très chaudes.*

chausson n. m. *1* Chaussure d'intérieur. *Le soir après leur bain, les enfants se mettent en chaussons et en pyjama.* *2* Pâtisserie à base de pâte feuilletée, fourrée de compote de fruits. *Un chausson aux pommes.*
Synonyme : pantoufle (1).

chaussure n. f. Pièce de l'habillement qui couvre le pied et le protège pour marcher. *Cirer ses chaussures.*

chauve adj. et n. Qui n'a plus de cheveux. *Si ses cheveux continuent à tomber, il sera bientôt chauve.*

chauve-souris n. f. **Plur. : des chauves-souris.** Petit mammifère nocturne qui a des ailes. *Le corps de la chauve-souris ressemble à celui d'une souris.*

Chauvet (grotte)

Grotte préhistorique située dans les gorges de l'Ardèche, près de Vallon-Pont-d'Arc, découverte le 18 décembre 1994 par le spéléologue Jean-Marie Chauvet. La grotte Chauvet, qui s'étend sur environ 500 m, comprend quatre salles. Ses murs sont couverts de peintures de l'époque paléolithique. Ses 300 dessins d'animaux (rhinocéros, mammouths, bisons, ours, lions, rennes…) et ses empreintes de mains, qui datent de 25 000 à 30 000 ans, font partie des plus vieilles peintures connues.

chauvin, ine adj. Qui a une admiration excessive pour son pays. *Il est tellement chauvin qu'il n'a jamais voyagé à l'étranger.*
Faire preuve de chauvinisme, c'est être chauvin.

chaux n. f. Matière blanche qu'on obtient quand on chauffe du calcaire. *Les maisons de ce village grec sont blanchies à la chaux.*
Homonymes : chaud, show.

chavirer v. → conjug. **aimer**. Se retourner complètement. *Le bateau a failli chavirer.*

chef n. m. Personne qui dirige, qui commande un groupe. *Le président de la République est le chef de l'État.*

chef-d'œuvre n. m. **Plur. : des chefs-d'œuvre.** Œuvre remarquable, la plus belle d'un artiste. *La Joconde est le chef-d'œuvre de Léonard de Vinci.*
On prononce [ʃɛdœvʀ].

chef-lieu n. m. **Plur. : des chefs-lieux.** Ville principale d'un département ou d'un canton. *Chartres est le chef-lieu du département d'Eure-et-Loir.*

cheftaine n. f. Jeune fille responsable d'un groupe de scouts.

cheikh n. m. Chef de tribu, dans certains pays arabes.
On prononce [ʃɛk]. Homonyme : chèque.

chemin n. m. *1* Petite route de terre. *Marcher à travers bois en suivant les chemins.* *2* Trajet ou distance à parcourir. *Le chemin est long pour arriver à la plage.* *3* Direction à suivre pour aller quelque part. *Demander son chemin aux gens du village.*

chemin de fer n. m. Moyen de transport par voie ferrée. *Préférer le chemin de fer à la voiture.*
Synonyme : train.

Les premières lignes de chemin de fer naissent au début du XIXe siècle ; les wagons sont alors tirés par des chevaux. Après 1810, elles sont empruntées par des trains à vapeur qui servent surtout au transport des marchandises. La première ligne régulière de transport de voyageurs est inaugurée en 1830 en Angleterre. En France, les lignes pour voyageurs apparaissent en 1832. Un vaste réseau ferroviaire se constitue peu à peu. L'électrification des lignes débute en 1900.

Le chemin de fer est aujourd'hui un moyen de communication rapide et indispensable. En France, le réseau ferroviaire appartient à la S.N.C.F., la Société nationale des chemins de fer.

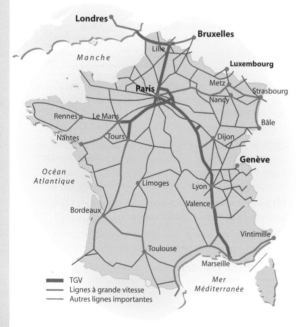

TGV
Lignes à grande vitesse
Autres lignes importantes

cheminée n. f. *1* Endroit dans une pièce où l'on peut faire du feu. *Il y a une grande cheminée dans le salon.* *2* Extrémité du conduit qui sert à évacuer la fumée. *Il y a plusieurs cheminées sur le toit de cette maison.*

cheminot n. m. Employé des chemins de fer.

chemise n. f. *1* Vêtement qui couvre le torse et qui se boutonne sur le devant. *Une chemise en coton, en soie.* *2* Feuille de carton pliée en deux, destinée à recevoir des documents. *Ranger ses papiers dans des chemises.* *3* *Chemise de nuit :* sorte de robe longue qu'on porte pour dormir.

Une chemisette est une chemise (*1*) à manches courtes. *Acheter un chemisier, une chemise (1) pour femme.*

chenal n. m. Plur. : **des chenaux.** Passage étroit suffisamment profond pour que les bateaux puissent y naviguer. *Le chenal qui donne accès au port est balisé par des bouées.*

chenapan n. m. Galopin, garnement.

chêne n. m. Grand arbre des forêts.
Homonyme : chaîne.

On connaît environ 200 espèces différentes de chênes : chêne rouvre, chêne pédonculé, chêne chevelu… Ce sont de grands arbres, qui mesurent entre 15 et 40 m de haut. Leur écorce est rugueuse et craquelée ; leurs fruits sont appelés glands. Leur bois est employé en menuiserie et en ébénisterie. Le chêne vert et le chêne-liège poussent dans les régions méditerranéennes et ne perdent pas leurs feuilles l'hiver.

gland

chêne-liège n. m. Plur. : **des chênes-lièges.** Chêne aux feuilles persistantes, dont l'écorce fournit le liège.

chenet n. m. Chacun des deux supports sur lesquels on dispose le bois dans une cheminée.

Chénier André de

Poète français né en 1762 et mort en 1794. Chénier écrit ses premiers vers en 1785. Il est influencé par la culture grecque antique et par les idées des philosophes du XVIIIe siècle. Enthousiasmé par la Révolution française à ses débuts, il en critique rapidement la violence et les abus dans des articles qui paraissent dans *le Journal de Paris* et *le Moniteur.* En 1794, il est emprisonné à Saint-Lazare. Il y écrit un ouvrage satirique dans lequel il attaque les Jacobins, responsables de la Terreur. Chénier est guillotiné le 25 juillet 1794. L'ensemble de son œuvre est publié en 1819.

chenil n. m. Endroit où l'on garde, élève et dresse des chiens.

chenille n. f. *1* Larve herbivore du papillon. *2* Large bande métallique articulée qui s'enroule autour des roues d'un bulldozer, d'un tank.

Les chenilles se déplacent en rampant. Elles dévorent de grandes quantités de feuilles, de bourgeons ou de tiges. Certaines causent ainsi de sérieux dégâts aux cultures. Après un certain temps, la chenille se transforme en chrysalide, souvent protégée par un cocon, d'où sortira le papillon adulte. Les chenilles du bombyx du mûrier sont élevées pour leurs cocons faits d'un immense fil de soie : ce sont elles que l'on appelle les vers à soie.

Chenonceau

Château du Val de Loire situé sur la rive droite du Cher, dans la commune de Chenonceaux. Il est construit à partir de 1514. Il comprend un corps de logis rectangulaire avec quatre tourelles d'angle. D'architecture Renaissance, il conserve cependant un donjon du Moyen Âge, vestige des précédentes constructions. À partir de 1534, Chenonceau devient successivement propriété du roi de France, de Diane de Poitiers, puis de Catherine de Médicis. La première l'enrichit, en 1556, d'un pont enjambant le Cher. Vers 1580, la seconde fait ajouter sur ce pont une galerie à deux étages où sont données de nombreuses fêtes.

Regarde aussi **architecture.**

Chéops

Pharaon d'Égypte vers 2600 ans av. J.-C. (on écrit aussi Kheops). Sur le plateau de Gizeh, près du Caire, Chéops fait élever une gigantesque pyramide pour lui servir de tombeau. L'historien grec Hérodote (Ve siècle av. J.-C.) raconte que sa construction a nécessité le travail de 100 000 esclaves pendant trente années ! Les pharaons Khéphren et Mykérinos feront eux-aussi construire leurs pyramides sur ce site.

les pyramides de Gizeh

cheptel n. m. Ensemble du bétail d'une ferme, d'un pays. *Le cheptel bovin de la Normandie.*

chèque n. m. Document fourni par une banque, sur lequel on inscrit une somme d'argent pour payer quelqu'un. *Vous réglez par chèque ou en espèces ?*
Homonyme : cheikh.
  Un *chéquier* est un carnet de chèques.

cher, chère adj., **cher** adv.
● adj. *1* Que l'on aime beaucoup. *Je le connais depuis longtemps, c'est un ami très cher. 2* S'emploie dans les formules de politesse. *Veuillez agréer, cher monsieur… 3* Qui a un prix élevé, qui coûte beaucoup d'argent. *Cette belle voiture doit être très chère.*
Contraire : bon marché (3).
● adv. À prix élevé. *Payer trop cher quelque chose.*
Homonymes : chair, chaire, chère.
  Se plaindre de la *cherté* de la vie, du fait que la vie soit trop chère (3).

chercher v. → conjug. **aimer.** *1* Essayer de trouver. *J'ai perdu mes clefs et je les cherche partout. Chercher un ami dans la foule. 2* Essayer, s'efforcer de parvenir à un résultat. *Chercher à obtenir un renseignement.*

chercheur, euse n. Personne qui fait des recherches scientifiques. *Il est chercheur dans un laboratoire.*

chère n. f. *Bonne chère :* nourriture abondante et délicieuse. *Aimer la bonne chère.*
Homonymes : chair, chaire, cher.

chéri, ie adj. et n. Qu'on aime tendrement. *Bonne nuit, mon chéri.*

chérir v. → conjug. **finir.** Aimer tendrement. *Chérir ses parents.*

cherté n. f. → **cher.**

chérubin n. m. Petit enfant, gracieux comme un ange.

chétif, ive adj. Qui est maigre et de santé fragile. *Cette enfant chétive n'est pas robuste.*
Synonyme : malingre.

cheval n. m. **Plur. : des chevaux.** *1* Grand mammifère herbivore, utilisé comme monture et, autrefois, comme bête de trait. *Assister à une course de chevaux. 2* Équitation. *Faire du cheval. 3* Unité de mesure qui sert à déterminer la puissance d'un moteur. *Cette voiture a 7 chevaux. 4* À *cheval :* à califourchon. *5* Monter sur ses grands chevaux : se mettre en colère.
  Étudier la race *chevaline,* la race des chevaux.

chevaleresque adj., **chevalerie** n. f. → **chevalier.**

chevalet n. m. Support de bois sur trois pieds, qui permet aux peintres de poser leur toile.

chevalier n. m. Noble seigneur au Moyen Âge, qui combattait à cheval.

Il a un esprit *chevaleresque*, digne d'un chevalier. *Au Moyen Âge, les ordres de* *chevalerie* *étaient composés de chevaliers.*

Le chevalier combat au service d'un seigneur puissant, qui lui donne en général un fief en échange de ses services. Tous les guerriers ne peuvent devenir chevaliers, car l'équipement coûte cher. L'éducation du chevalier commence très tôt. Il devient page, puis écuyer. Il est ensuite armé chevalier lors d'une cérémonie appelée adoubement. Pour être admis dans l'ordre de la chevalerie, il jure sur les livres saints de protéger les faibles et de toujours servir Dieu.

chevalière n. f. Grosse bague, dont la partie aplatie est souvent gravée. *Il porte une chevalière avec ses initiales.*

chevalin, ine adj. → **cheval.**

chevauchée n. f. Longue promenade à cheval. *Faire une chevauchée à travers la forêt.*

chevaucher v. → conjug. **aimer.** *1* Voyager à cheval. *Chevaucher des heures à travers la campagne.* *2* Se chevaucher : se recouvrir partiellement. *Les ardoises du toit se chevauchent.*

chevelu, ue adj. Qui a beaucoup de cheveux ou des cheveux longs.

chevelure n. f. Ensemble des cheveux. *Elle a une belle chevelure rousse.*

chevet n. m. *1* Partie d'un lit où on pose la tête. *Une lampe, une table de chevet.* *2* Partie arrondie d'une église située derrière le chœur. *3* *Rester au chevet de quelqu'un :* rester près de lui pour le soigner quand il est malade.

cheveu n. m. **Plur. : des cheveux.** *1* Poil qui pousse sur la tête, chez les êtres humains. *Elle se laisse pousser les cheveux.* *2* Familier. *Être tiré par les cheveux :* se dit d'une explication trop compliquée et peu convaincante. *3* Familier. *Couper les cheveux en quatre :* compliquer les choses en donnant trop de détails.

cheville n. f. *1* Articulation entre le pied et la jambe. *En tapant dans le ballon il s'est foulé la cheville.* *2* Petite pièce de bois ou de plastique, qui sert à fixer une vis dans un trou ou à assembler les parties d'un meuble.

chèvre n. f. Mammifère ruminant domestique, aux cornes recourbées vers l'arrière et au poil long. *Elle élève des chèvres, et avec leur lait elle fait des fromages.*

Les *chevreaux* sont les petits de la chèvre.

chèvrefeuille n. m. Plante grimpante aux fleurs très parfumées.

chevreuil n. m. Mammifère ruminant sauvage, qui ressemble à un petit cerf. *Le chevreuil vit dans les forêts.*

chevron n. m. *1* Dans une charpente, pièce de bois qui est dans le sens de la pente du toit, et qui soutient les lattes. *2* Dessin en forme de V renversé. *Le nombre de chevrons indique l'ancienneté d'un militaire.*

chevronné adj. Qui est très expérimenté. *Il skie depuis vingt ans, c'est maintenant un skieur chevronné.*

chevrotant, ante adj. Se dit d'une voix qui tremble comme celle d'une chèvre quand elle bêle.

chevrotine n. f. Gros plomb de chasse utilisé pour le gros gibier.

chewing-gum n. m. **Plur. : des chewing-gums.** Sorte de bonbon qui se mâche.
On prononce [ʃwiŋɡɔm].

chez prép. Employé devant les noms de personnes, sert à introduire des compléments de lieu. *Dîner chez des amis. Habiter chez ses parents.*
On prononce [ʃe].

chic adj. inv. en genre, n. m. et interj.
• adj. inv. en genre *1* Qui est élégant, distingué, raffiné. *Un mariage très chic.* *2* Qui est sympathique ou serviable. *Elles ont été chics de nous aider.*
• n. m. *1* Élégance. *Quel chic !* *2* *Avoir le chic pour faire quelque chose :* avoir une facilité ou un talent particulier pour faire quelque chose.
• interj. Exprime la satisfaction. *Chic ! J'ai gagné !*

Chicago

Ville des États-Unis située sur les bords du lac Michigan, dans l'État de l'Illinois. Chicago s'étend sur près de 50 km sur la rive sud-ouest du lac. C'est l'un des plus grands centres commerciaux (marché mondial pour les céréales et le bétail) et industriel (sidérurgie, métallurgie, chimie…) des États-Unis, et la troisième ville du pays par sa population. C'est à Chicago qu'est construit, en 1885, le premier gratte-ciel.

chicane n. f. *1* Querelle qui porte sur un détail. *Chercher des chicanes à son voisin.* *2* Passage en zig-zag sur une route, qui oblige les véhicules à ralentir.

1. chiche adj. Qui ne donne pas beaucoup, ou qui n'aime pas dépenser. *Se montrer chiche avec ses invités.*
> Vivre *chichement*, c'est vivre de façon chiche, en dépensant le moins possible.

2. chiche adj. et interj.
• adj. Qui est capable de faire quelque chose. *Es-tu chiche de traverser la rivière à la nage ?*
• interj. Exprime le défi. *Chiche que je le fais !*

chichement adv. → chiche 1.

chicorée n. f. *1* Plante dont les feuilles se mangent en salade. *Il y a plusieurs variétés de chicorée.* *2* Boisson fabriquée avec la racine torréfiée d'une variété de chicorée. *Le matin, il boit un bol de chicorée.*

chien n. m. *1* Mammifère domestique carnivore. *2* *Avoir un mal de chien :* avoir beaucoup de mal. *3* *Entre chien et loup :* à la tombée de la nuit. *4* *Un temps de chien :* un très mauvais temps. *5* *Une vie de chien :* une vie très difficile. *6* *En chien de fusil :* allongé sur le côté, les jambes repliées sur la poitrine.
> La *chienne* est la femelle du chien (*1*). Le *chiot* est le petit du chien (*1*).

Le chien est un mammifère du groupe des carnivores. Il appartient à la même famille que le chacal, le coyote et le renard (famille des canidés). Il aurait le loup pour ancêtre. Domestiqué il y a probablement plus de 10 000 ans, c'était un animal sacré dans l'Égypte ancienne.
Réceptif au dressage, il rend de multiples services : chien d'aveugle, d'avalanche, policier, de garde, de traîneau…
Le chien vit en moyenne 15 ans. Les portées comptent de 3 à 10 chiots, mis au monde après une gestation de 2 à 3 mois.
Regarde p. 210 et 211.

chiendent n. m. Mauvaise herbe. *Le chiendent est très envahissant.*

chien-loup n. m. **Plur. : des chiens-loups.** Grand chien qui ressemble à un loup.
Synonyme : berger allemand.

chienne n. f. → chien.

chiffe n. f. *Chiffe molle :* personne sans énergie.

chiffon n. m. Morceau de vieux tissu, qui sert surtout pour faire le ménage. *Prendre un chiffon pour essuyer les meubles.*

chiffonner v. → conjug. **aimer.** Faire prendre des mauvais plis à un papier ou un tissu. *Pourquoi as-tu chiffonné cette lettre, j'allais l'envoyer !*

chiffonnier, ère n. *1* Personne qui récupère les vieux vêtements et les vieux papiers pour les revendre. *2* *Se battre comme des chiffonniers :* de façon acharnée.

chiffre n. m. *1* Signe qui permet d'écrire un nombre. *23 est un nombre à deux chiffres, 10 000 est un nombre à cinq chiffres.* *2* Somme totale. *On ne connaît pas encore le chiffre exact des dégâts.* *3* Code utilisé pour transmettre ou pour comprendre un message secret.
> Un message *chiffré* est un message qui utilise un chiffre (*3*). *Chiffrer des dépenses*, c'est en évaluer le chiffre, le total (*2*).

chignon n. m. Coiffure qui consiste à rouler et à nouer des cheveux longs sur la nuque ou sur la tête.

chihuahua n. m. Petit chien au poil ras, originaire du Mexique, le plus petit de tous les chiens d'agrément.

Chili

République du sud-ouest de l'Amérique du Sud, située au pied de la cordillère des Andes, sur la côte du Pacifique. Le Chili est un pays long et étroit qui s'étire sur 4 350 km pour à peine 100 à 200 km de large. Le climat est aride au nord (désert de l'Atacama) et polaire au sud, en Patagonie. La population se concentre dans les plaines centrales, situées entre la cordillère et le littoral, et dans la capitale, Santiago, qui abrite plus du tiers des habitants.
Les ressources du Chili sont l'agriculture céréalière, la pêche et, surtout, l'industrie : argent, or et cuivre dont le Chili est le premier producteur mondial.
Occupé au XVe siècle par les Incas, le Chili est colonisé par les Espagnols à partir du XVIe siècle. Il obtient son indépendance en 1818. Il subit, de 1973 à 1990, une dictature militaire commandée par le général Pinochet.

756 630 km²
15 613 000 habitants :
les Chiliens
Langue : espagnol
Monnaie : peso
Capitale : Santiago du Chili

les chiens

La sélection et les croisements opérés par l'homme depuis des siècles ont abouti à la création de plus de 340 races de chiens, différentes par la taille, la morphologie, la couleur du pelage et le caractère. On peut les regrouper selon leurs vocations d'origine… même si elles se sont parfois modifiées : de nombreux chiens de chasse sont par exemple devenus des chiens de compagnie…

les chiens de compagnie

Basset artésien.

Shar-peï.

Yorkshire.

Fox-terrier.

Bouledogue anglais.

Chihuahua.

Dalmatien.

Caniche.

Pékinois.

Chow-chow.

Husky.

Teckel.

Le plus rapide...

Réputé à l'origine pour la course au lièvre, le lévrier est un chien très athlétique. Certaines espèces peuvent atteindre la vitesse de 65 km/h !

les chiens de chasse

Braque.

Épagneul breton.

Labrador.

Cocker.

Griffon.

Setter.

Pointer.

les chiens de garde

Berger allemand.

Boxer.

Doberman.

les chiens de troupeau et de sauvegarde

Colley.

Terreneuve.

Berger belge.

Saint-Bernard.

Bobtail.

211

chimère

chimère n. f. *1* Monstre de la mythologie grecque, à tête de lion, à corps de chèvre et à queue de serpent, qui crachait des flammes. *2* Rêve, projet irréalisable. *Sois raisonnable, ne crois pas à ces chimères.*

Il a toujours des projets **chimériques**, qui ont le caractère d'une chimère (*2*).

chimie n. f. Science qui étudie les propriétés de la matière, la composition et les transformations du corps. *Un produit* **chimique** *est fabriqué grâce à la chimie. Un* **chimiste** *est un spécialiste de la chimie.*

chimpanzé n. m. Grand singe d'Afrique à l'intelligence remarquable qui vit en groupe dans la forêt équatoriale.

Chine

République populaire d'Asie orientale. La Chine est le troisième pays du monde par sa superficie (18 fois la France !) ; elle a des frontières avec 14 pays.

■ Une grande partie du territoire est montagneux. À l'ouest, les hauts plateaux du Tibet sont bordés par l'Himalaya ; le climat est rude et la population peu nombreuse. Au nord-ouest et au nord, le bassin du Xinjiang et la Mongolie intérieure sont également des régions peu hospitalières.

■ La Chine est le pays le plus peuplé du monde. Les deux tiers des Chinois se concentrent dans les plaines de l'Est et du Sud-Est, au climat moins rigoureux, et où se trouvent les vastes deltas des grands fleuves qui se jettent dans l'océan Pacifique : le Xi Jiang, le Yangzi Jiang et le Huang He. Depuis 1950, les villes se développent considérablement. Certaines deviennent de gigantesques métropoles, comme Shanghai (avec bientôt 9 millions d'habitants), Pékin (plus de 6,5 millions) et Hong Kong (presque 7 millions).

■ Le pays possède d'immenses ressources : agricoles (c'est le premier producteur mondial de blé et de riz, mais il cultive aussi thé, maïs, coton, tabac…), minières (charbon, pétrole, fer…) et énergétiques (électricité). Depuis quelques années, l'ouverture aux investissements étrangers est à l'origine d'une importante croissance économique.

■ La Chine est l'une des régions les plus anciennement peuplées par l'homme, dont la présence remonte à environ 500 000 ans. Du IIᵉ siècle av. J.-C. au XIXᵉ siècle apr. J.-C., elle est dirigée par une succession de dynasties. La plus connue, celle des Ming, gouverne de 1368 à 1644. La Chine est ensuite sous l'influence des pays occidentaux, puis occupée par le Japon.

■ En 1949, Mao Zedong crée la République populaire de Chine, une dictature communiste. Lors de la mise en place de ce régime, plus de 800 000 personnes sont arrêtées et exécutées.

■ Depuis les années 1980, la population manifeste périodiquement pour plus de démocratie et de liberté d'expression. Les manifestations de 1989 (notamment celle de la place Tian'anmen, à Pékin) ont été réprimées de façon très violente par l'armée. Les associations internationales dénoncent régulièrement la violation des droits de l'homme par la Chine, où des milliers de gens sont encore emprisonnés pour leurs opinions.

CHINE

9 598 050 km²
1 294 867 000 habitants :
les Chinois
Langue : mandarin,
et langues des minorités
Monnaie : yuan
(renminbi)
Capitale : Pékin (Beijing)

Le quartier d'affaires de Shanghai.

Le temple du Ciel (XVᵉ siècle) à Pékin.

chiné, ée adj. Qui est fait de fils de couleurs différentes. *Un pull chiné.*

chiot n. m. → **chien.**

chiper v. → conjug. **aimer.** Familier. Voler quelque chose. *Qui a chipé mon stylo ?*

chipie n. f. Familier. Fille ou femme désagréable ou insupportable. *Cette chipie embête son frère.*

chipoter v. → conjug. **aimer.** *1* Faire des difficultés pour des choses sans importance. *Tu ne vas pas chipoter pour quelques euros ! 2* Manger très peu et sans appétit.

chips n. f. Fine rondelle de pomme de terre frite et salée.
On prononce [ʃips].

chiqué n. m. Familier. *C'est du chiqué :* c'est faux ou c'est du bluff.

chiquenaude n. f. Petit coup sec donné avec un doigt replié sous le pouce qu'on détend brusquement. *D'une chiquenaude, il a chassé la mouche.*
Synonyme : pichenette.

chirurgie n. f. Partie de la médecine qui consiste à opérer les blessés et les malades. *Les opérations ont lieu dans le service de chirurgie de l'hôpital.*
Subir une intervention *chirurgicale*, qui relève de la chirurgie. *Prendre rendez-vous avec un chirurgien*, un médecin spécialiste de la chirurgie.

chlore n. m. Substance chimique à l'odeur désagréable, utilisée comme désinfectant. *Cette eau n'est pas bonne, elle sent le chlore.*
On prononce [klɔʀ].

chlorhydrique adj. *Acide chlorhydrique :* produit chimique à base de chlore.
On prononce [klɔʀidʀik].

chloroforme n. m. Liquide qui endort quand on le respire et qui était utilisé comme anesthésique.
On prononce [klɔʀɔfɔʀm].

chlorophylle n. f. Pigment vert qui donne aux plantes leur couleur.
On prononce [klɔʀɔfil].

choc n. m. *1* Rencontre plus ou moins brutale et violente entre des choses. *Un choc violent entre deux camions. 2* Au figuré. Émotion violente due à un événement brutal. *Sa mort a été un choc terrible pour nous.*

chocolat n. m. *1* Aliment composé de cacao et de sucre. *Je préfère le chocolat noir au chocolat au lait. 2* Boisson faite avec du cacao en poudre mélangé à du lait. *Boire un chocolat chaud.*
Une boisson *chocolatée* contient du chocolat (*1*).

chœur n. m. *1* Groupe de chanteurs qui chantent ensemble. *Une œuvre musicale interprétée par un chœur d'enfants. 2* Partie de l'église où se trouve l'autel. *3 Enfant de chœur :* jeune garçon qui assiste le prêtre pendant la messe.
On prononce [kœʀ]. **Homonyme : cœur.**

choir v. Littéraire. Tomber. *Se laisser choir dans un sofa.*
On n'emploie plus ce verbe qu'à l'infinitif et au participe passé.

choisir v. → conjug. **finir.** Prendre ou adopter de préférence une chose à une autre. *Avec ce menu, il faut choisir entre le fromage et le dessert.*

choix n. m. *1* Action de choisir. *Tu as fait un bon choix en lisant ce livre. 2* Liberté de choisir. *Comme fruit, tu n'as pas le choix, il n'y a que des cerises. 3* Choses parmi lesquelles on peut choisir. *L'été, il y a un grand choix de fruits. 4 Au choix :* avec la possibilité de choisir.

choléra n. m. Maladie intestinale très contagieuse et parfois mortelle. *Une épidémie de choléra.*
On prononce [kɔleʀa].

cholestérol n. m. Graisse qui se trouve dans le sang, et dont l'excès est nocif.
On prononce [kɔlɛsteʀɔl].

chômage n. m. Situation d'une personne qui n'a pas de travail. *Être au chômage après un licenciement.*
Il y a un nombre inquiétant de *chômeurs*, de gens qui sont au chômage.

chope n. f. Grand verre muni d'une anse, utilisé surtout pour boire la bière.

Chopin Frédéric

Compositeur et pianiste polonais né en 1810 et mort en 1849. Chopin donne ses premiers concerts et écrit ses premières œuvres à quinze ans. Il entre au conservatoire de Varsovie (Pologne) en 1826. En 1831, il se fixe à Paris où il connaît un vif succès. En 1838, il rencontre l'écrivain George Sand, avec qui il aura une liaison. La musique de Chopin, lyrique et souvent mélancolique, appartient au mouvement romantique. Ses sources d'inspiration sont la tradition classique et le folklore polonais.
La plupart de ses œuvres sont écrites pour le piano. Ce sont des valses, des nocturnes, des préludes, des mazurkas...

choquer v. → conjug. **aimer.** Gêner ou contrarier quelqu'un par des paroles ou des actes contraires à ses principes. *Son attitude désinvolte nous a choqués.*
Elle tient souvent des propos **choquants**, *qui choquent.*

chorale n. f. Réunion de personnes qui chantent en chœur. *Les élèves ont décidé de former une chorale.*
On prononce [kɔRal].

chorégraphie n. f. Art de composer et de régler l'ensemble des pas et des figures que font les danseurs dans un ballet. *La chorégraphie de ce ballet est très originale.*
On prononce [kɔRegRafi].
Cette **chorégraphe** *est très célèbre*, cette personne qui crée des chorégraphies.

choriste n. Personne qui chante dans un chœur ou dans une chorale.
On prononce [kɔRist].

chorus n. m. *Faire chorus :* joindre sa voix à d'autres pour manifester son accord ou son désaccord.
On prononce [kɔRys].

chose n. f. **1** Objet concret. *Il y a trop de choses sur ce bureau.* **2** Fait, événement. *Il s'est passé beaucoup de choses depuis ton départ.*

chou n. m. **Plur. : des choux. 1** Légume dont on mange les feuilles et dont il existe de nombreuses variétés. *Le chou rouge se mange surtout en salade.*
2 Petit gâteau rond rempli de crème.

chouan n. m. Paysan qui était partisan du roi de France, pendant la Révolution. *Les chouans se sont battus dans l'ouest de la France.*

chouchou, oute n. Enfant préféré des parents ou des professeurs. *C'est le chouchou de la famille. C'est la chouchoute de la maîtresse.*

chouchouter v. → conjug. **aimer.** Familier. Gâter et dorloter un enfant. *Il a été trop chouchouté par sa famille.*

choucroute n. f. **1** Chou blanc coupé en fines lamelles, qu'on a fait fermenter. **2** Plat composé de ce chou, accompagné de charcuterie, de viande de porc et de pommes de terre.

1. chouette adj. et interj.
• adj. Familier. Qui est bien, beau ou agréable. *Ils habitent une maison très chouette au bord de l'eau.*
• interj. Exprime la satisfaction. *Chouette ! On va au cinéma !*

2. chouette n. f. Rapace nocturne, qui a de gros yeux ronds. *La chouette ressemble au hibou, mais ne porte pas d'aigrettes.*

chou-fleur n. m. **Plur. : des choux-fleurs.** Variété de chou, dont les fleurs, qui forment une boule blanche, sont comestibles.

chow-chow n. m. **Plur. : des chows-chows.** Chien d'origine chinoise.

Le chow-chow est assez massif, il peut peser 25 kg pour une hauteur de 50 cm aux épaules. Son poil long est généralement de couleur fauve. Il a le crâne large et plat, le museau court, les babines épaisses, et sa langue est violette. Sa queue est recourbée sur le dos.

choyer v. → conjug. **essuyer.** Combler de tendresse et d'affection. *Une grand-mère choyée par ses petits-enfants.*
On prononce [ʃwaje].

chrétien, enne adj. et n.
• adj. Qui se rapporte au christianisme. *Noël est une fête chrétienne.*
• n. Personne qui croit en Jésus-Christ. *Il y a trois sortes de chrétiens : les catholiques, les protestants et les orthodoxes.*
On prononce [kRetjɛ̃, ɛn].
La **chrétienté**, *c'est l'ensemble de tous les chrétiens.*

christianisme n. m. Religion de tous les chrétiens.
On prononce [kRistjanism].
Regarde **religion.**

chrome n. m. Métal blanc, dur et brillant.
On prononce [kRom].
Un pare-chocs **chromé** *est recouvert de chrome.*

1. chronique adj. Se dit d'un mal ou d'une maladie qui réapparaît régulièrement et peut durer longtemps. *L'asthme est une maladie chronique.*
On prononce [kRɔnik].

2. chronique n. f. Article de journal ou partie d'une émission qui portent sur un sujet particulier. *Ce journaliste fait chaque jour une chronique politique.*
On prononce [kRɔnik].
Un **chroniqueur** *sportif est un journaliste chargé d'une chronique sportive.*

chronologie n. f. Ordre dans lequel les événements se succèdent dans le temps.
On prononce [kRɔnɔlɔʒi].
Classer des dates par ordre **chronologique**, *en suivant la chronologie.*

chronomètre n. m. Instrument de précision qui mesure le temps en minutes, en secondes, en dixièmes, en centièmes et parfois en millièmes de seconde.
On prononce [krɔnɔmɛtr].
Chronométrer une course, c'est mesurer sa durée avec un chronomètre.

chrysalide n. f. Chenille qui est dans son cocon, avant de se transformer en papillon.
On prononce [krizalid].

chrysanthème n. m. Fleur aux couleurs variées, qui fleurit en automne.
On prononce [krizãtɛm].

chuchoter v. ➜ conjug. **aimer.** Dire quelque chose à voix basse. *Chuchoter quelque chose à l'oreille de son voisin.*
Synonyme : murmurer.
Entendre des chuchotements dans la salle, des bruits de voix qui chuchotent.

chuintement n. m. Sifflement sourd. *Le chuintement du gaz qui s'échappe.*

Churchill Winston

H omme d'État britannique né en 1874 et mort en 1965. Participant activement à la politique de son pays, Churchill est nommé Premier ministre en 1940, au début de la Seconde Guerre mondiale. Il soutient le moral de son peuple face aux bombardements de l'armée allemande et engage l'Angleterre dans la résistance. En 1941, il obtient du président américain Franklin D. Roosevelt l'aide des États-Unis. Pendant toute la durée de la guerre, Churchill coordonne avec énergie les différentes actions militaires des Alliés. En février 1945, il participe à la conférence de paix de Yalta aux côtés de Roosevelt et de Staline. Churchill reçoit, en 1953, le prix Nobel de littérature pour son ouvrage *Mémoires de guerre.*

chut ! interj. Mot qu'on dit pour demander le silence. *Chut ! Le bébé dort !*

chute n. f. *1* Fait de tomber. *Faire une chute de vélo. Des chutes de neige. 2* Au figuré. Action de s'effondrer brutalement. *La chute d'un empire. La chute des valeurs boursières. 3* Eau d'un fleuve ou d'un torrent qui tombe de très haut. *Les chutes du Niagara.*

chuter v. ➜ conjug. **aimer.** Baisser, diminuer brusquement. *Les prix chutent au moment des soldes.*

Chypre

R épublique de la Méditerranée, située au sud de la Turquie. L'île de Chypre est constituée de deux massifs montagneux qui encadrent une plaine centrale. Le climat est sec et chaud l'été, tempéré l'hiver. C'est le tourisme qui assure l'essentiel des ressources. Colonie anglaise dès 1925, Chypre devient indépendante en 1959, dans le cadre du Commonwealth. Depuis 1974, le territoire est partagé en deux zones : le nord occupé par la communauté turque, le sud par la communauté grecque. Adhère à l'Union européenne en 2004.

9 250 km²
796 000 habitants :
les Chypriotes ou
Cypriotes
Langues : grec, turc,
anglais
Monnaie : livre cypriote
Capitale : Nicosie

ci adv. *1* Devant certains adjectifs ou adverbes, synonyme de ici. *La lettre ci-jointe. Lire l'article ci-dessus. 2* Après un nom ou un pronom démonstratif, désigne la chose ou la personne dont on parle, ou qui est la plus proche. *Il habite de ce côté-ci de la rue. Tu préfères celui-ci ou celui-là ?*

cible n. f. Objet qu'on vise avec un projectile. *Il vise le centre de la cible avec ses fléchettes.*

ciboulette n. f. Plante potagère, dont les longues feuilles cylindriques servent de fines herbes.

cicatrice n. f. Trace laissée sur la peau après la guérison d'une plaie ou après une opération. *Son accident lui a laissé de nombreuses cicatrices.*

cicatriser v. ➜ conjug. **aimer.** Guérir en se refermant, grâce à la formation de nouveaux tissus. *Cette coupure mettra du temps pour cicatriser.*
Attendre la cicatrisation d'une plaie, que la plaie se cicatrise.

cidre n. m. Boisson pétillante, fabriquée avec du jus de pomme fermenté. *Le cidre est légèrement alcoolisé.*

ciel n. m. **Plur. : des ciels (au sens *1*) ou des cieux (au sens *2*). *1*** Espace qu'on voit au-dessus de nos têtes. *Cette nuit, le ciel est rempli d'étoiles. 2* Séjour de Dieu, dans la religion chrétienne.
Regarde p. 216 et 217.

L'observation du ciel et la volonté de comprendre les phénomènes qui président à l'organisation de l'Univers intéressent l'homme depuis toujours.

■ L'Univers est composé de millions de galaxies.

■ Chacune de ces galaxies comprend des étoiles et des planètes.

Une étoile est un astre qui produit de la lumière et de la chaleur.

Une planète est un astre qui reçoit et renvoie la lumière de l'étoile.

■ Ces étoiles et ces planètes forment des systèmes.

■ Une galaxie comprend des milliards de systèmes.

■ Notre système s'appelle le système solaire. Il est composé d'une étoile (le soleil), et de neuf planètes, dont la Terre, et de leurs satellites qui tournent autour. La Lune est un satellite de la Terre.

des chiffres astronomiques

■ Dans l'Univers, l'unité de mesure des distances est l'année-lumière, c'est-à-dire la distance que parcourt la lumière en un an. La vitesse de la lumière est de 300 000 km à la seconde. Une année-lumière correspond à 9 460 milliards de km !

■ Le Soleil se trouve à 150 millions de km de la Terre, sa lumière met environ 8 minutes à nous parvenir.

■ La Terre tourne autour du Soleil à la vitesse de 30 km à la seconde.

■ La Lune est située à 380 000 km de notre planète.

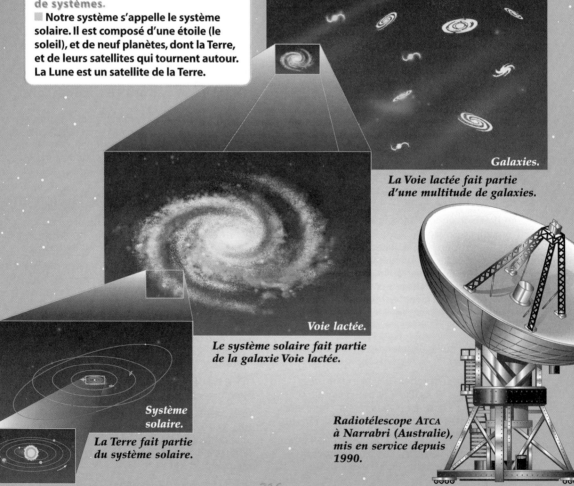

Galaxies.

La Voie lactée fait partie d'une multitude de galaxies.

Voie lactée.

Le système solaire fait partie de la galaxie Voie lactée.

Système solaire.

La Terre fait partie du système solaire.

Radiotélescope ATCA à Narrabri (Australie), mis en service depuis 1990.

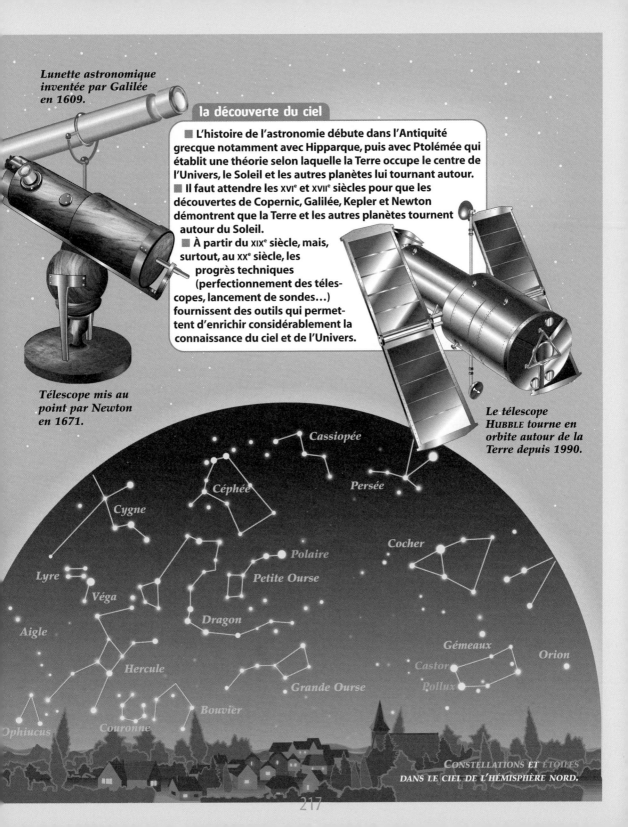

Lunette astronomique inventée par Galilée en 1609.

la découverte du ciel

■ L'histoire de l'astronomie débute dans l'Antiquité grecque notamment avec Hipparque, puis avec Ptolémée qui établit une théorie selon laquelle la Terre occupe le centre de l'Univers, le Soleil et les autres planètes lui tournant autour.

■ Il faut attendre les XVIᵉ et XVIIᵉ siècles pour que les découvertes de Copernic, Galilée, Kepler et Newton démontrent que la Terre et les autres planètes tournent autour du Soleil.

■ À partir du XIXᵉ siècle, mais, surtout, au XXᵉ siècle, les progrès techniques (perfectionnement des télescopes, lancement de sondes…) fournissent des outils qui permettent d'enrichir considérablement la connaissance du ciel et de l'Univers.

Télescope mis au point par Newton en 1671.

Le télescope HUBBLE tourne en orbite autour de la Terre depuis 1990.

Cassiopée

Céphée

Persée

Cygne

Cocher

Polaire

Lyre

Petite Ourse

Véga

Dragon

Aigle

Gémeaux

Orion

Hercule

Castor

Grande Ourse

Pollux

Bouvier

Ophiucus

Couronne

CONSTELLATIONS ET ÉTOILES DANS LE CIEL DE L'HÉMISPHÈRE NORD.

217

cierge

cierge n. m. **1** Longue bougie de cire que l'on fait brûler dans une église. **2** Plante grasse de la famille des cactus caractéristique des déserts américains.

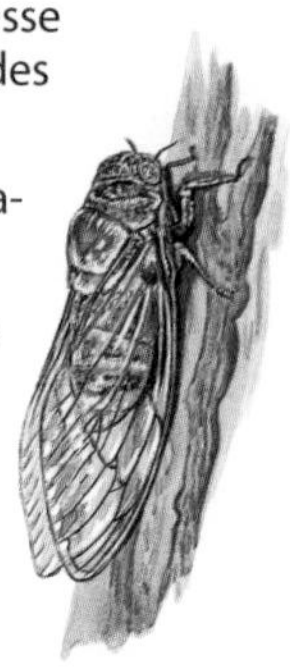

cigale n. f. Insecte des régions méditerranéennes et tropicales.

La cigale se nourrit de la sève des arbres sur lesquels elle vit. Quand il fait chaud, le mâle fait entendre un son strident. Ce bruit est produit par un appareil situé à la base de l'abdomen. On dit que la cigale « stridule ».

cigare n. m. Rouleau composé de feuilles de tabac et destiné à être fumé.

cigarette n. f. Petit rouleau fait de tabac haché enveloppé dans une feuille de papier très fin.

ci–gît adv. Formule qui signifie « ici repose », que l'on trouve sur certaines pierres tombales.

cigogne n. f. Grand échassier au plumage noir et blanc et au long bec. *La cigogne est un oiseau migrateur.*

ciguë n. f. Plante vénéneuse, qui ressemble un peu au persil.
On prononce [sigy].

cil n. m. Chacun des petits poils qui sont sur le bord des paupières.

cime n. f. Partie la plus élevée d'un arbre, d'une montagne. *Seule la cime de la montagne est couverte de neige.*
Synonyme : sommet.

ciment n. m. Pâte grise, fabriquée avec du calcaire et de l'argile mélangés à de l'eau, qui durcit en séchant. *Le ciment est utilisé comme matériau de construction.* *Cimenter* le sol d'un bâtiment, c'est le recouvrir avec du ciment. *Une cimenterie* est une fabrique de ciment.

cimeterre n. m. Sabre oriental, à lame large et courbe.

cimetière n. m. Lieu où l'on enterre les morts. *Les tombes de ce cimetière sont très fleuries.*

cinéaste n. Réalisateur de films. *Ce cinéaste a été rendu célèbre grâce à son dernier film.*

ciné–club n. m. **Plur. : des ciné-clubs.** Association ou club qui rassemble des amateurs de cinéma.

cinéma n. m. **1** Art de réaliser des films. **2** Salle où l'on projette des films. *Dans le centre de la ville, il y a beaucoup de cinémas.*
Regarde page ci-contre et film.

cinématographique adj. Qui concerne le cinéma. *Les techniques cinématographiques.*

le cinéma

Le cinématographe est inventé par les frères Lumière à la fin du XIXᵉ siècle. Au cours de la première projection publique en 1895 à Paris, il n'y a que 33 spectateurs, et pourtant le « septième art » vient de naître. On ne soupçonne pas encore le grand avenir de cette invention.

■ Les films d'Auguste et Louis Lumière sont très courts, 15 à 20 m de pellicule chacun ; ils ne durent pas plus d'une minute ! Certains sont pourtant restés célèbres comme : l'*Arrivée du train en gare de La Ciotat*, *L'Arroseur arrosé*.

■ Georges Méliès construit le premier studio et de 1895 à 1912 tourne près de 4 000 films. Il réalise les premiers trucages. Le cinéma sait recréer la vie, il peut aussi, désormais, produire du rêve.

■ À partir de 1900, sous l'impulsion de Charles Pathé puis de Léon Gaumont, le cinéma se développe en Europe et aux États-Unis. Les films deviennent de longs métrages : avec 2 000 m de pellicule, ils durent plus d'une heure. On y traite de tous les sujets. Le cinéma devient un art.

■ À la fascination de l'image s'ajoute, dans les années 20, celle du son. *Le Chanteur de jazz*, film américain, où les personnages dialoguent pour la première fois, remporte un succès considérable en 1927.

■ Puis l'utilisation de la couleur, avec l'apparition du Technicolor dans les années 1930, finit de donner au cinéma ses lettres de noblesse.

Réalisateurs et films célèbres

en France

La Règle du jeu (1939)
Jean Renoir
Les Enfants du paradis (1945)
Marcel Carné
Si Versailles m'était conté (1954)
Sacha Guitry
Mon oncle (1958) Jacques Tati
Les Quatre Cents Coups (1959)
François Truffaut
À bout de souffle (1960)
Jean-Luc Godard
Fantômas (1964) André Hunebelle
La Grande Vadrouille (1966)
Gérard Oury
Un homme et une femme (1966)
Claude Lelouch
La Guerre du feu (1981)
Jean-Jacques Annaud
Au revoir les enfants (1987)
Louis Malle
Le Grand Bleu (1988) Luc Besson
Les Visiteurs (1993) Jean-Marie Poiré
Capitaine Conan (1996)
Bertrand Tavernier

en Italie

Huit et demi (1963) Federico Fellini
Il était une fois dans l'Ouest (1968)
Sergio Leone
Mort à Venise (1971)
Luchino Visconti
Le Dernier Empereur (1987)
Bernardo Bertolucci

et d'autres encore...

Cris et chuchotements (1973)
Ingmar Bergman (Suède)
Le Fantôme de la liberté
(1974) Luis Buñuel
(Espagne)
Kagemusha (1980)
Akira Kurosawa
(Japon)
Underground (1995) Emir
Kusturica (Bosnie)
**La Jeune Fille et la
Mort** (1995) Roman
Polanski (Pologne)
Tout sur ma mère
(1999) Pedro
Almodóvar (Espagne)

aux États-Unis

Blanche-Neige et les Sept nains
(1937) Walt Disney
Autant en emporte le vent (1939)
Victor Fleming
Les Dix Commandements (1956)
Cecil B. De Mille
Sueurs froides (1958) Alfred Hitchcock
2001 : l'Odyssée de l'espace (1968)
Stanley Kubrick
La Guerre des étoiles (1977)
George Lucas
Apocalypse Now (1979)
Francis Ford Coppola
Don Giovanni (1980) Joseph
Losey
Out of Africa (1986) Sydney
Pollack
Jurassic Park (1993)
Steven Spielberg

en Grande-Bretagne

Le Dictateur (1940) Charlie Chaplin
Docteur Jivago (1966) David Lean

cinéphile n. Amateur de cinéma. *Il va voir plusieurs films par semaine, c'est un vrai cinéphile.*

cinglant, ante adj. *1* Qui cingle. *Un vent cinglant.* *2* Au figuré. Qui est acerbe et blessant. *Cette remarque cinglante l'a profondément blessé.*

cinglé, ée adj. et n. Familier. Un peu fou.

cingler v. → conjug. **aimer.** En parlant du vent ou de la pluie, frapper comme un fouet. *Le vent lui cingle le visage.*

CINQ
S'écrit **V** en chiffre romain.

- adj. inv. Quatre plus un. *Les cinq orteils du pied.*
- n. m. inv. Le chiffre ou le nombre cinq. *Trois multiplié par cinq donne quinze.*

cinquième
- adj. et n. Qui occupe le rang ou la place numéro 5 dans une série. *L'appartement du cinquième a une terrasse. Le cinquième du peloton a l'air fatigué.*
- n. m. Chaque partie d'un tout qui a été divisé par cinq. *Vingt est le cinquième de cent.* On écrit aussi : 1/5.
- n. f. Deuxième année de l'enseignement secondaire.

CINQUANTE
S'écrit **L** en chiffre romain.

- adj. inv. Cinq fois dix. *Il a cinquante ans, juste un demi-siècle.*
- n. m. inv. Le chiffre ou le nombre cinquante. *Habiter au cinquante.*

cinquantième
- adj. et n. Qui occupe le rang ou la place numéro 50 dans une série. *Le coureur est arrivé cinquantième.*
- n. m. Chaque partie d'un tout qui a été divisé par cinquante. *Vingt est le cinquantième de mille.* On écrit aussi : 1/50.

cinquantaine
- n. f. *1* Ensemble formé de plus ou moins cinquante personnes ou choses. *Une cinquantaine de participants.* *2* Âgé d'environ cinquante ans. *Il approche de la cinquantaine.*

cinquantenaire
- n. m. Cinquantième anniversaire d'un événement.

cintre n. m. Support muni d'un crochet, qui permet de suspendre les vêtements. *Ranger ses chemises sur des cintres.*

cintré, ée adj. Resserré à la taille. *Un manteau cintré.*

cirage n. m. Produit à base de cire, utilisé pour l'entretien du cuir. *Nettoyer ses chaussures avec du cirage.*

circoncision n. f. Légère opération qui consiste à couper le petit morceau de peau qui recouvre le gland du pénis. *La circoncision est un rite des religions juive et musulmane.*

circonférence n. f. Périmètre d'un cercle.

circonflexe adj. *Accent circonflexe :* accent, en forme de petit chapeau pointu, qui se met sur certaines voyelles. *Le verbe bâiller s'écrit avec un accent circonflexe sur le a.*

circonscription n. f. Division administrative. *Chaque député représente sa circonscription.*

circonscrire v. → conjug. **écrire.** Mettre des limites à quelque chose. *Réussir à circonscrire une épidémie.*

circonspect, ecte adj. Qui agit ou qui parle avec prudence. *Une personne circonspecte ne s'engage jamais à la légère.*
  Agir avec **circonspection**, c'est agir en se montrant circonspect, prudent.

circonstance n. f. *1* Ce qui s'est passé. *Il s'est cassé la jambe : vu les circonstances, il ne prendra pas part à la course.* *2* Conditions dans lesquelles s'est déroulé un événement. *La police cherche à savoir dans quelles circonstances un tel drame a pu avoir lieu.*
  Un complément **circonstanciel** indique dans quelles circonstances (*2*) de lieu, de manière, de temps, de moyen… s'est déroulé un événement.

circuit n. m. *1* Parcours plus ou moins long, qui ramène au point de départ. *Un circuit automobile.* *2* Ensemble des fils d'une installation électrique, par où passe le courant. *Changer un circuit électrique trop vétuste.*

1. circulaire adj. Qui est en forme de cercle, ou qui décrit un cercle. *La piste du manège est circulaire.*

2. circulaire n. f. Lettre en plusieurs exemplaires, envoyée aux différentes personnes concernées.

circulation n. f. *1* Mouvement des véhicules et des piétons qui vont et viennent dans les rues ou sur les routes. *La circulation est dense, on peut craindre des embouteillages.* *2* Mouvement continu du sang dans le corps.
  L'appareil **circulatoire** est l'ensemble des organes de la circulation (*2*).

circuler v. → conjug. **aimer.** *1* Se déplacer sur une voie de communication. *En France, les voitures circulent à droite. 2* Se déplacer en suivant un circuit. *Le sang circule dans tout le corps.*

cire n. f. *1* Matière jaune et molle sécrétée par les abeilles. *2* Produit à base de cire d'abeille, qui sert à l'entretien du bois. *Entretenir l'escalier avec de la cire.* **Homonyme : sire.**

ciré, ée adj. et n. m.
• adj. *Toile cirée :* toile recouverte d'un enduit qui la rend imperméable.
• n. m. Vêtement de pluie enduit d'un produit qui le rend imperméable. *Pour faire de la voile, il emporte toujours son ciré.*

cirer v. → conjug. **aimer.** Enduire de cirage ou de cire. *Cirer un meuble. Cirer ses chaussures.*

cireux, euse adj. Qui a la couleur jaunâtre de la cire. *Avoir un teint cireux dû à une crise de foie.*

cirque n. m. *1* Lieu de spectacle formé d'une piste entourée de gradins et couvert d'un chapiteau, où des clowns, des acrobates, des dompteurs présentent leurs numéros. *2* Dépression entourée de montagnes disposées de façon circulaire.

cirrhose n. f. Grave maladie du foie. *Cet alcoolique est mort d'une cirrhose.*

cirrus n. m. Nuage fin et allongé.
On prononce [siʀys].

cisailles n. f. plur. Gros ciseaux utilisés pour couper les métaux, pour tailler les arbustes.
Cisailler du fil de fer, c'est le couper avec des cisailles.

ciseau n. m. Plur. : des ciseaux. *1* Outil d'acier taillé en biseau, qui sert à travailler le métal, la pierre, le bois, etc. *2* Au pluriel. Instrument formé de deux lames, qui sert à couper. *Couper du tissu avec des ciseaux.*

ciseler v. → conjug. **modeler.** Travailler le métal ou la pierre avec un ciseau. *Un bijou en or ciselé.*

citadelle n. f. Forteresse qui domine une ville et servait autrefois à la protéger.

citadin, ine n. Personne qui habite une ville. *Beaucoup de citadins aiment aller à la campagne le week-end.*

citation n. f. Passage extrait d'un livre ou d'un discours que l'on cite.
Regarde page suivante.

cité n. f. *1* Ville. *Rome a été une grande cité antique. 2* Groupe d'immeubles. *Elles habitent en banlieue dans une cité.*

citer v. → conjug. **aimer.** *1* Répéter de façon exacte ce que quelqu'un a dit ou écrit. *Citer quelques vers d'un poème. 2* Donner le nom d'une personne ou d'une chose. *Citer, par ordre alphabétique, tous les départements français.*

citerne n. f. Grand réservoir pour des liquides. *Recueillir les eaux de pluie dans une citerne.*

cithare n. f. Instrument de musique à cordes.

Les cordes des cithares, souvent nombreuses (parfois jusqu'à plus de 40 !), sont tendues sur une caisse de résonance caractérisée par l'absence de manche. La forme de l'instrument varie selon les pays et les époques.

citoyen, enne n. Personne qui habite un pays et qui en a la nationalité. *Tout citoyen a des droits et des devoirs.*
La **citoyenneté** française, c'est la qualité de citoyen français.

citron n. m. Agrume de forme ovale, de couleur jaune et au goût acide. *Mettre un zeste de citron dans son eau pour la parfumer.*
Boire une **citronnade**, une boisson à base de jus ou de sirop de citron. *L'hiver, on rentre les **citronniers** dans les serres,* les arbres qui donnent les citrons.

citronnelle n. f. Plante aromatique des régions tropicales, qui sert de condiment et qui a la propriété d'éloigner les moustiques.

citronnier n. m. → **citron.**

citrouille n. f. Variété de courge d'origine mexicaine, de la famille des cucurbitacées.

La citrouille, que l'on confond souvent avec le potiron, possède une tige rampante qui peut mesurer plusieurs mètres de long et porte de larges feuilles et de grandes fleurs jaune-orangé. Ses fruits, énormes, peuvent peser plusieurs dizaines de kilos !

civet n. m. Sorte de ragoût à base de gibier, cuit longuement dans du vin rouge avec des oignons. *Préparer un civet de sanglier.*

civière n. f. Sorte de lit constitué d'une toile tendue entre deux barres, qui sert à transporter des blessés ou des malades.

les citations

Extraites de poèmes, de romans, de pièces de théâtre, d'essais, certaines citations sont devenues si célèbres qu'on les utilise fréquemment pour illustrer un discours. En voici quelques-unes.

Je pense, donc je suis.

Descartes (1596-1650)
Discours de la méthode.

Quand on a besoin de bras, les secours en paroles ne servent de rien.

Ésope (VIᵉ siècle av. J.-C.)
la Vipère et l'Hydre, Fables.

Pour la liberté, aussi bien que pour l'honneur, on peut et l'on doit aventurer la vie.

Cervantès (1547-1616)
Don Quichotte.

À vaincre sans péril, on triomphe sans gloire.

Corneille (1606-1684)
le Cid.

Rien ne sert de courir, il faut partir à point.

Jean de La Fontaine (1621-1695)
le Lièvre et la Tortue, Fables.

Patience et longueur de temps Font plus que force ni que rage.

Jean de La Fontaine (1621-1695)
le Lion et le Rat, Fables.

TOUS POUR UN, UN POUR TOUS !

Alexandre Dumas (1802-1870)
les Trois Mousquetaires.

L'enfer, c'est les autres.

Sartre (1905-1980)
Huis clos.

civil, ile adj., **civil** n. m.
• adj. *1* Qui concerne les citoyens. *Les droits civils.*
2 Qui n'est pas religieux. *Le mariage civil a lieu à la mairie.* *3* Qui n'est pas militaire. *Retourner à la vie civile après son service militaire.*
• n. m. *1* Personne qui n'est pas dans l'armée. *Les bombardements ont fait des victimes parmi les civils.* *2* En civil :* sans uniforme.

civilisation n. f. *1* Manière de vivre et de penser propre à un peuple à un moment donné. *Étudier la civilisation grecque dans l'Antiquité.* *2* Ensemble des progrès scientifiques et techniques.

civiliser v. → conjug. **aimer.** Amener un peuple à un état de civilisation jugé plus évolué.

civique adj. Qui concerne le citoyen. *L'éducation civique. Les droits civiques.*

civisme n. m. Attitude d'un citoyen responsable. *Faire acte de civisme en votant.*

clafoutis n. m. Sorte de flan aux fruits.
Cunégonde décide de faire un clafoutis aux cerises.

clair, claire adj., **clair** n. m. et adv.
• adj. *1* Qui reçoit beaucoup de lumière. *Cette pièce orientée au sud est très claire.* *2* Qui n'est pas foncé. *Les vêtements clairs sont très salissants.* *3* Qui est transparent et pur. *L'eau claire d'un torrent.* *4* Qui est net et distinct. *Parler d'une voix claire et intelligible.* *5* Qui est facile à comprendre. *Une explication très claire.*
Synonyme : limpide (*3*, *5*). **Contraires :** confus (*5*), obscur (*1*, *5*), sombre (*1*, *2*).
Expliquer clairement quelque chose de difficile, de façon claire (*5*).
• n. m. *1* Clair de lune :* clarté de la lune. *2* Tirer quelque chose au clair :* l'éclaircir, l'expliquer.
• adv. *Voir clair :* voir distinctement. Au figuré. Comprendre.
Homonyme : clerc.

claire-voie n. f. *À claire-voie :* qui présente des éléments espacés qui laissent passer le jour. *Des volets à claire-voie.*

clairière n. f. Endroit où il n'y a pas d'arbres, dans un bois ou une forêt. *Une clairière ensoleillée.*

clairon n. m. Instrument de musique à vent utilisé surtout dans l'armée. *Sonner du clairon.*

claironner v. → conjug. **aimer.** Annoncer une nouvelle bruyamment et à tout le monde. *Aller claironner partout sa victoire.*

clairsemé, ée adj. Qui est peu abondant et réparti de façon espacée. *Un public clairsemé.*
Contraire : dense.

clairvoyant, ante adj. Qui juge une situation avec lucidité. *Il est suffisamment clairvoyant pour savoir qu'il va échouer à son examen.*

clamer v. → conjug. **aimer.** Dire à haute voix et avec véhémence. *Clamer son innocence.*

clameur n. f. Ensemble de cris plus ou moins confus, qui expriment la joie ou le mécontentement. *Arriver vainqueur, sous les clameurs de la foule.*

clan n. m. Groupe formé de personnes qui n'acceptent aucune personne extérieure, ou qui s'y opposent. *Il y a eu une bagarre entre des clans rivaux.*

clandestin, ine adj. *1* Qui se fait en cachette. *Lutter contre le travail clandestin.* *2* Qui agit de manière illégale. *Découvrir des passagers clandestins dans un bateau.*
Entrer clandestinement dans un pays, c'est y entrer de façon clandestine. *Vivre dans la clandestinité,* dans la situation d'une personne clandestine.

clapier n. m. Cage grillagée où l'on élève les lapins.

clapoter v. → conjug. **aimer.** Produire le bruit répété des vagues qui s'entrechoquent. *Écouter l'eau qui clapote autour du bateau.*
On se laisse bercer par le clapotis de l'eau, par le bruit léger de l'eau qui clapote.

claquage n. m. → **claquer.**

claque n. f. Coup appliqué avec le plat de la main. *Tu mériterais une paire de claques.*

claquer v. → conjug. **aimer.** *1* Faire entendre un bruit sec. *Des drapeaux qui claquent au vent.* *2* Refermer de façon brutale et bruyante. *Il était tellement en colère qu'il est parti en claquant la porte.* *3* Se claquer un muscle :* se faire une déchirure accidentelle à un muscle.
Il s'est fait un claquage, il s'est claqué (*3*) un muscle. *J'ai entendu le claquement d'une portière,* le bruit d'une portière qui claque (*1*). *Faire des claquettes,* c'est danser en faisant claquer (*1*) des chaussures spéciales, munies de lames de métal.

clarifier v. → conjug. **modifier.** Rendre plus clair, plus facile à comprendre. *Ses explications ont permis de clarifier la situation.*

clarinette n. f. Instrument de musique à vent appartenant à la famille des bois.
Cunégonde veut devenir clarinettiste, elle veut jouer de la clarinette.

clarté n. f. *1* Lumière répandue. *On a retrouvé notre route grâce à la clarté de la lune.* *2* Qualité de ce qui est facilement compréhensible. *Apprécier la clarté d'un exposé.*

classe n. f. *1* Ensemble de personnes qui appartiennent à un même milieu social. *La classe ouvrière.* *2* Catégorie des places dans un moyen de transport. *Voyager en seconde classe.* *3* Ensemble des élèves qui ont le même maître et qui suivent les mêmes cours. *Toute la classe va au musée demain.* *4* Salle où se déroulent les cours. *Il y a un grand tableau noir dans chaque classe.*

classement n. m. *1* Action ou manière de classer. *Choisir un classement alphabétique pour ranger ses livres.* *2* Place obtenue par quelqu'un. *Prendre la tête du classement.*

classer v. → conjug. **aimer.** *1* Ranger selon un certain ordre. *Classer ses photos dans un album.* *2 Se classer :* obtenir tel rang dans un classement. *Il a réussi à se classer dans les premiers au concours.*

    Acheter un *classeur*, une chemise en carton pour classer (*1*) des papiers.

classique adj. *1* Qui est considéré comme un modèle et qu'on enseigne à l'école. *Cette année, on étudie deux écrivains classiques : Molière et Racine.* *2* Qui est traditionnel et qui manque de fantaisie. *Porter des vêtements classiques.* *3 Musique classique :* musique des grands compositeurs traditionnels.

    Il préfère le classicisme *à l'excentricité,* le caractère de ce qui est classique (*2*).

Claudel Paul

Écrivain français né en 1868 et mort en 1955. Après de brillantes études à l'école des Sciences politiques, Claudel entame une carrière de diplomate qui le fait voyager pendant plus de quarante ans. Ses livres sont influencés par sa foi profonde. En 1890, il publie sa première pièce dramatique, *Tête d'or*, qui illustre sa conversion. Inspirée par la Bible, mais aussi par ses séjours en Extrême-Orient, l'œuvre de Claudel dans son ensemble est un hymne à la gloire de Dieu. Il compose des poésies en vers libres rimés et des pièces de théâtre : *Partage de Midi* (1906) ; *l'Annonce faite à Marie* (1912) et la plus connue, *le Soulier de satin* (1929). Claudel est élu à l'Académie française en 1946.

clause n. f. Chacun des articles d'un contrat, d'un traité, qui précise les conditions à respecter. *Lire les clauses d'un bail.*

clavecin n. m. Instrument de musique à cordes pincées et à clavier. *Le clavecin ressemble au piano.*

    Un claveciniste *joue dans la cathédrale,* un musicien qui joue du clavecin.

clavicule n. f. Os allongé de l'épaule.

clavier n. m. Ensemble des touches d'un piano, d'un clavecin, d'un ordinateur, etc.

clé n. f. *1* Instrument qui sert à ouvrir et à fermer une serrure, à établir un contact. *Fermer sa porte à clé.* *2* Outil qui sert à serrer ou desserrer des boulons, des écrous. *Une clé à molette.* *3* Signe placé au début d'une portée musicale pour indiquer la tonalité. *Une clé de sol.* *4* Au figuré. Ce qui permet de comprendre ou d'expliquer quelque chose. *Je n'ai pas la clé du mystère.*
On écrit aussi : clef.

clématite n. f. Plante grimpante, aux fleurs de couleurs variées.

La clématite appartient à la même famille que la renoncule. Ses tiges, avec lesquelles elle s'enroule sur les plantes des haies, peuvent atteindre 10 m de long. Ses fleurs, qui éclosent de juin à août, possèdent quatre ou huit sépales. Certaines espèces sont cultivées comme plantes d'ornement ; leurs sépales très développés ressemblent à de grands pétales.

Clemenceau Georges

Homme politique français né en 1841 et mort en 1929. Clemenceau entre dans la vie politique en 1870, au moment de la destitution de Napoléon III. Républicain convaincu, c'est un orateur de talent. En 1898, il prend position, aux côtés de l'écrivain Émile Zola, pour le capitaine Dreyfus, accusé à tort de trahison et d'espionnage.
L'énergie avec laquelle il s'implique, à partir de 1914, dans les opérations de la Première Guerre mondiale le font surnommer « le Tigre » puis le « Père la Victoire ». En 1919, Clemenceau préside la conférence de paix qui aboutit à la signature du traité de Versailles et au désarmement de l'Allemagne. Battu aux élections présidentielles de 1920, il abandonne la politique et se consacre à l'écriture (il a été élu à l'Académie française deux ans auparavant mais n'y a jamais siégé).

clément, ente adj. *1* Qui fait preuve d'indulgence envers une personne qui a commis une faute. *Les* *juges se sont montrés cléments envers l'accusé.* **2** Qui est doux et agréable. *Dans le Midi, les hivers sont souvent très cléments.*

Contraires : rigoureux (**2**), sévère (**1**).

L'avocat a fait appel à la **clémence** *du tribunal*, à une attitude clémente (**1**).

clémentine n. f. Agrume, souvent sans pépins, qui ressemble à une petite orange.

Cléopâtre

Nom porté par plusieurs reines d'Égypte. La plus importante est Cléopâtre VII née vers 69 av. J.-C et morte en 30 av. J.-C. Elle devient reine d'Égypte en 51 av. J.-C., aux côtés de son frère et époux Ptolémée XIII. Celui-ci, voulant régner en maître, l'exile. Elle parvient à le vaincre avec l'aide de Jules César, qui l'installe sur le trône d'Égypte en 46 av. J.-C. Ils ont un enfant, Césarion, qui deviendra Ptolémée XV. Après l'assassinat de César, Cléopâtre se lie avec l'un des successeurs de l'empereur, Marc Antoine, tandis que l'autre, Octave, lui déclare la guerre. Vaincus à la bataille d'Actium, en Grèce (en 31 av. J.-C.), Cléopâtre et Marc Antoine rentrent en Égypte. Après avoir appris le suicide de ce dernier, la reine se donne la mort à son tour. La légende raconte qu'elle se fait mordre par un aspic, une vipère au venin mortel.

clepsydre n. f. Horloge à eau, dans l'Antiquité.

Probablement inventées par les Égyptiens, pour mesurer le temps, les premières clepsydres seraient apparues environ 3 000 ans av. J.-C. Les Grecs utilisent également des clepsydres. La clepsydre se compose d'un vase en céramique percé d'un trou dans sa partie inférieure, par lequel l'eau s'écoule plus ou moins lentement. Des graduations gravées à l'intérieur du vase permettent d'évaluer assez précisément le temps écoulé. Ce système sera utilisé jusqu'au XVIIIe siècle.

clerc n. m. Employé d'un huissier de justice ou d'un notaire.

On prononce [klɛʀ]. Homonyme : clair.

clergé n. m. Ensemble des hommes qui sont au service de Dieu, dans la religion chrétienne. *Les moines, les évêques, les prêtres font partie du clergé.*

clérical, ale, aux adj. Qui concerne le clergé.

Clermont-Ferrand

Ville française de la Région Auvergne. Clermont-Ferrand est un grand centre administratif et commercial. L'industrie du caoutchouc (avec Michelin, premier producteur mondial de pneumatiques), la métallurgie, l'agroalimentaire et la fabrication de meubles participent activement à l'économie de la région. Clermont-Ferrand est aussi un centre universitaire. La ville possède une église romane, Notre-Dame-du-Port (XIe-XIIe siècles) et une cathédrale en pierre noire de style gothique, Notre-Dame-de-l'Assomption (XIIIe-XIVe siècles).
Fondée par les Romains, la ville est plusieurs fois détruite avant de devenir la capitale de l'Auvergne sous le nom de *Clarus Mons*. C'est à Clermont-Ferrand que le pape Urbain II prêche la première croisade, en 1095.

63 *Préfecture du Puy-de-Dôme*
141 004 habitants : les Clermontois

cliché n. m. **1** Photo. *Les policiers ont pris plusieurs clichés de l'accident.* **2** Idée, phrase toute faite et banale. *Éviter les clichés rebattus.*

Synonyme : lieu commun (**2**).

client, ente n. Personne qui achète quelque chose à un commerçant, ou qui paie pour un service. *Les clients d'un magasin, d'un avocat.*

La **clientèle** *d'un commerçant*, c'est l'ensemble de ses clients.

cligner v. → conjug. **aimer.** *Cligner des yeux :* fermer et ouvrir rapidement les yeux.

clignoter v. → conjug. **aimer.** S'allumer puis s'éteindre, à un rythme rapide et régulier. *Des ampoules clignotent dans le sapin de Noël.*

Mettre son **clignotant** *pour tourner à droite*, la lumière qui clignote pour indiquer qu'on change de direction.

climat n. m. Ensemble des éléments qui caractérisent le temps qu'il fait dans une région.

Les conditions **climatiques** *d'une région* sont les conditions qui concernent son climat.

Regarde p. 226 et 227.

le climat

La position de la Terre dans l'espace, ses mouvements de rotation et l'inclinaison de son axe par rapport au Soleil déterminent les grandes zones climatiques et les différents milieux de vie qui en dépendent.

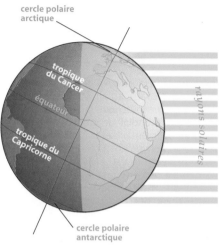

cercle polaire arctique

tropique du Cancer

équateur

tropique du Capricorne

rayons solaires

cercle polaire antarctique

■ Plus la distance parcourue par les rayons solaires est courte, plus l'échauffement est important. Cela explique la répartition des trois grandes zones climatiques de la planète :
• la zone intertropicale,
• la zone polaire,
• la zone tempérée.

■ D'autres facteurs peuvent avoir une influence sur le climat d'une région : la présence de montagnes ou de courants marins près des côtes, par exemple.

■ La variété des climats explique en grande partie l'inégale répartition des hommes sur la planète. Les milieux très inhospitaliers comme les zones polaires et les déserts arides sont très peu habités. Les zones tempérées et la zone intertropicale asiatique sont les plus peuplées du monde.

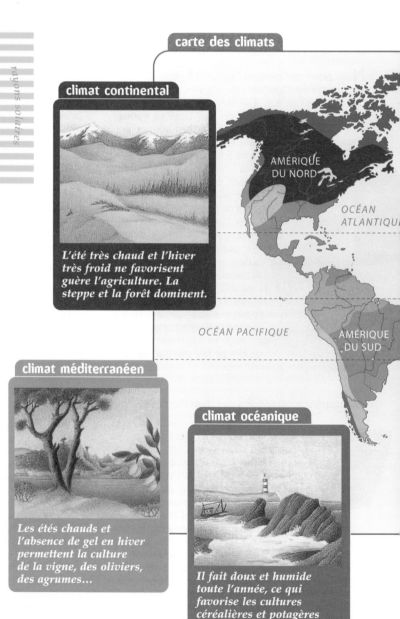

carte des climats

climat continental

L'été très chaud et l'hiver très froid ne favorisent guère l'agriculture. La steppe et la forêt dominent.

AMÉRIQUE DU NORD

OCÉAN ATLANTIQU...

OCÉAN PACIFIQUE

AMÉRIQUE DU SUD

climat méditerranéen

Les étés chauds et l'absence de gel en hiver permettent la culture de la vigne, des oliviers, des agrumes…

climat océanique

Il fait doux et humide toute l'année, ce qui favorise les cultures céréalières et potagères ainsi que l'élevage.

La zone intertropicale.
Située entre le tropique du Cancer et celui du Capricorne, c'est la zone la plus chaude car les rayons solaires sont presque verticaux. On y distingue trois climats : équatorial, tropical et désertique.

La zone tempérée.
C'est la zone intermédiaire. Elle connaît le rythme des saisons car les rayons solaires sont plus ou moins inclinés selon les périodes de l'année. On y distingue trois climats : océanique, méditerranéen, continental.

La zone polaire.
Elle se situe aux deux pôles : le pôle Nord et le pôle Sud. C'est la zone la plus froide car les rayons solaires sont très inclinés.

climat polaire

Il fait toujours froid. Le sol, recouvert de glace la majeure partie de l'année, est impropre aux cultures.

EUROPE

ASIE

Tropique du Cancer

OCÉAN PACIFIQUE

AFRIQUE

Équateur

OCÉAN INDIEN

OCÉANIE

OCÉAN ATLANTIQUE

Tropique du Capricorne

climat tropical

L'alternance d'une saison sèche et d'une saison humide autorise la culture de la canne à sucre, des bananes, des ananas… Mais la savane reste le paysage caractéristique de ce climat.

climat désertique

Il ne pleut quasiment jamais. Toutefois, la présence d'eau au milieu de certains déserts permet le développement d'oasis.

climat équatorial

La chaleur et l'humidité sont constantes. C'est le domaine de la forêt dense.

climatiser v. → conjug. **aimer.** Équiper un lieu fermé d'appareils qui permettent d'y maintenir la même température. *Des bureaux climatisés.*

On a installé la **climatisation** *dans les bureaux*, des appareils qui leur permettent d'être climatisés.

clin d'œil n. m. **Plur. : des clins d'œil.** *1* Signe de complicité qu'on fait en clignant un œil. *Faire un clin d'œil à quelqu'un. 2 En un clin d'œil :* très rapidement.

clinique n. f. Établissement de soins médicaux, le plus souvent privé. *Une clinique chirurgicale.*

clinquant, ante adj. Qui brille avec éclat, mais de façon tapageuse. *Ces bijoux clinquants sont du toc.*

clip n. m. Film très court illustrant une chanson ou une publicité. *Un clip promotionnel.*

clique n. f. Groupe de personnes peu sympathiques. *Appartenir à la même clique de politiciens.*

cliquer v. → conjug. **aimer.** Appuyer sur la souris d'un ordinateur pour sélectionner une opération à effectuer.

cliquetis n. m. Bruit sec et léger que font des objets qui s'entrechoquent. *Le cliquetis des pièces de monnaie dans sa poche.*

cloaque n. m. Endroit boueux, malpropre et malsain. *Après les orages, les rues du village sont devenues un vrai cloaque.*

clochard, arde n. Personne qui vit dans la rue, qui n'a ni travail ni domicile.

cloche n. f. *1* Instrument sonore en métal muni d'un battant. *Les cloches sonnent quand il y a des baptêmes, des mariages et des enterrements. 2* Ustensile en forme de cloche. *Une cloche à fromage.*

à cloche-pied adv. En sautant sur un seul pied.

clocher n. m. Haute tour qui domine une église, où sont suspendues les cloches.

clochette n. f. *1* Petite cloche. *Tous les moutons de ce troupeau portent une clochette. 2* Fleur en forme de petite cloche. *Les clochettes du muguet sont blanches.*

cloison n. f. Mur intérieur peu épais, qui sert à séparer deux pièces. *Abattre une cloison pour faire une grande pièce.*

Cloisonner une grande chambre pour en faire deux petites, c'est y mettre une cloison.

cloître n. m. Galerie couverte qui entoure la cour ou le jardin d'un couvent.

Le cloître comporte une galerie à colonnes qui entoure une cour ou un jardin, généralement de forme carrée. Cette galerie, couverte, permet d'accéder à l'ensemble des bâtiments de l'édifice.

Le cloître de l'abbaye cistercienne (XIIIᵉ siècle) de Maulbronn en Allemagne.

clone n. m. Être vivant qui est la reproduction exacte d'un autre.

clopin-clopant adv. En boitant légèrement. *Il a une entorse et marche clopin-clopant.*

cloporte n. m. Petit animal gris qui vit dans les lieux sombres et humides ou sous les pierres.

cloque n. f. *1* Petite poche remplie de liquide qui se forme sous la peau, à la suite d'une brûlure, d'un frottement. *2* Gonflement qui apparaît sur une surface. *Les cloques sur le mur sont dues à l'humidité.*

clore v. Littéraire. *1* Fermer. *Clore les volets. 2* Mettre fin à quelque chose, terminer. *Clore une discussion.*

La conjugaison du verbe

CLORE 3ᵉ groupe

indicatif présent	**je clos, il ou elle clôt, ils ou elles closent**
imparfait	*inusité*
futur	**je clorai**
passé simple	*inusité*
subjonctif présent	**que je close**
conditionnel présent	**je clorais**
impératif	**clos**
participe présent	**closant**
participe passé	**clos**

clôture n. f. *1* Ce qui sert à fermer un espace, un terrain. *Entourer son jardin d'une clôture en bois. 2* Fait de se terminer. *Une cérémonie de gala pour la clôture du festival.*

clôturer v. → conjug. **aimer**. *1* Entourer un espace, un terrain d'une clôture. *Ces prés sont clôturés par des grillages électriques.* *2* Mettre fin à quelque chose. *Clôturer un débat.*

clou n. m. *1* Petite tige pointue en métal, généralement munie d'une tête, qu'on enfonce pour fixer quelque chose. *Enfoncer les clous avec un marteau.* *2* Moment le plus réussi d'un spectacle. *Le clou de la soirée a été le feu d'artifice.*
   Clouer un panneau, c'est le fixer avec des clous (*1*).

Clouet Jean

Peintre et dessinateur français d'origine flamande né vers 1485 et mort vers 1540. Jean Clouet est nommé, en 1516, peintre officiel du roi François Ier. Il se rend célèbre par les portraits qu'il fait du roi, de sa famille et des hauts dignitaires de la Cour. Dans ses œuvres, le rendu de l'expression permet de se faire une idée de la vraie nature du modèle.
Son fils, François Clouet, est né vers 1505 ou 1510 et mort vers 1572. Succédant à son père, il devient peintre à la cour de Henri II, puis de Charles IX. Il réalise lui aussi de nombreux portraits, mais également des compositions comme *la Dame au bain*. Sa peinture se distingue de celle de son père par sa tendance à idéaliser les personnages.

Portrait de François Ier

clouté, ée adj. *1* Équipé de clous. *Pour rouler sur la neige, il faut des pneus cloutés.* *2* *Passage clouté* : passage protégé pour les piétons qui traversent une rue.

Clovis

Roi des Francs né vers 465 et mort en 511. Clovis est le plus illustre représentant de la dynastie des Mérovingiens. Il succède en 481 à son père Childéric Ier, à la tête d'un territoire réduit dans le nord de la Gaule. Il se lance à la conquête du reste de la Gaule, divisée en plusieurs royaumes et, en 486, bat les Gallo-Romains à Soissons.
En 496, Clovis bat les Alamans à Tolbiac et se convertit au christianisme. Il se fait baptiser à Reims par l'évêque Saint-Rémi. Soutenu par l'Église, il est victorieux des Wisigoths à Vouillé en 507. Maître de la plus grande partie de la Gaule, il fait de Paris sa capitale. Il est considéré comme le premier roi de France. En 511, à sa mort, le royaume franc qu'il a fondé est partagé entre ses quatre fils.

***Regarde aussi* Mérovingiens.**

clown n. m. Artiste de cirque qui fait rire avec ses numéros comiques.
On prononce [klun].
   Ses clowneries amusent tout le monde, ses actions de clown.

club n. m. *1* Groupe de personnes qui se rassemblent régulièrement. *Un club de tennis, de bridge.* *2* Canne de golf servant à frapper la balle.
On prononce [klœb].

co– Préfixe qui indique l'association ou la simultanéité : *coéquipier, copilote, copropriétaire, coexister.*

coaguler v. → conjug. **aimer**. Prendre une consistance solide. *Le sang qui coagule forme des caillots.*
   La coagulation du lait est due à la chaleur, le fait qu'il coagule.

se coaliser v. → conjug. **aimer**. Former une alliance contre un adversaire, un ennemi commun. *Plusieurs pays se sont coalisés contre le dictateur.*
   La coalition de plusieurs pays, c'est le fait qu'ils se sont coalisés.

coasser v. → conjug. **aimer**. Pousser son cri, quand il s'agit du crapaud et de la grenouille.
   Être agacé par les coassements des grenouilles, par le cri des grenouilles qui coassent.

cobaye n. m. Petit mammifère rongeur. *On utilise souvent des cobayes pour faire des expériences scientifiques.*
On prononce [kɔbaj]. **Synonyme : cochon d'Inde.**

cobra n. m. Grand serpent venimeux d'Afrique et d'Inde.
Synonyme : naja.

cocagne n. f. *1* *Mât de cocagne :* mât très lisse et glissant, au sommet duquel sont accrochés des lots qui sont gagnés par ceux qui arrivent à les attraper. *2* *Pays de cocagne :* pays imaginaire où l'on trouve tout ce qu'on veut en abondance.

cocaïne n. f. Poudre blanche qui est extraite des feuilles d'un arbuste d'Amérique latine et qui est une drogue très dangereuse.

cocarde n. f. Insigne rond aux couleurs nationales.

La cocarde tricolore est instaurée par La Fayette au début de la Révolution française, le 17 juillet 1789, trois jours après la prise de la Bastille. Il en dote la garde nationale. Le bleu, au centre, et le rouge qui l'entoure représentent les couleurs de Paris ; le blanc est le symbole de la royauté. À partir de 1830, le blanc et le rouge sont inversés ; l'ordre devient : bleu au centre, blanc puis rouge. Cette disposition bleu-blanc-rouge a aussi été adoptée pour le drapeau français.

cocasse adj. Qui est surprenant et très drôle à la fois. *Il lui est arrivé une aventure cocasse.*

Il s'amuse de la **cocasserie** *de la situation*, de son caractère cocasse.

coccinelle n. f. Petit coléoptère rouge, qui a des petits points noirs sur les ailes.
On prononce [kɔksinɛl]. **Synonyme : bête à bon Dieu.**

coccyx n. m. Petit os triangulaire situé en bas de la colonne vertébrale.
On prononce [kɔksis].

1. cocher v. → conjug. **aimer.** Marquer d'un petit signe. *Cocher des cases d'un questionnaire.*

2. cocher n. m. Personne qui conduisait autrefois les voitures à cheval. *Le cocher d'une diligence.*

cochère adj. f. *Porte cochère :* grande porte à deux battants, qui peut laisser passer une voiture.

cochon n. m., **cochon, onne** n.
• n. m. *1* Mammifère domestique omnivore, qu'on élève pour sa chair. *Les cochons sont élevés dans des porcheries.* *2* *Cochon d'Inde :* cobaye. *3* *Cochon de lait :* petit cochon qui tête encore sa mère. *4* *Temps de cochon :* très mauvais temps.
Synonyme : porc (1).
• n. Personne sale. *Regarde toutes les taches que tu as faites, tu es un vrai cochon !*

cochonnerie n. f. Familier. *1* Saleté. *En goûtant, les enfants ont fait plein de cochonneries.* *2* Marchandise de mauvaise qualité. *Quelle cochonnerie ce réveil, il est déjà cassé.*

cochonnet n. m. Boule plus petite que les autres, qui sert de but au jeu de boules.

cocker n. m. Chien de chasse à poil long et aux grandes oreilles pendantes.
Mot anglais qui se prononce [kɔkɛʀ].

cockpit n. m. Cabine de pilotage d'un avion.
Mot anglais qui se prononce [kɔkpit].

cocktail n. m. *1* Boisson faite d'un mélange d'alcools et de jus de fruits ou de sirops. *2* Réception mondaine avec buffet. *Être invité à un cocktail en fin d'après-midi.*
Mot anglais qui se prononce [kɔktɛl].

coco n. m. *Noix de coco :* fruit du cocotier.

Le **cocotier** *est un grand palmier des régions chaudes qui produit la noix de coco.*

Le cocotier appartient à la même famille que le palmier. Son tronc cylindrique peut atteindre 20 à 25 m de hauteur. Son sommet porte une couronne de feuilles dont chacune mesure de 3 à 4 m de longueur. Ses fruits, les noix de coco, sont regroupés par grappes de 10 à 15. Chaque noix de coco, qui mesure de 20 à 30 cm de longueur, est constituée d'une enveloppe épaisse et fibreuse qui entoure une graine dure. À l'intérieur de celle-ci se trouve une amande comestible à chair blanche qui baigne dans un liquide blanchâtre, le lait de coco. Celui-ci est employé comme boisson et dans la cuisine. La chair, réduite en poudre, entre dans la composition de nombreuses pâtisseries. On en extrait aussi de l'huile : l'huile de coco.

cocon n. m. Ensemble de fils de soie que certaines chenilles tissent et dont elles s'enveloppent pour se transformer en chrysalide.

cocotier n. m. → **coco.**

cocotte n. f. *1* Marmite. *Faire mijoter un ragoût dans une cocotte.* *2* Synonyme familier de poule, dans le langage enfantin.

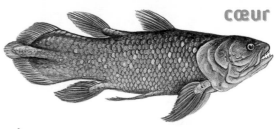

Cocteau Jean

Écrivain, dessinateur et cinéaste français né en 1889 et mort en 1963. Cocteau manifeste très tôt des dons pour l'écriture et s'engage dans la poésie et le roman (*Thomas l'Imposteur*, 1923 ; *les Enfants terribles*, 1929). Attiré également par la musique, la danse et le théâtre, il monte des spectacles où il exprime ses idées avant-gardistes : *le Bœuf sur le toit*

Autoportrait en buste.

(1920)… C'est toutefois le théâtre, avec des pièces comme *la Machine infernale* (1934), *les Parents terribles* (1938), et surtout le cinéma, avec des films comme *la Belle et la Bête* (1946) et *Orphée* (1950), qui lui apportent le succès. D'autres facettes de son talent s'expriment à travers le dessin et la peinture. Il réalise notamment des portraits et décore les chapelles de Villefranche-sur-mer et de Milly-la-Forêt. Cocteau est élu à l'Académie française en 1955.

code n. m. *1* Ensemble des règlements ou des lois. *Apprendre le code de la route. 2* Langage secret utilisé pour transmettre un message. *Déchiffrer un code secret. 3* Combinaison secrète de chiffres ou de lettres. *Les codes de l'immeuble ont encore changé. 4* Au pluriel. Feux de croisement d'une voiture. *Rouler en codes. 5* Code postal : numéro composé de cinq chiffres attribué à chaque ville ou village, qui permet le tri rapide du courrier.
Coder un message, c'est le rédiger en code (*2*).
Regarde page suivante.

code-barres n. m. **Plur. : des codes-barres.** Ensemble de traits verticaux imprimés sur l'emballage d'une marchandise qui, lus par une machine, donnent des renseignements sur le produit, en particulier le prix.

coder v. **→ code.**

codifier v. **→** conjug. **modifier.** Soumettre quelque chose à des règles. *Codifier l'usage d'une langue.*

coefficient n. m. Nombre par lequel on doit multiplier un autre nombre. *Dans un examen, la matière la plus importante a le plus gros coefficient.*
On prononce [kɔefisjɑ̃].

cœlacanthe n. m Poisson de l'océan Indien qui peut mesurer jusqu'à 2 m de longueur.
On prononce [selakɑ̃t].

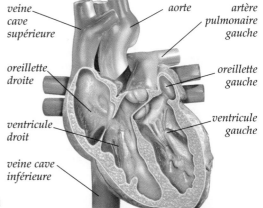

Le cœlacanthe a des nageoires articulées portées au bout de courts pédoncules. On pense que, dans l'évolution, ces nageoires sont à l'origine des membres des vertébrés tétrapodes (qui ont quatre pattes).
C'est en 1938 que des cœlacanthes sont découverts près des Comores, dans l'océan Indien. Jusqu'à cette date, on les croyait disparus depuis près de 300 millions d'années ! Une seconde espèce a été découverte en Indonésie en 1998.

coéquipier, ère n. Joueur qui appartient à la même équipe qu'un autre.

cœur n. m. *1* Muscle situé dans la cage thoracique, qui permet au sang de circuler dans le corps. *2* Endroit supposé d'où partent les émotions ou la sensibilité. *Embrasser quelqu'un de tout son cœur. 3* Ce qui est au centre de quelque chose. *Un cœur d'artichaut. Habiter au cœur de la ville. 4* L'une des quatre couleurs d'un jeu de cartes. *Un as de cœur. 5* Avoir bon cœur : être généreux. 6* Avoir mal au cœur : avoir la nausée. *7* De bon cœur : volontiers et avec plaisir. *8* Par cœur : de mémoire.
On prononce [kœʀ]. **Homonyme : chœur.**

Situé entre les deux poumons, le cœur a la taille d'un poing fermé. Il est séparé en deux parties. La partie droite reçoit le sang non oxygéné qui vient des veines, et l'envoie vers les poumons. La partie gauche reçoit le sang oxygéné des poumons et l'envoie par les artères dans le reste du corps.
Chacune de ces parties comporte deux cavités : l'oreillette et le ventricule, qui s'ouvrent et se ferment selon le rythme des battements du cœur.
Regarde aussi sang.

veine cave supérieure · aorte · artère pulmonaire gauche · oreillette droite · oreillette gauche · ventricule droit · ventricule gauche · veine cave inférieure

a b **c** d e f g h i j k l m n o p q r s t u v w x y z

le code de la route

Le code de la route rassemble les règles que tout conducteur doit connaître et respecter sous peine de sanctions. Il comprend de très nombreux signes visuels, dont voici quelques exemples.

Descente dangereuse.

Stationnement interdit.

Circulation interdite à tout véhicule.

Interdiction de tourner à droite.

Interdiction de dépasser.

Limitation de vitesse.

Signaux sonores interdits.

Accès interdit aux piétons.

Sens interdit.

Piste cyclable obligatoire.

Fin de piste cyclable.

Obligation de tourner à gauche.

Fin de toutes les interdictions.

Chaussée rétrécie.

Risque de chutes de pierres.

Circulation dans les deux sens.

Virage à droite.

Passage d'animaux sauvages.

Passage à niveau sans barrières.

Ralentisseur.

Danger particulier.

Le triangle indique le danger.

Le rond indique l'interdiction s'il est rouge, l'obligation s'il est bleu.

Autoroute

Grandes villes

Temporaire

Proximité

Touristique

La couleur des panneaux indicateurs correspond au type d'itinéraire ou à la destination. En France, on utilise ces cinq couleurs.

■ **La principale cause des accidents de la route est le non respect du code, en particulier les excès de vitesse et la conduite en état d'ivresse.**

■ **Chaque année, près de 400 000 personnes dans le monde meurent dans un accident de voiture.**

■ **En Europe, le nombre de morts diminue assez régulièrement depuis 1991, mais on déplore encore près de 66 000 tués par an.**

P
Zone réservée au stationnement.

Chemin sans issue.

Installations pour handicapés.

H
Hôpital.

Route pour automobile.

Fin de route pour automobile.

Forêt facilement inflammable.

Poste d'appel d'urgence.

Arrêt d'autobus.

Restaurant.

Le carré ou le rectangle donnent une information.

coexister v. → conjug. **aimer.** Exister en même temps qu'une autre chose ou que quelqu'un d'autre. *Dans ce pays, les ethnies ont du mal à coexister.*

La **coexistence** *de différentes tendances dans un syndicat*, le fait qu'elles coexistent.

coffre n. m. *1* Grande caisse munie d'un couvercle, qui sert de meuble de rangement. *Un coffre à jouets.* *2* Endroit pour mettre les bagages à l'arrière d'une voiture.

Un **coffret** est un petit coffre (*1*) où l'on range des choses précieuses.

coffre-fort n. m. **Plur. : des coffres-forts.** Armoire métallique blindée dans laquelle on garde de l'argent et des objets précieux.

coffret n. m. → **coffre.**

cognac n. m. Eau-de-vie de raisin fabriquée dans la région de Cognac, dans les Charentes.

cognassier n. m. Arbre fruitier qui donne les coings.

cognée n. f. Grosse hache de bûcheron. *Abattre des arbres avec une cognée.*

se cogner v. → conjug. **aimer.** Se heurter à quelque chose. *Il s'est cogné contre le meuble et il a un gros bleu.*

cohabiter v. → conjug. **aimer.** Habiter ensemble. *Dans ce quartier, les gens cohabitent sans problèmes.*

La **cohabitation** *de ces deux familles a été facile car elles s'entendent bien*, le fait qu'elles cohabitent.

cohérent, ente adj. Dont les idées ou les propos s'enchaînent de façon logique. *Un discours cohérent.* **Synonyme : logique. Contraire : incohérent.**

La **cohérence** *d'un programme économique,* c'est le fait qu'il soit cohérent.

cohésion n. f. Qualité d'un groupe dont les membres s'entendent bien et sont très unis. *Il y a une bonne cohésion dans cette classe.*

cohorte n. f. Groupe important de personnes. *Des cohortes de touristes affluent dans cette région l'été.*

cohue n. f. Foule de gens qui se poussent et se bousculent. *C'est les vacances, quelle cohue dans les gares !*

coi, coite adj. *Rester* ou *se tenir coi :* rester tranquille, immobile ou silencieux. *Il a été tellement surpris qu'il est resté coi.*

coiffe n. f. Bonnet en dentelle ou en tissu porté par les femmes dans certaines régions, surtout lors des fêtes folkloriques.

coiffer v. → conjug. **aimer.** *1* Couvrir la tête de quelqu'un d'une coiffure. *La mariée s'était coiffée d'un grand chapeau blanc.* *2* Arranger, peigner les cheveux de quelqu'un. *Coiffer sa petite sœur.*

coiffeur, euse n. Personne dont le métier est de coiffer, de couper les cheveux. *Aller chez sa coiffeuse se faire couper les cheveux.*

coiffure n. f. *1* Ce qui sert à couvrir la tête. *Les chapeaux, les casquettes, les bérets, les toques sont des coiffures.* *2* Manière dont les cheveux sont arrangés ou coupés. *Cette nouvelle coiffure courte lui va très bien.*

coin n. m. *1* Angle formé par les deux côtés d'un objet, d'une surface. *Les coins d'une table, d'une pièce.* *2* Endroit où deux rues se croisent. *L'épicier se trouve au coin de la rue.* *3* Endroit. *Vivre dans un coin agréable.* **Homonyme : coing.**

coincer v. → conjug. **tracer.** Bloquer, immobiliser. *Les portières de la voiture sont coincées.*

coïncidence n. f. Hasard, concours de circonstances imprévu. *Ils se sont retrouvés à la suite d'une heureuse coïncidence.* **On prononce [koɛ̃sidɑ̃s].**

coïncider v. → conjug. **aimer.** Se produire au même moment. *Leur arrivée a coïncidé avec les premières chutes de neige.* **On prononce [koɛ̃side].**

coing n. m. Fruit du cognassier, de couleur jaune, en forme de poire. *De la gelée de coings.* **On prononce [kwɛ̃]. Homonyme : coin.**

col n. m. *1* Partie d'un vêtement qui entoure le cou. *Une robe à col montant. Un col de dentelle.* *2* Passage par lequel on peut franchir une montagne. *Le col a été fermé à cause de la neige.* *3* *Col du fémur :* partie la plus étroite du fémur. *Se casser le col du fémur.*

Colbert Jean-Baptiste

Homme politique français né en 1619 et mort en 1683. Recommandé par le cardinal Mazarin au roi Louis XIV en 1661, Colbert devient rapidement un conseiller écouté. Intelligent, travailleur infatigable, ambitieux, son ascension sociale est rapide. En 1669, il contrôle l'ensemble des finances du royaume. Il s'efforce de doter la France d'une meilleure économie en redistribuant mieux l'impôt, en développant le commerce par la pratique d'une politique qu'on appellera le colbertisme. Il crée des centaines de manufactures chargées de produire les objets les plus divers et stimule l'activité maritime en organisant de grandes compagnies commerciales.
Colbert s'intéresse également à la justice, aux arts et aux lettres. Il crée notamment l'Académie des sciences en 1666 et l'Observatoire de Paris en 1667.

colchique

colchique n. m. Plante vénéneuse qui pousse dans les prés.

Le colchique est une plante à bulbe qui appartient à la même famille que le lis. Ses feuilles sortent dès le printemps, mais sa fleur, de couleur violette, blanche ou rose, apparaît seulement à l'automne, quand les feuilles se fanent. Le bulbe et les graines du colchique contiennent un poison violent, la colchicine.

coléoptère n. m. Insecte qui possède deux ailes dures qui recouvrent et protègent les deux ailes qui lui servent à voler. *Les coccinelles, les scarabées sont des coléoptères.*

colère n. f. Sentiment violent de mécontentement, d'irritation. *Se mettre en colère. Être rouge de colère.*
C'est un enfant *coléreux*, il se met souvent en colère.

Colette Sidonie Gabrielle

Romancière française née en 1873 et morte en 1954. Colette débute sa carrière littéraire avec la parution, de 1900 à 1903, de la série des *Claudine*, sous le nom de son premier mari, Willy : *Claudine à l'école, Claudine à Paris, Claudine en ménage*… Colette y raconte ses souvenirs d'enfance et ses premiers pas dans sa vie de femme.
Elle devient ensuite actrice de music-hall et publie, en 1910, *la Vagabonde*, premier roman signé de son nom. À partir de 1919, avec *Mitsou*, Colette traite les thèmes de l'indépendance féminine face au monde masculin, de la naissance de l'amour (*le Blé en herbe*, 1923) et de la difficulté de la relation entre hommes et femmes, notamment avec *Chéri* (1920), son chef-d'œuvre, et *la Fin de Chéri* (1926). Certains de ses livres expriment aussi son amour des animaux : *Dialogues de bêtes* (1904), *la Chatte* (1933)…

colibri n. m. Oiseau de très petite taille.

Le colibri est un oiseau minuscule : il mesure environ 6 cm de longueur et pèse à peine 2 g ! On l'appelle aussi oiseau-mouche. Il a un plumage très coloré et un long bec fin grâce auquel il se nourrit du nectar des fleurs. Il bat très rapidement des ailes et peut se maintenir sur place devant les fleurs. C'est aussi le seul oiseau à pouvoir voler en marche arrière.
On connaît plus de 300 espèces de colibris.

colimaçon n. m. **1** Nom donné autrefois à l'escargot. **2** *En colimaçon* : en spirale. *Un escalier en colimaçon.*

colin n. m. Poisson de mer comestible.

colin-maillard n. m. Jeu où l'un des joueurs, les yeux bandés, essaie d'attraper et de reconnaître un autre joueur.

colique n. f. Mal au ventre, diarrhée. *Il a la colique chaque fois qu'il mange des fruits.*

colis n. m. Paquet que l'on expédie à quelqu'un. *Faire un colis. Envoyer, recevoir un colis.*

Colisée

Amphithéâtre de Rome datant du Iᵉʳ siècle apr. J.-C. Le Colisée est le plus vaste des amphithéâtres romains : 188 m de longueur, 156 m de largeur, près de 50 m de hauteur et un périmètre de 524 m. Construit à l'initiative de l'empereur Vespasien, le Colisée est inauguré en 80. Il doit son nom à une statue de Néron qui se trouve à côté, le Colosseum. Pendant des siècles, il sert aux jeux du cirque. Abandonné, le Colisée est considérablement endommagé au Moyen Âge, ses pierres étant prélevées pour la construction des palais romains. Il est protégé à partir du XVIIᵉ siècle.

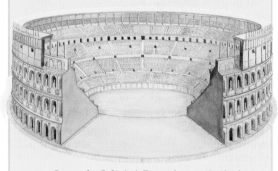

Coupe du Colisée à Rome (reconstitution).

collaborer v. → conjug. **aimer.** Participer, avec d'autres personnes, à la réalisation d'un travail, d'un projet. *De nombreux journalistes ont collaboré à cette émission.*
Synonyme : coopérer.

Proposer sa collaboration pour réaliser un projet : proposer d'y collaborer. *Le ministre étudie les problèmes urgents avec ses collaborateurs,* ceux qui collaborent avec lui.

Au cours de la Seconde Guerre mondiale, on a appelé collaboration le fait pour un État ou un individu de coopérer avec l'occupant allemand.

collage n.m. → **coller**.

collant, ante adj. et n. m.
- adj. *1* Qui colle, gluant, poisseux. *Il a les doigts collants de confiture.* *2* Adhésif. *Du papier collant.* *3* Moulant, très serré. *Une jupe collante.*
- n. m. Vêtement constitué d'un slip et de bas réunis en une seule pièce.

collation n. f. Repas léger. *Prendre une collation à 16 heures.*

colle n. f. Substance gluante qui sert à faire adhérer entre eux deux surfaces, deux objets. *De la colle en tube, en bâtonnet. De la colle à bois.*

collecter v. → conjug. **aimer**. Réunir des dons. *Collecter de la nourriture pour secourir des réfugiés.*
Faire une collecte de vêtements, les collecter.

collectif, ive adj. Qui est fait par plusieurs personnes. *Un sport collectif. Un travail collectif.*
Contraire : **individuel**.
On a pris cette décision collectivement, de façon collective.

collection n. f. Ensemble d'objets que l'on rassemble et que l'on conserve par plaisir ou pour la valeur qu'ils représentent. *Une collection de cartes postales.*
Il collectionne les livres anciens, il en fait la collection.
Un collectionneur de coquillages fait la collection de coquillages.

collectivement adv. → **collectif, ive**.

collectivité n. f. Groupe de personnes qui vivent ensemble ou qui partagent les mêmes activités. *Être membre d'une collectivité religieuse.*

collège n. m. En France, établissement scolaire qui reçoit les élèves de la classe de sixième à la classe de troisième.
Les collégiens sont les élèves qui fréquentent un collège.

collègue n. Personne qui exerce son métier dans la même entreprise qu'une autre personne. *Un collègue de bureau.*

coller v. → conjug. **aimer**. *1* Fixer avec de la colle. *Coller une étiquette sur un cahier. 2* Adhérer. *Cette boue colle aux chaussures. 3* Familier. Ne pas être accepté à un examen. *Il s'est fait coller au bac.*
Contraire : **décoller** (*1*).

Un collage est un ensemble de morceaux de papier que l'on colle (1) pour former une image. Un colleur d'affiches est une personne dont le métier est de coller (1) des affiches.

collet n. m. *1* Piège fabriqué à l'aide d'un lacet formant un nœud coulant, pour attraper les lièvres ou les lapins. *2* Prendre quelqu'un au collet :* le saisir brutalement par le col pour l'immobiliser. *3* Au figuré. *Mettre la main au collet :* procéder à une arrestation. *Le policier lui a mis la main au collet.*

colleur, euse n. → **coller**.

colley n. m. Chien de berger qui vient d'Écosse.

collier n. m. *1* Bijou ou ornement qui se porte autour du cou. *Un collier de perles. 2* Bandeau de cuir ou anneau de métal que l'on met autour du cou d'un animal. *Il existe des colliers antipuces pour les chiens et pour les chats.*

collimateur n. m. Partie d'une arme à feu qui permet de viser avant de tirer.

colline n. f. Petite élévation de terrain de forme arrondie. *Grimper au sommet de la colline.*

collision n. f. Choc qui se produit entre deux ou plusieurs véhicules. *Entrer en collision avec un camion.*

colloque n. m. Réunion de spécialistes qui discutent d'un sujet. *Un colloque sur la pollution.*

collyre n. m. Médicament liquide destiné à soigner les yeux.

Colmar

Ville française de la région Alsace, située à proximité des Vosges, sur les bords de la Lauch. Elle est reliée au Rhin par un ensemble de canaux. Colmar est un important marché pour les vins d'Alsace et un centre industriel actif. Le patrimoine de la ville comprend notamment des maisons du Moyen Âge et l'église Saint-Martin (XIIIᵉ-XIVᵉ siècle).
L'ancien couvent des Dominicains (XIIIᵉ-XVᵉ siècle) abrite le musée Unterlinden, célèbre pour le *Retable d'Issenheim*, peinture religieuse datant du XVIᵉ siècle. La ville devient officiellement française en 1697. Au cours des guerres qui opposent la France et l'Allemagne, elle passe deux fois sous contrôle allemand (de 1871 à 1918 et de 1940 à 1944).

68 *Préfecture du Haut-Rhin*
67 163 habitants : les Colmariens

---

colmater v. → conjug. **aimer**. Boucher un trou, une ouverture. *Colmater une fissure.*

Colomb Christophe

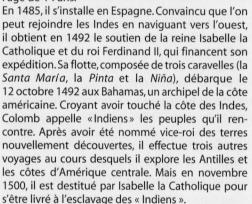

Navigateur génois né vers 1450 et mort en 1506. Christophe Colomb navigue pour le compte de marchands génois dès l'âge de 14 ans.

En 1485, il s'installe en Espagne. Convaincu que l'on peut rejoindre les Indes en naviguant vers l'ouest, il obtient en 1492 le soutien de la reine Isabelle la Catholique et du roi Ferdinand II, qui financent son expédition. Sa flotte, composée de trois caravelles (la *Santa María*, la *Pinta* et la *Niña*), débarque le 12 octobre 1492 aux Bahamas, un archipel de la côte américaine. Croyant avoir touché la côte des Indes, Colomb appelle « Indiens » les peuples qu'il rencontre. Après avoir été nommé vice-roi des terres nouvellement découvertes, il effectue trois autres voyages au cours desquels il explore les Antilles et les côtes d'Amérique centrale. Mais en novembre 1500, il est destitué par Isabelle la Catholique pour s'être livré à l'esclavage des « Indiens ».

colombage n. m. Sorte de mur où les montants de bois sont apparents.

Les constructions à colombages se rencontrent surtout dans les pays du nord de l'Europe et, en France, en Normandie et en Alsace. Les espaces vides entre les pièces de la charpente caractéristiques de ce type d'architecture sont comblés à l'aide de divers matériaux comme le plâtre, l'argile ou la brique.

colombe n. f. Pigeon blanc. *La colombe symbolise la paix.*

Colombie

République du nord-ouest de l'Amérique du Sud. La Colombie s'ouvre sur l'océan Pacifique et sur la mer des Caraïbes. Une grande partie du pays est occupée par la forêt équatoriale. La majeure partie de la population se concentre dans les grandes villes des hauts plateaux de la Cordillère. La Colombie, surtout agricole, est le 2e producteur mondial de café et possède aussi des ressources minières. Sous domination espagnole à partir du XVIe siècle, la Colombie devient indépendante en 1819. Elle connaît depuis le début du XXe siècle une situation instable (guerre civile, guérilla). Aujourd'hui, le trafic de la drogue est la cause d'une montée de la violence.

1 138 914 km²
43 526 000 habitants :
les Colombiens
Langue : espagnol
Monnaie : peso
Capitale : Bogota

colon n. m. → colonie.

côlon n. m. L'une des parties de l'intestin. *Le côlon est aussi appelé « gros intestin ».*

colonel n. m. Officier d'un grade élevé, qui commande un régiment. *Un colonel de cavalerie.*

colonie n. f. *1* Territoire occupé par un pays qui l'administre et exploite ses richesses. *2* Groupe d'animaux d'une même espèce, vivant ensemble. *Une colonie de castors. 3 Colonie de vacances :* groupe d'enfants qui passent des vacances ensemble sous la surveillance de moniteurs.

Les colons sont des personnes qui vivent dans une colonie (*1*). *L'empire colonial d'un pays* est l'ensemble des colonies (*1*) de ce pays. *Lutter contre le colonialisme,* contre la politique qui consiste à conquérir des colonies (*1*). *Coloniser un pays,* c'est en faire une colonie (*1*). *La colonisation d'un pays,* c'est l'action de le coloniser (*1*).

Le phénomène de la colonisation apparaît dès l'Antiquité, avec les Phéniciens, les Grecs puis les Romains. Mais par « la colonisation », on désigne généralement la domination d'une grande partie du monde par les pays d'Europe à partir du XVIe siècle. ***Regarde page ci-contre.***

la colonisation

Commencée au XVIe siècle, lors des grandes expéditions maritimes de Colomb, Cabral, Magellan, Cartier, la colonisation des terres nouvelles découvertes par ces navigateurs se poursuit jusqu'au XIXe siècle.

■ En 1494, Portugais et Espagnols se partagent une grande partie des territoires américains. Plus tard, les Portugais installent des comptoirs (ports où les bateaux pouvaient se ravitailler) sur les côtes d'Afrique, de Chine, d'Inde et du Japon. Français et Anglais conquièrent l'Amérique du Nord. De cette époque datent les débuts de la traite des Noirs et de leur esclavage à grande échelle.

■ Au XVIIIe siècle, une rivalité commerciale oppose Français et Anglais. Ils s'affrontent au Canada, aux Antilles et en Inde. Vaincus, les Français cèdent une grande partie de leurs territoires.

■ Au XIXe siècle, l'Europe se lance à la conquête des terres d'Afrique, d'Asie, et d'Australie. La conquête africaine est violente, tant en Afrique du Nord qu'en Afrique noire, et très rapide. La France, le Royaume-Uni, l'Italie, l'Allemagne, la Belgique, le Portugal et l'Espagne se partagent le territoire africain. La France en prend la plus grande part. Les territoires de l'Asie du Sud-Est sont également partagés entre la France, qui conquiert l'Indochine, le Royaume-Uni et les Pays-Bas. Des missionnaires accompagnent souvent ces expéditions pour convertir au christianisme les populations colonisées.

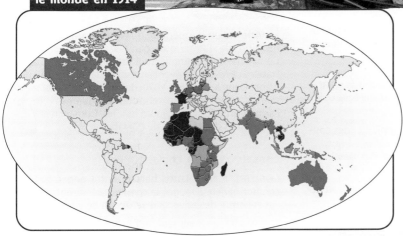

le monde en 1914

Au début du XXe siècle, les puissances européennes dominent le monde. L'Empire colonial britannique couvre 33 millions de km² et compte 490 millions d'habitants, l'Empire colonial français couvre 11 millions de km² et compte 50 millions d'habitants. D'autres États européens se partagent le reste des pays colonisés.

Pays colonisés par :

la France	la Belgique	l'Espagne	les Pays-Bas
la Grande-Bretagne	l'Italie	le Portugal	l'Allemagne

la décolonisation

Dès le XVIIIe siècle et le début du XIXe siècle, des soulèvements pour réclamer l'indépendance ont lieu dans certains pays colonisés. Mais la décolonisation survient surtout après la Seconde Guerre mondiale. Elle s'accompagne de nombreux conflits, souvent violents (comme la guerre d'Algérie, 1954-1962). Dans les années 1970, la plupart des pays colonisés par les Européens ont acquis leur indépendance.

colonne n. f. *1* Pilier cylindrique qui soutient un bâtiment. *Des colonnes en marbre. Des colonnes sculptées.* *2* Groupe de personnes ou de véhicules qui avancent les uns derrière les autres. *Une colonne de réfugiés. Une colonne de chars.* *3* Division verticale d'une page. *Un article imprimé sur trois colonnes.* *4* Colonne vertébrale : ensemble des vertèbres articulées les unes aux autres, qui soutient le squelette.

Une **colonnade** *entoure le temple,* un ensemble de colonnes (*1*)

Dorique. *Ionique.* *Corinthien.* *Toscan.* *Composite.*

On distingue cinq types (ou ordres) classiques de colonnes : dorique, ionique, corinthien, toscan et composite. Le fût de la colonne est composé d'éléments successifs empilés appelés tambours.
Les différents types de colonnes se reconnaissent en particulier aux décors de leur sommet, le chapiteau. *Regarde aussi* **chapiteau.**

colorer v. → conjug. **aimer.** Donner une couleur déterminée. *La lueur des flammes colore leurs visages. Se colorer les cheveux.*
Synonymes : teindre, teinter.

Un **colorant** *alimentaire est un produit servant à colorer un aliment. Le bois ciré prend une belle* **coloration,** *la cire le colore.*

colorier v. → conjug. **modifier.** Appliquer des couleurs sur un dessin. *Colorier la mer en bleu.*

Un album de **coloriages** *contient des dessins à colorier.*

coloris n. m. Mélange de couleurs. *Un tableau au coloris éclatant.*

colossal, ale, aux adj. Extrêmement grand, gigantesque. *Une statue colossale. Une fortune colossale.*

colosse n. m. Homme extrêmement grand et fort. *Ce sportif est un colosse !*

colporter v. → conjug. **aimer.** Raconter à tout le monde. *Colporter des commérages, des mensonges.*

colporteur, euse n. Marchand ambulant qui vendait autrefois des marchandises en allant de porte en porte.

colt n. m. Revolver à canon long. *Les cow-boys sont armés de colts dans les récits de la conquête de l'Ouest.*

colza n. m. Plante à fleurs jaunes dont on fait de l'huile.

coma n. m. État d'une personne qui a perdu conscience, qui ne ressent plus rien. *Le blessé est dans le coma depuis son accident.*

Un malade dans un état **comateux** présente les signes du coma.

Comanches

Peuple indien d'Amérique du Nord. Avant la colonisation de l'Amérique par les Européens, les Comanches occupent l'actuel sud des États-Unis. Habiles cavaliers, ils vivent surtout de la chasse au bison. Dans les années 1870, de violents affrontements opposent ces redoutables guerriers à l'armée américaine. Aujourd'hui, les Comanches vivent dans des réserves de l'Oklahoma.

comateux adj. → **coma.**

combat n. m. *1* Lutte, bataille entre ennemis. *Un combat aérien. Engager le combat.* *2* Affrontement sportif entre des adversaires. *Combat de boxe.*

combatif, ive adj. Qui met beaucoup d'ardeur et d'énergie dans un combat, une discussion. *Un adversaire très combatif.*

combattre v. → conjug. **battre.** *1* Se battre contre un adversaire, un ennemi. *Combattre jusqu'à la mort.* *2* Lutter contre un danger, un mal, une menace. *Combattre une maladie. Combattre le feu.*

Une armée de plusieurs milliers de **combattants,** de soldats qui combattent (*1*).

combien adv. Mot que l'on utilise pour demander une quantité, un prix. *Combien de personnes ont-elles été invitées ? Combien as-tu payé ce livre ?*

combinaison n. f. *1* Manière de combiner plusieurs choses. *Une harmonieuse combinaison de couleurs.*

2 Arrangement, moyen. *Trouver une combinaison ingénieuse pour résoudre une difficulté.* **3** Vêtement formé d'une veste et d'un pantalon réunis en une seule pièce. *Une combinaison de ski.*

combine n. f. Familier. Moyen astucieux, souvent déloyal. *Trouver une combine pour avoir des billets gratuits.*

combiné n. m. Partie du téléphone qui sert à écouter son interlocuteur et à lui parler. *Raccrocher le combiné à la fin d'une communication.*

combiner v. → conjug. **aimer.** **1** Assembler plusieurs choses dans un certain ordre, selon une certaine disposition. *En combinant différemment des lettres, on peut écrire plusieurs mots.* **2** Organiser, arranger. *Combiner un plan ingénieux.*

comble adj. et n. m.
● adj. Rempli de monde. *Le spectacle s'est déroulé dans une salle comble.*
● n. m. **1** Le maximum, le plus haut degré. *Être au comble de la joie.* **2** Au pluriel. Partie d'un bâtiment située sous les toits. *Vivre dans une pièce sous les combles.* **3** *De fond en comble :* partout, entièrement. *Fouiller une maison de fond en comble.*

combler v. → conjug. **aimer.** **1** Remplir complètement, boucher. *Combler un fossé, un puits.* **2** Satisfaire complètement. *Combler tous les désirs de ses enfants.* **3** Donner en abondance. *Ses parents l'ont comblé de cadeaux.*

combustible adj. et n. m.
● adj. Qui peut brûler. *Le bois sec est très combustible.* **Contraire : incombustible.**
● n. m. Matière qui brûle en produisant de la chaleur. *Le mazout est un combustible.*

combustion n. f. Fait de brûler totalement. *La combustion du charbon dégage de la chaleur.*

comédie n. f. **1** Pièce de théâtre destinée à faire rire. *Les comédies de Molière.* **2** Action ou attitude d'une personne qui n'est pas sincère. *Il n'est pas malade, c'est de la comédie !*

comédien, enne n. **1** Acteur de théâtre ou de cinéma. *Le public a applaudi les comédiens à la fin du spectacle.* **2** Personne qui joue la comédie, qui n'est pas sincère. *Elle fait semblant de pleurer, c'est une comédienne !*

comestible adj. Qui peut être mangé sans danger. *Le clafoutis de Cunégonde n'a pas l'air comestible !*

comète n. f. Astre qui forme une traînée lumineuse quand il se déplace dans le ciel. *Plus de mille comètes ont été observées depuis l'Antiquité.*

comique adj. et n.
● adj. Qui amuse, qui fait rire. *Un acteur comique. Une aventure comique.*
● n. Acteur qui interprète des rôles comiques ou qui raconte des histoires comiques.

comité n. m. Groupe de personnes choisies pour discuter et organiser des projets. *Élire les membres d'un comité. Faire partie du comité d'un club sportif.*

commandant n. m. **1** Officier qui commande un bataillon ou un navire. **2** *Commandant de bord :* pilote d'avion.

commande n. f. **1** Demande que l'on adresse à quelqu'un pour se faire livrer des marchandises. *Elle a passé une commande de gâteaux chez un pâtissier.* **2** Dispositif qui commande le fonctionnement d'un mécanisme, d'un appareil. *Le coffre de la voiture s'ouvre à l'aide d'une commande automatique.*

commander v. → conjug. **aimer.** **1** Avoir un rôle de chef. *Le colonel commande un régiment.* **2** Donner des ordres, ordonner. *Le professeur nous a commandé de nous taire.* **3** Demander à quelqu'un de fournir une marchandise. *Commander une pizza par téléphone. Commander des livres à son libraire.* **4** Mettre un appareil, un mécanisme, en fonctionnement. *Un bouton lumineux commande la minuterie de l'escalier.*
   Prendre le **commandement** *d'une armée, d'un navire,* avoir les pouvoirs de les commander (**1**).

commando n. m. Groupe de combattants entraînés aux actions rapides, aux attaques isolées.

comme conj. et adv.
● conj. Indique : **1** la comparaison. *Il saute comme un lapin.* **2** la cause. *Comme il s'ennuyait, il a préféré partir.* **3** la manière. *Tout s'est passé comme prévu.* **4** la qualité. *Il a été engagé comme aide-cuisinier.*
● adv. Dans une phrase exclamative, indique : **1** l'intensité. *Comme vous êtes élégant !* **2** la manière. *Comme elle lui parle !*
Synonyme : que (1).

commémorer v. → conjug. **aimer.** Célébrer le souvenir d'un événement. *Commémorer la prise de la Bastille, le 14 juillet.*
   Organiser une cérémonie en **commémoration** *de la libération de Paris,* pour commémorer cet événement.

commencer v. → conjug. **tracer.** **1** Entreprendre le début d'une action, d'un travail. *Il a commencé à apprendre sa leçon.* **2** Débuter. *Le cours de natation commence à 17 heures.*
Contraires : achever (1), finir (1, 2).
   Lire un livre du **commencement** *jusqu'à la fin,* de l'endroit où il commence (**2**), de son début.

comment adv. *1* De quelle manière. *Il veut savoir comment finit l'histoire. Comment allez-vous? 2* Sert à exprimer la surprise, l'indignation. *Comment! Il a encore menti!*

commenter v. → conjug. **aimer.** Faire des remarques, des observations ou donner des explications. *Des journalistes ont longuement commenté le discours du président.*

> Faire des *commentaires* à propos d'un événement, c'est le commenter. *Un* *commentateur* sportif est un journaliste qui assiste à des épreuves sportives et qui les commente.

commérage n. m. Bavardage indiscret et souvent malveillant. *Il n'écoute jamais les commérages.*

commerçant, ante n. et adj.
• n. Personne qui fait du commerce ou qui tient un commerce. *Faire ses courses chez les commerçants de son quartier.*
• adj. Où sont installés de nombreux commerces, de nombreux magasins. *Une rue très commerçante.*

commerce n. m. *1* Achat et vente de marchandises. *Travailler dans le commerce des produits de beauté. 2* Magasin, boutique. *Ouvrir un commerce. Être propriétaire d'un petit commerce.*

commercial, ale, aux adj. *1* Qui concerne le commerce, la vente et l'achat de marchandises. *Diriger une entreprise commerciale. 2* Centre commercial : lieu où sont rassemblés de nombreux magasins.

commercialiser v. → conjug. **aimer.** Mettre en vente dans les magasins. *Ce modèle de portable n'est pas encore commercialisé.*

commère n. f. Femme indiscrète et bavarde.

commettre v. → conjug. **mettre.** Faire quelque chose de mal ou de critiquable. *Il a commis un meurtre. Commettre des erreurs.*

commis n. m. Employé qui fait des petits travaux, des livraisons. *Le boulanger a engagé un commis.*

commissaire n. m. Fonctionnaire chargé de faire respecter les règlements de police dans un quartier.

> Il a déposé une plainte au *commissariat,* au bureau du commissaire.

commissaire-priseur n. m. Plur. : des commissaires-priseurs. Personne chargée de diriger les ventes aux enchères.

commissariat n. m. → commissaire.

commission n. f. *1* Message que l'on transmet à une personne pour qu'elle le transmette à une autre. *Il m'a chargé de vous faire une commission. 2* Au pluriel. Courses, achats. *Faire des commissions. 3* Réunion de personnes chargées d'étudier une question, de prendre des décisions. *Le gouvernement a nommé une commission d'enquête pour éclaircir cette affaire. 4* Somme d'argent qui revient à un vendeur ou à une personne servant d'intermédiaire pour une vente. *Toucher une commission sur la vente d'un appartement.*

commissionnaire n. Personne chargée de porter des messages, de livrer des paquets.

commissure n. f. Endroit où les lèvres se joignent de chaque côté de la bouche.

1. commode n. f. Meuble à tiroirs de hauteur moyenne. *Ranger son linge dans une commode.*

2. commode adj. *1* Pratique, bien adapté. *Cette petite voiture est très commode pour se garer. 2* Facile, simple. *C'est commode d'habiter près du métro. 3* Qui a un caractère facile, des manières agréables. *La directrice n'est pas commode!*

commodément adv. Confortablement. *Il s'est commodément installé sur le divan.*

commodité n. f. *1* Caractère de ce qui est commode, pratique, facile. *Utiliser des mouchoirs en papier par commodité. 2* Au pluriel. Installations qui procurent du confort. *Une maison pourvue de toutes les commodités.*

Commonwealth

Groupement de 54 États, ayant appartenu à l'Empire britannique. Créé en 1931, *the Commonwealth of Nations* ou *British Commonwealth* ne possède aucun organe politique mais maintient des liens privilégiés entre les différents pays membres sur les plans culturel ou commercial. Ces pays sont réunis librement par leur allégeance à la Couronne britannique.

---

commotion n. f. Choc nerveux violent ou grande émotion. *Être frappé de commotion à l'annonce d'une mauvaise nouvelle.*

> Il a été *commotionné* à la suite d'un accident, il a été frappé de commotion.

commun, une adj. *1* Qui appartient ou qui sert à plusieurs personnes. *Dans ce camping, les douches sont communes. 2* Qui concerne toutes les personnes, tout le monde. *Contribuer au bien commun en protégeant l'environnement. 3* Qui est courant, très répandu. *Le thym est une plante commune en Provence. 4* En commun : ensemble. *Un travail en commun. 5* Nom commun : nom qui désigne un être, une chose. *Un «garçon», une «table» sont des noms communs.*
Synonymes : collectif (*1, 2*), général (*2*). **Contraires :** individuel (*1*), particulier (*1, 2*), rare (*3*), propre (*5*).

Un proverbe exprime une vérité communément admise, de façon commune (*3*), habituellement.

communal adj. → commune.

communauté n. f. Groupe de personnes qui vivent ensemble ou qui ont quelque chose en commun. *À Noël, la communauté chrétienne fête la naissance de Jésus-Christ.*

Mener une vie communautaire, c'est vivre en communauté, ensemble.

commune n. f. Ville ou village, gérés par le maire et son conseil municipal. *Une commune de 800 habitants.*

Aux élections communales, on choisit les personnes chargées d'administrer la commune.

La France compte 36 772 communes. Chacune est dirigée par un maire, qui représente l'État. Le maire est désigné par les conseillers municipaux, élus tous les six ans par les habitants, au suffrage universel. La création des communes remonte à la fin du xe siècle, lorsque les villes, libérées du pouvoir des seigneurs féodaux, obtiennent le droit de se gouverner elles-mêmes.

Commune

Nom d'un gouvernement révolutionnaire instauré par les Parisiens en mars 1871. La Commune est écrasée en mai de la même année, à l'issue de combats sanglants, par l'armée envoyée depuis Versailles par le gouvernement régulier.

communément adv. → commun, une.

communiant, e n. → communion.

communicatif, ive adj. *1* Qui aime communiquer, parler avec les autres. *Elle n'est pas très communicative.* *2* Qui se communique facilement. *Sa bonne humeur est communicative.*
Synonymes : expansif (*1*), contagieux (*2*).
Contraires : renfermé, taciturne (*1*).

communication n. f. *1* Information, nouvelle ou message que l'on transmet, que l'on échange. *Il a une communication urgente à faire à son directeur. La radio, la télévision, les journaux sont des moyens de communication.* *2* Appel. *Couper une communication.* *3* Ce qui permet de passer, d'aller d'un lieu à un autre. *Une porte de communication. Les routes sont des voies de communication.*

communion n. f. Dans l'Église catholique, sacrement de l'eucharistie. *Le prêtre donne la communion aux fidèles. Faire sa première communion.*

Il a communié dimanche dernier, il a reçu la communion. *Les communiants* s'approchent de l'autel pour recevoir la communion de la main du prêtre.

communiquer v. → conjug. **aimer.** *1* Faire connaître, diffuser une information. *Communiquer une nouvelle, des renseignements.* *2* Échanger des informations par tel ou tel moyen. *Ils communiquent en faisant des signes. Communiquer par téléphone, par fax.* *3* Être relié par une ouverture, un passage. *Notre cuisine communique avec la salle à manger. Ces deux maisons communiquaient autrefois par un souterrain.* *4* Transmettre, passer aux autres. *Communiquer sa bonne humeur à tout le monde. Communiquer une maladie.*

Un communiqué, c'est un avis, un message que l'on communique (*1*) au public.

communisme n. m. Système de gouvernement dans lequel les terres et les moyens de production sont sous le contrôle de l'État.

communiste adj. et n.
● adj. Qui se rapporte au communisme, qui soutient les principes du communisme. *Un parti, un régime communistes.*
● n. Partisan du communisme. *Les communistes ont manifesté pour demander l'augmentation des salaires.*

Comores

République fédérale islamique de l'océan Indien, située au large de la côte est de l'Afrique. La République des Comores est constituée de trois îles : Anjouan, Ngazidja (la Grande Comore) et Mohéli. La quatrième île de l'archipel, Mayotte, est française. Le climat est essentiellement tropical. L'économie est basée sur la culture de la vanille et du clou de girofle, la distillation du parfum et surtout le tourisme. L'archipel des Comores, sous domination française à partir de 1886, devient département d'outre-mer en 1958. Il proclame son indépendance en 1975, sauf Mayotte qui choisit de rester française.

2 170 km²
747 000 habitants :
les Comoriens
Langues : comorien,
français
Monnaie : franc
comorien
Capitale : Moroni

compact, acte adj. *1* Très épais, très dense. *Le clafoutis de Cunégonde est compact.* *2* Qui est peu volumineux. *Une chaîne stéréo compacte.* *3* Disque compact : synonyme de CD.

compagne n. f. Camarade. *Elle s'entend bien avec ses compagnes de classe.*

compagnie n. f. *1* Présence d'une personne auprès d'une autre. *Elle aime la compagnie de ses cousins. Sortir en compagnie de ses amis.* *2* Entreprise commerciale. *Une compagnie bancaire. Une compagnie d'assurances.* *3* Troupe de soldats sous les ordres d'un capitaine.

compagnon n. m. Personne avec laquelle on partage des activités ou des moments de son existence. *Un compagnon de travail. Des compagnons de voyage.*

comparable adj. Qui n'est pas très différent d'une autre chose. *Ces appartements sont vendus à des prix comparables. Deux produits de qualité comparable.*

comparaison n. f. → comparer.

comparaître v. → conjug. **connaître.** Se présenter devant un magistrat, un tribunal. *Comparaître comme témoin devant un juge.*

> Ordonner la **comparution** d'un accusé devant la justice, le fait qu'il comparaisse.

comparatif, ive adj. et n. m.
● adj. Qui sert à comparer les choses les unes par rapport aux autres. *Faire une étude comparative de plusieurs marques de téléviseurs.*
● n. m. Forme employée avec un adjectif pour indiquer une comparaison. « *Plus chaud* », « *moins chaud* », « *aussi chaud* », sont des comparatifs de « *chaud* ».

comparer v. → conjug. **aimer.** *1* Examiner les ressemblances et les différences entre des personnes ou des choses. *Comparer différents modèles d'appareils photo avant de choisir.* *2* Établir une ressemblance entre deux personnes ou deux choses de nature différente. *Le poète compare les cheveux de la jeune fille à des fils de soie.*

> Faire la **comparaison** d'une personne avec une autre, c'est les comparer (*1*).

comparse n. Personne qui joue un rôle peu important dans une affaire. *Le principal suspect est en prison ainsi que ses comparses.*

compartiment n. m. *1* Division d'un espace, case. *Une boîte de peintures divisée en plusieurs compartiments.* *2* Partie d'un wagon destinée aux voyageurs. *Pour partir en vacances, ils n'ont pas pu voyager dans le même compartiment.*

comparution n. f. → comparaître.

compas n. m. *1* Instrument formé de deux manches qui s'écartent, pour tracer des cercles. *2* Boussole de navigation utilisée sur les bateaux et dans les avions. *Le compas sert à se diriger.*

compassion n. f. → compatir.

compatible adj. Qui peut s'accorder ou s'utiliser avec autre chose. *Il a choisi un métier compatible avec la vie de famille.*
Contraire : incompatible.

compatir v. → conjug. **finir.** Partager la peine, la souffrance des autres. *Compatir à la douleur d'un ami.*

> Avoir de la **compassion** pour une personne malade, c'est compatir à ses souffrances.

compatriote n. Personne originaire du même pays qu'une autre. *Rencontrer des compatriotes au cours d'un voyage à l'étranger.*

compenser v. → conjug. **aimer.** Équilibrer une chose par une autre. *Recevoir une prime pour compenser un supplément de travail.*

> Des efforts qui méritent une **compensation**, qui méritent d'être compensés par une récompense.

compère n. m. Complice. *Pour réussir certains tours, le prestidigitateur a besoin de l'aide de son compère.*

compétent, ente adj. Qui est expert dans son métier ou dans un domaine particulier. *Un ouvrier compétent. Elle est très compétente en informatique.*
Synonyme : capable. Contraire : incompétent.

> Une secrétaire d'une grande **compétence**, très compétente.

compétitif, ive adj. Qui est assez avantageux pour supporter la concurrence. *Trouver des articles à des prix compétitifs dans une grande surface.*

compétition n. f. *1* Rivalité pour gagner. *Plusieurs partis politiques sont en compétition pour les prochaines élections.* *2* Épreuve au cours de laquelle des sportifs s'affrontent pour gagner. *Participer à une compétition de ski.*

compilation n. f. *1* Ouvrage qui réunit divers documents sur un même sujet. *2* Disque qui regroupe des chansons, des morceaux de musique à succès.

complainte n. f. Chanson populaire sur un sujet tragique. *La complainte des marins perdus en mer.*

se complaire v. → conjug. **plaire.** Trouver du plaisir, de la satisfaction. *Il se complaît à dire des stupidités. Se complaire dans la paresse.*

complaisant, ante adj. Serviable et aimable. *Se montrer complaisant envers les autres.*

> Remercier quelqu'un de sa **complaisance**, de se montrer complaisant.

complément n. m. *1* Ce qui s'ajoute pour compléter une chose. *Recevoir un acompte sur son salaire et avoir le complément en fin de mois.* *2* Mot ou groupe de mots servant à compléter d'autres mots.

J'ai besoin d'informations **complémentaires**, qui apportent un complément (*1*) à celles que l'on a déjà.

LES COMPLÉMENTS

Groupe de mots complétant par des informations essentielles ou circonstancielles d'autres mots de la phrase.

On distingue :

● Ceux qui font partie du **groupe verbal** ; ils ne sont généralement ni déplaçables ni supprimables.

❖ *L'écureuil croque* **une noisette**.

« *Une noisette* » est complément d'objet direct (COD) du verbe « *croquer* ».

❖ *À cette gare, on change* **de train**.

« *Train* » est complément d'objet indirect (COI) du verbe « *changer* ». Il est indirect parce qu'il est relié au verbe par la préposition « *de* ».

❖ *Thomas écrit une lettre* **à son grand-père**.

« *à son grand-père* » est complément d'objet second (COS) du verbe « *écrire* ». Il est second parce que le verbe « *écrire* » a déjà un COD (« *une lettre* »).

● Ceux qui complètent **un nom** :
Elle range sa brosse **à dents** *dans l'armoire* **de toilette**.

● Ceux qui complètent **un adjectif** :
L'aigle, rapide **comme l'éclair**, *fond sur sa proie*.

● Ceux qui indiquent **les circonstances de l'action** ; ils sont souvent déplaçables et supprimables.

❖ **Le temps** : *La neige est tombée* **cette nuit**.
(*Cette nuit, la neige est tombée.*)

❖ **Le lieu** : *L'oiseau fait son nid* **en haut de l'arbre**.
(*L'oiseau fait son nid.*)

❖ **La manière** : *Il a joué cette pièce* **avec talent**.

❖ **La cause** : *Il est récompensé* **pour ses efforts**.

❖ **Le but** : *Louis s'entraîne* **pour réussir**.

---

1. complet, ète adj. *1* Auquel il ne manque aucun élément. *Posséder un équipement complet pour la pêche sous-marine.* *2* Total. *Un silence complet règne dans la maison.* *3* Qui est totalement occupé. *Le train est complet.*
Contraire : incomplet (*1*).

Les travaux seront **complètement** *terminés le mois prochain*, de façon complète (*2*), totalement. *Il a* **complété** *son récit en ajoutant des détails*, il l'a rendu plus complet (*1*).

2. complet n. m. Costume d'homme dont la veste et le pantalon sont assortis. *Un complet gris. Un complet en tweed.*

1. complexe adj. Qui est constitué d'éléments qui s'entremêlent de façon compliquée. *L'intrigue de ce roman policier est très complexe.*
Contraire : simple.

Un mécanisme d'une grande **complexité**, très complexe, très compliqué.

2. complexe n. m. Sentiment d'infériorité. *Avoir des complexes.*

Il est **complexé** *parce qu'il bégaye,* il a un complexe.

complexité n. f. → **complexe 1**.

complication n. f. *1* Fait, incident qui rend une situation plus difficile ou plus dangereuse. *Le voyage s'est déroulé sans complication.* *2* Trouble qui s'ajoute à une maladie et l'aggrave. *Le médecin craint des complications.*

complice n. et adj. Personne qui aide une autre personne à faire quelque chose de mal ou d'illégal. *Le voleur et sa complice ont été arrêtés.*

Il est accusé de **complicité** *avec un malfaiteur*, d'être son complice.

compliment n. m. Paroles de félicitations. *Recevoir des compliments.*

Complimenter *un élève de ses progrès*, c'est lui faire des compliments.

compliqué, ée adj. Difficile à comprendre ou à faire. *Une histoire compliquée. Des calculs compliqués.*
Contraire : simple.

Ne **compliquons** *pas cette affaire* : ne la rendons pas plus compliquée.

complot n. m. Projet organisé secrètement contre une personne, contre une institution. *Préparer un complot contre le chef de l'État.*

Comploter *la mort d'une personne*, c'est organiser un complot pour la tuer. *Les* **comploteurs** *ont été démasqués*, les personnes qui préparaient un complot.

comporter v. → conjug. **aimer**. *1* Contenir, être composé, constitué de. *Cette maison comporte deux étages.* *2* Se comporter : se conduire de telle ou telle façon. *Se comporter avec dignité. Se comporter en personne sensée.*

Il a un **comportement** *bizarre,* il se comporte (*2*) de façon bizarre.

composant n. m. → **composer**.

composé, ée adj. *1* Qui est formé de plusieurs éléments. « *Chauve-souris* » est un mot composé. *2* Temps *composé* : temps d'un verbe formé avec un auxiliaire et le participe passé du verbe conjugué. *Dans la phrase « Elle a écrit une lettre », le verbe « écrire » est au passé composé.*

composer v. → conjug. **aimer.** *1* Former un ensemble en réunissant plusieurs éléments. *Composer un bouquet. Composer un plat, un cocktail.* *2* Écrire une œuvre musicale. *Composer une symphonie.* *3* Se composer : comporter, être constitué, formé. *Cette ferme se compose de plusieurs bâtiments.*
> *L'hydrogène et l'oxygène sont les **composants** de l'eau,* les éléments qui la composent (*1*). *Un **compositeur** est une personne qui compose (2) des œuvres musicales.*

composite adj. Qui est composé d'éléments très différents les uns des autres. *Le spectacle a attiré un public composite.*

compositeur n. m. → **composer.**

composition n. f. *1* Ce qui compose une matière, un produit, un mélange. *La composition du médicament est indiquée dans la notice.* *2* Devoir fait en classe. *Il a eu une bonne note à sa composition de maths.*

compost n. m. Engrais composé de débris végétaux qui se sont décomposés.

composter v. → conjug. **aimer.** Introduire un ticket dans un appareil pour le valider. *Composter un billet de train.*
> *Mettre son billet dans le **composteur**,* dans l'appareil qui sert à composter.

compote n. f. Dessert fait de fruits cuits avec du sucre. *Cunégonde fait alors une compote de cerises.*
> *Un **compotier** est un plat creux, en forme de coupe, dans lequel on sert de la compote.*

compréhensible adj Qui se comprend facilement. *S'exprimer de façon compréhensible.* **Contraire : incompréhensible.**

compréhension n. f. *1* Fait de comprendre, de saisir le sens de quelque chose. *La ponctuation est nécessaire à la compréhension d'un texte.* *2* Bienveillance, indulgence envers les autres. *Manquer de compréhension. Faire preuve de compréhension envers ses enfants.*
> *Un professeur **compréhensif** envers ses élèves,* qui fait preuve de compréhension (*2*).

comprendre v. → conjug. **prendre.** *1* Saisir le sens, la signification des mots, des idées, des faits. *Il a très bien compris ce que je lui ai expliqué. Je ne comprends rien à cette histoire.* *2* Se montrer compréhensif, tolérant. *Comprendre ses amis, ses enfants. Comprendre la plaisanterie.* *3* Comporter, être constitué. *Cette série télévisée comprend plusieurs épisodes.*

compresse n. f. Morceau de tissu très fin que l'on met sur une blessure.

compressible adj. Qui peut être comprimé. *L'air, les gaz sont compressibles.* **Contraire : incompressible.**

compression n. f. *1* Action de comprimer quelque chose. *C'est la compression de l'air dans une bouée qui la fait gonfler.* *2* Réduction, diminution d'un groupe. *Une compression de personnel entraîne le licenciement de nombreux salariés.*

comprimé n. m. Médicament sous forme de petite pastille. *De l'aspirine en comprimés.*

comprimer v. → conjug. **aimer.** Presser fortement un corps, une matière pour diminuer son volume. *Comprimer un gaz.*

compris, ise adj. *1* Qui est compté dans un prix, dans une quantité. *La boisson est comprise dans le menu.* *2* Y compris : en comptant aussi, même. *Tout le monde a participé au spectacle, y compris les plus petits.*

compromettre v. → conjug. **mettre.** *1* Mettre en difficulté ou en danger. *Compromettre la paix. Compromettre la réalisation d'un projet.* *2* Se compromettre : perdre sa réputation. *Se compromettre dans une affaire d'escroquerie.*
> *Il a accepté toutes les **compromissions** pour s'enrichir,* il a accepté de se compromettre (*2*).

compromis n. m. Arrangement conclu entre des personnes qui acceptent de faire des concessions mutuelles. *Faire un compromis pour rétablir la paix.*

compromission n. f. → **compromettre.**

comptabilité n. f. Ensemble des comptes concernant les recettes et les dépenses. *Contrôler la comptabilité d'une société.*
> *Un **comptable** est une personne qui a pour métier de tenir la comptabilité d'une entreprise.*

comptant adj. m. Qui est payé tout de suite, au moment de l'achat. *Un paiement comptant.* **Contraire : à crédit. Homonyme : content.**

compte n. m. *1* Fait de compter, calcul. *Faire le compte de ce que l'on a dépensé.* *2* Somme d'argent déposée dans une banque, à la poste. *Ouvrir un compte bancaire.* *3* En fin de compte : finalement. *En fin de compte, tout s'est arrangé.* *4* Se rendre compte d'une chose : s'en apercevoir, réaliser. *Il s'est rendu compte de son erreur.* *5* Tenir compte d'une chose : y attacher de l'importance. *Tiens compte de mes conseils.* *6* Rendre compte de quelque chose : le raconter. *Je vous rendrai compte de ce que nous avons décidé hier.*
On prononce [kɔ̃t]. Homonymes : comte, conte.

compte-gouttes n. m. inv. Petit tube qui sert à doser un médicament liquide ou à le verser goutte à goutte.
On prononce [kɔ̃tgut].

compter v. → conjug. **aimer**. *1* Dire les nombres dans l'ordre les uns à la suite des autres. *Compter jusqu'à 100. Apprendre à compter. 2* Calculer. *À la fin de la partie, chacun compte ses points. 3* Faire entrer un prix dans un compte, dans une somme. *Les cafés sont comptés dans l'addition. 4* Avoir de la valeur, de l'importance. *L'argent ne compte pas pour elle. 5* Prévoir de faire quelque chose. *Il compte lui téléphoner demain. 6* Avoir confiance, se fier à quelqu'un. *Elle peut compter sur moi, je l'aiderai.*
On prononce [kɔ̃te]. **Homonymes : comté, conter.**

compte rendu n. m. **Plur. : des comptes rendus.** Récit ou rapport sur un fait, sur un événement. *Faire le compte rendu d'une réunion, d'un procès.*
On prononce [kɔ̃trɑ̃dy].

compteur n. m. Appareil qui compte et indique des quantités. *Un compteur d'eau. Un compteur à gaz. Le compteur de vitesse d'une voiture.*
On prononce [kɔ̃tœr]. **Homonyme : conteur.**

comptine n. f. Petite poésie que l'on récite ou que l'on chante.

comptoir n. m. *1* Meuble sur lequel sont présentées des marchandises. *Des bocaux de bonbons sont alignés sur le comptoir de l'épicerie. 2* Table haute sur laquelle sont servies les consommations dans un café. *Prendre un café au comptoir.*

comte n. m., **comtesse** n. f. Titre de noblesse supérieur au titre de vicomte et inférieur au titre de marquis.
Homonymes : compte, conte.
   Un comté était l'ensemble des territoires possédés par un comte.

concasser v. → conjug. **aimer**. Réduire quelque chose de dur en petits morceaux. *Concasser des pierres. Du poivre concassé.*

concave adj. Dont la surface est arrondie et en creux.
   La concavité d'un objet, c'est sa forme concave.

Un miroir concave est un miroir déformant dans lequel les objets apparaissent plus allongés et plus étroits.

Cunégonde se regarde dans un miroir concave.

concéder v. → conjug. **digérer**. Admettre, reconnaître. *J'ai fait une erreur, je vous le concède.*

concentration n. f. *1* Attention. *Ce travail nécessite beaucoup de concentration. 2* Camp de concentration :* lieu où l'on rassemble des prisonniers qui vivent dans des conditions atroces.

concentré, ée adj. et n. m. Se dit d'une substance qui a une consistance plus épaisse parce qu'on a éliminé une partie de l'eau qu'elle contient. *Du lait concentré. Du concentré de tomates.*

concentrer v. → conjug. **aimer**. *1* Rassembler dans un même lieu. *Les troupes sont concentrées à la frontière. 2* Se concentrer :* fixer toute son énergie, toute son attention sur quelque chose. *Se concentrer sur son travail.*
Contraires : disperser (1), se disperser (2).

concentrique adj. Se dit de cercles de diamètres différents mais qui ont le même centre.

Lorsque l'on fait tomber un caillou dans l'eau, les cercles de plus en plus grands qui se forment à la surface sont des cercles concentriques.

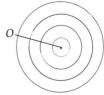

O est le centre des 4 cercles.

concept n. m. Représentation abstraite d'une chose que l'on conçoit dans son esprit.

conception n. f. Manière de concevoir, d'envisager quelque chose. *Ils ont des conceptions très différentes de l'éducation des enfants.*
Synonymes : idée, opinion, point de vue.
   Un concepteur dans une agence de publicité ou une entreprise est chargé de la conception des projets, des produits.

concerner v. → conjug. **aimer**. Avoir de l'importance pour quelqu'un. *Cette affaire concerne tout le monde. Leur dispute ne me concerne pas.*

concert n. m. *1* Représentation donnée en public par des musiciens, des chanteurs. *Un concert de jazz. Un concert de musique classique. 2* Au figuré.* Ensemble de bruits qui se produisent en même temps. *L'embouteillage a provoqué un concert de klaxons. Un concertiste est un musicien qui joue dans un concert.*

se concerter v. → conjug. **aimer.** Chercher à se mettre d'accord, à s'entendre. *Les grévistes se concertent avant d'accepter les propositions du gouvernement.*
Il a accepté une **concertation** *avec ses adversaires politiques*, de se concerter avec eux.

concertiste n. → **concert.**

concerto n. m. Composition musicale exécutée par un ou plusieurs instruments en alternance avec l'orchestre tout entier.

concession n. f. Fait de renoncer à certaines choses pour parvenir à un accord. *Les pays ennemis ont accepté de faire des concessions pour rétablir la paix.*

concessionnaire n. Commerçant qui a le droit exclusif de vendre une marque, un produit dans un endroit déterminé. *Il n'y a pas de concessionnaire pour cette marque de voiture dans les environs.*

concevoir v. → conjug. **recevoir.** Imaginer, inventer. *Concevoir un plan d'évasion.*

concierge n. Personne chargée de la surveillance et de l'entretien d'un bâtiment ou d'un immeuble.

concile n. m. Assemblée des évêques de l'Église catholique convoquée par le pape.

conciliable adj. → **concilier.**

conciliabule n. m. Conversation qui se fait à voix basse, en secret.

conciliant, ante adj. Qui cherche toujours à arranger les choses, à trouver un accord. *Avec lui, l'affaire sera réglée sans difficulté, il est très conciliant.*
Synonymes : accommodant, arrangeant.

concilier v. → conjug. **modifier.** Accorder ce qui est ou ce qui semble opposé. *Il est difficile de concilier le travail et les loisirs.*
Parvenir à une **conciliation**, c'est parvenir à concilier des opinions, des idées différentes. *Des opinions difficilement **conciliables**,* difficiles à concilier.

concis, ise adj. Qui exprime beaucoup de choses en peu de mots. *Faire un récit clair et concis.*
Raconte-moi les faits avec **concision**, de manière concise.

concitoyen, enne n. Personne qui est de la même ville ou du même pays qu'une autre. *Le chef de l'État s'est adressé à tous ses concitoyens.*

concluant, ante adj. Qui prouve quelque chose en ne laissant aucun doute. *Ce produit est efficace, les essais sont concluants.*

conclure v. *1* Établir quelque chose par un accord. *Ces deux pays ont conclu un traité de paix.* *2* Terminer. *Il est temps de conclure cette discussion.* *3* Aboutir à un résultat à la suite d'un raisonnement. *Comme il n'a pas dit un mot, j'en ai conclu qu'il s'ennuyait.*

La conjugaison du verbe
CONCLURE 3e groupe

indicatif présent	**je conclus, il ou elle conclut, nous concluons, ils ou elles concluent**
imparfait	**je concluais**
futur	**je conclurai**
passé simple	**je conclus**
subjonctif présent	**que je conclue**
conditionnel présent	**je conclurais**
impératif	**conclus, concluons, concluez**
participe présent	**concluant**
participe passé	**conclu**

conclusion n. f. *1* Ce qui conclut, termine ce que l'on dit ou ce que l'on écrit. *La conclusion d'un devoir, d'un discours.* *2* Résultat d'un raisonnement, d'une observation, d'une expérience, d'une discussion. *Après avoir étudié le problème, ils sont arrivés à la même conclusion.* *3* Arrangement final. *La conclusion d'une affaire, d'un traité de paix.*

concombre n. m. Fruit allongé, à la peau vert foncé.

Le concombre appartient à la même famille que la courge (cucurbitacées). C'est une plante rampante cultivée pour son fruit de forme allongée. Le concombre mesure de 15 à 70 cm de longueur ; on le ramasse encore vert, avant qu'il ne soit mûr. On le consomme généralement cru, en salade.
Les cornichons que l'on utilise comme condiments sont de petits concombres.

concordance n. f., **concordant, ante** adj. → **concorder.**

concorde n. f. Entente harmonieuse. *Faire régner la concorde entre les peuples.*
Contraire : discorde.

concorder v. → conjug. **aimer.** Être en accord, coïncider. *Tout ce qu'il dit concorde avec les autres témoignages.*
Ils ont des opinions **concordantes**, qui concordent.

*Faites attention à la **concordance** des temps dans votre rédaction*, à faire concorder les temps.

concourir v. → conjug. **courir**. *1* Participer à un concours, à une compétition. *Concourir pour un championnat d'automobile. 2* Contribuer, apporter une aide. *Les efforts de chacun ont concouru à la réussite de ce projet.*

concours n. m. *1* Épreuve où le nombre de personnes reçues ou gagnantes est limité. *Se présenter à un concours. 2* Aide, assistance, appui. *Organiser des secours avec le concours d'associations humanitaires. 3* Concours de circonstances : suite d'événements due au hasard. *Cet accident s'est produit à la suite d'un malheureux concours de circonstances.*

concret, ète adj. Qui désigne ce que l'on peut toucher, voir. *« Arbre », « maison », « livre » sont des noms concrets.*
Contraire : abstrait.

concrètement adv. En fait, en pratique. *Il donne beaucoup de conseils mais il ne participe pas concrètement à notre projet.*

concrétiser v. → conjug. **aimer**. Réaliser. *Concrétiser des projets. Ses rêves se sont concrétisés.*

concubin, ine n. Personne qui vit avec une autre personne sans être mariée avec elle.
*Vivre en **concubinage**, c'est vivre comme des concubins.*

concurrent, ente n. *1* Personne qui participe à un concours, à une épreuve sportive. *Beaucoup de concurrents ont été éliminés. 2* Personne ou entreprise qui vend les mêmes produits ou qui propose les mêmes services qu'une autre. *Vendre moins cher que ses concurrents.*
*Ces deux boulangeries se font de la **concurrence**, elles sont concurrentes (2). Certains commerçants baissent leurs prix pour **concurrencer** les supermarchés*, pour leur faire de la concurrence.

condamner v. → conjug. **aimer**. *1* Déclarer quelqu'un coupable et lui infliger une peine. *Condamner un criminel à la prison. 2* Blâmer, désapprouver. *Condamner la violence. 3* Fermer une ouverture de façon définitive. *La porte de ce placard est condamnée depuis longtemps.*
On prononce [kɔ̃dane]. Contraire : acquitter (1).
*Il a eu une conduite **condamnable**, qui mérite d'être condamnée (2). Les victimes demandent la **condamnation** du coupable*, elles demandent que le coupable soit condamné (1). *Conduire les **condamnés** en prison*, les personnes qui ont été condamnées (1).

Seigneur français et chef militaire né en 1621 et mort en 1686. Son vrai nom est Louis II de Bourbon, prince de Condé. On l'a appelé « le Grand Condé ». Il s'illustre sur le plan militaire durant la guerre de Trente Ans (1618-1648). Il remporte notamment la bataille de Rocroi sur les Espagnols en 1643 et plusieurs batailles contre le Saint Empire romain germanique. En 1651, Condé dirige la Fronde des princes (révolte de la noblesse française contre le renforcement du pouvoir royal). Passé du côté espagnol, il revient en 1659 au service du roi de France Louis XIV. À partir de 1675, Condé se retire dans son château et devient le protecteur d'écrivains comme Molière et La Bruyère.

condenser v. → conjug. **aimer**. *1* Résumer, réduire. *Il a condensé le récit des événements en dix lignes. 2* Se condenser : se transformer en liquide. *Le brouillard s'est condensé en fines gouttelettes.*
*Il y a de la **condensation** sur la vitre*, de la vapeur d'eau qui se condense (2). *Elle a fait en quatre pages un **condensé** de ce long roman*, un texte qui le condense (1).

condiment n. m. Produit que l'on utilise pour donner plus de goût aux aliments. *Le sel, le poivre, la moutarde sont des condiments.*

condition n. f. *1* Élément indispensable pour qu'une chose soit possible. *L'audace est l'une des conditions de la victoire. 2* État physique. *Être en bonne condition pour une compétition sportive. 3* Situation sociale. Prévoir des lois pour améliorer la condition des immigrés. 4* Au pluriel. Ensemble de circonstances. *Vivre dans des conditions difficiles.*
*Le soleil **conditionne** la croissance des plantes*, il en est la condition (1).

conditionné, ée adj. *Air conditionné :* système qui permet de régler la température de l'air dans une pièce.

conditionnel n. m. Mode du verbe qui s'emploie quand l'action exprimée par ce verbe dépend d'une condition. *Dans la phrase « il sortirait s'il faisait beau », le verbe « sortir » est au conditionnel.*

conditionnement n. m. Emballage. *Présenter un produit dans un nouveau conditionnement.*

conditionner v. → **condition**.

condoléances n. f. plur. Paroles de sympathie que l'on adresse à quelqu'un à la mort d'une personne qui lui est proche. *Présenter ses condoléances à la famille du défunt.*

condor

condor n. m. Grand oiseau rapace d'Amérique du Sud, de la famille des vautours.

Avec environ 3 m d'envergure, le condor de Californie et le condor des Andes font partie des plus grands oiseaux capables de voler. Ils ont un plumage noir avec des marques blanches. Leur tête, dépourvue de plumes, est de couleur rose ou orangée ; leur bec est gros et puissant. Les condors se nourrissent d'animaux morts : ce sont des charognards. Le condor de Californie, en voie de disparition, est une espèce protégée.

conducteur, trice n. et n. m.
• n. Personne qui conduit un véhicule. *Un conducteur de bus, de métro, de train.*
• n. m. Matière qui transmet l'électricité ou la chaleur. *Certains métaux sont de bons conducteurs.*

conduire v. → conjug. **cuire**. *1* Accompagner quelqu'un. *Il nous a conduits à l'aéroport.* *2* Diriger un véhicule. *Conduire une voiture, un camion. Apprendre à conduire.* *3* Mener, aboutir. *Ce sentier conduit au sommet de la colline.* *4* Se conduire : agir de telle ou telle manière, se comporter. *Il s'est très mal conduit envers ses parents. Se conduire honnêtement.*

conduit n. m. Tuyau servant au passage d'un liquide ou d'un gaz. *L'air circule dans un conduit d'aération.*

conduite n. f. *1* Action de conduire un véhicule. *En ville, la conduite est difficile à cause des embouteillages.* *2* Manière de se conduire, comportement. *Je vous félicite de votre bonne conduite.* *3* Canalisation. *L'eau circule dans la ville par des conduites souterraines.*

cône n. m. Solide à base circulaire et à sommet pointu. *Un chapeau en forme de cône.*
> Les cornets de glace ont une forme **conique**, la forme d'un cône.

confection n. f. *1* Préparation et exécution de quelque chose. *La confection d'un gâteau.* *2* Industrie de fabrication des vêtements. *Il a fait fortune dans la confection.*

confectionner v. → conjug. **aimer**. Fabriquer, faire. *Confectionner des fleurs en papier.*

confédération n. f. Regroupement de plusieurs États ou de plusieurs fédérations. *La Confédération sudiste groupait autrefois les États du sud des États-Unis. Une confédération syndicale.*
> *Aller à une réunion **confédérale**, de la confédération.*

conférence n. f. *1* Discours, exposé fait devant un public. *Cet archéologue a fait des conférences sur ses fouilles en Égypte.* *2* Conférence de presse : réunion d'information au cours de laquelle une personne répond aux questions posées par des journalistes.
> *Une **conférencière** est une personne qui fait des conférences (1).*

confesser v. → conjug. **digérer**. *1* Avouer, reconnaître. *J'ai fait de nombreuses erreurs, je le confesse.* *2* Se confesser : dire ses péchés à un prêtre.
> *Un **confesseur** est un prêtre auprès duquel on se confesse (2).*

confession n. f. *1* Fait d'avouer une faute, un crime. *La confession d'un meurtrier.* *2* Fait de confesser ses péchés à un prêtre, dans la religion catholique. *3* Religion à laquelle on appartient. *Être de confession catholique.*
> *Une école **confessionnelle**, une école dans laquelle on peut suivre les principes de sa confession (3).*

confessionnal, aux n. m. Dans les églises catholiques, petite cabine dans laquelle se tient le prêtre pour écouter les personnes qui se confessent.

confessionnel, elle adj. → **confession**.

confetti n. m. Petite rondelle de papier coloré. *Se lancer des confettis.*

confiance n. f. *1* Sentiment que l'on éprouve quand on se sent sûr de ne pas être trompé ou déçu. *Faire confiance à ses parents. Avoir confiance en l'avenir.* *2* Personne de confiance : personne à qui l'on peut faire confiance, se fier.
Contraires : défiance, méfiance.
> *Une personne **confiante** est une personne qui fait facilement confiance à autrui.*

confidence n. f. Chose intime que l'on dit en secret à quelqu'un. *Faire des confidences à une amie.*
> *Elle raconte son aventure à sa **confidente**, la personne à laquelle elle fait des confidences. Ce sont des renseignements **confidentiels**, qui doivent rester aussi secrets que des confidences.*

confier v. → conjug. **modifier**. *1* Donner en garde. *Confier des clefs, des documents, des bagages à quelqu'un.* *2* Se confier : faire des confidences. *Se confier à sa mère, à sa meilleure amie.*

confiné, ée adj. *1* Enfermé dans un espace limité, un lieu précis. *Rester confiné dans sa chambre.* *2* De l'air confiné : de l'air qui n'est pas renouvelé. *Aérer une pièce où l'air est confiné.*

confins n. m. plur. Limites d'un lieu, d'un pays. *Une ville située aux confins de la Chine.*

confirmer v. → conjug. **aimer.** *1* Affirmer la vérité, l'exactitude de quelque chose. *Confirmer une nouvelle, un témoignage.* *2* Donner un accord définitif. *Confirmer la réservation d'un billet.*

Demander la **confirmation** *d'une information,* qu'elle soit confirmée (*1*).

confiscation n. f. → **confisquer.**

confiserie n. f. *1* Magasin où l'on vend des bonbons, des friandises. *Acheter des pâtes de fruits, des chocolats dans une confiserie.* *2* Au pluriel. Friandises, bonbons. *Offrir des confiseries.*

Les **confiseurs** fabriquent et vendent des confiseries (*2*).

confisquer v. → conjug. **aimer.** Prendre quelque chose à quelqu'un pour le punir. *Il s'est fait confisquer son baladeur par la directrice.*

Procéder à la **confiscation** *de marchandises passées en fraude,* à l'action de les confisquer.

confit, ite adj. et n. m.
• adj. Qui est cuit et conservé dans du sucre ou dans de la graisse. *Des fruits confits. Du canard confit.*
• n. m. Viande cuite et conservée dans sa graisse.

confiture n. f. Fruits, entiers ou coupés en morceaux, cuits dans du sucre. *De la confiture d'abricot.*

conflit n. m. Désaccord ou affrontement entre des personnes ou des pays. *Un conflit familial. Craindre un conflit mondial.*

Il a des relations **conflictuelles** *avec ses parents,* il est en conflit avec eux.

confluent n. m. Lieu où se rencontrent deux cours d'eau. *La ville de Lyon est située au confluent de la Saône et du Rhône.*

confluent

confondre v. → conjug. **répondre.** Prendre une personne ou une chose pour une autre, ne pas pouvoir les distinguer. *Confondre des mots qui se ressemblent.*

conforme adj. Qui correspond à un modèle ou qui est en accord avec quelque chose. *Une copie conforme à l'original. Un jouet conforme aux normes de sécurité.*

Il faut jouer **conformément** *aux règles,* de façon conforme. *Se **conformer** aux ordres de quelqu'un,* agir de façon conforme à ses ordres. *Il a agi en **conformité** avec la loi,* de façon conforme à la loi, en suivant la loi.

conformisme n. m. Attitude de ceux qui vivent en suivant les habitudes, les idées de tout le monde.

Une personne trop **conformiste,** qui fait preuve de trop de conformisme.

conformité n. f. → **conforme.**

confort n. m. Ce qui facilite la vie et la rend agréable. *Cette vieille maison manque de confort.*

Ce divan est **confortable,** il procure une sensation de confort, de bien-être. *S'allonger **confortablement** pour dormir,* de façon confortable.

confrère n. m., **consœur** n. f. Personne qui appartient à la même profession qu'une autre personne. *Votre avocat est absent, il sera remplacé par l'un de ses confrères.*

confronter v. → conjug. **aimer.** Mettre des personnes en présence l'une de l'autre pour comparer et vérifier leurs déclarations. *Confronter les témoins d'un hold-up. L'accusé a été confronté à son complice.*

Il a avoué ses escroqueries au cours d'une **confrontation** *avec ses victimes,* quand on l'a confronté à ses victimes.

Confucius

Philosophe chinois né vers 551 et mort vers 479 av. J.-C. Les pensées de Confucius, recueillies et transcrites par ses disciples, sont à la base d'un véritable culte : le confucianisme. Confucius définit un ensemble de principes de vie qui s'appuient sur la solidarité familiale, le respect des parents, la justice, l'ordre et le rejet de la violence. Il influence depuis vingt-cinq siècles la civilisation chinoise. Aujourd'hui, sa doctrine morale est suivie en Asie par plusieurs millions d'adeptes.

confus, use adj. *1* Qui manque de clarté, de précision. *Des explications confuses.* *2* Qui est embarrassé, honteux. *Je suis confuse de vous avoir dérangé.*
Synonyme : embrouillé (*1*). Contraire : clair (*1*).

Je me souviens **confusément** *de cet événement,* de manière confuse (*1*), vaguement.

confusion n. f. *1* Manque de clarté, de précision. *Un discours plein de confusion.* *2* Fait de confondre une personne ou une chose avec une autre. *Faire la confusion entre les accents graves et les accents aigus.* *3* Sentiment de honte. *Rougir de confusion.*

congé n. m. *1* Période de vacances. *Prendre un congé d'une semaine. Il sera en congé au mois d'août.* *2* *Donner congé à quelqu'un* : renvoyer quelqu'un de son travail. *3* *Prendre congé* : dire au revoir. *Avant de partir, il a pris congé de la maîtresse de maison.*

Congédier un employé, c'est lui donner son congé (*2*), le licencier.

congeler v. → conjug. **modeler.** Exposer des aliments à une température très basse pour les conserver. *Congeler de la viande, du poisson, du pain.*

On peut conserver des aliments par *congélation,* en les congelant. *Un congélateur* est un appareil qui sert à congeler les aliments.

congénère n. Personne ou animal de la même espèce, du même genre. *Je n'ai pas envie de fréquenter cet homme, ni ses congénères.*

congénital, aux adj. Qui atteint une personne dès sa naissance. *Une malformation congénitale.*

congère n. f. Amas de neige accumulée par le vent. *Une congère bloque le passage du train.*

congestion n. f. Maladie provoquée par un afflux de sang dans une partie du corps. *Congestion cérébrale.*

congestionné, ée adj. Qui rougit sous l'effet d'un afflux de sang. *Un visage congestionné à cause du froid.*

Congo (République du)

République d'Afrique centrale située dans la zone équatoriale. Le Congo possède une ouverture sur l'Atlantique. Le climat est essentiellement équatorial. La forêt dense occupe 60 % du territoire. Les terres cultivables sont consacrées aux cultures vivrières (manioc) et d'exportation (café, cacao…). Le Congo importe près de 80 % de ses besoins alimentaires. Sa principale ressource est le pétrole. Colonie française à partir de 1891, le Congo devient indépendant en 1960. Depuis, il connaît une situation marquée par des guerres civiles successives.

342 000 km²
3 633 000 habitants :
les Congolais
Langues : français,
lingala, kikongo
Monnaie : franc CFA
Capitale : Brazzaville

Congo (République démocratique)

République démocratique d'Afrique centrale. C'est le troisième pays du continent africain par la superficie. Il possède un étroit débouché sur l'Atlantique, là où le fleuve Congo se jette dans l'océan. La forêt équatoriale couvre une grande partie des terres ; elle est entourée de zones de savanes au climat tropical. La population compte plus de 500 ethnies différentes. L'agriculture vivrière produit du manioc et du maïs ; les plantations d'exportation du café et du cacao. Le sous-sol recèle de grandes richesses (diamant, cuivre, or, pétrole, charbon…). Colonie de la Belgique à partir de 1908 sous le nom de Congo belge, le pays devient indépendant en 1960. Rebaptisé Zaïre en 1972, il prend le nom de République démocratique du Congo en 1997. Depuis les années 1960, son histoire est ponctuée de coups d'État et de très violents conflits internes.

2 345 409 km²
51 201 000 habitants :
les Congolais
Langues : français,
lingala, swahili…
Monnaie :
franc congolais
Capitale : Kinshasa

congre n. m. Poisson de mer, sans écailles, au corps allongé comme une anguille.

congrès n. m. Assemblée de personnes qui se réunissent pour échanger des idées sur leurs recherches, sur leurs travaux. *Un congrès scientifique.*

Des *congressistes* sont des personnes qui participent à un congrès.

conifère n. m. Arbre dont les feuilles persistantes ont la forme d'aiguilles. *Les pins, les sapins, les cèdres sont des conifères.*

conique adj. → cône.

conjecture n. f. Supposition ou prévision. *Faire des conjectures sur les résultats d'une élection.*

conjoint, e n. Personne mariée. *Les deux conjoints ont signé un contrat de mariage.*
Synonyme : époux.

conjonction n. f. Mot invariable.

LES CONJONCTIONS

Mots invariables servant à réunir des éléments de la phrase.

On distingue :

● les **conjonctions de coordination**, qui servent à réunir des éléments de même nature : des noms, des adjectifs, des verbes, des propositions…
Manon et Thomas. Petit mais courageux. Marcher ou courir. Le ciel se couvre car l'orage approche.
Les principales sont : **mais, ou, et, donc, or, ni, car ;**

● les **conjonctions de subordination**, qui servent à relier une proposition subordonnée à une proposition principale.

❖ Elles ne comportent qu'un seul mot.
Les oiseaux chantent lorsque le jour se lève.
Les principales sont : **comme, si, que, quand, lorsque, quoique, puisque…**

❖ Elles comportent plusieurs mots ; on les appelle locutions conjonctives.
Ils se taisent dès que la nuit tombe.
Les principales sont : **afin que, pour que, au cas où, avant que, sans que, tandis que…**

conjonctivite n. f. Inflammation de l'œil.

conjoncture n. f. Situation économique ou sociale. *La conjoncture s'améliore.*

conjugaison n. f. → **conjuguer**.

LA CONJUGAISON

Ensemble des formes que prend un verbe selon :

● **son infinitif :** marcher, grandir, voir, entendre, avoir, être ;

● **son groupe :**
❖ 1er groupe → verbes terminés à l'infinitif par -**er** (parl**er**, écout**er**),
❖ 2e groupe → verbes terminés à l'infinitif par -**ir** et au participe présent par -**issant** (obé**ir**, obé**issant**),
❖ 3e groupe → verbes terminés à l'infinitif par -**ir** (part**ir**), -**oir** (v**oir**), -**re** (vend**re**).
Le verbe **aller** appartient au 3e groupe.
Avoir et **être** sont deux verbes auxiliaires qui servent à former les temps composés ;

● **son mode :** indicatif, conditionnel, subjonctif, impératif, infinitif, participe ;

● **son temps :** présent, passé, futur ;

● **sa personne :**   1re → je, nous,
2e → tu, vous,
3e → il, ils, elle, elles.

conjuguer v. → conjug. **aimer. 1** Mettre ensemble, unir. *Ils ont conjugué leurs forces pour remporter la victoire.* **2** Réciter ou écrire toutes les formes d'un verbe à ses différents modes, temps et personnes. *Conjuguer le verbe «aimer» au futur.*
*La **conjugaison** du verbe «être» est irrégulière,* la manière dont il se conjugue (**2**).

conjurer v. → conjug. **aimer. 1** Supplier, implorer. *Soyez prudent, je vous en conjure !* **2** Écarter, éloigner, chasser. *Conjurer un mauvais esprit, conjurer un danger, conjurer le mauvais sort.*

connaissance n. f. **1** Ce que l'on connaît, ce que l'on sait. *Avoir une bonne connaissance de la musique.* **2** Au pluriel. Ensemble de choses que l'on a apprises. *Savoir utiliser ses connaissances.* **3** Personne que l'on connaît, que l'on a déjà fréquentée. *Ce n'est pas un ami, c'est une simple connaissance.* **4** Faire connaissance : entrer en relation. *Ils ont fait connaissance pendant les vacances.* **5** Perdre connaissance : s'évanouir, perdre conscience. *Appelez un médecin, il a perdu connaissance.*

connaître v. **1** Savoir après avoir étudié ou pratiqué quelque chose. *Il connaît bien son métier.* **2** S'y connaître : être compétent. *Elle s'y connaît en informatique.* **3** Être informé, avoir entendu parler. *Connaître les dernières nouvelles.* **4** Être en relation avec une personne, la fréquenter. *Ils se connaissent depuis leur enfance.* **5** Avoir déjà vu, visité un lieu. *Je ne connais pas l'Espagne.* **6** Éprouver. *Connaître un grand bonheur.* **7** Obtenir, avoir. *Ce roman a connu un immense succès.*
Contraire : ignorer (**1**).
*Faire confiance à un **connaisseur**,* à quelqu'un qui s'y connaît (**2**) dans un domaine.

La conjugaison du verbe
CONNAÎTRE 3e groupe

indicatif présent	**je connais, il ou elle connaît, nous connaissons, ils ou elles connaissent**
imparfait	**je connaissais**
futur	**je connaîtrai**
passé simple	**je connus**
subjonctif présent	**que je connaisse**
conditionnel présent	**je connaîtrais**
impératif	**connais, connaissons, connaissez**
participe présent	**connaissant**
participe passé	**connu**

a
b
c
d
e
f
g
h
i
j
k
l
m
n
o
p
q
r
s
t
u
v
w
x
y
z

connecter v. → conjug. **aimer.** Relier, raccorder. *Connecter un ordinateur à une imprimante.*

Établir une **connexion** entre deux appareils électriques, c'est les connecter.

connivence n. f. Entente secrète. *Agir de connivence avec un malfaiteur.*

connu, ue adj. *1* Célèbre, illustre. *Un chanteur, un acteur, un écrivain connus. Un livre connu.* *2* Très répandu, très commun. *Des techniques agricoles connues dans le monde entier.*

conquérir v. → conjug. **acquérir.** S'emparer, prendre par la force. *Conquérir le pouvoir. Conquérir un pays.*

Alexandre fut un grand **conquérant**, il conquit des territoires par les armes.

conquête n. f. *1* Action de conquérir un lieu ou une chose. *La conquête de l'Ouest.* *2* Territoire que l'on a conquis. *Les conquêtes de l'Empire romain.*

consacrer v. → conjug. **aimer.** *1* Dédier un lieu à une divinité. *Consacrer une chapelle à la Vierge.* *2* Accorder toute son énergie à une activité. *Se consacrer au sport. Cunégonde se consacre à la cuisine.*

consciemment adv. → **conscient.**

conscience n. f. *1* Sentiment qu'une personne éprouve par rapport à ce qui est bien et à ce qui est mal. *Avoir la conscience tranquille.* *2* Sensation, connaissance, intuition. *Avoir conscience d'un danger. Il a conscience qu'on se moque de lui.* *3* Application, attention. *Faire preuve de beaucoup de conscience dans son travail.* *4* Perdre conscience : s'évanouir, perdre connaissance.

Une élève **consciencieuse** fait preuve de conscience (*3*) dans son travail. *Apprendre ses leçons* **consciencieusement**, de façon consciencieuse, avec soin.

conscient, ente adj. *1* Qui n'a pas perdu connaissance. *La victime de l'accident est restée consciente.* *2* Qui sait percevoir clairement les choses. *Être conscient d'un danger, de ses responsabilités.*
Synonyme : lucide (*1*). Contraire : inconscient.

Prendre des risques **consciemment**, de façon consciente (*2*).

consécration n. f. Fait de confirmer publiquement quelque chose. *Le succès de cette pièce est la consécration de son talent de comédien.*

consécutif adj. Qui vient immédiatement à la suite. *Il a neigé durant trois jours consécutifs.*

conseil n. m. *1* Avis que l'on donne à une personne à propos de ce qu'elle doit faire. *Écouter, suivre les conseils d'un ami.* *2* Assemblée de personnes qui donnent leur avis. *Réunir le conseil municipal.*
Synonyme : recommandation (*1*).

Conseiller la prudence à quelqu'un, lui donner le conseil (*1*) d'être prudent, le lui recommander.

1. conseiller v. → **conseil.**

2. conseiller, ère n. *1* Personne qui conseille les autres. *Un conseiller d'orientation.* *2* Personne qui participe à un conseil. *Le maire a réuni les conseillers municipaux.*

consensus n. m. Accord qui s'établit entre plusieurs personnes. *Parvenir à un consensus après de longues négociations.*
On prononce [kɔ̃sɛ̃sys].

consentir v. → conjug. **sortir.** Être d'accord, accepter, autoriser. *Il a consenti à m'aider. Elle consent à nous laisser sortir seuls.*

Il a donné son **consentement** à ce projet, il a consenti à ce projet.

conséquence n. f. Effet, résultat, qui découlent d'un acte, ou d'un événement. *Cet accident est la conséquence d'une imprudence.*

conséquent, ente adj. Qui agit en accord avec lui-même. *C'est un homme conséquent dans ses paroles, dans ses actes.*
Contraire : inconséquent.

1. conservateur, trice adj. et n.
• adj. Qui défend les idées et les institutions ayant fait leurs preuves et n'admet que les changements prudents. *Un parti politique conservateur.*
• n. *1* Personne qui a des idées conservatrices. *Les conservateurs et les progressistes.* *2* Personne chargée de gérer et d'entretenir un musée ou une bibliothèque.

2. conservateur n. m., **conservation** n. f. → **conserver.**

conservatoire n. m. Établissement destiné à l'enseignement de la musique, de la danse ou du théâtre.

conserver v. → conjug. **aimer.** *1* Garder intact, en bon état, préserver. *Mettre des aliments dans un réfrigérateur pour les conserver.* *2* Garder, ne pas jeter. *Conserver des photos.* *3* Garder, ne pas perdre. *Conserver son sang-froid face au danger.*

Il existe plusieurs moyens de **conservation** des aliments, de les conserver (*1*). Un **conservateur** est un produit que l'on met dans un aliment pour le conserver (*1*) plus longtemps. *Des* **conserves**, *des produits en* **conserve**, ce sont des aliments que l'on conserve (*1*) dans des boîtes métalliques ou dans des bocaux.

considérable adj. Remarquable, énorme, très important. *Faire des dépenses considérables.*
Tous les prix ont augmenté **considérablement,** de façon considérable.

considération n. f. *1* Estime, respect. *Jouir de la considération de tous ses collaborateurs. 2* Remarque, observation, réflexion. *Se perdre dans des considérations inutiles. 3 Prendre en considération :* tenir compte, prêter attention. *Il prend en considération toutes les réclamations de ses employés.*

considérer v. → conjug. **digérer.** *1* Examiner, observer, regarder attentivement. *Considérer un animal inconnu avec inquiétude. 2* Estimer, penser, juger. *On la considère comme une femme très généreuse. 3* Réfléchir, envisager. *Considérer les avantages et les inconvénients d'un choix.*

consigne n. f. *1* Ordre, instruction, prescription, recommandation. *Respecter les consignes de sécurité. 2* Lieu où on peut faire garder provisoirement ses bagages. *Déposer une valise à la consigne. 3* Somme qui représente la valeur d'un emballage vide.

consigner v. → conjug. **aimer.** *1* Faire payer un emballage qui sera remboursé quand on le rapportera vide. *Consigner une bouteille de vin. 2* Noter par écrit. *Les faits sont consignés dans un rapport de police.*

consistance n. f. État plus ou moins ferme d'une matière. *La consistance molle de la glaise.*
Une bouillie **consistante,** une bouille qui a une consistance épaisse.

consister v. → conjug. **aimer.** *1* Comporter, comprendre, se composer de. *Ce concours consiste en trois épreuves différentes. 2* Avoir pour but, pour objet principal. *Le rôle d'un arbitre consiste à faire respecter les règles du jeu.*

consœur n. f. → **confrère.**

console n. f. Appareil de jeux vidéo qui se connecte à un téléviseur ou qui comporte son propre écran.

consoler v. → conjug. **aimer.** Apaiser le chagrin par des marques d'affection. *Consoler un enfant qui pleure.*
Avoir besoin de **consolation,** d'être consolé. *Des paroles* **consolatrices,** que l'on dit pour consoler.

consolider v. → conjug. **aimer.** Rendre plus solide, renforcer, raffermir. *Consolider un mur.*
On a effectué les travaux de **consolidation** *du pont* pour le consolider.

consommateur, trice n. *1* Personne qui achète et utilise les produits vendus dans le commerce. *Une association de défense des consommateurs. 2* Personne qui consomme une boisson dans un café.

consommation n. f. *1* Action de consommer. *Faire une grande consommation de pain. 2* Boisson que l'on consomme dans un café.

consommer v. → conjug. **aimer.** *1* Utiliser comme aliment, comme boisson. *Les enfants consomment beaucoup de sodas. 2* Utiliser tel ou tel produit pour fonctionner. *Sa nouvelle voiture consomme moins d'essence que l'ancienne.*

consonne n. f. Lettre qui représente certains sons différents des sons des voyelles. *Le mot «lait» comporte deux consonnes, «l» et «t», et deux voyelles, «a» et «i».*

conspirer v. → conjug. **aimer.** S'entendre secrètement pour renverser les dirigeants d'un État.
Des **conspirateurs** *ont été arrêtés,* des gens qui conspiraient. *Faire échouer une* **conspiration,** un projet secret tramé par des conspirateurs.

conspuer v. → conjug. **aimer.** Lancer des injures. *Les spectateurs ont conspué l'arbitre.*
Synonyme : huer. Contraires : acclamer, applaudir.

constamment adv. → **constant.**

constance n. f. Persévérance. *Il ne réussit pas dans son métier car il manque de constance.*

constant, ante adj. *1* Continuel, incessant. *Ces élèves sont turbulents, ils ont besoin d'une surveillance constante. 2* Qui ne varie pas. *Un température constante.*
L'hiver, il est **constamment** *enrhumé,* de façon constante (*1*).

Constantin Ier **le Grand**

Empereur romain né vers 280 et mort vers 337 apr. J.-C. À la mort de son père, en 306, Constantin devient empereur d'une partie de l'Empire romain (qui compte 7 dirigeants !). En 312, il se rend le seul maître de l'Empire d'Occident. Favorable à l'Église chrétienne, il signe en 313 l'édit de Milan, qui met fin aux persécutions dont sont victimes les chrétiens, et les accepte dans l'Empire. En 323, Constantin soumet Licinius, qui règne sur la partie orientale : il rétablit ainsi l'unité de l'ensemble de l'Empire romain. Auteur de nombreuses réformes, il réorganise l'administration et l'armée.
En 324, Constantin choisit l'emplacement de Byzance pour faire construire Constantinople (actuelle Istanbul), dont il fait la nouvelle capitale de l'Empire. À sa mort, celui-ci est partagé entre ses trois fils.

Constantinople

constater v. ➜ conjug. **aimer.** Observer, remarquer, se rendre compte. *Constater des erreurs, des changements.*

Quelles sont vos **constatations**, *qu'avez-vous constaté ? Faire un* **constat** *après un accident*, c'est faire un compte rendu écrit de ce que l'on a constaté.

constellation n. f. Groupe d'étoiles formant un dessin auquel on a donné un nom.

La Grande Ourse.

On peut observer 88 constellations différentes dans le ciel (Cassiopée, Cygne, Grande Ourse, Petite Ourse…). Mais, à cause de la rotation de la Terre, on ne voit pas en un même lieu les mêmes constellations toute l'année. Les étoiles qui forment une constellation peuvent être à des distances différentes de la Terre, et très éloignées les unes des autres.

Regarde aussi **ciel.**

constellé, ée adj. Parsemé. *Un visage constellé de taches de rousseur.*

consterner v. ➜ conjug. **aimer.** Causer une profonde tristesse, désoler. *Nous sommes consternés par cette mauvaise nouvelle.*

La guerre a semé la **consternation** *dans la population*, la population est consternée. *Un accident, un échec* **consternants**, qui consternent.

constipation n. f. Trouble de la digestion qui empêche l'évacuation des excréments. *Les laxatifs sont des médicaments contre la constipation.*

Être **constipé**, c'est souffrir de constipation.

constituant, ante adj. et n. m.
• adj. **1** Qui entre dans la constitution, dans la composition d'une chose, d'un tout. *L'hydrogène est un élément constituant de l'eau.* **2** *Assemblée constituante :* chargée d'établir la Constitution d'un pays.
• n. m. Élément constituant d'une chose. *L'azote est l'un des constituants de l'air.*

constituer v. ➜ conjug. **aimer.** **1** Former un tout à partir de plusieurs éléments. *Tous ces timbres constituent une collection exceptionnelle.* **2** Organiser, mettre en place. *Constituer un gouvernement.*

constitution n. f. **1** Manière dont une chose est constituée. *Étudier la constitution de l'eau.* **2** État d'un organisme humain. *Elle est de constitution délicate.* **3** Action de constituer, de former. *Être chargé de la constitution d'une équipe.* **4** Avec une majuscule. Ensemble des lois qui fixent le mode de gouvernement d'un pays. *La Constitution française.*
Synonyme : composition (**1**).

Une loi **constitutionnelle** *est une loi qui est conforme à la Constitution (**4**).*

La Constitution actuelle de la France entre en vigueur le 4 octobre 1958, après avoir été approuvée par un référendum auprès de la population. Elle marque le début de la Vᵉ République.
Elle est composée de 92 articles. Parmi ceux-ci, citons l'article 2 : «La France est une République indivisible, laïque, démocratique et sociale. Elle assure l'égalité devant la loi de tous les citoyens sans distinction d'origine, de race ou de religion. Elle respecte toutes les croyances.»
C'est le Conseil constitutionnel qui veille à la stricte application de la Constitution. Il est composé de neuf membres nommés pour neuf ans par le président de la République, le président de l'Assemblée nationale et le président du Sénat. Les anciens présidents de la République sont membres à vie de ce conseil.

constructeur, trice n. ➜ **construire.**

constructif, ive adj. Qui est capable d'imaginer des solutions efficaces.

construction n. f. **1** Action de construire. *La construction d'un immeuble.* **2** Bâtiment que l'on a construit. *Des constructions modernes.* **3** Ordre des mots dans une phrase.

construire v. ➜ conjug. **cuire.** **1** Bâtir, édifier, fabriquer. *Construire une maison. Construire un avion.* **2** Placer les mots d'une phrase dans un ordre qui respecte les règles de grammaire. *Apprendre à bien construire une phrase.*

Un **constructeur** *est une personne qui construit (**1**) des édifices, des avions.*

consul n. m. Représentant officiel d'un pays, chargé de s'occuper de ses compatriotes à l'étranger. *Le consulat*, c'est le lieu où se trouvent les bureaux d'un consul.

> ### Consulat
>
> **O**n appelle Consulat le régime politique de la France entre 1799 et 1804, c'est-à-dire entre le Directoire et l'Empire. Le 9 novembre 1799 (le 18 brumaire de l'an VIII selon le calendrier républicain), le général Bonaparte s'empare du pouvoir par un coup d'État (le «coup d'État du 18 brumaire»). D'abord Premier consul, il se fait nommer consul à vie en août 1802, et impose son autorité à tous.
> Le Consulat s'achève le 2 décembre 1804, lorsque Bonaparte se fait proclamer empereur sous le titre de Napoléon Ier.
>
> ***Regarde aussi* Napoléon Ier Bonaparte.**

consultatif, ive adj. Qui est composé de membres qui peuvent donner leur avis mais qui ne peuvent pas participer aux décisions.

consultation n. f. Visite au cours de laquelle un médecin examine un malade. *À la fin de la consultation, le médecin rédige une ordonnance.*

consulter v. ➔ conjug. **aimer.** *1* Demander un avis, un conseil. *Il a consulté ses amis avant de prendre une décision. 2* Examiner quelque chose pour obtenir un renseignement. *Consulter l'annuaire du téléphone pour trouver le numéro d'un ami.*

se consumer v. ➔ conjug. **aimer.** Brûler complètement. *Le bois sec se consume rapidement.*

contact n. m. *1* Action de toucher. *Elle a frissonné au contact de la glace. 2* Relation qui s'établit entre des personnes. *Rester en contact avec un ami d'enfance. 3* Mettre le contact :* établir le passage du courant électrique pour mettre le moteur en marche. *4* Lentilles de contact :* lentilles qui s'appliquent directement sur l'œil pour corriger la vue.

> *Contacter* une personne, c'est prendre contact (*2*) avec elle.

contagieux, euse adj. *1* Qui se communique facilement. *La rougeole, les oreillons sont des maladies contagieuses. 2* Qui peut transmettre une maladie. *Il n'ira pas en classe tant qu'il sera contagieux.*

> Ils doivent prendre des précautions pour éviter la *contagion*, d'être contaminés par une maladie contagieuse (*1*).

container n. m. ➔ **conteneur.**

contaminer v. ➔ conjug. **aimer.** Infecter, polluer. *Le malade a contaminé toute sa famille.*

> La *contamination* de l'air par les déchets radioactifs, l'air est contaminé, pollué par ces déchets.

conte n. m. Récit d'aventures imaginaires. *Les contes de Perrault.*
Homonymes : compte, comte.

contempler v. ➔ conjug. **aimer.** Regarder attentivement, avec admiration. *Contempler un tableau, un paysage.*

> Il est resté en *contemplation* devant ce spectacle, il l'a contemplé.

contemporain, aine adj. *1* Qui est de la même époque qu'une autre personne. *Molière et Louis XIV étaient contemporains. 2* Qui appartient à notre temps, à l'époque actuelle. *Il y a de nombreux films de science-fiction dans le cinéma contemporain.*

contenance n. f. *1* Quantité qu'un récipient peut contenir. *Une bouteille d'un litre de contenance. 2* Manière de se tenir, de se comporter. *Il garde une contenance assurée malgré son inquiétude. Perdre contenance.*

contenant n. m. ➔ **contenir.**

conteneur n. m. Grande caisse métallique qui sert à transporter des marchandises.
On écrit aussi : container (comme en anglais).

contenir v. ➔ conjug. **venir.** *1* Renfermer, avoir en soi, à l'intérieur. *L'eau de mer contient du sel. Cette cassette contient des bijoux. 2* Avoir telle ou telle capacité. *Cette canette contient 25 centilitres. 3* Tenir dans certaines limites, retenir. *Contenir la foule. 4* Se contenir :* se dominer, maîtriser ses sentiments. *Il a été pris de fou rire et n'a pu se contenir.*
Synonyme : se retenir (*4*).

> Un *contenant* est un objet, un récipient, un emballage, etc., qui peut contenir (*1*) quelque chose.

content, ente adj. Qui est satisfait, joyeux, heureux. *Je suis content de vous voir.*
Contraire : mécontent.

> Il n'a pu cacher son *contentement*, le fait qu'il était content.

contenter v. ➔ conjug. **aimer.** *1* Satisfaire quelqu'un, le rendre heureux, lui faire plaisir. *Contenter ses parents. 2* Se contenter de quelque chose :* ne pas en demander plus. *Il se contente de ce qu'il a.*

contenu n. m. *1* Ce qui se trouve à l'intérieur. *Boire le contenu d'un verre. 2* Ce qui est exprimé, écrit dans un texte. *Le contenu d'un message.*

conter v. ➔ conjug. **aimer.** Littéraire. Raconter.
Homonymes : comté, compter.

contester v. → conjug. **aimer.** *1* Refuser d'admettre l'exactitude, la vérité, la valeur de quelque chose. *Contester une théorie scientifique. Contester un témoignage.* *2* Refuser, remettre en question ce qui existe, protester. *Les jeunes contestent la société.*

C'est une opinion *contestable*, qui peut être contestée (*1*). *Une décision qui provoque des contestations*, qui est contestée (*2*). *Un contestataire* est une personne qui conteste (*2*) ce qui existe.

conteur, euse n. Personne qui a l'art de raconter les histoires. *Un merveilleux conteur.*

contexte n. m. Ensemble du texte qui entoure un mot, une phrase. *Le verbe « jouer » n'a pas la même signification selon le contexte.*

contigu, uë adj. Qui est tout à côté, très près. *Deux maisons contiguës.*

continent n. m. Vaste étendue de terres entourée par des océans.

La Russie a un climat continental, celui de l'intérieur des continents.

Regarde p. 258 et 259.

contingences n. f. plur. Petits faits imprévisibles. *Il a élaboré un projet sans tenir compte des contingences.*

contingent n. m. Quantité de marchandises que l'on a le droit de recevoir ou de fournir.

continu, ue adj. *1* Qui dure sans interruption. *Un bruit continu. Malgré ses efforts continus, les desserts de Cunégonde sont tous ratés.* *2* Qui n'est pas séparé ou coupé. *Une ligne continue.*
Synonyme : ininterrompu (*1*). Contraire : discontinu (*2*).

Réussir grâce à la continuité de ses efforts, grâce à des efforts continus (*1*).

continuation n. f. → continuer.

continuel, elle adj. Qui ne s'arrête pas ou se répète souvent. *Des pluies continuelles. Des disputes continuelles.*
Synonymes : constant, incessant. Contraires : rare, momentané.

Être continuellement fatigué, de façon continuelle.

continuer v. → conjug. **aimer.** *1* Poursuivre ce que l'on a commencé, prolonger. *Continuer ses études.* *2* Durer, persister, se poursuivre. *La fête a continué jusqu'à minuit. La route continue jusqu'à la mer.*

Les grévistes ont approuvé la continuation de la grève, que la grève continue (*2*).

continuité n. f. → continu, ue.

contorsion n. f. Mouvement volontaire pour tordre son corps dans une attitude anormale.

Les clowns se contorsionnent pour amuser les enfants, ils font des contorsions.

contour n. m. Ligne qui délimite, qui entoure la forme d'une chose. *Le contour d'un tapis. Le contour d'un visage.*

contourner v. → conjug. **aimer.** Passer autour de quelque chose pour l'éviter. *Le cheval a contourné l'obstacle. Contourner une difficulté.*

contraception n. f. Ensemble des moyens utilisés pour empêcher la grossesse.

La pilule est un contraceptif, un moyen de contraception.

contracter v. → conjug. **aimer.** *1* Raidir, durcir, tendre. *Contracter ses muscles avant de sauter.* *2* S'engager en signant un contrat. *Contracter une assurance scolaire.* *3* Attraper une maladie. *Contracter la varicelle.*

Souffrir de contractions dans les jambes, souffrir quand les muscles des jambes se contractent (*1*) involontairement.

contractuel, elle n. Auxiliaire de police chargé de verbaliser les automobilistes garés en stationnement interdit.

contradiction n. f. *1* Action de contredire quelqu'un. *Il ne supporte pas la contradiction.* *2* Fait d'exposer, en même temps, des idées, des faits qui s'opposent. *Il y a des contradictions dans les déclarations du témoin.*

Faire taire les contradicteurs, ceux qui apportent la contradiction (*1*). *Donner des explications contradictoires*, qui constituent une contradiction (*2*).

contraignant, ante adj. → contrainte.

contraindre v. → conjug. **plaindre.** Obliger, forcer une personne à agir contre sa volonté. *Contraindre quelqu'un à se taire. L'orage nous a contraints à rentrer.*

contrainte n. f. *1* Utilisation de la force pour contraindre une personne à agir de telle ou telle façon. *Céder à la contrainte.* *2* Obligation que l'on ne peut pas éviter. *La vie en société impose des contraintes.*

Il a un métier très contraignant, qui impose beaucoup de contraintes (*2*).

contraire adj. et n. m.
• adj. Qui est totalement opposé. *Se déplacer en sens contraire. Avoir des avis contraires.*

Agir contrairement aux habitudes, de façon contraire, à l'opposé.

• n. m. *1* L'inverse. *Il fait le contraire de ce qu'on lui demande. Elle n'est pas bête, au contraire !* *2* Mot de sens opposé. « *Facile* » *est le contraire de* « *difficile* ».
Contraire : synonyme (*2*).

LES CONTRAIRES

Un contraire est un mot qui a un sens opposé à celui d'un autre. On dit aussi **antonyme**.

Les contraires peuvent être :

● des **noms** :
Le **départ** du train → L'**arrivée** du train.
Le **début** du spectacle → La **fin** du spectacle.

● des **adjectifs** :
Une eau **claire** → Une eau **trouble**.
Une image **floue** → Une image **nette**.

● des **verbes** :
Les prix **augmentent** → Les prix **baissent**.
Il **accepte** → Il **refuse**.

● des **adverbes** :
Il mange **peu** → Il mange **beaucoup**.
Elle ne répond **jamais** → Elle répond **toujours**.

● des **expressions** :
Tu es **en avance**. → Tu es **en retard**.
C'est **à l'envers** → C'est **à l'endroit**.

De nombreux contraires se composent à l'aide de préfixes :

agréable → **dés**agréable
possible → **im**possible
honnête → **mal**honnête
lisible → **il**lisible
content → **mé**content
exact → **in**exact

---

contrarier v. → conjug. **aimer.** *1* Gêner, contrecarrer, faire obstacle. *Cette panne de voiture a contrarié nos projets. 2* Mécontenter, fâcher, ennuyer. *Ce retard nous a contrariés.*
Contraires : favoriser (*1*), réjouir (*2*).
Un incident *contrariant*, qui contrarie (*2*), qui ennuie. *Avoir des contrariétés*, c'est être contrarié (*2*), par des empêchements, des incidents.

contraste n. m. *1* Différence frappante, opposition. *Quel contraste entre l'agitation de la ville et le calme de la campagne ! 2* Variation des ombres et des lumières, des parties claires et des parties sombres. *Régler le contraste sur un téléviseur.*
Des couleurs, des caractères qui contrastent, qui sont en contraste (*1*), qui s'opposent.

contrat n. m. Accord passé entre deux ou plusieurs personnes et qui fixe les droits et les obligations de chacun. *Signer un contrat. Un contrat de vente.*

contravention n. f. Amende que l'on doit payer quand on commet une infraction.

1. contre prép., adv., n. m. et préfixe
● prép. Indique : *1* Le contact. *Se serrer les uns contre les autres. 2* L'échange. *Changer des euros contre des dollars. 3* L'opposition. *Avancer contre le vent. Porter*

plainte contre quelqu'un. Être contre la violence, la drogue.
● adv. *Par contre :* en contrepartie, à l'inverse. *Cette maison est en mauvais état, par contre elle n'est pas chère.*
● n. m. *Le pour et le contre :* les avantages et les inconvénients. *Peser le pour et le contre.*
● préfixe. Exprime l'opposition. *Une contre-attaque. Une contre-indication.*

contre–attaque n. f. Plur. : des contre-attaques. Attaque faite en réponse à une attaque ennemie, riposte. *Lancer une contre-attaque.*
L'ennemi a contre-attaqué, il a fait une contre-attaque.

contrebalancer v. → conjug. **tracer.** Compenser, équilibrer. *Son énergie contrebalance largement son manque d'expérience.*

contrebande n. f. Fait de passer clandestinement des marchandises d'un pays à un autre. *Passer de l'alcool en contrebande.*
Un *contrebandier* est une personne qui fait de la contrebande.

en contrebas adv. À un niveau inférieur, plus bas. *Des vignes s'étendent en contrebas de la colline.*

contrebasse n. f. Grand instrument à cordes et à archet qui produit des sons très graves.
Un *contrebassiste* est un musicien qui joue de la contrebasse.

Les premières contrebasses apparaissent à la fin du XVIe siècle, mais c'est surtout au début du XVIIIe qu'on les voit dans les ensembles à cordes. Elles ont le plus souvent quatre cordes, mais peuvent en avoir trois ou cinq.

contrecarrer v. → conjug. **aimer.** Faire obstacle, s'opposer. *Contrecarrer les plans de son adversaire.*

à contrecœur adv. De mauvaise grâce, contre son gré, à regret. *Il nous a suivis à contrecœur.*
Contraires : de bon cœur, volontiers.

contrecoup n. m. Conséquence indirecte, répercussion, effet secondaire. *Le chômage est le contrecoup de la crise économique.*

les continents

Les continents occupent moins du tiers de la surface du globe ; la plus grande partie d'entre eux se trouve dans l'hémisphère Nord.

Six continents

Cinq continents sont habités :
- ■ l'**Asie** (44 millions de km²)
- ■ l'**Amérique** (42 millions de km²)
- ■ l'**Afrique** (30 millions de km²)
- ■ l'**Europe** (10 millions de km²)
- ■ l'**Océanie** (9 millions de km²)

Un continent est inhabité :
- ■ l'**Antarctique** (14 millions de km²)

les lacs

- ■ Les plus grands : le lac Supérieur (81 350 km²) en Amérique du Nord, suivi du lac Victoria (68 100 km²) en Afrique.
- ■ Le plus profond : le lac Baïkal, en Russie (1 620 m de profondeur).
- ■ Le plus haut : le lac Titicaca en Bolivie (situé à 3 811 m d'altitude).

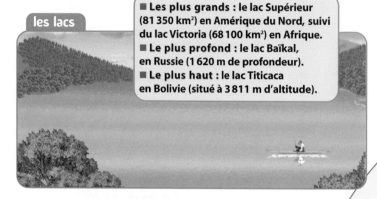

les chutes d'eau

- ■ Les plus hautes : Salto Angel au Venezuela (979 m), Tugela en Afrique du Sud (914 m), Utigard en Norvège (800 m).
- ■ Les plus célèbres : les chutes du Niagara, à la frontière du Canada et des États-Unis, ne sont hautes que de 46 m.

AMÉRIQUE DU NORD

OCÉAN ATLANTIQUE

OCÉAN PACIFIQUE

AMÉRIQUE DU SUD

Les plus longs :
- ■ L'**Amazone** (7 000 km) en Amérique du Sud.
- ■ Le **Nil** (6 671 km) en Afrique.
- ■ Le **Yangzi Jiang** (fleuve Bleu) (5 980 km) en Chine.
- ■ L'**Ob** (5 410 km) en Russie.
- ■ Le **Houang-ho** (fleuve Jaune) (4 845 km) en Chine.
- ■ Le **Congo** (ou Zaïre) (4 700 km) en Afrique.
- ■ Le **Missouri** (4 370 km) en Amérique du Nord
- ■ Le **Mississippi** (3 779 km) en Amérique du Nord.

les fleuves

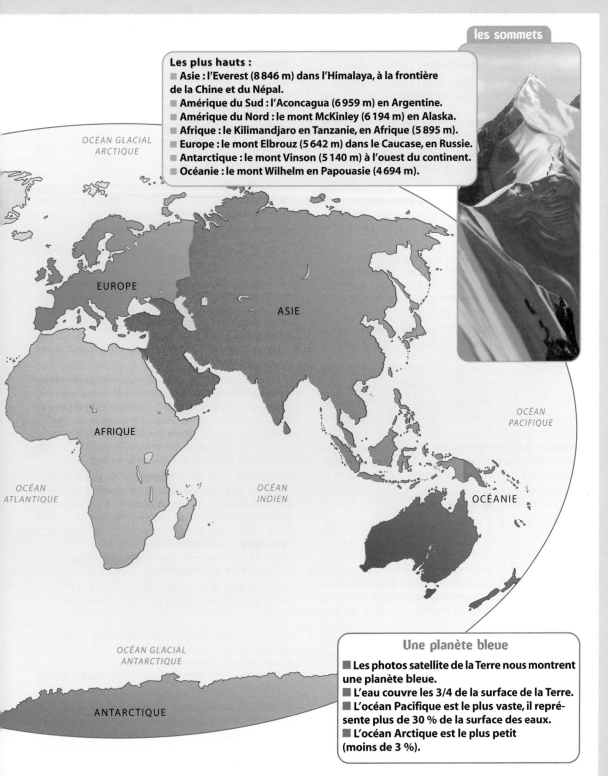

Les plus hauts :
- **Asie : l'Everest (8 846 m) dans l'Himalaya, à la frontière de la Chine et du Népal.**
- **Amérique du Sud : l'Aconcagua (6 959 m) en Argentine.**
- **Amérique du Nord : le mont McKinley (6 194 m) en Alaska.**
- **Afrique : le Kilimandjaro en Tanzanie, en Afrique (5 895 m).**
- **Europe : le mont Elbrouz (5 642 m) dans le Caucase, en Russie.**
- **Antarctique : le mont Vinson (5 140 m) à l'ouest du continent.**
- **Océanie : le mont Wilhelm en Papouasie (4 694 m).**

OCÉAN GLACIAL ARCTIQUE

EUROPE

ASIE

AFRIQUE

OCÉAN ATLANTIQUE

OCÉAN INDIEN

OCÉAN PACIFIQUE

OCÉANIE

OCÉAN GLACIAL ANTARCTIQUE

ANTARCTIQUE

Une planète bleue

- Les photos satellite de la Terre nous montrent une planète bleue.
- L'eau couvre les 3/4 de la surface de la Terre.
- L'océan Pacifique est le plus vaste, il représente plus de 30 % de la surface des eaux.
- L'océan Arctique est le plus petit (moins de 3 %).

à contre-courant adv. En remontant le courant. *Nager, naviguer à contre-courant.*

contredire v. → conjug. **dire.** Dire le contraire. *Il n'arrête pas de contredire ses parents. Le témoin s'est contredit.*
Se conjugue comme «dire», sauf à la deuxième personne du pluriel : vous contredisez.

contrée n. f. Littéraire. Région, zone, étendue. *Rêver de découvrir des contrées inconnues.*

contrefaire v. → conjug. **faire.** Imiter quelque chose dans une intention malhonnête, faire un faux. *Contrefaire une signature.*
   La **contrefaçon** de la monnaie est punie par la loi, le fait de la contrefaire.

contrefort n. m. **1** Pilier ou mur de soutien d'un autre mur, d'une construction. *Les contreforts d'une voûte, d'une terrasse.* **2** Au pluriel. Premiers sommets montagneux, les moins élevés, d'une chaîne de montagnes.

contre-indication n. f. **Plur. : des contre-indications.** Cas dans lequel il est dangereux d'utiliser un médicament.
   Ce médicament est **contre-indiqué** *pour les cardiaques,* il a cette contre-indication.

à contre-jour adv. En étant éclairé par-derrière. *On ne distingue pas nettement son visage parce qu'il est à contre-jour.*

contre-la-montre n. m. inv. Course cycliste chronométrée au cours de laquelle les coureurs parcourent, l'un après l'autre, un même trajet.

contremaître n. m. Personne qui dirige et surveille le travail d'une équipe d'ouvriers.

contrepartie n. f. **1** Compensation, dédommagement. *Être licencié sans aucune contrepartie.* **2** En contrepartie : en échange. *Elle m'a aidé, en contrepartie je l'ai invitée à dîner.*

contre-performance n. f. **Plur. : des contre-performances.** Mauvaise performance, résultat médiocre. *La contre-performance d'un champion aux derniers Jeux olympiques.*

contre-pied n. m. inv. *Prendre le contre-pied :* dire le contraire. *Il prend systématiquement le contre-pied des opinions des autres.*

contreplaqué n. m. Matériau formé de minces plaques de bois collées les unes aux autres. *Un meuble en contreplaqué.*

contrepoids n. m. Poids qui contrebalance un autre poids. *Il s'est assis à l'autre bout de la balançoire pour faire contrepoids.*

contrepoison n. m. Produit destiné à annuler les effets d'un poison.
Synonyme : antidote.

contrer v. → conjug. **aimer.** S'opposer à une attaque et contre-attaquer.

contresens n. m. **1** Erreur sur la signification d'un mot ou d'une phrase. *Faire des contresens en traduisant un texte anglais.* **2** À contresens : en sens contraire. *Rouler à contresens.*

contretemps n. m. Incident qui retarde ou complique un projet. *Nous partirons la semaine prochaine sauf si un contretemps intervient.*

contribuable n. → **contribution.**

contribuer v. → conjug. **aimer.** Participer, collaborer, coopérer. *Contribuer à la réalisation d'un projet.*

contribution n. f. **1** Action de contribuer à une action. *Apporter sa contribution à l'organisation d'une fête, d'une manifestation, d'un projet.* **2** Au pluriel. Impôts. *Payer ses contributions.*
Synonymes : aide, participation (1).
   Un **contribuable** est une personne qui doit payer des contributions (2).

contrôle n. m. **1** Action de contrôler, vérification, surveillance. *Faire le contrôle des billets dans un train. Passer un contrôle médical.* **2** Épreuve faite en classe dans un temps limité. *Avoir un contrôle de maths.* **3** Maîtrise de soi-même ou d'un véhicule. *Ces échecs répétés font perdre son contrôle à Cunégonde. Perdre le contrôle de sa voiture.*

contrôler v. → conjug. **aimer. 1** S'assurer qu'une chose est en règle. *Contrôler un passeport.* **2** Vérifier le fonctionnement d'une machine, d'un appareil. *Contrôler les freins de sa voiture.* **3** Se contrôler : être maître de soi, de ses émotions.
Synonyme : se maîtriser (3).
   Un **contrôleur** est une personne chargée de contrôler (1) quelque chose.

contrordre n. m. Ordre qui annule ce qui a été prévu avant. *La manifestation aura lieu dimanche sauf contrordre.*

controverse n. f. Discussion où chacun donne ses arguments. *L'utilisation de l'énergie nucléaire provoque beaucoup de controverses.*
   Une idée, une théorie **controversées**, qui entraînent des controverses.

contusion n. f. Blessure qui ne provoque pas de saignement visible. *Une légère contusion. Souffrir de grosses contusions.*
   Il a été **contusionné** *dans l'accident,* il a subi des contusions.

convaincre v. → conjug. **vaincre.** Faire partager son point de vue. *Elle veut me convaincre qu'elle a raison.* **Synonyme : persuader.**

Donner des explications convaincantes, qui sont capables de convaincre.

convalescence n. f. Période pendant laquelle on se repose après une maladie. *Avoir besoin de plusieurs semaines de convalescence.*

Il est guéri mais il est encore convalescent, il est en convalescence.

convenable adj. *1* Acceptable, raisonnable, correct. *Acheter une voiture à un prix convenable. 2* Qui est conforme aux règles de la politesse, du savoir-vivre. *Avoir une tenue convenable.* **Contraires : inconvenant, incorrect (2).**

Il parle convenablement *le français*, de façon convenable (*1*).

convenance n. f. *1* Ce qui convient à quelqu'un, ce qui est à son goût. *Il a enfin trouvé un appartement à sa convenance. 2* Au pluriel. Règles de la politesse, du savoir-vivre. *Respecter les convenances.*

convenir v. → conjug. **venir.** *1* Être adapté, approprié. *Ce métier lui convient parfaitement. 2* Se mettre d'accord, s'entendre à propos de quelque chose. *Nous allons convenir d'une date pour notre voyage. 3* Reconnaître, admettre. *Il devrait convenir qu'il s'est trompé. 4* Il convient : il est souhaitable, il est nécessaire. *Il convient de se montrer discret à ce sujet.*

convention n. f. *1* Accord, entente, arrangement, contrat. *Signer une convention. 2* Au pluriel. Règles imposées par l'usage dans tel ou tel milieu. *Détester les conventions.*

conventionnel, elle adj. *1* Qui est décidé par convention, en suivant les règles établies à l'avance. *Le drapeau blanc est le signe conventionnel pour demander l'arrêt d'un combat. 2* Qui manque de naturel ou d'originalité. *Il a vraiment des opinions très conventionnelles.*

converger v. → conjug. **ranger.** *1* Aller, se diriger vers un même point. *Plusieurs rues convergent vers la gare. 2* Tendre au même résultat. *Tous leurs efforts convergent vers le même but.* **Contraire : diverger (*1* et *2*).**

La convergence *de deux droites vers un même point*, deux droites qui convergent (*1*) vers un même point. *Deux routes* convergentes, qui convergent (*1*).

conversation n. f. Échange de paroles. *Une conversation animée.*

Converser avec un ami, c'est avoir une conversation avec lui.

conversion n. f. *1* Fait de convertir une monnaie, une unité de mesure en une autre. *Faire la conversion des mètres en centimètres. 2* Fait de se convertir. *La conversion d'Henri IV au catholicisme.*

convertir v. → conjug. **finir.** *1* Transformer une chose en une autre chose. *Convertir des francs en euros. 2* Se convertir : adopter une autre religion. *À la suite de Clovis, les Francs se sont convertis au christianisme.*

convexe adj. Qui est bombé vers l'extérieur. *Un miroir convexe.* **Contraire : concave.**

Un miroir convexe est un miroir déformant dans lequel les objets apparaissent plus aplatis et plus larges.

Cunégonde se regarde dans un miroir convexe.

conviction n. f. *1* Certitude, assurance. *J'ai la conviction que tout se passera bien. Manquer de conviction. 2* Opinion, idée dont on est fermement convaincu. *Agir selon ses convictions religieuses.*

convier v. → conjug. **modifier.** Inviter. *Convier des amis à une réception. Être convié à un mariage.*

convive n. Personne conviée, invitée à un repas, à un banquet.

convivial, ale, aux adj. Chaleureux, amical. *Passer une soirée avec des amis dans une atmosphère conviviale.*

convocation n. f. → convoquer.

convoi n. m. Groupe de personnes ou suite de véhicules qui se dirigent vers la même destination. *Un convoi de camions de ravitaillement.*

convoiter v. → conjug. **aimer.** Désirer avec avidité. *Convoiter les biens, les richesses des autres.*

Ces gâteaux excitent la convoitise *des enfants*, les enfants les convoitent.

convoquer v. → conjug. **aimer.** *1* Faire venir quelqu'un. *Le juge a convoqué le témoin pour l'interroger.*

2 Appeler des personnes à se réunir. *Convoquer les membres d'un parti politique à une réunion électorale.*
Il a reçu une **convocation** *à un examen, on l'a convoqué.*

convoyer v. → conjug. **essuyer.** Accompagner et protéger des véhicules ou des personnes qui se déplacent en convoi. *Convoyer des navires, des troupes.*

convulsion n. f. Contraction brutale et involontaire des muscles. *Une très forte fièvre peut provoquer des convulsions.*
Des gestes, des tremblements **convulsifs,** *qui rappellent des convulsions.*

Cook James

Explorateur anglais né en 1728 et mort en 1779. Cook prend le commandement d'une expédition chargée d'explorer les terres inconnues du Pacifique en 1768. Il découvre et baptise les îles de la Société, explore les côtes de la Nouvelle-Zélande et atteint l'est de l'Australie. Un second voyage, en 1772, le conduit dans l'océan Antarctique. Il sillonne ensuite l'océan Pacifique entre Tahiti, la Nouvelle-Zélande et l'Australie. Il découvre l'archipel qui porte aujourd'hui son nom, les îles Cook, en 1773. En 1776, Cook explore la côte pacifique nord de l'Amérique, jusqu'en Alaska. Sur le chemin du retour, il est tué à Hawaii au cours d'un affrontement avec les indigènes.

coopération n. f. *1* Action de coopérer, participation, collaboration. *Réaliser un reportage grâce à la coopération de plusieurs journalistes. 2* Relations d'échange, d'aide entre des pays. *Favoriser la coopération économique entre les pays européens.*
Synonymes : **participation** (*1*), **collaboration** (*1* et *2*).
Une personne **coopérative,** *qui offre volontiers sa coopération* (*1*), *son aide.*

coopérative n. f. Groupement de personnes qui s'associent pour produire, vendre ou acheter. *Une coopérative agricole.*

coopérer v. → conjug. **digérer.** Travailler avec d'autres personnes pour atteindre un but commun. *Coopérer à la réalisation d'un projet.*
Synonymes : **collaborer, participer.**

coordination n. f. *1* Action de coordonner. *Assurer la coordination des différents services d'une entreprise. 2* Liaison entre deux mots ou deux phrases ayant la même fonction. *Les conjonctions de coordination sont : mais, ou, et, donc, or, ni, car.*
***Regarde aussi* conjonction.**

coordonnées n. f. plur. *1* Éléments qui servent à situer un point dans un plan. *L'abscisse et l'ordonnée sont les coordonnées d'un point. 2* Adresse et numéro de téléphone d'une personne. *Donner ses coordonnées à un ami.*

coordonner v. → conjug. **aimer.** Organiser, agencer, mettre ensemble pour atteindre un but. *Les pompiers et la population ont coordonné leurs efforts pour éteindre l'incendie.*

copain n. m., **copine** n. f. Familier. Ami, amie. *Des copains de classe. Une copine d'enfance.*

copeau, eaux n. m. Fine lamelle qui se détache quand on taille ou qu'on lime un morceau de bois ou de métal.

Copernic Nicolas

Astronome polonais né en 1473 et mort en 1543. Copernic étudie l'astronomie, le droit, la médecine, et entre dans les ordres vers 1505. Devenu chanoine, il continue à se consacrer à sa passion, l'astronomie. Il remet en cause la théorie de Ptolémée (IIe siècle) en vigueur jusqu'alors, qui prétend que la Terre est immobile au centre de l'Univers et que le Soleil et les planètes tournent autour d'elle. Pour Copernic, la Terre et les autres planètes tournent autour du Soleil, immobile.
Cette découverte est controversée à l'époque, notamment par l'Église. Elle est confirmée au début du XVIIe siècle par l'astronome italien Galilée. Elle fait de Copernic l'un des fondateurs de l'astronomie moderne.

***Regarde aussi* ciel.**

copie n. f. *1* Reproduction d'un texte, double. *Donner la copie d'un document et garder l'original. 2* Imitation plus ou moins exacte d'une œuvre d'art. *La copie d'un tableau. 3* Feuille de papier sur laquelle on fait des devoirs. *Des copies doubles à gros carreaux.*
Contraire : **original** (*1* et *2*).

copier v. → conjug. **modifier.** *1* Reproduire le plus exactement possible. *Copier un texte. Copier mot à mot. 2* Reproduire en fraude le texte d'un livre, le travail d'une autre personne. *Copier sur son voisin de classe.*

copieux, euse adj. Qui est très abondant. *Un déjeuner copieux.*
Servez-vous **copieusement,** *de manière copieuse, abondamment.*

copilote n. m. Second pilote qui aide le commandant de bord d'un avion et le remplace en cas de nécessité.

copine n. f. → copain.

copropriétaire n. Chacune des personnes qui possède un appartement dans un immeuble.
Un immeuble en copropriété, *c'est un immeuble appartenant à plusieurs copropriétaires.*

coq n. m. Mâle de la poule. *Être réveillé par le chant du coq.*
Homonyme : coque.
Un coquelet *est un jeune coq.*

coque n. f. *1* Enveloppe dure de certains fruits. *Des coques de noix, de noisettes. 2* Petit coquillage comestible qui vit dans le sable. *3* Partie extérieure d'un bateau. *Un voilier à coque en plastique. 4 Œuf à la coque :* œuf cuit dans sa coquille très peu de temps pour que le jaune reste liquide.
Homonyme : coq. Synonyme : coquille (*1*).

coquelet n. m. → coq.

coquelicot n. m. Fleur des champs d'un rouge éclatant.

coqueluche n. f. Maladie contagieuse qui provoque de très fortes quintes de toux.

coquet, ette adj. Qui soigne son aspect physique, sa tenue vestimentaire, pour plaire aux autres. *Un jeune homme très coquet.*
La coquetterie, *c'est l'attitude d'une personne coquette.*

coquetier n. m. Petite coupe dans laquelle on place un œuf à la coque pour le manger.

coquetterie n. f. → coquet, ette.

coquille n. f. *1* Enveloppe dure qui protège le corps de certains mollusques. *La coquille d'un escargot. Une coquille d'huître est formée de deux valves. 2* Coque d'un fruit. *Une coquille de noix. 3* Enveloppe calcaire de l'œuf des oiseaux.
Les huîtres, les moules sont des coquillages, *des mollusques ayant une coquille (*1*).*

coquin, ine adj. et n. Malicieux, espiègle, taquin. *Un petit garçon très coquin.*

cor n. m. *1* Endroit où la peau s'épaissit et se durcit sur un orteil. *Avoir des cors aux pieds. 2* Instrument de musique à vent en cuivre. *Un cor de chasse. Un cor d'harmonie. 3 À cor et à cri :* avec insistance. *Réclamer quelque chose à cor et à cri.*
Homonyme : corps.

corail, aux n. m. *1* Petit animal marin dont le squelette est formé de calcaire. *Les coraux vivent en colonies dans les mers chaudes. 2* Substance très dure qui forme le squelette de cet animal. *Un collier de corail rouge.*
Un récif, un atoll coralliens, *formés de coraux.*

Le corail est formé de tout petits animaux, les polypes, qui sécrètent autour d'eux une enveloppe solide de calcaire. Les polypes vivent en colonies de millions d'individus. C'est leur entassement qui forme les récifs et les barrières de corail. Chaque polype possède à son sommet des tentacules qui lui permettent d'attraper de petites proies. Le corail rouge utilisé pour la fabrication de bijoux est une espèce de Méditerranée qui ne forme pas de récifs.

Coran n. m. Livre sacré des musulmans.
Une école coranique *est une école où l'enseignement est fondé sur la connaissance du Coran.*

Livre sacré de la religion musulmane. Le Coran est divisé en 114 chapitres appelés sourates. Chaque sourate est divisée en versets (le Coran en compte 6 226 en tout). Ces écrits enseignent l'existence d'un dieu unique, Allah, et renferment l'ensemble des règles de vie que doivent respecter les musulmans. Le mot Coran signifie « la récitation ». Il correspond à la retranscription des révélations faites par Allah à son prophète Mahomet, de 612 à 632, par l'intermédiaire de l'ange Gabriel. Mahomet n'ayant laissé aucun écrit, ce sont ses disciples qui, après sa mort en 632, rédigent son enseignement.

corbeau, eaux n. m. Gros oiseau au plumage noir qui vit en bandes. *Le corbeau croasse.*

corbeille n. f. Panier léger sans anse. *Une corbeille à pain. Une corbeille de fruits.*

corbillard n. m. Voiture qui sert à transporter les morts jusqu'au cimetière.

corde n. f. *1* Assemblage de fils tressés ensemble. *Attacher un bateau au quai avec une corde. Une corde à sauter. 2* Fil tendu sur un instrument de musique et qui produit un son quand il vibre. *Un violon est un instrument à cordes. 3 Cordes vocales :* membranes du larynx dont les vibrations produisent les sons.
Les cordages *d'un bateau, ce sont de grosses cordes (*1*) utilisées sur le bateau. Une* cordée, *c'est un groupe d'alpinistes qui grimpent attachés les uns aux autres par une corde (*1*). Une* cordelette *est une corde (*1*) fine.*

cordial, ale, aux adj. Qui est sympathique et spontané, amical. *Elles nous ont réservé un accueil très cordial.*
Contraires : froid, hostile.
   On doit accueillir ses visiteurs avec **cordialité**, de manière cordiale. *Il a traité* **cordialement** *ses invités*, avec cordialité.

cordillère n. f. Chaîne de montagnes. *La cordillère des Andes s'étend sur plusieurs pays d'Amérique du Sud.*

cordon n. m. **1** Petite corde, petite tresse. *Attacher les cordons de son tablier de cuisine.* **2** File, alignement, rangée. *Un cordon de policiers barre la route aux manifestants.*

cordonnier n. m. Artisan qui répare les chaussures.
   Une **cordonnerie** *est la boutique où travaille un cordonnier.*

Corée du Nord

République populaire démocratique de l'est de l'Asie, située au nord de la péninsule de Corée. La Corée du Nord est bordée par la Chine et par la Corée du Sud. Le territoire est aux trois quarts montagneux et majoritairement occupé par la forêt. Le pays, soumis au climat des moussons, connaît parfois des inondations catastrophiques. La population se concentre dans les plaines de l'ouest. Elle vit de la pêche et de l'agriculture (riz notamment), mais la famine sévit. Malgré des ressources en charbon et en fer, l'économie du pays est en ruine. La Corée du Nord est issue de la séparation en deux zones de la Corée en 1945. Occupée par l'Union soviétique, elle devient indépendante en 1948. En 1950, elle envahit la Corée du Sud. La « guerre de Corée », qui a des répercussions internationales, s'achève en 1953.
   La Corée du Nord connaît depuis son indépendance une dictature communiste très sévère.

120 538 km²
22 541 000 habitants :
les Nord-Coréens
Langue : coréen
Monnaie : won
Capitale : Pyongyang

Corée du Sud

République de l'est de l'Asie située au sud de la péninsule de Corée.
La Corée du Sud est limitée par la Corée du Nord ; le reste du pays est entouré par la mer. Le territoire, montagneux à l'est, est occupé par des collines et des plaines au sud et à l'ouest. Le climat est assez doux. Le pays est très peuplé ; avec plus de 460 habitants au kilomètre carré, il a l'une des densités les plus élevées du monde. L'agriculture est active, mais c'est l'industrie (automobile, électronique) qui donne au pays une grande puissance économique. La Corée du Sud est issue de la séparation en deux zones de la Corée en 1945. Elle correspond à la zone occupée par l'armée américaine, et devient indépendante en 1948. Coups d'État et dictatures se succèdent jusqu'en 1988 où une Constitution démocratique est mise en place.

99 484 km²
47 430 000 habitants :
les Sud-Coréens
Langue : coréen
Monnaie : won
Capitale : Séoul

coriace adj. **1** Qui est très dur. *Ce steak est vraiment coriace !* **2** Au figuré et familier. Qui ne cède pas facilement, tenace. *Un adversaire coriace.*
Contraire : tendre (1).

coriandre n. f. Plante dont les graines et les feuilles sont utilisées comme condiment.

cormoran n. m. Grand oiseau marin, au plumage sombre, aux pattes palmées, se nourrissant de poissons.

cornac n. m. Homme qui a la charge de dresser, de prendre soin et de conduire un éléphant.

corne n. f. **1** Chacune des pointes dures et plus ou moins courbées qui poussent sur la tête de certains animaux. *Les cornes d'une gazelle, d'un bélier.* **2** Matière dure qui constitue les cornes, les sabots d'un ruminant. *Un manche de couteau en corne.*
   Une bête **cornue**, une bête qui porte des cornes (1).

cornée n. f. Partie transparente du globe de l'œil.

corneille n. f. Oiseau noir de la même famille que le corbeau mais de plus petite taille.

Corneille Pierre

Auteur dramatique français né en 1606 et mort en 1684. Protégé par Richelieu, Corneille commence sa carrière avec une série de comédies, notamment *l'Illusion comique* (1636). Avec *Médée* (1636), Corneille se tourne vers la tragédie, genre qui fera sa célébrité. Mais c'est avec *le Cid* (1637), que l'auteur triomphe. Cette pièce est un des plus grands succès du XVIIᵉ siècle et l'œuvre la plus célèbre de Corneille. Il donne ensuite de grandes tragédies classiques : *Horace* (1640), *Cinna* (1641), *Polyeucte* (1641). Il est élu à l'Académie française en 1648. À partir de 1670, le public commence à lui préférer Racine, autre grand auteur de tragédies. Corneille abandonne le théâtre en 1674. Son œuvre compte plus de trente pièces. Les drames cornéliens mettent en scène l'opposition entre l'amour et l'honneur, qui mérite tous les sacrifices. Le héros choisit toujours son devoir ou la raison d'État plutôt que son bonheur.

Le Cid.

Corneille.

cornemuse n. f. Instrument de musique à vent formé d'un sac de peau dans lequel on souffle et de plusieurs tuyaux.

1. corner v. → conjug. **aimer.** Plier le coin d'une feuille de papier, d'une page de livre.

2. corner n. m. Au football, faute commise par un joueur qui envoie le ballon derrière la ligne de but de son équipe.
Mot anglais qui se prononce [kɔʀnɛʀ].

cornet n. m. *1* Feuille de papier roulée en forme de cône, qui sert à contenir quelque chose. *Un cornet de frites.* *2* Cône en pâte de gaufrette. *Un cornet de glace.* *3* *Cornet à pistons :* instrument de musique à vent, qui ressemble à une trompette.

corniche n. f. *1* Élément qui décore le haut d'un édifice ou d'un meuble. *Un bahut orné d'une corniche sculptée.* *2* Route construite au flanc d'une montagne. *Une corniche qui surplombe la mer.*

cornichon n. m. Petit concombre confit dans du vinaigre, qui se mange comme condiment.

cornu, ue adj. → **corne.**

cornue n. f. Récipient bombé et terminé par un col étroit et recourbé. *En chimie, on utilise les cornues pour chauffer les liquides, pour distiller.*

corolle n. f. Partie de la fleur qui est formée par l'ensemble de ses pétales.

Les pétales peuvent être soudés (jonquille), en partie soudés (lys) ou séparés (rose).
À l'intérieur de la corolle, on trouve les étamines et le pistil. Quand la fleur est en bouton, la corolle est protégée par les sépales qui forment le calice.
***Regarde aussi* fleur.**

corolle

Fleur de lin.

Corot Camille

Peintre français né en 1796 et mort en 1875. Un séjour en Italie, de 1825 à 1828, lui donne le goût des paysages peints en extérieur. La lumière qui émane de ses compositions et l'atmosphère aérienne de ses paysages lui apportent le succès dès 1845. L'été, Corot peint d'après nature (*le Port de La Rochelle*, 1852) et, l'hiver, il réalise dans son atelier de grandes toiles, qui sont des paysages recomposés ou qui traitent de thèmes historiques ou mythologiques. On lui doit également des portraits (*la Dame en bleu*, 1874) et des nus (*Nymphe couchée*, 1856). Son œuvre, colossale, compte plus de 2 500 peintures, environ 600 dessins, ainsi que des gravures. *Souvenir de Mortefontaine* (1864) est l'un de ses chefs-d'œuvre.

Souvenir de Mortefontaine

corporation n. f. Ensemble des personnes qui exercent la même profession. *Faire partie de la corporation des imprimeurs.*

> Ce syndicat défend des intérêts *corporatifs*, ceux des membres de sa corporation.

corps n. m. *1* Ensemble des parties d'un être humain ou d'un animal. *Le corps humain est composé de la tête, du tronc et des membres.* *2* Cadavre. *Rechercher le corps d'un noyé.* *3* Objet matériel, substance qui possède certaines caractéristiques physiques. *Le diamant est un corps solide. L'huile est un corps gras.* *4* Partie principale. *Le corps du bâtiment est entouré de plusieurs annexes.* *5* Groupe de personnes qui forment un ensemble organisé. *Les médecins, les infirmières font partie du corps médical.*
Homonyme : cor.

> Une fracture est un accident *corporel*, qui blesse le corps (*1*).

Regarde page ci-contre.

corps-à-corps n. m. Lutte au cours de laquelle les adversaires sont en contact direct l'un contre l'autre.

corpulence n. f. Taille et grosseur du corps humain. *Ces deux enfants ont à peu près la même corpulence.*

> Une personne *corpulente*, qui a une forte corpulence, qui est grande et grosse.

corpuscule n. m. Très petite partie d'une matière.

correct, e adj. *1* Qui suit les règles, qui ne comporte pas de faute. *Une prononciation, une orthographe correctes.* *2* Qui respecte les règles de la morale ou du savoir-vivre. *Il s'est montré correct envers son adversaire.*
Contraires : incorrect (*1* et *2*), inexact (*1*).

correctement adj. *1* Sans faute, sans erreur. *Écrire correctement une phrase.* *2* Convenablement. *Se tenir correctement à table.*

correcteur, trice adj. et n.
● adj. Qui sert à corriger un défaut, une malformation, une anomalie. *Des verres correcteurs.*
● n. *1* Personne qui corrige les copies des candidats à un examen. *2* Personne qui relit et corrige des textes qui doivent être imprimés.

correctif, ive adj. et n. m.
● adj. Qui est destiné à corriger un défaut, un handicap. *De la gymnastique corrective.*
● n. m. Rectificatif, modification. *Apporter des correctifs à un règlement.*

correction n. f. *1* Qualité de ce qui est correct, conforme aux règles ou aux usages. *Il s'est montré d'une correction parfaite avec son adversaire.* *2* Action de corriger, de rectifier des erreurs. *Faire la correction*

d'un devoir. *3* Punition corporelle, coups. *Il mérite de recevoir une correction.*
Contraire : incorrection (*1*).

correctionnel, elle adj. Se dit du tribunal qui juge certains délits, à l'exception des crimes.

Corrège (le)

Peintre italien né vers 1489 et mort en 1534. Son surnom du Corrège (*il Correggio* en italien), vient de sa ville de naissance, Correggio. Influencé par les œuvres de Michel-Ange et Raphaël, il associe les règles de peinture classiques et les tendances nouvelles du début du XVIe siècle. Le Corrège utilise les teintes tendres et les jeux d'ombre et de lumière. Le Corrège est célèbre pour ses fresques sur les coupoles et les plafonds d'édifices religieux (*la Vierge adorant l'enfant*), notamment la coupole de la cathédrale de Parme. Outre les thèmes religieux, le Corrège traite aussi de sujets mythologiques, comme la série des *Amours de Jupiter.*

La Vierge adorant l'enfant

corrélation n. f. Rapport, relation, lien. *Il n'y a aucune corrélation entre ces deux événements.*

correspondance n. f. *1* Accord, ressemblance, harmonie. *Il existe une certaine correspondance d'idées entre ces deux amis.* *2* Liaison, communication entre des lieux. *Des bus assurent la correspondance entre le centre-ville et l'aéroport.* *3* Échange de lettres. *Entretenir une correspondance régulière avec un ami.* *4* Ensemble de lettres écrites ou reçues. *Il aime relire sa correspondance.*
Synonyme : courrier (*4*).

> Avoir un *correspondant* allemand, une personne avec laquelle on est en correspondance (*3*).

le corps

Le corps humain est constitué de plus de 50 milliards de cellules.
Ces petites unités composent les organes qui, assemblés en systèmes,
assurent le fonctionnement du corps et l'entretien de la vie.

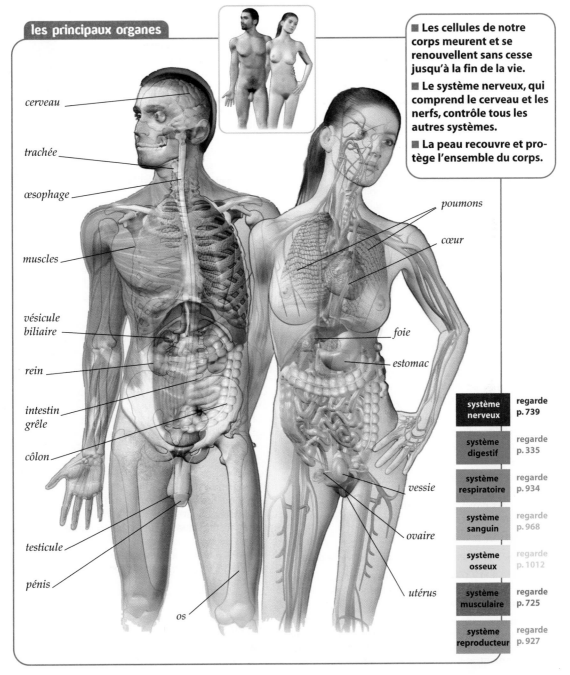

les principaux organes

- Les cellules de notre corps meurent et se renouvellent sans cesse jusqu'à la fin de la vie.
- Le système nerveux, qui comprend le cerveau et les nerfs, contrôle tous les autres systèmes.
- La peau recouvre et protège l'ensemble du corps.

cerveau

trachée

œsophage

muscles

vésicule
biliaire

rein

intestin
grêle

côlon

testicule

pénis

os

poumons

cœur

foie

estomac

vessie

ovaire

utérus

système nerveux	regarde p. 739
système digestif	regarde p. 335
système respiratoire	regarde p. 934
système sanguin	regarde p. 968
système osseux	regarde p. 1012
système musculaire	regarde p. 725
système reproducteur	regarde p. 927

correspondre v. → conjug. **répondre**. *1* Être conforme, s'accorder. *Donner des informations qui ne correspondent pas à la réalité.* *2* Échanger des lettres, s'écrire. *Il correspond régulièrement avec ses amis.*

CORRESPONDRE

Il est d'usage de présenter les lettres de la façon suivante :

❖ **en haut à gauche :** nom et adresse de l'expéditeur ;

❖ **en haut à droite :** nom et adresse du destinataire et date de la lettre ;

❖ **en dessous :** formule d'appel (*Cher ami, Madame…*) puis le texte de la lettre ;

❖ **pour terminer :** formule de politesse (*Bien amicalement, Meilleures salutations…*) ;

❖ **en dessous :** signature.

corrida n. f. Spectacle au cours duquel des toreros combattent des taureaux dans une arène.

corridor n. m. Couloir.

corrigé n. m. Devoir donné comme modèle à des élèves. *Le corrigé d'un problème.*

corriger v. → conjug. **ranger**. *1* Rectifier les erreurs. *J'ai corrigé les fautes d'orthographe.* *2* Relever les fautes dans un devoir et lui mettre une note. *Le professeur corrige les exercices.* *3* Punir en donnant des coups. *Le chien s'est fait corriger par son maître.*

corrompre v. → conjug. **répondre**. Offrir de l'argent à quelqu'un pour le pousser à agir malhonnêtement. *Le prisonnier a tenté de corrompre ses gardiens.* *Il est accusé de **corruption**, d'avoir été corrompu.*

corrosif, ive adj. Qui ronge et qui détruit progressivement. *L'action corrosive de la rouille sur le fer.* *Les acides provoquent la **corrosion** des métaux, ils ont une action corrosive.*

corruption n. f. → **corrompre**.

corsage n. m. Vêtement féminin qui recouvre le buste.

corsaire n. m. *1* Capitaine de navire qui attaquait les navires de commerce des pays ennemis. *2* Pantalon qui s'arrête au-dessous du genou.

Les premiers corsaires apparaissent au xvᵉ siècle, mais leur activité se développe surtout à partir du xviiᵉ siècle. Elle est supprimée par la France en 1856. Contrairement aux pirates, qui attaquent pour leur propre compte tous les navires de commerce, quelle que soit leur nationalité, les corsaires sont chargés par leur pays de prendre possession des bateaux de commerce battant pavillon ennemi. Ils disposent pour cela d'une autorisation de leur gouvernement appelée «droit de course». La majeure partie du butin leur revient toutefois. En 1689, les corsaires français enlèvent plus de 4 000 navires aux Anglais. Les corsaires les plus célèbres sont les Français Jean Bart (1650-1702) et Robert Surcouf (1773-1827).

Corse

Île française de la Méditerranée, située à 170 km de la côte niçoise. La Corse comprend deux départements : la Corse-du-Sud (préfecture Ajaccio) et la Haute-Corse (préfecture Bastia). Elle s'étend sur 185 km de longueur pour une largeur maximale de 85 km. Elle est essentiellement montagneuse. La côte ouest est très découpée ; la côte est, plate et régulière. Le climat est méditerranéen, doux sur le littoral mais plus rude à l'intérieur.
La population, qui vit surtout sur le littoral, reste très attachée à sa culture et à la langue corse. Les agrumes et la vigne sont les principales ressources agricoles. Le tourisme est très développé dans cette région souvent appelée «île de Beauté». Habitée depuis la préhistoire, la Corse est successivement occupée par les Phocéens, les Romains et les Byzantins. Au xivᵉ siècle, elle est sous le contrôle de Gênes qui la vend à la France en 1768.
Depuis les années 1960, des mouvements nationalistes revendiquent l'autonomie, parfois de façon violente.
En 1991, l'île devient collectivité territoriale de la France et bénéficie d'un statut particulier.

corsé, ée adj. Qui a un goût très fort, relevé. *Une sauce très corsée.*

corset n. m. Sous-vêtement rigide qui serre la taille et le ventre.

cortège n. m. Groupe de personnes qui marchent en se suivant. *Le cortège des manifestants arrive.*

Cortés Hernán

Conquistador espagnol né en 1485 et mort en 1547. Après avoir participé à la conquête de Cuba, Hernán Cortés prend en 1519 la direction d'une expédition au Mexique. Il débarque dans la capitale de l'empire aztèque, où il est accueilli par l'empereur, qui croit voir en lui le retour du dieu Quetzalcoatl (le «serpent à plumes»). Mais bientôt les Aztèques se révoltent et luttent pour chasser les Espagnols. En 1521, Cortés soumet l'empire aztèque et fait raser la capitale pour construire Mexico sur ses ruines. En 1522, Charles Quint le nomme gouverneur général du Mexique, la «Nouvelle Espagne». Cortés rentre définitivement en Espagne en 1541 mais, tombé en disgrâce, meurt isolé.

corvée n. f. *1* Travail pénible ou ennuyeux qui doit être fait. *2* Autrefois, travail non payé que les paysans devaient faire pour le seigneur ou pour le roi.

cosaque n. m. Ancien cavalier de l'armée russe.

cosmétique n. m. Produit de beauté.

cosmique adj. ➜ cosmos.

cosmonaute n. Personne qui voyage dans un vaisseau spatial.
Synonymes : astronaute, spationaute.

cosmopolite adj. Où se trouvent des personnes de tous les pays. *Un quartier cosmopolite.*

cosmos n. m. Espace situé au-delà de l'atmosphère terrestre.
On prononce [kosmos].
  Un vaisseau cosmique, c'est un engin qui se déplace dans le cosmos, un engin spatial.

cosse n. f. Enveloppe allongée qui renferme les graines des petits pois, des haricots, des fèves.

cossu, ue adj. Qui montre des signes de richesse. *Un appartement cossu.*

Costa Rica

République du sud de l'Amérique Centrale. Le Costa Rica donne sur la mer des Antilles et sur l'océan Pacifique. Le centre du pays est occupé par de hautes montagnes et un vaste plateau où se concentre la plus grande partie de la population. Les côtes de la façade atlantique jouissent d'un climat tropical humide, celles de la façade pacifique sont plus sèches. L'économie du pays est surtout fondée sur ses ressources agricoles : bananes, café, cacao, ananas. La forêt, qui couvre un tiers du pays, est riche en bois précieux : ébène, acajou… Le tourisme, qui se développe, est également une source de revenu.
Le Costa Rica, découvert par Christophe Colomb en 1502, passe sous domination espagnole vers 1520. Il acquiert son indépendance en 1821.

51 100 km²
4 094 000 habitants :
les Costaricains
Langues : espagnol, anglais, créole
Monnaie : colón
Capitale : San José

costaud adj. Familier. Fort, vigoureux. *C'est un garçon costaud.*
Au féminin, on dit parfois : costaude.

costume n. m. *1* Manière de s'habiller propre à une époque ou à un pays. *2* Vêtement masculin fait d'un pantalon et d'une veste assortis. *3* Vêtement que l'on met pour se déguiser. *Un costume de clown.*
  Un bal costumé, c'est un bal où tout le monde porte un costume (*3*), un déguisement.
Regarde p. 270 et 271.

cote n. f. *1* Estimation de la valeur de quelque chose ou de quelqu'un. *La cote d'une voiture d'occasion. La cote d'un homme politique. 2* Chiffre qui indique une dimension ou un niveau sur un dessin, une carte ou un plan.
Homonyme : cotte.

les costumes

Le costume varie en fonction de l'époque, de la région, du climat, de la culture, des classes sociales et des catégories professionnelles. La mode contribue largement à ses évolutions, en accompagnant et en traduisant les changements de mentalités et de mœurs.

■ Les hommes cherchent à se vêtir dès la préhistoire. Les premiers vêtements répondent à des nécessités pratiques : ce sont des peaux de bêtes, tannées et cousues entre elles, qui assurent une protection contre le froid, le vent, etc.

■ Avec les débuts de l'agriculture et de l'élevage apparaissent les textiles (lin) et la laine tissée. La soie, le coton et le chanvre s'ajoutent ensuite à ces matières.

L'Égypte antique.

La Grèce antique.

■ En Occident, jusqu'au Moyen Âge, il existe encore peu de différences entre les costumes des hommes et des femmes et ceux des différentes classes sociales.

La Rome antique.

Les Gaulois.

■ À partir du XIIIᵉ siècle, le costume devient une façon de montrer richesse et puissance.

■ La mode ne fait réellement son apparition qu'à la Renaissance ; elle sera lancée pendant des siècles par les nobles qui fréquentent la cour du roi puis, après la Révolution française, par la riche bourgeoisie.

Le Moyen Âge.

Paysans et nobles du XIIIᵉ siècle.

Seigneurs au XVᵉ siècle.

Le XVIe siècle.

À la cour de François Ier.

À la cour d'Henri IV.

Le XVIIe siècle.

À la cour de Louis XIII.

En ville et à la cour de Louis XIV.

Le XVIIIe siècle.

À la cour de Louis XVI.

Une femme du peuple.

Un couple de sans-culotte.

Un incroyable et une merveilleuse de l'époque révolutionnaire.

Le Ier Empire.

À la cour de Napoléon Ier.

Le XIXe siècle.

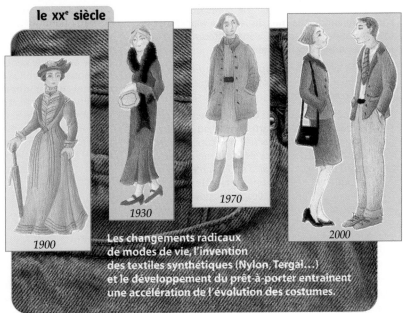

le XXe siècle

1900

1930

1970

2000

Les changements radicaux de modes de vie, l'invention des textiles synthétiques (Nylon, Tergal…) et le développement du prêt-à-porter entraînent une accélération de l'évolution des costumes.

côte

Il existe des côtes basses, où le littoral est plat et peu accidenté; on y trouve des plages de sable, des marécages et des dunes.

Les côtes rocheuses présentent au contraire un relief découpé; on y trouve des baies, des caps, des criques et des pointes.

côte n. f. *1* Os allongé et courbe de la cage thoracique. *2* Route en pente. *Il est interdit de doubler en haut d'une côte.* *3* Bord de la mer. *4* Côte à côte :* l'un à côté de l'autre. *Marcher côte à côte.*

Nous sommes revenus par la route **côtière**, la route qui longe la côte (*3*).

Lieux de contact entre la terre et la mer, les côtes se façonnent au cours du temps sous l'action de la mer et des vents.
La France possède 3 300 km de côtes ouvertes sur l'océan Atlantique, la mer du Nord, la Manche et la Méditerranée. Ces côtes sont différentes d'une région à l'autre suivant le relief.

coté, ée adj. *1* Estimé, apprécié. *Un artiste très coté.* *2* Sur lequel les dimensions sont indiquées par des cotes. *Un schéma coté.*

côté n. m. *1* Partie du corps où se trouvent les côtes. *Avoir un point de côté.* *2* Partie droite ou gauche du corps, d'une chose. *Être couché sur le côté. Le stationnement est interdit des deux côtés de la rue.* *3* Chacune des faces d'un objet. *La feuille est imprimée des deux côtés.* *4* Ligne qui délimite une surface. *Les trois côtés d'un triangle.* *5* Partie de l'espace opposée à une autre. *Il habite de l'autre côté de la ville. Elle est partie de ce côté-là.* *6* Aspect que présente une chose, une personne. *Prendre les choses du bon côté. Il a un côté sympathique.* *7* À côté de :* près de. *Il habite à côté de chez moi.* *8* De côté :* à l'écart, en réserve. *Mettre de l'argent de côté.*

coteau n. m. **Plur. : des coteaux.** Versant d'une colline.

Côte d'Ivoire

République d'Afrique de l'Ouest. La Côte d'Ivoire s'ouvre, sur l'océan Atlantique. Le relief est peu accidenté, seule la partie nord-ouest du pays est montagneuse. La forêt dense occupe le centre et le sud, où domine le climat équatorial chaud et humide. Le nord, au climat tropical, est le domaine de la savane. La ville d'Abidjan est un port actif qui compte près de trois millions d'habitants. Les principales ressources du pays sont agricoles : la Côte d'Ivoire est le premier producteur et exportateur de cacao, le septième exportateur de café ; elle produit aussi du bois, du coton, de l'huile de palme, des bananes, des ananas, des ignames… Le tourisme se développe. Colonie française à partir de 1893, la Côte d'Ivoire devient autonome en 1956 puis indépendante en 1958.
Elle est dirigée par un parti unique jusqu'en 1990.

322 462 km²
16 365 000 habitants :
les Ivoiriens
Langues : français,
dioula, baoulé, bété,
sénoufo
Monnaie : franc CFA
Capitale : Yamoussoukro

côtelette n. f. Côte des petits animaux de boucherie, avec la viande qui l'entoure. *Des côtelettes d'agneau, de porc.*

côtier, ière adj. → côte.

cotiser v. → conjug. **aimer.** *1* Verser régulièrement de l'argent à un organisme. *Cotiser à une mutuelle, à un club.* *2* Se cotiser : verser chacun de l'argent pour réunir une certaine somme. *Ils se sont cotisés pour lui acheter un cadeau.*

> Il a envoyé sa **cotisation**, la somme d'argent que l'on verse pour cotiser (*1*).

coton n. m. *1* Matière textile fabriquée avec le duvet qui entoure les graines du cotonnier. *Un maillot en coton.* *2* Coton hydrophile : coton spécialement préparé pour les soins d'hygiène.
Synonyme : ouate (*2*).

> Le **cotonnier** est un arbuste des pays chauds qui fournit le coton (*1*). Une **cotonnade**, c'est une étoffe de coton (*1*).

C'est du fruit du cotonnier que sortent les longs poils blancs et touffus qui recouvrent la graine et forment les flocons que l'on récolte. Ces fibres sont riches en cellulose. L'industrie cotonnière est l'industrie textile la plus répandue au monde. Le cotonnier, originaire d'Inde, pousse essentiellement dans les régions tropicales. On le cultive notamment dans le sud des États-Unis, au Mexique, en Inde, en Afrique centrale, en Égypte et au Turkestan.

côtoyer v. → conjug. **essuyer.** Être souvent en contact avec quelqu'un. *Il côtoie beaucoup d'artistes dans son métier.*

cotte n. f. *Cotte de mailles :* armure souple.
Homonyme : cote.

La cotte de mailles, ou haubert, est portée au Moyen Âge par les hommes d'armes. Il s'agit d'une tunique protectrice faite d'anneaux de métal entrecroisés. Elle couvre tout le corps, du cou au genou, et protège les bras jusqu'aux coudes.

cotylédon n. m. Partie d'une plante qui sert de réserve de nourriture pour la graine.

cou n. m. Partie du corps qui unit la tête au tronc.
Homonymes : coup, coût.

couchage n. m. *Sac de couchage :* grand sac garni de duvet ou d'une matière synthétique dans lequel on se glisse pour dormir.
Synonyme : duvet.

couchant adj. m. et n. m.
• adj. m. *Soleil couchant :* en train de disparaître à l'horizon.
• n. m. Endroit de l'horizon où le soleil se couche.
Contraire : levant.

couche n. f. *1* Matière qui recouvre une surface. *Une couche de peinture. Une couche de poussière.* *2* Bande de matière absorbante qu'on place entre les jambes d'un bébé.

coucher v. et n. m.
• v. → conjug. **aimer.** *1* Mettre au lit. *Il est l'heure d'aller coucher les enfants. Ils n'ont pas envie d'aller se coucher.* *2* Passer la nuit, dormir. *Ce soir, elle couche chez une copine.* *3* Mettre dans une position horizontale. *Coucher des bouteilles de vin.* *4* Se coucher : disparaître à l'horizon en parlant d'un astre. *Nous sommes allés regarder le soleil se coucher.*
• n. m. *Coucher de soleil :* moment où le soleil disparaît à l'horizon.

couchette n. f. Lit étroit dans un compartiment de chemin de fer ou sur un bateau.

couci-couça adv. Familier. Moyennement, ni bien ni mal. *Ça va couci-couça.*

coucou n. m. *1* Oiseau gris au ventre rayé de noir, reconnaissable à son chant, et dont la femelle pond ses œufs dans les nids d'autres oiseaux. *2* Pendule dont la sonnerie imite le chant du coucou.

coude n. m. *1* Articulation du bras avec l'avant-bras. *2* Au figuré. *Se serrer les coudes :* s'entraider. *3* Brusque courbure. *Le chemin fait un coude.* *4* Partie de la manche d'un vêtement. *Le coude de ta chemise est troué.*

> Un tuyau **coudé**, c'est un tuyau qui fait un coude (*3*).

cou-de-pied n. m. Plur. : **des cous-de-pied.** Partie bombée du dessus de pied.

coudoyer v. → conjug. **essuyer.** Être en contact avec quelqu'un, côtoyer.

coudre v. Assembler par des points faits avec un fil passé dans une aiguille. *Coudre à la main ou à la machine. Coudre un ourlet. Coudre une robe.*

coudre

coudrier n. m. Noisetier.

couenne n. f. Peau du porc sur le jambon. **On prononce** [kwan].

1. couette n. f. Touffe de cheveux attachés derrière ou au-dessus de chaque oreille.

2. couette n. f. Édredon que l'on couvre d'une housse et qui sert de couverture et de drap de dessus.

couffin n. m. Grand panier à anses servant de berceau portatif.

couiner v. → conjug. **aimer.** *1* Pousser un petit cri aigu. *La souris couine.* *2* Grincer. *La porte couine.*

coulant, ante adj. *1* Qui coule facilement. *Un camembert coulant.* *2* *Nœud coulant :* que l'on serre et l'on desserre sans le dénouer.

coulée n. f. Masse de matière plus ou moins liquide qui s'écoule. *Une coulée de lave, de boue.*

couler v. → conjug. **aimer.** *1* Se déplacer ou se répandre quand il s'agit d'un liquide. *La rivière coule dans la vallée. Les larmes coulent sur son visage.* *2* Laisser échapper un liquide, fuir. *Avoir le nez qui coule. Stylo qui coule.* *3* Verser une matière liquide dans un moule. *Couler du béton.* *4* Tomber au fond de l'eau, sombrer. *Le bateau a coulé.* *5* Envoyer au fond de l'eau. *Couler un navire.*

couleur n. f. *1* Impression produite sur l'œil par une lumière ou par la surface d'un objet. *2* Toute couleur autre que le noir, le blanc ou le gris. *Un film en couleurs.* *3* *Personne de couleur :* qui n'est pas de race blanche. *4* Au pluriel. Coloration de la peau, bonne mine. *Le grand air lui a redonné des couleurs.* *5* Chacune des quatre marques du jeu de cartes (cœur, carreau, trèfle, pique). *6* Au pluriel. Drapeau. *Hisser les couleurs.*

Regarde page ci-contre.

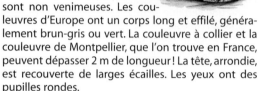

couleuvre n. f. Serpent non venimeux.

Sur les quelque 2 500 espèces de couleuvres connues dans le monde, la plupart sont non venimeuses. Les couleuvres d'Europe ont un corps long et effilé, généralement brun-gris ou vert. La couleuvre à collier et la couleuvre de Montpellier, que l'on trouve en France, peuvent dépasser 2 m de longueur ! La tête, arrondie, est recouverte de larges écailles. Les yeux ont des pupilles rondes.
Les couleuvres se nourrissent de petits rongeurs, de grenouilles, de lézards… Elles se reproduisent en pondant des œufs : on dit qu'elles sont ovipares.

coulisse n. f. *1* Rainure dans laquelle on fait glisser une porte ou une fenêtre. *Placard à coulisse.* *2* Partie d'un théâtre située sur les côtés de la scène et derrière les décors. *De la salle, on ne voit pas ce qui se passe dans les coulisses.*

Pour ouvrir, il faut faire **coulisser** le panneau, le faire glisser dans une coulisse (*1*). *Les deux pièces sont séparées par une porte* **coulissante** (*1*), qui coulisse.

couloir n. m. *1* Long passage qui mène d'une pièce à une autre, d'un endroit à un autre. *La salle de bains est au fond du couloir.* *2* *Couloir d'autobus :* partie de la chaussée réservée aux autobus et aux taxis. *3* *Couloir aérien :* itinéraire que doit suivre un avion pour éviter les collisions. *4* *Couloir d'avalanche :* endroit où passent habituellement les avalanches, sur le versant d'une montagne.

coup n. m. *1* Choc brutal donné avec une partie du corps ou avec un instrument. *Donner des coups de poing, des coups de pied, des coups de poignard.* *2* Au figuré. Choc psychologique. *Cette nouvelle nous a fait un coup.* *3* Décharge d'une arme à feu. *Tirer un coup de revolver.* *4* Bruit produit par un choc ou un instrument. *Un coup de sonnette. Les douze coups de minuit.* *5* Mouvement rapide. *Jeter un coup d'œil. Donner un coup de main. Passer un coup d'aspirateur.* *6* Action brusque d'un élément naturel. *Coup de tonnerre. Coup de soleil.* *7* Action ou entreprise. *Préparer un mauvais coup. C'est eux qui ont fait le coup.* *8* Fois ou occasion. *Réussir du premier coup.* *9* *Coup franc :* tir au but accordé à une équipe pour sanctionner une faute commise par l'équipe adverse, au football, au rugby. *10* *Coup sur coup :* l'un après l'autre, à la suite. *11* *Sur le coup :* immédiatement. *Il est mort sur le coup.*
Homonymes : cou, coût.

***Regarde aussi* tout à coup.**

les couleurs

Les objets renvoient la lumière et produisent une impression sur l'œil. C'est ce que l'on appelle la couleur. C'est Isaac Newton qui, le premier, il y a plus de trois siècles, analysa la lumière solaire.

le spectre de la lumière

■ La lumière blanche du soleil est composée d'un mélange de couleurs. On le constate en faisant passer un rayon lumineux dans un prisme de verre, qui la décompose.

■ On a défini sept couleurs dans ce mélange, qui apparaissent toujours dans le même ordre : rouge, orangé, jaune, vert, bleu, indigo, violet. C'est ce qu'on appelle le spectre de la lumière.

■ Ces sept couleurs se retrouvent dans l'arc-en-ciel : les gouttes d'eau en suspension dans l'air jouent le rôle de prisme de verre.

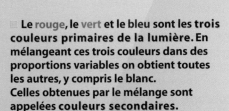

Lorsqu'un objet est éclairé par la lumière solaire, il absorbe certaines couleurs et renvoie les autres.

■ Ainsi, quand nous voyons un objet rouge, c'est parce qu'il a absorbé toutes les autres couleurs sauf le rouge qu'il renvoie vers notre œil.

■ De la même façon, si la feuille de l'arbre est verte, c'est qu'elle absorbe toutes les couleurs sauf le vert.

■ Un objet (ou un animal !) noir absorbe toutes les couleurs.

■ Un objet blanc les renvoie toutes.

■ Le rouge, le vert et le bleu sont les trois couleurs primaires de la lumière. En mélangeant ces trois couleurs dans des proportions variables on obtient toutes les autres, y compris le blanc. Celles obtenues par le mélange sont appelées couleurs secondaires.

■ En peinture, les trois couleurs primaires sont le cyan (bleu), le magenta (rose foncé) et le jaune. En les mélangeant dans des proportions variables, on obtient toutes les autres couleurs sauf le blanc. Le mélange dans des proportions égales donne du noir.

coupable adj. et n. Qui a commis une faute, un crime. *Il se sent coupable d'avoir menti. La police recherche les coupables.*

coupant, ante adj. → couper.

1. coupe n. f. *1* Façon dont quelque chose est coupé ou taillé. *Elle a une nouvelle coupe de cheveux. Cette veste n'a pas une bonne coupe. 2* Dessin qui représente l'intérieur d'un objet comme s'il était coupé en deux. *Un moteur vu en coupe.*

2. coupe n. f. *1* Verre ou récipient à pied, plus large que profond. *Une coupe à fruits. Une coupe à champagne. 2* Compétition sportive dans laquelle le vainqueur remporte une coupe en argent ou en or. *La coupe de France de football.*

coupe-circuit n. m. inv. Appareil qui coupe le courant électrique dans un circuit en cas de court-circuit.

coupe-feu adj. inv. et n. m. inv. Se dit d'un dispositif destiné à empêcher un incendie de se propager (cloison, espace sans arbre). *Des portes coupe-feu.*

coupe-ongles n. m. inv. Instrument servant à couper les ongles.

coupe-papier n. m. inv. Couteau servant à couper le papier, à ouvrir une enveloppe.

couper v. → conjug. **aimer.** *1* Séparer, diviser avec un instrument tranchant. *Couper du bois. Couper un gâteau en six parts. Se faire couper les cheveux. Se couper les ongles. 2* Être tranchant. *Ces ciseaux coupent mal. 3* Blesser, faire une entaille. *Elle s'est coupé le doigt. 4* Interrompre. *Couper l'eau, l'électricité. Couper l'appétit. Couper la parole à quelqu'un. 5* Traverser, croiser. *Cette route coupe la forêt. 6* Prendre un raccourci. *On peut couper à travers champs. 7* Diviser en deux un paquet de cartes à jouer. *C'est à moi de couper.*
  Ce couteau est très **coupant**, *il coupe (2) bien.*

Couperin François

Musicien français né en 1668 et mort en 1733. D'une famille de clavecinistes et d'organistes, François Couperin devient en 1685 organiste à l'église Saint-Gervais de Paris puis, en 1693, à la Chapelle royale. À cette époque, il compose de la musique religieuse, comme *Leçons de ténèbres.*
  En 1717, Couperin est nommé claveciniste du roi et devient célèbre dans l'Europe entière.
  Il marie, dans ses compositions, la tradition classique française et la légèreté des mélodies italiennes. Couperin écrit surtout pour le clavecin.

coupe-vent n. m. inv. Vêtement qui ne laisse pas passer le vent. *Ils ont acheté des coupe-vent pour partir en croisière.*

couple n. m. *1* Deux personnes unies par l'amour, le mariage ou les circonstances. *Ils vivent en couple, mais ils ne sont pas mariés. Un couple de danseurs. 2* Deux animaux, mâle et femelle. *Un couple de pigeons.*

couplet n. m. Chacune des strophes d'une chanson, séparées par le refrain.

coupole n. f. Toit de forme arrondie.
Synonyme : dôme.

coupon n. m. *1* Morceau qui reste d'une pièce de tissu qu'on a coupée. *Un coupon de soie en solde. 2* Ticket prouvant qu'on a payé un droit. *Coupon de carte Orange.*

coupure n. f. *1* Blessure faite en se coupant. *Il s'est fait une coupure au doigt. 2* Interruption. *Coupure d'eau, de courant. 3* Billet de banque. *Il a payé en coupures de cent euros. 4* Coupure de journal, coupure de presse :* article découpé dans un journal.

cour n. f. *1* Espace découvert entouré de murs ou de bâtiments. *La cour d'un immeuble. La cour de récréation. 2* Nom de certains tribunaux. *La cour d'appel. La cour d'assises. 3* Ensemble des personnes qui vivent dans l'entourage d'un roi. *La cour de Louis XIV. 4* Faire la cour à quelqu'un :* chercher à lui plaire.
Homonymes : cours, court.

courage n. m. *1* Force morale que l'on a devant le danger ou la souffrance. *Elle a défendu son petit frère avec beaucoup de courage. 2* Énergie pour faire quelque chose. *Il était trop tard, je n'avais plus le courage de sortir.*
  C'est un homme très **courageux**, *il fait preuve de courage. Il s'est battu* **courageusement**, *avec courage.*

couramment adv. *1* D'une façon courante, habituelle. *Cela se fait couramment. 2* Avec aisance, sans difficulté. *Il parle couramment l'italien.*

1. courant, ante adj. *1* Qui est habituel, fréquent. *Une expression courante. 2* Eau courante :* eau qui arrive dans une habitation par des tuyaux.
Contraire : rare (*1*).

2. courant n. m. *1* Mouvement de l'eau qui se déplace dans une direction déterminée. *La barque a été entraînée par le courant. 2* Courant d'air :* souffle d'air qui circule dans un espace resserré. *Le courant d'air a fait claquer la porte. 3* Déplacement d'électricité dans les fils. *Il y a une panne de courant. 4* Dans le courant d'une période :* pendant cette période. *Il arrivera dans le courant du mois. 5* Au courant :* informé. *Je n'étais pas au courant de son arrivée.*

courbature n. f. Douleur musculaire. *Le lendemain de la randonnée, il était plein de courbatures.*

> *Il s'est réveillé tout **courbaturé**, ou tout **courbatu**, plein de courbatures.*

courbe adj. et n. f.

● adj. Qui est plus ou moins arrondi. *Une ligne courbe.* **Contraire : droit.**
● n. f. *1* Ligne courbe. *La route fait une courbe.* *2* Graphique qui représente les variations de quelque chose. *Une courbe de température.*

> *La **courbure** du dos*, c'est sa partie courbe.

courber v. → conjug. **aimer.** *1* Rendre courbe. *Le vent courbe les pins.* *2* Pencher en avant, incliner. *Courber la tête, le dos. La porte est si basse qu'on doit se courber pour entrer.*

Courbet Gustave

Peintre français né en 1819 et mort en 1877. Influencé par Rembrandt, Courbet s'attache à reproduire dans ses peintures la réalité des paysages et des personnages. Il met en scène le quotidien, la pauvreté et le dénuement, notamment avec *les Casseurs de pierre* (1849) et *l'Enterrement à Ornans* (1850). Ces toiles font scandale, de même que ses nus, jugés trop réalistes.
Courbet devient le chef de file du mouvement réaliste. Contesté, rejeté, il tient tête et finit par s'imposer. *La Rencontre* (1854), *l'Atelier du peintre* (1855), *les Demoiselles du bord de Seine* (1857), entre autres, connaissent le succès. Mais, ayant soutenu en 1871 le gouvernement révolutionnaire de la Commune, Courbet est arrêté et emprisonné. En 1873, il s'exile en Suisse où il meurt dans la solitude en 1877.

L'Atelier du peintre

courbette n. f. *Faire des courbettes à quelqu'un :* le saluer ou le remercier de façon exagérée.

courbure n. f. → **courbe.**

coureur, euse n. → **courir.**

courge n. f. Plante potagère qu'on cultive pour ses fruits (citrouille, potiron).

> *La **courgette** est une variété de courge.*

La courgette appartient à la famille des cucurbitacées. Son fruit, de forme allongée et de couleur verte, est récolté jeune et généralement consommé cuit.

courir v. *1* Se déplacer rapidement. *Il est arrivé en courant.* *2* Se répandre rapidement. *C'est un bruit qui court.* *3* Participer à une course sportive. *Courir le cent mètres. Courir le tour de France.* *4* Aller dans un grand nombre d'endroits. *Courir les magasins.* *5* Risquer ou tenter. *Courir un danger. Courir sa chance.*

> *Les **coureurs** du 110 mètres haies sont sur la ligne de départ,* les sportifs qui courent (*3*) cette course.

La conjugaison du verbe **COURIR** 3e groupe	
indicatif présent	**je cours, il ou elle court, nous courons, ils ou elles courent**
imparfait	**je courais**
futur	**je courrai**
passé simple	**je courus**
subjonctif présent	**que je coure**
conditionnel présent	**je courrais**
impératif	**cours, courons, courez**
participe présent	**courant**
participe passé	**couru**

couronne n. f. *1* Cercle de métal qui se porte sur la tête et qui est une marque de pouvoir. *La couronne royale.* *2* Cercle de fleurs ou de feuillage. *Une couronne mortuaire.* *3* Revêtement dont on recouvre une dent abîmée pour la protéger.

couronner v. → conjug. **aimer.** *1* Mettre solennellement une couronne sur la tête de quelqu'un pour le faire roi ou reine. *François Ier a été couronné en 1515.* *2* Récompenser par un prix. *Ce film a été couronné par le jury du festival.*

> *Le **couronnement** d'un souverain*, c'est la cérémonie au cours de laquelle il est couronné (*1*).

courriel n. m. → **e-mail** (*1*).

courrier n. m. Ensemble des lettres et des paquets reçus ou envoyés par la poste. *Le courrier n'est pas encore arrivé.*

courroie n. f. Bande de matière souple servant à lier, à attacher ou à serrer. *La courroie de mon sac à dos s'est cassée.*

cours n. m. *1* Écoulement continu de l'eau d'un fleuve, d'une rivière, d'un ruisseau. *Descendre le cours d'un torrent.* *2* Cours d'eau : fleuve, rivière, torrent, ruisseau. *3* Déroulement d'une action dans le temps. *Interrompre le cours d'une conversation.* *4* Au cours de : pendant. *Au cours d'un voyage.* *5* Suivre son cours : évoluer normalement. *Les affaires suivent leur cours.* *6* Prix variable d'une marchandise ou d'une monnaie. *Le cours du dollar est en baisse.* *7* Enseignement donné par un professeur sur une matière. *Suivre des cours de maths. Aller à un cours de danse.* *8* Chacune des classes de l'enseignement primaire. *Cours préparatoire, élémentaire, moyen.*
Homonymes : cour, court.

course n. f. *1* Action de courir. *Ils sont arrivés au pas de course.* *2* Compétition sportive de vitesse. *Course à pied. Course cycliste. Course de chevaux.* *3* Achat, commission. *Faire ses courses.*

coursier, ière n. Personne chargée de porter des paquets, des lettres. *L'agence de voyages nous a envoyé les billets par coursier.*

1. court, courte adj. et adv.
• adj. *1* Qui n'est pas long. *Une chemise à manches courtes.* *2* Qui ne dure pas longtemps. *Le voyage m'a semblé court.*
Synonyme : bref.
• adv. *1* D'une manière courte. *Des cheveux coupés court.* *2* Être à court de quelque chose : ne plus en avoir. *Être à court d'argent.* *3* Prendre quelqu'un de court : ne pas lui laisser la possibilité de réagir.
Homonymes : cour, cours.

2. court n. m. Terrain de tennis.

court–bouillon n. m. **Plur. : des courts-bouillons.** Liquide épicé dans lequel on fait cuire du poisson.

court–circuit n. m. **Plur. : des courts-circuits.** Mise en contact de deux fils électriques provoquant une coupure de courant.

courtisan n. m. Noble qui vivait à la cour du roi. *Les courtisans flattaient le roi par intérêt.*

courtiser v. → conjug. **aimer.** Faire la cour à quelqu'un. *Cette jeune femme est si jolie que tous les hommes la courtisent.*

court–métrage n. m. **Plur. : des courts-métrages.** Film de courte durée.

courtois, oise adj. Poli et aimable. *Un homme courtois.*
Je vous remercie de votre **courtoisie**, *de vous être montré courtois.*

couscous n. m. Plat d'Afrique du Nord fait de semoule de blé, de légumes et de viande.
On prononce [kuskus].

1. cousin, ine n. Enfant de l'oncle ou de la tante de quelqu'un.

2. cousin n. m. Variété de moustique à longues pattes fines.

coussin n. m. *1* Enveloppe de tissu ou de cuir, remplie d'un rembourrage et servant à s'asseoir ou à s'appuyer. *2* Coussin d'air : couche d'air comprimé servant de support à un aéroglisseur.

Cousteau Jacques-Yves

Officier de marine et océanographe français né en 1910 et mort en 1997. Attiré par l'exploration sous-marine, Cousteau met au point, dès 1943, avec l'ingénieur Émile Gagnan, le scaphandre autonome. Celui-ci permet des observations à plus de 40 m de profondeur pendant plusieurs heures. Puis, à bord de *la Calypso*, le commandant Cousteau entreprend d'explorer le milieu marin. Sillonnant le monde, il réalise des films (*le Monde du silence*, 1956 ; *le Monde sans Soleil*, 1965) et tourne de nombreux documentaires pour la télévision. Il écrit également des livres, notamment la série des *Découvertes sous-marines de Jacques-Yves Cousteau.*
Cousteau est un écologiste convaincu qui lutte pour la protection des mers. De 1957 à 1988, il dirige le Musée océanographique de Monaco. Il est élu à l'Académie française en 1988.

---

coût n. m. *1* Prix d'une chose. *Le coût des travaux est un peu élevé.* *2* Coût de la vie : ensemble des dépenses indispensables à la vie de tous les jours. *Le coût de la vie a augmenté.*
Homonymes : cou, coup.

coûtant adj. m. → **coûter.**

couteau n. m. **Plur. : des couteaux.** *1* Instrument tranchant fait d'un manche et d'une lame. *Un couteau à pain. Un couteau de poche.* *2* Coquillage allongé qui s'enfonce verticalement dans le sable des plages.

Le couteau est un mollusque comestible qui mesure en général une dizaine de centimètres de longueur. Il

doit son nom à la forme de sa coquille, qui évoque le manche d'un couteau. Il vit enfoncé dans le sable. Seuls deux petits trous qui apparaissent à la surface du sable permettent de le repérer à marée basse. Ces trous correspondent aux deux siphons par lesquels il respire.

coutelas n. m. Grand couteau de cuisine.

coutellerie n. f. Fabrique ou magasin de couteaux, de ciseaux, de rasoirs.

coûter v. → conjug. **aimer.** *1* Être vendu à un certain prix. *Ce magazine coûte deux euros. Ces chaussures coûtent trop cher. 2* Au figuré. Causer, entraîner. *Son étourderie lui a coûté beaucoup d'ennuis. 3* Coûte que coûte :* à tout prix. *Il veut réussir coûte que coûte.*

> Vendre un objet à prix **coûtant**, c'est le vendre au prix qu'il a coûté (*1*), sans bénéfice. *L'aménagement de la maison a été **coûteux**,* il a coûté (*1*) cher.

coutume n. f. Manière habituelle d'agir, tradition. *Dans cette région, c'est la coutume de s'embrasser quatre fois.*

couture n. f. *1* Action de coudre. *Faire de la couture. 2* Haute couture :* ensemble des créateurs de vêtements de luxe. *3* Suite de points faits avec du fil passé dans une aiguille. *La couture de son blouson a craqué.*

> Une **couturière** est une femme qui fait des travaux de couture (*1*) pour ses clients. *Un grand **couturier*** est une personne qui dirige une entreprise de haute couture (*2*).

couvée n. f. → **couver.**

couvent n. m. Maison dans laquelle des religieux ou des religieuses vivent en communauté.
Synonyme : monastère.

couver v. → conjug. **aimer.** *1* Tenir ses œufs au chaud sous son corps jusqu'à ce qu'ils éclosent, quand il s'agit d'un oiseau. *La poule couve ses œufs pendant vingt et un jours. 2* Au figuré. Protéger beaucoup ou trop. *Il a été couvé par sa mère. 3* Être sur le point d'avoir une maladie. *Elle couve une angine.*

> *Ces canetons sont de la même **couvée**,* ils ont été couvés (*1*) ensemble.

couvercle n. m. Pièce qui sert à couvrir un récipient. *Le couvercle d'une boîte, d'un pot, d'une casserole.*

1. couvert, erte adj. *1* Qui est habillé suffisamment pour avoir chaud. *Il fait froid, tu n'es pas assez couvert. 2* Qui est recouvert d'un toit, qui n'est pas en plein air. *Marché couvert. 3* Ciel couvert :* nuageux.

2. couvert n. m. *1* La cuillère, la fourchette et le couteau. *Des couverts qui vont au lave-vaisselle. 2* Mettre le couvert :* disposer sur la table les objets nécessaires pour le repas. *3* À couvert :* à l'abri. *Se mettre à couvert.*

couverture n. f. *1* Pièce de tissu qu'on met sur un lit pour tenir chaud. *Donne-lui une couverture en plus car il est frileux. 2* Partie extérieure d'un livre, d'un magazine, d'un cahier. *Un livre à couverture cartonnée. 3* Toit d'une maison. *Couverture de tuile, de zinc.*

couveuse n. f. *1* Appareil où l'on fait éclore des œufs. *2* Appareil où l'on place les nouveau-nés fragiles ou prématurés pour qu'ils soient à l'abri du froid et des microbes.

couvre-feu n. m. **Plur. : des couvre-feux.** Interdiction de sortir de chez soi après une certaine heure. *Le couvre-feu peut être imposé en période de guerre ou d'agitation.*

couvre-lit n. m. **Plur. : des couvre-lits.** Pièce de tissu dont on recouvre un lit.
Synonyme : dessus-de-lit.

couvreur n. m. Ouvrier qui installe et répare les toitures.

couvrir v. *1* Mettre ou étaler quelque chose sur une chose pour la protéger, la fermer ou la cacher. *Couvrir un livre avec du plastique transparent. Couvrir un mur de peinture. Couvrir une casserole avec un couvercle. Couvrir son visage de ses mains. 2* Être placé ou répandu sur quelque chose. *Un grand tapis couvre le parquet. La neige couvre le sol. 3* Mettre ou donner en grande quantité. *Couvrir un mur de graffitis. Couvrir quelqu'un de cadeaux, de baisers, d'injures. 4* Protéger quelqu'un en dissimulant ce qu'il a fait ou en prenant la responsabilité. *Voleur qui couvre ses complices. 5* Garantir contre un risque. *Cette assurance ne couvre pas le vol. 6* Parcourir une distance. *Il a couvert les derniers kilomètres en moins d'une heure. 7* Se couvrir :* s'habiller suffisamment pour avoir chaud. *Couvre-toi bien, il fait froid. 8* Le temps ou le ciel se couvrent :* deviennent nuageux.

La conjugaison du verbe
COUVRIR 3ᵉ groupe

indicatif présent	je couvre, il ou elle couvre, nous couvrons, ils ou elles couvrent
imparfait	je couvrais
futur	je couvrirai
passé simple	je couvris
subjonctif présent	que je couvre
conditionnel présent	je couvrirais
impératif	couvre, couvrons, couvrez
participe présent	couvrant
participe passé	couvert

cow-boy n. m. **Plur. : des cow-boys.** Gardien à cheval de grands troupeaux dans l'ouest des États-Unis. *Un film de cow-boys.*
Mot anglais qui se prononce [kɔbɔj].

coyote n. m. Sorte de chien sauvage d'Amérique du Nord.

Proche du loup, le coyote mesure de 70 cm à 1 m de longueur sans la queue. Il a le museau étroit, de larges oreilles pointues et les yeux verts. Son pelage est généralement de couleur brun-roux avec des marques plus sombres. Son nom est dérivé du mot aztèque *coyotl*. Le coyote chasse les lapins et les écureuils, mais il consomme également des animaux morts. Il peut aussi s'attaquer, en groupe, à de grosses proies comme les moutons ou les cerfs.

crabe n. m. Crustacé marin recouvert d'une carapace et muni de grosses pinces.

cracher v. → conjug. **aimer.** *1* Rejeter par la bouche de la salive ou un autre liquide. *Cracher par terre.* *2* Rejeter quelque chose hors de la bouche. *Cracher des noyaux de cerise.*
    Un crachat, c'est ce que l'on crache (*1*) par la bouche. *Un crachoir*, c'est un récipient dans lequel on crache (*1*).

crachin n. m. Petite pluie fine.
    Il commence à crachiner, à faire du crachin.

crachoir n. m. → **cracher.**

craie n. f. *1* Roche calcaire blanche et friable. *Des falaises de craie.* *2* Bâtonnet fait à partir de cette roche pour écrire sur un tableau noir. *Des craies de couleur.*
    Un terrain crayeux contient de la craie (*1*).

craindre v. → conjug. **plaindre.** *1* Avoir peur, redouter. *L'orage est passé, il n'y a plus rien à craindre.* *2* Risquer d'être endommagé par quelque chose. *Cette plante craint le froid.*

crainte n. f. Peur, inquiétude. *Parle sans crainte.*
    C'est un animal craintif, qui éprouve de la crainte, peureux. *Il avance craintivement*, d'une façon craintive.

cramoisi adj. Rouge foncé. *Il est devenu cramoisi de honte.*

crampe n. f. Contraction musculaire soudaine et douloureuse. *Avoir une crampe au mollet.*

crampon n. m. *Chaussure à crampons :* dont la semelle est munie de pointes pour éviter de glisser.

se cramponner v. → conjug. **aimer.** S'accrocher, s'agripper. *Le petit garçon se cramponne à la main de son père.*

cran n. m. *1* Trou dans une ceinture ou dans une courroie qui permet de les régler. *Resserrer sa ceinture d'un cran.* *2* Ondulation des cheveux. *3* Familier. Courage. *Avoir du cran.*

crâne n. m. Ensemble des os de la tête qui contiennent le cerveau. *Une fracture du crâne.*
    La boîte crânienne est formée par les os du crâne.

crâner v. → conjug. **aimer.** Familier. Faire le fier, prendre des airs prétentieux. *Il crâne parce qu'il a un nouveau blouson.*
    C'est un crâneur, une personne qui crâne.

crânien, ienne adj. → **crâne.**

crapaud n. m. Animal de la même famille que la grenouille, au corps trapu et à la peau couverte de verrues.

crapule n. f. Personne malhonnête, canaille.

crapuleux adj. *Crime crapuleux :* commis pour de l'argent.

se craqueler v. → conjug. **jeter.** Se couvrir de petites fissures, se fendiller. *Le vernis commence à se craqueler.*
    Ce tableau est couvert de craquelures, la surface s'est craquelée.

craquer v. → conjug. **aimer.** *1* Produire un bruit sec. *Plancher qui craque. Faire craquer ses doigts.* *2* Se déchirer, se briser. *Les coutures de sa veste ont craqué.* *3* Au figuré. S'effondrer, ne plus pouvoir continuer. *Laissez-le tranquille, il est sur le point de craquer.*
    J'ai entendu un craquement, le bruit de quelque chose qui craque (*1*).

crasse n. f. Saleté qui se dépose sur la peau, les objets. *Ses pieds sont noirs de crasse.*
    La table de la cuisine est crasseuse, elle est couverte de crasse.

cratère n. m. Orifice d'un volcan, par où sortent les laves et les cendres.

cravache n. f. Baguette souple avec laquelle le cavalier stimule son cheval.
    Évite de cravacher ton cheval, de le frapper avec une cravache.

cravate n. f. Longue bande d'étoffe qui se passe sous le col de la chemise et se noue par-devant. *Un nœud de cravate.*

crawl n. m. Nage rapide sur le ventre consistant à lancer alternativement le bras droit et le bras gauche en avant tout en battant des jambes. **Mot anglais qui se prononce** [kʀol].

Le dos crawlé est un crawl nagé sur le dos.

crayeux, euse adj. → **craie**.

crayon n. m. Instrument servant à écrire ou à dessiner, fait d'une baguette de bois contenant une longue mine. *Des crayons de couleur.*

Il a crayonné quelques mots sur son carnet, il les a écrits rapidement au crayon.

créancier, ère n. Personne à qui l'on doit de l'argent.
Contraire : débiteur.

créateur, trice n. Personne qui crée, qui invente quelque chose de nouveau. *Le créateur d'un personnage de bande dessinée.*

créatif, ive adj. Inventif, imaginatif. *Avoir un esprit créatif.*

Elle fait preuve de beaucoup de créativité dans ses dessins, elle est très créative.

création n. f. **1** Action de créer. *La création du monde.* **2** Ce qui est créé. *Ce modèle est sa dernière création.*

créativité n. f. → **créatif**.

créature n. f. Être humain. *C'est une étrange créature.*

crécelle n. f. **1** Petit moulinet en bois qui fait du bruit en tournant. **2** *Voix de crécelle :* aiguë et criarde.

crèche n. f. **1** Représentation de la naissance de Jésus dans une étable. *Les santons de la crèche de Noël.* **2** Établissement auquel les parents confient leurs enfants de moins de trois ans dans la journée.

Crécy

Bataille de la guerre de Cent Ans qui se déroule le 26 août 1346 près de Crécy-en-Ponthieu, dans la Somme. La bataille de Crécy oppose l'armée française, commandée par le roi Philippe VI de Valois, aux forces anglaises, menées par le roi Édouard III. Les Français sont supérieurs en nombre, mais épuisés. Leurs arbalétriers n'arrivent pas à faire face aux tirs rapides et précis des archers anglais, et les charges de leurs chevaliers, encombrés par de lourdes armures, ne donnent aucun résultat. L'armée française, écrasée, subit de très lourdes pertes. La bataille de Crécy permet à Édouard III de s'emparer quelques jours plus tard de la ville de Calais.

crédible adj. Que l'on peut croire. *Ses promesses ne sont pas très crédibles.*

crédit n. m. **1** Prêt d'argent. *Obtenir un crédit pour acheter un appartement.* **2** Délai accordé pour payer quelque chose. *Acheter une voiture à crédit. La maison ne fait pas de crédit.* **3** Somme d'argent versée sur le compte en banque de quelqu'un. **4** Somme d'argent destinée à des dépenses particulières. *Voter des crédits supplémentaires.* **5** Au figuré. Confiance accordée à quelqu'un. *Ce professeur a beaucoup de crédit auprès de ses collègues.*
Contraire : débit (3).

Son compte a été crédité de mille euros, cette somme a été versée à son crédit (3).

crédule adj. Qui est prêt à croire n'importe quoi.
Contraire : incrédule.

Sa crédulité va lui jouer des tours, le fait qu'il soit crédule.

créer v. **1** Réaliser, inventer, fonder quelque chose. *Créer une chanson, une entreprise.* **2** Provoquer, causer. *Je ne voudrais pas vous créer des difficultés.*

La conjugaison du verbe CRÉER 1er groupe	
indicatif présent	**je crée, il ou elle crée, nous créons, ils ou elles créent**
imparfait	**je créais**
futur	**je créerai**
passé simple	**je créai**
subjonctif présent	**que je crée**
conditionnel présent	**je créerais**
impératif	**crée, créons, créez**
participe présent	**créant**
participe passé	**créé**

crémaillère n. f. **1** Tige de fer qu'on fixait dans la cheminée pour y suspendre une marmite. **2** *Pendre la crémaillère :* fêter son emménagement dans un nouveau logement. **3** *Véhicule à crémaillère :* véhicule sur rails entraîné par un système d'engrenages qui lui permet de gravir de fortes pentes.

crématoire adj. *Four crématoire :* dans lequel on fait brûler le corps des morts. *Dans les camps d'extermination nazis, il y avait des fours crématoires pour éliminer les cadavres.*

crématorium n. m. Lieu où l'on fait brûler les corps des morts, dans un cimetière.
On prononce [kʀematɔʀjɔm].

crème n. f. et adj. inv.

• n. f. **1** Matière grasse du lait. *Des fraises à la crème fraîche. C'est avec la crème qu'on fait le beurre.* **2** Dessert à base de lait, de sucre et d'œufs. *Une crème caramel.* **3** Produit onctueux pour les soins de la peau. *Crème de beauté. Crème à raser.*

J'aime le lait **crémeux**, qui contient beaucoup de crème (**1**). Une **crémerie** est un magasin où l'on vend de la crème (**1**), du lait, du beurre, du fromage et des œufs. Le **crémier, la crémière** sont les commerçants qui tiennent une crémerie.

• adj. inv. D'un blanc légèrement jaune. *Des chemises crème.*

créneau n. m. **Plur. : des créneaux. 1** Ouverture rectangulaire faite en haut d'un rempart. **2** Manœuvre pour garer sa voiture le long d'un trottoir entre deux autres voitures en stationnement.
En ville, il faut savoir faire les créneaux.

Les créneaux sont pratiqués en haut des donjons et des remparts des villes et des châteaux forts. Ils permettent de se tenir à l'abri derrière les merlons (les pans de pierre entre les créneaux), pour surveiller l'ennemi ou lancer des projectiles, de l'huile bouillante, etc.

créole adj. et n. m.

• adj. Se dit d'une personne d'origine européenne née aux Antilles ou à la Réunion.

• n. m. Langue parlée dans ces îles.

1. crêpe n. m. **1** Étoffe légère et un peu ondulée. *Crêpe de soie, de laine.* **2** Caoutchouc souple et robuste. *Des chaussures à semelle de crêpe.*

2. crêpe n. f. Galette très mince faite avec un mélange de farine, d'œufs et de lait et cuite à la poêle. *Des crêpes sucrées ou salées.*

Une **crêperie**, c'est un restaurant où l'on mange des crêpes.

crépi n. m. Couche de plâtre ou de ciment à l'aspect granuleux. *Un mur en crépi.*

crépiter v. → conjug. **aimer.** Faire entendre de petits bruits secs. *L'huile crépite dans la poêle.*

J'aime entendre le **crépitement** du feu dans la cheminée, le feu qui crépite.

crépon n. m. *Papier crépon :* papier d'aspect ondulé. *Un déguisement en papier crépon.*

crépu, ue adj. *Cheveux crépus :* frisés en petites boucles très serrées.

crépuscule n. m. Moment qui suit le coucher du soleil.

cresson n. m. Plante qui pousse dans l'eau douce.

Le cresson pousse à la surface des rivières et des ruisseaux. Ses feuilles, à la saveur piquante, sont riches en vitamine C. On les consomme en salade ou en potage. On cultive le cresson dans des bassins appelés cressonnières.

crête n. f. **1** Morceau de chair rouge et dentelée qui se trouve sur la tête de certains oiseaux. *La crête d'un coq.* **2** Sommet d'une montagne, d'un toit, d'une vague.

Crète

Île grecque de Méditerranée, située au sud de la mer Égée. La population de la Crète se concentre sur la côte nord, où se trouve la ville la plus importante, Héraclion. L'élevage, la culture et le tourisme sont ses principales ressources. Vers 3 000 av. J.-C., une brillante civilisation voit le jour en Crète : la civilisation minoenne (du nom de Minos, roi légendaire de Crète). Au cours du IIe millénaire av. J.-C., l'île se pare de palais (notamment dans les villes de Cnossos et de Phaïstos), dont les ruines n'ont été découvertes qu'en 1900. La civilisation minoenne disparaît vers 1100 av. J.-C.

Créteil

Ville française de la Région Île-de-France, située sur les bords de la Marne. Créteil est un important centre administratif, industriel et commercial. La ville possède une université ; elle dispose aussi d'une base de loisirs construite au bord d'un lac artificiel. Dans les années 1960, une nouvelle ville est entièrement construite autour du centre ancien. L'originalité de cette réalisation réside dans le fait que chaque quartier a été confié à un architecte différent.

94 *Préfecture du Val-de-Marne*
82 630 habitants : les Cristoliens

crétin, ine n. Imbécile, idiot.

creuser v. → conjug. **aimer. 1** Faire un trou, une cavité. *Creuser le sol. Creuser une tombe. 2 Se creuser la tête :* réfléchir beaucoup.

creuset n. m. Récipient servant à faire fondre des métaux.

creux, euse adj. et n. m.
• adj. **1** Vide à l'intérieur. *Un arbre creux.* **2** Profond, enfoncé. *Des assiettes creuses.* **3** Au figuré. Sans intérêt, sans valeur. *Un discours creux.*
Contraires : plein (**1**), plat (**2**).
• n. m. **1** Partie vide ou enfoncée. *Le creux d'un rocher. Le creux de la main.* **2** Familier. *Avoir un creux à l'estomac :* avoir faim.

crevaison n. f., **crevant, ante** adj. → crever.

crevasse n. f. **1** Fente profonde à la surface du sol ou d'un glacier. **2** Petite fente à la surface de la peau, gerçure.

Les crevasses se forment aux endroits où la pente sur laquelle s'appuie le glacier devient plus forte : la masse de glace se fissure profondément sous l'effet des pressions colossales qui s'exercent au niveau de ces dénivellations.

crever v. → conjug. **promener. 1** Éclater, se rompre. *Ballon, pneu qui a crevé.* **2** Faire éclater, déchirer, percer. *Il a crevé son pneu. Il a failli se crever un œil.* **3** Familier. Épuiser. *Elle se crève au travail.* **4** Familier. Mourir. *Elle a laissé crever ses plantes. Je crève de froid. Il a encore eu une* **crevaison** *avec son vélo, son pneu a crevé (**1**). La balade que nous avons faite était* **crevante***, elle nous a crevés (**3**), elle était épuisante.*

crevette n. f. Petit crustacé marin à longues antennes. *Un filet à crevettes. Manger des crevettes grises.*

cri n. m. **1** Son perçant ou violent émis par la voix. *Pousser un cri. Des cris de joie, de surprise.* **2** Son émis par un animal. *Le hennissement est le cri du cheval.*

criant, criante adj. → crier.

criard, criarde adj. **1** Au son perçant et désagréable. *Une voix criarde.* **2** Désagréable à voir. *Des couleurs criardes.*

crible n. m. **1** Appareil percé de trous qui sert à trier des graines, du sable, des morceaux de minerai. **2** Au figuré. *Passer au crible :* examiner soigneusement. *L'emploi du temps du suspect a été passé au crible.*

criblé, ée adj. **1** Percé ou marqué en de nombreux endroits. *Le corps de la victime était criblé de balles. Un visage criblé de taches de rousseur.* **2** Au figuré. *Être criblé de dettes :* en avoir beaucoup.

cric n. m. Appareil qui permet de soulever des charges très lourdes. *Elle a soulevé la voiture grâce au cric et elle a changé la roue.*
Homonyme : crique.

cricket n. m. Sport d'équipe anglais qui se joue avec une balle et des battes.
Mot anglais qui se prononce [kʀikɛt]**.**

Codifié au XVIIIᵉ siècle, le cricket est le jeu national anglais. C'est l'ancêtre du base-ball américain.
Le cricket se joue à l'aide d'une petite balle de cuir très dure et d'une batte en bois. Il oppose deux équipes de 11 joueurs. Le terrain n'a pas de taille définie. Au centre se trouvent deux «guichets». Ces guichets sont constitués de piquets de bois portant des planchettes qui tombent en cas de choc. Les règles sont complexes. Le batteur doit effectuer le plus grand nombre de courses entre les deux guichets pendant que la balle est en jeu.
Un match de cricket peut durer plusieurs jours !

criée n. f. *Vente à la criée :* vente publique aux enchères.

crier v. → conjug. **modifier.** *1* Pousser un cri ou des cris. *Crier de douleur.* *2* Parler d'une voix forte pour se faire entendre ou pour exprimer sa colère, son mécontentement. *Inutile de crier, je ne suis pas sourd ! Les parents vont encore crier.*

C'est une injustice **criante**, qui fait crier (*2*) d'indignation, qui est révoltante.

crime n. m. *1* Faute très grave punie par la loi. *Le vol à main armée est un crime.* *2* Meurtre, assassinat. *L'arme du crime. Les lieux du crime.*

criminel, elle adj. et n.
● adj. Qui constitue un crime, une faute grave. *L'incendie est d'origine criminelle.*

La **criminalité** n'a pas augmenté, le nombre d'actes criminels.

● n. Personne coupable d'un crime, assassin. *Le criminel n'a pas été retrouvé.*

crin n. m. Poil long et raide qui pousse sur le cou et la queue de certains animaux. *Les crins du cheval.*

La **crinière** d'un lion ou d'un cheval, c'est l'ensemble des crins qui poussent sur leur cou.

crique n. f. Petite baie abritée. *Le bateau a jeté l'ancre dans une crique.*
Homonyme : cric.

criquet n. m. Insecte des pays chauds qui ressemble à une sauterelle.

crise n. f. *1* Manifestation violente et soudaine d'une maladie. *Crise d'appendicite. Crise cardiaque.* *2* Manifestation soudaine d'une émotion, d'un sentiment. *Une crise de larmes. Une crise de jalousie.* *3* Période de trouble, de tension, de difficultés. *Une crise politique.*

crisper v. → conjug. **aimer.** *1* Contracter. *Sa main se crispe sur le volant.* *2* Au figuré. Agacer, énerver, irriter. *Sa lenteur me crispe.*

crisser v. → conjug. **aimer.** Produire un grincement aigu. *Elle fait crisser la craie sur le tableau.*

J'entends un **crissement** de pneus, des pneus qui crissent.

cristal n. m. **Plur. : des cristaux.** *1* Corps solide dont les éléments sont répartis avec une régularité géométrique. *Du cristal de roche. Des cristaux de glace.* *2* Variété de verre limpide qui donne un son très pur quand on le heurte. *Des verres en cristal.*

Le sucre **cristallisé** se présente sous forme de petits cristaux (*1*).

cristallin, ine adj. et n. m.
● adj. Aussi transparent ou pur que le cristal. *Une eau cristalline. Un son cristallin.*

● n. m. Partie transparente de l'œil, en forme de lentille, située derrière la pupille.

cristallisé, ée adj. → **cristal.**

critère n. m. Ce qui sert de référence et qui permet de choisir ou de juger. *Quels sont pour vous les critères de la beauté ?*

critiquable adj. → **critique 2.**

1. critique adj. Qui est difficile et peut avoir des conséquences graves. *Un état, une situation critiques.*

2. critique n. f. et n.
● n. f. *1* Jugement que l'on porte sur une œuvre. *Son dernier roman a eu de bonnes critiques.* *2* Jugement négatif, reproche. *Il ne supporte pas la moindre critique.*

Sa décision a été **critiquée**, elle a fait l'objet de critiques (*2*), elle a été blâmée. *C'est une attitude très* **critiquable**, on peut la critiquer.

● n. Personne dont le métier consiste à juger des œuvres littéraires ou artistiques, à en faire la critique. *Un critique littéraire. Un critique de cinéma.*

croasser v. → conjug. **aimer.** Pousser son cri, quand il s'agit du corbeau et de la corneille.

On entend les **croassements** des corbeaux dans la plaine.

Croatie

République de l'est de l'Europe, située dans la péninsule des Balkans. La Croatie est bordée par la mer Adriatique. Le nord et le centre du pays sont constitués de plaines séparées par de petits massifs montagneux. Le climat est méditerranéen sur le littoral et continental à l'intérieur. La population compte deux groupes principaux : les Croates (environ 75 %) et les Serbes (10 %). Les principales ressources sont l'agriculture, l'industrie et, sur la côte, le tourisme. La Croatie est l'un des pays qui formaient l'ancienne République de Yougoslavie. Elle se proclame indépendante en 1991 ; une guerre éclate alors entre les Croates et les Serbes. En 1992, le conflit s'étend à la Bosnie. Le traité de paix est signé en 1995.

56 538 km²
4 439 000 habitants :
les Croates
Langues : croate, serbe, italien, hongrois
Monnaie : kuna
Capitale : Zagreb

croc n. m. Canine pointue des carnivores. *Le chien montre ses crocs.*
On prononce [kʀo].

croc-en-jambe n. m. **Au plur. : des crocs-en-jambe.** Manière de faire tomber quelqu'un en passant le pied devant sa jambe.
On prononce [kʀokɑ̃ʒɑ̃b]. **Synonyme : croche-pied.**

croche n. f. Note de musique qui vaut la moitié d'une noire et dont la queue porte un crochet.

croche-pied n. m. **Au plur. : des croche-pieds.** Croc-en-jambe.

crochet n. m. *1* Instrument recourbé servant à suspendre, à fixer ou à saisir quelque chose. *Pendre un miroir à un crochet.* *2* Aiguille à pointe recourbée utilisée pour faire du tricot, de la dentelle. *3* Détour sur un itinéraire. *Faire un crochet pour aller plus vite.* *4* Sorte de parenthèse. *On met la prononciation des mots entre crochets [ ].* *5* Dent recourbée des serpents venimeux.

crochu, ue adj. Recourbé en forme de crochet. *Le bec crochu des oiseaux de proie.*

crocodile n. m. *1* Grand reptile carnivore. *2* Peau de cet animal. *Un sac, une ceinture en crocodile.*
En abrégé : croco (*2*).

Le crocodile appartient à la même famille que le caïman, l'alligator et le gavial (crocodiliens). On en connaît 14 espèces. Le plus grand est le crocodile marin (Inde, Chine et Australie), qui peut atteindre 7 m de longueur. Les autres mesurent entre 3 et 4 m en moyenne. Leur peau, faite de solides écailles, forme une véritable armure.
Les crocodiles sont des animaux amphibies qui vivent à proximité des rivières, des lacs ou de la mer. Dotés d'une puissante mâchoire, ils se nourrissent de poissons, d'oiseaux et de gros mammifères comme les gnous.

crocus n. m. Plante à bulbe, aux fleurs violettes ou jaunes qui fleurit à la fin de l'hiver.
On prononce [kʀokys].

croire v. *1* Penser que quelque chose est vrai ou que ce que dit quelqu'un est vrai. *Je ne peux pas croire cette histoire ! Crois-moi, c'est vrai.* *2* Penser que quelque chose est probable sans en être vraiment sûr, supposer. *Je crois qu'il va pleuvoir.* *3* Être certain que quelque chose ou que quelqu'un existe. *Croire en la vie éternelle. Croire à sa bonne étoile.*
C'est un homme très **croyant**, *il croit (3) en Dieu. Je respecte leurs* **croyances**, *ce en quoi ils croient (3), leurs convictions religieuses. Cette nouvelle est à peine* **croyable**, *on a du mal à y croire (1).*

La conjugaison du verbe	
CROIRE 3e groupe	
indicatif présent	**je crois, il ou elle croit, nous croyons, ils ou elles croient**
imparfait	**je croyais**
futur	**je croirai**
passé simple	**je crus**
subjonctif présent	**que je croie**
conditionnel présent	**je croirais**
impératif	**crois, croyons, croyez**
participe présent	**croyant**
participe passé	**cru**

croisade n. f. *1* Au Moyen Âge, expédition guerrière menée par les chrétiens pour reprendre la Palestine et Jérusalem aux musulmans. *2* Au figuré. Campagne pour défendre une cause. *Mener une croisade contre la faim dans le monde.*

Les Turcs ayant conquis Jérusalem en 1077, les pèlerins chrétiens craignent de ne plus pouvoir se rendre en Terre Sainte sur le tombeau du Christ. C'est ainsi qu'en 1095 le pape Urbain II prêche la première croisade.
Regarde page suivante.

croisé n. m. Homme qui participait à une croisade.

croisée n. f. *1* Partie vitrée d'une fenêtre. *La croisée est ouverte.* *2* Être à la croisée des chemins : avoir un choix décisif à faire.

croiser v. → conjug. **aimer.** *1* Mettre l'un sur l'autre en forme de croix. *Croiser les bras, les jambes.* *2* Traverser, couper. *La voie ferrée croise la route.* *3* Rencontrer en venant de la direction opposée. *Ils se sont croisés sans se voir.* *4* Naviguer en restant dans le même secteur. *La frégate croise au large des côtes.*
Vous tournerez au prochain **croisement**, *à l'endroit où deux routes se croisent (2), au carrefour.*

croiseur n. m. Navire de guerre.

croisière n. f. Voyage touristique à bord d'un bateau. *Ils ont fait une croisière en Grèce.*

croissance

croissance n. f. *1* Fait de grandir, de se développer. *La croissance d'un arbre. Un enfant en pleine croissance.* *2* Fait d'augmenter, de s'accroître. *La croissance d'une ville. La croissance économique d'un pays.*

1. croissant, ante adj. Qui va en grandissant, en augmentant. *Les accidents de la route sont en nombre croissant.*

2. croissant n. m. *1* Forme de la partie éclairée de la Lune avant son premier quartier et après son dernier quartier. *2* Pâtisserie en pâte feuilletée en forme de croissant de lune.

croître v. Grandir, augmenter, se développer. *L'herbe croît. Sa colère ne cesse de croître.*
Contraires : décroître, diminuer.

La conjugaison du verbe
CROÎTRE 3e groupe

indicatif présent	**je crois, il ou elle croît, nous croissons, ils ou elles croissent**
imparfait	**je croissais**
futur	**je croîtrai**
passé simple	**je crûs**
subjonctif présent	**que je croisse**
conditionnel présent	**je croîtrais**
impératif	**crois, croissons, croissez**
participe présent	**croissant**
participe passé	**crû**

les croisades

Huit croisades sont entreprises de 1095 à 1270. Mais, à la fin du XIIIᵉ siècle, les musulmans sont à nouveau maîtres de tous les territoires qui avaient été libérés par les croisés.

■ Constituée de milliers de « pauvres gens » conduits par le moine Pierre l'Ermite, la première croisade est en partie décimée en chemin et écrasée par les Turcs en 1096.

■ La croisade des chevaliers, conduite par Godefroy de Bouillon, part en 1096. Elle reprend Jérusalem aux Turcs en 1099. Pendant deux siècles, les croisades se succèdent et des milliers de pèlerins se dirigent vers la Palestine.

le Krak des chevaliers

Des territoires chrétiens sont créés en Palestine. Des forteresses sont construites pour les défendre.

Reconstitution du Krak des chevaliers. Cette forteresse pouvait accueillir 2 000 chevaliers.

■ Au cours de la huitième croisade, le roi de France, Louis IX (Saint Louis), meurt de la peste à Tunis, en 1270.

croix n. f. *1* Instrument de supplice fait de deux poteaux de bois croisés, dans l'Antiquité. *Jésus est mort sur la croix.* *2* Objet en forme de croix, symbole du christianisme. *Porter une croix.* *3* Décoration en forme de croix. *La croix de guerre.* *4* Signe fait de deux traits qui se croisent. *Faites une croix dans la marge pour chaque faute.*

Cro-Magnon

Site préhistorique français, en Dordogne, près du village des Eyzies. On a donné le nom de ce site à un type d'homme préhistorique dont des squelettes ont été découverts à cet endroit en 1868. L'homme de Cro-Magnon est un représentant de l'espèce *Homo sapiens sapiens* (homme deux fois sage). Cet homme, qui vivait il y a environ 35 000 ans (paléolithique supérieur), est notre ancêtre. Son aspect physique est très semblable au nôtre. C'est un nomade qui chasse les rennes, les mammouths ou les ours. Il sait communiquer, fabriquer des outils et des armes en bois de renne, en ivoire, ou en pierres finement taillées. Il décore aussi les parois des grottes de fresques colorées, comme celles de la grotte de Lascaux.

croquant, ante adj. → **croquer.**

croque-monsieur n. m. inv. Sandwich chaud au pain de mie, au jambon et au fromage.

croque-mort n. m. **Plur. : des croque-morts.** Familier. Employé des pompes funèbres.

croquer v. → conjug. **aimer.** *1* Faire un bruit sec sous la dent. *Une pomme qui croque.* *2* Manger en écrasant avec les dents. *Croquer un morceau de sucre.*
  Un biscuit *croquant* croque (*1*) sous la dent.

croquet n. m. Jeu où l'on fait passer des boules sous des arceaux en les frappant avec un maillet.

croquette n. f. *1* Boulette frite de viande, de poisson ou de légume. *Des croquettes de pommes de terre.* *2* Aliment pour chien ou chat, en forme de petite boulette sèche.

croquis n. m. Dessin rapide et schématique, esquisse. *Il a fait un croquis de sa maison.*

crosne n. m. Plante vivace.
  Le crosne est originaire du Japon. C'est une plante potagère dont on consomme les épaisses tiges souterraines (les rhizomes).

cross n. m. Course à pied en terrain varié avec des obstacles naturels.
Homonyme : crosse. On dit aussi : cross-country.
***Regarde aussi* cyclo-cross *et* motocross.**

crosse n. f. *1* Partie d'une arme à feu que l'on tient à la main ou qu'on appuie contre l'épaule. *La crosse d'un fusil, d'un revolver.* *2* Long bâton recourbé d'un évêque ou d'un abbé. *3* Bâton recourbé servant à pousser la balle ou le palet au hockey.
Homonyme : cross.

crotale n. m. Serpent venimeux d'Amérique appelé aussi «serpent à sonnette» à cause du bruit qu'il fait avec sa queue.

crotte n. f. *1* Excrément. *Il a marché sur une crotte de chien.* *2* Crotte en chocolat :* bonbon au chocolat.

crotté, ée adj. Couvert de boue. *Elle a les jambes toutes crottées.*

crottin n. m. *1* Excrément du cheval. *2* Petit fromage de chèvre de forme cylindrique.

crouler v. → conjug. **aimer.** Être surchargé, écrasé. *L'arbre croule sous les fruits. Il croule sous le travail.*

croupe n. f. Partie arrière du corps du cheval.

croupion n. m. Partie arrière du corps des oiseaux, qui porte les plumes de la queue.

croupir v. → conjug. **finir.** Rester immobile sans s'écouler et devenir mauvais, en parlant d'un liquide. *L'eau de la piscine a croupi. Ça sent l'eau croupie.*

croustiller v. → conjug. **aimer.** Craquer sous la dent. *Une baguette fraîche qui croustille.*
  Ces frites sont *croustillantes*, elles croustillent.

croûte n. f. *1* Partie extérieure et dure du pain, du fromage. *Il aime la croûte du camembert.* *2* Plaque dure de sang séché qui se forme sur une plaie. *Sa croûte va bientôt tomber.*
  Elle préfère le *croûton*, l'extrémité du pain où il y a a plus de croûte (*1*) que de mie.

croyable adj., **croyance** n. f., **croyant, ante** adj. → **croire.**

1. cru, crue adj. *1* Qui n'a pas été cuit. *Elle déteste la viande crue.* *2* Violent, brutal. *Une lumière crue.* *3* Choquant, grossier. *Il lui a parlé d'une façon très crue.*
Homonyme : crue.

2. cru n. m. Vin produit par un terroir. *Un grand cru.*

cruauté n. f. Caractère cruel. *C'est un tyran d'une grande cruauté.*

cruche n. f. *1* Récipient muni d'une anse et d'un bec. *Une cruche à eau.* *2* Familier. Personne stupide.

crucial, ale, aux adj. Important, essentiel, décisif. *Une question cruciale. Un moment crucial.*

crucifier v. → conjug. **modifier.** Fixer quelqu'un sur une croix jusqu'à ce qu'il meure. *Jésus a été crucifié.*

crucifix n. m. Objet religieux qui représente Jésus crucifié sur une croix.
On prononce [kRYsifi].

cruciverbiste n. Amateur de mots croisés.

crudités n. f. plur. Légumes crus servis en salade. *Prendre une assiette de crudités en entrée.*

crue n. f. Montée des eaux d'un cours d'eau, pouvant provoquer une inondation. *La rivière est en crue depuis le début de l'hiver.*
Homonyme : cru.

cruel, elle adj. *1* Qui éprouve du plaisir à faire souffrir. *Il ne faut pas le laisser être cruel avec les animaux.* *2* Qui provoque une souffrance physique ou morale. *Une perte cruelle.*

cruellement adv. *1* Avec cruauté, méchamment. *Il l'a cruellement frappé.* *2* D'une façon pénible, douloureuse. *Sa mère lui manque cruellement.*

crustacé n. m. Animal à carapace qui vit dans l'eau.

Les crustacés ont le corps recouvert d'une carapace à laquelle ils doivent leur nom (« crustacé » vient du mot latin *crusta*, qui signifie croûte). Ce sont des invertébrés (ils n'ont pas de colonne vertébrale) qui possèdent des pattes articulées.
Regarde page ci-contre.

crypte n. f. Chapelle souterraine installée sous une église.

cube n. m. *1* Solide qui a six faces carrées égales. *Un cube de fromage.* *2* *Cube d'un nombre :* ce nombre multiplié par lui-même deux fois de suite. *Le cube de 3 est 27 (3 x 3 x 3).* *3* *Mètre cube :* mesure de volume correspondant à un cube de un mètre de côté. *Dix mètres cubes (10 m³).*

*Ce meuble est **cubique**, il a la forme d'un cube (1).*

Le cube est un solide régulier (on dit aussi polyèdre régulier) comportant : six faces carrées, douze arêtes égales et huit sommets.

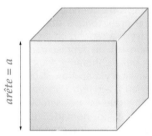

arête = a

L'aire du cube est égale à six fois l'aire d'une face. Si a est la longueur d'une arête, a² est l'aire d'une face et l'aire totale du cube est égale à 6a². Le volume du cube est égal à a × a × a, soit a³.

cubisme n. m. Mouvement artistique.

Le cubisme apparaît en France au début du xxᵉ siècle et se développe jusqu'à la Première Guerre mondiale. Le mot «cubisme» est né en 1908 lors d'une exposition de Georges Braque : c'est le critique d'art Louis Vauxcelles qui, devant les cubes qui composent les tableaux du peintre, aurait employé ce mot.
Regarde p. 290.

Cuba

République des Antilles, située à l'entrée du golfe du Mexique, au sud de la Floride. Cuba est la plus grande île de l'archipel des Grandes Antilles. Longue de 1 200 km pour une largeur maximale de 290 km, elle est assez plate, sauf au sud-est, dans la Sierra Maestra. Les côtes sont découpées en golfes et baies qui abritent de nombreux ports. Le climat est tropical ; les cyclones sont parfois violents. L'économie de la République de Cuba repose essentiellement sur la production de sucre, la culture du tabac et la fabrication de cigares, l'exportation de nickel et le tourisme. Découverte par Christophe Colomb en 1492, Cuba devient colonie espagnole dès les années 1510. L'île devient indépendante en 1901. Elle connaît ensuite plusieurs coups d'État. À partir de 1959, un régime communiste est instauré par Fidel Castro, soutenu par l'Union soviétique. Après l'effondrement de cette dernière (1991), l'économie du pays sombre. Elle se remet lentement de ces difficultés.

110 861 km²
11 271 000 habitants :
les Cubains
Langue : espagnol
Monnaie :
peso cubain
Capitale : La Havane

les crustacés

Le groupe des crustacés est immense : il renferme plus de 40 000 espèces ! Certaines, comme les cloportes, vivent sur la terre ferme. Mais la plupart sont aquatiques et respirent par des branchies. On les rencontre en eau douce et, surtout, dans la mer.

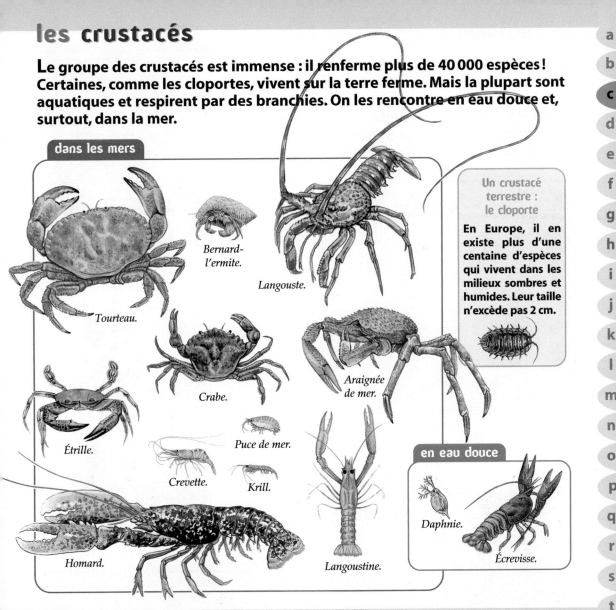

dans les mers

Tourteau.

Bernard-l'ermite.

Langouste.

Crabe.

Araignée de mer.

Étrille.

Puce de mer.

Crevette.

Krill.

Homard.

Langoustine.

Un crustacé terrestre : le cloporte

En Europe, il en existe plus d'une centaine d'espèces qui vivent dans les milieux sombres et humides. Leur taille n'excède pas 2 cm.

en eau douce

Daphnie.

Écrevisse.

---

cubitus n. m. Os de l'avant-bras.
On prononce [kybitys].

cucurbitacée n. f. Plante à gros fruit originaire des régions tropicales d'Afrique et d'Amérique.

Les cucurbitacées sont cultivées pour leur fruit comestible. Leur nom dérive de *cucurbita*, un mot latin qui signifie courge. Les courges (citrouille, courgette, concombre, potiron…) sont en effet les représentantes les plus connues de la famille, avec les melons et les pastèques.
Regarde p. 291.

cueillir v. Détacher des fleurs ou des fruits de leur tige. *Cueillir des roses, des framboises.*
On prononce [kœjiʀ].
   *La **cueillette** des cerises a été bonne*, on en a cueilli beaucoup.
Regarde la conjugaison p. 291.

le cubisme

Le cubisme utilise les formes géométriques simples, notamment les volumes, dans la représentation des objets. Les sujets des œuvres sont dessinés sous plusieurs angles de vue à la fois ; la profondeur et l'effet de perspective sont supprimés, les surfaces s'entremêlent.

Maisons à l'Estaque *(1908).*
Georges Braque *(1882-1963).*

Les Demoiselles d'Avignon *(1907).*
Pablo Picasso *(1881-1973).*

■ C'est Pablo Picasso qui, influencé par la peinture de Cézanne et l'art africain, marque les débuts du cubisme avec *les Demoiselles d'Avignon*, en 1907. Très vite, son ami Georges Braque s'engage avec lui dans cette nouvelle recherche artistique. Juan Gris se joint à eux en 1911.

Figure de femme *(1917).*
Juan Gris *(1887-1927).*

■ À partir de 1912, Braque et Picasso réalisent des collages, utilisant du papier journal et des fragments d'objets divers. Picasso s'intéresse ensuite à l'assemblage de matériaux variés, exécutant de nombreuses sculptures.

■ Le mouvement cubiste s'élargit en France avec des peintres comme Fernand Léger et Robert Delaunay, et gagne rapidement l'Italie, l'Allemagne, la Russie et l'Europe centrale. Il influencera de nombreux artistes au cours du XXe siècle.

Lettre ouverte *(1950-1952).*
Fernand Léger *(1881-1955).*

Les coureurs *(1926).*
Robert Delaunay *(1885-1941).*

La conjugaison du verbe

CUEILLIR 3ᵉ groupe

indicatif présent	**je cueille, il ou elle cueille, nous cueillons, ils ou elles cueillent**
imparfait	**je cueillais**
futur	**je cueillerai**
passé simple	**je cueillis**
subjonctif présent	**que je cueille**
conditionnel présent	**je cueillerais**
impératif	**cueille, cueillons, cueillez**
participe présent	**cueillant**
participe passé	**cueilli**

cuillère n. f. Couvert fait d'un manche et d'une partie creuse. *Une cuillère à soupe. Une petite cuillère.* **On prononce** [kɥijɛʀ]. **On écrit aussi : cuiller.**
Prends une dernière cuillerée de soupe, le contenu d'une cuillère.

cuir n. m. **1** Peau d'un animal préparée pour faire des sacs, des chaussures, des vêtements. *Un portefeuille en cuir.* **2** *Cuir chevelu :* peau du crâne.
Homonyme : cuire.

cuirasse n. f. **1** Partie de l'armure qui recouvrait le buste. **2** Blindage d'acier qui protège un navire de guerre.
Un cuirassé, c'est un navire de guerre blindé, protégé par une cuirasse (**2**). *Les cuirassiers* étaient des cavaliers qui portaient une cuirasse (**1**).

les cucurbitacées

On connaît près de 700 espèces différentes de cucurbitacées. Ce sont des plantes à tige rampante ou grimpante, munies de vrilles qui leur permettent de s'accrocher à un support.

Cornichon.

Citrouille.

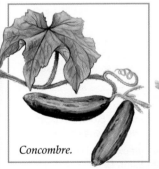

Concombre.

Courgette.

Melon.

Pastèque.

Potiron, souvent appelé à tort citrouille.

■ **De formes variées, les fruits des cucurbitacées ont généralement une peau épaisse qui renferme une pulpe contenant de nombreuses graines.**

cuire v. *1* Rendre bon à consommer sous l'action de la chaleur. *Le boulanger cuit le pain dans le four. Les pâtes cuisent dix minutes.* *2* Faire durcir un objet, une matière en les chauffant. *Cuire une poterie. Cuire des émaux.* *3* Provoquer une sensation de brûlure. *La joue me cuit à l'endroit de la gifle.* *4* Il vous en cuira, il t'en cuira. Vous allez le regretter, tu vas le regretter.
Homonyme : cuir.

Le rôti est trop **cuit**, *il a cuit (1) trop longtemps.*

La conjugaison du verbe

CUIRE 3e groupe

indicatif présent	**je cuis, il ou elle cuit, nous cuisons, ils ou elles cuisent**
imparfait	**je cuisais**
futur	**je cuirai**
passé simple	**je cuisis**
subjonctif présent	**que je cuise**
conditionnel présent	**je cuirais**
impératif	**cuis, cuisons, cuisez**
participe présent	**cuisant**
participe passé	**cuit**

cuisant, ante adj. Pénible, vexant. *Un échec cuisant. Une expérience cuisante.*

cuisine n. f. *1* Pièce où l'on prépare les repas. *Manger dans la cuisine.* *2* Action de préparer les aliments. *Faire la cuisine.*

Il aime **cuisiner**, *faire la cuisine (2).*

cuisinier, ière n. Personne qui fait la cuisine. *Il est cuisinier dans un grand restaurant. Elle est bonne cuisinière.*

cuisinière n. f. Appareil composé d'un four et de plaques de cuisson, pour faire cuire les aliments. *Cuisinière à gaz, cuisinière électrique.*

cuisse n. f. Partie de la jambe qui va du genou à la hanche. *L'os de la cuisse est le fémur.*

cuisson n. f. Action ou façon de cuire un aliment. *Pour ces pâtes, le temps de cuisson est de sept minutes.*

cuit, cuite adj. → **cuire.**

cuivre n. m. *1* Métal rouge qui conduit très bien l'électricité et la chaleur. *Une casserole en cuivre.* *2* Au pluriel. Instruments de musique à vent en métal. *La trompette, le trombone, le saxophone sont des cuivres.*

Des feuilles d'automne aux tons **cuivrés**, *de la couleur du cuivre (1).*

cul n. m. *1* Familier. Les fesses, le derrière. *2* Fond de certains objets. *Le cul d'une bouteille.*
On prononce [ky].

culbute n. f. *1* Mouvement qui consiste à rouler sur le dos pour retomber de l'autre côté. *2* Chute où l'on tombe à la renverse ou la tête la première. *Faire une culbute dans l'escalier.*
Synonyme : galipette (1).

La voiture a **culbuté** *dans le fossé*, elle a fait une culbute (2), elle s'est renversée.

cul-de-jatte n. et adj. **Plur. : des culs-de-jatte.** Personne amputée des deux jambes.
On prononce [kydʒat].

cul-de-sac n. m. **Plur. : des culs-de-sac.** Voie sans issue, impasse.
On prononce [kydsak].

culinaire adj. Qui concerne la préparation des aliments. *L'art culinaire.*

culminer v. → conjug. **aimer.** Atteindre son point le plus élevé. *Les Alpes culminent au mont Blanc.*

Le Grand Ballon est le point **culminant** *des Vosges*, le point le plus élevé, où les Vosges culminent.

culot n. m. *1* Fond métallique d'une ampoule électrique, d'une cartouche de chasse. *2* Familier. Audace, toupet. *Quel culot !*

Elle est vraiment **culottée** *de lui parler sur ce ton*, elle a du culot (2).

culotte n. f. *1* Pantalon s'arrêtant aux genoux. *Culotte de cycliste. Porter des culottes courtes.* *2* Sous-vêtement féminin couvrant le ventre et les fesses. *Des culottes en coton.*

culotté, ée adj. → **culot.**

culpabilité n. f. Fait d'être coupable. *Établir la culpabilité d'un accusé. Avoir un sentiment de culpabilité.*

culte n. m. *1* Hommage religieux que l'on rend à Dieu, à une divinité ou à un saint. *Le culte du Soleil chez les Aztèques.* *2* Ensemble des pratiques propres à une religion. *Le culte catholique, le culte orthodoxe.* *3* Cérémonie religieuse des protestants. *Mes voisins sont protestants, ils vont au culte le dimanche.* *4* Film-culte, série-culte. Film, série télévisée qui ont de nombreux fanatiques.

cultiver v. → conjug. **aimer.** *1* Travailler la terre pour faire pousser des plantes. *Cultiver un champ, un jardin.* *2* Faire pousser des plantes. *Cultiver des céréales, de la vigne.* *3* Se cultiver : acquérir des connaissances variées qui enrichissent l'esprit et le goût. *Elle prétend qu'elle se cultive en regardant la télévision.*
Synonyme : s'instruire (3).

Ce sont des terres **cultivables**, qui peuvent être cultivées (*1*). Le métier du **cultivateur** est de cultiver (*1*) la terre. C'est une personne très **cultivée** (*3*), elle a une culture très étendue.

culture n. f. *1* Action de cultiver une terre, une plante. *La culture du maïs, du coton.* *2* Au pluriel. Terres ou plantes cultivées. *La tempête a détruit une partie des cultures.* *3* Ensemble des connaissances qu'une personne a acquises. *Avoir une bonne culture générale.* *4* Ensemble des connaissances, des croyances, des coutumes propres à un pays, à une société. *La culture occidentale, la culture orientale.* *5* Culture physique : gymnastique.

Ils ont fait un voyage **culturel** en Italie, ils ont enrichi leur culture (*3*) en s'intéressant à la culture (*4*) de ce pays, en visitant les musées, les monuments.

cumin n. m. Plante dont les graines aromatiques sont utilisées comme condiment.

cumuler v. → conjug. **aimer.** Exercer plusieurs activités en même temps. *Il cumule plusieurs emplois.*

Le **cumul** des fonctions, c'est le fait de les cumuler.

cumulus n. m. Gros nuage de beau temps, blanc et arrondi.
On prononce [kymylys].

cupide adj. Qui recherche l'argent avec avidité.

Sa **cupidité** va lui jouer des tours, son caractère cupide.

curare n. m. Poison végétal à action paralysante.

1. cure n. f. Maison du curé.

2. cure n. f. Traitement médical par un régime ou par des soins spéciaux. *Faire une cure d'amaigrissement, une cure en station thermale.*

Un **curiste**, c'est une personne qui fait une cure thermale.

curé n. m. Prêtre catholique qui est à la tête d'une paroisse.
Homonyme : curer.

cure–dent n. m. **Plur. : des cure-dents.** Petit instrument pointu servant à se curer les dents.
On écrit aussi : un cure-dents.

curer v. → conjug. **aimer.** Nettoyer en grattant. *Se curer les ongles.*
Homonyme : curé.

Physicienne française d'origine polonaise née en 1867 et morte en 1934. Son nom de jeune fille est Marie Sklodowska. En 1891, elle quitte Varsovie pour Paris, où elle accomplit de brillantes études scientifiques. En 1894, elle rencontre son mari, Pierre Curie, avec lequel elle mène des recherches sur le rayonnement d'un minerai riche en uranium. Ces travaux aboutissent à la découverte de deux éléments radioactifs nouveaux : le polonium et le radium. En 1903, elle est la première femme à recevoir un prix Nobel, celui de physique. Après la mort de son mari, elle poursuit seule ses recherches sur le radium, qui lui valent en 1911 le prix Nobel de chimie. Son mari, physicien lui aussi, est né en 1859 et mort en 1906. Il partage avec sa femme le prix Nobel de physique de 1903. Deux ans plus tard, il est élu à l'Académie des sciences.

curieux, euse adj. et n.
• adj. et n. *1* Qui veut connaître, comprendre, voir. *Elle est curieuse de tout. Un attroupement de curieux.* *2* Qui cherche à connaître ce qui ne le regarde pas, indiscret. *C'est une petite curieuse, elle fouille partout.*
• adj. Bizarre, étrange, étonnant. *J'ai assisté à un curieux spectacle.*

Il a réagi **curieusement**, bizarrement, d'une manière curieuse.

curiosité n. f. *1* Envie de connaître, d'apprendre. *Tu éveilles ma curiosité, je veux en savoir plus.* *2* Désir indiscret de savoir. *Sa curiosité a été punie.* *3* Chose surprenante, intéressante. *Les curiosités de la nature.*

curiste n. → cure 2.

curling n. m. Sport consistant à faire glisser sur la glace une pierre munie d'une poignée.

Mot anglais qui se prononce [kœrliŋ].

Le curling, jeu traditionnel écossais, date du début du XVIᵉ siècle. Il est codifié en 1838.

Il consiste à atteindre une cible en faisant glisser sur la glace

une pierre ronde et lourde (15 kg !) munie d'une poignée. La cible, située à environ 38 m du lanceur, est formée de cercles concentriques. Le joueur supprime les aspérités de la glace, devant le galet qui glisse, à l'aide d'un petit balai. Le nombre de points obtenus dépend de la distance du galet par rapport au centre de la cible appelé *tee*.

curry n. m. → cari.

curseur n. m. Pièce mobile servant à faire un réglage. *Le curseur d'une balance.*

cutané, ée adj. Qui concerne la peau. *Une lésion cutanée.*

cuti n. f. Test médical destiné à vérifier si l'on est immunisé contre la tuberculose.
« Cuti » est l'abréviation de « cutiréaction ».

cutter n. m. Instrument tranchant fait d'une lame coulissant dans un manche, pour couper le papier, le carton. **Mot anglais qui se prononce** [kœtœʀ] **ou** [kytɛʀ].

cuve n. f. Grand récipient, réservoir. *Une cuve à mazout.*

cuvée n. f. Vin produit par un vignoble. *Une bonne, une mauvaise cuvée.*

cuvette n. f. *1* Récipient portatif peu profond servant à la toilette, à la vaisselle. *Une cuvette en plastique.* *2* Partie creuse d'un lavabo, d'un W.-C.

cyanure n. m. Poison violent.

cyclable adj. → cycle.

cyclamen n. m. Plante à fleurs roses, mauves ou blanches.
On prononce [siklamɛn].

cycle n. m. *1* Suite d'événements qui se répètent dans le même ordre. *Le cycle des saisons.* *2* Véhicule à deux roues que l'on fait avancer par la pression des pieds sur les pédales ou par un petit moteur (bicyclette, tandem, cyclomoteur). *Un marchand de cycles.*
Les crises économiques ont un caractère cyclique, elles se répètent régulièrement selon un certain cycle (1). Une piste cyclable est une voie spécialement aménagée pour les cycles (2).

cyclisme n. m. Sport de la bicyclette.

La première course de vélocipède a lieu en France le 31 mai 1868, du parc de Saint-Cloud à Paris sur une distance de 2 km ! Elle est remportée par l'Anglais James Moore sur un grand-bi, dont la roue avant mesure 1,20 m de diamètre. L'Union vélocipédique de France est créée en 1881. En 1941, elle devient la Fédération française de cyclisme. Elle compte aujourd'hui plus de 110 000 adhérents.
Le sport cycliste comprend deux grands types d'épreuves : des épreuves sur piste dans des vélodromes (courses de vitesse, de poursuite, record de l'heure…), et des épreuves sur route, les plus nombreuses. Parmi ces dernières, les plus célèbres sont les courses de ville à ville comme le Paris-Nice, et les courses par étapes comme le Tour de France. Il existe aussi des épreuves de cyclo-cross et, depuis 1990, des épreuves de VTT (vélos tout terrain).
Regarde aussi bicyclette et VTT.

cycliste adj. et n.
• adj. Qui concerne le cyclisme. *Une course cycliste.*
• n. Personne qui se déplace à bicyclette ou qui pratique le sport cycliste.

cyclocross n. m. Course cycliste sur terrain accidenté.

cyclomoteur n. m. Véhicule à deux roues muni d'un moteur de faible puissance.

cyclone n. m. Très forte tempête caractérisée par un tourbillon de vents extrêmement violents.

cyclope n. m. Géant de la mythologie grecque qui n'avait qu'un œil au milieu du front.

cygne n. m. Grand oiseau blanc au long cou souple et aux pattes palmées, qui vit sur les eaux douces.

cylindre n. m. *1* Solide qui a la forme d'un tube, d'un rouleau. *2* Partie d'un moteur dans laquelle se déplace le piston. *Moteur d'automobile à huit cylindres.*
Une boîte cylindrique est une boîte en forme de cylindre (1). La cylindrée d'une voiture ou d'une moto, c'est le volume de ses cylindres (2).

cymbale n. f. Instrument de musique à percussion fait de deux disques de métal. *Un coup de cymbales.*

cynique adj. et n. Qui manifeste par ses paroles ou par ses actes un mépris insolent à l'égard des règles morales et sociales.
Il cherche à nous choquer par son cynisme, par son attitude cynique.

cyprès n. m. Conifère élancé au feuillage persistant vert foncé. *Une allée de cyprès.*

cytise n. m. Arbuste à grappes de fleurs jaunes.

Dd

Pauvre Daphné !

DAPHNÉ

d' prép. et art. → **de.**

d'abord adv. En premier lieu, avant de faire autre chose. *Range d'abord tes affaires avant d'aller jouer.* Contraires : après, ensuite.

d'accord adv. *1* Indique l'approbation, l'acceptation. *Tu viendras dîner avec nous ? D'accord ! 2* Être d'accord : être du même avis ou consentir. *Je suis d'accord avec toi, c'est lui qui a raison. Mes parents sont d'accord pour que j'aille au cinéma.*

dactylo n. Personne dont le métier consiste à taper des textes à la machine à écrire ou sur un ordinateur.

dactylographier v. → conjug. **aimer.** Taper un texte à la machine à écrire.

dada n. m. Familier. Sujet ou activité préférés de quelqu'un. *Jouer aux échecs, c'est son nouveau dada.* Synonyme : marotte.

dadais n. m. *Grand dadais :* garçon à l'air niais.

dague n. f. Sorte de poignard à lame large.

Dahl Roald

Écrivain britannique né en 1916 et mort en 1990. Dahl est célèbre pour ses ouvrages pleins d'humour écrits pour les enfants : *les Gremlins* (1943), *James et la grosse pêche* (1963), *Charlie et la chocolaterie* (1964), tous trois adaptés au cinéma. Dahl a aussi écrit des fictions macabres pour les adultes, comme *Kiss, Kiss* (1960) et *la Grande Entourloupe* (1976).

dahlia n. m. Plante à fleurs aux couleurs variées. On classe les nombreuses variétés de dahlias selon la forme des fleurs, qui peuvent être simples, doubles,

en pompons... Leur taille varie de 0,20 m pour les plantes naines, à 1,50 m pour les plus grandes variétés.

daigner v. → conjug. **aimer.** Accepter de faire quelque chose, malgré une certaine réticence. *Il a quand même daigné nous répondre.*

d'ailleurs adv. De plus. *Il pense qu'il va pleuvoir, d'ailleurs je crois qu'il a raison.*

daim n. m. *1* Mammifère sauvage de la même famille que le cerf, au pelage brun tacheté de blanc. *Le daim est un ruminant. 2* Cuir très fin qui ressemble à la peau de cet animal. *Des gants en daim.* On prononce [dɛ̃].

Dalaï-lama

Chef du bouddhisme tibétain et souverain du Tibet. La tradition veut que, lorsque le dalaï-lama meurt, son esprit se réincarne dans un jeune enfant, qui devient le nouveau dalaï-lama. C'est au XVIᵉ siècle qu'un chef mongol donne le titre de dalaï-lama (qui signifie « océan de sagesse ») à un moine bouddhiste. Le dalaï-lama actuel, Tenzin Gyatso, est le quatorzième. Ayant dû quitter en 1959 le Tibet occupé par la Chine, il vit en exil en Inde avec son gouvernement. En 1989, il a reçu le prix Nobel de la paix pour son combat pour une libération non violente du Tibet.

Dalí

Dalí Salvador

Peintre et écrivain espagnol né en 1904 et mort en 1989. Influencé par de nombreux courants picturaux, dont le cubisme, Salvador Dalí rejoint en 1929 le groupe des surréalistes. Il s'intéresse au cinéma, et travaille pour le réalisateur Luis Buñuel. Personnage excentrique au comportement provocateur, il est connu pour ses toiles dans lesquelles il laisse libre cours à son imagination, comme *Persistance de la mémoire* (1931), *Prémonition de la guerre civile* (1936), *Cygnes reflétant des éléphants* (1937). Très productif, il réalise aussi des toiles plus « classiques » et aborde des thèmes religieux (*Crucifixion*, 1954). Organisant en permanence sa propre publicité, en 1974, il crée à Figueras, sa ville natale en Espagne, un musée consacré à son œuvre.

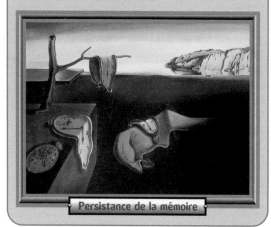

Persistance de la mémoire

dalle n. f. Plaque de matière dure qui sert à recouvrir un sol. *Une dalle de béton, de ciment.*
Un **dallage** *en marbre*, c'est l'ensemble des dalles en marbre. *Une terrasse* **dallée** a son sol recouvert de dalles.

dalmatien n. m. Grand chien au pelage blanc tacheté de noir.
Le dalmatien tire son nom de sa région d'origine, la Dalmatie (dans les Balkans). C'est un grand chien puissant et musclé, qui mesure de 45 à 60 cm à l'épaule et pèse entre 25 et 30 kg. Son pelage blanc est marqué de taches noires rondes ou ovales. Il a les oreilles tombantes, le museau long et le crâne large et plat. Le dalmatien est un bon chien de garde et de compagnie.

daltonien, enne adj. et n. Qui voit les couleurs de façon anormale. *Les daltoniens ne distinguent pas le rouge du vert.*

dame n. f. **1** Femme. *Une dame t'a demandé au téléphone.* **2** Figure d'un jeu de cartes représentant une reine. *La dame de carreau.* **3** Au pluriel. Jeu qui se joue à deux sur un damier, et qui consiste à déplacer des pions noirs et blancs.
On joue aux dames (3) sur un **damier**, un plateau carré, divisé en cent cases blanches et noires.

damer v. ➜ conjug. **aimer.** Tasser le sol, la neige.

damier n. m. ➜ **dame.**

damner v. ➜ conjug. **aimer.** Condamner quelqu'un à aller en enfer après la mort.
On prononce [dane].
Elle est très croyante et craint la **damnation**, le fait d'être damnée.

dan n. m. Au judo et au karaté, chacun des degrés progressifs de qualification dans la ceinture noire.
On prononce [dan].

se dandiner v. ➜ conjug. **aimer.** Balancer son corps régulièrement, d'un côté puis de l'autre.

Danemark

Monarchie constitutionnelle de l'Europe du Nord située au sud de la Scandinavie, entre la mer Baltique et la mer du Nord. Le Danemark est constitué d'une presqu'île et d'un archipel de près de 500 petites îles. Il comprend également deux territoires autonomes : le Groenland et les îles Féroé. Le relief du Danemark est très plat, et le climat humide. L'agriculture, l'élevage et la pêche sont des ressources importantes. Le Danemark possède des réserves de gaz naturel et son industrie est florissante. Le tourisme est bien développé. Peuplé dès la préhistoire, le pays est occupé par les Vikings au Ve siècle, et participe plus tard aux grandes invasions vikings. Le royaume du Danemark est fondé au Xe siècle. Le Danemark appartient à l'Union européenne.

43 070 km²
5 351 000 habitants :
les Danois
Langue : danois
Monnaie : couronne danoise
Capitale : Copenhague

danger n. m. Ce qui fait courir un risque grave. *La vitesse sur les routes représente un grand danger.*

Ralentis, ce virage est très ***dangereux***, il constitue un danger. *Il conduit **dangereusement**, de façon dangereuse.*

dans prép. Introduit de nombreux compléments : **1** Le lieu. *Le bébé dort dans sa chambre.* **2** Le temps. *Dans quelques jours c'est le printemps.* **3** L'approximation. *Il doit avoir dans les 35 ans.* **4** La manière. *Vivre dans la misère.*
Homonyme : dent.

danser v. ➜ conjug. **aimer.** Exécuter des pas et des mouvements au rythme d'une musique. *Danser la valse sur un air d'accordéon.*

Elle a appris la ***danse*** classique, la manière de danser.

La danse est une forme d'expression qui apparaît dans toutes les sociétés dès l'origine de l'homme. Elle a longtemps eu un caractère sacré : la danse sert à rendre hommage aux dieux, à les solliciter et à les remercier dans de nombreuses civilisations. Elle conserve aujourd'hui ce caractère religieux dans certaines régions du monde, en Asie et en Afrique en particulier.

danseur, euse n. **1** Personne qui danse pour le plaisir. *La musique commence, les danseurs prennent place sur la piste du bal.* **2** Artiste professionnel dont le métier est de danser. *Une chorégraphie exécutée par d'excellents danseurs.*

Dante

Poète italien né en 1265 et mort en 1321. Son vrai nom est Durante Alighieri. Dante écrit sa première œuvre vers 1291-1293 : *la Vita nuova* (« la vie nouvelle »), un chant d'amour en prose et en vers. Au cours des années suivantes, Dante prend part à la vie politique et aux luttes internes qui agitent Florence. Contraint à l'exil en 1302, il mène une vie errante et se consacre à l'écriture. Homme d'une très vaste culture, il défend la langue italienne face au latin (*De l'éloquence en langue vulgaire*, 1305) et traite divers autres thèmes, dont la philosophie (*le Banquet*, 1304-1307).

Son chef-d'œuvre, qu'il rédige de 1306 à 1321, est *la Divine Comédie*, un grand poème de cent chants relatant son voyage imaginaire dans l'au-delà. Ce voyage comporte trois étapes : l'Enfer, le Purgatoire et le Paradis. Au fil des siècles, cette œuvre majeure, traduite en plus de 25 langues, a inspiré de nombreux artistes (peintres, musiciens, poètes…).

Danton Georges Jacques

Homme politique français né en 1759 et mort en 1794. Danton est une figure importante de la Révolution française. Avocat au Conseil du roi Louis XVI, il se prononce pour la Révolution dès juillet 1789. Très bon orateur, il devient vite populaire. En 1792, il participe à la création du Tribunal révolutionnaire et devient, en 1793, un membre influent du Comité de salut public, un des principaux éléments du gouvernement révolutionnaire. Devenu suspect par son attitude politique ambiguë, il y est remplacé par Robespierre. S'opposant alors au régime de la Terreur, Danton devient le chef des « Indulgents ». Jugé par le Tribunal révolutionnaire, il est condamné à mort et guillotiné en 1794.

Danube

Long de 2850 km, le Danube naît dans la Forêt-Noire, en Allemagne, et se jette dans la mer Noire. Il traverse l'Allemagne, l'Autriche, la Slovaquie, la Hongrie, la Croatie, la Yougoslavie et l'Ukraine. Il longe la Roumanie, délimitant la frontière avec la Bulgarie. Vienne, Budapest et Belgrade sont construites sur ses rives. L'hiver, une partie de son cours est gelé. Le Danube a toujours été une voie de passage très fréquentée et un chemin favorable aux invasions. Le canal qui le relie au Main permet la liaison entre la mer du Nord et la mer Noire.

daphnie n. f. Petit crustacé d'eau douce que l'on donne à manger aux poissons d'aquarium.

d'après adv. Indique l'opinion. *D'après moi, c'est elle qui va gagner.*
Synonymes : selon, suivant.

dard n. m. Organe pointu de certains animaux et de certains insectes, avec lequel ils piquent et inoculent leur venin. *Les scorpions et les guêpes ont un dard.*

Dardanelles

Détroit reliant la mer Égée et la mer de Marmara, situé au nord-ouest de la Turquie. Le détroit des Dardanelles est long d'environ 70 km pour une largeur de 1,3 à 7,4 km. Il permet la navigation entre la Méditerranée (par la mer Égée) et la mer de Marmara, reliée à l'autre extrémité à la mer Noire par le Bosphore. Dans l'Antiquité, le détroit des Dardanelles portait le nom d'Hellespont.

darder v. → conjug. **aimer.** Littéraire. Lancer. *Darder des regards jaloux sur quelqu'un.*

dartre n. f. Plaque rouge et rugueuse sur la peau, qui cause des démangeaisons.

Darwin Charles

Naturaliste britannique né en 1809 et mort en 1882. Abandonnant des études de médecine, Darwin se tourne vers les sciences naturelles, qui le passionnent depuis l'enfance. En 1831, il embarque pour un tour du monde sur un navire d'exploration scientifique, le *Beagle.* Rentré en Angleterre après cinq années de voyage, il entreprend de réaliser la synthèse de toutes les observations qu'il a faites sur les animaux, les plantes et les formations géologiques. Il établit une théorie de l'évolution des espèces, qu'il publie en 1859 sous le titre *De l'origine des espèces au moyen de la sélection naturelle.* Le succès du livre est retentissant, mais la théorie, le darwinisme, rencontre de violentes oppositions dans le milieu scientifique et, surtout, de la part de l'Église. Le darwinisme a donné naissance à la principale théorie de l'évolution acceptée aujourd'hui, le néodarwinisme.

date n. f. ***1*** Indication du jour, du mois et de l'année. *Sa date de naissance est le 24 octobre 1966.* ***2*** Moment dans le temps, époque. *Ils se connaissent de fraîche date.* **Homonyme : datte.**

dater v. → conjug. **aimer.** ***1*** Mettre la date sur un document. *N'oublie pas de dater ta lettre.* ***2*** Exister depuis telle époque. *Ce pont date de l'époque romaine.* ***3*** Déterminer la date de fabrication de quelque chose. *Les archéologues cherchent à dater les amphores qu'ils viennent de découvrir.* **Synonyme : remonter à (*2*).**

datte n. f. Petit fruit brun et allongé du dattier, très sucré, qui pousse en grappes. **Homonyme : date.**

> *Un **dattier*** est une variété de palmier qui donne des dattes.

Daudet Alphonse

Écrivain français né en 1840 et mort en 1897. Après avoir exercé le métier de journaliste, Daudet connaît le succès avec la publication, en 1866, d'un recueil de contes provençaux pleins de poésie et de fantaisie : les *Lettres de mon moulin,* dont font partie *l'Arlésienne,* mise en musique par Georges Bizet en 1872, et *la Chèvre*

Daumier Honoré

Dessinateur et peintre français né en 1808 et mort en 1879. Daumier devient célèbre dès 1829 grâce aux nombreuses caricatures d'hommes politiques qu'il publie dans le journal *la Caricature.* À partir de 1835, il travaille pour *le Charivari,* et ses dessins humoristiques s'orientent vers la satire des mœurs de son époque. Il est également sculpteur. Vers 1860, Daumier se tourne vers la peinture, s'inspirant de scènes de la vie quotidienne (*les Blanchisseuses,* 1860-1862 ; *le Wagon de troisième classe,* 1862…), ou de thèmes littéraires (*Don Quichotte*). Il joue sur les contrastes de lumière, qui soulignent la précision du trait et rendent ses personnages très expressifs.

▸ Don Quichotte et Sancho Pança ◂

1. dauphin n. m. Mammifère marin qui fait partie des cétacés.

Il existe de nombreuses espèces de dauphins. Leur taille varie de 2 à 8 mètres de longueur. Tous vivent en groupe.

2. Dauphin n. m. Nom donné autrefois au fils aîné du roi de France.

de M. Seguin. Il écrit ensuite des romans (*le Petit Chose,* 1868 ; la trilogie comique qui met en scène *Tartarin de Tarascon,* 1872…) et d'autres contes, comme les *Contes du lundi* (1873). Son œuvre est empreinte de réalisme (il dépeint ses personnages d'après des observations de la vie quotidienne), mais aussi de fantaisie et d'une grande tendresse.

Dauphiné

Ancienne province du sud de la France, s'étendant sur une partie des Alpes. Créé au XIᵉ siècle, le Dauphiné est limité par la Savoie au nord et par la Provence au sud. Le Bas-Dauphiné est peu élevé tandis que le Haut-Dauphiné est montagneux. À partir du XIVᵉ siècle, le Dauphiné devient le domaine de l'héritier du roi de France, appelé Dauphin. En 1790, le Dauphiné est divisé en trois départements : l'Isère, les Hautes-Alpes et la Drôme.

daurade n. f. → dorade.

davantage adv. *1* En plus grande quantité. *Tu devrais manger davantage de fruits, c'est plein de vitamines.* *2* Plus longtemps. *Je suis pressé, je ne peux pas attendre davantage.*
Synonyme : plus (1). Contraire : moins (1).

David Louis

Peintre français né en 1748 et mort en 1825. David est influencé à la fois par la peinture du XVIIᵉ siècle et par l'art classique, qu'il découvre lors d'un séjour à Rome. Il devient, en France, le chef de file du style néoclassique, qui marque le retour à une forme d'art imitée de l'Antiquité. En 1784, *le Serment des Horaces*, composition historique, sert de référence à cette nouvelle école. Mettant son art au service de la nation, David devient le peintre de la Révolution française (*le Serment du Jeu de paume, Marat assassiné*) puis, de 1799 à 1815, celui du général Bonaparte (*Bonaparte au mont Saint-Bernard*), et enfin celui de l'empereur Napoléon Iᵉʳ (*le Sacre de Napoléon*). C'est aussi un portraitiste de grand talent (*Madame Récamier*, le *pape Pie VII*…).

Marat assassiné

1. de prép. Introduit de nombreux compléments. *1* Le lieu d'où l'on vient. *Arriver de Marseille.* *2* Le temps. *Voyager de nuit.* *3* La cause. *Il est mort de froid.* *4* Le moyen. *Taper des mains. Faire signe de la tête.* *5* La manière. *Manger de bon appétit.* *6* L'appartenance. *La maison de mes parents.* *7* L'agent. *Être apprécié des connaisseurs.*
« De » devient « d' » devant une voyelle ou un « h » muet. Il devient « du » devant « le » et « des » devant « les ».

2. de art. S'emploie devant les noms de choses qu'on ne peut pas compter. *Manger de la viande, du pain. Faire du judo. Ne pas avoir de monnaie.*
« De » devient « d' » devant une voyelle ou un « h » muet. Il devient « du » devant « le » et « des » devant « les ».

dé n. m. *1* Petit cube qui est marqué sur chacune de ses faces de points qui vont de 1 à 6. *On se sert des dés dans certains jeux de hasard.* *2* Petit étui pour protéger le bout du doigt quand on coud.

dé– préfixe. Indique le contraire, la privation, l'éloignement. *Décoller, débourser, débrancher.*
« Dé- » devient « dés- » devant une voyelle ou un « h » muet : déséquilibre, déshabiller.

déambuler v. → conjug. **aimer.** Marcher au hasard. *Déambuler dans les rues.*

débâcle n. f. Fuite en désordre d'une armée vaincue.
Synonyme : déroute.

déballer v. → conjug. **aimer.** Retirer de son emballage. *Déballer un colis.*
> Le *déballage* des cadeaux, c'est l'action de les déballer.

débandade n. f. Fuite dans toutes les directions. *Les gens ont paniqué et ça a été la débandade.*

se débarbouiller v. → conjug. **aimer.** Se laver le visage. *Se débarbouiller avec un gant et du savon.*

débarcadère n. m. Lieu aménagé pour débarquer et embarquer les passagers et les marchandises.
Synonyme : embarcadère.

débardeur n. m. Maillot de corps sans manches.

débarquer v. → conjug. **aimer.** *1* Faire sortir des personnes ou des marchandises d'un bateau ou d'un avion. *Sur le quai, les pêcheurs débarquent leur cargaison de poisson.* *2* Descendre d'un bateau ou d'un avion. *En rentrant de Corse, nous avons débarqué à Marseille.*
Contraire : embarquer (2).
> Ces grues servent au *débarquement des caisses*, à les débarquer (1).

BoucheRiE

débarras n. m. *1* Petite pièce où l'on met des objets encombrants ou dont on veut se débarrasser. *2* Familier. *Bon débarras !* Se dit quand on est soulagé du départ de quelqu'un.

débarrasser v. → conjug. **aimer**. *1* Dégager ce qui encombre un lieu. *Il va falloir débarrasser le couloir pour pouvoir passer.* *2* Se débarrasser : se séparer de quelque chose dont on ne se sert plus. *Donner sa vieille voiture pour s'en débarrasser.*

débattre v. → conjug. **battre**. *1* Discuter de quelque chose avec une ou plusieurs personnes. *Le prix de cette voiture d'occasion est à débattre.* *2* Se débattre : lutter avec énergie pour se dégager. *On a attrapé le voleur, mais il s'est débattu et a réussi à s'enfuir.*
Synonyme : se démener (*2*).

> J'ai assisté à un **débat** passionnant sur l'éducation, une réunion où ce problème a été débattu (*1*).

débauche n. f. Situation de quelqu'un qui abuse des plaisirs et qui se livre à ses vices. *Certains empereurs romains ont vécu dans la débauche.*

débaucher v. → conjug. **aimer**. Mettre à la porte, licencier. *Cette usine a débauché une dizaine d'ouvriers.*
Contraire : embaucher.

débile adj. et n.
● adj. Familier. Qui est idiot, stupide. *Une émission de variétés totalement débile.*
● n. Personne dont l'intelligence ne s'est pas développée normalement. *On distingue les débiles légers et les débiles profonds.*

débit n. m. *1* Quantité d'eau qui s'écoule en un temps donné. *Le débit de cette rivière est très faible en été.* *2* Vitesse à laquelle on parle. *Avoir un débit trop rapide.* *3* Somme d'argent débitée sur un compte. *4* Débit de boissons ou de tabac : magasin où l'on vend des boissons ou du tabac.
Contraire : crédit (*3*).

débiter v. → conjug. **aimer**. *1* Avoir tel débit quand il s'agit d'un cours d'eau. *2* Vendre des marchandises au détail. *Un vigneron qui débite son vin lui-même.* *3* Couper en morceaux. *Débiter du bois pour faire des planches.* *4* Réciter un texte d'une voix morne et monotone. *Débiter sa récitation.* *5* Enlever une somme d'argent d'un compte.
Contraire : créditer (*5*).

débiteur, trice n. Personne qui doit de l'argent à quelqu'un.
Contraires : créancier, prêteur.

déblayer v. → conjug. **payer**. Dégager un lieu de ce qui l'encombre. *Un chasse-neige déblaye les routes.*

> Charger les **déblais** dans une benne, la terre, les gravats qu'on a déblayés.

débloquer v. → conjug. **aimer**. *1* Remettre en mouvement ce qui était bloqué. *Impossible de débloquer ce verrou !* *2* Débloquer une situation : supprimer les obstacles qui la bloquaient. *3* Débloquer des fonds, des crédits : les rendre disponibles.

> Le maire attend le **déblocage** des crédits pour engager les travaux, que les crédits soient débloqués (*3*).

déboires n. m. plur. Événements qui causent de la déception. *Aujourd'hui, Daphné ne s'attendait pas à tant de déboires.*

déboiser v. → conjug. **aimer**. Dégarnir un terrain de ses bois, de ses arbres. *Déboiser pour construire une autoroute.*
Contraire : reboiser.

> Un **déboisement** excessif peut entraîner des inondations, le fait de déboiser.

déboîter v. → conjug. **aimer**. *1* Faire sortir un os de son articulation. *Se déboîter l'épaule.* *2* Sortir d'une file de véhicules. *Déboîter pour doubler.*
Synonyme : démettre (*1*).

débonnaire adj. Qui est doux et gentil. *Cet homme est tolérant et débonnaire.*

déborder v. → conjug. **aimer**. *1* Se répandre par-dessus bord. *L'eau de la baignoire a débordé, la salle de bains est inondée.* *2* Être rempli. *Cet enfant déborde de joie et d'énergie.* *3* Être débordé : être surchargé de travail ou d'obligations.

> Le **débordement** d'un fleuve, c'est le fait qu'il déborde (*1*).

débouché n. m. *1* Clientèle susceptible d'acheter un produit. *Ce fabricant espère trouver de nouveaux débouchés à l'étranger.* *2* Profession ou métier possibles. *La formation que j'ai suivie offre de très nombreux débouchés.*

déboucher v. → conjug. **aimer**. *1* Ôter le bouchon d'une bouteille. *2* Retirer ce qui bouche un conduit. *Acheter un produit spécial pour déboucher le lavabo.* *3* Aboutir à un lieu. *Cette impasse débouche sur une avenue.* *4* Aboutir, mener à quelque chose. *La négociation n'a débouché sur aucun accord.*

débouler v. → conjug. **aimer**. Familier. Arriver très rapidement. *Il est tombé en déboulant l'escalier.*

débourser v. → conjug. **aimer**. Payer une certaine somme d'argent. *N'avoir rien à débourser puisqu'on est invité.*

debout adv. *1* En position verticale. *Il n'y avait pas de places assises, on a dû voyager debout.* *2* Être debout : être levé. *Être debout de bonne heure.* *3* Au figuré. *Ne pas tenir debout :* être invraisemblable. *Son histoire ne tient pas debout.*

déboutonner v. → conjug. **aimer.** Défaire les boutons. *Déboutonner sa chemise.*
Contraire : boutonner.

débraillé, ée adj. Qui a ses vêtements en désordre. *Le directeur ne tolère pas les élèves débraillés au collège.*

débrancher v. → conjug. **aimer.** Supprimer le branchement d'un appareil. *Débrancher le téléphone.*
Contraire : brancher.

débrayage n. m. **1** Action de débrayer dans un véhicule. **2** Courte grève. *Les ouvriers ont décidé un débrayage de quelques heures.*

débrayer v. → conjug. **payer.** **1** Interrompre la liaison entre le moteur et les roues d'un véhicule. *Débrayer pour changer de vitesse.* **2** Cesser le travail pour une durée limitée. *De façon impromptue, les employés ont débrayé.*
On prononce [debʀɛje].

débris n. m. Morceau d'un objet qui a été cassé. *La carafe est cassée, il y a des débris de verre sur le sol.*

débrouiller v. → conjug. **aimer.** **1** Démêler, éclaircir quelque chose d'embrouillé. *La police a eu du mal à débrouiller cette affaire de crime.* **2** Se débrouiller : se tirer d'affaire grâce à son habileté. *Il a réussi à se débrouiller tout seul pour faire le puzzle.*
C'est un enfant très *débrouillard*, qui sait se débrouiller (**2**). *J'admire sa *débrouillardise*, son aptitude à se débrouiller (**2**).*

débroussailler v. → conjug. **aimer.** Enlever les broussailles. *Il débroussaille en arrachant les ronces.*

Debussy Claude

Compositeur français né en 1862 et mort en 1918. Après des études au Conservatoire de Paris, Debussy obtient le 1er prix de Rome en 1884. Voyageant à travers l'Europe, il rencontre de nombreux musiciens qui influencent ses premières compositions. Mais sa musique prend très vite un tour original. Fréquentant les poètes symbolistes, il s'engage dans une voie non conformiste, qui bouleverse les structures traditionnelles : ses œuvres préfigurent la musique contemporaine. *Prélude à l'après-midi d'un faune* (1894), *Pelléas et Mélisande* (1902) et *la Mer* (1905) comptent parmi ses compositions les plus célèbres.

début n. m. **1** Commencement. *Fin mars, c'est le début du printemps.* **2** Au pluriel. Fait de débuter dans un métier, une activité. *Ce comédien a fait ses débuts au cinéma.*
Contraire : fin (1).

débuter v. → conjug. **aimer.** **1** Commencer. *La première séance débute à 14 heures.* **2** Commencer dans un métier, une activité. *Elle n'a pas encore d'expérience car elle débute.*
Contraires : finir, se terminer (1).
Un *débutant* est une personne qui débute (**2**).

en deçà de prép. **1** De ce côté-ci. *Rester en deçà de la rivière.* **2** Au-dessous. *Être en deçà de la vérité.*
Contraire : au-delà (2).

déca– préfixe. Placé devant une unité, il la multiplie par dix. *Décalitre, décamètre.*

décacheter v. → conjug. **jeter.** Ouvrir une enveloppe cachetée.
Contraire : cacheter.

décade n. f. Période de dix jours.

décadence n. f. Période d'affaiblissement ou de déclin. *Cette civilisation autrefois remarquable est actuellement en pleine décadence.*
Une société *décadente* est une société en pleine décadence.

décaféiné adj. m. *Café décaféiné :* sans caféine.

décalage n. m. Différence ou écart. *Il y a une heure de décalage horaire entre Londres et Paris.*

décalcomanie n. f. Procédé qui consiste à reporter des images, collées sur un papier, sur un objet à décorer. *Décorer un cahier avec des décalcomanies.*

décaler v. → conjug. **aimer.** Déplacer une heure ou un objet. *Décaler la date de son départ. Décaler un pion sur l'échiquier.*

décalitre n. m. Unité de capacité valant dix litres.
En abrégé : dal.

décalquer v. → conjug. **aimer.** Reproduire une image en suivant ses traits sur un papier-calque.

décamètre n. m. Unité de longueur valant dix mètres.
En abrégé : dam.

décamper v. → conjug. **aimer.** Familier. Se sauver à toute vitesse. *Les voleurs ont décampé en entendant la sirène des policiers.*
Synonymes : déguerpir, s'enfuir.

décaper v. → conjug. **aimer.** Enlever la couche de peinture ou de rouille sur une surface. *Avant de repeindre la grille, il va falloir la décaper.*
Le *décapage* d'un meuble avec une râpe, le fait de le décaper.

décapiter v. → conjug. **aimer.** Trancher la tête de quelqu'un.

décapotable adj. et n. f.
● adj. Qui est équipé d'une capote qu'on peut ouvrir ou fermer. *S'acheter une voiture décapotable.*
● n. f. Voiture décapotable.

décapsuler v. → conjug. **aimer.** Enlever la capsule qui ferme une bouteille.
Pour ouvrir cette bouteille, il faut un décapsuleur, un ustensile qui sert à décapsuler.

décathlon n. m. Compétition d'athlétisme qui comporte dix épreuves.
On prononce [dekatlɔ̃].

décéder v. → conjug. **digérer.** Mourir, quand il s'agit d'une personne. *Il est décédé d'un cancer.*
Les journaux ont annoncé son décès, qu'il était décédé.

déceler v. → conjug. **modeler.** Découvrir, révéler, mettre en évidence. *Le garagiste a décelé l'origine de la panne.*
Une fuite difficilement décelable, qu'on peut difficilement déceler.

décembre n. m. Douzième et dernier mois de l'année.

décemment adv., **décence** n. f. → décent.

décennie n. f. Période de dix ans.

décent, ente adj. Qui respecte les convenances. *Mettre une tenue décente pour entrer dans une église.*
Synonymes : convenable, correct. Contraire : indécent.
Habille-toi décemment pour le mariage, de manière décente. *Des images osées qui sont contraires à la décence*, à ce qui est décent.

décentraliser v. → conjug. **aimer.** Répartir dans différentes régions d'un pays des entreprises, des bureaux. *Il a quitté Paris car son entreprise a été décentralisée en province.*
La décentralisation d'une grande école, le fait qu'elle soit décentralisée.

déception n. f. Sentiment de tristesse qu'on éprouve quand un espoir n'est pas réalisé. *Quelle déception d'apprendre que la croisière est annulée !*

décerner v. → conjug. **aimer.** Attribuer une récompense. *Décerner un prix à un artiste.*

décès n. m. → décéder.

décevoir v. → conjug. **recevoir.** Causer une déception. *Son échec nous a beaucoup déçus.*
C'est un résultat décevant, qui déçoit.

déchaîner v. → conjug. **aimer.** *1* Provoquer une réaction très forte. *Déchaîner la colère, l'enthousiasme.*

2 Se déchaîner : devenir extrêmement violent. *Quand la mer se déchaîne, les pêcheurs rentrent au port. Au moment où Daphné sort dans la rue, le vent se déchaîne.*

déchanter v. → conjug. **aimer.** Perdre ses illusions, ses espérances. *Tous ses projets ont échoué, il a dû déchanter.*

décharge n. f. *1* Dépôt d'ordures. *Ce terrain sert de décharge à la municipalité. 2* Coup tiré avec une arme à feu. *Recevoir une décharge en plein cœur. 3* Secousse désagréable causée par le contact du courant électrique.

décharger v. → conjug. **ranger.** *1* Débarrasser de sa charge, de son chargement. *Les déménageurs sont en train de décharger le camion. 2* Vider le chargeur d'une arme à feu en tirant toutes les balles. *Décharger son fusil sur un sanglier. 3* Priver de sa charge électrique. *La radio ne fonctionne plus, les piles sont déchargées. 4* Libérer quelqu'un d'une tâche, d'une obligation. *Je vais te décharger de la vaisselle en la faisant moi-même.*
Contraire : charger.
Le déchargement d'un camion, c'est l'action de le décharger (1).

décharné, ée adj. Qui est très maigre. *Un visage décharné. Un chien décharné.*

se déchausser v. → conjug. **aimer.** Retirer ses chaussures. *Déchausse-toi pour ne pas salir la moquette.*

déchéance n. f. Dégradation, abaissement d'une personne déchue. *Son alcoolisme l'a fait sombrer dans la déchéance totale.*

déchet n. m. Reste, résidu, détritus. *Trier ses déchets pour qu'ils soient recyclés.*

déchiffrer v. → conjug. **aimer.** Arriver à lire un texte obscur. *Déchiffrer l'écriture de quelqu'un. Déchiffrer une énigme.*

déchiqueter v. → conjug. **jeter.** Déchirer en de nombreux morceaux. *Le chien a déchiqueté le coussin du canapé.*

déchirer v. → conjug. **aimer.** *1* Mettre en morceaux. *Le bébé a déchiré les pages de son livre. 2* Faire un accroc à son vêtement. *Elle a déchiré sa robe à un clou qui dépassait. 3* Causer une grande peine. *Le spectacle de ces sans-abri nous déchire le cœur.*
Quels sont ces cris déchirants, qui déchirent (3) le cœur. *Son départ a été un déchirement pour nous*, il nous a déchiré (3) le cœur. *Tu as une déchirure à ton pantalon*, un endroit où il est déchiré (2).

De Chirico Giorgio

Peintre italien né en 1888 et mort en 1978. De Chirico se fixe à Paris en 1911. Ses tableaux sont alors de vastes décors déserts (*Nostalgie et mélancolie d'une rue,* 1914). En 1915, il est à l'origine du mouvement de la « peinture métaphysique », en marge des autres courants modernes. Pendant cette période, ses tableaux, comme *les Muses inquiétantes* (1916-1917) et *les Deux sœurs* (1915), comportent des personnages sans visage et des objets dont la présence paraît inexplicable. Ce style de peinture influencera le mouvement surréaliste. À partir de 1919, De Chirico s'éloigne de ce type d'œuvres et se tourne vers un style académique, mais réalise cependant une variante des *Deux sœurs* en 1926 : *les Deux masques.*

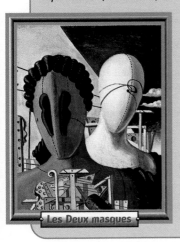

Les Deux masques

déchoir v. Perdre sa dignité. *Accepter ce poste subalterne serait déchoir pour lui.*

La conjugaison du verbe
DÉCHOIR 3e groupe

indicatif présent	**je déchois,**
	il ou elle déchoit/déchet,
	nous déchoyons,
	ils ou elles déchoient
imparfait	*inusité*
futur	**je déchoirai/décherrai**
passé simple	**je déchus**
subjonctif présent	**que je déchoie**
conditionnel présent	**je déchoirais/décherrais**
impératif	*inusité*
participe présent	*inusité*
participe passé	**déchu**

déchu, ue adj. **1** Qui a perdu son prestige, son pouvoir, son rang. *Un dictateur déchu.* **2** *Être déchu d'un droit, d'une fonction :* en être dépossédé.

déci– préfixe. Placé devant une unité, il la divise par dix. *Décilitre, décimètre.*

décidé, ée adj. **1** Qui n'hésite pas et qui fait preuve d'assurance. *Cette femme décidée sait ce qu'elle veut.* **2** Qui est fixé, déterminé. *La date du mariage est maintenant décidée, ce sera le 4 juin.*

décidément adv. Sert à renforcer une constatation. *Elle a encore gagné ? Décidément, elle a de la chance !*
Synonyme : vraiment.

décider v. → conjug. **aimer.** **1** Choisir de faire une chose. *Décider de partir en Grèce pour les vacances.* **2** Persuader, convaincre. *Je l'ai décidé à venir avec nous.* **3** *Se décider :* se résoudre à faire quelque chose. *Il s'est enfin décidé à apprendre à plonger.*

décigramme n. m. Dixième partie du gramme.
En abrégé : dg.

décilitre n. m. Dixième partie du litre.
En abrégé : dl.

décimal, ale, aux adj. et n. f.
• adj. **1** *Nombre décimal :* nombre qui a des chiffres après la virgule. *3,75 et 12,50 sont des nombres décimaux.* **2** *Système décimal :* façon de compter qui a pour base le nombre dix.
• n. f. Chacun des chiffres placés après la virgule. *9,25 a deux décimales : 2 et 5.*

décimer v. → conjug. **aimer.** Entraîner la mort d'un grand nombre de personnes ou d'animaux. *Ce tremblement de terre a décimé la population.*

décimètre n. m. **1** Dixième partie d'un mètre. **2** Règle qui comporte des graduations.
En abrégé (1) : dm.

décisif, ive adj. Qui conduit à un résultat définitif. *Les deux pays ont fait un pas décisif vers la paix.*
Synonymes : capital, crucial, déterminant.

décision n. f. **1** Action de décider. *J'ai hésité avant de prendre cette décision.* **2** Qualité d'une personne qui est décidée et déterminée. *Faire preuve de beaucoup de décision.*
Contraire : indécision (2).

déclamer v. → conjug. **aimer.** Dire ou réciter d'un ton solennel et avec emphase. *Déclamer des vers, un discours.*
  Écouter la déclamation d'un orateur, le discours qu'il déclame.

déclaratif, ive adj. Se dit d'un verbe qui sert à déclarer quelque chose. *Dire, affirmer, raconter sont des verbes déclaratifs.*

déclaration n. f. **1** Paroles ou textes par lesquels on déclare quelque chose. *Faire une déclaration à la presse et à la radio. Déclaration d'amour.* **2** *Déclaration d'impôts :* formulaire pour déclarer ses revenus.

Déclaration universelle des droits de l'homme → Droits de l'homme.

déclarer v. → conjug. **aimer**. *1* Faire savoir, annoncer, proclamer. *Le président a déclaré que la séance était ouverte.* *2* Faire connaître de façon officielle. *Déclarer ses revenus chaque année. Déclarer un vol au commissariat.* *3* Se déclarer : commencer à se manifester, apparaître. *Le feu s'est déclaré dans la grange.*

déclasser v. → conjug. **aimer**. *1* Mettre en désordre ce qui était classé. *Tous ses papiers se sont envolés et ont été déclassés.* *2* Classer à un rang inférieur. *Ce coureur a été déclassé pour s'être dopé.*

déclencher v. → conjug. **aimer**. *1* Provoquer la mise en marche d'un mécanisme. *En voulant ouvrir sa voiture, il a déclenché l'alarme.* *2* Entraîner, provoquer. *Déclencher un conflit. Cette scène a déclenché le fou rire des spectateurs.*
　Le *déclenchement* d'une alarme, d'une offensive, le fait qu'elles se déclenchent (*1* et *2*).

déclic n. m. Bruit sec d'un mécanisme qui se déclenche. *Entendre le déclic de l'appareil photo.*

décliner v. → conjug. **aimer**. *1* Perdre de sa vitalité ou de sa puissance. *Sa vue décline peu à peu.* *2* Ne pas accepter quelque chose. *Décliner une invitation.*
Synonymes : baisser (*1*), refuser (*2*).
　Le *déclin* d'un pays, c'est le fait qu'il décline (*1*).

déclouer v. → conjug. **aimer**. Enlever les clous. *Déclouer le couvercle d'une caisse.*

décocher v. → conjug. **aimer**. *Décocher une flèche :* la lancer. *Il a décoché une flèche avec son arc.*

décoder v. → conjug. **aimer**. Transformer en texte clair et intelligible un message codé.
　Le *décodage* d'un message codé, c'est l'action de le décoder. *Pour recevoir cette chaîne de télévision, il faut un *décodeur*, un appareil qui permet de décoder des informations.*

décoiffer v. → conjug. **aimer**. Mettre les cheveux en désordre. *Le vent et la pluie décoiffent Daphné.*
Synonyme : dépeigner.

décoller v. → conjug. **aimer**. *1* Détacher une chose qui était collée. *Décoller une affiche.* *2* Pour un avion, quitter le sol. *L'avion doit décoller à 10 heures.*
Contraires : coller (*1*), atterrir (*2*).
　Attachez vos ceintures avant le *décollage*, le moment où l'avion va décoller (*2*).

décolleté, ée adj. et n. m.
● adj. Qui laisse voir le cou, les épaules et une partie de la poitrine. *Cette robe décolletée lui va très bien.*
● n. m. Partie d'un vêtement qui est décolletée.

décolorer v. → conjug. **aimer**. Enlever ou changer la couleur d'une chose. *Ce tissu est décoloré par le soleil. Elle se décolore les cheveux en roux.*
　Mettre à l'ombre une tapisserie pour éviter sa *décoloration*, le fait qu'elle se décolore.

décombres n. m. plur. Ruines et gravats qui restent après l'écroulement d'un bâtiment. *Découvrir des blessés sous les décombres.*

décommander v. → conjug. **aimer**. Annuler ce qui était prévu. *Comme elle est malade, elle a dû décommander tous ses invités.*

décomposer v. → conjug. **aimer**. *1* Séparer ou analyser les différentes parties d'un ensemble. *Un prisme décompose la lumière.* *2* Se décomposer : se gâter, pourrir. *La viande commence à se décomposer sous la chaleur.*
　Découvrir des cadavres d'animaux en *décomposition*, en train de se décomposer (*2*).

décompter v. → conjug. **aimer**. Déduire une partie d'une somme à payer. *Décompter les arrhes qui ont déjà été versées sur le prix du billet.*

déconcentrer v. → conjug. **aimer**. Troubler la concentration de quelqu'un. *Le bruit a déconcentré les comédiens.*

déconcerter v. → conjug. **aimer**. Troubler quelqu'un par une attitude inattendue. *Sa réaction négative nous a déconcertés.*
Synonymes : décontenancer, dérouter, désarçonner, désorienter, surprendre.
　Une réponse *déconcertante*, qui déconcerte.

déconfit, ite adj. Déçu, dépité. *Être tout déconfit après un échec auquel on ne s'attendait pas.*

déconfiture n. f. Échec total. *Cette équipe a perdu tous les matchs, quelle déconfiture !*

décongeler v. → conjug. **modeler**. Ramener un aliment congelé à la température ambiante. *Décongeler un rôti avant de le faire cuire.*
Contraire : congeler.
　Prévoir plusieurs heures pour la *décongélation* du gigot, pour qu'il soit décongelé.

déconnecter v. → conjug. **aimer**. Débrancher un appareil. *Déconnecter son ordinateur.*

déconseiller v. → conjug. **aimer**. Conseiller de ne pas faire quelque chose. *On nous a déconseillé d'aller voir ce film.*

se déconsidérer v. → conjug. **aimer**. Perdre l'estime des autres. *Se déconsidérer auprès de ses amis en agissant mal.*
Synonyme : se discréditer.

décontenancer v. → conjug. **tracer.** Faire perdre contenance à quelqu'un. *Cette question l'a surpris et décontenancé.*
Synonyme : déconcerter.

se décontracter v. → conjug. **aimer.** Se détendre en relâchant ses muscles. *Ne sois pas si nerveux, décontracte-toi.*
Synonyme : se relaxer.

> *J'apprécie sa décontraction, le fait qu'il soit décontracté.*

déconvenue n. f. Grande déception. *Il reste optimiste malgré la déconvenue qu'il a subie.*
Synonyme : désappointement.

décor n. m. *1* Ensemble des accessoires utilisés pour représenter les lieux d'une action, au théâtre et au cinéma. *À chaque acte, les machinistes changent les décors. 2* Cadre de vie, environnement. *Vivre dans un décor verdoyant et agréable.*

décorateur, trice n. *1* Personne dont le métier est de décorer des intérieurs. *2* Artiste qui crée des décors pour le théâtre, le cinéma.

décoratif, ive adj. → **décorer.**

décoration n. f. *1* Manière dont un lieu est décoré. *J'aime beaucoup la décoration de leur maison. 2* Insigne, médaille pour récompenser quelqu'un. *Un vieux général couvert de décorations.*

décorer v. → conjug. **aimer.** *1* Garnir un lieu d'objets destinés à l'embellir. *Décorer sa chambre de tableaux. 2* Attribuer une décoration à quelqu'un. *Décorer un soldat de la médaille militaire.*

> *Sur la terrasse, il y a de belles poteries très décoratives, destinées à décorer (1).*

décortiquer v. → conjug. **aimer.** Enlever la coquille, la carapace ou l'enveloppe dure d'un aliment. *Décortiquer un crabe, des noix.*

découdre v. → conjug. **coudre.** Défaire ce qui était cousu. *L'ourlet de ta robe est décousu, il va falloir le recoudre.*

découler v. → conjug. **aimer.** Être la conséquence, provenir, résulter de quelque chose. *Sa réussite découle de son travail acharné.*

découpage n. m. *1* Action de découper. *Le découpage du poulet. 2* Au pluriel. Images à découper. *L'instituteur a acheté un album de découpages pour les enfants.*

découper v. → conjug. **aimer.** *1* Couper en morceaux. *Découper une volaille. 2* Couper avec des ciseaux, en suivant les contours. *Découper une photo*

dans un journal. *3* Se découper : se détacher sur un fond. *Les sapins se découpent sur le ciel.*

décourager v. → conjug. **ranger.** Faire perdre courage. *Ses échecs répétés ont fini par le décourager totalement.*
Contraire : encourager.

> *Le journal est plein de nouvelles décourageantes, qui découragent. Nous avons renoncé par découragement, parce que nous étions découragés.*

décousu, ue adj. Se dit de mots qui n'ont pas de lien logique. *Des paroles décousues.*

découvrir v. → conjug. **couvrir.** *1* Trouver quelque chose qui était jusqu'alors inconnu. *Les chercheurs ont découvert un nouveau vaccin. 2* Apercevoir de loin. En arrivant en haut de la montagne, on découvre le lac dans la vallée. 3* Se découvrir : retirer ce qui couvre ou protège. *Ne te découvre pas, il fait froid. 4* Se découvrir : ôter son chapeau. Se découvrir pour saluer. 5* Se découvrir : devenir plus clair, se dégager quand il s'agit du ciel ou du temps.*

> *La découverte de nouveaux traitements fait progresser la médecine, le fait de les découvrir (1).*

Regarde p. 306 et 307.

décrasser v. → conjug. **aimer.** Enlever la crasse. *Décrasser une baignoire avec un produit spécial.*

décret n. m. Décision gouvernementale. *Publier un nouveau décret sur les limitations de vitesse.*

décréter v. → conjug. **digérer.** *1* Décider par décret. *Le maire a décrété la fermeture du stade qui ne respecte pas les normes de sécurité. 2* Décider de manière autoritaire. Il a décrété qu'il partait avant la date prévue.*

décrier v. → conjug. **modifier.** Littéraire. Critiquer, dénigrer. *À sa sortie, ce livre a été décrié par la critique.*

décrire v. → conjug. **écrire.** *1* Donner, en paroles ou par écrit, une idée précise d'une personne ou d'une chose, en faire la description. *Décrire un paysage. Décrire une situation. 2* Suivre une ligne courbe. L'oiseau décrit des cercles dans le ciel.*
Synonymes : dépeindre (1), tracer (2).

décrocher v. → conjug. **aimer.** Défaire ce qui était accroché. *Le vent est si violent qu'il décroche une tuile juste au-dessus de Daphné.*
Contraire : accrocher.

décroître v. → conjug. **croître.** Diminuer petit à petit. *La lumière commence à décroître, la nuit arrive.*
Contraire : croître.

> *3, 2, 1, 0 sont classés en ordre décroissant, qui décroît.*

les découvertes

La fin du XVe siècle et le XVIe siècle sont marqués par un puissant élan intellectuel, une renaissance des sciences, un nouveau goût du savoir et le désir de se lancer à la découverte de terres nouvelles. Les inventions, les découvertes qui en résultent vont bouleverser la vie des hommes.

Vasco de Gama.

le monde s'agrandit

Cartier

Colomb

Vasco de Gama

Magellan

Jacques Cartier.

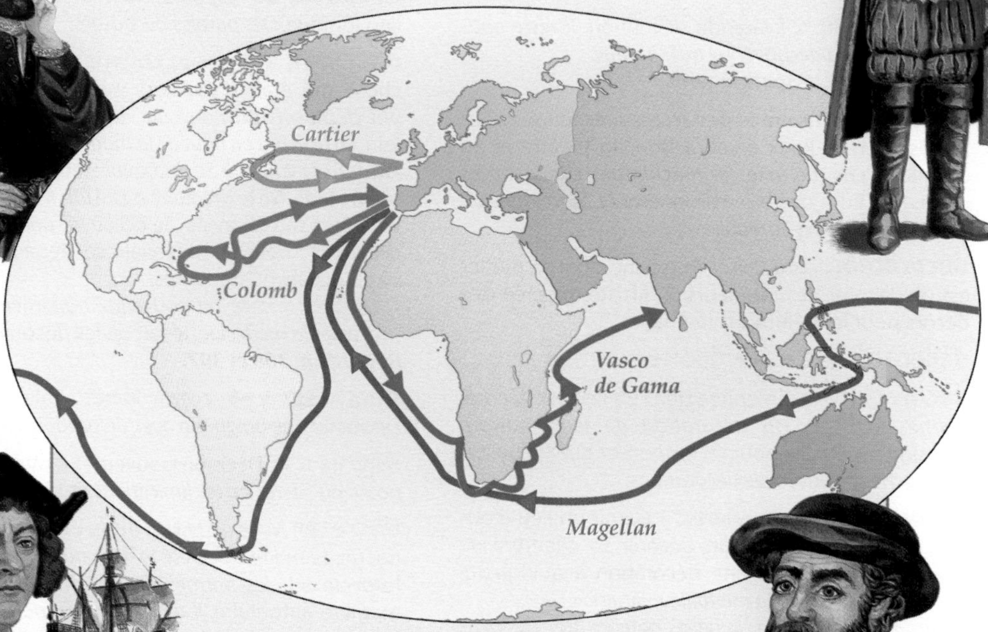

Christophe Colomb.

Magellan.

■ **De 1416 à 1460, le prince Henri le Navigateur fait explorer les côtes africaines.**
■ **En 1487, Bartolomeu Dias atteint la pointe sud de l'Afrique, le cap de Bonne-Espérance.**
■ **En 1492, Christophe Colomb cherchant la route des Indes découvre l'Amérique.**
■ **En 1498, Vasco de Gama rejoint les Indes en contournant le sud de l'Afrique.**
■ **En 1500, Amerigo Vespucci explore la côte américaine à laquelle il donne son nom.**
■ **En 1500, Pedro Àlvarez Cabral atteint le Brésil.**
■ **Entre 1519 et 1522, l'expédition de Magellan réussit le premier tour du monde et démontre ainsi que la Terre est ronde. Au cours de ce voyage, Magellan est tué aux Philippines. Un seul de ses cinq navires avec 18 hommes à bord sur les 234 embarqués accomplit entièrement ce périple.**
■ **En 1534, le Français Jacques Cartier débarque au Canada qu'il conquiert au nom du roi de France.**

le livre se diffuse

Jusqu'au XVe siècle, les livres sont écrits à la main sur du parchemin. Ce sont des manuscrits qui coûtent très cher, ce qui limite leur production et leur diffusion. Vers 1440, l'Allemand Gutenberg met au point un procédé permettant de reproduire plusieurs fois la même page. Une presse à vis appuie la feuille sur une plaque contenant le texte préparé à l'aide de caractères de métal enduits d'encre. L'imprimerie est née. Très vite elle se répand dans toutes les grandes villes d'Europe.

Dans le même temps, la fabrication du papier fait d'énormes progrès. Le livre devient plus accessible. À Paris, le premier livre est imprimé en 1470.

Gutenberg.

la Terre tourne

La Terre n'est pas le centre de l'Univers : c'est ce qu'affirme Copernic qui découvre le mouvement des planètes et explique comment les rotations de la Terre autour de son axe et autour du Soleil entraînent la succession des jours et des nuits et celle des saisons. Cette découverte est confirmée plus tard par un autre astronome, Galilée, qui met au point une lunette permettant l'observation du ciel et des astres.

Nicolas Copernic.

Galilée.

les mers s'apprivoisent

Les caravelles sont des navires plus sûrs, plus rapides que les lourdes caraques qui sillonnaient les mers auparavant. Elles sont pourvues de larges voiles. La réalisation de cartes marines (les portulans), ainsi que les nouveaux instruments : le sablier, le compas, la boussole, l'astrolabe, puis au XVIIIe siècle, le sextant, rendent la navigation plus précise et plus sûre.

Boussole.

Sextant.

Astrolabe.

décrue n. f. Baisse du niveau des eaux après une crue.

décrypter v. → conjug. **aimer.** Déchiffrer le sens d'un texte codé ou écrit dans un système d'écriture qu'on ne connaît pas. *Champollion a réussi à décrypter les hiéroglyphes.*

déçu, ue adj. Qui éprouve une déception. *Il est très déçu d'avoir échoué.*

décupler v. → conjug. **aimer.** *1* Rendre ou devenir dix fois plus grand ou important. *2* Au figuré. Augmenter énormément. *Son désir de gagner a décuplé son courage.*

dédaigner v. → conjug. **aimer.** Traiter avec mépris ou arrogance.
> Il a pris un air **dédaigneux**, qui manifeste du dédain. *J'ai refusé **dédaigneusement** cette offre*, de manière dédaigneuse. *Regarder quelqu'un avec **dédain**, en le dédaignant.*

dédale n. m. Labyrinthe. *Ce vieux quartier forme un dédale de ruelles.*

Dédale

Personnage de la mythologie grecque. Architecte du roi de Crète Minos, Dédale construit un gigantesque labyrinthe dans lequel est enfermé le monstre mi-homme mi-taureau appelé Minotaure. Pour avoir donné à Ariane le fil qui permet d'en sortir, et ainsi permis à Thésée de tuer le Minotaure, Dédale est puni par Minos : il est à son tour enfermé dans le Labyrinthe. Il réussit à s'en évader, avec son fils Icare, à l'aide d'ailes de cire et de plumes qu'il a fabriquées. C'est pour cela que le mot « dédale » est synonyme de labyrinthe.

dedans adv. et n. m.
● adv. À l'intérieur. *Il a reçu un colis et il a hâte de savoir ce qu'il y a dedans.*
● n. m. L'intérieur de quelque chose. *Ouvrir un fruit pour voir si le dedans n'est pas abîmé.*
Contraire : dehors.

dédicace n. f. Phrase écrite spécialement pour quelqu'un sur un livre, un disque, une photo. *Ce romancier m'a offert son dernier livre avec une dédicace dessus.*
> **Dédicacer** *un disque*, c'est y écrire une dédicace.

dédier v. → conjug. **modifier.** *1* Faire hommage à quelqu'un d'un ouvrage par une inscription. *Il a dédié son premier roman à ses enfants. 2* Consacrer un lieu à une divinité. *Un temple dédié au dieu de la Guerre.*

se dédire v. → conjug. **dire.** Revenir sur ce qu'on avait dit, sur une promesse. *Il avait promis de nous aider, et maintenant il se dédit.*

dédommager v. → conjug. **ranger.** Accorder une indemnité pour compenser un dommage subi. *Les victimes de l'attentat ont été dédommagées.*
> Les sinistrés ont eu droit à un **dédommagement**, à une somme d'argent qui dédommage.

dédoubler v. → conjug. **aimer.** Diviser un tout en deux parties. *Dédoubler des classes surchargées.*

dédramatiser v. → conjug. **aimer.** Faire apparaître moins dramatique. *Essayer de dédramatiser un débat orageux.*

déductible adj. → **déduire.**

déduction n. f. *1* Action de déduire d'une somme. *Faire la déduction des acomptes versés. 2* Raisonnement qui permet de déduire une conséquence logique. *D'après les déductions de la police, l'accusé aurait menti.*

déduire v. → conjug. **cuire.** *1* Enlever une partie d'un total. *Déduire d'une facture les arrhes qui ont déjà été payées. 2* Tirer comme conséquence logique. *On peut déduire de ses propos qu'il est d'accord avec nous.*
Synonymes : décompter *(1)*, **soustraire** *(1)*, **conclure** *(2)*.
> Une somme **déductible** des impôts, qu'on peut déduire *(1)* des impôts.

déesse n. f. Divinité de sexe féminin. *Aphrodite était la déesse grecque de l'Amour.*

défaillance n. f. *1* Moment de faiblesse, de fatigue. *Le coureur a eu une défaillance avant la fin de la course. 2* Arrêt brutal du bon fonctionnement d'une machine. *L'accident est dû à une défaillance des freins.*

défaillant, ante adj. *1* Qui devient faible. *Sa santé est défaillante. 2* Qui est absent alors qu'on l'attendait. *Les candidats défaillants ne pourront pas se représenter à l'examen.*

défaillir v. → conjug. **assaillir.** Avoir un malaise. *Défaillir de faim, de peur.*

défaire v. → conjug. **faire.** *1* Faire le contraire de ce qui avait été fait avant. *Défaire un ourlet. Ce nœud est trop serré, je n'arrive pas à le défaire. 2* Se défaire de quelque chose : s'en débarrasser. *Se défaire de tous ses vieux disques en les vendant.*

défaite n. f. Fait de perdre une guerre, une bataille ou une compétition. *Une sévère défaite aux élections.*
Contraire : victoire.

défaitisme n. m. État d'esprit d'une personne qui n'a pas l'espoir de gagner.
Synonyme : pessimisme.
> C'est une personne **défaitiste**, qui fait preuve de défaitisme.

défaut n. m. *1* Ce qui n'est pas bien dans le comportement d'une personne. *L'avarice est son principal défaut.* *2* Partie imparfaite de quelque chose. *Ma veste a un défaut, le col est cousu de travers.* *3* Faire défaut : manquer. *Le temps m'a fait défaut pour finir à temps.* *4* À défaut de : faute de. *À défaut de pain beurré, il mange du pain sec.*
Synonyme : imperfection (*2*). Contraire : qualité (*1*).

défavorable adj. *1* Qui n'est pas favorable. *Avec cette tempête, le temps est trop défavorable pour sortir en bateau.* *2* Qui n'est pas en faveur de quelqu'un ou de quelque chose. *Être défavorable à un projet.*
Contraires : favorable (*1*), propice (*1*). Synonyme : hostile (*2*).
Accueillir une demande *défavorablement*, de manière défavorable (*2*).

défavoriser v. → conjug. **aimer.** Attribuer à quelqu'un moins d'avantages qu'aux autres. *Les coureurs qui sont partis les derniers s'estiment défavorisés.*
Synonyme : désavantager.

défection n. f. Fait de ne pas être là alors qu'on était attendu. *Il y a eu plusieurs défections parmi les invités.*

défectueux, euse adj. Qui a un défaut. *Se faire rembourser un appareil défectueux.*

défendre v. → conjug. **répondre.** *1* Soutenir, protéger ou aider une personne attaquée, un lieu ou une chose menacés. *Il est prêt à se battre pour défendre ses copains. Défendre son pays contre les envahisseurs.* *2* Interdire de faire quelque chose. *Défendre aux enfants de cueillir des fleurs.*
Contraires : attaquer (*1*), autoriser (*2*), permettre (*2*).
Les *défenseurs* des droits de l'homme sont ceux qui les défendent (*1*).

défense n. f. *1* Action de défendre quelque chose à quelqu'un. *Défense de fumer dans ces bureaux.* *2* Action de défendre quelqu'un contre les attaques. *Prendre la défense des plus faibles.* *3* Longue dent recourbée de certains mammifères, comme les éléphants et les morses. *Les défenses d'éléphant sont en ivoire.*
Synonyme : interdiction (*1*).

défenseur n. m. → **défendre.**

défensif, ive adj. et n. f.
• adj. Qu'on utilise pour se défendre. *Des armes défensives.*
Contraire : offensif.
• n. f. *Être sur la défensive* : être prêt à se défendre à la moindre attaque.

déférence n. f. Respect et politesse qu'on témoigne à quelqu'un. *Saluer une personne âgée avec déférence.*

déferler v. → conjug. **aimer.** *1* Retomber en roulant avant de se briser en écume quand il s'agit de vagues. *2* Au figuré. Se précipiter en masse vers un endroit. *Les touristes déferlent pour visiter la cathédrale.*
Le *déferlement* des vagues sur les rochers, le fait qu'elles déferlent (*1*).

défi n. m., **défiance** n. f. → **défier.**

déficient, ente adj. Qui présente une faiblesse ou une insuffisance, sur le plan physique ou intellectuel. *Avoir une vue déficiente.*
La *déficience* de sa mémoire nous inquiète, le fait qu'elle soit déficiente.

déficit n. m. Somme d'argent qui manque quand les dépenses sont supérieures aux recettes. *Le budget de l'entreprise présente un déficit.*
On prononce [defisit]. **Contraire : bénéfice.**
Une entreprise *déficitaire*, qui présente un déficit.

défier v. → conjug. **modifier.** *1* Provoquer une personne en lui disant qu'elle est incapable de faire quelque chose. *Je te défie de plonger du haut de ce rocher.* *2* Se défier : ne pas avoir confiance. *Se défier des rumeurs.*
Synonyme : se méfier (*2*).
Elle m'a lancé le *défi* de la battre aux échecs, elle m'a défié (*1*). Éprouver de la *défiance* envers une personne, c'est s'en défier (*2*).

défigurer v. → conjug. **aimer.** Modifier l'aspect d'un visage en le déformant ou en l'abîmant. *Rester défiguré après un accident. Daphné est défigurée.*

défilé n. m. *1* Passage étroit et encaissé dans une chaîne de montagnes. *Lorsqu'elle traverse ce défilé des Alpes, la route est très étroite.* *2* Personnes ou véhicules qui défilent. *Assister à un défilé de haute couture.*

défiler v. → conjug. **aimer.** *1* Marcher en rangs ou en file. *Les soldats défilent au son de la musique militaire.* *2* Se succéder régulièrement, sans interruption. *Les voitures défilent à toute allure.*

défini, ie adj. *1* Qui est précis. *En vacances, il a un travail bien défini, c'est lui qui fait la vaisselle.* *2* Article défini : qui sert à désigner des choses, des animaux ou des personnes précises. *La, le, les sont des articles définis.*
Contraire : indéfini.

définir v. → conjug. **finir.** Expliquer quelque chose avec clarté et précision, en particulier la signification d'un mot. *Avoir du mal à définir ce qu'on ressent. Définir un mot.*
Peux-tu donner la *définition* du mot « déflagration », le définir ?

définitif, ive adj. Qu'on ne peut plus modifier. *Hésiter avant de prendre une décision définitive.*
Contraires : provisoire, temporaire, transitoire.
Il souhaite s'installer définitivement en province, de manière définitive, pour toujours.

définition n. f. → définir.

définitivement adv. → définitif.

déflagration n. f. Explosion très violente. *La déflagration a fait de gros dégâts.*

Defoe Daniel

Journaliste et écrivain anglais né en 1660 et mort en 1731. Defoe est tout d'abord commerçant, ce qui lui donne l'occasion de voyager à travers l'Europe. Il s'intéresse ensuite à la politique. L'expérience se termine mal ; il se tourne alors vers le journalisme et fonde sa propre revue. Auteur de pamphlets, de poèmes et de nombreux ouvrages satiriques, Defoe devient célèbre grâce au roman *Robinson Crusoé* (1719), qui raconte la vie d'un naufragé sur une île déserte. Il écrit ensuite d'autres romans, récits et essais, comme le *Capitaine Singleton* (1720), *Journal de l'année de la peste* (1722).

défoncé, ée adj. Qui est plein de creux, d'ornières. *Ce chemin défoncé est impraticable en voiture.*

défoncer v. → conjug. tracer. Casser quelque chose en l'enfonçant. *Les pompiers ont dû défoncer les portières de la voiture pour sortir les blessés.*

déformer v. → conjug. aimer. Modifier la forme de quelque chose. *Il a une scoliose qui lui déforme la colonne vertébrale.*
Se regarder dans un miroir déformant, qui déforme. *Ces rhumatismes entraînent une déformation des mains,* le fait que les mains se déforment.

se défouler v. → conjug. aimer. Se libérer ou se détendre en faisant ce qu'on a envie de faire. *Se défouler en dansant toute la soirée.*
Chercher un défoulement dans le sport, le fait de se défouler.

défraîchi, ie adj. Qui a perdu son éclat et son aspect neuf. *Tu devrais jeter ce vieux manteau râpé et défraîchi.*

défrayer v. → conjug. payer. *1* Rembourser quelqu'un de ses frais, de ses dépenses. *On l'a défrayé de ses frais de voyage. 2 Défrayer la chronique :* faire beaucoup parler de soi.

défricher v. → conjug. aimer. Détruire les mauvaises herbes, les broussailles, les ronces. *Défricher un jardin avant de commencer à semer.*
Le défrichement d'une forêt, l'action de la défricher.

défunt, unte n. Littéraire. Personne décédée.
Synonyme : mort.

dégagé, ée adj. Qui donne une impression d'aisance, de naturel. *Annoncer une nouvelle d'un ton dégagé.*
Contraire : embarrassé.

dégagement n. m. *1* Action de dégager. *Le dégagement d'une route après un carambolage. 2* Fait de se dégager. *Un dégagement de vapeur. 3* Passage qui facilite la circulation. *Cet appartement bénéficie de nombreux dégagements.*

dégager v. → conjug. ranger. *1* Débarrasser un lieu de ce qui l'encombre. *Il faut dégager la salle à manger, on ne peut même plus passer ! 2* Au football et au rugby, envoyer très loin le ballon. *3* Laisser échapper, répandre. *Ces fleurs dégagent un parfum délicat. 4 Se dégager :* s'éclaircir, quand il s'agit du temps ou du ciel. *5 Se dégager :* apparaître quelque part. *Il y a de la fumée qui se dégage du moteur, arrêtons-nous !*

dégainer v. → conjug. aimer. Sortir une arme. *Dégainer un revolver, un sabre.*

dégarnir v. → conjug. finir. *1* Vider un lieu. *Avant de la repeindre, il faut dégarnir la chambre de tous ses meubles. 2 Se dégarnir :* perdre ses cheveux.

Degas Edgar

Peintre et sculpteur français né en 1834 et mort en 1917. Ses premières œuvres sont très marquées par le style d'Ingres, qu'il admire. Fréquentant Manet, Cézanne et Renoir, Degas participe à la première exposition impressionniste en 1874. Mais, passionné par le mouvement, il est peu attiré par les paysages. Il préfère peindre des instantanés de vie : les champs de courses (*À l'hippodrome,* 1869-1872), le milieu de la danse (*la Classe de danse,* 1874 ; *le Foyer de la danse,* 1872 ; *Danseuse à la barre,* 1880), certains métiers (*les Repasseuses,* vers 1884). Il réalise également de nombreux nus féminins. Sur la fin de sa vie, gêné par des problèmes de vue, Degas se consacre presque uniquement à la sculpture.

dégât n. m. Destruction ou dommage causés par un accident, les intempéries, une catastrophe. *Les dégâts causés par un cyclone.*

de Gaulle → Gaulle (Charles de).

dégel n. m. Époque de la fonte des neiges et des glaces. *Le dégel commence au printemps.*

dégeler v. → conjug. **modeler**. Cesser d'être gelé. *Le lac commence à dégeler. Laisser dégeler de la viande surgelée.*

dégénérer v. → conjug. **digérer**. Se transformer en quelque chose de plus mauvais ou de plus grave. *Leur discussion a dégénéré en bagarre.*

dégingandé, ée adj. Qui est grand et maigre, avec une démarche désarticulée.
On prononce [deʒɛ̃gãde].

dégivrer v. → conjug. **aimer**. Enlever le givre qui s'est formé. *Dégivrer un pare-brise.*
> Le *dégivrage* du réfrigérateur, c'est l'action de le dégivrer.

dégonfler v. → conjug. **aimer**. *1* Faire sortir l'air qui gonflait un objet. *Dégonfler un ballon, une bouée.* *2* Familier. *Se dégonfler* : ne pas oser faire quelque chose. *Il a failli plonger, mais au dernier moment il s'est dégonflé.*
Contraire : gonfler (1).

dégouliner v. → conjug. **aimer**. Couler plus ou moins lentement le long de quelque chose. *Il fait tellement chaud que la sueur lui dégouline dans le cou.*

dégourdi, ie adj. Qui est malin et qui sait bien se débrouiller. *Il est assez dégourdi pour y arriver tout seul.*
Synonyme : débrouillard.

Le Foyer de la danse

dégourdir v. → conjug. **finir**. Faire cesser la sensation d'engourdissement. *Une bonne marche permet de se dégourdir les jambes.*

dégoût n. m. Sensation qu'on ressent devant une chose écœurante, une personne très déplaisante. *Elle a toujours éprouvé un profond dégoût pour les cafards et les araignées.*
Synonyme : répulsion.

dégoûtant, ante adj. *1* Très sale. *Ces vêtements pleins de taches sont vraiment dégoûtants.* *2* Qui inspire le dégoût. *Se conduire de façon dégoûtante avec quelqu'un.*
Synonyme : répugnant.

dégoûter v. → conjug. **aimer**. Inspirer du dégoût à quelqu'un. *Le spectacle de la corrida et la vue du sang l'ont profondément dégoûté.*
Synonyme : écœurer.

dégrader v. → conjug. **aimer**. *1* Abîmer, détériorer, endommager. *Ce monument a été dégradé par des graffitis.* *2* Retirer son grade à quelqu'un. *Dégrader un officier.* *3* Faire perdre à quelqu'un sa dignité. *Se laisser dégrader par l'alcoolisme.* *4* Diminuer progressivement l'éclat d'une couleur. *Le peintre a dégradé le vert des feuillages, du plus foncé au plus clair.*
> Ce clochard alcoolique mène une vie *dégradante*, qui le dégrade (3). La *dégradation* de ces fresques est due à l'humidité, le fait qu'elles soient dégradées (1). S'habiller dans un *dégradé* de bleus, dans des bleus qui se dégradent (4).

dégrafer v. → conjug. **aimer**. Défaire ce qui était agrafé. *Dégrafe un peu ta jupe si tu es trop serrée.*

dégraisser v. → conjug. **aimer**. Supprimer la graisse. *Dégraisser un bouillon de viande.*

degré n. m. *1* Unité de mesure de la température. *Il fait 10 degrés au-dessous de zéro.* *2* Unité de mesure de la teneur en alcool. *Ce vin fait 11 degrés.* *3* Unité de mesure des angles. *Un angle obtus fait plus de 90 degrés.* *4* Niveau ou rang atteints par quelque chose ou par quelqu'un. *Cette industrie a atteint un haut degré de technologie.*

dégressif, ive adj. Qui va en diminuant. *Bénéficier d'un tarif dégressif.*

dégringoler v. → conjug. **aimer**. *1* Familier. Faire une chute, tomber. *Cette branche n'est pas solide, tu risques de dégringoler de l'arbre !* *2* Familier. Descendre très rapidement. *Dégringoler les escaliers.*
> Sa *dégringolade* lui a causé une entorse, le fait qu'il ait dégringolé (1).

dégriser v. → conjug. **aimer**. Faire cesser l'ivresse. *L'air frais et la pluie l'ont dégrisé.*

dégrossir v. → conjug. **finir.** Tailler grossièrement une matière. *Le sculpteur commence d'abord par dégrossir le bloc de pierre.*

déguenillé, ée adj. Vêtu de guenilles. *Des enfants déguenillés mendient dans le métro.*

déguerpir v. → conjug. **finir.** S'enfuir, se sauver à toute vitesse. *Les cambrioleurs ont déguerpi, de peur de se faire prendre.*

déguiser v. → conjug. **aimer.** *1* Changer, modifier pour tromper. *Déguiser sa voix, son écriture. 2 Se déguiser :* mettre un costume amusant ou inhabituel. *Pour la fête de l'école, tous les élèves doivent se déguiser en animaux.*

 Elle a acheté un *déguisement* de fée, un costume pour se déguiser (*2*) en fée.

déguster v. → conjug. **aimer.** Manger ou boire quelque chose lentement et avec plaisir, pour en apprécier le goût. *Déguster un sorbet.*
Synonyme : savourer.

 On a eu droit à une *dégustation* des produits de la ferme, au fait de les déguster.

se déhancher v. → conjug. **aimer.** Faire porter le poids de son corps sur une hanche.

 Son *déhanchement* est exagéré quand elle danse, sa manière de se déhancher.

dehors adv. et n. m.
• adv. À l'extérieur. *Ne rentrez pas avec vos bottes pleines de boue, laissez-les dehors.*
Contraire : dedans.
• n. m. *1* Partie extérieure d'une chose. *Entendre les bruits du dehors. 2* Au pluriel. Première impression au sujet d'une personne. *Sous ses dehors un peu brutaux, c'est en fait quelqu'un de très doux.*
Synonyme : apparence (*2*).

déjà adv. *1* Dès maintenant, dès ce moment. *Il a déjà fini ses devoirs. 2* Auparavant, avant le moment présent. *Je t'ai déjà dit hier que je ne pourrai pas venir.*

déjeuner v. et n. m.
• v. → conjug. **aimer.** Prendre le petit déjeuner ou le repas de midi. *S'il fait beau, nous déjeunerons dehors.*
• n. m. Repas de midi. *Comme déjeuner, il n'a mangé qu'un sandwich.*

déjouer v. → conjug. **aimer.** Faire échouer un projet. *Réussir à déjouer les intrigues de l'ennemi.*

delà adv. → **au–delà** et **par–delà.**

se délabrer v. → conjug. **aimer.** S'abîmer quand il s'agit d'une construction. *Ce vieux mur se délabre et risque de tomber en ruine.*

 Un château abandonné et complètement *délabré*, qui se délabre. *Le délabrement d'une maison inhabitée,* son état délabré.

délacer v. → conjug. **tracer.** Défaire ce qui était lacé. *Délacer ses chaussures.*
Homonyme : délasser.

Peintre français né en 1798 et mort en 1863. Delacroix fait la connaissance du peintre Géricault, dont le style inspirera nombre de ses œuvres. En 1827, Delacroix présente *la Mort de Sardanapale*, qui fait scandale auprès des partisans du style classique, tant par la composition et les couleurs utilisées que par les violentes émotions qui ressortent du tableau. Il devient le principal représentant de la peinture romantique en France. L'œuvre de Delacroix, très riche, aborde de nombreux thèmes : historiques (*la Liberté guidant le peuple*, 1831), littéraires, mythologiques ; il peint des portraits, des scènes de chasse aux fauves, réalise des décorations murales (palais Bourbon, Louvre)… Fasciné par les couleurs et l'atmosphère de l'Afrique du Nord, découvertes lors d'un voyage en 1832, il réalise aussi une centaine de toiles « orientalistes » (*Femmes d'Alger*, 1834 ; *le Sultan du Maroc*, 1845…). Son *Journal* est un témoignage de la vie à son époque.

La Liberté guidant le peuple

délai n. m. Temps accordé à quelqu'un pour faire quelque chose. *Un délai de dix minutes pour finir un devoir. Partir sans délai.*

délaisser v. → conjug. **aimer.** Ne plus s'intéresser à une personne ou à une chose. *Délaisser ses amis, ses études.*
Synonyme : négliger.

délasser v. → conjug. **aimer.** Faire disparaître la fatigue ou la lassitude. *Pour se délasser, il fait une petite sieste sur une chaise longue.*
Synonyme : détendre. Homonyme : délacer.
La pétanque est un délassement apprécié dans le Midi, une façon de se délasser.

délation n. f. Fait de dénoncer quelqu'un par vengeance ou par méchanceté.

délavé, ée adj. Décoloré par de nombreux lavages. *Un jean délavé.*

délayer v. → conjug. **payer.** Mélanger une substance à un liquide. *Pour faire cette sauce, il faut d'abord délayer un peu de farine dans du lait.*
On prononce [deleje].
Le délayage de la peinture avec de l'eau, c'est l'action de la délayer dans l'eau.

se délecter v. → conjug. **aimer.** Prendre un plaisir immense. *Je me suis délecté en mangeant ces figues fraîches. Pendant que Daphné se remet, son chien se délecte de saucisses.*
Synonyme : se régaler.
Ces figues sont délectables, on s'en délecte, elles sont exquises. *Manger un caramel avec délectation*, en se délectant.

déléguer v. → conjug. **digérer.** Envoyer quelqu'un pour accomplir une mission ou pour représenter un groupe. *On l'a délégué pour participer aux négociations.*
Plusieurs délégués assistent au conseil de classe, des élèves qui ont été délégués. *Une délégation d'ouvriers a été reçue par le patron*, un groupe d'ouvriers délégués.

délester v. → conjug. **aimer.** Enlever du lest pour rendre plus léger. *Délester un bateau.*

délibération n. f. → **délibérer.**

délibéré, ée adj. Qui est fait de façon réfléchie et volontaire. *Ses actes malveillants étaient délibérés.*
Faire du mal délibérément à quelqu'un, de façon délibérée.

délibérer v. → conjug. **digérer.** Discuter et réfléchir avant de résoudre un problème à plusieurs. *Le jury s'est réuni pour délibérer.*
Après la délibération des députés, le projet a été adopté, après qu'ils eurent délibéré.

délicat, ate adj. **1** Qui est raffiné et subtil. *Le parfum délicat du jasmin.* **2** Qui est fragile, sans résistance. *Il a une santé trop délicate pour pouvoir faire du sport.* **3** Compliqué ou embarrassant. *Ce problème d'argent est un point délicat à aborder.* **4** Qui fait preuve de tact, de courtoisie. *Il a eu l'attention délicate de lui offrir des fleurs.*

délicatement adv. Avec soin et précaution. *Il faut manier ce vase très délicatement.*

délicatesse n. f. **1** Caractère délicat, raffiné de quelque chose. *La délicatesse d'une soierie.* **2** Qualité d'une personne délicate, courtoise. *Agir avec discrétion et délicatesse.*

délicieux, euse adj. **1** Qui est exquis et savoureux. *Merci pour ce délicieux dîner !* **2** Qui est très agréable et charmant. *Tes amies sont vraiment des personnes délicieuses.*
Ces framboises sont un vrai délice, elles sont délicieuses (1). *Un plat délicieusement parfumé*, de façon délicieuse (1).

délier v. → conjug. **modifier.** Défaire un lien. *Délier les poignets d'un prisonnier.*
Contraires : attacher, lier.

délimiter v. → conjug. **aimer.** Établir les limites. *Après la guerre, il a fallu délimiter de nouvelles frontières.*

délinquant, ante n. Personne qui a commis un délit. *Des délinquants ont mis le feu à plusieurs voitures sur le parking.*
La délinquance a augmenté dans ce quartier, le nombre des délinquants et de leurs délits.

délire n. m. **1** Folie passagère, due souvent à une forte fièvre. *Dans son délire, le malade a tenu des propos incohérents.* **2** Enthousiasme frénétique. *Au moment de la victoire, ce fut le délire dans le stade.*
La foule lui a réservé un accueil délirant, qui tenait du délire (2), enthousiaste. *Il avait tellement de fièvre qu'il a déliré toute la nuit*, qu'il a eu une crise de délire (1).

délit n. m. Faute, infraction punie par la loi. *Le vol, l'escroquerie sont des délits.*

délivrance n. f. **1** Action de délivrer quelqu'un. *Les otages espèrent leur délivrance.* **2** Impression de soulagement. *Quelle délivrance pour nous de le savoir guéri !*
Synonyme : libération.

délivrer v. → conjug. **aimer.** **1** Rendre sa liberté à quelqu'un ou à un animal. *Délivrer un prisonnier. Délivrer un lièvre pris dans un piège.* **2** Débarrasser d'une contrainte ou d'une inquiétude. *En m'aidant, tu m'as délivré d'un gros souci.* **3** Remettre un document officiel à quelqu'un. *Le commissariat délivre les passeports et les cartes d'identité.*
Synonymes : libérer (1), soulager (2).

déloger v. → conjug. **ranger.** Chasser quelqu'un ou un animal du lieu qu'il occupait. *C'est difficile de déloger les taupes de leurs galeries !*

déloyal, ale adj. **1** Qui n'est pas honnête ni de bonne foi. *Ses adversaires ont été déloyaux en trichant.* **Contraire : loyal.**

On lui reproche sa **déloyauté**, son caractère déloyal.

delta n. m. Embouchure d'un fleuve qui comporte plusieurs bras.

deltaplane n. m. Planeur très léger, à aile triangulaire.

Appelé aussi aile delta ou aile volante, le deltaplane permet des vols planés, sans moteur. Il se compose d'une voile d'environ 15 m² pour une envergure de 10 m, fixée à un cadre en aluminium. Le pilote est maintenu par un harnais suspendu à la partie centrale. Le décollage s'effectue généralement d'un point élevé en montagne. Des distances de près de 500 km peuvent être franchies en ligne droite ! L'aile delta est inventée en 1948 par l'Américain Francis Melvin Rogallo.

déluge n. m. Pluie torrentielle. *L'averse s'est soudain transformée en un véritable déluge.*

déluré, ée adj. Qui est vif et dégourdi. *Un petit garçon très déluré.*

démagogie n. f. Comportement qui consiste à flatter un grand nombre de gens ou à leur faire des promesses, pour s'attirer leur soutien.

Le discours **démagogique** d'un candidat, plein de démagogie. *Ce candidat est un* **démagogue**, il fait preuve de démagogie.

demain adv. Le jour qui suit aujourd'hui. *On est samedi, demain c'est dimanche.*

demander v. → conjug. **aimer. 1** Faire savoir qu'on souhaite obtenir une chose. *Papa a demandé un café et un verre d'eau au garçon.* **2** Poser une question, interroger. *Demande à tes parents si tu peux venir avec nous au cinéma.* **3** Nécessiter quelque chose. *Ce numéro de jongleur demande une grande adresse.*

4 Avoir besoin de quelqu'un. *On demande une vendeuse expérimentée.*

Sa **demande** a été refusée, ce qu'il avait demandé (**1**). *Un* **demandeur** *d'emploi est une personne qui demande (***1***) un emploi car elle est au chômage.*

démanger v. → conjug. **ranger.** Causer un picotement de la peau qui donne envie de se gratter. *Il a une crise d'urticaire qui le démange.*

Les piqûres de moustiques lui donnent des **démangeaisons**, le démangent.

démanteler v. → conjug. **modeler.** Détruire ou anéantir quelque chose. *Démanteler un réseau d'espionnage.*

démantibuler v. → conjug. **aimer.** Familier. Démolir, mettre en pièces. *Quelques vieux meubles ont été démantibulés lors du chargement.*

démaquiller v. → conjug. **aimer.** Enlever le maquillage. *On se démaquille avec de la crème.*

Acheter un **démaquillant**, un produit pour se démaquiller.

démarcation n. f. Ligne ou frontière qui sépare deux territoires ou deux régions.

démarche n. f. **1** Manière de marcher. *Avoir une démarche souple.* **2** Demande destinée à obtenir quelque chose. *Faire de nombreuses démarches pour trouver un logement.*

démarquer v. → conjug. **aimer.** Enlever la marque ou l'étiquette d'une marchandise pour la vendre moins cher.

démarrer v. → conjug. **aimer. 1** Se mettre en marche. *L'hiver, cette vieille voiture a du mal à démarrer.* **2** Commencer, débuter. *Ce chantier doit démarrer le mois prochain.*

La voiture a des problèmes de **démarrage**, pour démarrer (**1**). *Le* **démarreur** *est le mécanisme qui permet à un moteur de démarrer (***1***).*

démasquer v. → conjug. **aimer.** Reconnaître quelqu'un qui cherchait à se cacher. *Les malfaiteurs ont fini par être démasqués.*

démêlé n. m. Désaccord, difficulté ou ennui. *Avoir des démêlés avec ses voisins.*

démêler v. → conjug. **aimer. 1** Défaire ce qui était emmêlé. *Démêler ses cheveux.* **2** Rendre plus clair ce qui était confus. *Réussir à démêler une intrigue.* **Synonyme : débrouiller (2).**

démembrer v. → conjug. **aimer.** Morceler, partager. *Démembrer une propriété en différents lots.*

Le **démembrement** d'un pays après une défaite, le fait qu'il soit démembré.

déménager v. → conjug. **ranger**. **1** Changer de logement. *Ils ont déménagé pour un appartement plus grand.* **2** Transporter un objet ou un meuble d'un endroit à un autre. *Avant de peindre cette chambre, il va falloir déménager tous les meubles.*

> On a loué une camionnette pour le *déménagement*, pour déménager (**1**). On a fait appel à des *déménageurs*, à des hommes qui font des déménagements.

démence n. f. Folie. *Dans un accès de démence, ce pauvre homme a voulu se jeter par la fenêtre.*

> Un *dément* a tiré sur la foule, un homme atteint de démence. *Ce projet* *démentiel* *est irréalisable,* il est l'œuvre d'un dément.

se démener v. → conjug. **promener**. **1** Se débattre. *Le malfaiteur se démenait quand on l'a attrapé.* **2** Au figuré. Se donner beaucoup de mal. *Se démener pour trouver un logement.*

dément, ente n. → **démence**.

démenti n. m. → **démentir**.

démentiel, elle adj. → **démence**.

démentir v. → conjug. **sortir**. Déclarer qu'une nouvelle est fausse. *La radio vient de démentir la rumeur d'une démission du gouvernement.*
Contraires : certifier, confirmer.

> Publier un *démenti*, une déclaration qui dément une information.

démériter v. → conjug. **aimer**. Agir de telle façon qu'on perd l'estime ou la confiance des autres.

démesuré, ée adj. Qui dépasse de beaucoup la normale. *Ses prétentions sont démesurées.*
L'appétit du chien de Daphné est démesuré.
Synonymes : exagéré, excessif.
Contraire : raisonnable.

démettre v. → conjug. **mettre**. **1** Renvoyer de sa fonction, de son emploi. *Il a été démis de son poste pour faute professionnelle.* **2** Déplacer l'articulation d'un os. *En lançant le poids, il s'est démis l'épaule.*
Synonyme : déboîter (2).

demeure n. f. **1** Grande maison. *Cette belle demeure date du dix-huitième siècle.* **2** À demeure : de façon durable, en permanence. *S'installer à demeure à la campagne.* **3** Mettre quelqu'un en demeure de faire quelque chose :* lui ordonner de le faire.

demeurer v. → conjug. **aimer**. **1** Habiter, résider. *Ils ont toujours demeuré à Paris.* **2** Rester dans le même état ou au même endroit. *Demeurer allongé toute la journée.*
Au sens (1), demeurer se conjugue avec l'auxiliaire « avoir » ; au sens (2), avec l'auxiliaire « être ».

demi, ie adj., n. et adv.
● adj. Qui représente la moitié d'un tout. *Un demi-kilo est synonyme d'une livre. Il est huit heures et demie.*
Quand l'adjectif demi est placé après le nom, il s'accorde en genre avec lui : « une heure et demie ». Quand il est placé avant, il est suivi d'un trait d'union et est invariable : « un demi-succès ».
● n. Moitié de quelque chose. *Je ne veux pas d'une pomme entière mais une demie.*
● n. m. **1** Verre de bière contenant un quart de litre. **2** Joueur de milieu de terrain au football ou au rugby.
● n. f. Moitié d'une heure. *Je viendrai à la demie.*
● adv. À demi : à moitié. *Je ne suis qu'à demi convaincue.*

demi- préfixe. Placé devant un nom, il indique la moitié. *Une demi-heure est la moitié d'une heure.*

demi-cercle n. m. **Plur. : des demi-cercles.** Moitié d'un cercle.

demi-douzaine n. f. **Plur. : des demi-douzaines.** Moitié d'une douzaine. *Il reste six œufs, soit une demi-douzaine.*

demi-finale n. f. **Plur. : des demi-finales.** Dans une compétition sportive, épreuve qui précède la finale.

demi-fond n. m. inv. Épreuve de course de moyenne distance, de 800 à 1 500 m. *Un coureur de demi-fond doit être rapide et endurant.*

demi-frère n. m. **Plur. : des demi-frères.** Frère seulement par le père ou par la mère.

demi-heure n. f. **Plur. : des demi-heures.** Moitié d'une heure. *Une demi-heure est égale à trente minutes.*

demi-mesure n. f. **Plur. : des demi-mesures.** Mesure jugée insuffisante. *Se contenter de demi-mesures.*

à demi-mot adv. Sans qu'il soit nécessaire de tout dire ou de tout expliquer. *Se comprendre à demi-mot.*

déminer v. → conjug. **aimer**. Débarrasser un endroit des mines qui y ont été déposées.

> Les opérations de *déminage* sont dangereuses, l'action de déminer.

demi-pension n. f. **Plur. : des demi-pensions.** **1** Situation d'un élève qui reste à midi déjeuner dans son établissement scolaire. **2** Dans un hôtel, tarif qui ne comporte qu'un repas par jour, en plus de la chambre et du petit déjeuner.

> Les *demi-pensionnaires* sont les élèves qui sont en demi-pension (**1**).

demi-sœur n. f. **Plur. : des demi-sœurs.** Sœur seulement par le père ou par la mère.

démission n. f. Action de quitter volontairement son emploi, d'abandonner définitivement sa fonction. *Donner sa démission à son employeur.*
→ *Il envisage de* **démissionner** *pour chercher du travail en province,* de donner sa démission.

demi-tarif n. m. **Plur. : des demi-tarifs.** Tarif qui représente la moitié du tarif normal.

demi-tour n. m. **Plur. : des demi-tours.** *1* Moitié d'un tour qu'on fait sur soi-même. *2 Faire demi-tour :* revenir sur ses pas, en sens inverse.

démobiliser v. → conjug. **aimer.** Renvoyer un soldat à la vie civile. *À la fin de la guerre, tous les soldats ont été démobilisés.*
Contraire : mobiliser.
→ *Les soldats attendent impatiemment leur* **démobilisation,** *d'être démobilisés.*

démocratie n. f. *1* Régime politique dans lequel le pouvoir appartient à des représentants élus par les citoyens. *2* État gouverné selon ce régime. *Après des années de dictature, ce pays est enfin devenu une démocratie.*
→ *Les* **démocrates** *souhaitent que toutes les opinions puissent s'exprimer,* les partisans de la démocratie (*1*). *Un régime* **démocratique** *est conforme à la démocratie (1). Les députés sont élus* **démocratiquement,** *de manière démocratique (1).*

démocratiser v. → conjug. **aimer.** Rendre une chose accessible à un grand nombre de gens. *La pratique du tennis s'est démocratisée.*

se démoder v. → conjug. **aimer.** Ne plus être à la mode. *Ces vêtements excentriques vont se démoder.*

démographie n. f. Science qui étudie la population humaine.
→ *Des études* **démographiques** *concernent la démographie. Un* **démographe** *est un spécialiste de la démographie.*

demoiselle n. f. *1* Jeune fille. *Les demoiselles du village sont conviées au bal. 2 Demoiselle d'honneur :* petite fille ou jeune fille qui accompagne la mariée durant la cérémonie.

démolir v. → conjug. **finir.** Détruire une construction. *Ce vieil immeuble va être démoli.*
→ *Les* **démolisseurs** *sont les ouvriers chargés de démolir les bâtiments. La* **démolition** *d'un immeuble insalubre,* l'action de le démolir.

démon n. m. Esprit qui pousse les hommes à faire le mal.
Synonyme : diable.
→ *Son rire* **démoniaque** *a terrorisé les spectateurs,* qui est diabolique, digne d'un démon.

démonstrateur, trice n. Vendeur chargé de montrer à un client comment fonctionne un appareil.

démonstratif, ive adj. *1* Qui manifeste ouvertement ses sentiments. *C'est un homme secret, peu démonstratif. 2 Adjectif, pronom démonstratif :* mots qui servent à désigner ce dont on parle.
Synonyme : communicatif (*1*). Contraires : renfermé (*1*), réservé (*1*).

LES DÉMONSTRATIFS

● L'**adjectif démonstratif** est un déterminant ; il accompagne le nom et sert à le désigner. Il s'accorde en genre et en nombre avec ce nom.
Ce tableau. **Ces** *peintres.*
❖ On écrit **ce** devant un nom masculin commençant par une consonne ou un h aspiré.
Ce musée. **Ce** *héros.*
❖ On écrit **cet** devant un nom masculin commençant par une voyelle ou un «h» muet.
Cet *acteur.* **Cet** *habit.*

● Le **pronom démonstratif** remplace un nom précédé d'un adjectif démonstratif. Il permet de désigner une personne, un animal ou une chose déjà mentionnée.
Cette route est dangereuse, **celle-ci** *est plus sûre. De tous ces gâteaux, c'est* **celui-ci** *que je préfère.*

---

démonstration n. f. *1* Raisonnement qui permet de démontrer quelque chose. *Votre démonstration n'est pas très convaincante. 2* Action d'expliquer le fonctionnement d'un appareil ou l'utilisation d'un produit. *3* Manifestation d'un sentiment. *Des démonstrations d'amitié.*

démontable adj., **démontage** n. m. → **démonter.**

démonté, ée adj. *Mer démontée,* très agitée, déchaînée.

démonter v. → conjug. **aimer.** *1* Séparer les différentes pièces d'un objet. *Si l'armoire ne passe pas par la porte, il va falloir la démonter. 2 Se démonter :* être très étonné, déconcerté. *Il a répondu franchement et sans se démonter.*
→ *Ce meuble est facilement* **démontable,** *on peut facilement le démonter (1). Le* **démontage** *d'une tente,* c'est l'action de la démonter (*1*).

démontrer v. → conjug. **aimer.** Établir, prouver que quelque chose est vrai. *L'enquête a démontré qu'il était innocent.*

démoraliser v. → conjug. **aimer.** Faire perdre le moral à quelqu'un, le décourager, le déprimer. *Il nous démoralise avec ses idées pessimistes. Daphné est tout à fait démoralisée.*

On a eu un temps épouvantable et **démoralisant**, qui démoralise, décourageant.

démordre v. → conjug. **répondre.** *Ne pas démordre d'une idée :* ne pas vouloir y renoncer, s'entêter dans son opinion.

démouler v. → conjug. **aimer.** Retirer de son moule. *Démouler un gâteau.*

démunir v. → conjug. **finir.** Priver d'une chose dont on a besoin. *Après ce séisme, les sinistrés se sont retrouvés démunis de tout.*

dénaturer v. → conjug. **aimer.** Modifier complètement la nature ou le goût. *Dénaturer des propos. Des engrais qui dénaturent le goût des fruits.*

déneiger v. → conjug. **ranger.** Enlever la neige. *Le chasse-neige doit passer pour déneiger la route.*

dénicher v. → conjug. **aimer.** *1* Enlever du nid. *On nous a interdit de dénicher les œufs. 2* Découvrir, trouver. *Il a déniché un vieux coffre dans le grenier.*

dénier v. → conjug. **modifier.** Refuser de se voir attribuer quelque chose. *Je dénie toute responsabilité dans cette affaire.*

dénigrer v. → conjug. **aimer.** Dire du mal de quelqu'un ou de quelque chose. *Il n'arrête pas de dénigrer ses voisins.*
Synonymes : calomnier, médire.

dénivelé n. m. Dénivellation.

dénivellation n. f. Différence de niveau ou d'altitude entre deux points.
Synonyme : dénivelé.

dénombrer v. → conjug. **aimer.** Évaluer le nombre. *Dénombrer les bêtes d'un troupeau.*
Synonyme : compter.

Le **dénombrement** des élèves présents, c'est l'action de les dénombrer.

dénominateur n. m. *1* Dans une fraction, nombre placé au-dessous de la barre et qui indique en combien de parties l'unité a été divisée. *2* Au figuré. *Dénominateur commun :* point commun à plusieurs personnes ou à plusieurs choses.

dénommer v. → conjug. **aimer.** Donner un nom. *Le chien de Tintin est dénommé Milou.*
Synonymes : appeler, nommer.

On demande un **dénommé** Lefort à l'accueil, une personne qui se dénomme Lefort.

dénoncer v. → conjug. **tracer.** *1* Donner le nom du coupable. *Dénoncer un criminel à la police. 2* Faire savoir publiquement une chose répréhensible. *La presse a dénoncé les abus et les scandales.*

Après la **dénonciation** d'un témoin, le voleur a été arrêté, après qu'un témoin l'eut dénoncé (*1*).

dénoter v. → conjug. **aimer.** Indiquer, désigner, montrer quelque chose. *Ce qu'il a fait dénote un grand courage et beaucoup de générosité.*

dénouer v. → conjug. **aimer.** *1* Défaire un nœud. *Il a trop serré ses lacets, il n'arrive pas à les dénouer. 2* Trouver une solution à un problème, à une difficulté. *Chercher à dénouer la crise qui oppose ces deux pays.*

Le **dénouement** d'une affaire, c'est la manière dont elle se dénoue (*2*).

dénoyauter v. → conjug. **aimer.** Enlever le noyau d'un fruit. *Dénoyauter des cerises.*

denrée n. f. Tout produit alimentaire. *Ranger les denrées périssables dans le réfrigérateur.*

dense adj. *1* Qui est compact, épais. *Le brouillard était si dense que l'avion n'a pas pu atterrir. 2* Se dit d'un corps qui a une forte densité. *Le fer est plus dense que l'aluminium.*
Homonyme : danse.

densité n. f. *1* Caractère compact, épais de quelque chose. *La densité de la foule dans le métro. 2* Rapport qui existe entre le nombre d'habitants et la surface qu'ils occupent. *Au Sahara, la densité est très faible. 3* Rapport du poids d'un corps au poids d'un même volume d'eau.

dent n. f. *1* Organe dur et blanc, planté dans les gencives, qui sert à mastiquer les aliments. *Se laver les dents après chaque repas. 2* Chacune des parties pointues de certains instruments ou objets. *Les dents d'un râteau, d'une fourchette. 3* Sommet très pointu d'une montagne dont les versants sont abrupts. *La dent du Chat dans les Préalpes s'élève à 1 390 mètres. 4* Avoir une dent contre quelqu'un : lui en vouloir. *5* N'avoir rien à se mettre sous la dent :* ne rien avoir à manger.
Homonyme : dans.

Regarde page suivante.

Avoir besoin de soins **dentaires**, qui concernent les dents (*1*). Une roue **dentée** a le bord garni de dents (*2*). Une feuille **dentelée** est découpée en forme de petites dents (*2*). Un **dentier** est un appareil composé de fausses dents (*1*). Le **dentifrice** est un produit sous forme de pâte pour se laver les dents (*1*). Aller régulièrement chez le **dentiste**, le spécialiste qui soigne les dents (*1*). La **dentition**, c'est l'ensemble des dents (*1*).

les dents

Il existe plusieurs sortes de dents, qui ont des rôles différents : les incisives servent à couper les aliments, les canines à les déchirer, les prémolaires et les molaires à les broyer et à les écraser.

■ Chez l'être humain, les dents commencent à pousser vers l'âge de six mois.

■ La première dentition, la dentition de lait, est complète à l'âge de 3 ans ; elle compte 20 dents (8 incisives, 4 canines et 8 prémolaires).

■ Les dents de lait sont progressivement remplacées par la dentition permanente, qui compte 32 dents (8 incisives, 4 canines, 8 prémolaires et 12 molaires).

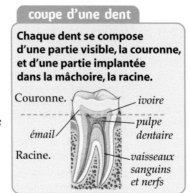

coupe d'une dent

Chaque dent se compose d'une partie visible, la couronne, et d'une partie implantée dans la mâchoire, la racine.

Couronne.
ivoire
émail
pulpe dentaire
Racine.
vaisseaux sanguins et nerfs

■ Les 4 dernières molaires, appelées « dents de sagesse », n'apparaissent qu'à l'âge de 20 ou 30 ans, et parfois pas du tout.

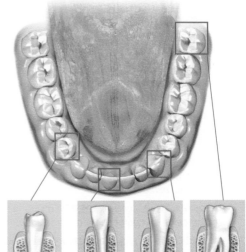

Prémolaire.   Incisive.   Canine.   Molaire.

---

dentelle n. f. Tissu fait de fils tissés qui forment des dessins. *Un napperon en dentelle.*
Il y a moins de **dentellières** qu'autrefois, de femmes qui font de la dentelle.

dentier n. m., **dentifrice** n. m., **dentiste** n., **dentition** n. f. → dent.

dénuder v. → conjug. **aimer.** **1** Enlever ce qui recouvre et isole un fil électrique. *Fais attention à ne pas toucher cet appareil électrique, les fils sont dénudés.* **2** Dépouiller. *L'hiver, les arbres sont dénudés.* **3** *Se dénuder :* se mettre totalement ou partiellement nu.

dénué, ée adj. Qui manque de quelque chose. *Une émission dénuée d'intérêt.*
Synonymes : dépourvu, privé.

dénuement n. m. État de quelqu'un qui manque de ce qui est nécessaire pour vivre. *Ces réfugiés se retrouvent dans un dénuement total.*

déodorant n. m. Produit qui supprime les odeurs de transpiration.

dépanner v. → conjug. **aimer.** Remettre en état de marche une machine ou un véhicule qui était en panne. *Le garagiste est venu dépanner la voiture sur le bord de l'autoroute.*
Synonyme : réparer.
Le **dépannage** d'une machine, c'est l'action de la dépanner. *Un **dépanneur** est une personne dont le métier est de dépanner. Une **dépanneuse** est un véhicule équipé pour remorquer les voitures en panne.

dépaqueter v. → conjug. **jeter.** Défaire un paquet, un emballage. *Les enfants ont hâte de dépaqueter leurs cadeaux.*
Synonyme : déballer. Contraire : empaqueter.

dépareillé, ée adj. Qui n'appartient pas à un même ensemble. *Un service de verres dépareillés.*

déparer v. → conjug. **aimer.** Rendre plus laid. *Cette usine et ces supermarchés ont déparé le paysage.*
Synonyme : enlaidir.

départ n. m. **1** Action de partir. *Au mois d'août, il y a de nombreux départs en vacances.* **2** Début de quelque chose. *Au départ, je n'ai pas cru à son histoire.*
Synonyme : commencement (**2**). Contraire : arrivée (**1**).

départager v. → conjug. **aimer.** Trouver un moyen pour que des concurrents ne soient plus à égalité et pour désigner un vainqueur. *Poser une question subsidiaire pour départager les ex-aequo.*

département n. m. En France, division administrative du territoire.

*Les routes **départementales** sont gérées par le département.*

C'est en 1790, au cours de la Révolution française, que la France est divisée en départements. Chaque département est administré par un conseil général composé de membres élus pour six ans au suffrage universel. Le département a à sa tête un préfet, représentant de l'État, nommé par le Conseil des ministres. Le conseil général a en charge toute la gestion et toutes les réalisations concernant le département. *Regarde page suivante.*

se départir v. → conjug. **sortir.** Abandonner ou renoncer à une qualité, à une attitude. *Malgré les événements, il ne s'est jamais départi de son calme.*

dépassé, ée adj. Qui est désuet, périmé. *Une théorie dépassée.*

dépasser v. → conjug. **aimer.** *1* Passer devant une personne ou un véhicule. *Profiter d'une ligne droite pour dépasser un camion. 2* Aller au-delà d'une certaine limite. *Dépasser la ligne d'arrivée. En avion, vos bagages ne doivent pas dépasser 20 kg. 3* Être plus grand. *Sa sœur le dépasse de 5 centimètres. 4* Être trop long. *Ta jupe dépasse de ton manteau, il faut la raccourcir. 5* Familier. Étonner, dérouter, déconcerter. *Elle est totalement dépassée par les événements et n'y comprend rien. 6* Se dépasser : faire mieux que d'habitude. *Tu vas devoir te dépasser pour réussir.*
Synonymes : doubler (*1*), se surpasser (*6*).

*Le **dépassement** est interdit dans les côtes,* l'action de dépasser (*1*) un véhicule.

dépayser v. → conjug. **aimer.** Faire changer quelqu'un de pays, de décor ou de milieu. *Ce voyage en Asie les a totalement dépaysés.*

*Pour échapper à la routine, elle a besoin de **dépaysement**, d'être dépaysée.*

dépecer v. → conjug. **tracer.** Découper en morceaux. *Dépecer un bœuf, une volaille.*

dépêche n. f. Information transmise rapidement aux médias. *Une dépêche vient d'annoncer la mort du président.*

se dépêcher v. → conjug. **aimer.** Faire quelque chose rapidement. *Dépêche-toi de ranger ta chambre, après tu auras le temps de jouer.*
Synonymes : se hâter, se presser.

dépeigner v. → conjug. **aimer.** Décoiffer. *Donne-toi un coup de peigne, tu es toute dépeignée !*

dépeindre v. → conjug. **peindre.** Décrire, raconter. *Dans ses romans, cet écrivain a dépeint les mœurs de son époque.*

dépendance n. f. *1* État d'une personne qui est soumise à l'autorité de quelqu'un. *Les esclaves étaient sous la dépendance d'un maître. 2* Au pluriel. Bâtiments annexes d'un bâtiment principal. *La grange et les écuries font partie des dépendances de la ferme.*

dépendre v. → conjug. **répondre.** *1* Décrocher ce qui était accroché. *Dépendre les rideaux pour les donner à nettoyer. 2* Être sous le pouvoir ou l'autorité de quelqu'un, ou soumis à l'influence de quelque chose. *Il est indépendant et ne dépend de personne. Je ne sais pas s'il viendra à pied, ça dépendra du temps.*

*Handicapé, il est **dépendant** de son entourage,* il en dépend (*2*).

dépens n. m. plur. *Aux dépens de quelqu'un :* à sa charge, ou à son détriment. *Il n'a pas de travail et vit aux dépens de ses parents. J'ai compris à mes dépens que j'aurais mieux fait de ne rien dire.*

dépenser v. → conjug. **aimer.** *1* Employer de l'argent pour payer ou pour acheter. *Il a beaucoup dépensé pour s'habiller. 2* Consommer de l'énergie. *Cette machine dépense trop d'électricité. 3* Se dépenser : bouger, se remuer, faire des exercices physiques. *Les enfants se sont bien dépensés à la plage.*

*Calculer ses **dépenses**,* les sommes qu'on a dépensées (*1*). *Elle est très **dépensière**,* elle aime dépenser (*1*) beaucoup d'argent.

déperdition n. f. Perte ou diminution d'énergie. *Fermer les volets évite une déperdition de chaleur.*

dépérir v. → conjug. **finir.** Perdre progressivement ses forces, sa vitalité. *Il est malade et dépérit petit à petit.*

se dépêtrer v. → conjug. **aimer.** Se dégager de ce qui gêne. *Il s'est pris les pieds dans les cordages et a du mal à s'en dépêtrer. Daphné parvient à se dépêtrer de tout ce qui l'entoure.*

dépeupler v. → conjug. **aimer.** Vider de ses habitants. *Les campagnes se dépeuplent au profit des villes.*

*Lutter contre le **dépeuplement** d'une région,* le fait qu'elle se dépeuple.

dépister v. → conjug. **aimer.** *1* Découvrir quelqu'un ou un animal en suivant sa trace. *Les chiens de chasse ont réussi à dépister le sanglier. 2* Rechercher ou reconnaître les signes d'une maladie. *Ce cancer a heureusement été dépisté suffisamment tôt.*

*Le **dépistage** des maladies permet une meilleure prévention,* les examens faits pour les dépister (*2*).

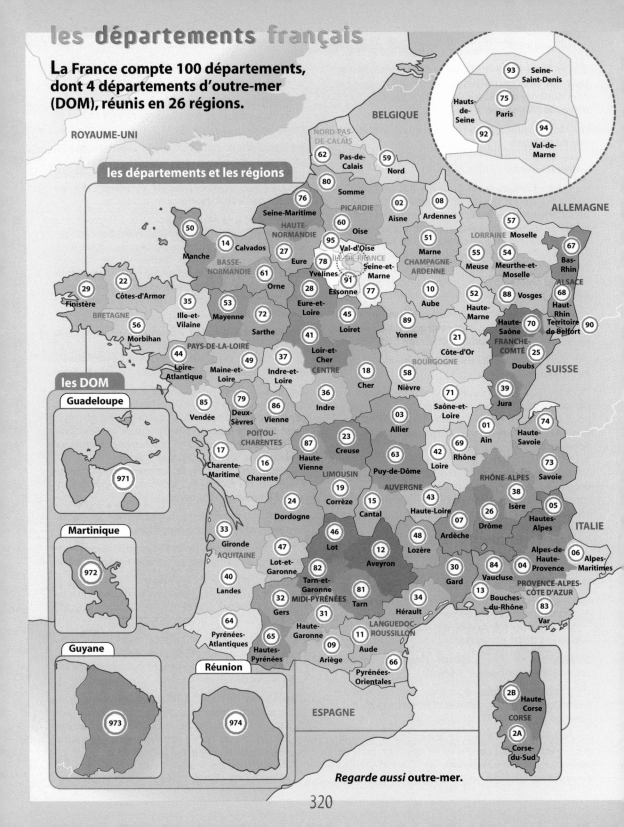

les départements français

La France compte 100 départements, dont 4 départements d'outre-mer (DOM), réunis en 26 régions.

ROYAUME-UNI

les départements et les régions

BELGIQUE

ALLEMAGNE

93 Seine-Saint-Denis
75 Paris
Hauts-de-Seine
92
94 Val-de-Marne

NORD-PAS-DE-CALAIS
62 Pas-de-Calais
59 Nord
80 Somme
76 Seine-Maritime
PICARDIE
02 Aisne
08 Ardennes
57 Moselle
LORRAINE
60 Oise
95 Val-d'Oise
51 Marne
CHAMPAGNE-ARDENNE
55 Meuse
54 Meurthe-et-Moselle
67 Bas-Rhin
ALSACE
50
HAUTE-NORMANDIE
14 Calvados
27 Eure
78 Yvelines
ÎLE-DE-FRANCE
91 Seine-et-Marne
77
10 Aube
52 Haute-Marne
88 Vosges
68 Haut-Rhin
Manche
BASSE-NORMANDIE
61 Orne
28 Eure-et-Loir
Essonne
Territoire de Belfort
90
29 Finistère
22 Côtes-d'Armor
35 Ille-et-Vilaine
53 Mayenne
72 Sarthe
45 Loiret
89 Yonne
21 Côte-d'Or
70 Haute-Saône
FRANCHE-COMTÉ
25 Doubs
SUISSE
BRETAGNE
56 Morbihan
44 Loire-Atlantique
PAYS-DE-LA-LOIRE
49 Maine-et-Loire
37 Indre-et-Loire
41 Loir-et-Cher
CENTRE
18 Cher
58 Nièvre
BOURGOGNE
71 Saône-et-Loire
39 Jura
85 Vendée
79 Deux-Sèvres
86 Vienne
36 Indre
03 Allier
01 Ain
74 Haute-Savoie
17 Charente-Maritime
16 Charente
87 Haute-Vienne
23 Creuse
63 Puy-de-Dôme
42 Loire
69 Rhône
RHÔNE-ALPES
73 Savoie
POITOU-CHARENTES
LIMOUSIN
19 Corrèze
AUVERGNE
43 Haute-Loire
38 Isère
05 Hautes-Alpes
24 Dordogne
15 Cantal
26 Drôme
ITALIE
33 Gironde
46 Lot
12 Aveyron
48 Lozère
07 Ardèche
06 Alpes-Maritimes
47 Lot-et-Garonne
82 Tarn-et-Garonne
30 Gard
84 Vaucluse
04 Alpes-de-Haute-Provence
AQUITAINE
40 Landes
32 Gers
MIDI-PYRÉNÉES
81 Tarn
34 Hérault
13 Bouches-du-Rhône
PROVENCE-ALPES-CÔTE D'AZUR
83 Var
64 Pyrénées-Atlantiques
31 Haute-Garonne
11 Aude
LANGUEDOC-ROUSSILLON
65 Hautes-Pyrénées
09 Ariège
66 Pyrénées-Orientales
ESPAGNE

les DOM

Guadeloupe
971

Martinique
972

Guyane
973

Réunion
974

2B Haute-Corse
CORSE
2A Corse-du-Sud

Regarde aussi outre-mer.

dépit n. m. *1* Sentiment mêlé de colère et d'amertume. *Éprouver du dépit après un échec.* *2* En dépit de quelque chose : sans en tenir compte, malgré. *Il est parti faire de la voile, en dépit des risques d'orage.*

> *Il a la mine dépitée de quelqu'un qui a échoué*, qui éprouve du dépit (*1*).

déplacé, ée adj. Qu'on n'aurait pas dû dire ou faire. *Une remarque déplacée. Un geste déplacé.*
Synonyme : choquant.

déplacer v. → conjug. **tracer.** *1* Changer quelque chose de place. *Il faut être plusieurs pour déplacer ce piano.* *2* Se déplacer : se rendre d'un lieu à un autre. *Se déplacer à vélo.*

> *Ce travail l'oblige à de nombreux déplacements*, à se déplacer (*2*) souvent.

déplaire v. → conjug. **plaire.** Ne pas plaire. *Ce spectacle a déplu au public et n'a eu aucun succès. Elle s'ennuie et se déplaît dans cet appartement.*

> *Il m'a fait une remarque déplaisante*, qui m'a déplu.

dépliant n. m. Prospectus imprimé et plié. *Recevoir des dépliants publicitaires dans sa boîte aux lettres.*

déplier v. → conjug. **modifier.** Ouvrir ce qui était plié. *Les touristes déplient le plan de Paris pour se repérer.*

déploiement n. m. → **déployer.**

déplorer v. → conjug. **aimer.** Constater avec regret ou tristesse un fait. *On déplore de nombreux accidents de la route ce week-end.*

> *Il a fait un temps déplorable tout l'été*, si mauvais qu'on peut le déplorer.

déployer v. → conjug. **essuyer.** *1* Déplier complètement. *L'aigle déploie ses ailes.* *2* Disposer des hommes pour le combat. *Déployer des troupes à la frontière.* *3* Au figuré. Montrer. *Déployer une grande énergie.*

> *Le déploiement des forces de l'ordre*, c'est le fait qu'elles se déploient (*2*).

dépoli, ie adj. *Verre dépoli :* verre qui n'est pas transparent mais qui laisse passer la lumière.

déporter v. → conjug. **aimer.** *1* Envoyer une personne dans un camp de concentration. *Beaucoup de résistants et de juifs ont été déportés par les nazis.* *2* Faire dévier de sa trajectoire. *Une rafale de vent a déporté le vélo sur le bas-côté.*

> *De nombreux déportés sont morts dans les camps*, des personnes qui ont été déportées (*1*). *Une partie de sa famille est morte en déportation*, dans le camp où elle était déportée (*1*).

déposer v. → conjug. **aimer.** *1* Poser quelque chose à un endroit. *Daphné ramasse ses paquets pour les déposer dans sa voiture.*

2 Conduire quelqu'un en voiture quelque part. *Déposer quelqu'un à la gare.* *3* Mettre quelque chose en dépôt. *Déposer de l'argent liquide et des chèques à la banque.* *4* Destituer quelqu'un de son pouvoir. *Déposer un souverain.* *5* Faire une déclaration pour témoigner, devant un tribunal ou la police. *Le témoin a déposé sous serment. 6* Se déposer : tomber peu à peu en formant une couche. *Essuyer la poussière qui s'est déposée.*

> *Le témoin a fait une déposition en faveur de l'accusé*, il a déposé (*5*).

dépositaire n. Personne à qui l'on a confié une chose importante. *Il est le dépositaire du testament.*

déposition n. f. → **déposer.**

déposséder v. → conjug. **digérer.** Priver de ce que l'on possédait. *Le séisme a dépossédé tous les sinistrés de leurs biens.*

dépôt n. m. *1* Action de déposer quelque chose. *Le dépôt des ordures est interdit dans cette forêt. 2* Action de déposer des fonds ou des objets dans une banque. *Faire un dépôt en espèces. 3* Endroit où l'on entrepose du matériel pour le mettre à l'abri. *Dans ce garage, la police a découvert un dépôt d'armes. 4* Matière qui se dépose. *Il y a un dépôt de calcaire dans la bouilloire.*

dépoter v. → conjug. **aimer.** Retirer une plante de son pot. *Dépoter un rosier.*

dépotoir n. m. Endroit où l'on dépose les vieux objets dont on veut se débarrasser. *Cette cave est devenue un vrai dépotoir !*

dépouille n. f. Corps d'un mort. *Venir se recueillir devant la dépouille du chef de l'État.*

dépouiller v. → conjug. **aimer.** *1* Enlever la peau d'un animal mort. *La fermière dépouille un lapin. 2* Prendre à quelqu'un, malgré lui, ce qu'il avait. *On l'a dépouillé de tout son argent dans le métro. 3* Examiner attentivement un document. *Dépouiller son courrier. 4* Compter et classer les bulletins de vote lors d'une élection. *On commence à dépouiller après la fermeture des bureaux de vote.*

> *Participer au dépouillement*, à l'action de dépouiller (*4*) les bulletins de vote.

dépourvu, ue adj. et n. m.
● adj. Qui n'a pas quelque chose. *Ce film est dépourvu d'intérêt.*
Synonyme : dénué.
● n. m. *Prendre quelqu'un au dépourvu :* sans qu'il s'y attende, sans qu'il y soit préparé.

dépoussiérer v. → conjug. **digérer.** Enlever la poussière. *Dépoussiérer les meubles.*

déprécier v. → conjug. **modifier.** Diminuer la valeur. *La construction de la centrale nucléaire a déprécié tous les terrains alentour.*

déprédation n. f. Dégât matériel, dégradation. *L'afflux des touristes a entraîné une déprédation du site.*

dépression n. f. *1* État d'abattement, de profonde tristesse et d'angoisse. *Malgré ses malheurs, il essaie de lutter contre la dépression. 2* Endroit où un terrain forme un creux. *3* Baisse de la pression atmosphérique. *Les nuages et la pluie sont dus à une dépression.*
    Cette femme toujours triste semble **dépressive**, sujette à la dépression (*1*). *Depuis son licenciement, il* **est** profondément **déprimé**, il est atteint d'une dépression (*1*), il est démoralisé. *On n'entend que des nouvelles* **déprimantes**, qui dépriment (*1*).

depuis adv. et prép.
• adv. À partir de ce moment. *Je l'ai rencontré le mois dernier, mais je ne l'ai pas revu depuis.*
• prép. Indique le point de départ. *Il fait beau depuis notre arrivée. Depuis quand m'attends-tu ?*

député, ée n. Personne élue membre de l'Assemblée nationale. *Les députés proposent et votent les lois.*

déraciner v. → conjug. **aimer.** Arracher un arbre ou une plante avec ses racines.

dérailler v. → conjug. **aimer.** *1* Sortir de ses rails accidentellement. *Heureusement, le train ne roulait pas vite quand il a déraillé. 2* Familier. Dire des choses insensées, divaguer. *Ce vieux monsieur n'a plus toute sa raison et commence à dérailler un peu.*
    Le **déraillement** *du train n'a pas fait de victimes,* l'accident au cours duquel le train a déraillé (*1*).

dérailleur n. m. Mécanisme qui fait passer la chaîne d'un vélo d'un pignon sur un autre. *Le dérailleur permet de changer de vitesse.*

déraisonnable adj. Qui n'est pas raisonnable. *Il serait déraisonnable de sortir sous un tel orage.*

déraisonner v. → conjug. **aimer.** Perdre la raison, dire des choses dénuées de bon sens.
Synonyme : divaguer.

dérangement n. m. *1* Action de déranger quelqu'un. *Je ne voudrais pas vous causer le moindre dérangement. 2 En dérangement :* en panne. *Notre téléphone ne fonctionne pas, il est en dérangement.*

déranger v. → conjug. **ranger.** *1* Mettre en désordre ou déplacer ce qui était rangé. *Qui a dérangé les papiers que j'avais classés ? 2* Gêner, importuner quelqu'un dans ce qu'il est en train de faire. *Ne la dérange pas, elle est en train de lire. 3 Se*

déranger : se déplacer. *Elle s'est dérangée pour rien, la poste était déjà fermée.*

déraper v. → conjug. **aimer.** Glisser brusquement sur le sol. *Daphné dérape sur une saucisse.*
    C'est une plaque d'huile qui a provoqué le **dérapage** *de la moto,* le fait qu'elle a dérapé.

dératé, ée n. *Courir comme un dératé :* très vite.

dératiser v. → conjug. **aimer.** Supprimer les rats qui infestent un local.
    Une entreprise doit procéder à la **dératisation** *de l'immeuble,* à l'action de le dératiser.

dérégler v. → conjug. **digérer.** Perturber le bon réglage d'un appareil. *Depuis qu'il s'est amusé avec la télécommande, la télévision est complètement déréglée.*
Synonyme : détraquer.

dérider v. → conjug. **aimer.** Rendre plus gai. *Ces gens ont l'air extrêmement sérieux, on va essayer de les dérider un peu.*

dérision n. f. *1* Moquerie dédaigneuse. *Il y a souvent une certaine dérision dans ses jugements. 2 Tourner en dérision :* se moquer.

dérisoire adj. Qui est tellement insignifiant qu'il en paraît ridicule. *Ils ont acheté cette vieille maison à un prix dérisoire.*

dérivatif n. m. Activité qui permet de détourner l'esprit de ses préoccupations. *Chercher un dérivatif pour oublier ses soucis.*

dérivation n. f. → **dériver.**

dérive n. f. *1* Sorte de quille amovible sous la coque d'un bateau, qui permet de le diriger et de l'empêcher de dériver. *2 À la dérive :* se dit d'un bateau entraîné au gré du courant et du vent ; au figuré. À vau-l'eau. *Cette entreprise va à la dérive et est menacée de faillite.*
    Un **dériveur** *est un petit voilier muni d'une* dérive (*1*).

dérivé n. m. *1* Mot qui dérive d'un autre mot. *«Calmement» et «calmer» sont des dérivés de «calme». 2* Produit obtenu à partir d'un autre produit. *Certains plastiques sont des dérivés du pétrole.*

dériver v. → conjug. **aimer.** *1* S'écarter de sa direction sous l'action du vent ou du courant. *Le voilier dérive dangereusement. 2* Donner une direction nouvelle à un cours d'eau. *Dériver une rivière pour irriguer une région. 3* Venir d'un autre mot. *Le nom «gentillesse» dérive de l'adjectif «gentil».*
    La **dérivation** *d'un fleuve,* c'est l'action de le dériver (*2*).

dériveur n. m. → **dérive.**

dermatologie n. f. Partie de la médecine spécialisée dans les maladies de la peau.

Il doit aller consulter un dermatologue, un médecin spécialiste de dermatologie. L'eczéma est une maladie dermatologique, qui relève de la dermatologie.

derme n. m. Couche profonde de la peau qui se trouve sous l'épiderme.

dernier, ère adj. et n.
• adj. **1** Qui arrive après tous les autres. *Décembre est le dernier mois de l'année.* **2** Qui est le plus récent. *Le dernier livre de cet auteur vient juste de paraître.* **Contraire : premier.**
• n. Personne qui arrive après tous les autres. *Le dernier de la classe est sûr de redoubler.*

dernièrement adv. Il n'y a pas longtemps. *Dernièrement, on a pu observer une éclipse du soleil.* **Synonyme : récemment.**

dérobade n. f. → dérober.

dérobé, ée adj. Qui est caché et secret. *Cette porte dérobée permet d'entrer et de sortir sans être vu.*

à la dérobée adv. Discrètement et en cachette. *Observer quelqu'un à la dérobée.*

dérober v. → conjug. **aimer.** **1** Voler quelque chose à quelqu'un. *On lui a dérobé son sac avec tous ses papiers dans l'autobus.* **2** *Se dérober :* s'affaisser ou s'effondrer. *Elle a eu l'impression que le sol se dérobait sous elle.* **3** *Se dérober à quelque chose :* y échapper, s'y soustraire. *Affronte tes responsabilités au lieu de te dérober !*

Il a répondu par une dérobade, en se dérobant (3).

dérogation n. f. Autorisation exceptionnelle accordée par une autorité. *Demander une dérogation pour changer de collège.*

dérouiller v. → conjug. **aimer.** **1** Retirer la rouille. *Dérouiller la chaîne de son vieux vélo.* **2** *Se dérouiller les jambes :* se les dégourdir.

dérouler v. → conjug. **aimer.** **1** Étendre quelque chose qui était roulé. *Dérouler une pièce de tissu.* **2** *Se dérouler :* avoir lieu, se passer. *Les événements se sont déroulés comme prévu.*

Le déroulement d'une action, c'est la manière dont elle se déroule (2).

déroutant, ante adj. → dérouter.

déroute n. f. Fuite désordonnée d'une troupe ou d'une armée vaincue. **Synonyme : débâcle.**

dérouter v. → conjug. **aimer.** **1** Faire changer de route, d'itinéraire. *Le bateau a été dérouté à cause de la* tempête. **2** Au figuré. Déconcerter, surprendre. *En changeant de tactique, il a dérouté son adversaire.*

Il a eu une réaction déroutante, qui déroute (2).

derrick n. m. Grande tour métallique installée au-dessus d'un puits de pétrole.

Les derricks sont installés au-dessus des puits de pétrole et abritent le système de forage. Celui-ci est constitué d'une tige à l'extrémité de laquelle est fixé un trépan en acier qui permet de creuser le sol.

derrière adv., prép. et n. m.
• adv. **1** En arrière. *Regarde derrière, il y a de gros nuages qui arrivent.* **2** À l'arrière. *Dans une voiture, les enfants doivent s'asseoir derrière.* **Contraire : devant (1 et 2).**
• prép. **1** En arrière de. *Derrière ce mur, il y a un jardin.* **2** À la suite de. *Marcher les uns derrière les autres.*
• n. m. **1** Partie située à l'arrière. *C'est le derrière de la voiture qui a été accidenté.* **2** Familier. Les fesses. *Tu mériterais un bon coup de pied au derrière !* **Synonyme : arrière (1). Contraire : devant (1).**

1. des art. Forme de la préposition « de » combinée avec l'article « les ». *Arriver des États-Unis.*

2. des art. **1** Pluriel de l'article indéfini « un », « une ». *Acheter des livres.* **2** Forme des articles « de » ou « du » combinés avec l'article « les ». *Cuire des pâtes.*

dès prép. et conj.
• prép. Indique **1** le moment. *Il a marché dès l'âge d'un an.* **2** le lieu. *Il y a des embouteillages dès l'entrée de l'autoroute.*
• conj. *Dès que :* indique le moment. *On est rentrés dès qu'il s'est mis à pleuvoir.* **Synonyme : aussitôt que.**

désabusé, ée adj. Qui est déçu et qui a perdu ses illusions. *Il nous a dit d'un ton désabusé qu'il ne croyait plus à sa réussite.* **Synonyme : désenchanté.**

désaccord n. m. Fait de ne pas être d'accord. *Sur ce sujet, j'ai toujours été en désaccord avec elle.*

désaccordé, ée adj. Se dit d'un instrument de musique qui n'est plus accordé. *Ce piano est complètement désaccordé.*

désaffecté, ée adj. Qui n'est plus utilisé. *Ce hangar désaffecté est totalement abandonné.*

désagréable adj. Qui n'est pas agréable et qui déplaît. *L'odeur du tabac froid est très désagréable. Il n'aime pas ses voisins qu'il trouve désagréables.*

Son refus de m'aider m'a **désagréablement** *surpris,* de manière désagréable.

se désagréger v. → conjug. **siéger.** Se décomposer en séparant les éléments qui formaient une unité. *Sous l'effet du gel, cette roche s'est désagrégée.*

désagrément n. m. Chose désagréable, qui cause du mécontentement ou des ennuis.

désaltérer v. → conjug. **digérer.** Apaiser la soif. *L'eau fraîche de la fontaine nous a bien désaltérés.*

désamorcer v. → conjug. **tracer.** Enlever l'amorce destinée à provoquer une explosion. *Heureusement, la bombe a pu être désamorcée à temps.*

désappointé, ée adj. Qui éprouve un sentiment de déception. *On est désappointé d'apprendre que vous ne pouvez pas venir.*
Synonymes : déçu, dépité.

Avoir du mal à cacher son **désappointement***, le fait qu'on est désappointé.*

désapprouver v. → conjug. **aimer.** Ne pas approuver. *Désapprouver la conduite irresponsable de quelqu'un.*

Il a manifesté sa **désapprobation***, le fait de désapprouver. Lancer un regard* **désapprobateur***, qui manifeste de la désapprobation.*

désarçonner v. → conjug. **aimer.** *1* Faire tomber un cavalier de sa selle. *2* Au figuré. Déconcerter, surprendre. *Sa réaction m'a désarçonné, je ne m'y attendais pas.*

désarmer v. → conjug. **aimer.** *1* Enlever son arme ou son armement. *Désarmer un malfaiteur. 2* Au figuré. Enlever toute envie de se mettre en colère. *Son sourire charmeur a fini par nous désarmer.*

Une naïveté **désarmante***, qui désarme (2). Le* **désarmement** *d'un pays, c'est l'action de le désarmer (1).*

désarroi n. m. État d'une personne profondément troublée. *Ce décès subit a plongé ses proches dans le désarroi.*

désastre n. m. Très grand malheur. *Ces chutes de grêle ont été un désastre pour les vignobles.*
Synonyme : catastrophe.

Les récoltes ont été **désastreuses** *cette année,* ont eu un caractère de désastre.

désavantage n. m. Ce qui présente un inconvénient en ne donnant pas les mêmes chances à tous. *C'est un gros désavantage d'être handicapé.*
Contraire : avantage.

Une blessure a **désavantagé** *ce concurrent,* a été pour lui un désavantage. *Cet État estime que le traité est* **désavantageux** *pour lui,* qu'il présente un désavantage.

désavouer v. → conjug. **aimer.** Dire qu'on n'est pas d'accord avec quelqu'un, qu'on n'approuve pas ce qu'il dit ou ce qu'il fait. *Je désavoue fortement ton initiative.*
Synonymes : blâmer, condamner.

Il a subi le **désaveu** *de son supérieur,* celui-ci l'a désavoué.

Descartes René

Philosophe et mathématicien français né en 1596 et mort en 1650. Après s'être engagé dans l'armée et avoir voyagé à travers l'Europe, Descartes s'installe aux Pays-Bas en 1629. C'est là qu'il écrit l'essentiel de son œuvre, dont le *Discours de la méthode* (1637) et *Méditations métaphysiques* (1641). Ses écrits ébranlent la pensée philosophique de son époque et les fondements de la connaissance. Selon Descartes, on ne peut acquérir de certitudes (les connaissances) qu'en partant du doute, en éliminant toutes les connaissances qui ne sont pas certaines ou évidentes, pour atteindre pas à pas la vérité. Au départ, seule l'existence de la pensée est une certitude : penser c'est exister, d'où la célèbre formule de Descartes « *Je pense, donc je suis* ».

desceller v. → conjug. **aimer.** Détacher ce qui était scellé. *Desceller une grille, des barreaux.*
Homonyme : desseller.

descendant, ante adj. et n.
• adj. Qui descend. *Attendre la marée descendante pour aller chercher des coquillages.*
• n. Personne qui a quelqu'un pour ancêtre. *Ces gens ont eu beaucoup d'enfants et ont de nombreux descendants.*

Ma grand-mère a réuni sa **descendance** *pour ses quatre-vingts ans,* l'ensemble de ses descendants.

descendre v. → conjug. **répondre.** *1* Partir du haut d'un endroit pour aller vers le bas. *Les skieurs descendent la piste à toute allure. 2* Être en pente qui descend. *Ce chemin descend vers la mer. 3* Porter ou placer quelque chose plus bas. *Ce tableau est accroché trop haut, il faudrait le descendre un peu. 4* Baisser de niveau. *Le thermomètre commence à descendre, c'est la fin de l'été. 5* Sortir d'un véhicule. *Descendre de voiture, d'avion. 6* Avoir pour ancêtre. *Il descend d'une famille noble.*
Contraire : monter (*1, 2, 3, 4*).

descente n. f. *1* Action de descendre. *Faire la descente d'un torrent en kayak.* *2* Pente qui descend. *Cette descente est très raide.*
Contraire : montée (*2*).

description n. f. Fait de décrire une chose ou une personne. *Fais-moi la description de ta maison.*

désemparé, ée adj. Qui se sent perdu et qui ne sait pas quoi faire. *Cet enfant est désemparé, il ne trouve plus ses parents sur la plage.*

désemparer v. *Sans désemparer :* sans s'arrêter, continuellement. *Discuter des heures sans désemparer.*

désenchanté, ée adj. Désabusé. *Ce voyage l'a beaucoup déçu et il est rentré désenchanté.*
Ressentir un profond **désenchantement**, c'est être profondément désenchanté.

désenfler v. → conjug. **aimer**. Devenir moins enflé. *Ton entorse va mieux, car ton genou a bien désenflé.*

déséquilibre n. m. Manque d'équilibre qui provoque une position instable.

déséquilibré, ée n. Fou. *Un déséquilibré a tiré sur la foule.*

déséquilibrer v. → conjug. **aimer**. Faire perdre l'équilibre. *Si tout le monde monte du même côté, la barque sera déséquilibrée.*

désert, erte adj. et n. m.
• adj. *1* Qui n'a aucun habitant. *Une île déserte.* *2* Qui est peu ou pas fréquenté. *Pour le moment, la plage est encore déserte.*
• n. m. Région extrêmement sèche, où il n'y a pratiquement pas de végétation ni d'habitants.
Le Sahara est une région **désertique**, c'est un désert.

Régions inhospitalières, les déserts occupent un tiers de la surface terrestre. Il existe des déserts froids, situés dans les régions polaires, et des déserts chauds. Ceux-ci existent sur tous les continents, de part et d'autre des tropiques. Les déserts chauds sont des étendues de sable et de roches, où la chaleur et le manque d'eau rendent la vie extrêmement difficile. Le plus vaste est le Sahara, en Afrique. Les plantes, très parsemées, sont adaptées à la sécheresse, de même que les animaux, peu nombreux. La plupart des hommes qui y habitent sont des nomades, qui vivent de la chasse, de la cueillette et de l'élevage (dromadaires, moutons, chèvres…). On rencontre des populations sédentaires qui pratiquent quelques cultures dans les oasis.

déserter v. → conjug. **aimer**. *1* Quitter un endroit où on était installé. *Beaucoup de gens ont déserté le village pour aller en ville.* *2* Quitter l'armée sans autorisation. *Déserter pour ne pas faire la guerre.*
Un **déserteur** est un soldat qui a déserté (*2*). Il est recherché pour **désertion**, parce qu'il a déserté (*2*).

désertique adj. → **désert**.

désespérant, ante adj. → **désespérer**.

désespéré, ée adj. *1* Qui ne laisse plus aucun espoir. *Ce malade est dans un état désespéré.* *2* Qui prouve un acharnement extrême. *Une tentative désespérée pour s'en sortir.*
Chercher **désespérément** de l'aide, de façon désespérée (*2*).

désespérer v. → conjug. **digérer**. *1* Perdre l'espoir. *Elle va peut-être guérir, il ne faut pas désespérer.* *2* Réduire quelqu'un au désespoir. *C'est un élève très indiscipliné, qui désespère ses parents et son maître.*
Ses notes sont mauvaises et même **désespérantes**, elles nous désespèrent (*2*).

désespoir n. m. *1* Très grande tristesse ou détresse qu'on ressent quand on n'a plus d'espoir. *Sombrer dans le désespoir après la mort d'un proche.* *2* En désespoir de cause : faute de pouvoir trouver une meilleure solution.

déshabiller v. → conjug. **aimer**. Enlever ses habits à quelqu'un. *Déshabiller un bébé avant son bain.*
Contraire : habiller.

désherber v. → conjug. **aimer**. Enlever les mauvaises herbes. *Il faudrait désherber autour des rosiers.*
Acheter un **désherbant**, un produit chimique pour désherber.

déshérité, ée adj. et n.
• adj. Qui est très pauvre et défavorisé. *Cette région déshéritée n'a pas de ressources.*
• n. Personne déshéritée. *Porter secours aux déshérités.*

déshériter v. → conjug. **aimer**. Priver quelqu'un de son héritage. *Déshériter un de ses neveux.*

Une caravane dans les dunes du Sahara.

déshonorer v. → conjug. **aimer**. Faire perdre son honneur, sa réputation, sa dignité à quelqu'un. *Cette accusation de vol l'a déshonoré.*

Reprocher à quelqu'un un acte **déshonorant**, qui le déshonore. *C'est un* **déshonneur** *que de trahir un ami*, cela déshonore.

déshydrater v. → conjug. **aimer**. Faire perdre toute son eau à un aliment ou à un corps. *Des aliments déshydratés. Avec la chaleur, on se déshydrate très vite.*

Boire beaucoup d'eau pour lutter contre la **déshydratation**, le fait de se déshydrater.

désigner v. → conjug. **aimer**. **1** Nommer ou représenter quelque chose ou quelqu'un. *Le mot « chaîne » peut désigner plusieurs choses.* **2** Montrer, indiquer par un signe. *Avec ton doigt, désigne-moi sur la carte l'endroit où tu habites.* **3** Choisir quelqu'un pour faire quelque chose. *Il a été désigné pour essuyer le tableau.*

La **désignation** *des délégués de la classe*, c'est l'action de les désigner (**3**).

désillusion n. f. Perte d'une illusion, qui entraîne une grand déception. *On le croyait sincère, quelle désillusion d'apprendre qu'il nous a menti !*

désinfecter v. → conjug. **aimer**. Nettoyer une plaie, un local, pour détruire les microbes. *Désinfecter des locaux après une épidémie.*

L'alcool est un **désinfectant**, un produit qui désinfecte. *La* **désinfection** *d'une plaie*, c'est l'action de la désinfecter.

se désintégrer v. → conjug. **digérer**. Être détruit en éclatant en petits éléments. *La fusée doit se désintégrer avant de rentrer dans l'atmosphère.*

La **désintégration** *d'une roche sous l'effet de l'érosion*, le fait qu'elle se désintègre.

désintéressé, ée adj. Qui n'agit pas par intérêt personnel. *Il rend service de façon désintéressée, pas pour de l'argent.*
Contraires : égoïste, intéressé.

Il a toujours agi avec **désintéressement**, comme une personne désintéressée.

se désintéresser v. → conjug. **aimer**. Cesser de s'intéresser. *Maintenant qu'il est grand, il se désintéresse de ses jouets.*

Ses mauvaises notes en mathématiques prouvent son **désintérêt** *pour cette matière*, le fait qu'il s'en désintéresse.

désintoxiquer v. → conjug. **aimer**. Guérir quelqu'un de son besoin de produits toxiques comme l'alcool, le tabac ou la drogue.

Faire une cure de **désintoxication**, qui permet de se désintoxiquer.

désinvolte adj. Qui fait preuve de trop de liberté, d'insouciance, ou même d'impertinence. *Répondre à quelqu'un d'un ton désinvolte.*

Le maître n'apprécie pas la **désinvolture** *de certains élèves*, leur comportement désinvolte.

désirer v. → conjug. **aimer**. Avoir une envie très forte. *Désirez-vous du café ? Je désire avoir un entretien avec vous.*
Synonymes : souhaiter, vouloir.

Son plus grand **désir** *serait de réussir son examen*, ce qu'il désire le plus, sa plus grande envie. *Une maison qui bénéficie de tout le confort* **désirable**, qu'on peut désirer. *Cet élève est* **désireux** *de bien faire*, il désire bien faire.

se désister v. → conjug. **aimer**. Renoncer à se présenter comme candidat à une élection. *Se désister en faveur d'un candidat mieux placé.*

Le **désistement** *d'un candidat au deuxième tour de l'élection*, c'est le fait qu'il se désiste.

désobéir v. → conjug. **finir**. Faire une chose interdite. *En sortant malgré l'interdiction, il a désobéi.*
Contraire : obéir.

Il a été puni pour **désobéissance**, pour le fait d'avoir désobéi. *C'est un enfant* **désobéissant**, qui désobéit souvent.

désobligeant, ante adj. Qui est désagréable et blessant. *Des remarques désobligeantes.*
Synonyme : vexant. Contraires : aimable, obligeant.

désodorisant n. m. Produit utilisé pour chasser les mauvaises odeurs.

désœuvré, ée adj. Qui n'a rien à faire. *Les jeunes de ce quartier sont au chômage et traînent, désœuvrés.*

Ne pas supporter le **désœuvrement**, le fait d'être désœuvré.

désoler v. → conjug. **aimer**. Causer beaucoup de chagrin. *Il travaille mal à l'école, cela désole ses parents. Il est d'une paresse* **désolante**, qui nous désole. *Son échec l'a plongé dans la* **désolation**, un état dans lequel il est désolé, très triste.

se désolidariser v. → conjug. **aimer**. Cesser d'être solidaire avec des personnes que l'on soutenait jusqu'alors.

désopilant, ante adj. Qui fait beaucoup rire. *Le chien de Daphné trouve cette situation désopilante.*

désordonné, ée adj. **1** Qui manque d'ordre. *Elle est très désordonnée, ses affaires sont toujours en désordre.* **2** Qui se fait sans ordre, sans organisation. *Des mouvements désordonnés.*
Contraire : ordonné (1).

désordre n. m. *1* Absence d'ordre. *Quel désordre dans ta chambre, j'aimerais que tu ranges un peu ! 2* Agitation qui trouble l'ordre et le calme.
Synonyme : pagaille (*1*). Contraire : ordre (*1* et *2*).

désorganiser v. → conjug. **aimer.** Bouleverser l'organisation. *Cette grève désorganise tout le trafic des trains.*
　Certains se plaignent de la désorganisation d'un service public, du fait qu'il soit désorganisé.

désorienter v. → conjug. **aimer.** Déconcerter, rendre hésitant. *Il est désorienté et ne sait pas quoi répondre.*

désormais adv. À partir de maintenant. *Daphné est furieuse, désormais, elle sera plus sévère avec son chien.*
Synonyme : dorénavant.

désosser v. → conjug. **aimer.** Retirer les os. *Demander au boucher de désosser l'épaule d'agneau.*

despote n. m. Souverain qui exerce un pouvoir absolu et tyrannique.
　Une personne despotique est quelqu'un qui se conduit en despote. Le despotisme est le pouvoir exercé par un despote.

desquels, desquelles pron. Formes de «lesquels», «lesquelles», combinés avec la préposition «de».

se dessaisir v. → conjug. **finir.** Se séparer volontairement de ce que l'on possède. *Il souhaite se dessaisir de certains de ses biens.*

dessaler v. → conjug. **aimer.** *1* Enlever le sel ou une partie du sel. *Faire dessaler la morue dans de l'eau. 2* Chavirer avec son voilier. *Ils ont dessalé à cause de la tempête.*

dessécher v. → conjug. **digérer.** Rendre sec. *Le soleil et le vent lui ont desséché la peau.*
　La canicule a entraîné le dessèchement des terres, le fait qu'elles sont desséchées.

dessein n. m. *1* Projet, intention, but. *Mon dessein est de te vaincre. 2* À dessein : exprès, volontairement.*
Homonyme : dessin.

desseller v. → conjug. **aimer.** Enlever la selle d'un cheval.
Contraire : seller. Homonyme : desceller.

desserrer v. → conjug. **aimer.** *1* Relâcher ce qui était serré. *Desserrer sa ceinture pour être plus à l'aise. 2* Ne pas desserrer les dents : se taire obstinément.*

dessert n. m. Plat, généralement sucré, qu'on sert à la fin d'un repas. *Comme dessert, elle préfère les fruits aux gâteaux.*

desserte n. f. Petite table d'appoint pour poser de la vaisselle ou des aliments.

desservir v. → conjug. **servir.** *1* Débarrasser la table. *Aide-moi à desservir. 2* Rendre un mauvais service, faire du tort. *Son arrogance le dessert. 3* Assurer un service régulier de transport entre des lieux. *Ces villages sont desservis par des cars.*

dessin n. m. *1* Ensemble de traits qui représentent quelque chose. *Les enfants font des dessins avec des crayons de couleur ou des feutres. 2* Art, manière de dessiner. *Ce peintre donne des cours de dessin. 3* Dessin animé :* film composé d'une succession de dessins.
Homonyme : dessein.

dessiner v. → conjug. **aimer.** *1* Représenter au moyen du dessin. *Dessine-moi le lion que tu as vu au zoo. 2* Se dessiner :* apparaître ou se préciser. *La tour se dessine au loin sur le ciel. Un espoir de paix se dessine.*
　*Une dessinatrice est une artiste qui dessine (*1*).*

dessous adv., prép. et n. m.
• adv. *1* Sur la partie située sous quelque chose. *Soulève ton livre, ton stylo est dessous. 2* Au-dessous :* plus bas. *On aperçoit la montagne et le village au-dessous. 3* Ci-dessous :* plus bas dans un texte écrit. *Répondez à la question ci-dessous. 4* Là-dessous :* sous telle ou telle chose. *Il est caché là-dessous.*
Contraire : dessus (*1*).
• prép. *1* Au-dessous de :* plus bas qu'une autre chose, qu'un autre endroit. *L'avion vole au-dessous des nuages. 2* Par-dessous :* sous autre chose. *Passer par-dessous une barrière.*
• n. m. *1* Partie inférieure, en parlant d'un lieu, d'un objet. *Le dessous d'un meuble. L'étage du dessous. 2* Avoir le dessous :* être dominé ou vaincu.
Contraire : dessus (*1*).

dessous-de-plat n. m. inv. Support sur lequel on place les plats chauds sur une table.

dessus adv., prép. et n. m.
• adv. *1* Sur la partie ou la face supérieure de quelque chose. *La nappe est mise, pose les assiettes dessus. 2* Au-dessus :* plus haut, à la partie supérieure. *Ce livre est sur l'étagère au-dessus. 3* Ci-dessus :* plus haut dans un texte écrit. *Relisez la phrase ci-dessus. 4* Là-dessus :* sur telle ou telle chose. *Pose ton verre là-dessus.*
• prép. *1* Au-dessus de :* plus haut qu'une autre chose, qu'un autre endroit. *Il y a une glace au-dessus du lavabo. 2* Par-dessus :* plus haut que la partie supérieure. *Elle a sauté par-dessus la clôture.*
• n. m. *1* Partie supérieure, en parlant d'un lieu, d'un objet. *Le dessus d'une table. L'étage du dessus. 2* Avoir le dessus :* dominer, triompher.
Contraire : dessous (*1*).

dessus-de-lit n. m. inv. Couvre-lit. *Un dessus-de-lit en coton.*

déstabiliser v. → conjug. **aimer.** Rompre la stabilité, ébranler. *Déstabiliser un gouvernement par des attentats.*

destin n. m. *1* Puissance supérieure qui, selon certaines croyances, dirige le cours des événements. *2* L'existence de l'être humain quand on la considère comme fixée à l'avance.
Synonyme : destinée (*2*).

destinataire n. Personne à laquelle est adressée une lettre. *Le nom et l'adresse du destinataire sont sur l'enveloppe.*

destination n. f. Endroit où l'on va. *Prendre un avion à destination de la Chine.*

destinée n. f. Littéraire. Synonyme de destin.

destiner v. → conjug. **aimer.** *1* Garder pour tel ou tel usage. *Mes parents destinent leurs économies à l'achat d'une maison à la campagne. 2* Se destiner : se préparer à exercer tel ou tel métier, telle ou telle activité. *Se destiner à la recherche scientifique, à une carrière théâtrale.*

destituer v. → conjug. **aimer.** Priver quelqu'un de son poste, de sa fonction. *Destituer un fonctionnaire, un officier.*
Synonyme : révoquer.
Il a perdu son grade de colonel à la suite de sa **destitution**, *après avoir été destitué.*

destructeur, trice adj. → **détruire.**

destruction n. f. Action de détruire, d'anéantir, d'exterminer. *La destruction d'un pont. La destruction d'une plante par des parasites.*

désuet, désuète adj. Qui n'est plus en usage, vieillot, démodé. *Le charme désuet d'une chanson d'autrefois.*
Une coutume tombée en **désuétude**, *qui est devenue désuète, qui a disparu peu à peu.*

désunir v. → conjug. **finir.** Provoquer un désaccord entre des personnes qui s'entendaient bien, séparer. *Des questions d'argent ont désuni cette famille.*
Synonymes : diviser, séparer. Contraire : unir.
De fréquentes disputes ont amené la **désunion** *dans ce couple, elles ont désuni ce couple.*

détachant n. m. → **détacher 2.**

détaché, ée adj. *1* Qui exprime du détachement, de l'indifférence. *Prendre un air détaché. 2* Pièces détachées : pièces de rechange vendues séparément pour remplacer les pièces abîmées ou usées d'un appareil, d'une machine.

détachement n. m. *1* Groupe de soldats chargé d'une mission particulière. *Envoyer un détachement en reconnaissance. 2* Indifférence, insensibilité. *Parler des souffrances des autres avec détachement.*

1. détacher v. → conjug. **aimer.** *1* Défaire des liens, dénouer. *Détacher les lacets de ses chaussures. 2* Faire partir séparément, envoyer en mission. *Détacher un fonctionnaire à l'étranger. 3* Se détacher de quelqu'un : perdre peu à peu l'affection que l'on a pour lui. *Se détacher de sa famille, de ses amis. 4* Se détacher : apparaître avec netteté, se découper sur un fond. *Des voiliers se détachent à l'horizon.*
Contraires : attacher (*1*), s'attacher (*3*), se confondre (*4*).

2. détacher v. → conjug. **aimer.** Enlever les taches. *Détacher un vêtement, un tapis.*
Utiliser un **détachant** *liquide, un produit qui sert à détacher.*

détail n. m. *1* Petit fait précis qui fait partie d'un ensemble, ou fait sans importance. *Fournir des détails essentiels. Se perdre dans les détails. 2* Au détail : en petites quantités ou à l'unité. *Vendre au détail. 3* En détail : de façon très précise, sans rien oublier. *Raconter ses aventures en détail.*
Contraire : en gros (*2*).
Un **détaillant** *est un commerçant qui vend des marchandises au détail (2). Faire un récit, un rapport* **détaillé**, *qui donnent tous les détails (1).*

détailler v. → conjug. **aimer.** *1* Examiner en détail. *Détailler quelqu'un de la tête aux pieds. 2* Vendre au détail.

détaler v. → conjug. **aimer.** Familier. Partir en courant, s'enfuir. *Le chien de Daphné détale.*

détartrer v. → conjug. **aimer.** Enlever le tartre. *Détartrer des tuyaux. Se faire détartrer les dents.*
Contraire : entartrer.
Un **détartrant** *est un produit qui sert à détartrer des tuyaux, des machines, des appareils sanitaires.*

détaxer v. → conjug. **aimer.** Diminuer ou supprimer une taxe. *Dans les aéroports, on vend de l'alcool, des cigarettes détaxés.*

détecter v. → conjug. **aimer.** Découvrir la présence, l'existence de quelque chose de caché. *Cette maladie ne peut se détecter que par des examens radiologiques.*
Synonyme : déceler.
Il existe des appareils spécialement conçus pour la **détection** *des mines, pour les détecter.*

détective n. Personne dont le métier est de faire des enquêtes policières, des recherches, des filatures.

déteindre v. → conjug. **peindre.** *1* Perdre sa couleur, se décolorer. *Un tissu qui déteint au lavage.* *2* Communiquer un peu de sa couleur. *Cette jupe noire a déteint sur mon tee-shirt blanc.*

dételer v. → conjug. **jeter.** Détacher un animal attelé à une voiture, à une charrette.

détendre v. → conjug. **répondre.** *1* Relâcher, diminuer la tension. *Le ressort s'est détendu.* *2* Calmer la nervosité, délasser, décontracter. *Cette promenade nous a détendus.*

détenir v. → conjug. **venir.** *1* Avoir en sa possession. *Détenir des documents. Détenir un secret.* *2* Garder prisonnier. *Détenir une personne en otage.* Cet athlète est *détenteur* de nombreux records, il les détient (*1*).

détente n. f. *1* Repos, délassement, relaxation. *Prendre un instant de détente après une longue journée de travail.* *2* Diminution d'une tension, apaisement. *Une politique de détente à l'égard des pays voisins.* *3* Mouvement rapide et puissant des muscles en extension. *Sauter un obstacle d'une brusque détente.* *4* Élément d'une arme à feu qui fait partir le coup. *Appuyer sur la détente d'un fusil.*

détenteur, trice adj. → **détenir.**

détention n. f. *1* Fait de détenir une chose, possession. *Être arrêté pour détention d'armes.* *2* Fait d'être détenu, emprisonnement. *Il a été condamné à plusieurs années de détention.* Libérer un *détenu*, une personne gardée en détention (*2*), un prisonnier.

détergent n. m. Produit qui nettoie en dissolvant les saletés, les impuretés. *Un détergent pour le lavage des sols, de la vaisselle.*

détériorer v. → conjug. **aimer.** Mettre en mauvais état, dégrader. *Le gel détériore les routes. La situation se détériore.* La pollution entraîne la *détérioration* de l'environnement, le fait qu'il se détériore.

déterminant, ante adj. et n. m.
● adj. Qui amène à prendre telle ou telle décision. *Un argument déterminant.*
● n. m. Mot placé devant un nom, qui s'accorde avec ce nom et précise la valeur ou la signification de ce nom. *Les adjectifs démonstratifs, possessifs sont des déterminants.*

détermination n. f. Comportement d'une personne décidée, résolue. *Affronter les difficultés avec détermination.* Un homme *déterminé*, un air *déterminé*, qui montrent de la détermination.

déterminer v. → conjug. **aimer.** *1* Fixer, établir avec précision. *Déterminer les causes d'une catastrophe.* *2* Amener, pousser quelqu'un à agir de telle ou telle façon. *Des raisons personnelles l'ont déterminé à partir à l'étranger.*

déterrer v. → conjug. **aimer.** Retirer de terre ce qui est enfoui ou caché. *Déterrer une plante, un trésor.*

détestable adj. Qui est très mauvais, exécrable. *Un temps détestable. Être d'une humeur détestable.*

détester v. → conjug. **aimer.** Ne pas aimer du tout, haïr, ne pas supporter. *Détester quelqu'un. Il déteste qu'on le contredise.*
Contraire : adorer.

détonateur n. m. Dispositif qui déclenche une explosion. *Le détonateur d'une bombe.*

détonation n. f. Bruit provoqué par une explosion, par un coup de feu. *Les détonations d'un feu d'artifice.*

détour n. m. Trajet plus long que le chemin direct. *Il a fait un détour pour venir me voir.*

détourné, ée adj. Qui n'est pas dit ou qui n'est pas fait de manière directe. *Utiliser des moyens détournés pour atteindre un but.*

détournement n. m. *1* Changement de route, de direction imposé par la violence, par la force. *Un détournement d'avion.* *2* Procédé malhonnête qui consiste à détourner quelque chose à son profit. *Il risque la prison pour un détournement d'héritage.*

détourner v. → conjug. **aimer.** *1* Donner une autre direction, faire changer. *Détourner la circulation. Détourner l'attention de quelqu'un.* *2* Tourner dans une autre direction. *Détourner la tête.* *3* Prendre, en fraude, quelque chose qui ne nous appartient pas. *Détourner de l'argent, des documents confidentiels.*

détracteur n. m. Personne qui critique, qui s'efforce de rabaisser quelqu'un.

détraquer v. → conjug. **aimer.** Dérégler le fonctionnement d'un appareil, d'un mécanisme. *Un virus a complètement détraqué l'ordinateur.*

détremper v. → conjug. **aimer.** Amollir en imprégnant de liquide. *Les pluies ont détrempé les chemins de terre.*

détresse n. f. *1* Situation dramatique, misère extrême. *La fuite de son chien a plongé Daphné dans la détresse.* *2* Situation périlleuse. *Le navire a envoyé des signaux de détresse.*

détriment n. m. *Au détriment de quelqu'un* : à son désavantage, à ses dépens. *Il s'est enrichi au détriment de ses associés.*

détritus n. m. plur. Déchets, résidus, ordures. *Un terrain vague encombré de détritus.*

détroit n. m. Bras de mer qui fait communiquer deux mers ou une mer et un océan. *Le détroit de Gibraltar.*

détromper v. → conjug. **aimer**. Montrer à quelqu'un qu'il se trompe. *Il se croyait le plus fort, mais je l'ai détrompé.*

détrôner v. → conjug. **aimer**. *1* Chasser un souverain de son trône. *Détrôner un tyran. 2* Remplacer, prendre la place, supplanter. *Les locomotives électriques ont détrôné les locomotives à vapeur.*

détruire v. → conjug. **cuire**. *1* Démolir, abattre. *L'ouragan a entièrement détruit le port. 2* Faire disparaître, éliminer. *Détruire des documents, des preuves. 3* Anéantir, exterminer. *Détruire une armée. Détruire des insectes nuisibles.*
> *Un animal, un engin, un combat* destructeurs, *qui détruisent (3).*

dette n. f. Somme d'argent qu'une personne doit à une autre. *Rembourser ses dettes.*

deuil n. m. *1* Mort d'un parent, d'une personne proche. *Il y a eu un deuil dans sa famille. 2* Chagrin causé par la mort de quelqu'un. *S'habiller en noir en signe de deuil.*

DEUX
S'écrit **II** en chiffres romains.
- adj. inv. Un plus un. *Une bicyclette a deux roues. Lire le paragraphe deux d'un texte.*
- n. m. inv. Le chiffre ou le nombre deux. *Avancer deux par deux.*

deuxième
- adj. et n. Qui occupe le rang ou la place numéro 2 dans une série. *Monter au deuxième étage. Elle est la deuxième de la classe.*
Synonyme : second.

***Regarde aussi* demi.**

deux-pièces n. m. inv. *1* Maillot de bain féminin composé d'un slip et d'un soutien-gorge. *2* Appartement composé de deux pièces principales.

deux-roues n. m. inv. Véhicule à deux roues. *Les bicyclettes, les vélomoteurs, les scooters sont des deux-roues.*

dévaler v. → conjug. **aimer**. Descendre à grande vitesse. *Dévaler une pente, des escaliers.*

dévaliser v. → conjug. **aimer**. Voler à quelqu'un tout ce qu'il a sur lui. *Dévaliser des passants. Dévaliser un appartement.*

dévaloriser v. → conjug. **aimer**. *1* Faire perdre de la valeur. *Dévaloriser une monnaie. 2* Rabaisser, déprécier. *Dévaloriser le travail de quelqu'un.*

dévaluation n. f. Abaissement de la valeur d'une monnaie par rapport aux autres monnaies.
> *Le gouvernement anglais a décidé de* dévaluer *la livre, de lui faire subir une dévaluation.*

devancer v. → conjug. **tracer**. *1* Être devant, avant les autres, prendre de l'avance. *Devancer ses concurrents. 2* Faire quelque chose avant les autres ou avant le moment prévu. *Elle allait répondre à la question, mais je l'ai devancée.*
Synonyme : précéder. Contraire : suivre.

devant adv., prép. et n. m.
- adv. En avant, à l'avant. *Marche devant, je te rejoins.*
- prép. *1* En avant. *Ne te mets pas devant moi. 2* En face, vis-à-vis. *Il nous attend devant la gare. 3* En présence. *Jouer une pièce devant de nombreux spectateurs. 4* Au-devant de : à la rencontre de. *Il vient au-devant de nous.*
Contraire : derrière (*1* et *2*).
- n. m. *1* Partie avant d'une chose. *Le devant d'un immeuble, d'un vêtement. 2* Prendre les devants : devancer, agir avant les autres.
Contraires : arrière, derrière (*1*).

devanture n. f. Ce qui est exposé dans une vitrine ou la vitrine elle-même. *S'arrêter aux devantures de tous les magasins.*

dévaster v. → conjug. **aimer**. Détruire, ravager. *Un typhon a dévasté la région.*

déveine n. f. Familier. Malchance. *Il n'arrête pas de perdre, quelle déveine !*

développement n. m. *1* Progrès, extension, croissance. *Le développement économique d'un pays. 2* Passage d'un texte où l'on expose en détail une idée, un sujet. *3* Action de développer un film.*

développer v. → conjug. **aimer**. *1* Faire grandir, donner de la force, de l'importance. *La lecture développe l'intelligence. L'artisanat se développe dans cette région. 2* Exposer quelque chose de façon détaillée. *Développer sa pensée. Développer une idée. 3* Rendre visibles les images fixées sur une pellicule ou un film, à l'aide d'un procédé chimique spécial. *Faire développer une pellicule.*

devenir v. → conjug. **venir**. Passer d'un état à un autre. *Après le match, il est devenu célèbre. La situation devient dangereuse.*

déverser v. → conjug. **aimer**. *1* Laisser tomber, répandre, décharger. *Déverser du sable dans un chantier.* *2* *Se déverser* : s'écouler. *L'eau de pluie se déverse dans les gouttières.*

dévêtir v. → conjug. **vêtir**. Littéraire. Déshabiller. *Dévêtir un bébé avant de le baigner.*

déviation n. f. *1* Route qu'il faut prendre quand la circulation des véhicules est déviée. *Prendre une déviation.* *2* Position anormale, déformation. *Une scoliose est une déviation de la colonne vertébrale.*

dévier v. → conjug. **modifier**. *1* Détourner, faire changer de direction. *Dévier la circulation.* *2* S'écarter de sa trajectoire. *La balle a dévié en heurtant un caillou.*

devin n. m., **devineresse** n. f. Personne qui prétend connaître des choses cachées ou qui se dit capable de prédire l'avenir.

deviner v. → conjug. **aimer**. Réussir à découvrir ou à comprendre quelque chose par intuition ou par déduction. *Deviner les pensées de quelqu'un. Devine d'où je viens !*

Une **devinette**, c'est une question dont il faut deviner la réponse.

devis n. m. Document qui donne l'évaluation du prix de certains travaux à exécuter. *Demander un devis à un menuisier, à un maçon.*

dévisager v. → conjug. **ranger**. Regarder une personne avec insistance. *Dévisager un inconnu avec curiosité.*

devise n. f. *1* Formule courte que l'on a choisie pour symboliser un idéal. *La devise des trois mousquetaires était « Tous pour un et un pour tous ».* *2* Monnaie étrangère. *La lire, la peseta, le rouble sont des devises.*

dévisser v. → conjug. **aimer**. Détacher, dégager ce qui est vissé. *Dévisser un boulon, un tube.*

dévoiler v. → conjug. **aimer**. *1* Découvrir ce qui est caché ou couvert d'un voile. *Dévoiler une statue le jour de son inauguration.* *2* Révéler ce qui était caché, divulguer. *Dévoiler un secret.*

devoir v. et n. m.

• v. *1* Être obligé. *Il doit finir son travail.* *2* Avoir l'intention, le projet de faire telle ou telle chose. *Nous devons passer nos vacances ensemble.* *3* Être probable, vraisemblable. *On doit s'ennuyer dans ce coin perdu.* *4* Être tenu de rembourser ou de payer une somme d'argent. *Il me doit dix euros.*

• n. m. *1* Ce que l'on doit faire, ce qui est imposé par la morale ou par la loi. *Un père de famille a des devoirs envers ses enfants.* *2* Exercice écrit qu'un professeur donne à faire à ses élèves.

La conjugaison du verbe

DEVOIR 3e groupe

indicatif présent	je dois, il ou elle doit, nous devons, ils ou elles doivent
imparfait	je devais
futur	je devrai
passé simple	je dus
subjonctif présent	que je doive
conditionnel présent	je devrais
impératif	dois, devons, devez
participe présent	devant
participe passé	dû, ue

dévorer v. → conjug. **aimer**. *1* Manger goulûment, avec voracité. *Il a dévoré son goûter.* *2* Faire quelque chose avec passion, avec avidité. *Dévorer un livre.* *3* Troubler, tourmenter. *Être dévoré de chagrin, d'inquiétude.*

dévotion n. f. Attachement à la religion ou à quelqu'un. *Montrer sa dévotion par des prières.*

Une personne **dévote**, pleine de dévotion.

se dévouer v. → conjug. **aimer**. Se consacrer entièrement au service ou aux intérêts d'une personne ou d'une cause. *Se dévouer pour soigner des malades.*

Soigner une personne avec **dévouement**, en se dévouant.

dextérité n. f. Habileté, adresse et rapidité. *Exécuter un tour de cartes avec dextérité.*
Contraires : gaucherie, maladresse.

diabète n. m. Maladie liée à la présence de sucre dans le sang.

Une personne **diabétique** est une personne qui souffre de diabète.

diable n. m. *1* Esprit du mal, démon. *Dans la religion chrétienne, le diable est un ange qui s'est révolté contre Dieu.* *2* Enfant turbulent, agité, indiscipliné. *Sa sœur est un vrai diable !* *3* Petit chariot à deux roues utilisé pour le transport d'objets lourds et encombrants. *4* *Pauvre diable* : homme misérable, qui inspire de la pitié. *5* Familier. *Au diable* : très loin. *Elle habite au diable.* *6* *Tirer le diable par la queue* : vivre pauvrement parce qu'on manque d'argent.

Cet enfant est un vrai **diablotin**, un petit diable (*2*).

diablement adv. Familier. Très, terriblement, rudement. *Cet hiver est diablement froid.*

diablerie n. f. Espièglerie. *Il invente sans arrêt de nouvelles diableries.*

diablotin n. m. → **diable**.

diabolique adj. Qui est plein de ruse et de méchanceté. *Un plan diabolique.*

diadème n. m. Bijou en arc de cercle que l'on porte sur la tête comme parure.

diagnostic n. m. Fait de reconnaître une maladie d'après l'étude des symptômes qui se manifestent chez le malade. **On prononce** [djagnɔstik].
*Le médecin a **diagnostiqué** les oreillons, il en a fait le diagnostic.*

diagonale n. f. **1** Ligne droite qui joint les sommets opposés d'un polygone. **2** *En diagonale* : obliquement, en biais. *Plier une feuille en diagonale.*

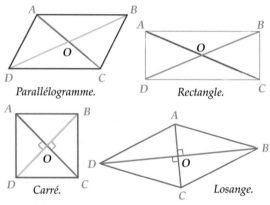

Parallélogramme.

Rectangle.

Carré.

Losange.

*Les **diagonales** AC et BD du parallélogramme, du rectangle, du carré et du losange se coupent en leur milieu, en un point O, qui est le centre de chacun de ces polygones.*
*Dans le carré et le losange, polygones à côtés égaux, les **diagonales** se coupent à angle droit.*

diagramme n. m. Graphique ou courbe représentant les variations d'un phénomène. *Le diagramme de température montre que la fièvre a baissé.*

dialecte n. m. Manière particulière de parler une langue, propre à une région. *Le dialecte picard.*

dialogue n. m. **1** Conversation entre deux ou plusieurs personnes. **2** Ensemble de paroles échangées entre les personnages dans un roman, un film.
*Parvenir à un accord après avoir longuement **dialogué**, après avoir eu un long dialogue (**1**). Un **dialoguiste** écrit les dialogues (**2**) d'un film.*

diamant n. m. Pierre précieuse, très dure, transparente et brillante. *Un collier de diamants.*

diamétralement adv. Complètement, radicalement. *Ils ont des idées diamétralement opposées.*

diamètre n. m. Droite qui joint deux points de la circonférence d'un cercle en passant par son centre.
*O est le centre du cercle, d est le **diamètre**.*
*Le diamètre partage le cercle en deux demi-cercles égaux ; c'est un **axe de symétrie** du cercle.*
Le diamètre d est égal à 2 rayons r.
La connaissance de la valeur du diamètre permet :
*• le calcul de la longueur de la **circonférence** (le périmètre P) :*
$P = d \times 3,14$
*• le calcul de l'**aire du cercle** (A) :*
$A = r \times r \times 3,14 = \pi \times r \times r$

diamètre d

O

rayon r

diapason n. m. Petit instrument qui produit la note *la* lorsqu'on le fait vibrer.

diaphragme n. m. **1** Muscle mince qui sépare la poitrine de l'abdomen. **2** Ouverture réglable d'un appareil photo, qui permet de régler l'intensité de la lumière.

diapositive n. f. Photographie tirée sur une matière transparente et que l'on projette sur un écran.

diarrhée n. f. Trouble intestinal qui se manifeste par des selles liquides et fréquentes. *Avoir la diarrhée.*

Dickens Charles

É crivain britannique né en 1812 et mort en 1870. Dickens doit travailler à l'usine dès l'âge de douze ans à la suite de l'emprisonnement de son père pour dettes. Cet épisode difficile de sa vie marque une grande partie de son œuvre. Devenu journaliste, il publie des chroniques satiriques qui lui apportent le succès. Vient ensuite son premier roman, *les Aventures de M. Pickwick* (1837). Sa célébrité est alors acquise. Dickens aborde des genres très différents, du récit comique au drame le plus noir. Dans l'ensemble de son œuvre, il s'élève contre l'exploitation des enfants, l'injustice et la misère sociales ; il dénonce l'esclavage qu'il découvre en Amérique (*Notes américaines*, 1842). *Oliver Twist* (1838), *Contes de Noël* (1843-1846), *David Copperfield* (1849-1850) et *les Grandes Espérances* (1860-1861) font partie de ses livres les plus célèbres.

dictature n. f. Régime politique dans lequel une seule personne ou un seul groupe détient le pouvoir absolu et gouverne sans contrôle. *Renverser une dictature.*

Se révolter contre un dictateur, celui qui est à la tête d'une dictature. *Subir l'oppression d'un régime dictatorial*, d'une dictature.

dicter v. → conjug. **aimer.** **1** Lire un texte à haute voix pour qu'une personne puisse l'écrire au fur et à mesure. *Dicter une lettre à une secrétaire.* **2** Imposer, prescrire. *Dicter ses conditions.*

Une dictée est un exercice scolaire qui consiste à écrire ce qu'une personne dicte (*1*), en essayant de respecter l'orthographe.

diction n. f. Manière de prononcer, d'articuler les mots, les phrases. *Prendre des cours de diction.*

dictionnaire n. m. Livre dans lequel les mots sont classés par ordre alphabétique, avec leur orthographe et leur définition.

dicton n. m. Proverbe d'origine populaire. *« Qui va à la chasse perd sa place »* est un dicton.

Diderot Denis

Philosophe et écrivain français né en 1713 et mort en 1784. Destiné à une carrière religieuse, Diderot, après de brillantes études, renonce à cette voie et se lance dans le combat philosophique. Il publie de nombreux ouvrages et romans dans lesquels il expose ses idées sur la religion, les sciences, l'art et la morale (*Pensées philosophiques*, 1746 ; *Jacques le Fataliste*, publié après sa mort). Mais la majeure partie de la vie de Diderot est consacrée à l'*Encyclopédie*, publiée de 1751 à 1766, dont il dirige la rédaction avec d'Alembert. Ce gigantesque ouvrage (35 volumes !), pour lequel travaillent des écrivains comme Voltaire et Montesquieu, rassemble toutes les connaissances scientifiques de l'époque, ainsi que les idées philosophiques nouvelles sur la religion et les institutions. L'*Encyclopédie* est l'un des principaux symboles de la pensée du XVIIIᵉ siècle, le « siècle des Lumières ».

dièse n. m. Signe qui, placé devant une note de musique, indique qu'il élève cette note d'un demiton.

diesel n. m. Moteur qui fonctionne au gazole.
On dit aussi : moteur diesel.

diète n. f. Régime alimentaire que l'on doit suivre pour des raisons médicales.

diététique n. f. Ensemble des règles et des principes d'alimentation qu'il faut suivre pour préserver sa santé.

Un diététicien lui a prescrit un régime sans sel, un spécialiste de la diététique.

dieu n. m. **1** Être supérieur aux hommes et qui possède certains pouvoirs. *Les dieux de la Grèce antique.* **2** Avec une majuscule : être surnaturel, tout-puissant, unique et éternel, dans les religions juive, chrétienne et musulmane. *Croire en Dieu. Prier Dieu.*

diffamer v. → conjug. **aimer.** Chercher à ruiner la réputation, l'honneur d'une personne, calomnier. *Diffamer un homme politique.*

La diffamation est un délit, le fait de diffamer.

différé n. m. *En différé :* qui est diffusé un certain temps après avoir été enregistré. *Une émission en différé.*
Contraire : en direct.

différemment adv. → **différent.**

différence n. f. **1** Ce qui distingue une chose d'une autre, un être d'un autre. *Une différence d'âge, d'opinions.* **2** Résultat d'une soustraction. *Quand on soustrait trois de huit, cinq est la différence.*
Contraire : ressemblance (*1*).

Différencier une personne d'une autre, c'est pouvoir les distinguer grâce à leurs différences (*1*).

différend n. m. Désaccord provoqué par des différences d'opinions ou d'intérêts. *Régler un différend devant un tribunal.*

différent, ente adj. **1** Qui se distingue par certaines différences. *Il est très différent de son ami.* **2** Au pluriel. Plusieurs.
Synonymes : distinct (*1*), divers (*2*). Contraires : analogue (*1*), semblable (*1*), identique (*1*).

Elle se comporte différemment des autres enfants, de façon différente (*1*).

différer v. → conjug. **digérer.** **1** Être différent, se distinguer, s'opposer. *Son avis diffère du mien.* **2** Remettre à plus tard, retarder, repousser. *Différer un voyage, un rendez-vous, un procès.*

difficile adj. **1** Qui exige des efforts, de la peine ; ardu, compliqué, dur, pénible. *Un devoir difficile. Avoir une vie difficile.* **2** Exigeant, insatisfait. *Avoir un caractère difficile.*
Contraire : facile (*1*).

Parler, écrire, avancer difficilement, de façon difficile (*1*).

difficulté n. f. **1** Caractère de ce qui est difficile ou pénible. *La difficulté d'un problème. Avoir de la difficulté à respirer.* **2** Problème, obstacle, ennui. *Il a des difficultés d'argent.*

difforme adj. Qui n'a pas la forme normale, naturelle qu'il devrait avoir. *Un visage, des mains difformes.* *Il a une difformité de la jambe depuis sa naissance, sa jambe est difforme.*

diffuser v. → conjug. **aimer.** *1* Répandre dans toutes les directions. *Ce radiateur qui diffuse de la chaleur dans toute la pièce.* *2* Faire savoir, informer le public. *La radio, la télé, les journaux ont diffusé la nouvelle.*
Une lumière diffuse, c'est une lumière qui se diffuse (1). La diffusion de cette émission est programmée, le fait qu'elle soit diffusée (2).

digérer v. *1* Transformer les aliments que l'on mange dans notre appareil digestif pour que notre corps puisse les assimiler. *Il digère très bien tout ce qu'il mange.* *2* Au figuré et familier. Accepter, supporter quelque chose de désagréable. *Il a du mal à digérer cet échec.*
Les légumes bouillis sont digestes, ils sont faciles à digérer (1). Certaines céréales facilitent la digestion, elles permettent de mieux digérer (1).

Les aliments que nous absorbons ne peuvent pas être utilisés directement par notre corps. Ils doivent être transformés par l'appareil digestif. La digestion dure environ 24 heures. Plus les aliments sont gras, plus le temps de digestion est long.
Regarde page ci-contre.

La conjugaison du verbe
DIGÉRER 1er groupe

indicatif présent	je digère, il ou elle digère, nous digérons, ils ou elles digèrent
imparfait	je digérais
futur	je digérerai
passé simple	je digérai
subjonctif présent	que je digère
conditionnel présent	je digérerais
impératif	digère, digérons, digérez
participe présent	digérant
participe passé	digéré

digestif, ive adj. et n. m.
• adj. Qui se rapporte à la digestion, qui sert à la digestion. *L'intestin, l'estomac sont des organes de l'appareil digestif.*
• n. m. Liqueur ou eau-de-vie que l'on boit à la fin d'un repas. *Prendre un digestif.*

digestion n. f. → **digérer.**

digicode n. m. Petit clavier comportant des boutons numérotés sur lesquels on tape un code qui permet l'ouverture d'une porte.

digital, ale, aux adj. *Empreintes digitales :* les marques laissées par les doigts d'une personne.

digitale n. f. Plante vénéneuse.

La digitale doit son nom à la forme en doigts de gant de ses fleurs de couleur pourpre, blanche ou jaune. On la trouve le long des fossés, à la lisière des forêts. Haute de 40 cm à 1,40 m, elle a une tige duveteuse. Les feuilles sont rassemblées à la base et les fleurs au sommet. C'est une plante toxique. On en extrait la digitaline, produit utilisé en médecine pour réguliser les contractions du cœur, mais poison violent à forte dose.

digne adj. *1* Qui mérite le respect, l'estime. *Rester digne dans la défaite.* *2* Qui mérite quelque chose. *Être digne d'admiration, de confiance.* *3* Qui est en accord avec quelqu'un ou avec quelque chose. *Recevoir une récompense digne de ses efforts.*
Accepter dignement sa défaite, de façon digne (1).

Digne-les-Bains

Ville française située dans la Région Provence-Alpes-Côte d'Azur, sur les bords de la Bléone. Digne-les-Bains est un centre administratif et commercial (fruits, lavande) où le tourisme tient une place importante. Ville d'eaux, elle possède une station thermale dont les eaux sont propices aux soins des rhumatismes et des maladies respiratoires. La ville abrite deux cathédrales (une du XIIe siècle et une du XVe siècle), un riche musée d'archéologie et d'histoire locales et un centre culturel tibétain.

04 *Préfecture des Alpes-de-Haute-Provence*
17 680 habitants : les Dignois

dignement adv. → **digne.**

dignité n. f. *1* Attitude digne. *Garder sa dignité face aux insultes.* *2* Fonction ou distinction qui donne à quelqu'un un rang élevé dans la société. *Être élevé à la dignité d'archevêque.*

digression n. f. Ce qui s'écarte du sujet principal. *Il y a trop de digressions dans ce roman.*

digue n. f. Construction destinée à empêcher le passage de l'eau et à protéger un lieu.

la digestion

La transformation des aliments par la digestion, qui s'effectue dans l'appareil digestif, comprend des actions mécaniques et des actions chimiques. Elle se déroule en sept étapes.

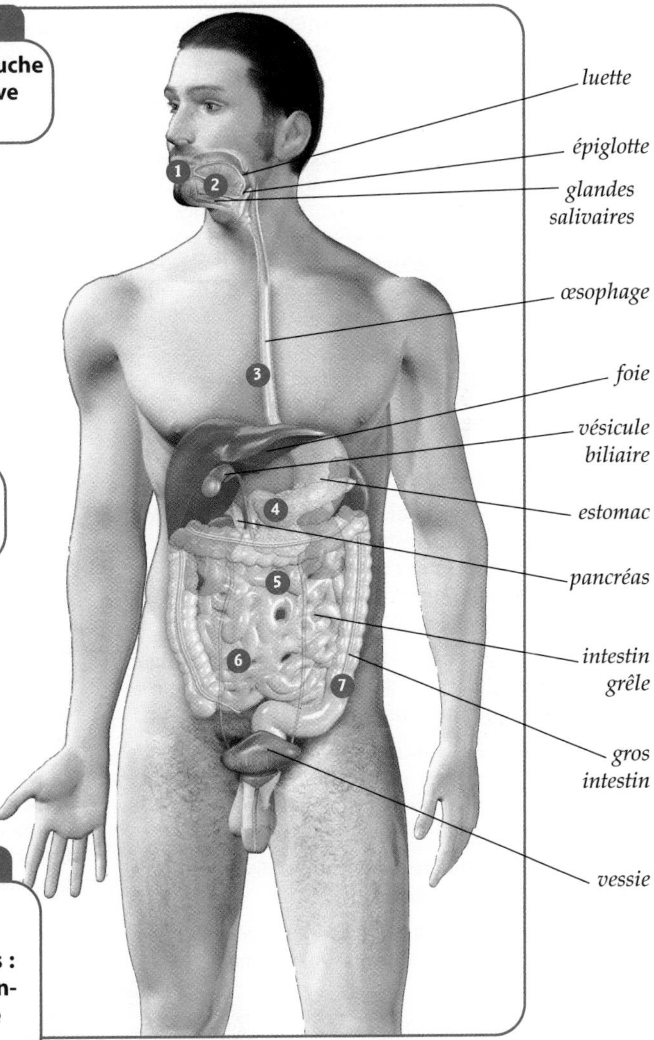

1 Les aliments sont mastiqués dans la bouche par les dents. Ils sont imprégnés de salive sécrétée par les glandes salivaires.

2 La déglutition produit l'ouverture de l'épiglotte, la fermeture de la luette et permet le passage de la nourriture dans le tube digestif (ou œsophage).

3 Les contractions de l'œsophage conduisent la nourriture (ou bol alimentaire) dans l'estomac.

4 Dans l'estomac, les aliments sont brassés et, sous l'action du suc gastrique (un liquide très acide), ils sont réduits en une bouillie blanchâtre appelée chyme.

5 Le chyme passe dans l'intestin grêle, un tube long de 6 m. Pendant ce parcours, il reçoit des substances chimiques diverses : des sucs provenant de l'intestin et du pancréas et la bile fabriquée dans la vésicule biliaire du foie.

luette

épiglotte

glandes salivaires

œsophage

foie

vésicule biliaire

estomac

pancréas

intestin grêle

gros intestin

vessie

6 Au fur et à mesure de l'action des sucs digestifs, les éléments nutritifs (protéines, sucres, graisses…) contenus dans les aliments sont extraits. Ce sont les nutriments : ils traversent les parois de l'intestin grêle pour passer dans le sang. Cette absorption se fait par l'intermédiaire des nombreux capillaires sanguins qui tapissent les parois de l'intestin.

7 La digestion est achevée. Tous les produits non utilisés, les déchets, passent dans le gros intestin et sont expulsés par l'anus.

Dijon

Dijon

Ville française de la Région Bourgogne, située au confluent de l'Ouche et du Suzon, sur le canal de Bourgogne. Dijon possède un bon réseau de communications routières et ferroviaires. C'est un centre régional où l'industrie et le commerce sont actifs. L'agroalimentaire est particulièrement développé (vins de Bourgogne, moutarde, vinaigre…). Très touristique, Dijon est aussi un centre universitaire réputé et abrite de nombreux musées. La ville possède un riche patrimoine architectural et culturel : palais ducal, cathédrale Saint-Bénigne (XIIIe-XIVe siècles), église du XIIIe siècle, maisons de la Renaissance… Au temps des Romains, Dijon porte le nom de Divio. Devenue capitale des ducs de Bourgogne au XIe siècle, la ville connaît son apogée aux XIVe et XVe siècles.

21

Préfecture de la Côte-d'Or
153 813 habitants : les Dijonnais

dilapider v. → conjug. **aimer.** Dépenser de l'argent de manière exagérée et irréfléchie, gaspiller.

dilater v. → conjug. **aimer.** Faire augmenter de volume, de diamètre. *La chaleur dilate les métaux.*
Contraires : comprimer, contracter.
Les chats voient dans l'obscurité grâce à la dilatation de leurs pupilles, au fait qu'elles se dilatent.

dilemme n. m. Situation dans laquelle on doit faire un choix difficile entre deux possibilités. *Choisir le sport ou les études, c'est un véritable dilemme !*

dilettante n. **1** Personne qui pratique une activité pour son plaisir. *Faire de la musique en dilettante.* **2** Personne qui manque de sérieux dans ce qu'elle fait. *Travailler en dilettante.*

diligence n. f. Voiture à chevaux utilisée autrefois pour transporter des voyageurs.

diluer v. → conjug. **aimer.** Mélanger avec un liquide. *Diluer de la peinture. Diluer un médicament dans de l'eau.*

dimanche n. m. Jour de la semaine qui suit le samedi.

dîme n. f. Avant la Révolution, impôt sur les récoltes que les paysans payaient à l'Église.

dimension n. f. Grandeur, mesure, taille d'une chose. *Calculer les dimensions d'une pièce.*

diminuer v. → conjug. **aimer. 1** Rendre moins fort, moins grand, moins élevé. *Certains médicaments diminuent la douleur. Diminuer les prix.* **2** Devenir moins fort, moins intense, moins important. *Les forces du malade diminuent. La température a diminué.*
Synonymes : réduire (**1**), baisser (**2**), décroître (**2**).
Contraires : augmenter (**1**), grandir (**2**).
Le gouvernement prévoit une diminution des impôts, il prévoit de les diminuer.

diminutif n. f. **1** Mot dérivé d'un autre mot pour désigner ce qui est plus petit. *« Caissette » est le diminutif de caisse.* **2** Prénom familier formé à partir du véritable prénom d'une personne. *Annette est un diminutif de Anne.*

dindon n. m. Gros oiseau de basse-cour dont la tête et le cou sont recouverts d'une chair rougeâtre et plissée.
Pour Noël, nous mangerons une dinde rôtie, la femelle du dindon. *Les dindonneaux* sont les petits de la dinde.

dîner v. et n. m.
• v. → conjug. **aimer.** Prendre le repas du soir. *Dîner au restaurant.*
• n. m. Repas du soir. *Être invité à un dîner chez des amis.*

dînette n. f. **1** Petit repas, réel ou imaginaire, que les enfants organisent entre eux. **2** Service de table miniature dont les enfants se servent pour jouer.

dingue adj. et n. Familier. Fou, inconscient. *Elle est complètement dingue ! C'est un dingue de motos.*

dinosaure n. m. Espèce de reptile comportant des animaux de taille et d'aspect très différents.

Les dinosaures apparaissent sur Terre il y a environ 200 millions d'années.
Beaucoup sont des animaux gigantesques, dépassant

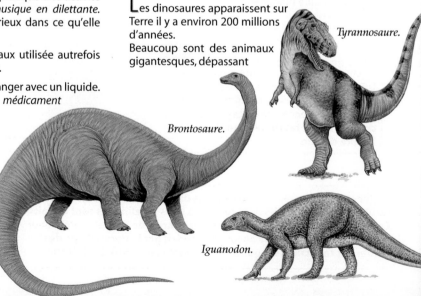

Tyrannosaure.

Brontosaure.

Iguanodon.

souvent 9 m de longueur, mais certains ne mesurent pas plus de 30 cm ! Les plus gros dinosaures sont en général herbivores. Ainsi, le brontosaure (ou apatosaure) au cou démesuré, qui peut atteindre plus de 20 m de longueur pour un poids de plus de 30 t, ne se nourrit que de végétation. Il en est de même pour le diplodocus (jusqu'à 27 m !) et l'iguanodon (jusqu'à 10 m). Le dinosaure carnivore le plus redoutable est le tyrannosaure qui, avec ses 14 m de longueur, pour 6 m de hauteur et un poids de 5 t, s'attaque même aux gros dinosaures herbivores. Le velociraptor, plus petit, est toutefois un très bon coureur armé de terribles griffes.
Les dinosaures disparaissent brusquement il y a 65 millions d'années, probablement à cause d'un cataclysme provoqué par la collision d'une énorme météorite avec la Terre.

diocèse n. m. Territoire placé sous la responsabilité religieuse d'un évêque ou d'un archevêque.

dionée n. f. Petite plante carnivore originaire d'Amérique du Nord.

Chaque feuille de la dionée forme un véritable piège pour les insectes : les deux parties symétriques, plates et arrondies sont articulées par une sorte de charnière et bordées de grandes épines. Dès qu'un insecte, attiré par le nectar, s'y pose, les deux parties se referment immédiatement, comme une mâchoire. L'insecte est alors digéré par une substance acide. La dionée est aussi appelée attrape-mouches.

Dionysos

Divinité de la mythologie grecque, dieu du Vin, de la Vigne, de la Végétation et des Beaux-Arts. Il correspond à Bacchus chez les Romains. Fils de Zeus et de Sémélé, Dionysos naît de la cuisse de son père. En effet, sa mère étant morte au sixième mois de sa grossesse, Zeus abrite l'enfant dans sa cuisse jusqu'à sa naissance. Adulte, Dionysos mène une vie errante, apprenant aux gens à cultiver la vigne. De grandes fêtes, les dionysies, sont célébrées en son honneur. On y assiste à des représentations de théâtre où les acteurs jouent masqués. La tragédie et la comédie sont issues de ces fêtes.

diphtérie n. f. Maladie contagieuse due à un bacille et qui peut entraîner la mort par étouffement.

diplodocus n. m. Dinosaure herbivore de grande taille.

diplomate adj. et n. m.
• adj. Qui fait preuve de tact et de finesse. *Se montrer diplomate dans le règlement d'un conflit.*
• n. m. Personne chargée de représenter son pays auprès d'un gouvernement étranger. *Ce diplomate a le poste d'ambassadeur de France à Rome.*

diplomatie n. f. *1* Relations politiques entre États. *La diplomatie européenne.* *2* Adresse et tact dans la manière de régler une affaire, un conflit. *Faire preuve de diplomatie pour réconcilier deux adversaires.*
On prononce [diplɔmasi].
*Rompre ses relations **diplomatiques** avec un pays,* qui concernent la diplomatie (*1*).

diplôme n. m. Document officiel qui atteste que l'on a réussi à un examen ou que l'on a obtenu un titre. *Un diplôme d'architecte.*

dire v. *1* Exprimer, faire savoir quelque chose par la parole. *Dire merci, dire bonjour, dire au revoir. Elle a dit tout ce qu'elle savait.* *2* Donner des ordres, ordonner, demander. *Je vous dis de sortir immédiatement !* *3* *Vouloir dire :* signifier. *4* *On dirait :* il semble, on pourrait croire. *On dirait qu'il va faire beau.* *5* *Se dire :* réfléchir à part, dans son esprit. *Je me suis dit que ce petit cadeau te ferait plaisir.*

La conjugaison du verbe	
DIRE 3e groupe	
indicatif présent	**je dis, il ou elle dit, nous disons, ils ou elles disent**
imparfait	**je disais**
futur	**je dirai**
passé simple	**je dis**
subjonctif présent	**que je dise**
conditionnel présent	**je dirais**
impératif	**dis, disons, dites**
participe présent	**disant**
participe passé	**dit**

direct adj. et n. m.
• adj. *1* Qui ne fait aucun détour. *Une route directe.* *2* Qui est en liaison sans intermédiaire. *Nous sommes en contact direct avec notre reporter à New York.* *3* Qui ne fait aucun arrêt. *Un train direct.* *4* Complément

direct : complément qui se rattache au verbe sans être précédé d'une préposition.
Contraire : indirect (4).
• n. m. *1* Coup de poing porté droit devant soi. *Assommer son adversaire d'un direct à la mâchoire. 2 En direct :* au moment même où quelque chose se déroule. *Une émission diffusée en direct.*
Contraire : en différé (2).

directement adv. *1* Sans faire de détours. *Je rentre directement chez moi 2* Sans intermédiaire. *Cette affaire sera réglée directement avec les personnes responsables.*

directeur, trice n. Personne qui a la charge de diriger une entreprise, une institution, un service. *Une directrice d'école. Le directeur d'un journal.*

direction n. f. *1* Action de diriger ; fonction, poste de la personne qui dirige. *Prendre la direction d'un magasin. 2* Côté vers lequel on se dirige, sens. *Changer de direction. Rouler en direction de la mer.*

directives n. f. plur. Indications, instructions, ordres. *Donner des directives à ses employés.*

dirigeable n. m. Ballon équipé d'un moteur et d'un système de direction pour se déplacer dans les airs.

Le dirigeable dérive de la montgolfière, inventée en 1783 par les frères Montgolfier. Le premier est réalisé en 1851, par le Français Henri Giffard. Il s'agit d'un ballon de forme allongée, propulsé par un moteur à vapeur qui fait tourner une hélice. D'autres ingénieurs réalisent ensuite des machines de plus en plus perfectionnées. Mais c'est l'Allemand Ferdinand von Zeppelin qui met au point, en 1900, le dirigeable moderne, à coque en aluminium, propulsé par un moteur à explosion. Il assure le transport de passagers sur de longues distances. Le premier tour du monde est réalisé en 1929. Cependant, les progrès rapides de l'aviation et les nombreux accidents qui surviennent avec les dirigeables mettent fin au transport des passagers par ce moyen. L'aventure aura duré 85 ans.

Le Graf Zeppelin.

diriger v. → conjug. **ranger.** *1* Exercer le pouvoir, avoir le commandement, la responsabilité. *Diriger une école, un pays, un orchestre. 2* Conduire vers telle ou telle direction. *Diriger un voilier vers le port. L'avion se dirige vers l'aéroport. 3 Se diriger :* aller vers telle direction, s'orienter. *Tous les regards se dirigent vers l'écran.*
Un congrès a réuni tous les **dirigeants** du pays, les personnes qui le dirigent (*1*).

discernement n. m. Capacité, pour une personne, de porter un jugement clair et exact. *Faire preuve de discernement dans le choix de ses amis.*

discerner v. → conjug. **aimer.** *1* Distinguer de façon plus ou moins claire, apercevoir. *Discerner une lueur dans la nuit. 2* Faire la distinction, la différence. *Discerner le mensonge de la vérité.*

disciple n. m. Personne qui reçoit l'enseignement d'un maître. *Les disciples d'un philosophe.*

discipline n. f. *1* Ensemble des règles de conduite qu'il faut respecter dans un groupe, dans une collectivité. *Les soldats doivent se plier à la discipline de l'armée. 2* Matière que l'on étudie à l'école ou à l'université. *La biologie est une discipline scientifique.*
Contraire : indiscipline (1).
Les élèves de cette classe sont **disciplinés**, ils respectent la discipline (*1*).

disc-jockey n. m. Plur. : des disc-jockeys. Personne chargée du choix des disques diffusés au cours d'une émission de radio ou dans une discothèque.

discontinu, ue adj. Qui comporte des arrêts, des interruptions. *Un bruit discontinu. Une ligne blanche discontinue.*
Contraire : continu.

discontinuer v. → conjug. **aimer.** *Sans discontinuer :* sans arrêt. *Il pleut sans discontinuer depuis dix jours.*

discordant, ante adj. Qui n'est pas en accord avec autre chose. *Faire entendre des sons discordants.*

discorde n. f. Désaccord, mésentente grave. *Semer la discorde dans un groupe d'amis.*

discothèque n. f. *1* Collection de disques. *2* Établissement où l'on va pour danser, écouter des disques.

discount n. m. Vente à prix réduits. *Beaucoup de grandes surfaces font du discount.*
Mot anglais qui se prononce [diskunt] **ou** [diskawnt].

discourir v. → conjug. **courir**. Faire des discours à propos de choses inutiles ou sans intérêt. *Discourir au lieu d'agir.*

discours n. m. Paroles que l'on prononce face à un public. *Un discours politique. Un discours de bienvenue.*

discréditer v. → conjug. **aimer**. Faire perdre à quelqu'un la confiance des autres, ruiner sa réputation. *Discréditer un homme politique.*

discret, ète adj. *1* Qui est capable de garder un secret. *Elle se confie à une amie discrète.* *2* Qui n'intervient pas dans les affaires des autres. *Elle est trop discrète pour poser des questions gênantes.* *3* Qui n'attire pas l'attention. *Porter des vêtements discrets.* **Contraires : indiscret (2), voyant (3).**

> *Quitter* **discrètement** *un endroit*, de manière discrète (*3*). *Elle manque de* **discrétion**, elle n'est pas discrète (*1* et *2*).

discrimination n. f. Fait de traiter une personne ou un groupe de personnes différemment des autres, selon l'appartenance sociale ou raciale.

disculper v. → conjug. **aimer**. Donner la preuve de l'innocence de quelqu'un. *Cet homme, accusé à tort, a été disculpé.*

discussion n. f. *1* Conversation au cours de laquelle chacun peut donner son opinion. *Une discussion politique.* *2* Protestation, contestation, dispute. *Se fâcher à la suite d'une violente discussion.*

discuter v. → conjug. **aimer**. *1* Parler d'un sujet avec d'autres personnes, échanger des idées. *Discuter entre amis. Discuter de politique.* *2* Protester, objecter, contester. *Obéir sans discuter.*

> *Un témoignage* **discutable**, que l'on peut discuter (*2*), contester.

disette n. f. Manque de nourriture, pénurie, famine.

disgrâce n. f. État de la personne qui a perdu les faveurs, l'estime de ses supérieurs. *Cet homme politique est tombé en disgrâce.*

disgracieux, euse adj. Qui manque de grâce, d'élégance, de souplesse. *Un danseur, un visage, des gestes disgracieux.* **Contraire : gracieux.**

disjoint, e adj. Qui est séparé, désuni. *Des planches disjointes par l'humidité.*

disjoncteur n. m. Interrupteur qui provoque automatiquement une coupure de courant. *Un court-circuit a fait sauter le disjoncteur.*

disloquer v. → conjug. **aimer**. Séparer, désunir les parties d'un tout. *Un tremblement de terre a disloqué le sol. Le cortège s'est disloqué après la cérémonie.*

Disney Walt

Réalisateur et producteur américain né en 1901 et mort en 1966. Disney se lance dans la production de dessins animés muets en 1923. Dans son premier court métrage sonore, *Steamboat Willie* (1928), il crée le personnage de *Mickey.* Celui-ci, avec *Donald et Pluto*, sera le héros de près de 300 dessins animés. Disney réalise ensuite des longs métrages en couleur qui remportent un énorme succès : *Blanche-Neige et les sept nains* (1937), *Pinocchio* (1940), *Fantasia* (1940), *Bambi* (1942). En 1955, il crée, en Californie, un gigantesque parc d'attractions : Disneyland. Après sa mort, la Walt Disney Compagnie produit de grands dessins animés, des films réalistes, des séries pour la télévision et des produits dérivés inspirés des personnages des films et des publications. Trois autres parcs d'attractions voient le jour dans le monde, dont Disneyland Paris, en 1992.

disparaître v. → conjug. **connaître**. *1* Cesser d'être visible. *Le sommet de la montagne disparaît derrière le brouillard.* *2* Être introuvable, s'égarer. *Mes gants ont encore disparu.* *3* Ne plus exister. *Les dinosaures ont disparu de notre planète.*

disparate adj. Qui ne forme pas un ensemble harmonieux. *Ce salon est encombré d'un mobilier disparate.* **Synonyme : hétéroclite.**

disparité n. f. Grande différence. *Il existe une grande disparité de prix entre ces différents modèles de vélos.*

disparition n. f. *1* Fait de disparaître, absence inexpliquée. *Il est revenu dans sa famille après une disparition de plusieurs jours.* *2* Fait de cesser d'exister. *La disparition d'une espèce animale. La disparition d'un être cher.*

disparu, ue n. Personne considérée comme morte mais dont on n'a pas retrouvé le corps.

dispensaire n. m. Établissement dans lequel on peut recevoir des soins médicaux.

dispenser v. → conjug. **aimer**. *1* Autoriser une personne à ne pas faire quelque chose d'obligatoire. *Dispenser un élève des cours d'éducation physique.* *2* Distribuer, donner. *L'État dispense des subventions à certaines associations.*

> *Demander une* **dispense**, c'est demander à être dispensé (*1*) d'une obligation.

a b c d e f g h i j k l m n o p q r s t u v w x y z

disperser v. → conjug. **aimer.** *1* Répandre dans plusieurs directions, éparpiller. *Un courant d'air a dispersé tous mes papiers. Les manifestants se sont dispersés après le défilé. 2* Au figuré. *Se disperser :* manquer d'attention, de concentration.
Synonyme : disséminer (*1*). **Contraires : concentrer** (*1*), **se concentrer** (*2*).
   La **dispersion** *de la manifestation s'est déroulée sans incident,* le fait qu'elle s'est dispersée (*1*).

disponible adj. *1* Qui est à la disposition de quelqu'un, que l'on peut utiliser. *Avoir une somme d'argent disponible. 2* Qui a du temps libre. *Il sera disponible la semaine prochaine.*

dispos, ose adj. Qui est en forme, qui se sent bien. *Être frais et dispos.*

disposer v. → conjug. **aimer.** *1* Installer de telle ou telle manière. *Disposer des fauteuils devant la cheminée. 2* Pouvoir utiliser quelque chose. *Pendant mon absence, vous pouvez disposer de mon appartement. 3 Se disposer à :* avoir l'intention, être sur le point, s'apprêter. *Se disposer à partir en voyage. 4 Être disposé à :* être prêt, être décidé à. *Elle est disposée à vous aider. 5 Être bien, mal disposé envers quelqu'un :* avoir de bons, de mauvais sentiments envers quelqu'un.

dispositif n. m. Ensemble formé par différentes pièces d'un mécanisme ou d'un appareil. *Un dispositif d'alarme. Un dispositif de sûreté.*

disposition n. f. *1* Arrangement, ordre, répartition. *Changer la disposition des meubles dans une pièce. 2 À la disposition de quelqu'un :* pour son usage, à son service. *Ma voiture est à votre disposition. 3* Au pluriel. Préparatifs, arrangements. *Prendre ses dispositions pour partir en voyage. 4* Au pluriel. Aptitudes, prédispositions. *Avoir des dispositions pour le chant. 5* Au pluriel. État d'esprit, intentions. *Être dans de bonnes dispositions.*

disproportion n. f. Différence exagérée, écart trop important. *Il y a une disproportion entre le travail qu'il fait et le salaire qu'il reçoit.*
   Cet animal a une tête **disproportionnée** *à son corps,* qui présente une disproportion.

dispute n. f. Échange de paroles violentes, d'injures. *La discussion a fini par une dispute.*

disputer v. → conjug. **aimer.** *1* Prendre part à une compétition. *Disputer un championnat de boxe. 2 Se disputer :* avoir une dispute, se quereller. *Ils se disputent sans arrêt.*

disquaire n. m. → **disque.**

disqualifier v. → conjug. **modifier.** Exclure un concurrent qui n'a pas respecté le règlement. *Disqualifier un joueur pour injures à l'arbitre.*

Prononcer la **disqualification** *d'un sportif pour dopage,* c'est le disqualifier.

disque n. m. *1* Plaquette de forme circulaire sur laquelle on enregistre des sons. *Écouter un disque. 2* Sorte de palet, de poids et de dimensions réglementaires que l'on utilise en athlétisme. *Participer aux épreuves de lancer du disque. 3 Disque compact :* synonyme de C. D. *4 Disque dur :* élément d'un ordinateur sur lequel sont enregistrées et stockées des données codées.
   Un **disquaire** *est un commerçant qui vend des disques* (*1*). *Une* **disquette** *de jeu vidéo est un petit disque* (*4*) *informatique que l'on peut utiliser grâce à un ordinateur.*

dissection n. f. → **disséquer.**

disséminer v. → conjug. **aimer.** Disperser, éparpiller. *Des maisons sont disséminées dans la campagne.*
   La **dissémination** *de troupes à travers le monde,* le fait qu'elles soient disséminées.

dissension n. f. Opposition, conflit. *Des dissensions familiales, politiques.*

disséquer v. → conjug. **digérer.** Découper un cadavre pour étudier son organisme ou pour découvrir la cause de sa mort.
   Les laboratoires scientifiques procèdent à des **dissections** *d'animaux,* ils les dissèquent.

dissidence n. f. Refus d'obéissance, rébellion. *Appeler des soldats à la dissidence.*
   Un **dissident** *politique,* une personne qui est en dissidence avec le pouvoir politique.

dissimulation n. f. *1* Caractère ou attitude d'une personne hypocrite. *Agir avec dissimulation. 2* Action de dissimuler. *La dissimulation d'objets volés est punie par la loi.*

dissimuler v. → conjug. **aimer.** Cacher quelque chose. *Dissimuler une arme dans sa poche. Courageusement, Daphné décide de dissimuler sa peine.*

dissipation n. f. *1* Disparition, dispersion. *Il y aura du soleil après la dissipation des brouillards matinaux. 2* Indiscipline, mauvaise conduite.
   Un élève **dissipé** *est un élève qui fait preuve de dissipation* (*2*).

dissiper v. → conjug. **aimer.** *1* Faire disparaître, chasser. *Le soleil dissipe les nuages. Dissiper un malentendu. 2* Distraire une personne, l'empêcher d'être attentive. *Dissiper ses camarades de classe.*

dissocier v. → conjug. **modifier.** Séparer des éléments qui étaient associés, désunir. *Pour trouver une solution, il faut dissocier les problèmes.*

dissolution n. f. *1* Fait de se dissoudre dans un liquide. *La dissolution du sel dans l'eau.* *2* Au figuré. Action de dissoudre, de rompre quelque chose. *La dissolution d'une assemblée, d'un mariage.*

dissoudre v. → conjug. **résoudre.** *1* Faire fondre. *Dissoudre du sucre dans de l'eau.* *2* Au figuré. Mettre légalement fin à l'existence d'un groupe, d'une association, etc. *Dissoudre l'Assemblée nationale.*

   Un **dissolvant** est un produit qui sert à dissoudre (*1*) certaines substances.

dissuader v. → conjug. **aimer.** Convaincre une personne de renoncer à un projet, à une décision. *Il m'a dissuadé de faire ce voyage.*
Contraire : persuader.

   Une force de **dissuasion**, c'est une force militaire destinée à dissuader un adversaire d'attaquer.

dissymétrique adj. Qui n'est pas symétrique. *Un visage dissymétrique.*
Synonyme : asymétrique. Contraire : symétrique.

distance n. f. *1* Intervalle qui sépare une chose d'une autre. *Mesurer une distance. Parcourir une distance de plusieurs kilomètres.* *2* Écart, intervalle de temps. *Ils sont nés à deux ans de distance.*

   Un coureur qui **distance** *les autres concurrents*, qui les a dépassés d'une certaine distance (*1*).

distant, ante adj. *1* Éloigné, séparé. *Deux villes distantes de quelques kilomètres.* *2* Qui a une attitude réservée, qui n'aime pas les familiarités. *Il s'est montré très distant avec moi.*

distillation n. f. Opération qui consiste à chauffer un liquide pour séparer ses divers composants. *On fabrique de l'alcool par distillation du vin.*

   Distiller *des grains de céréales, des fleurs*, c'est leur faire subir une distillation. *Une* **distillerie** *est une usine où l'on fabrique des produits par distillation.*

distinct, e adj. *1* Qui ne peut pas se confondre avec autre chose. *L'abeille et la guêpe sont deux insectes distincts l'un de l'autre.* *2* Qui est facile à percevoir, à reconnaître. *Des paroles distinctes. Des traces distinctes.*
Synonyme : différent (*1*). Contraire : indistinct (*2*).

   Parle **distinctement**, de manière distincte (*2*).

distinctif, ive adj. Qui permet de distinguer, de différencier des personnes, des choses. *La casquette rouge est le signe distinctif de notre équipe.*

distinction n. f. *1* Action de distinguer, de reconnaître, de faire la différence. *Faire la distinction entre le bien et le mal.* *2* Élégance et délicatesse dans la manière de se tenir et de parler. *Une femme d'une grande distinction.*

   Une personne **distinguée** est une personne qui a de la distinction (*2*).

distinguer v. → conjug. **aimer.** *1* Apercevoir, discerner, percevoir. *Distinguer des formes dans l'obscurité.* *2* Reconnaître une personne ou une chose d'une autre. *Je ne la distingue pas de sa sœur.* *3* Se distinguer : se faire remarquer, se montrer supérieur aux autres. *Se distinguer par ses exploits, par son humour.*
Synonyme : différencier. Contraire : confondre (*2*).

distraction n. f. *1* Manque d'attention, étourderie. *Il fait des fautes d'orthographe par distraction.* *2* Occupation agréable, divertissement, passe-temps. *Le jardinage est sa distraction préférée.*

distraire v. → conjug. **traire.** *1* Détourner une personne de ce qu'elle est en train de faire. *Distraire ses camarades de classe par des bavardages.* *2* Occuper agréablement le temps, divertir. *Daphné est au cinéma, le film va la distraire.*

distrait, e adj. Qui manque d'attention. *Être distrait. Avoir l'air distrait.*
Synonyme : étourdi.

distribuer v. → conjug. **aimer.** Donner à chacun, partager, fournir, répartir. *Distribuer des prospectus.*

   Un **distributeur** est un appareil qui distribue des boissons, des objets, des tickets, de l'argent.

distribution n. f. *1* Action de distribuer des choses. *Une distribution de cadeaux. La distribution du courrier par le facteur.* *2* Ensemble des rôles répartis entre les acteurs d'une pièce de théâtre ou d'un film.

district n. m. Association de plusieurs communes voisines qui se regroupent pour réaliser certains projets. *Le district de Paris.*

dithyrambique adj. Qui est élogieux de façon exagérée, excessive. *Des compliments dithyrambiques.*

diurne adj. Qui se produit le jour, qui se montre durant le jour. *Les températures diurnes seront élevées. L'aigle est un oiseau diurne.*
Contraire : nocturne.

divaguer v. → conjug. **aimer.** Faire ou dire des choses qui n'ont aucun sens. *Le malade divague sous l'effet d'une forte fièvre.*

   Les **divagations** *d'un malade mental*, c'est le fait qu'il divague.

divan n. m. Banquette sans bras ni dossier qui peut être utilisée comme lit. *S'allonger sur un divan.*

divergence n. f. → **diverger.**

divergent, ente adj. *1* Qui s'écartent l'un de l'autre. *Des lignes, des routes divergentes.* *2* Qui s'opposent l'un à l'autre, qui diffèrent l'un de l'autre. *Avoir des opinions divergentes sur un sujet.*
Contraire : convergent.

diverger v. → conjug. **ranger.** *1* Aller en s'écartant, en s'éloignant. *À la sortie de la ville, nos routes divergent. 2* Au figuré. Être en opposition, en désaccord. *En politique, leurs points de vue divergent.*
Contraire : converger.

Avoir des *divergences* avec quelqu'un, c'est avoir des opinions qui divergent (*2*).

divers, diverse adj. *1* Différent, varié. *La campagne a des aspects divers suivant les saisons. 2* Au pluriel. Plusieurs. *Il a diverses questions à poser.*

Cette région est remarquable par la *diversité* des espèces animales qui y vivent, par leur caractère divers (*1*), varié.

diversion n. f. Action faite dans le but de détourner l'attention de quelqu'un. *Faire diversion pour éviter une dispute.*

diversité n. f. →
divers, diverse.

divertir v. → conjug. **finir.** Amuser, distraire. *Ce film a diverti tous les spectateurs.*

Les spectacles sont des *divertissements*, des occupations qui divertissent.

dividende n. → diviser.

divin, ine adj. *1* Qui se rapporte à Dieu ou aux dieux. *Croire en la puissance divine. 2* Merveilleux, remarquable, parfait. *Une femme d'une beauté divine.*

divination n. f. Pouvoir de deviner l'avenir. *Il existe certains peuples qui croient à la divination.*

divinité n. f. Être divin dans certaines religions. *Les divinités grecques, romaines.*

diviser v. → conjug. **aimer.** *1* Séparer, partager en deux ou en plusieurs parties. *Diviser un cercle en deux demi-cercles. La rivière se divise en deux bras après le village. 2* Faire une division. *3* Au figuré. Provoquer la désunion dans un groupe. *Cette dispute a fini par diviser notre famille.*

Le *dividende* est le nombre qui doit être divisé par un autre nombre appelé le diviseur. Le *diviseur* est le nombre qui sert à diviser un autre nombre appelé le dividende. *Les nombres pairs sont divisibles par deux,* on peut exactement les diviser (*2*) par deux.

division n. f. *1* Opération qui consiste à calculer combien de fois un nombre (le diviseur) est compris dans un autre nombre (le dividende). *2* Chaque partie d'un tout que l'on a divisé. *Le millimètre, le centimètre sont des divisions du mètre. 3* Au figuré. Désunion, discorde, désaccord. *Semer la division dans un parti politique. 4* Partie d'une armée formée de plusieurs régiments. *Une division blindée. 5* Ensemble de plusieurs équipes sportives classées suivant leurs résultats. *Un club de deuxième division.*

LA DIVISION

■ La division est une opération qui consiste :
• soit à partager une certaine quantité en un nombre de parts égales pour trouver la valeur contenue dans une part ;
32 bonbons partagés entre 4 enfants → *8 bonbons par part*
• soit à chercher le nombre de parts égales que l'on peut obtenir avec une certaine quantité quand on connaît la valeur contenue dans une part.
32 bonbons. 8 bonbons chacun → *4 parts possibles (4 enfants)*

■ La division est l'opération inverse de la multiplication :
$$32 : 4 = 8 → 4 \times 8 = 32$$
$$32 : 8 = 4 → 8 \times 4 = 32$$

■ Présentation de l'opération :

dividende (D) — 128 | 5 — *diviseur (d)*
28 | 25
reste (r) — 3 | — *quotient (q)*

❖ *Pour faire la preuve d'une division, on multiplie le diviseur (d) par le quotient (q), on ajoute le reste (r) au produit, et l'on doit retrouver le dividende (D).*
$$(d \times q) + r = D$$
$$(5 \times 25) + 3 = 128$$

■ La division n'est **pas commutative.**
$$32 : 4 \text{ n'est pas égal à } 4 : 32$$

■ La division n'est **pas associative.**
$$(32 : 4) : 2 = 4 \text{ n'est pas égal à } 32 : (4 : 2) = 16$$

On peut diviser facilement un nombre entier ou un nombre décimal par 10, 100, 1000, 10 000… Il suffit de déplacer la virgule vers la gauche d'autant de rangs qu'il y a de zéros au diviseur : $3256 : 10 = 325,6$ $3256 : 1000 = 3,256$
$3256,3 : 10 = 325,63$

divorcer v. → conjug. **tracer.** Se séparer légalement, en parlant de deux personnes mariées. *Ils ont divorcé à l'amiable.*

Comme elle ne s'entend plus avec son mari, elle a demandé le divorce, elle a fait une demande officielle pour divorcer.

divulguer v. → conjug. **aimer.** Révéler publiquement ce qui était tenu secret. *Divulguer des documents confidentiels.*

DIX
S'écrit **X** en chiffres romains.

• adj. inv. Neuf plus un. *Inviter dix personnes à dîner. Rendez-vous dans dix minutes.*
• n. m. inv. Le chiffre ou le nombre dix. *Cinq plus cinq est égal à dix. Jouer le dix de cœur.*
On prononce [dis] **lorsqu'on emploie le mot seul,** [di] **devant une consonne ou un « h » aspiré et** [diz] **devant une voyelle ou un « h » muet.**

dixième
• adj. et n. Qui occupe le rang ou la place numéro 10 dans une série. *Le dixième jour. La dixième place. Habiter au dixième.*
• n. m. Chaque partie d'un tout qui a été divisé par dix. *Un dixième ou 1/10.*
On prononce [diziɛm].

dizaine
• n. f. *1* Groupe de dix unités. *Cent est égal à dix dizaines.* *2* Ensemble de plus ou moins dix choses ou personnes. *Prendre une dizaine de jours de vacances.*

djellaba n. f. Robe large, à manches longues et à capuchon, qui se porte en Afrique du Nord.

do n. m. Première note de musique de la gamme.
Homonyme : dos.

doberman n. m. Grand chien à poil ras.
On prononce [dɔbɛrman].

docile adj. Qui se laisse diriger, qui obéit facilement. *Un cheval, une chienne dociles.*
Suivre docilement des ordres, de manière docile. Un chien d'une grande docilité, qui a un caractère docile.

docker n. m. Ouvrier chargé du chargement et du déchargement des bateaux.
On prononce [dɔkɛr].

docks n. m. plur. Hangars, entrepôts de marchandises dans un port.

docteur n. m. *1* Médecin. *Aller chez le docteur.* *2* Personne qui possède un diplôme universitaire d'un grade élevé. *Il est docteur en droit.*
Avoir un doctorat en droit, en médecine, être docteur (2) en droit, en médecine.

doctrine n. f. Ensemble de principes que l'on défend et suivant lesquels on vit et on agit. *Une doctrine religieuse, politique, philosophique.*

document n. m. Tout élément (texte, article, photo) qui apporte des renseignements sur un sujet ou sur un événement. *Chercher des documents pour un roman.*
Les documentalistes sont des personnes dont le métier consiste à réunir, à classer des documents et à les communiquer à ceux qui en ont besoin. Il a réuni une documentation pour son exposé, un ensemble de documents nécessaires pour faire cet exposé. Se documenter sur un sujet, sur un pays, c'est rassembler des documents.

documentaire n. m. Film destiné à instruire, et réalisé à partir de faits réels. *Un documentaire sur les insectes.*

Djibouti

23 200 km²
693 000 habitants :
les Djiboutiens
Langues : arabe, français, afar, issa
Monnaie : franc de Djibouti
Capitale : Djibouti

République d'Afrique de l'Est située le long du détroit qui relie la mer Rouge à l'océan Indien. Le pays, au relief accidenté, connaît un climat désertique. Il vit principalement de l'activité du port de Djibouti. Celui-ci sert de débouché maritime à l'Éthiopie, État voisin dont la capitale est reliée au port par le train. La population est composée de deux groupes rivaux, les Afars et les Issas. Le pays reçoit une aide financière de la France qui y maintient une importante base militaire. Colonie française sous le nom de Côte française des Somalis à partir de 1896, Djibouti est indépendant depuis 1977.

documentaliste n., **documentation** n. f., **documenter** v. → document.

dodeliner v. → conjug. **aimer.** *Dodeliner de la tête :* la balancer doucement.

dodo n. m. Sommeil, dans le langage des enfants. *Faire dodo.*

dodu, ue adj. Gras, potelé, grassouillet. *Une caille bien dodue.*

dogmatique adj. Qui exprime ses idées, ses opinions de manière catégorique, prétentieuse, pédante. *Parler d'un ton dogmatique.*

dogme n. m. Ce qui est considéré comme une vérité indiscutable dans une religion, une théorie philosophique.

dogue n. m. Chien de garde à grosse tête, au museau aplati.

doigt n. m. **1** Chacune des parties articulées qui terminent la main d'un être humain. *Les cinq doigts de la main sont le pouce, l'index, le majeur, l'annulaire et l'auriculaire.* **2** *Doigt de pied :* orteil. **3** *Sur le bout des doigts :* parfaitement, par cœur. *Savoir une récitation sur le bout des doigts.* **4** *Être à deux doigts :* être sur le point, être tout près. *Être à deux doigts de remporter la victoire.*
On prononce [dwa].

doigté n. m. Adresse, habileté, finesse, tact. *Régler une affaire difficile avec beaucoup de doigté.*
On prononce [dwate].

dollar n. m. Unité monétaire utilisée aux États-Unis, au Canada, en Australie.

dolmen n. m. Monument préhistorique constitué d'une ou de plusieurs grandes pierres plates posées sur des pierres dressées à la verticale.
On prononce [dɔlmɛn].

Les plus anciens dolmens datent de – 4000 ans environ. Ce sont des monuments funéraires où l'on a découvert des ossements, ainsi que des céramiques et des objets en pierre. Certains sont gigantesques. Il en existe en Europe, et principalement en Bretagne, mais aussi en Asie et en Afrique.

Le dolmen La Roche aux Fées en Bretagne.

domaine n. m. **1** Propriété terrienne d'assez grande étendue. *Ce domaine comporte des pâturages et des bois.* **2** Ensemble de ce qui concerne un art, une science, un sujet. *Le domaine artistique.* **3** *Domaine public :* biens qui appartiennent à l'État et qui peuvent être utilisés par le public. *Les fleuves, les routes font partie du domaine public.*
Une forêt *domaniale*, qui appartient au domaine public (**3**).

dôme n. m. Toit arrondi, coupole.

Le dôme est une structure très ancienne en architecture : on la trouve déjà en Mésopotamie plusieurs siècles av. J.-C. Le dôme peut être en demi-sphère (dôme Panthéon à Paris), polygonal (cathédrale de Florence) ou en forme de bulbe (cathédrale Saint-Basile de Moscou).

Dôme de l'Institut à Paris (1688).

domestique adj. et n.
• adj. **1** Qui concerne la vie de la maison. *S'occuper des travaux domestiques.* **2** Qui vit avec l'homme, auprès de l'homme. *Le chat et le chien sont des animaux domestiques.*
Contraire : sauvage (2).
Domestiquer un animal sauvage, c'est le rendre domestique (**2**), l'apprivoiser.
• n. Personne qui travaille au service d'une personne, d'une famille. *Engager un domestique.*
Aujourd'hui, on dit : employée de maison.

domicile n. m. Lieu où vit une personne, une famille. *Changer de domicile. Être sans domicile fixe.*
Il est *domicilié* à Paris, il y a son domicile.

dominer v. → conjug. **aimer. 1** Tenir sous sa dépendance, sous sa puissance. *Une armée ennemie domine le pays.* **2** Être supérieur, dépasser. *Il a dominé son adversaire durant tout le match.* **3** Contrôler, maîtriser un sentiment. *Dominer sa colère.* **4** Être au-dessus, surplomber. *Une tour domine la ville.* **5** Être plus important, prédominer. *Dans ce jardin, c'est le parfum des roses qui domine.*
La couleur *dominante* de ce tableau est le bleu, c'est la couleur qui y domine (**5**). Ce professeur est un homme *dominateur*, qui aime dominer (**1**). Tomber sous la *domination* d'un pays étranger, c'est être dominé (**1**) par lui.

Dominicaine (République)

République des Antilles occupant les deux tiers de l'île d'Haïti.

Le territoire de la République dominicaine est montagneux. Le climat est tropical, mais tempéré par les alizés qui soufflent toute l'année. Les cyclones sont parfois très violents. Les ressources du pays sont l'agriculture (canne à sucre, bananes, café, cacao), l'industrie (extraction du nickel) et, surtout, le tourisme. La population est toutefois très pauvre.

L'île d'Haïti est découverte par Christophe Colomb en 1492. Le territoire devient espagnol en 1697, puis français en 1795. La République dominicaine devient réellement indépendante en 1865. La vie politique est instable.

48 734 km²
8 616 000 habitants :
les Dominicains
Langue : espagnol
Monnaie : peso
Capitale : Saint-Domingue

dominical, ale, aux adj. Du dimanche. *Faire le repas dominical en famille.*

Dominique

République des Petites Antilles, située dans la mer des Caraïbes. La Dominique est une petite île volcanique. Elle jouit d'un climat tropical tempéré par les alizés.

Son économie est essentiellement basée sur le tourisme et sur la culture des bananes, mais elle reste très pauvre.

Découverte par Christophe Colomb en 1493, la Dominique passe sous domination anglaise à la fin du XVIIIᵉ siècle. Elle devient indépendante et membre du Commonwealth en 1978.

751 km²
78 000 habitants :
les Dominiquais
Langues : anglais, créole
Monnaie : dollar des Caraïbes orientales
Capitale : Roseau

domino n. m. Plaquette rectangulaire marquée de points noirs. *Jouer aux dominos.*

dommage n. m. **1** Dégât causé à des choses matérielles. *Les forêts ont subi de graves dommages à cause de la tempête.* **2** Ce qui est regrettable, décevant. *Quel dommage que tu sois obligé de partir avant la fin du spectacle !*

dompter v. → conjug. **aimer**. Soumettre un animal sauvage, le faire obéir, dresser. *Dompter un lion.*
  Le *dompteur est entouré de ses lions*, celui qui les a domptés.

don n. m. **1** Ce que l'on donne à quelqu'un. *Envoyer des dons pour les réfugiés.* **2** Qualité innée, talent. *Avoir un don pour les langues.*
Homonyme : dont.
  Remercier un généreux donateur, une personne qui a fait un don (**1**).

Donatello

Sculpteur italien né en 1386 et mort en 1466. Son vrai nom est Donato di Niccolo di Betto Bardi. Donatello effectue sa formation à Florence, dans l'atelier du grand artiste Lorenzo Ghiberti ; un voyage à Rome lui permet d'étudier les œuvres de l'Antiquité. Ses créations (*David, Saint-Jean-Baptiste, Saint-Marc, Marie-Madeleine…*), essentiellement des statues et des bustes, sont très réalistes. Il travaille sur la ligne des corps, la forme des drapés, l'expression des visages et se sert des jeux de lumière sur ses sculptures pour les enrichir. Dans ses bas-reliefs, il est l'un des premiers à utiliser les règles de la perspective. Donatello est considéré comme l'un des plus grands sculpteurs de la Renaissance italienne. Son œuvre influencera de nombreux sculpteurs et peintres, dont Michel-Ange.

David.

donc conj. **1** Sert à indiquer une conclusion, une conséquence. *Il est malade, donc il ne viendra pas.* **2** Sert à renforcer ce que l'on veut exprimer. *Je vous invite, venez donc !*

donjon n. m. Tour la plus haute d'un château fort. *Regarde aussi* **Moyen Âge.**

donné, ée adj. *1* Déterminé, fixé à l'avance. *À un moment donné, les danseurs doivent changer de cavalière.* *2* Étant donné que : puisque. *Étant donné qu'il est guéri, il peut se lever.*

donnée n. f. *1* Fait, constatation, qui sert de base à une recherche, à une conclusion. *Un raisonnement doit être fondé sur des données précises.* *2* Information. *Stocker des données dans un ordinateur.*

donner v. → conjug. **aimer.** *1* Remettre en cadeau, offrir. *Il m'a donné un paquet de bonbons.* *2* Procurer, fournir. *Donner à boire à un bébé. Donner un emploi à quelqu'un.* *3* Produire. *Cette vigne donne des raisins délicieux.* *4* Provoquer, causer. *Ce froid me donne des frissons. Donner des soucis à quelqu'un.* *5* Fournir une indication, un renseignement. *Donner son numéro de téléphone à un ami.* *6* Avoir telle ou telle orientation. *Cet immeuble donne sur la cour.*
Contraire : recevoir (*1* et *2*).
Un donneur de sang est une personne qui donne (1) son sang pour les malades qui ont besoin d'une transfusion.

Don Quichotte → **Cervantès.**

dont pronom relatif. Remplace un complément précédé de « de ». *C'est une aventure dont je me souviendrai (je me souviendrai de cette aventure).*
Homonyme : don.

doper v. → conjug. **aimer.** Donner à quelqu'un un médicament, une substance stimulante pour augmenter ses possibilités physiques. *Les sportifs soupçonnés de se doper doivent passer des tests de contrôle.*
Exclure un sportif d'une compétition pour dopage, parce qu'il s'est dopé.

dorade n. f. Poisson de mer aux écailles dorées ou argentées. *Les dorades peuvent être roses ou grises.*
On écrit aussi : daurade.

dorénavant adv. Désormais, à partir de maintenant. *Dorénavant, il sera plus prudent.*

dorer v. → conjug. **aimer.** *1* Couvrir d'une fine couche d'or. *Dorer le cadre d'un miroir.* *2* Donner à quelque chose la couleur de l'or ou son éclat. *Le soleil levant dore le sable de la plage.*

dorloter v. → conjug. **aimer.** Prendre soin d'une personne avec affection et tendresse. *Dorloter ses enfants. Se faire dorloter.*

dormant, ante adj. Qui reste immobile, qui n'est pas agité par des courants, stagnant. *Les eaux dormantes d'un marais.*

dormir v. Être en état de sommeil.
Une sonnerie a réveillé les dormeurs, les gens qui dormaient.

La conjugaison du verbe

DORMIR 3e groupe

indicatif présent	**je dors, il ou elle dort, nous dormons, ils ou elles dorment**
imparfait	**je dormais**
futur	**je dormirai**
passé simple	**je dormis**
subjonctif présent	**que je dorme**
conditionnel présent	**je dormirais**
impératif	**dors, dormons, dormez**
participe présent	**dormant**
participe passé	**dormi**

---

dorsal, ale, aux adj. Qui se rapporte au dos. *Les muscles dorsaux.*

dortoir n. m. Grande pièce commune où plusieurs personnes peuvent dormir. *Le dortoir de cet internat peut accueillir quarante élèves.*

dorure n. f. Couche d'or recouvrant un objet. *La dorure de ce cadre s'est écaillée.*

doryphore n. m. Insecte nuisible dont le dos est rayé de jaune et de noir. *Les doryphores se nourrissent des feuilles de la pomme de terre.*

dos n. m. *1* Partie postérieure du corps, située entre le cou et les reins. *Porter un sac sur son dos.* *2* Partie bombée d'un objet, d'une chose. *Le dos d'une cuillère. Le dos de la main.* *3* Envers, verso. *Mettre sa signature au dos d'un chèque.* *3* De dos : du côté du dos. *Être photographié de dos.*
Contraire : de face (*4*). **Homonyme : do.**

dosage n. m. → **doser.**

dos-d'âne n. m. inv. Partie bombée formant une bosse sur une chaussée. *Ralentir avant de passer sur un dos-d'âne.*

dose n. f. Quantité exacte qu'il faut absorber en une fois. *Il ne faut jamais dépasser la dose prescrite quand on prend un médicament.*

doser v. → conjug. **aimer.** Mesurer la dose, la proportion qui convient pour un mélange. *Il faut bien doser la farine, le sucre, le lait et le chocolat pour réussir ce gâteau.*
Faire un bon dosage pour une sauce, c'est bien doser ce qu'on y met.

dossard n. m. Morceau d'étoffe marqué d'un numéro que les sportifs portent dans le dos au cours d'une compétition. *Le vainqueur de l'étape porte le dossard numéro sept.*

dossier n. m. *1* Partie d'un siège contre laquelle on appuie son dos. *2* Ensemble de documents concernant un même sujet. *Étudier un dossier.*

Écrivain russe né en 1821 et mort en 1881. Dostoïevski publie son premier roman, *les Pauvres Gens*, en 1846. Cette œuvre, qui lui apporte le succès, exprime la pitié qu'il ressent pour les faibles et les opprimés, sentiment qui marquera ses autres écrits. S'étant engagé dans la politique, Dostoïevski est condamné à mort en 1849 ; il échappe de peu à l'exécution et passe quatre ans au bagne en Sibérie. De retour à Saint-Pétersbourg, il publie un récit qui décrit la vie au bagne, *Souvenirs de la maison des morts* (1861-1862).

Parmi ses œuvres les plus célèbres, on peut encore citer *Humiliés et Offensés* (1861), *Crime et Châtiment* (1866), *l'Idiot* (1868) et *les Frères Karamazov* (1880).

dot n. f. Ensemble de l'argent et des biens qu'une jeune fille apporte quand elle se marie.
On prononce [dɔt].

doter v. → conjug. **aimer.** *1* Donner une dot à une jeune fille. *2* Fournir un équipement. *Doter un bureau de matériel informatique.*

douane n. f. Administration chargée de contrôler le passage des personnes et des marchandises aux frontières d'un pays. *Payer des droits de douane.*

douanier, ère adj. et n. m.
• adj. De la douane. *Un contrôle douanier.*
• n. m. Employé de la douane. *Des douaniers fouillent les voitures à la frontière.*

Douaumont

Fort situé sur la commune de Douaumont, près de Verdun, dans l'est de la France. Au cours de la Première Guerre mondiale, lors de la bataille de Verdun (1916), le fort de Douaumont est le siège de violents combats entre soldats français et allemands. Il abrite un ossuaire contenant les restes d'environ 300 000 soldats français tués durant ces affrontements.

doublage n. m. → **doubler.**

double adj. et n. m.
• adj. *1* Qui est égal à deux fois la même quantité. *Une double portion de pâtes.* *2* Qui est composé de deux éléments analogues. *Une double fenêtre.* *3* Qui est

effectué, réalisé deux fois. *Fermer une porte à double tour. Des documents en double exemplaire.*
• n. m. *1* Quantité égale à deux fois une autre quantité. *Six est le double de trois.* *2* Reproduction exacte, copie. *Le double d'une facture, d'une photo.* *3* Partie de tennis qui oppose deux équipes composées chacune de deux joueurs. *Un double messieurs.*

doublement adv. De deux manières ou pour deux raisons. *S'il a commis un vol et accusé quelqu'un d'autre, il est doublement coupable.*

doubler v. → conjug. **aimer.** *1* Multiplier par deux. *Doubler la dose d'un médicament si la fièvre augmente.* *2* Passer devant, dépasser. *Doubler un camion.* *3* Garnir d'une doublure. *Doubler un imperméable de coton.* *4* Jouer un rôle à la place de quelqu'un d'autre, le remplacer. *Pour les scènes dangereuses, les cascadeurs doublent les acteurs.* *5* Remplacer les dialogues d'un film par leur traduction dans une autre langue. *Un film russe doublé en français.*
Faire le **doublage** d'un film, c'est le doubler (*5*) dans une autre langue.

doublure n. f. *1* Tissu cousu ou fixé à l'intérieur d'un vêtement. *Une doublure en fourrure.* *2* Acteur ou cascadeur qui double un acteur dans certaines scènes.

en douce adv. Familier. Sans bruit, sans se faire remarquer, discrètement. *Partir en douce.*

douceâtre adj. → **douceur.**

doucement adv. *1* De manière douce, calme, tranquille. *Parlez plus doucement !* *2* Lentement. *Rouler doucement.*
Contraires : bruyamment, violemment (*1*) ; rapidement, vite (*2*).

douceur n. f. *1* Qualité de ce qui est doux, agréable à toucher, à sentir, à regarder, à entendre. *La douceur de la soie. La douceur d'une voix, d'un parfum.* *2* Qualité d'une personne calme, bienveillante. *Elle traite les enfants avec beaucoup de douceur.* *3* En douceur : sans violence, doucement. *Freiner en douceur.*
Contraires : agressivité, brutalité, violence (*2*).
Un parfum, un goût **douceâtres**, d'une douceur (*1*) écœurante. Une personne **doucereuse**, d'une douceur (*2*) hypocrite, sournoise.

douche n. f. Jet d'eau dont on asperge son corps pour se laver, pour se rafraîchir. *Prendre une douche.*
Se **doucher**, c'est prendre une douche.

doudoune n. f. Veste très chaude, rembourrée de duvet.

doué, ée adj. Qui possède un don particulier ou une qualité naturelle. *Être doué pour le sport. Être doué d'une grande générosité.*

douille n. f. *1* Petit élément creux dans lequel on fixe une ampoule électrique. *2* Petit étui cylindrique qui contient la poudre d'une cartouche.

Il existe des douilles à baïonnette et des douilles à vis pour recevoir le culot des ampoules qui sont donc soit «à baïonnette» soit «à vis».

Ampoule à vis.

douillet, ette adj.

1 Moelleux, confortable. *Un lit douillet.* *2* Qui ne supporte pas les douleurs physiques. *Un enfant douillet.*

Ampoule à baïonnette.

douleur n. f. *1* Souffrance physique. *Éprouver de violentes douleurs de dos.* *2* Souffrance morale, chagrin, peine. *Être accablé de douleur par la mort d'un ami.*

douloureux, euse adj. *1* Qui provoque une douleur physique, qui fait mal. *Une maladie longue et douloureuse.* *2* Qui provoque une douleur morale, qui cause de la tristesse, du chagrin. *Un souvenir douloureux.*

doute n. m. *1* Incertitude, hésitation. *Avoir des doutes sur la culpabilité d'un accusé.* *2* Soupçon. *Écarter les doutes qui pèsent sur un suspect.* *3* Sans doute : probablement, vraisemblablement.

douter v. → conjug. **aimer.** *1* Avoir des doutes, être dans l'incertitude à propos de quelque chose. *Douter de la générosité de quelqu'un.* *2* Se douter : avoir une idée, un pressentiment, une intuition. *Il se doute bien que je lui ai dit la vérité.* *3* Ne douter de rien : agir sans tenir compte des difficultés, montrer de l'audace.

douteux, euse adj. *1* Qui a peu de chances de se réaliser. *La réussite de ce projet paraît douteuse.* *2* Qui ne semble pas très propre. *Porter des vêtements douteux.*

Synonymes : incertain, improbable (*1*). Contraires : évident, sûr (*1*), net (*2*).

douve n. f. Fossé rempli d'eau qui entoure les remparts d'un château.

doux, douce adj. *1* Agréable au toucher. *Avoir la peau douce.* *2* Clément, modéré. *Un temps doux.* *3* Qui a un goût sucré ou délicat, qui n'est pas très relevé. *Du piment doux.* *4* Qui a un caractère calme, conciliant, affectueux. *Une mère douce et attentive.* *5* Eau douce : eau qui n'est pas salée. *L'eau douce des fleuves, des rivières, des lacs, des étangs.*

Contraires : rêche, rugueux (*1*) ; acide, amer, salé, pimenté (*3*) ; dur, brutal, violent, sévère (*4*).

DOUZE

S'écrit **XII** en chiffres romains.

• adj. inv. Dix plus deux. *Les douze coups de minuit.*

• n. m. inv. Le chiffre ou le nombre douze. *Six plus six égale douze. Avoir un douze en français.*

douzième

• adj. et n. Qui occupe le rang ou la place numéro 12 dans une série. *Décembre est le douzième mois de l'année. Elle est la douzième sur la liste des concurrents inscrits.*

• n. m. Chaque partie d'un tout qui a été divisé par douze. *Un douzième ou 1/12.*

douzaine

• n. f. *1* Groupe de douze unités. *Une douzaine d'œufs.* *2* Ensemble de plus ou moins douze choses ou personnes. *Inviter une douzaine de personnes à dîner.*

doyen, enne n. Personne la plus âgée. *Le doyen d'une assemblée.*

Doyle sir Arthur Conan

Auteur britannique né en 1859 et mort en 1930. Doyle publie son premier roman policier en 1887 : *Une étude en rouge.* Dans cet ouvrage, il crée le personnage de Sherlock Holmes, brillant enquêteur capable de résoudre les énigmes les plus complexes, toujours accompagné du docteur Watson. À côté de pièces de théâtre et de romans historiques, Doyle écrit plusieurs dizaines de récits mettant en scène son héros, tels *le Signe des quatre* (1889), *les Aventures de Sherlock Holmes* (1891-1927) et *le Chien des Baskerville* (1902). Son succès est international, il est l'un des écrivains les plus traduits dans le monde.

draconien, ienne adj. Qui est d'une extrême sévérité. *Un règlement draconien.*

dragée n. f. Bonbon fait d'une amande enrobée de sucre.

dragon n. m. Animal imaginaire qu'on représente généralement avec des ailes, des pattes griffues et une queue de serpent.

dragonne n. f. Courroie fixée à un objet et qui se passe au poignet. *La dragonne d'un bâton de ski.*

draguer v. → conjug. **aimer.** Nettoyer le fond d'un cours d'eau ou d'un port en le débarrassant du sable, de la boue, des détritus, à l'aide d'engins adaptés à ces travaux.

drainer v. → conjug. **aimer.** Assainir un terrain trop humide en éliminant l'excès d'eau. *Drainer des marais.*

   Faire des travaux de *drainage* dans une région marécageuse pour drainer les terres.

drakkar n. m. Bateau à rames et à voile carrée utilisé par les Vikings à partir du VIIIᵉ siècle.

L e drakkar est un vaisseau élancé long de 20 à 25 m et large de 5 m. Équipé d'une grande voile carrée et d'une trentaine de rameurs (une quinzaine de rames de chaque côté), il peut filer à plus de 20 km/h. La faible profondeur de sa coque lui permet de naviguer sur les fleuves aussi facilement qu'en mer. L'avant des drakkars, effilé, est orné de sculptures fantastiques, généralement des têtes de dragons. C'est de là que ces bateaux tirent leur nom (le mot scandinave *dreki* signifie dragon).

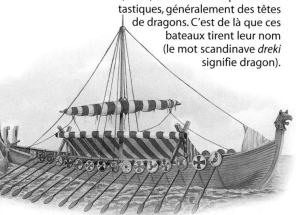

dramatique adj. *1* Terrible, tragique, extrêmement grave. *Vivre dans des conditions dramatiques. 2* Qui se rapporte au théâtre. *Un auteur dramatique.*

   Ce film se termine *dramatiquement* par la mort du héros, de manière dramatique (*1*).

dramatiser v. → conjug. **aimer.** Exagérer la gravité d'une situation, d'un événement. *Dramatiser un incident insignifiant.*

drame n. m. *1* Événement tragique, catastrophe. *Ce drame de la route a fait plusieurs victimes. 2* Pièce de théâtre dont l'action est tragique.

drap n. m. Grande pièce de tissu qui se place sur un lit entre le matelas et les couvertures. *Une paire de draps. Changer les draps.*

drapeau, eaux n. m. Morceau d'étoffe, fixé à une hampe, qui porte les couleurs ou les symboles d'un pays, d'une organisation. *Le drapeau de l'Union européenne. Le drapeau olympique.*

se draper v. → conjug. **aimer.** S'envelopper dans un vêtement ou dans un tissu. *Se draper dans une cape.*

draperie n. f. Grande pièce d'étoffe formant des plis, utilisée pour l'ameublement ou la décoration. *Une salle aux murs ornés de draperies.*

dresser v. → conjug. **aimer.** *1* Lever, tenir droit. *Dresser la tête. Le cheval a dressé les oreilles. 2* Mettre à la verticale, faire tenir droit. *Dresser un mât, une tente, un échafaudage. 3* Établir avec soin, mettre au point. *Dresser une liste, un plan. 4* Apprendre à obéir à un animal. *Dresser un chien pour la chasse. 5* Se dresser : s'élever à la verticale. *Les tours du château se dressent au-dessus de la ville.*
Contraire : baisser (*1*).

   Le *dressage* d'un chien, d'un cheval de cirque, c'est l'action de les dresser (*4*).

Dreyfus Alfred

O fficier français né en 1859 et mort en 1935. Capitaine d'origine juive, Dreyfus est accusé en 1894 d'espionnage pour le compte de l'Allemagne. Condamné, il est envoyé au bagne en Guyane. En 1898, l'écrivain Émile Zola publie un article véhément en sa faveur, accusant l'armée de l'avoir condamné sans preuves : c'est le célèbre « J'accuse ». Dès lors, l'opinion se divise et l'Affaire Dreyfus se transforme en véritable crise politique. Une vague d'antisémitisme se répand en France. Le procès de Dreyfus est révisé en 1899. Celui-ci est une nouvelle fois condamné mais aussitôt gracié par le président de la République Émile Loubet. Dreyfus n'est toutefois définitivement réhabilité qu'en 1906.

dribbler v. → conjug. **aimer.** Courir en faisant avancer le ballon devant soi tout en le contrôlant.
   Un *dribble*, c'est l'action de dribbler.

drogue n. f. Substance toxique qui provoque des sensations inhabituelles en agissant sur le système nerveux. *L'usage des drogues provoque des troubles graves pouvant entraîner la mort.*
Synonyme : stupéfiant.

droguer v. → conjug. **aimer.** *1* Faire prendre une drogue à une personne, à un animal. *Ils ont drogué leur victime avant de la kidnapper.* *2* Se droguer : prendre régulièrement de la drogue.

Un service hospitalier destiné aux *drogués*, à ceux qui se droguent.

droguerie n. f. Magasin où l'on vend des ustensiles de cuisine, des articles de bricolage, des produits d'entretien et de toilette.

Un *droguiste* est une personne qui tient une droguerie.

1. droit, e adj., adv. et n. f.

• adj. *1* Qui ne dévie pas, qui ne fait pas de courbe. *Une ligne droite.* *2* Vertical. *Marcher la tête droite.* *3* Qui se conduit honnêtement, sans hypocrisie. *Il est très droit en affaires.* *4* Qui est à l'opposé du cœur. *La main droite. La jambe droite.* *5* Angle droit : angle dont les côtés sont perpendiculaires. *L'angle droit est égal à 90°.* Synonyme : loyal (*3*). Contraires : courbe (*1*) ; penché, incliné, oblique (*2*) ; faux, fourbe (*3*) ; gauche (*4*).

Agir avec *droiture*, de façon droite (*3*).

• adv. En suivant une ligne droite. *Courir droit devant soi. Cette route mène tout droit à la gare.*

• n. f. *1* Ligne droite. *Tracer une droite avec une règle.* *2* Côté droit. *Confondre la droite et la gauche. Tourner sur la droite.* *3* Ensemble des personnes qui ont des idées politiques conservatrices, traditionalistes. *Un parti politique de droite.* Contraire : gauche (*2*).

2. droit n. m. *1* Ce qui est autorisé légalement, liberté. *Avoir le droit de vote. Respecter les droits des citoyens.* *2* Permission accordée à quelqu'un. *Les élèves n'ont pas le droit de quitter l'école avant l'heure de la sortie.* *3* Ensemble des lois qui règlent le fonctionnement d'une société, d'un État. *Étudier le droit. Les tribunaux jugent selon le droit.* *4* Somme d'argent qu'il faut payer, taxe. *Régler les droits d'inscription.*

Droits de l'homme (Déclaration des)

La Déclaration universelle des droits de l'homme expose les droits dont doivent bénéficier, dans le monde entier, tous les êtres humains, sans distinction de nationalité, de couleur, de sexe, de religion ou d'opinion politique.

Regarde page ci-contre.

droitier, ère adj. Qui se sert généralement de la main droite, en particulier pour écrire. Contraire : gaucher.

droiture n. f. → droit 1.

drôle adj. *1* Qui fait rire. *Un film drôle.* *2* Bizarre, étrange, anormal. *Cette sauce a un drôle de goût !* Synonyme : comique (*1*).

Un spectacle plein de *drôlerie*, très drôle (*1*).

drôlement adv. *1* De manière drôle, bizarre, étrange. *Il est drôlement habillé aujourd'hui.* *2* Familier. Très, extrêmement. *Il est drôlement grand pour son âge.*

drôlerie n. f. → drôle.

dromadaire n. m. Mammifère qui appartient à la même famille que le chameau, mais qui n'a qu'une seule bosse.

Le dromadaire est originaire d'Afrique. Il mesure environ 2 m aux épaules. Il se déplace en levant en même temps les deux jambes du même coté. Plus rapide et plus résistant que le chameau, il est particulièrement bien adapté aux régions désertiques, où il est utilisé comme monture, d'où son surnom de « vaisseau du désert ». En Afrique du Nord, le dromadaire est aussi appelé méhari.

drosera n. m. Plante carnivore.

dru, drue adj. Épais, serré, touffu. *Une végétation très drue. Une barbe drue.* Contraire : clairsemé.

druide n. m. Prêtre chez les Gaulois, gardien de la tradition religieuse celtique.

Les druides sont craints, respectés et honorés. Ils tiennent aussi le rôle de savant, de professeur et de juge (le mot druide signifie « celui qui sait »). On recueille leur avis avant toute décision importante, y compris dans le domaine politique. Chaque année, ils participent à la cueillette du gui sacré sur les chênes, un rite religieux qui est l'occasion d'une grande cérémonie en forêt.

les droits de l'homme

La Déclaration des droits de l'homme et du citoyen est adoptée le 26 août 1789 par l'Assemblée nationale et sert de préface à la Constitution française de 1791. Elle proclame les droits naturels et imprescriptibles des individus. C'est un texte de 17 articles qui affirme notamment l'égalité de tous les hommes, le droit à l'éducation, au travail et à la sécurité ; il interdit l'arbitraire, la discrimination, la torture.

universelle…

Adoptée en 1948 par l'Assemblée générale des Nations unies, la Déclaration des droits de l'homme devient Déclaration *universelle* des droits de l'homme. Elle est complétée en 1966 par deux pactes internationaux. En Europe il existe aussi, depuis 1953, une Convention européenne de sauvegarde des droits de l'homme et des libertés fondamentales.

les ONG

De nombreuses organisations humanitaires veillent au respect des droits de l'homme et procurent une aide d'urgence aux populations victimes de catastrophes ou de conflits. Le plus souvent ces organisations sont non gouvernementales. En abrégé, on les appelle des ONG.

Quelques ONG…
- La Croix-Rouge
- Le Secours catholique
- Le Secours populaire
- Médecins du monde
- Médecins sans frontières
- Amnesty International
- Terre des hommes

les droits de l'enfant

La Convention internationale sur les droits de l'enfant a été adoptée en 1989 par l'ONU. L'enfant est désormais protégé : interdiction de le soumettre à de durs travaux, de l'exploiter sexuellement, de l'embrigader dans l'armée… La Convention prône la scolarisation et la protection sociale des mineurs.

du déterminant. Forme résultant de la combinaison de «de» et de «le» **1** Servant à introduire certains compléments. *Il rentre du Japon.* **2** S'emploie devant les noms de choses que l'on ne peut pas compter. *Mettre du sel dans une sauce.*

dû adj. et n. m.
● adj. **1** Que l'on doit payer. *Il a remboursé exactement la somme due.* **2** Qui est causé, provoqué par quelque chose. *Un accident dû au mauvais temps.*
● n. m. Ce qui est dû à quelqu'un, ce à quoi il a droit. *Réclamer son dû.*
On ne met pas d'accent circonflexe sur le «u» au féminin et au pluriel : «une somme due» ; «des sommes dues» ; «des salaires dus».

Du Bellay → Bellay.

dubitatif, ive adj. Qui exprime le doute. *Il croit que je mens, je le vois à son air dubitatif.*

Dubuffet Jean

Peintre et sculpteur français né en 1901 et mort en 1985. Dubuffet se consacre à la peinture à partir de 1942. Il rejette les règles et les théories et privilégie la sponta-néité dans la réalisation de ses œuvres. Il fait l'éloge des productions artistiques des personnes dépourvues de culture artistique tradition-nelle : les enfants, les margi-naux, les fous... En 1947, Dubuffet organise des exposi-tions de cet «art brut». Dans ses propres œuvres, peintures ou sculptures, les person-nages et leur environnement sont caricaturaux, tracés de façon spontanée et naïve ; il utilise des matériaux de récu-pération et des outils grossiers. *Marionnettes de la ville et de la campagne, Paysages mentaux, Don Coucoubazar* et le cycle de *l'Hourloupe* comptent parmi ses œuvres les plus connues.

Don Coucoubazar.

duc n. m., **duchesse** n. f. Titre de noblesse le plus élevé après le titre de prince ou de princesse.
Visiter le palais ducal, celui d'un duc. *Un duché* est un territoire qui était autrefois gouverné par un duc ou une duchesse.

duel n. m. Combat qui oppose, à armes égales, deux personnes dont l'une s'estime offensée par l'autre.

duffel–coat n. m. **Plur. : des duffel-coats.** Manteau à capuchon en tissu de laine épais et imperméable. **Mot anglais qui se prononce** [dœfœlkot].

Du Guesclin Bertrand

Homme de guerre français né vers 1320 et mort en 1380, illustre person-nage de la guerre de Cent Ans. Chef de guerre valeureux, Du Guesclin entre au service du roi de France en 1350. En 1364, il est victorieux du roi de Navarre, qui prétend au trône de France. Deux ans plus tard, il reçoit pour mis-sion de débarrasser la France des Grandes Compagnies (troupes de soldats merce-naires qui pillent le pays) en les envoyant combattre en Espagne. À son retour, en 1370, le roi le nomme connétable, c'est-à-dire commandant suprême des troupes françaises. Jusqu'à sa mort, Du Guesclin s'emploie à reconquérir les territoires du royaume cédés à l'Angleterre.

Regarde aussi **Cent Ans (guerre de).**

Dumas Alexandre

Écrivain français né en 1802 et mort en 1870. Son vrai nom est Alexandre Davy de La Pailleterie. Dumas fait jouer sa première œuvre dramatique, *Henri III et sa Cour,* en 1829. Il écrit ensuite d'autres pièces de théâtre, puis se lance, à partir de 1938, dans le roman historique. Il va produire, en une dizaine d'années, 80 romans ! La plupart sont publiés sous forme de feuilletons dans la presse. Doté d'un excellent talent de conteur, il transforme en récits à succès les trames d'histoires que lui fournissent de nombreux assis-tants. Parmi ses œuvres les plus connues, on trouve *les Trois Mousquetaires* (1844), *le Comte de Monte-Cristo* (1844), *Vingt Ans après* (1845), et *la Reine Margot* (1845).
Son fils, Alexandre Dumas fils, né en 1824 et mort en 1895, est également un romancier célèbre. Son chef-d'œuvre est *la Dame aux camélias* (1851).

Dunant Henri

Philanthrope suisse né en 1828 et mort en 1910, un des fondateurs de la Croix-Rouge. En 1859, lors de la bataille de Solferino, Dunant constate la détresse des blessés de guerre. Profondément ému, il écrit *Un souvenir de Solferino* (1862) et entame de nombreuses démarches pour créer une organisation destinée à secourir les victimes des guerres. En 1863 et 1864, deux conférences aboutissent à la création de la Croix-Rouge internationale. Henri Dunant reçoit, en 1901, le premier prix Nobel de la paix.

dune n. f. Colline de sable accumulé par le vent sur les côtes ou dans les déserts.

duo n. m. Morceau de musique chanté à deux voix ou exécuté par deux instruments.

duper v. → conjug. **aimer**. Littéraire. Tromper quelqu'un en abusant de sa naïveté, de sa crédulité. *Se faire duper par un escroc.*
> Il a été victime d'une *duperie*, de quelqu'un qui l'a dupé. *Il m'a menti mais je ne suis pas dupe*, je ne me suis pas laissé duper.

duplex n. m. *1* Appartement comportant deux étages reliés par un escalier intérieur. *2* Système de communication permettant de voir et d'entendre en même temps ce qui est dit ou fait à des endroits différents. *Une émission télévisée réalisée en duplex.*

duplicata n. m. Copie exacte, double d'un document original.

duplicité n. f. Caractère ou comportement d'une personne qui cache ses vrais sentiments dans le but de tromper les autres.
Synonymes : fourberie, hypocrisie.

duquel, de laquelle, desquels, desquelles pron. → **lequel**.

dur, dure adj. et adv.
• adj. *1* Qui est résistant, difficile à entamer, très solide. *L'acier est un métal très dur. Du pain dur comme du bois.* *2* Difficile, ardu. *Un problème dur à résoudre.* *3* Difficile à supporter, pénible. *Ces paysans mènent une vie très dure.* *4* Qui manque de sensibilité, d'indulgence, de douceur. *Il est très dur avec ses enfants.*
Contraires : mou, tendre (*1*) ; facile (*2*) ; indulgent, sensible, doux (*4*).
• adv. Familier. Avec beaucoup d'énergie, avec acharnement. *Travailler dur.*
> Parler *durement* à quelqu'un, de manière dure (*4*).

durable adj. → **durer**.

durant prép. Indique la durée. *Le magasin est resté ouvert durant les travaux.*
Synonyme : pendant.

durcir v. → conjug. **finir**. *1* Devenir dur ou plus dur. *Les aliments durcissent quand on les congèle.* *2* Se durcir : devenir plus dur, plus sévère. *Son visage se durcit quand on le contrarie.*
Contraires : ramollir (*1*) ; s'adoucir (*2*).
> La sécheresse provoque le *durcissement* de la terre, la terre durcit (*1*).

durée n. f. Espace de temps entre le début et la fin de quelque chose. *La durée d'un voyage, d'un spectacle. Des vacances de courte durée.*
***Regarde page suivante et* temps.**

durement adv. → **dur**.

durer v. → conjug. **aimer**. *1* Se dérouler pendant une période déterminée. *Le spectacle dure trois heures.* *2* Se prolonger, continuer. *Ces travaux durent depuis des mois.* *3* Résister, se conserver. *Ces fleurs ont duré plusieurs jours.*
> Une amitié, une paix *durables*, qui sont de nature à durer (*2*) longtemps.

Dürer Albrecht

Peintre et graveur allemand né en 1471 et mort en 1528. Dürer est considéré comme le plus grand peintre allemand de la Renaissance. Les thèmes dont il s'inspire sont souvent religieux (*l'Adoration de la Sainte-Trinité* ; *la Vie de la Vierge* ; *Saint-Jérôme*), mais il réalise aussi des paysages (*Un étang dans les bois*) et plusieurs *Autoportraits*. Dürer alterne la peinture et la gravure, un autre domaine dans lequel il excelle : sur bois (*l'Apocalypse*) ou sur cuivre (*le Chevalier, la Mort et le Diable* ; *la Mélancolie*…). Il écrit aussi plusieurs ouvrages théoriques sur la peinture, notamment *Traité des proportions du corps humain* (1528).

Autoportrait

la durée

Depuis des millénaires, les hommes ont éprouvé le besoin de mesurer le temps qui passe. De la clepsydre aux montres à quartz, de nombreuses étapes ont permis d'affiner cette mesure.

le sablier

Le sablier est inventé au VIIIe siècle ; il est encore utilisé de nos jours.

Dans le sablier, c'est l'écoulement du sable qui joue le même rôle que celui de l'eau dans la clepsydre.

la clepsydre

Longtemps, l'observation du Soleil et l'utilisation du cadran solaire ont été les seuls moyens permettant de noter les durées. Puis, environ 3000 ans av. J.C., a été inventé un instrument plus précis, la clepsydre ou horloge à eau. Elle sera utilisée jusqu'au XVIIIe siècle.

La clepsydre est un récipient percé d'un trou à sa base. L'eau s'écoule par ce trou. À l'intérieur, le niveau de l'eau qui baisse passe devant des graduations (des repères) permettant de mesurer des durées.

l'horloge

À partir du XVIe siècle, les horloges mécaniques à poids apparaissent et vont se perfectionner rapidement.

Au XVIIIe siècle, ces horloges remplacent tous les autres instruments.

la montre

L'invention du ressort permettra de réduire la taille des horloges et la miniaturisation des différents éléments conduira peu à peu à la montre portable, à gousset d'abord, puis à bracelet.

---

dureté n. f. *1* Caractère de ce qui est dur, solide, résistant. *La dureté du granit, de l'acier. 2* Manque de cœur, insensibilité. *Traiter un prisonnier avec dureté.*

duvet n. m. *1* Petites plumes légères qui poussent les premières sur le corps des oiseaux. *2* Sac de couchage rempli de duvet ou d'une autre matière légère qui garde la chaleur. *Dormir dans un duvet. 3* Poils fins qui recouvrent la peau de certains fruits.

DVD n. m. inv. Disque compact sur lequel est enregistré un film que l'on peut regarder sur un téléviseur à l'aide d'un lecteur de DVD.

Dvořák Antonín

Compositeur tchèque né en 1841 et mort en 1904. Dvořak compose des opéras, des concertos pour piano, des œuvres religieuses et des symphonies, dont la célèbre *Neuvième Symphonie,* dite *du Nouveau Monde* (1893). De 1892 à 1895, il dirige le Conservatoire de New York puis, à partir de 1901, celui de Prague.

dynamique adj. Qui est actif, énergique, plein d'entrain. *Un directeur jeune et dynamique.*
   *Cette équipe a gagné grâce au **dynamisme** des joueurs,* grâce à leur caractère, leur comportement dynamiques.

dynamite n. f. Explosif de très forte puissance. *Faire sauter un pont à la dynamite.*
   *Des bandits ont **dynamité** un train,* ils l'ont fait sauter à la dynamite.

dynamo n. f. Appareil qui produit du courant électrique.

dynastie n. f. Suite de souverains, de rois d'une même famille. *Les dynasties mérovingienne, carolingienne, capétienne.*

dysenterie n. f. Maladie grave des intestins qui provoque de fortes diarrhées.

dyslexie n. f. Ensemble de troubles qui peuvent se produire dans l'apprentissage de la lecture.
   *Un enfant **dyslexique** est un enfant atteint de dyslexie.*

Ee

Les malheurs d'Elvis...

ELVIS

eau, eaux n. f. **1** Liquide transparent, inodore, sans saveur quand il est pur. **2** Étendue d'eau dans la nature. *Se promener au bord de l'eau.* **3** Mélange liquide. *De l'eau de Cologne. De l'eau de toilette.* **4** *Tomber à l'eau :* échouer, ne pas se réaliser. *Ce projet est tombé à l'eau.* **5** *Mettre l'eau à la bouche :* exciter l'appétit. *Cette odeur de croissant chaud nous met l'eau à la bouche.*

L'eau est indispensable à la vie. Tous les êtres vivants sont composés de grandes quantités d'eau (environ 70 % pour l'être humain). Privés d'eau, ils disparaissent. L'eau est constituée d'une infinité de molécules. Chaque molécule d'eau est composée de deux atomes d'hydrogène et d'un atome d'oxygène (la formule de l'eau est H_2O). L'eau se présente dans la nature sous trois états différents : liquide, solide (la glace) et gazeux (la vapeur d'eau).
Regarde p. 356 et 357.

eau–de–vie n. f. **Plur. : des eaux-de-vie.** Boisson alcoolisée obtenue par distillation de fruits ou de céréales. *Le kirsch est de l'eau-de-vie de cerises.*

eau–forte n. f. **Plur. : des eaux-fortes.** Technique spéciale pour faire de la gravure, dans laquelle on utilise un acide qui attaque uniquement les parties gravées à la pointe sur le métal.

ébahir v. ➔ conjug. **finir.** Surprendre énormément. *Ce numéro de voltige a ébahi les spectateurs.*
Synonyme : stupéfier.
*Nous avons contemplé le spectacle avec **ébahissement**, nous avons été ébahis.*

s'ébattre v. ➔ conjug. **battre.** S'agiter, courir, sauter pour s'amuser. *Des enfants s'ébattent sur la plage.*
*Surveiller les **ébats** d'un enfant,* ses jeux quand il s'ébat.

ébauche n. f. **1** Premier stade de la réalisation d'une œuvre, esquisse. *Ce dessin n'est pas terminé, ce n'est qu'une ébauche.* **2** Au figuré. Commencement d'une action. *L'ébauche d'un geste, d'un sourire.*

ébaucher v. ➔ conjug. **aimer. 1** Faire une ébauche, esquisser. *Ébaucher une sculpture, un roman.* **2** Au figuré. Commencer une action sans l'achever. *Il s'est contenté d'ébaucher un geste de menace.*

ébène n. f. Bois noir d'une très grande dureté.

ébéniste n. m. Artisan qui restaure des meubles anciens ou qui fabrique des meubles de luxe.
*L'**ébénisterie**,* c'est le métier, l'art de l'ébéniste.

éberlué, ée adj. Très étonné, stupéfait, ébahi. *Il m'a regardé d'un air complètement éberlué.*

éblouir v. ➔ conjug. **finir. 1** Aveugler par une lumière trop intense. *Le soleil m'éblouit.* **2** Au figuré. Provoquer l'admiration, émerveiller. *La beauté du paysage nous a éblouis.*
*J'ai eu un **éblouissement** à cause de la réverbération du soleil sur la neige,* j'ai été ébloui (**1**).

éblouissant, ante adj. **1** Qui éblouit, aveuglant. *Une clarté éblouissante, une blancheur éblouissante.* **2** Au figuré. Qui éblouit, qui émerveille. *Une beauté, une réussite éblouissantes.*

éblouissement n. m. ➔ **éblouir.**

éborgner v. ➔ conjug. **aimer.** Rendre borgne. *Il risque d'éborgner quelqu'un avec ce bâton.*

éboueur n. m. Employé chargé du ramassage des ordures ménagères.

ébouillanter v. ➔ conjug. **aimer. 1** Tremper dans l'eau bouillante. **2** *S'ébouillanter :* se brûler au contact d'un liquide bouillant.

l'eau

L'eau occupe les trois quarts de la surface de la Terre. L'eau salée des mers et des océans tient la plus grande place. L'eau douce ne représente en fait que 0,5 % de l'eau de la planète. Environ la moitié de cette eau douce est figée sous forme de glaciers ; le reste correspond à l'eau disponible pour l'homme : celle des lacs, des fleuves, des rivières et des nappes souterraines.

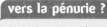

vers la pénurie ?

■ La consommation d'eau dans le monde augmente sans cesse. Ce phénomène est dû à l'accroissement de la population, mais aussi à l'agriculture et à l'industrie modernes, dont les besoins en eau sont énormes.

■ Les réserves d'eau douce sont menacées d'épuisement, et dessaler l'eau de mer coûte très cher.

■ La pollution des rivières et des nappes souterraines, par toutes sortes de produits chimiques rejetés sans contrôle, nuit peu à peu à la qualité de l'eau de consommation et fait craindre son utilisation.

l'eau dans la nature

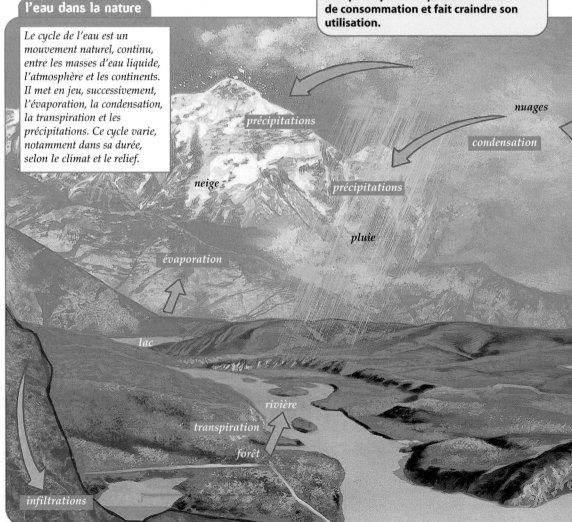

Le cycle de l'eau est un mouvement naturel, continu, entre les masses d'eau liquide, l'atmosphère et les continents. Il met en jeu, successivement, l'évaporation, la condensation, la transpiration et les précipitations. Ce cycle varie, notamment dans sa durée, selon le climat et le relief.

précipitations

nuages

condensation

neige

précipitations

pluie

évaporation

lac

rivière

transpiration

forêt

infiltrations

■ **La solidification** est le passage de l'eau de l'état liquide à l'état solide : la glace. Elle s'effectue à 0 °C. En se solidifiant, l'eau augmente de volume.
■ **Le passage inverse de l'état solide à l'état liquide s'appelle la fusion.** Elle s'effectue à 0 °C.

■ **L'évaporation** est le passage de l'eau de l'état liquide à l'état gazeux : la vapeur d'eau.
■ **Le passage inverse de l'état gazeux à l'état liquide s'appelle la condensation.**

État liquide.

État solide.

évaporation

mer

État gazeux.

l'eau domestique

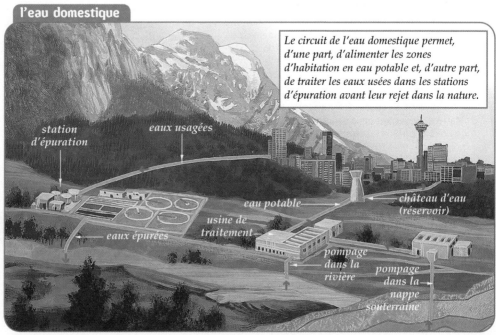

Le circuit de l'eau domestique permet, d'une part, d'alimenter les zones d'habitation en eau potable et, d'autre part, de traiter les eaux usées dans les stations d'épuration avant leur rejet dans la nature.

station d'épuration

eaux usagées

eau potable

château d'eau (réservoir)

eaux épurées

usine de traitement

pompage dans la rivière

pompage dans la nappe souterraine

éboulement n. m. *1* Fait de s'ébouler, effondrement. *L'éboulement d'un pont.* *2* Amas de pierres, de terre, formé par la chute, l'effondrement de quelque chose. *Le chemin est bloqué par un éboulement rocheux.*

s'ébouler v. → conjug. **aimer.** S'effondrer, tomber en morceaux, s'écrouler. *Les bords du fossé se sont éboulés.*

    Un éboulis, c'est un amas de matériaux qui se sont éboulés.

ébouriffé, ée adj. Qui a les cheveux rebroussés, en désordre. *Être tout ébouriffé.*
Synonyme : échevelé.

ébranler v. → conjug. **aimer.** *1* Faire trembler, secouer. *Le roulement des camions ébranle le pont.* *2* Rendre moins sûr de soi, troubler, affaiblir. *Aucune menace n'a réussi à l'ébranler.* *3* S'ébranler : se mettre en marche. *Les manifestants s'ébranlent lentement.*

ébrécher v. → conjug. **digérer.** Abîmer, casser le bord d'un objet. *Ébrécher la lame d'un couteau.*
    Une assiette ébréchée.

ébriété n. f. Ivresse. *Se faire arrêter pour conduite en état d'ébriété.*

s'ébrouer v. → conjug. **aimer.** Secouer son corps, agiter ses membres. *Un chien mouillé s'ébroue pour sécher ses poils.*

ébruiter v. → conjug. **aimer.** Rendre public, révéler, divulguer. *Ébruiter une information confidentielle.*

ébullition n. f. *1* État d'un liquide qui est en train de bouillir. *Des bulles se forment quand l'eau est en ébullition.* *2* En ébullition : dans un état d'agitation, de surexcitation. *La démission du président a mis le pays en ébullition.*

écaille n. f. *1* Chacune des lamelles dures et plates qui recouvrent le corps des poissons, des reptiles. *2* Matière provenant de la carapace de certaines tortues, utilisée pour la fabrication d'objets. *Des lunettes à monture d'écaille.*

écailler v. → conjug. **aimer.** *1* Enlever les écailles. *Écailler un poisson.* *2* S'écailler : se détacher en plaquettes, en lamelles. *De la peinture qui s'écaille.*

écarlate adj. Qui est d'un rouge très vif. *Des flammes écarlates. Il est devenu écarlate sous l'effet de la colère.*

écarquiller v. → conjug. **aimer.** Ouvrir tout grand les yeux. *Écarquiller les yeux sous l'effet de la surprise.*

écart n. m. *1* Mouvement qui écarte, qui éloigne une chose d'une autre. *Le conducteur a fait un écart pour éviter un piéton.* *2* Différence plus ou moins importante, décalage. *Des écarts importants de température entre la journée et la nuit.* *3* À l'écart : à une certaine distance, dans un certain isolement. *Une ferme située à l'écart du village.* *4* Faire le grand écart : écarter ses jambes au maximum jusqu'à ce qu'elles touchent le sol sur toute leur longueur.

écarteler v. → conjug. **modeler.** Partager, tirailler. *Être écartelé entre son devoir et sa passion.*

écartement n. m. Intervalle, espace qui sépare deux éléments. *L'écartement des rails d'une voie ferrée.*

écarter v. → conjug. **aimer.** Éloigner, mettre à une certaine distance. *Écarter les bras. Écarter des rideaux. Écartez-vous du feu.*

ecchymose n. f. Marque laissée sur le corps par un coup. *Elle s'est relevée de sa chute avec quelques ecchymoses.*
On prononce [ekimoz]. **Synonymes : bleu, hématome.**

ecclésiastique n. m. Personne qui appartient au clergé. *Les pasteurs, les prêtres, les évêques sont des ecclésiastiques.*

écervelé, ée adj. Qui agit sans réfléchir. *Des élèves écervelés.*
Synonymes : étourdi, irréfléchi.

échafaud n. m. Estrade sur laquelle on faisait monter les condamnés à mort pour les exécuter.

    L'échafaud est une estrade qui sert, à partir du XIVe siècle, à l'exécution des condamnés à mort. À partir de la fin du XIXe siècle, il désigne la plate-forme sur laquelle est installée la guillotine. Le mot « échafaud » est devenu synonyme de « peine de mort ».

échafaudage n. m. Construction provisoire sur laquelle des ouvriers peuvent monter pour exécuter leurs travaux à différentes hauteurs.

échafauder v. → conjug. **aimer.** Imaginer, élaborer. *Échafauder un projet, un raisonnement.*

échalas n. m. Piquet que l'on enfonce dans la terre pour soutenir un arbuste ou un cep de vigne.

échalote n. f. Plante à bulbe, voisine de l'oignon, qui sert de condiment. *Une sauce à l'échalote.*

échancré, ée adj. Qui est ouvert en arrondi ou en pointe. *Une robe du soir très échancrée dans le dos.*
> L'*échancrure* d'un chemisier, sa partie échancrée.

échanger v. → conjug. **ranger. 1** Donner une chose pour en obtenir une autre. *Il a échangé son stylo contre des autocollants.* **2** S'adresser réciproquement quelque chose. *Échanger des cadeaux, des lettres. Échanger un sourire avec un ami.*
> Ils ont fait un *échange* de timbres, ils les ont échangés (**1**).

échangeur n. m. Système d'embranchements à plusieurs niveaux, qui permet aux véhicules de circuler sans se croiser.

échantillon n. m. Petite quantité d'un produit qui permet d'évaluer ses qualités. *Un échantillon de parfum, de tissu.*

échappatoire n. f. Moyen habile d'échapper à une situation difficile, pénible, embarrassante. *Trouver une échappatoire pour éviter une corvée.*

échappée n. f. Action de devancer des concurrents, de prendre de l'avance sur eux. *Ce coureur a fait une échappée et a gagné l'étape.*

échappement n. m. Rejet des gaz de combustion d'un moteur vers l'extérieur. *Le pot d'échappement d'une voiture.*

échapper v. → conjug. **aimer. 1** Ne pas être attrapé ou fait prisonnier, réussir à s'enfuir. *Échapper à ses poursuivants. Le voleur s'est échappé de prison.* **2** Éviter quelque chose de grave ou de pénible. *Échapper à un accident, à une corvée.* **3** Glisser par accident. *L'assiette lui a échappé des mains et s'est cassée.* **4** Ne pas avoir en mémoire. *Je reconnais cet acteur, mais son nom m'échappe.*

écharde n. f. Petit éclat de bois qui entre sous la peau par accident.

écharpe n. f. **1** Longue bande d'étoffe qui se porte autour du cou. *Une grosse écharpe de laine.* **2** Avoir le bras en écharpe : avoir le bras soutenu par un bandage qui passe sur l'épaule et autour du cou.

écharper v. → conjug. **aimer.** Massacrer. *Une foule en colère voulait écharper le meurtrier.*

échasse n. f. Chacune des deux longues perches de bois, comportant un support pour le pied, permettant de se déplacer à une certaine hauteur.
> Les bergers des Landes ont longtemps utilisé des échasses pour se déplacer dans les zones marécageuses de leur région.

échassier n. m. Oiseau à longues pattes qui vit près de l'eau ou sur des sols marécageux. *Les cigognes, les ibis, les hérons sont des échassiers.*
> Les échassiers sont des oiseaux dotés de grandes pattes, d'un long cou et souvent d'un bec allongé. Ils vivent généralement dans les zones marécageuses ou près de la mer, se nourrissant de petits invertébrés ou de petits poissons. Le nom du groupe vient de l'échasse, un oiseau des marais aux longues pattes rouges.

Regarde page suivante.

échauder v. → conjug. **aimer.** Causer à quelqu'un un dommage ou une déception qui lui sert de leçon. *Il est devenu plus prudent, cet accident l'a échaudé.*

s'échauffer v. → conjug. **aimer.** Assouplir ses muscles en faisant certains mouvements adaptés.
> Faire des exercices d'*échauffement* avant une compétition, des exercices destinés à s'échauffer.

échauffourée n. f. Bagarre confuse et de courte durée. *Une échauffourée entre des bandes rivales.*

échauguette n. f. Petite construction de pierre bâtie aux angles des murailles d'un château fort, d'où l'on pouvait faire le guet.
> Les échauguettes, d'abord en bois, sont construites en pierre à partir du XIIᵉ siècle. Leur petite taille ne leur permet généralement d'abriter qu'une seule sentinelle.

échéance n. f. **1** Date à laquelle on doit obligatoirement payer ce que l'on doit. *L'échéance de cette facture est fixée au 30 du mois prochain.* **2** À longue échéance, à brève échéance :* dans un avenir lointain ou, au contraire, dans très peu de temps.

les échassiers

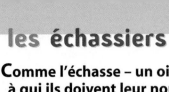

Comme l'échasse – un oiseau des marais – à qui ils doivent leur nom, les échassiers possèdent un long cou et de longues pattes leur permettant de se déplacer dans les endroits marécageux. Aujourd'hui, on les regroupe en trois catégories.

Cet ordre regroupe de nombreuses espèces d'oiseaux aquatiques.

■ **Espèces terrestres**

Elles se nourrissent de petits vertébrés et invertébrés.

Bécasse.

Vanneau.

autour des cigognes

Ces oiseaux ont de très longues pattes, un long cou et un bec allongé et robuste. L'envergure peut dépasser deux mètres.

Spatule.

Flamant rose.

Héron.

Cigogne.

Ibis.

Courlis.

Échasse.

■ **Espèces marines**

Elles se nourrissent de crustacés, de mollusques et de petits poissons.

Pluvier.

autour des grues

Ces oiseaux habitent les plans d'eau peu profonds, se nourrissent d'insectes, de petits poissons et de matières végétales.

Sterne.

Goéland.

Grue.

Agami.

Outarde.

Courlan.

Huîtrier.

Mouette.

échéant adj. m. *Le cas échéant :* si c'est nécessaire, à l'occasion, éventuellement. *Il vous prêtera de l'argent, le cas échéant.*

échec n. f. et n. m. pl.
• n. m. Fait d'échouer. *Subir un échec à un examen.* **Synonyme : défaite. Contraires : réussite, succès.**
• n. m. pl. Jeu dans lequel les deux adversaires disposent chacun de 16 pièces, noires pour l'un et blanches pour l'autre, qu'ils doivent déplacer sur un échiquier suivant certaines règles.
> On joue aux échecs sur un *échiquier*, un plateau de 64 cases.

échelle n. f. **1** Objet composé de deux montants verticaux réunis par des barreaux et que l'on utilise pour monter ou descendre. **2** Rapport entre une dimension réelle et sa représentation en réduction sur un plan ou sur une carte géographique. **3** Suite de graduations qui permet d'établir un ordre de grandeur. *Échelle de Beaufort, échelle de Richter.* **4** *Faire la courte échelle à quelqu'un :* Aider quelqu'un à grimper en lui donnant ses mains et ses épaules comme points d'appui.
> ***Regarde page suivante.***

échelon n. m. **1** Barreau d'une échelle. **2** Au figuré. Niveau, position, rang, que l'on occupe dans la société, dans une organisation. *Il a obtenu le poste de directeur après avoir gravi tous les échelons.*

échelonner v. → conjug. **aimer.** Répartir régulièrement sur une certaine durée. *Échelonner le remboursement d'une dette sur six mois.*
> Il faut prévoir un *échelonnement* des travaux, de les échelonner.

écheveau, eaux n. m. Assemblage de fils repliés les uns sur les autres en plusieurs tours.

échevelé, ée adj. Qui a les cheveux en désordre. *À son réveil, Elvis est échevelé.*

échine n. f. **1** Colonne vertébrale. **2** Viande provenant du dos d'un porc. *Acheter un rôti dans l'échine.* **3** *Courber l'échine :* se soumettre, se résigner.

échiquier n. m. → **échecs.**

écho n. m. **1** Répétition d'un son répercuté par un obstacle. *On peut entendre l'écho de sa voix en montagne.* **2** Nouvelle, information, qui se répète d'une personne à une autre. *Nous avons eu des échos de votre réussite.*
On prononce [eko].

Les ondes sonores se propagent en ligne droite. Lorsqu'elles rencontrent un obstacle comme un mur ou une paroi rocheuse, elles sont repoussées et reviennent vers nous. Pour que notre oreille puisse percevoir un écho, il faut que celui-ci lui parvienne au moins 1/10 de seconde après le son de départ. Le son parcourant environ 340 m en une seconde, donc 34 m en 1/10 de seconde, l'obstacle doit donc se trouver au minimum à 17 m de distance (34 m aller-retour) pour que l'on puisse entendre un écho. Dans la mythologie grecque, Écho est une nymphe qui, à cause d'une malédiction, ne peut répéter que la dernière syllabe des mots qu'elle entend.

échographie n. f. Examen qui permet de voir, sur un écran, les organes situés à l'intérieur de notre corps, grâce à l'utilisation des ultrasons.
On prononce [ekografi].

échoppe n. f. Petite boutique.

échouer v. → conjug. **aimer.** **1** Ne pas réussir, rater. *Tous ses efforts ont échoué. Elle a échoué à l'examen d'entrée dans l'administration.* **2** Toucher le fonds par accident et ne plus pouvoir avancer. *La barque a échoué sur un banc de sable.*

éclabousser v. → conjug. **aimer.** Mouiller ou salir en projetant un liquide, de la boue. *Il s'amuse à éclabousser les passants en sautant dans les flaques d'eau.*
> Recevoir des *éclaboussures*, c'est être éclaboussé.

éclair n. m. **1** Lumière vive et très brève formant une ligne en zigzag dans le ciel pendant un orage. **2** Lumière qui brille d'un éclat vif et bref. *L'éclair d'un flash.* **3** Lueur soudaine et passagère. *Un éclair de colère passa dans son regard.* **4** Gâteau de forme allongée, fourré de crème. *Un éclair au chocolat.*

éclairage n. m. → **éclairer.**

éclaircir v. → conjug. **finir.** **1** Rendre plus clair. *Éclaircir une couleur en y ajoutant du blanc. Le ciel s'éclaircit.* **2** Au figuré. Rendre plus compréhensible, clarifier. *Éclaircir un mystère, un problème.*
Contraires : assombrir (*1*), obscurcir (*1*), embrouiller (*2*).
> Une *éclaircie*, c'est un moment où la pluie s'arrête et où le ciel s'éclaircit (*1*). *Nous avons demandé des éclaircissements*, des explications qui éclaircissent (*2*) ce qui est confus.

éclairer v. → conjug. **aimer.** **1** Répandre de la lumière, de la clarté. *Un lampadaire éclaire la pièce. S'éclairer à la bougie.* **2** Faire comprendre, rendre compréhensible. *Donner des exemples pour éclairer le sens d'un mot. Tout s'éclaire grâce à vos explications.*
Contraires : assombrir (*1*), obscurcir (*1*), embrouiller (*2*).
> Ce bureau a besoin d'un meilleur *éclairage*, d'être mieux éclairé (*1*).

éclaireur n. m. Soldat envoyé en reconnaissance à l'avant d'une armée, d'une troupe.

les échelles

Une échelle, indiquée sur un plan, une carte ou un dessin, permet de connaître les dimensions réelles du terrain ou de l'objet représenté en dimensions réduites.

les cartes

Échelle : 1/25 000

1 cm représente 25 000 cm = 250 m sur le terrain.

C'est l'échelle que l'on utilise pour les cartes d'état-major.
Elle permet de repérer la géographie du terrain de façon très détaillée.

Échelle : 1/250 000

1 cm représente 250 000 cm = 2500 m = 2,5 km sur le terrain.

C'est l'échelle que l'on utilise pour les cartes départementales. Elle permet de repérer les villes et les villages.

Échelle : 1/1 000 000

1 cm représente 1 000 000 cm = 10 000 m = 10 km sur le terrain.

C'est l'échelle que l'on utilise pour les cartes routières. Elle permet de repérer les grands axes routiers reliant les villes.

Pour retrouver l'échelle d'une carte ou d'un plan, il faut connaître la dimension réelle d'une portion de terrain et mesurer sa dimension réduite sur le plan ou la carte. Exemple : de ma maison au village, il y a 5 km. Sur la carte, la distance est de 2 cm. 1 cm sur la carte représente 5 : 2 = 2,5 km ou 250 000 cm. L'échelle est donc de 1/250 000.

les plans

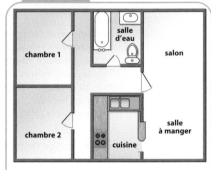

Échelle : 1/150
1 cm sur le plan représente 150 cm (1,5 m) dans l'appartement.

les images

Échelle : 1/1

Sur le dessin, l'escargot mesure 6 cm. L'échelle est de 1/1; cela veut dire que 1 cm sur le dessin représente 1 cm dans la réalité. La taille réelle de l'escargot est de 6 cm.

Échelle : 1/2

Sur le dessin, l'escargot mesure 3 cm. L'échelle est de 1/2 ; cela veut dire que 1 cm sur le dessin représente 2 cm dans la réalité, donc 3 cm sur le dessin représentent 6 cm dans la réalité.

Échelle : 1/6

Sur le dessin, l'escargot mesure 1 cm. L'échelle est de 1/6 ; cela veut dire que 1 cm sur le dessin représente 6 cm dans la réalité.

d'autres échelles...

▓ L'échelle de Beaufort
Échelle numérotée de 0 à 12 degrés qui sert à mesurer la force du vent. Un vent de force 0 souffle à moins de 1 km/h, un vent de force 12, à plus de 117 km/h.

▓ L'échelle de Richter
Échelle qui sert à mesurer la puissance des tremblements de terre. Elle est numérotée de 1 à 9 car aucun séisme n'a jamais dépassé ce chiffre. Mais en fait, elle n'a pas de limites.

éclat n. m. *1* Petit morceau d'une chose qui a éclaté ou qui s'est brisée. *Des éclats de verre. Un éclat d'obus.* *2* Bruit soudain. *Des éclats de voix. Un éclat de rire.* *3* Luminosité, lumière intense. *L'éclat du soleil, des flammes.* *4* Caractère de ce qui est brillant, splendide, magnifique. *L'éclat d'une cérémonie.*

éclatant, ante adj. *1* Qui est vif et lumineux. *Un soleil éclatant. Un rouge éclatant.* *2* Au figuré. Remarquable, triomphal, retentissant. *Une victoire éclatante.*

éclater v. → conjug. **aimer.** *1* Se briser en morceaux avec violence, exploser. *Une bombe a éclaté dans la rue.* *2* Faire entendre brusquement un bruit violent. *Des rires ont éclaté dans la salle.* *3* Se produire brusquement. *Un incendie vient d'éclater dans la grange.*

Il a perdu le contrôle de son véhicule à cause de l'**éclatement** d'un pneu, parce qu'un pneu a éclaté (*1*).

éclectique adj. Qui apprécie des choses diverses, variées. *Elle aime autant Picasso que Léonard de Vinci, elle est très éclectique en peinture.*

éclipse n. f. Disparition partielle ou totale d'un astre qui est momentanément caché par un autre astre.

Une éclipse de Lune se produit lorsque la Terre passe entre la Lune et le Soleil. La Lune se trouve alors dans un cône d'ombre : elle ne reçoit plus les rayons du Soleil et ne peut donc plus les renvoyer ; elle devient une masse sombre.
Une éclipse de Soleil se produit lorsque la Lune, passant entre la Terre et le Soleil, masque celui-ci. Quand l'éclipse est totale, la Lune, de certains points d'observation sur Terre, cache totalement le disque solaire (c'est le « Soleil noir ») : il fait alors nuit en plein jour !

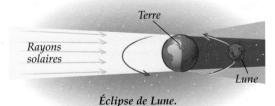

Éclipse de Lune.

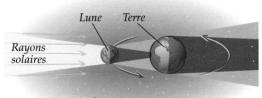

Éclipse de Soleil.

éclipser v. → conjug. **aimer.** *1* Laisser les autres dans l'ombre en se montrant plus brillant, plus intelligent. *Cet athlète a éclipsé tous les concurrents.* *2* S'éclipser : partir discrètement. *Il s'est éclipsé à la fin du repas.*

éclopé, ée n. Personne qui se déplace avec difficulté à cause d'une blessure ou d'une infirmité. *Pendant la guerre, les soldats valides aidaient les éclopés à avancer.*

éclore v. → conjug. **clore.** *1* Sortir de l'œuf, en parlant de certains animaux. *Quatre poussins ont éclos pendant la nuit.* *2* S'ouvrir, en parlant d'un bourgeon, d'un bouton de fleur. *Ces roses viennent d'éclore.*

éclosion n. f. *1* Moment où un œuf éclot. *La poule couve ses œufs jusqu'à l'éclosion.* *2* Moment où les bourgeons éclosent.

écluse n. f. Sorte de bassin limité par des portes et dans lequel on peut faire augmenter ou baisser le niveau de l'eau. *Les écluses permettent la navigation des péniches sur les canaux.*

Un **éclusier** est chargé de manœuvrer les portes d'une écluse.

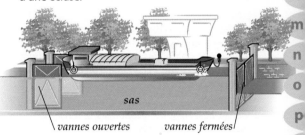

sas

vannes ouvertes *vannes fermées*

Le niveau du fleuve ou du canal est différent de chaque côté de l'écluse. Celle-ci, de forme rectangulaire, est fermée à chaque extrémité par une porte munie de vannes. Le bassin à l'intérieur des deux portes, le sas, est vidé ou rempli, grâce aux vannes, pour que les bateaux puissent passer d'un côté à l'autre. La première écluse est construite en Italie en 1439. Le système est ensuite perfectionné par Léonard de Vinci à la fin du XVe siècle.

écœurant, ante adj. *1* Qui écœure, qui donne mal au cœur. *L'odeur des œufs pourris est écœurante.* *2* Au figuré. Révoltant, dégoûtant. *Elle est d'une lâcheté écœurante.*

écœurer v. → conjug. **aimer.** *1* Donner envie de vomir, dégoûter. *Tous ces chocolats m'ont écœuré.* *2* Au figuré. Provoquer le mépris, l'indignation, le dégoût. *Ses sourires hypocrites m'écœurent.*

Il a mangé des gâteaux jusqu'à l'**écœurement**, jusqu'à en être écœuré (*1*).

école n. f. *1* Établissement d'enseignement primaire. *Aller à l'école. Habiter près de son école.* *2* Établissement où l'enseignement concerne un domaine particulier. *Une école de commerce.*

Un *écolier*, une *écolière*, ce sont des élèves qui vont à l'école (*1*).

Contrairement à une idée répandue, ce n'est pas Charlemagne qui a inventé l'école, même s'il a beaucoup développé l'enseignement dans son empire au début du IXᵉ siècle.
L'école existe dès l'Antiquité, notamment à Rome. En Occident, dès le début du Moyen Âge, elle est dirigée par des religieux et dispense un enseignement chrétien, en latin, réservé à une minorité exclusivement masculine.
Regarde page ci-contre.

écologie n. f. Science qui étudie les relations entre les êtres vivants et le milieu naturel où ils vivent.

La destruction des forêts a de graves conséquences *écologiques*, qui concernent l'écologie, l'équilibre de l'environnement. Les *écologistes* luttent pour la protection de la nature et de l'environnement, ceux qui se préoccupent d'écologie.

économe adj. et n.
● adj. Qui ne fait pas de dépenses inutiles.
Contraire : dépensier.
● n. Personne chargée des recettes et des dépenses dans une collectivité. *L'économe d'un hôpital.*
Synonyme : intendant.

économie n. f. *1* Somme d'argent que l'on ne dépense pas. *Faire des économies.* *2* Ensemble des ressources et des activités d'un pays. *L'agriculture, l'industrie, le commerce, l'artisanat sont des secteurs de l'économie.*

Les *économistes* sont des spécialistes de l'économie (*2*).

économique adj. *1* Qui ne cause pas beaucoup de dépenses, qui permet de faire des économies. *Le métro est un moyen de transport plus économique que la voiture.* *2* Qui a rapport à l'économie d'un pays. *Une crise économique.*
Contraire : coûteux (*1*).

économiser v. → conjug. **aimer.** *1* Dépenser ou consommer peu. *Économiser l'énergie.* *2* Conserver de l'argent, le mettre de côté. *Il a économisé assez d'argent pour acheter un vélo.*
Contraire : gaspiller (*1*). Synonyme : épargner (*2*).

économiste n. → économie.

écoper v. → conjug. **aimer.** *1* Vider l'eau qui s'est accumulée au fond d'un bateau. *2* Familier. Être puni. *Le voleur a écopé trois mois de prison.*

écorce n. f. *1* Couche extérieure, plus ou moins épaisse, qui recouvre le tronc et les branches d'un arbre. *2* Enveloppe épaisse de certains fruits. *L'écorce d'une orange, d'un citron.* *3* L'écorce terrestre : enveloppe solide qui forme la surface de la Terre.

écorcher v. → conjug. **aimer.** *1* Déchirer légèrement la peau. *Des ronces nous ont écorché les jambes.* *2* Au figuré. Prononcer de manière fautive, déformer. *Écorcher le nom de famille de quelqu'un.*
Synonyme : égratigner (*1*).

Il s'est fait une *écorchure* à la jambe, il s'est écorché (*1*).

écossais, aise adj. Qui est tissé de fils qui s'entrecroisent en formant des carreaux. *Du tissu écossais.*

Écosse

Région occupant la partie septentrionale de la Grande-Bretagne, au-dessus de l'Angleterre. Essentiellement montagneuse, l'Écosse est occupée au nord par de hautes terres (les Highlands) au relief accidenté. On y trouve de nombreux lacs, notamment le loch Ness, célèbre pour son monstre légendaire. Le climat est frais et humide. La population se concentre dans les basses terres du centre (Lowlands). L'agriculture se fonde principalement sur la culture de l'orge pour la fabrication du whisky et de la bière, l'élevage du mouton et la pêche. L'extraction du pétrole et du gaz naturel représente l'essentiel de l'activité industrielle. Rattachée à l'Angleterre en 1707, l'Écosse fait partie du Royaume-Uni de Grande-Bretagne. Elle possède un parlement autonome depuis 1999. 
Regarde aussi Royaume-Uni.

écosser v. → conjug. **aimer.** Enlever des graines de leur cosse. *Écosser des petits pois, des fèves.*

écosystème n. m. Ensemble formé par un groupe d'êtres vivants et par le milieu dans lequel ils vivent.

écouler v. → conjug. **aimer.** *1* Vendre des marchandises. *Ce magasin a écoulé tout son stock de riz.* *2* S'écouler : couler, se déverser. *L'eau des caniveaux s'écoule dans les bouches d'égout.* *3* S'écouler : passer. *Un an s'est écoulé depuis notre dernière rencontre.*

Des rigoles ont été creusées pour permettre l'*écoulement* des eaux, pour que les eaux puissent s'écouler (*2*).

écourter v. → conjug. **aimer.** Rendre plus court, diminuer la durée. *Écourter ses vacances.*
Synonyme : abréger. Contraire : prolonger.

l'école

En Europe, l'alphabétisation populaire commence au XVIIᵉ siècle. En France, c'est à partir du XIXᵉ siècle qu'est organisé véritablement le système scolaire.

aux XVIIᵉ et XVIIIᵉ siècles

■ Au XVIIᵉ siècle apparaissent les petites écoles et les écoles de charité, dans lesquelles l'enseignement est gratuit. On y apprend à lire et à écrire et aussi, parfois, les quelques connaissances nécessaires à l'exercice d'un métier. Les filles sont minoritaires ; leur apprentissage s'effectue souvent en dehors de l'école, avec une parente ou une voisine. La petite école n'a pas de moyens, pas de livres, le local est vétuste.

■ En 1789, environ 50 % des Français de sexe masculin savent lire et écrire. La scolarisation commence, mais elle reste dépendante du milieu social, de la région et de la zone d'habitation.

Une école de village au XVIIIᵉ siècle.

à la fin du XIXᵉ siècle

■ En 1833, une loi de Guizot, ministre du roi Louis Philippe, oblige chaque commune à financer une école primaire. Cette école est encore rudimentaire ; elle est souvent le logement du maître et les moyens d'enseignement sont très réduits. Elle est réservée aux garçons. La création d'écoles primaires de filles, possible dès 1836, ne devient obligatoire qu'en 1850.

■ Dans les années 1880, les lois de Jules Ferry, ministre de la IIIᵉ République, posent les principes fondamentaux sur lesquels repose toujours l'école aujourd'hui : gratuité de l'enseignement, obligation d'aller à l'école et laïcité. Les enseignants ne sont plus des religieux mais des laïcs, payés par l'État et formés dans des écoles normales.

Jules Ferry.

au XXᵉ siècle

À partir de 1945, les filles et les garçons reçoivent le même enseignement. Depuis 1959, la scolarité est obligatoire jusqu'à 16 ans. En 1989, une loi organise la scolarité en cycles et transforme les écoles normales en instituts universitaires de formation des maîtres (IUFM).

écouter v. → conjug. **aimer**. *1* Concentrer son attention pour entendre. *Écouter de la musique, un discours, une conversation.* *2* Tenir compte des paroles, des conseils de quelqu'un. *Il aurait gagné s'il avait écouté son entraîneur.*

> Un concert retransmis à la radio à une heure de grande *écoute*, à une heure où les personnes qui écoutent (*1*) sont très nombreuses. *L'écouteur d'un téléphone, les écouteurs d'un baladeur*, ce sont les parties de ces appareils qui s'appliquent contre les oreilles pour pouvoir écouter (*1*).

écoutille n. f. Ouverture située sur le pont d'un navire et qui permet d'accéder aux parties intérieures.

écran n. m. *1* Surface sur laquelle on projette des films. *S'asseoir près de l'écran.* *2* Partie d'un appareil sur laquelle apparaissent des images, des textes. *L'écran d'un téléviseur, d'un ordinateur.* *3* Ce qui dissimule quelque chose ou ce qui sert à protéger. *Ces rideaux font un écran contre le soleil.*

écrasant, ante adj. *1* Très difficile à supporter. *Une chaleur écrasante.* *2* Qui surpasse largement. *Il a été élu à une majorité écrasante.*
Synonyme : accablant (*1*).

écraser v. → conjug. **aimer**. *1* Aplatir sous l'effet d'un poids, d'une forte pression. *Il a écrasé les fleurs en marchant sur les plates-bandes.* *2* Tuer ou blesser gravement un homme, un animal en passant sur son corps. *Il a failli se faire écraser par un camion.* *3* Au figuré. Accabler, surcharger. *Être écrasé de travail, de fatigue.* *4* Au figuré. Infliger une très lourde défaite. *Écraser un adversaire au cours d'un match.*

> La bataille a continué jusqu'à l'*écrasement des troupes ennemies*, jusqu'à ce qu'elles soient écrasées (*4*).

écrémé, ée adj. Se dit du lait dont on a éliminé la crème.

écrevisse n. f. *1* Crustacé qui vit en eau douce, dont les pattes de devant se terminent par deux pinces. *2* Être rouge comme une écrevisse :* être rouge comme les écrevisses, qui rougissent quand on les fait cuire.

s'écrier v. → conjug. **modifier**. Dire en criant. «*Que faites-vous là ?*» *s'écria-t-il.*

écrin n. m. Boîte, coffret servant à ranger des bijoux, des objets précieux.

écrire v. *1* Tracer des signes qui correspondent à des lettres, à des chiffres. *Apprendre à écrire.* *2* Rédiger et envoyer une lettre. *Écrire régulièrement à un ami.* *3* Composer une œuvre littéraire ou musicale. *Écrire un roman, un opéra.*

La conjugaison du verbe
ÉCRIRE 3e groupe

indicatif présent	**j'écris, il ou elle écrit, nous écrivons, ils ou elles écrivent**
imparfait	**j'écrivais**
futur	**j'écrirai**
passé simple	**j'écrivis**
subjonctif présent	**que j'écrive**
conditionnel présent	**j'écrirais**
impératif	**écris, écrivons, écrivez**
participe présent	**écrivant**
participe passé	**écrit**

écrit n. m. *1* Épreuve écrite à un examen, à un concours. *Il a réussi l'écrit du bac.* *2* Document, œuvre, texte écrits. *Cet écrivain a publié de nombreux écrits.*

écriteau, eaux n. m. Panneau qui porte une inscription destinée à informer le public. *Cet écriteau porte la mention « maison à louer ».*

écriture n. f. *1* Manière de représenter les sons d'une langue par des signes. *On appelle des hiéroglyphes les signes de l'écriture des anciens Égyptiens.* *2* Manière d'écrire les signes, les mots. *Avoir une écriture très lisible.*

> L'invention de l'écriture est une des plus grandes conquêtes de l'humanité. Pouvoir communiquer à distance, transmettre ses idées, garder le souvenir d'événements passés sont quelques-unes des possibilités qu'offre cet extraordinaire moyen que l'homme s'est approprié il y a plus de 5 000 ans.
> *Regarde p. 368 et 369.*

écrivain n. m. Auteur d'œuvres littéraires. *Mark Twain est un écrivain américain.*

écrou n. m. Pièce percée d'un trou cylindrique dans lequel tourne une vis.

écrouer v. → conjug. **aimer**. Emprisonner. *Les voleurs ont été écroués.*

s'écrouler v. → conjug. **aimer**. Tomber brutalement, s'effondrer, s'affaisser. *Cette vieille masure a fini par s'écrouler.*

> Le poids de la neige a provoqué l'*écroulement du toit de la maison*, le fait qu'il se soit écroulé.

écru, ue adj. Qui a gardé une couleur claire naturelle. *Une robe en soie écrue.*

écu n. m. *1* Monnaie d'autrefois. *Des écus d'or.* *2* Bouclier utilisé par les soldats au Moyen Âge.

écueil n. m. *1* Rocher qui affleure à la surface de l'eau. *Le navire s'est échoué sur un écueil.* *2* Au figuré. Obstacle, piège, danger. *Résoudre un problème en évitant tous les écueils.*
On prononce [ekœj].

écuelle n. f. Récipient creux et rond. *Le chat mange ses croquettes dans une écuelle.*

écume n. f. Mousse de couleur blanchâtre. *De l'écume se forme à la surface du bouillon.*

écumer v. → conjug. **aimer**. *1* Enlever l'écume qui monte à la surface d'un liquide. *Écumer le bouillon d'un pot-au-feu.* *2* Au figuré. *Écumer de rage :* être au comble de la colère.
> Une *écumoire* est une grande cuillère percée de trous qui sert à écumer (*1*).

écureuil n. m. Petit animal rongeur à la longue queue touffue qui vit dans les arbres.

écurie n. f. Bâtiment destiné à loger les chevaux.

écusson n. m. Petit insigne qui représente le symbole d'un groupe, d'une ville, d'un métier. *L'écusson d'un club sportif, d'un régiment.*

écuyer, ère n. m. et n.
• n. m. Au Moyen Âge, gentilhomme au service d'un chevalier.
• n. Personne qui exécute des exercices d'équilibre sur un cheval.

eczéma n. m. Maladie de la peau caractérisée par l'apparition de plaques rouges qui provoquent des démangeaisons.
On prononce [egzema].

edelweiss n. m. Fleur blanche qui pousse dans les montagnes.
L'edelweiss, appelé aussi étoile d'argent, pied-de-lion ou immortelle des neiges, est une petite plante qui pousse au-dessus de 1 500 m d'altitude. La tige et les feuilles sont couvertes d'un duvet laineux qui joue un rôle isolant. L'edelweiss fleurit de juillet à septembre.
Mot allemand qui se prononce [edɛlvɛs].

édenté, ée adj. Qui a perdu plusieurs dents ou toutes ses dents. *Un vieillard édenté.*

édifiant, ante adj., **édification** n. f. → **édifier**.

édifice n. m. Bâtiment de grande taille. *La cathédrale de Chartres est un édifice construit au XIIe et au XIIIe siècles.*

édifier v. → conjug. **modifier**. *1* Construire un édifice, un bâtiment. *Édifier une église, un palais.* *2* Donner l'exemple. *Le courage de cet enfant a édifié ses camarades.*
Synonymes : bâtir, élever (*1*).
> *Mener une vie* **édifiante**, qui édifie (*2*) les autres, qui leur montre le bon exemple. *L'*édification *de nombreuses cathédrales date du Moyen Âge,* l'action de les édifier (*1*).

Edison Thomas Alva

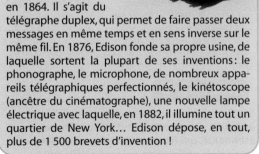

Inventeur américain né en 1847 et mort en 1931. Vendeur de journaux dans les trains à l'âge de douze ans, Edison crée deux ans plus tard son propre journal, qu'il imprime dans un wagon, pendant que le train roule. Travailleur acharné, il fait sa première invention en 1864. Il s'agit du télégraphe duplex, qui permet de faire passer deux messages en même temps et en sens inverse sur le même fil. En 1876, Edison fonde sa propre usine, de laquelle sortent la plupart de ses inventions : le phonographe, le microphone, de nombreux appareils télégraphiques perfectionnés, le kinétoscope (ancêtre du cinématographe), une nouvelle lampe électrique avec laquelle, en 1882, il illumine tout un quartier de New York… Edison dépose, en tout, plus de 1 500 brevets d'invention !

édit n. m. Loi qui était promulguée par un roi. *La promulgation de l'édit de Nantes par le roi Henri IV.*

éditer v. → conjug. **aimer**. Imprimer un livre, le publier et le mettre en vente. *Éditer des romans, des dictionnaires, des livres scolaires.*
> *Quel est l'*éditeur *de ce dictionnaire,* celui qui l'a édité ?

édition n. f. *1* Ensemble d'exemplaires d'un même livre édités au même moment. *Ce roman est épuisé, il faut attendre la prochaine édition.* *2* Maison d'édition : entreprise qui édite des livres.

éditorial, aux n. m. Article d'un journal, qui traite d'un sujet important et qui donne l'opinion de ce journal sur ce sujet.
> *L'article de l'*éditorialiste *est en première page,* du journaliste chargé d'écrire l'éditorial.

l'écriture

On considère que l'invention de l'écriture marque le passage entre la préhistoire et l'histoire.

3300 av. J.-C.

L'écriture apparaît chez les Sumériens, un peuple du sud de la Mésopotamie.

Il s'agit d'abord d'un système à base de dessins, les pictogrammes, qui représentent des éléments familiers (une tête, un pied, un arbre, le soleil…) tracés sur des tablettes d'argile. Ces tablettes, de petites dimensions, sont tenues dans le creux de la main. Peu à peu, les dessins sont simplifiés et stylisés. Ils s'éloignent des pictogrammes et deviennent des symboles abstraits. Réalisés à l'aide d'un roseau taillé, ils ont la forme de clous ou de coins, d'où le nom de cunéiforme que l'on donne à cette écriture.

3100 av. J.-C.

Les Égyptiens inventent un système d'écriture composé de signes-images, les hiéroglyphes.

Les hiéroglyphes sont sculptés ou peints sur les monuments, les poteries, puis transcrits sur une sorte de papier fabriqué à partir des fibres d'une plante : le papyrus.

2000 av. J.-C.

Les Crétois inventent une écriture syllabique : à chaque signe correspond un son. Chose étonnante, qui n'a pu encore être élucidée, les Crétois utilisent deux formes différentes de cette même écriture.

Les inscriptions de ce disque découvert en Crète ne sont toujours pas déchiffrées à ce jour.

1500 av. J.-C.

En Extrême-Orient, les Chinois découvrent à leur tour l'écriture, environ 1 500 ans avant J.-C. C'est une écriture à base de pictogrammes qui, progressivement, évolue elle aussi vers le signe (idéogramme).

	pictogramme d'origine	environ IVe s. av. J.-C.	idéogramme moderne
homme			
colline			
eau			

Trois exemples de l'évolution du dessin représentant l'objet au signe abstrait.

■ **Les navigateurs phéniciens** répandent leur alphabet, qui est à l'origine de tous les alphabets modernes. L'écriture alphabétique est composée d'un ensemble de signes, chaque signe correspondant à un son. C'est l'assemblage des différents signes qui permet de former les mots de la langue utilisée.

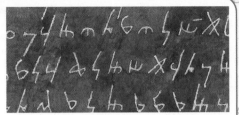

Quelques lettres de l'alphabet phénicien.

■ **L'alphabet grec** s'inspire directement de l'alphabet phénicien. Il est repris plus tard par les Romains et est ensuite utilisé dans tout le monde méditerranéen.

a	**A α**	alpha	l	**Λ λ**	lambda
b	**B б,β**	bêta	p	**Π π**	pi
d	**Δ δ**	delta	s	**Σ σ,ς**	sigma
e	**E ε**	epsilon	o	**Ω ω**	oméga

Quelques lettres de l'alphabet grec.

L'alphabet arabe prend la forme qu'il a encore aujourd'hui. Il transcrit la langue arabe, mais aussi d'autres langues comme le persan.

n ن ـن ـنـ نـ

Selon sa place dans le mot ou dans la phrase, la lettre se dessine différemment. Ci-dessus, les 4 formes de la lettre « n ».

L'écriture arabe prend des formes très variées selon qu'elle est utilisée pour un usage quotidien ou qu'elle intervient dans l'art. La calligraphie arabe est une composante essentielle de l'art islamique.

d'autres alphabets

■ **L'alphabet cyrillique** est inventé au IXᵉ siècle apr. J.-C. Il est utilisé pour transcrire les langues russe, serbe, bulgare…

i	**И**	и
j	**Ж**	ж
z	**З**	з

Quelques lettres de l'alphabet cyrillique.

■ **L'alphabet hébreu** a pris sa forme actuelle vers le Xᵉ siècle apr. J.-C.

b, v	כ בּ	בּ
h	ה	ה
s	ס	ס

Selon qu'elle est imprimée ou écrite à la main, la lettre prend une forme différente.

notre alphabet

L'alphabet que nous utilisons aujourd'hui est directement issu de l'écriture latine. Mais il a subi de nombreuses transformations au fil du temps.

Manuscrit du IXᵉ siècle.

Manuscrit du XIIᵉ siècle.

Fragment d'une page de l'édition originale d'un livre de Rabelais imprimé au XVIᵉ siècle.

édredon n. m. Grande enveloppe d'étoffe remplie de duvet et utilisée comme couverture. *Elvis sort avec difficulté de sous son édredon.*

éducation n. f. *1* Fait de former et d'instruire une personne en développant toutes ses qualités, physiques, morales et intellectuelles. *S'occuper de l'éducation de ses enfants.* *2* Politesse, savoir-vivre. *Manquer d'éducation.* *3* *L'Éducation nationale :* l'ensemble des services chargés de s'occuper de l'enseignement et de la formation des jeunes durant leur scolarité.

> Les professeurs, les instituteurs sont des **éducateurs**, des personnes chargées de l'éducation (*3*). C'est le rôle des parents d'**éduquer** leurs enfants, de leur donner une bonne éducation (*1*). Les jeux **éducatifs** sont des jeux destinés à l'éducation (*1*).

effacé, ée adj. Qui ne se fait pas remarquer, qui n'attire pas l'attention. *Une jeune fille timide et effacée.*

> Il n'a pas très bien réussi dans son métier à cause de son **effacement**, de son attitude effacée, timide.

effacer v. → conjug. **tracer.** *1* Enlever, faire disparaître ce qui est écrit, marqué, dessiné. *Effacer un mot avec une gomme. La pluie a effacé nos pas.* *2* Au figuré. Faire oublier, atténuer. *Le temps a effacé les souvenirs de sa jeunesse.* *3* *S'effacer :* s'écarter par politesse. *Il s'est effacé pour laisser passer la vieille dame.*

> Un **effaceur** est un tube ou un petit flacon, rempli de liquide blanc qui sert à effacer (*1*).

effarer v. → conjug. **aimer.** Provoquer de la stupeur et de l'inquiétude. *Sa réaction nous a effarés.*

> La voiture roulait à une vitesse **effarante**, propre à effarer les gens. *Nous avons appris cette nouvelle avec **effarement**, elle nous a effarés.*

effaroucher v. → conjug. **aimer.** Effrayer un animal et le faire fuir. *Le moindre bruit risque d'effaroucher cette biche.*

1. effectif, ive adj. Qui est réel, concret. *Une aide effective. Un résultat effectif.*

2. effectif n. m. Nombre de personnes qui composent un groupe. *L'effectif de notre collège est de 800 élèves.*

effectivement adv. En effet, vraiment. *Effectivement, j'ai bien reçu votre lettre.*

effectuer v. → conjug. **aimer.** Exécuter, réaliser, accomplir. *Effectuer des recherches, une manœuvre.*

efféminé, ée adj. Qui a quelque chose de féminin dans son allure, dans son comportement.

effervescence n. f. *1* Bouillonnement. *Un liquide en effervescence.* *2* Au figuré. Agitation intense et passagère. *L'apparition du chanteur a mis toute la salle en effervescence.*

*Des comprimés **effervescents**, qui entrent en effervescence (*1*) quand on les met dans l'eau.*

effet n. m. *1* Ce qui résulte de quelque chose, conséquence, résultat. *On ne connaît pas encore très bien les effets de ce nouveau médicament.* *2* Impression, sensation. *Le résultat des élections présidentielles a créé un effet de surprise.* *3* Au pluriel. Vêtements, affaires personnelles. *Elle a quitté son domicile en emportant tous ses effets.*

Regarde aussi en effet.

effeuiller v. → conjug. **aimer.** Détacher les feuilles d'un arbre, les pétales d'une fleur.

efficace adj. Qui produit les effets ou qui donne les résultats que l'on attendait. *Un moyen efficace. Un produit efficace.*

Contraire : inefficace.

> On a testé l'**efficacité** d'un nouveau médicament, son caractère efficace. *Il travaille rapidement et **efficacement**, de manière efficace.*

effigie n. f. Représentation peinte, sculptée ou gravée d'un personnage. *Cette pièce de monnaie ancienne est à l'effigie d'un empereur romain.*

effilé, ée adj. *1* Fin et allongé. *Le pianiste a des doigts effilés.* *2* Fin et tranchant. *Une lame de couteau effilée.*

s'effilocher v. → conjug. **aimer.** Se défaire peu à peu, fil à fil. *Les manches de ce veston s'effilochent.*

efflanqué, ée adj. Qui est très amaigri. *Un chien errant efflanqué et boiteux.*

effleurer v. → conjug. **aimer.** *1* Toucher très légèrement. *Effleurer les touches d'un piano du bout des doigts.* *2* Au figuré. Venir à l'esprit. *L'idée de te mentir ne m'a jamais effleuré.*

effluve n. m. Littéraire. Parfum, odeur. *Les délicieux effluves du jasmin.*

s'effondrer v. → conjug. **aimer.** *1* Tomber brusquement, s'écrouler. *Ce vieux mur s'est effondré.* *2* Au figuré. Perdre courage, perdre espoir. *Quand il a perdu son emploi, il s'est effondré.*

> La montée des eaux a provoqué l'**effondrement** du pont, le pont s'est effondré (*1*).

effort n. m. Ce que fait une personne qui réunit toutes ses forces pour réaliser quelque chose. *Faire des efforts. Être récompensé de ses efforts.*

> Elle s'**efforce** de rester calme, elle fait des efforts.

effraction n. f. Fait de briser une serrure, une porte pour entrer dans un lieu. *Le voleur s'est introduit par effraction dans la bijouterie.*

effraie n. f. Chouette couverte d'un plumage blanc sur le ventre et autour des yeux.

La chouette effraie se reconnaît à sa face blanche en forme de cœur. Elle mesure de 30 à 35 cm de longueur. Sa poitrine et ses pattes sont blanches et son dos est brun clair tacheté de gris. L'effraie se nourrit essentiellement de rongeurs. Elle niche dans les ruines, les greniers, les clochers, les granges ou les arbres creux. Longtemps persécutée car on croyait qu'elle portait malheur, elle est aujourd'hui protégée.

effrayer v. → conjug. **payer.** Provoquer de la frayeur. *Le tonnerre a effrayé les enfants.*
Synonymes : épouvanter, terrifier.
Un visage, un spectacle effrayants, qui effraient.

effréné, ée adj. Qui semble impossible à arrêter, à freiner ou à calmer. *Une course, une poursuite effrénées.*

s'effriter v. → conjug. **aimer.** Se réduire en miettes, tomber en poussière. *Ces vieux journaux s'effritent dès qu'on les touche.*
L'ascension de cette falaise est devenue dangereuse à cause de l'effritement des roches, du fait qu'elles s'effritent.

effroi n. m. Peur intense. *Être rempli d'effroi.*
Synonymes : épouvante, terreur.
Un spectacle effroyable, des cris effroyables, qui causent de l'effroi.

effronté, ée adj. Qui manifeste de l'insolence. *Une fillette effrontée. Un regard effronté.*
Le coupable nie l'évidence avec effronterie, de façon effrontée. *Mentir effrontément*, de façon effrontée.

effroyable adj. → effroi.

effroyablement adv. Terriblement, excessivement. *C'est un problème effroyablement difficile.*

effusion n. f. *1* Manifestation d'affection expansive. *Accueillir un ami avec des effusions. 2 Effusion de sang :* sang répandu au cours d'actes de violence.

égal, ale, aux adj. *1* Qui est semblable en dimension, en quantité, en qualité, en valeur. *Diviser un terrain en parts égales. 2* Qui ne varie pas, qui est régulier. *Il est toujours d'humeur égale. 3* Qui bénéficie des mêmes droits. *Tous les citoyens sont égaux devant la loi. 4 Ça m'est égal :* ça me laisse indifférent.
Contraire : inégal (*1*).

également adv. *1* De manière égale. *Partager également un gâteau. 2* Aussi, de même. *Il est invité, et sa sœur également.*

égaler v. → conjug. **aimer. *1*** Être égal à quelque chose. *Quatre plus quatre égalent huit. 2* Atteindre le même niveau. *Égaler le record du monde.*

égaliser v. → conjug. **aimer. *1*** Rendre égal. *Égaliser une frange avec des ciseaux. 2* Obtenir le même nombre de points ou de buts que l'adversaire. *Le match est nul car les deux équipes ont égalisé 3 à 3.*
Notre équipe a obtenu l'égalisation, elle a égalisé (*2*).

égalité n. f. *1* Caractère ou qualité de ce qui est égal. *L'égalité des citoyens devant la loi. 2* Fait d'avoir un nombre égal de points. *Il n'y a pas de gagnant, les deux joueurs sont à égalité.*
Une loi égalitaire a pour but l'égalité (*1*) civile et sociale.

égard n. m. *1 À l'égard de quelqu'un :* vis-à-vis de lui. *Être plein d'attentions à l'égard de ses grands-parents. 2* Au pluriel. Marques d'estime et de respect. *Traiter un chef d'État avec beaucoup d'égards.*

égarement n. m. Folie passagère. *Dans un moment d'égarement, il a menacé ses voisins avec une arme.*

égarer v. → conjug. **aimer. *1*** Perdre de façon momentanée. *J'ai égaré mes clés. 2 S'égarer :* se perdre. *S'égarer dans les bois.*

égayer v. → conjug. **payer.** Rendre plus gai. *Elle veut égayer sa chambre avec des affiches.*

Égée

Mer formant la partie est de la Méditerranée, entre la Grèce et la Turquie. La mer Égée est reliée à la mer de Marmara par le détroit des Dardanelles. Elle compte près de 400 îles, pour la plupart grecques, parmi lesquelles Rhodes et la Crète. Le tourisme y est très actif. La mer Égée doit son nom à un personnage de la mythologie grecque.

églantier n. m. Rosier sauvage.
Nous avons cueilli des églantines, des fleurs blanches ou roses de l'églantier.

église n. f. *1* Bâtiment où les catholiques et les orthodoxes se rassemblent pour prier. *Assister à une messe de mariage à l'église. 2* Avec une majuscule. Ensemble des chrétiens. *Un pope est un prêtre de l'Église orthodoxe.*

égoïne n. f. Scie à large lame, munie d'une poignée.

égoïsme n. m. Tendance à ne penser qu'à soi-même sans tenir compte des autres.
Contraire : générosité.

C'est un enfant égoïste, qui fait preuve d'égoïsme. *Il a agi égoïstement*, de façon égoïste.

égorger v. → conjug. **ranger.** Tuer en coupant la gorge. *Égorger un animal.*

s'égosiller v. → conjug. **aimer.** Crier longtemps très fort, au point de se fatiguer la voix. *Les spectateurs s'égosillent à rappeler le chanteur.*

égout n. m. Canalisation souterraine par laquelle les eaux sales d'une ville s'évacuent.

Un *égoutier* est un ouvrier qui entretient les égouts.

égoutter v. → conjug. **aimer.** Laisser s'écouler goutte à goutte. *Égoutter les nouilles dès qu'elles sont cuites.*

Un *égouttoir* est un ustensile qui sert à égoutter la vaisselle.

s'égratigner v. → conjug. **aimer.** Se déchirer légèrement la peau. *Elle s'est égratignée en cueillant des mûres.*
Synonyme : s'écorcher.

Une *égratignure* est une petite blessure qu'on se fait quand on s'égratigne.

égrener v. → conjug. **promener.** Détacher les grains. *Égrener un épi de maïs, une grappe de raisin.*

éhonté adj. Dont le caractère effronté ou scandaleux devrait faire honte. *Un mensonge éhonté.*

eider n. m. Gros canard marin des côtes de Scandinavie. *Le duvet de l'eider était recherché pour faire des édredons.*
On prononce [ɛdɛʀ].

Eiffel Gustave

Ingénieur français né en 1832 et mort en 1923. Spécialisé dans les constructions métalliques, il réalise à partir de 1869 de nombreux ouvrages, comme le viaduc de la Sioule en Auvergne (1869), la charpente du Bon Marché, un magasin parisien (1870), le viaduc de Garabit dans le Cantal (1882)... Il réalise aussi diverses constructions à l'étranger. En 1886, Eiffel fabrique l'ossature de la statue de la Liberté, aujourd'hui à New York.

Mais son ouvrage le plus célèbre est sans doute la tour métallique qui porte son nom, construite pour l'Exposition universelle de Paris de 1889. Pesant 7 341 t, elle comporte 3 étages et mesure 300 m de hauteur (320 m émetteur radio compris). La tour Eiffel est devenue le symbole de Paris.

Égypte

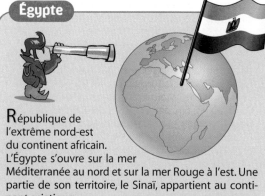

République de l'extrême nord-est du continent africain. L'Égypte s'ouvre sur la mer Méditerranée au nord et sur la mer Rouge à l'est. Une partie de son territoire, le Sinaï, appartient au continent asiatique.

Le pays, essentiellement désertique, est partagé en deux par le Nil dont la vallée et son delta, très fertiles, abritent la plus grande partie de la population. Le climat chaud et sec est tempéré sur la façade méditerranéenne. L'agriculture souffre de la sécheresse et du manque de terres cultivables qui ne représentent que 2 % du territoire. Les principales cultures sont le coton, le blé, le riz et le maïs. En revanche, les ressources en pétrole, en gaz naturel et en produits miniers (or, fer) sont importantes. Les secteurs de la sidérurgie, de la pétrochimie, de l'électronique et de l'automobile sont en pleine expansion. Les grands ports, Port Saïd et Alexandrie sur la Méditerranée, Aïn Soukhna sur le canal de Suez commercent avec le monde entier. Doté d'un riche patrimoine historique, – les vestiges de la civilisation de l'Égypte ancienne sont extrêmement nombreux – le pays attire des millions de touristes.

Occupée au XIXe siècle par les Français puis par les Britanniques, devenue ensuite protectorat britannique, l'Égypte est indépendante depuis 1936.

Regarde aussi p. 374 et 375.

1 001 449 km²
70 507 000 habitants :
les Égyptiens
Langue : *arabe*
Monnaie : *livre égyptienne*
Capitale : *Le Caire*

Einstein Albert

Physicien américain d'origine allemande né en 1879 et mort en 1955. Après ses études, Einstein trouve un emploi modeste et effectue des travaux de recherche pendant ses loisirs. En 1905, il publie cinq mémoires qui révolutionnent le monde scientifique, dont deux sur la théorie de la relativité. Il obtient alors des postes d'enseignant dans diverses universités (Zurich, Prague, Berlin). Il poursuit ses recherches et reçoit le prix Nobel de physique en 1921. Dès lors, sa renommée s'étend au monde entier. Mais, étant juif, il est inquiété par la montée du nazisme et en 1933, il quitte l'Allemagne pour les États-Unis. Pendant la Seconde Guerre mondiale, Einstein prend position contre l'utilisation de la bombe atomique.

$$E = Mc^2$$

éjecter v. → conjug. **aimer.** Projeter violemment au dehors. *Une voiture décapotable augmente les risques d'être éjecté en cas d'accident.*

Le siège éjectable d'un avion permet au pilote de s'éjecter en cas de danger.

élaborer v. → conjug. **aimer.** Préparer avec soin. *Mettre des mois pour élaborer un projet.*

L'élaboration du scénario a duré plusieurs semaines, l'action de l'élaborer.

élaguer v. → conjug. **aimer.** **1** Couper certaines branches d'un arbre ou d'une plante grimpante. *Faire élaguer la vigne vierge.* **2** Au figuré. Raccourcir un texte en supprimant les passages superflus.

1. élan n. m. **1** Mouvement rapide qu'on fait pour s'élancer. *Prendre son élan avant de sauter un obstacle.* **2** Mouvement soudain et impulsif. *Dans un élan de générosité, il a décidé d'inviter tout le monde.*

2. élan n. m. Grand mammifère des régions froides, voisin du cerf.

L'élan appartient à la famille du cerf (cervidés), dont il est le plus grand représentant : il peut dépasser 2 m à l'épaule et peser plus de 800 kg ! Il possède des bois larges et aplatis qui tombent chaque hiver et repoussent, plus grands, au printemps. Sa robe est de couleur marron. L'élan est herbivore. Il vit en Scandinavie, en Sibérie et au Canada, où il est appelé orignal.

élancé, ée adj. Qui est grand, mince et svelte. *Une jolie silhouette élancée.*

s'élancer v. → conjug. **tracer.** Se lancer en avant de toutes ses forces. *Il s'élance vers moi pour m'embrasser.*

élargir v. → conjug. **finir.** Rendre plus large. *Élargir une route.*
Contraire : rétrécir.

L'élargissement des trottoirs facilite la circulation des poussettes, le fait qu'ils soient élargis.

élastique adj. et n. m.
• adj. Qui reprend sa forme après avoir été déformé. *Le caoutchouc est une matière élastique.*
• n. m. Ruban circulaire de caoutchouc, utilisé comme lien. *Attacher ses cheveux avec un élastique.*

L'élasticité d'un matériau, c'est le fait qu'il soit élastique.

Le saut à l'élastique se fait généralement à partir de ponts, de viaducs ou de grues, mais parfois aussi à partir d'un hélicoptère ou d'une montgolfière. La longueur de l'élastique, en fait constitué de plusieurs centaines de fibres élastiques, est comprise entre 5 m et 30 m. Le sauteur y est relié par une sangle qui entoure ses chevilles. Originaire de Nouvelle-Zélande, le saut à l'élastique a été introduit en France en 1986.

électeur, trice n. Personne qui a le droit de voter. *Les électeurs doivent être majeurs pour participer à une élection.*

L'électorat est appelé à voter, l'ensemble des électeurs.

élection n. f. Action d'élire quelqu'un par un vote. *Lors des élections municipales, les électeurs ont élu un nouveau maire.*

électoral, ale, aux adj. Qui concerne une élection. *Pendant la campagne électorale, chaque candidat présente son programme.*

électorat n. m. → **électeur.**

électricien, enne n. Personne spécialiste des installations électriques et de leur réparation.

électricité n. f. Forme d'énergie permettant de s'éclairer, de se chauffer et de faire marcher les appareils électriques.

L'électricité est produite par de minuscules particules, les électrons. Chaque électron porte une certaine charge électrique. Le déplacement rapide de milliards d'électrons produit le courant électrique que l'on fait circuler dans des fils métalliques.
Regarde p. 376.

l'Égypte ancienne

Vers 3100 ans av. J.-C., l'Égypte voit apparaître la première dynastie de pharaons. Ainsi naît la brillante civilisation de l'Égypte ancienne, qui se maintient pendant près de 3 000 ans.

Les pyramides de Gizeh.

trois empires

■ **L'Ancien Empire.** Fondé vers 2815 av. J.-C., il a pour capitale Memphis. Les grands pharaons tels Chéops, Khéphren et Mykérinos font bâtir de grandioses monuments sur le plateau de Gizeh : le sphinx et les pyramides.

■ **Le Moyen Empire.** Il est fondé vers 2050 av. J.-C. et sa capitale est Thèbes. C'est l'époque des conquêtes. Amon (dieu de Thèbes), associé à Rê (dieu du Soleil) sous le nom de Amon-Rê, prend le premier rang parmi les dieux de l'Égypte.

■ **Le Nouvel Empire.** Apparu vers 1590 av. J.-C., il garde Thèbes comme capitale. Avec la dynastie des Ramsès, la civilisation égyptienne étend sa puissance sur une grande partie de l'Asie Mineure et atteint son apogée. Le Nouvel Empire prend fin vers 1050 av. J.-C.

Le sphinx de Gizeh et la construction d'une pyramide.

les scribes et les savants

■ Les scribes, qui savent lire, écrire et compter, ont un pouvoir important et sont craints. Ils transcrivent en hiéroglyphes, sur les papyrus, tout ce qui relève de leur responsabilité. Ils sont chargés de rédiger les textes religieux, juridiques et sont souvent secrétaires royaux.

la vie quotidienne

La plupart des Égyptiens sont des paysans. Les travaux agricoles sont rythmés par les crues du Nil. Sur la bande fertile qui s'étend le long du fleuve se concentrent toutes les cultures : blé, orge, lin. C'est là aussi que se cueille le papyrus, dont les fibres sont utilisées pour fabriquer les feuilles, support de l'écriture. De nombreux artisans fabriquent de magnifiques objets souvent destinés à la décoration des tombeaux.

Les travaux des champs.

Exemple de hiéroglyphes.

■ Les savants s'intéressent aux sciences, notamment aux mathématiques et à la médecine.

Le temple de Ramsès II à Abou Simbel est dédié à plusieurs dieux. On y célèbre des cérémonies à leur gloire.

Le pharaon est un roi tout-puissant. À la fois homme et dieu, il est vénéré comme le fils de Rê, le dieu du Soleil, voire comme le dieu lui-même. Les pharaons se font construire de somptueux tombeaux, richement décorés et garnis d'objets précieux. Près de trente dynasties se succèdent dans l'histoire de l'Égypte ancienne. Aménophis IV (ou Akhenaton) et Ramsès II comptent parmi les souverains les plus connus.

les dieux

Les Égyptiens ont de nombreux dieux, qui accompagnent leur vie quotidienne. Certains sont représentés sous des formes à la fois humaines et animales. Rê, dieu du Soleil, puis Amon-Rê, sont les plus importants, mais Horus, Hathor, Thot et Osiris tiennent aussi une grande place dans la hiérarchie divine. Dans des temples grandioses, comme celui de Karnak (dédié à Amon), se déroulent d'imposantes cérémonies organisées par les prêtres, puissants personnages de l'État qui sont les conseillers du pharaon.

Amon-Rê.

Horus.

la mort

Pour les Égyptiens, la mort n'est qu'un passage à une autre forme de vie. Mais pour survivre dans l'au-delà, il ne faut pas que le corps tombe en poussière après la mort. C'est la raison pour laquelle il est momifié et placé dans un sarcophage.

Regarde aussi momie.

Sarcophage de Toutankhamon.

l'électricité

L'électricité existe à l'état naturel :
la foudre, par exemple, est une décharge
électrique. Mais l'homme a appris à
produire et à stocker cette énergie pour
de multiples usages .

d'où vient-elle ?

On se sert de l'énergie fournie par le charbon, le
pétrole, la force des chutes d'eau ou des vents, les
réactions chimiques, les explosions nucléaires.
Ces énergies permettent d'entraîner des appareils
appelés générateurs, qui produisent le courant
électrique. Même l'énergie musculaire peut servir
à produire de l'électricité : une dynamo de
bicyclette est un générateur. En pédalant, le
cycliste fait tourner la roue qui entraîne la turbine
de la dynamo. L'électricité ainsi produite éclaire
le phare du vélo.

qu'est-ce-que c'est ?

■ L'électricité est une forme d'énergie
produite par de minuscules particules, les
électrons. Chaque électron contient une
certaine quantité d'électricité. Le déplacement rapide de milliards d'électrons
produit le courant électrique que l'on fait
circuler dans des fils métalliques.
■ Dans une pile, les électrons circulent
toujours dans le même sens, du pôle
négatif (-) vers le pôle positif (+).

*L'ampoule
s'allume.*

*L'ampoule
ne s'allume pas.*

En passant dans le filament de
l'ampoule, le courant électrique provoque un échauffement qui produit de la
lumière et de la chaleur. Le dégagement
de chaleur est utilisé par de nombreux
appareils domestiques : fer à repasser,
grille-pain, four électrique…

comment la transporte-t-on ?

Les câbles, les fils métalliques,
généralement en cuivre, transportent
le courant ; on dit qu'ils sont
conducteurs. D'autres matériaux
(plastique, caoutchouc, bois…)
ne permettent pas à l'électricité de
circuler ; on dit qu'ils sont isolants.

attention danger !

■ Le contact avec le courant électrique,
par l'intermédiaire de fils dénudés,
d'appareils mal isolés, présente des
risques mortels.
■ Le court-circuit se produit lorsque
deux fils d'un même câble se touchent.
Il peut endommager un appareil voire
provoquer un incendie.
■ Le fusible est un système de protection
de l'installation électrique. Dès qu'un
incident survient, il fonctionne comme un
interrupteur en coupant le circuit.

comment la mesure-t-on ?

La puissance de l'électricité se mesure
en volts.
• Les piles électriques → 1,5 ou 4,5 volts.
• Les batteries → 6 ou 12 volts.
• Le courant électrique qui alimente les
habitations → 110 ou 220 volts.
• Le courant électrique transporté par les
lignes à haute tension → 400 000 volts.

*Les centaines
de milliers de volts
dégagés par la
foudre peuvent tuer.*

électrifier v. → conjug. **modifier.** Faire fonctionner grâce à l'électricité. *Les voies ferrées sont électrifiées.*

électrique adj. *1* Qui est produit par l'électricité. *Le courant électrique passe par des fils.* *2* Qui fonctionne grâce à l'électricité. *Une cuisinière électrique.* *Elvis joue un morceau sur sa guitare électrique.*

électriser v. → conjug. **aimer.** Communiquer une vive excitation. *L'orateur a réussi à électriser la foule.*

s'électrocuter v. → conjug. **aimer.** Se blesser ou mourir en recevant une décharge électrique.
   Mourir par électrocution, en s'électrocutant.

électroménager adj. m. Se dit d'un appareil ménager qui fonctionne à l'électricité. *Le lave-linge, l'aspirateur sont des appareils électroménagers.*

électron n. m. Partie de l'atome qui contient de l'électricité et qui tourne autour du noyau.

électronique adj. et n. f.
• adj. Qui fonctionne en utilisant certaines propriétés des électrons. *Une calculatrice est une machine électronique.*
• n. f. Science qui étudie les électrons et l'utilisation qu'on peut en faire. *Les applications de l'électronique.*
   Un électronicien est un spécialiste en électronique.

élégamment adv. → **élégant.**

élégance n. f. *1* Bon goût dans sa façon de s'habiller. *Cette femme est toujours d'une grande élégance.* *2* Manières délicates et raffinées. *Il n'a même pas eu l'élégance de nous remercier.*
Synonymes : chic (*1*), délicatesse (*2*).

élégant, ante adj. *1* Qui fait preuve de goût et de distinction. *Ce grand chapeau est très élégant.* *2* Qui prouve de la délicatesse. *Ce n'est pas très élégant de ta part de partir sans dire au revoir.*
Synonymes : chic, distingué (*1*), poli (*2*). **Contraires :** grossier, vulgaire.
   Il s'habille toujours élégamment, de façon élégante (*1*).

élément n. m. *1* Chacune des parties qui constituent un ensemble. *Les éléments d'un jeu de construction.* *2* Personne appartenant à un groupe. *Certains éléments de l'équipe ont été sanctionnés.* *3* Être dans son élément :* se sentir à l'aise dans le milieu où l'on vit. *4* Au pluriel. Notions élémentaires d'une discipline. *Apprendre les premiers éléments de grammaire.*

élémentaire adj. *1* Très simple, très facile. *Il sait déjà faire des opérations élémentaires.* *2* Cours élémentaire :* classe primaire qui est après le cours préparatoire et avant le cours moyen.

éléphant n. m. Très gros mammifère herbivore, caractérisé par sa trompe et ses deux défenses en ivoire. *Les éléphants vivent en Afrique et en Asie.*
   L'éléphante est la femelle de l'éléphant. *L'éléphanteau* est le petit de l'éléphant.

élevage n. m., **élévation** n. f. → **élever.**

élève n. Enfant ou adolescent qui suit des cours dans un établissement scolaire.

élevé, ée adj. *1* Haut. *La montagne la plus élevée des Alpes est le mont Blanc.* *2* Bien ou mal élevé :* qui a reçu une bonne ou une mauvaise éducation, qui est poli ou malpoli.

élever v. → conjug. **promener.** *1* Construire, dresser en hauteur. *Élever un mur, un gratte-ciel.* *2* Augmenter la valeur ou le niveau. *Les pluies ont élevé le niveau du torrent.* *3* S'occuper d'un enfant et l'éduquer. *Elle a élevé son fils seule.* *4* S'occuper d'animaux, les nourrir et les soigner. *Dans cette ferme, on élève des porcs.* *5* S'élever :* monter. *Les montgolfières s'élèvent dans l'air. La température s'élève à cause du feu.* *6* S'élever :* atteindre telle somme. *Le devis s'élève à 300 euros.*
   Un élevage de poulets, c'est l'action de les élever (*4*). *Un éleveur de bétail* est une personne qui en élève (*4*). *L'élévation de la température*, c'est le fait qu'elle s'élève (*6*).

éligible adj. Qui peut être élu.

élimé, ée adj. Qui est complètement usé par le frottement ou par l'usage. *Cette vieille chemise a le col élimé.*

éliminer v. → conjug. **aimer.** *1* Mettre à l'écart, après une sélection ou un choix. *Les candidats qui n'ont pas eu la moyenne ont été éliminés.* *2* Évacuer, rejeter hors de l'organisme. *Boire beaucoup d'eau pour éliminer.*
   On a regretté l'élimination de notre équipe, le fait qu'elle soit éliminée (*1*). *Une épreuve éliminatoire* sert à éliminer (*1*) un certain nombre de candidats pour ne garder que les meilleurs.

élire v. → conjug. **lire.** Choisir par un vote. *Élire un nouveau maire aux élections municipales.*

élision n. f. Suppression de la voyelle finale d'un mot, qui est remplacée par une apostrophe. *Il y a élision quand les articles définis « le » et « la » sont suivis d'un autre mot qui commence par une voyelle ou un « h » muet, comme dans « l'arbre » ou « l'habit ».*

élite n. f. Petit groupe de personnes considérées comme les meilleures. *L'élite intellectuelle, sportive, d'un pays.*

élixir n. m. Boisson magique. *Un élixir de longue vie.*

377

elle, elles pron. Pronom personnel féminin de la troisième personne qui a la fonction de sujet ou de complément. On l'utilise également pour renforcer le sujet « elle ». *Elle est belle. C'est à elles que je parle. Elle a de la chance, elle.*

ellébore n. f. Plante vivace vénéneuse.
On écrit aussi : hellébore.

ellipse n. f. *1* Mot dans une phrase qu'on ne répète pas ou qu'on n'exprime pas. *Si l'on dit « Moi, je mange du poisson et toi, de la viande », il y a une ellipse du verbe « manger ». 2* Figure géométrique qui a la forme d'un cercle aplati.

La trajectoire de la Terre autour du Soleil est une ellipse.

Terre

elliptique adj. *1* Se dit d'une phrase qui contient une ellipse. *2* En forme d'ellipse. *La courbe elliptique que la Terre décrit autour du Soleil.*

élocution n. f. Façon d'articuler les mots. *Cet élève a un défaut d'élocution : il bégaye.*

éloge n. m. Paroles par lesquelles on fait les louanges de quelqu'un ou de quelque chose. *Le jour des prix, cette comédienne a été couverte d'éloges.*
Ce film a eu des critiques élogieuses, contenant des éloges.

éloigné, ée adj. Qui est loin, dans le temps ou dans l'espace. *La date de nos vacances est encore trop éloignée pour que nous préparions le voyage. Une maison très éloignée du centre-ville.*
Contraire : proche.
L'éloignement de son domicile et de son bureau lui pose un problème, le fait qu'il soient éloignés l'un de l'autre.

éloigner v. → conjug. **aimer.** Mettre plus loin. *Éloignez les enfants du feu, sinon ils vont se brûler. Ne vous éloignez pas, vous allez vous perdre !*
Contraire : rapprocher.

élongation n. f. Lésion accidentelle et douloureuse d'un muscle ou d'un ligament. *Il ne pourra pas participer au match dimanche car il s'est fait une élongation.*

éloquent, ente adj. *1* Qui s'exprime bien et facilement. *Cet orateur éloquent a convaincu l'assemblée. 2* Qui dit ou exprime bien ce qu'il veut dire. *Préférer garder un silence éloquent.*
Synonyme : significatif (2).
Ce député parle avec éloquence, il est éloquent (1).

élu, ue n. Personne qui a gagné une élection. *Applaudir les nouveaux élus.*

Eluard Paul

Poète français né en 1895 et mort en 1952. Son vrai nom est Eugène Grindel. Dans ses premiers poèmes, Eluard exprime son horreur de la guerre et ses idées pacifistes (*le Devoir et l'Inquiétude*, 1917 ; *Poèmes pour la paix*, 1918). Après la Première Guerre mondiale, il rejoint le mouvement surréaliste (*Mourir de ne pas mourir*, 1924). Ses poèmes chantent l'amour de la vie et la passion amoureuse (*l'Amour, la poésie*, 1929 ; *la Vie immédiate*, 1932). À partir de 1933, Eluard choisit d'écrire dans un langage qu'il veut accessible à tous. Engagé politiquement, il lutte contre le fascisme et entre dans la Résistance. Il met la poésie au service de la défense de la liberté et du rejet de la haine (*Poésie et vérité*, 1942 ; *Au rendez-vous allemand*, 1944…).

élucider v. → conjug. **aimer.** Rendre compréhensible ce qui était obscur. *Réussir à élucider une énigme.*

élucubrations n. f. plur. Idées bizarres et absurdes. *Des élucubrations sans intérêt.*

éluder v. → conjug. **aimer.** Éviter habilement. *Éluder une question délicate, une difficulté.*

élytre n. m. Aile supérieure très dure de certains insectes, qui protège les ailes transparentes.

élytre

Quand l'insecte est posé, les élytres recouvrent et protègent les fines ailes membraneuses qui servent au vol, formant une sorte d'étui coriace. Deux groupes d'insectes possèdent des élytres : celui des scarabées et des coccinelles et celui des criquets et des sauterelles.

aile membraneuse

émacié, ée adj. Très maigre. *Un visage émacié.*

e-mail n. m. Plur. : des e-mails. *1* Courrier électronique. *2* Adresse électronique.

émail n. m. Plur. : des émaux. *1* Couche dure qui recouvre l'ivoire des dents. *2* Enduit dur et brillant qui protège des objets de céramique ou de métal. *Une baignoire, un évier en émail. 3* Au pluriel. Objets ou bijoux émaillés.
Émailler un objet ou une surface, c'est les recouvrir d'une couche d'émail (2).

émanation n. f. Odeur, le plus souvent désagréable. *Des émanations de gaz, de soufre.*

émanciper v. → conjug. **aimer.** Rendre libre et indépendant. *Ce peuple a fini par s'émanciper.*
L'émancipation des femmes au xxe siècle, le fait qu'elles se soient émancipées.

émaner v. → conjug. **aimer.** Provenir de. *Ce nouveau décret émane du gouvernement.*

emballer v. → conjug. **aimer. 1** Envelopper dans du papier, du carton, des caisses. *Emballer les assiettes et les verres pour le déménagement.* **2** Familier. Enthousiasmer. *Ce film m'a emballé.* **3** *S'emballer* : partir à toute vitesse. *Le cheval a eu peur et s'est emballé.*
Synonyme : **empaqueter** (*1*). Contraire : **déballer** (*1*).
L'emballage de la vaisselle, c'est l'action de l'emballer (*1*). *Son emballement pour cet auteur n'a pas duré,* le fait qu'il se soit emballé (*2*) pour cet auteur.

embarcadère n. m. Lieu aménagé pour embarquer et débarquer des voyageurs ou des marchandises.
Synonyme : **débarcadère.**

embarcation n. f. Petit bateau. *Une embarcation trop légère pour une telle traversée.*

embardée n. f. Écart brusque que fait un véhicule. *Pour éviter un chien, la voiture a fait une embardée.*

embargo n. m. Interdiction officielle d'exporter ou d'importer une marchandise. *Mettre l'embargo sur le pétrole d'un pays.*

embarquer v. → conjug. **aimer. 1** Monter dans un bateau ou dans un avion. *On va bientôt embarquer pour les îles.* **2** Charger dans un véhicule. *Embarquer des marchandises à livrer.* **3** Familier. Entraîner quelqu'un dans une affaire compliquée ou malhonnête. *Il s'est embarqué dans une drôle d'histoire.*
Contraire : **débarquer** (*1* et *2*).
L'embarquement est prévu à 8 heures, le fait d'embarquer (*1*).

embarras n. m. **1** Gêne, malaise d'une personne qui ne sait pas comment réagir. *Cette question indiscrète m'a mis dans l'embarras.* **2** *Avoir l'embarras du choix* : avoir le choix entre de nombreuses possibilités.

embarrasser v. → conjug. **aimer. 1** Gêner le passage, encombrer. *Cette armoire est trop grande, elle embarrasse le couloir.* **2** Mettre quelqu'un dans l'embarras. *Ma question l'a embarrassée, elle n'a pas voulu me répondre.*
Synonyme : **troubler** (*2*).
Une situation embarrassante, qui embarrasse (*2*).

embaucher v. → conjug. **aimer.** Engager pour un travail. *Elvis va sans doute être embauché pour un concert.*
Contraires : **débaucher, licencier.**
Il espère une embauche, être embauché.

embaumer v. → conjug. **aimer. 1** Remplir d'une odeur très agréable. *Le chèvrefeuille embaume la cour.* **2** *Embaumer un cadavre* : le traiter avec des substances qui le conservent.

embellir v. → conjug. **finir.** Rendre plus beau. *Embellir un jardin en plantant des roses. Cette jeune fille embellit en grandissant.*
Contraire : **enlaidir.**

s'emberlificoter v. → conjug. **aimer.** Familier. S'embrouiller, s'empêtrer. *S'emberlificoter dans ses explications.*

embêter v. → conjug. **aimer. 1** Familier. Importuner, agacer, contrarier. *Il n'arrête pas d'embêter son petit frère. Ça m'embête de te savoir malade.* **2** Familier. Ennuyer beaucoup. *Ce livre m'embête. Elle s'embête à la campagne, elle ne sait pas quoi faire.*
Tu es embêtant avec tes questions, tu m'embêtes (*1*). *N'avoir que des embêtements,* des choses qui embêtent (*1*), des ennuis, des soucis.

d'emblée adv. Tout de suite, aussitôt. *Ils se sont rencontrés et d'emblée ils sont devenus amis.*

emblème n. m. Objet qui représente et symbolise une idée, un pays, etc. *La balance est l'emblème de la justice.*

emboîter v. → conjug. **aimer. 1** Faire entrer des pièces les unes dans les autres. *Deux os qui s'emboîtent par une articulation.* **2** *Emboîter le pas* : marcher juste derrière quelqu'un, le suivre de près.

embolie n. f. État d'un vaisseau sanguin qui est bouché par un caillot de sang.

embonpoint n. m. Excès de graisse, de poids. *Faire du sport pour lutter contre l'embonpoint.*

embouché, ée adj. *Mal embouché* : désagréable et grossier dans ses paroles ou ses actes.

embouchure n. f. **1** Endroit où un fleuve se jette dans la mer. *L'embouchure du Rhône forme un delta.* **2** Partie d'un instrument de musique qu'on porte à sa bouche pour en jouer. *L'embouchure d'un saxophone.*

s'embourber v. → conjug. **aimer.** S'enliser dans la boue. *La moto s'est embourbée et ne peut plus avancer.*

embout n. m. Petite pièce de caoutchouc, de métal, fixée au bout d'un objet de forme allongée. *L'embout d'une canne.*

embouteiller v. → conjug. **aimer.** Encombrer une route, au point de ralentir ou de bloquer la circulation. *Au moment des départs en vacances, les autoroutes sont embouteillées.*
L'embouteillage est dû à un accident, le fait que la route soit embouteillée.

emboutir v. → conjug. **finir.** Abîmer un véhicule en le heurtant violemment. *Emboutir l'avant d'une voiture en reculant.*

embranchement n. m. Endroit où une route se divise en plusieurs routes.

s'embraser v. → conjug. **aimer**. Prendre feu. *La grange remplie de foin s'est embrasée très vite.*

embrasser v. → conjug. **aimer**. *1* Donner un ou des baisers. *Embrasser ses parents avant d'aller se coucher.* *2* Voir dans son ensemble. *Du belvédère, on embrasse tout le paysage alentour.*
　　Des embrassades sans fin, c'est l'action de s'embrasser (*1*).

embrasure n. f. Ouverture dans un mur. *L'embrasure d'une porte, d'une fenêtre.*

embrayer v. → conjug. **payer**. Actionner le mécanisme qui permet au moteur d'un véhicule d'entraîner les roues.
On prononce [ãbʀeje]. **Contraire : débrayer.**
　　L'embrayage est cassé, le dispositif qui permet d'embrayer.

embrigader v. → conjug. **aimer**. Contraindre ou convaincre quelqu'un d'entrer dans un groupe. *Elles ont refusé de se laisser embrigader dans un parti politique.*

embrocher v. → conjug. **aimer**. Enfiler un aliment sur une broche pour le faire cuire. *Embrocher un mouton pour faire un méchoui.*

embrouillé, ée adj. Extrêmement confus. *La situation est de plus en plus embrouillée.*

embrouiller v. → conjug. **aimer**. *1* Emmêler, enchevêtrer. *Les fils sont embrouillés, il va falloir les démêler.* *2* Rendre confus, difficile à comprendre. *Un nouvel événement est venu embrouiller davantage cette affaire.* *3* S'embrouiller : perdre le fil de ses idées, s'empêtrer. *Elle était tellement troublée qu'elle s'est embrouillée dans ses explications.*

embruns n. m. plur. Petites gouttes d'eau de mer apportées par le vent.

embryon n. m. Être vivant au premier stade de son développement. *Un embryon se forme après la fécondation.*
　　Un projet embryonnaire est un projet qui est au tout début de son développement.

embûches n. f. plur. Difficultés, obstacles. *Un parcours pénible, semé d'embûches.*

s'embusquer v. → conjug. **aimer**. Se cacher pour guetter quelqu'un ou l'attaquer de manière inattendue. *Plusieurs soldats se sont embusqués derrière des arbres.*
　　Une embuscade est un piège tendu par quelqu'un qui s'est embusqué.

éméché, ée adj. Familier. Légèrement ivre. *Deux coupes de champagne ont suffi pour qu'il soit éméché.*

émeraude n. f. Pierre précieuse de couleur verte.
L'émeraude est exploitée depuis l'Antiquité. En Égypte, on la taille déjà pour la fabrication de bijoux vers 2000 av. J.-C. Aujourd'hui, la Colombie, le Brésil et l'Inde comptent parmi les principaux pays producteurs.

Émeraude taillée.

Émeraude brute.

émerger v. → conjug. **ranger**. Apparaître à la surface de l'eau. *Seule une partie des icebergs émerge.*

émeri n. m. *Toile émeri :* papier râpeux qui sert à polir une surface.

émerveiller v. → conjug. **aimer**. Frapper d'admiration mêlée d'étonnement. *Le spectacle du cirque a émerveillé les enfants.*
　　Nous avons regardé ce tableau avec émerveillement, nous étions émerveillés.

émetteur, trice adj. et n. m.
● adj. Qui émet des sons ou des images. *Le poste émetteur est en panne.*
● n. m. Appareil émetteur. *Un émetteur radio.*

émettre v. → conjug. **mettre**. *1* Envoyer des sons, des images grâce à des ondes. *Cette chaîne de télévision émet jour et nuit.* *2* Produire un son, une lumière. *Le basson émet des sons graves.* *3* Mettre en circulation. *La Poste a émis de nouveaux timbres.* *4* Exprimer une idée. *Émettre un avis favorable.*

émeu n. m. Très grand oiseau d'Australie, qui ne peut pas voler. *L'émeu ressemble à l'autruche.*

émeute n. f. Soulèvement violent d'une foule. *La famine a provoqué des émeutes.*
　　Les émeutiers ont été réprimés, ceux qui participaient à une émeute.

émietter v. → conjug. **aimer**. Réduire en miettes ou en petits morceaux. *Émietter du pain.*

émigrer v. → conjug. **aimer**. Quitter son pays d'origine pour aller s'établir dans un autre pays. *Être contraint d'émigrer pour échapper à la guerre.*
Synonymes : s'exiler, s'expatrier. Contraire : immigrer.
　　Ce pays a accueilli des émigrants, des personnes en train d'émigrer. *L'émigration* est l'action d'émigrer. *Ces émigrés ont fui la dictature de leur pays*, ces personnes qui ont émigré.

éminemment adv. Au plus haut degré, extrêmement. *Une personnalité éminemment respectable.*
On prononce [eminamã].

éminence n. f. **1** Élévation de terrain. *Grimper sur une éminence pour découvrir la mer.* **2** Avec une majuscule. Titre donné à un cardinal.

éminent, ente adj. Extrêmement important. *Ce diplomate a joué un rôle éminent dans la négociation entre les deux pays.*

émir n. m. Prince ou chef d'État dans certains pays musulmans.
Un *émirat* est un pays gouverné par un émir.

Émirats arabes unis

Fédération de l'est de la péninsule Arabique, bordée au nord par le golfe Persique. Les Émirats arabes unis regroupent sept émirats : Abu Dhabi, Dubaï, Sharjah, Ras al-Khaïmah, Fujaïrah, Umm al-Qaïwain et Ajman.
Une grande partie de leur territoire est désertique. Des travaux d'irrigation ont cependant permis le développement de l'agriculture. La pêche est aussi un secteur actif, mais l'essentiel de l'économie, florissante, repose surtout sur l'exploitation des énormes ressources en pétrole et gaz naturel. Les habitants des Émirats ont un des niveaux de vie les plus élevés du monde ; ils ne paient aucun impôt.
Sous domination britannique à partir de 1892, les Émirats forment une fédération indépendante depuis 1971.

83 600 km²
2 937 000 habitants :
les Émiriens
Langue : arabe
Monnaie : dirham
Capitale : Abu Dhabi

émissaire n. m. Personne chargée d'une mission officielle ou secrète.

émission n. f. Partie d'un programme de télévision ou de radio. *Ils regardent une émission sur l'Égypte au temps des pharaons.*

emmagasiner v. → conjug. **aimer. 1** Mettre de côté, en réserve, accumuler. *Certains animaux emma-* gasinent de la nourriture pour l'hiver. **2** Au figuré. Garder en mémoire. *Pour passer cet examen, il faut avoir emmagasiné beaucoup de connaissances.*

emmancher v. → conjug. **aimer.** Fixer à un manche. *Emmancher un râteau, un balai.*

emmanchure n. f. Endroit où est cousue la manche d'un vêtement.

emmêler v. → conjug. **aimer.** Embrouiller, mélanger plusieurs choses, en désordre. *Le fil de sa canne à pêche est tout emmêlé.*
Contraire : démêler.

emménager v. → conjug. **ranger.** S'installer dans un logement. *Ils ont trouvé un nouvel appartement et ils emménagent la semaine prochaine.*
Contraire : déménager.
Ils ont réparti un *emménagement* sur plusieurs jours, l'action d'emménager.

emmener v. → conjug. **promener.** Amener une personne avec soi d'un lieu à un autre. *Emmener un enfant chez le médecin.*

emmenthal n. m. Variété de gruyère qui a de gros trous. *L'emmenthal est originaire de Suisse.*
On prononce [emɛ̃tal].

s'emmitoufler v. → conjug. **aimer.** S'envelopper confortablement dans des vêtements chauds. *S'emmitoufler pour ne pas avoir froid.*

emmurer v. → conjug. **aimer.** Enfermer derrière un mur ou bloquer sous des tas de pierres. *Les habitants de l'immeuble écroulé se sont retrouvés emmurés.*

émoi n. m. Vive émotion causée par l'inquiétude. *L'explosion d'une bombe a mis tout le quartier en émoi.*

émotion n. f. Trouble qu'on ressent quand il arrive quelque chose d'agréable ou de désagréable. *Quelle émotion de se retrouver après tant d'années !*
Cet élève *émotif* a du mal à s'exprimer en public, il est troublé par l'émotion.

émousser v. → conjug. **aimer. 1** Rendre moins coupant, moins pointu. *Ce couteau est émoussé, il faut l'aiguiser.* **2** Rendre un sentiment moins vif. *Avec le temps, leur passion s'est émoussée.*
Synonymes : affaiblir (2), atténuer (2).

émoustiller v. → conjug. **aimer.** Rendre gai et de bonne humeur.

émouvoir v. → conjug. **mouvoir.** Provoquer une émotion. *Sa mort accidentelle a profondément ému son entourage.*
Synonyme : bouleverser.
Ce film est très *émouvant*, il émeut.

empailler v. → conjug. **aimer.** Remplir de paille la peau d'un animal mort pour le conserver.

empaqueter v. → conjug. **jeter.** Mettre en paquet, emballer. *Empaqueter des cadeaux avant de les envoyer.*
Contraires : déballer, dépaqueter.

s'emparer v. → conjug. **aimer.** *1* Prendre de force ou habilement. *S'emparer d'une forteresse. Il s'est emparé du ballon et ne veut plus le rendre. 2* Envahir quelqu'un quand il s'agit d'un sentiment. *Devant un tel spectacle, l'indignation s'est emparée d'elle.*

s'empâter v. → conjug. **aimer.** Prendre de l'embonpoint. *S'empâter en vieillissant.*

empêcher v. → conjug. **aimer.** *1* Ne pas permettre qu'une chose se produise, la rendre impossible. *Le bébé a pleuré toute la nuit et m'a empêché de dormir. 2* Ne pas pouvoir s'empêcher de : ne pas pouvoir se retenir de faire quelque chose. *En apprenant la triste nouvelle, elle n'a pas pu s'empêcher de pleurer.*
> Un *empêchement* est un événement qui empêche (*1*) de faire ce qui était prévu.

empereur n. m. Titre donné aux souverains de certains États. *L'empereur du Japon habite le palais impérial.*

empester v. → conjug. **aimer.** Sentir mauvais. *Il faut aérer, cette pièce empeste le tabac.*

s'empêtrer v. → conjug. **aimer.** *1* S'emmêler dans quelque chose. *La mariée s'est empêtrée dans sa traîne. 2* S'embrouiller. *S'empêtrer dans des explications confuses.*
Contraire : se dépêtrer.

emphase n. f. Façon solennelle et prétentieuse de s'exprimer. *Manquer de simplicité en parlant avec emphase.*
> Il parle toujours d'un ton *emphatique*, plein d'emphase.

empierrer v. → conjug. **aimer.** Recouvrir de pierres. *Empierrer un chemin avant de le goudronner.*

empiéter v. → conjug. **aimer.** S'étendre en partie sur un espace qui appartient à autrui. *Nos voisins ont construit un mur qui empiète sur notre jardin.*
> L'*empiétement* sur ce terrain est illégal, le fait d'empiéter.

s'empiffrer v. → conjug. **aimer.** Familier. Manger énormément. *S'empiffrer de sucreries.*
Synonymes : se gaver, se goinfrer.

empiler v. → conjug. **aimer.** Mettre des choses en pile, l'une sur l'autre. *Empiler des assiettes.*

empire n. m. *1* État gouverné par un empereur ou une impératrice. *2 Sous l'empire de quelque chose :* sous son influence. *Il a agi sous l'empire de l'alcool.*

Empire

Après la Révolution française, qui prend fin avec le coup d'État de Bonaparte du 18 brumaire de l'an VIII (9 novembre 1799), la France connaît, au cours du XIXe siècle, le régime politique du Consulat, puis deux régimes impériaux : le premier et le second Empire.

Regarde p. 255 et 384-385.

---

empirer v. → conjug. **aimer.** Devenir pire. *Son état de santé a empiré brutalement.*
Synonyme : s'aggraver. Contraire : s'améliorer.

empirique adj. Qui s'appuie sur l'expérience et l'observation et non pas sur une méthode scientifique. *Des procédés empiriques.*

emplacement n. m. Endroit destiné à une chose. *Choisir un emplacement pour monter sa tente.*

emplâtre n. m. Pansement adhésif enduit d'une pommade épaisse. *Il a fallu lui poser un emplâtre sur sa brûlure.*

emplette n. f. Achat de marchandises. *Faire quelques emplettes au marché.*

emplir v. → conjug. **finir.** Rendre plein. *Emplir une coupe de champagne.*
Synonyme : remplir.

emploi n. m. *1* Travail grâce auquel on gagne sa vie. *Il est au chômage et cherche un emploi. 2* Fait ou manière d'employer une chose. *L'emploi de ce produit est dangereux. Le mode d'emploi explique comment se servir de la machine. 3 Emploi du temps :* ce qu'on a à faire pour une période déterminée. *Cette année, notre emploi du temps est très chargé.*

employer v. → conjug. **essuyer.** *1* Faire travailler quelqu'un et lui verser un salaire. *Cette entreprise emploie une dizaine de salariés. 2* Utiliser quelque chose, s'en servir. *Employer du plâtre pour boucher les trous. 3 S'employer à faire quelque chose :* s'en occuper activement. *Il s'est employé à finir ses dessins.*
> Un *employé* est une personne qui est employée (*1*) dans un bureau, un magasin, etc. L'*employeur* est la personne qui emploie (*1*) quelqu'un à son service.

empocher v. → conjug. **aimer.** Recevoir une somme d'argent. *Il a empoché 500 euros en gagnant au Loto.*

empoigner v. → conjug. **aimer.** *1* Saisir en serrant fortement dans sa main. *Le bûcheron empoigne sa hache pour couper un arbre. 2 S'empoigner :* se battre ou se disputer vivement.

Assister à une **empoignade**, à une discussion de gens qui s'empoignent (*2*).

empoisonner v. → conjug. **aimer.** Rendre malade ou tuer avec du poison. *Être empoisonné par des champignons vénéneux.*

Être hospitalisé pour un **empoisonnement**, pour avoir été empoisonné. *Un* **empoisonneur** est un meurtrier qui empoisonne des gens.

emporter v. → conjug. **aimer.** *1* Prendre avec soi. *Les enfants emportent leur goûter à l'école. 2 L'emporter sur quelqu'un :* être victorieux. *3 S'emporter :* se mettre en colère.

Un moment d'**emportement**, un moment où l'on s'emporte (*3*).

empoté, ée adj. Maladroit, peu dégourdi. *Il est trop empoté pour se débrouiller tout seul.*

s'empourprer v. → conjug. **aimer.** Devenir pourpre, rouge. *Un visage qui s'empourpre de rage.*

empreint, einte adj. Qui exprime un certain sentiment. *Un sourire empreint de douceur.*
Homonyme : emprunt.

empreinte n. f. Trace laissée sur une surface. *Un renard a laissé ses empreintes dans la neige.*

s'empresser v. → conjug. **aimer.** Se dépêcher de faire quelque chose. *Elvis s'empresse de partir à son rendez-vous.*

Il est très **empressé** auprès de sa grand-mère, il s'empresse auprès d'elle. *Il a agi avec* **empressement**, il s'est empressé.

emprise n. f. Influence qui s'exerce sur une personne ou un groupe. *L'emprise des médias sur l'opinion.*

emprisonner v. → conjug. **aimer.** Mettre en prison. *Emprisonner des malfaiteurs.*
Synonymes : écrouer, incarcérer.

Il a été condamné à six mois d'**emprisonnement**, au fait d'être emprisonné six mois.

emprunt n. m. *1* Somme d'argent ou chose qu'on a empruntées. *Rembourser un emprunt sur cinq ans. 2 Nom d'emprunt :* pseudonyme.
Homonyme : empreint.

emprunté, ée adj. Qui manque de naturel et d'aisance. *Il a vraiment l'air emprunté dans ce smoking !*
Synonymes : gauche, embarrassé.

emprunter v. → conjug. **aimer.** *1* Se faire prêter quelque chose. *Emprunter des disques à un ami.*

2 Utiliser tel chemin pour circuler. *Pour traverser la voie ferrée, il faut emprunter la passerelle.*

L'**emprunteur** s'est engagé à rembourser en cinq ans, la personne qui emprunte (*1*).

ému, ue adj. Qui est plein d'émotion. *Il était tellement ému qu'il a remercié en bégayant.*

émulation n. f. Sentiment qui pousse à faire aussi bien ou mieux que les autres. *Il y a une grande émulation au sein de l'équipe.*

émule n. Personne qui cherche à en égaler ou à en surpasser une autre. *Cet écrivain a fait beaucoup d'émules.*

émulsion n. f. Présence dans un liquide de gouttelettes qui ne peuvent pas se mélanger à lui. *Dans de l'eau, l'huile forme une émulsion.*

1. en prép. Indique de nombreux compléments : *1* Le lieu : *habiter en France. 2* Le temps : *en automne, les feuilles tombent. 3* La matière : *une table en marbre. 4* Le moyen : *se déplacer en vélo. 5* La manière d'être : *être en sueur, en colère.*
Homonyme : an.

2. en pron. *1* Pronom personnel qui remplace un complément introduit par la préposition « de ». *Tu as de l'argent ? Oui, j'en ai. 2* Indique le lieu d'où l'on vient. *J'étais à la librairie, j'en reviens tout juste.*
Homonyme : an.

encablure n. f. Ancienne unité de mesure dans la marine, utilisée pour les petites distances. *L'encablure représentait un peu moins de 200 mètres.*

encadrement n. m. *1* Ce qui sert à encadrer quelque chose. *Choisir un encadrement très simple. 2* Ensemble de personnes qui encadrent un groupe. *L'encadrement est assuré par plusieurs moniteurs.*

encadrer v. → conjug. **aimer.** *1* Mettre dans un cadre. *Cette belle photo mérite d'être encadrée. 2* Être responsable d'un groupe de personnes. *En colonie de vacances, les enfants sont encadrés par des moniteurs.*

encaissé, ée adj. Resserré entre des parois abruptes. *Suivre un chemin étroit et encaissé dans la montagne.*

encaisser v. → conjug. **aimer.** Toucher une certaine somme d'argent en paiement. *L'électricien a déjà encaissé le montant de la facture.*

encart n. m. Feuille qu'on insère dans un livre ou une revue. *Faire paraître un encart publicitaire.*

en-cas n. m. inv. Repas léger qu'on emporte au cas où l'on aurait un peu faim. *Pour la randonnée, il a préparé un petit en-cas.*
On écrit aussi : encas.

l'Empire

Après s'être emparé du pouvoir par le coup d'État de 1799, Napoléon Bonaparte se fait nommer consul à vie en 1802. Le 2 décembre 1804, profitant de son immense popularité, il se fait sacrer empereur des Français sous le nom de Napoléon Ier.

le sacre

Comme Charlemagne, mille ans auparavant, Napoléon reçoit sa couronne des mains du pape (Pie VII), venu exprès de Rome.
La cérémonie se déroule dans la cathédrale Notre-Dame de Paris.
L'Empereur se couronne lui-même puis couronne l'impératrice Joséphine.

un pouvoir absolu

Napoléon Ier gouverne seul ; il n'admet aucune opposition. Il renforce le pouvoir de la police, supprime la liberté de la presse, contrôle l'ensemble de la vie intellectuelle et artistique. Il nomme lui-même les hauts fonctionnaires de son gouvernement. Dans son palais des Tuileries, il rétablit la vie de cour, distribuant des titres de noblesse à ses généraux.
Napoléon poursuit les réformes administratives et judiciaires entreprises sous le Consulat.
Il achève la rédaction du Code civil ou Code Napoléon. Bien que de nombreux articles aient été amendés au fil du temps, ce Code est encore en usage en France et dans d'autres pays qui s'en sont inspiré.
Napoléon encourage aussi le développement du commerce et de l'industrie, rétablissant ainsi la prospérité économique.

les guerres napoléoniennes

Les quinze années de son pouvoir sont marquées par des guerres incessantes avec tous les pays européens. Napoléon veut dominer l'Europe. L'Angleterre se dresse contre son ambition, organise des coalitions et bloque les bateaux de commerce français. Avec sa Grande Armée, les « grognards », l'Empereur remporte d'abord d'éclatantes victoires : Austerlitz, Iéna, Eylau… En 1809, l'Empire est à son apogée ; la plus grande partie du continent européen est soumise aux lois françaises. Mais les peuples se révoltent et, à partir de 1812, après la terrible campagne de Russie, où la Grande Armée est anéantie (500 000 morts), Napoléon ne peut faire face au soulèvement de l'Europe.
La France est envahie et l'Empereur abdique le 6 avril 1814.

l'exil et la fin de l'Empire

Napoléon est exilé sur l'île d'Elbe. Il en revient en 1815 et reprend le pouvoir durant les Cent-Jours. Mais il est à nouveau vaincu à Waterloo par une Europe coalisée. Il est alors déporté sur l'île de Sainte-Hélène, où il meurt en 1821. En 1840, ses cendres sont déposées aux Invalides à Paris.

le Second Empire

Le 20 décembre 1848, le prince Louis-Napoléon Bonaparte, neveu de Napoléon Ier dont il célèbre les exploits, est élu président de la IIe République. Le 2 décembre 1851, il s'empare de tous les pouvoirs par un coup d'État. En 1852, il met au point une Constitution qui rétablit l'Empire, et prend le nom de Napoléon III. Très autoritaire à ses débuts, le régime s'assouplit ensuite, et la France connaît une période de grande prospérité économique. Mais, en 1870, le pays est entraîné dans une guerre contre l'Allemagne. La défaite de Sedan met fin au second Empire. La IIIe République est proclamée le 4 septembre 1870.

encastrer v. → conjug. **aimer.** Faire entrer quelque chose dans un espace creux. *Ce four est prévu pour être encastré dans le mur.*

Un lave-vaisselle *encastrable*, qui peut être encastré.

encaustique n. f. Produit pour cirer le bois.

1. enceinte adj. Qui doit accoucher d'un bébé. *Elle est enceinte et aimerait bien avoir une fille.*

2. enceinte n. f. Fortification qui entoure une ville. *Autrefois, les enceintes protégeaient des attaques.*

encens n. m. Substance qui répand un parfum quand on la fait brûler.

encenser v. → conjug. **aimer.** Couvrir de louanges. *Ce film a été encensé par la critique.*

encercler v. → conjug. **aimer.** Entourer de tous les côtés. *La ville est encerclée par les troupes ennemies.* Synonyme : cerner.

L'*encerclement* du quartier par la police, c'est l'action de l'encercler.

enchaîner v. → conjug. **aimer. 1** Attacher à l'aide d'une chaîne. *Enchaîner un chien dangereux.* **2** S'enchaîner : se succéder de façon logique. *Les événements se sont enchaînés comme prévu.*

Nous avons subi un *enchaînement* d'événements malheureux, le fait qu'ils se soient enchaînés (2).

enchanté, ée adj. **1** Très content, ravi. *Ils sont rentrés enchantés de leur voyage.* **2** Qui a un pouvoir magique. *Ce conte se passe dans une forêt enchantée.*

enchantement n. m. **1** Chose qui enchante. *Ce séjour a été un enchantement.* **2** Comme par enchantement : comme par miracle.

enchanter v. → **aimer.** Plaire beaucoup. *Cette croisière l'a enchanté.* Synonyme : ravir.

enchanteur, eresse adj. et n.
• adj. Qui enchante. *Un décor enchanteur.*
• n. Magicien. *Lire l'histoire de Merlin l'enchanteur.*

enchère n. f. *Vente aux enchères :* vente publique au cours de laquelle les objets sont vendus à la personne qui offre le prix le plus élevé.

s'enchevêtrer v. → conjug. **aimer.** S'emmêler, s'embrouiller. *Démêler des cordages qui se sont enchevêtrés.*

Un *enchevêtrement* de fils électriques, des fils enchevêtrés.

enclave n. f. Terrain ou territoire à l'intérieur d'un autre. *En France, dans les Pyrénées, il y a une enclave espagnole.*

enclencher v. → conjug. **aimer.** Faire fonctionner un mécanisme. *Pour reculer en voiture, il faut enclencher la marche arrière.*

enclin, ine adj. Qui a, de façon naturelle, une tendance pour quelque chose. *Un élève enclin à la paresse.*

enclore v. → conjug. **clore.** Entourer d'une clôture. *Enclore une prairie.*

Un *enclos* est un terrain entouré d'une clôture.

enclume n. f. Masse de métal sur laquelle on forge les métaux. *Dans cette ancienne forge, il y a encore l'enclume du forgeron.*

encoche n. f. Petite entaille. *Faire des encoches sur un bâton.*

encoignure n. f. Coin formé par deux murs. **On prononce** [ɑ̃kɔɲyʀ] **ou** [ɑ̃kwaɲyʀ].

encolure n. f. **1** Partie d'un vêtement qui est autour du cou. *L'encolure de ce pull est trop étroite pour lui.* **2** Cou du cheval.

encombrant, ante adj. → **encombrer.**

sans encombre adv. Sans ennui, sans difficulté. *Arriver sans encombre à destination.*

encombrement n. m. Embouteillage. *Chaque week-end, il y a des encombrements sur les routes.*

encombrer v. → conjug. **aimer.** Prendre trop de place et gêner le passage. *Pauvre Elvis ! La route est encombrée !*

Ces vélos sont *encombrants* dans le couloir, ils encombrent.

à l'encontre de prép. À l'opposé de quelque chose. *Sa théorie va à l'encontre des idées reçues.*

s'encorder v. → conjug. **aimer.** S'attacher à l'aide d'une corde. *Les alpinistes s'encordent pour former une cordée.*

encore adv. **1** Indique qu'une action ou qu'un état continue. *Il est tard, mais la boulangerie est encore ouverte.* **2** Indique qu'une chose se produit de nouveau. *J'ai encore perdu mes clés.* **3** Indique une plus grande quantité. *Il veut encore des frites.* **4** Renforce un adjectif au comparatif. *Elle est encore plus belle qu'avant.* Synonymes : davantage (**3**), toujours (**1**).

encourager v. → conjug. **ranger. 1** Donner du courage à quelqu'un pour qu'il continue son action. *Applaudir les coureurs pour les encourager.* **2** Favoriser l'essor, le développement d'une activité. *L'État encourage l'industrie.* Contraire : décourager (**1**).

*Il a eu des résultats **encourageants**, qui encoura-gent (1). Merci de tes **encouragements**, de tes paroles qui encouragent (1).*

encourir v. → conjug. **courir.** Prendre le risque de s'exposer à une chose désagréable. *Encourir une amende, une peine de prison.*

encrasser v. → conjug. **aimer.** Laisser un dépôt de crasse qui empêche le bon fonctionnement. *La che-minée est encrassée, il faut la faire ramoner.*

encre n. f. Liquide coloré qu'on utilise pour écrire. *Acheter de l'encre pour remplir son stylo.*
Homonyme : ancre.

*Un **encrier** est un petit récipient qui contient de l'encre.*

encyclopédie n. f. Ouvrage qui traite et développe l'ensemble des connaissances. *Une encyclopédie sur l'art en trois volumes.*

encyclopédique adj. *1* Qui a le caractère d'une encyclopédie. *Un développement encyclopédique.* *2* Qui fait preuve de connaissances très étendues et très variées. *Un savoir encyclopédique.*

s'endetter v. → conjug. **aimer.** Emprunter de l'ar-gent et avoir des dettes. *S'endetter pour pouvoir ache-ter une voiture.*

*Un **endettement** de dix ans pour s'acheter une mai-son, c'est le fait de s'endetter.*

endiablé, ée adj. Très rapide, très vif. *Les enfants ont fait une ronde à un rythme endiablé.*

endiguer v. → conjug. **aimer.** *1* Retenir l'eau à l'aide d'une digue. *Endiguer un fleuve pour éviter les crues.* *2* Contenir dans certaines limites. *Les policiers essaient d'endiguer la manifestation.*

endimanché, ée adj. Qui a mis de plus beaux vêtements que d'habitude. *Les enfants endimanchés ont peur de se salir.*

endive n. f. Plante potagère qu'on fait pousser dans l'obscurité. *Les endives ont des feuilles blanches.*

endoctriner v. → conjug. **aimer.** Amener quel-qu'un à adopter certaines idées. *Se laisser endoctriner par un gourou.*

endolori, ie adj. Très douloureux. *Rentrer de ran-donnée avec les pieds endoloris.*

endommager v. → conjug. **ranger.** Mettre en mauvais état en causant des dommages, des dégâts. *La foudre a endommagé une partie du toit.*
Synonymes : abîmer, détériorer.

endormir v. → conjug. **dormir.** *1* Faire dormir. *Chanter une berceuse pour endormir son bébé.*

2 S'endormir : Commencer à dormir. *Je m'endormais quand le téléphone a sonné.*

endosser v. → conjug. **aimer.** *1* Mettre un vête-ment sur son dos. *Il endosse sa veste avant de sortir.* *2* Au figuré. Assumer les conséquences d'une action. *Elle n'a pas voulu endosser cette responsabilité.*

endroit n. m. *1* Lieu, place. *Il ne se souvient plus à quel endroit il a garé la voiture.* *2* Côté d'une chose qu'on voit d'habitude. *Mets ton pull à l'endroit, dans le bon sens.*
Contraire : envers (2).

enduire v. → conjug. **cuire.** Appliquer un enduit ou un produit sur une surface. *Enduire un mur avec du plâtre avant de le peindre.*

enduit n. m. Matière pâteuse qu'on étale sur une surface, pour la préparer ou la protéger. *Boucher les trous avec de l'enduit.*

endurant, ante adj. Qui est capable de bien résis-ter à la fatigue ou à la douleur. *Il faut être endurant pour escalader des glaciers.*

*Les spéléologues ont fait preuve d'une grande **endu-rance**, ils ont été très endurants.*

endurcir v. → conjug. **finir.** Rendre quelqu'un plus résistant, moins sensible. *Tous les malheurs qu'il a subis l'ont endurci.*

endurer v. → conjug. **aimer.** Subir une chose pénible. *Les peuples en guerre doivent endurer beau-coup de souffrances.*

Énée

Personnage des mythologies grecque et romaine. Énée, prince de Troie, est le fils de la déesse Aphrodite (Vénus chez les Romains) et d'un mor-tel, Anchise. À la fin de la guerre de Troie, rempor-tée par les Grecs, Énée doit s'exiler. Il parcourt alors les côtes méditerranéennes et finit par s'installer en Italie, où il est considéré comme le fondateur de la nation romaine. Les pérégrinations d'Énée sont racontées dans un poème de Virgile, l'*Énéide*, écrit de 29 à 19 av. J.-C.

en effet adv. et conj.
• adv. Sert à confirmer. *En effet, je crois que c'est toi qui avais raison.*
Synonyme : effectivement.
• conj. Sert à expliquer. *Je ne peux pas venir, en effet je suis malade.*
Synonyme : car.

énergie n. f. *1* Force physique ou morale qui pousse à l'action. *Il est plein d'énergie ce matin, il n'arrête pas de s'activer.* *2* Force qui peut produire de la chaleur ou faire fonctionner des machines. *Le gaz, le pétrole, le soleil, l'eau sont des sources d'énergie.*
Synonymes : **dynamisme** (*1*), **vigueur** (*1*), **vitalité** (*1*).
Contraires : **apathie** (*1*), **mollesse** (*1*).

> *C'est une femme **énergique**, qui a beaucoup d'énergie (1). Il a protesté **énergiquement**, de façon énergique.*

Les sources d'énergie et les formes qu'elle peut prendre sont très variées.
Regarde p. 390 et 391.

énergumène n. Individu bizarre, qui s'agite beaucoup. *Cet après-midi, j'ai rencontré un drôle d'énergumène.*

énerver v. → conjug. **aimer.** Agacer quelqu'un et le rendre nerveux. *L'embouteillage énerve Elvis.*

> *Cette porte qui grince fait un bruit **énervant**, qui énerve. Il est dans un état d'**énervement**, dans l'état d'une personne énervée.*

enfant n. *1* Garçon ou fille avant l'adolescence. *Les enfants jouent dans la cour de l'école.* *2* Fils ou fille de quelqu'un. *Une famille de trois enfants.*

> *Avoir eu une **enfance** heureuse,* la période de la vie où l'on est un enfant (*1*).

enfantillage n. m. Parole ou action puérile, qui prouve un manque de maturité. *Tu as dépassé l'âge de ces enfantillages.*

enfantin, ine adj. *1* Fait pour les enfants. *Les contes font partie de la littérature enfantine.* *2* Qui est à la portée d'un enfant. *Cet exercice de mathématiques est enfantin.*
Synonymes : **élémentaire** (*2*), **simple** (*2*).

enfer n. m. *1* Pour les chrétiens, lieu de souffrance éternelle, après la mort, pour les âmes de ceux qui ont commis des péchés. *2* Au figuré. Chose pénible, insupportable. *Leur vie est un enfer depuis que l'autoroute passe devant chez eux.*
Contraires : **ciel** (*1*), **paradis** (*1*).

enfermer v. → conjug. **aimer.** Mettre dans un lieu fermé. *S'enfermer dans sa chambre pour lire tranquillement.*

s'enferrer v. → conjug. **aimer.** S'embrouiller de plus en plus. *S'enferrer dans ses mensonges.*
Synonyme : **s'empêtrer.**

enfilade n. f. Ensemble de choses disposées en file, les unes à la suite des autres. *Toutes les pièces de l'appartement sont en enfilade.*

enfiler v. → conjug. **aimer.** *1* Passer un fil dans le trou d'une aiguille. *2* Mettre un vêtement à la hâte. *Enfiler son blouson et sortir.*

enfin adv. *1* Indique que quelque chose a fini par arriver. *Il a enfin terminé ses devoirs.* *2* Indique la fin d'une énumération ou d'une conclusion. *Pour faire la pâte à crêpes, il faut de la farine, des œufs, du sel et enfin du lait.* *3* Exprime l'impatience ou le regret. *Mais enfin, arrête de crier !*
Synonyme : **finalement** (*1* et *2*).

s'enflammer v. → conjug. **aimer.** *1* Prendre feu, s'embraser. *Si le foin est très sec, il peut s'enflammer facilement.* *2* Au figuré. Être pris d'ardeur, de passion. *Une foule qui s'enflamme.* *3* S'infecter. *Si cette plaie s'enflamme, il faut voir un médecin.*

enfler v. → conjug. **aimer.** Augmenter de volume. *Sa cheville enfle, il a dû se faire une entorse.*
Synonyme : **gonfler.**

> *Elle a une **enflure** à la joue,* sa joue a enflé.

enfoncer v. → conjug. **tracer.** *1* Faire pénétrer à fond dans quelque chose. *Enfoncer un pieu dans le sol, un clou dans le mur.* *2* Faire céder en forçant. *Enfoncer une porte.* *3* Pénétrer profondément dans quelque chose. *On enfonce dans la neige poudreuse.*

enfouir v. → conjug. **finir.** Mettre ou cacher sous la terre. *Enfouir un trésor.*
Synonyme : **enterrer.**

enfourcher v. → conjug. **aimer.** Monter à califourchon. *Enfourcher sa bicyclette.*

enfourner v. → conjug. **aimer.** Mettre dans un four. *Enfourner un gâteau pour le cuire.*

enfreindre v. → conjug. **peindre.** Ne pas respecter. *Enfreindre une loi, un règlement.*

s'enfuir v. → conjug. **fuir.** Partir à toute vitesse. *Les voleurs se sont enfuis en voyant arriver la police.*
Synonymes : **décamper, déguerpir, filer, se sauver.**

enfumer v. → conjug. **aimer.** Remplir de fumée. *Cette cheminée marche mal et enfume toute la maison.*

engageant, ante adj. Qui attire ou donne confiance. *Cette auberge isolée n'est pas très engageante.*

engager v. → conjug. **ranger.** *1* Prendre quelqu'un à son service. *Engager du personnel.* *2* Inciter, encourager à faire quelque chose. *Je t'engage à accepter sa proposition.* *3* Commencer une action. *Engager des négociations.* *4* Faire entrer dans un endroit. *Engager la clé dans la serrure.* *5* S'engager : s'enrôler dans l'armée. *6* S'engager : entrer dans une voie ou un passage. *Le train s'engage dans le tunnel.* *7* S'engager à

faire quelque chose : promettre de le faire. *S'engager à rembourser ses dettes.*
Synonyme : embaucher (1).

Tenir ses *engagements*, ce qu'on s'est engagé (**7**) à faire, ses promesses.

engelure n. f. Vive inflammation de la peau due au froid. *À force de marcher dans la neige, il a attrapé des engelures aux pieds.*

engendrer v. → conjug. **aimer.** Causer, provoquer, entraîner. *Le racisme engendre la haine.*

engin n. m. Appareil, machine ou instrument. *Une grue est un engin de chantier.*

englober v. → conjug. **aimer.** Réunir en un tout. *Un département englobe de nombreuses communes.*

engloutir v. → conjug. **finir.** **1** Avaler goulûment. *Il avait tellement faim qu'il a englouti son goûter.* **2** Faire disparaître d'un seul coup. *Engloutir toutes ses économies pour s'acheter une voiture.*
Synonyme : engouffrer (1).

engoncer v. → conjug. **tracer.** Faire paraître le cou enfoncé dans les épaules. *Tu es engoncé dans cette veste trop étroite !*

engorger v. → conjug. **ranger.** Boucher un passage ou un conduit, obstruer. *Des dépôts de calcaire engorgent le tuyau.*

L'*engorgement* des gouttières a provoqué des dégâts, le fait qu'elles soient engorgées.

engouement n. m. Admiration soudaine et exagérée. *Je ne partage pas ton engouement pour cet acteur.*

engouffrer v. → conjug. **aimer.** **1** Avaler goulûment. *Engouffrer un paquet de chips.* **2** S'engouffrer : pénétrer en masse ou brutalement quelque part. *La foule s'engouffre dans les trains de banlieue.*
Synonyme : engloutir (1).

engourdir v. → conjug. **finir.** Rendre insensible et incapable de bouger une partie du corps. *Avoir les jambes engourdies à force de rester assis.*

Faire un peu d'exercice pour lutter contre l'*engourdissement*, le fait d'être engourdi.

engrais n. m. Produit qui rend la terre plus fertile. *Ces légumes sont garantis sans engrais chimique.*

engraisser v. → conjug. **aimer.** **1** Rendre gras un animal. *Engraisser des oies.* **2** Devenir plus gras, plus gros. *Il mange trop et a beaucoup engraissé depuis quelque temps.*
Synonyme : grossir (2).

engranger v. → conjug. **ranger.** **1** Mettre à l'abri dans une grange. *Le fermier a engrangé son blé.* **2** Au

figuré. Accumuler des choses. *Engranger des connaissances.*

engrenage n. m. Mécanisme formé de deux roues dentées qui s'emboîtent pour se transmettre un mouvement qui les fait tourner.

s'enhardir v. → conjug. **finir.** Devenir plus hardi et oser faire quelque chose. *Il s'est enhardi à descendre dans le souterrain.*

énigme n. f. Chose mystérieuse, difficile à comprendre. *Les motifs de son geste restent une énigme.*

Une réponse *énigmatique*, qui a le caractère d'une énigme.

enivrer v. → conjug. **aimer.** **1** Rendre ivre. *Un verre de vin a suffi pour l'enivrer.* **2** Au figuré. Mettre quelqu'un dans un état d'exaltation. *Se laisser enivrer par ses succès.*
On prononce [ɑ̃nivRe]. **Synonymes : griser (1 et 2), soûler (1).**

Des parfums *enivrants*, qui enivrent (**2**).

enjambée n. f. Grand pas. *S'éloigner à grandes enjambées.*

enjamber v. → conjug. **aimer.** Passer par-dessus un obstacle en faisant un grand pas. *Enjamber un caniveau.*

enjeu n. m. **Plur. : des enjeux. 1** Somme d'argent qu'on mise dans un jeu. *Un enjeu de 2 000 euros.* **2** Ce qu'on risque de gagner ou de perdre dans un projet ou une entreprise. *L'enjeu de ce match est la première place du championnat.*

enjôler v. → conjug. **aimer.** Séduire par des flatteries, des belles paroles. *Elvis essaie d'enjôler le conducteur du camion.*

Un sourire *enjôleur*, qui enjôle, charme.

enjoliver v. → conjug. **aimer.** Rendre plus joli ou plus attrayant. *Enjoliver un récit en y ajoutant des détails amusants.*

enjoliveur n. m. Disque en métal qui recouvre la partie centrale d'une roue de voiture.

enjoué, ée adj. Qui montre de la bonne humeur, qui est aimable et gai. *Répondre d'une voix enjouée.*

Il répond toujours avec *enjouement*, de façon enjouée.

enlacer v. → conjug. **tracer.** Prendre quelqu'un dans ses bras en le serrant très fort. *Ils se sont enlacés avant de se quitter.*

enlaidir v. → conjug. **finir.** **1** Rendre plus laid. *De grandes tours ont enlaidi ce quartier.* **2** Devenir plus laid. *Elle a enlaidi avec cette nouvelle coiffure.*
Contraire : embellir.

l'énergie

Certaines sources d'énergie sont renouvelables, d'autres ne le sont pas, car elles dépendent d'éléments n'existant qu'en quantité limitée. Chaque forme d'énergie peut être transformée en une autre forme d'énergie.

les énergies renouvelables

■ **L'énergie musculaire** peut être transformée en énergie mécanique et assurer le déplacement (cycliste, rameur, animal de trait…). Jusqu'à l'invention des machines, ce fut l'énergie la plus utilisée.

■ **L'énergie éolienne** (énergie du vent) peut être transformée en énergie mécanique ou électrique. En tournant sous l'effet du vent, les pales de l'éolienne entraînent un axe qui actionne une pompe ou un générateur. L'énergie éolienne a longtemps été la seule énergie utilisée par les navigateurs ; elle était également utilisée dans les moulins à vent.

Des éoliennes.

■ **L'énergie hydraulique** (énergie de l'eau) peut être transformée en énergie mécanique ou électrique. Elle faisait autrefois tourner les meules des moulins à eau. Elle sert encore aujourd'hui à faire tourner les turbines électriques au pied des barrages.

Un barrage.

■ **L'énergie marémotrice** est l'énergie produite par le mouvement des marées et transformée en énergie électrique. Elle est notamment utilisée par l'usine de la Rance, en Bretagne.

Un geyser.

■ **L'énergie géothermique** est l'énergie produite par les nappes d'eau chaude souterraines. Elle est parfois utilisée comme moyen de chauffage.

■ **L'énergie solaire** est indispensable à la vie sur Terre. Énergie lumineuse et thermique, elle est récupérée par des capteurs et utilisée pour chauffer l'eau et les habitations.

Des capteurs solaires.

■ **L'énergie chimique** est produite par les réactions de certains éléments entrant en contact entre eux. Elle peut être transformée en énergie thermique et électrique (piles, accumulateurs).

■ **L'énergie électrique** est la plus utilisée de toutes. Fabriquée à partir de nombreuses autres énergies, elle est abondamment produite. Elle peut être transformée en énergie lumineuse, thermique, mécanique (éclairage, trains, voitures, appareils domestiques de toutes sortes).

■ **La biomasse**, formée par l'ensemble des ressources végétales (bois, plantes, paille) et des déchets d'animaux (fumier), fournit de l'énergie thermique, c'est-à-dire de la chaleur.

■ Ce sont toutes les énergies fossiles, c'est-à-dire les énergies qui proviennent de combustibles dont les gisements se trouvent dans le sous-sol de la planète en quantité limitée : charbon, pétrole, gaz naturel et uranium.

■ **Le charbon** a été très tôt utilisé pour fournir de l'énergie thermique ; il est à l'origine des premières machines à vapeur et de la production électrique.

■ **Le pétrole et le gaz naturel**, qui ont en grande partie remplacé le charbon, sont utilisés pour l'alimentation des moteurs, le chauffage et également pour la production électrique. Puisés dans le sol grâce aux derricks, ils sont traités dans les raffineries.

Une mine de charbon.

Un derrick.

Une raffinerie de pétrole.

Tours (refroidissement de la vapeur).

Réacteur (réaction nucléaire).

Turbines (production d'électricité).

L'uranium est à la base de l'énergie nucléaire qui sert aujourd'hui, dans son exploitation pacifique, à la plus grande partie de la production électrique.

Minerai d'uranium.

Dans une centrale nucléaire, l'énergie est libérée lors d'une réaction que l'on provoque dans le réacteur. Il s'ensuit une série d'explosions qui dégage une énorme quantité de chaleur. Cette chaleur transforme de l'eau en vapeur qui fait tourner les turbines. Les turbines produisent du courant électrique.

enlèvement n. m. *1* Action d'enlever une chose d'un endroit. *Les éboueurs s'occupent de l'enlèvement des ordures ménagères.* *2* Action d'enlever une personne par la force. *Un enlèvement d'enfant.*
Synonymes : kidnapping (2), rapt (2).

enlever v. → conjug. **promener.** *1* Ôter, retirer quelque chose ou le déplacer. *Enlever son manteau. Enlève ce vélo qui gêne le passage.* *2* Faire disparaître. *Essayer d'enlever des traces de rouille.* *3* Emmener quelqu'un par la force. *Un enfant a été enlevé, on recherche le ravisseur.*
Synonymes : kidnapper (3), ravir (3).

s'enliser v. → conjug. **aimer.** *1* S'enfoncer petit à petit. *S'enliser dans la vase.* *2* Au figuré. Ne pas progresser, piétiner. *La négociation s'enlise.*
  Risquer l'enlisement dans des sables mouvants, de s'enliser (*1*).

enluminure n. f. Lettre, dessin qui ornaient les anciens manuscrits.

enneigé, ée adj. Couvert de neige. *Les montagnes sont enneigées en hiver.*
  L'enneigement d'une station de sports d'hiver, son caractère enneigé.

Une enluminure de la fin du XIVᵉ siècle.

ennemi, ie n. et adj.
• n. *1* Personne qui en déteste une autre et lui veut du mal. *La victime avait des ennemis.* *2* Pays contre lequel on est en guerre. *3* Personne opposée à quelque chose. *Un ennemi du progrès technique.*
Synonyme : adversaire (3). Contraires : ami (1), allié (2), partisan (3).
• adj. Qui concerne l'ennemi contre qui l'on est en guerre. *Les chars ennemis.*

ennui n. m. *1* Sentiment d'une personne qui s'ennuie. *Elle meurt d'ennui quand elle est à la campagne.* *2* Événement fâcheux qui cause des difficultés ou du souci. *Avoir de gros ennuis d'argent.*
Synonyme : problème (2).

ennuyer v. → conjug. **essuyer.** *1* Causer du souci, du tracas, de la contrariété. *Ça l'ennuie de savoir que les enfants sont restés seuls.* *2* Ne pas amuser ni intéresser. *Ce livre m'ennuie. On s'est ennuyé à cette soirée.* *3* S'ennuyer de quelqu'un : regretter son absence.
Synonymes : contrarier (1), embêter (2). Contraires : distraire (2), passionner (2).

ennuyeux, euse adj. *1* Qui n'est pas intéressant ni amusant. *Ce film est très ennuyeux, ne va pas le voir.*

2 Qui contrarie ou cause du souci. *C'est ennuyeux que tu ne puisses pas venir.*
Synonymes : embêtant (1 et 2), fâcheux (2). Contraire : passionnant (1).

énoncé n. m. Texte qui présente les données d'un problème ou d'un exercice.

énoncer v. → conjug. **tracer.** Dire, formuler, exprimer. *Énoncer clairement les faits.*

s'enorgueillir v. → conjug. **finir.** Être fier de quelque chose et en tirer orgueil. *S'enorgueillir de ses exploits.*
On prononce [sɑ̃nɔʀgœjiʀ].

énorme adj. *1* Très gros et très grand. *Cet éléphant est énorme.* *2* Très grave ou très important. *Une différence énorme. Avoir un énorme succès.*

énormément adv. Beaucoup, ou de façon excessive. *Avoir énormément de chance. Manger énormément.*

énormité n. f. *1* Caractère énorme de quelque chose. *L'énormité d'un défaut.* *2* Action ou parole stupide, extravagante. *Dire une énormité.*

s'enquérir v. → conjug. **acquérir.** Se renseigner pour savoir quelque chose. *S'enquérir des horaires d'avion pour Marseille.*

enquête n. f. *1* Recherche d'indices, de témoignages, destinée à découvrir la vérité. *La police mène l'enquête.* *2* Étude faite à partir de l'avis et de l'expérience des gens. *Publier une enquête sur les habitudes alimentaires des consommateurs.*
  Un détective enquête sur le crime, il fait une enquête (*1*). *Les enquêteurs sont sur une piste,* les personnes qui enquêtent (*1*).

s'enraciner v. → conjug. **aimer.** *1* Développer ses racines dans la terre. *Pour que cet arbre s'enracine, il faut l'arroser souvent.* *2* Au figuré. Se fixer solidement dans l'esprit. *Des préjugés qui se sont enracinés.*

enragé, ée adj. Malade de la rage. *Abattre un chien enragé.*

enrager v. → conjug. **ranger.** *1* Être très en colère. *Il enrage d'avoir échoué.* *2* Faire enrager quelqu'un : le taquiner ou l'embêter.

enrayer v. → conjug. **payer.** *1* Diminuer ou arrêter le développement de quelque chose. *Enrayer une épidémie, l'inflation.* *2* S'enrayer : se bloquer brusquement. *L'arme s'est enrayée et le coup n'est pas parti.*

enregistrement n. m. *1* Action d'enregistrer des sons, des images, des informations. *L'enregistrement d'une émission sur une cassette.* *2* Fait d'enregistrer des bagages.

enregistrer v. → conjug. **aimer.** *1* Fixer des sons, des images, des informations pour pouvoir les reproduire. *Enregistrer une émission de télévision.* *2* Retenir dans sa mémoire. *Avoir du mal à enregistrer le nouveau code de l'immeuble.* *3* Inscrire sur un registre public. *Faire enregistrer la naissance d'un enfant à la mairie.* *4* Confier ses bagages à un service chargé de leur transport. *Enregistrer ses valises avant de prendre l'avion.*

> *Un magnétoscope est un appareil* **enregistreur**, il permet d'enregistrer (*1*) des programmes de télévision.

s'enrhumer v. → conjug. **aimer.** Attraper un rhume. *Il a eu froid et s'est enrhumé.*

enrichir v. → conjug. **finir.** Rendre riche ou plus riche. *L'industrie du pétrole a beaucoup enrichi ce pays. S'enrichir en jouant aux courses.*
Contraire : appauvrir.

> *Son* **enrichissement** *a provoqué des jalousies,* le fait qu'il se soit enrichi.

enrober v. → conjug. **aimer.** Recouvrir un produit de quelque chose qui protège ou garnit. *Un Esquimau à la vanille enrobé de chocolat.*

enrôler v. → conjug. **aimer.** Faire entrer, engager quelqu'un dans l'armée.

enroué, ée adj. Qui a une voix rauque et pas très claire. *Il a mal à la gorge et est enroué.*

> *Un* **enrouement** *dû à la fumée,* le fait d'être enroué.

enrouler v. → conjug. **aimer.** *1* Rouler une chose sur elle-même ou autour d'une autre. *Enrouler un câble autour d'un treuil.* *2* S'enrouler : s'envelopper dans quelque chose. *S'enrouler dans une serviette en sortant de son bain.*
Contraire : dérouler (*1*).

s'ensabler v. → conjug. **aimer.** *1* Se couvrir de sable. *Ce chenal s'est peu à peu ensablé.* *2* S'enfoncer dans le sable. *Essayer de pousser une voiture qui s'est ensablée sur la plage.*

ensanglanté, ée adj. Taché de sang. *Les vêtements ensanglantés d'une victime.*

enseignant, ante n. → enseigner.

enseigne n. f. Panneau ou emblème qui signale un magasin. *L'enseigne lumineuse d'un supermarché.*

Les enseignes existent depuis l'Antiquité. Chez les Romains, ce sont des tableaux ou des bas-reliefs placés sur les devantures, qui représentent l'activité de l'artisan ou les produits vendus. Au Moyen Âge, les enseignes sont sculptées dans la pierre de la façade et peintes. Les enseignes pendantes, placées perpendiculairement au mur, existent dès le xve siècle, mais

Une ancienne enseigne de restaurant.

n'apparaissent en France qu'à partir du xviie siècle. Ce sont généralement des ouvrages en fer forgé ou des panneaux peints.

enseignement n. m. *1* Action ou manière d'enseigner. *L'enseignement des langues se fait grâce à des moyens audiovisuels.* *2* Métier d'enseignant. *Souhaiter travailler dans l'enseignement.* *3* Leçon qu'on peut tirer d'une expérience ou d'un fait. *Tirer les enseignements de son échec.*

enseigner v. → conjug. **aimer.** *1* Transmettre des connaissances à des élèves. *Ce professeur enseigne la géographie et l'histoire.* *2* Montrer par une expérience. *Cette mésaventure lui a enseigné la prudence.*
Synonyme : apprendre.

> *Les instituteurs, les professeurs sont des* **enseignants**, *des personnes qui enseignent (1).*

ensemble adv. et n. m.
● adv. *1* L'un avec l'autre ou les uns avec les autres. *Tous les enfants de la classe jouent ensemble.* *2* En même temps, simultanément. *Ils se sont précipités tous ensemble vers la sortie.* *3* Aller ensemble : former un tout harmonieux. *Ces deux couleurs vont bien ensemble.*
● n. m. *1* Série d'éléments constituant un tout. *Une ville est composée d'un ensemble d'habitants.* *2* Vêtement féminin composé d'un haut et d'un bas assortis. *Pour la fête de l'école, elle a mis son ensemble rose.* *3* Dans l'ensemble : en général, le plus souvent. *4* Grand ensemble : groupe d'immeubles divisés en appartements.

ensemencer v. → conjug. **tracer.** Répandre des graines dans la terre. *Ensemencer un champ après labourage.*

ensevelir v. → conjug. **finir.** *1* Enterrer un mort. *2* Recouvrir entièrement. *La niche du chien est ensevelie sous la neige.*

ensoleillé, ée adj. Où il y a du soleil. *Cette chambre au sud est très ensoleillée.*

> *Pour ces fleurs, l'* **ensoleillement** *est déconseillé,* un endroit qui est ensoleillé.

a b c d e f g h i j k l m n o p q r s t u v w x y z

ensommeillé, ée adj. Qui est mal réveillé et a encore sommeil. *Partir à l'école encore tout ensommeillé.*

ensorceler v. → conjug. **jeter.** Jeter un sort en exerçant une influence magique. *Dans ce conte, une princesse est ensorcelée par une sorcière.*
Synonyme : envoûter (*1*).

ensuite adv. *1* Après dans le temps, plus tard. *Fais tes devoirs d'abord, ensuite tu pourras jouer. 2* Après dans l'espace, derrière. *La fanfare défile en tête, ensuite viennent les chars fleuris.*

s'ensuivre v. → conjug. **suivre.** Venir comme conséquence logique. *Condamner la guerre et tous les drames qui s'ensuivent.*
S'ensuivre ne s'emploie qu'à la troisième personne.

entaille n. f. Coupure plus ou moins profonde. *Se faire bêtement une entaille avec un couteau.*
  Il s'est entaillé le pied en marchant pieds nus, il s'est fait une entaille aux pieds.

entamer v. → conjug. **aimer.** *1* Couper ou commencer à manger le premier morceau d'un aliment. *Le charcutier a entamé un nouveau jambon. 2* Commencer, entreprendre quelque chose. *Entamer une discussion. 3* Commencer à abîmer une matière. *L'acide entame certains métaux.*
  L'entame d'un pain, d'un jambon, d'un rôti, c'est la partie qu'on entame (*1*).

entartrer v. → conjug. **aimer.** Recouvrir d'une couche de tartre. *Le calcaire entartre les tuyaux.*

entasser v. → conjug. **aimer.** *1* Disposer des choses en tas. *Entasser des vieilles revues dans son grenier. 2* S'entasser : se serrer les uns contre les autres dans un espace exigu.*
Synonymes : amonceler (*1*), empiler (*1*).
  Un entassement de livres, un ensemble de livres entassés.

entendre v. → conjug. **répondre.** *1* Percevoir les sons grâce à nos oreilles. *J'entends les cloches sonner. 2* Écouter attentivement. *Tu entends ce que je te dis ? 3* Comprendre. *Elle n'entend absolument rien à la mécanique. 4* S'entendre : être amis. *On s'entend bien avec nos voisins. 5* S'entendre : se mettre d'accord. *Nous nous sommes entendus sur une date. 6* S'y entendre : s'y connaître.*
  Une bonne entente entre des personnes, c'est le fait qu'elles s'entendent (*4*) bien.

entendu, ue adj. *1* Décidé, convenu après accord. *Tu nous rejoins ? C'est entendu ! 2* Qui prouve une complicité. *Regarder quelqu'un d'un air entendu.*

3 Bien entendu : bien sûr, évidemment. *Bien entendu, il est encore en retard.*

entente n. f. → **entendre.**

enterrer v. → conjug. **aimer.** *1* Mettre le corps d'une personne morte en terre. *Il est enterré dans le cimetière de son village. 2* Mettre, enfouir dans la terre. *Le chien a enterré son os dans le jardin.*
Synonymes : ensevelir (*1*), inhumer (*1*). Contraires : déterrer (*2*), exhumer (*1*).
  Assister à un enterrement, à la cérémonie au cours de laquelle on enterre (*1*) quelqu'un.

en-tête n. m. **Plur. : des en-têtes.** Indication du nom et de l'adresse de l'expéditeur en haut d'une feuille de papier à lettres.

s'entêter v. → conjug. **aimer.** Persister obstinément dans ce qu'on a décidé de faire et ne pas céder. *Il s'entête à vouloir sortir malgré l'orage.*
Synonyme : s'obstiner.
  Il manifeste de l'entêtement, il s'entête. *C'est un enfant entêté*, qui manifeste de l'entêtement, qui est têtu.

enthousiasme n. m. Sentiment d'excitation, de joie, de profonde admiration. *Le public a manifesté son enthousiasme en applaudissant longtemps.*
  Ce film nous a enthousiasmés, il nous a remplis d'enthousiasme. *C'est un projet enthousiasmant pour nous*, qui nous enthousiasme. *Les spectateurs étaient enthousiastes*, pleins d'enthousiasme.

entier, ère adj. *1* Qu'on considère dans son ensemble. *Cette nouvelle a fait le tour du monde entier. 2* À quoi rien ne manque, qui est complet, intact. *Le gâteau est entier, personne ne l'a entamé 3* Qui est absolu, sans réserve. *Avoir une entière confiance en quelqu'un. 4* Se dit d'un nombre qui ne contient pas de décimale. 5* Qui n'admet pas de nuances et manque de souplesse. *Un caractère entier. 6* En entier : complètement, totalement.*
  Une maison entièrement détruite par le feu, en entier (*6*), totalement.

entomologie n. f. Science qui étudie les insectes.
  Une entomologiste est une femme spécialiste d'entomologie.

entonner v. → conjug. **aimer.** Se mettre à chanter. *Elvis a réussi à passer, il entonne une chanson.*

entonnoir n. m. Ustensile en forme de cône qui se termine par un tube. *Un entonnoir sert à verser un liquide dans un récipient à ouverture étroite.*

entorse n. f. Blessure qui est une déchirure des ligaments d'une articulation. *Elle s'est fait une entorse à la cheville en jouant au basket.*

entortiller v. → conjug. **aimer.** Envelopper dans quelque chose qu'on tord aux deux bouts. *Les chocolats sont entortillés dans du papier doré.*

entourer v. → conjug. **aimer. 1** Être autour de quelque chose. *Une grille entoure le jardin.* **2** Mettre autour. *Entourer un paquet avec une grosse ficelle.* **3** Vivre habituellement avec quelqu'un ou le fréquenter. *Cet homme est entouré de gens peu recommandables.* **4** S'occuper de quelqu'un avec soin et affection. *Dans ce centre, les personnes âgées sont bien entourées.*

> *L'entourage d'une personne,* se sont les gens qui l'entourent (**3**).

entracte n. m. Moment d'interruption entre les parties d'un spectacle. *Cette pièce est très courte et ne comporte pas d'entracte.*

s'entraider v. → conjug. **aimer.** S'aider les uns les autres. *C'est normal de s'entraider entre voisins.*

> *Grâce à leur entraide, ils sont plus forts,* grâce au fait qu'ils s'entraident.

entrailles n. f. plur. Ensemble d'organes contenus dans le ventre.

entrain n. m. Bonne humeur, ardeur, enthousiasme. *Tu es pleine d'entrain ce matin !*

entraîner v. → conjug. **aimer. 1** Pousser et emporter au loin. *Les feuilles mortes sont entraînées par le vent.* **2** Communiquer le mouvement à un mécanisme. *C'est la chaîne qui entraîne les roues d'un vélo.* **3** Inciter à faire quelque chose. *C'est son copain qui l'a entraîné à faire des bêtises.* **4** Causer, provoquer. *Le tremblement de terre a entraîné d'énormes dégâts.* **5** Faire faire des exercices à un sportif pour le préparer à une compétition. *Entraîner une équipe.*

> *Une musique entraînante,* qui entraîne (**3**) par son rythme. *Un sportif qui suit un entraînement intensif,* qui s'entraîne (**5**). *Un entraîneur est une personne qui entraîne (**5**) les sportifs.*

entraver v. → conjug. **aimer.** Gêner la bonne marche ou la progression de quelque chose, y mettre un obstacle. *Une révélation qui entrave le déroulement d'un procès.*

> *Le décret est une entrave à la liberté de la presse,* il entrave la liberté, il y fait obstacle.

entre prép. et préfixe.

● prép. Introduit différents compléments pour signifier : **1** Un intervalle dans l'espace. *La distance entre deux villes.* **2** Un intervalle dans le temps. *Attendre quelqu'un entre onze heures et midi.* **3** La comparaison. *La ressemblance entre des jumeaux.* **4** Le choix. *Hésiter entre partir et rester.*

● préfixe. Indique : **1** L'intervalle qui sépare deux choses. *Un entracte.* **2** La réciprocité. *S'entre-tuer.* **3** Qu'une action se fait incomplètement. *Entrouvrir.* Homonyme : antre.

entrebâiller v. → conjug. **aimer.** Ouvrir à peine. *Entrebâiller une fenêtre pour aérer une pièce.* Synonyme : entrouvrir.

> *Ils se sont parlé dans l'entrebâillement d'une porte,* dans l'ouverture d'une porte entrebâillée.

entrechoquer v. → conjug. **aimer.** Heurter légèrement deux choses l'une contre l'autre. *Entrechoquer ses verres pour trinquer.*

entrecôte n. f. Tranche de viande de bœuf découpée dans les côtes.

entrecouper v. → conjug. **aimer.** Interrompre par instants. *Une émission entrecoupée de publicité.*

entrecroiser v. → conjug. **aimer.** Croiser des choses plusieurs fois. *Entrecroiser des brins de ficelle pour faire une corde.* Synonyme : entrelacer.

entrée n. f. **1** Moment où l'on entre quelque part. *Dès l'entrée du professeur dans la classe, les élèves se taisent.* **2** Endroit par lequel on entre. *Elvis arrive devant l'entrée de l'immeuble.* **3** Droit ou possibilité d'entrer quelque part. *L'entrée de ce château est interdite au public.* **4** Plat qu'on sert au début d'un repas. *Manger une salade en entrée.* Synonymes : arrivée (**1**), accès (**2** et **3**). Contraire : sortie (**1** et **2**).

entrefaites n. f. plur. *Sur ces entrefaites :* à ce moment-là.

entrefilet n. m. Très court article dans un journal.

entrelacer v. → conjug. **tracer.** Entrecroiser. *Des lianes qui s'entrelacent.*

entremêler v. → conjug. **aimer.** Mêler plusieurs choses. *Il a entremêlé son récit de mensonges.*

entremets n. m. Plat sucré qui se mange en dessert. *Un entremets à la vanille.*

entremise n. f. *Par l'entremise de quelqu'un :* par son intermédiaire. *Acheter une maison par l'entremise d'une agence.*

entrepont n. m. Espace compris entre deux ponts d'un navire.

entreposer v. → conjug. **aimer.** Déposer momentanément et provisoirement des choses quelque part. *Entreposer ses livres chez un ami.*

> *Un entrepôt est un bâtiment où sont entreposées des marchandises.*

entreprendre v. ➔ conjug. **prendre.** Commencer à faire une chose souvent longue ou pénible. *Entreprendre de repeindre sa maison.*

   *C'est une femme très **entreprenante**, qui aime entreprendre.*

entrepreneur n. m. Personne qui dirige une entreprise, qui se charge d'exécuter des travaux. *Ils ont demandé des devis à plusieurs entrepreneurs avant de refaire la peinture de leur maison.*

entreprise n. f. *1* Action qu'on entreprend. *Se lancer dans une entreprise de longue haleine.* *2* Société industrielle ou commerciale. *Diriger une entreprise de transports routiers.*

entrer v. ➔ conjug. **aimer.** *1* Passer de l'extérieur à l'intérieur d'un lieu. *Tu peux entrer, la porte est ouverte.* *2* Commencer à être dans telle situation ou à faire partie d'un groupe. *Il a passé des concours pour entrer dans l'Administration. Elle est entrée au collège à onze ans.* *3* Être un des éléments de quelque chose, en faire partie. *Du jasmin entre dans la composition de ce parfum.*
Contraire : sortir (*1*).

entresol n. m. Étage situé entre le rez-de-chaussée et le premier étage dans certains immeubles.

entre–temps adv. Pendant ce temps-là, d'ici là. *Je reviens la semaine prochaine, entre-temps j'espère que les travaux seront finis.*

entretenir v. ➔ conjug. **venir.** *1* Prendre soin d'une chose pour la garder propre ou en bon état. *Entretenir ses chaussures avec du cirage.* *2* Assurer à quelqu'un les moyens de vivre. *Il a une famille nombreuse à entretenir.* *3* *S'entretenir avec quelqu'un :* parler avec lui, discuter. *Elvis s'entretient avec le producteur.*

entretien n. m. *1* Action d'entretenir quelque chose. *Plusieurs jardiniers s'occupent de l'entretien du parc.* *2* Fait de s'entretenir avec quelqu'un sur un sujet précis. *Les employées ont sollicité un entretien avec le directeur.*
Synonyme : entrevue (*2*).

s'entre–tuer v. ➔ conjug. **aimer.** Se tuer l'un l'autre ou les uns les autres.

entrevoir v. ➔ conjug. **voir.** *1* Apercevoir rapidement. *Je l'ai entrevu, mais je n'ai pas eu le temps de lui parler.* *2* Commencer à percevoir. *Entrevoir un espoir, une solution.*

entrevue n. f. Rencontre organisée à l'avance entre des personnes. *Les chefs d'État ont échangé leurs points de vue lors de leur entrevue.*
Synonyme : entretien.

entrouvrir v. ➔ conjug. **couvrir.** Ouvrir un petit peu. *Le professeur a entrouvert une fenêtre pour aérer la salle de classe.*
Synonyme : entrebâiller.

énumérer v. ➔ conjug. **digérer.** Dire les uns après les autres les éléments d'un ensemble. *Énumérer dans l'ordre les lettres de l'alphabet, de a à z.*

   *Il s'est borné à l'**énumération** des faits, à les énumérer.*

envahir v. ➔ conjug. **finir.** *1* Entrer de force dans un pays. *Des troupes ennemies ont envahi cette région.* *2* Remplir entièrement un espace. *Les mauvaises herbes ont envahi le jardin.* *3* Occuper l'esprit de quelqu'un. *Un vent de panique a envahi la foule.*
Synonyme : occuper (*1*).

   *Des herbes **envahissantes**, qui envahissent (*2*) tout. L'**envahissement** d'un pays par les ennemis, c'est l'action de l'envahir (*1*). Chasser les **envahisseurs**, ceux qui ont envahi (*1*) un pays.*

s'envaser v. ➔ conjug. **aimer.** *1* Se remplir de vase. *Ce port s'envase peu à peu.* *2* S'enliser dans la vase. *Ce bateau s'est envasé.*

enveloppe n. f. *1* Pochette en papier servant à contenir une lettre, un message. *Écrire l'adresse sur l'enveloppe.* *2* Ce qui enveloppe quelque chose et le protège. *L'enveloppe des petits pois s'appelle la cosse.*

envelopper v. ➔ conjug. **aimer.** Entourer quelque chose complètement d'un papier ou d'un tissu pour le protéger. *Envelopper la vaisselle dans du papier journal pour le déménagement.*

s'envenimer v. ➔ conjug. **aimer.** *1* S'infecter. *Sa blessure s'est envenimée.* *2* Au figuré. Devenir plus virulent, plus violent. *La conversation s'est envenimée, ils ont fini par se battre.*

envergure n. f. *1* Étendue des ailes déployées d'un oiseau ou distance entre les extrémités des ailes d'un avion. *2* Au figuré. Capacité, importance ou valeur de quelqu'un. *Un homme d'une grande envergure.*

1. envers prép. En ce qui concerne quelqu'un, à l'égard de. *Se montrer exigeant envers ses élèves.*

2. envers n. m. Côté d'une chose qu'on ne voit pas d'habitude. *Tu as mis ton pull à l'envers.*
Contraire : endroit.

envie n. f. *1* Jalousie. *Regarder avec envie l'ordinateur de son copain.* *2* Avoir envie de quelque chose : en avoir besoin ou le désirer. *Il a envie de dormir. Avoir envie d'un vélo neuf.* *3* Faire envie : tenter quelqu'un. *Ce gâteau au chocolat nous fait vraiment envie.*

   *Il a une situation **enviable**, qui fait envie (*3*). Elle **envie** toujours ses amis, elle a toujours envie (*2*)* d'avoir ce qu'ils ont ou de faire ce qu'ils font. *Une personne envieuse est une personne qui envie les autres (1).*

environ adv. De façon approximative. *Compter environ une heure pour faire un trajet.*
Synonyme : à peu près. Contraire : exactement.

environnant, ante adj. → **environner.**

environnement n. m. Milieu dans lequel on vit. *Veiller à préserver l'environnement.*

environner v. → conjug. **aimer.** Être autour ou dans le voisinage d'un lieu. *Ce village est environné de forêts.*
Nous nous sommes promenés dans la campagne environnante, qui environne, qui est tout autour.

environs n. m. plur. Lieux se trouvant dans le voisinage. *Faire une petite promenade dans les environs.*
Synonyme : alentours.

envisager v. → conjug. **ranger.** *1* Avoir une intention, un projet. *Envisager de prendre ses vacances en juillet. 2* Examiner quelque chose, y penser. *Il faut envisager plusieurs solutions.*
Synonyme : projeter (1).
Il y a plusieurs possibilités envisageables, qu'on peut envisager (2).

envoi n. m. *1* Action d'envoyer. *Décider l'envoi de troupes à la frontière. 2* Lettre ou colis qui ont été envoyés. *Recevoir un envoi recommandé. 3* Coup d'envoi : premier coup donné au ballon qui marque le début d'un match.

s'envoler v. → conjug. **aimer.** *1* Partir dans l'air en volant. *Tous les oiseaux se sont envolés en même temps. 2* Partir en avion. *S'envoler pour la Grèce. 3* Être entraîné par le vent. *Toutes ses feuilles de papier se sont envolées à cause du vent.*
L'aigle prend son envol, il s'envole (1).

envoûter v. → conjug. **aimer.** *1* Ensorceler. *C'est l'histoire d'un sorcier qui envoûte les gens. 2* Au figuré. Charmer, fasciner, subjuguer. *Se laisser envoûter par un spectacle.*
Le paysage envoûtant des déserts, qui envoûte (2). *La musique exerce sur lui un véritable envoûtement,* elle l'envoûte (2).

envoyer v. *1* Lancer, jeter. *Envoyer un ballon dans les buts. 2* Demander à quelqu'un d'aller quelque part. *On l'a envoyé faire les courses. 3* Adresser une lettre ou un colis par la poste. *Envoyer des cartes postales à ses amis.*
Synonyme : expédier (3). Contraire : recevoir (1 et 3).
Un envoyé spécial est un journaliste envoyé (2) en mission spéciale quelque part pour faire des repor-

tages. *Cette lettre a été retournée à l'envoyeur,* à la personne qui l'avait envoyée (3), à l'expéditeur.

La conjugaison du verbe
ENVOYER 1er groupe

indicatif présent	j'envoie, il ou elle envoie, nous envoyons, ils ou elles envoient
imparfait	j'envoyais
futur	j'enverrai
passé simple	j'envoyai
subjonctif présent	que j'envoie
conditionnel présent	j'enverrais
impératif	envoie, envoyons, envoyez
participe présent	envoyant
participe passé	envoyé

éolienne n. f. Machine qui utilise l'énergie du vent pour produire de l'électricité ou faire marcher une pompe à eau.

Une éolienne est constituée d'un pylône de hauteur variable au sommet duquel repose une roue métallique à pales, entraînée par le vent. L'énergie ainsi récupérée permet d'actionner une pompe ou un alternateur pour produire du courant électrique. L'énergie éolienne est une des plus anciennes utilisées par l'homme. Son nom vient d'Éole, dieu du Vent dans la mythologie grecque. Aujourd'hui, de nombreux pays produisent de l'électricité grâce à l'installation de champs d'éoliennes. La quantité d'électricité ainsi produite dans le monde atteindra bientôt 2000 millions de kilowatts/heure.

Un champ d'éoliennes aux États-Unis.

épagneul n. m. Chien de chasse à longs poils et aux oreilles pendantes.

épais, aisse adj. *1* Qui a telle épaisseur. *Une muraille épaisse de deux mètres.* *2* Qui a beaucoup d'épaisseur. *La couche de neige est suffisamment épaisse pour pouvoir skier.* *3* Qui est dense et compact. *Une épaisse fumée.* *4* Très consistant. *Ajouter un peu de liquide dans une crème trop épaisse.*
Contraires : fin (2), mince (2), liquide (4).

épaisseur n. f. *1* Une des trois dimensions avec la longueur et la largeur. *Des planches de trois centimètres d'épaisseur.* *2* Caractère de ce qui est épais, dense, compact. *La maison reste fraîche grâce à l'épaisseur des murs.*

épaissir v. → conjug. **finir.** *1* Rendre plus épais. *Mettre du tapioca pour épaissir la soupe.* *2* Devenir plus épais. *Le brouillard a épaissi, on ne voit plus rien.* *3* Devenir plus gros. *Elle a épaissi avec l'âge.*
Synonyme : grossir (3). Contraire : maigrir (3).

s'épancher v. → conjug. **aimer.** Parler sans retenue pour confier ses sentiments. *S'épancher auprès d'une amie.*
Être attentif aux **épanchements** d'un ami, au fait qu'il s'épanche.

s'épanouir v. → conjug. **finir.** *1* S'ouvrir complètement quand il s'agit d'une fleur. *2* Se développer pleinement. *L'école a permis à ces enfants de s'épanouir.* *3* Au figuré. Devenir joyeux et souriant. *Cette nouvelle l'a soulagé et son visage s'est soudain épanoui.*
L'**épanouissement** de quelque chose ou de quelqu'un, c'est le fait qu'ils s'épanouissent (*1, 2* et *3*).

épargner v. → conjug. **aimer.** *1* Mettre de l'argent de côté. *Épargner pour faire un grand voyage.* *2* Ne pas abîmer quelque chose. *La grêle a épargné certaines cultures.* *3* Préserver quelqu'un d'une chose désagréable. *Épargner une corvée à quelqu'un.* *4* Laisser quelqu'un en vie. *Quelques habitants ont été épargnés par le tremblement de terre.*
Synonyme : économiser (1). Contraires : dépenser, gaspiller (1).
Il a mis son **épargne** dans sa tirelire, l'argent qu'il a épargné (*1*). Les petits **épargnants** placent leur argent à la Caisse d'épargne, l'argent qu'ils ont épargné (*1*).

éparpiller v. → conjug. **aimer.** *1* Disséminer çà et là. *Un coup de vent a éparpillé tous ses papiers.* *2* S'éparpiller : ne pas se concentrer, se laisser distraire. *Elle entreprend trop de choses à la fois et elle s'éparpille.*
Synonyme : disperser (1).

L'**éparpillement** des jouets dans toute la chambre, c'est le fait qu'ils soient éparpillés (*1*).

épars, arse adj. Qui est répandu çà et là, dispersé. *Des détritus épars sur le sol.*

épaté, ée adj. Se dit d'un nez court, aplati et large à la base.

épater v. → conjug. **aimer.** Familier. Chercher à impressionner, à étonner. *Épater ses copains avec ses nouveaux rollers.*

Épaulard mâle.

épaulard n. m. Mammifère marin cousin des dauphins. L'épaulard est également appelé orque. Il peut mesurer jusqu'à 9 m de longueur et peser plus de 5 t. De couleur noire avec des taches blanches, il possède un grand aileron sur le dos. Doté d'une puissante mâchoire avec de grandes dents acérées, c'est un prédateur qui s'attaque aux grands poissons, aux phoques, aux dauphins et même aux baleines. Il peut pourtant facilement être dressé par l'homme. On rencontre l'épaulard dans tous les océans du monde.

épaule n. f. *1* Partie du corps où se trouve l'articulation des bras avec le tronc. *2* Haut de la patte avant de certains animaux de boucherie. *Acheter une épaule d'agneau.*

épauler v. → conjug. **aimer.** *1* Appuyer la crosse d'une arme contre son épaule pour viser ou tirer. *2* Aider ou soutenir quelqu'un pour qu'il réussisse. *Il a des difficultés en classe, il a vraiment besoin d'être épaulé.*

épaulette n. f. *1* Bande de tissu qui se boutonne sur l'épaule. *Certains militaires portent leurs galons sur chaque épaulette.* *2* Matière servant à rembourrer les épaules d'un vêtement. *Les épaulettes élargissent la carrure.*

épave n. f. *1* Restes d'un bateau qui a fait naufrage ou qui a été abandonné. *Des scaphandriers plongent pour essayer de trouver l'épave.* *2* Voiture qui ne peut plus servir. *Ces voitures accidentées sont devenues des épaves.* *3* Au figuré. Personne déchue et misérable. *Cet alcoolique est devenu une épave.*

épée n. f. Arme constituée d'une longue lame d'acier et d'une poignée.

épeire n. f. Araignée des bois et des jardins.

épeler v. → conjug. **jeter.** Dire une à une et dans l'ordre chaque lettre qui compose un mot.

éperdu, ue adj. Qui éprouve un sentiment profond. *Être éperdu de joie.*
Synonyme : fou.
> *Il a aimé éperdument son amie,* de manière éperdue.

éperon n. m. Pointe de métal fixée au talon des bottes d'un cavalier. *Les éperons servent à piquer les flancs du cheval et à l'exciter.*
> *Le cavalier éperonne son cheval,* il le pique avec ses éperons.

épervier n. m. Oiseau de proie proche du faucon, mais de plus petite taille.

éphémère adj. Qui a une très courte durée. *Un bonheur éphémère.*

éphéméride n. f. Calendrier dont on enlève chaque jour une feuille.

épi n. m. **1** Ensemble de grains serrés groupés autour de l'extrémité de la tige des céréales. *Des épis de blé, de maïs.* **2** Mèche de cheveux qu'on n'arrive pas à coiffer.

épice n. f. Substance végétale et aromatique utilisée en cuisine. *Le cari, le poivre, la cannelle, le piment sont des épices.*
> *Le cari est un plat épicé,* relevé par des épices.

épicéa n. m. Grand conifère des montagnes. *Une forêt d'épicéas.*

épicentre n. m. Point de la surface terrestre où un tremblement de terre est le plus violent.

épicerie n. f. Petit magasin d'alimentation. *Aller à l'épicerie acheter du lait et du beurre.*
> *L'épicier est le commerçant qui tient une épicerie.*

épidémie n. f. Propagation rapide d'une maladie contagieuse qui atteint un grand nombre de personnes en même temps. *Une épidémie de grippe.*
> *Le choléra est une maladie épidémique,* qui a le caractère d'une épidémie.

épiderme n. m. Couche superficielle de la peau.

épier v. → conjug. **modifier.** Observer ou surveiller attentivement et en cachette. *Épier ses voisins.*
Synonyme : guetter.

épieu n. m. **Plur. : des épieux.** Gros bâton avec une pointe en fer, qui servait autrefois pour la chasse.

épilation n. f. → **épiler.**

épilepsie n. f. Maladie qui se manifeste par des crises de convulsions.
> *Un épileptique* est une personne atteinte d'épilepsie.

épiler v. → conjug. **aimer.** Arracher les poils sur une partie du corps. *S'épiler les jambes et les sourcils.*
> *Un nouveau produit d'épilation,* pour s'épiler.

épilogue n. m. Conclusion d'un récit. *L'épilogue heureux de cette aventure a été un mariage.*
Synonymes : dénouement, fin. Contraires : début, prologue.

épiloguer v. → conjug. **aimer.** Faire de longs commentaires sur quelque chose. *Inutile d'épiloguer sur cette histoire sans importance.*

Épinal

Ville française de la Région Lorraine, située sur les bords de la Moselle. Épinal est un centre administratif et de services qui possède quelques industries (caoutchouc, constructions mécaniques). Une foire forestière s'y tient chaque année. La vieille cité abrite la basilique Saint-Maurice (XIe, XIIIe et XIVe siècles) ainsi que les vestiges de remparts du Moyen Âge.
Fondée au Xe siècle, la ville n'est rattachée à la couronne de France qu'en 1766. Au XIXe siècle, elle est l'un des principaux centres de production de l'imagerie populaire (gravures colorées de style naïf). Aujourd'hui, l'expression « image d'Épinal » désigne d'ailleurs une façon naïve de voir une situation.

88 *Préfecture des Vosges*
38 207 habitants : les Spinaliens

épinard n. m. Plante potagère aux feuilles vertes comestibles.

épine n. f. **1** Partie piquante qui pousse sur la tige de certaines plantes. *Cueillir des roses en faisant attention aux épines.* **2** *Épine dorsale :* colonne vertébrale.

épineux, euse adj **1** Couvert d'épines. *Les ronces sont des arbustes épineux.* **2** Au figuré. Qui est difficile à résoudre. *Le chômage est un problème épineux.*
Synonymes : délicat (2), embarrassant (2).

épingle n. f. **1** Fine tige métallique, pointue à une extrémité et munie d'une tête à l'autre. *Se servir*

d'épingles pour préparer un ourlet. **2** *Épingle à che-veux :* tige recourbée qui sert à retenir les cheveux. **3** *Épingle de nourrice* ou *de sûreté :* épingle recourbée qui comporte un fermoir. **4** *Tiré à quatre épingles :* habillé d'une manière impeccable. **5** *Tirer son épingle du jeu :* sortir adroitement d'une situation difficile.

> *La couturière* ***épingle*** *le bas du pantalon pour pré-parer l'ourlet,* elle y fixe des épingles (**1**).

épinière adj. f., **moelle épinière** n. f. → **moelle**.

épique adj. Qui a le caractère d'une épopée. *Une aventure épique, remplie d'événements cocasses.*

épisode n. m. **1** Chacune des parties d'une histoire ou d'un feuilleton. *Diffuser un feuilleton en plusieurs épisodes.* **2** Événement particulier d'une histoire. *Son enfance a été un épisode très heureux dans sa vie.*

épisodique adj. Qui a lieu de temps en temps, sans régularité. *On se rencontre de façon épisodique.*

> *Ils se voient* ***épisodiquement****, de façon épisodique.*

épitaphe n. f. Inscription gravée sur un tombeau.

épithète adj. et n. f.
• adj. Se dit d'un adjectif qui est placé immédiate-ment à côté du nom auquel il se rapporte. *« Gris » est épithète de chat dans « un chat gris ».*
• n. f. Mot qui qualifie quelqu'un. *Traiter quelqu'un de porc est une épithète injurieuse.*

éploré, ée adj. Qui est en pleurs, en larmes. *Cette petite fille éplorée a perdu ses parents dans le super-marché.*

éplucher v. → conjug. **aimer.** Retirer la peau et les parties non comestibles d'un fruit ou d'un légume. *Éplucher des pommes de terre.*

> *Pour faire cette soupe, il faut commencer par l'****éplu-chage*** *des légumes,* par les éplucher. *Le fermier donne des* ***épluchures*** *aux porcs,* les parties enle-vées en épluchant.

éponge n. f. **1** Animal marin qui vit fixé au fond des mers chaudes. **2** Objet en matière souple qui absorbe l'eau, qui sert à nettoyer. **3** Au figuré. *Passer l'éponge :* oublier ou pardonner.

éponger v. → conjug. **ranger.** Essuyer avec une éponge, un chiffon ou une serpillière.

épopée n. f. Long poème ou récit qui raconte les aventures d'un héros légendaire.

époque n. f. Période particulière de l'histoire. *Michel-Ange a vécu à l'époque de la Renaissance.*

s'époumoner v. → conjug. **aimer.** Crier de toutes ses forces à en perdre le souffle. *Pas la peine de s'épou-moner, ils sont trop loin pour entendre.*

épouser v. → conjug. **aimer.** Se marier avec quel-qu'un. *Elle a épousé un ami d'enfance.*

> *Une* ***épouse*** *est une femme qu'un homme a épou-sée. Un* ***époux*** *est un homme qu'une femme a épousé, un mari.*

épousseter v. → conjug. **jeter.** Enlever la pous-sière. *Ce chiffon sert à épousseter les meubles.*

époustoufler v. → conjug. **aimer.** Familier. Causer un très grand étonnement. *Sa prouesse nous a épous-touflés.*

> *Une réussite* ***époustouflante****,* qui époustoufle.

épouvantable adj. **1** Qui cause un sentiment d'horreur ou de peur. *Une catastrophe épouvantable a fait de nombreuses victimes.* **2** Très désagréable, très mauvais. *Hélas, il a fait un temps épouvantable.*
Synonymes : **affreux** (**2**), **effrayant** (**1**), **effroyable** (**1**), **horrible** (**1**), **terrifiant** (**1**).

> *Un animal* ***épouvantablement*** *laid,* d'une façon épouvantable (**1**).

épouvantail n. m. Sorte de mannequin qu'on place dans les champs pour éloigner les oiseaux.

épouvante n. f. Très grande peur. *Le séisme a provo-qué des scènes d'épouvante.*

> *Ce film violent a* ***épouvanté*** *les enfants,* les a rem-plis d'épouvante.

époux n. m. → **épouser**.

s'éprendre v. → conjug. **prendre.** Littéraire. Tomber amoureux de quelqu'un.

épreuve n. f. **1** Chose difficile ou douloureuse à subir. *Sa maladie a été une épreuve.* **2** Partie d'une compétition ou d'un examen. *Être reçu à l'épreuve d'histoire.* **3** *Mettre à l'épreuve :* essayer de mesurer la résistance ou la valeur d'une personne ou d'une chose. *Le producteur va mettre Elvis à l'épreuve.*

éprouver v. → conjug. **aimer.** **1** Ressentir telle sen-sation ou tel sentiment. *Éprouver une immense joie en retrouvant ses parents.* **2** Faire beaucoup souffrir. *La guerre a éprouvé toute la population.*

> *Ce fut un voyage long et* ***éprouvant****,* qui nous a éprouvés (**2**).

éprouvette n. f. Tube de verre utilisé pour faire des expériences de chimie.

épuisant, ante adj. → **épuiser**.

épuisement n. m. **1** Fait de se sentir épuisé, très fatigué. *Le malade est dans un état d'épuisement total.* **2** Fait d'utiliser quelque chose jusqu'à ce qu'il n'y en ait plus. *Ce magasin fait des soldes jusqu'à épuisement des stocks.*

épuiser v. → conjug. **aimer.** *1* Fatiguer beaucoup. *Cette longue randonnée m'a épuisé.* *2* Utiliser quelque chose jusqu'à ce qu'il n'en reste plus du tout. *Le chasseur a épuisé ses munitions.*
Synonymes : éreinter (*1*), exténuer (*1*).

> Les mineurs font un travail *épuisant*, qui les épuise (*1*).

épuisette n. f. Petit filet de pêche fixé à un manche. *Il pêche des gardons à l'épuisette.*

épurer v. → conjug. **aimer.** Rendre pur. *Épurer l'eau en la filtrant.*

> Une usine d'*épuration* des eaux usées, qui les épure.

équateur n. m. Grand cercle imaginaire à égale distance des deux pôles. *L'équateur sépare la Terre en deux hémisphères.*
On prononce [ekwatœʀ].

> Les régions *équatoriales* sont les régions situées près de l'équateur.

Équateur

République du nord-ouest de l'Amérique du Sud, située en bordure de l'océan Pacifique et traversée par l'équateur. L'archipel des Galápagos, au large, fait partie de l'Équateur. Le pays est partagé en son milieu par la cordillère des Andes, où se trouvent la capitale, Quito, et le plus haut volcan en activité, le Cotopaxi (5 897 m). À l'ouest s'étend la zone côtière et à l'est la forêt dense amazonienne, quasi inhabitée. Le climat, équatorial, varie selon le relief. L'économie repose sur la culture de la banane (1er exportateur mondial), du café et du cacao, la pêche (crevettes) et l'exploitation du pétrole. Occupé par les Incas au XVe siècle, l'Équateur est conquis par les Espagnols en 1534. Il est indépendant depuis 1830. Il bénéficie d'une stabilité politique récente.

283 561 km²
12 810 000 habitants :
les Équatoriens
Langues : espagnol,
quechua, shuar et
langues indiennes
Monnaie : sucre
Capitale : Quito

équation n. f. En algèbre, formule d'égalité entre des grandeurs dépendant les unes des autres.
On prononce [ekwasjɔ̃].

équatorial, ale, aux adj. → **équateur.**

équerre n. f.
Instrument qui sert à tracer des angles droits ou à vérifier qu'ils sont droits.

Le déplacement du pied de l'équerre sur une ligne droite permet également de tracer des lignes perpendiculaires, parallèles entre elles. Il existe plusieurs types d'équerre : simple, en T, à 45°.

Équerre simple.

équestre adj. *1* Qui concerne l'équitation. *Participer à un concours équestre.* *2* *Statue équestre :* statue représentant une personne à cheval.

équi– préfixe. Indique l'égalité.
On prononce tantôt [eki] **comme dans «équivalence»**, tantôt [ekɥi] **comme dans «équidistant».**

équidistant, ante adj. Situé à la même distance. *Les deux pôles sont équidistants de l'équateur.*
On prononce [ekɥidistɑ̃].

équilatéral, ale, aux adj. Se dit d'un triangle dont tous les côtés sont égaux.
On prononce [ekɥilateral].

équilibre n. m. *1* Position stable qui permet de ne pas tomber. *Apprendre à garder son équilibre sur un vélo.* *2* Position d'une balance quand les deux plateaux sont au même niveau. *3* Qualité d'une personne calme et sensée. *Cet enfant est instable et manque d'équilibre.*

> Une personne *équilibrée* manifeste un bon équilibre (*3*).

équilibrer v. → conjug. **aimer.** *1* Mettre en équilibre. *Il manque un poids pour équilibrer les plateaux de la balance.* *2* *S'équilibrer :* être d'importance égale. *Des dépenses et des recettes qui s'équilibrent.*

équilibriste n. Artiste de cirque qui présente des exercices d'équilibre.

équinoxe n. m. Moment de l'année où le jour et la nuit ont une durée égale.

Les équinoxes ont lieu deux fois par an, le 20 ou le 21 mars (équinoxe de printemps) et le 22 ou le 23 septembre (équinoxe d'automne). À ces dates, la zone de la Terre éclairée par le Soleil et la zone dans l'ombre sont égales. En tout point du globe, le jour et la nuit ont la même durée : douze heures.

équipage n. m. Ensemble du personnel d'un avion ou d'un bateau.

équipe n. f. *1* Ensemble de personnes qui travaillent ensemble. *Une équipe de maçons. 2* Groupe de sportifs qui jouent ensemble contre d'autres.

> Les onze *équipiers* sont les onze joueurs d'une équipe (*2*) de football.

équipée n. f. Aventure pleine d'incidents. *Cette ascension a été une véritable équipée.*

équipement n. m. Matériel ou installation nécessaires à une activité. *S'acheter un équipement pour faire de la plongée.*

équiper v. → conjug. **aimer.** Munir de ce qui est utile ou nécessaire. *Ce collège est équipé depuis longtemps d'ordinateurs.*

équipier, ière n. → équipe.

équitable adj. Conforme à l'équité, à la justice. *Faire un partage équitable pour ne favoriser personne.*

> *Des provisions ont été distribuées équitablement*, de façon équitable.

équitation n. f. Sport qu'on pratique quand on monte à cheval.

Les origines de l'équitation se confondent avec celles de l'art de dresser les chevaux, probablement apparu en Asie centrale, plus de 3 000 ans av. J.-C. Mais ce n'est qu'au XVᵉ siècle, en Europe, que l'équitation en manège (l'équitation savante) voit le jour. Au XVIIIᵉ siècle, les manèges de Versailles et des Tuileries, à Paris, sont renommés et forment de nombreux écuyers. L'équitation sportive, en plein air, apparaît au XIXᵉ siècle, mais se développe surtout au XXᵉ siècle.

Les sports équestres figurent aux jeux Olympiques depuis 1900. Les différentes disciplines sont le saut d'obstacles, le dressage et le concours complet, qui comprend un dressage, un parcours de fond et un saut d'obstacles.

équité n. f. Littéraire. Qualité qui consiste à être juste avec tout le monde. *Il est toujours impartial et il juge avec équité.*

équivalent, ente adj. et n. m.

• adj. De même valeur ou de même importance. *La surface de leurs appartements est à peu près équivalente.*

• n. m. Ce qui est équivalent. *Un kilomètre est l'équivalent de mille mètres.*

> *Une équivalence de qualité entre deux produits*, c'est leur caractère équivalent.

équivaloir v. → conjug. **valoir.** Être de même valeur. *Un kilo équivaut à mille grammes.*

équivoque adj. et n. f.

• adj. Qui peut être compris ou expliqué de différentes façons. *Une réponse qui manque de clarté et qui est équivoque.*
Synonyme : ambigu. Contraire : clair.

• n. f. Chose équivoque. *Dire sans aucune équivoque qu'on est d'accord.*
Synonymes : ambiguïté, malentendu.

érable n. m. Grand arbre des forêts. *Le fruit de l'érable est muni de deux petites ailes.*

érafler v. → conjug. **aimer.** *1* Écorcher de façon superficielle. *Les ronces lui ont éraflé les bras. 2* Faire une rayure sur une surface. *Érafler la portière d'une voiture.*

> *Il s'est fait une éraflure au genou*, il s'est éraflé.

éraillé adj. Se dit d'une voix rauque et enrouée.

ère n. f. Période de l'histoire dont le début correspond à un événement à partir duquel on compte les années. *La naissance du Christ a marqué le début de l'ère chrétienne.*
Homonymes : air, aire.

éreinter v. → conjug. **aimer.** Fatiguer énormément. *Après deux jours de déménagement, il est éreinté.*
Synonymes : épuiser, exténuer.

ergot n. m. Petite pointe que certains animaux ont derrière la patte.

On trouve des ergots sur les pattes des oiseaux mâles du groupe des gallinacés

ergot

(coq, faisan, dindon…). Ils s'en servent comme armes lors des combats entre mâles qui ont lieu notamment pour la conquête des femelles.

On appelle aussi ergot le doigt supplémentaire situé sur la partie arrière de la patte de certains chiens.

ergoter v. → conjug. **aimer.** Discuter sur des détails sans intérêt. *Perdre son temps à ergoter.*
Synonyme : chicaner.

ériger v. → conjug. **ranger.** Dresser, élever un monument, une statue en l'honneur de quelqu'un.

ermitage n. m. Littéraire. Lieu isolé et solitaire.

ermite n. m. Religieux qui vit retiré dans un lieu désert.

Éros

Divinité de la mythologie grecque, dieu de l'Amour. Fils de la déesse de la Beauté Aphrodite et du dieu de la Guerre Arès, Éros est un beau jeune homme. Il est parfois représenté avec les yeux bandés. Ses amours avec Psyché, qu'il enlève et rend immortelle, ont inspiré de nombreux artistes.
Dans la mythologie romaine, sous le nom de Cupidon, il est représenté sous les traits d'un enfant ailé, portant un arc et des flèches avec lesquelles il touche les cœurs.

érosion n. f. Usure du relief de la Terre par l'eau, le gel, le vent, les glaciers.

érotique adj. Qui concerne l'amour et le désir sexuel. *Ce film érotique est réservé aux adultes.*

errer v. → conjug. **aimer.** Marcher longtemps sans but, au hasard. *On a erré dans la forêt avant de retrouver notre chemin.*
La fourrière ramasse les chiens *errants,* qui errent.

erreur n. f. **1** Action de se tromper. *Faire une erreur dans une addition.* **2** Acte maladroit ou regrettable. *Tu as fait une grosse erreur en la traitant ainsi.*
Synonyme : faute (1).

erroné, ée adj. Qui comporte une ou plusieurs erreurs. *Des renseignements erronés.*
Synonymes : faux, inexact. Contraire : juste.

érudition n. f. Très grand savoir dans un certain domaine. *Faire preuve d'une grande érudition en histoire.*
Un *érudit* est une personne qui a beaucoup d'érudition.

éruption n. f. **1** Projection violente de lave, de cendres, de gaz qui jaillissent du cratère d'un volcan. **2** Apparition soudaine de boutons sur la peau. *La rougeole se manifeste par une éruption de boutons rouges.*
Une roche *éruptive* est une roche qui provient d'une éruption (**1**) volcanique.

Érythrée

République du nord-est de l'Afrique, située en bordure de la mer Rouge. L'Érythrée est essentiellement constituée de hauts plateaux (massif éthiopien) qui bordent une étroite bande côtière. Celle-ci se transforme, au sud, en désert (désert Danakil). Le climat, très sec et très chaud, est tempéré en altitude. La population, victime de la sécheresse, connaît souvent la famine. Très pauvre, le pays vit de l'agriculture (olivier, vigne, blé), de l'élevage et de la pêche. Les ressources minières (or, cuivre, platine, nickel…) sont encore inexploitées.
Colonie italienne à partir de 1890, l'Érythrée est, en 1952, rattachée à l'Éthiopie. Elle est indépendante depuis 1993, après trente ans de guerre avec l'Éthiopie.

117 600 km²
3 991 000 habitants :
les Érythréens
Langues : tigrinya, afar,
arabe, tigré, bilein
Monnaie : nakfa
Capitale : Asmara

esbroufe n. f. Familier. *Faire de l'esbroufe :* se vanter pour essayer d'impressionner les autres.

escabeau n. m. Plur. : **des escabeaux.** Petite échelle pliante ayant des marches larges.

escadre n. f. Ensemble de navires de guerre.

escadrille n. f. Groupe d'avions de combat.

escadron n. m. Groupe de soldats commandé par un capitaine.

escalade n. f.
1 Action d'escalader. *Entreprendre l'escalade d'une montagne.*
2 Au figuré. Aggravation ou augmentation rapide d'un phénomène. *L'escalade de la violence.*

On distingue deux types d'escalades. L'escalade libre : le grimpeur progresse en n'utilisant que les prises naturelles du relief, qui existent déjà sur la paroi rocheuse. L'escalade artificielle : le grimpeur progresse en prenant appui sur des pitons fixés dans la roche.

escalader v. ➜ conjug. **aimer.** *1* Franchir un obstacle en passant par-dessus. *Escalader un muret.* *2* Grimper en haut d'une montagne, en faire l'ascension. *Escalader le mont Blanc.*

Escalator n. m. Escalier mécanique. **Ce mot s'écrit avec une majuscule car c'est le nom d'une marque.**

escale n. f. Arrêt au cours d'un voyage. *Le navigateur a fait une escale pour réparer son mât.*

escalier n. m. *1* Suite de marches qui permettent de monter ou de descendre. *2* *Escalier mécanique* ou *roulant :* escalier mobile dont les marches sont entraînées par un moteur.

escalope n. f. Tranche mince de viande blanche ou de poisson. *Une escalope de saumon grillé.*

escamotable adj. Qui peut se replier. *Ce lit escamotable est un lit d'appoint.*

escamoter v. ➜ conjug. **aimer.** Faire disparaître une chose sans qu'on le remarque. *Le prestidigitateur a escamoté une carte.*

escampette n. f. Familier. *Prendre la poudre d'escampette :* s'enfuir rapidement.

escapade n. f. Petite promenade qu'on fait pour se distraire. *Ce week-end, nos voisins ont fait une escapade à la mer.*

escargot n. m. Petit mollusque herbivore muni d'une coquille en spirale.

escarmouche n. f. Bref combat entre des petits groupes de soldats.

escarpé, ée adj. Qui est en pente raide, qui est abrupt. *Un sentier dangereux, étroit et escarpé.*
L'escarpement d'une paroi montagneuse, son caractère escarpé.

escarpin n. m. Chaussure légère, à semelle fine.

escient n. m. *À bon escient :* avec raison et discernement. *Intervenir à bon escient dans un débat.* **Contraire : à tort.**

s'esclaffer v. ➜ conjug. **aimer.** Éclater de rire bruyamment. *Les enfants se sont esclaffés quand les clowns sont arrivés.*

esclandre n. m. Manifestation bruyante et publique d'un mécontentement. *Il y a eu un esclandre dans le magasin car un client était mécontent.*

esclave n. *1* Personne privée de toute liberté. *Autrefois, beaucoup d'esclaves travaillaient dans les plantations de coton en Amérique.* *2* Personne qui est sous la dépendance complète de quelqu'un ou de quelque chose. *Il est l'esclave de ses habitudes.*
Voter l'abolition de l'esclavage, de la condition d'esclave (*1*).

escogriffe n. m. Familier. *Grand escogriffe :* homme grand et maladroit.

escompte n. m. Réduction de prix qu'un vendeur accorde. *En payant comptant, il a eu droit à un escompte.* **Synonymes : rabais, remise.**

escompter v. ➜ conjug. **aimer.** Espérer un événement heureux. *Escompter la réussite d'une entreprise.*

escorte n. f. Groupe de personnes qui accompagnent quelqu'un, généralement pour le protéger. *Une escorte de policiers en civil.*
Des motards escortent le chef de l'État, lui servent d'escorte.

escouade n. f. Petit groupe de personnes. *Une escouade de soldats.*

escrime n. f. Sport de combat qui se pratique avec une épée, un fleuret ou un sabre.
Un escrimeur est un sportif qui pratique l'escrime
Les touches, qui doivent être portées avec la pointe des armes, sont signalées par un appareil électrique

espace n. m. *1* Étendue infinie, hors de l'atmosphère. *Lancer un nouveau satellite dans l'espace.* *2* Place, volume, surface. *Manquer d'espace pour jouer dans sa chambre.* *3* Intervalle de temps, durée d'une action. *En l'espace d'une semaine, on s'est rencontrés plusieurs fois.* *4* Distance, intervalle entre deux choses. *Laisser un espace de cinq mètres entre chaque arbre.* *5* *Espace vert :* dans une ville, terrain planté d'arbres et recouvert de verdure, de fleurs.

> *L'espacement entre deux choses,* c'est l'espace (*4*) qui les sépare.

pour le fleuret et l'épée. La durée des combats et le nombre de touches qui apportent la victoire dépendent du type d'épreuve. Chaque tireur porte des assauts. L'escrime moderne apparaît en Europe au XVᵉ siècle, mais ne se développe vraiment qu'à partir du siècle suivant. Après l'interdiction des duels au XIXᵉ siècle, l'escrime devient uniquement une discipline sportive, inscrite aux premiers jeux Olympiques, en 1896. Seuls le fleuret et le sabre figurent dans les épreuves, l'épée n'y entre qu'en 1900.

s'escrimer v. → conjug. **aimer.** Faire de gros efforts, souvent sans grand succès. *J'ai beau m'escrimer à lui expliquer, il ne comprend rien.*
Synonymes : s'acharner, s'évertuer.

escrimeur, euse n. → escrime.

escroc n. m. Personne malhonnête qui trompe les gens pour leur extorquer de l'argent ou en obtenir une faveur. *Les escrocs ont été arrêtés.*
On prononce [ɛskʀo].

escroquer v. → conjug. **aimer.** Obtenir de l'argent de quelqu'un en le trompant. *Ce vieil homme s'est fait escroquer par un charlatan.*

> *Il a été arrêté pour escroquerie,* parce qu'il avait escroqué quelqu'un.

Selon les astronomes, l'Univers serait né il y a environ 15 milliards d'années d'une sorte d'énorme explosion, le big-bang, à partir d'un noyau primitif extrêmement dense. Depuis, les savants affirment qu'il est toujours en expansion et que les galaxies, ces milliards d'étoiles appartenant à la même nébuleuse, s'éloignent rapidement les unes des autres.

Cet univers mobile, où tout est mouvement, a longtemps été observé à l'œil nu avant l'invention des lunettes astronomiques puis des télescopes. Aujourd'hui, l'observation s'est affinée grâce aux progrès techniques.

Regarde ciel et p. 406 et 407.

espacer v. → conjug. **aimer.** *1* Séparer deux choses par un espace, un intervalle. *Il faut espacer suffisamment les rosiers pour qu'ils poussent bien.* *2* Séparer par un intervalle de temps. *Espacer ses visites.*

espadon n. m. Gros poisson de mer qui a la mâchoire supérieure allongée en forme d'épée.

La mâchoire de l'espadon se prolonge par une longue pique osseuse dont il se sert pour attaquer ses proies (poissons et calmars), et qui lui a valu son autre nom de poisson-épée. Ce grand poisson peut atteindre 6 m de longueur et peser jusqu'à 500 kg. Son corps effilé est dépourvu d'écailles, son dos porte une très haute nageoire et sa bouche ne comporte pas de dents. La chair de l'espadon est estimée.

espadrille n. f. Chaussure basse en toile et à semelle de corde.

Ésope

Fabuliste grec ayant vécu entre le VIIᵉ et le VIᵉ siècle av. J.-C. Selon la légende, Ésope est un esclave, laid mais spirituel, qui, après sa libération, voyage au Moyen-Orient puis en Grèce. Ses fables, de courts récits mettant en scène des animaux aux caractères identiques à ceux des hommes, sont célèbres dès le Vᵉ siècle av. J.-C. Les fables d'Ésope ont eu une grande influence sur la littérature européenne et arabe. En France, elles ont notamment inspiré, au XVIIᵉ siècle, *les Fables* de Jean de La Fontaine.

l'espace

La conquête de l'espace débute avec l'invention de la fusée, un engin capable, grâce à la puissance et à la vitesse de sa propulsion, de s'arracher à l'attraction terrestre. L'emploi de matériaux nouveaux, de carburants spéciaux et l'utilisation de l'informatique permettent sa réalisation.

trois dates clés

1957 : mise sur orbite du premier satellite artificiel, Spoutnik 1.

1961 : à bord du vaisseau spatial Vostok 1, le Soviétique Iouri Gagarine fait le tour de la Terre en 108 minutes.

1969 : l'Américain Neil Armstrong est le premier homme à marcher sur la Lune.

■ À partir de 1969, les lancements se succèdent. Des satellites et des sondes observent l'Univers, qui livre peu à peu ses secrets.
Des informations précieuses et des photographies très précises sont recueillies aussi bien sur Vénus, que sur Neptune, Jupiter, Saturne, Mars ou Uranus. L'analyse de ces données enrichit nos connaissances sur le système solaire. D'autres satellites sont utilisés pour les télécommunications, les transmissions d'images télévisées, les prévisions météorologiques...

■ De très nombreux spationautes circulent dans l'espace. Equipés de combinaisons spatiales, ils sont soumis à l'apesanteur. Ils effectuent des missions scientifiques durant plusieurs jours, voire plusieurs mois. C'est en 1986 que les Soviétiques mettent en orbite la première station spatiale (Mir). Ce laboratoire scientifique accueille des spationautes pendant plusieurs années et est détruit le 23 mars 2001. À partir de 1995, il a permis la mise au point de l'ISS, la station en construction qui le remplace.

La Terre vue de l'espace.

fusée

Une fusée sert à mettre sur orbite des satellites ou à propulser des engins dans l'espace.
Les fusées européennes *Ariane* sont lancées à partir de la base de Kourou en Guyane.

Ariane V, mise en service en 1996, mesure plus de 50 mètres de hauteur pour une masse de 718 tonnes. Elle comporte trois étages utilisés pour la propulsion et peut mettre sur orbite plusieurs satellites à la fois.

Mars la planète rouge

Le robot Sojourner, déposé sur Mars en 1997, a photographié et exploré son sol. En 2004, les robots Spirit et Opportunity repartent à la découverte de cette planète.

satellite

Un satellite n'a pas de moteur. Mis sur orbite par un lanceur, il tourne autour de la Terre selon une trajectoire déterminée. Il perd peu à peu de sa vitesse et tombe. L'entrée dans la couche atmosphérique provoque aussitôt sa destruction.

Le satellite Spot (Satellite Pour l'Observation de la Terre) fournit des images de la Terre. Spot 1 a été lancé en 1986, Spot 5 a été mis sur orbite par Ariane 5 en 2002. La France, la Belgique et la Suède participent au financement de ce programme.

navette

Une navette spatiale est un véhicule spatial réutilisable. Elle comporte un compartiment habitable qui permet d'embarquer des astronautes. Elle sert à larguer des satellites, des sondes… et à observer la Terre.

La navette américaine Discovery ressemble à un avion à ailes delta, elle décolle comme une fusée et atterrit comme un planeur. Trois fusées sont nécessaires à sa propulsion. Sa longueur est de 45 m. Elle peut emmener 8 passagers.

Espagne

Monarchie constitutionnelle du sud-ouest de l'Europe, occupant la majeure partie de la péninsule ibérique. Les île Baléares, les îles Canaries, les enclaves de Ceuta et de Melilla en Afrique du Nord font partie du territoire espagnol.

■ L'Espagne est un pays montagneux. Son centre est occupé par un vaste plateau aride, bordé au nord par les monts Cantabriques et les Pyrénées, et au sud par la chaîne Bétique, où se trouve le point le plus élevé d'Espagne (le Mulhacén : 3 478 m).

■ Le climat est méditerranéen sur la côte est et dans le sud. La côte atlantique est soumise à des influences océaniques, le centre connaît des hivers rigoureux et des étés très chauds.

■ L'agriculture est tournée vers la production de légumes, d'agrumes, d'olives et de vin. Le secteur de la pêche est très actif sur la côte atlantique.

■ L'industrie (chimie, métallurgie, textile, constructions automobiles et navales, agroalimentaire) se développe régulièrement. Le tourisme joue un grand rôle dans l'économie.

■ Les villes comme Madrid, Barcelone, Bilbao, Valence, Salamanque, Cordoue, Séville et Grenade bénéficient d'un riche patrimoine culturel et architectural.

■ L'Espagne connaît une guerre civile de 1936 à 1939, à la suite d'un soulèvement militaire contre le gouvernement. Le conflit est remporté par les forces du général Franco contre les républicains ; Franco instaure une dictature qui dure jusqu'à sa mort, en 1975. À cette date, Juan Carlos 1er monte sur le trône d'Espagne. L'Espagne appartient à l'Union européenne.

Le 11 mars 2004, trois ans après les attentats terroristes aux États-Unis, dix bombes font plus de 200 morts et 1 400 blessés à Madrid. La participation de l'Espagne à la guerre d'Irak serait la cause de ce massacre.

La tour de la Giralda à Séville.

Fornells à Minorque, une des îles Baléares.

Des champs d'oliviers en Andalousie.

505 990 km²
40 977 000 habitants :
les Espagnols
Langues : espagnol,
basque, catalan,
galicien, valecien...
Monnaie : euro
(ex-peseta)
Capitale : Madrid

Carte : Provinces et villes principales

CANTABRIQUE
GALICE
Oviedo — Santander
ASTURIES
PAYS BASQUE
NAVARRE
St-Jacques-de-Compostelle
Bilbao
Vitoria
Pampelune
León
Burgos
Logroño
LA RIOJA
CASTILLE-
Duero
Valladolid
Saragosse
CATALOGNE
LEÓN
ARAGON
Barcelone
Salamanque
Tarragone
Ávila
MADRID
Tage
MADRID
Teruel
ESTRÉMADURE
Tolède
CASTILLE-
LA MANCHE
Palma
Guadiana
Valence
Badajoz
Júcar
VALENCE
Mérida
Albacete
BALÉARES
Murcie
Alicante
Guadalquivir
Cordoue
MURCIE
200 km
Séville
ANDALOUSIE
Cadix
Grenade
Málaga

CANARIES
Santa Cruz de Tenerife

Provinces et villes principales

espagnolette n. f. Système de fermeture d'une fenêtre commandé par une tige métallique à poignée.

espalier n. m. Mur devant lequel on plante des arbres fruitiers.

La culture en espalier permet de retenir la chaleur et de protéger les arbres du froid.

espèce n. f. **1** Catégorie d'êtres vivants qui ont des caractères communs et peuvent se reproduire entre eux. *Certaines espèces d'oiseaux sont en voie de disparition.* **2** Catégorie, genre, sorte. *Leur maison est une espèce de petit château.* **3** Au pluriel. Argent liquide. *Payer en espèces.*

espérer v. → conjug. **digérer.** Souhaiter qu'une chose que l'on désire se réalise. *J'espère qu'il n'est pas malade et qu'il va bientôt arriver.*
   Il vit dans l'espérance de retourner dans son pays, dans l'attitude de quelqu'un qui espère.

espiègle adj. Qui aime jouer des tours ou se moquer sans méchanceté.
   Son espièglerie nous fait souvent rire, son caractère espiègle.

espion, onne n. Personne chargée de surveiller quelqu'un en cachette par curiosité malveillante, pour lui nuire ou pour découvrir des secrets.
   Il n'arrête pas d'espionner son voisin, de le surveiller comme un espion. *Un agent secret condamné pour espionnage,* pour avoir espionné.

esplanade n. f. Vaste espace plat situé devant un bâtiment. *Les enfants font du roller sur l'esplanade.*

espoir n. m. **1** Sentiment de quelqu'un qui espère. *Il n'a pas perdu l'espoir de réussir son examen.* **2** Chose ou personne qui donne raison d'espérer. *Si les négo-*

ciations réussissent, c'est un espoir pour la paix. **3** Personne qui a toutes les qualités pour atteindre un haut niveau dans un domaine particulier. *Ce jeune est un espoir du tennis.*

esprit n. m. **1** La pensée, la mémoire, l'intelligence humaines. *Avoir l'esprit vif. Garder un souvenir dans son esprit.* **2** D'après certaines croyances, être invisible, fantôme. *Une maison hantée par les esprits.* **3** Finesse de l'intelligence ou sens de l'humour. *Avoir beaucoup d'esprit.* **4** Avoir bon ou *mauvais esprit* : être bienveillant ou malveillant. **5** Au pluriel. *Reprendre ses esprits* : reprendre conscience, ou se remettre d'une forte émotion. **6** *Esprit d'équipe* : solidarité existant entre des personnes qui travaillent ensemble. **7** *Présence d'esprit :* fait de réagir vite et efficacement.

esquif n. m. Petit bateau léger.

1. Esquimau n. m. Crème glacée fixée sur un bâtonnet.
Ce mot s'écrit avec une majuscule car c'est le nom d'une marque.

2. Esquimaux → Inuits.

esquinter v. → conjug. **aimer.** Familier. Abîmer. *Esquinter un stylo en cassant la plume.*

esquisser v. → conjug. **aimer.** **1** Tracer rapidement un dessin. *Esquisser un portrait en quelques coups de crayon.* **2** Commencer un geste, un mouvement. *Esquisser un pas de danse.*
   Ce portrait n'est encore qu'une esquisse, un dessin esquissé (**1**).

esquiver v. → conjug. **aimer.** **1** Éviter habilement. *Réussir à esquiver un coup.* **2** *S'esquiver :* s'en aller discrètement, sans se faire remarquer.

essai n. f. **1** Action d'essayer une chose pour juger de ses qualités et de ses défauts. *Faire l'essai de plusieurs voitures pour comparer.* **2** Action entreprise pour essayer de réussir ou d'obtenir quelque chose. *Il a battu le record dès le premier essai.* **3** Livre traitant d'un sujet sans entrer dans les détails. **4** Au rugby, action de poser le ballon derrière la ligne de but adverse.
Synonyme : tentative (2).

essaim n. m. Groupe d'insectes agglomérés. *Un essaim d'abeilles, de guêpes.*
   Les abeilles essaiment pour fonder une nouvelle ruche, elles forment un essaim.

Lorsque les abeilles se trouvent en trop grand nombre dans une ruche, la reine quitte celle-ci avec plusieurs milliers d'abeilles ouvrières, pour former une nouvelle colonie : c'est l'essaimage. Les abeilles qui ont quitté la ruche se regroupent généralement sur une branche d'arbre, formant une véritable

grappe vivante, l'essaim. Cet essaim peut être installé par un apiculteur dans une ruche vide.

essayer v. → conjug. **payer.** *1* Utiliser ou mettre sur soi une chose pour connaître ses qualités. *Essayer une nouvelle voiture. Essayer une robe. 2* Faire des efforts pour parvenir à un résultat. *Essayer de battre un record.*
Synonymes : tâcher (2), tenter (2).
  L'essayage des vêtements l'ennuie, le fait de les essayer (1).

essence n. f. *1* Carburant tiré du pétrole. *Le réservoir d'essence est déjà à moitié vide. 2* Espèce, variété d'arbre. *Cette forêt est composée d'essences très diverses. 3* Liquide concentré et aromatique provenant d'une plante.

essentiel, elle adj. et n. m.
● adj. Dont on ne peut pas se passer, ou qui est très important. *La machine est en panne, la pièce essentielle est cassée.*
Synonymes : fondamental, indispensable, nécessaire. Contraires : accessoire, secondaire.
● n. m. Ce qui est nécessaire, indispensable. *Ne prendre que l'essentiel dans sa valise.*

essentiellement adv. Principalement, surtout. *Il est végétarien et mange essentiellement des fruits et des légumes.*

essieu n. m. **Plur. : des essieux.** Longue barre métallique placée sous un véhicule et qui relie les roues deux à deux.

essor n. m. *1* Fait de s'envoler, pour un oiseau. *2* Au figuré. Développement rapide. *Cette usine est en plein essor et elle embauche.*
Synonyme : expansion (2).

essorer v. → conjug. **aimer.** Débarrasser quelque chose de son eau. *Essorer du linge. Essorer la salade.*
  Attendre que l'essorage soit terminé, que le linge ait fini d'être essoré.

essouffler v. → conjug. **aimer.** Faire perdre le souffle. *Elle a tellement couru qu'elle est arrivée tout essoufflée.*
  Arriver en haut d'une côte dans un état d'essoufflement, dans l'état d'une personne essoufflée.

essuie-glace n. m. **Plur. : des essuie-glaces.** Dispositif muni de petits balais de caoutchouc qui sert à essuyer automatiquement le pare-brise ou la vitre arrière d'une voiture.

essuie-mains n. m. inv. Petite serviette pour s'essuyer les mains.

essuyer v. *1* Frotter pour sécher ou nettoyer quelque chose. *Épousseter un meuble avec un chiffon. 2* Subir quelque chose de désagréable. *Les pêcheurs ont essuyé une tempête.*

La conjugaison du verbe
ESSUYER 1er groupe

indicatif présent	**j'essuie, il ou elle essuie, nous essuyons, ils ou elles essuient**
imparfait	**j'essuyais**
futur	**j'essuierai**
passé simple	**j'essuyai**
subjonctif présent	**que j'essuie**
conditionnel présent	**j'essuierais**
impératif	**essuie, essuyons, essuyez**
participe présent	**essuyant**
participe passé	**essuyé**

est n. m. et adj. inv.
● n. m. *1* Un des quatre points cardinaux, qui est la direction où le soleil se lève. *Plantez cet amandier à l'est, il sera à l'abri du vent. 2* Région située dans cette direction. *Habiter dans l'est de l'Allemagne.*
Quand ce mot est employé seul, sans complément, il commence par une majuscule : « habiter dans l'Est, les pays de l'Est ».
● adj. inv. Situé du côté de l'est. *La côte est d'un pays.*
On prononce [ɛst].

estafilade n. f. Coupure longue et étroite sur le visage.

estampe n. f. Image imprimée à partir d'une plaque gravée. *Un livre ancien illustré d'estampes.*

est-ce que ? adv. Sert à interroger. *Est-ce que vous venez avec nous au cinéma ?*

esthéticien, ienne n. Spécialiste de soins de beauté du visage et du corps.

esthétique adj. Qui est beau, décoratif, harmonieux. *Ces grandes tours ne sont pas du tout esthétiques au milieu de ce paysage.*

Un bouquet **esthétiquement** disposé dans un vase, de façon esthétique.

Estienne Robert

Imprimeur et éditeur français né en 1503 et mort en 1559. Appartenant à une illustre famille d'imprimeurs et d'éditeurs, Estienne édite les œuvres d'humanistes tel le Hollandais Érasme, de nombreuses Bibles et des textes antiques (Cicéron, Virgile). Il est également l'auteur d'un célèbre *Dictionnaire latin-français* (1538).

estimer v. → conjug. **aimer.** *1* Avoir une bonne opinion de quelqu'un. *C'est un homme généreux et honnête que j'estime beaucoup. 2* Évaluer le prix de quelque chose. *Avant de le vendre, elle veut faire estimer le tableau. 3* Avoir un avis, un jugement sur quelque chose. *J'estime que les enfants sont encore trop jeunes pour voir ce genre de films.*
Synonymes : **apprécier (1)**, **considérer (3)**, **juger (3)**, **penser (3)**.

C'est une personne **estimable**, *digne d'être estimée (1). L'expert a fait l'***estimation** *de la maison, il l'a estimée (2). Avoir de l'***estime** *pour quelqu'un, c'est l'estimer (1).*

estival, ale, aux adj. D'été. *Nous sommes en mai et nous avons déjà un temps estival.*

estivant, ante n. Personne qui passe ses vacances d'été quelque part. *Les estivants sont très nombreux au bord de ce lac.*

estomac n. m. Organe de la digestion en forme de poche, situé entre l'œsophage et l'intestin.
On prononce [ɛstɔma].

L'estomac est une sorte de poche en forme de J majuscule, reliée par sa partie supérieure à l'œsophage et par sa partie inférieure à l'intestin. Ses parois, formées d'une couche de muscles, sont tapissées à l'intérieur par une fine membrane, la muqueuse. Les contractions des parois de l'estomac assurent le brassage des aliments et permettent de les mélanger avec les sucs digestifs sécrétés par la muqueuse (les sucs gastriques).
Regarde aussi digestion.

s'estomper v. → conjug. **aimer.** Devenir flou, s'effacer progressivement. *Les collines commencent à s'estomper dans la brume.*

Estonie

République du nord-est de l'Europe, en bordure de la mer Baltique. L'Estonie est limitée à l'est par la Russie et au sud par la Lettonie ; elle compte plus de 150 îles. Le pays, plat, est en grande partie couvert de forêts. Les marécages et les lacs occupent plus du quart du territoire. Le climat est frais et humide. L'économie se fonde sur l'industrie, l'élevage et la pêche.
L'Estonie est une des républiques de l'ancienne URSS de 1940 à 1991, date à laquelle elle devient indépendante. Adhère à l'Union européenne en 2004.

45 100 km²
1 338 000 habitants :
les Estoniens
Langues : estonien, russe
Monnaie : couronne
estonienne (kroon)
Capitale : Tallinn

estrade n. f. Plancher surélevé. *Monter sur une estrade.*

estragon n. m. Plante aromatique. *Mettre de l'estragon dans une vinaigrette.*

L'estragon est une plante vivace utilisée pour aromatiser certaines moutardes.

s'estropier v. → conjug. **modifier.** Se blesser gravement. *Depuis qu'il s'est estropié, il marche avec une canne.*

estuaire n. m. Embouchure large et profonde d'un fleuve. *Nantes se trouve à l'estuaire de la Loire.*

esturgeon n. m. Grand poisson de mer qui remonte les fleuves au printemps pour y pondre ses œufs. *C'est avec les œufs d'esturgeon qu'on fait le caviar.*

et conj. Sert à relier deux mots ou des groupes de mots. *Acheter du lait et des œufs. Il est tombé et il s'est fait mal.*

étable n. f. Bâtiment d'une ferme qui sert d'abri aux vaches.

établi n. m. Grande table de travail de certains artisans.

établir v. → conjug. **finir.** *1* Mettre quelque chose en place. *Établir de nouvelles liaisons téléphoniques. 2* Mettre au point ou rédiger l'organisation de quelque chose. *Établir un programme, un devis, une liste d'invités. 3* Démontrer, prouver. *Réussir à établir l'innocence d'un accusé. 4 S'établir :* s'installer quelque part pour y vivre, y travailler.
Synonymes : installer (*1*), fixer (*2*).

établissement n. m. *1* Action d'établir. *L'établissement d'un camp militaire près de la frontière. 2* Fait de s'établir. *L'établissement d'un certain nombre de réfugiés dans une région. 3* Bâtiment consacré à un certain usage. *Une usine est un établissement industriel.*

étage n. m. *1* Chacun des niveaux d'un bâtiment qui se trouve au-dessus du rez-de-chaussée. *Un gratte-ciel comporte de très nombreux étages. 2* Chacun des éléments superposés d'une fusée.

s'étager v. → conjug. **ranger.** Être disposé sur différents niveaux, les uns au-dessus des autres. *Les chalets s'étagent sur le flanc de la montagne.*

étagère n. f. Planche horizontale fixée à un mur ou dans un meuble et servant à poser des objets.

étai n. m. Grosse poutre qui sert à étayer, à soutenir un mur, un plafond qui menace de s'effondrer.

étain n. m. Métal grisâtre peu résistant. *Le bronze est un alliage d'étain et de cuivre.*

étal n. m. **Plur. : des étals.** *1* Table où sont exposées les marchandises dans un marché. *2* Table sur laquelle le boucher débite la viande.

étalage n. m. Endroit où l'on expose des marchandises destinées à être vendues. *Les enfants se sont arrêtés devant l'étalage de jouets du grand magasin.*
 Un étalagiste est chargé de la disposition des étalages dans les vitrines d'un magasin.

étale adj. *Mer étale :* mer dont la surface est momentanément immobile.

étaler v. → conjug. **aimer.** *1* Disposer quelque chose à plat. *Étaler une carte sur la table pour repérer sa route. 2* Étendre une couche fine d'une matière pâteuse. *Étaler du miel sur une tartine. 3* Répartir dans le temps. *Étaler ses remboursements sur six mois.*

4 Exhiber quelque chose pour faire envie aux autres. *Étaler sa fortune. 5* Familier. *S'étaler :* tomber par terre.
 *Il a demandé un **étalement** pour rembourser ses dettes,* un délai pour les étaler (*3*).

étalon n. m. *1* Cheval mâle élevé pour la reproduction. *2* Modèle servant d'unité de mesure. *Autrefois, l'or était l'étalon monétaire.*

étamine n. f. Organe mâle d'une fleur, qui contient et produit le pollen.

L'étamine est constituée d'un mince tube appelé filet, au sommet duquel se trouve une partie renflée, l'anthère. Celle-ci contient les grains de pollen, dans de petites poches appelées sacs polliniques. Pendant la période de reproduction, ces sacs s'ouvrent et laissent échapper les grains de pollen, qui vont féconder une autre fleur.

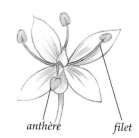

anthère   *filet*

étanche adj. Qui ne laisse pas passer l'eau ni l'air. *Les astronautes sont équipés de combinaisons étanches.*
 *L'**étanchéité** de cette montre est garantie,* son caractère étanche.

étancher v. → conjug. **aimer.** *Étancher sa soif :* boire jusqu'à se désaltérer complètement.

étang n. m. Petite étendue d'eau. *Les eaux stagnantes de l'étang.*
On prononce [etɑ̃].

étape n. f. *1* Endroit où l'on fait une halte au cours d'un voyage. *Prévoir une étape pour se reposer. 2* Distance à parcourir entre deux arrêts. *Pour les cyclistes, l'étape de demain sera la plus longue. 3* Période de temps, moment. *Les différentes étapes de la vie.*

1. état n. m. *1* Situation, manière d'être d'une personne. *Son état de fatigue nous inquiète. 2* Aspect ou situation de quelque chose. *En gelant, l'eau passe de l'état liquide à l'état solide. Une voiture en bon état. 3 État civil :* nom, prénoms, date et lieu de naissance d'une personne ; service d'une mairie qui enregistre les naissances, les mariages et les décès.

2. État n. m. *1* Territoire et ensemble de personnes placés sous un même gouvernement. *Un pays qui s'entend bien avec les États voisins. 2 Coup d'État :* prise de pouvoir par la force.

état-major n. m. **Plur. : des états-majors.** Ensemble des officiers qui conseillent un chef militaire.

États-Unis d'Amérique

9 629 090 km²
291 038 000 habitants :
les Américains
Langues : anglais,
espagnol
Monnaie : dollar
américain
Capitale : Washington

République fédérale située au centre de l'Amérique du Nord, composée de 50 États. Le territoire des États-Unis d'Amérique est immense (17 fois la superficie de la France).

■ Le relief est très diversifié : avec les plaines côtières de l'Atlantique ; le massif des Appalaches, les grandes plaines centrales baignées par le Mississippi et ses affluents et les montagnes Rocheuses, très hautes.

■ Le pays connaît une grande variété de climats : polaire en Alaska et… tropical en Floride.

■ Les États-Unis sont la première puissance économique mondiale. Le dollar est la monnaie du commerce international.

■ L'agriculture arrive au premier rang mondial. L'élevage de bovins, la pêche et l'exploitation des forêts sont également développés. Les ressources naturelles, abondantes et variées, sont à la base d'un secteur industriel et technologique performant et moderne.

■ Initialement peuplé d'Indiens, le territoire américain est colonisé, à partir du XVIᵉ siècle, par les Français, les Espagnols et les Anglais. Au XVIIᵉ siècle, les immigrés anglais fondent 13 colonies sur la côte atlantique. Elles obtiennent leur indépendance après une guerre contre l'Angleterre (1775-1782), et deviennent les États-Unis d'Amérique en 1783. George Washington devient le premier président des États-Unis en 1789.

■ De 1861 à 1865, le Nord et le Sud s'opposent au cours de la guerre de Sécession. Le Nord l'emporte et abolit l'esclavage en 1865.

■ Le 11 septembre 2001, des attentats terroristes provoquent la mort de 3 039 personnes, dont 2 802 dans les Twin Towers.

Des surfers sur une plage californienne.

La Maison-Blanche, siège du gouvernement, à Washington.

À New York, deux avions percutent les Twin Towers qui s'effondrent.

États et villes principales

étau n. m. **Plur. : des étaux.** Instrument composé de deux pièces qui se resserrent sur un objet pour le bloquer quand on le façonne.

étayer v. → conjug. **payer.** Soutenir avec des étais. *Étayer un mur qui menace de s'effondrer.*

etc. adv. Et tout le reste. *Acheter beaucoup de fruits : des cerises, des fraises, des abricots, etc.*
«etc.» est la forme abrégée écrite du latin «et cetera» qui signifie «et les autres choses».
On prononce [ɛtsetera].

été n. m. Saison la plus chaude de l'année, qui vient après le printemps. *L'été dure du 21 ou 22 juin au 22 ou 23 septembre, selon les années.*

éteindre v. → conjug. **peindre.** *1* Faire cesser de brûler. *Éteindre un feu de forêt. Le feu est en train de s'éteindre. 2* Arrêter un appareil qui fonctionne à l'électricité. *Éteindre la lumière, la radio. 3* Au figuré et littéraire. *S'éteindre :* mourir.
Contraire : allumer (*1* et *2*).

étendard n. m. Drapeau de certains régiments.

Lorsque les troupes à cheval constituaient l'essentiel des armées, l'étendard était un signe de ralliement : chaque régiment avait pour emblème un étendard différent.

étendre v. → conjug. **répondre.**
1 Déployer une chose sur toute sa surface. *Étendre une nappe au soleil pour la faire sécher. 2* Étaler une couche de matière. *Étendre un enduit sur un mur. 3* Allonger quelqu'un. *Étendre un blessé. Aller s'étendre un peu pour se reposer. 4* Accroître ou augmenter quelque chose. *Étendre un domaine. Étendre ses connaissances. 5* Rendre un liquide moins concentré. *Un sirop étendu d'eau. 6* S'étendre : occuper un certain espace. *Leur propriété s'étend jusqu'à la rivière. 7* S'étendre : se développer, se propager, se répandre. *Une grève qui risque de s'étendre.*

étendu, ue adj. Qui occupe une grande surface. *Les plaines sont très étendues dans cette région.*
Synonyme : vaste.

étendue n. f. *1* Espace, surface. *Calculer l'étendue d'un domaine. 2* Ampleur, importance. *Essayer de mesurer l'étendue des dégâts après une catastrophe.*

éternel, elle adj. *1* Sans commencement ni fin. *Pour les chrétiens, Dieu est éternel. 2* Qui se répète tout le temps. *Tu nous embêtes avec tes éternelles discus-

sions politiques. 3* *Neiges éternelles :* neiges des très hauts sommets et qui ne fondent jamais.
Synonymes : continuel (*2*), **perpétuel** (*2*), **sempiternel** (*2*).

*Il se plaint **éternellement** des mêmes choses, de façon éternelle (2), continuellement.*

s'éterniser v. → conjug. **aimer.** Rester trop longtemps ou durer trop longtemps. *Comme on a très froid ici, on ne va pas s'éterniser. La discussion s'éternise.*

éternité n. f. *1* Ce qui est éternel. *Croire en l'éternité de l'âme. 2* Temps très long. *Je ne l'ai pas vu depuis une éternité.*

éternuer v. → conjug. **aimer.** Expulser involontairement et bruyamment de l'air par le nez et la bouche.
*Ces **éternuements** sont peut-être le début d'un rhume,* le fait d'éternuer.

éther n. m. Désinfectant à l'odeur très forte. *Nettoyer une plaie avec de l'éther.*
On prononce [etɛr].

Éthiopie

République de l'est de l'Afrique. L'Éthiopie est séparée de la mer Rouge par l'Érythrée, Djibouti et la Somalie. Le territoire est principalement occupé par un vaste plateau élevé (il culmine à 4 620 m) au relief très accidenté. Le climat y est tempéré. Le nord-est et le sud-est du pays sont désertiques. L'économie se base essentiellement sur l'agriculture (café, céréales, canne à sucre) et l'élevage. L'industrie n'est pas développée. L'Éthiopie, qui est régulièrement soumise à la sécheresse et à la famine, est l'un des pays les plus pauvres du monde.

**1 104 300 km²
68 961 000 habitants :
les Éthiopiens
Langues : amharique,
oromo, tigrinya, guragé,
afar, somali...
Monnaie : berr
Capitale : Addis-Abéba**

Colonie italienne de 1936 à 1941, le royaume d'Éthiopie devient une république populaire et démocratique en 1987. Ce régime de dictature prend fin en 1991, et l'Éthiopie connaît ses premières élections libres en 1995.

ethnie n. f. Groupe humain caractérisé par une langue et une culture communes. *Dans ce pays, il y a beaucoup d'ethnies différentes.*

> La diversité **ethnique** d'un pays, qui concerne les ethnies.

ethnologie n. f. Science qui étudie les ethnies, leur culture et leurs coutumes.

> Une **ethnologue** est une spécialiste d'ethnologie.

étinceler v. → conjug. **jeter.** Briller vivement, scintiller. *La nuit est claire et les étoiles étincellent.*

> Des verres **étincelants** de propreté, qui étincellent.

étincelle n. f. **1** Minuscule fragment incandescent. *Quelques étincelles jaillissent des braises.* **2** Petit éclair produit par un courant électrique. *Le court-circuit a provoqué des étincelles.* **3** Familier. *Faire des étincelles :* réussir brillamment.

s'étioler v. → conjug. **aimer.** Dépérir et se rabougrir. *Les plantes s'étiolent si elles sont privées de soleil.*

étiquette n. f. **1** Petite marque qu'on fixe sur un objet. *Coller des étiquettes avec son nom et son adresse sur ses bagages.* **2** Règles imposées par le protocole.

> La vendeuse **étiquette** les marchandises, elle y met des étiquettes (**1**).

étirer v. → conjug. **aimer.** **1** Allonger une chose en tirant dessus. *Étirer une pièce de cuir.* **2** *S'étirer :* allonger ses membres pour se détendre.

Etna

Volcan actif de l'est de la Sicile. Haut de 3 345 m, l'Etna est le volcan le plus élevé d'Europe. Son périmètre, à la base, atteint 212 km. Les éruptions de l'Etna sont fréquentes et violentes. Sur ses pentes, couvertes de cendres et de laves, on pratique la culture de la vigne et de l'olivier jusqu'à environ 900 m d'altitude.

étoffe n. f. **1** Tissu. *La soie est une étoffe très douce.* **2** *Avoir de l'étoffe :* avoir des capacités, du talent, de la personnalité.

étoffer v. → conjug. **aimer.** Allonger ou développer davantage pour améliorer. *Étoffer un devoir en ajoutant des exemples.*

étoile n. f. **1** Astre qu'on voit briller la nuit dans le ciel quand le temps est clair. **2** Dessin géométrique à plusieurs branches. *L'insigne du shérif est une étoile.* **3** Star, vedette. *Les étoiles du cinéma.* **4** *Dormir à la belle étoile :* dormir dehors, la nuit. **5** *Étoile de mer :* animal marin ayant la forme d'une étoile à cinq branches. **6** *Étoile filante :* météore.

> Contempler le ciel **étoilé**, rempli d'étoiles (**1**).

étonner v. → conjug. **aimer.** **1** Causer de la surprise par son côté inhabituel. *Cela m'étonne qu'il ne soit pas encore rentré.* **2** *S'étonner :* trouver bizarre, étrange. *Ne t'étonne pas si je suis en retard, je suis tombé en panne.*
Synonymes : **surprendre** (**1**), **être surpris** (**2**).

> Ce clown présente un numéro **étonnant**, qui étonne (**1**). *Elle est restée **étonnamment** belle malgré son âge*, de façon étonnante. *Je n'ai pas compris son **étonnement** quand il m'a vu*, le fait qu'il soit étonné (**1**).

étouffant, ante adj. → étouffer.

à l'étouffée adv. Dans un récipient bien fermé et à petit feu. *Cuire des légumes à l'étouffée.*
Synonyme : à l'étuvée.

étouffer v. → conjug. **aimer.** **1** Avoir du mal à respirer. *On étouffe avec cette chaleur.* **2** Faire mourir en empêchant de respirer. *Certains serpents étouffent leurs proies avant de les avaler.* **3** Empêcher que quelque chose se développe. *Étouffer un scandale.* **4** Amortir, atténuer un bruit. *La neige étouffe le bruit des pas.*

> Les crises d'asthme donnent une sensation d'**étouffement**, la sensation d'étouffer (**1**). *Il fait une chaleur **étouffante**, qui fait étouffer (**1**).

étourdi, ie adj. et n. Qui manque d'attention et de réflexion. *Un élève étourdi, qui oublie toujours quelque chose. Quel étourdi, il a oublié ses lunettes !*

> Répondre **étourdiment**, de façon étourdie, sans réfléchir. *Une faute d'**étourderie**, qu'on fait quand on est étourdi.

étourdir v. → conjug. **finir.** **1** Assommer à moitié. *Le boxeur a étourdi son adversaire qui n'arrive pas à se relever.* **2** Donner une sensation de malaise passager pendant lequel on a la tête qui tourne. *Cette valse l'a étourdi.*

> La collision a fait un vacarme **étourdissant**, qui étourdit (**2**). *Il a eu un **étourdissement** au milieu de la foule*, la sensation d'être étourdi (**2**).

étourneau n. m. **Plur. : des étourneaux.** Oiseau qui a un plumage sombre tacheté de blanc.
Synonyme : sansonnet.

étrange adj. Qui étonne ou intrigue par son caractère inhabituel, insolite ou mystérieux. *Avoir un comportement étrange.*
Synonyme : bizarre.

> Il est **étrangement** habillé, de manière étrange.

étranger, ère adj., n. et n. m.
● adj. **1** Qui vient d'un autre pays. *Beaucoup de touristes étrangers visitent Paris.* **2** Qui est sans rapport avec quelque chose. *Il est totalement étranger à cette affaire.*

• n. Personne d'une autre nationalité, d'un autre pays. *Beaucoup d'étrangers visitent le Louvre.*
• n. m. *À l'étranger :* dans un pays étranger, autre que le sien. *Vivre, voyager à l'étranger.*

étranglement n. m. *1* Action d'étrangler. *Ce piège tue les animaux nuisibles par étranglement.* *2* Endroit étroit. *L'étranglement de la rue oblige les voitures à ralentir.*

étrangler v. → conjug. **aimer.** Tuer quelqu'un en lui serrant le cou pour l'empêcher de respirer.

être v. et n. m.

• v. *1* Se trouver. *Les enfants sont dans le jardin. Les clés sont dans mon sac.* *2* Avoir telle situation, ou telle qualité, ou telle caractéristique. *Son père est avocat. Elle est intelligente. Les moineaux sont des passereaux. Ce quartier est très pauvre.* *3* Appartenir à quelqu'un. *Ce livre est à moi.* *4* Être sert d'auxiliaire dans la conjugaison des temps composés et le passif des verbes. *Il est parti. Elle s'est promenée. La souris a été mangée par le chat.*
Regarde page ci-contre.
• n. m. Créature vivante. *Nous sommes des êtres humains.*

étreindre v. → conjug. **peindre.** Serrer très fort dans ses bras. *Des amoureux qui s'étreignent.*
    Ils se sont quittés après une longue **étreinte**, ils se sont étreints.

étrenner v. → conjug. **aimer.** Utiliser pour la première fois. *Il est fier d'étrenner son vélo neuf.*

étrennes n. f. plur. Ce qu'on offre en cadeau pour le jour de l'an.

étrier n. m. Anneau suspendu de chaque côté de la selle d'un cheval, qui permet au cavalier de caler ses pieds.

étriqué, ée adj. Qui est trop étroit, trop serré. *Être mal à l'aise dans des vêtements étriqués.*
Contraires : ample, large.

étroit, oite adj. *1* Qui n'est pas large. *Une ruelle très étroite.* *2* Qui lie fortement des personnes. *Une amitié très étroite.* *3* Qui est borné, intolérant ou mesquin. *Manquer d'envergure et avoir les idées étroites.* *4* À l'étroit : dans un espace trop petit. *Ils sont à l'étroit dans ce petit appartement.*

étroitement adv. De très près et avec vigilance. *Un suspect étroitement surveillé par la police.*

étroitesse n. f. *1* Caractère de ce qui est étroit. *L'étroitesse du chemin les oblige à marcher l'un derrière l'autre.* *2* Étroitesse d'esprit : caractère borné et mesquin.

Étrusques

Peuple apparu en Toscane, dans le nord de l'Italie, au VIIIe siècle av. J.-C. Les Étrusques sont organisés en cités-États indépendantes gouvernées par un roi ou un noble. Entre le VIIe et le VIe siècle av. J.-C., ils fondent Rome. Bons navigateurs, ils tirent leur richesse du commerce avec les peuples de la Méditerranée. Les artisans travaillent le fer, le cuivre et l'or ; ils réalisent bijoux et objets qui décorent les habitations et les tombes. De nombreuses fresques nous sont également parvenues.
Les Étrusques ont de nombreux dieux et pratiquent le sacrifice d'animaux, notamment pour prédire l'avenir. Ils ont laissé de nombreux écrits, mais leur langue n'a pour l'instant pas encore été complètement déchiffrée. L'art et la culture étrusques ont eu une grande influence sur la civilisation romaine.

étude n. f. *1* Travail que l'on fait pour apprendre, pour connaître. *Se consacrer à l'étude des insectes. Poursuivre ses études à l'université.* *2* Ouvrage sur un sujet précis. *Publier une étude sur les abeilles.* *3* Temps passé à l'école en dehors des heures de cours. *Rester à l'étude pour faire ses devoirs.* *4* Lieu de travail des notaires et des huissiers de justice.
    Après le bac, il sera **étudiant**, il suivra ses études (*1*) à l'université.

étudier v. → conjug. **modifier.** *1* Travailler pour acquérir des connaissances, pour apprendre. *Étudier plusieurs langues étrangères.* *2* Réfléchir soigneusement, examiner avec attention. *Étudier un projet, une proposition.*

étui n. m. Boîte ou enveloppe rigide destinées à contenir et protéger un objet. *Ranger ses lunettes dans un étui.*

étuve n. f. Pièce dans laquelle il fait très chaud. *Cette pièce vitrée est une étuve en été.*

à l'étuvée adv. À l'étouffée.

étymologie n. f. Origine d'un mot. *L'origine du mot « livre » est le mot latin « liber ».*
    Un dictionnaire **étymologique** indique l'étymologie des mots.

eucalyptus n. m. Grand arbre aux feuilles très odorantes. *L'eucalyptus est originaire d'Australie.*
On prononce [økaliptys].

eucharistie n. f. Pour les chrétiens, sacrement par lequel se perpétue l'offrande du Christ sur la croix pour le salut du monde.
On prononce [økaʀisti]. Synonyme : messe.

La conjugaison
du verbe auxiliaire ÊTRE

→ **indicatif**

présent		passé	
	je suis	passé	j'ai été
	tu es	composé	tu as été
	il, elle est		il, elle a été
	nous sommes		nous avons été
	vous êtes		vous avez été
	ils, elles sont		ils, elles ont été

imparfait		plus-que-	
	j'étais	parfait	j'avais été
	tu étais		tu avais été
	il, elle était		il, elle avait été
	nous étions		nous avions été
	vous étiez		vous aviez été
	ils, elles étaient		ils, elles avaient été

passé		passé	
simple	je fus	antérieur	j'eus été
	tu fus		tu eus été
	il fut		il, elle eut été
	nous fûmes		nous eûmes été
	vous fûtes		vous eûtes été
	ils, elles furent		ils, elles eurent été

futur		futur	
simple	je serai	antérieur	j'aurai été
	tu seras		tu auras été
	il, elle sera		il, elle aura été
	nous serons		nous aurons été
	vous serez		vous aurez été
	ils, elles seront		ils, elles auront été

→ **conditionnel**

présent	je serais
	tu serais
	il serait
	nous serions
	vous seriez
	ils, elles seraient

passé	j'aurais été
	tu aurais été
	il, elle aurait été
	nous aurions été
	vous auriez été
	ils, elles auraient été

→ **infinitif**

présent	être
passé	avoir été

→ **participe**

présent	étant
passé	été (invariable)
	ayant été

→ **subjonctif**

présent		passé	
	que je sois		que j'aie été
	que tu sois		que tu aies été
	qu'il, elle soit		qu'il, elle ait été
	que nous soyons		que nous ayons été
	que vous soyez		que vous ayez été
	qu'ils, elles soient		qu'ils, elles aient été

imparfait		plus-que-	
	que je fusse	parfait	que j'eusse été
	que tu fusses		que tu eusses été
	qu'il, elle fût		qu'il, elle eût été
	que nous fussions		que nous eussions été
	que vous fussiez		que vous eussiez été
	qu'ils, elles fussent		qu'ils, elles eussent été

→ **impératif**

présent	sois
	soyons
	soyez
passé	aie été
	ayons été
	ayez été

euh ! interj. Marque le doute, l'embarras, l'hésitation. *Tu viens avec nous au cinéma ? Euh ! Je ne sais pas encore !*

euphémisme n. m. Manière de parler qui adoucit une réalité qu'on juge trop dure. *Dire «personne à mobilité réduite» pour «handicapé» est un euphémisme.*

euphorbe n. f. Plante à petites fleurs vertes dont la sève est parfois toxique.

euphorie n. f. Sentiment de bien-être, de bonheur. *Après la victoire, ça a été l'euphorie dans le stade.*
   Le public était **euphorique**, dans un état d'euphorie.

Euphrate

Fleuve d'Asie. Long de 2 330 km, l'Euphrate prend naissance en Turquie et traverse la Syrie et l'Irak. Il rejoint ensuite le Tigre et forme avec lui le Chatt al-Arab, qui se jette dans le golfe Arabo-Persique. Le cours de l'Euphrate est régularisé par de nombreux barrages, qui irriguent de nombreuses terres. C'est dans la vallée où coulent l'Euphrate et le Tigre qu'est apparue, plusieurs milliers d'années avant notre ère, la brillante civilisation mésopotamienne et qu'ont été construites les grandes villes de Babylone et d'Ur.

euro n. m. Monnaie qui remplace les monnaies nationales de certains pays appartenant à l'Union européenne.

Europe

Un des six continents. L'Europe est bordée, au nord, par l'océan Arctique et à l'ouest par l'océan Atlantique. Elle est séparée de l'Afrique, au sud, par la mer Méditerranée et de l'Asie, à l'est, par les monts Oural et la mer Caspienne.
   Regarde p. 420 à 423.

européen, enne adj., n. et n. m.
● adj. et n. De l'Europe. *L'euro est la monnaie de 11 pays européens.*
● n. m. Race de chat appelé aussi « chat de gouttière ».

Le chat européen a une tête ronde, le nez droit et les yeux ronds, généralement verts ou jaunes. Sa robe peut être unie ou présenter plusieurs couleurs (souvent noir, blanc, roux), avec des motifs tigrés ou marbrés. C'est un bon chasseur qui vit environ une quinzaine d'années.

euthanasie n. f. Mort volontairement donnée à un malade incurable pour abréger ses souffrances.

eux pron. Pronom personnel de la troisième personne du pluriel qu'on utilise soit pour renforcer le sujet « ils », soit comme complément après une préposition. *C'est à eux que je m'adresse. Cette maison est à eux. Nous irons à la plage, mais eux, ils resteront à la maison.*

évacuer v. → conjug. **aimer**. *1* Quitter massivement un lieu. *À cause d'un début d'incendie, les clients ont dû évacuer le magasin. 2* Faire partir ou faire sortir. *Les pompiers ont rapidement évacué les blessés vers l'hôpital le plus proche.*
   L'**évacuation** d'une salle, d'un blessé, c'est l'action de les évacuer (*1* et *2*).

s'évader v. → conjug. **aimer**. S'enfuir de l'endroit où l'on est retenu prisonnier. *S'évader de prison.*
Synonyme : s'échapper.
   Les prisonniers ont tenté une **évasion** en hélicoptère, de s'évader.

évaluer v. → conjug. **aimer**. Déterminer la valeur ou l'importance d'une chose. *Faire évaluer un tableau ancien.*
Synonyme : estimer.
   Faire une **évaluation** des dégâts, c'est l'action de les évaluer.

Évangile n. m. *1* Enseignement de Jésus-Christ. *Prêcher l'Évangile. 2* Texte de la Bible qui contient cet enseignement. *Les quatre Évangiles.*
   Évangéliser une population, c'est lui enseigner l'Évangile (*1*).

s'évanouir v. → conjug. **finir**. *1* Perdre totalement connaissance, devenir inconscient. *2* Disparaître, cesser d'exister. *Malheureusement, tous ses espoirs se sont évanouis.*
   Son **évanouissement** est dû à la très forte chaleur, le fait de s'évanouir (*1*).

s'évaporer v. → conjug. **aimer**. Se transformer en vapeur. *L'eau s'évapore quand on la chauffe.*
   L'**évaporation** d'un liquide, c'est le fait pour un liquide de s'évaporer.

évasé, ée adj. Dont la forme va en s'élargissant. *Un entonnoir est évasé.*

évasif, ive adj. Qui est vague et imprécis. *Se contenter d'une réponse évasive.*
   Il a répondu **évasivement** à ma question, de façon évasive.

évasion n. f. → s'évader.

évasivement adv. → évasif.

Ève

Personnage de la Bible, première femme créée par Dieu à partir d'une côte d'Adam, le premier homme. Son histoire est racontée dans le premier livre de la Bible (la Genèse). Ève se laisse séduire par le serpent qui la persuade de cueillir le fruit que Dieu lui avait défendu de toucher. Elle le croque et le fait goûter à Adam. Tous les deux sont chassés du paradis et Ève, responsable du premier péché (le péché originel), est maudite par Dieu.

évêché n. m. *1* Résidence d'un évêque. *2* Diocèse.

éveil n. m. *1* Donner l'éveil : attirer l'attention de quelqu'un pour le mettre en garde. *2* Être en éveil : être attentif ou aux aguets.

éveillé, ée adj. Qui a l'esprit très vif. *Un enfant éveillé qui comprend vite.*

éveiller v. → conjug. **aimer.** *1* S'éveiller : se réveiller. *S'éveiller souvent très tôt le matin. 2* Au figuré. Faire naître une attitude ou un sentiment. *Éveiller l'intérêt, la méfiance.*

événement n. m. Tout ce qui arrive et qui présente une certaine importance. *Ce journal résume les principaux événements de la veille.*
On écrit aussi : évènement.

éventail n. m. Accessoire pliant qu'on agite devant soi pour avoir un peu de fraîcheur.

éventaire n. m. Exposition de marchandises à vendre à l'extérieur d'un magasin ou sur un marché.

s'éventer v. → conjug. **aimer.** *1* Agiter l'air autour de soi pour avoir un peu de fraîcheur. *2* Perdre ses qualités ou son goût au contact de l'air. *La bouteille n'étant pas bouchée, le vin s'est éventé.*

éventrer v. → conjug. **aimer.** Faire une ouverture, une déchirure. *Jeter un vieux fauteuil complètement éventré.*

éventuel, elle adj. Qui peut arriver, sans que ce soit certain. *Elle envisage un éventuel déménagement en province.*
Synonyme : possible.
  Ce n'est qu'une *éventualité*, un fait éventuel, une possibilité. *Si je pars, pourrais-tu éventuellement m'accompagner à la gare ?* de façon éventuelle, le cas échéant.

évêque n. m. Prêtre qui dirige un évêché dans l'Église catholique et dans certaines Églises protestantes.

Everest

Point culminant de l'Himalaya et plus haut sommet du monde (8 846 m). L'Everest s'élève à la frontière du Népal et du Tibet. Il y est appelé *Chomolungma*, mot qui signifie « Déesse, mère du monde ». Les premiers à atteindre son sommet sont Edmund Hillary et son sherpa Tenzing Norgay, le 29 mai 1953.

s'évertuer v. → conjug. **aimer.** Faire tous ses efforts. *S'évertuer en vain à expliquer quelque chose.*
Synonyme : s'escrimer.

évidemment adv. → évident.

évidence n. f. *1* Chose évidente, incontestable. *C'est une évidence que c'est toi qui as tort. 2* En évidence : de façon à être bien visible. *J'ai posé ton livre en évidence sur la table. 3* Se rendre à l'évidence : admettre une chose évidente.

évident, ente adj. Qui ne fait aucun doute. *Les progrès de cet élève sont évidents, ses notes sont meilleures qu'au trimestre dernier.*
Synonymes : certain, incontestable, indiscutable, sûr.
  Ceci est *évidemment* un gros problème, de façon évidente.

évider v. → conjug. **aimer.** Creuser l'intérieur de quelque chose. *Évider des citrouilles pour en faire des lanternes.*

évier n. m. Sorte de bassin, dans une cuisine, muni d'un robinet et d'un dispositif d'écoulement. *Laver la vaisselle dans l'évier.*

évincer v. → conjug. **tracer.** Écarter, éliminer, chasser. *Évincer un concurrent.*

éviter v. → conjug. **aimer.** *1* Réussir à ne pas heurter. *L'automobiliste a freiné pour éviter le piéton. 2* S'abstenir volontairement de faire quelque chose. *Cet enfant est déjà gros et doit éviter de manger trop de bonbons. 3* S'arranger pour ne pas rencontrer quelqu'un. *Il ne s'entend pas avec ses voisins et préfère les éviter. 4* Épargner à quelqu'un une chose désagréable. *Se faire livrer évite de porter les courses et de se fatiguer.*

évocateur, trice adj., **évocation** n. f. → évoquer.

évoluer v. → conjug. **aimer.** Changer, se transformer progressivement. *L'informatique est une technique qui a évolué très vite.*
  Constater l'*évolution* des technologies, le fait qu'elles évoluent.

l'Europe

Avec 10 525 000 km², l'Europe est le plus petit des continents. L'Europe du Sud est montagneuse. On y trouve de hauts massifs tandis qu'au centre les sommets ne dépassent pas 2000 m. Le Nord est constitué de plateaux, de bassins et de plaines. À égale distance du pôle et de l'équateur, l'Europe se trouve en grande partie dans une zone de climat tempéré.

Depuis l'Antiquité, le dauphin est le symbole de la Méditerranée.

■ L'Europe est constituée de grandes péninsules : péninsule scandinave au nord, péninsule ibérique, Italie et péninsule des Balkans au sud et de grandes îles : Grande-Bretagne, Irlande, Islande, Sardaigne, Sicile, Corse et Crète.

■ La toundra (mousses, lichens, arbustes) domine dans le nord arctique ; la taïga (essentiellement forêts de conifères) occupe les régions septentrionales ; les forêts de feuillus et la prairie se développent au centre, de l'Atlantique à l'Oural. Le maquis et la garrigue s'étendent au sud.

Les falaises de Douvres en Angleterre.

La Forêt-Noire en Allemagne.

■ Sierras espagnoles, Pyrénées, Alpes, Chaînes Dinariques, Carpates sont les hauts massifs du Sud. Le mont Blanc (4 808 m), dans les Alpes françaises, est le plus haut sommet de l'Europe de l'Ouest. Massif central, Vosges, Forêt-Noire, Massif schisteux rhénan, monts de Bohême, massifs ukrainiens constituent les massifs anciens du Centre. Au Nord, le bouclier scandinave (2 111 m) est peu élevé et s'étend jusqu'à la Russie.

Le mont Blanc, dans les Alpes françaises.

Parce qu'il a hanté les forêts européennes jusqu'au début du XIXe siècle, le loup est l'animal le plus représenté dans les contes et les traditions populaires de l'Europe.

La Sierra espagnole.

L'olivier est caractéristique des paysages méditerranéens.

■ De grands fleuves sillonnent l'Europe centrale et orientale : le Rhin, le Danube, le Don, la Volga ; certains drainent la partie occidentale : l'Elbe, la Seine, la Loire, la Garonne ; d'autres enfin arrosent la partie méditerranéenne : l'Èbre, le Tage, le Rhône, le Pô.

Le Danube dans les Carpates (Roumanie).

le relief

Un paysage de polders
en Hollande.

Un paysage de campagne
européenne.

Mer
de Barents

Islande

OCÉAN GLACIAL ARCTIQUE

Oural

Massif scandinave

Plaine russe

Volga

Iles
Shetland

Mer
du Nord

Oural

Irlande

Grande-
Bretagne

Mer Baltique

OCÉAN

Manche

Plaine d'Europe
du Nord

Mer
Caspienne

ATLANTIQUE

Loire

Seine

Rhin

Meuse

Elbe

Vistule

Dniepr

Don

Dniestr

Danube

Carpates

Caucase

Massif
Central

Garonne

Rhône

Alpes

Pô

Danube

Mer Noire

Douro

Pyrénées

Apennins

Chaînes
Dinariques

Balkans

Tage

Èbre

Péninsule

Adriatique

Corse

Tibre

Péninsule
Italienne

Péninsule
Grecque

Ibérique

Baléares

Sardaigne

Sicile

Mer
Méditerranée

Crète

400 km

■ On distingue quatre
tendances climatiques : à l'ouest,
un climat océanique pluvieux
aux hivers doux et aux étés frais ;
à l'est, un climat continental aux
hivers froids et aux étés chauds ;
au centre, un climat intermédiaire entre les deux précédents ;
au sud, un climat méditerranéen
aux hivers doux et aux étés très
chauds.

L'île de Siphnos,
en Grèce.

Phare sur les
côtes bretonnes.

l'Europe

Avec près de 727 millions d'habitants, l'Europe est un continent très peuplé. Sa population équivaut presque à celle de l'ensemble du continent américain. Elle compte 43 États. Les peuples se répartissent selon quatre grands types : nordique, slave, alpin et méditerranéen.

■ Bien qu'encore très peuplée, l'Europe voit sa natalité baisser constamment et sa population vieillir. L'espérance de vie est une des plus longues au monde. Depuis 1989, un grand nombre d'habitants d'Europe centrale et orientale se sont installés à l'ouest.

■ L'ensemble des langues parlées appartient au groupe indo-européen sauf le hongrois, le finnois, l'estonien, le lapon, et le basque dont l'origine reste toujours inconnue.

Vendanges à Château Margaux en Gironde.

■ Les progrès scientifiques et techniques des XIX⁰ et XX⁰ siècles ont entrainé un essor économique important en Europe. Mais cet essor a été considérablement retardé par les conflits mondiaux.

■ La mécanisation de l'agriculture a permis la création de grandes exploitations, et la production céréalière et l'élevage se sont très largement développés en

Pêche au thon sur les côtes portugaises.

Europe du Nord et en Europe occidentale. Seuls certains États de l'Est, soumis à des systèmes politiques particuliers, n'ont pas bénéficié complètement de cette évolution.

■ La pêche, pratiquée sur tout le littoral, joue un rôle important dans l'économie de nombreux pays.

■ L'industrie a profité également de la mécanisation. L'exploitation des ressources minières, importantes sur tout le continent, en a été facilitée. L'extraction plus aisée du charbon, de la bauxite, du minerai de fer, puis plus tard, du pétrole et du gaz naturel, a contribué à la création de grands centres

industriels dans l'ouest et le centre de l'Europe. L'industrie chimique a pris son essor ; l'industrie textile a été longtemps florissante avant de décliner.

■ L'énergie nucléaire s'est développée plus tardivement. Elle est utilisée aujourd'hui dans une large partie de l'Europe.

Le lancem de la fusée européenn Ariane v.

Complexe sidérurgique de la Ruhr (Allemagne).

■ Aujourd'hui, la moitié de ce qui s'échange sur la planète est vendu ou acheté par l'Europe. Elle fournit près du tiers des produits industriels et agricoles du monde.

Traîneaux à rennes en Laponie.

■ La religion chrétienne domine en Europe, partagée entre catholiques, protestants et orthodoxes.

Le marché de Rungis (France) : le ventre de l'Europe.

■ Certains États européens de l'Ouest se sont regroupés pour former une communauté économique. En 1992, elle devient l'Union européenne et compte 15 pays. En 2004, ce sont 10 États de plus qui adhèrent.

Regarde *Union européenne*.

les hommes

OCÉAN GLACIAL ARCTIQUE

Mer de Barents

ISLANDE
Reykjavik

SUÈDE
FINLANDE
NORVÈGE
Oslo
Stockholm
Helsinki
Tallin
ESTONIE

RUSSIE

Moscou

OCÉAN

Mer du Nord

IRLANDE
Dublin

ROYAUME-UNI

DANEMARK
Copenhague

Mer Baltique

Riga
LETTONIE
LITUANIE
Vilnius
R.
Minsk

BIÉLORUSSIE

ATLANTIQUE

Londres

PAYS-BAS
Amsterdam
Berlin

POLOGNE
Varsovie

Kiev

Bruxelles
BELGIQUE
Paris
LUX.

ALLEMAGNE
Prague
RÉP. TCHÈQUE

UKRAINE

FRANCE

Berne
SUISSE •2

AUTRICHE
Vienne
SLOVAQUIE
Bratislava
Budapest
SLOVÉNIE
Ljubljana
HONGRIE
Zagreb

MOLDAVIE
Chişinau

ROUMANIE

PORTUGAL
•1
Madrid
•3
CROATIE
•4
Sarajevo
B.-H.
Belgrade
Bucarest

Mer Noire

Lisbonne
ESPAGNE
ITALIE
Rome •5
YOUGOSLAVIE
Sofia
BULGARIE
Tirana
Skopje
MACÉDOINE
Istanbul
TURQUIE

ALBANIE

Mer Méditerranée

GRÈCE

Athènes

MALTE

1 Andorre
2 Liechtenstein
3 Monaco
4 San Marin
5 Vatican
B.-H.: BOSNIE-HERZÉGOVINE

500 km

■ Toutes les grandes capitales sont reliées par un réseau ferroviaire très moderne. Le trafic aérien est également intense. L'importance des façades maritimes a permis le développement de nombreux ports très actifs tels :

Rotterdam, Anvers, Hambourg, Göteborg, Marseille, Gênes, Bilbao.

Une gondole à Venise, en Italie.

■ La variété des paysages et la richesse du patrimoine culturel de l'Europe entraînent le développement d'une industrie du tourisme florissante.

Cathédrale Saint-Basile à Moscou (Russie).

évoquer v. → conjug. **aimer.** Faire penser à quelque chose. *Évoquer sa jeunesse la rend nostalgique.*

Une odeur évocatrice de son enfance, qui évoque son enfance. *L'évocation de son passé est douloureuse pour lui,* le fait de l'évoquer.

Évreux

Ville française de la Région Haute-Normandie, située dans la vallée de l'Iton. Évreux est un centre industriel, commercial et administratif actif et possède une base aérienne.

La cité abrite des vestiges de remparts gallo-romains, une église des XIIᵉ-XVIIᵉ siècles aux magnifiques vitraux, l'église Notre-Dame, et un beffroi du XVᵉ siècle, la tour de l'Horloge.

Dans l'Antiquité, Évreux porte de nom de Mediolanum Aulercorum. La ville n'est rattachée à la couronne de France qu'au XVIIᵉ siècle. Elle est en grande partie détruite au cours de la Seconde Guerre mondiale.

27 *Préfecture de l'Eure*
54 076 habitants : les Ébroïciens

Évry

Ville française de la Région Ile-de-France, située sur les bords de la Seine, au sud de Paris. Évry est une ville nouvelle formée de quatre communes : Bondoufle, Courcouronnes, Évry et Lisses. La proximité de Paris et les réseaux ferroviaire et routier qui la desservent ont permis la création d'une vaste zone industrielle, administrative et commerciale très active.

La cathédrale d'Évry (1995), à l'architecture très moderne, est l'œuvre de Mario Botta.

91 *Préfecture de l'Essonne*
50 013 habitants : les Évryens

ex– préfixe. Indique un état qui existait avant. *Cet ex-champion est devenu entraîneur.*

exacerber v. → conjug. **aimer.** Rendre un sentiment plus vif, plus aigu. *Exacerber la jalousie, la colère.*

exact, acte adj. *1* Qui est juste, correct, sans erreur. *Tes calculs sont exacts. 2* Qui est conforme à la vérité. *Un compte rendu exact des événements. 3* Qui arrive toujours à l'heure fixée. *Être exact à ses rendez-vous.*
Synonyme : ponctuel (3). Contraires : erroné (1), faux (1), inexact (1).

Il est exactement midi, de façon exacte (2).

exactitude n. f. *1* Qualité d'une chose exacte, vraie. *Vérifier l'exactitude d'un témoignage. 2* Qualité d'une personne exacte, ponctuelle. *J'apprécie votre exactitude car je n'aime pas attendre.*
Synonyme : ponctualité (2).

ex aequo adv. À égalité, en parlant de concurrents. *Il y a deux premiers ex aequo.*
Mots latins qui se prononcent [εgzeko].

exagérer v. → conjug. **digérer.** *1* Donner à quelque chose plus d'importance qu'il n'en a en réalité. *Exagérer les mérites de quelqu'un. 2* Dépasser la limite convenable, abuser. *Ça fait une heure que tu téléphones, tu exagères !*

Il y a beaucoup d'exagération dans ce qu'il dit, il exagère (1). *Une critique exagérément flatteuse,* qui flatte de façon exagérée (1).

exalter v. → conjug. **aimer.** Inspirer un grand enthousiasme à quelqu'un. *Exalter son auditoire.*

Nous avons vécu une aventure exaltante, qui exalte. *Parler avec exaltation,* de manière exaltée.

examen n. m. *1* Action de regarder, d'observer, d'étudier avec soin. *Le juge prendra sa décision après examen du dossier. 2* Épreuve ou série d'épreuves destinées à contrôler les connaissances. *Réviser son examen.*
On prononce [εgzamɛ̃].

Il est intimidé par l'examinateur, par la personne qui fait passer un examen (2). *Ce service est chargé d'examiner les demandes de logement,* d'en faire l'examen (1).

exaspérer v. → conjug. **digérer.** Irriter profondément. *Exaspérer quelqu'un en lui posant des questions stupides.*

Son exaspération est à son comble, le fait qu'il soit exaspéré.

exaucer v. → conjug. **tracer.** Satisfaire un vœu ou une demande. *Je souhaite que tous tes désirs soient exaucés.*

excavation n. f. Trou creusé dans le sol. *Cette excavation est destinée au passage d'une canalisation.*

excavatrice n. f. Machine utilisée pour creuser le sol.

excédent n. m. Quantité qui dépasse, qui est en trop. *Payer un supplément pour un excédent de bagages.*
Synonyme : surplus.

Stocker des récoltes excédentaires, qui sont en excédent.

excéder v. → conjug. **digérer.** *1* Dépasser en quantité, en valeur, en durée. *Son séjour à l'hôpital ne*

devrait pas excéder une semaine. **2** Irriter, énerver au plus haut point. *Ces plaintes incessantes m'excèdent.*
Synonyme : exaspérer (2).

excellence n. f. **1** Qualité de ce qui est excellent, perfection. *Une médaille d'or a récompensé l'excellence de ses fromages.* **2** Titre honorifique donné à un ambassadeur, à un évêque, à un ministre.
Au sens (2), ce mot commence par une majuscule : « Son Excellence l'ambassadeur ».

excellent, ente adj Qui est très bon. *Passer un excellent week-end à la campagne.*

exceller v. → conjug. **aimer.** Montrer des qualités remarquables. *Ce patissier excelle dans la confection des macarons.*

excentrique adj. **1** Qui est situé loin du centre d'une ville. *Habiter un quartier excentrique.* **2** Qui est original, bizarre, extravagant. *Cette femme porte toujours des tenues excentriques.*
Contraires : banal (2), ordinaire (2).
> *Son **excentricité** amuse ses amis,* son attitude excentrique (**2**).

excepté prép. À l'exception de. *Ce magasin est ouvert tous les jours excepté le dimanche.*
Synonymes : à l'exclusion de, hormis, à part, sauf.

exception n. f. Cas rare, particulier ou inhabituel. *Les chutes de pluie sont une exception dans les déserts.*
> *Il fait une chaleur **exceptionnelle**, qui constitue une exception, qui est très rare. L'école sera **exceptionnellement** fermée demain,* de manière exceptionnelle.

excès n. m. **1** Ce qui dépasse la mesure ou les limites autorisées. *Manger sobrement et sans excès. Se faire arrêter pour excès de vitesse.* **2** Au pluriel. Action de trop boire ou de trop manger. *Avec tous ces excès, tu risques d'être malade.*
> *Ce quartier est **excessivement** bruyant,* de façon excessive, extrêmement. *Rouler à une vitesse **excessive**,* qui représente un excès (**1**).

excitant, ante adj. et n. m.
● adj. Qui excite, passionne, stimule. *Une aventure excitante.*
● n. m. Produit qui excite, qui énerve. *Le café est un excitant.*

exciter v. → conjug. **aimer. 1** Éveiller ou stimuler une sensation ou un sentiment. *Le grand air excite l'appétit. Exciter l'imagination de quelqu'un.* **2** Agiter, énerver. *Elvis est tellement excité qu'il saisit sa guitare à l'envers.*
> *Essayer de calmer l'**excitation** des enfants,* le fait qu'ils soient excités (**2**).

exclamation n. f. **1** Parole ou cri qui exprime un sentiment très fort. *Pousser une exclamation de joie en apprenant son succès.* **2** Point d'exclamation : signe de ponctuation (!) qui indique que la phrase est exclamative.
> *Une phrase **exclamative** exprime une exclamation (**2**). Tous se sont **exclamés** sur la beauté des paysages,* ils l'ont déclarée avec des exclamations (**1**).

exclu, ue adj. et n.
● adj. Qui ne fait pas partie d'un ensemble ou d'une totalité. *Les taxes sont exclues du prix de ces marchandises.*
Contraire : inclus.
● n. Personne rejetée par la société. *Des mesures pour venir en aide aux exclus.*

exclure v. → conjug. **conclure. 1** Renvoyer quelqu'un d'un groupe ou d'un établissement. *Exclure un élève pour indiscipline.* **2** Refuser d'admettre ou d'envisager. *Exclure une éventualité, une possibilité.*

exclusif, ive adj. Qui est destiné, réservé uniquement à quelqu'un. *Cette radio a eu le droit exclusif de diffuser ce reportage.*
> *Un médicament vendu **exclusivement** en pharmacie,* de façon exclusive, uniquement. *Publier une nouvelle en **exclusivité**,* avec le droit exclusif de le faire.

exclusion n. f. **1** Fait d'être exclu d'un groupe. *Décider l'exclusion d'un joueur pour faute.* **2** À l'exclusion de : excepté, sauf, hormis.

exclusivement adv., **exclusivité** n. f. → **exclusif.**

excommunier v. → conjug. **modifier.** Exclure quelqu'un de l'Église catholique.

excréments n. m. plur. Matières rejetées par l'anus après la digestion.

excroissance n. f. Petit gonflement qui se forme sur la peau. *Cette excroissance est une verrue.*

excursion n. f. Promenade ou petit voyage touristique dans une région.
> *Rencontrer un groupe d'**excursionnistes**,* de personnes qui font une excursion.

excusable adj. → **excuser.**

excuse n. f. **1** Raison qu'on donne pour se justifier, expliquer sa conduite. *Il est malade et a une bonne excuse pour ne pas faire ses devoirs.* **2** Au pluriel. Fait d'exprimer des regrets. *Présenter ses excuses à quelqu'un pour l'avoir dérangé.*

excuser v. → conjug. **aimer. 1** Ne pas en vouloir à quelqu'un pour ce qu'il a fait. *Il est jeune, il faut l'excu-*

ser pour cette bêtise. **2** Servir d'excuse. *Rien ne peut excuser une telle cruauté.* **3** *S'excuser :* présenter des excuses. *S'excuser pour son retard.*
Synonyme : pardonner (1).

> *Une erreur* **excusable**, *qu'on peut excuser (1).*

exécrable adj. Qui est très mauvais. *Être d'une humeur exécrable. La musique d'Elvis est exécrable.*
Synonymes : abominable, détestable, épouvantable. Contraires : excellent, parfait.

exécutant, ante n. **1** Personne qui travaille sous les ordres de quelqu'un. *Ils n'ont pas pris part à la décision, ce sont des exécutants.* **2** Personne qui exécute une œuvre musicale. *L'orchestre comprend une cinquantaine d'exécutants.*

exécuter v. → conjug. **aimer. 1** Effectuer, accomplir, réaliser. *Exécuter des travaux de peinture.* **2** Interpréter, jouer une œuvre musicale. *Exécuter une sonate de Mozart.* **3** Mettre quelqu'un à mort. *Un des otages a été exécuté par les terroristes* **4** *S'exécuter :* se résoudre à obéir. *Menacé de punition, il a préféré s'exécuter.*

exécutif, ive adj. *Pouvoir exécutif :* pouvoir de faire appliquer les lois.

exécution n. f. **1** Action d'exécuter quelque chose. *Il faut compter un mois pour l'exécution de ces travaux.* **2** Mise à mort d'une personne condamnée.
Synonyme : réalisation (1).

1. exemplaire adj. → **exemple.**

2. exemplaire n. m. Chacun des objets d'une série reproduisant le même modèle. *Une lithographie tirée en nombreux exemplaires.*

exemple n. m. **1** Action ou personne qui mérite d'être imitée et de servir de modèle. *C'est un bon élève, tu devrais suivre son exemple.* **2** Ce qui sert de référence pour servir de preuve ou d'illustration à ce que l'on dit. *Cette cathédrale est un bel exemple de l'architecture gothique.* **3** *Par exemple :* illustre ce qui vient d'être dit. *Certains oiseaux sont migrateurs, par exemple les cigognes et les hirondelles.*

> *Avoir une conduite* **exemplaire**, *qui peut servir d'exemple (1).*

exempter v. → conjug. **aimer.** Dispenser quelqu'un d'une chose pénible ou d'une obligation. *Les petits salaires sont exemptés d'impôts.*
On prononce [ɛgzɑ̃te].

> *Un produit* **exempt** *de taxes,* qui en est exempté. *Bénéficier de l'***exemption** *de la redevance,* du fait d'en être exempté, dispensé.

exercer v. → conjug. **tracer. 1** Faire travailler une faculté ou une partie du corps pour la développer.

Exercer sa mémoire, ses muscles. **2** Pratiquer une profession. *Ce dentiste exerce dans un dispensaire.* **3** Faire tel effet. *Exercer une bonne influence sur quelqu'un.*

exercice n. m. **1** Mouvement pour développer les muscles, le corps. *Marcher un peu tous les jours pour faire de l'exercice.* **2** Devoir scolaire. *Des exercices de mathématiques.* **3** Fait d'exercer une profession. *Avoir des années d'exercice dans la même entreprise.*

exhaler v. → conjug. **aimer.** Répandre, dégager une odeur. *Ces roses exhalent un parfum délicat.*

exhaustif, ive adj. Qui n'omet rien sur un sujet. *Dresser une liste exhaustive des candidats.*
Synonyme : complet.

exhiber v. → conjug. **aimer.** Montrer à tout le monde. *Il est fier d'exhiber son nouveau blouson.*

> *L'***exhibition** *de leur richesse est indécente,* le fait qu'ils l'exhibent.

exhorter v. → conjug. **aimer.** Recommander vivement quelque chose à quelqu'un, l'encourager ou l'inciter fortement. *Exhorter quelqu'un à la prudence.*

> *Ce discours est une* **exhortation** *au calme,* des paroles destinées à exhorter.

exhumer v. → conjug. **aimer.** Déterrer. *Exhumer des poteries anciennes.*

exigeant, ante adj. Qui est difficile à contenter, ou qui exige beaucoup des autres. *Un maître exigeant avec ses élèves.*

exigence n. f. **1** Caractère d'une personne exigeante. *Ce client est d'une telle exigence qu'il n'est jamais satisfait.* **2** Ce que l'on exige. *Ses exigences sont abusives.*

exiger v. → conjug. **ranger. 1** Réclamer de façon insistante ou autoritaire. *J'exige qu'il me fasse des excuses.* **2** Nécessiter de manière indispensable. *Les orchidées sont des fleurs fragiles qui exigent beaucoup de soins.*

> *Cet impôt est* **exigible** *le 15 octobre,* on peut l'exiger (1).

exigu, uë adj. Très ou trop petit. *Habiter un studio exigu.*

> *L'***exiguïté** *d'une pièce,* c'est son caractère exigu.

s'exiler v. → conjug. **aimer.** Quitter son pays pour aller vivre ailleurs. *Une partie de la population s'est exilée pour échapper à la dictature.*
Synonymes : émigrer, s'expatrier.

> *Vivre en* **exil** *dans un pays étranger,* dans l'état d'une personne obligée de s'exiler. *Accueillir des* **exilés**, *des gens qui vivent en exil.*

existant, ante adj. → **exister.**

426

existence n. f. *1* Fait d'exister, d'avoir une réalité. *À la suite de sondages, on a découvert l'existence de pétrole dans cette région.* *2* Vie ou mode de vie. *Mener une existence mouvementée.*

exister v. → conjug. **aimer.** *1* Avoir une réalité. *Cet immeuble a été démoli, il n'existe plus.* *2* Avoir de l'importance, de la valeur. *Pour cet homme, rien n'existe en dehors de son travail.*
Synonyme : compter (2).
Se soumettre aux lois existantes, qui existent actuellement (*1*).

exocet n. m. Poisson des mers chaudes qui fait des sauts hors de l'eau.
Synonyme : poisson volant.
On prononce [εgzɔsε].

L'exocet est un poisson de petite taille aux nageoires très développées. Lorsqu'il saute hors de l'eau, il déploie ces nageoires comme des ailes : il peut ainsi effectuer des vols planés sur plus de 100 m, à une vitesse de près de 70 km/h !

exode n. m. Fuite ou départ en masse d'une population. *La guerre a provoqué l'exode de tout un peuple qui fuyait les bombes.*

exonérer v. → conjug. **digérer.** Dispenser de payer. *Certains chômeurs sont exonérés d'impôts.*
Bénéficier d'une exonération d'impôt, du fait d'en être exonéré.

exorbitant, ante adj. Qui coûte trop cher. *Payer une somme exorbitante.*
Synonymes : excessif, démesuré.

exorbité, ée adj. Se dit des yeux tellement grands ouverts qu'ils semblent sortir de leurs orbites.

exotique adj. Qui provient de pays lointains. *Les ananas, les papayes sont des fruits exotiques.*
Apprécier l'exotisme d'un voyage en Asie, son caractère exotique.

expansif, ive adj. Qui exprime volontiers ses sentiments et ses pensées. *Elle est expansive et a du mal à garder un secret.*
Synonyme : communicatif. Contraires : renfermé, réservé.

expansion n. f. Fait de se développer. *L'expansion de l'économie, de la population.*
Synonymes : développement, essor. Contraire : régression.

s'expatrier v. → conjug. **modifier.** Quitter sa patrie. *S'expatrier pour aller vivre à l'étranger.*
Synonyme : s'exiler.

expédient n. m. Moyen qui permet de se tirer d'affaire de façon provisoire. *Être au chômage et vivre d'expédients.*

expédier v. → conjug. **modifier.** *1* Envoyer vers une certaine destination. *Aller à la poste pour expédier une lettre et un colis.* *2* Bâcler. *Expédier son travail pour pouvoir aller jouer.*
Derrière l'enveloppe il y a le nom de l'expéditeur, de la personne qui a expédié (*1*) quelque chose.

expéditif, ive adj. Qui est rapide et efficace, parfois de manière indélicate. *Des procédés expéditifs.*

expédition n. f. *1* Action d'expédier, d'envoyer. *Passer au guichet pour l'expédition d'un colis.* *2* Voyage scientifique ou touristique. *Organiser une expédition au pôle Nord.*

expérience n. f. *1* Essai scientifique réalisé pour observer et étudier un phénomène. *Ce savant fait ses expériences dans son laboratoire.* *2* Connaissance acquise par la pratique. *Il conduit bien car il a beaucoup d'expérience.*
Utiliser une méthode expérimentale, fondée sur l'expérience (*1*). *C'est un marin expérimenté*, qui a de l'expérience (*2*) dans son domaine. *Expérimenter un nouveau produit avant de le mettre en vente*, c'est le soumettre à des expériences (*1*).

expert, erte adj. et n. m.
● adj. Qui a acquis une grande compétence grâce à l'expérience et à la pratique. *Cet artisan est expert dans la réparation des meubles anciens.*
● n. m. Spécialiste chargé d'apprécier ou de vérifier quelque chose. *Un expert de la compagnie d'assurances doit estimer le montant des dégâts.*
Demander une expertise, un examen effectué par un expert. *Faire expertiser un tableau avant de le vendre*, c'est demander à un expert d'en faire l'expertise.

expier v. → conjug. **modifier.** Réparer une faute en subissant la peine qu'on mérite.

expiration n. f. *1* Action d'expirer de l'air. *2* Fin d'un délai convenu à l'avance. *Renouveler un contrat qui arrive à expiration.*
Synonymes : terme, échéance (2). Contraire : inspiration (1).

expirer v. → conjug. **aimer.** *1* Rejeter à l'extérieur l'air inspiré par les poumons. *Inspirez puis expirez lentement.* *2* Arriver à la fin d'un délai fixé. *Il va devoir déménager car son bail va expirer.* *3* Littéraire. Mourir.

explicable adj., **explicatif, ive** adj. → expliquer.

explication n. f. *1* Ce qui sert à expliquer, faire comprendre. *Demander des explications pour pouvoir se servir d'un nouveau matériel.* *2* Cause, raison, motif. *Trouver une explication pour justifier son retard.* *3* Discussion pour s'expliquer. *Avoir une explication avec ses parents.*

explicite adj. Qui est exprimé ou qui s'exprime très clairement et ne comporte aucune ambiguïté. *Donner une réponse explicite. Elle a été très explicite.* **Contraire : implicite.**

> Il a donné **explicitement** son accord, de manière explicite. *Explicitez* un peu votre opinion, rendez-la plus explicite.

expliquer v. → conjug. **aimer.** *1* Faire comprendre. *Explique-moi comment marche cette machine.* *2* Être la cause, la raison de quelque chose. *C'est une grève qui explique le retard des trains.* *3* S'expliquer : avoir une discussion pour se faire comprendre ou se justifier.

> Une chose difficilement **explicable**, qu'on peut difficilement expliquer (*1* et *2*). *Une notice* **explicative** est jointe à l'appareil, qui sert à en expliquer (*1*) le fonctionnement.

exploit n. m. Action remarquable, prouesse. *Accomplir un exploit en traversant l'Antarctique.*

exploitant, ante n. → exploiter.

exploitation n. f. *1* Entreprise ou terres que l'on exploite. *L'exploitation d'un puits de pétrole. Ce fermier a une grande exploitation agricole.* *2* Fait d'exploiter quelqu'un. *Se révolter contre l'exploitation de la main-d'œuvre étrangère.*

exploiter v. → conjug. **aimer.** *1* Mettre en valeur en vue d'un profit. *Cet agriculteur exploite une très grosse ferme.* *2* Profiter de quelque chose. *Savoir exploiter ses talents.* *3* Profiter abusivement du travail des autres pour s'enrichir. *Exploiter une main-d'œuvre bon marché.*

> Un **exploitant** agricole est une personne qui exploite (*1*) un domaine agricole. *Ce patron est un* **exploiteur**, il exploite (*3*) les autres.

explorer v. → conjug. **aimer.** Parcourir ou visiter un lieu plus ou moins inconnu. *Des aventuriers partis explorer le désert australien.*

> Les **explorateurs** sont des personnes qui explorent des régions mal connues. *L'*exploration *de cette grotte a permis la découverte de peintures rupestres,* l'action de l'explorer.

exploser v. → conjug. **aimer.** *1* Éclater violemment. *La bombe qui a explosé a fait de nombreuses victimes.*

2 Au figuré. Se manifester violemment. *Le producteur laisse exploser sa colère contre Elvis.*

explosif, ive adj. et n. m.
• adj. *1* Qui peut exploser. *Une grenade est un engin explosif.* *2* Au figuré. Qui est arrivé à un point critique, qui pourrait provoquer un conflit. *La situation est explosive dans cette région.*
• n. m. Produit qui peut exploser. *Le plastic, la dynamite sont des explosifs.*

explosion n. f. *1* Fait d'exploser. *Une explosion due à une fuite de gaz.* *2* Au figuré. Manifestation vive et soudaine d'un sentiment. *Une explosion de joie.*

exporter v. → conjug. **aimer.** Vendre des marchandises à l'étranger. *La France exporte son champagne dans le monde entier.* **Contraire : importer.**

> Un pays **exportateur** de café, qui exporte du café. *Ces produits sont destinés à l'*exportation, à être exportés.

exposant, ante n. → exposer.

exposé n. m. Petit discours ou petite conférence sur un sujet précis. *Les élèves ont préparé un exposé sur les baleines.*

exposer v. → conjug. **aimer.** *1* Montrer, présenter au public. *Certains tableaux de ce peintre sont exposés au musée.* *2* Expliquer ou présenter une idée. *Exposer son point de vue.* *3* Soumettre à une action. *Cette plante doit être exposée à la lumière.* *4* Orienter dans telle direction. *La terrasse est exposée au sud.* *5* S'exposer : courir un risque. *S'exposer à des reproches.*

> À la brocante, il y a une centaine d'**exposants**, de personnes qui exposent (*1*) leur marchandise.

exposition n. f. *1* Présentation d'objets que l'on expose. *Ce sculpteur prépare une exposition.* *2* Fait de soumettre à une action. *De trop longues expositions au soleil ne sont pas recommandées.* *3* Orientation d'un lieu. *Cette pièce est froide à cause de son exposition au nord.*

1. exprès adv. Volontairement, intentionnellement. *Bousculer son copain sans le faire exprès.* **On prononce [ɛkspʁɛ].**

2. exprès adj. inv. *Colis, lettre exprès :* distribués rapidement au destinataire. **On prononce [ɛkspʁɛs].**

3. exprès, esse adj. Qui est énoncé de façon impérative et formelle. *Défense expresse de fumer dans les lieux publics.* **On prononce [ɛkspʁɛs] au masculin ou au féminin.**

Il est **expressément** *interdit de parler au conducteur, de façon expresse.*

express adj. inv. et n. m. inv.
• adj. inv. *1* Se dit d'un train rapide, qui ne s'arrête pas dans toutes les gares. *2* Se dit d'une voie de circulation rapide.
• n. m. inv. *1* Train express. *Cette petite ville est desservie par des omnibus, mais pas par les express.* *2* Café très concentré. *Boire un express après le déjeuner.*

expressément adv. → **exprès 3.**

expressif, ive adj. Qui exprime bien ce qu'on veut dire ou ses sentiments. *Avoir un regard très expressif.*

expression n. f. *1* Ce qui, dans un visage ou un regard, exprime certains sentiments ou certaines émotions. *Une expression de joie est apparue sur son visage.* *2* Mot ou groupe de mots ayant un sens particulier. *«En avoir par-dessus la tête» est une expression familière.* *3* Manière de s'exprimer. *Choisir la peinture comme moyen d'expression.*

exprimer v. → conjug. **aimer.** *1* Montrer ou dire ce qu'on pense ou ce qu'on ressent. *Exprimer sa satisfaction. Un regard qui exprime la tristesse.* *2* S'exprimer : parler, se faire comprendre. *Cet enfant s'exprime bien pour son âge.*
Synonyme : manifester (1). Contraires : cacher (1), dissimuler (1).

exproprier v. → conjug. **modifier.** Prendre légalement un bien à un propriétaire en échange d'une indemnité. *Certains agriculteurs ont été expropriés par l'État pour la construction de l'autoroute.*

expulser v. → conjug. **aimer.** Mettre dehors, chasser. *Cet élève indiscipliné risque d'être expulsé du collège. Le producteur expulse Elvis.*
   *Plusieurs locataires sont menacés d'*expulsion*, d'être expulsés.*

exquis, ise adj. Délicieux, excellent. *Ce sorbet est exquis.*
Contraire : exécrable.

exsangue adj. Qui est d'une très grande pâleur. *Le blessé est sorti exsangue de l'accident.*
On prononce [ɛgzãg] ou [ɛkzãg].

s'extasier v. → conjug. **modifier.** Manifester fortement son admiration. *S'extasier devant la beauté d'un paysage.*
   Rester en extase *devant le tableau d'un peintre, c'est s'extasier.*

extensible adj. Qui peut s'allonger, s'étirer. *Du tissu extensible.*
Synonyme : élastique.

extension n. f. *1* Action d'étendre un membre. *L'extension des bras.* *2* Augmentation en étendue ou en importance de quelque chose. *Redouter une extension du conflit.*
Contraire : flexion (1).

exténuer v. → conjug. **aimer.** Causer une immense fatigue. *Monter ces six étages m'a exténué.*
Synonymes : épuiser, éreinter.
   Ce travail pénible est exténuant*, il exténue.*

extérieur, eure adj. et n. m.
• adj. *1* Qui est situé au-dehors, sur le côté tourné vers le dehors. *Les murs extérieurs de la maison sont couverts de vigne vierge. La poche extérieure d'une veste.* *2* Qui concerne les pays étrangers. *La politique extérieure d'un État.*
Contraire : intérieur (1 et 2).
• n. m. *1* Ce qui est extérieur, au-dehors. *L'extérieur de cette église a été restauré.* *2* À l'extérieur : dehors. *Il fait beau, allez jouer à l'extérieur.*
Contraires : intérieur (1), à l'intérieur (2), dedans (2).
   Extérieurement, cette maison semble en bon état, vue de l'extérieur.

extérioriser v. → conjug. **aimer.** Exprimer ou manifester un sentiment ouvertement. *Avoir du mal à extérioriser ce qu'on ressent.*

exterminer v. → conjug. **aimer.** Tuer des êtres vivants en grande quantité. *Un produit efficace pour exterminer les moustiques.*
   *Ce produit est destiné à l'*extermination *des souris, à les exterminer.*

externe adj. et n.
• adj. Qui est vers l'extérieur. *Laver la partie externe des vitres.*
• n. Élève qui ne mange ni ne dort dans l'établissement scolaire qu'il fréquente.
Contraire : interne.

extincteur n. m. Appareil servant à éteindre un feu. *Il y a des extincteurs à chaque étage de l'immeuble.*

extinction n. f. *1* Action d'éteindre ce qui brûle ou ce qui est allumé. *2* Disparition complète. *L'extinction d'une espèce animale comme les dinosaures.* *3* Extinction de voix : affaiblissement momentané de la voix.

extirper v. → conjug. **aimer.** *1* Arracher ou enlever totalement. *Extirper toutes les mauvaises herbes avec leurs racines.* *2* Faire sortir. *Extirper des bigorneaux de leur coquille.*

extorquer v. → conjug. **aimer.** Obtenir par la force, la menace ou la ruse. *Extorquer de l'argent à un vieux monsieur.*

a b c d e f g h i j k l m n o p q r s t u v w x y z

extra

1. extra adj. inv. Familier. Qui est d'excellente qualité. *Ces sorbets sont extra.*

2. extra– préfixe. Indique : *1* Ce qui est à l'extérieur : *extraterrestre. 2* Un superlatif : *extra-fin, extralucide.*

extraction n. f. *1* Action d'extraire du sol. *L'extraction du charbon. 2* Action d'extraire du corps. *L'extraction d'une dent.*

extraire v. → conjug. **traire.** *1* Tirer du sous-sol. *Extraire du charbon, des minerais. 2* Retirer du corps. *Extraire une dent, une balle. 3* Tirer un passage d'une œuvre. *Une citation extraite d'un roman. 4* Séparer une substance d'une autre pour obtenir un produit. *On extrait de l'huile des noix et des olives.*

extrait n. m. *1* Passage tiré d'un film ou d'un livre. *Lire quelques extraits d'un roman. 2* Produit obtenu à partir d'une substance. *Ce parfum contient de l'extrait de jasmin. 3* Copie ou résumé d'un document officiel. *Un extrait de naissance.*

extraordinaire adj. *1* Qui sort de l'ordinaire. *L'éruption de ce volcan est vraiment un phénomène extraordinaire. 2* Qui surprend par son caractère bizarre ou remarquable. *Avoir une mémoire extraordinaire et se souvenir de tout.*
Synonymes : exceptionnel (*1*), inhabituel (*1*).
> *C'est une personne* **extraordinairement** *intelligente, de façon extraordinaire (2).*

extraterrestre n. Créature qui viendrait d'une autre planète que la Terre.

extravagant, ante adj. Qui est bizarre ou excentrique. *Porter des tenues extravagantes.*

Son extravagance *lui a valu quelques ennuis, son caractère extravagant.*

extrême adj. et n. m.
• adj. *1* Qui est à la fin, dans l'espace ou dans le temps. *La pointe extrême de l'île. La limite extrême pour s'inscrire. 2* Qui atteint un degré très élevé. *Une extrême fatigue. 3* Qui dépasse la juste mesure. *Ce parti défend des opinions extrêmes.*
• n. m. Point de vue excessif. *Manquer de modération et passer d'un extrême à l'autre.*
> *Elvis est* **extrêmement** *déçu, de façon extrême (2). Un* **extrémiste** *est une personne qui a des opinions extrêmes (3). Ce village se trouve à l'***extrémité** *de l'île, dans sa partie extrême (1).*

extrême–onction n. f. **Plur. : des extrêmes-onctions.** Sacrement donné aux mourants, dans l'Église catholique.

extrémiste n., **extrémité** n. f. → **extrême.**

exubérant, ante adj. *1* Qui est très abondant, luxuriant. *Une serre dans laquelle la végétation est exubérante. 2* Qui exprime ses sentiments sans retenue. *Un enfant agité et très exubérant.*
> *L'***exubérance** *d'une personne qui manifeste sa joie avec excès, c'est son attitude exubérante (2).*

exulter v. → conjug. **aimer.** Manifester une grande joie. *Exulter en apprenant sa victoire.*
> *Être au comble de l'***exultation**, *c'est exulter de joie.*

ex–voto n. m. inv. Petite plaque ou petit tableau qui porte une formule de remerciement à un saint pour un vœu exaucé.

Ff

Fulbert aime
les facéties.

FULBERT

fable n. f. Petite histoire, poésie qui se termine par une morale.
La Fontaine est un fabuliste, un auteur de fables.

fabriquer v. → conjug. **aimer.** Faire, construire un objet à partir d'une matière première. *Fabriquer un banc. Fabriquer soi-même son pain.*
Le rempailleur de chaises est aussi fabricant de paniers, il les fabrique. *Ce vase fuit à cause d'un défaut de fabrication*, un oubli ou une erreur faits en le fabriquant. *Il est menuisier dans une fabrique de meubles*, une petite usine qui en fabrique.

fabuleux, euse adj. **1** Qui n'existe que dans les fables, les légendes. *La licorne est un animal fabuleux.* **2** Extraordinaire ou colossal. *Une force fabuleuse.*
Il est fabuleusement riche, de façon fabuleuse (**2**).

fabuliste n. → **fable.**

façade n. f. **1** Côté d'un bâtiment où se trouve l'entrée principale. *La façade donne sur la rue.* **2** Au figuré. Ce que l'on voit de l'extérieur et qui n'est pas toujours vrai. *Sa gaieté est une façade qui camoufle sa tristesse.*

face n. f. **1** Visage. *Tomber face contre terre.* **2** Côté d'une médaille ou d'une pièce de monnaie qui porte la figure. *Jouer à pile ou face.* **3** Chacun des côtés d'une chose. *Les deux faces d'un 33 tours. La face nord d'une montagne.* **4** *Regarder un danger en face :* en l'affrontant avec courage. **5** *Faire face :* affronter une situation. *Faire face à la maladie, au chômage.* **6** *Face à face :* l'un en face de l'autre. **7** *En face de :* devant, vis-à-vis.
Les muscles faciaux sont les muscles de la face (**1**).
Un diamant a plusieurs facettes, de petites faces (**3**).

face-à-face n. m. Débat télévisé entre deux personnes assises l'une en face de l'autre.

facétie n. f. Farce, plaisanterie.
On prononce [fasesi].

Elle a un caractère facétieux, elle aime faire des facéties.

fâcher v. → conjug. **aimer.** **1** Mettre en colère. *Se fâcher pour un rien.* **2** *Se fâcher :* se brouiller avec quelqu'un. *Il s'est fâché avec son ami, ils sont fâchés.*
Synonymes : irriter, exaspérer (1). Contraire : se réconcilier (2).

fâcheux, euse adj. Regrettable, ennuyeux. *Un fâcheux contretemps.*

facial, ale, aux adj. → **face.**

facile adj. **1** Qui se fait sans effort. *Un exercice facile. Il a la parole facile.* **2** Qui a un caractère agréable et conciliant. *Il est facile à vivre.*
Synonymes : simple, aisé (1) ; accommodant (2). Contraires : ardu, compliqué, difficile (1) ; désagréable, difficile (2).
Elle a des facilités pour les langues étrangères, il lui est facile de les apprendre. *Tu trouveras facilement ma maison*, de façon facile. *L'aspirateur facilite la vie quotidienne*, cela la rend plus facile.

façon n. f. **1** Manière d'être ou de faire. *J'aime sa façon de rire. Voici un problème : il y a plusieurs façons de le résoudre.* **2** *Faire des façons :* des manières. **3** *Sans façon :* simplement, de façon directe. **4** *De toute façon :* quoi qu'il arrive. **5** *De façon à :* de manière à. *Mettez-vous en cercle autour de moi, de façon à ce que chacun me voie.* **6** Au pluriel. Manières de se comporter. *Je n'aime pas ses façons. Il a des façons bizarres.*

façonner v. → conjug. **aimer.** Travailler une matière pour lui donner une forme. *Façonner de la terre glaise.*

fac-similé n. m. **Plur. :** des fac-similés. Reproduction exacte d'un écrit, d'un dessin, d'un tableau.

1. facteur, trice n. *1* Employé de la poste qui distribue le courrier. *La factrice fait sa tournée en vélo.* *2* Fabricant de certains instruments de musique. *Facteur d'orgues, de pianos.*

2. facteur n. m. *1* Élément qui contribue à un résultat. *La lecture est un facteur de réussite en français.* *2* Chacun des termes d'une multiplication.

factice adj. *1* Qui est faux, imité. *Un collier de perles factices.* *2* Qui n'est pas naturel, forcé. *Une joie factice.*

faction n. f. *Être de faction :* monter la garde.

facture n. f. Note à payer. *Facture de téléphone.*
> Le plombier nous a **facturé** deux heures de main-d'œuvre, il les a portées sur sa facture.

facultatif, ive adj. Qui n'est pas obligatoire. *Le pourboire est facultatif, on le donne si on veut.*

faculté n. f. *1* Aptitude, capacité. *Il a une grande faculté de travail.* *2* Partie d'une université. *Il s'est inscrit à la faculté de médecine.*

fade adj. Qui manque de goût, de saveur. *Une cuisine fade.*
Synonyme : insipide.
> La **fadeur** des plats servis dans cette cantine, leur caractère fade.

fagot n. m. Paquet de brindilles attachées ensemble.

fagoté adj. Familier. Mal habillé.

faible adj. et n. m.
- adj. *1* Qui manque de vigueur, de force. *Il va mieux, mais il est encore faible.* *2* Qui manque de connaissances, dont le niveau est insuffisant. *Être faible en mathématiques.* *3* Qui manque de fermeté, de volonté. *Un caractère faible.* *4* Qui manque d'intensité. *Une lumière faible. Un son faible.*
Contraires : robuste, vigoureux (*1*) ; bon, fort (*2*) ; dur, ferme, sévère (*3*) ; fort, puissant, violent (*4*).

- n. m. Goût particulier, penchant. *Elle a toujours eu un faible pour son petit-fils.*
> Il protesta **faiblement**, de façon faible (*4*). Elle fait preuve de **faiblesse** avec ses enfants, elle est faible (*3*) avec eux. L'orage s'éloigne, le bruit du tonnerre **faiblit**, il devient faible (*4*).

faïence n. f. *1* Poterie en terre cuite recouverte de vernis ou d'émail. *Assiettes en faïence.* *2* *Se regarder en chiens de faïence :* s'observer d'un air méfiant et sans s'adresser la parole.

faille n. f. *1* Cassure de l'écorce terrestre. *2* Défaut, faiblesse. *Une volonté sans faille.*

Les failles peuvent mesurer de quelques mètres à plusieurs centaines de kilomètres. La faille de San Andreas, en Californie, s'étend sur près de 1 000 km ! Elle se situe au point de rencontre entre deux plaques continentales : celle de l'Amérique du Nord et celle du Pacifique. Le niveau des portions de terrain situées entre deux failles peut s'abaisser, formant ce que l'on appelle des fossés d'effondrement.

La faille de San Andreas en Californie (États-Unis).

faillir v. *1* Être sur le point de faire quelque chose. *J'ai failli rater mon train.* *2* Littéraire. Ne pas faire ce que l'on devrait faire. *Il a failli à sa promesse.*
Synonyme : manquer.

La conjugaison du verbe
FAILLIR 3e groupe

indicatif présent	**je faillis, il ou elle faillit, nous faillissons, ils ou elles faillissent**
imparfait	**je faillissais**
futur	**je faillirai, nous faillirons**
passé simple	**je faillis, nous faillîmes**
subjonctif présent	**que je faille**
conditionnel présent	**je faillirais**
impératif	*inusité*
participe présent	**faillissant**
participe passé	**failli**

faillite n. f. Situation d'un commerçant qui ne peut plus payer ses dettes. *Le libraire est en faillite, il a dû fermer boutique.*

faim n. f. *1* Besoin de manger. *2* Malnutrition. *La faim dans le monde.*

faine n. f. Fruit du hêtre.
On écrit aussi faîne.

fainéant, ante adj. et n. Qui ne veut rien faire, paresseux. *C'est une fainéante.*

faire v. *1* Façonner, fabriquer, construire. *Faire une cabane. Faire des étagères. 2* Arranger, remettre en état. *Faire son lit. Faire le ménage. 3* Exercer, pratiquer. *Que fait-il comme métier? Faire du piano, du basket, du dessin. 4* Agir, exécuter une action. *Comment as-tu fait? Faire un achat. Faire les foins. 5* Produire, avoir pour résultat, avoir comme taille, poids, vitesse. *Deux et deux font quatre. Ça fait du bruit. Il fait du 37 de pointure. Cette moto fait du 120 km/heure. Cette valise fait 10 kg. 6* Paraître ou chercher à paraître. *Faire jeune. Faire le difficile. 7 Se faire à quelque chose:* s'y habituer. *8 Cela ne fait rien:* ce n'est pas grave. *9 S'en faire, se faire du souci:* s'inquiéter.
Courir 1 kilomètre en 2 minutes n'est pas faisable, on ne peut pas le faire (4).

La conjugaison du verbe
FAIRE 3e groupe

indicatif présent	je fais, il ou elle fait, nous faisons, ils ou elles font
imparfait	je faisais
futur	je ferai
passé simple	je fis
subjonctif présent	que je fasse
conditionnel présent	je ferais
impératif	fais, faisons, faites
participe présent	faisant
participe passé	fait

faire-part n. m. inv. Lettre annonçant une naissance, un mariage ou un décès.

faisable adj. → **faire**.

faisan n. m. Gros oiseau chassé pour sa chair.
On prononce [fəzã].
La poule faisane est la femelle du faisan.

Le faisan mâle est un oiseau aux couleurs vives, doté d'une longue queue. Il peut atteindre 90 cm de longueur. La femelle est plus petite, son plumage, plus terne, est de couleur brune, et sa queue est courte. Le faisan se nourrit de graines et d'insectes. Il vit majoritairement à terre, et ne s'envole que lorsqu'il se sent en danger. Le faisan est un gibier très recherché. Il est souvent élevé dans des faisanderies pour être relâché dans les zones de chasse.

Faisan mâle.

faisandé, ée adj. Se dit d'une viande qui commence à pourrir.

faisceau, eaux n. m. *1* Assemblage de choses longues, liées ensemble. *Faisceau de brindilles. 2* Rayons lumineux. *Le faisceau d'un phare, d'un projecteur.*

1. fait, faite adj. *1* Qui est à maturité, à point. *Fromage pas assez fait. 2 C'est bien fait:* c'est mérité.

2. fait n. m. *1* Ce que l'on a fait, acte, action. *Le fait de pleurer ne changera rien. 2* Ce qui existe ou ce qui a existé. *Voici les faits; c'est un fait:* c'est sûr. *3 En fait:* en réalité. *4 Être au fait de quelque chose:* au courant de cette chose. *5 Prendre quelqu'un sur le fait:* en train de faire quelque chose. *6 Les faits et gestes de quelqu'un:* ce qu'il fait.

fait-divers n. m. Plur. : des faits-divers. Événement (accident, crime, délit) récent raconté dans un journal. *Lire la rubrique des faits-divers.*
On écrit aussi : fait divers.

faîte n. m. Point le plus élevé, sommet. *Le faîte d'un toit.*

fait-tout n. m. inv. Marmite munie de deux anses et d'un couvercle.
On écrit aussi : faitout (pluriel : faitouts).

fakir n. m. Illusionniste qui fait des tours de magie et qui semble insensible à la douleur.

falaise n. f. Paroi rocheuse très escarpée, qui domine la mer.

fallacieux, euse adj. Trompeur. *Des promesses fallacieuses.*
Contraire : sincère.

falloir v. *1* Être nécessaire ou obligatoire. *Maintenant, il faut que tu dormes. Il faut un passeport pour aller au Maroc. 2 Comme il faut:* convenablement. *3 Il s'en est fallu de peu que:* il a failli arriver que. *Il s'en est fallu de peu qu'il ne redouble.*
« Falloir » ne s'emploie qu'à l'infinitif et à la troisième personne du singulier.

La conjugaison du verbe
FALLOIR 3e groupe
verbe impersonnel

indicatif présent	**il faut**
imparfait	**il fallait**
futur	**il faudra**
passé simple	**il fallut**
subjonctif présent	**qu'il faille**
conditionnel présent	**il faudrait**
impératif	*inusité*
participe présent	*inusité*
participe passé	**fallu**

falsifier v. → conjug. **modifier**. Donner une fausse apparence, modifier quelque chose dans le but de tromper. *Falsifier du vin. Falsifier une signature.*
Synonymes : contrefaire, trafiquer.

Ce comptable est accusé de **falsification** *de documents, de les avoir falsifiés.*

famélique adj. Affamé et très amaigri. *Un chat famélique.*

fameux, euse adj. *1* Célèbre, renommé, réputé. *La fameuse Joconde. Un restaurant de poissons fameux. 2* Délicieux. *Le dîner était fameux.*

familial, ale, aux adj. → **famille**.

familier, ère adj. et n. m.
• adj. *1* Que l'on connaît bien. *Une voix familière. Un décor familier. 2* Qui vit dans une maison, quand il s'agit d'un animal. *Le chat, le chien sont des animaux familiers. 3* Qui se dit couramment, mais qu'il est préférable d'éviter quand on écrit. « *On va se balader* » *est familier, « on va se promener » ne l'est pas. 4* Qui a des manières désinvoltes, qui manque de retenue.
Contraires : étranger, inconnu (1) ; cérémonieux, réservé, respectueux (4).
• n. m. Personne considérée comme faisant partie de la famille.
Synonyme : intime.

On dit **familièrement** « *pote* » *pour* « *copain* », *de façon familière (3). Il a déménagé et commence à se* **familiariser** *avec sa nouvelle ville, elle lui devient familière (1). On lui reproche des* **familiarités** *avec la maîtresse, d'être trop familier (4) avec elle.*

famille n. f. *1* Le père, la mère et les enfants. *2* Ensemble des personnes ayant des liens de parenté. *Pour les cent ans du grand-oncle, toute la famille était réunie. 3* Groupe d'animaux ou de plantes ayant des caractères communs. *Le chat et le tigre font partie de la famille des félidés. 4* Ensemble des mots construits à partir d'un même mot. « *Faible* », « *faiblement* », « *faiblesse* », « *faiblir* » *sont de la même famille de mots.*

Noël est une fête **familiale**, *on la passe souvent en famille (2).*

famine n. f. Manque de nourriture dans une région ou un pays, qui fait que les gens meurent de faim.

fan n. Adepte passionné. *C'est une fan des Beatles.* **On prononce** [fan].

fanal, aux n. m. Grosse lanterne servant de signal. *Fanal d'un navire, d'une locomotive.*

fanatique adj. et n.
• adj. *1* Qui croit de façon aveugle en quelqu'un ou quelque chose, et qui est prêt à tout pour imposer ses idées. *Des religieux fanatiques. 2* Qui est passionné exclusivement par quelque chose. *Être fanatique de football.*
• n. Personne fanatique. *L'attentat a été commis par des fanatiques.*

Les discours de Hitler **fanatisaient** *les foules, les rendaient fanatiques. Le* **fanatisme** *rend les gens intolérants envers tous ceux qui ne pensent pas comme eux.*

se faner v. → conjug. **aimer**. Se dessécher et perdre sa fraîcheur, sa couleur, quand il s'agit d'une plante.
Synonyme : se flétrir.

fanfare n. f. Orchestre d'instruments de cuivre et de tambours qui joue dans la rue.

fanfaron, onne n. Personne qui se vante de son courage ou de ses exploits.

Il **fanfaronne** *devant ses amis, il fait le fanfaron. Il prétend avoir traversé le lac à la nage, il dit cela par* **fanfaronnade**, *pour fanfaronner.*

fanion n. m. Petit drapeau.

fanon n. m. Chacune des lames de corne qui garnissent la bouche de la baleine.

Les fanons pendent de la mâchoire supérieure des baleines. Au nombre de plusieurs centaines, ils permettent à l'animal de filtrer l'eau de mer pour retenir le plancton qui constitue son alimentation.

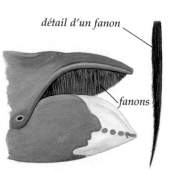

détail d'un fanon

fanons

fantaisie n. f. *1* Envie passagère, caprice. *Il est trop gâté, ses parents satisfont toutes ses fantaisies. 2* Qualité d'imagination, d'originalité. *Une vie monotone, qui manque totalement de fantaisie. 3* Bijou fantaisie : sans valeur.
Synonyme : lubie (1).

Elle a un esprit *fantaisiste*, plein de fantaisie (*2*).

fantasmagorique adj. Qui semble irréel, féerique, fantastique. *Vision, spectacle fantasmagorique.*

fantasque adj. Qui est capricieux, lunatique, d'humeur changeante.

fantassin n. m. Soldat de l'infanterie.

fantastique adj. *1* Qui est créé par l'imagination. *La licorne est un animal fantastique. 2* Familier. Extraordinaire, formidable. *Avoir une chance fantastique.*
Synonymes : fabuleux, surnaturel, imaginaire (1).

fantôme n. m. Revenant, spectre. *Fulbert s'est déguisé en fantôme.*

Les arbres sous la lune ont une allure *fantomatique*, ils font penser à des fantômes.
« **Fantôme** » **prend un accent circonflexe,** « **fantomatique** » **n'en prend pas.**

faon n. m. Petit du cerf, du daim et du chevreuil. *Une biche et son faon.*
On prononce [fã].

Faraday Michael

Physicien et chimiste britannique né en 1791 et mort en 1867. Faraday étudie les propriétés magnétiques du courant électrique, et aboutit au principe de fonctionnement du moteur électrique.

Il découvre l'induction électromagnétique, c'est-à-dire la transformation d'un travail (énergie mécanique) en courant (énergie électrique), il invente la dynamo. Il est aussi l'auteur des lois fondamentales de l'électrolyse, c'est-à-dire de la décomposition chimique de certaines substances par le passage d'un courant électrique.

---

faramineux, euse adj. Familier. Beaucoup trop cher. *Un prix faramineux.*

farandole n. f. Danse exécutée par une file de danseurs qui se tiennent par la main.

farce n. f. *1* Tour que l'on joue à quelqu'un, blague. *2* Aliments hachés (viande, oignon, herbes…) que l'on met à l'intérieur d'une volaille, d'un poisson ou d'un légume.

Farcir un poulet, c'est le remplir de farce (*2*). *Ce petit garçon est un farceur*, il aime faire des farces (*1*).

fard n. m. Produit de maquillage.
Homonyme : phare.

Se *farder* les joues, les paupières, y mettre un fard.

fardeau n. m. Lourde charge.

se farder v. → fard.

farfelu, ue adj. Familier. Bizarre, saugrenu, fantasque. *Un projet farfelu.*

farine n. f. Grains de blé, de seigle, de maïs, etc., moulus, réduits en poudre.

Cette poire est *farineuse*, elle a la consistance et le goût de la farine.

farouche adj. *1* Qui s'enfuit quand on l'approche, quand il s'agit d'un animal. *Les écureuils du parc ne sont pas farouches, ils viennent manger dans la main. 2* Violent et acharné. *Une haine farouche.*
Synonymes : craintif (1) ; véhément, opiniâtre (2).

L'accusé a nié *farouchement* avoir participé au complot, d'une manière farouche (*2*).

fascicule n. m. Petit livre de l'épaisseur d'une revue faisant partie d'une collection. *Encyclopédie vendue par fascicules.*

fascinant, ante adj. → fasciner.

fasciner v. → conjug. aimer. Attirer de façon irrésistible. *Le serpent fascine sa proie. Il est fasciné par l'argent, le luxe.*

La télévision exerce une *fascination* sur beaucoup d'enfants, elle les fascine. *Cette femme a un regard fascinant*, qui fascine.

fascisme n. m. Système politique qui repose sur le culte d'un chef, la dictature d'un parti unique, le nationalisme et le recours à la violence pour éliminer toute opposition.

fasciste n. et adj.
● n. Partisan du fascisme.
● adj. Du fascisme. *Idées fascistes.*

1. faste adj. *Jour faste* : jour heureux, où tout réussit.
Contraire : néfaste.

2. faste n. m. Déploiement de luxe, magnificence. *Le faste d'un mariage princier.*
Contraires : modestie, simplicité.

Mener une vie *fastueuse*, pleine de faste.

fast-food n. m. Restaurant qui sert rapidement et à toute heure des produits bon marché, à consommer sur place ou à emporter.
Mot anglais qui se prononce [fastfud].

fastidieux, euse adj. Ennuyeux et monotone. *Un travail fastidieux.*

fastueux, euse adj. → faste 2.

fatal, ale, als adj. *1* Qui mène à la catastrophe. *Être distrait en conduisant peut être fatal. 2* Qui donne la mort. *Coup fatal. 3* Qui doit inévitablement arriver. *Il laissait sa maison tomber en ruine, le toit a fini par s'écrouler, c'était fatal.*

Cette histoire devait *fatalement* finir mal, d'une façon fatale (*3*). Être *fataliste*, c'est croire que ce qui arrive doit fatalement arriver. *La fatalité de la mort*, c'est son caractère fatal (*3*).

fatidique adj. Se dit d'un événement qui semble marqué par le destin.

fatigant, ante adj. *1* Qui cause de la fatigue. *Un travail de terrassement très fatigant. 2* Qui ennuie, lasse. *Il est fatigant avec ses histoires.*
Synonymes : assommant, embêtant, fastidieux (*2*). Ne pas confondre « fatigant », adjectif, et « fatiguant », participe présent du verbe fatiguer.

fatigue n. f. Grande lassitude que l'on ressent après un effort physique ou intellectuel prolongé.

fatiguer v. → conjug. **aimer.** *1* Causer de la fatigue. *Cette journée passée à marcher dans Paris m'a fatigué. 2* Ennuyer, lasser. *Un professeur ennuyeux qui fatigue son auditoire. Il est déjà fatigué de ce gadget.*
Synonymes : exténuer, harasser, éreinter (*1*).

fatras n. m. Amas de choses en désordre. *Un fatras de livres.*
Synonymes : bric-à-brac, fouillis.

faubourg n. m. Quartier situé à la périphérie d'une ville, loin du centre. *Les faubourgs de Lyon, de Marseille.*

faucher v. → conjug. **aimer.** *1* Couper des végétaux avec une faux ou avec une moissonneuse-batteuse. *Faucher un pré. 2* Abattre ou renverser. *Un piéton fauché par un camion. 3* Familier. Voler. *On m'a fauché mon portefeuille dans le métro.*

faucille n. f. Petite faux à lame courbe.

faucon n. m. Rapace qui vit le jour.

Les faucons ont des ailes longues et pointues et un bec crochu. Ils se nourrissent d'oiseaux ou de petits mammifères sur lesquels ils fondent à grande vitesse pour les saisir entre leurs serres. Il en existe une soixantaine d'espèces. Leur vol est très rapide. En piqué, le faucon pèlerin peut dépasser 280 km/h ! Certains faucons sont dressés pour la chasse : c'est la fauconnerie.
Faucon pèlerin.

faufiler v. → conjug. **aimer.** *1* Coudre à grands points. *Faufiler un ourlet. 2 Se faufiler :* se glisser adroitement. *Se faufiler dans la foule.*

faune n. f. Ensemble des animaux d'une région ou d'un territoire. *La faune alpestre.*

Fauré Gabriel

Compositeur français né en 1845 et mort en 1924. Professeur au Conservatoire de Paris, Fauré en est le directeur de 1905 à 1920. Parmi ses élèves, on compte de grands musiciens tel Maurice Ravel. Sa musique, riche, raffinée, est empreinte de grâce et de tendresse. Son œuvre compte notamment trois recueils de mélodies, des morceaux où il s'inspire des œuvres de grands poètes comme Verlaine (*la Bonne Chanson*, 1891), un *Requiem*, ainsi qu'une cinquantaine de pièces pour piano (*Impromptus, Nocturnes, Barcarolles, Préludes…*).

faussaire n., **fausse** adj., **faussement** adv. → faux 1.

fausser v. → conjug. **aimer.** *1* Rendre faux. *Fausser un résultat. 2* Déformer. *Le guidon de mon vélo est faussé. 3 Fausser compagnie à quelqu'un :* le quitter brusquement.

fausseté n. f. → faux 1.

faute n. f. *1* Erreur, inexactitude, incorrection. *Faute de français. Faute d'orthographe. 2* Fait de ne pas faire ce que l'on doit, mauvaise action ou infraction. *Prendre quelqu'un en faute. 3* Responsabilité d'une action. *Ce n'est pas sa faute. 4 Faute de :* par manque de. *Faute de temps. Faute d'argent. 5 Sans faute :* immanquablement. *Je viendrai demain chez toi sans faute.*

Se sentir *fautif*, responsable d'une faute (*2*).

fauteuil n. m. Siège pour une personne, muni d'un dossier et d'accoudoirs.

fautif, ive adj. → faute.

fauve adj. et n. m.
● adj. D'un jaune tirant sur le roux. *Ceinture en cuir fauve.*
● n. m. Grand félin. *Le tigre, le lion, la panthère sont des fauves.*

fauvette n. f. Petit oiseau au plumage fauve ou grisâtre, au chant mélodieux, répandu dans les jardins ou les broussailles.

1. faux, fausse adj., adv. et n. m.
● adj. *1* Qui est inexact, contraire à la vérité ou mensonger. *Ton opération est fausse. Faire un faux numéro. Ce que tu dis est faux. 2* Ce qui est imité, factice. *Fausses*

perles. *Fausse fourrure. Fausses dents.* **3** Qui est hypocrite, sournois. *Il a l'air faux, je ne lui fais pas confiance.* **4** Qui n'est pas justifié. *Fausse alerte.* **5** Qui n'est pas dans le ton juste. *Fausse note. Ce piano est faux.*
• adv. De façon fausse. *Chanter faux.*
• n. m. **1** Ce qui est faux. *Distinguer le vrai du faux.* **2** Copie d'une œuvre d'art, imitation destinée à tromper. *Ce Picasso est un faux. Cette signature est un faux.*

> Les faux-monnayeurs sont des **faussaires**, ils fabriquent des faux (**2**). *Il a été* **faussement** *accusé de vol*, à tort, d'une façon fausse (**1**). *On a prouvé la* **fausseté** *de cette accusation*, le fait qu'elle était fausse (**1**).

2. faux n. f. Outil pour faucher les hautes herbes, fait d'un long manche et d'une lame recourbée.

faux–filet n. m. **Plur. : des faux-filets.** Morceau de bœuf à griller.

faux–fuyant n. m. **Plur. : des faux-fuyants.** Moyen détourné pour fuir une situation embarrassante ou éviter de s'engager.
Synonymes : échappatoire, prétexte.

faux–monnayeur n. m. **Plur. : des faux-monnayeurs.** Fabricant de fausse monnaie.

faveur n. f. **1** Avantage qu'on accorde à quelqu'un, privilège. *Il a les faveurs de son patron.* **2** Considération, popularité. *Cet homme politique a gagné la faveur du pays.* **3** *En faveur de quelqu'un :* dans son intérêt, à son profit. *Le témoin a parlé en faveur de l'accusé.*

favorable adj. **1** Qui favorise, aide à la réalisation de quelque chose. *Choisir le moment favorable pour parler. Vent favorable à la navigation.* **2** Qui est bien disposé à l'égard de quelqu'un ou de quelque chose. *Je ne suis pas favorable à ton projet.*
Synonyme : propice (1). Contraires : défavorable (1 et 2), hostile (2).

> *Sa proposition a été accueillie* **favorablement**, d'une manière favorable (**2**).

favori, ite adj. et n.
• adj. Que l'on préfère. *Mon livre favori. Sa couleur favorite est le vert.*
• n. m. **1** Cheval qui va probablement gagner une course. **2** Proche d'un roi ou d'un prince et qui a ses faveurs. **3** Au pluriel. Touffes de barbe qu'on laisse de chaque côté du visage.
• n. f. Autrefois, maîtresse d'un roi.

Cet homme porte des favoris.

favoriser v. → conjug. **aimer.** **1** Avantager quelqu'un. *Le rôle d'un maître est d'aider chacun, mais de ne favoriser personne.* **2** Faciliter quelque chose. *L'obscurité a favorisé sa fuite.*

> *C'est toujours lui qui est choisi, c'est du* **favoritisme** ! *Il est favorisé* (**1**) *aux dépens des autres.*

favorite n. f. → **favori, ite.**

favoritisme n. m. → **favoriser.**

fax n. m. **1** Appareil qui permet d'envoyer des pages de texte ou des dessins en utilisant une ligne téléphonique. **2** Message transmis par cet appareil. *J'ai reçu un fax de mon cousin qui habite New York.*

> **Faxer** *un document*, c'est l'envoyer par fax.
Synonyme : télécopieur (1).

fébrile adj. **1** Qui a de la fièvre. *Se sentir fébrile.* **2** Qui manifeste une grande agitation ou un état d'excitation. *Une agitation fébrile.*

> *Il attend avec* **fébrilité** *les résultats de son examen*, l'impatience le rend fébrile (**2**). *Chercher* **fébrilement** *quelque chose*, d'une façon fébrile (**2**).

fécond, onde adj. **1** Capable d'avoir des petits. *Le lapin est un animal très fécond.* **2** Au figuré. Qui produit beaucoup. *Une terre féconde. Un écrivain fécond.*
Contraire : stérile (1 et 2).

> *La jument a été* **fécondée** *par l'étalon*, celui-ci l'a rendue féconde. *La* **fécondation** *résulte de l'union d'un mâle et d'une femelle*, l'action de féconder.

fécondité n. f. **1** Capacité à être fécond. *La fécondité est en baisse dans les pays occidentaux, il y naît moins d'enfants.* **2** Fertilité, productivité, richesse. *Fécondité d'un sol. Fécondité d'une imagination.*

fécule n. f. Amidon contenu dans certains légumes.
> *Les haricots secs, les châtaignes, les pommes de terre sont des* **féculents**, ils sont riches en fécule.

fédération n. f. **1** Regroupement de plusieurs États en un seul. **2** Association de clubs, de syndicats, de partis politiques, etc.
> *Les États-Unis sont constitués d'États* **fédérés**, ils font partie d'une fédération (**1**). *L'Allemagne est une république* **fédérale**, c'est une fédération (**1**).

fée n. f. Créature féminine imaginaire aux pouvoirs magiques. *Conte de fées.*

féerie n. f. Caractère merveilleux. *La féerie de la forêt enneigée sous la lune.*

féerique adj. À la beauté irréelle. *Un paysage féerique.*

feindre v. → conjug. **peindre.** Faire semblant. *Feindre la surprise.*
Synonymes : affecter, simuler.
> *Une* **feinte** *est l'action de feindre quelque chose pour tromper sur ses intentions.*

fêler v. → conjug. **aimer**. Fendre sans casser. *Une assiette fêlée.*
Ce miroir a une fêlure, il est fêlé.

féliciter v. → conjug. **aimer**. *1* Faire des compliments. *Féliciter un élève pour son travail. 2 Se féliciter :* s'estimer content. *Je me félicite d'avoir suivi ses conseils.*
Toutes mes félicitations ! Je vous félicite.

félin, ine adj. et n. m.
• adj. Qui a des mouvements souples et gracieux. *Une démarche féline.*
• n. m. Mammifère carnassier.

Les félins forment la famille des félidés. C'est la famille du chat et du lynx, et des grands félins comme le lion, le tigre et la panthère. On connaît, en tout, une quarantaine d'espèces.
Regarde page ci-contre.

félon, onne adj. Littéraire. Traître. *Un chevalier félon, déloyal envers son seigneur.*

fêlure n. f. → fêler.

femelle adj. et n. f.
• adj. Qui est du sexe féminin, quand il s'agit d'un animal. *Un perroquet femelle.*
• n. f. Animal du sexe féminin. *La biche est la femelle du cerf.*
Contraire : mâle.

féminin, ine adj. et n. m.
• adj. *1* De la femme, des femmes, qui est composé de femmes. *Sexe féminin. Mode féminine. Équipe féminine de basket. 2* Se dit des noms qui appartiennent au genre féminin, que l'on fait précéder de « la » ou « une ».
• n. m. Genre féminin, en grammaire.
Regarde ci-dessous.

féministe n. Personne qui agit pour que les femmes aient les mêmes droits que les hommes.

féminité n. f. Ensemble des qualités que l'on attribue aux femmes.

femme n. f. *1* Être humain adulte de sexe féminin. *Les hommes et les femmes. 2* Épouse. *Il est venu avec sa femme. 3 Femme de ménage :* femme employée pour faire le ménage dans les bureaux ou les maisons. *4 Femme de chambre :* femme employée pour faire le ménage des chambres dans les hôtels.

fémur n. m. Os de la cuisse.

fenaison n. f. Récolte du foin.

se fendiller v. → conjug. **aimer**. Se fissurer, se craqueler, se crevasser. *La terre trop sèche se fendille.*

fendre v. → conjug. **répondre**. *1* Couper dans le sens de la longueur. *Fendre du bois avec une hache. 2 Il gèle à pierre fendre :* très fort.

Fénelon François

Prélat et écrivain français né en 1651 et mort en 1715. Fénelon exerce de 1689 à 1694 la fonction de précepteur du petit-fils de Louis XIV avant d'être nommé archevêque de Cambrai en 1695. Il est l'auteur de plusieurs ouvrages pour son élève, dont *les Aventures de Télémaque* où il prodigue des conseils pour l'exercice du pouvoir royal moins absolu. Ce texte déplaît à Louis XIV, et Fénelon, engagé dans une querelle religieuse avec l'évêque Bossuet est condamné par l'Église et doit s'exiler dans son diocèse.

LE FÉMININ

Genre grammatical qui s'oppose au masculin.
La formation du féminin des noms, des adjectifs et des participes obéit à plusieurs règles.

● **Généralement** on ajoute un **e** au masculin.
un commerçant → une commerçante
un ami → une amie   poli → polie
obéissant → obéissante   pris → prise
terminé → terminée

● Les mots terminés par **er** ont un féminin en **ère**.
le berger → la bergère   léger → légère

● Les mots terminés par **n, l, s, t** doublent généralement la consonne finale.
le lion → la lionne   bel → belle
gros → grosse   le chat → la chatte
ancien → ancienne   bas → basse
nul → nulle   sot → sotte

● Les mots terminés par **eur, eux** ont leur féminin en **euse**. Certains en **teur** ont leur féminin en **trice**.
le chanteur → la chanteuse   heureux → heureuse
trompeur → trompeuse
le conducteur → la conductrice

● Les mots terminés par **f** ont leur féminin en **ve**.
vif → vive   bref → brève   neuf → neuve

● Certains noms et certains adjectifs ont un féminin particulier.
l'homme → la **femme**   l'oncle → la **tante**
le jars → l'**oie**   faux → **fausse**
long → **longue**   frais → **fraîche**
le prince → la **princesse** traître → **traîtresse**

les félins

Les félins ont tous un corps souple à la fourrure douce. Appartenant au groupe des carnivores, ils coupent et hachent leur nourriture grâce à leurs canines développées et à leurs incisives coupantes.

■ Les félins ont un crâne petit, généralement de forme triangulaire, et de puissantes mâchoires. Leurs oreilles sont très mobiles.

■ Leurs griffes sont rétractiles, c'est-à-dire qu'elles peuvent rentrer et sortir à volonté.

■ Les félins chassent à l'affût. Dotés d'une excellente vision, ils peuvent guetter leurs proies de jour comme de nuit. Leur odorat et leur ouïe sont également très développés.

■ Ils marchent sur les doigts, non sur la plante du pied ; on dit qu'ils sont digitigrades. Les pattes avant portent cinq doigts, les pattes arrière, quatre.

■ Leurs portées comptent un à six petits.

chats domestiques

Siamois.

Persan.

Européen.

Chartreux.

Angora.

Abyssin.

Chat de maison.

Léopard ou panthère.

Jaguar.

Ocelot.

Lion.

Chat sauvage.

une exception

Le guépard est le seul félin qui n'a pas de griffes rétractiles. Il poursuit ses proies au lieu de les chasser à l'affût. Sa vitesse de pointe, 110 km/h, en fait l'animal terrestre le plus rapide, mais il s'épuise vite.

Puma.

fenêtre n. f. Ouverture vitrée faite dans un mur pour donner de la lumière et de l'air.

fennec n. m. Petit renard dont la taille ne dépasse pas 60 cm.
On prononce [fenɛk].

Le fennec a de grandes oreilles et un museau pointu. Il est adapté à la vie dans les déserts d'Afrique du Nord et d'Arabie. Sa fourrure est de couleur fauve et sa queue longue et touffue. Il passe ses journées dans un terrier creusé dans le sable pour se protéger de la chaleur. Il en sort la nuit pour chasser les rongeurs, les lézards et les insectes dont il se nourrit.

fenouil n. m. Plante aromatique dont le goût et le parfum rappellent celui de l'anis.

Le fenouil est cultivé pour ses graines qui sont utilisées en confiserie et entrent dans la composition de liqueurs. La base charnue *graines* de ses tiges est consommée comme légume, et ses feuilles servent de condiment. Le fenouil est également une plante médicinale.

bulbe

fente n. f. Ouverture étroite et longue. *Fente d'une boîte à lettres, d'une tirelire, d'un volet.*

féodal, ale, aux adj. Qui concerne la société du Moyen Âge. *Château féodal. Régime féodal.*
    La féodalité, c'est la façon dont la société féodale était organisée, avec des seigneuries et des fiefs.

fer n. m. *1* Métal gris, malléable et résistant, qui entre dans la fabrication de l'acier. *Fil de fer. Fer forgé. 2* Âge du fer : période de la préhistoire où les hommes ont commencé à travailler le fer (vers 1000 av. J.-C.). *3* Objet, instrument en fer ou en acier ou partie de cet objet. *Fer à repasser. Le fer d'une lance. 4* Fer à cheval : bande de métal en forme de U qu'on cloue dans la corne des pieds d'un cheval pour les protéger. *5* Au pluriel. Chaînes ou menottes. *Mettre un forçat aux fers.*
    Un tas de ferraille, de vieux objets en fer hors d'usage. *Un ferrailleur* est un marchand de ferraille.

fer–blanc n. m. Mince tôle d'acier recouverte d'une couche d'étain. *Boîte de conserve en fer-blanc.*

férié, ée adj. *Jour férié* : où l'on ne travaille pas. *Les dimanches et les jours de fête sont des jours fériés.* **Contraire : ouvrable.**

1. ferme adj. et adv.
● adj. *1* Qui a une certaine consistance, ni dure ni molle. *Poisson à chair ferme. Matelas ferme. 2* Assuré, déterminé, résolu. *Répondre d'un ton ferme. Être ferme avec ses enfants. 3* De pied ferme : sans peur, en étant prêt à affronter quelqu'un, quelque chose.* **Contraires : mou (*1*), faible (*2*).**
● adv. *1* Avec vigueur ou intensément. *Discuter ferme. 2* Tenir ferme : tenir bon, résister.*
    Je suis fermement décidé à dire non, de façon ferme (*2*). *Elle manque de fermeté avec son fils,* elle n'est pas assez ferme (*2*) avec lui.

2. ferme n. f. Ensemble des terres et des bâtiments d'une exploitation agricole. *Exploiter une ferme. Passer des vacances à la ferme.*

fermement adv. ➜ **ferme 1.**

ferment n. m. Organisme microscopique qui a pour action de transformer une substance vivante. *La levure agit comme ferment pour faire lever la pâte à pain.*
    On obtient des yaourts en faisant fermenter du lait, en y ajoutant un ferment. *Le vin est issu de la fermentation du jus de raisin,* celui-ci fermente et se transforme en alcool.

fermer v. ➜ conjug. **aimer.** *1* Boucher une ouverture. *Fermer une porte, une fenêtre, une grille. 2* Rapprocher, réunir deux parties, deux éléments. *Fermer son sac, sa valise, son porte-monnaie. Fermer les yeux, la bouche. 3* Empêcher le passage. *Fermer une frontière. Fermer un col, une route. Fermer un robinet. Fermer le gaz. 4* Être fermé, cesser son activité. *Les magasins ferment à 19 heures.*
    Un fermoir est un appareil qui maintient fermé (*2*) un collier, un sac à main.

fermeté n. f. ➜ **ferme 1.**

fermeture n. f. *1* Action de fermer ou état de ce qui est fermé. *Attention à la fermeture des portes ! Fermeture annuelle du magasin. 2* Mécanisme servant à fermer. *Fermeture automatique des portières.*

fermier adj. et n.
● adj. Élevé ou produit à la ferme. *Poulet fermier. Fromage fermier.*
Contraire : industriel.
● n. Personne qui exploite une ferme, un domaine agricole.
Synonymes : agriculteur, agricultrice.

fermoir n. m. → **fermer.**

féroce adj. *1* Qui tue par instinct. *Les fauves sont des animaux féroces. 2* Cruel, inhumain, impitoyable. *Un air, un regard féroce.*

> Le chien de garde a attaqué **férocement** l'intrus, d'une manière féroce (*2*). La **férocité** d'un combat, son caractère féroce (*2*).

ferraille n. f., **ferrailleur** n. m. → **fer.**

ferré, ée adj. *1* Garni de fer. *Canne au bout ferré. 2 Voie ferrée :* chemin de fer.

ferrer v. → conjug. **aimer.** *1* Mettre des fers aux pieds d'un cheval. *2* Donner une secousse à la ligne pour accrocher le poisson qui vient de mordre à l'hameçon.

ferroviaire adj. Des chemins de fer. *Réseau ferroviaire. Trafic ferroviaire.*

ferrure n. f. Garniture en fer. *Ferrures d'une porte ancienne.*

Ferry Jules

Homme politique français né en 1832 et mort en 1893. Ferry est élu maire de Paris en 1870. À partir de 1879, il participe aux différents gouvernements de la IIIᵉ République. Il fait adopter les lois rendant l'école primaire gratuite, laïque et obligatoire (1881-1882) et rend l'enseignement secondaire public accessible aux jeunes filles. Ferry fait voter d'autres grandes lois, telles celles restaurant la liberté de la presse, la liberté de réunion et la liberté syndicale. Il relance également l'expansion coloniale de la France (Afrique noire et Asie). Devant l'opposition suscitée par sa politique coloniale, il doit démissionner en 1885.

---

ferry-boat n. m. **Plur.: des ferry-boats.** Bateau aménagé pour le transport des trains, des voitures et de leurs passagers.
En abrégé: ferry (Plur.: ferries ou ferrys). Mot anglais qui se prononce [feribot].

fertile adj. *1* Qui produit beaucoup. *Terre, sol fertile. 2* Au figuré. Riche, fécond. *Une imagination fertile.*
Contraires: stérile (*1*), pauvre (*2*).

> On **fertilise** les champs avec des engrais, on les rend plus fertiles (*1*). On peut mesurer la **fertilité** d'un sol en calculant son rendement, son caractère fertile (*1*).

féru, ue adj. Littéraire. Qui éprouve un grand intérêt. *Être féru de préhistoire, d'archéologie.*

fervent, ente adj. Enthousiaste, passionné. *Une prière fervente. De fervents admirateurs.*

> Il l'aime avec **ferveur**, d'une manière fervente.

fesse n. f. Chacune des deux parties charnues qui forment le derrière.

> *Fulbert reçoit une bonne **fessée**,* des claques sur les fesses.

festin n. m. Grand repas de fête.

festival n. m. **Plur.: des festivals.** Série de concerts, de films, de spectacles de danse ou de théâtre, présentés en général à la même période de l'année.

festivités n. f. plur. Fêtes, réjouissances.

feston n. m. Broderie en forme de dents arrondies formant une bordure.

fête n. f. *1* Jour où l'on célèbre l'anniversaire d'un événement historique ou religieux, et où on ne travaille pas. *Le 1ᵉʳ mai est le jour de la fête du Travail. Noël est une fête religieuse. 2* Jour où l'on célèbre un saint et les personnes qui portent son nom. *3* Réunion où l'on invite sa famille et ses amis à l'occasion d'un événement heureux. *Organiser une fête pour ses 10 ans. 4 Se faire une fête de quelque chose :* s'en réjouir beaucoup à l'avance.

> *Ma sœur a **fêté** son succès au bac,* elle a organisé une fête (*3*) à cette occasion.

fétiche n. m. Objet chargé d'un pouvoir surnaturel.

fétide adj. Qui sent très mauvais, nauséabond. *Une odeur fétide d'égout.*

fétu n. m. Brin de paille.

feu n. m. **Plur.: des feux.** *1* Flamme, chaleur et lumière dégagées par ce qui brûle. *Faire un bon feu. 2* Source de chaleur servant à cuire les aliments. *Faire cuire à feu doux, à feu vif. 3* Incendie. *Le feu a gagné toute la forêt. 4* Signal lumineux. *Un feu vert, un feu rouge, un feu orange. Les feux de position d'un navire. 5* Arme à feu : fusil, mitraillette, revolver, pistolet. *6 Faire feu :* tirer avec une arme à feu. *7 Feu d'artifice :* tir en série de fusées colorées lors d'un spectacle nocturne.

feuille n. f. *1* Partie d'une plante qui pousse sur sa tige ou ses branches, en général verte et plate. *2* Morceau de papier rectangulaire. *Le recto et le verso d'une feuille. 3* Plaque très mince. *Une feuille de carton.*

> Elle a mis la table à l'ombre du **feuillage** du figuier, à l'ombre de ses feuilles (*1*). Les chênes, les hêtres sont des **feuillus**, des arbres qui ont des feuilles qui tombent en automne.

feuillet n. m. Feuille d'un livre, d'un carnet, d'un cahier.

> **Feuilleter** un livre, c'est en tourner rapidement les feuillets.

feuilleté, ée adj. *Pâte feuilletée*: formée de fines feuilles superposées. *Pâte feuilletée du mille-feuille.*

feuilleter v. → **feuillet.**

feuilleton n. m. Histoire racontée en plusieurs épisodes, publiée dans un journal ou diffusée à la télévision ou à la radio.

feuillu n. m. → **feuille.**

feuler v. → conjug. **aimer.** Pousser son cri, quand il s'agit du tigre ou du grognement du chat.
Le chat en colère pousse un feulement, il feule.

feutre n. m. *1* Tissu fait de laine ou de poils écrasés. *2* Chapeau fait de tissu. *3* Stylo à encre muni d'une pointe en feutre ou en Nylon à la place de la plume.
Les enfants ont fabriqué des marionnettes en feutrine, un feutre (*1*) souple, aux couleurs vives.

feutré, ée adj. *1* Qui a l'aspect du feutre. *Un pull feutré après de nombreux lavages. 2* Amorti, presque silencieux. *Le chat marche à pas feutrés.*

feutrine n. f. → **feutre.**

fève n. f. *1* Graine d'une plante potagère ressemblant à un gros haricot. *Écosser des fèves. 2* Petite figurine que l'on cache dans la galette des Rois.

février n. m. Deuxième mois de l'année, qui a 28 jours les années ordinaires et 29 les années bissextiles, soit tous les quatre ans.

fiabilité n. f., **fiable** adj. → **se fier.**

se fiancer v. → conjug. **tracer.** S'engager solennellement à se marier.
Voici les deux jeunes fiancés, les jeunes gens qui viennent de se fiancer. *Les fiançailles sont en voie de disparition,* le fait de se fiancer avant de se marier.

fiasco n. m. Échec total. *Le spectacle a été un fiasco, il n'y avait que dix personnes dans la salle.*

fibre n. f. Filament constituant certaines matières végétales ou animales. *Fibres musculaires. Fibre textile.*
Cette viande est dure et fibreuse, pleine de fibres.

ficelle n. f. *1* Cordelette très mince. *2* Petite baguette de pain très mince.
Ficeler un paquet, c'est maintenir son emballage avec de la ficelle (*1*).

fiche n. f. *1* Rectangle de papier épais servant à noter des renseignements. *2 Fiche d'état civil*: document officiel sur lequel figurent le nom d'une personne, sa date de naissance, sa nationalité, etc. *3* Partie d'un dispositif électrique que l'on branche dans une prise pour établir le contact.
La bibliothécaire classe les fiches dans un fichier, un ensemble de fiches (*1*).

ficher v. → conjug. **aimer.** Familier. *1* Faire. *Qu'est-ce que tu fiches? Ça va faire une heure que je t'attends! 2* Mettre. *Il a été fichu à la porte. 3 Je m'en fiche*: ça m'est égal. *4 Ficher le camp*: partir.
« **Ficher** » se conjugue comme « **aimer** », sauf au participe passé: **fichu.**

fichier n. m. → **fiche.**

1. fichu adj. Familier. *1* En très mauvais état, inutilisable. *Ce pantalon est plein de cambouis, il est fichu. 2* Détestable, mauvais. *Fichu caractère. Fichu temps! 3 Mal fichu*: un peu malade.

2. fichu n. m. Foulard en triangle dont les femmes se couvrent la tête ou les épaules.

fictif, ive adj. Qui est créé par l'imagination, qui n'existe pas dans la réalité. *La Belle au bois dormant est un personnage fictif.*
Synonyme: **imaginaire.** Contraire: **réel.**
Un roman est un livre de fiction, une histoire fictive.

ficus n. m. Famille de plantes des régions chaudes.

On connaît environ 1 000 espèces différentes de ficus. Le caoutchouc et le ficus benjamina, qui peuvent atteindre de grandes tailles dans leurs régions d'origine, sont répandus en Europe comme plantes d'appartement. Le figuier, cultivé sur les bords de la Méditerranée, est aussi une espèce de ficus.

Ficus elastica ou caoutchouc.

fidèle adj. et n.
● adj. *1* Qui ne change pas dans ses sentiments, qui est attaché à quelqu'un de façon durable. *Un ami fidèle. 2* Qui ne trahit pas, qui respecte ses engagements. *Être fidèle à sa promesse, à sa parole. 3* Qui est conforme à la vérité. *Le témoin a fait un récit fidèle de ce qui s'est passé.*
Ce chien est fidèlement attaché à son maître, d'une manière fidèle (*1*). *Les vassaux juraient fidélité au seigneur,* ils s'engageaient à lui être fidèles (*2*).
Synonymes: **sincère, constant** (*1*); **loyal** (*2*); **exact** (*3*). Contraires: **inconstant** (*1*); **infidèle** (*1* et *2*); **déloyal** (*2*); **faux, inexact** (*3*).
● n. *1* Partisan fidèle. *Les fidèles du président de la République. 2* Au pluriel. Les croyants qui appartiennent à une religion. *L'assemblée des fidèles, dans une église.*

République du sud-ouest de l'océan Pacifique, située au nord de la Nouvelle-Zélande. Les Fidji sont un archipel volcanique composé de plus de 800 îles, îlots et atolls. Le climat est tropical humide, et la forêt couvre les deux tiers du territoire. Seule une centaine d'îles sont habitées. Les deux plus grandes, Viti Levu, où se trouve la capitale, et Vanua Levu, abritent l'essentiel de la population. Les ressources du pays reposent principalement sur la culture de la canne à sucre, la pêche et l'extraction de l'or. Le tourisme se développe. Colonie britannique à partir de 1874, les Fidji deviennent indépendantes et membres du Commonwealth en 1970.

18 274 km²
831 000 habitants : les Fidjiens
Langues : anglais, fidjien, hindi
Monnaie : dollar fidjien
Capitale : Suva

fief n. m. Au Moyen Âge, domaine confié par un seigneur à un vassal en échange de services rendus.

fiel n. m. *1* Bile d'un animal, d'une volaille. *Le fiel est très amer. 2* Au figuré. Méchanceté, acrimonie.
Des paroles ***fielleuses***, *pleines de fiel (2).*

fiente n. f. Excrément des oiseaux.

1. se fier v. → conjug. **modifier.** Avoir confiance en quelqu'un ou quelque chose. *Ne te fie pas à son air innocent.*
Il n'est pas ***fiable***, *on ne peut pas se fier à lui. La* ***fiabilité*** *d'une méthode, d'un appareil, c'est son caractère fiable.*

2. fier, fière adj. *1* Orgueilleux, hautain. *Il est trop fier pour accepter notre argent. 2* Qui est très satisfait. *Ce père est très fier de ses enfants.*
Il a annoncé ***fièrement*** *à ses parents qu'il était reçu à son examen, il en est très fier (2).*

fierté n. f. *1* Caractère fier, orgueilleux. *Elle a refusé qu'on l'aide par fierté. 2* Grande satisfaction. *Tirer une grande fierté d'un succès.*

fièvre n. f. *1* Élévation de la température normale du corps. *2* Au figuré. Agitation, animation, excitation. *Dans la fièvre des préparatifs de la fête, personne ne s'est aperçu de son départ.*

Je me sens ***fiévreux*** *ce matin,* je dois avoir un peu de fièvre (*1*). *Il s'active* ***fiévreusement***, avec fièvre (*2*).

fifre n. m. Petite flûte en bois au son aigu.

Le fifre était autrefois associé au tambour dans la musique militaire des troupes d'infanterie.

figer v. → conjug. **ranger.** *1* Devenir épais, se solidifier. *Avec le froid, l'huile s'est figée dans la bouteille. 2* Au figuré. Rendre immobile, pétrifier. *La peur l'a figé sur place.*

fignoler v. → conjug. **aimer.** Familier. Exécuter avec grand soin et jusque dans les moindres détails.
Contraire : bâcler.

figue n. f. Fruit charnu à la peau violette ou verte, à la chair rouge sang pleine de grains. *Figues fraîches. Figues sèches.*
On trouve des ***figuiers*** *sur tout le pourtour de la Méditerranée,* les arbres qui donnent des figues.

figurant, ante n. Personne qui tient un petit rôle, généralement muet, dans un film ou dans une pièce de théâtre.
Faire de la ***figuration*** *dans un film,* y tenir un rôle de figurant.

figure n. f. *1* Visage, face. *Un homme à la triste figure. 2* Dessin, schéma, illustration. *Reportez-vous à la figure 2. 3* Figure géométrique : le carré, le cercle, le triangle, le rectangle, etc. *4* Ensemble de pas, de mouvements exécutés en danse, en patinage artistique. *Figures libres et imposées.*

figuré, ée adj. *Sens figuré :* sens d'un mot exprimé au moyen d'une comparaison. *Dans « il bout d'impatience », on emploie le verbe bouillir dans un sens figuré.*
Contraire : sens propre.

figurer v. → conjug. **aimer.** *1* Représenter par un dessin. *On figure souvent la mort sous les traits d'une vieille femme avec une faux à la main. 2* Apparaître, se trouver. *Figurer sur une liste. 3 Se figurer :* s'imaginer, se représenter. *Je me le figurais autrement.*

figurine n. f. Statuette.

fil n. m. *1* Brin de matière textile, de métal servant à divers usages. *Fil à coudre. Fil électrique. Fil de pêche. Fil de fer. 2* Partie tranchante d'une lame. *Fil d'une épée, d'un rasoir. 3* Enchaînement. *Suivre le fil de ses idées. Perdre le fil de la conversation. 4 C'est cousu de fil blanc :* ça saute aux yeux, c'est une ruse grossière. *5 Ça ne tient qu'à un fil :* ça dépend de très peu de chose.
On prononce [fil]. **Ne pas confondre des « fils »** [fil] **avec un « fils »** [fis].

Fil à plomb du maçon.

Fil à plomb simple.

fil à plomb n. m. Instrument composé d'un fil au bout duquel est accroché une masse métallique.

Le fil à plomb sert à vérifier que quelque chose est vertical.

filament n. m. Fil très fin conducteur d'électricité. *Filament d'une ampoule.*

filandreux, euse adj. **1** Qui est rempli de fibres. *Viande filandreuse.* **2** Au figuré. Confus, embarrassé et interminable. *Une explication filandreuse.*

filature n. f. **1** Usine textile où l'on fabrique du fil. **2** Action de suivre quelqu'un pour surveiller ses faits et gestes.

file n. f. **1** Suite de personnes ou de choses placées les unes derrière les autres. *Prendre la file d'attente aux caisses. Une file de voitures.* **2** À la file : à la suite, successivement. *Demander son chemin à cinq personnes à la file.*

filer v. → conjug. **aimer**. **1** Transformer une matière textile en fil. *Filer du coton, de la laine, du lin.* **2** Suivre quelqu'un sans se faire voir, pour surveiller ses faits et gestes. *Voiture de police banalisée qui file un suspect.* **3** Aller ou partir vite. *Filer à toute allure. Filer à la gare chercher quelqu'un.*

filet n. m. **1** Réseau de mailles destiné à divers usages. *Filet de pêche. Filet à provisions. Filet de tennis, de volley-ball, de ping-pong.* **2** Petite quantité d'un liquide qui coule. *Filet d'eau. Filet d'huile.* **3** Morceau de chair levé le long de l'arête dorsale d'un poisson, ou de l'épine dorsale des animaux de boucherie. *Filets de maquereaux en boîte. Filet de bœuf.*

filial, ale, aux adj. Qui concerne la relation d'un enfant à ses parents. *Amour filial.*

filiale n. f. Société qui dépend d'une société plus importante. *Cette entreprise a de nombreuses filiales.*

filière n. f. **1** Succession d'étapes à franchir, en particulier dans ses études. *Choisir une filière scientifique, technique, littéraire.* **2** Réseau constitué d'intermédiaires successifs. *La police a démantelé une filière internationale de drogue.*

filiforme adj. Mince comme un fil.

filigrane n. m. Dessin imprimé dans l'épaisseur du papier, visible par transparence. *Filigrane des billets de banque.*

filin n. m. Cordage de chanvre ou d'acier, utilisé sur un bateau.

fille n. f. **1** Enfant de sexe féminin, par rapport à son père ou à sa mère. *Ils ont un fils et une fille.* **2** Enfant ou jeune personne de sexe féminin. *Dans ma classe, il y a moitié filles, moitié garçons.*
   *Ma sœur est encore une **fillette**, une petite fille.*

filleul, eule n. Celui ou celle dont on est le parrain ou la marraine.

film n. m. **1** Pellicule photographique. *Développer un film.* **2** Œuvre cinématographique.
   *Une équipe de télévision **filme** la manifestation,* elle enregistre les images et le son sur un film (*1*).

Depuis l'invention du cinéma à la fin du XIXᵉ siècle, la production de films n'a cessé de se développer.
Regarde page ci-contre.

filon n. m. **1** Couche de minerai. *Filon de cuivre, d'or. Exploiter un filon.* **2** Familier. Moyen sûr de réussir. *Trouver un bon filon.*

filou n. m. **Plur. : des filous**. **1** Homme malhonnête. **2** Familier. Enfant malicieux.

fils n. m. Enfant de sexe masculin, par rapport à son père ou à sa mère. *Il est leur unique fils.*
On prononce [fis]. **Homonyme : fils** [fil], **pluriel de « fil ».**

filtrage n. m. → **filtrer**.

filtre n. m. **1** Dispositif (grille, tissu, papier) servant à retenir les particules solides pour ne laisser passer que le liquide. *Filtre à eau. Filtre à café. Filtre d'une machine à laver.* **2** Embout d'une cigarette retenant une partie de la nicotine et du goudron du tabac. *Cigarettes avec ou sans filtre.*
Homonyme : philtre.

filtrer v. → conjug. **aimer**. **1** Faire passer à travers un filtre. **2** Trier, contrôler. *Un vigile filtre les arrivants, il vérifie que chacun d'eux a une invitation.*
   *Le **filtrage** de l'eau la rend potable,* l'action de la filtrer.

1. fin, fine adj. **1** Dont les composants sont très petits. *Du sable fin. Une pluie fine. Du sel fin.* **2** De faible épaisseur. *Pull en laine fine. Une fine couche de vernis. Une tranche fine. Feutre à pointe fine.* **3** Mince, élégant, délicat, svelte. *Des mains fines. Avoir la taille fine, des traits fins.* **4** De qualité supérieure. *Chocolat fin. Vins fins.* **5** Qui excelle en quelque chose, habile, adroit. *Un fin connaisseur. Une fine cuisinière.*

le film

Un film raconte une histoire. Pour donner vie à cette histoire, c'est-à-dire la mettre en images et la sonoriser, une équipe travaille pendant de longs mois. On distingue huit genres principaux dans les films.

SCIENCE-FICTION
La Guerre des étoiles
G. Lucas, 1977

AVENTURE DRAMATIQUE
Titanic
J. Cameron, 1997

COMÉDIE
Les Visiteurs
J.-M. Poiré, 1992

DESSIN ANIMÉ
Kirikou et la sorcière
M. Ocelot, 1997

les métiers du film

■ Le producteur intervient dès que le sujet du film est trouvé. Il réunit les fonds nécessaires au tournage. Le directeur de production prévoit les plannings, établit les contrats de travail des artistes et des techniciens, gère le budget.

■ Le réalisateur ou metteur en scène orchestre l'ensemble. Il donne son style au film. Sur le plateau, il dirige tout. Acteurs et techniciens sont sous ses ordres. Il suit un *story-board*, sorte de bande dessinée où figurent les différentes scènes du film. Il peut être l'auteur de l'histoire ou s'inspirer de l'œuvre de quelqu'un d'autre.

■ Le scénariste découpe l'histoire en scènes qui seront tournées séparément.

La scripte veille à ce que tout reste identique entre les prises de vues et s'assure du bon suivi du scénario.

■ Le directeur de la photographie dirige les cameramen avec le chef opérateur.

■ Le décorateur et son équipe réalisent et installent les décors. L'ingénieur du son et le perchiste enregistrent dialogues et éléments sonores.

Les éclairagistes installent et règlent les lumières.

Le régisseur est responsable de l'organisation matérielle du tournage.

Les habilleuses, les maquilleuses s'occupent des acteurs.

■ Les monteurs (images et son) interviennent après le tournage pour préparer le film.

Regarde aussi cinéma.

FILM POLICIER
Le Grand Sommeil
H. Hawks, 1946

WESTERN
Parmi les vautours
A. Vohrer, 1966

COMÉDIE MUSICALE
Mary Poppins
R. Stevenson, 1965

FILM D'HORREUR
Le Retour de la mouche
K. Neumann, 1959

6 Sensible, aigu, perspicace, subtil. *Avoir l'oreille fine. Une remarque fine. Un humour fin. Fulbert se dit qu'il faut qu'il fasse des plaisanteries plus fines.*

Un plateau marocain en cuivre **finement** ciselé, de façon fine (**5**).

2. fin n. f. **1** Moment où se termine quelque chose. *La fin des vacances. La fin d'une amitié.* **2** Endroit où se termine quelque chose. *Ne pas aimer la fin d'un livre. La fin d'un chemin.* **3** Au pluriel. Chose qu'on veut réaliser, but, objectif. *Parvenir à ses fins.* **4** *Prendre fin :* se terminer.

final, ale, als ou aux adj. et n. f.
• adj. Qui est à la fin. *Résultat final. Point final.*
• n. f. Dernière épreuve d'une compétition sportive.
Les **finalistes** de la coupe du monde de football étaient le Brésil et la France, les pays qui sont arrivés en finale.

finalement adv. Pour finir, en définitive, en fin de compte. *Finalement, tout est rentré dans l'ordre.*

finaliste n. → **final.**

finance n. f. **1** Monde de la banque et des affaires d'argent. **2** Au pluriel. Somme totale d'argent correspondant à l'ensemble des revenus d'une personne ou d'un groupe. *Ministre des Finances.*
Les élèves ont **financé** le voyage de fin d'année, ils ont apporté les finances (**2**) nécessaires. C'est la ville qui assure le **financement** des travaux dans l'école, le fait de les financer.

financier adj. et n. m.
• adj. Qui concerne les finances. *Société en difficultés financières. Famille qui a des soucis financiers.*
• n. m. Personne qui travaille dans la finance, ou qui s'occupe des finances d'une entreprise.

finaud, aude adj. Qui est malin, futé.

finement adv. → **fin 1.**

finesse n. f. **1** Qualité de ce qui est fin, délicat. *Finesse d'une broderie.* **2** Qualité d'une personne perspicace. *Plaisanterie qui manque de finesse.*

fini, ie adj. **1** *Produit fini :* obtenu après transformation d'une matière première. **2** Qui est soigné jusque dans les détails. *Meuble, vêtement mal fini.*

finir v. **1** Mener à son terme, achever, terminer. *J'ai fini mon livre. Finis ton travail avant d'aller jouer. Qui a fini la crème au chocolat ?* **2** Arriver à sa fin. *La journée d'école finit à 16 h 30.* **3** Arriver à un résultat, réussir à faire quelque chose. *Cherche, tu vas finir par trouver.* **4** Se terminer d'une certaine manière. *Ce film finit bien.*
Contraires : commencer, débuter.

Regarde page ci-contre.

finition n. f. Derniers travaux apportés à la fabrication d'un objet, à une réalisation. *Le gros des travaux dans la maison est terminé, il reste les finitions.*

Finlande

République du nord de l'Europe. La Finlande est bordée, au sud, par la mer Baltique. Elle est limitée à l'ouest par la Suède, au nord par la Norvège et à l'est par la Russie. Le territoire, peu élevé et couvert de forêts, compte plus de 60 000 lacs. Traversé au nord par le cercle polaire, il connaît un climat rigoureux. Durant les six mois d'hiver, la température descend fréquemment à –30 °C !
La Finlande est un pays riche. L'économie repose essentiellement sur l'exploitation des forêts. L'agriculture (orge, pomme de terre) et l'élevage sont surtout pratiqués dans le sud du pays, au climat plus clément ; la pêche joue également un rôle important. L'industrie est bien développée.
Duché de la Suède à partir de 1353, puis grand-duché de l'Empire russe en 1809, la Finlande devient indépendante en 1917. La Finlande appartient à l'Union européenne.

338 150 km²
5 197 000 habitants :
les Finlandais
Langues : finnois,
suédois
Monnaie : euro
(ex-mark finlandais)
Capitale : Helsinki

fiole n. f. Petit flacon en verre. *La sorcière a mis le poison dans une fiole.*

fioritures n. f. plur. Détails, ornements ajoutés souvent en excès. *Ce meuble serait plus joli sans toutes ces fioritures de style.*

fioul n. m. Mazout. *Se chauffer au fioul.*
On écrit aussi fuel [fjul]**.**

firmament n. m. Littéraire. Ciel.

firme n. f. Entreprise industrielle ou commerciale.

fisc n. m. Administration des impôts.
*Cette entreprise est accusée de fraude **fiscale**, de fraude envers le fisc. Le gouvernement travaille à une réforme de la **fiscalité**, l'ensemble des lois qui concernent le fisc.*

La conjugaison
du verbe FINIR 2e groupe

→ **indicatif**

présent		passé composé	
	je finis		j'ai fini
	tu finis		tu as fini
	il, elle finit		il, elle a fini
	nous finissons		nous avons fini
	vous finissez		vous avez fini
	ils, elles finissent		ils, elles ont fini

imparfait		plus-que-parfait	
	je finissais		j'avais fini
	tu finissais		tu avais fini
	il, elle finissait		il, elle avait fini
	nous finissions		nous avions fini
	vous finissiez		vous aviez fini
	ils, elles finissaient		ils, elles avaient fini

passé simple		passé antérieur	
	je finis		j'eus fini
	tu finis		tu eus fini
	il, elle finit		il, elle eut fini
	nous finîmes		nous eûmes fini
	vous finîtes		vous eûtes fini
	ils, elles finirent		ils, elles eurent fini

futur simple		futur antérieur	
	je finirai		j'aurai fini
	tu finiras		tu auras fini
	il, elle finira		il, elle aura fini
	nous finirons		nous aurons fini
	vous finirez		vous aurez fini
	ils, elles finiront		ils, elles auront fini

→ **conditionnel**

présent		passé	
	je finirais		j'aurais fini
	tu finirais		tu aurais fini
	il, elle finirait		il, elle aurait fini
	nous finirions		nous aurions fini
	vous finiriez		vous auriez fini
	ils, elles finiraient		ils, elles auraient fini

→ **infinitif**

présent **finir**
passé **avoir fini**

→ **participe**

présent **finissant**
passé **fini**
ayant fini

→ **subjonctif**

présent		passé	
	que je finisse		que j'aie fini
	que tu finisses		que tu aies fini
	qu'il, elle finisse		qu'il, elle ait fini
	que nous finissions		que nous ayons fini
	que vous finissiez		que vous ayez fini
	qu'ils, elles finissent		qu'ils, elles aient fini

imparfait		plus-que-parfait	
	que je finisse		que j'eusse fini
	que tu finisses		que tu eusses fini
	qu'il, elle finît		qu'il, elle eût fini
	que nous finissions		que nous eussions fini
	que vous finissiez		que vous eussiez fini
	qu'ils, elles finissent		qu'ils, elles aient fini

→ **impératif**

présent **finis**
finissons
finissez
passé **aie fini**
ayons fini
ayez fini

fissure n. f. Petite fente, lézarde. *Les murs de cette vieille maison se **fissurent**, présentent des fissures.*

fixation n. f. → fixer.

fixe adj. *1* Qui est toujours à la même place, qu'on ne peut pas bouger. *Barre fixe. 2* Qui ne change pas, invariable, déterminé. *Se lever, manger, dormir à heures fixes. Être sans domicile fixe. 3* Régulier, invariable. *Les fonctionnaires, les salariés ont des revenus fixes. 4* Avoir le regard fixe : regarder dans le vague et les yeux immobiles. *5* Idée fixe : à laquelle on pense sans arrêt, obsession.
Contraires : mobile (1), variable (2 et 3).
*Il regarde **fixement** par la fenêtre, il a le regard fixe (4).*

fixer v. → conjug. **aimer.** *1* Rendre fixe, attacher, accrocher solidement. *Fixer un tableau au mur. Fixer un volet qui bat. 2* Poser, déterminer, définir de façon précise. *Fixer un rendez-vous, une date. Fixer des conditions. 3* Regarder fixement. *Je n'aime pas être fixée comme ça. 4* Se fixer : s'installer, s'établir quelque part. Il a choisi de se fixer non loin de Paris. 5* Ne pas être fixé : ne pas avoir décidé quelque chose. Je ne suis pas très fixé sur ce que je vais faire pendant les vacances.*
*Les **fixations** de sécurité des skis, le dispositif qui fixe (1) les skis aux chaussures.*

fjord n. m. Golfe étroit qui s'avance loin dans les terres, dans les pays scandinaves.
Mot norvégien qui se prononce [fjɔrd].

flacon n. m. Récipient généralement en verre, fermé par un bouchon. *Flacon de parfum.*

flageoler v. → conjug. **aimer.** Avoir les jambes qui tremblent, qui vacillent sous l'effet de la fatigue ou de l'émotion.

flagrant, ante adj. *1* Évident, incontestable. *Une injustice flagrante. 2* En flagrant délit : au moment où est commis un délit.*

flair n. m. *1* Odorat d'un animal. *2* Au figuré. *Avoir du flair : être fin, avoir beaucoup d'intuition.*

flairer v. → conjug. **aimer.**
1 Sentir, quand il s'agit du chien. *La meute a flairé le gibier. 2* Au figuré. Deviner, pressentir. *Flairer le danger.*

flamant n. m. Grand échassier au long cou, aux pattes palmées et au bec épais.

Le plumage des flamants est rose ou blanc. Ces oiseaux, qui peuvent mesurer jusqu'à 1 m 50 de hauteur, vivent près des côtes, dans les marais et les lacs peu profonds. Leur bec leur sert à filtrer la vase pour ne conserver que les petits aliments aquatiques dont ils se nourrissent.

flambeau, eaux n. m. Torche de cire pour éclairer un lieu. *Marche aux flambeaux.*

flambée n. f. *1* Feu. *Faire une flambée dans la cheminée. 2* Au figuré. Brusque augmentation. *Flambée des prix.*

flamber v. → conjug. **aimer.** *1* Brûler vite et fort. *La grange à foin a flambé d'un coup. 2* Au figuré. Augmenter brusquement.*

flamboyer v. → conjug. **essuyer.** Jeter des lueurs, illuminer. *Au couchant, le soleil flamboie.*

flamme n. f. *1* Lumière produite par quelque chose qui brûle. *Flammes d'un incendie. Flamme d'une bougie. 2* Au figuré. Ardeur, enthousiasme, fougue. *Défendre avec flamme son projet.*

flammèche n. f. Petite parcelle enflammée qui s'échappe d'un feu.

flan n. m. Crème faite d'œufs, de sucre, de lait et de farine, cuite au four.

flanc n. m. *1* Côté du corps de l'homme et de la plupart des mammifères. *2* Côté de certaines choses. *Flanc d'une montagne. Flanc d'un bateau.*

flancher v. → conjug. **aimer.** Familier. Faiblir. *Ce n'est pas le moment de flancher !*

flanelle n. f. Tissu de laine ou de coton doux. *Chemise en flanelle.*

flâner v. → conjug. **aimer.** Se promener sans se presser et sans but précis. *Flâner dans les rues.*
*Une **flânerie** est une promenade faite en flânant. À cette heure tardive, les derniers **flâneurs** quittaient la plage, les gens qui aiment flâner.*

flanquer v. → conjug. **aimer.** *1* Être sur le côté d'une chose. *Muraille ou fortification flanquée de tourelles. 2* Familier. Jeter, lancer brutalement. *Flanquer une gifle. Flanquer par terre. Flanquer quelqu'un à la porte.*

flaque n. f. Petite mare. *Flaque d'eau.*

flash n. m. **Plur. : des flashes.** *1* Lampe qui émet une forte lumière, permettant de prendre des photos quand il fait sombre. *Appareil photo avec flash intégré. 2* Court message à la radio ou à la télévision. *Flash d'information.*
Mot anglais qui se prononce [flaʃ].

flasque adj. Avachi, mou, qui manque de fermeté. *Chair flasque.*

flatter v. → conjug. **aimer.** *1* Faire des compliments excessifs. *Ce vendeur flatte sa cliente.* *2* Caresser un animal. *Flatter l'encolure de son cheval.* *3* Causer de la fierté, honorer. *Il a été flatté que vous veniez depuis si loin.* *4* Se flatter de quelque chose :* s'en vanter.

Être sensible aux *flatteries*, aux paroles dites pour flatter (*1*).

flatteur adj. et n.
• adj. Qui flatte ou qui embellit. *Une comparaison flatteuse. Un éclairage flatteur.*
• n. Personne qui flatte. « *Apprenez que tout flatteur vit aux dépens de celui qui l'écoute* » (La Fontaine).

Flaubert Gustave

Écrivain français né en 1821 et mort en 1880. Flaubert se passionne très tôt pour la littérature. Parmi ses premiers textes, *les Mémoires d'un fou* sont publiés en 1837-1838. Atteint d'une maladie nerveuse, il interrompt ses études de droit et se retire près de Rouen pour se consacrer à l'écriture. Il connaît le succès avec la publication de *Madame Bovary* en 1857, puis de *Salammbô* en 1862. *L'Éducation sentimentale* (1869) et *la Tentation de saint Antoine* (1874) comptent aussi parmi ses œuvres célèbres. *Bouvard et Pécuchet*, inachevé, paraît après sa mort, en 1881. L'écriture de Flaubert est romantique et lyrique, mais la précision de ses observations sur ses contemporains confère à ses récits un profond réalisme. L'importante correspondance qu'il échange avec ses amis, Théophile Gautier, George Sand, Alphonse Daudet et Guy de Maupassant est une source d'informations précieuse sur cet auteur.

fléau n. m. **Plur. : des fléaux.** *1* Instrument qui servait à battre le blé. *2* Barre horizontale aux extrémités de laquelle sont fixés les plateaux d'une balance. *3* Calamité, désastre, catastrophe. *Le fléau de la guerre.*

flèche n. f. *1* Tige munie d'une pointe qu'on lance avec un arc. *2* Signe représentant une flèche et servant à indiquer un sens, une direction. *Suivez les flèches.* *3* Clocher très haut et très pointu. *Les flèches*

de la cathédrale de Chartres. *4* Partir comme une flèche :* très vite. *Les concurrents sont partis comme des flèches.* *5* Monter en flèche :* augmenter rapidement, quand il s'agit d'un prix.

Un jeu de piste est un parcours *fléché*, balisé par des flèches (*2*). Le jeu de *fléchettes* se pratique avec de petites flèches (*1*) qu'on lance contre une cible.

fléchir v. → conjug. **finir.** *1* Plier, ployer, courber. *Fléchir les genoux. Branche qui fléchit sous le poids des fruits.* *2* Faiblir, perdre de la force, baisser. *Volonté qui fléchit.* *3* Faire céder quelqu'un, l'ébranler. *La sincérité de l'accusé a fléchi les juges.*

Le *fléchissement* du coude lui est impossible depuis sa chute, il n'arrive pas à le fléchir (*1*).

flegme n. m. Caractère d'une personne posée, calme, qui garde son sang-froid.

Les Anglais sont réputés être *flegmatiques*, pleins de flegme.

Fleming sir Alexander

Médecin britannique né en 1881 et mort en 1955. En 1928, Fleming découvre qu'une moisissure (un champignon microscopique appelé Penicillium) est capable de tuer les bactéries qu'il est en train d'étudier. Il nomme pénicilline la substance sécrétée par ce champignon ; c'est le premier antibiotique connu. Fleming reçoit le prix Nobel de médecine en 1945, avec Florey et Chain, les deux chercheurs qui, en 1939, ont isolé chimiquement la pénicilline.

se flétrir v. → conjug. **finir.** Se faner.

fleur n. f. *1* Partie généralement colorée et parfois odorante d'une plante. *2* Familier. *Faire une fleur à quelqu'un :* lui faire une faveur. *3* À fleur de :* au niveau, sur le même plan. *Récifs à fleur d'eau.*

Les arbres fruitiers *fleurissent* au printemps, ils sont en fleur. Le *fleuriste* vend des fleurs et des plantes vertes.

Ce qu'on appelle fleur est en fait l'organe reproducteur des végétaux à fleur.
Regarde p. 450 à 453.

fleuret n. m. Épée d'escrime, à lame très fine, flexible et sans tranchant.

fleurir v., **fleuriste** n. → **fleur.**

fleuron n. m. *1* Ornement en forme de fleur. *Les fleurons d'une couronne.* *2* Ce qu'il y a de plus beau, de plus remarquable. *Ce timbre rare est le fleuron de ma collection.*

a b c d e f g h i j k l m n o p q r s t u v w x y z

les fleurs

Malgré l'extraordinaire diversité de leurs formes, de leurs tailles et de leurs couleurs, les fleurs ont toutes la même finalité : la reproduction de la plante qui les porte.

fleurs des jardins

coupe d'une fleur

■ La fleur est l'organe de reproduction des végétaux à fleur. Elle est constituée de quatre éléments disposés en cercle : le **calice** composé de sépales, la **corolle** formée par les pétales, les **étamines** – organe de reproduction mâle – qui portent les sacs de pollen et le **pistil** – organe de reproduction femelle – qui renferme les ovules.

pétale
corolle
sépale
calice
étamine
sac de pollen
pistil
ovule

Coupe d'une fleur de cerisier.

■ Une fleur complète est bisexuée, puisqu'elle porte à la fois des éléments mâles (les étamines) et femelles (le pistil).
■ Une fleur mâle ne comprend pas de pistil, une fleur femelle ne comprend pas d'étamines.
■ Quand une plante porte à la fois des fleurs mâles et femelles, on dit qu'elle est hermaphrodite.

Regarde aussi plantes.

Glycine.

Hortensia.

Anémone.

Giroflée.

Chrysanthème.

Aster.

Fuchsia.

Capucine.

Jasmin.

Myosotis.

Camélia.

Géranium.

Clématite.

Arum.

Cyclamen.

Azalée.

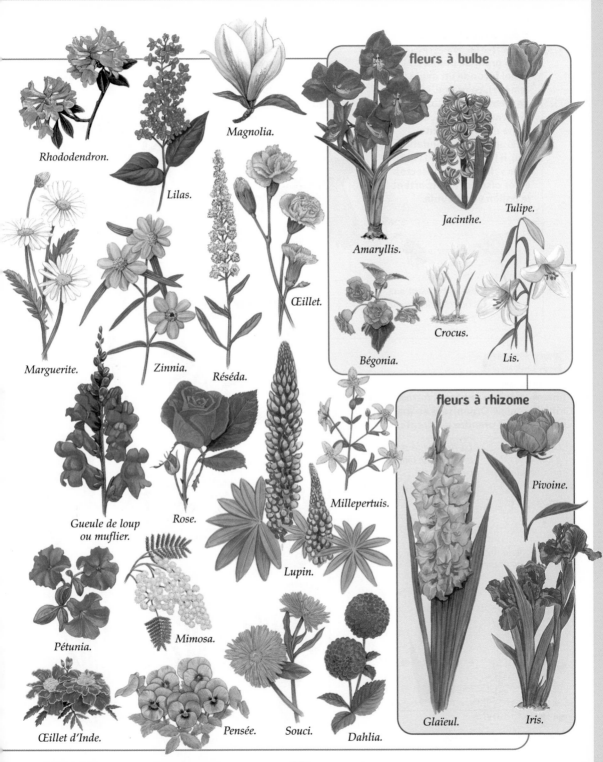

Rhododendron.

Magnolia.

Lilas.

fleurs à bulbe

Amaryllis.

Jacinthe.

Tulipe.

Marguerite.

Zinnia.

Réséda.

Œillet.

Bégonia.

Crocus.

Lis.

Gueule de loup
ou muflier.

Rose.

Millepertuis.

fleurs à rhizome

Pivoine.

Lupin.

Glaïeul.

Iris.

Pétunia.

Mimosa.

Œillet d'Inde.

Pensée.

Souci.

Dahlia.

451

les fleurs

la reproduction

■ Un grain de pollen (cellule mâle) féconde un ovule (cellule femelle). La graine, résultat de cette fécondation, contient le germe qui donnera naissance à une nouvelle plante.

■ Pour que la fécondation ait lieu, il faut des agents extérieurs : le vent, les insectes et les oiseaux transportent le pollen vers l'ovule.

■ Les graines voyagent aussi par l'intermédiaire du vent, de la pluie et des animaux.

L'oiseau transporte les graines dans son bec.

Il déplace aussi le pollen collé à ses pattes ou à ses plumes d'une fleur à l'autre.

C'est en butinant que les insectes déplacent le pollen.

Les graines du pissenlit sont dispersées par le vent.

les formes

Certaines espèces possèdent une fleur unique, d'autres plusieurs formant des inflorescences. Organisées en grappes, elles peuvent prendre différentes formes.

La fleur de la pâquerette est un capitule.

La fleur de la primevère est une ombelle composée.

La fleur de la digitale est une grappe simple.

La fleur du glaïeul est un épi.

fleurs des bois

Primevère sauvage ou coucou.

Églantine.

Jonquille.

Pervenche.

Digitale.

Violette.

Muguet.

Jacinthe des bois.

Narcisse.

fleurs des étangs

Les fleurs des étangs sont généralement fixées au sol par une tige souterraine ou rhizome.

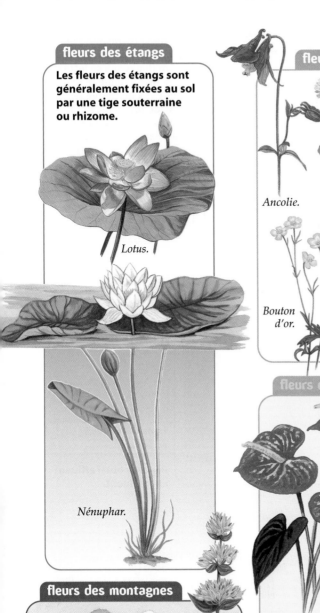

Lotus.

Nénuphar.

fleurs des champs

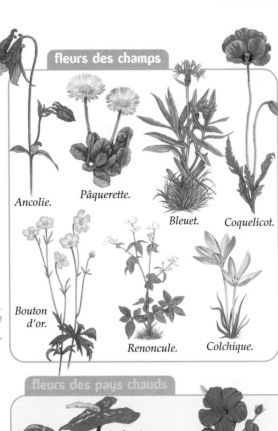

Ancolie.

Pâquerette.

Bleuet.

Coquelicot.

Bouton d'or.

Renoncule.

Colchique.

fleurs des pays chauds

Anthurium.

Hibiscus.

Orchidée.

Strelitzia.

fleurs des montagnes

Edelweiss.

Perce-neige.

Grande gentiane.

les fleuves

On appelle bassin hydrographique d'un fleuve toute la partie drainée par le fleuve et ses affluents.

le débit

■ Le débit d'un fleuve est la quantité d'eau, exprimée en mètres cubes (m^3), qui passe en un endroit donné en une seconde. La Seine a un débit maximal de 2 000 m^3/s, le Rhône de 10 000 m^3/s, l'Amazone, en Amérique du Sud, de 120 000 m^3/s ! Le débit du fleuve varie au cours d'une année, selon la quantité d'eau apportée par les précipitations ; c'est ce qui détermine son régime.
■ La Seine a un régime régulier, la hauteur de ses eaux varie peu, elle est navigable toute l'année. Le Danube a un régime irrégulier, l'hiver une partie de son cours est gelée. Le Rhin a un régime irrégulier au début de son cours, régulier à partir de Cologne en Allemagne.

le delta

Le delta correspond généralement à l'embouchure d'un fleuve qui se jette dans une mer à faible marée. Les eaux du fleuve se partagent en plusieurs parties formant une sorte de triangle, d'où son nom.

Le delta du Nil en Égypte.

l'estuaire

L'estuaire d'un fleuve, l'endroit où il se jette dans la mer, est souvent le lieu d'implantation d'un port : Le Havre sur la Seine, Saint-Nazaire sur la Loire, Bordeaux sur la Gironde, Rotterdam sur le Rhin, New York sur l'Hudson, Québec sur le Saint-Laurent.

L'estuaire de la Loire en France.

L'estuaire du Saint-Laurent au Canada.

Le delta du Rhône en France.

***Regarde aussi** affluent **et** confluent.*

---

fleuve n. m. Cours d'eau qui se jette dans la mer.

Le fleuve est formé par la réunion de plusieurs affluents. Il termine sa course dans la mer par une embouchure qui peut être un estuaire ou un delta. *Regarde ci-dessus.*

flexible adj. Qui se courbe sans se casser, souple. *On fabrique des arcs en noisetier car c'est un bois flexible.*

flexion n. f. Action de fléchir une partie du corps. *Faire une série de flexions des jambes pour s'échauffer.*

flibustier n. m. Pirate des mers des Antilles aux XVIIe et XVIIIe siècles.

flipper n. m. Billard électrique.
Mot anglais qui se prononce [flipœR].

flirt n. m. Amourette passagère.
Mot anglais qui se prononce [flœRt].
Flirter avec une personne, c'est avoir un flirt avec elle.

flocon n. m. **1** Petite touffe de coton, de laine. **2** Cristaux de neige agglomérés. *Il neige à gros flocons.*

flonflons n. m. plur. Airs bruyants d'un orchestre de musique populaire. *Les flonflons du bal.*

floraison n. f. Époque où les plantes, les arbres sont en fleur.

floral, ale, aux adj. Qui concerne les fleurs. *Des décorations florales.*

flore n. f. Ensemble des plantes d'une région. *La flore du Massif central, du littoral.*

floréal n. m. Huitième mois du calendrier républicain (fin avril, fin mai).

Florence

Ville du nord de l'Italie, située sur les bords de l'Arno, en Toscane. Florence, très touristique, est une ville à l'architecture d'une grande richesse : elle abrite notamment de superbes palais, comme le palais Médicis (xve et xviie siècles), de nombreuses églises, et la magnifique cathédrale Santa Maria del Fiore (xiiie-xive siècles). Ses musées renferment de très riches collections d'art.
Florence connaît son essor dès le début du xiiie siècle. Dominée par la famille des Médicis du xve au xviiie siècles, la ville devient une grande puissance financière. Mais elle est surtout le siège, au xve siècle (*Quattrocento* en italien), d'un formidable développement de l'art. De 1865 à 1870, Florence est la capitale du royaume d'Italie.

florissant, ante adj. Prospère, riche, resplendissant. *Un commerce florissant. Une santé florissante.*

flot n. m. *1* Grande quantité, multitude. *Un flot ininterrompu de voitures. Un flot de paroles. 2* Au pluriel. La mer. *Les flots déchaînés. 3* À flot : qui flotte. *Remettre un bateau à flot.*

flotte n. f. Ensemble de bateaux. *La flotte de guerre. La flotte marchande.*
Une *flottille* de pêche, c'est une petite flotte de bateaux de pêche.

flottement n. m. Hésitation, incertitude, indécision. *Un moment de flottement.*

flotter v. → conjug. **aimer.** *1* Être porté sur l'eau. *On fait flotter les troncs d'arbres pour les acheminer. 2* Bouger en ondulant dans l'air. *Drapeau qui flotte. 3* Flotter dans un vêtement : porter un vêtement trop grand.*
Les pêcheurs repèrent l'emplacement de leurs filets grâce à des *flotteurs* en liège, des objets qui flottent.

flottille n. f. → **flotte.**

flou, floue adj. *1* Qui a des contours imprécis, vagues. *Une photo floue. 2* Peu net, confus. *Avoir des souvenirs flous de ses quatre ans.*

fluctuant, ante adj. Qui varie, qui est instable, inconstant. *Prix fluctuants.*
Les sondages témoignent des *fluctuations* de l'opinion publique, de son caractère fluctuant.

fluet, ette adj. Menu, frêle, gracile. *Une petite fille fluette.*

fluide adj. et n. m.
• adj. Qui coule, s'écoule facilement. *La pâte à crêpes doit être fluide. Circulation fluide sur l'autoroute.*
• n. m. Substance liquide ou gazeuse, qui n'a pas de forme propre, par opposition aux solides.
La *fluidité* du mercure, son caractère fluide.

fluor n. m. Élément chimique qui joue un rôle important dans la prévention des caries. *Dentifrice au fluor.*

fluorescent, ente adj. Qui semble émettre une lumière. *Couleur fluorescente.*

flûte n. f. *1* Instrument à vent constitué de un ou plusieurs tubes percés de trous. *Flûte douce ou flûte à bec. 2* Verre à champagne à pied, long et étroit.
Un *flûtiste* est un musicien qui joue de la flûte (*1*).

fluvial, ale, aux adj. Qui concerne les fleuves et les rivières. *Trafic fluvial. Transport par voie fluviale.*

flux n. m. *1* Marée montante *2* Au figuré. Flot, afflux. *Le flux des voyageurs.*
On prononce [fly]. **Contraire : reflux.**

foc n. m. Petite voile triangulaire à l'avant d'un voilier.

Foch Ferdinand

Homme militaire français, maréchal de France, né en 1851 et mort en 1929. Foch s'illustre durant la Première Guerre mondiale (1914-1918). Après avoir remporté la première bataille de la Marne (1914), il dirige plusieurs autres offensives contre les Allemands. Foch est nommé généralissime des forces armées alliées en 1918. Il remporte alors la seconde bataille de la Marne, puis lance l'offensive générale qui se termine par la défaite allemande. Le 11 novembre 1918, Foch signe l'armistice qui met un terme à la guerre. Promu maréchal par la France, il reçoit aussi cette distinction de la Grande-Bretagne et de la Pologne.

fœtus n. m. Embryon humain à partir du troisième mois jusqu'à la naissance.
On prononce [fetys].

foi n. f. *1* Avoir la foi : croire en Dieu. *2* Être de bonne foi : être sincère, franc, honnête dans ce que l'on dit. *3* Être de mauvaise foi : être hypocrite, malhonnête. *4* Être digne de foi : pouvoir être cru sur parole. *5* Faire foi : constituer une preuve. *Le cachet de la poste faisant foi.*
Homonymes : foie, fois.

foie

foie n. m. Organe vital, situé dans la partie droite de l'abdomen, qui remplit de nombreuses fonctions dans la digestion.
Homonymes : foi, fois.

Le foie est un organe volumineux, qui pèse de 1,5 à 2 kg chez l'adulte. Il est situé en haut et à droite de l'abdomen, sous le diaphragme. Il sécrète une substance, la bile, qui aide à digérer les graisses.
Le foie joue également d'autres rôles importants, comme la transformation de certaines substances toxiques en urée, un produit ensuite éliminé par les reins.
Regarde aussi **organe.**

foin n. m. Herbe servant à nourrir le bétail une fois fauchée et séchée. *Faire les foins. Botte de foin.*

foire n. f. *1* Grand marché ou grande exposition commerciale. *Une foire aux bestiaux. La Foire de Paris.* *2* Fête foraine.

fois n. f. *1* Moment où quelque chose se produit ou se répète. *C'est arrivé une fois. C'est la troisième fois que je le vois.* *2* Sert à indiquer une multiplication. *Deux fois trois égalent six.* *3* À la fois :* en même temps. *Ne parlez pas tous à la fois.* *4* Il était une fois :* il s'est passé ceci il y a très longtemps.
Homonymes : foi, foie.

foisonner v. → conjug. **aimer.** Être en abondance, abonder, regorger, pulluler. *Les lapins foisonnent dans cette région.*

  Nous avons ramassé là des girolles **à foison**, elles foisonnent. *Le projet a suscité un* **foisonnement** *d'idées*, les idées ont foisonné.

fol adj. → **fou.**

folâtrer v. → conjug. **aimer.** S'agiter avec gaieté, d'une manière enjouée. *Les enfants folâtrent dans la neige fraîchement tombée.*

folie n. f. *1* Ancien nom de la maladie mentale, de la démence. *Une crise de folie.* *2* Absence de bon sens, inconscience, extravagance. *C'est de la folie de partir en mer par ce temps.* *3* Dépense excessive. *Tu as encore fait une folie en t'achetant cette robe.*

folklore n. m. Ensemble des arts et des traditions populaires d'une région ou d'un pays.
  Fulbert décide de mettre un costume **folklorique**, qui appartient au folklore.

folle adj., **follement** adv. → **fou.**

fomenter v. → conjug. **aimer.** Préparer secrètement une action malveillante. *Fomenter un complot, des troubles, une rébellion.*

foncé, ée adj. Qui est la nuance la plus sombre d'une couleur. *Vert foncé. Des cheveux blond foncé.*

1. foncer v. → conjug. **tracer.** Rendre plus foncé ou devenir foncé. *Foncer un gris en y ajoutant du noir. Ses cheveux ont foncé.*
Contraire : éclaircir.

2. foncer v. → conjug. **tracer.** *1* Attaquer, charger, se précipiter sur. *Foncer sur l'ennemi.* *2* Aller très vite. *Voiture qui fonce à 130 km/h.*

foncier, ère adj. *1* Qui concerne la propriété des terres, d'immeubles ou de maisons. *Chaque propriétaire doit payer un impôt foncier. Un gros propriétaire foncier.* *2* Qui est dans la vraie nature de quelqu'un. *Il est d'une honnêteté foncière.*
  C'est un homme **foncièrement** *bon*, de façon foncière (*2*).

fonction n. f. *1* Tâche, travail, mission dont quelqu'un est chargé. *Tu as pour fonction de démonter la tente, et toi, de vérifier que le matériel est complet.* *2* Activité professionnelle, emploi, métier, poste. *Occuper d'importantes fonctions dans son entreprise.* *3* Action, rôle des différents organes du corps. *La fonction respiratoire.* *4* Rôle, utilité d'une chose, d'un mot. *Le robot a des fonctions multiples. La fonction « sujet » dans une phrase.*
  Cette cuisine est **fonctionnelle**, elle remplit bien sa fonction (*4*).

fonctionnaire n. Personne qui travaille dans la fonction publique, agent de l'État. *Les postiers, les enseignants, les policiers, les inspecteurs des impôts sont des fonctionnaires.*

fonctionner v. → conjug. **aimer.** Remplir sa fonction, être en état de marche. *La radio ne fonctionne plus, il n'y a plus de piles.*
  Vérifier le bon **fonctionnement** *d'un moteur*, la façon dont il fonctionne.

fond n. m. *1* Partie la plus profonde de quelque chose. *Le fond d'un tonneau. Le fond de la mer. Le fond de la mine. 2* Hauteur d'eau. *Il n'y a pas assez de fond pour plonger. 3* Endroit le plus reculé. *La chambre du fond. 4* Arrière-plan d'un dessin, d'un objet. *Un tissu à motifs rouges sur fond noir. 5* Ce qui est essentiel, fondamental. *Le fond du problème, de l'histoire. 6 Au fond :* en réalité, après tout. *7 À fond :* complètement. *8 Course de fond :* qui se court sur une longue distance.
Homonymes : fonds, fonts.

fondamental, ale, aux adj. Essentiel, capital, primordial. *Avoir un travail et un toit est fondamental pour vivre décemment.*
Contraires : accessoire, secondaire.

> *Ils sont fondamentalement différents,* d'une manière fondamentale.

fondant, ante adj. *1* Qui fond. *De la neige fondante. 2* Qui fond dans la bouche. *Une poire fondante.*

fondateur, trice n. → **fonder.**

fondation n. f. *1* Action de fonder. *Fondation d'une ville. 2* Au pluriel. Ensemble des travaux qui donnent à une construction sa stabilité. *Avant de monter les murs d'une maison, on creuse ses fondations.*

fonder v. → conjug. **aimer.** *1* Établir, édifier, construire, créer. *Fonder une ville, une école. Fonder un mouvement, un syndicat. Fonder une famille. 2* Faire reposer sur des arguments, s'appuyer sur, justifier. *Sur quoi vous fondez-vous pour l'accuser ? Ces accusations ne sont pas fondées.*

> *Rémus et Romulus ont été les fondateurs légendaires de Rome,* ils ont fondé (*1*) la ville. *Cette rumeur s'est révélée n'avoir aucun fondement,* n'être pas fondée (*2*).

fondre v. → conjug. **répondre.** *1* Devenir liquide. *La neige fond au soleil. 2* Rendre liquide un métal. *Fondre de l'or pour faire des lingots. 3* Se jeter brutalement sur un être vivant, s'abattre. *Le faucon fond sur sa proie. 4* Se dissoudre. *Le sucre fond dans le café. 5 Fondre en larmes :* éclater en sanglots.

> *Une fonderie est une usine où l'on fond (2) le métal.*

fondrière n. f. Trou dans un chemin, ornière.

fonds n. m. *1 Fonds de commerce :* établissement commercial. *Acheter un fonds de commerce. 2* Au pluriel. Somme d'argent, capital. *Chercher des fonds pour monter une affaire.*
Homonymes : fond, fonts.

fontaine n. f. Petite construction avec un bassin pour recueillir de l'eau courante.

fonte n. f. *1 Fonte des neiges :* époque où la neige fond, au printemps. *2* Alliage de fer et de carbone. *Cocotte en fonte.*

fonts n. m. plur. *Fonts baptismaux :* bassin d'eau bénite servant aux baptêmes, dans une église.
Homonymes : fond, fonds.

Font-de-Gaume

Grotte préhistorique située en Dordogne (France). Font-de-Gaume renferme des peintures et des gravures de la période du Paléolithique appelée Magdalénien (de – 15 000 à – 8 000 ans). On peut y voir de nombreuses représentations d'animaux, des bisons surtout. La scène de combat entre deux rennes est considérée comme un chef-d'œuvre de l'art du Paléolithique. La grotte de Font-de-Gaume a été découverte en 1901 par le préhistorien Denis Peyrony.

football n. m. *1* Sport de ballon collectif. *2 Football américain :* sport violent apparenté au rugby.
Mot anglais qui se prononce [futbol]. En abrégé : foot.

> *Un footballeur professionnel est un sportif dont le métier est de jouer au football.*

Le football est né en Angleterre au début du XIXe siècle. C'est un des sports les plus pratiqués au monde. Il oppose deux équipes de onze joueurs chacune, et consiste à envoyer dans le but de l'adversaire un ballon rond que l'on frappe avec les pieds et la tête. L'utilisation des bras et des mains est interdite. Chaque match dure 90 min, partagées en deux mi-temps de 45 min. Il est contrôlé par un arbitre aidé de juges de touche. Chaque faute est sanctionnée par un coup franc. Si la faute a lieu devant les buts, dans la surface de réparation, elle est sanctionnée par un penalty. Le corner est un coup de pied tiré d'un angle du terrain par l'équipe adverse. De nombreuses compétitions sont organisées dans tous les pays. Une Coupe du monde est organisée tous les 4 ans depuis 1930. Remportée 4 fois par le Brésil, 3 fois par l'Allemagne, elle a été gagnée par la France en 1998.

Football.

footing

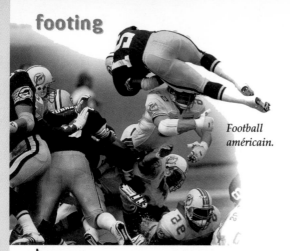

Football
américain.

Le football américain est apparu au XIXe siècle aux États-Unis, où il est extrêmement populaire. Chaque année, le Super Bowl, la finale qui détermine l'équipe championne des États-Unis, est un grand événement. Deux équipes de onze joueurs s'affrontent durant 4 périodes de 15 min chacune. Le jeu consiste à amener le ballon ovale dans la zone de but adverse et à envoyer le ballon au-dessus de la barre tranversale du but. C'est un sport violent qui nécessite des protections : casque et rembourrage pour les hanches, les cuisses, les genoux, les épaules, les bras et les mains.

footing n. m. Marche ou course à pied pratiquée pour le plaisir ou comme entraînement. *Faire un petit footing le dimanche matin.*
Mot anglais qui se prononce [futiŋ].

for n. m. *En mon for intérieur :* au fond de moi-même, dans le secret de ma conscience. *En son for intérieur, il admet qu'il a tort.*

forage n. m. → **forer.**

forain, aine adj. et n.
● adj. *Fête foraine :* baraquements et attractions diverses installées à l'occasion d'une foire.
● n. Animateur de spectacles ambulants ou marchand dans une fête foraine.

forban n. m. *1* Pirate, corsaire. *2* Personne sans scrupules, bandit. *Il s'est fait exploiter par ce forban.*

forçat n. m. Bagnard.

force n. f. *1* Puissance physique, vigueur, robustesse. *Manquer de force. Reprendre des forces. 2* Force de caractère :* détermination, courage, volonté. *3* Niveau. *Être de la même force au tennis. 4* Puissance, pouvoir d'action. *L'union fait la force. Vent de force 5. 5* Usage de la violence. *Employer, recourir à la force. 6* Au pluriel. Ensemble des armées, de la police et de la gendarmerie. *Les forces armées. Les forces de police. 7* Par la force des choses :* par nécessité, par obligation. *8* À force de :* grâce à beaucoup de. *Réussir à force de ténacité.*

forcé, ée adj. *1* Qu'on ne peut pas éviter, nécessaire, obligatoire. *L'avion a dû faire un atterrissage forcé. 2* Qui manque de naturel, contraint, factice. *Un sourire forcé. 3* Travaux forcés :* bagne.
Il roule si vite qu'il a eu un accident, cela devait for-cément arriver, c'était forcé (*1*).

forcené, ée adj. Acharné, obstiné, enragé. *Mener une lutte forcenée.*

forcer v. → conjug. **tracer.** *1* Obliger, contraindre. *Le mauvais temps nous a forcés à renoncer à l'expédition. 2* Ouvrir par la force, fracturer, enfoncer. *Forcer une porte, une serrure.*

forer v. → conjug. **aimer.** Creuser. *Forer un tunnel.*
Le forage d'un puits de pétrole, l'action de le forer.

forestier, ère adj. Qui se rapporte à la forêt. *Région forestière. Chemin forestier. Garde forestier.*

forêt n. f. Vaste terrain couvert d'arbres.

forfait n. m. *1* Prix fixé à l'avance une fois pour toutes. *Acheter un forfait de ski pour une journée. 2* Littéraire. Crime. *Commettre un forfait. 3* Déclarer forfait :* abandonner, se retirer d'une compétition ou d'une entreprise.
On peut voyager en payant une somme forfaitaire mensuelle, une somme fixée par un forfait.

forger v. → conjug. **ranger.** *1* Travailler un métal à chaud. *2* Inventer. *Se forger une excuse.*
Le maréchal-ferrant façonne les fers à cheval dans sa forge, l'atelier où il forge (*1*). *Le métier de forgeron a presque disparu aujourd'hui,* celui qui consistait à forger (*1*) les métaux.

se formaliser v. → conjug. **aimer.** Être choqué, se vexer. *Je savais bien qu'il plaisantait, je ne me suis pas formalisé.*

formaliste adj. Qui est très attaché aux usages, aux convenances.

formalité n. f. Opération administrative obligatoire. *Il a des formalités à accomplir pour obtenir une carte d'identité.*

format n. m. Dimension d'un objet. *Un livre en format poche.*

formation n. f. *1* Action de former ou de se former. *La formation d'une équipe de football. 2* Éducation, instruction. *Il suit un stage de formation professionnelle. 3* Groupe, parti. *Une formation politique.*

forme n. f. *1* Ensemble des contours d'un objet ou d'un corps. *Une boîte de forme rectangulaire. La forme d'un visage. 2* Aspect sous lequel se présente quelque chose. *Les différentes formes d'énergie. Mettre une phrase à la forme interrogative. 3* Prendre

forme : se préciser. *Projet qui prend forme.* **4** Condition physique ou morale. *Être en forme.* **5** Au pluriel. Règles de la politesse. *Mettre les formes.* **6** *Pour la forme* : dans le seul but de respecter les usages. *Pour la forme, il vaut mieux lui demander l'autorisation.*

formel, elle adj. **1** Qui ne peut pas être discuté. *Un refus formel.* **2** Qui respecte les formes, les usages. *Une politesse très formelle.*
Synonyme : catégorique (**1**).
*Il est **formellement** interdit de fumer,* de façon formelle (**1**), catégoriquement.

former v. → conjug. **aimer**. **1** Créer, constituer. *Le Premier ministre a formé le gouvernement.* **2** Donner une forme, tracer. *Bien former ses lettres.* **3** Éduquer, instruire. *Cette école forme des ingénieurs.* **4** Avoir la forme, l'apparence de quelque chose. *La route forme un coude à cet endroit.* **5** *Se former* : se développer, apparaître. *Des nuages se sont formés.*

formidable adj. Extraordinaire, remarquable.
Fulbert reçoit un accueil formidable. BRAVO !!!

formol n. m. Liquide transparent utilisé comme désinfectant.

formulaire n. m. Imprimé comportant des questions. *Remplir un formulaire.*

formule n. f. **1** Expression ou façon de parler employée dans certaines circonstances. *Une formule magique. Une formule de politesse.* **2** Suite de lettres et de chiffres indiquant la composition chimique d'une substance. *La formule de l'eau est H_2O.* **3** Méthode, façon de faire, solution. *Il a trouvé la bonne formule pour faire des économies.*

formuler v. → conjug. **aimer**. Exprimer avec précision. *Formuler un souhait.*

forsythia n. m. Arbrisseau dont les fleurs jaunes apparaissent au début du printemps, avant les feuilles.
On prononce [fɔrsisja].

fort, forte adj., adv. et n. m.
• adj. **1** Qui a de la force physique. *Il est grand et fort.* **2** Qui a de l'embonpoint. *Une femme un peu forte.* **3** Qui a des capacités ou des connaissances dans un domaine. *Il est fort en maths.* **4** Qui a beaucoup d'intensité, de puissance. *Un vent fort. Une forte fièvre. Une voix forte.* **5** Qui a beaucoup de goût ou d'odeur. *Il préfère la moutarde forte.* **6** Qui est difficile à croire ou à supporter. *C'est un peu fort !* **7** *Se faire fort de* : être sûr de pouvoir faire quelque chose. *Il se fait fort de réussir.*
Synonymes : robuste, vigoureux (**1**) ; gros, corpulent (**2**) ; doué (**3**) ; intense, puissant, violent (**4**) ; exagéré (**6**). Contraires : faible (**1** et **3**) ; maigre (**2**) ; léger, doux (**4**).

• adv. **1** D'une manière forte, intense, puissante. *Appuie plus fort. Crie moins fort.* **2** Beaucoup, très. *Il fait fort beau.*
• n. m. **1** Domaine où quelqu'un est fort. *Le dessin n'est pas son fort.* **2** Bâtiment fortifié.

Fort-de-France

Ville française des Antilles, située au sud-ouest de la Martinique. Fort-de-France est un port militaire et un port de commerce. Les activités touristiques y sont développées. La ville possède une cathédrale du XIXᵉ siècle et la bibliothèque Schœlcher, du nom du député français qui œuvra pour l'abolition de l'esclavage dans les colonies en 1848.
Le premier nom de Fort-de-France a été Fort-Royal, nom de l'établissement militaire qui y a été fondé au XVIIᵉ siècle.

972

Préfecture de la Martinique
94 778 habitants : les Foyalais

fortement adv. **1** Avec force. *Serrer fortement.* **2** Très, beaucoup. *Il est fortement intéressé par votre proposition.*

forteresse n. f. Lieu ou bâtiment fortifié.
Synonymes : citadelle, fort.

fortifiant n. m. → **fortifier**.

fortifier v. → conjug. **modifier**. **1** Rendre plus fort, plus vigoureux. *L'exercice physique va le fortifier.* **2** Entourer un lieu de remparts, de fossés, de tours pour le protéger. *Une ville fortifiée.*
*Le médecin lui a prescrit des **fortifiants**,* des médicaments pour le fortifier (**1**). *Les **fortifications**,* ce sont les constructions fortifiées (**2**) destinées à protéger un lieu.

fortin n. m. Petit fort faisant partie d'une fortification.

fortuit, uite adj. Qui a lieu par hasard. *Une rencontre fortuite.*
Synonymes : imprévu, inattendu.
*C'est arrivé **fortuitement**,* de manière fortuite.

fortune n. f. **1** Grande richesse. *Avoir de la fortune. Faire fortune.* **2** *De fortune* : improvisé, provisoire. *Ils ont fait une réparation de fortune.*
*C'est une famille très **fortunée**,* qui a beaucoup de fortune (**1**).

forum n. m. Réunion publique avec débat.
On prononce [fɔrɔm].

fosse n. f. **1** Trou creusé dans le sol. *Une fosse à purin.* **2** Cavité sous-marine très profonde. **3** *Fosses nasales* : les deux cavités à l'intérieur du nez.

fossé n. m. Trou creusé en long dans le sol. **Homonyme : fausser.**

fossette n. f. Petit creux au menton ou sur la joue.

fossile n. m. Reste ou empreinte de plante ou d'animal conservés depuis très longtemps dans la roche.

Les fossiles peuvent être des organismes retrouvés entiers, comme les mammouths découverts dans les glaces de Sibérie, des portions d'êtres vivants (os, coquille, feuille…), mais aussi des empreintes comme des traces de pas ou des moulages de feuilles. Les fossiles aident les savants à retracer l'histoire de l'évolution de la vie depuis ses origines. Leur étude s'appelle la paléontologie.

Fossile de trilobite.

fossoyeur n. m. Celui qui creuse les tombes dans un cimetière.

fou, folle adj. et n.
• adj. et n. *1* Qui est atteint de folie, qui n'a plus toute sa raison. *Il est devenu fou. C'est un fou dangereux.* *2* Qui se comporte de façon déraisonnable. *Elle est folle de sortir par ce temps. Il travaille comme un fou.* *3* Qui est passionné par quelque chose. *Elle est folle de cinéma. C'est un fou de mécanique.*
Synonymes : aliéné, malade mental (*1*) ; fanatique (*3*).
Elle est **follement** *amoureuse,* de manière folle, excessive (*3*).
• adj. *1* Qui n'est pas dans son état normal. *Il est fou de joie, de colère.* *2* Qui est excessif, énorme. *Il y a un monde fou ici.*
Devant un nom masculin commençant par une voyelle ou par un « h » muet, l'adjectif « fou » devient « fol » : un fol amour.
• n. m. *1* Autrefois, bouffon qui était chargé d'amuser le roi. *2* Pièce du jeu d'échecs.

fou de Bassan n. m. Grand oiseau marin.

Le fou de Bassan mesure environ 90 cm pour une envergure de 2 m. Doté de pattes palmées, il a un plumage blanc, à l'exception du dessus de la tête, jaune orangé, et de la pointe des ailes, noire. Il a les yeux bleus. Il se nourrit de poissons qu'il attrape en plongeant de 20 ou 30 m de hauteur. Le fou de Bassan niche, au printemps, sur les falaises abruptes. L'œuf unique est couvé sous les pattes des parents.

foudre n. f. *1* Violente décharge électrique se produisant pendant un orage et s'accompagnant d'un éclair et de tonnerre. *2 Coup de foudre :* amour soudain et irrésistible.

foudroyant, ante adj. Violent ou soudain comme la foudre. *Une mort foudroyante. Un succès foudroyant.*

foudroyer v. → conjug. **essuyer.** *1* Frapper en parlant de la foudre. *L'arbre sous lequel ils voulaient s'abriter a été foudroyé pendant l'orage.* *2* Tuer brutalement. *Il a été foudroyé par une crise cardiaque.*

fouet n. m. *1* Instrument fait d'une corde ou d'une lanière de cuir fixée à un manche. *Le dompteur fait claquer son fouet.* *2* Ustensile de cuisine servant à battre les œufs et les sauces. *3 De plein fouet :* de face et violemment. *Les deux voitures se sont heurtées de plein fouet.*
Le cocher **fouette** *son cheval pour le faire avancer, il le frappe avec un fouet (*1*).*

fougère n. f. Plante des bois à grandes feuilles très découpées.

La plupart des fougères se développent dans les lieux humides et frais. Leur taille varie de quelques centimètres à plusieurs mètres. Dans les régions tropicales, les fougères arborescentes, qui ressemblent à de petits arbres, peuvent dépasser 10 m de hauteur ! Les fougères n'ont ni fleurs ni graines. Elles se reproduisent grâce à des spores. Les fougères font partie des premières plantes apparues sur Terre, il y a plus de 400 millions d'années.

sporanges contenant les spores

fougue n. f. Vive ardeur. *Parler avec fougue.*
C'est un cheval **fougueux**, *plein de fougue.*

fouille n. f. *1* Action de fouiller. *Les douaniers ont procédé à la fouille des bagages.* *2* Au pluriel. Travaux menés par les archéologues pour retrouver dans le sol les ruines enfouies d'anciennes civilisations.

fouiller v. → conjug. **aimer.** Inspecter minutieusement. *Fouiller un appartement. Fouiller dans ses poches.*

fouillis n. m. Grand désordre.

fouine n. f. Petit mammifère nocturne au museau pointu.

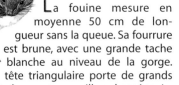

La fouine mesure en moyenne 50 cm de longueur sans la queue. Sa fourrure est brune, avec une grande tache blanche au niveau de la gorge. La tête triangulaire porte de grands yeux ronds et de courtes oreilles dressées. La fouine vit dans les bois, où elle se nourrit principalement de rongeurs, d'oiseaux et d'insectes. On la rencontre parfois près des zones habitées, où elle s'attaque aux poulaillers. La femelle a une portée de 3 à 4 petits par an.

fouiner v. → conjug. **aimer.** Familier. Chercher partout de manière indiscrète, fureter.

foulard n. m. Carré de tissu léger que l'on porte autour du cou ou sur la tête. *Un foulard en soie.*

foule n. f. *1* Grand nombre de personnes rassemblées dans un même lieu. *La foule se presse à l'entrée du stade.* *2* Grande quantité. *J'ai une foule de gens à remercier.*

foulée n. f. Enjambée faite en courant. *Courir à petites foulées.*

se fouler v. → conjug. **aimer.** Se faire une petite entorse en se tordant une articulation. *Elle s'est foulé le poignet.*

Il a une foulure à la cheville, il s'est foulé la cheville.

Fouquet Jean

Peintre et miniaturiste français né vers 1415-1420 et mort entre 1477 et 1481. Célèbre de son vivant, Fouquet tombe dans l'oubli après sa mort ; on possède peu de documents sur sa vie. Il étudie sans doute à Paris, avant de se rendre à Rome où il fréquente les artistes de la Renaissance italienne.
De retour en France, il réalise de nombreux tableaux pour le roi Charles VII puis pour Louis XI, son successeur.
Fouquet est l'auteur de nombreux portraits (*Charles VII, la Vierge à l'Enfant…*), de miniatures et d'enluminures (illustrations en couleurs de manuscrits).

Charles VII

four n. m. *1* Appareil ménager dans lequel on fait cuire des aliments. *Four électrique, four à gaz, four à micro-ondes.* *2* Appareil dans lequel on chauffe une matière à très haute température. *Four de potier.*

fourbe adj. et n. Qui trompe les gens par des ruses sournoises. *Avoir un air fourbe.*
Synonymes : hypocrite, perfide. Contraires : franc, honnête.

Je me méfie de sa fourberie, de son caractère fourbe.

fourbu, ue adj. Très fatigué, épuisé.

fourche n. f. *1* Instrument agricole formé d'un long manche terminé par des dents. *2* Endroit où un chemin se divise en plusieurs directions. *3* Partie d'un vélo ou d'une moto formée de deux tiges entre lesquelles tourne la roue.
Synonyme : bifurcation (2).

fourchette n. f. Ustensile de table à dents pointues servant à piquer les aliments.

fourchu, ue adj. Qui se sépare en deux parties. *Avoir les cheveux fourchus.*

fourgon n. m. *1* Wagon servant au transport des marchandises, du courrier ou des bagages. *Fourgon postal.* *2* *Fourgon mortuaire :* corbillard.

fourgonnette n. f. Petite camionnette.

fourmi n. f. *1* Petit insecte vivant en colonies nombreuses et organisées. *2* *Avoir des fourmis dans les bras, les jambes :* ressentir des picotements.

La fourmilière est le nid où vit une colonie de fourmis.

Chaque fourmilière comprend trois castes : les femelles, ou reines, les mâles et les ouvrières. Ces dernières, stériles, sont chargées de tous les travaux de la colonie : construction et entretien de la fourmilière, recherche de la nourriture, alimentation des jeunes… Les plus grandes des ouvrières, appelées soldats, assurent la défense.

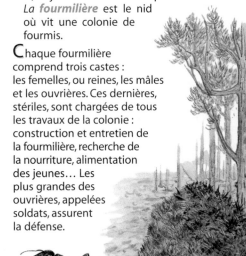

fourmilier n. m. Mammifère au museau allongé et à la langue visqueuse qui se nourrit de fourmis.

Le museau du fourmilier est très allongé, et sa bouche n'a pas de dents. Cet animal ne se nourrit que de termites et de fourmis, qu'il capture avec sa longue langue visqueuse.
Le grand fourmilier, ou tamanoir, a un corps massif terminé par une longue queue touffue ; il mesure, en tout, environ 2 m de longueur. Ses pattes sont munies de puissantes griffes. Le fourmilier nain est à peu près de la taille d'un chat.

fourmilière n. f. → **fourmi.**

fourmillement n. m. *1* Grouillement. *Un fourmillement d'insectes.* *2* Sensation de picotement.

fourmiller v. → conjug. **aimer.** Avoir ou contenir en grand nombre. *Fourmiller d'idées.*

fournaise n. f. Endroit très chaud. *Cette salle est une fournaise en été.*

fourneau n. m. **Plur. : des fourneaux.** Appareil de cuisson comportant un four.

fournée n. f. Quantité de pain que l'on fait cuire en même temps dans un four. *Le boulanger fait plusieurs fournées par jour.*

fournil n. m. Pièce où se trouve le four du boulanger et où il pétrit sa pâte. **On prononce** [fuʀni].

fournir v. → conjug. **finir.** *1* Donner, procurer, apporter. *Fournir des vêtements à des réfugiés. Fournir des renseignements à quelqu'un.* *2* Fournir un travail, un effort :* le faire, l'accomplir. *3* Se fournir :* s'approvisionner, se ravitailler. *Se fournir en légumes chez un commerçant.*
   Le *fournisseur* est le commerçant chez lequel on se fournit (*3*).

fourniture n. f. *1.* Action de fournir. *Assurer la fourniture du bois. 2* Au pluriel. Objets ou accessoires nécessaires pour travailler. *Fournitures scolaires. Fournitures de bureau.*

fourrage n. m. Plantes servant à l'alimentation du bétail.
   La luzerne, le trèfle, l'avoine sont des plantes fourragères, employées comme fourrage.

1. fourré, ée adj. *1* Doublé de fourrure ou de lainage. *Des bottes fourrées. 2* Garni intérieurement. *Bonbons fourrés au chocolat.*

2. fourré n. m. Ensemble dense et touffu d'arbustes et de broussailles.

fourreau n. m. **Plur. : des fourreaux.** Étui ou objet allongé. *Le fourreau d'une épée, d'un poignard.*

fourrer v. → conjug. **aimer.** Familier. Mettre, placer. *Où ai-je fourré mes clés ?*

fourre-tout n. m. inv. Endroit ou sac où l'on met toutes sortes de choses.

fourreur n. m. Personne qui fabrique ou qui vend des vêtements de fourrure.

fourrière n. f. Endroit où l'on met les animaux trouvés dans la rue ou les véhicules mal garés.

fourrure n. f. *1* Peau d'animal garnie de ses poils. *Une veste de fourrure. 2* Pelage épais et beau de certains animaux. *La fourrure d'un chat angora.*

se fourvoyer v. → conjug. **essuyer.** Se tromper, faire fausse route. *Il lui a fait confiance, mais il s'est fourvoyé.*

fox-terrier n. m. **Plur. : des fox-terriers.** Petit chien à poil ras, souvent blanc à taches noires ou fauves. **On dit aussi : un fox.**

foyer n. m. *1* Partie d'une cheminée ou d'un appareil de chauffage où brûle le feu. *2 Foyer d'incendie :* endroit d'où part un incendie. *3* Endroit où vit une famille. *Rentrer au foyer. 4 Femme au foyer :* qui s'occupe de sa maison et de sa famille et n'exerce pas d'activité professionnelle. *5* Local collectif servant de lieu de réunion ou d'habitation pour certaines personnes. *Il loge dans un foyer de jeunes travailleurs.*

Fra Angelico → **Angelico.**

fracas n. m. Bruit violent. *Le fracas des vagues contre les rochers.*

fracassant, ante adj. Qui fait de l'effet, qui fait scandale. *Une déclaration fracassante.* **Synonymes : retentissant, sensationnel.**

fracasser v. → conjug. **aimer.** Briser avec violence. *Le coup lui a fracassé la mâchoire.*

fraction n. f. *1* Expression mathématique. *2* Partie d'un tout. *Une fraction importante des électeurs s'est abstenue.*

LES FRACTIONS

Une fraction est une expression mathématique formée de deux nombres entiers séparés par une barre horizontale ou oblique.

 Le disque est partagé en 3 parties égales. On a colorié 2 parties sur les 3, soit les 2/3 ou $\frac{2}{3}$ (deux tiers) de l'ensemble.

$\frac{2}{3}$ — numérateur / dénominateur

● Pour **simplifier une fraction**, on divise son numérateur et son dénominateur par un même nombre.

$$\frac{6 \text{ (divisé par 3)}}{15 \text{ (divisé par 3)}} = \frac{2}{5}$$

$$\frac{120 \text{ (divisé par 10)}}{40 \text{ (divisé par 10)}} = \frac{12 \text{ (divisé par 4)}}{4 \text{ (divisé par 4)}} = \frac{3}{1} = 3$$

● Pour **comparer des fractions**, il faut les réduire au même dénominateur, c'est-à-dire multiplier les deux termes de chaque fraction par le dénominateur de l'autre.

Pour comparer $\frac{3}{8}$ et $\frac{6}{7}$

$$\frac{3 \text{ (multiplié par 7)}}{8 \text{ (multiplié par 7)}} = \frac{21}{56} \text{ et } \frac{6 \text{ (multiplié par 8)}}{7 \text{ (multiplié par 8)}} = \frac{48}{56}$$

On peut comparer $\frac{21}{56}$ et $\frac{48}{56}$

● Pour **prendre une fraction d'un nombre**, on multiplie ce nombre par le numérateur et on divise le produit par le dénominateur.

Pour prendre les $\frac{2}{3}$ de 75

$75 \times 2 = 150$ puis $150 : 3 = 50$

● Pour **additionner des fractions**.
  ❖ Si elles ont le même dénominateur, on additionne les numérateurs sans changer le dénominateur :

$$\frac{2}{3} + \frac{5}{3} + \frac{9}{3} = \frac{16}{3}$$

❖ Si elles n'ont pas le même dénominateur, on les réduit d'abord au même dénominateur :

$$\frac{2}{3} + \frac{5}{4} = \frac{8}{12} + \frac{15}{12} = \frac{23}{12}$$

● Pour **soustraire des fractions**, la démarche est la même que pour l'addition. Seul le signe change.

$$\frac{12}{3} - \frac{5}{3} = \frac{7}{3}$$

$$\frac{12}{3} - \frac{5}{4} = \frac{48}{12} - \frac{15}{12} = \frac{33}{12}$$

● Pour **multiplier des fractions**, on multiplie les numérateurs entre eux et les dénominateurs entre eux.

$$\frac{2}{3} \times \frac{5}{4} = \frac{10}{12} \text{ ou } \frac{5}{6} \text{ en simplifiant}$$

● Pour **diviser des fractions**, on multiplie la fraction par l'inverse de la seconde.

$$\frac{2}{3} : \frac{5}{4} = \frac{2}{3} \times \frac{4}{5} = \frac{8}{15}$$

● Lorsque le numérateur et le dénominateur sont le même nombre, la fraction est égale à l'unité.

$$\frac{3}{3} = \frac{4}{4} = \frac{5}{5} = 1$$

● Les fractions qui ont pour dénominateur 10, 100, 1000, sont appelées fractions décimales.

$$\frac{12}{10} = 1,2 \qquad \frac{4}{100} = 0,04 \qquad \frac{235}{1000} = 0,235$$

● Valeurs décimales de fractions courantes :

$$\frac{1}{2} = 0,5 \qquad \frac{1}{4} = 0,25 \qquad \frac{3}{4} = 0,75$$

Le parti politique s'est fractionné *en deux groupes,* il s'est divisé en deux fractions (**2**).

fracturer v. → conjug. **aimer**. **1** Casser en forçant. *Fracturer une porte, un coffre-fort.* **2** *Se fracturer :* se casser un os. *Elle s'est fracturé le poignet.*
Il a une fracture *de la jambe,* il s'est fracturé (**2**) la jambe.

fragile adj. **1** Qui se casse ou qui s'abîme facilement. *Une porcelaine fragile. Un tissu fragile.* **2** Qui est souvent malade. *Un enfant fragile.*

Contraires : résistant, robuste (**1** et **2**), solide (**1**).
La fragilité *d'un objet ou d'une personne,* c'est son caractère fragile.

fragment n. m. **1** Morceau d'une chose brisée. *Un fragment de verre.* **2** Partie plus ou moins importante de quelque chose. *Il m'a lu un fragment de sa lettre.*
Ses informations sont trop fragmentaires, *elles sont incomplètes, partielles, constituées de fragments (**2**). Sous l'action du gel, la roche s'est* fragmentée, *elle s'est divisée en fragments (**1**).*

fraîchement

fraîchement adv. *1* Depuis peu de temps. *Du café fraîchement moulu.* *2* Avec froideur. *Il nous a accueillis fraîchement.*
Synonymes : récemment (*1*), froidement (*2*).

fraîcheur n. f. *1* Température fraîche. *Une sensation de fraîcheur.* *2* Qualité d'un produit frais. *Des œufs de première fraîcheur.*

1. frais, fraîche adj., n. m. et adv.
● adj. *1* Légèrement froid. *Boire de l'eau fraîche. La nuit est fraîche.* *2* Récent, nouveau. *Avez-vous des nouvelles fraîches ?* *3* Récemment produit, récolté ou fabriqué. *Des œufs frais, du pain frais.* *4* Qui n'est pas séché, ni surgelé. *Des figues fraîches. Des légumes frais.*
　Le temps fraîchit, devient plus frais (*1*).
● n. m. *1* Air frais. *Prendre le frais.* *2* *Au frais :* dans un endroit frais. *Garder le beurre au frais.*
● adv. *Il fait frais :* il fait légèrement froid.

2. frais n. m. plur. Dépenses d'argent. *Le déménagement va entraîner beaucoup de frais.*

fraise n. f. *1* Petit fruit rouge produit par le fraisier. *2* Grand col plissé que l'on portait autrefois.
　Le fraisier est la plante basse et rampante qui produit les fraises (*1*).

framboise n. f. Petit fruit rouge produit par le framboisier.
　Le framboisier est l'arbrisseau qui produit les framboises.

1. franc, franche adj. Qui dit la vérité sans mentir et sans cacher sa pensée. *C'est un garçon très franc.*
Synonymes : sincère, loyal.
　J'apprécie sa franchise, son caractère franc.

2. franc n. m. Unité monétaire de la France, de la Belgique, du Luxembourg, de la Suisse et de quelques pays d'Afrique. En France, en Belgique et au Luxembourg, l'euro remplace le franc à partir du 1er janvier 2002.

France

République d'Europe, située à l'ouest du continent.

551 500 km²
60 185 831 habitants :
les Français
Langue : français
Monnaie : euro (ex-franc)
Capitale : Paris

Regarde ci-contre.

la France

La France mesure environ 1 000 km du nord au sud et 1 000 km d'est en ouest. Le territoire, à la forme régulière, est souvent comparé à un hexagone.

■ La France occupe une place privilégiée due à l'importance de ses façades maritimes (3 000 km de côtes) et à sa situation centrale entre l'Europe du Nord et celle du Sud. Elle a une frontière commune avec la Belgique, le Luxembourg, l'Allemagne, la Suisse, l'Italie et l'Espagne. Elle est reliée à la Grande-Bretagne par le tunnel sous la Manche.

Une maison bretonne sur les côtes d'Armor.

Le mont Canigou dans les Pyrénées.

■ Située dans la zone tempérée, la France est soumise à trois types de climat : le climat océanique doux et humide à l'ouest, le climat continental aux étés chauds et aux hivers rigoureux à l'est et le climat méditerranéen sec et chaud au sud.

On trouve du mimosa en Bretagne et dans le sud de la France.

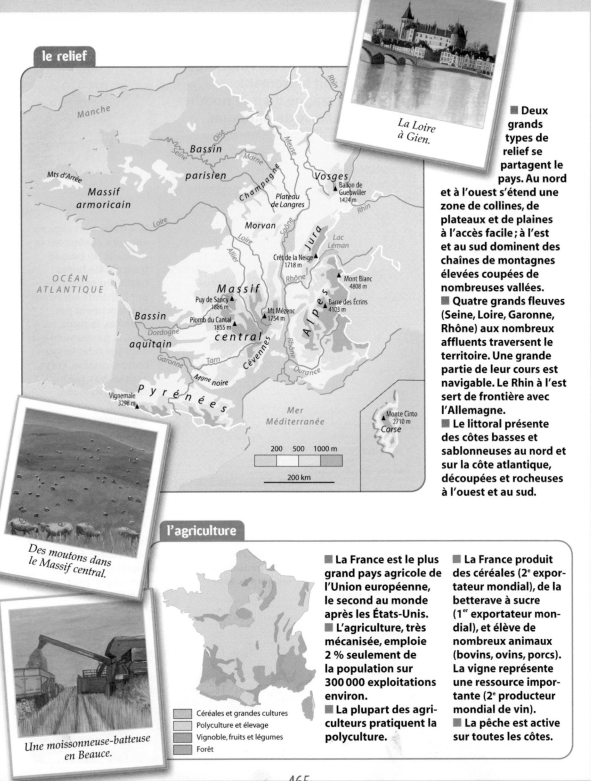

La Loire
à Gien.

Manche

Bassin
parisien

Mts d'Arrée
Massif
armoricain

Oise
Seine
Marne
Champagne
Plateau
de Langres

Vosges
Ballon de
Guebwiller
1424 m

Rhin

Morvan

Jura

Loire

Lac
Léman

Crêt de la Neige
1718 m

OCÉAN
ATLANTIQUE

Saône

Rhône

Mont Blanc
4808 m

Massif

Puy de Sancy
1886 m

Barres des Écrins
4103 m

Bassin

Mt Mézenc
1754 m

Alpes

Plomb du Cantal
1855 m

Dordogne

central

aquitain

Garonne

Tarn

Cévennes

Rhône

Durance

Mgne noire

Vignemale
3298 m

Pyrénées

Mer
Méditerranée

Monte Cinto
2710 m
Corse

200   500   1000 m

200 km

■ **Deux grands types de relief se partagent le pays. Au nord** et à l'ouest s'étend une zone de collines, de plateaux et de plaines à l'accès facile ; à l'est et au sud dominent des chaînes de montagnes élevées coupées de nombreuses vallées.
■ **Quatre grands fleuves (Seine, Loire, Garonne, Rhône) aux nombreux affluents traversent le territoire. Une grande partie de leur cours est navigable. Le Rhin à l'est sert de frontière avec l'Allemagne.**
■ **Le littoral présente des côtes basses et sablonneuses au nord et sur la côte atlantique, découpées et rocheuses à l'ouest et au sud.**

Des moutons dans
le Massif central.

l'agriculture

Céréales et grandes cultures
Polyculture et élevage
Vignoble, fruits et légumes
Forêt

■ **La France est le plus grand pays agricole de l'Union européenne, le second au monde après les États-Unis.**
■ **L'agriculture, très mécanisée, emploie 2 % seulement de la population sur 300 000 exploitations environ.**
■ **La plupart des agriculteurs pratiquent la polyculture.**

■ **La France produit des céréales (2e exportateur mondial), de la betterave à sucre (1er exportateur mondial), et élève de nombreux animaux (bovins, ovins, porcs). La vigne représente une ressource importante (2e producteur mondial de vin).**
■ **La pêche est active sur toutes les côtes.**

Une moissonneuse-batteuse
en Beauce.

465

la France

Avec 60 millions d'habitants, la France se situe au deuxième rang de l'Union européenne et au vingtième rang mondial. Cette population croît lentement, la mortalité baisse, l'immigration stagne mais le nombre de naissances a cessé de diminuer.

Une rue piétonne à Marseille.

La colline de Fourvière à Lyon.

la population

Dunkerque
Lille-Roubaix-Tourcoing
Béthune
Lens
Valenciennes
Le Havre
Rouen
Reims
Metz
Caen
Nancy
Paris
Strasbourg
Brest
Rennes
Le Mans
Mulhouse
Orléans
Nantes
Angers
Dijon
Tours
Clermont-Ferrand
Lyon
Grenoble
St-Étienne
Bordeaux
Cannes-Grasse-Antibes
Nice
Toulouse
Montpellier
Toulon
Marseille

Villes et agglomérations
de 250 000 à 500 000
de 500 000 à 1 000 000
plus de 1 000 000

■ La population est inégalement répartie : 1 Français sur 5 habite en Ile-de-France.
■ Près de 4 Français sur 5 vivent dans une ville.
■ Les trois premières villes de France : Paris, Lyon et Marseille abritent avec leurs agglomérations plus de 12 millions d'habitants.

■ À travers les régions apparaît également la diversité du peuple français. De fortes traditions marquées par l'Histoire survivent et s'expriment par l'habitat, le sport, les jeux, la gastronomie, la musique et les langues : breton, catalan, corse, occitan, basque, alsacien, flamand, créole…
■ L'immigration a longtemps représenté un apport important à la population française. En 1999, 3 607 000 étrangers ont été recensés.

l'économie

■ L'industrie française est particulièrement développée dans la construction auto-mobile, ferroviaire, navale, aéronautique et spatiale, dans les télécommunica-tions, l'énergie, les technologies nouvelles et l'agroalimentaire.
■ Le tourisme est un atout majeur. La France, qui associe à la douceur de son climat et à la variété de ses paysages des richesses culturelles sans égal, est le pays le plus visité au monde ; chaque année elle accueille des millions de touristes.

La tour Eiffel à Paris.

■ La France dispose d'un excellent réseau de communications : les grands axes autoroutiers, aériens et ferroviaires, les voies navigables favorisent les échanges avec ses partenaires européens.

Chaîne de montage du T.G.V.

Le Mont-Saint-Michel en Normandie.

La France est une république. Elle a une Constitution. C'est un État démocratique qui élit son président et ses représentants au suffrage universel (vote de tous les Français âgés de 18 ans et plus). Il y a trois sortes de pouvoirs : le pouvoir exécutif et le pouvoir législatif, séparés depuis la Révolution française, et le pouvoir judiciaire (la justice).

le pouvoir exécutif

Il veille au respect de la Constitution, prépare les lois et en contrôle l'application. Il comprend :

■ **Le président de la République** élu pour cinq ans (quinquennat) au suffrage universel. Il est le chef des armées. Ses attributions sont définies par la Constitution. Il choisit et nomme le Premier ministre. Il préside le Conseil des ministres. Il peut décider d'un référendum sur une question précise, prononcer la dissolution de l'Assemblée nationale. Il réside au palais de l'Élysée à Paris.

Le perron de l'Élysée.

■ **Le Premier ministre**, chef du gouvernement, qui choisit les ministres. Il réside à l'hôtel Matignon à Paris.

■ **Le gouvernement** constitué par l'ensemble des ministres.

les divisions administratives

■ Le territoire français est divisé en 26 régions (y compris les DOM).
■ La France compte 100 départements (y compris les DOM).
■ Il y a en France 36 772 communes (y compris les DOM).

Regarde aussi région, département, commune.

le pouvoir législatif

Il est assuré par le Parlement qui vote les lois et le budget. Il comprend :

■ **L'Assemblée nationale**, élue pour cinq ans au suffrage universel. Elle regroupe les députés représentant les différents courants politiques de la nation. Elle propose, discute et vote les lois préparées par le gouvernement. Elle peut censurer le gouvernement. Elle siège au Palais-Bourbon. Il faut avoir au moins 25 ans pour pouvoir être député.

La Chambre des députés, ou Assemblée nationale.

■ **Le Sénat**, élu pour neuf ans par les grands électeurs (députés, conseillers généraux), eux-mêmes élus au suffrage universel. Le Sénat propose, discute et vote les lois transmises par l'Assemblée nationale. Il siège au palais du Luxembourg. On ne peut être à la fois député et sénateur. Il faut avoir au moins 35 ans pour pouvoir être sénateur.

Le palais du Luxembourg à Paris, siège du Sénat.

Regarde aussi chemin de fer, histoire, outre-mer, route.

Franche-Comté

Franche-Comté

Ancienne province française située dans l'est du pays, et regroupant les actuels départements du Doubs, du Jura, de la Haute-Saône et du Territoire-de-Belfort. C'est une région au relief contrasté où se mêlent montagnes, plateaux et plaines. Le climat est continental. Besançon, la capitale régionale, Montbéliard-Belfort et Sochaux sont des centres actifs desservis par un bon réseau de communications ferroviaires et routières.
   La Franche-Comté est rattachée à la France en 1678. C'est aujourd'hui une région administrative.

franchement adv. *1* D'une manière franche, sincèrement. *Tu peux me parler franchement.* *2* D'une manière nette, vraiment. *Il est franchement stupide.*

franchir v. → conjug. **finir**. *1* Passer un obstacle. *Franchir un fossé.* *2* Dépasser une limite. *Franchir les frontières.*
   Le *franchissement* d'un obstacle, c'est l'action de le franchir (*1*).

franchise n. f. → franc 1.

franchissement n. m. → franchir.

franco adv. *Franco de port :* sans frais de transport pour le destinataire. *Recevoir un colis franco de port.*

Franco Francisco

Homme politique espagnol né en 1892 et mort en 1975. Il prend la tête du mouvement nationaliste espagnol en 1936 et participe à la guerre civile (1936-1939) en tant que chef de gouvernement et généralissime des armées. Après la guerre, il instaure un régime dictatorial qui entraîne l'exil de nombreux Espagnols. Il désigne don Juan Carlos de Bourbon pour lui succéder.

François Ier

Roi de France né en 1494 et mort en 1547. Successeur de Louis XII, François Ier règne de 1515 jusqu'à sa mort. En 1515, reprenant les guerres de ses prédécesseurs en Italie, il remporte la célèbre bataille de Marignan. Mais, en raison de sa rivalité avec Charles Quint, de nouveaux conflits ont toujours lieu. Ce n'est qu'en 1544 que la paix de Crépy met un terme aux combats. François Ier est à l'origine d'une profonde transformation de la société française. Il soutient le mouvement de la Renaissance, crée le Collège de France, l'Imprimerie nationale, encourage les lettres et les arts et, par l'ordonnance de Villers-Cotterêt (1539), impose le français à la place du latin dans les jugements et les actes notariés.

francophone adj. Qui parle le français. *La majorité des Québécois sont francophones.*
   La Belgique fait partie de la **francophonie**, de l'ensemble des pays francophones.

franc–parler n. m. *Avoir son franc-parler :* dire ce qu'on pense de manière très franche.

Francs

Peuple germanique qui participe à la conquête de la Gaule romaine au Ve siècle par les peuples barbares. Les Francs, qui comprennent plusieurs tribus, ne tardent pas à dominer la Gaule. Au début du VIe siècle, Clovis devient roi du peuple franc unifié ; c'est de là que vient le nom de la France. C'est du peuple franc que sont issues la dynastie des Mérovingiens puis celle des Carolingiens, qui gouverne la France jusqu'au Xe siècle.

franc–tireur n. m. **Plur. :** des **francs-tireurs**. Combattant qui ne fait pas partie d'une armée régulière.

frange n. f. *1* Bordure de fils pendants qui orne un tissu. *Les franges d'un tapis, d'une écharpe.* *2* Cheveux coupés droit et couvrant le front.

frangipane n. f. Crème à base d'amandes utilisée en pâtisserie.

Franklin Benjamin

Homme politique, écrivain et physicien américain né en 1706 et mort en 1790. Ouvrier imprimeur, Franklin est remarqué comme journaliste, puis comme écrivain. Passionné par la science et en particulier par les phénomènes électriques, il invente le paratonnerre en 1752.
Il joue également un rôle dans la création des États-Unis en participant à la rédaction de la Déclaration d'Indépendance (1776).

franquette n. f. *À la bonne franquette :* en toute simplicité, sans faire de façons.

frappant, ante adj. → **frapper**.

frappe n. f. *1* Action de taper un texte à la machine, à l'ordinateur. *Des fautes de frappe. 2* Bombardement. *Une frappe aérienne.*

frapper v. → conjug. **aimer**. *1* Donner un ou plusieurs coups, taper. *Frapper quelqu'un au visage. Frapper à la porte. 2* Marquer d'une empreinte en relief. *Frapper une nouvelle pièce de monnaie. 3* Atteindre d'un mal ou d'un malheur. *Être frappé de paralysie. 4* Étonner, impressionner. *Cette coïncidence m'a frappé.*
> *Voilà un exemple frappant,* qui frappe (*4*), marquant.

fraternel, elle adj. Qui concerne ou qui évoque les relations entre frères ou entre frères et sœurs. *L'amour fraternel. Une amitié fraternelle.*
> *Il l'a accueilli fraternellement,* d'une manière fraternelle. *Les deux adversaires ont fraternisé,* ils ont adopté une attitude fraternelle, ils ont sympathisé. *Il y a entre eux une grande fraternité,* une entente fraternelle et profonde.

fraude n. f. Tromperie contraire à la loi ou au règlement. *Introduire des marchandises en fraude.*
> *Il est accusé d'avoir fraudé le fisc,* d'avoir commis une fraude fiscale. *Les fraudeurs seront sanctionnés,* les personnes qui fraudent. *Il a été élu de manière frauduleuse,* en ayant recours à une fraude. *Il s'est enrichi frauduleusement,* de manière frauduleuse.

frayer v. → conjug. **payer**. Ouvrir un passage en écartant les obstacles. *Ils essaient de se frayer un chemin à travers la foule.*

frayeur n. f. Grande peur soudaine.

fredonner v. → conjug. **aimer**. Chanter à mi-voix, chantonner. *Fredonner un air à la mode.*

freezer n. m. Compartiment d'un réfrigérateur où se forme la glace.
Mot anglais qui se prononce [fʀizœʀ].

frégate n. f. *1* Bateau de guerre. *2* Grand oiseau des mers tropicales.

frein n. m. *1* Dispositif servant à ralentir ou à arrêter un véhicule. *Donner un coup de frein. 2* Au figuré. Ce qui retient ou ralentit. *Il faut mettre un frein à tes dépenses.*
> *L'automobiliste a freiné brutalement,* il a ralenti ou s'est arrêté en utilisant ses freins (*1*). *Sur chaussée mouillée, la distance de freinage augmente,* la distance nécessaire pour freiner et s'arrêter.

frelaté, ée adj. Dénaturé par un mélange. *Vin frelaté.*

frêle adj. Fragile et fin. *Une frêle silhouette.*
Contraire : robuste.

frelon n. m. Grosse guêpe dont la piqûre est très douloureuse.

frémir v. → conjug. **finir**. *1* Être agité par un léger mouvement. *L'eau frémit dans la casserole. 2* Trembler de peur, d'émotion. *Une histoire à faire frémir.*
> *Verser l'eau frémissante dans la théière,* l'eau qui frémit (*1*). *Ses mains sont agitées d'un frémissement nerveux,* elles frémissent (*2*).

frêne n. m. Grand arbre fournissant un bois clair et dur.

Le frêne, dont il existe plusieurs espèces, peut dépasser 30 m de hauteur et vivre plus de 200 ans. On peut utiliser ses feuilles pour des infusions médicinales.

frénésie n. f. État d'excitation intense. *La foule l'applaudit avec frénésie.*
> *Ils dansent sur un rythme frénétique,* avec frénésie. *Il s'est mis à rire frénétiquement,* d'une manière frénétique.

fréquent, ente adj. Qui se produit ou qui arrive souvent. *Les orages sont fréquents en cette saison.*
Contraire : rare.
> *Cela arrive fréquemment,* de manière fréquente, souvent. *La fréquence de ces crises de hoquet commence à m'inquiéter,* leur caractère fréquent, répété.

fréquenter v. → conjug. **aimer**. *1* Aller souvent dans un lieu. *Fréquenter les salles de jeu. 2* Voir souvent quelqu'un. *Fréquenter ses voisins.*
> *Elle a de mauvaises fréquentations,* les personnes qu'elle fréquente (*2*) sont peu recommandables.

frère n. m. Garçon qui a les mêmes parents qu'un autre enfant.

fresque n. f. Scène peinte directement sur un mur.

fret n. m. *1* Somme à payer pour le transport de marchandises par mer, par avion, par route ou par chemin de fer. *2* Marchandises transportées.
On prononce [fʀɛt].

frétiller v. → conjug. **aimer**. S'agiter avec des petits mouvements rapides. *Les poissons frétillent dans l'eau.*

fretin n. m. *1* Poissons trop petits pour être pêchés. *2 Menu fretin :* personnes de peu d'importance.

Freud

Médecin autrichien, neurologue et psychiatre né en 1856 et mort en 1939. Après des études de médecine, Freud entreprend des recherches sur les maladies du système nerveux qui ne sont pas liées à des lésions physiques. Il étudie en particulier l'hystérie, maladie mentale qui crée chez les patients une grande agitation. Il obtient la guérison en utilisant l'analyse psychique, c'est-à-dire en laissant le malade s'exprimer librement sur les événements de son passé, enfouis dans son inconscient. Cette méthode marque les débuts de la psychanalyse. Freud est l'auteur de nombreux ouvrages qui définissent les principes de sa doctrine.

friable adj. Qui s'effrite facilement. *Une roche friable.*

friand, ande adj. Qui aime particulièrement un aliment. *Je suis friand de chocolat.*

friandise n. f. Petite sucrerie ou pâtisserie.

friche n. f. Terre non cultivée. *Un champ en friche.*

friction n. f. Frottement vigoureux que l'on fait sur une partie du corps. *Se faire une friction au gant de crin.*
   Veux-tu me frictionner le dos ?, me faire une friction.

Frigidaire n. m. Réfrigérateur.
Ce mot s'écrit avec une majuscule car c'est le nom d'une marque. En abrégé : frigo.

frigorifié, ée adj. Familier. Qui a très froid. *Je suis frigorifiée !*

frigorifique adj. Qui produit du froid. *Un camion frigorifique.*

frileux, euse adj. Qui est très sensible au froid.

frimaire n. m. Troisième mois du calendrier républicain (fin novembre, fin décembre).

frime n. f. Familier. Attitude destinée à tromper ou à impressionner. *Il n'est pas malade, c'est de la frime.*
   Avec nous, ce n'est pas la peine de frimer, de faire de la frime. *C'est une frimeuse,* une personne qui frime.

frimousse n. f. Familier. Visage agréable d'un enfant ou d'une personne jeune.

fringale n. f. Familier. Faim soudaine et pressante.

fringant, ante adj. Vif et de belle allure. *Un cheval fringant.*

friper v. → conjug. **aimer.** Chiffonner, froisser. *Tu vas friper ta jupe. Sa veste est toute fripée.*

fripon, onne adj. et n. Qui est malicieux, espiègle. *Quelle petite friponne !*

fripouille n. f. Familier. Personne malhonnête, canaille.

frire v. → conjug. **suffire.** Cuire dans une matière grasse bouillante. *Faire frire du poisson.*

frise n. f. Élément décoratif en forme de bandeau continu.

friser v. → conjug. **aimer.** *1* Former des boucles serrées. *Avoir les cheveux frisés. 2* Approcher de très près, frôler. *On a frisé la catastrophe.*
   Elle est frisée comme un mouton, elle a les cheveux qui frisent (*1*).

frisquet, ette adj. Familier. Un peu froid. *Un petit vent frisquet.*

frisson n. m. Tremblement passager provoqué par la fièvre, le froid, la peur ou une émotion.
   Elle frissonne de froid, elle a des frissons.

frit, frite adj. et n. f.
• adj. Cuit dans une matière grasse bouillante. *Du poisson frit.*
• n. f. Morceau de pomme de terre en forme de bâtonnet que l'on a fait frire.

friteuse n. f. Ustensile de cuisine servant à faire frire les aliments. *Une friteuse électrique.*

friture n. f. *1* Matière grasse servant à faire frire des aliments. *2* Aliment frit. *Une friture de poissons.*

frivole adj. Qui manque de sérieux ou d'importance. *Des occupations frivoles.*
Synonyme : futile.
   Elle ne s'intéresse qu'à des frivolités, à des choses frivoles.

froid, froide adj. et n. m.
• adj. *1* Qui est à une température basse. *De l'eau froide. 2* Au figuré. Qui se montre réservé, distant, presque hostile. *Son accueil a été très froid.*
Contraires : chaud (*1*), chaleureux (*2*).
   Sa froideur n'est qu'apparente, son attitude froide (*2*). *Il m'a reçu froidement,* de façon froide (*2*).
• n. m. *1* Température froide. *Une vague de froid.* *2 Prendre, attraper froid :* tomber malade par temps froid. *3 Jeter un froid :* causer un sentiment de malaise. *4 Être en froid avec quelqu'un :* être fâché avec lui.

froisser v. → conjug. **aimer.** *1* Chiffonner, faire des plis. *Ce tissu se froisse facilement. 2* Vexer légèrement. *Je l'ai froissée sans le vouloir. 3 Se froisser un muscle :* se faire une légère contusion.
   On entend des froissements de papier, des bruits de papier que l'on froisse (*1*).

frôler v. → conjug. **aimer.** *1* Passer en touchant légèrement ou passer très près. *Sa main a frôlé la* mienne. *La voiture l'a frôlé.* **2** Échapper de justesse à un danger. *Frôler la mort.*

Le **frôlement** *d'une main contre son épaule l'a fait sursauter,* une main qui le frôlait (**1**).

fromage n. m. Aliment fait avec du lait caillé de vache, de brebis ou de chèvre.

Les **fromagers** sont les personnes qui fabriquent ou qui vendent du fromage. *La* **fromagerie** *est l'endroit où l'on fabrique ou vend du fromage.*

froment n. m. Grain de blé. *Farine de froment.*

fronce n. f. Petit pli non aplati d'un tissu. *Une jupe à fronces.*

froncer v. → conjug. **tracer.** **1** Resserrer un tissu par des fronces. *Froncer une robe.* **2** *Froncer les sourcils :* les rapprocher en contractant le front.

D'un **froncement** *de sourcils, il lui a fait signe de se taire,* en fronçant (**2**) les sourcils.

Fronde

Révoltes contre la monarchie qui agitent la France de 1648 à 1653, alors que le roi Louis XIV est encore mineur. La principale cause de la Fronde est l'impopularité du gouvernement de Mazarin.
Trois mouvements se succèdent et dégénèrent en guerre civile : la Fronde parlementaire, la révolte du peuple parisien, qui oblige la Cour à se réfugier à Saint-Germain-en-Laye, et la Fronde des princes. À la fin des conflits, le pays est ravagé et, contrairement à l'objectif visé, le pouvoir royal est renforcé.

---

fronde n. f. Arme servant à lancer un projectile.

Une fronde est constituée de deux lanières, réunies à un morceau de cuir sur lequel on place le projectile. Pour le lancer, on fait tourner rapidement l'ensemble, puis on lâche une lanière. Le projectile est alors propulsé vers l'avant. La fronde est utilisée lors des combats jusqu'au Moyen Âge.

front n. m. **1** Partie supérieure du visage située au-dessus des sourcils. *S'essuyer le front.* **2** Zone où se déroulent les combats entre deux armées ennemies. *Les soldats partent pour le front.* **3** *Faire front :* faire face, résister. **4** *De front :* sur une même ligne ou en même temps. *Marcher de front. Mener deux affaires de front.*

frontalier, ière adj. et n.
• adj. Situé près d'une frontière. *Une ville frontalière.*
• n. Personne qui habite près d'une frontière.

frontière n. f. Limite qui sépare deux pays. *Ils ont passé la frontière sans encombre.*

fronton n. m. Ornement architectural de forme triangulaire situé au-dessus de l'entrée d'un monument.

frotter v. → conjug. **aimer.** **1** Passer plusieurs fois une chose sur une autre en appuyant. *Frotter la table avec une éponge. Se frotter les mains.* **2** Ne pas glisser régulièrement, accrocher contre quelque chose. *La roue frotte contre le garde-boue.* **3** *Se frotter à quelqu'un :* le fréquenter ou l'attaquer. *Il a eu tort de se frotter à cette bande.*

On entend un **frottement** *à l'arrière de la voiture,* le bruit de quelque chose qui frotte (**2**).

frousse n. f. Familier. Peur. *J'ai eu une de ces frousses.*
C'est un **froussard** *et elle une* **froussarde,** ils ont la frousse, ce sont des peureux.

fructidor n. m. Douzième et dernier mois du calendrier républicain (fin août, fin septembre).

fructifier v. → conjug. **modifier.** Rapporter des bénéfices. *Faire fructifier son argent.*

fructueux, euse adj. Qui donne des résultats avantageux. *Ses recherches ont été fructueuses.*
Synonyme : profitable. Contraire : infructueux.

frugal, ale, aux adj. Qui consiste en aliments simples et peu abondants. *Un repas frugal.*
La **frugalité** *de ce dîner me convient,* son caractère frugal.

fruit n. m. **1** Produit d'une plante qui provient de la fleur et qui renferme les graines, souvent sucré et comestible. **2** Au figuré. Résultat avantageux. *Recueillir le fruit de son travail.* **3** *Fruits de mer :* coquillages et crustacés comestibles.

Un vin **fruité** a un goût de fruit (**1**) frais. *Les arbres* **fruitiers** produisent les fruits (**1**) comestibles.

Toutes les plantes qui ont des fleurs produisent des fruits. Le fruit est le résultat de la fécondation, par les grains de pollen, des ovules contenus dans le pistil. Ces ovules fécondés se transforment en graines. Le pistil devient la chair du fruit qui enveloppe et protège la graine.
Regarde p. 472 et 473.

fruste adj. Qui manque de finesse, de savoir-vivre. *C'est un homme un peu fruste.*
Synonyme : grossier. Contraire : raffiné.

frustrer v. → conjug. **aimer.** Décevoir quelqu'un en le privant de ce qu'il attendait. *Personne ne sera frustré, il y aura des cadeaux pour tout le monde.*
Cette interdiction de sortir lui a donné un sentiment de **frustration,** il s'est senti frustré.

les fruits

Il existe dans la nature une immense variété de fruits. Certains sont comestibles pour l'homme. Selon le fruit, nous consommons la pulpe (cerise, pomme, raisin) ou la graine (noix, noisette, amande).

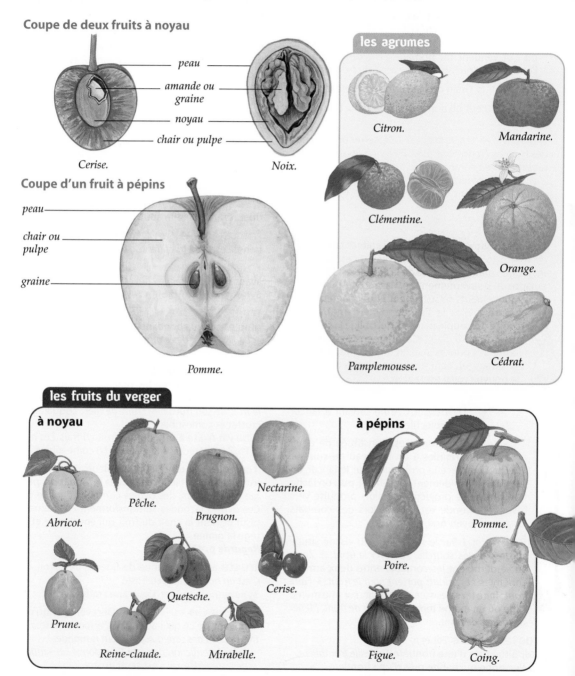

Coupe de deux fruits à noyau

peau

amande ou graine

noyau

chair ou pulpe

Cerise.

Noix.

Coupe d'un fruit à pépins

peau

chair ou pulpe

graine

Pomme.

les agrumes

Citron.

Mandarine.

Clémentine.

Orange.

Pamplemousse.

Cédrat.

les fruits du verger

à noyau

Abricot.

Pêche.

Brugnon.

Nectarine.

Prune.

Quetsche.

Cerise.

Reine-claude.

Mirabelle.

à pépins

Poire.

Pomme.

Figue.

Coing.

les fruits du jardin

Cassis.

Fraise.

Framboise.

Groseille à maquereau.

les fruits des haies et des bois

Airelle.

Châtaigne.

Fraise des bois.

Myrtille.

Mûre.

Prunelle.

Nèfle.

les fruits des pays chauds

Grenade.

Ananas.

Papaye.

Avocat.

Datte.

Kiwi.

Kaki.

Café.

Olive.

Cacao.

Mangue.

Goyave.

Litchi.

Noix de coco.

Banane.

Groseille.

Raisin.

les fruits secs

Noix.

Noisette.

Cacahuète (arachide).

Amande.

Noix de cajou.

Pistache.

fuchsia n. m. Arbrisseau à fleurs rouge violacé en forme de clochettes.
On prononce [fyʃja].

fuel n. m. → **fioul.**

fugace adj. Qui dure très peu. *Une douleur fugace.*
Synonymes : fugitif, passager.

fugitif, ive adj. et n.
• adj. Fugace, passager. *Une vision fugitive.*
• n. Personne qui est en fuite.

fugue n. f. Fait de s'enfuir de l'endroit où l'on habite. *Adolescent qui fait une fugue.*
Il a déjà **fugué** *plusieurs fois,* il a fait plusieurs fugues. *C'est un* **fugueur,** il fait des fugues.

fuir v. *1* S'éloigner rapidement pour échapper à quelque chose ou à quelqu'un, s'enfuir, se sauver. *Fuir devant le danger. 2* Chercher à éviter. *Fuir les questions gênantes. 3* Laisser s'échapper un liquide ou un gaz. *Robinet qui fuit. Stylo qui fuit.*

La conjugaison du verbe
FUIR 3ᵉ groupe

indicatif présent	**je fuis, il ou elle fuit, nous fuyons, ils ou elles fuient**
imparfait	**je fuyais**
futur	**je fuirai**
passé simple	**je fuis**
subjonctif présent	**que je fuie**
conditionnel présent	**je fuirais**
impératif	**fuis, fuyons, fuyez**
participe présent	**fuyant**
participe passé	**fui**

fuite n. f. *1* Action de fuir, de s'enfuir. *Prendre la fuite. 2* Écoulement accidentel d'un liquide ou d'un gaz. *Fuite d'eau, de gaz. 3* Indiscrétion faisant connaître une information secrète. *On a appris par des fuites qu'il allait être arrêté.*

Fuji-Yama

Volcan du Japon, situé près de Tokyo. Le Fuji-Yama est le plus haut sommet du pays ; il culmine à 3 776 m. C'est un volcan éteint, dont la dernière éruption remonte à 1707. Il est entouré par un parc national très touristique. Le Fuji-Yama est vénéré par de nombreux Japonais qui se rendent sur ses pentes en pèlerinage.

fulgurant, ante adj. Intense et très court. *Une douleur fulgurante.*

fumé, ée adj. *1* Qui a été séché à la fumée pour être conservé. *Du jambon fumé. Du saumon fumé. 2* **Verres fumés :** verres de lunettes foncés pour protéger de la lumière.

fumée n. f. Nuage de gaz produit par quelque chose qui brûle. *Fumée de cigarette.*

fumer v. → conjug. **aimer.** *1* Dégager de la fumée ou de la vapeur. *La cheminée fume sur le toit. La soupe fume dans l'assiette. 2* Faire brûler du tabac pour en aspirer la fumée. *Elle a arrêté de fumer.*
Les **fumeurs** *sont les personnes qui ont l'habitude de fumer (2).*

fumet n. m. Odeur appétissante d'une viande en train de cuire.

fumeur, euse n. → **fumer.**

fumier n. m. Engrais formé d'un mélange de paille et d'excréments d'animaux.

fumiste n. *1* Spécialiste de l'entretien des cheminées et des appareils de chauffage. *2* Familier. Personne peu sérieuse, sur laquelle on ne peut pas compter.

funambule n. Acrobate qui marche sur une corde tendue au-dessus du sol.

funèbre adj. Qui concerne les funérailles, les enterrements. *Les pompes funèbres.*

funérailles n. f. plur. Cérémonie accompagnant un enterrement.

funéraire adj. Qui concerne les tombes, les sépultures. *Un monument funéraire.*

funeste adj. Qui apporte le malheur, la mort. *Une erreur funeste.*

funiculaire n. m. Chemin de fer tiré par un câble, pour gravir de fortes pentes.

furet n. m. Petit mammifère carnivore au pelage clair.

Le furet a un corps allongé et de courtes pattes. Il ne dépasse guère 60 cm de longueur queue comprise. De couleur blanc jaunâtre, avec des yeux rouges, le furet est en fait la forme albinos du putois. En cas de danger, il projette un liquide d'une odeur forte provenant de glandes situées sous la queue. Il se nourrit de rongeurs qu'il va chercher jusque dans leurs terriers. On le dresse pour la chasse au lapin.

au fur et à mesure adv. Progressivement, petit à petit. *Je préfère ranger au fur et à mesure.*

fureter v. → conjug. **modeler.** Chercher partout pour découvrir quelque chose, fouiner.

fureur n. f. *1* Colère violente. *Être dans une fureur noire.* *2* *Faire fureur :* être très à la mode.

furibond, onde adj. Qui est plein de fureur. *Il a un air furibond.*

furie n. f. *1* Fureur, rage. *Un animal en furie.* *2* Femme furieuse. *C'est une vraie furie.*

furieux, euse adj. Qui est très en colère. *Je suis furieux contre lui.*
   Il l'a attaqué *furieusement*, d'une manière furieuse.

furoncle n. m. Gros bouton contenant du pus.

furtif, ive adj. Discret et rapide. *Il lui a lancé un regard furtif.*
   Il est parti *furtivement*, de manière furtive.

fusain n. m. *1* Arbrisseau à feuilles luisantes et à fruits rouges. *2* Crayon fait avec le bois carbonisé de cet arbrisseau. *Un dessin au fusain.*

fuseau n. m. **Plur. : des fuseaux.** *1* Petite bobine pointue à chaque bout, qu'on utilisait pour filer la laine à la quenouille. *2* *Fuseau horaire :* chacune des vingt-quatre zones qui divisent la surface de la Terre d'un pôle à l'autre et à l'intérieur desquelles l'heure est la même. *3* Pantalon en tissu élastique dont les jambes se terminent par une patte de tissu qui passe sous le pied. *Un fuseau de ski.*

fusée n. f. *1* Véhicule spatial propulsé par un moteur à réaction. *2* Tube contenant de la poudre qui explose en l'air en produisant une vive lumière. *Fusée de feu d'artifice, fusée de détresse.*

Les fusées sont utilisées comme lanceurs de satellites ou transporteurs de vaisseaux spatiaux habités. Pour pouvoir échapper à l'attraction terrestre, elles doivent atteindre des vitesses de plusieurs dizaines de milliers de kilomètres à l'heure ! Elles sont composées de plusieurs étages, qui se détachent

Fusée Ariane V.

lorsque le carburant qu'ils contiennent est brûlé. Les origines de la fusée sont très anciennes. Ce sont les Chinois qui en inventent le principe, il y a plus de 1 000 ans. La technique de lancement de fusées avec de la poudre à canon se répand en Europe au XIIᵉ siècle, principalement grâce aux Arabes. Mais ce n'est qu'à la fin du XXᵉ siècle que sont mis au point les engins que nous connaissons aujourd'hui.
Regarde aussi **espace.**

fuselage n. m. Partie principale d'un avion, où sont fixées les ailes.

fuser v. → conjug. **aimer.** Jaillir comme une fusée. *Les rires fusent de tous les côtés.*

fusible n. m. Fil en métal spécial placé dans un circuit électrique et qui fond en cas de court-circuit. *Les fusibles ont sauté.*

fusil n. m. Arme à feu portative à long canon. *Fusil de chasse.*
On prononce [fyzi].
   Un passant a été blessé au cours de la *fusillade*, de l'échange de coups de fusil. *Le condamné a été fusillé*, tué à coups de fusil.

fusion n. f. *1* Passage d'un corps solide à l'état liquide sous l'action de la chaleur. *Du métal en fusion.* *2* Au figuré. Réunion de plusieurs éléments, de plusieurs groupes en un seul.
   Les deux entreprises ont *fusionné*, elles se sont réunies par fusion (*2*).

fût n. m. *1* Tronc d'un arbre. *2* Tonneau. *Du vin vieilli en fût de chêne.*
   Une *futaie* est une forêt de grands arbres, au fût (*1*) élevé.

futé, ée adj. Familier. Malin. *Elle n'est pas très futée.*

futile adj. Qui est peu sérieux, frivole. *Il a des lectures futiles.*
   Elle perd son temps en *futilités*, en choses futiles.

futur, ure adj. et n. m.
• adj. Qui est à venir ou qui va devenir. *Comment sera la vie dans les siècles futurs ? Voici votre futur professeur de français.*
• n. m. *1* Temps futur, avenir. *Il voudrait déjà être dans le futur.* *2* Temps du verbe qui indique qu'une action ou qu'un état se situent dans l'avenir. *Dans « je reviendrai », le verbe « revenir » est au futur.*
   C'est un décor *futuriste*, qui évoque le futur (*1*).

fuyant, ante adj. Qui se dérobe, qui n'est pas franc. *Un caractère fuyant. Un regard fuyant.*

fuyard, arde n. Personne qui fuit, fugitif.

Gg

Quelle surprise pour Gaspard !

GASPARD

gabarit n. m. Dimension, taille. *Deux bateaux de même gabarit.*

gabegie n. f. Désordre ou gaspillage résultant d'un manque d'organisation. *Une telle gabegie risque de ruiner cette entreprise.*

gabelle n. f. Autrefois, impôt sur le sel. *Après la Révolution, en 1790, la gabelle a été supprimée.*

Gabon

République d'Afrique, située sur la côte ouest, sur l'océan Atlantique. Le Gabon est limité au nord par la Guinée équatoriale et le Cameroun, à l'est et au sud par le Congo. Le territoire, au relief peu accidenté, est traversé par l'équateur. Le climat est chaud et humide. La forêt occupe les trois quarts du pays, laissant peu de place à l'agriculture. Les principales ressources sont l'exploitation des bois précieux, du pétrole et du manganèse. Colonie française à partir de 1886, le Gabon devient indépendant en 1960. Il connaît un régime de parti unique jusqu'en 1990.

267 670 km²
1 306 000 habitants :
les Gabonais
Langues : français,
langues du groupe
bantou
Monnaie : franc CFA
Capitale : Libreville

gâcher v. → conjug. **aimer.** *1* Laisser perdre quelque chose. *Gâcher son argent dans des achats inutiles. Il ne faut pas gâcher la nourriture. 2* Priver d'un plaisir, d'une chose agréable. *La pluie a gâché toutes nos vacances. 3* Délayer du plâtre en poudre dans de l'eau. *Le maçon gâche le plâtre et doit l'utiliser rapidement, sinon il durcit.*
Synonyme : gaspiller (*1*).

gâchette n. f. Partie d'une arme à feu sur laquelle on appuie pour faire partir le coup. *Le chasseur a le doigt sur la gâchette, il attend le passage du lièvre pour tirer.*

gâchis n. m. *1* Ce qui est sali et en désordre, dégâts. *Elle a mis de la confiture et du chocolat partout, quel gâchis ! 2* Gaspillage. *Finissez vos tartines, c'est vraiment du gâchis de jeter ce pain.*

gadget n. m. Petit objet ingénieux et amusant mais sans grande utilité. *Il dépense tout son argent de poche pour acheter des gadgets. Un magnétoscope au fonctionnement simple, sans gadgets inutiles.*
Mot anglais qui se prononce [gadʒɛt].

gadoue n. f. Boue. *Les enfants adorent patauger dans la gadoue.*

gaffe n. f. *1* Longue perche munie d'un crochet. *Il se sert d'une gaffe pour éloigner sa barque des rochers. 2* Familier. Action ou parole maladroites. *Faire une gaffe.*
   Il ferait mieux de se taire, il va encore gaffer, faire une gaffe (2). Elle est vraiment gaffeuse, elle commet souvent des gaffes (2).

gag n. m. Situation comique et imprévue. *Ce film est une succession de gags.*

476

Gagarine Iouri

Aviateur et cosmonaute soviétique né en 1934 et mort en 1968. Pilote de l'armée de l'air, Gagarine est le premier homme à effectuer un vol dans l'espace. Le 12 avril 1961, il embarque à bord d'un satellite artificiel, le Vostok 1, placé sur orbite autour de la Terre ; le vol dure 1 h 48 min.

gage n. m. *1* Petite punition que le perdant doit accomplir dans certains jeux. *Celui qui donne une mauvaise réponse aura un gage. 2* Objet qu'on laisse en garantie quand on ne peut payer ce que l'on doit. *Laisser ses bijoux en gage. 3 Tueur à gages :* individu qui accepte de tuer quelqu'un en échange d'une somme d'argent.

gageure n. f. Chose qui paraît impossible à réaliser. *C'est une gageure de traverser ce désert à pied.*
On prononce [gaʒyʀ].

gagnant, ante adj. et n. → **gagner.**

gagne-pain n. m. inv. Travail, activité, qui permet à quelqu'un de gagner à peu près sa vie. *Elle chante dans le métro, c'est son gagne-pain.*

gagner v. → conjug. **aimer.** *1* Obtenir de l'argent, des choses par son travail, par des jeux de hasard. *Il gagne bien sa vie. Gagner à la loterie. 2* Remporter la victoire. *Gagner un match. 3* Ne pas perdre, économiser. *Gagner du temps. 4* Se déplacer vers un endroit. *Le bateau gagne le large. 5* Progresser, se propager. *Le feu est en train de gagner le village.*
Contraire : perdre (2 et **3).**

> Le *gagnant* de la tombola recevra un vélo, la personne qui gagnera (*1*).

gai, gaie adj. *1* Qui est joyeux et manifeste sa joie. *Des enfants gais et insouciants. 2* Qui rend joyeux, qui met de bonne humeur. *Une chanson gaie. Des couleurs gaies.*
Contraire : triste. Homonymes : gué, guet.

> Les enfants s'agitent *gaiement* en attendant le départ, de façon gaie, joyeusement. *Une soirée pleine de gaieté*, très gaie.

gaillard, arde adj. et n.
• adj. Qui est plein de vitalité et de santé. *Il est encore très gaillard pour son âge.*
• n. Personne vigoureuse. *Son frère est un grand gaillard de vingt ans.*

gain n. m. *1* Argent gagné. *Les gains de ce commerçant augmentent pendant la saison touristique. 2* Avantage, profit, économie. *Un gain de temps, de place.*
Contraire : perte (2).

gaine n. f. Ce qui enveloppe et protège un objet en suivant exactement sa forme. *La gaine d'un couteau, d'un parapluie. La gaine isolante d'un fil électrique.*

gala n. m. Grande réception ou spectacle qui ont souvent un caractère officiel. *Une tenue de gala.*

galant, ante adj. Qui est très poli et très attentionné à l'égard des femmes. *Un jeune homme très galant.*

> Les vieilles dames apprécient beaucoup la *galanterie*, le fait que les hommes soient galants. *Il s'est galamment* écarté pour laisser passer sa femme, de façon galante.

galaxie n. f. *1* Immense amas d'étoiles. *Il existe des millions de galaxies dans l'Univers. 2* Avec une majuscule. *La Galaxie :* celle où se trouve le Soleil, appelée aussi Voie lactée.

galbe n. m. Courbe harmonieuse d'un corps, d'un objet. *Le galbe parfait d'une statue.*

> Un fauteuil aux pieds *galbés*, en forme de galbe.

gale n. f. Maladie de peau due à un acarien. *La gale est une maladie contagieuse.*

> Un chien *galeux* est un chien atteint de la gale.

galère n. f. Autrefois, navire de guerre qui marchait à la voile et à la rame.

> Autrefois, les *galériens* étaient des hommes condamnés à ramer sur des galères.

À l'origine, la galère possède un seul mât et une voile carrée. Les rameurs sont au nombre de 50 à 200. C'est au XVe siècle que la galère, armée de canons, se répand sur tous les océans.

Galère romaine.

galerie

galerie n. f. *1* Couloir souterrain. *Des galeries creusées par des taupes.* *2* Passage couvert. *Une galerie marchande.* *3* Porte-bagages fixé sur le toit d'une voiture. *4* Familier. *Amuser la galerie :* faire rire le public, les spectateurs, les personnes présentes.

galérien n. m. → **galère**.

galet n. m. Pierre lisse et arrondie, usée par les frottements, que l'on trouve sur les plages ou dans le lit des torrents et des rivières.

galette n. f. Gâteau rond et plat. *La galette des Rois.*

galeux, euse adj. → **gale**.

Galilée

Physicien et astronome italien né en 1564 et mort en 1642. Son vrai nom est Galileo Galilei. Intéressé très tôt par les sciences, Galilée découvre de nombreuses lois physiques, comme celles de la pesanteur, de la mécanique et du mouvement pendulaire. En 1609, il réalise la première lunette astronomique, avec laquelle il découvre les quatre satellites de Jupiter. À partir de 1623, Galilée publie des ouvrages dans lesquels il soutient les théories de Copernic, qui affirme que la Terre tourne autour du Soleil, et non le contraire. Condamné par l'Église, il achève sa vie en résidence surveillée près de Florence.

galimatias n. m. Langage confus, paroles incompréhensibles. *Je refuse d'écouter ce galimatias !*
Synonyme : **charabia**.

galion n. m. Grand navire que les Espagnols utilisaient autrefois pour transporter l'or qu'ils ramenaient d'Amérique.

galipette n. f. Familier. Cabriole, culbute. *Faire des galipettes.*

Galles (pays de)

Région du sud-ouest de la Grande-Bretagne, située en bordure de la mer d'Irlande. Le pays de Galles est une région de plateaux et de moyennes montagnes. Le climat y est très humide. La lande domine dans l'intérieur du pays, où l'on pratique l'élevage du mouton. La plus grande partie de la population vit dans le sud. C'est là que se concentrent les activités économiques et les grandes villes (Cardiff, la capitale, Port Talbot, Newport). Les stations balnéaires du nord attirent de nombreux touristes. Le pays de Galles est réuni à l'Angleterre au XVIe siècle.

gallicisme n. m. Manière de parler ou expression particulières au français. «*Être aux petits soins pour quelqu'un* » est un gallicisme.

galoche n. f. *1* Chaussure à semelle de bois. *2 Menton en galoche :* un menton pointu et relevé à l'avant comme la pointe d'un sabot.

galon n. m. *1* Ruban qui sert à orner ou à border un vêtement, une étoffe, un rideau. *2* Petit ruban fin qui indique le grade d'un militaire et qui est cousu sur l'épaule de son uniforme. *Un lieutenant a deux galons.*

galop n. m. Allure la plus rapide pour un cheval. *Les chevaux traversent la plaine au grand galop.*

galoper v. → conjug. **aimer**. *1* Aller au galop, en parlant d'un cheval. *2* Familier. Courir très vite. *Des enfants galopent dans la rue.*
À l'heure de la récréation, c'est la *galopade* des élèves dans les escaliers, les élèves galopent (2).

galopin n. m. Familier. Enfant effronté et farceur.
Synonyme : **garnement**.

galvaniser v. → conjug. **aimer**. *1* Recouvrir un métal d'une mince couche de zinc pour le protéger et l'empêcher de rouiller. *2* Au figuré. Animer d'une grande énergie, enthousiasmer. *Le discours de cet homme politique a galvanisé ses partisans.*

galvauder v. → conjug. **aimer**. Gâcher quelque chose en en faisant mauvais usage. *Il galvaude son talent de comédien en jouant dans de mauvaises pièces.*

Gama Vasco de

Navigateur portugais né vers 1469 et mort en 1524. En 1497, Vasco de Gama est chargé par le roi du Portugal d'atteindre les Indes en naviguant vers l'est. Il prend la mer le 8 juillet, à la tête de 4 caravelles et 160 hommes. En novembre, il contourne le sud de l'Afrique (le cap de Bonne-Espérance) et atteint le port de Calicut, en Inde, le 20 mai 1498. Lors d'une seconde expédition, en 1502, Vasco de Gama fonde des ports de commerce portugais sur les côtes africaines, puis installe la domination portugaise en Inde. Peu avant sa mort, en 1524, il est nommé vice-roi des Indes portugaises.

gambade n. f. Petit bond qui exprime la gaieté, la joie de vivre. *Les enfants adorent faire des gambades sur le sable.*
Synonyme : cabriole.

Des chevreaux gambadent dans les prés, ils font des gambades.

Gambie

République de l'ouest de l'Afrique. La Gambie est une bande de terre longue de 350 km et large d'à peine 50 km, enclavée dans le territoire du Sénégal. Elle dispose d'une petite ouverture sur l'Atlantique à l'embouchure du fleuve Gambie, qui la traverse et lui donne son nom. Le climat est tropical.
Les principales ressources du pays sont la culture de l'arachide et le tourisme.

11 300 km²
1 338 000 habitants :
les Gambiens
Langues : anglais, ouolof, malinké, peul…
Monnaie : dalasi
Capitale : Banjul

La Gambie est un pays très pauvre qui reçoit l'aide internationale. Colonie britannique à partir de 1888, le pays devient indépendant et membre du Commonwealth en 1965.

gamelle n. f. Récipient métallique individuel muni d'un couvercle qui sert à transporter son repas. *La gamelle d'un soldat, d'un campeur.*

gamin, ine n. Familier. Enfant.
Synonyme : gosse.

Faire des gamineries, c'est se conduire comme un gamin.

gamme n. f. *1* Suite de notes de musique dans un ordre déterminé. *Faire des gammes au piano. 2* Série regroupant des couleurs, des objets de même nature. *Créer une nouvelle gamme de produits de beauté.*

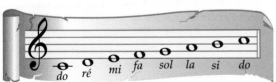

Les notes d'une gamme peuvent être séparées par un ton, un demi-ton ou un ton et demi. Les différentes gammes ont pour nom la note par laquelle elles commencent : gammes de *do*, gammes de *la*…

gammée adj. *Croix gammée :* croix dont chaque branche est coudée, qui servit d'emblème à l'Allemagne nazie.

Gandhi Mohandas Karamchand

Homme politique et philosophe indien né en 1869 et mort en 1948. Il est parfois appelé le Mahatma («la Grande Âme») Gandhi. Avocat, Gandhi exerce en Afrique du Sud de 1893 à 1914, où il défend les Indiens contre la discrimination raciale. Revenu en Inde, colonie anglaise, il mène la lutte contre les Britanniques, mais, adepte de la non-violence, il engage toujours à des manifestations pacifiques. Soucieux de l'égalité entre les hommes, il souhaite faire supprimer la caste des intouchables, les exclus de la société indienne. Il est emprisonné à plusieurs reprises par les Britanniques, mais participe, en 1947, aux négociations pour l'indépendance de l'Inde. Il est assassiné par un fanatique hindou le 30 janvier 1948.

gang n. m. Association de malfaiteurs, bande de criminels. *Un chef de gang.*
Mot anglais qui se prononce [gãg]. **Homonyme :** gangue.

Gange

Fleuve du nord de l'Inde. Long de 3 090 km, le Gange naît dans l'Himalaya, à 4 500 m d'altitude, et se jette dans le golfe du Bengale. Il reçoit la plupart de ses affluents dans la vaste plaine de Handwar, où son cours est lent et sinueux. Il arrose de grandes villes comme Kampur, Allahabad et Bénarès. À plus de 300 km de son embouchure, il se divise et forme avec le Brahmapoutre, un autre fleuve, un vaste delta marécageux couvert de rizières. Le Gange est un fleuve sacré pour les hindous, qui viennent se purifier dans ses eaux.

ganglion n. m. Petit organe situé sous la peau et qui peut grossir en cas d'infection. *Les ganglions du cou.*

gangrène n. f. Maladie très grave qui provoque la décomposition de la chair. *Une blessure infectée et mal soignée peut être la cause d'une gangrène.*

gangster n. m. Bandit, malfaiteur.
Mot anglais qui se prononce [gãgstɛʀ].

gangue n. f. Matière rocheuse qui enveloppe une pierre précieuse. *On doit séparer un diamant de sa gangue pour pouvoir le tailler.*
Homonyme : gang.

gant n. m. *1* Pièce d'habillement qui enveloppe séparément chaque doigt de la main. *Des gants de laine, de cuir. 2 Gant de toilette :* pochette de tissu éponge qui s'enfile sur la main et sert à se laver. *3 Aller comme un gant :* aller très bien. *Cette jupe lui va comme un gant. 4 Prendre des gants :* agir ou parler en prenant des précautions.

Gap

Ville française de la Région Provence-Alpes-Côte d'Azur, située sur les bords de la Luye. Gap est un centre administratif et commercial placé à un carrefour de communications, proche de nombreuses stations de sports d'hiver.
Camp militaire romain sous le nom de Vapincum, Gap devient une cité au IVe siècle ; elle est rattachée au royaume de France en 1512. La ville a beaucoup souffert des guerres de Religion (1562-1598).

05 *Préfecture des Hautes-Alpes*
38 612 habitants : les Gapençais

garage n. m. *1* Local destiné à garer un véhicule. *Il vient de louer une villa avec un garage. 2* Atelier de mécanique destiné à l'entretien et aux réparations de véhicules. *Il doit faire réviser sa voiture dans un garage.*
Faire dépanner sa voiture par un garagiste, une personne qui tient un garage (*2*).

garantir v. → conjug. **finir.** *1* Assurer la réparation gratuite d'une machine, d'un appareil, pendant une certaine durée. *Ce téléviseur est garanti trois ans. 2* Assurer, certifier, affirmer. *Je vous garantis que le problème est réglé. 3* Abriter, protéger, préserver. *Ce duvet épais garantit bien du froid.*
Se porter garant d'une personne, c'est garantir (*2*) qu'on peut lui faire confiance, qu'elle est honnête. *Un appareil ménager vendu avec une garantie d'un an,* il est garanti (*1*) pendant un an.

García Lorca Federico

Poète et auteur dramatique espagnol né en 1898 et mort en 1936. Attiré par le mouvement surréaliste, García Lorca mêle dans ses œuvres ce genre nouveau du début du XXe siècle au folklore espagnol (*Canciones*, 1921 ; *Romancero gitano*, 1928 ; *Poema del cante jondo*, 1831).
En 1935, il fonde une troupe de théâtre qui parcourt l'Espagne en jouant des pièces d'auteurs classiques espagnols comme Cervantès. Il écrit lui-même des comédies pleines de fantaisie, puis des tragédies qui connaissent un grand succès. Il s'engage politiquement à gauche. Le 19 août 1936, au début de la guerre civile espagnole, il est fusillé à Grenade.

garçon n. m. *1* Enfant de sexe masculin. *Ils ont deux enfants : un garçon et une fille. 2* Jeune homme. *Elle a épousé un garçon très sympathique. 3 Garçon de café :* serveur.
Un garçonnet est un petit garçon (*1*).

1. garde n. Personne chargée de garder un endroit ou une personne. *Un garde forestier. Un garde du corps.*

2. garde n. f. *1* Action de garder, de surveiller, de protéger quelqu'un ou quelque chose. *Confier la garde d'un enfant à une baby-sitter. Un chien de garde. 2* Ensemble de personnes chargées de la protection d'une personne. *La garde personnelle du Président. 3* Partie d'une arme située entre la lame et la poignée et qui protège la main. *La garde d'une épée. 4 Être sur ses gardes :* être attentif au danger, se méfier. *5 Mettre quelqu'un en garde :* le prévenir d'un danger.

garde–à–vous n. m. inv. Position réglementaire d'un soldat qui se tient immobile, les bras le long du corps et les talons rapprochés.

garde–barrière n. Plur. : **des gardes-barrière** ou **des gardes-barrières.** Personne chargée de la surveillance des passages à niveau.

garde–boue n. m. inv. Bande métallique fixée au-dessus d'une roue pour protéger des éclaboussures.

garde champêtre n. m. Plur. : **des gardes champêtres.** Personne chargée de faire respecter l'ordre public dans une petite commune.

garde–chasse n. m. Plur. : **des gardes-chasse** ou **des gardes-chasses.** Personne chargée de la protection d'un domaine de chasse.

garde-fou n. m. Plur. : des garde-fous. Balustrade ou parapet qui borde un endroit où l'on risque de tomber dans le vide. *Le garde-fou d'un pont.*

garde-malade n. Plur. : des gardes-malades. Personne chargée de rester auprès d'un malade pour s'occuper de lui et lui donner certains soins. *Son état de santé nécessite la présence d'un garde-malade.*

garde-manger n. m. inv. Petit placard ouvert vers l'extérieur pour maintenir les aliments au frais.

garde-meuble n. m. Plur. : des garde-meubles. Lieu où l'on fait garder ses meubles pendant un certain temps.

gardénia n. m. Arbuste d'Asie qui donne des fleurs blanches très parfumées.

garder v. → conjug. **aimer**. *1* Prendre soin, s'occuper de quelqu'un. *Garder un bébé, un malade.* *2* Assurer la surveillance d'une personne ou d'un lieu. *Garder un prisonnier.* *3* Avoir sur soi, ne pas quitter. *Garder ses clefs dans sa poche.* *4* Conserver. *Garder de vieilles photos.* *5* Mettre en réserve. *Il a gardé des bonbons pour sa sœur.* *6* Ne pas divulguer. *Garder un secret.* *7* Se garder de faire quelque chose : s'en abstenir, l'éviter. *Il s'est bien gardé de me contredire.* *8* Garder le silence : se taire.

Elle emmène son fils à la *garderie* avant d'aller travailler, dans un endroit où l'on garde (*1*) les jeunes enfants.

garde-robe n. f. Plur. : des garde-robes. Ensemble des vêtements que possède une personne. *Elle a besoin de renouveler sa garde-robe.*

gardien, enne n. *1* Personne qui a pour travail de garder une personne, un endroit. *Un gardien d'immeuble.* *2* Gardien de but : joueur d'une équipe dont le rôle est d'empêcher le ballon d'entrer dans les buts de son équipe.
Synonyme : goal (*2*).

Le *gardiennage*, c'est le travail de surveillance et d'entretien fait par un gardien (*1*).

gardon n. m. *1* Petit poisson qui vit dans les eaux douces. *2* Être frais comme un gardon : être frais et dispos, en pleine forme.

1. gare n. f. *1* Ensemble des bâtiments et des installations où ont lieu les départs et les arrivées des trains. *Le T.G.V. entre en gare.* *2* Gare routière : lieu de départ et d'arrivée des cars.

2. gare ! interj. Sert à avertir quelqu'un de faire attention. *Gare à toi si tu m'as menti !*

garenne n. f. Endroit boisé où les lapins vivent à l'état sauvage. *Un lapin de garenne.*

garer v. → conjug. **aimer**. Ranger un véhicule dans un lieu de stationnement. *Garer sa voiture sur un parking. Se garer en stationnement interdit.*

Gargantua → Rabelais.

se gargariser v. → conjug. **aimer**. Se rincer la gorge avec un médicament liquide.

Quand il a mal à la gorge, il fait des *gargarismes*, il se gargarise avec un médicament.

gargouille n. f. Gouttière en pierre, sculptée en forme d'animal fantastique. *Les gargouilles de Notre-Dame de Paris.*

Les gargouilles sont utilisées dès l'Antiquité pour protéger les murs du ruissellement de l'eau. Du XIIe au XVIe siècle, notamment dans l'architecture gothique, les gargouilles deviennent des éléments décoratifs relevant souvent du fantastique : bustes d'animaux terrifiants, monstres à visage humain…

Une gargouille gothique.

gargouillement ou **gargouillis** n. m. Bruit semblable à celui d'un liquide qui s'écoule de façon irrégulière. *Avoir des gargouillements d'estomac.*

Quand on a très faim, on a le ventre qui *gargouille*, qui fait entendre des gargouillements.

Garibaldi Giuseppe

Homme politique italien né en 1807 et mort en 1882. Garibaldi est célèbre pour avoir contribué à l'unification de l'Italie, jusqu'alors composée de plusieurs États, la plupart sous domination autrichienne. Il s'engage, en 1859, dans la lutte contre l'Autriche, aux côtés du Piémont indépendant, et remporte plusieurs victoires. En 1860, il dirige l'expédition dite des Mille ou des Chemises rouges (car ses soldats sont vêtus de chemises rouges) et conquiert la Sicile. Durant la guerre franco-allemande de 1870, Garibaldi offre ses services à la France.

garnement n. m. Enfant turbulent et mal élevé.

garnir v. → conjug. **finir**. *1* Munir d'une protection, renforcer. *Garnir un mur d'un revêtement étanche.* *2* Ajouter en décoration. *Un sapin garni de guirlandes.* *3* Remplir. *La maison tout entière est garnie d'objets d'art.*

garnison n. f. Troupe de soldats installée dans une ville, dans une forteresse, dans une caserne.

a b c d e f g h i j k l m n o p q r s t u v w x y z

garniture n. f. *1* Ce qui sert à renforcer ou à orner quelque chose. *Un pare-chocs protégé par des garnitures en caoutchouc. 2* Ce qui accompagne un plat. *Vous avez le choix entre des frites ou de la salade comme garniture.*

Garonne

Fleuve du sud-ouest de la France. Longue de 650 km, la Garonne prend naissance dans les Pyrénées espagnoles et achève sa course en France, dans l'océan Atlantique.
De Toulouse à Bordeaux, la Garonne est essentiellement utilisée pour l'irrigation des cultures. Elle connaît de fortes crues. Ses affluents principaux sont le Tarn et le Lot. Au nord de Bordeaux, la Garonne et la Dordogne se rejoignent, formant le large estuaire de la Gironde, navigable par les bateaux de haute mer.

garrigue n. f. Type de végétation des terres sèches et calcaires des régions méditerranéennes, qui se compose de chênes verts, de broussailles.

garrot n. m. *1* Partie de l'encolure située au-dessus de l'épaule chez certains mammifères. *Le garrot d'un cheval, d'un taureau. 2* Bandage qui sert à comprimer une veine ou une artère pour arrêter des saignements.

Un garrot est un dispositif d'urgence, provisoire et de courte durée. Il ne faut pas le garder trop longtemps, car il coupe la circulation sanguine. Le manque d'irrigation prolongé des tissus risque de provoquer de graves lésions.

garrot

plaie

garrotter v. → conjug. **aimer.** Attacher solidement quelqu'un pour l'empêcher de bouger. *Les kidnappeurs ont garrotté leur victime.*
Synonyme : ligoter.

gars n. m. Familier. Garçon, jeune homme. *Un beau gars. Un drôle de gars.*
On prononce [ga].

gasoil n. m. Ancienne orthographe de gazole.
Mot anglais qui se prononce [gazɔjl] **ou** [gazwal].

gaspiller v. → conjug. **aimer.** Dépenser, utiliser de manière exagérée ou inutile. *Gaspiller son argent, son énergie. Gaspiller de la nourriture.*
Contraire : économiser.
Il faut éviter le **gaspillage** de l'eau pendant la sécheresse, le fait de la gaspiller.

gastéropode n. m. Mollusque qui se déplace en rampant sur un large pied aplati. *Les escargots et les limaces sont des gastéropodes.*

gastrique adj. Qui se rapporte à l'estomac. *Une maladie gastrique.*

gastronomie n. f. Art de savoir reconnaître et apprécier la bonne cuisine.
Un **gastronome** est un connaisseur en matière de gastronomie.

gastronomique adj. Qui est délicieux, raffiné et abondant. *Un repas gastronomique.*

gâteau n. m. Pâtisserie faite de divers ingrédients : farine, beurre, œufs, lait, sucre. *Un gâteau à la crème. Des gâteaux secs.*

gâter v. → conjug. **aimer.** *1* Offrir beaucoup de choses à une personne. *Ils ont trop gâté leurs enfants pour Noël. 2* Gâcher. *Cet immeuble gâte la vue sur la mer. 3* Se gâter :* s'abîmer. *La viande s'est gâtée à cause de la chaleur. 4* Devenir moins beau. *Apparemment, le temps se gâte.*

gâterie n. f. Friandise.

gâteux, euse adj. Qui perd un peu l'esprit à cause de l'âge ou de la maladie.
Un vieillard atteint de **gâtisme**, qui est devenu gâteux.

gauche adj. et n. f.
• adj. *1* Qui est du côté du cœur. *Tendez la jambe gauche. 2* Qui manque d'habileté ou de grâce. *Une démarche gauche, des gestes gauches.*
Synonyme : maladroit (2). Contraires : droit (1), adroit (2).
Danser, marcher, courir **gauchement**, de manière gauche (2), maladroitement. *Un enfant qui apprend à marcher se déplace avec* **gaucherie**, de manière gauche (2). *Les* **gauchers** *sont des personnes qui se servent mieux de leur main gauche (1) que de leur main droite.*
• n. f. *1* Le côté gauche. *Se déplacer vers la gauche. 2* Ensemble des personnes ou des partis qui défendent des idées progressistes ou révolutionnaires. *Voter pour la gauche.*
Contraire : droite.

gaufre n. f. Pâtisserie faite d'une pâte légère, creusée de petites alvéoles. *Une gaufre au sucre, à la confiture.*

gaufrette n. f. Petit gâteau sec.

Gauguin Paul

Peintre et sculpteur français né en 1848 et mort en 1903. Le style de Gauguin est marqué par de larges zones de couleurs intenses. Ses compositions simples sont influencées par l'art primitif et les estampes japonaises. Elles sont souvent d'inspiration mystique (*la Vision après le sermon*, 1888; *le Christ jaune*, 1889). Au cours de deux séjours à Tahiti, Gauguin peint un grand nombre de ses toiles les plus célèbres, dont *Femmes de Tahiti* (1891), *L'esprit des morts veille* (1892), puis le triptyque *D'où venons-nous? Qui sommes-nous? Où allons-nous?* (1897). En 1901, il s'installe dans les îles Marquises, où il peint et sculpte jusqu'à sa mort. Son œuvre a eu une grande influence, notamment sur les peintres du mouvement fauviste.

Femmes de Tahiti

gaule n. f. *1* Bâton long et mince. *2* Canne à pêche. *Gauler des noix*, c'est les faire tomber de l'arbre en frappant les branches à l'aide d'une gaule (*1*).

Gaule

Environ huit siècles av. J.-C., la région qui allait devenir la France est habitée par des tribus venues du centre de l'Europe, auxquelles les Grecs ont donné le nom de Celtes et que les Romains vont appeler Gaulois. C'est par les écrits des Grecs et des Romains que l'histoire de la Gaule et de ses peuples est parvenue jusqu'à nous.

Regarde p. 484 et 485.

Gaulle Charles de

Général et homme d'État français né en 1890 et mort en 1970. Le général de Gaulle s'illustre pendant la Seconde Guerre mondiale. Refusant l'armistice signé avec les Allemands par le maréchal Pétain en 1940, il se rend à Londres. Il lance l'«appel du 18 juin», dans lequel il engage la France à poursuivre le combat. Il organise les Forces françaises libres et soutient les réseaux de la Résistance. La guerre terminée, il participe au gouvernement, mais démissionne en 1946. Rappelé au pouvoir en 1958, il est à l'origine de la Constitution de la Ve République, dont il devient le premier président en 1959. Il se retire de la vie politique en 1969.

gave n. m. Torrent dans les Pyrénées.

gaver v. → conjug. **aimer.** *1* Nourrir de force certaines volailles pour les engraisser. *Gaver des oies.* *2* *Se gaver :* manger avec excès. *Se gaver de chocolat.*

gavial n. m. **Plur. : des gavials.** Crocodile au museau étroit et allongé, qui vit dans les rivières de l'Inde.

gavroche n. m. Gamin de Paris, frondeur et malicieux.

gaz n. m. inv. *1* Substance qui n'est ni liquide ni solide. *L'oxygène et l'azote sont des gaz qui entrent dans la composition de l'air.* *2* Gaz utilisé comme combustible. *Un chauffage au gaz.*
Homonyme : gaze.

gaze n. f. Tissu très fin et très léger utilisé pour faire des pansements, pour nettoyer des blessures.
Homonyme : gaz.

gazéifier v. → conjug. **modifier.** Rendre un liquide pétillant en y ajoutant un gaz. *De l'eau gazéifiée.*

gazelle n. f. Petite antilope aux longues pattes fines, au pelage beige clair, des steppes d'Asie et d'Afrique.

gazer v. → conjug. **aimer.** Faire subir à quelqu'un l'action d'un gaz toxique, d'un gaz asphyxiant.

gazeux, euse adj. *1* Qui n'est ni solide ni liquide. *L'air est un mélange gazeux.* *2* Pétillant. *De l'eau gazeuse.*

gazoduc n. m. Canalisation qui sert à acheminer du gaz sur une longue distance.

gazole n. m. Produit issu de la distillation du pétrole, utilisé comme carburant pour les moteurs diesel.
Synonyme : gasoil.

la Gaule

Bien qu'ils aient les mêmes coutumes, adorent les mêmes dieux et pratiquent la même religion, les Gaulois ne forment pas un peuple uni. Près d'une soixantaine de tribus se partagent le territoire et se font souvent la guerre. Les Éduens, les Arvernes, les Carnutes, les Parisii et les Séquanes sont parmi les plus puissantes.

Soldat gaulois.

Couple de paysans gaulois.

■ Les Gaulois se rassemblent en villages et en petites cités fortifiées souvent bâties sur les hauteurs des collines, appelées oppidums.

■ Peuple d'agriculteurs, ils cultivent du blé, de l'orge, du millet, du seigle, de l'avoine qu'ils récoltent avec la moissonneuse, qu'ils ont inventée. Ils pratiquent l'élevage des chevaux, des vaches, des moutons, des chèvres et des porcs. Ils récoltent le miel des abeilles.

■ Ils sont d'excellents artisans. Les forgerons travaillent le fer, qui remplace peu à peu le bronze dans la fabrication des outils et des armes. L'or et l'argent sont utilisés dans la réalisation de bijoux.

la religion

Les Gaulois vénèrent plus de 400 dieux, dont Teutatès (ou Toutatis), dieu de la Guerre, Taranis, dieu du Ciel et du Tonnerre, et Belisama, déesse du Feu et de la Forge. Les druides sont les prêtres respectés et craints qui honorent les dieux et rendent la justice.

Druide cueillant le gui.

Mais après la conquête romaine, les empereurs craignent des révoltes gauloises et persécutent les druides. La religion nationale se fond peu à peu avec les cultes latins et les autres religions de l'Empire. Au début du IVe siècle, l'empereur Constantin reconnaît le christianisme comme l'une des religions officielles de l'Empire romain.

La maison gauloise est faite de bois, d'argile et de chaume.

Charpentiers et forgerons fabriquent ensemble tonneaux et roues de char cerclés de fer.

la Gaule gallo-romaine

■ Pendant la domination romaine, la Gaule subit de profondes transformations. Les Gaulois adoptent les manières de vivre des Romains. Ils apprennent leur langue, le latin, et adorent leurs dieux : ils deviennent des Gallo-Romains.

■ Des villes se construisent à l'image des villes romaines. Elles s'ornent d'arcs de triomphe, de théâtres, d'amphithéâtres… Elles sont souvent de grands centres de commerce reliés par des routes pavées. Lugdunum (actuelle Lyon), l'une des plus importantes, devient la capitale de la Gaule.

■ Dans les campagnes, de grandes fermes, les villas, sont bâties au milieu d'immenses domaines qui emploient de nombreux esclaves. Ces propriétés fournissent la nourriture nécessaire à la ville. Elles appartiennent parfois à de riches nobles gaulois devenus citoyens romains.

prospérité et déclin

■ Les guerriers gaulois sont réputés pour leur combativité et leur courage, mais ils ne sont pas aussi disciplinés que les Romains.

■ Entre 58 et 52 av. J.-C., les légions romaines de Jules César entreprennent la conquête de la Gaule. En 52, après une victoire à Gergovie, les Gaulois, sous le commandement du chef arverne Vercingétorix, sont soumis à Alésia.

Les fortifications d'Alésia.

■ La Gaule devient romaine pendant trois siècles et se transforme. Elle est divisée en provinces soumises à la paix romaine (la « pax romana »).

■ Au début du Vᵉ siècle, la Gaule est envahie par les peuples barbares qui vivent au-delà du Rhin : ce sont les Grandes Invasions. La civilisation gallo-romaine disparaît progressivement.

Les Gaulois pratiquent un commerce actif avec les Grecs et les Romains. Ce commerce est facilité par l'usage de la monnaie en or, en argent et en bronze.

Les Gaulois labourent avec un instrument appelé l'araire.

Des artisans travaillent le cuir, tissent le lin, la laine ; d'autres réalisent des poteries.

gazon n. m. Herbe courte, fine et drue. *Tondre le gazon.*

gazouiller v. → conjug. **aimer.** *1* Faire entendre des bruits légers et doux. *Des oiseaux gazouillent.* *2* Émettre des babillements, des sons articulés. *Le bébé commence à gazouiller.*

Le gazouillis d'un ruisseau, le bruit de l'eau qui gazouille (*1*).

geai n. m. Oiseau au plumage brun clair, dont les ailes sont tachetées de bleu et de noir. **On prononce [ʒɛ]. Homonymes : jais, jet.**

géant, ante adj. et n.
● adj. Qui est très grand. *Une tortue géante.* **Synonymes : énorme, gigantesque. Contraire : nain.**
● n. Être humain de très grande taille.

gecko n. m. Lézard d'Asie capable de se déplacer sur des surfaces lisses et verticales.

geignard, arde adj. Familier. Qui se plaint tout le temps. *Une petite fille geignarde.* **Synonyme : pleurnichard.**

geindre v. → conjug. **peindre.** Faire entendre de faibles plaintes. *Le blessé geint dans l'ambulance.*

gel n. m. *1* Congélation de l'eau. *Le gel a fait éclater les tuyaux.* *2* Période pendant laquelle il gèle. *3* Produit de consistance gélatineuse. *Un gel de douche.*

gélatine n. f. Substance molle, transparente et un peu élastique qui s'obtient en faisant bouillir des os ou des algues dans de l'eau.

Ce bonbon a un aspect gélatineux, de la gélatine.

gelée n. f. *1* Abaissement de la température qui provoque la transformation de l'eau en glace. *Aux premières gelées, les oiseaux migrateurs partent vers le sud.* *2* Sorte de confiture faite de jus de fruits qui se solidifie en refroidissant. *De la gelée de groseilles.*

geler v. → conjug. **modeler.** *1* Se transformer en glace. *L'eau de la rivière gèle quand il fait très froid.* *2* Être abîmé ou détruit par le froid. *La vigne a gelé cet hiver.* *3* Avoir très froid. *On gèle dans cette vieille maison!* *4* *Il gèle!* : la température est descendue au-dessous de 0 °C et l'eau s'est transformée en glace.

gélule n. f. Petite capsule constituée de gélatine et contenant une dose de médicament en poudre.

gémir v. → conjug. **finir.** Pousser des cris faibles et plaintifs sous l'effet d'une douleur. *Les blessés gémissaient sur le champ de bataille.*

Le malade pousse des gémissements, il gémit.

gencive n. f. Chair qui entoure la base des dents.

gendarme n. m. Militaire chargé d'assurer la protection des gens et le maintien de l'ordre public.

Il est allé porter plainte à la gendarmerie, dans les bureaux où travaillent les gendarmes.

gendre n. m. Mari de la fille. *Les parents de ma cousine s'entendent bien avec leur gendre.* **Synonyme : beau-fils.**

gène n. m. Élément d'une cellule qui transmet certaines caractéristiques d'un être vivant à ses descendants.

gêne n. f. *1* Impression de malaise physique. *Avoir de la gêne à respirer.* *2* Fait d'être gêné, trouble, embarras. *Éprouver de la gêne en présence de personnes inconnues.*

généalogie n. f. Ensemble des ancêtres dont descend une même famille.

L'arbre généalogique d'une famille représente la généalogie.

gêner v. → conjug. **aimer.** *1* Causer une gêne, un malaise physique. *Ces chaussures me gênent.* *2* Provoquer un trouble, un embarras, une perturbation. *Ces travaux gênent la circulation.* *3* Mettre mal à l'aise. *Cela me gêne de vous déranger pendant votre travail.* **Synonymes : déranger (*2*), perturber (*2*), embarrasser (*3*).**

Un bruit gênant, des questions gênantes, qui gênent. *Se débarrasser d'un gêneur,* d'une personne qui gêne (*2*), qui ennuie les autres.

1. général, ale, aux adj. *1* Qui s'applique à la plupart des personnes ou à la plupart des choses. *Les élèves doivent obéir à la règle générale de l'école.* *2* Qui concerne la majorité, la plus grande partie d'un ensemble. *Une punition, une grève générales.* *3* *En général :* habituellement, le plus souvent. *En général, rien n'effraie Gaspard.* **Contraires : individuel, particulier (*1*), rarement (*3*).**

Dans le Midi, les étés sont généralement chauds, en général (*3*).

2. général, aux n. m. Officier qui a le grade supérieur au grade de colonel. *Le grade de général est le plus élevé dans l'armée.*

généraliser v. → conjug. **aimer.** *1* Tirer des conclusions générales à partir d'un fait particulier. *On risque de se tromper quand on généralise trop vite.* *2* *Se généraliser :* se répandre, s'étendre. *L'utilisation de l'ordinateur se généralise.*

Lutter contre la généralisation de la violence, contre le fait qu'elle se généralise (*2*).

généraliste n. Médecin qui pratique la médecine générale, qui n'est pas un spécialiste.

généralités n. f. pl. Indications générales qui manquent de précision, que tout le monde connaît. *Il se contente de généralités au lieu de parler de l'essentiel.*

générateur n. m. ou **génératrice** n. f. Appareil ou machine qui produit de l'électricité.

génération n. f. Ensemble de personnes qui sont à peu près du même âge. *Les parents et les enfants appartiennent à deux générations différentes.*

génératrice n. f. → **générateur**.

généreux, euse adj. Qui a bon cœur, qui donne largement aux autres. *Un ami généreux.*
Synonymes : bon, désintéressé. Contraires : avare, mesquin.
Faire preuve de générosité envers les déshérités, être généreux avec eux. *Il remplit généreusement les verres de ses invités,* de façon généreuse, largement.

générique n. m. Liste des personnes ayant collaboré à la réalisation d'un film, d'une émission télévisée.

générosité n. f. → **généreux, euse**.

genèse n. f. Ce qui est à l'origine de la création de quelque chose. *L'écrivain a expliqué la genèse de son roman.*
Synonyme : élaboration.

genêt n. m. Petit arbuste à fleurs jaunes qui pousse à l'état sauvage dans les landes.

génétique n. f. et adj.
• n. f. Science qui étudie l'hérédité. *Les lois de la génétique.*
Les généticiens sont des spécialistes de la génétique.
• adj. Qui se rapporte à la génétique *La mucoviscidose est classée parmi les maladies génétiques.*

gêneur, euse n. → **gêne**.

Genève

Ville de Suisse, située sur le Rhône, à l'extrémité sud-ouest du lac Léman. Genève est un important centre bancaire et commercial, et le siège de nombreuses organisations internationales, dont la Croix-Rouge internationale et l'Organisation mondiale de la santé (OMS).
La vieille ville abrite la cathédrale Saint-Pierre des XIIe-XIIIe siècles, un hôtel de ville du XVIe siècle et un célèbre musée d'Art et d'Histoire. Au bout d'une jetée s'élance, à plus de 140 m, le plus haut jet d'eau du monde. La ville est rattachée à la Suisse en 1815. Plusieurs conférences et conventions internationales s'y sont déroulées après la Seconde Guerre mondiale.

genévrier n. m. → **genièvre**.

Gengis Khan

Chef des Mongols né vers 1162 ou 1167 et mort en 1227. Son vrai nom est Temüdjin. Issu d'une des tribus qui peuplent la Mongolie, il rassemble sous son autorité plusieurs clans et, en 1206, se fait proclamer Gengis Khan, le chef suprême. Gengis Khan achève d'unifier la Mongolie et, à partir de 1211, se lance dans une série de conquêtes. À la tête d'une puissante armée, il envahit la Chine et l'Asie centrale. Ses troupes ravagent les villes et sèment la terreur. À sa mort, l'Empire mongol s'étend du Pacifique à la Méditerranée.

génial, ale, aux adj. *1* Qui a du génie. *Un musicien génial. 2* Qui est inspiré par le génie. *Une découverte géniale. 3* Familier. Remarquable, formidable. *On a passé une soirée géniale !*

génie n. m. *1* Être imaginaire doué de pouvoirs magiques. *Le génie de la lampe d'Aladin. 2* Dons exceptionnels qui permettent à quelqu'un de créer, d'inventer. *Avoir du génie. 3* Personne qui possède une intelligence, une imagination exceptionnelles. *Cet inventeur est un génie. 4* Génie civil : ensemble des ingénieurs qui sont chargés de la construction des routes, des ponts.

genièvre n. m. Petite baie ronde de couleur violette ou noire, très parfumée.
Le genévrier est le petit arbuste qui donne les baies de genièvre.
Le genévrier est un conifère dont les feuilles épineuses ne tombent pas l'hiver. Il en existe de nombreuses espèces. Le genévrier commun, que l'on trouve en France, mesure jusqu'à 5 ou 6 m de hauteur ; il est souvent planté dans les jardins. Ses fruits entrent dans la fabrication d'un alcool, le gin, et sont utilisés en cuisine.

Baies de genièvre.

génisse n. f. Jeune vache qui n'a pas encore eu de veau.

génital, ale, aux adj. Qui concerne la reproduction chez les êtres humains et les animaux. *Les organes génitaux de l'homme, de la femme.*

génocide n. m. Extermination systématique de toutes les personnes appartenant à un même peuple, à une même religion ou à un même pays. *Le génocide des Juifs par les nazis.*

genou n. m. **Plur. : des genoux.** *1* Articulation qui unit la jambe et la cuisse. *2 À genoux :* les genoux reposant sur le sol. *Se mettre à genoux.*

genouillère n. f. Accessoire utilisé pour protéger le genou dans certaines activités sportives.

genre n. m. *1* Ensemble d'êtres ou d'objets comportant des caractéristiques communes. *L'homme et la femme appartiennent au genre humain.* *2* Comportement, allure, attitude. *Il a un genre un peu bizarre.* *3* Catégorie grammaticale. *En français, il existe deux genres : le masculin et le féminin.*

gens n. m. pl. Ensemble de personnes en nombre indéterminé. *Il se moque de ce que pensent les gens.* **Quand l'adjectif précède le nom « gens », il se met au féminin : des gens vieux, de vieilles gens.**

gentiane n. f. Plante qui pousse en montagne et donne des fleurs bleues, jaunes ou violettes.

gentil, ille adj. *1* Qui est doux, serviable, agréable avec les autres. *Elle est très gentille avec son petit frère.* *2* Sage, tranquille, obéissant, docile. *Soyez gentils avec votre baby-sitter.* **Contraires : méchant (*1*), désagréable (*1* et *2*).** *Remercier quelqu'un de sa gentillesse, parce qu'il a été gentil (*1*). Elle nous a reçu très gentiment, de façon gentille (*1*).*

gentilhomme n. m. **Plur. : des gentilshommes.** Autrefois, hommes qui appartenaient à la noblesse. **On prononce [ʒãtijɔm] au singulier et [ʒãtizɔm] au pluriel.**

gentillesse n. f., **gentiment** adv. → **gentil, ille.**

gentleman n. m. **Plur. : des gentlemans ou des gentlemen.** Homme d'une grande politesse. *Se conduire en gentleman.* **Mot anglais qui se prononce [dʒɛntləman] au singulier et [dʒɛntləmɛn] au pluriel.**

géographie n. f. Science qui décrit la Terre et les populations qui l'habitent. *En géographie, on apprend le relief, les climats, la végétation, l'économie des pays.* *Les géographes sont des spécialistes de géographie. La carte géographique d'un pays, d'une région représente la géographie de ce pays, de cette région.*

geôle n. f. Littéraire. Prison. **On prononce [ʒol].** *Les geôliers sont des gardiens de prison.*

géologie n. f. Science qui étudie les matériaux qui constituent le sous-sol de la Terre ainsi que leurs transformations au cours du temps. *Les géologues sont des spécialistes de la géologie. Faire l'étude géologique d'un terrain, c'est étudier sa géologie.*

géomètre n. m. Technicien dont le métier est de déterminer les dimensions d'un terrain et d'en faire le plan.

géométrie n. f. Partie des mathématiques qui étudie les lignes, les surfaces, les volumes. *Le cercle, le carré, le triangle, etc., sont des figures géométriques, des figures étudiées en géométrie.* **Regarde p. 490 et 491.**

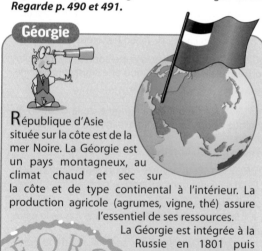

Géorgie

République d'Asie située sur la côte est de la mer Noire. La Géorgie est un pays montagneux, au climat chaud et sec sur la côte et de type continental à l'intérieur. La production agricole (agrumes, vigne, thé) assure l'essentiel de ses ressources. La Géorgie est intégrée à la Russie en 1801 puis à l'URSS en 1922. Le pays devient indépendant en 1991. Il connaît plusieurs guerres civiles entre 1990 et 1993 ; sa situation politique est encore instable.

69 700 km²
5 177 000 habitants :
les Géorgiens
Langues : géorgien,
russe, abkhaze, ossète,
arménien, turc
Monnaie : lari
Capitale : Tbilissi

gérance n. f. → **gérant, ante.**

géranium n. m. Plante à fleurs blanches, rouges ou roses. **On prononce [ʒeranjɔm].**

gérant, ante n. Personne chargée de s'occuper d'un magasin, d'un immeuble à la place du propriétaire. *Mettre un commerce en gérance, c'est le confier à un gérant.*

gerbe n. f. Tiges de céréales liées ensemble ou botte de fleurs coupées. *Mettre le blé coupé en gerbes.*

gerbille n. f. Petit rongeur qui vit dans les steppes ou les régions désertiques.

gerboise n. f. Petit mammifère rongeur.

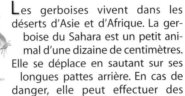

Les gerboises vivent dans les déserts d'Asie et d'Afrique. La gerboise du Sahara est un petit animal d'une dizaine de centimètres. Elle se déplace en sautant sur ses longues pattes arrière. En cas de danger, elle peut effectuer des bonds de 1 m! La gerboise sort la nuit pour chercher graines et insectes, et passe le jour dans un terrier.

gercer v. → conjug. **tracer.** Se couvrir de petites crevasses généralement dues au froid. *Il a les lèvres et les mains qui gercent en hiver.*

> Utiliser une pommade pour soigner les *gerçures* des lèvres, les crevasses qui se forment quand les lèvres gercent.

gérer v. → conjug. **digérer.** Diriger un commerce, une entreprise pour son propre compte ou pour le compte d'une autre personne.

Gergovie

Ancienne ville de Gaule, située près de l'actuelle Clermont-Ferrand. Gergovie est la capitale du peuple celte des Arvernes. C'est un oppidum, un lieu fortifié bâti sur une hauteur. En 52 av. J.-C., Jules César en fait le siège, dans le but de soumettre l'armée gauloise commandée par Vercingétorix, chef des Arvernes. Mais, après une lutte sans merci, Vercingétorix et ses hommes repoussent les Romains, qui abandonnent le siège. Cette défaite romaine est la seule de la guerre des Gaules.

Géricault Théodore

Peintre français né en 1791 et mort en 1824. La peinture de Géricault, qui exprime le désespoir et la souffrance, en fait l'un des principaux artistes romantiques français. Son chef-d'œuvre, *le Radeau de la Méduse* (1819), est une très grande toile (environ 5 m sur 7!) inspirée du naufrage du navire *la Méduse* en 1816.
Par ses couleurs, l'expression des visages, le réalisme des attitudes, c'est un tableau d'une grande intensité dramatique. Le thème du cheval est au centre des autres œuvres de Géricault (*Course des chevaux barbes*; *Capture d'un cheval sauvage*, 1817; *Derby d'Epsom*, 1821…).

germain, aine adj. *Cousin germain, cousine germaine :* fils, fille d'un oncle ou d'une tante.

Germains

Peuples barbares de Germanie probablement originaires de Scandinavie. Les Romains donnent le nom de « barbares » aux peuples qui ne sont pas sous leur domination. À partir de 406, quittant leurs territoires peu hospitaliers, les différentes tribus franchissent le Rhin et envahissent l'Empire romain : les Alamans, les Francs et les Burgondes s'installent en Gaule, les Wisigoths en Espagne, les Vandales en Afrique du Nord, les Ostrogoths en Italie, les Angles et les Saxons en Bretagne. Ces peuples apportent leurs coutumes et leurs croyances. Il faudra plus de trois siècles pour que Romains, Gallo-Romains et Germains se fondent en une même communauté.

germe n. m. *1* Première pousse qui se développe à partir d'une graine pour donner une nouvelle plante. *Un germe de blé.* *2* Microbe qui peut être à l'origine d'une maladie. *On stérilise l'eau pour détruire les germes qui s'y trouvent.*

germer v. → conjug. **aimer.** *1* Commencer à se développer quand il s'agit des plantes. *Faire germer des lentilles.* *2* Au figuré. Commencer à se former. *Un nouveau plan a germé dans son cerveau.*

germinal n. m. Septième mois dans le calendrier républicain (fin mars, fin avril).

germination n. f. Période pendant laquelle les graines commencent à se développer et à germer. *La chaleur et l'humidité sont nécessaires à la germination.*

Le Radeau de la Méduse

la géométrie

Pour étudier les formes, les surfaces et les volumes, il faut connaître les définitions et les caractéristiques des différentes figures géométriques.

les perpendiculaires et les parallèles

Deux droites qui se coupent en formant un angle droit sont perpendiculaires.
Deux droites qui ont partout le même écartement, c'est-à-dire qui ne se rencontrent jamais si on les prolonge, sont parallèles.

Les droites XY et ZT sont perpendiculaires.
On écrit (XY) ⊥ (ZT).
L'équerre permet de vérifier que deux droites sont perpendiculaires.

Les droites ZT et EV sont perpendiculaires à XY.

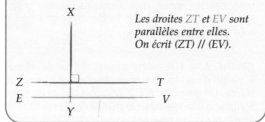

Les droites ZT et EV sont parallèles entre elles.
On écrit (ZT) // (EV).

la symétrie

Lorsque deux figures sont symétriques, elles ont la même forme, les mêmes dimensions, mais sont inversées. Elles possèdent un axe de symétrie.
Le pliage le long de cet axe permet de superposer exactement les deux figures.

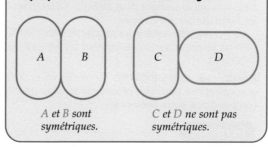

A et B sont symétriques.

C et D ne sont pas symétriques.

le cercle

Le cercle est une ligne courbe fermée. Tous les points qui constituent cette ligne sont à égale distance du centre de ce cercle. Cette distance s'appelle le rayon du cercle.

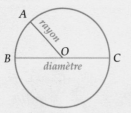

OA est un rayon.
BC est un diamètre. Il partage le cercle en deux demi-cercles égaux.

les polygones

Un polygone est une figure géométrique à plusieurs côtés.

ABCDE et FGHIJ sont des polygones quelconques.
ABCDE est convexe, c'est-à-dire que deux points pris au hasard dans le polygone peuvent être reliés par un segment intérieur au polygone.
Ce n'est pas le cas dans le polygone FGHIJ, qui est dit non convexe.

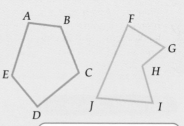

octogone

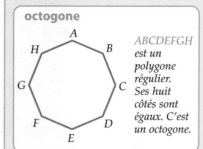

ABCDEFGH est un polygone régulier. Ses huit côtés sont égaux. C'est un octogone.

hexagone

ABCDEF est un polygone régulier. Ses six côtés sont égaux. C'est un hexagone.

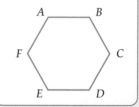

les quadrilatères

Le quadrilatère est un polygone à quatre côtés.

carré

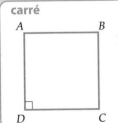

ABCD est un carré. Ses quatre côtés sont égaux, ses quatre angles sont droits.

rectangle

EFGH est un rectangle. Les côtés opposés sont égaux et parallèles, les quatre angles sont droits.

les triangles

Le triangle est un polygone à trois côtés.

triangle quelconque

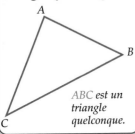

ABC est un triangle quelconque.

triangle équilatéral

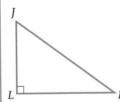

DEF est un triangle régulier ou équilatéral; ses trois côtés sont égaux.

triangle isocèle

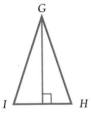

GHI est un triangle isocèle; il a deux côtés égaux, GH et GI.

triangle rectangle

JKL est un triangle rectangle; il possède un angle droit.

trapèze isocèle

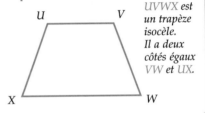

UVWX est un trapèze isocèle. Il a deux côtés égaux VW et UX.

trapèze rectangle

YZAB est un trapèze rectangle. Il a deux angles droits.

trapèze quelconque

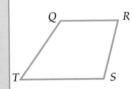

QRST est un trapèze quelconque. Deux de ses côtés opposés QR et ST sont parallèles. ST est la grande base, QR est la petite base.

parallélogramme

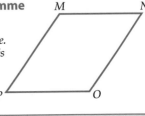

MNOP est un parallélogramme. Les côtés opposés sont égaux et parallèles. Il n'a pas d'angle droit.

losange

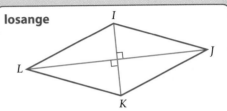

IJKL est un losange. Ses quatre côtés sont égaux et parallèles deux à deux. Il n'a pas d'angle droit.

Gershwin

Gershwin George

Compositeur américain né en 1898 et mort en 1937. Après des études de musique au cours desquelles il s'initie au jazz et à la musique classique, Gershwin devient célèbre avec *Rhapsody in Blue* (1924), une œuvre pour piano et orchestre, suivie d'un *Concerto en «fa»*, pour piano (1925). Dès lors, le succès ne le quitte plus. Il compose de nombreuses chansons, des comédies musicales, le poème symphonique *Un Américain à Paris* (1928) et l'opéra *Porgy and Bess* (1935) qui mêle la musique noire-américaine et la musique classique européenne.

gésier n. m. Poche de l'estomac des oiseaux dans laquelle les aliments sont broyés pour être mieux digérés.

gésir v. Être allongé, étendu. *Les blessés gisaient sur le sol.* Ce verbe s'utilise seulement au présent, à l'imparfait et au participe présent.

La conjugaison du verbe
GÉSIR 3ᵉ groupe

indicatif présent	**je gis, il ou elle gît, nous gisons, ils ou elles gisent**
imparfait	**je gisais**
futur, passé simple, subjonctif présent, conditionnel présent, impératif	*inusité*
participe présent	**gisant**
participe passé	*inusité*

gestation n. f. Période durant laquelle la femelle d'un mammifère porte son petit ou ses petits. *La durée de la gestation varie suivant les espèces animales.*

1. geste n. m. **1** Mouvement que l'on fait avec ses bras, ses mains ou sa tête. *Faire de grands gestes. Un geste d'adieu.* **2** Acte généreux, bonne action.

2. geste n. f. *Chanson de geste :* poème du Moyen Âge racontant les exploits d'un héros. *«La Chanson de Roland» est une chanson de geste.*

gesticuler v. → conjug. **aimer.** Faire des gestes dans tous les sens. *Il est très énervé et n'arrête pas de gesticuler.*

gestion n. f. Fait de gérer, de diriger une entreprise, un commerce. *S'occuper de la gestion d'un immeuble. Cette entreprise a besoin de bons **gestionnaires**, de personnes qui assurent une bonne gestion.*

geyser n. m. Source d'eau chaude jaillissant par intervalles.
On prononce [ʒezɛʀ].

Les geysers sont issus de nappes d'eau souterraines présentes dans des terrains volcaniques. L'eau, en contact avec des roches très chaudes, entre en ébullition et se transforme en vapeur. Un puissant jet d'eau bouillante et de vapeur d'eau est alors expulsé à la surface, parfois jusqu'à plus de 70 m de hauteur! Le parc de Yellowstone, aux États-Unis, compte 84 geysers, qui jaillissent à intervalles plus ou moins réguliers.

Ghana

République de l'ouest de l'Afrique, ouverte sur l'océan Atlantique (golfe de Guinée). Le territoire du Ghana est peu élevé. Un barrage sur le cours de la Volta forme l'un des plus grands lacs artificiels du monde, le lac Volta. Le climat est chaud et sec au nord, domaine des savanes, humide au sud, région de la forêt dense. L'agriculture est bien développée (cacao, café, coton…) et la forêt fournit des bois précieux. Les ressources minières (or, diamant) sont importantes. Autrefois appelé Côte-de-l'Or, le Ghana, sous domination britannique depuis la fin du XIXᵉ siècle, est indépendant depuis 1957. Les coups d'État s'y succèdent jusqu'à l'élection présidentielle de 1992. Depuis 1960, le Ghana est membre du Commonwealth.

**238 537 km²
20 471 000 habitants :
les Ghanéens
Langues : anglais, akan,
ewe, mossi, mamprusi…
Monnaie : cedi
Capitale : Accra**

ghetto n. m. Quartier d'une ville où certaines gens vivent à l'écart, rejetés du reste de la population.
On prononce [gɛto].

Giacometti Alberto

Sculpteur et peintre suisse né en 1901 et mort en 1966. Giacometti s'installe à Paris en 1922. Ses premières sculptures, très simplifiées, sont influencées par l'art primitif (*Femme cuiller*, 1926). Il s'associe au groupe des surréalistes entre 1930 et 1935. Quittant ce mouvement, il retourne à l'étude de la figure humaine. Il sculpte alors ses célèbres silhouettes longues et décharnées (*la Femme debout*, 1948 ; *l'Homme qui marche*, 1959-1960) et peint des portraits ton sur ton (*Diego*, 1951).

L'Homme qui marche.

gibbon n. m. Singe d'Asie, sans queue, qui vit dans les arbres et se déplace avec agilité grâce à ses très longs bras.

gibecière n. f. Sacoche qui se porte en bandoulière et sert à transporter le gibier tué par un chasseur.

gibet n. m. Construction en bois à laquelle on pendait autrefois les condamnés à mort.
Synonyme : potence.

gibier n. m. Nom donné aux animaux que l'on chasse pour les manger. *La chasse au petit gibier, c'est la chasse au lièvre, au faisan, a la perdrix.*
Une forêt *giboyeuse*, où il y a beaucoup de gibier.

giboulée n. f. Averse soudaine, de courte durée, parfois accompagnée de grêle ou de neige.

giboyeux, euse adj. → **gibier.**

Gibraltar

Territoire britannique situé à la pointe sud de l'Espagne. La superficie de Gibraltar est d'à peine 6 km². Le rocher de Gibraltar (425 m) domine le détroit du même nom, qui sépare l'Europe de l'Afrique. Large d'environ 14 km, ce dernier relie la Méditerranée à l'océan Atlantique. C'est un lieu de passage important pour la navigation commerciale. Possession anglaise depuis 1713, Gibraltar est toujours revendiqué par l'Espagne.

gicler v. → conjug. **aimer.** Jaillir brusquement en projetant des éclaboussures. *L'eau gicle dans l'évier.*
Il a reçu une *giclée* de boue, de la boue qui gicle.

gicleur n. m. Tube par lequel l'essence arrive dans le carburateur d'un moteur.

Gide André

Écrivain français né en 1869 et mort en 1951. Dans ses nombreux ouvrages, Gide traite de l'amour, de la liberté, de la morale, du conformisme, de la religion et de l'engagement idéologique. Parmi les œuvres qui marquent les différentes étapes de sa carrière littéraire, il faut citer *les Nourritures terrestres* (1897), *la Symphonie pastorale* (1919), *les Faux-Monnayeurs* (1925), *Si le grain ne meurt* (1926) et son *Journal*, qu'il tient à partir de 1889. Gide reçoit le prix Nobel de littérature en 1947.

gifle n. f. Coup appliqué sur la joue avec le plat de la main. *Donner, recevoir une gifle.*
Gifler quelqu'un, lui donner une gifle ou des gifles.

gigantesque adj. Extrêmement grand, immense, énorme. *La baleine est un animal gigantesque.*

gigogne adj. Se dit de choses qui s'emboîtent les unes dans les autres. *Des tables gigognes. Des poupées gigognes.*

gigot n. m. Cuisse d'agneau ou de mouton. *Faire rôtir un gigot.*

gigoter v. → conjug. **aimer.** Familier. S'agiter, remuer. *Ce bébé n'arrête pas de gigoter dans sa poussette.*

gilet n. m. *1* Vêtement d'homme, sans manches, boutonné devant. *Un costume gris avec un gilet assorti. 2* Veste tricotée, boutonnée devant. *3 Gilet de sauvetage :* sorte de veste sans manches qui se gonfle pour permettre de flotter dans l'eau.

gingembre n. m. Plante dont la racine très parfumée sert de condiment. *Du poulet au gingembre.*

gingko n. m. Arbre ornemental originaire de Chine considéré comme un arbre sacré en Asie.

Giono Jean

Écrivain français né en 1895 et mort en 1970. Les racines provençales de Giono sont une source d'inspiration pour un grand nombre de ses œuvres. Il célèbre la nature et la vie simple (*Colline*, 1929 ; *Un de Baumugnes*, 1929 ; *Regain*, 1930), la communion avec la terre et la liberté (*le Chant du monde*, 1934 ; *Que ma joie demeure*, 1935). Pacifiste convaincu, Giono dénonce la guerre (*Refus d'obéissance*, 1937) et met en scène des héros non conformistes (*le Hussard sur le toit*, 1951). Certains de ses romans ont été adaptés au cinéma.

Giotto

Giotto di Bondone

Peintre, sculpteur et architecte italien né vers 1266 et mort en 1337. Giotto est considéré comme l'un des fondateurs de la peinture occidentale moderne. Remarqué dès ses premières œuvres, il se rend ou il est sollicité dans de nombreuses villes d'Italie (Padoue, Rome, Florence, Naples, Milan). Il restaure ou crée des fresques, décore des chapelles, sculpte des bas-reliefs. L'influence de Giotto se répand dans toute l'Europe. Parmi ses œuvres les plus célèbres, on peut citer : *la Présentation au temple, la Vierge en majesté* et *le Songe de Joachim,* une des fresques de la chapelle des Scrovegni à Padoue.

Le Songe de Joachim

girafe n. f. Grand mammifère herbivore au cou très long, qui vit en Afrique.

giratoire adj. *Sens giratoire :* sens dans lequel les véhicules doivent se déplacer pour circuler autour d'une place, d'un rond-point.

Giraudoux Jean

Écrivain français né en 1882 et mort en 1944. Giraudoux publie ses premiers textes en 1909. Devenu diplomate en 1910, il mène de front sa carrière et l'écriture. Il publie plusieurs romans. Après sa rencontre avec l'acteur Louis Jouvet en 1927, Giraudoux n'écrit plus que pour le théâtre. La plupart de ses pièces mêlent avec humour et fantaisie des sujets classiques (mythologiques ou antiques) et un langage moderne. *La guerre de Troie n'aura pas lieu* et *la Folle de Chaillot* font partie des plus célèbres.

girofle n. m. *Clou de girofle :* bouton séché de la fleur d'un arbre tropical qui a la forme d'un clou et qui est utilisé comme condiment.

giroflée n. f. Plante dont les fleurs en grappe sont très parfumées.

girolle n. f. Champignon comestible.

Appelée aussi chanterelle, la girolle est un champignon comestible très recherché. De couleur jaune orangé, elle a la forme d'un entonnoir à bords ourlés, de 3 à 10 cm de diamètre. De longs plis garnissent sa face inférieure, jusqu'en haut du pied. La girolle pousse en forêt, généralement au pied des chênes et des hêtres.

giron n. m. Littéraire. Partie du corps qui va de la taille au genou, dans la position assise. *L'enfant s'est endormi dans le giron de sa mère.*

girouette n. f. *1* Plaque de métal découpée qui tourne sur elle-même en indiquant la direction du vent. *2* Familier. Personne qui change souvent d'avis.

gisant n. m. Sculpture d'une personne morte, représentée couchée, sur son tombeau.

gisement n. m. Accumulation importante d'une matière, sous forme solide, liquide ou gazeuse, dans le sous-sol. *Un gisement de charbon, de pétrole, de gaz.*

gitan, ane n. Nomade originaire d'Espagne.

1. gîte n. m. *1* Endroit où l'on peut s'abriter, dormir, se reposer. *Chercher un gîte pour la nuit. 2* Endroit où s'abrite le gibier. *Le gîte d'un lièvre.*

2. gîte n. f. *Donner de la gîte :* s'incliner sur le côté, quand il s'agit d'un bateau.

givre n. m. Légère pellicule de glace. *Il y a du givre sur le pare-brise de la voiture.*

Les branches des sapins sont givrées, couvertes de givre.

Gizeh

Ville d'Égypte située sur la rive gauche du Nil, dans la banlieue du Caire. À quelques kilomètres de la ville, se trouve un plateau où se dressent trois grandes pyramides : Chéops, Khephren et Mykerinos. On peut aussi y voir un grand sphinx au corps de lion, dont la tête évoque le pharaon Khephren.

glabre adj. Qui est sans barbe, sans moustache. *Un homme au visage glabre.*

glace n. f. *1* Eau qui a gelé. *Un bloc de glace.* *2* Crème parfumée et congelée. *Une glace au chocolat.* *3* Miroir. *Se regarder dans une glace.* *4* Vitre d'une voiture. *Baisser, relever les glaces.*

Emporter des boissons dans une *glacière*, une boîte isotherme dans laquelle on met de la glace (*1*) ou des glaçons pour maintenir les aliments au frais. *Servir un apéritif avec des glaçons*, des petits cubes de glace (*1*).

glacé, ée adj. *1* Extrêmement froid. *Boire un verre d'eau glacée. Un vent glacé.* *2* Crème glacée : glace aromatisée, faite avec de la crème. *3* Qui est recouvert d'une fine pellicule lisse et dure. *Des marrons glacés.*

glacer v. → conjug. **tracer**. *1* Donner une sensation de très grand froid. *Ce vent humide nous glace.* *2* Au figuré. Paralyser ou intimider. *Ce cri nous a tous glacés d'effroi.*

glaciaire adj. Se dit des périodes pendant lesquelles les glaciers se sont formés sur la Terre.

glacial, ale adj. Plur. : **glacials** ou **glaciaux**. *1* Qui est très froid. *Un temps glacial.* *2* Au figuré. Qui est d'une froideur intimidante. *S'adresser à quelqu'un sur un ton glacial.*

glaciation n. f. Période géologique pendant laquelle les glaciers recouvraient d'immenses étendues de la Terre.

glacier n. m. *1* Épaisse couche de glace dans les montagnes qui se déplace très lentement. *2* Personne qui fabrique ou vend des glaces, des sorbets.

Les glaciers sont formés d'une accumulation de neige qui se tasse et se transforme en glace.

moraine

crevasse

glacière n. f., **glaçon** n. m. → **glace**.

gladiateur n. m. Dans l'Antiquité, à Rome, homme qui combattait un autre homme ou un fauve pendant les jeux du cirque.

Le mot gladiateur vient du latin *gladius*, qui signifie glaive. Les gladiateurs sont recrutés parmi les prisonniers, les condamnés à mort ou les esclaves, mais ce sont parfois des volontaires. Ils s'entraînent dans des casernes spéciales.
Il existe plusieurs sortes de gladiateurs ; les principaux sont :
• le thrace, coiffé d'un casque de combat, armé d'un glaive et d'un bouclier ;
• le mirmillon, également casqué, armé d'une épée et d'un bouclier ;
• le rétiaire, muni d'un filet et d'un trident.

Gladiateur thrace.

Certains gladiateurs combattent en char, d'autres à cheval. Le vainqueur reçoit une grosse somme d'argent ; s'il n'est pas libre, il peut le redevenir. Le vaincu est soit épargné soit exécuté.

glaïeul n. m. Plante décorative à feuilles longues et effilées.
On prononce [glajœl].

Le glaïeul appartient à la même famille que l'iris. Ses fleurs, très décoratives, sont groupées en épi sur une tige qui peut dépasser 1 m de hauteur. Les glaïeuls sont originaires des régions méditerranéennes et d'Afrique. Il en existe de nombreuses variétés cultivées aux couleurs très diverses.

glaise n. f. Argile. *On peut modeler la glaise pour en faire des poteries, des statues.*
On dit aussi : terre glaise.

glaive n. m. Épée à lame courte et large, à deux tranchants.

Le glaive est utilisé dans l'Antiquité et au Moyen Âge. Dans la Rome antique, il est l'arme spécifique de certains gladiateurs, les thraces.

gland n. m. Fruit du chêne.

Le gland est un fruit sec qui contient une seule graine. Sa base est enveloppée dans une cupule, une sorte de petite coupe.

glande n. f. Organe qui sécrète des substances indispensables au fonctionnement du corps. *La sueur, la salive sont produites par des glandes.*

glaner v. → conjug. **aimer**. *1* Ramasser les épis qui sont restés dans les champs après la moisson. *2* Au figuré. Recueillir, rassembler. *Glaner des informations.*

glapir v. → conjug. **finir**. Pousser un petit cri aigu. *Le renard, le lapin glapissent.*
Les *glapissements* d'un petit chien éloigné de sa mère.

glas n. m. Tintement lent d'une cloche d'église qui annonce la mort ou l'enterrement d'une personne. **On prononce [gla].**

glauque adj. Qui est d'une couleur verte tirant sur le bleu. *Les eaux glauques d'un étang.*

glisser v. → conjug. **aimer**. *1* Se déplacer d'un mouvement continu sur une surface lisse. *Les patineurs glissent sur l'étang gelé. 2* Déraper ou faire déraper. *Il a glissé sur le verglas. Attention, le sol gelé glisse! 3* Faire passer quelque chose avec adresse ou avec discrétion. *Glisser une lettre sous la porte. 4* Au figuré. Ne pas s'attarder sur quelque chose, ne pas insister ou approfondir. *Il vaut mieux glisser sur ce sujet désagréable. 5* Glisser des mains : tomber des mains, échapper. *Le vase m'a glissé des mains. 6* Se glisser : s'introduire, se faufiler. *Le chat s'est glissé sous le lit.*
Les enfants s'amusent à faire des *glissades* sur le parquet, à glisser (*1*). Attention, la route est *glissante*, elle glisse (*2*). Le ski, le surf, la planche à voile sont des sports de *glisse*, que l'on pratique en glissant (*1*) sur la neige, sur l'eau. *Les orages provoquent parfois des glissements de terrain*, des mouvements du sol qui glisse (*2*) le long d'une pente.

glissière n. f. *1* Rail, rainure le long desquels on fait coulisser quelque chose. *Une porte à glissière. 2* Glissière de sécurité :* bande de métal bordant une route ou une autoroute pour retenir les voitures en cas de dérapage ou d'accident.

global, ale, aux adj. Qui est considéré dans l'ensemble, en bloc et non en détail. *Une somme globale. Avoir un aperçu global des problèmes.*
Prévoir *globalement* les dépenses d'un voyage, de manière globale, sans les détailler.

globe n. m. *1* Ce qui est en forme de sphère, de boule. *Le globe de l'œil. 2* Boule de verre qui entoure, qui protège quelque chose. *Un globe lumineux. 3* Le globe terrestre :* la Terre. *Il a voyagé dans toutes les régions du globe.*

globule n. m. Cellule présente dans certaines parties de l'organisme. *Le sang est formé de globules rouges et de globules blancs.*

globuleux, euse adj. *Yeux globuleux :* yeux qui dépassent un peu de leur orbite. *Les yeux globuleux des crapauds.*

gloire n. f. *1* Très grande renommée. *Cet exploit lui a apporté la gloire. Se couvrir de gloire. 2* À la gloire d'une personne :* en son hommage, en son honneur. *Faire un discours à la gloire d'un héros.*
Remporter une *glorieuse* victoire, qui apporte la gloire (*1*). Ce célèbre footballeur a terminé sa carrière *glorieusement*, dans la gloire. *Il peut se glorifier d'avoir gagné un match difficile*, s'en faire une gloire.

gloriole n. f. Vanité que l'on tire de petites choses sans importance. *Il a organisé cette réception par gloriole.*

glossaire n. m. Petit lexique qui donne le sens des mots difficiles d'un texte.

glotte n. f. Partie du larynx située entre les cordes vocales.

gloussement n. m. *1* Cri de la poule. *2* Petit cri, petit rire. *On entend les bavardages et les gloussements des élèves.*

glousser v. → conjug. **aimer**. *1* Pousser des petits cris, quand il s'agit de la poule. *La poule glousse pour appeler ses poussins. 2* Rire en poussant des petits cris étouffés.

glouton, onne adj. et n. Qui avale la nourriture avec voracité. *Ne sois pas si glouton, tu vas t'étouffer!*
Évite de manger avec *gloutonnerie*, de manière gloutonne.

glu n. f. Matière très collante extraite de certains végétaux. *Autrefois, on attrapait les oiseaux en mettant de la glu sur des bâtons où leurs pattes restaient collées.*
Ces bonbons fondus sont tout *gluants*, ils sont visqueux et collants comme de la glu.

glucide n. m. Élément contenu dans certains aliments comme les sucres et les féculents.

glycérine n. f. Liquide visqueux utilisé notamment dans l'industrie pharmaceutique. *Une pommade à la glycérine.*

glycine n. f. Plante grimpante dont les fleurs mauves, très odorantes, poussent en longues grappes.

gnome n. m. Petit lutin laid et difforme.
Gaspard rencontre un gnome.
On prononce [gnom].

gnou n. m. Antilope d'Afrique du Sud dont la grosse tête porte des cornes recourbées vers l'arrière. **On prononce [gnu].**

goal n. m. Gardien de but.
Mot anglais qui se prononce [gol].

gobelet n. m. Récipient utilisé pour boire, qui n'a pas d'anse ni de pied. *Un gobelet en carton.*

gober v. → conjug. **aimer**. *1* Avaler en aspirant, sans mâcher. *Gober un œuf. 2* Familier. Croire n'importe quoi. *Il gobe tout ce qu'on lui dit.*

godet n. m. Petit récipient peu profond. *On se sert de godets pour délayer les couleurs quand on peint.*

godille n. f. Rame placée à l'arrière d'un bateau et que l'on manœuvre en se tenant droit.
> *Godiller*, c'est manœuvrer un bateau en se servant d'une godille.

La godille est placée à l'arrière d'une embarcation. Pour faire avancer celle-ci, il faut imprimer à la godille un mouvement approximativement en forme de 8.

goéland n. m. Grand oiseau au plumage blanc et gris, vivant en colonie.

goélette n. f. Bateau à voiles, à deux mâts.

goémon n. m. Algue qui pousse près du rivage.
Synonyme : varech.

Goethe Johann Wolfgang von

Poète et écrivain allemand né en 1749 et mort en 1832. Goethe s'intéresse aux sciences les plus diverses ainsi qu'à toutes les formes de l'art et publie très tôt ses premiers textes. Il rencontre un immense succès avec son roman *les Souffrances du jeune Werther* (1774), qui met en scène une passion désespérée.
Exerçant de hautes fonctions politiques et menant des recherches scientifiques variées (biologie, géologie), il continue d'écrire des pièces de théâtre, des poèmes et des romans. Son chef-d'œuvre est *Faust*, un long poème dramatique publié en deux parties (1808 et 1832). L'œuvre de Goethe en fait une des grandes figures de la littérature mondiale.

---

goguenard, arde adj. Narquois, railleur. *Un ton, un sourire goguenards.*

goinfre n. et adj. Personne qui mange énormément et salement. *Ce goinfre n'a pas laissé une miette de gâteau pour nous !*
Synonyme : glouton.

*Arrêtez de vous **goinfrer** !* de manger comme des goinfres. *Il est d'une **goinfrerie** écœurante,* il se goinfre.

goitre n. m. Grosseur anormale située à l'avant du cou, causée par l'augmentation de volume de la glande thyroïde.

golden n. f. Variété de pomme à la peau jaune dorée.
Mot anglais qui se prononce [gɔldɛn].

golf n. m. Sport qui consiste à faire entrer une petite balle dans une série de trous répartis sur un parcours déterminé.
Homonyme : golfe.
> *Un tournoi de **golfeurs**,* de personnes qui pratiquent le golf.

Le golf est originaire d'Écosse, où il apparaît dès le XIIIe siècle. Il se joue à l'aide d'une canne (ou club). Il consiste à frapper la balle pour l'envoyer en un minimum de coups dans chacun des trous espacés entre eux de 100 à 500 m. Un parcours complet comprend 18 trous. Un championnat du monde est organisé tous les deux ans.

golfe n. m. Endroit d'une côte où la mer entre dans l'intérieur des terres.
Homonyme : golf.

gomme n. f. *1* Petit objet en caoutchouc ou en plastique qui sert à effacer. *2* Matière visqueuse qui suinte le long du tronc de certains arbres.
*Tu peux **gommer** les mots écrits au crayon,* les effacer avec une gomme (*1*). *Du papier **gommé**,* c'est du papier dont un côté est couvert de gomme (*2*) et qui colle quand on le mouille. *Faire un collage avec des **gommettes** de toutes les couleurs,* des morceaux de papier gommé.

Goncourt

Société littéraire créée selon le testament d'Edmond de Goncourt, écrivain français né en 1822 et mort en 1896. L'Académie Goncourt décerne, chaque année depuis 1903, le prix du même nom, qui récompense le roman français qu'elle considère comme le meilleur de l'année. Le jury est composé de dix écrivains. Le prix Goncourt est une récompense prestigieuse. Des auteurs comme Marcel Proust, André Malraux, Antonine Maillet et Michel Tournier l'ont reçu.

gond n. m. *1* Pièce de métal sur laquelle une porte ou une fenêtre pivote pour qu'on puisse l'ouvrir ou la fermer. *2 Sortir de ses gonds :* se mettre en colère.

gondole n. f. Barque longue et plate dont les extrémités sont relevées et effilées. *À Venise, on circule en gondole sur les canaux.*
Les *gondoliers* sont des bateliers qui conduisent les gondoles.

La gondole, qui existe depuis le VIIe siècle, prend sa forme actuelle au XVIe siècle. Peinte en noir, elle mesure environ 11 m de longueur pour une largeur de 1,20 à 1,50 m. Le gondolier la manœuvre debout, à l'aide d'un seul aviron placé à l'arrière, à tribord (à droite).

Gondole vénitienne.

se gondoler v. → conjug. **aimer.** Se déformer en se boursouflant à certains endroits. *Le papier peint se gondole à cause de l'humidité.*

gondolier n. m. → **gondole.**

gonfler v. → conjug. **aimer.** *1* Remplir d'air ou de gaz. *Gonfler un pneu, un ballon, une bouée.* *2* Augmenter de volume, enfler. *Sa cheville a gonflé après une chute.*
Contraire : **dégonfler.**
Un matelas, un coussin gonflables, qu'il faut gonfler (*1*) pour qu'ils prennent la forme normale qui permet de les utiliser. *Il faut vérifier le gonflage des pneus d'une voiture,* s'ils sont bien gonflés (*1*). *Une entorse provoque généralement le gonflement de la cheville,* la cheville gonfle (*2*). *On se sert d'un gonfleur pour gonfler (1) un matelas, un canot pneumatique, etc.*

gong n. m. Disque de métal qui résonne quand on le frappe avec un maillet.

goret n. m. Jeune porc. *La truie nourrit ses gorets.*
Synonyme : **porcelet.**

gorge n. f. *1* Partie intérieure du cou, au fond de la bouche. *Avoir mal à la gorge.* *2* Partie avant du cou. *Prendre son adversaire à la gorge.* *3* Vallée étroite et encaissée où coule une rivière ou un cours d'eau.

gorgée n. f. Quantité de liquide que l'on peut avaler en une seule fois. *Le bébé boit son lait à toutes petites gorgées.*

gorger v. → conjug. **ranger.** *1* Imprégner. *Le sol est gorgé d'eau après l'orage.* *2 Se gorger :* manger ou boire avec excès. *Il s'est gorgé de chocolat jusqu'à l'indigestion.*

gorille n. m. Singe d'Afrique équatoriale. *Les gorilles sont les plus grands de tous les singes.*

Romancier et auteur dramatique russe né en 1868 et mort en 1936. Son vrai nom est Alekseï Maksimovitch Pechkov. Orphelin, ayant dû travailler encore enfant, il prend le pseudonyme de Gorki, qui signifie « l'Amer » en russe. Gorki met son inspiration au service des classes exploitées, critique la bourgeoisie et développe ses idées révolutionnaires dans des romans et nouvelles (*Vingt-Six Gars et une fille*, 1899 ; *la Mère*, 1907) et des pièces de théâtre (*les Petits-Bourgeois*, 1902 ; *les Bas-Fonds*, 1902). Il doit quitter la Russie plusieurs fois à cause de ses idées, d'abord sous le régime du tsar, puis sous le régime soviétique. À partir de 1929, il rentre définitivement en URSS, où il devient l'écrivain officiel du régime.

gosier n. m. Fond de la gorge. *Crier à plein gosier.*

gosse n. Familier. Enfant. *Il s'amuse comme un gosse !*

gothique adj. Se dit d'un genre d'architecture.

L'architecture gothique apparaît en Occident au début du XIIe siècle et se développe jusqu'au XVIe siècle. Elle prend naissance dans le domaine royal français, avec la construction du chœur de la basilique Saint-Denis (vers 1140). Le style gothique se caractérise par l'utilisation de la croisée d'ogives et des arcs-boutants, qui donnent à l'édifice une allure élancée et permettent d'ouvrir de hautes fenêtres garnies de vitraux. De nombreuses cathédrales ont été construites en style gothique : Notre-Dame de

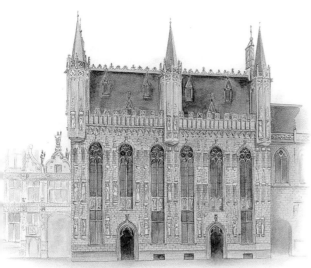
L'hôtel de ville de Bruges en Belgique.

Paris, les cathédrales de Chartres et de Reims en France, de Salisbury en Angleterre et de Cologne en Allemagne, par exemple. Mais il existe également des bâtiments gothiques civils.
Regarde aussi cathédrale.

gouache n. f. Peinture à l'eau, de consistance pâteuse. *Un tableau peint à la gouache.*

gouailleur, euse adj. Railleur et un peu vulgaire. *Un sourire gouailleur, un ton gouailleur.*

goudron n. m. Produit noir et visqueux qui provient de la distillation de la houille, du bois et qui est utilisé pour recouvrir les routes.
Goudronner une chaussée, un trottoir, un chemin, les recouvrir de goudron.

gouffre n. m. *1* Trou très profond. *Les spéléologues descendent dans les gouffres pour les explorer. 2* Au figuré. Ce qui provoque des dépenses exagérées. *L'entretien de cette grande maison est un véritable gouffre.*

goujat n. m. Homme qui se conduit grossièrement. *Ce goujat m'a tourné le dos quand je lui ai parlé.*
Synonymes : malotru, mufle.

goujon n. m. Petit poisson qui vit en eau douce.

goulet n. m. Passage étroit.

goulot n. m. Partie étroite qui forme le haut d'une bouteille, d'un flacon. *Boire au goulot.*

goulu, ue adj. Qui mange avec voracité.
Synonymes : glouton, vorace.
Le chien avale goulûment sa pâtée, de façon goulue, voracement.

goupillon n. m. *1* Brosse à longue tige dont les poils sont disposés de façon cylindrique. *Nettoyer un biberon avec un goupillon. 2* Petit objet dont le manche se termine par une boule creuse, qui sert à asperger avec de l'eau bénite.

gourd, gourde adj. Engourdi, raidi par le froid. *Avoir les doigts gourds.*

gourde n. f. *1* Petit récipient qui sert à transporter des boissons. *La gourde d'un campeur, d'un soldat. 2* Familier. Personne sotte, maladroite. *Ce garçon est serviable, mais c'est une vraie gourde !*

gourdin n. m. Gros bâton utilisé comme arme. *Recevoir un coup de gourdin sur la tête.*

gourmand, ande adj. et n. Qui apprécie la bonne cuisine, les sucreries.
Il a fini le plat par gourmandise, parce qu'il est gourmand.

gourmet n. m. Personne qui est capable d'apprécier les plats raffinés, les bons vins.
Synonyme : gastronome.

gourmette n. f. Bracelet formé de maillons plats. *Une gourmette en argent.*

gourou n. m. Maître spirituel qui a une grande influence sur ses disciples.

gousse n. f. *1* Enveloppe de certaines graines. *Une gousse de petits pois. 2* Gousse d'ail :* chacune des parties qui forment une tête d'ail.
Synonyme : cosse (1).

gousset n. m. Petite poche plate d'un gilet qui servait, autrefois, à mettre sa montre.

goût n. m. *1* L'un des cinq sens, qui sert à reconnaître les différentes saveurs des aliments. *2* Saveur des aliments. *Ces fruits ne sont pas assez mûrs, ils n'ont aucun goût. 3* Attirance, préférence, que l'on a pour quelque chose. *Elles s'entendent très bien, elles ont les mêmes goûts. 4* Faculté de faire la différence entre ce qui est beau et laid. *Avoir bon goût, mauvais goût. S'habiller avec goût.*

Les organes du goût se trouvent dans la bouche. Ce sont de minuscules excroissances appelées papilles gustatives, principalement situées sur la langue. L'homme possède environ 10 000 papilles gustatives !
Regarde page suivante.

goûter v. et n. m.
• v. → conjug. **aimer.** *1* Absorber une petite quantité d'un aliment ou d'une boisson pour connaître son goût. *Il aime goûter les plats qu'il ne connaît pas. 2* Prendre un goûter. *Elle goûte en rentrant de l'école.*

goutte

• n. m. Petit repas léger que l'on prend dans le courant de l'après-midi.
Homonyme : goutter.

goutte n. f. **1** Petite quantité de liquide de forme ronde. *Des gouttes de pluie. Des gouttes de sueur.* **2** Très petite quantité d'un liquide. *Je prendrais bien une goutte de vin avec le fromage.* **3** *Goutte à goutte :* une goutte après une autre. **4** *Se ressembler comme deux gouttes d'eau :* être exactement semblables. **5** Au pluriel. Médicament liquide qui s'utilise sous forme de gouttes. *Des gouttes pour les yeux. Des gouttes pour les oreilles.*

*L'herbe est couverte de **gouttelettes** de rosée, des petites gouttes (1). Il faut réparer ce robinet qui **goutte**, qui laisse échapper l'eau goutte à goutte (3).*

goutte-à-goutte n. m. inv. Appareil utilisé pour faire une perfusion à un malade.

gouttelette n. f., **goutter** v. → goutte.

gouttière n. f. Conduit disposé le long d'un toit pour recueillir l'eau de pluie.

gouvernail n. m. **Plur. : des gouvernails.** Pièce mobile fixée à l'arrière d'un bateau ou d'un avion et servant à le diriger. *Tenir la barre du gouvernail.*

le goût

Les récepteurs du goût et ceux de l'odorat travaillent ensemble pour nous faire percevoir la saveur des aliments que nous absorbons.

la langue

Composée d'une quinzaine de muscles qui la rendent très mobile, la langue est recouverte d'une muqueuse, une membrane qui se prolonge en arrière de la bouche. Cette muqueuse porte les papilles gustatives. Chaque papille est reliée à une terminaison nerveuse qui transmet les sensations au cerveau.

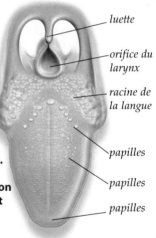

luette

orifice du larynx

racine de la langue

papilles

papilles

papilles

les saveurs

Selon leur forme et leur emplacement, les papilles permettent de percevoir des saveurs différentes. Il existe quatre saveurs fondamentales : le salé, le sucré, l'acide et l'amer.

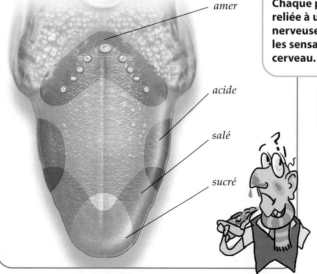

amer

acide

salé

sucré

■ **La perte de l'odorat entraîne la perte d'une grande partie du goût.** C'est pourquoi l'on perçoit moins les saveurs lorsque l'on est enrhumé.

■ **Les papilles nous permettent aussi d'évaluer la température des aliments ainsi que leur texture.**

Dans l'Antiquité, ce sont deux rames disposées à l'arrière de l'embarcation, l'une à droite et l'autre à gauche, qui servent de gouvernail. Puis, à partir du Xᵉ siècle, on n'utilise plus qu'un seul aviron que l'on place généralement du côté arrière droit.

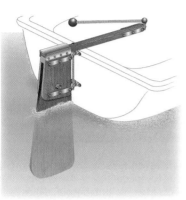

Le gouvernail d'étambot, lui, est inventé au XIIIᵉ siècle. Il s'agit d'une pièce de bois montée sur un axe vertical, à l'arrière, et qui peut être aisément actionnée. Cette invention est à l'origine de grands progrès dans la navigation.

gouvernant, ante n. et n. f.
• n. Personne qui fait partie d'un gouvernement.
• n. f. Femme chargée du soin et de l'éducation des enfants dans une famille. *De nos jours, le métier de gouvernante est moins courant qu'autrefois.*

gouverner v. → conjug. **aimer.** Diriger la vie politique d'un pays. *Gouverner une nation avec sagesse et prudence.*

> L'opposition critique le *gouvernement*, l'ensemble des hommes politiques qui gouvernent. *La politique gouvernementale d'un pays*, la politique du gouvernement. *Le gouverneur de l'État de New York*, l'homme politique qui gouverne cet État.

goyave n. f. Fruit tropical, très sucré.

Originaire des régions tropicales du continent américain, la goyave est un fruit de couleur brun-rouge, de la taille d'une petite orange. Elle se consomme généralement fraîche ou en jus, mais on en fait également de la confiture et des pâtes de fruits.

grabat n. m. Lit en très mauvais état.

grabataire adj. Qui est incapable de quitter son lit. *Un malade grabataire.*

grabuge n. m. Familier. Bruit, désordre, querelle. *La discussion s'envenime, il va y avoir du grabuge !*

grâce n. f. et prép.
• n. f. **1** Charme et élégance des mouvements, des attitudes. *Elle danse avec grâce. Un geste plein de grâce.* **2** Décision qui supprime la peine à laquelle une personne a été condamnée. *En France, le président de la République a le droit de grâce.* **3** *De bonne grâce, de mauvaise grâce :* en mettant de la bonne volonté, de la mauvaise volonté. *Il aide toujours les autres de bonne grâce.* **4** *Être dans les bonnes grâces de quelqu'un :* être estimé et protégé par quelqu'un. *Depuis quelque temps, il est dans les bonnes grâces de son patron.*
• prép. *Grâce à :* avec l'aide de. *L'incendie a été maîtrisé grâce aux pompiers.*

gracier v. → conjug. **modifier.** Annuler la peine à laquelle une personne est condamnée. *Gracier un condamné à mort.*

Goya y Lucientes Francisco de

Peintre et graveur espagnol né en 1746 et mort en 1828. Goya apprend les techniques de la peinture dès l'âge de quatorze ans. Il est influencé par les artistes italiens et par les œuvres de Vélasquez. Son style est frais et lumineux.
À partir de 1786, il devient le peintre officiel du roi et réalise les portraits des personnages de la Cour. Mais une grave maladie, qui le frappe en 1792 et le rend sourd, donne un tour dramatique à sa peinture. Isolé, critiquant les mœurs de la société, dénonçant la guerre, Goya produit alors des œuvres violentes, où l'angoisse est souvent traduite par des tons sombres *(les Désastres de la guerre ; les Fusillades du 3 mai ; Saturne dévorant ses enfants…)*. De nombreux artistes du XIXᵉ siècle ont été influencés par sa peinture.

Les Fusillades du 3 mai

gracieusement adv. *1* Avec grâce. *Les cygnes évoluent gracieusement sur le lac.* *2* Gratuitement. *Ces catalogues sont distribués gracieusement à la clientèle.*

gracieux, euse adj. *1* Qui a de la grâce, du charme, de l'élégance. *Une chatte au corps souple et gracieux.* *2* À titre gracieux : gratuitement.

gracile adj. Mince, délicat, fin, élancé. *Une petite fille au corps gracile.*

gradation n. f. Progression par degrés successifs. *Certains interrupteurs permettent de régler la gradation de la lumière.*

grade n. m. Rang, degré dans un classement ou dans une hiérarchie. *Il a le grade de lieutenant dans l'armée de l'air. Monter en grade.*

> *Un adjudant est un **gradé**, un militaire qui a un grade dans l'armée.*

La hiérarchie militaire des trois armées françaises (armée de terre, marine et armée de l'air) distingue, dans l'ordre décroissant : les officiers généraux, les officiers supérieurs, les officiers subalternes, les sous-officiers, les hommes du rang. Dans l'armée de terre, il existe une distinction supplémentaire, le maréchal de France, qui est la dignité la plus élevée, accordée par l'État pour récompenser un officier. À chaque grade correspond un insigne distinctif.

gradin n. m. Rangée de bancs ou construction disposée en escalier. *Les gradins d'un stade.*

graduation n. f. Traits marqués sur un objet pour indiquer des mesures, des quantités. *Les graduations d'un biberon. Les graduations d'une règle.*

graduel, elle adj. Qui se fait peu à peu, par degrés successifs. *Le refroidissement graduel de la température.*

> *L'état de santé du malade s'améliore **graduellement**, de manière graduelle.*

graduer v. → conjug. **aimer**. *1* Marquer des divisions, des degrés sur un instrument, un appareil. *Une règle graduée. Un thermomètre gradué.* *2* Augmenter peu à peu. *Graduer les difficultés.*

graffiti n. m. Inscription, dessin griffonnés sur un mur. *Faire des graffitis.*

grain n. m. *1* Graine d'une céréale. *Un grain de blé, de maïs.* *2* Petit fruit arrondi de certains végétaux. *Un grain de raisin, de poivre.* *3* Très petite parcelle de matière. *Un grain de sable, de sel.* *4* Aspect plus ou moins lisse ou rugueux d'une surface ou d'une matière. *Ce cuir est d'un grain très fin.* *5* Vent fort et soudain, parfois accompagné d'une averse. *Ces nuages noirs annoncent un grain.* *6* Grain de beauté :

petite tache brune sur la peau. *7* Familier. Avoir un grain : avoir l'esprit un peu dérangé.

graine n. f. *1* Élément d'une plante qui peut germer dans la terre pour donner une nouvelle plante. *Semer des graines de fleurs.* *2* Familier. En prendre de la graine : suivre un exemple, prendre comme modèle.

> *Les **grainetiers** sont des commerçants qui vendent des graines (1).*

graisse n. f. *1* Substance grasse qui s'accumule sous la peau du corps d'un homme ou d'un animal. *Des bourrelets de graisse.* *2* Corps gras utilisé pour lubrifier les pièces d'un mécanisme, d'une machine. *3* Matière grasse utilisée en cuisine.

> ***Graisser** un moteur, c'est enduire de graisse (2) les pièces de ce moteur. Les rouages de ce mécanisme ont besoin d'un **graissage**, ils ont besoin d'être graissés pour fonctionner. Une chemise **graisseuse**, salie de taches de graisse (3).*

graminée n. f. Plante à tige creuse qui produit des fleurs minuscules groupées en épis. *Les céréales, les herbes de prairie, les roseaux sont des graminées.*

grammaire n. f. Ensemble des règles qu'il faut appliquer quand on veut écrire ou parler correctement une langue.

> *Les **grammairiens** sont des spécialistes de la grammaire. Apprendre les règles **grammaticales**, de la grammaire.*

gramme n. m. Unité de mesure de poids. *Il y a 1 000 grammes dans un kilogramme.*

grand, grande adj., n. et adv.

● adj. *1* Qui est de taille élevée. *Une femme grande et mince.* *2* Aîné. *Mon grand frère.* *3* Qui a des dimensions importantes. *Un grand jardin. Avoir de grandes mains.* *4* Qui est plus intense ou plus puissant. *Gaspard a très peur, il part en poussant de grands cris. Rouler à grande vitesse.* *5* Qui est remarquable par ses dons, son talent, qui est célèbre par ses œuvres. *Bach est un grand musicien.* **Contraires : petit (1, 2 et 3), faible (4).**

● n. Enfant plus âgé par comparaison avec d'autres. *L'an prochain, je serai dans la classe des grands.*

● adv. *Voir grand :* avoir des projets ambitieux. *C'est un homme d'affaires qui voit grand.*

grand-chose pron. *Pas grand-chose :* presque rien. *Il n'y a pas grand-chose à faire.*

grand duc n. m. → hibou.

Grande-Bretagne → Royaume-Uni.

grandeur n. f. *1* Dimensions, taille. *Ces deux pièces sont à peu près de la même grandeur.* *2* Qualité de ce qui est important, puissant, remarquable. *La grandeur* *d'une nation.* ***3*** *Grandeur d'âme :* noblesse, dignité, générosité d'une personne.

grandiloquent, ente adj. Qui s'exprime de manière prétentieuse en employant de grands mots. *Un orateur grandiloquent.*
Synonyme : emphatique.
> *Il s'est adressé à la foule avec* ***grandiloquence****, de manière grandiloquente.*

grandiose adj. Impressionnant de grandeur ou de majesté. *Une cérémonie grandiose.*

grandir v. → conjug. **finir.** ***1*** Devenir plus grand. *Cet enfant grandit très vite.* ***2*** Devenir plus intense, augmenter. *Le mécontentement grandit dans la population.*
Contraires : rapetisser (*1*), diminuer (*2*).

grand-mère n. f. **Plur. : des grands-mères.** Mère du père ou de la mère d'une personne.

grand paon de nuit n. m. Papillon de nuit.

à grand-peine adv. Difficilement, péniblement. *Avancer à grand-peine à travers la jungle.*

grand-père n. m. **Plur. : des grands-pères.** Père du père ou de la mère d'une personne.

Grands Lacs

Ensemble de cinq lacs de l'est de l'Amérique du Nord, partagés entre les États-Unis et le Canada : Supérieur, Michigan, Huron, Érié et Ontario. Les Grands Lacs communiquent entre eux : avec 246 000 km² en tout, ils représentent la plus vaste étendue d'eau douce du monde. Le lac le plus à l'est, l'Ontario, est relié à l'océan Atlantique par le Saint-Laurent. Le fleuve Niagara, sur lequel se trouvent les célèbres chutes, relie les lacs Érié et Ontario. Les Grands Lacs, voie de communication naturelle, ont joué un rôle important dans le développement de la région. Chicago, Detroit, Cleveland aux États-Unis, et Toronto au Canada font partie des grandes villes qui se sont développées sur leurs rives.

---

grands-parents n. m. plur. Les parents des parents d'une personne.

grand-voile n. f. **Plur. : des grands-voiles** ou **des grand-voiles.** La plus grande voile d'un voilier. *Hisser la grand-voile.*

grange n. f. Bâtiment qui sert à entreposer les récoltes, le fourrage.

granit n. m. Roche très dure et granuleuse.
On écrit aussi : granite.
> *Une roche* ***granitique****,* formée de granit.

granulé n. m. Petite quantité d'un aliment ou d'un médicament, qui a la forme d'un petit grain.

granuleux, euse adj. Qui est formé ou recouvert de petits grains. *Une roche granuleuse.*

graphique adj. et n. m.
● adj. Qui est représenté par des signes écrits ou dessinés. *Les lettres de l'alphabet sont des représentations graphiques des sons.*
● n. m. Ligne qui joint différents points pour représenter les variations d'une chose. *Tracer le graphique des températures d'une région pour une année.*

graphisme n. m. Manière de tracer des traits, de dessiner, particulière à un artiste.

graphologie n. f. Étude de l'écriture d'une personne, destinée à connaître son caractère.
> *Une analyse* ***graphologique*** *est effectuée grâce aux techniques de la graphologie. Les* ***graphologues*** *sont des spécialistes de la graphologie.*

grappe n. f. Assemblage de fleurs ou de fruits sur une même tige. *Une grappe de raisin. Les fleurs de glycine poussent en grappes.*

grappiller v. → conjug. **aimer.** Cueillir ici et là. *Grappiller des fruits sur les arbres.*

grappin n. m. Ancre à plusieurs branches en forme de crochets recourbés.

gras, asse adj. et n. m.
● adj. ***1*** Constitué de graisse. *Le beurre est un corps gras.* ***2*** Qui a beaucoup de graisse. *Un petit cochon gras et rose.* ***3*** Qui est imprégné ou taché de graisse. *Avoir les mains grasses. Des papiers gras.* ***4*** *Caractères gras :* caractères d'imprimerie épais. *Les titres sont en caractères gras.* ***5*** *Plante grasse :* plante à feuilles épaisses et charnues. ***6*** *Faire la grasse matinée :* rester couché tard dans la matinée.
Contraire : maigre (*2*).
● n. m. Partie grasse d'une viande. *Le gras d'une côtelette, d'une tranche de jambon.*
> *Un bébé* ***grassouillet****,* un peu gras (*2*).

grassement adv. Largement, généreusement. *Un travail facile et grassement payé.*

grassouillet, ette adj. → **gras.**

gratifiant, ante adj. Qui procure une grande satisfaction personnelle. *Un travail gratifiant.*

gratifier v. → conjug. **modifier.** Accorder un don, une faveur, une somme d'argent supplémentaire. *Gratifier quelqu'un d'un sourire.*

Ces employés ont reçu une gratification *en fin d'année,* ils ont été gratifiés d'une certaine somme en plus de leur salaire normal.

gratin n. m. Plat recouvert de fromage ou de chapelure que l'on fait dorer au four. *Un gratin de pommes de terre.*

Faire gratiner *des pâtes au four,* les préparer en gratin.

gratis adv. Familier. Gratuitement. *Il a des entrées gratis pour le spectacle.*
On prononce [gʀatis].

gratitude n. f. Reconnaissance. *Il éprouve beaucoup de gratitude pour ceux qui l'ont aidé.*
Contraire : ingrati-tude.

gratte-ciel n. m. inv. Immeuble très haut. *C'est à New York que les premiers gratte-ciel ont été construits.* **En France, on dit plutôt : une tour.**

Les tours de Manhattan à New York (États-Unis).

gratter v. → conjug. **aimer.** *1* Racler une surface avec un instrument, avec ses ongles ou ses griffes. *Gratter un parquet avant de le cirer. Le chien gratte la terre. 2* Provoquer des démangeaisons. *Cette écharpe de laine gratte le cou. 3 Se gratter :* frotter avec ses ongles une partie de son corps qui démange. *Se gratter le nez.*

On entend les grattements *de la chatte derrière la porte,* le bruit qu'elle fait en grattant (*1*). *Certains artisans comme les graveurs et les relieurs se servent d'un* grattoir, *un outil pour gratter (*1*) une surface, une matière.*

gratuit, e adj. *1* Que l'on obtient sans payer. *Avoir des billets gratuits pour un concert. 2* Qui est fait sans motif valable ou sans preuve. *Une accusation gratuite. Une méchanceté gratuite.*

Soigner gratuitement *des personnes sans ressources,* de façon gratuite (*1*). *Certaines personnes bénéficient de la* gratuité *des transports en commun,* de leur caractère gratuit.

gravats n. m. plur. Débris qui proviennent d'une démolition. *Un chantier couvert de gravats.*

grave adj. *1* Qui peut avoir des conséquences dangereuses, fâcheuses. *Une grave maladie. La situation est grave. 2* Qui est très sérieux. *Il regarde le coupable d'un air grave. 3* Qui fait entendre des sons bas. *Il a une voix grave.*
Contraires : bénin (*1*), aigu (*3*).

gravement adv. *1* De façon grave, dangereuse. *Être gravement blessé. 2* Avec sérieux, solennité. *Il m'a gravement reproché mes mensonges.*

graver v. → conjug. **aimer.** *1* Marquer quelque chose en creux à l'aide d'un objet pointu. *Graver une inscription sur du marbre. 2* Au figuré. Fixer dans sa mémoire. *Ce drame est resté gravé dans son esprit.*

graveur n. m. → **gravure.**

gravier n. m. Ensemble de petits cailloux. *S'écorcher les genoux en tombant sur le gravier.*

gravillon n. m. Gravier très fin utilisé dans la construction des routes ou des chemins.

gravir v. → conjug. **finir.** Grimper avec difficulté, avec peine. *Gravir une côte abrupte.*

gravitation n. f. Phénomène physique universel suivant lequel tous les corps existants sont soumis à des forces qui les attirent mutuellement.

gravité n. f. *1* Caractère de ce qui est dangereux. *Elle s'est fait une petite blessure sans gravité. 2* Caractère d'une personne sérieuse, austère, comportement sérieux. *Tout le monde est impressionné par la gravité de son regard. 3* Force d'attraction exercée par la Terre sur les objets, qui les rend pesants et les entraîne vers le bas.*

graviter v. → conjug. **aimer.** Tourner, suivant une même trajectoire, autour d'un astre qui exerce son attraction. *La Terre et les autres planètes gravitent autour du Soleil.*

gravure n. f. *1* Art de graver des dessins, des inscriptions sur un support. *Faire de la gravure sur bois, sur pierre. 2* Image, illustration obtenues à partir d'un dessin gravé. *Une gravure de Picasso.*

Un graveur *est un artisan ou un artiste qui pratique la gravure (*1*).*

gré n. m. *1 Au gré de quelque chose ou de quelqu'un :* selon les circonstances ou selon les goûts. *Naviguer au gré du vent. Agir à son gré. 2 De plein gré :* librement, sans y être forcé. *3 Bon gré mal gré :* en étant d'accord ou pas. *Il nous aidera bon gré mal gré. 4 De gré ou de force :* volontairement ou par force. *Elle finira bien par nous suivre de gré ou de force. 5 Savoir gré :* être reconnaissant. *Je vous saurais gré de bien vouloir m'aider.*

grèbe n. m. *Grèbe huppé :* oiseau vivant près des plans d'eau et qui se nourrit de poissons et d'insectes.

Grèce

République du sud-est de l'Europe. Bordée au nord par plusieurs pays, la Grèce est, pour le reste, entourée par la mer. Elle englobe près de 500 îles et îlots, dont une centaine sont habités.

Près de la moitié du territoire est montagneux. À l'ouest et au sud, on trouve les chaînes du Pinde et du Péloponnèse (mont Parnasse, 2 457 m). À l'est et au nord se dressent les massifs de Thessalie et de Macédoine (mont Olympe, 2 917 m, point culminant du pays). Le climat est méditerranéen dans le sud, sur les côtes et dans les îles. Les montagnes du nord-ouest ont un climat humide l'été et froid l'hiver. L'agriculture se fonde principalement sur la culture du blé, de l'olivier, du coton et de la vigne. La production industrielle est orientée vers l'agroalimentaire, le textile et la métallurgie. La Grèce possède la plus importante marine marchande du monde.

Le tourisme est une des principales ressources du pays. Berceau d'une des civilisations les plus brillantes de l'Antiquité, la Grèce possède un riche patrimoine architectural et artistique.

La Grèce appartient à l'Union européenne.

Regarde p. 506 et 507.

131 944 km²
10 970 000 habitants :
les Grecs
Langues : grec, turc,
albanais…
Monnaie : euro
(ex-drachme)
Capitale : Athènes

Greco (le)

Peintre espagnol d'origine crétoise né en 1541 et mort en 1614. Son vrai nom est Dhomínikos Theotokópoulos. Le Greco travaille d'abord à Venise, dans l'atelier de Titien, puis à Rome, où il rencontre Michel-Ange. En 1577, il s'installe en Espagne, qu'il ne quittera plus. La composition de ses toiles est complexe, de tons souvent sombres, rendant parfois l'atmosphère inquiétante. Les corps sont étirés, les visages creusés, les mains décharnées. Les thèmes traités par le Greco sont souvent religieux (*Adoration du nom de Jésus ; Martyre de saint Maurice ; Baptême du Christ…*). Pour le roi Philippe II, il peint un de ses tableaux les plus célèbres, *l'Enterrement du comte d'Orgaz* (1586).

gredin n. m. Homme malhonnête. *Ce gredin a fini en prison.*

gréement n. m. Ensemble des voiles, des cordages, des poulies qui sert à la manœuvre d'un bateau à voiles.

*L'équipage a **gréé** le voilier pour la course,* l'a équipé de son gréement.

Greenwich

Localité anglaise située dans la banlieue de Londres. Un méridien passe par l'ancien observatoire royal de Greenwich. Appelé méridien de Greenwich, il est utilisé dans le monde entier comme méridien d'origine (méridien 0°) depuis 1885.

1. greffe n. m. Bureau d'un tribunal où l'on conserve des documents, des jugements concernant les procès. *Les **greffiers** sont des fonctionnaires travaillant au greffe d'un tribunal.*

2. greffe n. f. *1* Opération qui consiste à fixer une branche ou un bourgeon d'une plante sur une autre plante. *On pratique des greffes sur des arbres fruitiers pour obtenir de nouvelles variétés de fruits. 2* Opération chirurgicale qui consiste à transplanter un organe sain dans le corps d'une personne pour remplacer un organe malade. *Une greffe du cœur, du foie.*

*Un **greffon** est la partie d'une plante que l'on utilise pour faire une greffe (1).*

L'Enterrement du comte d'Orgaz

la Grèce antique

À partir de 2600 av. J.-C., divers peuples se réunissent et fondent une civilisation extraordinaire dont la culture et la langue vont s'étendre à tout le bassin méditerranéen, et jusqu'en Orient.

la naissance de la Grèce

La Grèce antique rassemble des peuples issus d'une vieille culture commune. Ceux-ci vivent dans les cités, petits États organisés autour d'une ville. Malgré les luttes d'influence entre cités, elles s'unissent parfois, notamment à l'occasion de la guerre de Troie vers 1200 av. J.-C. Les peuples grecs, menés par les Achéens, partent alors assiéger et vaincre la cité troyenne. L'*Iliade* de Homère, qui relate un épisode de cette guerre, est le texte fondateur de la littérature et de l'unité grecques.

Homère.

l'expansion hellénique

Au cours des siècles suivants, les Grecs – appelés aussi Hellènes – créent de nombreuses colonies autour de la Méditerranée comme Marseille, au VIIᵉ siècle av. J.-C. À la fin du VIᵉ siècle, la puissante cité d'Athènes invente et adopte la démocratie : l'assemblée du peuple vote les lois et discute de la vie de la cité, elle désigne et surveille tous les magistrats chargés d'appliquer les lois et d'administrer l'État.

le siècle de Périclès

Au début du Vᵉ siècle av. J.-C., les Perses tentent d'envahir la Grèce : ce sont les « guerres médiques ». Athènes, dirigée par Périclès, remporte alors deux victoires décisives (Marathon et Salamine) et démontre sa supériorité militaire et politique. Périclès étend ses colonies et son commerce. Il favorise les arts, appelle les plus grands artistes pour embellir Athènes dont il fait le centre de la culture grecque.

Athéna.

De 461 à 429, Périclès fait contribuer les alliés à la reconstruction de l'Acropole, la colline qui domine Athènes. Des monuments sont érigés à la gloire d'Athéna, déesse protectrice de la ville.

des dieux, des rites et des jeux

Les Grecs ont en commun de nombreux dieux, à qui ils prêtent des traits humains, et dont la mythologie raconte les aventures. Ils leur élèvent des temples où ils leur apportent des offrandes ou leur sacrifient des animaux, en échange de leur protection. Les principaux dieux habitent le mont Olympe, autour de Zeus et d'Héra. Beaucoup ont des attributions particulières : Hadès règne aux Enfers, Poséidon sur la mer, Aphrodite dispense l'amour et la beauté… Dans des lieux sacrés, les sanctuaires, les Grecs honorent leurs dieux par de grandes cérémonies accompagnées de compétitions musicales et sportives, comme les jeux Olympiques, créés dès le VIIIe siècle av. J.-C.

Poséidon.

Aphrodite.

les arts et le théâtre

L'art grec s'affirme dans tous les domaines : architecture, peinture, céramique, mais surtout dans la sculpture, où des artistes célèbres, Myron *(Le Discobole)*, Praxitèle *(Aphrodite)*, Phidias *(Apollon)* ont réalisé des œuvres d'une extraordinaire beauté. Le théâtre, né à Athènes, permettait à tous les citoyens, même les plus pauvres, d'assister aux représentations, où les acteurs jouaient le visage masqué. Au siècle de Périclès, la culture grecque s'est enrichie de grands auteurs comme Eschyle, Euripide, Sophocle et Aristophane.

Alexandre le Grand

Dès la fin du Ve siècle av. J.-C., des guerres opposent les grandes cités grecques et les affaiblissent. Le roi de Macédoine, Philippe II, leur impose sa loi. Entre 336 et 323, son fils, Alexandre le Grand, crée un immense empire allant de l'Égypte à l'Inde. L'Empire ne survit pas à Alexandre, mais la civilisation grecque continuera d'influencer durablement l'Asie et le monde romain.

Alexandre le Grand.

greffer v. → conjug. **aimer.** *1* Faire une greffe, en parlant des plantes. *Greffer un pommier.* *2* Réaliser la greffe, la transplantation d'un organe. *Greffer un rein à un malade.* *3* *Se greffer :* s'ajouter. *Des propositions nouvelles se greffent sur notre projet de départ.*

greffier, ère n. → greffe 1.

greffon n. m. → greffe 2.

grégaire adj. Se dit d'une espèce animale que son instinct pousse à vivre en groupe. *Les moutons, les bisons sont des animaux grégaires.*

grège adj. D'une couleur beige tirant sur le gris. *Une veste grège.*

1. grêle adj. *1* Qui est long et mince et paraît fragile. *Une petite fille aux jambes grêles.* *2* Qui a un son aigu et faible. *Une voix grêle.* *3* *Intestin grêle :* partie la plus longue et la plus étroite de l'intestin.

2. grêle n. f. Pluie qui tombe sous la forme de gouttes gelées. *La grêle a endommagé les cultures.*
   Il **grêle** *souvent en montagne,* il tombe de la grêle. *Des* **grêlons** *gros comme des billes,* des grains de glace qui tombent quand il grêle.

grelot n. m. Petite clochette sphérique. *L'âne porte un collier à grelots.*

grelotter v. → conjug. **aimer.** Trembler. *Grelotter de froid, de fièvre.*

grenade n. f. *1* Fruit rond couvert d'une écorce épaisse et contenant de nombreux petits grains rouges comestibles. *2* Petit engin explosif qu'on lance à la main ou avec un fusil.
   Boire de la **grenadine**, du sirop fait à partir du jus de la grenade (*1*).

Fruit de la taille d'une pomme, la grenade est couverte d'une peau très coriace. L'intérieur du fruit renferme des graines enveloppées dans une pulpe rose et sucrée. Les grenades se consomment fraîches. Une espèce est utilisée pour la fabrication du sirop de grenadine.

grenadier n. m. *1* Petit arbre des pays chauds qui donne des grenades. *2* Nom donné autrefois aux soldats qui lançaient des grenades.

grenadine n. f. → grenade.

grenat adj. inv. D'une couleur rouge sombre. *Des chaussettes grenat.*

grenier n. m. Partie d'une maison qui se situe sous le toit. *Il aime fouiller dans les vieilles malles du grenier.*

Grenoble

Ville française de la Région Rhône-Alpes, située sur les bords de l'Isère. Important pôle industriel, Grenoble est aussi une ville universitaire réputée et un centre de recherches scientifiques. On peut y voir la cathédrale Notre-Dame (XIIe-XIIIe siècles), l'église Saint-Laurent (XIe-XIIe siècles), et un palais de justice des XVe et XVIe siècles. Grenoble possède de riches musées. Ancienne cité gauloise, la ville prend, au temps des Romains, le nom de Gratianopolis, d'où dérive Grenoble ; elle est rattachée à la couronne de France en 1349.

38

Préfecture de l'Isère
156 203 habitants : les Grenoblois

Grenade

Démocratie parlementaire du sud des Petites Antilles. Grenade comprend l'île de la Grenade et les îles voisines de Carriacou et de Petite Martinique. Le relief est peu élevé, le climat tropical et la végétation abondante. L'économie du pays repose sur l'agriculture. Grenade est le 2e producteur mondial de noix de muscade.
   Le tourisme est également une ressource économique importante.
   Alternativement sous domination française et anglaise à partir de 1650, Grenade devient britannique en 1783. Elle est indépendante depuis 1974 et membre du Commonwealth. Grenade n'a pas de président ; elle est dirigée par un gouverneur, qui représente la reine d'Angleterre, et un Premier ministre élu.

344 km²
81 000 habitants :
les Grenadiens
Langue : anglais
Monnaie : dollar des
Caraïbes orientales
Capitale : Saint George's

grenouille n. f. Petit animal amphibie qui peut sauter grâce à ses longues pattes postérieures. *Les grenouilles coassent dans la mare.*

grès n. m. *1* Roche dure composée de grains de sable unis par une sorte de ciment naturel. *2* Pâte d'argile mélangée de sable fin, utilisée pour faire des poteries. *Une cruche en grès.*

grésil n. m. Grêle formée de très fins petits grêlons blancs et durs.

grésiller v. → conjug. **aimer.** Faire entendre de légers crépitements. *L'huile grésille quand on la chauffe.*

> On entend le **grésillement** des bûches dans la cheminée, le bruit des bûches qui grésillent en brûlant.

Greuze Jean-Baptiste

Peintre français né en 1725 et mort en 1805. Dans ses tableaux, qui représentent généralement des scènes populaires, Greuze cultive un style moralisateur qui fait son succès auprès de la bourgeoisie de son temps. Il devient célèbre avec des toiles comme *le Père lisant la Bible à sa famille* (1755), *le Fils puni* (1777) et *la Malédiction paternelle* (1777). Il est aussi l'auteur de beaux portraits. Peu à peu délaissé par le public, il finit sa vie dans la misère.

La Malédiction paternelle

1. grève n. f. Bande de terrain formée de sable ou de cailloux, le long de la mer ou d'un cours d'eau. *Les pêcheurs tirent leur bateau sur la grève.*

2. grève n. f. Arrêt de travail décidé collectivement par des personnes salariées pour protester ou pour obtenir des avantages. *Faire la grève, se mettre en grève.*

> Les **grévistes** sont les travailleurs qui participent à une grève.

gribouiller v. → conjug. **aimer.** Écrire ou dessiner des signes, des traits illisibles, qui ne représentent rien.

> Faire des **gribouillages** sur un cahier, c'est gribouiller.

grief n. m. Ce que l'on reproche à quelqu'un. *Elle a de nombreux griefs contre son mari.*

grièvement adv. Gravement. *Les victimes de l'accident sont grièvement blessées.*

griffe n. f. *1* Ongle pointu et crochu de certains animaux. *Les griffes d'un ours, d'un perroquet. 2* Marque cousue à l'intérieur d'un vêtement et qui porte le nom de son créateur. *La griffe d'un grand couturier.*

> *La chatte* **griffe** *quand on l'approche*, elle donne des coups de griffe (*1*). *Avoir les jambes couvertes de* **griffures**, de marques faites par des griffes (*1*).

griffon n. m. Chien au poil rêche et touffu.

Il existe plusieurs variétés de griffons. Le griffon d'arrêt à poil dur mesure de 55 à 60 cm pour un poids d'environ 25 kg. Il est généralement gris avec des taches brunes. Son poil ressemble à celui du sanglier. Il a un corps robuste, avec une queue courte et un museau carré garni d'une grosse moustache. C'est un chien intelligent, excellent chasseur, très attaché à son maître.

griffonner v. → conjug. **aimer.** Écrire très rapidement et mal. *Griffonner quelques mots sur une carte postale.*

> Tous ces **griffonnages** sont illisibles, ces mots griffonnés.

griffure n. f. → **griffe.**

grignoter v. → conjug. **aimer.** Manger à petites bouchées, du bout des dents. *Grignoter un biscuit.*

grigri n. m. Petit objet considéré comme un porte-bonheur.

gril n. m. Ustensile métallique pour faire cuire des aliments à feu vif. *Préparer des poissons sur le gril.*

grillade n. f. → **griller.**

grillage n. m. Clôture faite de fils métalliques entre-croisés. *Le jardin est entouré d'un grillage.*

> On a **grillagé** les fenêtres du rez-de-chaussée, on les a garnies d'un grillage.

grille n. f. *1* Assemblage de barreaux métalliques parallèles. *Les grilles du parc sont fermées la nuit. 2* Tableau fait de plusieurs cases formant un quadrillage. *Une grille de mots croisés.*

grille-pain n. m. inv. Appareil qui sert à faire griller des tranches de pain.

griller v. → conjug. **aimer.** *1* Cuire à feu vif ou sur un gril. *Faire griller des saucisses.* *2* Dessécher, faire mourir des plantes. *Le gel a grillé les bourgeons.* *3* Familier. *Griller un feu rouge :* ne pas s'arrêter à un feu rouge.

    Nous avons fait des **grillades** *au barbecue,* de la viande grillée (*1*).

grillon n. m. Insecte sauteur, de couleur noire, qui produit un bruit strident quand il frotte ses élytres l'une contre l'autre.

grimace n. f. *1* Déformation, volontaire ou involontaire, des muscles du visage. *Les grimaces du clown. Une grimace de douleur.* *2* Au figuré. *Faire la grimace :* manifester sa mauvaise humeur, sa déception.

    Grimacer de dégoût, c'est faire des grimaces (*1*). *Un visage* **grimaçant** *de douleur,* qui grimace (*1*).

grimer v. → conjug. **aimer.** Maquiller un acteur selon le rôle qu'il interprète.

Grimm Jacob et Wilhelm

Écrivains allemands : Jacob est né en 1785 et mort en 1863, Wilhelm est né en 1786 et mort en 1859. Les frères Grimm s'intéressent à l'histoire de la langue et à la richesse de la littérature allemande. En 1811, ils publient un recueil de contes et légendes populaires, *Poésie des maîtres chanteurs,* puis, en 1912, les contes qui leur ont valu leur célébrité, les *Contes d'enfants et du foyer.* On trouve, dans cet ouvrage, des récits aussi connus que *Blanche-Neige et les sept nains* et *Hansel et Gretel.*

---

grimoire n. m. Livre de magie. *Un vieux grimoire plein de formules mystérieuses.*

grimper v. → conjug. **aimer.** *1* Monter à l'aide de ses pieds et de ses mains. *Grimper aux arbres.* *2* Se développer en hauteur en s'accrochant à un support. *Le lierre grimpe le long du mur.* *3* Monter ou s'élever suivant une pente raide. *Grimper une côte à vélo.*

    Le chèvrefeuille, le bougainvillier sont des plantes **grimpantes,** qui poussent en grimpant (*2*).

grimpeur, euse n. *1* Alpiniste. *2* Coureur cycliste particulièrement doué pour grimper les côtes.

grinçant, ante adj. Qui est blessant, agressif. *Il fait souvent des remarques grinçantes.*

grincer v. → conjug. **aimer.** *1* Produire un bruit aigu et désagréable. *Les roues de ce vieux vélo grincent.*

2 Grincer des dents : faire du bruit en serrant les mâchoires et en faisant frotter les dents du haut avec celles du bas.

    Le **grincement** *d'une porte,* le fait qu'elle grince (*1*).

grincheux, euse adj. Grognon, bougon, acariâtre. *Un vieux monsieur grincheux.*

gringalet n. m. Homme petit et chétif. *C'est un gringalet, mais il ne se laisse pas faire !*

griotte n. f. Petite cerise au goût acidulé.

grippe n. f. *1* Maladie contagieuse causée par un virus et qui donne une forte fièvre. *Se faire vacciner contre la grippe.* *2* Prendre quelqu'un en grippe : se mettre à avoir de l'antipathie pour lui.

    Il faut rester au lit quand on est **grippé,** quand on a la grippe (*1*).

se gripper v. → conjug. **aimer.** Ne plus fonctionner, se bloquer. *Un mécanisme, un moteur qui se grippent.*

gris, grise adj. et n. m.

• adj. *1* Qui est d'une couleur résultant d'un mélange de blanc et de noir. *Une souris grise. Des cheveux gris.* *2* Couvert, nuageux. *Un ciel gris.* *3* Qui est légèrement ivre. *À la fin du repas, les invités étaient un peu gris.*

    La **grisaille** *d'un matin d'hiver,* l'aspect gris (*1* et *2*) du ciel. *En vieillissant, sa barbe* **grisonne,** elle prend peu à peu une couleur grise (*1*).

• n. m. La couleur grise. *Elle s'habille souvent en gris.*

    Une vieille maison aux murs **grisâtres,** d'une couleur qui tire sur le gris.

grisant, ante adj. → **griser.**

grisâtre adj. → **gris.**

griser v. → conjug. **aimer.** *1* Rendre légèrement ivre. *Le champagne m'a un peu grisé.* *2* Étourdir, exciter. *Les joueurs sont grisés par leur victoire.*

    Vivre des aventures **grisantes,** qui grisent (*2*). *Se laisser aller à la* **griserie** *du succès,* se laisser griser (*2*) par le succès.

grisonner v. → **gris.**

grisou n. m. Gaz qui se dégage dans les mines de charbon et qui, au contact d'une flamme, provoque de violentes explosions.

grive n. f. Oiseau migrateur aux ailes brunes, au ventre clair tacheté de gris.

grivois, oise adj. Qui est amusant et légèrement choquant. *Faire des plaisanteries grivoises.*

grizzli n. m. Grand ours au pelage grisâtre qui vit dans les montagnes d'Amérique du Nord.

Groenland

Île danoise située au nord-est du Canada, entre l'océan Atlantique et l'océan Arctique. Le Groenland est la plus grande île du monde après l'Australie. Sa côte est découpée de fjords impressionnants. Il est recouvert à plus de 80 % d'une épaisse couche de glace (1,5 km en moyenne !). En danois son nom signifie pourtant « terre verte » ! Les glaciers qui glissent vers la mer donnent naissance à de gigantesques icebergs. Le climat est polaire : on y a enregistré pendant l'hiver, qui dure en moyenne neuf mois, des températures de – 64 °C ! Les habitants, pour la plupart des Inuits (Esquimaux) sont peu nombreux et se concentrent sur la côte sud-ouest, où le climat est un peu moins rigoureux.

grog n. m. Boisson à base de rhum et de jus de citron mélangés à de l'eau chaude sucrée.

groggy adj. inv. Qui est étourdi, assommé par des coups. *Il a frappé son adversaire et l'a laissé groggy.* **Mot anglais qui se prononce** [grɔgi].

grognement n. m. *1* Cri de certains animaux. *Le grognement de l'ours, du cochon.* *2* Protestation que l'on fait à voix basse, paroles incompréhensibles. *Des grognements de colère.*

grogner v. → conjug. **aimer.** *1* Pousser son cri, en parlant des porcs, des sangliers, des ours. *2* Manifester son mécontentement par des grognements. *Il fait ses devoirs en grognant.*
Synonymes : bougonner, ronchonner (2).
Un vieux monsieur *grognon*, qui grogne (2) sans arrêt, qui n'est jamais content.

groin n. m. Museau du porc, du sanglier.

grommeler v. → conjug. **jeter.** Parler entre ses dents, dire des paroles indistinctes pour se plaindre ou protester. *Obéir en grommelant.*
Synonymes : bougonner, marmonner, maugréer.

gronder v. → conjug. **aimer.** *1* Produire un son sourd et inquiétant. *Le tonnerre qui gronde annonce l'orage.* *2* Faire des reproches. *Il s'est fait gronder par son père.*
Synonyme : réprimander (2).
Le *grondement* de la mer pendant la tempête, le bruit de la mer qui gronde (1).

gros, grosse adj., n., n. m. et adv.
● adj. *1* Qui occupe beaucoup d'espace. *Une grosse armoire.* *2* Qui a un poids supérieur à la normale. *Ce bébé est un peu trop gros.* *3* Important. *Il touche un gros salaire.* *4* Qui a beaucoup d'intensité. *Une grosse tempête. Une grosse fièvre.* *5* Gros mot : mot grossier. *6* Avoir le cœur gros : être triste, malheureux.*
Synonymes : volumineux (1), gras (2). Contraires : petit (1), maigre, mince (2).
● n. Personne grosse.
● n. m. La plus grande partie, l'essentiel. *Il a fait le plus gros du travail.*
● adv. *1* En gros : En grandes quantités. *Les commerçants achètent leurs marchandises en gros et les revendent au détail.* *2* En gros : à peu près, environ. *Raconte-moi en gros ce que tu as vu.* *3* Écrire gros : écrire en grands caractères.
Synonyme : grosso modo (2). Contraire : en détail (2).
Les *grossistes* sont des marchands qui vendent leurs produits en gros (1).

groseille n. f. Petit fruit rouge ou blanc qui a un goût acide et qui pousse en grappes.
Le *groseillier* est le petit arbuste qui donne des groseilles.

grossesse n. f. État d'une femme qui attend un enfant. *La grossesse dure neuf mois.*

grosseur n. f. *1* Taille, volume de quelque chose. *Un sac de billes de différentes grosseurs.* *2* Enflure qui forme une sorte de boule sous la peau.

grossier, ère adj. *1* Qui manque de politesse, mal élevé, vulgaire. *Cet homme est un grossier personnage.* *2* Qui manque de finesse, qui n'est pas de bonne qualité. *Un sac fait d'une toile grossière.* *3* Erreur grossière : erreur énorme, choquante.

grossièrement adv. *1* De manière grossière, vulgaire. *S'exprimer, se conduire grossièrement.* *2* De manière rudimentaire, sommairement. *Une statue de bois grossièrement sculptée.*

grossièreté n. f. *1* Caractère, manières d'une personne grossière. *Il s'est excusé de sa grossièreté.* *2* Mot grossier, gros mot. *Elles ne cessent de dire des grossièretés.*

grossir v. → conjug. **finir.** *1* Devenir plus gros. *Faire un régime pour éviter de grossir.* *2* Faire paraître plus gros. *Les loupes, les microscopes servent à grossir les objets que l'on regarde.*
Contraire : maigrir (1).
Les microscopes électroniques ont un très fort *grossissement*, ils grossissent (2) considérablement les objets.

grossiste n. → **gros.**

grosso modo adv. Sans donner de détail, en gros. *Explique-moi grosso modo ce qu'il s'est passé.*

grotesque adj. Qui fait rire par son aspect étrange ou ridicule. *Une coiffure grotesque.*

grotte n. f. Cavité naturelle dans la roche. *Les spéléologues explorent les grottes.*
Synonyme : caverne.

grouiller v. → conjug. **aimer.** *1* S'agiter ensemble en tout sens. *La foule grouille sur la place du marché. 2* Être plein d'une multitude de personnes ou d'animaux qui bougent. *Le marais grouille de moustiques et de grenouilles.*
Synonyme : fourmiller (*2*).

Un grouillement d'insectes, une masse d'insectes qui grouillent (*1*).

groupe n. m. *1* Ensemble de personnes ou de choses réunies dans un même lieu. *Un groupe de touristes, un groupe de mots. 2* Ensemble de personnes réunies par des activités, des goûts communs. *Ces musiciens ont formé un groupe de jazz. 3* Classification qui réunit des éléments qui se ressemblent. *Les verbes en « -er » sont des verbes du premier groupe. 4 Groupe scolaire :* ensemble des bâtiments d'une école. *5 Groupe sanguin :* chacune des différentes catégories qui permettent de classer les personnes suivant la composition de leur sang.

Appartenir à un groupement politique, à un groupe (*2*) politique.

grouper v. → conjug. **aimer.** Mettre en groupe, assembler, réunir. *Grouper des photos dans un album. Se grouper pour former un syndicat, une association, un club.*

groupuscule n. m. Groupe politique qui réunit un très petit nombre de personnes.

grue n. f. *1* Oiseau échassier migrateur de grande taille. *2* Engin utilisé sur les chantiers pour déplacer, faire monter ou descendre de lourdes charges.

Un grutier est une personne qui manœuvre une grue (*2*).

gruger v. → conjug. **ranger.** *1* Littéraire. Tromper ou voler quelqu'un. *Il a grugé son associé. 2* Familier. Tricher. *Il a grugé pendant le contrôle de maths.*

grumeau, eaux n. m. Petite boule qui se forme quand une matière se mélange mal dans un liquide, une pâte. *Cette purée est pleine de grumeaux.*

grutier n. m. → **grue.**

gruyère n. m. Fromage fait à partir de lait de vache et dont la pâte cuite est généralement percée de trous.
On prononce [gryjɛr].

guano n. m. Excréments et cadavres fossilisés d'oiseaux ou de poissons qui peuvent servir d'engrais.
On prononce [gwano].

Guardi Francesco

Peintre italien né en 1712 et mort en 1793. Ses premières œuvres, d'inspiration religieuse, sont destinées à des églises et à des demeures vénitiennes. Mais Guardi devient célèbre en tant que paysagiste, grâce à ses vues de Venise *(la Place Saint-Marc ; le Départ du «Bucentaure»…).* Ses toiles lumineuses traduisent bien, par le scintillement des couleurs et la légèreté des touches, l'atmosphère vénitienne.

Le Départ du Bucentaure

Guatemala

République d'Amérique centrale.
Le Guatemala est bordé par la mer des Antilles au nord-est et par l'océan Pacifique au sud-ouest. Le sud du pays est essentiellement occupé par de hautes montagnes, le nord par des plateaux peu élevés. Le climat, tropical est tempéré sur les hauteurs. L'agriculture est la seule ressource du pays.

Le Guatemala est l'un des berceaux de la civilisation maya. Colonisé en 1524 par les Espagnols, il devient indépendant en 1823. Il est marqué, au xxe siècle, par une série de dictatures. La guerre civile, qui a duré plus de 35 ans, a pris fin en 1996.

108 890 km²
12 036 000 habitants :
les Guatémaltèques
Langues : espagnol,
23 langues indiennes
Monnaie : quetzal
Capitale : Guatemala

gué n. m. Endroit peu profond d'un cours d'eau, où l'on peut traverser à pied. *Passer une rivière à gué.*
Homonymes : gai, guet.

guenilles n. f. pl. Vêtements usés, déchirés, salis. *Des mendiants en guenilles.*

guenon n. f. Femelle du singe.

guépard n. m. Félin d'Asie et d'Afrique au pelage clair tacheté de brun.

guêpe n. f. Insecte au corps rayé de noir et de jaune et dont la femelle possède un dard venimeux.

guêpier n. m. *1* Nid de guêpes. *2* Au figuré. Situation embarrassante ou dangereuse. *Il ne sait pas comment se tirer de ce guêpier.*

guère adv. *Ne… guère :* presque pas, pas beaucoup, pas très. *Il n'est guère plus grand que toi.*
Homonyme : guerre.

Guéret

Ville française de la Région Limousin. Guéret est un petit centre industriel, administratif et commercial. On peut y voir l'hôtel des Moneyroux, un beau bâtiment du XVe siècle. Le musée municipal est installé dans un hôtel du XVIIIe siècle. Guéret se développe à partir du VIIe siècle à côté d'une abbaye.

23 *Préfecture de la Creuse*
15 286 habitants : les Guérétois

guéridon n. m. Petite table faite d'un plateau rond et d'un seul pied central.

guérilla n. f. Guerre d'embuscades, menée par des petits groupes de combattants attaquant par surprise.
Les *guérilleros* sont des combattants qui font la guérila.

guérir v. → conjug. **finir**. *1* Se rétablir après avoir été malade. *Elle a guéri en quelques jours. 2* Débarrasser, délivrer quelqu'un d'une maladie. *Ce médicament m'a guéri. 3* Faire disparaître une maladie. *À notre époque, il existe des traitements pour guérir la lèpre.*
La rougeole est une maladie *guérissable*, que l'on peut guérir (*3*). *Soigner un malade jusqu'à sa guérison*, jusqu'à ce qu'il soit guéri (*1* et *2*). *Les guérisseurs* sont des personnes qui se disent capables de guérir (*3*) des maladies par des moyens différents de ceux employés par les médecins.

guérite n. f. Petit abri de bois pour une sentinelle. *Le soldat monte la garde debout devant sa guérite.*

guerre n. f. *1* Lutte armée qui oppose des pays, des peuples. *2 Faire la guerre à quelqu'un ou à quelque chose :* s'opposer, lutter contre. *Faire la guerre aux injustices.*
Homonyme : guère.

Au début du XXe siècle, l'Europe connaît la prospérité. Pourtant, un climat de tension règne entre certains pays. Le 28 juin 1914, l'assassinat, à Sarajevo, de l'héritier du trône d'Autriche-Hongrie, l'archiduc François-Ferdinand, précipite l'Europe dans le conflit et conduit à la Première Guerre mondiale. En 1929, une grande crise économique touche les États-Unis. Elle gagne l'Europe et favorise le développement de dictatures comme celle de Mussolini en Italie et de Hitler en Allemagne. Vingt ans après la Première Guerre mondiale, un nouveau conflit éclate. De 1939 à 1945, il entraîne de nombreux pays dans la guerre. *Regarde p. 514 et 515.*

guerrier, ère adj. et n. m.
● adj. Qui aime se battre. *Des peuples guerriers.*
● n. m. Littéraire. Soldat, combattant. *Ces hommes sont de redoutables guerriers.*

guerroyer v. → conjug. **essuyer**. Littéraire. Faire la guerre.

guet n. m. *Faire le guet :* surveiller les alentours d'un lieu pour voir si personne ne s'approche. *Le complice du voleur faisait le guet.*
Homonymes : gai, gué.

guet-apens n. m. **Plur. : des guets-apens.** Embuscade préparée contre une personne pour l'assassiner ou la voler. *Tomber dans un guet-apens.*
On prononce [gɛtapɑ̃] au singulier et au pluriel.

guêtre n. f. Bande de cuir ou de tissu qui couvre le bas de la jambe et le dessus de la chaussure.

guetter v. → conjug. **aimer**. *1* Attendre et surveiller dans le but de surprendre. *Le renard guette sa proie. 2* Attendre avec impatience. *Guetter l'arrivée d'un train. Guetter une bonne affaire.*
Le *guetteur* a donné l'alarme, la personne chargée de guetter (*1*).

gueule n. f. Bouche de certains animaux. *La gueule du lion, du chien, du loup.*

gueule-de-loup n. f. **Plur. : des gueules-de-loup.** Petite fleur décorative dont l'aspect rappelle la gueule d'un animal.
Synonyme : muflier.

gueux, euse n. Autrefois personne misérable, mendiant.

gui n. m. Plante qui produit des petites baies toxiques rondes et blanches et qui pousse en parasite sur certains arbres.

guichet n. m. Comptoir derrière lequel se trouvent les employés qui reçoivent les clients dans une poste, une banque, etc. *Faire la queue au guichet.*

la Première Guerre mondiale

Le 3 août 1914, l'Allemagne déclare la guerre à la France. L'attaque allemande est très rapide. Après avoir traversé la Belgique, les Allemands envahissent le nord de la France puis marchent sur Paris.

■ Grâce aux renforts acheminés par des taxis parisiens réquisitionnés, le général Joffre, qui commande l'armée française, stoppe l'armée allemande sur la Marne, à seulement 40 km de Paris.

Plus de 6 000 hommes sont transportés sur le front par 1 200 taxis. On les appellera les taxis de la Marne.

■ Par le jeu des alliances, toute l'Europe se trouve engagée dans la guerre, ce qui impliquera à la fin du conflit des modifications de frontières.

■ Malgré l'interdiction votée en 1899 à la première conférence de La Haye, les Allemands utilisent du chlore comme gaz de combat en 1915. L'effet est immédiat : vomissements, poumons brûlés, ...

Les Français mettent au point, en toute hâte, des masques à gaz que vont porter les soldats.

BELGIQUE
Somme
LUXEMBOURG
AL
Seine
Oise
Marne
Verdun
Paris
FRANCE

l'enfer des tranchées

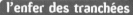

■ Sur le front, deux lignes de tranchées sont creusées : soldats français et allemands se font face. Ils vivent dans des conditions épouvantables, dans le froid, la boue et la peur des obus.
En 1916 se déroule à Verdun une des plus sanglantes batailles d'artillerie. Pendant plus de 300 jours, un déluge de feu s'abat sur les deux armées. L'enfer de Verdun coûte la vie à près de 700 000 soldats (360 000 français et 335 000 allemands).

■ En 1917, les États-Unis déclarent la guerre à l'Allemagne. Le général français Foch commande les troupes alliées et repousse les Allemands. L'armistice est signé le 11 novembre 1918, mais plus de 9 millions d'hommes sont morts. Par le traité de Versailles, ratifié en 1919, l'Allemagne rend à la France l'Alsace et la Lorraine perdues en 1871 et s'engage à payer les destructions causées par la guerre.

Le général Foch et les Alliés signent l'armistice dans un wagon stationné dans la forêt de Compiègne.

la Seconde Guerre mondiale

En Allemagne, Hitler, chef du parti national-socialiste (nazi), arrive au pouvoir en 1933. Il annonce son intention de conquérir les pays voisins. En 1938, il annexe l'Autriche, envahit la Tchécoslovaquie en 1939 puis la Pologne. La France et l'Angleterre lui déclarent la guerre.

Churchill.

De Gaulle.

Roosevelt.

■ L'armée allemande mène une «guerre éclair». Le 10 mai 1940, elle pénètre en France et anéantit en quelques semaines l'armée française mal préparée. Les Allemands entrent dans Paris le 14 juin 1940. Le maréchal Pétain demande l'armistice le 17 juin et décide de collaborer. Une grande partie de la France est occupée.

■ En 1941, la guerre devient mondiale. L'Allemagne attaque l'URSS. Dans le Pacifique, les Japonais, alliés des Allemands, attaquent par surprise (sans déclaration de guerre) la flotte américaine du Pacifique à Pearl Harbor ; les États-Unis entrent alors en guerre.

les camps de la mort

Suivant la politique de Hitler, les nazis commettent de nombreuses atrocités. Les Juifs, les Tsiganes, les opposants politiques et tous les individus ne correspondant pas à l'« idéal nazi » sont déportés et enfermés dans des camps de concentration et d'extermination construits dès 1933. On estime à plus de 7 millions le nombre d'hommes, de femmes et même d'enfants qui vont y périr dans des conditions effroyables.

la Résistance

Le général de Gaulle refuse la défaite. De Londres, il lance, le 18 juin 1940, « l'appel du 18 juin », un appel à la résistance. Durant toute l'Occupation, les résistants vont harceler l'ennemi et réaliser de nombreux sabotages.

Jean Moulin est chargé par De Gaulle de coordonner les mouvements de résistance.

la bombe

Le 6 et le 9 août 1945, deux bombes atomiques sont lancées par les États-Unis sur les villes japonaises de Hiroshima et Nagasaki. La guerre s'achève le 2 septembre 1945 avec la capitulation du Japon. Elle aura causé la mort de plus de 40 millions de personnes.

■ Les Anglais, les Américains et les Soviétiques font subir ses premiers revers à l'Allemagne dès 1942. En 1943, l'allié de Hitler, Mussolini, est renversé et les Italiens signent l'armistice. Lors de la prise de Berlin par les Alliés, Hitler se suicide le 30 avril 1945, et l'Allemagne capitule le 8 mai.

Le 6 juin 1944, les Alliés débarquent sur la côte normande.

guide n., n. m. et n. f. pl.

• n. Personne chargée d'accompagner les gens pour leur montrer le chemin ou pour leur faire visiter certains lieux. *Un guide de montagne.*

• n. m. Livre qui donne des renseignements. *Il a acheté un guide de l'Italie.*

• n. f. pl. Courroies de cuir fixées au mors du cheval et qui servent à le diriger.
Synonyme : rênes.

guider v. ➜ conjug. **aimer. 1** Accompagner en indiquant le chemin. *Il m'a guidé jusqu'à la poste.* **2** Mener, conduire, diriger. *Guider un cheval. Un bateau guidé par radio.*

guidon n. m. Barre munie de poignées qui permet de guider la roue avant d'un vélo, d'une moto.

guigner v. ➜ conjug. **aimer.** Observer avec envie. *Le chat guigne le poisson.*

guignol n. m. Théâtre de marionnettes qui présente un spectacle où Guignol est le héros principal.

Guillaume Ier le Conquérant

Duc de Normandie et roi d'Angleterre, né vers 1027 et mort en 1087. Guillaume succède très jeune à son père à la tête du duché de Normandie. Il prétend ensuite à la succession du roi d'Angleterre, son cousin Édouard le Confesseur. Mais à la mort de celui-ci, le comte Harold s'empare de la couronne. Guillaume prend alors les armes et, le 14 octobre 1066, les troupes normandes et anglo-saxonnes s'affrontent au cours de la bataille de Hastings. La victoire revient à Guillaume, appelé désormais « le Conquérant ». Il est couronné roi d'Angleterre quelques mois plus tard.

guillemets n. m. pl. Petits signes (« ») qui encadrent un mot ou une phrase pour les mettre en valeur ou pour indiquer qu'on cite les paroles de quelqu'un.

guilleret, ette adj. Vif et gai. *Tu as l'air tout guilleret ce matin.*

guillotine n. f. Instrument qui servait à décapiter les condamnés à mort. *Pendant la Révolution française, le supplice de la guillotine était public.*
Guillotiner un condamné, lui couper la tête au moyen de la guillotine.

guimauve n. f. Confiserie faite d'une sorte de pâte molle et très sucrée.

guimbarde n. f. Instrument de musique traditionnel.

guindé, ée adj. Qui a un comportement froid et peu naturel. *Il a invité des gens guindés très ennuyeux.*

Guinée

République de la côte ouest de l'Afrique, ouverte sur l'océan Atlantique. En dehors de la grande plaine côtière, le territoire est montagneux. Le climat est essentiellement tropical. Les cultures vivrières (riz, manioc) sont insuffisantes pour l'alimentation de la population ; les cultures d'exportation sont le café, la banane, l'ananas. Bien que le sous-sol recèle de l'or, du diamant et, surtout, de la bauxite, la Guinée reste très pauvre.

Colonie française à partir de 1893, le pays devient indépendant en 1958. Elle connaît un régime de dictature jusqu'en 1993.

245 860 km²
8 359 000 habitants :
les Guinéens
Langues : français,
malinké, peul,
soussou…
Monnaie : franc guinéen
Capitale : Conakry

Guinée–Bissau

République située sur la côte ouest de l'Afrique, ouverte sur l'océan Atlantique. La Guinée-Bissau est composée d'une partie continentale et d'un archipel d'une quarantaine d'îles, les Bissago. Le relief est peu accidenté, la côte est marécageuse. Le climat tropical humide est plus sec vers le nord du pays. La culture de noix de cajou et de l'arachide représente l'essentiel des ressources du pays. C'est l'un des États les plus pauvres du monde.

Colonie portugaise à partir de 1879, le pays est indépendant depuis 1974 et connaît un régime de parti unique jusqu'en 1991.

36 120 km²
1 449 000 habitants :
les Bissau-Guinéens
Langues : portugais,
créole, mandé…
Monnaie : franc CFA
Capitale : Bissau

Guinée équatoriale

République de la côte ouest de l'Afrique, ouverte sur le golfe de Guinée. Le pays comprend aussi l'île Bioko, où se trouve la capitale. Un vaste plateau couvert de forêts occupe la plus grande partie du territoire. Le climat équatorial est humide. Le pays est pauvre. Avec l'agriculture (cacao, café, huile de palme), le bois précieux et le pétrole sont ses principales ressources. Colonie espagnole à partir de 1778, le pays est indépendant depuis 1968. Il connaît un régime de dictature jusqu'en 1992.

28 050 km²
481 000 habitants :
les Équato-Guinéens
Langues : espagnol,
français, langues
bantoues, créole
Monnaie : franc CFA
Capitale : Malabo

de guingois adv. Familier. De travers. *Il porte son chapeau tout de guingois sur sa tête.*

guirlande n. f. Cordon garni de fleurs, de feuilles, de papiers décorés ou d'ampoules électriques, qui sert de décoration. *Un arbre de Noël orné de guirlandes.*

guise n. f. **1** *À sa guise* : à son goût, selon sa préférence. *Laissez-le agir à sa guise.* **2** *En guise de* : en remplacement, à la place de. *Il s'est servi de son manteau en guise de couverture.*

guitare n. f. Instrument de musique à cordes. *Des chants accompagnés à la guitare.*
   Il est **guitariste** *dans un groupe*, il joue de la guitare.

Gulf Stream

Courant marin chaud de l'océan Atlantique. Le Gulf Stream, large de 60 km environ, part du golfe du Mexique, puis longe la côte atlantique de l'Amérique du Nord. En surface, sa température est d'environ 25 °C. À la hauteur de Terre-Neuve, au Canada, il s'incline vers l'est et se divise en plusieurs branches, qui se dispersent dans l'Atlantique Nord. Certaines de ces ramifications atteignent les côtes de l'Europe et ont pour effet de les réchauffer.

Gulliver

Héros du roman *les Voyages de Gulliver* (1726) de l'écrivain irlandais Jonathan Swift. Gulliver, à la suite d'un naufrage, débarque dans une île, Lilliput, peuplée de minuscules habitants aux habitudes bizarres. Il visite ensuite d'autres régions tout aussi étonnantes. Gulliver observe ces sociétés et en note tous les travers. Avec ce récit, l'auteur critique sévèrement son époque.

Gutenberg

Imprimeur allemand né entre 1397 et 1400 et mort en 1468. Vers 1438, Gutenberg, dont le vrai nom est Johannes Gensfleisch, met au point un procédé permettant de reproduire plusieurs fois un même texte. Il utilise pour cela des lettres mobiles sculptées dans du métal qu'il dispose sur des plaques, sur lesquelles il presse ensuite les feuilles de papier. Grâce à cette technique, il réalise en 1455 la première Bible imprimée grâce à des caractères mobiles, appelée Bible de Gutenberg.

guttural, ale, aux adj. Qui produit un son qui semble venir du fond de la gorge. *Une voix gutturale.*

Guyana

République de la côte nord-est de l'Amérique du Sud. Le pays est majoritairement couvert par la forêt dense. Le climat tropical est humide. La majorité de la population se concentre dans l'étroite plaine côtière, où se pratique l'essentiel des cultures (riz et canne à sucre). L'extraction de la bauxite est une activité importante. Colonie britannique à partir de 1814, le pays est indépendant depuis 1966, il est membre du Commonwealth.

214 970 km²
764 000 habitants :
les Guyanais ou
Guyanniens
Langue : anglais
Monnaie : dollar de
Guyana
Capitale : Georgetown

gym n. f. Familier. Abréviation de gymnastique.

gymnase n. m. Salle où l'on peut pratiquer certains sports et particulièrement faire de la gymnastique.

gymnastique n. f. Ensemble d'exercices physiques destinés à assouplir et à muscler le corps. *Faire de la gymnastique acrobatique.*

Les **gymnastes** sont les athlètes qui pratiquent la gymnastique.

L'origine de la gymnastique remonte à l'Antiquité, en Égypte, en Grèce et à Rome. La gymnastique moderne apparaît au XVIIIe siècle en Allemagne, et se développe aussi en France à la même époque. Cette discipline correspond aujourd'hui à un ensemble d'épreuves bien définies et donne lieu à différentes compétitions et championnats. Les différents agrès sont mixtes (cheval de saut, sol), réservés aux hommes (cheval-d'arçons, anneaux, barre fixe, barres parallèles) ou réservés aux femmes (barres asymétriques, poutre). La gymnastique est inscrite aux jeux Olympiques depuis 1896 pour les hommes, 1928 pour les femmes. La gymnastique rythmique et sportive (G.R.S.), essentiellement féminine, se pratique au sol, avec ou sans matériel (ballon, cerceau, massues, corde, rubans) et sur un accompagnement musical.

gynécologie n. f. Partie de la médecine qui concerne l'étude et les soins des organes génitaux de la femme.

Lors de leur grossesse, les femmes consultent un **gynécologue**, *un spécialiste de gynécologie.*

gypse n. m. Roche calcaire. *Quand on chauffe le gypse à haute température, il devient du plâtre.*

gyrophare n. m. Petit phare tournant fixé sur le toit de certains véhicules et qui s'allume en cas d'urgence. *Le gyrophare d'une ambulance.*

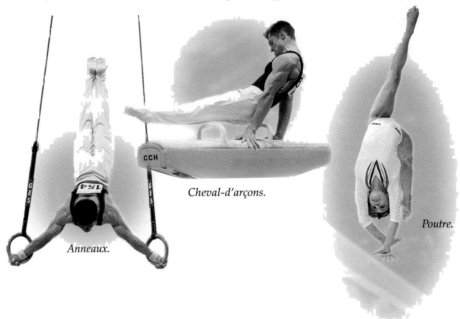

Cheval-d'arçons.

Anneaux.

Poutre.

Hh

Quel dommage pour Herbert !

HERBERT

Le **h** aspiré au début d'un mot indique qu'il ne faut pas faire la liaison avec le mot qui précède.

habile adj. Qui travaille, agit avec adresse, ingéniosité, talent. *Un ouvrier habile, un bricoleur habile.*
Contraire : malhabile.
> *Il a su habilement mettre tout le monde de son côté, de façon habile. Elle est d'une grande habileté manuelle, elle est très habile de ses mains.*

habiliter v. → conjug. **aimer.** Donner la capacité légale de faire une certaine chose. *Seuls les médecins sont habilités à délivrer une ordonnance.*

habillé, ée adj. **1** Qui porte des vêtements. *Va t'habiller !* **2** Chic, élégant. *Une tenue habillée.*
Contraires : nu (1), négligé (2).

habiller v. → conjug. **aimer. 1** Mettre des vêtements. *Habiller un petit enfant.* **2** *S'habiller :* acheter ses vêtements. *S'habiller aux Puces.* **3** *S'habiller :* mettre des vêtements élégants. *Faut-il s'habiller pour ce dîner ?*
> *Les dépenses d'habillement d'une famille,* c'est l'argent qu'elle dépense pour s'habiller (2).

habit n. m. **1** Costume noir de cérémonie pour homme. **2** Au pluriel. Vêtements, affaires. *Ranger les habits d'été. Avoir besoin d'habits neufs.*

habitable adj. → **habiter.**

habitacle n. m. Partie d'un avion ou d'un vaisseau spatial réservée à l'équipage ou intérieur d'une voiture.

habitant, ante n. → **habiter.**

habitat n. m. **1** Milieu dans lequel vit une espèce animale. *Les montagnes d'Europe sont l'habitat des chamois.* **2** Manière d'habiter un lieu, type d'architecture. *Habitat urbain. Habitat rural.*

Adaptées au climat, construites avec les matériaux trouvés sur place, décorées selon les coutumes du pays, les habitations offrent une grande diversité de styles sur la planète.
Même si l'uniformité tend à s'installer dans les nouvelles constructions des villes, des traits caractéristiques subsistent selon les régions.
Regarde p. 520 et 521.

habiter v. → conjug. **aimer.** Vivre habituellement dans un endroit. *Habiter au 122, boulevard des Capucines. Habiter à la campagne.*
Synonymes : demeurer, loger, résider.
> *Cette maison est si délabrée qu'elle n'est plus habitable,* on ne peut plus l'habiter. *Les habitants de ma rue ont constitué une association,* les personnes qui y habitent. *Il faut qu'on construise de nouvelles habitations,* des logements pour y habiter.

habitude n. f. **1** Ce que l'on fait régulièrement et souvent. *Avoir l'habitude de se coucher tôt. Fumer est une mauvaise habitude.* **2** Coutume, tradition. *Adopter les habitudes du pays où l'on est.* **3** *D'habitude :* ordinairement, généralement. *D'habitude, Herbert fait du skate en sortant de l'école.*

habituel, elle adj. Qui est courant, ordinaire, normal. *Elle a perdu sa gaieté habituelle.*
Contraires : exceptionnel, inhabituel, inusité, rare.
> *Habituellement je fais la grasse matinée le dimanche,* d'une manière habituelle, d'habitude.

habituer v. → conjug. **aimer. 1** Faire prendre l'habitude, entraîner, accoutumer. *Habituer un enfant à être responsable.* **2** *S'habituer :* prendre l'habitude, se familiariser. *S'habituer au froid, à la chaleur, à un changement de vie.*

Le **h** est un h aspiré.

l'habitat

Les premières traces d'habitat humain, des huttes bâties à l'entrée des grottes, remontent à 2 millions d'années environ, mais les premiers villages organisés n'apparaissent que vers 10 000 av. J.-C.

Maisons troglodytiques en Turquie.

en montagne

La lutte contre les intempéries (vent, froid, neige) est à l'origine du choix des matériaux et de la forme de ces habitations.

Ferme auvergnate dans le Massif central (France).

■ **Contre vents et marées...**

Au Japon, la fréquence des tremblements de terre nécessite des précautions de construction. Bâtie en terrain stable, l'habitation repose sur une plate-forme amortissant les vibrations du sol. Le béton armé utilisé comme matériau évite la dislocation des murs.

Chalet dans la Forêt-Noire (Allemagne).

Maison au Népal.

près de l'eau

La vie au bord des cours d'eau, près des lacs, des étangs ou en bord de mer donne une physionomie particulière à l'habitation.

Maison sur la côte bretonne (France).

Maison couverte de tourbe en Islande.

Maisons sur pilotis au Bénin.

Péniche.

Les nomades (chasseurs, éleveurs… touristes !) ont conservé la forme la plus primitive de l'habitat, une forme mobile.

Igloo.

Tente touareg en Afrique du Nord.

Roulotte.

*Tipis indiens
aux États-Unis.*

Yourte mongole en Asie.

en ville

Le manque d'espace dans les villes oblige à une concentration des habitations et généralement à une certaine uniformité des constructions. D'un pays à l'autre, un « style » s'affirme cependant.

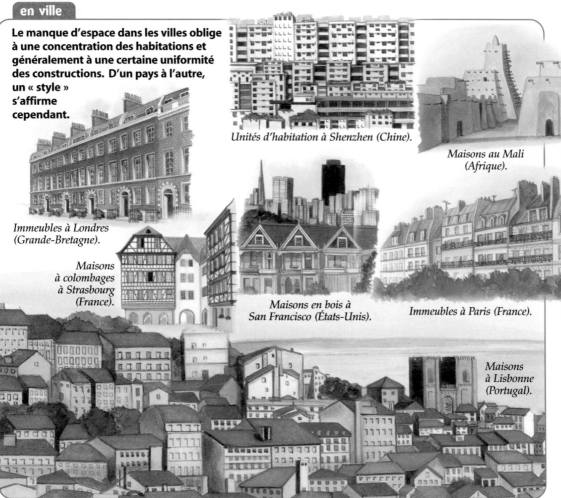

Unités d'habitation à Shenzhen (Chine).

*Maisons au Mali
(Afrique).*

*Immeubles à Londres
(Grande-Bretagne).*

*Maisons
à colombages
à Strasbourg
(France).*

*Maisons en bois à
San Francisco (États-Unis).*

Immeubles à Paris (France).

*Maisons
à Lisbonne
(Portugal).*

hache

hache n. f. Outil formé d'une lame tranchante et d'un court manche. *Fendre du bois avec une hache.*
Une *hachette* est une petite hache.

hacher v. → conjug. **aimer.** Couper en petits morceaux. *Hacher des oignons, de l'ail, du persil.*
On farcit les tomates avec un *hachis*, des aliments hachés. *Le boucher hache un morceau de bœuf avec un* hachoir *électrique,* un instrument servant à hacher.

hachette n. f. → hache.

hachis n. m., **hachoir** n. m. → hacher.

hachisch n. m. → haschisch.

hachure n. f. Chacun des traits servant à marquer une ombre ou un relief sur un dessin, une carte géographique.
Les zones *hachurées* d'une carte sont les endroits rayés par les hachures.

haddock n. m. Sorte de morue que l'on mange fumée.

Haendel Georg Friedrich

Compositeur anglais d'origine allemande né en 1685 et mort en 1759. Organiste virtuose, Haendel est attiré par la composition. Ses premières œuvres comme *Résurrection* (1708) et *Agrippina* (1709) obtiennent un grand succès. Installé à Londres à partir de 1710, Haendel écrit : *Rinaldo,* (1711), *Te Deum* (1713), *Jules César* (1724) et des oratorios, œuvres dramatiques à caractère souvent religieux. Parmi ces derniers, *le Messie* (1742) est son chef-d'œuvre. Son œuvre mêle les influences allemande, française, anglaise et italienne. Elle est caractérisée par sa puissance dramatique et son lyrisme.

hagard, arde adj. Qui a l'air effaré et très bouleversé. *Le visage hagard des survivants d'une catastrophe.*

haie n. f. *1* Clôture d'arbres ou d'arbustes. *2* Rangée de personnes. *Une haie de policiers protège le cortège officiel. 3 Course de haies :* épreuve de course à pied ou à cheval, sur un parcours jalonné d'obstacles qu'il faut franchir.

haillons n. m. plur. Vieux vêtements tout déchirés.
Synonyme : guenilles. Homonyme : hayon.

haine n. f. Sentiment violent d'hostilité, d'antipathie, de répulsion. *N'avoir de haine pour personne. La haine de la violence, du mensonge.*

Cet homme politique tient des discours racistes et haineux, qui incitent à la haine. *Il parle* haineusement *des immigrés,* de façon haineuse.

haïr v. Éprouver de la haine, détester.
La guerre est haïssable, *elle mérite d'être haïe.*

La conjugaison du verbe
HAIR 2e groupe

indicatif présent	**je hais, il ou elle hait, nous haïssons, ils ou elles haïssent**
imparfait	**je haïssais**
futur	**je haïrai**
passé simple	**je haïs**
subjonctif présent	**que je haïsse**
conditionnel présent	**je haïrais**
impératif	**hais, haïssons, haïssez**
participe présent	**haïssant**
participe passé	**haï**

Haïti

République des Grandes Antilles occupant le tiers ouest de l'île d'Haïti (le reste de l'île forme la République dominicaine). Le territoire est essentiellement montagneux (2 680 m au pic de la Selle). Le climat est tropical, et les cyclones sont fréquents et violents. La population se concentre dans les zones côtières. Haïti est l'un des pays les plus pauvres du monde. Ses principales ressources sont le café, les bananes et la canne à sucre.

Colonie française à partir de 1697, Haïti est indépendant depuis 1804. Le pays connaît une très grande instabilité politique et des inégalités sociales marquées.

27 750 km²
8 218 000 habitants : les Haïtiens
Langues : créole, français
Monnaie : gourde
Capitale : Port-au-Prince

halage n. m. → **haler**.

hâle n. m. Couleur brune, cuivrée, que prend la peau exposée au soleil.
Homonyme : halle.

> *Elle est rentrée de vacances avec le teint hâlé*, elle a pris un hâle.

haleine n. f. **1** Air qu'on expire par la bouche et le nez. *Avoir l'haleine fraîche, l'haleine qui empeste le tabac.* **2** *Tenir quelqu'un en haleine :* maintenir sa curiosité en éveil jusqu'au bout. *Ce film m'a tenu en haleine du début à la fin.* **3** *De longue haleine :* qui demande un effort prolongé. *Un travail de longue haleine.*

haler v. → conjug. **aimer.** Tirer un bateau depuis le rivage avec une corde. *Haler une barque sur la plage.*
Homonymes : allée, aller.

> *Les chemins de halage le long des canaux et les rivières permettaient de haler les péniches.*

haleter v. → conjug. **modeler.** Respirer d'une manière précipitée.

> *Les coureurs de marathon sont arrivés à bout de souffle, la respiration haletante,* en haletant.

hall n. m. Grande salle d'entrée dans une gare, un hôtel, un musée.
Mot anglais qui se prononce [ol].

halle n. f. **1** Grand marché couvert. *Une halle aux poissons.* **2** Au pluriel. Marché central d'une grande ville, où l'on vend des aliments en gros. *Épicier qui fait ses achats de fruits et légumes aux halles de Rungis.*
Homonyme : hâle.

hallebarde n. f. Arme ancienne de l'infanterie.

> **L**a hallebarde est terminée par un fer pointu ; elle possède une lame latérale en forme de hache d'un côté, et une pointe de l'autre côté. Cette arme est utilisée du XIVᵉ au XVIIᵉ siècle. Elle équipe les Suisses de la garde royale française jusqu'en 1789.

hallucinant, ante adj. Saisissant, extraordinaire, incroyable. *Une ressemblance hallucinante.*

hallucination n. f. Perception de choses, de faits qui n'existent pas. *Hallucinations visuelles, auditives.*

hallucinogène adj. *Substance hallucinogène :* drogue qui provoque des hallucinations.

halo n. m. Cercle lumineux autour d'une source de lumière (par exemple la Lune).
Homonyme : allô !

halogène adj. ou n. m. *Lampe halogène* ou *halogène :* lampe qui donne un éclairage puissant. *Un halogène avec variateur de lumière.*

halte n. f. et interj.
• n. f. Temps ou lieu d'arrêt. *Faire une halte pour se reposer. Choisir une halte pour passer la nuit.*
• interj. Indique qu'il faut s'arrêter.

haltère n. m. Instrument de culture physique fait d'une barre supportant deux poids ou deux disques.

haltérophilie n. f. Sport qui consiste à lever des haltères.

> *L'haltérophile soulève un haltère de 200 kg*, un sportif qui pratique l'haltérophilie.

Le matériel de l'haltérophile se compose d'une barre aux extrémités de laquelle on fixe des disques de métal de poids croissant. L'exercice comporte deux mouvements :
• l'arraché, qui consiste à soulever la barre d'un seul coup au-dessus de la tête,
• l'épaulé-jeté, où la barre est d'abord amenée à hauteur d'épaule, puis soulevée au-dessus de la tête.
Les athlètes sont classés en huit catégories établies selon le poids du corps (de 61 kg à 105 kg et plus). Des catégories différentes existent pour les femmes. L'haltérophilie figure aux jeux Olympiques. On appelait autrefois ce sport poids et haltères.

Fin du premier mouvement de l'épaulé-jeté.

hamac n. m. Filet ou morceau de toile suspendu à ses deux extrémités, dans lequel on se repose.

hamburger n. m. Steak haché servi dans un petit pain rond et chaud, spécialité des fast-foods.
Mot anglais qui se prononce [ˊãburgœʀ].

Le **h** est un h aspiré.

hameau, eaux n. m. Petit groupe de maisons à l'écart d'un village.

hameçon n. m. Crochet pointu qu'on fixe au bout d'une ligne avec un appât pour prendre du poisson.

hampe n. f. Long manche en bois. *Hampe d'un drapeau, d'une hallebarde.*

hamster n. m. Petit mammifère rongeur au pelage roux et au ventre blanc.

hanche n. f. Partie latérale du corps située au-dessous de la taille.

handball n. m. Sport de ballon opposant deux équipes, dans lequel on ne se sert que des mains.
　Une équipe de handball comprend sept handballeurs ou handballeuses.

Le handball est né en Allemagne à la fin du XIXe siècle. Il se joue à la main, avec un ballon rond que l'on tente de faire pénétrer dans les buts de l'équipe adverse. Le terrain, généralement en salle, mesure 40 m de longueur sur 20 m de largeur. Les buts sont hauts de 2 m et larges de 3 m. Chaque équipe se compose de sept joueurs. Une partie comprend deux mi-temps de 30 min. Le joueur ne doit pas faire plus de trois pas en tenant le ballon. Le gardien de but peut utiliser ses pieds pour arrêter les tirs. Le handball figure aux jeux Olympiques.

handicap n. m. *1* Insuffisance, déficience présentée par une personne sur les plans physique ou mental. *2* Ce qui désavantage, met en situation d'infériorité. *Sa timidité le handicape vraiment*, est un handicap (*2*). *On construit maintenant des trottoirs avec plans inclinés pour handicapés*, pour personnes souffrant d'un handicap (*1*).

handisport adj. Qui concerne les activités sportives pratiquées par les handicapés physiques. *Tennis handisport.*

hangar n. m. Construction servant à abriter des marchandises, des machines agricoles ou des véhicules.

hanneton n. m. Gros insecte au vol lourd et bourdonnant, très nuisible pour les cultures.

Hannibal

Général de Carthage, (cité antique du nord de l'Afrique), né vers 247 et mort vers 182 av. J.-C.
En 218 av. J.-C., Hannibal se lance à la conquête de l'Italie à la tête d'une puissante armée de fantassins, de cavaliers et d'éléphants, avec laquelle il franchit les Alpes. Il parvient à remporter plusieurs victoires sur les légions romaines, mais ne peut faire tomber Rome. En 202 av. J.-C., il est vaincu par le général romain Scipion. Revenu à Carthage, Hannibal essaie d'organiser la revanche. Dénoncé aux Romains, il doit trouver refuge auprès des rois de Syrie puis de Bithynie. Rome obtient finalement qu'Hannibal lui soit livré, mais celui-ci s'empoisonne pour leur échapper.

hanter v. → conjug. **aimer.** *1* Apparaître dans un lieu, quand il s'agit d'esprits, de fantômes. *Maison hantée.* *2* Au figuré. Occuper entièrement l'esprit, obséder. *Souvenirs, regrets qui hantent quelqu'un.*

hantise n. f. Idée qui hante, dont on ne peut se libérer, obsession. *Avoir la hantise de la maladie, de l'accident.*

happer v. → conjug. **aimer.** Saisir brusquement avec la gueule, le bec. *Oiseau qui happe des insectes au vol.*

hara-kiri n. m. Façon rituelle de se suicider au Japon, consistant à s'ouvrir le ventre avec un sabre. *Les samouraïs condamnés à mort se faisaient hara-kiri.*

harangue n. f. Discours solennel prononcé devant un groupe pour l'inciter à agir.
　L'orateur harangue la foule, lui adresse une harangue.

haras n. m. inv. Domaine où l'on élève des chevaux.

harasser v. → conjug. **aimer.** Causer une extrême fatigue, éreinter, épuiser.
　J'ai eu une journée harassante, je suis harassée de fatigue.

harceler v. → conjug. **promener.** *1* Importuner, tourmenter sans répit. *Harceler quelqu'un de questions.* *2* Soumettre à des attaques répétées. *Harceler l'ennemi.*
　Les soldats soumettent l'ennemi à un tir de harcèlement, ils le harcèlent.

hardi, ie adj. Qui est audacieux, aventureux, intrépide. *Un projet hardi.*
Contraires : lâche, timide, timoré.
> *Il faut de la hardiesse pour être photographe de guerre*, un caractère hardi. *Il s'expose hardiment au danger*, d'une manière hardie.

harem n. m. **1** Appartements réservés aux femmes, dans le palais d'un souverain musulman. **2** Ces femmes elles-mêmes.

hareng n. m. Poisson des mers froides qui se déplace en bancs. *Filets de hareng marinés.*

hargne n. f. Mauvaise humeur, agressivité. *Répondre avec hargne.*
> *Il s'est fait mordre par un chien hargneux*, plein de hargne, agressif.

haricot n. m. Plante potagère dont on mange les gousses ou les graines, selon les espèces. *Haricots verts. Haricots blancs.*

harissa n. f. ou n. m. Sauce d'Afrique du Nord à base de piment. *On mange le couscous avec de la harissa.*

harmonica n. m. Instrument de musique qui produit des sons quand on aspire et quand on souffle dedans.

harmonie n. f. **1** Accord, agencement équilibré entre les différentes parties d'un ensemble. *Harmonie de couleurs, de sons.* **2** Science des accords, en musique. **3** Au figuré. Bonne entente entre des personnes. *Vivre en bonne harmonie.*

harmonieux, euse adj. **1** Agréable à l'oreille, mélodieux. *Une voix harmonieuse.* **2** Qui est en harmonie, équilibré. *Un mélange harmonieux. Un visage harmonieux.*
> *Ce jardin est harmonieusement conçu*, d'une manière harmonieuse (**2**).

harmoniser v. → conjug. **aimer.** Mettre en harmonie, en accord, en équilibre. *Couleurs qui s'harmonisent bien ensemble.*
> *L'harmonisation des salaires du secteur public et du secteur privé*, c'est le fait de les harmoniser.

harmonium n. m. Sorte de petit orgue sans tuyaux.

harnachement n. m. **1** Synonyme de harnais. *La selle, la bride, le tapis de selle font partie du harnachement.* **2** Au figuré. Équipement encombrant ou accoutrement.

harnacher v. → conjug. **aimer.** Mettre son harnachement ou son harnais à un cheval.

harnais n. m. **1** Équipement d'un cheval de selle ou de trait. **2** Ensemble de sangles de sécurité d'un parachutiste, d'un alpiniste, d'un véliplanchiste.

harpe n. f. Grand instrument de musique triangulaire, dont les cordes se pincent à deux mains.
> *Une harpiste est une musicienne qui joue de la harpe.*

harpon n. m. Grande flèche munie de dents et attachée à un fusil ou à un canon par une corde.
> *Il a harponné une pieuvre,* il l'a attrapée avec un harpon.

Les harpons préhistoriques ont une pointe faite d'os ou de bois de renne ; les hommes les utilisent pour la chasse et pour la pêche. Ils apparaissent il y a plus de 10 000 ans.
Aujourd'hui, le harpon est utilisé pour la pêche aux gros poissons et à la baleine. Sa pointe, à l'extrémité du manche, est acérée et garnie de barbelures.

hasard n. m. **1** Ce qui ne peut pas se prévoir. *Rencontrer quelqu'un par hasard. Une tombola est un jeu de hasard.* **2** Événement imprévu. *Un pur hasard. Un heureux hasard.* **3** À tout hasard : au cas où, en prévision de quelque chose qui pourrait arriver. *Prendre un imperméable à tout hasard.*

hasarder v. → conjug. **aimer. 1** Risquer, tenter. *Hasarder une question, une démarche.* **2** Se hasarder : s'exposer à un risque. *Se hasarder sur un toit glissant.*

hasardeux, euse adj. Qui comprend des risques. *Se lancer dans une entreprise hasardeuse.*

haschisch n. m. Drogue enivrante tirée d'une sorte de chanvre, dont l'usage et la vente sont interdits par la loi dans certains pays.
On écrit aussi : hachisch.

hase n. f. Femelle du lièvre.

hâte n. f. Empressement, précipitation. *Travail bâclé fait à la hâte. Avoir hâte d'être dehors. Arriver en toute hâte.*

hâter v. → conjug. **aimer. 1** Rendre plus rapide, accélérer, activer. *Hâter le pas, le mouvement.* **2** Se dépêcher. *Se hâter de finir son travail pour aller jouer.*

hâtif, ive adj. **1** Qui est fait trop vite, à la hâte. *Porter un jugement hâtif.* **2** Qui est en avance par rapport à son développement normal. *Fraises hâtives.*
Synonyme : précoce (2). Contraire : tardif.
> *Ils ont dû faire hâtivement leurs bagages*, d'une manière hâtive (**1**), dans la précipitation.

hauban n. m. Cordage ou câble maintenant le mât d'un bateau, un pont suspendu, une grue.

Le **h** est un h aspiré.

haubert n. m. Cotte de mailles.
Regarde aussi cotte de mailles.

hausser v. → conjug. **aimer.** Augmenter le niveau ou l'intensité. *Hausser un mur. Hausser le ton, la voix. Se hausser sur la pointe des pieds.*

> *Une période de* **hausse** *des prix*, le fait qu'ils haussent. *Elle a répondu par un* **haussement** *d'épaules*, elle a haussé les épaules en signe de mépris.

haut adj., adv. et n. m.

● adj. *1* Qui est d'une certaine hauteur, grand, élevé. *Un immeuble haut de cinq étages. Une haute montagne. Une personne de haute taille. Un chat haut sur pattes. Le soleil est haut dans le ciel. 2* Qui est d'une grande intensité. *Une ligne à haute tension. Haute pression. J'aime bien lire à haute voix. 3* Très grand, excellent, supérieur. *Haute précision. Chaîne haute-fidélité. Avoir une haute idée de soi-même. Athlète de haut niveau.*

● adv. À une grande hauteur. *Voler, sauter haut.*

● n. m. *1* Partie haute d'une chose, sommet. *Le haut d'un arbre, d'une montagne. 2* Hauteur. *Cette tour mesure au moins 50 mètres de haut. 3 En haut:* dans la partie supérieure de. *Monter en haut du mât. 4 D'en haut:* depuis un endroit élevé. *Regarder la ville d'en haut. 5 Traiter quelqu'un de haut:* avec arrogance, mépris. *6 Tomber de haut:* être très surpris ou très déçu. *7 Avoir des hauts et des bas:* connaître alternativement des périodes favorables et des périodes défavorables.

hautain, aine adj. Distant et dédaigneux, arrogant. *Un femme hautaine. Prendre un air hautain.*

hautbois n. m. Instrument de musique à vent.

Le corps du hautbois, percé de six trous, est formé de trois parties: le pavillon, le corps du bas et le corps du haut. Pour produire le son, le musicien souffle en pinçant l'anche avec ses lèvres. Il existe plusieurs types de hautbois aux sons différents.

pavillon   corps du bas   corps du haut   anche

haut-de-forme n. m. **Plur.: des hauts-de-forme.** Haut chapeau cylindrique noir que les hommes portaient avec un habit de cérémonie.

haute-fidélité n. f. Qualité d'une chaîne stéréo, d'une télévision, d'un poste de radio qui restitue le son ou l'image sans les déformer.
En abrégé: hi-fi.

hautement adv. Très, supérieurement. *Technicien hautement qualifié.*

hauteur n. f. *1* Dimension dans le sens vertical, du bas vers le haut. *La hauteur d'un mur, d'une montagne. 2* Altitude. *L'aigle vole à une grande hauteur. L'hélicoptère prend vite de la hauteur. 3* Endroit élevé. *Église située sur une hauteur. 4* Attitude dédaigneuse. *Parler à quelqu'un avec hauteur. 5 Être à la hauteur:* avoir les qualités requises.
Homonyme: auteur.

haut-fond n. m. **Plur.: des hauts-fonds.** Élévation d'un fond sous-marin, qui rend la navigation très dangereuse.

haut-fourneau n. m. **Plur.: des hauts-fourneaux.** Grand four à cuve où le minerai de fer est transformé en fonte.
On écrit aussi: haut fourneau.

haut-le-cœur n. m. inv. Envie de vomir, nausée. *Avoir un haut-le-cœur.*

haut-le-corps n. m. inv. Brusque sursaut du buste qui traduit de façon involontaire l'indignation, la réprobation.

haut-parleur n. m. **Plur.: des haut-parleurs.** Appareil qui transforme en sons le courant électrique. *Les deux haut-parleurs d'une chaîne stéréo.*

Haydn Joseph

Compositeur autrichien né en 1732 et mort en 1809. Haydn entre, en 1761, au service de la riche famille princière Esterhàzy, pour laquelle il écrit la majeure partie de son œuvre. Sa célébrité gagne toute l'Europe; en 1795, il s'installe comme musicien indépendant. Haydn compose, en tout, 107 symphonies, dont les plus célèbres sont les six *symphonies* dites « parisiennes » et les douze *symphonies* « *londoniennes* ». On lui doit aussi de grands oratorios comme *la Création* et *les Saisons*, des opéras italiens, notamment *il Mondo della Luna* (*le Monde de la Lune*), ainsi que de nombreux quatuors à corde, des sonates, des messes…

hayon n. m. Panneau mobile qui s'ouvre de bas en haut à l'arrière de certaines voitures. *Le hayon d'un break.*
Homonyme: haillons.

hé ! interj. Sert à interpeller quelqu'un. *Hé! Toi, là-bas.*

heaume n. m. Casque porté par les soldats au Moyen Âge.

Le heaume est un grand casque qui enveloppe toute la tête, visage compris. Conçu au XIᵉ siècle, il subit des transformations jusqu'à la fin du XIIIe siècle. Il devient plus léger, plus arrondi, et possède une visière et une mentonnière mobiles. Il est utilisé jusqu'au XIVe siècle.

hebdomadaire adj. et n. m.
- adj. Qui a lieu une fois par semaine. *Jour de repos hebdomadaire.*
- n. m. Revue, journal qui paraît toutes les semaines.

héberger v. → conjug. **ranger.**
Accueillir quelqu'un chez soi pour un certain temps. *Héberger des amis de passage.*
*Ils n'ont eu aucun problème d'***hébergement*** pendant leur voyage,* ils ont pu être hébergés.

hébété, ée adj. Qui est abruti, ahuri. *Être hébété de fatigue.*

Hébreux

Peuple du Proche-Orient qui, vers 1800 av. J.-C., s'établit en Palestine. L'histoire des Hébreux est racontée dans la Bible. Descendants d'Abraham, les Hébreux partent pour l'Égypte, où ils sont soumis à l'esclavage.
Libérés et guidés par Moïse, ils retournent en Palestine. Ils y fondent un royaume sur lequel règnent les rois David, puis Salomon.
En 931 av. J.-C., à la mort de Salomon, le pays se divise (au nord, le royaume d'Israël, au sud le royaume de Juda) et devient la proie des États voisins. La destruction de Jérusalem (587 av. J.-C.) par les Babyloniens entraîne l'exil des populations qui reviennent en 332 av. J.-C. Mais la ville sera à nouveau anéantie par les Romains en 70 apr. J.-C.

Regarde aussi **Juifs.**

hécatombe n. f. Massacre d'un grand nombre de personnes ou d'animaux. *Hécatombe sur les routes durant le week-end de Pâques.*

hectare n. m. Unité de superficie valant cent ares ou dix mille mètres carrés.
En abrégé : ha.

hecto– préfixe. Placé devant une unité, il la multiplie par cent. *Hectogramme, hectolitre.*

hein ? interj. Familier. **1** Comment ? Quoi ? *Hein ? Qu'est-ce que tu dis ?* **2** Sert à indiquer la surprise ou l'indignation. *Hein ? Tu as encore oublié ton cahier de textes ?* **3** Sert à renforcer une affirmation. *C'est beau, hein ?*

hélas ! interj. Sert à exprimer la tristesse ou le regret. *Je dois partir, hélas !*

héler v. → conjug. **aimer.** Appeler de loin. *Héler un taxi, un serveur.*

hélice n. f. Dispositif constitué de pales servant à propulser un bateau ou un avion.

Lorsqu'elle tourne autour de son axe, l'hélice se déplace, entraînant l'appareil auquel elle est liée. Elle est formée de pales (généralement entre deux et cinq), dont la forme est étudiée avec beaucoup de précision selon l'appareil à propulser. L'hélice de bateau est très différente de l'hélice d'avion.

Hélice de bateau.   *Hélice d'avion.*

hélicoptère n. m. Appareil d'aviation à décollage vertical.

L'hélicoptère est surmonté d'un rotor (la grande hélice) qui a plusieurs fonctions : soulever l'appareil, le maintenir en l'air et assurer son déplacement. La petite hélice placée à la queue de l'appareil permet de maintenir l'appareil en ligne et de changer de direction. Très maniable, l'hélicoptère est souvent utilisé dans les opérations de sauvetage.
Le principe d'une machine volante à rotor est défini par Léonard de Vinci vers 1500, mais le premier décollage d'un hélicoptère avec un homme à son bord a lieu en 1906. Les vols véritables commencent à partir de 1936.

héliport n. m. Aéroport pour hélicoptères.

hélium n. m. Gaz plus léger que l'air. *Ballon gonflé à l'hélium.*

hellébore n. f. → **ellébore.**

Le **h** est un h aspiré.

hématome n. m. Accumulation de sang sous la peau à la suite d'un coup ou d'un choc.
Synonymes : bleu, ecchymose.

hémicycle n. m. Rangées de gradins en forme de demi-cercle. *L'hémicycle de l'Assemblée nationale.*

Hemingway Ernest

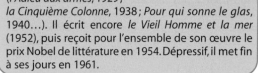

Écrivain américain né en 1899 et mort en 1961. Après avoir débuté dans le journalisme, Hemingway devient célèbre avec le roman *Le soleil se lève aussi* (1926). Son style est simple et empreint d'un grand réalisme. Mêlé aux conflits de la Première Guerre mondiale, de la guerre d'Espagne puis de la Seconde Guerre mondiale, il tire de ses expériences une grande partie de son inspiration (*l'Adieu aux armes*, 1929 ; *la Cinquième Colonne*, 1938 ; *Pour qui sonne le glas*, 1940…). Il écrit encore *le Vieil Homme et la mer* (1952), puis reçoit pour l'ensemble de son œuvre le prix Nobel de littérature en 1954. Dépressif, il met fin à ses jours en 1961.

hémisphère n. m. Moitié du globe terrestre, limitée par l'équateur. *L'hémisphère Sud. L'hémisphère Nord.*
Un planétarium est une représentation du ciel sur une voûte hémisphérique, en forme d'hémisphère.

hémoglobine n. f. Substance qui donne au sang sa couleur rouge et qui assure le transport de l'oxygène des poumons vers les tissus.

hémophilie n. f. Maladie héréditaire qui empêche le sang de coaguler normalement. Une blessure, un choc peuvent causer des hémorragies graves.
Un hémophile est une personne atteinte d'hémophilie.

hémorragie n. f. Écoulement de sang hors des vaisseaux.

henné n. m. Poudre obtenue à partir d'une plante, utilisée surtout dans le Maghreb pour teindre les cheveux et les mains.

hennir v. → conjug. **finir.** Pousser son cri, quand il s'agit du cheval.
L'étalon pousse un hennissement en sentant la jument, il hennit.

Henri IV

Roi de France et de Navarre né en 1553 et mort en 1610. Chef du parti protestant dès 1569, Henri devient, en 1572, roi de Navarre. Il épouse Marguerite de Valois, sœur du roi de France Henri III. En 1589, à la mort de ce dernier, il devient roi de France sous le nom de Henri IV. Les catholiques refusent toutefois de le reconnaître comme souverain. Après avoir remporté plusieurs batailles, Henri IV se convertit au catholicisme en 1593. Par l'édit de Nantes, en 1598, il met fin aux guerres de Religion. Devenu très populaire, il rétablit l'économie ruinée par trente ans de guerres internes. Le 16 mai 1610, Henri IV est assassiné par Ravaillac, un opposant religieux exalté.

Henri le Navigateur

Prince portugais né en 1394 et mort en 1460. Henri le Navigateur organise et finance des expéditions chargées d'explorer les côtes de l'Afrique et de trouver la route des Indes par l'est. Il meurt avant de parvenir à son but, mais il a ouvert la voie aux découvertes qui vont faire du Portugal une grande puissance maritime.

hep ! interj. Sert à appeler quelqu'un. *Hep ! Taxi !*

hépatique adj. Du foie. *Les fonctions hépatiques.*

hépatite n. f. Maladie du foie. *Hépatite virale.*

Héraclès

Héros de la mythologie grecque. Héraclès est un demi-dieu, fils de Zeus et d'une mortelle. Héra, l'épouse de Zeus, le hait et le frappe de folie : il massacre ses propres enfants. Comme châtiment, il doit accomplir douze travaux : tuer le lion de Némée, tuer l'hydre de Lerne, s'emparer de la biche de Cérynie, capturer le sanglier d'Érymanthe, nettoyer les écuries d'Augias, tuer les oiseaux du lac Stymphale, dompter le taureau de Crète, ramener les juments de Diomède, rapporter la ceinture de la reine des Amazones, s'emparer des bœufs de Géryon, subtiliser les pommes d'or des Hespérides et ramener Cerbère, le chien à trois têtes gardien des Enfers, à Mycènes. Il réussit tous ces exploits. Après sa mort, Zeus le transporte dans l'Olympe et lui accorde l'immortalité.

héraut n. m. Au Moyen Âge, personne chargée des déclarations officielles, de l'organisation des cérémonies, de transmettre les messages.
Homonyme : héros.

herbacé, ée adj. *Plante herbacée :* herbe. *Le trèfle, la luzerne sont des plantes herbacées.*

herbage n. m. Prairie, pâturage.

herbe n. f. *1* Plante à tige verte et souple formant une végétation qui pousse naturellement. *L'herbe séchée donne le foin. 2 Fines herbes :* herbes aromatiques servant à assaisonner certains plats. *Le persil, la ciboulette, l'estragon sont des fines herbes. 3 Couper l'herbe sous les pieds de quelqu'un :* prendre sa place en allant plus vite que lui, l'évincer. *4 Un écrivain en herbe :* un enfant qui a des dispositions pour écrire, un apprenti écrivain.
Un terrain herbeux, où il pousse de l'herbe.

herbicide n. m. Produit qui détruit les mauvaises herbes.

herbier n. m. Collection de plantes séchées conservées entre des feuilles de papier.

herbivore adj. et n. Qui se nourrit uniquement d'herbe et de végétaux.

Dans la chaîne alimentaire, les herbivores sont des « consommateurs primaires ». Ils sont généralement les proies des carnivores.
Regarde p. 530 à 532.

herboriser v. → conjug. **aimer.** Cueillir des plantes sauvages pour les étudier.

herboriste n. Personne qui vend des plantes médicinales.

hercule n. m. Homme d'une force extraordinaire.
Un travail herculéen, digne d'un hercule.

Hercule

Héros de la mythologie romaine. Il est l'équivalent d'Héraclès dans la mythologie grecque, un demi-dieu resté célèbre pour les « douze travaux » qu'il a accomplis.
Regarde aussi Héraclès.

hérédité n. f. Transmission de certains caractères d'un individu à ses enfants et petits-enfants.
Certaines maladies, comme l'hémophilie, sont héréditaires, transmises par hérédité.

hérésie n. f. Doctrine condamnée par l'Église comme contraire à la foi catholique.
L'Église catholique a longtemps brûlé les hérétiques, les personnes qui soutenaient une hérésie.

Hergé

Dessinateur belge, auteur de bandes dessinées, né en 1907 et mort en 1983. Son vrai nom est Georges Remi. Hergé est le créateur des aventures de Tintin et Milou. Il en publie le premier récit en 1929, *Tintin au pays des Soviets*, qui connaît un succès immédiat. S'inspirant de sujets d'actualité, Hergé écrit une série de nouvelles aventures dans lesquelles le reporter voyage avec son chien Milou aux quatre coins du monde. À leurs côtés évoluent les personnages du capitaine Haddock, du professeur Tournesol et des inspecteurs de police Dupont et Dupond. Les albums d'Hergé ont été traduits en 51 langues et vendus dans le monde entier ; certains ont été adaptés au cinéma.

hérisser v. → conjug. **aimer.** *1* Dresser ses poils ou ses plumes. *Chat qui hérisse ses poils. 2* Garnir de choses piquantes. *Une côte hérissée de récifs. 3* Se hérisser : s'irriter, être horripilé. *Sa mollesse me hérisse.*

hérisson n. m. Petit mammifère au corps couvert de piquants.

hériter v. → conjug. **aimer.** *1* Devenir propriétaire d'un bien transmis par succession. *À la mort de son père, il a hérité de sa maison. 2* Recevoir par hérédité. *Elle a hérité des yeux de sa mère.*
Il a fait un gros héritage, il a hérité d'une fortune (1). Les enfants sont les héritiers de leurs parents, ils héritent de leurs biens (1).

hermaphrodite adj. Qui a les caractères des deux sexes, mâle et femelle. *L'escargot est hermaphrodite.*

hermétique adj. *1* Qui ne laisse passer ni air ni liquide. *Récipient hermétique. 2* Au figuré. Difficile à comprendre. *Écrivain hermétique.*
Synonymes : étanche (1), obscur (2).
Le thermos a fui, il n'était pas hermétiquement fermé, d'une manière hermétique (1).

hermine n. f. Petit mammifère carnivore qui ressemble à la belette.

L'hermine ne dépasse pas 40 cm de longueur, queue comprise. L'hiver, son pelage brun ou beige devient blanc, à l'exception du bout de la queue qui reste noir. Elle se nourrit de rongeurs, d'oiseaux, de grenouilles, de lézards. Longtemps chassée pour sa belle fourrure, l'hermine est aujourd'hui protégée.

Le **h** est un h aspiré.

les herbivores

Les herbivores se nourrissent exclusivement de végétaux. Ils ont une dentition adaptée à leur régime alimentaire : souvent les canines sont absentes, les incisives et les molaires sont très développées. Certains sont des ruminants, les autres pas. Ils ne constituent pas un groupe particulier dans la classification des espèces ; de nombreux insectes sont herbivores.

■ Camélidés, caprinés, bovinés, cervidés et giraffidés sont des ruminants.

■ Ils remplissent leur estomac ou panse avec l'herbe qu'ils avalent, puis la font remonter par petites quantités dans leur bouche.

■ Ils la mastiquent (la ruminent) lentement par un mouvement transversal des mâchoires.

■ L'herbe, réduite en bouillie, passe alors dans une autre partie de l'estomac où elle subit l'action des sucs digestifs.

camélidés

Vigogne.

Chameau.

Dromadaire.

Lama.

caprinés

Bouc.

Chèvre.

Bouquetin.

Chevreuil.

Mouflon.

Bélier.

Brebis.

Chamois.

530

bovinés

Vache.

Bison.

Buffle.

Yack.

Gnou.

Gazelle.

Impala.

Zébu.

cervidés

Daim.

Biche.

Renne.

Élan.

Cerf.

Wapiti.

giraffidés

Okapi.

Girafe.

531

les herbivores

équidés

Cheval.

Poney.

Âne.

Zèbre.

pachydermes

Rhinocéros.

Éléphant.

Hippopotame.

ils ne se nourrissent que de feuilles

Paresseux.

Grand panda.

marsupiaux

Koala.

Kangourou.

hernie n. f. Saillie anormale d'un organe en dehors de sa cavité. *Une hernie est très douloureuse.*

1. héroïne n. f. Drogue tirée de la morphine, très toxique et dangereuse.

2. héroïne n.f., **héroïque** adj., **héroïquement** adv., **héroïsme** n. m. → **héros.**

héron n. m. Grand oiseau échassier vivant au bord des rivières et des étangs.

Le héron, juché sur de hautes pattes fines, est doté d'un long cou en forme de S. Il se nourrit d'animaux aquatiques (poissons, grenouilles, insectes…) qu'il harponne avec son bec pointu, tranchant sur les bords. Il niche à terre ou dans les arbres, souvent en colonie. Il existe une soixantaine d'espèces de hérons de tailles diverses. En France, on trouve essentiellement le héron cendré, le héron pourpré et le héron crabier.

héros, héroïne n. *1* Personne remarquable par son courage et ses exploits. *Jean Moulin est un héros de la Résistance. Hercule est un héros de la mythologie romaine. 2* Personnage central d'un roman, d'une bande dessinée, d'un film.
Homonyme : héraut.

> *Il a eu un comportement héroïque, digne d'un héros (1). Il a fait preuve d'héroïsme pendant la guerre, un comportement digne d'un héros (1). Cette mère s'est sacrifiée héroïquement pour la vie de ses enfants, de façon héroïque, avec un courage exceptionnel.*

herpès n. m. Maladie de la peau et des muqueuses due à un virus, et qui provoque une sensation de brûlure douloureuse.

herse n. f. *1* Instrument agricole, tiré par un tracteur, destiné à casser les mottes de terre. *2* Grille munie de pointes qu'on abaissait pour interdire l'accès à un château fort.

La herse est une lourde grille armée de pointes à sa partie inférieure. Elle coulisse verticalement pour fermer l'entrée d'une forteresse.
Dans le château fort du Moyen Âge, une herse dite sarrasine est placée entre le pont-levis et la porte d'entrée du château.

hésiter v. → conjug. **aimer.** *1* Être dans un état d'incertitude, avoir du mal à décider ou à choisir. *Hésiter entre deux possibilités. J'hésite à en parler à mes parents. 2* Chercher ses mots, parler en balbutiant. *Souffler la bonne réponse à un camarade qui hésite.*

> *Il répondit d'une voix hésitante, il hésitait (2). Elle accepta sans hésitation ce qu'on lui proposait, sans hésiter (1).*

hétéro– préfixe. Signifie « autre ».
Contraire : homo.

hétéroclite adj. Qui est fait d'un mélange de choses, d'objets divers, disparates. *Une bicoque construite avec des matériaux hétéroclites.*

hétérogène adj. Qui est fait d'éléments de nature différente, qui n'a pas d'unité.
Contraire : homogène.

> *L'hétérogénéité d'une classe d'élèves, de la population d'un quartier, leur caractère hétérogène.*

hétérosexuel, elle adj. Qui éprouve une attirance sexuelle pour les personnes du sexe opposé.

hêtre n. m. Grand arbre à tronc droit et lisse, aux petites feuilles, très utilisé en menuiserie.

heu ! interj. Sert à exprimer la gêne, l'hésitation. *J'ai rencontré madame… heu ! Je ne sais plus son nom.*
On écrit aussi : euh !

heure n. f. *1* Durée égale à la vingt-quatrième partie d'une journée ou à 60 minutes. *Reviens dans une heure. 2* Moment précis de la journée. *Il est cinq heures de l'après-midi. Remettre sa montre à l'heure. 3* À l'heure qu'il est : en ce moment. *Il doit être dans l'avion à l'heure qu'il est. 4* À ses heures : parfois, quand ça lui plaît. *Il est pianiste à ses heures. 5* Sur l'heure : immédiatement. 6* De bonne heure : plus tôt que la moyenne. *Savoir lire de bonne heure.*

heureusement adv. *1* Par chance, par bonheur. *Heureusement, il est sorti indemne de l'accident. 2* D'une manière heureuse. *Une histoire qui se termine heureusement.*
Contraire : malheureusement.

heureux, euse adj. *1* Qui est dans un état de bonheur, qui est rempli de joie. *Être heureux à la naissance d'un enfant. Un visage heureux. 2* Content, satisfait. *Je suis heureux de ton succès. 3* Favorable, propice, opportun. *Un heureux hasard. Un choix heureux.*

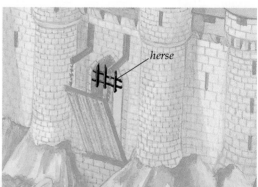

herse

Le **h** est un h aspiré.

heurter v. → conjug. **aimer.** *1* Cogner violemment contre un obstacle. *La voiture a heurté un mur. Sa tête s'est heurtée contre le pare-brise.* *2* Au figuré. Choquer, blesser, froisser. *Sa grossièreté m'a heurté.* *3* Au figuré. *Se heurter à quelque chose*: rencontrer un obstacle. *Sa demande s'est heurtée à un refus.*

*Il y a eu des **heurts** entre les manifestants et la police,* les deux groupes se sont heurtés (*1*).

hévéa n. m. Arbre cultivé en Asie pour son latex, dont on tire le caoutchouc.

hexagone n. m. Figure géométrique à six côtés. *On appelle la France l'«Hexagone» en raison de sa forme.*

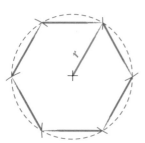

L'hexagone régulier a six côtés égaux. Pour le construire, on trace un cercle de rayon r et l'on reporte la longueur de ce rayon six fois sur la circonférence. On joint les points obtenus. Les côtés de l'hexagone régulier ont même longueur que le rayon du cercle.

hiatus n. m. Suite de deux voyelles qui se prononcent soit à l'intérieur d'un mot, soit entre deux mots. *«Réussir» et «j'ai eu» sont des exemples de hiatus.*

hiberner v. → conjug. **aimer.** Passer l'hiver dans un état d'engourdissement proche du sommeil, quand il s'agit de certains mammifères. *Les ours, les marmottes, les loirs hibernent.*

*L'**hibernation** de l'écureuil peut durer six mois,* la période durant laquelle il hiberne.

hibiscus n. m. Arbre tropical à grandes fleurs rouges, roses ou blanches, cultivé en Europe comme plante d'ornement.

hibou, oux n. m. Oiseau rapace nocturne, qui se distingue de la chouette par ses aigrettes sur la tête.

hic n. m. Familier. Problème, difficulté. *Il veut aller à New York ; le hic, c'est qu'il n'a pas un sou.*

hideux, euse adj. Affreusement laid, horrible. *Un masque hideux.*

*Il a été **hideusement** défiguré par son accident,* de façon hideuse.

hier adv. Jour qui précède aujourd'hui. *Nous sommes dimanche, hier c'était samedi.*

hiérarchie n. f. Organisation sociale dans laquelle chacun est placé sous l'autorité d'une personne située à un rang supérieur. *Le général occupe un grade très élevé dans la hiérarchie militaire.*

*Les salariés de l'entreprise sont notés par leur supérieur **hiérarchique**,* la personne dont ils dépendent dans la hiérarchie. *Une société organisée **hiérarchiquement**,* de façon hiérarchique.

hiéroglyphe n. m. Signe de l'écriture des anciens Égyptiens.

Les hiéroglyphes apparaissent dans l'Égypte ancienne, vers 3100 av. J.-C. Il s'agit d'une forme d'écriture dans laquelle les signes sont majoritairement des dessins qui représentent l'objet évoqué. Mais il existe aussi des symboles correspondant à des notions abstraites et à des sons. Les hiéroglyphes ont été déchiffrés en 1822 par le Français Champollion.

hi-fi n. f. inv. → **haute-fidélité.**

hilarant, ante adj. Qui provoque le rire, très drôle. *Spectacle hilarant. Scène hilarante.*

hilare adj. Qui est réjoui, très gai. *Public hilare. Visages hilares.*

*Sa réponse a provoqué l'**hilarité** générale,* tout le monde était hilare, riait.

Hillary sir Edmund

Alpiniste néo-zélandais né en 1919. Accompagné du sherpa Tenzing Norgay, Hillary est le premier à atteindre le sommet de l'Everest (8 846 m), le 29 mai 1953. En 1955, il participe à une expédition dans l'Antarctique ; il est le troisième explorateur à se rendre jusqu'au pôle Sud par la terre.

Himalaya

Chaîne de montagnes la plus haute du monde, située en Asie. L'Himalaya, dont le nom signifie «séjour des neiges», s'étend sur plus de 2 800 km, pour une largeur moyenne de 300 km. Il traverse le Pakistan, l'Inde, le Népal, la Chine (au Tibet) et le Bhoutan. L'Himalaya compte plus de 100 sommets dépassant 7 000 m, dont le point culminant du globe, l'Everest (8 846 m).

hindouisme n. m. Religion traditionnelle de l'Inde. *Les hindous vénèrent plusieurs dieux*, les adeptes de l'hindouisme. *Shiva est un dieu hindouiste*, de l'hindouisme.

hippique adj. Qui concerne l'équitation et les autres sports pratiqués à cheval. *Concours hippique.*

hippisme n. m. Ensemble des activités qui se pratiquent à cheval : équitation, polo, courses, attelages… *Regarde aussi* **équitation.**

hippocampe n. m. Petit poisson marin.

L'hippocampe nage à la verticale, se déplaçant grâce à sa nageoire dorsale. Sa tête, perpendiculaire à son corps, rappelle celle du cheval (son nom vient du grec *hippos* qui signifie «cheval»). Sa queue préhensile lui permet de s'accrocher aux algues. Il ne dépasse pas 20 cm de hauteur.
Il en existe plus de 200 espèces, toutes menacées de disparition à cause d'une pêche excessive.

hippodrome n. m. Champ de courses hippiques.

hippopotame n. m. Très gros mammifère herbivore d'Afrique tropicale, qui vit dans les fleuves.

hirondelle n. f. Petit oiseau migrateur noir et blanc, à queue fourchue. *Les hirondelles passent l'hiver en Afrique et reviennent au printemps.*

Hiroshima

Ville du Japon située dans le sud-ouest de l'île de Honshu. Durant les derniers jours de la Seconde Guerre mondiale, le 6 août 1945, Hiroshima reçoit la première bombe atomique utilisée à des fins militaires. Elle est lancée par l'armée américaine. L'explosion dévastatrice fait 130 000 victimes, dont 80 000 tués.

hirsute adj. Qui a les cheveux ébouriffés. *Sortir du lit tout hirsute.*

hisser v. → conjug. **aimer.** *1* Élever, faire monter. *Hisser un drapeau. Hisser une valise sur le toit d'une voiture. 2 Se hisser :* grimper, monter avec effort. *Se hisser sur un mur.*

histoire n. f. *1* Récit d'actions réelles ou imaginaires. *Raconter une histoire à un enfant. 2* Récit inventé pour tromper. *Ne me raconte pas d'histoires ! 3* Événement fâcheux, ennui. *Il va t'arriver des histoires. Une vie pai-*sible et sans histoires. *4* Ensemble des événements qui ont marqué le passé d'un pays, d'un peuple, de l'humanité. *J'apprends l'histoire de France. 5* Science qui étudie le passé des sociétés humaines.
Elle veut devenir **historienne**, *elle fait des études d'histoire (5).*

La Gaule devient le pays des Francs en 486. C'est au cours des douze siècles suivants que le territoire de la France va se constituer.
Regarde p. 536 et 537.

historique adj. et n. m.
● adj. *1* Qui se rapporte à l'histoire, au passé. *Film, roman historique. Monument historique. 2* Qui a réellement existé. *Un fait historique. Jeanne d'Arc est un personnage historique.*
● n. m. Exposé racontant le déroulement des faits depuis le début d'une affaire.

Hitler Adolf

Homme politique allemand, né en 1889 et mort en 1945. Il prend le pouvoir en 1934 et impose à l'Allemagne un régime dictatorial fondé sur le nazisme. Cette doctrine raciste et ultranationaliste est exposée dans son livre *Mein Kampf*. Appelé le *Führer*, il s'appuie sur l'armée et une police redoutable, la Gestapo, pour mettre en œuvre sa politique d'expansion et d'élimination des minorités. Cette politique déclenche la Seconde Guerre mondiale et entraîne l'extermination de plus de six millions de Juifs.
Regarde aussi **Guerre.**

hit-parade n. m. Plur.: des hit-parades. Classement de disques ou de chansons selon leur succès. **Synonyme : palmarès.**

hiver n. m. Saison la plus froide de l'année qui commence le 21 ou 22 décembre et finit le 20 ou 21 mars.
Il fait un froid hivernal, d'hiver.

hivernage n. m. → **hiverner.**

hiverner v. → conjug. **aimer.** Passer l'hiver dans un endroit abrité.
Pendant l'hivernage, les vaches et les moutons restent à l'étable, pendant la saison où ils hivernent.

H. L. M. n. m. ou n. f. inv. Abréviation de Habitation à Loyer Modéré : logement construit avec l'aide financière de l'État et réservé aux personnes qui ont des revenus modestes.
On prononce [aʃɛlɛm].

hobby n. m. Plur.: des hobbys ou des hobbies. Passe-temps préféré. *Mon hobby, c'est la lecture.*

Le **h** est un h aspiré.

l'histoire du royaume de France

Partages, conquêtes et héritages transforment le pays des Francs, qui devient la France que nous connaissons aujourd'hui.

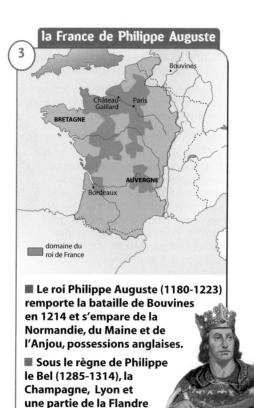

la France de Philippe Auguste

3

- domaine du roi de France

■ **Le roi Philippe Auguste (1180-1223) remporte la bataille de Bouvines en 1214 et s'empare de la Normandie, du Maine et de l'Anjou, possessions anglaises.**

■ **Sous le règne de Philippe le Bel (1285-1314), la Champagne, Lyon et une partie de la Flandre viennent agrandir le domaine royal.**

Philippe Auguste.

l'empire de Charlemagne partagé

1

- Charles le Chauve
- Lothaire
- Louis le Germanique

Charlemagne.

■ **Les successeurs de Clovis sont sans autorité. Il faut attendre les Carolingiens, et surtout Charlemagne (sacré empereur en l'an 800), pour que renaisse le grand royaume des Francs.**

■ **Après sa mort, ses trois petits-fils se partagent l'Empire. Le pays reste divisé par les invasions normandes et les guerres entre seigneurs.**

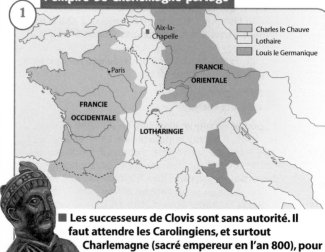

la France sous Hugues Capet

2

- domaine du roi de France

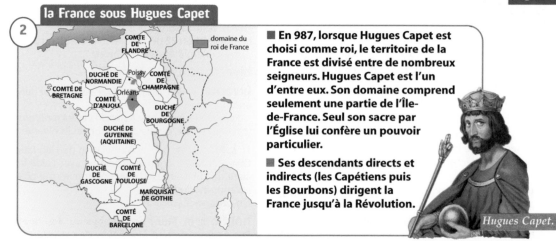

■ **En 987, lorsque Hugues Capet est choisi comme roi, le territoire de la France est divisé entre de nombreux seigneurs. Hugues Capet est l'un d'entre eux. Son domaine comprend seulement une partie de l'Île-de-France. Seul son sacre par l'Église lui confère un pouvoir particulier.**

■ **Ses descendants directs et indirects (les Capétiens puis les Bourbons) dirigent la France jusqu'à la Révolution.**

Hugues Capet.

la France de Louis XI

4

Calais

Rouen

Paris

BRETAGNE

AUVERGNE

Bordeaux

Avignon

Toulouse

Louis XI.

■ domaine du roi de France

■ De 1346 à 1453, la France subit la guerre de Cent Ans, qui l'oppose à l'Angleterre. Les Anglais envahissent une grande partie du pays, mais ils sont chassés grâce à Jeanne d'Arc et à Charles VII. Les Français récupèrent l'Aquitaine. Cette guerre a développé un sentiment d'unité entre les Français.

■ Le roi Louis XI (1461-1483) entreprend la reconstruction du pays. Il soumet Charles le Téméraire, duc de Bourgogne et récupère la Bourgogne, ainsi que la Picardie. Son fils Charles VIII épouse l'héritière du duché de Bretagne, bientôt rattaché au royaume.

■ Au XVIᵉ siècle, une administration rigoureuse se met en place. Le français remplace le latin dans les actes officiels, ce qui contribue à assurer l'unité du royaume. Le territoire s'agrandit par l'annexion progressive des domaines seigneuriaux. François Iᵉʳ (1515-1547) et Henri IV (1589-1610) renforcent le pouvoir royal.

Henri IV.

François Iᵉʳ.

la France de Louis XIV

5

ANGLETERRE

FLANDRE

ARTOIS

SAINT-EMPIRE

NORMANDIE

Paris

BRETAGNE

ALSACE

FRANCHE-COMTÉ (1678)

AUVERGNE

SAVOIE

COMTAT VENAISSIN

NICE

ROUSSILLON

ROYAUME D'ESPAGNE

■ domaine du roi de France

Louis XIV.

■ Au XVIIᵉ siècle, sous le règne de Louis XIV (1643-1715), le pouvoir du roi devient absolu. La France s'augmente encore de la Flandre, de l'Artois, de l'Alsace, de la Franche-Comté et prend approximativement ses frontières actuelles. S'y adjoindront plus tard la Corse (1789), Nice et la Savoie (1860).

■ En 1789, la Révolution française met fin à l'Ancien Régime. La France connaît alors divers régimes politiques, dont le premier Empire (1804-1814), la Restauration, c'est-à-dire le retour des Bourbons sur le trône (1814-1830), et le second Empire (1852-1870). La République est définitivement instaurée en 1875.

hocher

hocher v. → conjug. **aimer.** *Hocher la tête :* la remuer de haut en bas pour montrer qu'on est d'accord, ou de droite à gauche pour dire son désaccord.

Il manifeste son approbation d'un hochement de tête, en hochant la tête.

hochet n. m. Jouet pour bébé qui fait du bruit quand on le secoue.

hockey n. m. Sport d'équipe se disputant sur gazon ou sur glace, dans lequel on marque des buts avec une balle ou un palet que l'on pousse avec une crosse.

Homonyme : hoquet.

Un match de hockey sur glace oppose deux équipes de six hockeyeurs, de joueurs de hockey.

Le hockey sur gazon, qui se pratique depuis l'Antiquité, est codifié en Grande-Bretagne vers 1880. Chaque équipe se compose de onze joueurs. Le jeu consiste à faire pénétrer dans le but adverse une petite balle que l'on frappe avec une crosse ou stick. Il est inscrit aux jeux Olympiques depuis 1906.

Originaire du Canada, le hockey sur glace se pratique sur une patinoire. Les deux équipes, de six joueurs chacune, sont chaussées de patins à glace. Le palet est une rondelle de caoutchouc. Les joueurs portent un équipement protecteur : un casque, des jambières, des culottes très épaisses, des gants rembourrés… Le gardien de but porte un casque grillagé.

holà interj. et n. m.

• interj. Sert à modérer. *Holà ! Doucement !*

• n. m. *Mettre le holà :* mettre fin à quelque chose de regrettable, de gênant. *Les policiers ont mis le holà à leur tapage nocturne.*

hold-up n. m. inv. Attaque à main armée dans le but de voler. *Hold-up d'une banque, d'une bijouterie.*

Mot anglais qui se prononce [ɔldœp].

Hollande

Région située à l'ouest des Pays-Bas. On désigne parfois, à tort, sous le nom de Hollande l'ensemble des Pays-Bas. Le Sud est une grande plaine très peuplée où dominent l'élevage et l'horticulture. Les paysages sont plus variés au nord. Presque totalement située au-dessous du niveau de la mer, la Hollande est parcourue de nombreux canaux.

Hollywood

Célèbre quartier de la ville de Los Angeles, située sur la côte ouest des États-Unis, en Californie. Hollywood est le centre de l'industrie du cinéma américain. On y trouve également des studios d'enregistrement pour la radio, la télévision et la musique.

holocauste n. m. Extermination des Juifs par les nazis pendant la Seconde Guerre mondiale.

hologramme n. m. Photo qui donne l'illusion d'être en trois dimensions, regardée sous un certain angle.

homard n. m. Crustacé marin muni de deux énormes pinces, dont la chair est très recherchée.

homéopathie n. f. Méthode de traitement de certaines maladies consistant à prendre à doses très faibles des médicaments qui provoqueraient à fortes doses la même maladie que celle que l'on veut soigner.

Il prend des médicaments homéopathiques, il se soigne à l'homéopathie.

Hoffmann Ernst Theodor Amadeus

Écrivain et compositeur allemand né en 1776 et mort en 1822. Hoffmann change son troisième prénom Wilhelm en Amadeus, en hommage à Mozart.

Il compose de nombreux morceaux pour piano, mais il est surtout célèbre pour ses récits fantastiques, dans lesquels il donne libre cours à son imagination : *les Élixirs du diable* (1816), les *Contes des frères Sérapion* (1819-1821), la *Princesse Brambilla* (1820)… L'opéra d'Offenbach, *les Contes d'Hoffmann* est inspiré de ces œuvres, de même que le ballet *Casse-Noisette* de Tchaïkovski.

Homère

Poète grec du IXᵉ siècle av. J.-C. Le personnage d'Homère reste mystérieux. On n'est pas sûr qu'il soit bien l'auteur des deux grandes œuvres qu'on lui attribue, l'*Iliade* et l'*Odyssée*. Aveugle, Homère aurait voyagé autour du bassin méditerranéen (Espagne, Italie, Égypte) en récitant ses poèmes. Transmis oralement, ceux-ci sont fixés par écrit au VIᵉ siècle av. J.-C. Très célèbres dans l'Antiquité, ils ont servi à l'enseignement, ont influencé les poètes grecs et latins, et profondément marqué la littérature occidentale. L'*Illiade* raconte un épisode de la guerre de Troie. L'*Odyssée* retrace les aventures d'Ulysse, de son départ de Troie jusqu'à son retour auprès de sa femme Pénélope.

homérique adj. Épique, phénoménal, spectaculaire. *Personnage homérique. Rire homérique.*

homicide n. m. Action de tuer un être humain. *Homicide involontaire.*

hommage n. m. *1* Témoignage de gratitude, de respect, d'admiration. *Rendre hommage au courage de quelqu'un. 2* Au pluriel. Formule de politesse respectueuse employée par un homme vis-à-vis d'une femme. *Mes hommages à votre épouse.*

homme n. m. *1* Être humain. *Le langage articulé est l'un des caractères propres à l'homme. 2* Être humain adulte de sexe masculin. *Les hommes, les femmes et les enfants. 3* *Homme d'État :* qui est à la tête d'un État. *4* *Homme politique :* ministre, député, sénateur. *5* *Homme de loi :* magistrat ou avocat.

Jusqu'à la découverte, au Kenya, en 2000, d'ossements vieux de 6 millions d'années, on datait l'apparition de l'homme sur la Terre à 3 millions d'années. Ce nouvel ancêtre semble devoir prendre la place de Lucy qui était jusqu'alors le plus ancien australopithèque découvert.
Regarde ci-dessous.

l'homme

Les principales caractéristiques de l'évolution de l'homme sont la croissance du volume du cerveau et l'utilisation d'outils de plus en plus perfectionnés.

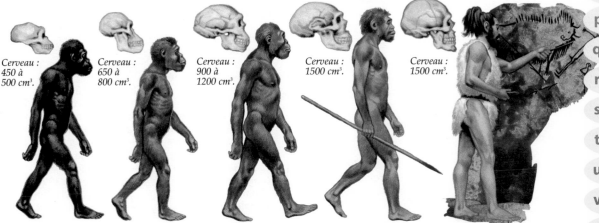

Cerveau : 450 à 500 cm³.

Cerveau : 650 à 800 cm³.

Cerveau : 900 à 1200 cm³.

Cerveau : 1500 cm³.

Cerveau : 1500 cm³.

Australopithèque. 3 millions d'années. Environ 1,20 m. Front bas et fuyant ; difficultés à se tenir droit.

Homo habilis. 2 millions d'années. Environ 1,20 m. Fabrique les premiers outils de pierre.

Homo erectus. 1,5 million d'années. Environ 1,50 m. Maîtrise peu à peu le feu. Les outils sont mieux taillés.

Homme de Néandertal. 110 000 ans. Environ 1,70 m. Front droit. Fabrique des outils perfectionnés.

Homme de Cro-Magnon. 40 000 ans. Environ 1,70 m. Semblable à l'homme moderne. Fabrique des outils, peint, sculpte les parois des cavernes.

homme-grenouille n. m. **Plur. : des hommes-grenouilles.** Plongeur équipé d'un scaphandre autonome qui comporte des bouteilles à oxygène.

homo– préfixe. Signifie « semblable, de même ». **Contraire : hétéro.**

homogène adj. Qui est formé d'éléments de même nature, qui forme un tout uniforme ou cohérent. *Une classe homogène, constituée d'élèves de même niveau.* **Contraire : hétérogène.**

> *L'homogénéité d'une classe*, son caractère homogène.

homologue n. Personne qui occupe la même fonction qu'une autre. *Le Premier ministre a rencontré son homologue allemand.*

homologuer v. → conjug. **aimer.** Reconnaître, enregistrer officiellement. *Homologuer un record.*

homonyme n. m. Mot qui a un sens différent d'un autre mais qui se prononce de la même façon. *« Hockey » et « hoquet » sont des homonymes.*

homosexuel, elle adj. et n. Personne qui est attirée sexuellement par des personnes du même sexe. **Contraire : hétérosexuel.**

> *Les homosexuels luttent pour que l'homosexualité soit reconnue*, leur qualité d'homosexuels.

Honduras

République d'Amérique centrale, limitée au nord par la mer des Caraïbes, au sud par l'océan Pacifique. La montagne occupe la plus grande partie du Honduras. Le climat est tropical. Ses principales ressources sont la banane et le café. En 1998, l'économie de ce pays déjà très pauvre a été ruinée par le passage de l'ouragan Mitch, qui a dévasté les plantations. Découvert par Christophe Colomb en 1502, le Honduras devient colonie espagnole en 1523. Il est indépendant depuis 1838.

112 090 km²
6 781 000 habitants :
les Honduriens
Langues : espagnol,
langues indiennes
Monnaie : lempira
Capitale : Tegucigalpa

Honegger Arthur

Compositeur suisse né en 1892 et mort en 1955. La musique de Honegger a un style robuste, mais vibre souvent d'une intense émotion. Elle est influencée par les compositeurs romantiques allemands, la rigueur de Jean-Sébastien Bach et le modernisme de Claude Debussy.
Honegger compose des œuvres pour orchestre, cinq symphonies, des oratorios, des opéras tels *Judith* (1925) et *Antigone* (1922-1927) et une opérette, *les Aventures du roi Pausole* (1930).
Il est également l'auteur de musiques de films et de ballets.

Hongrie

République d'Europe de l'Est. La Hongrie est un pays de plaines et de collines traversé du nord au sud par un grand fleuve, le Danube. À l'ouest du territoire se trouve le lac Balaton, le plus grand lac d'Europe centrale. Le climat est continental. L'industrie et le tourisme sont en développement, mais l'agriculture (maïs, blé, vigne, betterave à sucre…) ainsi que l'élevage (bovins et porcins) jouent encore un rôle important dans l'économie. En 1949, la Hongrie adopte le régime politique de l'URSS de Staline. En 1956, le pays se révolte contre le communisme. Il s'en affranchit dans le calme en 1989. La Hongrie connaît ses premières élections libres en 1990. Adhère à l'Union européenne en 2004.

93 030 km²
9 923 000 habitants :
les Hongrois
ou Magyars
Langue : hongrois
Monnaie : forint
Capitale : Budapest

honnête adj. **1** Qui ne cherche pas à tromper ni à voler, qui est loyal, droit, franc. *Un homme honnête. Un marché, un contrat honnête.* **2** Qui se situe dans une moyenne, qui est correct, acceptable, convenable. *Un travail honnête, sans plus.* **Contraires : malhonnête (1), inacceptable (2).**

Il m'a prévenu **honnêtement** que le travail était dur et peu payé, de façon honnête (**1**). Elle a eu l'**honnêteté** de reconnaître son erreur, elle a été honnête (**1**).

honneur n. m. **1** Sentiment que l'on a de sa dignité, respect de soi. *Défendre son honneur après avoir été calomnié.* **2** Marque d'estime, d'admiration. *Organiser une fête en l'honneur de quelqu'un, de quelque chose. Chef d'État reçu avec les honneurs dus à son rang.*

honorable adj. **1** Digne, respectable, qui mérite l'estime. *Famille honorable, travail honorable.* **2** Convenable, honnête, suffisant. *Avoir des résultats honorables.*

Il gagne juste de quoi vivre **honorablement**, de façon honorable (**2**).

honoraires n. m. plur. Rémunération perçue par quelqu'un qui exerce une profession libérale. *Les honoraires d'un médecin, d'un avocat, d'un architecte.*

honorer v. → conjug. **aimer**. **1** Rendre honneur à quelqu'un, lui manifester respect et admiration. *Honorer la mémoire d'un résistant.* **2** Honorer ses engagements : les remplir entièrement.

honorifique adj. Qui procure des honneurs, mais aucun avantage matériel. *La Légion d'honneur est une distinction honorifique.*

honte n. f. **1** Sentiment pénible d'être humilié, d'avoir mal agi. *Rougir de honte. Avoir honte de ce qu'on a dit.* **2** Chose odieuse, indigne. *C'est une honte de maltraiter un enfant.*

honteux, euse adj. **1** Qui éprouve de la honte. *Il est honteux d'avoir pris de l'argent à sa mère.* **2** Qui cause de la honte, qui est dégradant, scandaleux. *Se livrer à un honteux chantage.*

Il est **honteusement** gâté, de façon honteuse (**2**).

hop ! interj. Sert à accompagner un mouvement, une action soudaine. *Allez hop ! Et que ça saute !*

hôpital, aux n. m. Établissement dans lequel sont soignés et opérés les malades et les blessés, et qui comporte le plus souvent une maternité.

hoquet n. m. Contraction du diaphragme qui s'accompagne d'une secousse du haut du corps et du bruit répété du passage de l'air dans la gorge. *Hélas ! Son hoquet empêche Herbert de faire du skate.*
Homonyme : hockey.

Il **hoquetait** bruyamment, il avait le hoquet.

horaire adj. et n. m.
• adj. Qui est mesuré en heures. *La vitesse horaire d'un véhicule est la distance qu'il parcourt en une heure.*
• n. m. **1** Tableau des heures de départ et d'arrivée des trains, des avions, des bateaux. **2** Emploi du temps. *Horaires d'ouverture d'un magasin.*

horde n. f. Troupe, bande d'animaux sauvages ou de personnes indisciplinées.

horizon n. m. **1** Ligne imaginaire où le ciel et la terre donnent l'impression de se rejoindre. **2** Au figuré. Perspective d'avenir. *Cette découverte ouvre des horizons nouveaux à la science.*

horizontal, ale, aux adj. Qui est parallèle à la ligne d'horizon. *Cette étagère n'est pas horizontale, elle penche à droite.*
Contraire : vertical.

Placer **horizontalement** un élément d'un jeu de construction, de façon horizontale.

horloge n. f. Instrument qui indique l'heure. *Horloge d'une gare.*

horlogerie n. f. **1** Magasin de l'horloger. *Une horlogerie-bijouterie.* **2** Fabrication et commerce des horloges, montres, etc.
Un **horloger** est un artisan qui fabrique, répare et vend des montres, des horloges, des réveils.

hormis prép. Littéraire. Excepté, sauf. *Tous étaient là, hormis deux absents.*

hormone n. f. Substance fabriquée par certaines glandes du corps et qui, transportée par le sang, agit sur des organes ou des tissus situés à distance.

horodateur n. m. Appareil qui imprime automatiquement la date et l'heure.

horoscope n. m. Prévision faite par les astrologues sur l'avenir d'une personne en étudiant la position des planètes à sa naissance.

horreur n. f. **1** Violente impression de répulsion, épouvante. *Une vision d'horreur. Cri d'horreur.* **2** Dégoût, répugnance. *Avoir horreur de l'eau.* **3** Au pluriel. Atrocités. *Les horreurs de la guerre.*

horrible adj. **1** Qui fait horreur. *Un crime horrible.* **2** Très laid ou très désagréable. *Un temps horrible. Ce vase est horrible.*

horriblement adv. **1** D'une manière horrible. *Un cadavre horriblement mutilé.* **2** Très, énormément. *C'est horriblement cher !*

horrifier v. → conjug. **modifier**. Remplir d'horreur. *Être horrifié par des images de guerre.*

horripiler v. → conjug. **aimer**. Irriter, agacer fortement, exaspérer. *Sa lenteur m'horripile.*

Cette fille est **horripilante** avec ses pleurnicheries perpétuelles, elle horripile son entourage.

hors prép. Indique : **1** l'extérieur d'un lieu. *Le poisson rouge a sauté hors du bocal.* **2** l'éloignement. *Rédaction hors sujet. Joueur hors catégorie. Hors de*

Le **h** est un h aspiré.

danger. **3** *Hors de prix :* très cher. **4** *Hors d'usage :* usé, abîmé, dont on ne peut plus se servir. **5** *Hors de soi :* furieux. *Elle est hors d'elle d'avoir été ainsi trompée.* **Homonyme :** or.

hors-bord n. m. inv. Bateau rapide, de course ou de plaisance.

Le moteur du hors-bord est placé à l'arrière et à l'extérieur de la coque. Les hors-bord de course sont des canots légers, en forme de V. Propulsés par un puissant moteur, ils peuvent atteindre des vitesses très élevées, dépassant les 200 km/h.

Un hors-bord monoplace.

hors-d'œuvre n. m. inv. Plat généralement froid servi en entrée. *En hors-d'œuvre, du pâté, du saucisson et des crudités.*

hors-jeu n. m. inv. Faute commise dans certains sports d'équipe par un joueur qui occupe sur le terrain une position non conforme aux règles du jeu.

hors-la-loi n. m. inv. Bandit qui vit en dehors des lois.

hortensia n. m. Petit arbuste qui produit de grosses fleurs en boules roses, bleues ou blanches. *Un massif d'hortensias.*

horticulture n. f. Culture des légumes, des fruits, des fleurs et des arbres d'ornement.
> *Nous sommes allés à une exposition* horticole, *sur l'horticulture. Nous avons acheté de jeunes arbres et des fleurs à planter à des* horticulteurs, *des personnes qui pratiquent l'horticulture.*

Horus

Divinité de l'Égypte ancienne, dieu du Ciel. Fils d'Isis et d'Osiris, Horus est représenté sous la forme d'un faucon ou d'un homme à tête de faucon. Ses yeux figurent le soleil et la lune.
Il est adoré dans toute l'Égypte.

hospice n. m. Établissement qui accueille des personnes démunies (vieillards, handicapés).

hospitalier, ère adj. **1** De l'hôpital. *Le personnel hospitalier.* **2** Qui pratique l'hospitalité, qui est ouvert et accueillant. *Ces gens sont très hospitaliers. Pays hospitalier.* **Contraire :** inhospitalier (**2**).

hospitaliser v. → conjug. **aimer.** Faire entrer à l'hôpital. *Il a été hospitalisé pour une intervention chirurgicale.*

hospitalité n. f. Le fait d'accueillir chez soi, d'être hospitalier. *Offrir l'hospitalité à des amis de passage.*

hostie n. f. Fine rondelle de pain cuit sans levain, consacrée pendant la messe, que le prêtre distribue à ceux qui communient.

hostile adj. **1** Qui se comporte en ennemi, qui est agressif, malveillant. *Avoir une attitude hostile. Garder un silence hostile.* **2** Qui est opposé à quelque chose. *La Région est hostile au projet d'une autoroute.* **Contraires :** amical (**1**), favorable (**2**).

hostilité n. f. **1** Attitude d'une personne hostile. *Regarder quelqu'un avec hostilité.* **2** Au pluriel. Opérations de guerre, combats. *Les hostilités ont repris.*

hot dog n. m. **Plur. : des hot dogs.** Sandwich fourré d'une saucisse chaude.
Mot anglais qui se prononce [ɔtdɔg].

hôte, hôtesse n., n. m. et n. f.
• n. Personne qui reçoit quelqu'un, qui lui offre l'hospitalité. *Remercier ses hôtes.*
• n. m. Personne qui est reçue chez quelqu'un, à qui on offre l'hospitalité. *Recevoir un hôte de marque.*
• n. f. **1** Jeune femme chargée de l'accueil dans un lieu public. **2** *Hôtesse de l'air :* femme chargée de l'accueil et du confort des passagers d'un avion.

hôtel n. m. Établissement dans lequel on peut dormir une ou plusieurs nuits, moyennant paiement.

hôtelier, ère n. et adj.
• n. Personne qui tient un hôtel.
• adj. De l'hôtellerie. *École hôtelière.*
> *L'*hôtellerie *est l'ensemble des activités, des métiers qui concernent les hôtels et les restaurants.*

hôtesse n. f. → **hôte.**

hotte n. f. **1** Grand panier porté sur le dos. **2** Partie d'une cheminée située au-dessus du foyer. **3** Appareil électrique qui aspire les odeurs et la fumée d'une cuisinière.

hou ! interj. Mot que l'on utilise pour faire peur à quelqu'un ou se moquer de lui. *Hou ! Le peureux !*

houblon n. m. Plante grimpante dont les fleurs entrent dans la composition de la bière.

houe n. f. Pioche à large lame servant à biner la terre.

La houe est composée d'une lame emboîtée sur un manche. La lame peut être carrée, triangulaire ou composée de dents. Le manche a une longueur variable, mais qui ne dépasse généralement pas 1 m. La houe existe depuis l'âge du fer ; elle est encore très répandue en Afrique.

houille n. f. *1* Charbon. *Gisement de houille.* *2* *Houille blanche :* électricité produite par les chutes d'eau.

Un bassin **houiller** est une région productrice de houille.

houle n. f. Mouvement qui agite la mer, sans déferlement de vagues. *Une petite, une forte houle.*

houlette n. f. *Sous la houlette de quelqu'un :* sous sa conduite, sous sa direction.

houleux, euse adj. *1* Agité par la houle. *Mer houleuse.* *2* Au figuré. Agité, troublé, mouvementé. *Un débat houleux.*
Contraire : calme.

houppe n. f. Touffe de cheveux sur le front. *Tintin a une houppe.*

hourra interj. et n. m.
• interj. Sert à exprimer l'enthousiasme, à acclamer quelqu'un. *Hourra ! Il a réussi !*
• n. m. Cri d'enthousiasme. *Pousser des hourras.*

houspiller v. → conjug. **aimer.** Harceler quelqu'un de reproches, de critiques, le tarabuster.

housse n. f. Enveloppe destinée à protéger l'objet qu'elle contient. *Housse de guitare. Housse de couette.*

houx n. m. Arbuste aux feuilles persistantes.

Il existe de nombreuses espèces de houx dans les régions froides et tempérées. En France, on trouve le houx commun. C'est un arbuste à feuilles découpées coriaces, brillantes, et à bords épineux. En hiver, il porte de petits fruits ronds de couleur rouge vif. Le houx a de nombreuses utilisations : son écorce entre dans la fabrication de la glu, et son bois est employé en ébénisterie.

hublot n. m. Petite fenêtre étanche d'un bateau ou d'un avion.

huche n. f. Autrefois, grand coffre campagnard en bois, à couvercle plat. *Huche à pain.*

hue ! interj. Mot que l'on dit pour faire avancer un cheval de trait.

huées n. f. plur. Cris de réprobation, d'hostilité poussés par un groupe de personnes.

L'acteur principal de la pièce s'est fait **huer**, le public a manifesté son mécontentement par des huées.

Hugo Victor

Poète, auteur dramatique, romancier et homme politique français né en 1802 et mort en 1885. Hugo est l'auteur d'une œuvre considérable, véritable miroir du XIXe siècle. Il aborde tous les genres, lyrique, satirique, épique. On lui doit des œuvres poétiques (*les Orientales*, 1829 ; *les Châtiments*, 1853, *la Légende des siècles*, 1859…), des pièces de théâtre (*Cromwell*, 1827 ; *Marion Delorme*, 1831 ; *Marie Tudor*, 1833…), et des romans parmi lesquels on trouve notamment *Notre-Dame de Paris* (1831) et *les Misérables* (1862). Parallèlement à l'écriture, Victor Hugo mène une carrière politique. D'abord monarchiste, il devient libéral puis ensuite républicain. Très populaire, il a droit à des funérailles nationales ; il est inhumé au Panthéon à Paris.

huile n. f. *1* Liquide gras et visqueux, obtenu à partir de certains végétaux. *2* Liquide gras, obtenu à partir de la houille ou du pétrole, servant à graisser les moteurs. *3* *Faire tache d'huile :* se propager insensiblement et de manière continue. *4* *Jeter de l'huile sur le feu :* pousser à la dispute, envenimer une situation. *5* *Mettre de l'huile dans les rouages :* éviter qu'une situation ne s'envenime.

La chaîne de ton vélo va rouiller si tu ne l'**huiles** pas, si tu ne la graisses pas avec de l'huile (*2*). Il a les cheveux sales et **huileux**, qui semblent imbibés d'huile.

Les végétaux dont on peut extraire de l'huile sont appelés oléagineux. Les huiles végétales sont destinées à l'alimentation et à l'industrie. Les résidus solides obtenus après leur raffinage sont appelés tourteaux. Riches en protéines, ils sont utilisés dans l'alimentation du bétail.
Regarde page suivante.

Le **h** est un h aspiré.

les plantes à huile

Les huiles végétales sont obtenues par pressage des fruits ou concassage des graines des plantes à huile ou oléagineuses. On tire aussi de l'huile des noix, des noisettes...

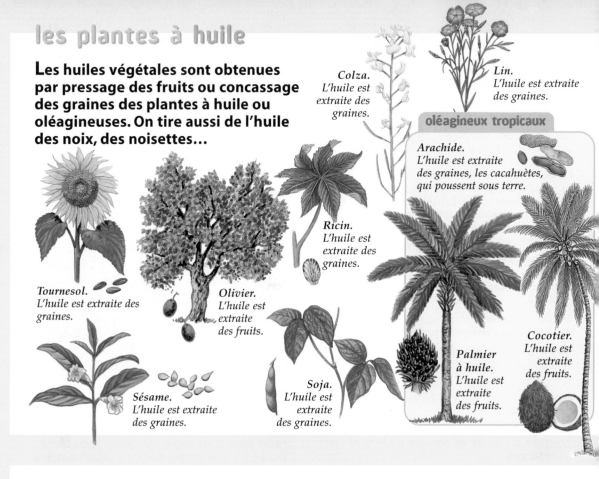

Colza. L'huile est extraite des graines.

Lin. L'huile est extraite des graines.

oléagineux tropicaux

Arachide. L'huile est extraite des graines, les cacahuètes, qui poussent sous terre.

Ricin. L'huile est extraite des graines.

Tournesol. L'huile est extraite des graines.

Olivier. L'huile est extraite des fruits.

Cocotier. L'huile est extraite des fruits.

Palmier à huile. L'huile est extraite des fruits.

Sésame. L'huile est extraite des graines.

Soja. L'huile est extraite des graines.

---

huis clos n. m. *À huis clos :* sans que le public soit admis. *Le procès aura lieu à huis clos.* **On prononce** [ɥiklo].

huissier n. m. *1* Personne chargée de l'accueil du public dans une administration. *2* Employé qui annonce les personnalités dans les cérémonies officielles. *3* Personne chargée de faire exécuter les décisions de justice et de procéder à des constats.

huître n. f. Mollusque marin bivalve, dont on mange la chair. *Parc à huîtres.*

hulotte n. f. Chat-huant.

hululer v. → conjug. **aimer.** Pousser son cri, quand il s'agit d'un rapace nocturne.
*On entend les **hululements** de la chouette,* la chouette hulule.
On écrit aussi, plus rarement : ululement.

HUIT
S'écrit **VIII** en chiffres romains.

- adj. inv. Sept plus un. *J'ai **huit** ans.*
- n. m. inv. *1* Le chiffre, le numéro huit. *J'habite au 8 de la rue. J'ai eu un 8 en maths. 2 En huit :* dans huit jours en comptant aujourd'hui, le même jour la semaine prochaine. *Nous irons pique-niquer dimanche en **huit**.*

huitième
- adj. et n. Qui occupe le rang ou la place numéro 8 dans une série. *Il a fini **huitième** au marathon.*
- n. m. Chaque partie d'un tout qui a été divisé par huit. *Un huitième ou 1/8.*

huitaine
- n. f. Ensemble de plus ou moins huit choses ou personnes. *Revoyons-nous dans une **huitaine** de jours.*

544

hum ! interj. Sert à montrer qu'on hésite. *Hum ! Est-ce que c'est bien vrai ?*

humain, aine adj. et n. m.
• adj. **1** De l'homme. *Le corps humain.* **2** Qui est compréhensif et compatissant à la souffrance d'autrui. *Un chirurgien habile et très humain.*
Contraire : inhumain (2).
• n. m. Homme, femme ou enfant. *Il aime la nature sauvage, à l'écart des humains.*
> Les otages libérés disent avoir été traités *humainement*, d'une manière humaine (**2**).

humanisme n. m. Attitude philosophique qui affirme la valeur et la dignité de la personne humaine et qui lutte pour son épanouissement.
> Un philosophe, un écrivain *humanistes*, qui sont partisans de l'humanisme.

humanitaire adj. Qui cherche à améliorer la condition de populations en difficulté. *Aide humanitaire.*

humanité n. f. **1** Ensemble des êtres humains. *Les origines de l'humanité.* **2** Qualité d'une personne humaine, généreuse. *Les prisonniers ont été traités avec humanité.*

humble adj. **1** Qui se comporte avec modestie et discrétion, ou d'une manière soumise. *Un ton humble.* **2** Littéraire. Simple et modeste. *Une humble demeure.*
> Il a *humblement* reconnu qu'il s'était trompé, de façon humble (**1**).

humecter v. → conjug. **aimer.** Mouiller très légèrement. *Humecter un timbre avant de le coller.*

humer v. → conjug. **aimer.** Aspirer profondément par les narines pour sentir une odeur agréable.

humérus n. m. Os du bras entre l'épaule et le coude.

humeur n. f. Caractère habituel ou état d'esprit passager de quelqu'un. *Une personne d'humeur égale, toujours calme. Être de bonne, de mauvaise humeur.*

humide adj. **1** Qui est imprégné d'eau ou de vapeur d'eau. *Le bois humide brûle très mal.* **2** Se dit d'une région pluvieuse.
> On *humidifie* le linge pour le repasser, on le rend humide (**1**). *Les livres ont moisi à cause de l'humidité de la cave*, son caractère humide (**1**).

humilier v. → conjug. **modifier.** Rabaisser quelqu'un en lui faisant honte. *Humilier un enfant en le grondant devant tout le monde.*
> Il a rougi d'*humiliation*, d'avoir été humilié. *C'est humiliant d'être trahi par un ami*, on se sent humilié.

humilité n. f. État d'esprit, caractère d'une personne humble. *Faire preuve d'humilité.*
Contraires : arrogance, orgueil, fierté.

humour n. m. Forme d'esprit qui consiste à mettre en évidence les aspects comiques ou insolites de la réalité. *Elle nous a fait un récit plein d'humour de ses mésaventures.*
> On appelle *humoriste* un auteur de dessins comiques ou satiriques, ou quelqu'un qui interprète des sketches *humoristiques*, pleins d'humour.

humus n. m. Terre noire et fertile, issue de la décomposition de végétaux.

Huns

Ancien peuple d'Asie centrale qui, à partir de 370 apr. J.-C., multiplie les incursions en Europe et en Asie. En 451, les Huns, menés par Attila, envahissent l'Empire romain.
Ce sont d'excellents cavaliers qui se déplacent très rapidement. Ils ravagent les villes qu'ils traversent, pillant, incendiant et semant la terreur parmi les habitants. Devant ce danger, Romains et Germains s'allient pour les combattre. Les Huns sont écrasés à la bataille des champs Catalauniques (451). Après une dernière incursion en Italie, ils repassent le Rhin et s'installent sur le territoire de l'actuelle Hongrie. La mort d'Attila, en 453, met fin à leur histoire.

huppe n. f. **1** Touffe de plumes que portent certains oiseaux. **2** Autre nom du *coq héron*, oiseau portant une huppe rousse et noire sur la tête.

huppé, ée adj. **1** Qui porte une huppe. **2** Riche et distingué. *Des gens huppés.*

hurler v. → conjug. **aimer.** **1** Pousser des cris violents et prolongés. *Hurler de douleur.* **2** Parler, crier ou chanter le plus fort possible. *Hurler pour se faire entendre dans le brouhaha.*
> Les vainqueurs du match sont accueillis par les *hurlements* du public, le public hurle.

hurluberlu, ue n. Personne fantaisiste, loufoque.

husky n. m. **Plur. : huskys ou huskies.** Chien de traîneau.
Mot anglais qui se prononce [œski].

hussard n. m. Autrefois, soldat de la cavalerie légère.

hutte n. f. Cabane de branchages, de terre séchée, de roseaux, servant d'abri ou d'habitation.

hybride n. m. Animal ou végétal issu du croisement de deux espèces différentes. *Le mulet est un hybride de la jument et de l'âne.*

Le **h** est un h aspiré.

hydrater v. → conjug. **aimer**. Apporter de l'eau à un organisme. *Quand il fait très chaud, il faut boire beaucoup pour s'hydrater.*
Contraire : déshydrater.

> L'*hydratation* normale des tissus du corps s'obtient en buvant suffisamment, le fait de les hydrater. *Une crème hydratante*, qui hydrate la peau.

hydraulique adj. *1* Qui utilise la force de l'eau. *Moteur, pompe, ascenseur, presse hydrauliques. 2* Se dit de l'énergie fournie par les chutes d'eau, les marées et les courants.

hydravion n. m. Avion conçu pour décoller et se poser sur l'eau.

Hydravion de Henri Fabre.

Le premier hydravion est mis au point par l'ingénieur Henri Fabre, qui décolle de l'étang de Berre près de Marseille le 28 mars 1910. Aujourd'hui, le fuselage de l'hydravion est semblable à la coque d'un bateau. Il doit être suffisamment résistant pour supporter les chocs de l'amerrissage.

hydrocarbure n. m. Le pétrole et le gaz naturel.

hydrocution n. f. Syncope pouvant survenir chez un baigneur qui entre brutalement dans une eau très froide et qui peut entraîner la mort par noyade.

hydroélectricité n. f. Électricité produite par l'énergie hydraulique.

> Les centrales *hydroélectriques* produisent de l'hydroélectricité.

hydrogène n. m. Gaz extrêmement léger qui, combiné avec de l'oxygène, forme de l'eau.

hydroglisseur n. m. Bateau rapide, à fond plat, propulsé par une hélice aérienne ou un moteur à réaction.

hydrographie n. f. Ensemble des cours d'eau et des lacs d'une région, d'un pays.

> En géographie, on étudie le réseau *hydrographique* de la France, son hydrographie.

hydromel n. m. Boisson alcoolique obtenue en faisant fermenter du miel dans de l'eau.

hydrophile adj. Qui absorbe l'eau, les liquides. *Coton hydrophile.*

hyène n. f. Mammifère carnivore d'Afrique et d'Asie, de la taille d'un chien, qui se nourrit surtout de charognes.

hygiène n. f. Ensemble des soins du corps et des habitudes de vie ayant pour but de conserver une bonne santé.

> Le dimanche, toute la famille fait une grande promenade *hygiénique*, pour garder une bonne hygiène de vie.

hymne n. m. Chant solennel. *Chaque pays a son hymne national.*

hyper– préfixe. Entre dans la composition de certains mots et signifie « très grand ».

hypermarché n. m. Très grand magasin en libre service.

hypermétrope adj. Se dit d'une personne qui voit mal les objets rapprochés.

hypnose n. f. État proche du sommeil, provoqué par certains médicaments ou par une personne qui utilise certains procédés.

> Le serpent *hypnotise* sa proie, il la met dans un état d'hypnose.

hypocrite adj. et n. Se dit d'une personne qui dissimule ses vraies pensées ou ses vrais sentiments et se fait passer pour ce qu'elle n'est pas.
Synonymes : faux, fourbe, sournois. Contraires : franc, loyal, sincère.

> Ce type respire l'*hypocrisie*, son comportement est hypocrite, je n'ai aucune confiance en lui. *Il m'a souri hypocritement,* d'une façon hypocrite.

hypoténuse n. f. Côté opposé à l'angle droit, dans un triangle rectangle.

hypothèse n. f. Supposition que l'on fait pour donner l'explication d'un événement, d'un fait, dont on n'a pas la preuve.

> Un *hypothétique* succès, fondé sur une hypothèse, douteux, incertain.

hystérie n. f. Comportement d'une personne en proie à une grande excitation qu'elle n'arrive pas à contrôler.

> On entendait les hurlements *hystériques* de la foule en délire, dus à l'hystérie de la foule.

Ii

Isidore s'entête !

ISIDORE

ibis n. m. Grand oiseau des pays chauds, au bec mince et recourbé. *L'ibis est un échassier.*
On prononce [ibis].

Icare

Personnage de la mythologie grecque. Fils de l'architecte Dédale, Icare est enfermé avec son père dans le Labyrinthe. Tous deux réussissent à s'en échapper grâce à des ailes de plumes fixées avec de la cire, que Dédale a fabriquées. Mais, au cours de son vol, Icare s'approche trop près du soleil. La cire fond, Icare tombe à la mer et se noie, près d'une île à laquelle on a donné le nom d'Icarie.

Regarde aussi Dédale.

iceberg n. m. Gros bloc de glace provenant des glaciers polaires et qui flotte dans la mer.
On prononce [ajsbɛʀg] **ou** [isbɛʀg].

Les icebergs sont d'énormes blocs de glace ; ils proviennent des glaciers de l'Arctique ou de l'Antarctique, qui se fracturent et dont des morceaux tombent à la mer. Leur partie visible ne représente qu'un dixième environ de la totalité du bloc. La partie émergée de

certains icebergs de l'Antarctique peut atteindre des dimensions considérables : plusieurs kilomètres de longueur et plusieurs centaines de mètres de hauteur ! Les icebergs dérivent lentement et fondent peu à peu. Ils sont un danger pour la navigation ; c'est la collision avec un iceberg qui est à l'origine du naufrage du *Titanic*, en 1912.

ici adv. **1** À l'endroit où l'on se trouve. *Ici il pleut, alors qu'ailleurs il fait beau.* **2** *D'ici peu :* dans peu de temps, bientôt. *Il sera là d'ici peu.*

icône n. f. **1** Image religieuse des chrétiens orthodoxes peinte sur bois. **2** Symbole que l'on voit sur l'écran d'un ordinateur et sur lequel on peut cliquer.

L'icône est généralement peinte sur un petit panneau de bois à fond doré. Elle représente le plus souvent le visage du Christ, de la Vierge ou d'un saint. La peinture d'icônes remonte à l'Antiquité. Certaines sont de véritables œuvres d'art conservées dans des musées.

Icône de saint Michel de Macédoine, fin du XVIᵉ siècle.

idéal, ale, als ou **aux** adj. et n. m.
• adj. Qui a toutes les qualités qu'on peut souhaiter. *Un endroit idéal pour se reposer.*
Synonyme : parfait.
• n. m. **1** Ce qu'il y a de mieux, ce qui est la meilleure solution. *L'idéal serait qu'il fasse beau pendant toutes*

les vacances. **2** But ou idée qu'on tient le plus à atteindre, à réaliser. *Lutter pour défendre un idéal : la paix dans le monde.*

idéaliser v. → conjug. **aimer.** Donner un caractère idéal. *Elle a idéalisé son passé en oubliant les mauvais souvenirs.*

idéaliste adj. et n. **1** Qui agit en fonction de son idéal. **2** Qui ne tient pas compte de la réalité. *C'est un idéaliste.*
Contraire : réaliste (2).

L'idéalisme est l'attitude d'une personne idéaliste (**1**).

idée n. f. **1** Ce qu'on conçoit dans son esprit. *Un ouvrage qui propose des idées nouvelles sur l'éducation.* **2** Façon de juger, de voir la réalité. *Nous n'avons pas les mêmes idées politiques que nos voisins.* **3** Notion sommaire ou vague. *Il n'a aucune idée de ce qu'il veut faire quand il sera grand.* **4** Projet, intention. *C'est lui qui a eu l'idée d'aller à la piscine.* **5** *Se changer les idées :* changer d'activité pour se distraire. **6** *Se faire des idées :* imaginer des choses qui sont fausses.
Synonymes : conception (1), opinion (2), pensée (1).

identifier v. → conjug. **modifier.** **1** Découvrir l'identité d'une personne, ou établir la nature d'une chose. *Les tests génétiques ont permis d'identifier la victime. Apprendre à identifier les différentes espèces d'arbres.* **2** *S'identifier à :* vouloir ressembler à une autre personne. *S'identifier à un héros de B.D.*

Un blessé difficilement ***identifiable****, qui peut difficilement être identifié (**1**). L'****identification*** d'un malfaiteur par la police grâce à ses empreintes*, c'est l'action de l'identifier (**1**).

identique adj. Totalement semblable. *Deux objets identiques, qui ont la même forme et la même couleur.*
Synonyme : pareil. Contraire : différent.

identité n. f. Ensemble des informations qui permettent de reconnaître une personne. *Sur la carte d'identité d'une personne, il y a son nom, son prénom, ses date et lieu de naissance.*

idéogramme n. m. Caractère graphique stylisé qui représente le sens d'un mot. *Les Chinois et les Japonais écrivent grâce à des idéogrammes.*

idéologie n. f. Ensemble des idées qui inspirent les actes d'un groupe de personnes. *Adhérer à l'idéologie communiste.*

Des groupes politiques qui ont des discussions ***idéologiques****,* qui concernent une idéologie.

idiot, idiote adj. et n.
● adj. Bête, stupide. *Il pose toujours des questions idiotes et sans intérêt.*
Contraire : intelligent.

● n. Personne idiote. *Quel idiot ! Tu as oublié tes clés ? Arrête de faire des* ***idioties****,* des choses idiotes.

idole n. f. **1** Image ou statue d'une divinité. *Vénérer des idoles.* **2** Vedette adorée par le public. *Ce chanteur est l'idole des jeunes filles.*

idylle n. f. Petite histoire d'amour tendre et naïve.

idyllique adj. Merveilleux comme un rêve. *Faire un tableau idyllique de sa vie.*

Ienisseï

Fleuve de Russie. Long de 3 487 km, l'Ienisseï prend sa source en Mongolie et parcourt la plaine de Sibérie avant de se jeter dans l'océan Arctique. Ses principaux affluents viennent du plateau de la Sibérie orientale, qu'il longe sur près de 3 000 km. L'Ienisseï est navigable de mai à octobre sur la presque totalité de son cours. Le reste du temps, il est pris par les glaces dans son cours inférieur. De nombreuses centrales hydro-électriques ont été construites sur ses rives.

if n. m. Conifère au feuillage vert persistant.

Les feuilles de l'if, étroites et allongées, ne tombent pas en hiver ; elles sont très toxiques. L'if a une croissance très lente, mais atteint 25 m de hauteur. Il peut vivre plusieurs centaines d'années. Son bois, rouge veiné de brun, est apprécié en ébénisterie.

igloo n. m. Habitation saisonnière des Inuits, fabriquée avec des blocs de neige dure.
On prononce [iglu].

Un igloo est un abri saisonnier qui, dans les périodes les plus froides, remplace la tente. Les Inuits du Canada et du Groenland en construisent au moment de la chasse. Il est constitué de blocs de neige disposés en cercles superposés, de plus en plus petits. À l'intérieur, la température est d'environ 0 °C, quand la température extérieure peut descendre au-dessous de – 30 °C ! « Igloo » vient du mot inuit *iglo* qui signifie maison.

ignare adj. et n. Qui est très ignorant, inculte.

ignifugé, ée adj. Qui est fait d'un matériau qui ne peut pas prendre feu. *Un tissu ignifugé.*

ignoble adj. *1* Qui est infect, dégoûtant, répugnant. *Dans cette gargote, la nourriture est vraiment ignoble.* *2* Qui est très méchant, odieux, révoltant. *Cet homme est innocent, c'est ignoble de l'accuser.*

ignorant, ante adj. et n. Qui manque de connaissances et d'instruction. *Ces enfants n'ont pas été scolarisés et sont très ignorants.*
Synonyme : inculte.
   Avouer son ignorance en géographie, le fait d'être ignorant.

ignorer v. → conjug. **aimer.** *1* Ne pas savoir ou ne pas connaître. *Ignorer le nom de ses voisins.* *2* Faire comme si quelqu'un n'existait pas, ou faire semblant de ne pas le connaître. *Ignorer un ancien ami avec qui on est fâché.*

iguane n. m. Les iguanes sont de gros lézards que l'on trouve sur le continent américain, ainsi qu'à Madagascar et dans les îles Fidji et Tonga.
On prononce [igwan].

L'iguane commun des régions tropicales d'Amérique, de couleur vert vif, peut atteindre 2 m de longueur. Il vit surtout dans les arbres, mais nage très bien dans les cours d'eau grâce à sa queue longue et aplatie. Il se nourrit de feuilles et de fruits. L'iguane des îles Galapagos est le seul lézard à vivre en milieu marin.

iguanodon n. m. Reptile fossile herbivore.

il, ils pron. Pronom personnel masculin de la troisième personne qui a fonction de sujet. *Il mange. Ils sont gentils.*
Homonyme : île.

île n. f. Étendue de terre entourée d'eau. *La Corse est la plus grande île française.*
Homonymes : il, ils.
   Un îlot est une toute petite île.

Île-de-France

Région administrative française, située au centre-nord du pays. L'Île-de-France comprend huit départements : Paris, les Hauts-de-Seine, l'Essonne, les Yvelines, la Seine-Saint-Denis, la Seine-et-Marne, le Val-d'Oise et le Val-de-Marne. C'est une région de plateaux de faible altitude, entaillés de vallées formées par des cours d'eau (Oise, Marne, Aisne, Essonne) qui rejoignent la Seine.
Le climat est à tendance continentale humide. L'Île-de-France est une région très peuplée et fortement urbanisée. L'agriculture y existe sous forme de grandes exploitations mécanisées (Brie, Beauce…). L'Île-de-France est desservie par un important réseau de communications nationales et internationales. Elle doit son importance à la présence de Paris, la capitale, et de sa périphérie.

Iliade

Poème épique de l'Antiquité, attribué au poète grec Homère. L'*Iliade* compte plus de 15 000 vers groupés en 24 chants. Il raconte un épisode de la guerre de Troie, qui oppose les Grecs et les Troyens.
Regarde aussi Achille.

illégal, ale, aux adj. Qui n'est pas conforme à la loi. *Le trafic d'armes est illégal.*
Contraire : légal.
   Entrer illégalement dans un pays, de manière illégale. *Vivre dans l'illégalité,* dans une situation illégale.

illégitime adj. Qui n'est pas légitime. *S'enrichir par des moyens illégitimes.*

illettré, ée adj. et n. Qui ne sait ni lire, ni écrire. *Alphabétiser des personnes illettrées.*
Synonyme : analphabète. Contraire : instruit.

illicite adj. Qui est défendu par la loi ou par la morale. *Des gains illicites.*

illimité, ée adj. Qui est sans limites. *Avoir une patience illimitée avec les enfants.*
Synonyme : infini.

illisible adj. *1* Qu'on ne peut pas lire. *Tu as vraiment une écriture illisible. 2* Qui est trop difficile ou trop ennuyeux à lire. *Ce texte savant est illisible pour des enfants.*
Contraire : lisible.

illogique adj. Qui est incohérent, n'est pas conforme à la logique. *Ce raisonnement illogique est totalement faux.*
Contraire : logique.

illumination n. f. **1** Idée ou inspiration soudaine qui vient à l'esprit. *Après avoir réfléchi, il a eu subitement une illumination.* **2** Au pluriel. Lumières qui illuminent une ville, un monument. *Admirer les illuminations la nuit dans les rues.*

illuminer v. → conjug. **aimer.** Éclairer d'une lumière vive. *Cette ville est magnifique quand tous les monuments sont illuminés.*

illusion n. f. **1** Idée fausse. *Il espère gagner mais il se fait des illusions.* **2** *Illusion d'optique :* vision qui ne correspond pas à la réalité et qui est due à un phénomène naturel.
S'illusionner, c'est se faire des illusions (**1**). *Un illusionniste* est une personne qui donne l'illusion (**2**) de faire apparaître et disparaître des objets par magie. *Il est illusoire de penser qu'on est à l'abri d'un orage,* c'est une illusion (**1**).

illustration n. f. → **illustrer.**

illustre adj. Très célèbre. *Isidore rêve de devenir un peintre illustre.*

illustrer v. → conjug. **aimer. 1** Décorer, orner un texte avec des images. *De nombreux dessins illustrent ce livre.* **2** *S'illustrer :* se rendre illustre en se distinguant. *Cet athlète s'est illustré en gagnant une médaille aux jeux Olympiques.*
Une illustration est une image qui illustre (**1**) un texte. *Un illustré* est un journal ou une revue qui contient des histoires avec beaucoup d'illustrations.

îlot n. m. → **île.**

ils pron. → **il.**

image n. f. **1** Dessin, gravure ou photographie. *Un livre plein d'images.* **2** Ce qui apparaît sur un écran. *L'image n'est pas nette, il faut régler la télévision.* **3** Reflet que renvoie un miroir. *Voir son image dans la glace.* **4** Ce qui évoque une personne ou une chose, ou qui lui ressemble. *Cette petite fille est l'image de sa mère.* **5** Représentation de quelque chose. *Une vie heureuse qui est l'image du bonheur.* **6** Manière de s'exprimer qui utilise des comparaisons. *« Partir comme une fusée »* est une image pour dire que l'on part très vite.
Synonyme : illustration (1).
Elle s'exprime de manière imagée, en utilisant beaucoup d'images (**6**), de comparaisons.

imaginer v. → conjug. **aimer. 1** Concevoir ou inventer quelque chose qui n'existait pas. *Imaginer de nou-*

veaux jeux vidéo. **2** Se représenter dans son esprit. *Avoir du mal à imaginer la vie sans électricité.* **3** Supposer ou penser. *J'imagine que tu as pris les clés ?* **4** *S'imaginer :* croire à tort. *Il s'imagine pouvoir gagner sans faire d'efforts.*
Il a fait preuve de toute la patience imaginable, qui peut être imaginée (**2**). *Jacques a beaucoup d'imagination,* sa faculté d'imaginer (**1** et **2**) est très développée. *Les personnages des contes sont imaginaires,* ils existent seulement dans l'imagination, ils sont fictifs, irréels. *Jeanne est une élève imaginative,* elle a beaucoup d'imagination.

imam n. m. Chef religieux chez les musulmans.

imbattable adj. Qu'on ne peut pas battre, vaincre. *Se croire imbattable.*
Synonyme : invincible.

imbécile adj. et n. Qui n'est pas intelligent. *Réfléchis et arrête de faire l'imbécile !*
Synonymes : bête, idiot, stupide.
Arrête de dire des imbécillités, des choses imbéciles, des bêtises, des idioties.

imberbe adj. Qui n'a pas de barbe. *À quatorze ans, il était encore imberbe.*
Contraire : barbu.

imbiber v. → conjug. **aimer.** Imprégner totalement d'un liquide. *Imbiber un coton d'alcool pour désinfecter une plaie.*

s'imbriquer v. → conjug. **aimer. 1** Se chevaucher en partie ou s'emboîter, s'ajuster. *Les ardoises du toit s'imbriquent les unes dans les autres.* **2** Au figuré. S'entremêler de manière étroite. *Ces situations s'imbriquent, elles sont très liées les unes aux autres.*

imbroglio n. m. Situation très compliquée. *Cette histoire est un véritable imbroglio.*
On prononce [ɛ̃brɔglijo] ou [ɛ̃brɔljo].

imbu, ue adj. *Imbu de soi-même :* convaincu de son importance ou de sa supériorité.

imbuvable adj. Qui est trop mauvais pour être bu. *Le lait a tourné, il est imbuvable.*
Contraire : buvable.

imiter v. → conjug. **aimer. 1** Reproduire ce qu'on a entendu ou vu, ou l'aspect de quelque chose. *Imiter le chant du coq. Imiter une signature.* **2** Suivre l'exemple de quelqu'un. *Imiter son père en s'habillant comme lui.*
Un imitateur est une personne qui imite (**1**) les attitudes de personnes célèbres. *Ce n'est pas du cuir, c'est une imitation,* une matière qui imite (**1**) le cuir.

immaculé, ée adj. Qui n'a aucune tache, ou qui est parfaitement blanc. *Une neige poudreuse encore immaculée.*

immangeable adj. Qui est trop mauvais pour être mangé. *Ce poisson n'est pas frais, il est immangeable.* **On prononce** [ɛ̃mɑ̃ʒabl]. **Contraire : mangeable.**

immanquable adj. Qui doit forcément se produire. *Quand il n'est pas content, il se met en colère, c'est immanquable.*
On prononce [ɛ̃mɑ̃kabl].
Immanquablement ils se sont encore disputés, de façon immanquable.

immatriculer v. → conjug. **aimer.** Inscrire officiellement sur un registre, avec tel numéro. *Cette voiture est immatriculée à Paris.*
L'immatriculation des véhicules est obligatoire, le fait qu'ils soient immatriculés.

immature adj. Qui manque de maturité. *Un adolescent encore très immature.*

immédiat, ate adj. et n. m.
• adj. Qui se produit tout de suite. *Ce médicament agit très vite, son effet est immédiat.*
• n. m. *Dans l'immédiat :* pour le moment. *Il faut attendre, car dans l'immédiat on ne peut rien faire.*
Viens immédiatement, de façon immédiate.

immense adj. Très grand, gigantesque, colossal. *Le Sahara est un désert immense. Isidore a acheté une immense toile.*

Un directeur d'entreprise immensément riche, de manière immense. *L'immensité de son savoir est impressionnante,* son caractère immense.

immerger v. → conjug. **ranger.** Plonger totalement dans l'eau. *Cet îlot est immergé quand la marée est haute.*
Le raz-de-marée a entraîné l'immersion des terres proches de la côte, le fait qu'elles soient immergées.

immeuble n. m. Bâtiment qui comporte plusieurs étages. *Dans cet immeuble, il n'y a que des bureaux.*

immigrer v. → conjug. **aimer.** Entrer dans un pays autre que son pays d'origine pour s'y établir. *Quitter l'Europe pour immigrer en Australie.*
Ce pays accueille de nombreux immigrés, des personnes qui ont immigré. *La guerre dans leur pays a poussé de nombreuses familles à l'immigration,* à l'action d'immigrer.

imminent, ente adj. Qui est sur le point d'avoir lieu. *Si le train est à l'heure, son arrivée est imminente.*
On a annoncé l'imminence de son départ, son caractère imminent.

s'immiscer v. → conjug. **tracer.** Se mêler de quelque chose de façon indiscrète. *Il ne faut pas s'immiscer dans la vie privée des gens.*
On prononce [simise]. **Synonyme : s'ingérer.**

immobile adj. Qui ne bouge absolument pas. *Les feuilles restent immobiles quand il n'y a pas de vent.*
On met un plâtre pour immobiliser un membre cassé, pour le rendre immobile. *Une fracture l'a contraint à l'immobilisation,* au fait d'être immobilisé. *L'immobilité,* c'est l'état de ce qui est immobile.

immobilier, ère adj. Qui concerne la location et la vente des maisons ou des immeubles. *Une agence immobilière.*

immobilisation n. f., **immobiliser** v., **immobilité** n. f. → **immobile.**

immoler v. → conjug. **aimer.** Tuer pour offrir en sacrifice à un dieu.
Synonyme : sacrifier.

immonde adj. *1* Extrêmement sale, dégoûtant, répugnant. *Habiter dans d'immondes bidonvilles.* *2* Ignoble moralement, infâme, révoltant. *Un acte immonde.*

immondices n. f. pl. Ordures. *Un tas d'immondices.*

immoral, ale, aux adj. Contraire à la morale. *Trahir un ami est immoral.*
L'immoralité d'un film, c'est son caractère immoral.

immortel, elle adj. et n. f.
• adj. *1* Qui ne meurt pas. *Croire en un dieu immortel.* *2* Qui dure toujours et ne disparaît jamais de la mémoire. *Un chef-d'œuvre immortel.*
Immortaliser le souvenir de quelqu'un, c'est le rendre immortel (*2*). *Croire en l'immortalité de l'âme,* en son caractère immortel (*1*).
• n. f. Fleur qui, une fois séchée, conserve son aspect et ses couleurs.

immuable adj. Qui ne change pas. *La loi de la pesanteur est immuable.*
Synonyme : invariable. Contraire : changeant.

immuniser v. → conjug. **aimer.** Préserver contre une maladie. *Se faire vacciner pour être immunisé.*
Le vaccin antitétanique apporte l'immunité contre le tétanos, le fait d'être immunisé.

impact n. m. *1* Influence produite par quelque chose. *Mesurer l'impact d'une publicité sur la clientèle.* *2* Point d'impact : endroit où un projectile vient frapper.

1. impair, aire adj. Qui n'est pas divisible en deux nombres entiers. *7 est un chiffre impair.*
Contraire : pair.

2. impair n. m. Action ou parole maladroite. *Commettre un impair.*

impala n.m. Antilope dont le mâle porte des cornes annelées.

imparable adj. Impossible à éviter. *Donner un coup imparable à un adversaire.*

impardonnable adj. Qu'on ne peut pas pardonner. *Une faute impardonnable.*
Synonyme : inexcusable. Contraire : pardonnable.

1. imparfait, aite adj. Qui n'est pas parfait. *Cette poterie a un défaut, elle est imparfaite.*
S'exprimer imparfaitement en anglais, de façon imparfaite.

2. imparfait n. m. Temps du passé qui indique la durée, l'habitude ou la répétition. *« Les hommes préhistoriques vivaient dans des cavernes »* est une phrase à l'imparfait.

imparfaitement adv. → imparfait 1.

impartial, ale, aux adj. Qui n'a aucun parti pris. *Un juge doit être impartial.*
Synonymes : équitable, juste, neutre, objectif. Contraire : partial.
On a mis en doute l'impartialité des magistrats, leur caractère impartial.

impasse n. f. *1* Rue sans issue, fermée à un bout. *2* Au figuré. Situation qui paraît sans solution. *Pour l'instant, les pourparlers sont dans l'impasse.*

impassible adj. Qui ne manifeste aucune émotion. *Malgré le danger, il est resté impassible.*
Synonyme : imperturbable.
Tout le monde riait, mais il a gardé son impassibilité, un visage impassible.

impatient, ente adj. Qui manque de patience, n'aime pas attendre. *Les enfants sont impatients d'ouvrir leurs cadeaux.*
Trépigner pour manifester son impatience, le fait qu'on est impatient. *Les enfants attendent impatiemment les vacances,* avec impatience. *Les invités sont en retard et maman s'impatiente,* elle manifeste son impatience.

impeccable adj. Qui est très propre ou sans défaut. *La toile d'Isidore est impeccable.*
Elle est toujours impeccablement habillée, de façon impeccable.

impénétrable adj. *1* Où l'on ne peut pas pénétrer. *Cette forêt a une végétation tellement dense qu'elle est impénétrable. 2* Qui ne laisse pas deviner ses pensées ou ses sentiments. *C'est vraiment un personnage secret et impénétrable.*

impensable adj. Qu'on ne peut pas envisager ou imaginer. *Il est impensable de partir en voiture avec un tel verglas.*
Synonymes : inconcevable, inimaginable.

impératif, ive adj. et n. m.
● adj. *1* À quoi on doit absolument obéir. *Donner des instructions impératives. 2* Qui est absolument nécessaire, indispensable. *Il est impératif de prendre des mesures contre les licenciements abusifs.*
Il faut impérativement arriver à l'heure, de façon impérative (*2*).
● n. m. Mode du verbe qui exprime l'ordre. *« Sors ! »* est l'impératif du verbe sortir.

impératrice n. f. Femme d'un empereur ou femme qui dirige un empire.

imperceptible adj. Difficile à percevoir. *Des variations imperceptibles de température.*
Synonyme : insensible. Contraires : évident, perceptible.
La terre a tremblé imperceptiblement, de façon imperceptible.

imperfection n. f. Petit défaut. *Il y a quelques imperfections dans ce travail.*

impérial, ale, aux adj. Qui se rapporte à un empereur ou à un empire. *Le pouvoir impérial.*

impérialisme n. m. Politique d'un État qui cherche à dominer d'autres pays.
Ce pays a une politique impérialiste, qui fait preuve d'impérialisme.

impérieux, euse adj. *1* Très autoritaire. *Ordonner quelque chose d'un ton impérieux. 2* À quoi on ne peut pas résister. *Un besoin impérieux de manger.*
Synonyme : irrésistible (*2*).
Jean ressent impérieusement le besoin de dormir, de façon impérieuse (*2*).

impérissable adj. Qui dure très longtemps. *Un souvenir impérissable.*
Synonyme : inoubliable.

imperméable adj. et n. m.
● adj. Qui ne laisse pas passer l'eau ni aucun liquide. *Cette bâche est imperméable.*
Ce produit permet d'imperméabiliser les bottes, de les rendre imperméables. *L'imperméabilité de l'argile,* son caractère imperméable.
● n. m. Vêtement qui protège de la pluie.

impersonnel, elle adj. *1* Qui n'a aucun caractère personnel ou original. *Une décoration banale et impersonnelle. 2* Verbe impersonnel : verbe qu'on n'emploie qu'à la troisième personne du singulier. *« Falloir », « neiger »* sont des verbes impersonnels.

impertinent, ente adj. Qui manque de respect et de politesse. *Avoir une attitude familière très impertinente avec un supérieur.*
Synonymes : effronté, impoli, insolent.

Ne pas apprécier l'impertinence de quelqu'un, son attitude impertinente.

imperturbable adj. Que rien ne peut perturber, troubler. *Demeurer imperturbable face aux critiques.*
Synonyme : **impassible.**
Rester imperturbablement calme, de façon imperturbable.

impétueux, euse adj. Qui est vif et fougueux. *Un jeune homme au tempérament impétueux.*
Réagir impétueusement, de manière impétueuse. *Reprocher à quelqu'un son impétuosité*, son caractère impétueux.

impie adj. Qui manque de respect envers la religion. *Un blasphème est un propos impie.*

impitoyable adj. Qui est sans pitié, sans indulgence. *Mener une lutte impitoyable contre un ennemi.*
Synonymes : **implacable, inflexible.**

implacable adj. Impitoyable. *Une haine implacable.*
Se battre implacablement, de manière implacable.

implanter v. → conjug. **aimer.** Établir, installer de manière durable. *De nouvelles usines doivent s'implanter dans la région.*
Les riverains luttent contre l'implantation d'une centrale nucléaire, le fait qu'elle soit implantée.

implicite adj. Qui peut se deviner sans être clairement énoncé. *Son silence est la preuve implicite qu'il est fâché.*
Contraire : **explicite.**
Ils se sont implicitement compris, de manière implicite.

impliquer v. → conjug. **aimer.** *1* Être la conséquence de quelque chose. *Réussir ce concours implique beaucoup de travail.* *2* Mêler quelqu'un à une action malhonnête ou risquée. *Cet homme est impliqué dans une affaire de trafic d'armes.*
Synonymes : **nécessiter** (*1*), **supposer** (*1*).

implorer v. → conjug. **aimer.** Demander quelque chose en suppliant. *Implorer le pardon de quelqu'un.*

impoli, ie adj. Qui n'est pas poli. *C'est impoli d'avoir oublié de remercier.*
Synonymes : **grossier, malpoli.**
Répondre impoliment, de manière impolie. *Quelle impolitesse de ne pas saluer ses voisins ! Quel comportement impoli !*

impondérables n. m. pl. Événements imprévisibles. *Isidore ne savait pas que la vie d'un artiste est pleine d'impondérables.*

impopulaire adj. Qui ne plaît pas à la majorité de la population. *Une mesure impopulaire.*
Contraire : **populaire.**

L'impopularité de sa politique a causé sa défaite aux élections, son caractère impopulaire.

important, ante adj. *1* Qui a un grand intérêt ou une grande valeur. *Une découverte importante qui aura de grandes conséquences.* *2* Qui est influent. *Seuls les gens importants sont conviés à la cérémonie.*
Mesurer l'importance d'un événement, son caractère important (*1*).

1. importer v. → conjug. **aimer.** Faire venir dans un pays des marchandises de l'étranger. *Ce pays n'a pas de pétrole et il doit en importer.*
Contraire : **exporter.**
Un pays importateur de thé, qui en importe. *L'importation de certains produits est soumise à des taxes*, le fait de les importer.

2. importer v. → conjug. **aimer.** *1* Être important ou digne d'intérêt. *Ce qui lui importe le plus, c'est de rester en bonne santé.* *2* *Il importe que* : il faut. *Il importe que vous arriviez avant 7 heures.* *3* *Peu importe* ou *qu'importe* : cela a peu ou n'a pas d'importance.
Synonyme : **compter** (*1*). *Regarde aussi* : **n'importe.**

importuner v. → conjug. **aimer.** Déranger quelqu'un par sa présence ou ses questions. *Son histoire m'importune, j'ai hâte qu'il s'en aille.*
Chercher à se débarrasser des importuns, des gens qui nous importunent.

imposer v. → conjug. **aimer.** *1* Contraindre quelqu'un à faire ou à subir quelque chose. *Imposer une corvée.* *2* Obliger à payer des impôts. *Les citoyens sont imposés selon leurs revenus.* *3* *S'imposer* : être nécessaire. *Allumer ses phares par temps de brouillard, cela s'impose.* *4* *S'imposer* : se faire admettre grâce à ses qualités ou par la force. *S'imposer comme chef d'un groupe.* *5* *En imposer* : inspirer du respect, de l'admiration.
Ses revenus dérisoires ne sont pas imposables, ne peuvent pas être imposés (*2*). *L'arc de triomphe est un monument imposant*, qui en impose (*5*) par sa grandeur.

impossible adj. et n. m.
● adj. *1* Qui n'est pas réalisable. *Cette machine est définitivement cassée, il est impossible de la réparer.* *2* Insupportable. *Avoir un caractère impossible.*
Contraires : **faisable** (*1*), **possible** (*1*).
Je suis dans l'impossibilité de venir, cela m'est impossible (*1*).
● n. m. Chose impossible. *Tenter l'impossible pour essayer de sauver quelqu'un.*

imposteur n. m. Personne qui trompe les autres en se faisant passer pour autre qu'elle n'est. *Ce soi-disant médecin n'était qu'un imposteur.*

impôt

L'imposture a été dénoncée, la tromperie commise par un imposteur.

impôt n. m. Argent que les citoyens versent à l'État pour payer les dépenses du pays. *Payer ses impôts à la date prévue pour éviter une majoration.*

impotent, ente adj. Qui marche avec difficulté. *Un vieillard impotent qui ne sort plus de chez lui.*

impraticable adj. Où l'on ne peut pas circuler. *Cette route inondée est actuellement impraticable.*
Contraire : praticable.

imprécations n. f. pl. Paroles prononcées contre quelqu'un pour le maudire. *Proférer des imprécations.*

imprécis, ise adj. Qui n'est pas précis.
Synonymes : flou, vague, incertain.
L'imprécision d'une vieille carte routière, le fait qu'elle soit imprécise.

imprégner v. ➜ conjug. **digérer**. Pénétrer complètement, en parlant d'un liquide, d'un gaz. *Des vêtements imprégnés d'une odeur de friture.*

imprenable adj. Qui ne peut pas être pris. *Les ponts-levis rendent le château fort imprenable.*

imprésario n. m. Personne qui s'occupe des contrats et des intérêts d'un artiste.

impression n. f. *1* Ce que quelqu'un ressent, effet produit sur lui. *Des menaces qui ont fait une forte impression sur le public. 2* Sentiment ou opinion qu'on a après un premier contact. *J'ai l'impression qu'il va pleuvoir. 3* Action d'imprimer un livre, un journal.
Le numéro du jongleur m'a beaucoup impressionné, m'a fait une forte impression (1). Un enfant impressionnable, qui se laisse facilement impressionner. Mon frère et moi possédons une collection impressionnante de jouets anciens, qui impressionne (1).

impressionnisme n. m. Mouvement artistique né en France à la fin du XIXᵉ siècle.

Le mot naît en 1874, lors d'une exposition de jeunes peintres qui s'opposent au style conventionnel de la peinture officielle. Le responsable de l'exposition intitule un tableau de Monet : « Impression, soleil levant ». Un journaliste mal intentionné, utilisant le premier mot de ce titre, publie un article ironique dans lequel il se moque de l'« Exposition des Impressionnistes ».
Regarde page ci-contre.

imprévisible adj. Qui n'est pas prévisible. *Une catastrophe imprévisible.*

imprévoyant, ante adj. Qui n'est pas prévoyant. *Ces randonneurs se sont montrés imprévoyants en oubliant d'emporter de l'eau.*
Il a fait preuve d'imprévoyance, il a été imprévoyant.

imprévu, ue adj. et n. m.
● adj. Qui se produit sans qu'on l'ait prévu. *Un événement imprévu a bouleversé mon programme.*
Synonymes : fortuit, inattendu, inopiné.
● n. m. Événement imprévu. *Une randonnée pleine d'imprévus.*

imprimer v. ➜ conjug. **aimer**. Reproduire des textes ou des dessins en nombreux exemplaires sur du papier ou du tissu. *Imprimer des livres, des journaux.*
Une imprimante est un appareil relié à un ordinateur qui permet d'imprimer un texte en mémoire. *Les journaux, les revues, les magazines sont des imprimés*, des textes imprimés.

imprimerie n. f. *1* Technique qui permet d'imprimer. *2* Établissement où l'on imprime toutes sortes de documents : des livres, des journaux, des affiches…
Un imprimeur est une personne qui dirige une imprimerie (*2*) ou y travaille.

improbable adj. Peu probable. *S'il est malade, il est improbable qu'il puisse venir.*
Synonyme : douteux. Contraire : certain.

improductif, ive adj. Qui n'est pas productif. *Les terrains sablonneux sont improductifs.*
Synonyme : stérile.

impromptu, ue adj. Qui n'a pas été préparé ni prévu. *Leur arrivée impromptue nous a obligés à improviser un dîner.*

imprononçable adj. Difficile ou impossible à prononcer. *Ce mot plein de consonnes est imprononçable.*

impropre adj. Qui ne convient pas pour ce que l'on veut faire. *Cette viande est périmée et impropre à la consommation.*

improviser v. ➜ conjug. **aimer**. Faire quelque chose sans l'avoir préparé. *Isidore doit improviser quelque chose.*
Un improvisateur est une personne qui improvise. *Ce spectacle est une improvisation*, est improvisé.

à l'improviste adv. De manière imprévue. *Elle est arrivée à l'improviste.*

imprudent, ente adj. Qui n'est pas prudent. *Il est très imprudent de doubler dans une côte.*
Conduire imprudemment, de manière imprudente. *Commettre une imprudence en traversant hors des passages cloutés*, une action imprudente.

impuissant, ante adj. Qui n'a pas les moyens pour agir efficacement. *Les spectateurs se sentent impuissants devant un tel désastre.*
Constater l'impuissance des médecins face à certaines maladies, le fait qu'ils sont impuissants.

l'impressionnisme

Les impressionnistes travaillent en contact direct avec la nature, pour en rendre les sensations et les impressions telles qu'ils les perçoivent.

■ Ce sont les peintres de la lumière, des reflets mobiles, du miroitement de l'eau. Ils utilisent la juxtaposition de couleurs claires, écartant les teintes trop sombres, le clair-obscur.

■ La peinture est posée en touches légères, les formes sont estompées.

■ L'artiste mêle intimement le réalisme de l'objet peint et l'émotion qu'il provoque en lui.

Impression, soleil levant *(1872)*.
Claude Monet (1840-1926). Monet est le chef de file du mouvement. C'est ce tableau qui a donné son nom à l'impressionnisme.

La moisson à Montfoucault *(1876)*.
Camille Pissaro (1830-1903). La juxtaposition des couleurs éclaire le paysage et traduit son calme.

Les Régates *(1874)*.
Alfred Sisley (1839-1899). Sa peinture est une des plus représentatives du courant impressionniste.

Le Déjeuner des canotiers *(1880-1881)*.
Auguste Renoir (1841-1919). L'intensité des couleurs, l'attitude enjouée des personnages expriment gaîté et bonheur.

Le Champ de courses *(vers 1877-1880)*.
Edgar Degas (1834-1917). Qu'il peigne des danseuses ou des chevaux, c'est toujours à l'étude du mouvement, de l'instantané, que s'attache Degas.

impulsion n. f. *1* Forte envie qui pousse quelqu'un à agir. *Réagir sous l'impulsion de la colère.* *2* Force qui agit sur quelque chose et le met en mouvement. *Les ailes du moulin tournent sous l'impulsion du vent.*

Une personne *impulsive* est quelqu'un qui agit en suivant ses impulsions (*1*) et sans réfléchir. *Il agit toujours impulsivement,* de manière impulsive.

impuni, ie adj. Qui n'est pas puni.
Violer impunément une loi, en restant impuni. *Espérer l'impunité,* être impuni malgré ses fautes.

impur, ure adj. Qui n'est pas pur. *L'air impur des grandes capitales.*
Une eau pleine d'*impuretés,* d'éléments qui la rendent impure.

imputer v. → conjug. **aimer.** Attribuer la responsabilité de quelque chose. *Imputer des erreurs à l'inattention.*
Un accident *imputable au verglas,* qu'on impute au verglas.

imputrescible adj. Qui ne peut pas pourrir. *Des meubles de jardin en bois imputrescible.*
On prononce [ɛ̃pytʀesibl].

in– préfixe. Indique la privation, la négation, le contraire : *inattentif, incomplet.*
« In » **devient** <u>il</u> **devant un** « l » (<u>il</u>légal), <u>im</u> **devant un** « m » **et un** « p » (<u>im</u>mortel, <u>im</u>possible), <u>ir</u> **devant un** « r » (<u>ir</u>régulier).

inabordable adj. Trop cher. *Dans ce quartier chic, les loyers sont inabordables.*

inacceptable adj. Qu'on ne peut pas accepter. *Ces propos injurieux sont inacceptables.*
Synonyme : inadmissible. Contraire : acceptable.

inaccessible adj. Qui n'est pas accessible.
La toile d'Isidore reste inaccessible.

inaccoutumé, ée adj. Qui n'est pas habituel. *Avoir une réaction violente tout à fait inaccoutumée.*
Synonyme : inhabituel.

inachevé, ée adj. Qui n'a pas été achevé. *Cet écrivain est mort en laissant son dernier roman inachevé.*

inactif, ive adj. Qui n'a aucune activité. *Trouver des occupations pour ne pas rester inactif.*
Synonymes : inoccupé, oisif. Contraire : actif.
L'*inaction* lui pèse, l'état inactif dans lequel il se trouve. *Le chômage le réduit à l'inactivité,* au fait qu'il est inactif.

inadapté, ée adj. Qui n'est pas adapté. *Un tournevis est un outil inadapté pour enlever des clous.*

inadmissible adj. Qu'on ne peut pas admettre. *Ce ton arrogant est inadmissible.*
Synonyme : inacceptable. Contraire : admissible.

par inadvertance adv. Par erreur et par manque d'attention. *Se tromper de cartable par inadvertance.*
Synonyme : par mégarde. Contraires : exprès, volontairement.

inaliénable adj. Qui ne peut pas être transmis ou vendu. *Les biens de l'État sont inaliénables.*

inaltérable adj. Qui ne peut pas s'altérer. *Un métal inaltérable.*

inamical, ale, aux adj. Qui n'est pas amical. *Un accueil froid et inamical.*
Synonyme : hostile.

inamovible adj. Qui ne peut pas être déplacé ni destitué. *Des juges inamovibles.*

inanimé, ée adj. Qui est mort ou évanoui. *On a retrouvé le corps inanimé d'une victime de l'incendie.*

inanition n. f. Épuisement physique causé par le manque de nourriture. *Tomber d'inanition après plusieurs jours de jeûne.*

inaperçu, ue adj. *Passer inaperçu :* ne pas être remarqué.

inapplicable adj. Qui ne peut pas être appliqué. *Une loi inapplicable.*
Contraire : applicable.

inappréciable adj. Qui est tellement grand ou important qu'on a du mal à en apprécier la valeur. *Vous m'aurez été d'une aide inappréciable.*
Synonymes : inestimable, précieux.

inapte adj. Qui n'est pas apte. *Son handicap le rend inapte aux travaux manuels.*
Elle regrette son *inaptitude* à faire du sport, le fait qu'elle soit inapte à faire du sport.

inattaquable adj. Qui ne peut pas être attaqué ou critiqué. *Être d'une honnêteté inattaquable.*
Synonyme : irréprochable.

inattendu, ue adj. Qui a lieu alors qu'on ne s'y attendait pas. *Cette visite inattendue nous a agréablement surpris.*
Synonymes : imprévu, inopiné.

inattentif, ive adj. Qui n'est pas attentif. *Cet élève inattentif a du mal à se concentrer.*
Synonyme : distrait.
Il a fait une faute d'*inattention,* il a été inattentif.

inaudible adj. Qui est impossible ou difficile à entendre. *Augmente le son, c'est inaudible.*
Contraire : audible.

inaugurer v. → conjug. **aimer.** Marquer par une cérémonie officielle la mise en service ou l'ouverture de quelque chose. *Le maire inaugure le stade.*

L'inauguration d'une exposition, c'est l'action de l'inaugurer. *Préparer un discours inaugural*, pour inaugurer quelque chose.

inavouable adj. Que l'on ne peut pas ou qu'on n'ose pas avouer. *Un péché inavouable.*

incalculable adj. Qu'il est impossible de calculer ou d'évaluer. *Les conséquences de cette catastrophe sont incalculables.*

incandescent, ente adj. Qui est rouge vif sous l'effet d'une grande chaleur. *Des braises incandescentes.* **On prononce** [ɛ̃kɑ̃desɑ̃].
Le forgeron porte des métaux à l'incandescence, à l'état incandescent.

incantation n. f. Formule magique, récitée ou chantée. *Ensorceler quelqu'un par des incantations.*

incapable adj. et n.
• adj. Qui n'est pas capable. *Cette valise est trop lourde, je suis incapable de la soulever.*
• n. Personne très incompétente.

incapacité n. f. *1* État d'une personne incapable de faire quelque chose. *Depuis l'accident, elle est dans l'incapacité de conduire.* *2* Manque d'aptitude et de compétence. *Il a fait preuve d'incapacité dans son travail.* **Synonymes : impossibilité (*1*), inaptitude, incompétence (*2*).**

incarcérer v. → conjug. **digérer.** Mettre en prison. **Synonymes : écrouer, emprisonner.**
Être condamné à un an d'incarcération, au fait d'être incarcéré.

incarner v. → conjug. **aimer.** Représenter un personnage dans un spectacle ou un film. *C'est un acteur connu qui incarne le rôle principal.*

incartade n. f. Faute sans gravité. *Il faut lui pardonner cette incartade.*

Incas

Ancien peuple d'Amérique du Sud qui étend sa domination sur la Cordillère des Andes à partir du XIIᵉ siècle. Les Incas édifient des cités à l'architecture impressionnante comme Machu Pichu. L'empire est à son apogée au XVᵉ siècle.
***Regarde aussi* précolombien.**

incassable adj. Qui ne peut pas se casser. *Ces lunettes sont en verre incassable.*

incendiaire adj. et n.
• adj. Destiné à provoquer un incendie. *Une bombe incendiaire.*
• n. Personne qui cause volontairement un incendie.

incendie n. m. Grand feu qui se propage en causant des dégâts. *Un appartement détruit par un incendie.*
Incendier une forêt, c'est la détruire par un incendie.

incertain, aine adj. *1* Qui n'est pas certain. *Le résultat des élections est incertain.* *2* Qui est changeant, variable. *Le temps est incertain, il risque de pleuvoir.* **Synonyme : douteux (*1*). Contraire : sûr (*1*).**

incertitude n. f. *1* Caractère de ce qui est incertain. *L'incertitude de son avenir l'angoisse.* *2* État d'une personne incertaine et qui doute. *En attendant de ses nouvelles, nous sommes dans l'incertitude.*

incessamment adv. Dans peu de temps, très prochainement. *C'est l'heure du départ, le train devrait partir incessamment.* **Synonyme : bientôt.**

incessant, ante adj. Qui ne cesse jamais. *Des pluies incessantes ont provoqué des inondations.* **Synonymes : continuel, ininterrompu.**

inceste n. m. Relations sexuelles entre les parents et leurs enfants ou entre un frère et une sœur. *L'inceste est un délit.*

inchangé, ée adj. Qui n'a pas changé. *La situation est la même, elle est inchangée.*

incident n. m. Petit événement imprévu. *Il y a eu un petit incident pendant la conférence, le micro est tombé en panne.*

incinérer v. → conjug. **digérer.** Réduire en cendres en brûlant. *Incinérer des déchets.*
Une usine destinée à l'incinération des ordures ménagères, à l'action de les incinérer.

inciser v. → conjug. **aimer.** Entailler avec un instrument tranchant. *Inciser un abcès pour faire sortir le pus.*
Une incision est une coupure faite en incisant.

incisive n. f. Dent aplatie et tranchante.

Les incisives sont placées à l'avant des mâchoires, devant les canines. Elles servent à couper les aliments. L'homme en possède huit (quatre par mâchoire).

inciter v. → conjug. **aimer.** Encourager quelqu'un à faire quelque chose. *Inciter ses enfants à faire du sport.* **Synonyme : pousser.**
Ce panneau est une incitation à la prudence, il y incite.

incliner v. → conjug. **aimer.** *1* Pencher légèrement en mettant dans une position oblique. *Incliner le dossier d'un fauteuil.* *2* Au figuré. Être enclin à faire quelque chose. *Incliner plutôt à pardonner qu'à punir.* *3* *S'incliner :* s'avouer vaincu et renoncer à la lutte.

inclure

Un siège inclinable, qu'on peut incliner (*1*). *La forte inclinaison d'un toit*, le fait qu'il soit fortement incliné (*1*). *Avoir une certaine inclination à la paresse*, c'est le fait d'incliner (*2*) à la paresse.

inclure v. → conjug. **conclure.** Mettre dans un ensemble. *Le service est inclus dans la facture.*
   Nous sommes en vacances jusqu'à lundi inclus, ce jour est inclus dans les vacances.

incognito adv. et n. m.
• adv. En cherchant à ne pas être reconnu. *La vedette se déplace incognito dans une limousine aux vitres teintées.*
• n. m. Situation d'une personne qui ne veut pas qu'on connaisse son identité. *Cette star a du mal à garder l'incognito.*

incohérent, ente adj. Qui n'est pas cohérent. *Il dit des choses tellement incohérentes que personne ne le comprend.*
Synonyme : décousu.
   L'incohérence d'un discours, c'est son caractère incohérent.

incollable adj. Familier. Qui est capable de répondre à n'importe quelle question. *Il sait tout sur les abeilles et est incollable sur ce sujet.*

incolore adj. Qui n'a pas de couleur. *L'eau est une boisson incolore.*

incomber v. → conjug. **aimer.** Être imposé à quelqu'un, être à sa charge. *C'est au gardien de l'immeuble qu'incombe la tâche de sortir les poubelles.*

incombustible adj. Qui n'est pas combustible. *Le bois devient incombustible quand il est mouillé.*
Synonyme : ininflammable.

incommensurable adj. Sans mesure, sans limites, immense. *Être d'une bêtise incommensurable.*

incommoder v. → conjug. **aimer.** Provoquer une gêne physique. *L'odeur de ce cigare nous incommode.*

incomparable adj. Tellement remarquable qu'on ne peut le comparer à rien. *Ce café a vraiment un goût incomparable.*
Synonymes : exceptionnel, inégalable.

incompatible adj. Qui n'est pas compatible. *Ce logiciel est incompatible avec ton ordinateur.*

incompétent, ente adj. Qui n'est pas compétent. *Il est totalement incompétent en mécanique et ne sait pas changer une roue.*
   Il a été licencié pour incompétence, parce qu'il était incompétent dans son travail.

incomplet, ète adj. Qui n'est pas complet. *Il manque plusieurs pièces, ce puzzle est incomplet.*

Tu as rempli incomplètement le formulaire, de façon incomplète.

incompréhensible adj. Qui n'est pas compréhensible. *Le discours de ce philosophe est incompréhensible pour des enfants.*

incompréhension n. f. Refus ou incapacité de comprendre. *Se heurter à l'incompréhension du public.*
Contraire : compréhension.

incompris, ise adj. Dont personne ne veut comprendre ni apprécier la valeur. *Un auteur qui a été incompris à son époque.*

inconcevable adj. Qui est difficile ou impossible à concevoir. *De nos jours, il serait inconcevable de vivre sans électricité.*
Synonymes : impensable, inimaginable.

inconciliable adj. Qu'on ne peut pas concilier. *Des opinions politiques opposées et inconciliables.*

inconditionnel, elle adj. Qui ne dépend d'aucune condition, d'aucune réserve. *Un soutien inconditionnel.*
Synonyme : absolu.

inconfort n. m. Absence de confort. *L'inconfort d'un vieux fauteuil tout défoncé.*
   La position d'Isidore est très inconfortable, qui cause de l'inconfort.

incongru, ue adj. Qui n'est pas conforme aux usages. *Son attitude incongrue nous a choqués.*
Synonymes : inconvenant, incorrect.
   L'incongruité d'une remarque, c'est son caractère incongru.

inconnu, ue adj. et n. m.
• adj. Qui n'est pas connu. *Un acteur inconnu du public.*
• n. m. *1* Personne inconnue. *Il est timide en présence d'inconnus. 2* Ce qu'on ne connaît pas et qui reste mystérieux. *L'attrait de l'inconnu.*

inconscient, ente adj. et n.
• adj. *1* Qui a perdu connaissance. *Après le choc, il est resté inconscient pendant un long moment. 2* Qu'on fait de façon machinale, sans en avoir conscience. *Un geste inconscient.*
Synonymes : évanoui, inanimé (*1*).
   Il a eu inconsciemment un mouvement de recul, de façon inconsciente (*2*).
• adj. et n. Qui ne tient pas compte de la gravité de ses actes. *Il faut vraiment être inconscient pour rouler si vite sur les petites routes.*
   C'est de l'inconscience de skier malgré les risques d'avalanche, le comportement d'un inconscient.

inconsidéré, ée adj. Dont on n'a pas suffisamment considéré les conséquences. *Agir de façon inconsidérée.*

Parler inconsidérément, de manière inconsidérée et irréfléchie.

inconsistant, ante adj. Qui manque de caractère, d'intérêt ou de cohérence. *Ce personnage est inconsistant.*

inconsolable adj. Que rien ne peut consoler. *Depuis que son chien est mort, il est inconsolable.*

inconstant, ante adj. Qui n'est pas constant dans ses sentiments ou ses opinions. *Il est inconstant et change souvent d'avis.*

incontestable adj. Qu'on ne peut pas contester. *Son alibi est la preuve incontestable de son innocence.* Synonymes : **certain, évident, indéniable, indiscutable.** Contraire : **contestable.**
   Incontestablement, c'est lui qui a gagné, de façon incontestable. *Il jouit d'une renommée incontestée*, que personne ne conteste.

incontournable adj. Qu'on ne peut pas éviter et dont il faut tenir compte. *Ce problème est incontournable.*

incontrôlable adj. Qu'il est impossible de contrôler ou de vérifier. *Les gestes d'Isidore deviennent incontrôlables.*

inconvenant, ante adj. Contraire aux convenances, à la bienséance. *Il tient des propos inconvenants.* Synonyme : **déplacé.** Contraire : **convenable.**

inconvénient n. m. Côté désavantageux ou négatif de quelque chose. *L'inconvénient de cette voiture de sport est qu'elle est très inconfortable.* Synonyme : **défaut.** Contraire : **avantage.**

incorporer v. → conjug. **aimer.** *1* Mélanger une substance ou un élément dans un tout. *Incorporer un peu de crème dans une sauce. 2* Faire entrer dans l'armée. *Incorporer de jeunes recrues.*

incorrect, e adj. *1* Qui n'est pas correct, comporte des fautes. *Sur le plan grammatical, cette phrase est incorrecte. 2* Qui n'est pas convenable, qui est contraire aux règles de la politesse. *Reprocher à quelqu'un son attitude incorrecte.* Synonymes : **grossier** (*2*), **impoli** (*2*).
   Parler incorrectement une langue étrangère, de manière incorrecte (*1*).

incorrection n. f. *1* Faute de grammaire ou de style. *Un devoir truffé d'incorrections. 2* Attitude, action ou parole incorrecte. *L'incorrection de sa conduite lui a valu un blâme.* Synonymes : **grossièreté** (*2*), **impolitesse** (*2*).

incorrigible adj. Dont on ne peut corriger les défauts ou les erreurs. *Une étourderie incorrigible.*

incorruptible adj. Qu'on ne peut pas corrompre. *Un juge honnête et incorruptible.*

incrédule adj. Qui ne croit pas ce qu'on lui dit. *Je ne crois pas une seconde à cette histoire étrange et je reste incrédule.* Contraire : **crédule.**

increvable adj. *1* Conçu pour ne pas crever. *Des pneus increvables. 2* Familier. Très résistant ou infatigable. *Ces randonneurs sont vraiment increvables !*

incriminer v. → conjug. **aimer.** Accuser quelqu'un, le mettre en cause. *Incriminer plusieurs suspects.*

incroyable adj. *1* Qui est impossible ou difficile à croire. *Une aventure incroyable. 2* Étonnant, extraordinaire. *Il a eu une chance incroyable de sortir indemne d'un tel accident.* Synonyme : **invraisemblable** (*1*).
   Il s'est montré incroyablement courageux, de façon incroyable (*2*).

incroyant, ante adj. et n. Qui n'a aucune croyance religieuse. Synonyme : **athée.** Contraire : **croyant.**

incruster v. → conjug. **aimer.** *1* Décorer une matière en y insérant des éléments d'une autre matière. *Un meuble en bois incrusté de nacre. 2* Familier. *S'incruster :* s'installer chez quelqu'un et y rester de manière gênante.
   Des incrustations de pierres précieuses, des ornements de pierres précieuses incrustées (*1*).

incubation n. f. *1* Temps que les oiseaux mettent pour couver leurs œufs avant l'éclosion. *2* Temps qui s'écoule entre le moment où un microbe pénètre dans le corps et l'apparition des premiers symptômes de la maladie.

inculper v. → conjug. **aimer.** Accuser officiellement. *Inculper l'auteur d'un délit.*
   L'inculpation d'un meurtrier par un juge, c'est l'action de l'inculper.

inculquer v. → conjug. **aimer.** Faire entrer durablement dans l'esprit. *Il faut inculquer la politesse à ses enfants.*

inculte adj. *1* Qui n'est pas cultivé. *Une région inculte. 2* Qui n'a aucune culture intellectuelle. *Ces gens incultes ne savent ni lire ni écrire.* Synonyme : **ignorant** (*2*). Contraire : **cultivé** (*2*).

incurable adj. Qu'on ne peut pas guérir. *Une maladie incurable.*

incursion n. f. Fait d'entrer brusquement et brièvement. *Des tanks ont tenté une incursion de l'autre côté de la frontière.*

Inde

Inde

République fédérale du sud de l'Asie. L'Inde est une vaste péninsule bordée à l'ouest par la mer d'Oman, et à l'est par l'océan Indien. Au nord du pays, au pied de l'Himalaya, s'étend une vaste plaine irriguée par l'Indus, le Gange et le Brahmapoutre.

Au centre et au sud, un grand plateau triangulaire est bordé de chaînes de moyennes montagnes. L'Inde connaît un climat tropical de mousson : de juin à octobre, des pluies diluviennes s'abattent sur le pays.

Outre le riz et le blé, cultivés pour sa propre consommation, l'Inde produit aussi du thé, du millet, de la canne à sucre, du colza, de l'arachide, du sorgho, du coton, de la soie et du tabac.

3 287 260 km²
1 049 549 000 habitants :
les Indiens
Langues : anglais et quinze autres langues officielles
Monnaie : roupie
Capitale : New Delhi

Elle dispose du plus grand cheptel du monde (élevage de bovins, de buffles, de chèvres et de chameaux) et possède des richesses naturelles importantes. Dans le secteur industriel, la branche informatique est en pleine croissance.

Le tourisme devient une importante source de revenus. La péninsule Indienne est le pays le plus peuplé du monde après la Chine. Une grande partie de la population est très pauvre. L'exode rural provoque le surpeuplement des villes et la création d'immenses bidonvilles où règne la misère. Cette misère est encore aggravée par des catastrophes naturelles fréquentes (inondations, tremblements de terre). Les plus grandes agglomérations sont Bombay (13 millions d'habitants), Calcutta (11 millions) et Delhi (9 millions).

Sous domination britannique depuis la fin du XVIIIe siècle, l'Inde est indépendante depuis 1947. Elle est membre du Commonwealth. Le conflit qui l'oppose au Pakistan depuis la création de celui-ci perturbe la vie politique de la nation.

Les bords du Gange à Bénarès.

---

indécent, ente adj. Qui n'est pas décent. *Une tenue indécente.*
Contraires : convenable, correct.

indéchiffrable adj. Impossible à déchiffrer. *Une écriture indéchiffrable.*

indécis, ise adj. Qui ne sait pas se décider. *Elle est indécise et ne sait pas comment s'habiller.*
Synonyme : hésitant. Contraires : décidé, résolu.
Elle hésite, et son indécision est agaçante, son caractère indécis.

indéfendable adj. Qui ne peut pas être défendu ou soutenu. *Cet acte raciste est indéfendable.*

indéfini, ie adj. **1** Qui n'est pas très précis. *Une durée indéfinie.* **2** *Article* ou *pronom indéfini :* article ou pronom qui désigne des choses ou des gens de manière vague et indéterminée.
Synonymes : imprécis (1), indéterminé (1), vague (1). Contraire : défini (1 et 2).
Repousser indéfiniment une invitation, de manière indéfinie (1).

indéfinissable adj. Difficile à définir ou à expliquer. *Cette petite fille a un charme indéfinissable.*

indélébile adj. Qu'on ne peut pas effacer. *Cette tache d'encre est indélébile.*

indemne adj. Qui n'a subi aucune blessure dans un accident. *Retrouver des gens indemnes sous les gravats.*
Synonyme : sain et sauf.

indemniser v. ➔ conjug. **aimer.** Verser une somme d'argent à quelqu'un pour le dédommager ou pour lui rembourser certains frais. *Les sinistrés vont être indemnisés.*
Les blessés attendent une indemnisation, d'être indemnisés. *Des indemnités de licenciement sont prévues dans le contrat de travail,* des sommes versées pour indemniser un travailleur licencié.

indéniable adj. Qu'on ne peut pas nier. *Une réussite indéniable.*
Synonyme : incontestable.

indépendamment de prép. En plus de, outre. *Indépendamment de son salaire, il touche des revenus fonciers.*

indépendance n. f. **1** Situation d'un pays qui n'est pas sous la domination d'un autre pays. **2** État d'une personne indépendante, qui ne dépend de personne.

Les *indépendantistes* sont des partisans de l'indépendance (*1*) d'un pays.

indépendant, ante adj. *1* Qui n'est pas soumis à l'autorité d'un autre pays. *Cet État est devenu indépendant.* *2* Qui ne dépend de personne et aime se sentir libre. *Elle travaille pour être indépendante.* *3* Qui n'a pas de rapport avec autre chose, qui en est séparé. *Chaque enfant a sa chambre indépendante.*

indescriptible adj. Qu'on ne peut pas décrire. *Il y a sur ce bureau un désordre indescriptible.*

indésirable adj. Dont on ne désire pas la présence. *Ces supporters violents sont indésirables dans les stades.*

indestructible adj. Qui ne peut pas être détruit. *Une amitié indestructible. Une forteresse qui semblait indestructible.*

indéterminé, ée adj. Qui n'est pas déterminé avec précision. *L'origine du sinistre est encore indéterminée.*
Synonyme : indéfini.

index n. m. *1* Doigt de la main qui est à côté du pouce. *Montrer quelque chose avec son index.* *2* Liste alphabétique de termes cités dans un ouvrage. *Il y a un index à la fin de ce guide.*

indicateur, trice adj., n. et n. m.
● adj. Destiné à indiquer quelque chose. *Ce tableau indicateur affiche les horaires des trains.*
● n. Personne qui communique des renseignements à la police, en échange d'argent ou d'avantages. *Il a été arrêté grâce aux informations fournies par un indicateur.*
● n. m. Livre qui fournit des renseignements. *Un indicateur des noms de rues.*

1. indicatif, ive adj. Qui indique et renseigne. *Afficher quelques prix à titre indicatif.*

2. indicatif n. m. *1* Mode du verbe qui indique une action qui s'est réellement réalisée ou qui se réalisera. *« Je serai » est le futur de l'indicatif du verbe « être ».* *2* Petit morceau de musique qui annonce le début d'une émission.

indication n. f. → indiquer.

indice n. m. Signe ou preuve de quelque chose. *La police cherche des indices sur le lieu du crime.*

indicible adj. Qu'on a du mal à dire ou à exprimer. *Un bonheur indicible.*
Synonymes : indescriptible, inexprimable.

indien, enne adj. et n. *1* De l'Inde. *La capitale indienne est New Delhi.* *2* Des Indiens d'Amérique. *Étudier les tribus indiennes.*

Indien (océan)

Océan qui s'étend de l'Afrique à l'Indonésie et à l'Australie. L'océan Indien est limité au nord par l'Asie et au sud par l'Antarctique. Il a une superficie d'environ 75 000 000 km². Sa profondeur moyenne est de 3 900 m, mais certaines fosses dépassent 7 000 m.
L'océan Indien communique à la fois avec l'Atlantique (à l'ouest), et avec le Pacifique (à l'est).

Indiens

Peuples indigènes du continent américain. On dit aussi Amérindiens, pour les distinguer des habitants de l'Inde. Le nom d'Indiens leur a été donné par Christophe Colomb, qui, lorsqu'il a découvert l'Amérique, croyait avoir atteint les Indes. Les Indiens d'Amérique sont les descendants de peuples venus d'Asie par le détroit de Béring, il y a environ 40 000 ans, et qui ont peu à peu occupé tout le continent.
Les peuples indiens d'Amérique du Nord (parmi lesquels les Sioux, les Cheyennes, les Comanches, les Cherokees, les Apaches, les Iroquois…) ont été décimés par les Européens dès la fin du XVIIᵉ siècle. La plupart vivent aujourd'hui confinés dans des réserves. En Amérique du Sud, les tribus qui vivent dans la forêt amazonienne doivent faire face à la déforestation.

indifférent, ente adj. *1* Qui n'a pas d'importance pour quelqu'un, qui lui est égal. *Cela m'est totalement indifférent que tu viennes ou pas.* *2* Qui n'est jamais ému, touché, sensible. *Rester indifférent aux malheurs des autres.*
Synonyme : insensible (*2*).
Les porcs mangent *indifféremment* de tout, de manière indifférente (*1*). On peut être étonné par l'*indifférence* de ces gens, par le fait qu'ils sont indifférents (*2*).

indigène adj. et n. Originaire du pays où il vit.
Synonyme : autochtone.

indigent, ente adj. et n. Extrêmement pauvre. *Certaines personnes indigentes sont prises en charge par des associations.*
Synonymes : misérable, nécessiteux.

indigeste adj. Qui est difficile à digérer. *Un dîner trop copieux et indigeste.*
Contraire : digeste.

indigestion n. f. Malaise occasionné par une digestion difficile ou un excès d'aliments. *Manger trop, au point d'avoir une indigestion.*

indignation n. f. → **indigner**.

indigne adj. *1* Qui n'est pas digne de quelque chose, qui ne le mérite pas. *C'est un menteur, il est indigne de mon amitié.* *2* Qui provoque la colère ou le mépris par son caractère honteux. *Se comporter de façon indigne.*
Synonyme : méprisable (*2*).

indigner v. → conjug. **aimer.** Remplir quelqu'un de colère, le révolter. *Sa malhonnêteté nous a indignés.*
   Manifester de l'*indignation* face à une injustice, une colère qui prouve qu'on est indigné.

indigo adj. inv. D'un bleu foncé proche du violet.
Des tentures indigo.

indiqué, ée adj.
Qui est conseillé, recommandé dans certaines situations. *Ces massages sont tout à fait indiqués pour le mal de dos.*

indiquer v. → conjug. **aimer.** *1* Désigner, signaler, montrer avec précision. *L'endroit où le soleil se lève indique l'est.* *2* Fournir un renseignement ou une explication. *Pourriez-vous m'indiquer où est la pharmacie la plus proche ?*
   Lire attentivement les *indications* du mode d'emploi, ce qui est indiqué (*2*).

indirect, ecte adj. *1* Qui n'est pas direct. *Trouver un moyen indirect pour annoncer une mauvaise nouvelle.* *2* Complément indirect : relié au verbe par une préposition. *Dans la phrase « je pense à quelqu'un », « quelqu'un » est un complément d'objet indirect.*
   Nous avons appris *indirectement* la nouvelle, de façon indirecte (*1*).

indiscipline n. f. Fait de ne pas respecter la discipline, le règlement. *Son indiscipline lui a valu une belle punition.*
   C'est une élève *indisciplinée*, qui fait preuve d'indiscipline.

indiscret, ète adj. *1* Qui est trop curieux, manque de discrétion. *Poser une question indiscrète sur la vie privée de quelqu'un.* *2* Qui est trop bavard et ne sait pas garder un secret. *Se montrer indiscret en allant tout répéter.*
   Il m'a questionné *indiscrètement* sur mon passé, de manière indiscrète (*1*). Il a fait preuve d'une grande *indiscrétion*, du défaut d'une personne indiscrète (*1* et *2*).

indiscutable adj. Qu'on ne peut pas discuter, contester. *La qualité de ce produit est indiscutable.*
Synonymes : évident, incontestable, indéniable. Contraire : contestable.
   Indiscutablement, c'est lui le meilleur élève, de manière indiscutable.

indispensable adj. Dont on ne peut pas se passer. *La nourriture est indispensable à la vie.*
Synonymes : essentiel, nécessaire. Contraires : inutile, superflu.

indisponible adj. Qui n'est pas disponible. *Une marchandise indisponible pour le moment.*

indisposer v. → conjug. **aimer.** *1* Rendre légèrement malade. *Être indisposé par des odeurs d'essence.* *2* Agacer ou mécontenter quelqu'un. *Son attitude a indisposé les invités.*
   Souffrir d'une légère *indisposition*, du fait d'être indisposé (*1*).

indissociable adj. Qu'il est impossible de dissocier, de séparer. *Ces deux histoires sont indissociables.*

indistinct, incte adj. Qui est difficile à distinguer ou qui est un peu confus. *Le brouillard rend le paysage indistinct.*
Synonymes : imprécis, vague. Contraires : distinct, précis, net.

individu n. m. *1* Chacune des personnes qui forment une collectivité. *Chaque individu a une vie différente de celle des autres.* *2* Personne qui semble louche, ou dont on parle avec mépris. *Je refuse de discuter avec de tels individus.*

individualisme n. m. Attitude d'une personne qui aime être indépendante et autonome.
   Une personne *individualiste* fait preuve d'individualisme.

individuel, elle adj. Qui concerne un seul individu, qui est personnel. *Chaque élève a sa table individuelle.*
   Jouer *individuellement,* de manière individuelle.

Indochine

Péninsule du sud-est de l'Asie. L'Indochine comprend plusieurs pays qui sont parmi les plus pauvres du monde : le Myanmar (ex-Birmanie), le Laos, la Thaïlande, le Cambodge, le Viêtnam et la Malaisie occidentale. Soumise au climat des moussons, elle reçoit des précipitations abondantes. La culture dominante est le riz, base de l'alimentation des populations. L'industrie est peu développée.

indolent, ente adj. Qui est mou et sans énergie. *La vie dans les pays chauds l'a rendu indolent.*
Synonyme : nonchalant. Contraire : énergique.
L'indolence d'une personne, c'est son caractère indolent, son inertie.

indolore adj. Qui ne fait pas mal. *Ce vaccin est tout à fait indolore.*
Contraire : douloureux.

indomptable adj. Qu'il est impossible de dompter. *Ce cheval sauvage est indomptable.*

Indonésie

République du sud-est de l'Asie. L'Indonésie est un archipel qui s'étend sur 5 000 km entre l'océan Indien à l'ouest et l'océan Pacifique à l'est. Elle est composée d'un grand nombre d'îles dont les principales sont : Sumatra, Java, Kalimantan (partie sud de l'île de Bornéo), les Célèbes et Irian Jaya (partie occidentale de la Nouvelle-Guinée). Ce sont des îles volcaniques montagneuses soumises à un climat tropical de mousson, chaud et humide. L'Indonésie produit du riz, base de l'alimentation, du café, du caoutchouc. Elle exploite ses réserves de pétrole et de gaz naturel. Le tourisme est bien développé sur tout l'archipel.
Successivement sous domination des Portugais puis des Hollandais, l'Indonésie est indépendante depuis 1945.

1 904 570 km²
217 131 000 habitants :
les Indonésiens
Langues : bahasa Indonesia et 200 langues et dialectes
Monnaie : roupie
Capitale : Jakarta

indu, ue adj. *Heure indue :* heure inhabituelle et tardive. *Qui frappe à cette heure indue ?*

indubitable adj. Dont on ne peut pas douter. *Il est indubitable que c'est elle qui a gagné.*
Cet homme est indubitablement innocent, de manière indubitable.

induire v. → conjug. **cuire**. *Induire quelqu'un en erreur :* le tromper. *Tes indications étaient fausses et m'ont induit en erreur.*

indulgent, ente adj. Qui pardonne les bêtises ou les fautes. *Être indulgent avec un conducteur qui débute.*
Synonyme : compréhensif. Contraire : sévère.
L'accusé a bénéficié de l'indulgence du jury, de son caractère indulgent.

indûment adv. Littéraire. À tort, injustement. *Recevoir indûment une somme d'argent.*

Indus

Fleuve du sud de l'Asie. Long de plus de 3 000 km, l'Indus naît au Tibet, dans la chaîne de l'Himalaya, traverse le Cachemire puis le Pakistan, et finit sa course par un vaste delta dans la mer d'Oman. Dans sa partie himalayenne, il coule sur près de 300 km au fond des gorges les plus profondes du monde. De nombreux barrages installés sur son cours servent à l'irrigation des cultures et à la production d'électricité. Une brillante civilisation s'est développée dans la vallée de l'Indus au IIIe millénaire av. J.-C., appelée la civilisation de l'Indus.

industrie n. f. Ensemble des entreprises qui exploitent les sources d'énergie et qui utilisent les matières premières pour les transformer en produits fabriqués. *Des industries textiles, alimentaires.*
Une région qui s'industrialise, qui s'équipe en industries. *L'industrialisation d'un pays,* le fait qu'il s'industrialise.

industriel, elle adj. et n. m.
● adj. Qui est en rapport avec l'industrie. *Une usine est un établissement industriel.*
Ces produits sont fabriqués industriellement, de manière industrielle.
● n. m. Personne qui possède ou dirige une industrie, une usine.

La révolution industrielle désigne l'apparition du monde moderne en Occident. Elle est liée aux évolutions techniques et à l'essor du capitalisme.
Regarde p. 564 et 565.

inébranlable adj. Que rien ne peut ébranler ni faire changer d'avis. *Prendre des résolutions inébranlables.*

inédit, ite adj. **1** Qui n'a encore jamais été édité. *Un manuscrit resté inédit.* **2** Nouveau et original. *Essayer une recette inédite.*
Contraires : banal, connu (**2**).

la révolution industrielle

Au XIXᵉ siècle, les nouvelles inventions, les progrès scientifiques et techniques sont si importants et si rapides qu'ils permettent le développement du machinisme et de la grande industrie. Les campagnes se transforment, des villes nouvelles se créent. Ces innovations modifient le travail et la vie des hommes. Voilà pourquoi on a donné le nom de « révolution industrielle » à cette période.

la machine à vapeur

Dans les régions où le charbon est abondant, cette invention permet la création des premières usines qui remplacent les petits ateliers et attirent une population importante. Des cités ouvrières se construisent, de nouveaux paysages apparaissent. On fabrique mieux et de plus en plus vite. Les industries métallurgiques, sidérurgiques, textiles se développent. Mais les ouvriers ont des conditions de vie difficiles.

À la fin du XIXᵉ siècle, l'électricité remplace progressivement la vapeur dans le fonctionnement des machines. Peu à peu, les villes s'éclairent.

La machine à vapeur est mise au point par l'Anglais James Watt en 1782. La force mécanique produite par la vapeur de l'eau qui bout dans une chaudière est utilisée pour faire fonctionner toutes sortes de machines. Le charbon, présent en grande quantité dans le sous-sol, sert de combustible.

les transports

La vapeur se met également au service des transports.

■ Des bateaux à vapeur, les steamers, traversent les mers et remplacent les grands voiliers.

■ Les automobiles à vapeur apparaissent également ; elles seront remplacées à la fin du siècle par les voitures à essence.

■ À la fin du XIXᵉ siècle, le premier avion décolle.

■ Les premières locomotives tirant des wagons sur rails remplacent progressivement les diligences. Les voyages sont plus rapides, les marchandises sont transportées plus facilement.

Grâce aux steamers, la traversée de l'Atlantique est réduite de moitié ; elle n'est plus que de 15 jours !

L'Éole d'Ader effectue son premier vol en 1890.

Dès 1842, la plupart des grandes villes européennes sont reliées entre elles par le chemin de fer.

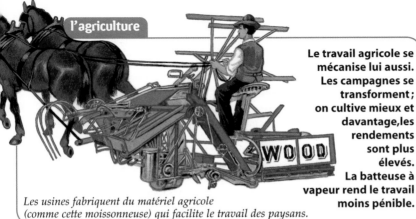

l'agriculture

Le travail agricole se mécanise lui aussi. Les campagnes se transforment ; on cultive mieux et davantage, les rendements sont plus élevés. La batteuse à vapeur rend le travail moins pénible.

Les usines fabriquent du matériel agricole (comme cette moissonneuse) qui facilite le travail des paysans.

la vie ouvrière

■ Dans les premières usines, les ouvriers ont des conditions de vie précaires. Peu à peu, ils se groupent pour défendre leurs intérêts. En 1864, les ouvriers français obtiennent le droit de grève et, en 1884, le droit de constituer des syndicats. Leur situation s'améliore progressivement.

■ Les artisans ne peuvent supporter la concurrence des grandes usines qui produisent plus vite et moins cher. Peu à peu, les petits ateliers ferment et les artisans deviennent ouvriers.

Dans les usines, les ouvriers travaillent 12 à 14 heures par jour pour de maigres salaires. Les enfants sont employés dès l'âge de sept ans.

Autres découvertes et inventions du XIXᵉ siècle

❖ 1820 : Ampère invente l'électro-aimant.
❖ 1826 : Niépce invente la photographie.
❖ 1830 : Thimonnier invente la machine à coudre.
❖ 1842 : L'industrie des engrais chimiques apparaît.
❖ 1855 : Bessemer transforme la fonte en acier.
❖ 1863 : Pasteur met au point la stérilisation des aliments (pasteurisation).
❖ 1869 : Bergès produit du courant à partir d'une chute d'eau (houille blanche).
❖ 1876 : Bell invente le téléphone.
❖ 1878 : Edison fabrique la première lampe à incandescence.
❖ 1880 : Edison perfectionne le phonographe.
❖ 1885 : Pasteur découvre le vaccin contre la rage.
❖ 1895 : Les frères Lumière mettent au point le Cinématographe.

inefficace adj. Qui n'est pas efficace, qui ne produit aucun effet. *Un vaccin qui s'avère inefficace.*
   L'*inefficacité* d'un traitement, c'est son caractère inefficace.

inégal, ale, aux adj. *1* Qui n'est pas égal en dimension, en quantité, en qualité, en valeur. *Un partage inégal.* *2* Qui n'est pas régulier, qui varie. *Être d'humeur inégale.* *3* Qui est accidenté. *Ce terrain inégal est plein de bosses.*
Contraires : plat (*3*), uni (*3*).
   Partager *inégalement*, de façon inégale (*1*).

inégalable adj. Qui ne peut pas être égalé. *Ce grand cru est d'une qualité inégalable.*

inégalement adv. → **inégal.**

inégalité n. f. *1* Caractère de ce qui est inégal. *L'inégalité des salaires entre les hommes et les femmes reste un grave problème.* *2* Élément irrégulier. *Des inégalités de terrain.*

inéligible adj. Qui ne peut pas être élu. *Les personnes mineures sont inéligibles.*
Contraire : éligible.

inéluctable adj. Inévitable, fatal. *Le vieillissement est inéluctable pour tout le monde.*

inénarrable adj. Tellement drôle qu'on a du mal à le raconter. *Assister à un spectacle inénarrable.*

inepte adj. Dénué de sens. *Tenir des propos ineptes.*
Synonymes : absurde, idiot, stupide.
   Ne dire que des *inepties*, des propos ineptes, dénués de sens.
On prononce [inɛpsi].

inépuisable adj. *1* Qu'on ne peut pas épuiser, qui semble sans fin. *Un dévouement inépuisable.* *2* Intarissable. *Sur ce sujet, il est inépuisable.*

inerte adj. Immobile, inanimé. *Découvrir un corps inerte sous des décombres.*

inertie n. f. Manque d'énergie ou d'activité. *Reprocher à quelqu'un son inertie.*
Synonyme : indolence. On prononce [inɛʀsi].

inespéré, ée adj. Que l'on n'espérait pas ou plus. *Un gain inespéré.*
Synonymes : imprévu, inattendu.

inestimable adj. Qui a une telle valeur qu'on ne peut pas l'estimer. *Une fortune inestimable.*

inévitable adj. Qu'on ne peut pas éviter. *Après un tel repas, l'indigestion est inévitable !*
Synonymes : fatal, forcé, inéluctable.
   Il y a *inévitablement* des embouteillages sur cette route, de façon inévitable.

inexact, acte adj. *1* Qui n'est pas exact et contient des erreurs. *Cette addition est inexacte, le résultat est faux.* *2* Qui n'est pas ponctuel. *Être inexact à un rendez-vous et le rater.*
Synonymes : erroné (*1*), faux (*1*). Contraires : correct (*1*), juste (*1*).

inexactitude n. f. *1* Erreur, faute. *Ce texte contient des inexactitudes.* *2* Manque de ponctualité. *Il est toujours en retard et on lui reproche son inexactitude.*
Contraire : exactitude (*2*).

inexcusable adj. Qu'on ne peut pas excuser. *Cette faute est inexcusable.*
Synonyme : impardonnable.

inexistant, ante adj. Qui n'existe pas ou pratiquement pas. *Déplorer des moyens inexistants pour aider les réfugiés.*

inexorable adj. Que l'on ne peut pas fléchir, qui est sans pitié. *Un juge inexorable.*
Synonymes : impitoyable, implacable.
   Le sort s'acharne *inexorablement* contre lui, de façon inexorable.

inexpérimenté, ée adj. Qui n'a pas d'expérience dans un domaine. *Elle débute les leçons de piano, elle est encore inexpérimentée.*
Synonymes : débutant, novice. Contraires : expérimenté, expert, habile.

inexplicable adj. Qu'on ne peut pas expliquer. *Cet accident est inexplicable.*
Synonyme : incompréhensible.

inexploré, ée adj. Qui n'a toujours pas été exploré. *Découvrir une grotte inexplorée.*

inexpressif, ive adj. Qui n'est pas expressif. *Un regard inexpressif.*

inexprimable adj. Qu'on a du mal à exprimer. *Un bonheur intense et inexprimable.*
Synonymes : indescriptible, indicible, ineffable.

in extremis adv. Au tout dernier moment. *Isidore se rattrape in extremis.*

Mots latins qui se prononcent [inɛkstʀemis].

inextricable adj. Qui est très embrouillé et très difficile à démêler. *Je suis dans une situation inextricable.*

infaillible adj. *1* Qui est incapable de se tromper. *Il a tort de se croire infaillible.* *2* Qui donne à coup sûr le résultat qu'on attend. *Un vaccin infaillible.*

infaisable adj. Qui est impossible à faire. *Ce puzzle est infaisable pour un enfant de six ans.*
On prononce [ɛ̃fəzabl].

infâme adj. *1* Qui est abject, horrible moralement. *Ce crime est un acte infâme.* *2* Qui est très mauvais ou très sale. *Une nourriture infâme.*
Synonymes : dégoûtant (*2*)**, ignoble** (*1* et *2*)**, immonde** (*1* et *2*)**, infect** (*2*)**, méprisable** (*1*)**, odieux** (*1*)**, repoussant** (*2*)**, répugnant** (*2*)**.**
Une infamie est une action infâme (1).

infanterie n. f. Dans l'armée, ensemble des troupes qui combattent à pied.

infantile adj. *1* Qui concerne la petite enfance. *À la crèche, les petits attrapent beaucoup de maladies infantiles.* *2* Puéril, enfantin. *Ils ont eu une réaction infantile.*
Faire preuve d'infantilisme, d'un comportement infantile (2).

infarctus n. m. Grave maladie du cœur due au fait qu'une artère se bouche.
On prononce [ɛ̃faʀktys]**.**

infatigable adj. Que rien ne fatigue.
Isidore est infatigable, il se remet au travail.
Synonyme : inlassable.

infect, ecte adj. *1* Extrêmement mauvais. *Une odeur infecte.* *2* Qui provoque un dégoût moral. *C'est un personnage infect.*
Synonymes : infâme (*1*)**, ignoble** (*2*)**.**

infection n. f. *1* Contamination par des microbes. *Nettoyer une coupure pour éviter l'infection.* *2* Chose qui dégage une grande puanteur. *Ces crevettes ne sont plus fraîches, c'est une infection.*
Il faut soigner cette plaie pour empêcher qu'elle ne s'infecte, qu'elle ne soit touchée par une infection (1). La grippe est une maladie infectieuse, due à une infection (1).

inférieur, eure adj. et n.
• adj. *1* Situé en bas ou plus bas, au-dessous. *Les étages inférieurs d'un immeuble.* *2* Plus petit, moins important. *7 est inférieur à 8. Rétrograder quelqu'un à un rang inférieur.*
• n. Personne qui occupe un poste inférieur dans une hiérarchie.
Synonymes : subalterne, subordonné. Contraire : supérieur.
Cet enfant est complexé et souffre d'un sentiment d'infériorité, du sentiment d'être inférieur (2).

infernal, ale, aux adj. Insupportable. *Ce vacarme est infernal.*

infester v. → conjug. **aimer.** Envahir un lieu en très grand nombre. *Ces égouts sont infestés de rats.*

infidèle adj. *1* Qui n'est pas fidèle en amour ou en amitié. *Elle trompe son mari et lui est infidèle.* *2* Qui n'est pas conforme à la vérité ou à la réalité. *Un témoignage infidèle.*
Elle reproche à son ami son infidélité, le fait qu'il soit infidèle (1).

s'infiltrer v. → conjug. **aimer.** Pénétrer lentement quelque part. *L'eau qui s'est infiltrée dans le toit a fait des dégâts.*
Constater des infiltrations d'eau dans un plafond, le fait que de l'eau s'y soit infiltrée.

infime adj. Qui est très petit, négligeable. *Un détail infime les différencie.*
Synonymes : insignifiant, minime.

infini, ie adj. et n. m.
• adj. Qui n'a pas de fin, pas de limites. *Les nombres forment une suite infinie.*
Synonyme : illimité.
• n. m. *À l'infini :* sans qu'il semble y avoir de fin. *Les champs de blé s'étendent à l'infini.*

infiniment adv. Beaucoup, énormément. *Je vous remercie infiniment pour votre aide.*

infinité n. f. Très grand nombre, très grande quantité. *Les enfants posent souvent une infinité de questions à leurs parents.*

infinitif n. m. Mode du verbe lorsqu'il n'est pas conjugué. *« Venir » est un verbe à l'infinitif.*

infirme adj. et n. Qui est fortement handicapé. *Un accident de voiture l'a rendu infirme.*
Synonymes : impotent, invalide.
La paralysie, la surdité sont des infirmités, elles rendent infirmes.

infirmer v. → conjug. **aimer.** Remettre en cause, démentir quelque chose. *Un nouvel élément dans l'enquête a permis d'infirmer la déclaration du témoin.*
Contraire : confirmer.

infirmerie n. f. Local où l'on donne des soins aux malades ou aux blessés dans un établissement scolaire, une entreprise, une prison.

infirmier, ière n. Personne qualifiée pour donner des soins aux malades. *L'infirmière est venue lui faire un pansement.*

infirmité n. f. → **infirme.**

inflammable adj. Qui s'enflamme facilement. *Un gaz inflammable.*
Contraire : ininflammable.

inflammation n. f. Irritation douloureuse de la peau ou d'une partie du corps qui se manifeste par un gonflement ou une rougeur. *Une angine est une inflammation de la gorge.*

a b c d e f g h i j k l m n o p q r s t u v w x y z

inflation n. f. Fait que les prix augmentent. *En période d'inflation, le pouvoir d'achat baisse.*

inflexible adj. Intransigeant, inébranlable, implacable. *Se montrer inflexible dans ses décisions.*

infliger v. → conjug. **ranger.** Forcer quelqu'un à subir une chose pénible. *Infliger une punition.*

influence n. f. Action exercée par une personne ou une chose qui provoque un changement. *L'influence du climat sur les végétaux. Avoir une bonne influence sur quelqu'un.*

> **Influencer** quelqu'un, c'est exercer une influence sur lui. *Une personne influençable se laisse facilement influencer. Le maire est une personnalité influente, qui a beaucoup d'influence. La lune influe sur les marées,* elle exerce une influence.

informaticien, ienne n. → informatique.

information n. f. **1** Renseignement communiqué à une personne ou à un groupe. *Demander des informations sur les horaires des trains.* **2** Au pluriel. Nouvelles communiquées par la radio ou la télévision. *Écouter les informations.*

informatique n. f. et adj.
• n. f. Technique qui permet de mettre dans la mémoire d'un ordinateur un grand nombre de données et de les organiser de façon automatique.
• adj. Relatif à l'informatique. *De plus en plus de voitures sont équipées de matériel informatique.*

> Un **informaticien** est un spécialiste d'informatique. *Le service des abonnements a été informatisé,* équipé en informatique. *L'informatisation se développe beaucoup,* l'action d'informatiser.

L'informatique est la science du traitement de l'information.
Aujourd'hui l'informatique est présente dans tous les actes de notre vie, dans tous les domaines de l'activité humaine. Ce sont les progrès de l'électronique et de la miniaturisation des composants qui ont entraîné cette fantastique révolution dans notre vie quotidienne où l'ordinateur a pris une place de plus en plus importante.
Regarde page ci-contre.

informe adj. Qui a une forme imparfaite, grossière. *Le portrait qu'a fait Isidore est encore informe.*

informer v. → conjug. **aimer.**
1 Communiquer une information. *À l'accueil, on informe le public.* **2** S'informer: se renseigner. *Lire le journal permet de s'informer sur ce qui se passe dans le monde.*

infraction n. f. Acte contraire à une loi ou à un règlement. *Retirer son permis à quelqu'un pour infraction au code de la route.*

infranchissable adj. Qu'il est impossible de franchir. *Un obstacle qui paraît infranchissable.*

infrarouge adj. *Rayons infrarouges:* radiations invisibles qu'on utilise en particulier pour le chauffage ou la photographie.

infrastructure n. f. Ensemble d'équipements et d'installations. *L'infrastructure hôtelière d'une région,* ce sont tous les hôtels de cette région.

infructueux, euse adj. Qui n'a pas été fructueux. *Des efforts infructueux.*
Synonymes: inefficace, vain.

infuser v. → conjug. **aimer.** Tremper une plante aromatique dans de l'eau bouillante pour qu'elle dégage son arôme. *Laisser infuser du thé, du romarin, de la camomille.*

> Le soir, je bois une *infusion* de tilleul, une boisson faite avec des feuilles de tilleul infusées.

s'ingénier v. → conjug. **modifier.** Chercher tous les moyens pour arriver à un résultat. *S'ingénier en vain à expliquer quelque chose.*
Synonymes: s'escrimer, s'évertuer.

ingénieur n. m. Personne qui conçoit ou dirige des travaux. *Un ingénieur chimiste qui travaille souvent en laboratoire.*

ingénieux, euse adj. Qui est astucieux. *Trouver un moyen ingénieux pour se tirer d'affaire.*

> Ce bricoleur manifeste une grande *ingéniosité,* un caractère très ingénieux.

ingénu, ue adj. et n. D'une franchise innocente et naïve. *Répondre d'un ton ingénu.*

s'ingérer v. → conjug. **digérer.** Se mêler d'une affaire sans en avoir le droit. *Refuser de s'ingérer dans les affaires des autres.*

> Une *ingérence* inacceptable dans la vie privée, le fait de s'ingérer.

ingrat, ate adj. et n.
• adj. et n. Qui ne manifeste aucune reconnaissance pour un service rendu. *Tu es vraiment ingrat de ne pas l'avoir remercié. Je n'aime pas les ingrats.*

> Ne pas remercier la personne qui t'a tant aidé, c'est de l'*ingratitude,* c'est se comporter comme un ingrat.

• adj. **1** Qui est pénible, rebutant. *Les tâches ménagères sont ingrates.* **2** Qui est disgracieux ou sans charme. *Un visage ingrat, couvert d'acné.*

ingrédient n. m. Chacun des éléments qui entrent dans la composition d'une préparation. *Prépare les ingrédients pour faire de la mayonnaise: un jaune d'œuf, la moutarde et l'huile.*

l'informatique

L'ordinateur est au centre du système. Il est composé d'une unité centrale et de périphériques. L'ordinateur est programmé pour effectuer des tâches. Sans programme, il n'a pas d'action.

multi-cartes

■ L'unité centrale est le cerveau de l'ordinateur. C'est elle qui reçoit les informations, les stocke, les traite et communique le résultat du traitement. Cet ensemble d'opérations s'effectue à l'aide de minuscules circuits électriques imprimés sur de petites cartes. Le plus important de ces circuits, qui assure le fonctionnement de l'ensemble, est appelé le « microprocesseur ».

multi-assistance

■ L'ordinateur permet la gestion de nombreux appareils (robots, distributeurs de toutes sortes, téléguidage d'engins…), la réalisation de jeux vidéo, la fabrication d'images (dessin, cinéma…), la réalisation d'œuvres éditoriales et musicales, l'enseignement, les conférences à distance… Ces utilisations sont définies comme étant « Assistées par Ordinateur » : publication par ordinateur (PAO), conception par ordinateur (CAO)…

■ On distingue deux types de périphériques : les périphériques d'entrée (clavier, souris, scanner, lecteurs), les périphériques de sortie (imprimante, écran, enceintes).

■ Sur 1 mm² de surface on peut imprimer des millions de circuits ! La puce est entourée d'assistants appelés « mémoires ».

Ce dictionnaire a été réalisé entièrement sur ordinateur.

écran

unité centrale

souris

enceinte

clavier

L'ordinateur atteint aujourd'hui des dimensions très réduites (micro-ordinateur, portable).

Internet

■ Il s'agit d'un réseau mondial d'ordinateurs qui diffuse, par l'intermédiaire de la ligne téléphonique, des quantités d'informations sur tous les sujets et propose un très grand nombre de services. Il est aussi appelé le Web ou la Toile. On se connecte au réseau par l'intermédiaire d'un serveur. On doit disposer d'une adresse électronique ou e-mail.

Ingres

Ingres Jean Auguste Dominique

Peintre et dessinateur français né en 1780 et mort en 1867. Ingres apprend très jeune le violon et le dessin. À dix-sept ans, il entre dans l'atelier du peintre David et, en 1801, obtient le premier prix de Rome. Il se rend en Italie en 1806, où il est influencé par la peinture de Raphaël. Il réalise de nombreux portraits et de grandes compositions mythologiques. Son style est précis, élégant, rigoureux.

En 1824, Ingres rentre à Paris, où il devient le chef de file du courant néoclassique, qui s'oppose au courant romantique. Parmi ses œuvres les plus connues figurent *la Grande Odalisque, le Bain turc* et *Mademoiselle Caroline Rivière*. Ingres conserve toute sa vie la passion du violon. De là est née l'expression « avoir un violon d'Ingres » (être passionné par une activité en dehors de son métier).

Mademoiselle Caroline Rivière

ingurgiter v. → conjug. **aimer.** Manger ou boire très rapidement. *Ingurgiter un litre d'eau.*

inhabitable adj. Où il n'est pas possible d'habiter. *La maison est inhabitable depuis les inondations.*

inhabité, ée adj. Où il n'y a aucun habitant. *Cette maison abandonnée est inhabitée depuis longtemps.*

inhabituel, elle adj. Qui n'est pas habituel. *Il fait un froid inhabituel dans ces régions méditerranéennes.* Synonymes : inaccoutumé, insolite.

inhalation n. f. Traitement qui consiste à inhaler une vapeur qui désinfecte.

inhaler v. → conjug. **aimer.** Absorber par la bouche ou par le nez. *Inhaler un gaz toxique peut provoquer des nausées.*

inhérent, ente adj. Qui est intimement lié à quelque chose. *Les responsabilités sont inhérentes à cette fonction.*

inhibé, ée adj. Qui a peur d'agir ou de réagir. *Cet enfant inhibé n'arrive pas à s'exprimer.*

inhospitalier, ère adj. Qui n'est pas hospitalier. *Cette côte est inhospitalière pour les navigateurs.* Contraire : accueillant.

inhumain, aine adj. Qui est indigne de l'homme. *Torturer un prisonnier de façon inhumaine.* Synonymes : barbare, cruel, impitoyable.

inhumer v. → conjug. **aimer.** Enterrer un mort. *Il a souhaité être inhumé dans la plus stricte intimité.*
> *L'inhumation* est prévue demain à 10 heures au cimetière, l'action d'inhumer, l'enterrement.

inimaginable adj. Qu'on ne peut pas ou qu'on peut difficilement imaginer. *Au XVᵉ siècle, il était inimaginable qu'on puisse marcher sur la Lune.* Synonymes : impensable, inconcevable.

inimitable adj. Qui est difficile ou impossible à imiter. *Une voix inimitable.*

inimitié n. f. Sentiment qui dénote un manque d'amitié. *Éprouver une inimitié pour quelqu'un.* Synonymes : antipathie, hostilité.

ininflammable adj. Qui n'est pas inflammable. *Cette matière ininflammable ne peut pas s'enflammer.* Synonyme : incombustible.

inintelligible adj. Qui n'est pas intelligible. *Ne pas comprendre des propos inintelligibles.* Synonyme : incompréhensible.

inintéressant, ante adj. Qui n'est pas intéressant. *J'ai vu hier soir à la télévision un documentaire nul et inintéressant.*

ininterrompu, ue adj. Qui ne s'interrompt pas. *Un flux ininterrompu de gens.* Synonymes : continu, incessant.

initial, ale, aux adj. et n. f.
● adj. Qui se situe au début de quelque chose. *Modifier l'état initial d'un manuscrit.* Contraire : final.
● n. f. Lettre initiale d'un mot. *Les initiales de Pierre Martin sont P. M.*

initialement adv. À l'origine, au départ. *Initialement, on pensait rentrer demain.*

initiation n. f. → **initier.**

initiative n. f. **1** Action de celui qui est le premier à entreprendre ou à proposer quelque chose. *Qui a pris l'initiative de ranger la chambre ?* **2** Qualité d'une personne qui sait prendre des décisions et entreprendre quelque chose. *Avoir l'esprit d'initiative.*

initier v. → conjug. **modifier.** Apprendre à quelqu'un les rudiments d'un art, d'une pratique. *Initier quelqu'un à l'informatique.*
Un stage d'initiation à la voile, destiné à initier à ce sport. *Ce manuel d'informatique est réservé aux initiés,* à ceux qui ont déjà une initiation dans ce domaine.

injecter v. → conjug. **aimer.** Faire entrer un liquide dans l'organisme à l'aide d'une seringue.
Le vétérinaire a fait une injection contre la rage à mon chien, il lui a fait une piqûre contre la rage.

injonction n. f. Ordre formel donné à quelqu'un. *Obéir aux injonctions d'un policier.*

injure n. f. Parole qui offense, qui vexe. *Traiter quelqu'un d'abruti est une injure.*
Synonyme : insulte.
Les deux adversaires se sont injuriés, ils se sont lancé des injures. *Des propos injurieux,* qui constituent une injure.

injuste adj. Qui n'est pas juste. *Un partage injuste.*
Contraire : équitable.
Punir injustement un élève qui n'est pas coupable, de manière injuste. *Subir une injustice,* un acte injuste.

injustifié, ée adj. Qui n'est pas justifié. *Adresser à quelqu'un des reproches injustifiés.*
Contraire : fondé.

inlassable adj. Qui ne se lasse jamais, qui est infatigable. *Une marcheuse inlassable.*
Répéter inlassablement les mêmes conseils, de manière inlassable, sans se lasser.

inné, ée adj. Que l'on possède dès la naissance. *Avoir des dispositions innées pour la musique, pour la peinture.*

innocent, ente adj. et n.
• adj. et n. **1** Qui n'est pas coupable. *Condamner injustement un innocent.* **2** Qui est candide et naïf. *Vous êtes bien innocent de le croire !*
Il n'a pas voulu mal faire, il a fait cela innocemment, de manière innocente (2), naïve. *Il a donné des preuves de son innocence,* du fait qu'il était innocent (1). *Ce témoignage l'a innocenté,* a prouvé qu'il est innocent (1).
• adj. Qui est inoffensif et qu'on ne peut pas condamner. *Des espiègleries bien innocentes.*

innombrable adj. Qu'on ne peut pas dénombrer à cause de son grand nombre. *Quand la nuit est claire, on peut voir d'innombrables étoiles.*

innover v. → conjug. **aimer.** Inventer quelque chose de nouveau. *Ce type d'ordinateur innove par rapport aux précédents.*
Aimer les innovations, le fait d'innover. *Un esprit innovateur,* qui aime innover, qui est novateur.

inoccupé, ée adj. **1** Que personne n'occupe. *Cette maison est inoccupée depuis un an.* **2** Qui ne fait rien. *Jouer avec les enfants pour ne pas les laisser inoccupés.*
Synonymes : désœuvré (2), inactif (2), oisif (2), vacant (1), vide (1). Contraire : occupé (1 et 2).

inoculer v. → conjug. **aimer.** Introduire une substance dans le corps. *Inoculer un vaccin, un germe.*

inodore adj. Qui n'a aucune odeur. *Ces fleurs sont inodores.*
Contraires : odorant, parfumé.

inoffensif, ive adj. Qui ne peut pas faire de mal. *Ce chien ne mord pas, il est inoffensif.*
Contraire : dangereux.

inonder v. → conjug. **aimer.** Submerger un endroit d'une grande quantité d'eau. *Des pluies torrentielles ont inondé toute la région.*
Les riverains ont été victimes des inondations, il ont été inondés par les eaux.

inopiné, ée adj. Qui n'était pas prévu. *Une visite inopinée.*
Synonymes : imprévu, inattendu.
Un insecte entre inopinément chez Isidore, de manière inopinée.

inopportun, une adj. Qui n'arrive pas au bon moment. *Ta remarque est tout à fait inopportune.*
Synonyme : déplacé. Contraire : opportun.

inoubliable adj. Qu'il est impossible d'oublier. *Un souvenir inoubliable.*
Synonyme : mémorable.

inouï, inouïe adj. Extraordinaire, incroyable, prodigieux. *Un typhon d'une violence inouïe.*

inoxydable adj. Qui ne peut pas s'oxyder. *Ces couteaux ne rouillent pas car ils sont en acier inoxydable.*

inqualifiable adj. Qui est extrêmement blâmable ou scandaleux. *Être d'une grossièreté inqualifiable.*

inquiet, ète adj. Qui a peur que quelque chose de mauvais arrive. *Il a de la fièvre et sa mère est inquiète.*
Synonymes : soucieux, anxieux.
Son état de santé m'inquiète, me rend inquiet. *Un malade dans un état inquiétant,* qui inquiète. *L'inquiétude est l'état d'une personne inquiète.*

insaisissable adj. Qu'on n'arrive pas à saisir ou à comprendre. *Un fuyard insaisissable. Une personnalité insaisissable.*

insalubre adj. Qui n'est pas salubre. *Un logement insalubre.*
Synonyme : malsain.
> *L'insalubrité d'un climat trop pluvieux*, son caractère insalubre.

insanité n. f. Parole ou action qui manque de bon sens. *Dire des insanités.*
Synonymes : absurdité, ineptie.

insatiable adj. Qu'on n'arrive jamais à assouvir. *Sa soif d'apprendre est insatiable.*
On prononce [ɛ̃sasjabl].

insatisfait, aite adj. Qui n'est pas satisfait. *Un client insatisfait a envoyé une réclamation.*
Synonyme : mécontent.
> *L'insatisfaction* est le sentiment qu'éprouve une personne insatisfaite.

inscription n. f. *1* Ensemble de mots écrits ou gravés sur une surface. *Des archéologues essaient de déchiffrer des inscriptions hiéroglyphiques. 2* Action d'inscrire un nom sur une liste. *La directrice s'occupe des inscriptions à l'école.*

inscrire v. → conjug. **écrire.** *1* Écrire, noter quelque chose. *Inscrire son nom sur son cartable. 2* Mettre le nom de quelqu'un sur une liste, pour qu'il fasse partie d'un groupe. *Inscrire ses enfants au club de judo.*

insecte n. m. Petit animal ayant six pattes, avec ou sans ailes.

Les insectes appartiennent à la classe des invertébrés, c'est à dire qu'ils n'ont pas de colonne vertébrale. Ils dominent le monde animal par leur nombre. Il en existe plus d'un million d'espèces. Certains sont nuisibles car ils sont à l'origine de maladies graves (moustiques, puces, poux), de dégradations (termites, mites), de destructions de récoltes (criquets, sauterelles). D'autres, au contraire, sont recherchés par l'homme pour leur production (miel des abeilles).
Regarde p. 574 et 575.

insecticide n. m. Produit qui détruit les insectes. *Isidore se saisit d'un insecticide.*

insectivore n. m. Animal qui se nourrit principalement d'insectes.

Il existe plus de 300 espèces d'insectivores. Ils forment le groupe le plus primitif de tous les mammifères. Ils sont apparus sur Terre il y a une centaine de millions d'années. Ce sont des animaux dont le poids n'excède pas 2 kg (le plus petit, une musaraigne de 5 cm pèse 2 g). Les fourmiliers et les tatous qui se nourrissent aussi d'insectes, appartiennent à la famille des édentés.
Regarde page ci-contre.

insécurité n. f. Manque de sécurité. *Se plaindre de l'insécurité d'un quartier.*

insémination n. f. *Insémination artificielle :* technique qui permet de provoquer artificiellement une grossesse, sans accouplement.

insensé, ée adj. Contraire au bon sens et à la raison. *C'est insensé de doubler dans une côte !*
Synonyme : absurde. Contraires : raisonnable, sensé.

insensible adj. *1* Qui ne se laisse pas émouvoir. *Rester insensible aux problèmes d'autrui. 2* Qui n'a plus de sensibilité physique. *Une anesthésie rend insensible à la douleur. 3* Que l'on perçoit à peine. *Une différence insensible.*
Synonymes : indifférent (*1*), imperceptible (*3*).
> *Les températures ont varié insensiblement*, de manière insensible (*3*). *Le dentiste a insensibilisé la dent avant de la soigner,* l'a rendue insensible (*2*) à la douleur. *Son insensibilité le rend peu sympathique,* le fait qu'il soit insensible (*1*).

inséparable adj. Qu'on ne peut pas séparer. *Ces deux amies sont inséparables.*

insérer v. → conjug. **digérer.** *1* Introduire quelque chose dans un ensemble en l'ajoutant. *Insérer un nouveau paragraphe entre deux chapitres. 2* S'insérer : s'intégrer. *S'insérer facilement dans un groupe.*

insertion n. f. *1* Fait d'insérer quelque chose. *L'insertion d'une page de publicité dans un journal. 2* Fait de s'insérer dans un groupe. *Faciliter l'insertion des immigrés en les alphabétisant.*
On prononce [ɛ̃sɛʀsjɔ̃].

insidieux, euse adj. Qui est habile mais qui peut constituer un piège. *Poser une question insidieuse.*
> *Essayer insidieusement de découvrir un secret,* de manière insidieuse.

insigne n. f. Signe distinctif que portent les membres d'un même groupe. *L'insigne de ce club de tennis est une raquette.*

insignifiant, ante adj. *1* Qui a peu d'importance ou de valeur. *Un salaire insignifiant. 2* Se dit de quelqu'un qui manque d'intérêt ou de personnalité.
Synonymes : dérisoire (*1*), quelconque (*2*).

insinuer v. → conjug. **aimer.** *1* Faire comprendre une chose de manière indirecte. *Il a insinué que j'avais triché. 2* S'insinuer : se faire admettre habilement quelque part. *Réussir à s'insinuer dans un groupe.*

les insectivores

Les insectivores ont un long museau, de petits yeux et de petites oreilles. Ils se déplacent en marchant ou en courant sur de courtes pattes à cinq doigts.

■ Ils possèdent une mâchoire aux dents acérées et se nourissent surtout des vers de terre et de larves d'insectes. Ils sont souvent solitaires et nocturnes.

Taupe.
Ses pattes avant tournées vers l'extérieur lui permettent de creuser de longues galeries souterraines.

■ Leur vision est mauvaise, voire inexistante. La taupe, par exemple, est pratiquement aveugle. En revanche, leur odorat est excellent.

Musaraigne.
Elle communique à l'aide de cris très aigus.

Hérisson. Il porte plus de 5 000 aiguillons sur le dos et se roule en boule au moindre danger.

d'autres mangeurs d'insectes

Dépourvus de dents ou ayant des dents sans racines, ils attrapent les insectes avec leur langue visqueuse.

Fourmilier. Sa langue peut atteindre 1 m de longueur.

Tatou.
Il ne se contente pas d'insectes, il se nourrit aussi d'œufs d'oiseaux et même de serpents.

Ses insinuations sont malveillantes, les choses qu'il a insinuées (**1**).

insipide adj. **1** Qui n'a pas de goût. *Ce thé tiède est insipide.* **2** Au figuré. Qui n'a aucun intérêt. *Un feuilleton insipide.*

insister v. → conjug. **aimer. 1** Continuer à faire ou à demander quelque chose avec obstination. *Il a fallu insister pour qu'il se décide à venir.* **2** Attirer particulièrement l'attention sur un point particulier. *Insister sur certaines difficultés orthographiques.*
Synonyme : mettre l'accent (2).
Il réclame la parole avec insistance, en insistant (**1**).

insolation n. f. Malaise ou troubles dus à une exposition prolongée au soleil.

insolent, ente adj. et n. Qui manque de respect. *Se montrer insolent envers quelqu'un.*

Synonymes : arrogant, effronté, impertinent.
Contraire : poli.
Cet enfant nous parle avec insolence, en étant insolent. *Tu n'as pas à répondre insolemment,* de façon insolente.

insolite adj. Qui étonne par son caractère inhabituel ou bizarre. *De la neige qui tombe en été est un phénomène insolite.*

insoluble adj. **1** Qui n'est pas soluble. *L'huile est insoluble dans l'eau.* **2** Que l'on ne peut pas résoudre. *Un problème insoluble.*

insolvable adj. Qui ne peut pas payer ses dettes. *Depuis deux ans au chômage, il est insolvable.*

insomnie n. f. Impossibilité ou difficulté à s'endormir ou à dormir suffisamment la nuit.
Il est insomniaque, il souffre d'insomnie.

les insectes

Les insectes sont présents dans tous les milieux naturels, sous tous les climats. Ils se nourrissent de végétaux, graines, bois, papier, viande, sang et déchets de toutes sortes. Ils sont utiles à l'équilibre de la nature en assurant le recyclage de la végétation morte, des charognes, mais aussi la pollinisation des fleurs.

qu'est-ce qu'un insecte ?

Le corps de l'insecte adulte est articulé en trois parties : la tête, le thorax et l'abdomen.
Leur taille varie de moins d'un millimètre (moucheron) à plusieurs dizaines de centimètres (papillons, phasmes).

La tête.
Elle porte une paire d'antennes ; des yeux et des pièces buccales.

Les pièces buccales.
Ce sont les mâchoires. Elles servent à broyer les aliments.

Les antennes.
Elles servent à détecter les odeurs et à percevoir le milieu environnant.

Les yeux.
Ils peuvent être simples (ocelles) ou composés de multiples facettes.

Le thorax.
Il correspond au milieu du corps. C'est à lui que sont rattachées les pattes ainsi que la paire ou les deux paires d'ailes.

Les pattes.
Elles sont toujours au nombre de six.

L'abdomen.
Il contient les organes digestifs et reproducteurs.

les élytres

Si l'insecte est pourvu de deux paires d'ailes, la première paire, la plus fine, lui sert à voler, la seconde recouvre et protège la première. Ces ailes de protection sont appelées les élytres.

élytre

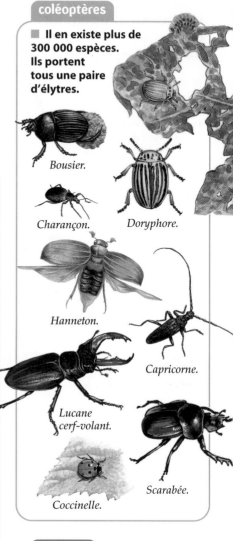

coléoptères

■ Il en existe plus de 300 000 espèces. Ils portent tous une paire d'élytres.

Bousier.

Charançon.

Doryphore.

Hanneton.

Capricorne.

Lucane cerf-volant.

Scarabée.

Coccinelle.

diptères

■ Il en existe plus de 100 000 espèces. Ils ont deux ailes.

Moustique.

Cousin.

Mouche.

■ Ils ont des ailes
membraneuses.

Frelon.

Guêpe.

Fourmi.

Abeille.

■ Ils ont des ailes droites
qui sont protégées par
des élytres.

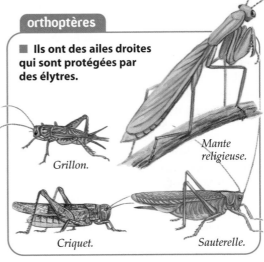

Grillon.

Mante
religieuse.

Criquet.

Sauterelle.

des milliers d'autres insectes

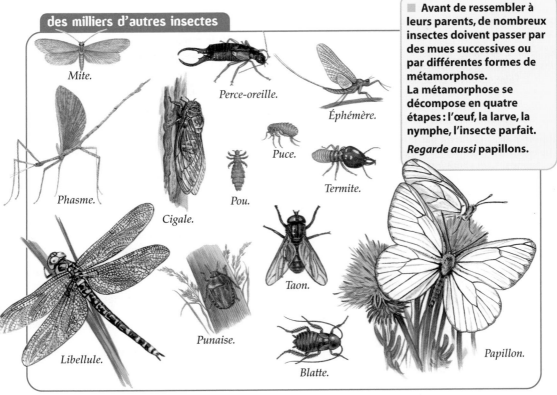

Mite.

Perce-oreille.

Éphémère.

Phasme.

Cigale.

Puce.

Pou.

Termite.

Libellule.

Punaise.

Taon.

Blatte.

Papillon.

■ Avant de ressembler à
leurs parents, de nombreux
insectes doivent passer par
des mues successives ou
par différentes formes de
métamorphose.
La métamorphose se
décompose en quatre
étapes : l'œuf, la larve, la
nymphe, l'insecte parfait.

Regarde aussi papillons.

insondable adj. Dont la profondeur est si grande qu'on ne peut pas la mesurer. *Un abîme insondable.*

insonoriser v. → conjug. **aimer.** Rendre un local moins sonore, moins bruyant. *Faire insonoriser son appartement pour atténuer les bruits de la rue.*

Une bonne *insonorisation* permet de bien dormir la nuit, le fait d'être bien insonorisé.

insouciant, ante adj. Qui ne se soucie de rien. *Des enfants insouciants du danger.*

Faire preuve d'une grande *insouciance*, d'un caractère insouciant.

insoutenable adj. Que l'on ne peut pas supporter. *Ces files de réfugiés sont un spectacle insoutenable.*

inspecter v. → conjug. **aimer.** Examiner attentivement pour contrôler, surveiller ou vérifier. *Inspecter un chantier. À la douane, certains bagages sont inspectés.*

Avant de partir, les campeurs font l'*inspection* de leur matériel, ils l'inspectent. *Hier, il a été convoqué par l'inspecteur des impôts,* un homme chargé d'inspecter.

inspiration n. f. *1* Action d'inspirer de l'air. *2* Idée qui vient subitement à l'esprit. *Manquer d'inspiration pour écrire.*

inspirer v. → conjug. **aimer.** *1* Faire entrer de l'air dans les poumons. *Quand on respire, on inspire puis on expire.* *2* Faire éprouver un sentiment ou faire naître une idée. *Inspirer une grande confiance. C'est surtout la nature qui inspire ce peintre.* *3* S'inspirer de quelqu'un ou de quelque chose: leur devoir ses idées.

instable adj. *1* Qui n'est pas en équilibre. *Cet escabeau bancal est très instable.* *2* Qui varie souvent, qui est changeant. *Un temps instable.* *3* Qui change souvent d'opinion ou d'humeur. *Un homme instable.*

L'*instabilité* des prix agace les consommateurs, leur caractère instable (*2*).

installateur, trice n. → installer.

installation n. f. *1* Action d'installer, de mettre en place. *L'installation de la cuisine a été faite par un professionnel.* *2* Fait de s'installer quelque part. *Fêter son installation dans son nouvel appartement.* *3* Ensemble des appareils, des équipements installés. *Faire refaire toute l'installation électrique.*

installer v. → conjug. **aimer.** *1* Mettre en place. *Le plombier a installé une nouvelle douche.* *2* S'installer: se mettre dans un endroit. *Installez-vous confortablement dans ce fauteuil.* *3* S'installer quelque part: y aller pour y habiter. *Quitter Paris pour s'installer à la campagne.* **Synonyme: s'établir (*3*).**

Un *installateur* de chauffage central est une personne qui installe (*1*) cet appareil.

instamment adv. En insistant. *Je vous demande instamment d'être à l'heure.*

instant n. m. *1* Très court moment. *L'orage n'a duré qu'un instant.* *2* À l'instant: il y a très peu de temps. *3* Dans un instant: bientôt. *4* Dès l'instant que: du moment que. *5* Pour l'instant: pour le moment. *Pour l'instant, le temps est calme.*

L'insecticide d'Isidore a un effet **instantané**, qui se produit en un instant (*1*). *Riposter instantanément,* de manière instantanée, immédiatement (*1*).

instaurer v. → conjug. **aimer.** Établir un régime, un usage. *Instaurer un système démocratique.* **Synonymes: fonder, instituer.**

instigateur, trice n. Personne qui est à l'origine d'une action. *C'est lui l'instigateur de ce projet.*

instinct n. m. *1* Force innée qui pousse les êtres vivants à faire des choses sans qu'ils aient besoin de les apprendre. *L'instinct pousse les petits des mammifères à téter leur mère.* *2* D'instinct: spontanément, sans réfléchir. *D'instinct, je lui ai fait confiance.* **On prononce [ɛ̃stɛ̃].**

Un geste *instinctif* pour se défendre est un geste spontané, fait par instinct (*2*). *Il a répondu instinctivement,* de manière instinctive.

instituer v. → conjug. **aimer.** Instaurer. *Instituer un nouvel impôt.*

institut n. m. *1* Établissement d'enseignement, de recherche scientifique, centre culturel. *L'Institut français à Athènes.* *2* Institut de beauté: établissement où l'on donne des soins de beauté.

instituteur, trice n. Personne qui enseigne dans une école maternelle ou primaire. **Synonymes: maître, maîtresse, professeur des écoles.**

institution n. f. *1* Action d'instituer quelque chose. *L'institution du suffrage universel.* *2* Établissement scolaire privé. *3* Au pluriel. Ensemble des lois.

instructif, ive adj. → instruire.

instruction n. f. *1* Fait d'instruire quelqu'un ou de s'instruire. *Les instituteurs sont chargés de l'instruction des jeunes élèves.* *2* Ensemble des connaissances acquises. *Avoir beaucoup d'instruction.* *3* Au pluriel. Indication sur la façon de faire quelque chose. *Suivre les instructions du mode d'emploi.* **Synonymes: consigne (*3*), directive (*3*), indication (*3*).**

instruire v. → conjug. **cuire.** *1* Apporter un savoir, des connaissances. *Ce documentaire l'a beaucoup instruit sur les animaux des régions polaires.* *2* S'instruire: enrichir ses connaissances en apprenant des choses. *S'instruire en lisant.*

Un ouvrage instructif sur le maniement des ordina-teurs, qui permet de s'instruire (*2*) à ce sujet.

instrument n. m. Objet ou appareil qui sert à faire quelque chose. *La balance est un instrument qui sert à peser.*

La musique instrumentale s'oppose à la musique vocale, elle est exécutée avec des instruments de musique. *Un instrumentiste* est un musicien qui joue d'un instrument de musique.

Dans toutes les civilisations, les hommes utilisent des objets ou en fabriquent dans le seul but de faire de la musique.
Regarde p. 578 à 581.

à l'insu de prép. Sans que quelqu'un sache quelque chose. *Il m'a emprunté mon crayon à mon insu.*

insubmersible adj. Qui ne peut pas couler. *Ces canots de sauvetage sont insubmersibles.*

insuccès n. m. Manque de succès. *Déplorer l'insuccès d'un film.*
Synonyme : échec. Contraire : réussite.

insuffisamment adv. → **insuffisant.**

insuffisance n. f. *1* Fait d'être insuffisant. *L'insuffisance de ses sources d'énergie oblige ce pays à importer du pétrole. 2* Manque d'aptitudes ou de connaissances. *Il s'efforce de rattraper ses insuffisances en français en lisant beaucoup.*
Synonyme : lacune (*2*).

insuffisant, ante adj. Qui n'est pas suffisant. *Les provisions sont insuffisantes, il va en manquer.*
Il travaille insuffisamment pour réussir, de manière insuffisante.

insulaire adj. et n. Qui vit dans une île. *Les insulaires sont ravitaillés par bateau.*

insulter v. → conjug. **aimer.** Injurier. *Insulter quel-qu'un en le traitant de crétin.*
Ces deux hommes ont échangé des insultes, des paroles qui insultent, des injures. *Il n'a pas apprécié ces propos insultants,* qui constituent une insulte, qui sont injurieux.

insupportable adj. Qui est extrêmement difficile à supporter. *Isidore trouve cette odeur insupportable. Des enfants insupportables.*
Synonymes : infernal, intolérable.

s'insurger v. → conjug. **ranger.** *1* Manifester sa révolte envers une autorité. *S'insurger contre un gou-vernement dictatorial. 2* Manifester fortement son hostilité à quelque chose. *S'insurger contre des propos racistes.*

insurmontable adj. Qu'on n'arrive pas à surmon-ter. *Une peur insurmontable.*

insurrection n. f. Révolte, soulèvement contre le pouvoir établi.

intact, acte adj. Qui est resté en bon état et n'a pas été endommagé. *Tout ce qui était dans le déménage-ment est arrivé intact, même la vaisselle.*

intarissable adj. Qui ne tarit pas sur quelque chose. *Quand il parle de cinéma, il est intarissable.*
Synonyme : inépuisable.

intégral, ale, aux adj. Qui est complet, total. *L'œuvre intégrale d'un écrivain.*
Contraire : partiel.
Rembourser intégralement ses dettes, de manière intégrale, complètement, entièrement. *Espérer l'in-tégralité du remboursement de ses frais,* leur carac-tère intégral, leur totalité.

intégrant, ante adj. *Faire partie intégrante de quelque chose :* en faire totalement partie sans pou-voir en être retiré. *Ces bâtiments et ces champs font partie intégrante de la ferme.*

intégration n. f. → **intégrer.**

intègre adj. Qui est d'une très grande honnêteté. *Un juge intègre est incorruptible.*
Les témoins doutent de son intégrité, de son carac-tère intègre.

intégrer v. → conjug. **digérer.** *1* Inclure dans un ensemble. *Intégrer des mots nouveaux dans un dic-tionnaire. 2 S'intégrer :* faire partie d'une commu-nauté et s'y sentir bien. *Déménager à l'étranger et avoir du mal à s'intégrer.*
Synonyme : s'insérer (*2*).
La loi favorise l'intégration des immigrés dans le pays, le fait qu'ils s'intègrent (*2*).

intégrisme n. m. Attitude qui consiste à refuser toute évolution de sa religion au nom du respect de la tradition.
Les intégristes sont les gens partisans de l'inté-grisme.

intégrité n. f. → **intègre.**

intellectuel, elle adj. et n.
• adj. Qui fait appel à l'esprit, à l'intelligence. *Être plus doué pour le travail intellectuel que pour le travail manuel.*
Un élève très doué intellectuellement, sur le plan intellectuel.
• n. Personne qui se consacre surtout aux activités intellectuelles. *Cet écrivain est un intellectuel reconnu dans le monde entier.*

les instruments de musique

Il existe trois groupes d'instruments de musique : à cordes, à vent et à percussion. On les regroupe souvent selon la matière avec laquelle ils sont fabriqués.

Luth.

Lyre.

Vielle.

Viole.

Mandoline.

le bon rythme

Le métronome est un instrument doté d'un mouvement mécanique ou électronique qui indique au musicien par un « clic » régulier la vitesse à laquelle le morceau de musique doit être exécuté.

Violon.

Violon alto.

Violoncelle.

Contrebasse.

Guitare classique.

Guitare électrique.

le bon ton

Le diapason est un instrument mécanique ou électronique qui donne le son de référence (le « la ») pour accorder un instrument de musique, ou des instruments de musique entre eux. Si l'on ne dispose pas de diapason, on peut utiliser son téléphone : la tonalité, lorsqu'on décroche, a la même fréquence que celle du « la ».

Piano à queue.

Harpe.

Piano droit.

Clavecin.

les instruments de musique

Cymbales.

Castagnettes.

Guimbarde.

Tambourin.

Triangle.

Xylophone.

Tam-tam.

Tambour.

Batterie.

Pipeau.

Fifre.

Flûte de pan.

Accordéon.

Harmonica.

Cornemuse.

■ **Les instruments à cordes sont fabriqués par un corps de métier appelé les luthiers. Les autres instruments sont fabriqués par des artisans appelés facteurs. Ainsi, celui qui fabrique un orgue s'appelle un facteur d'orgue.**

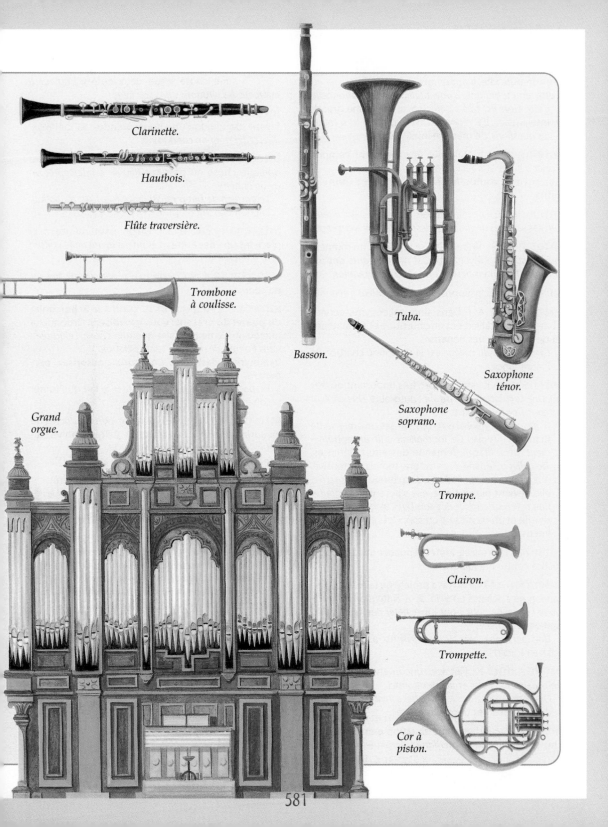

Clarinette.

Hautbois.

Flûte traversière.

Trombone
à coulisse.

Basson.

Tuba.

Saxophone
ténor.

Grand
orgue.

Saxophone
soprano.

Trompe.

Clairon.

Trompette.

Cor à
piston.

intelligence n. f. Aptitude à comprendre vite, à apprendre et à réfléchir. *Cette femme brillante a une intelligence exceptionnelle.*
> *Cette élève est très intelligente, elle a une grande intelligence. Il a répondu intelligemment à toutes les questions, de manière intelligente.*

intelligible adj. Qui peut être aisément compris. *Parler à haute et intelligible voix.*
Synonyme : **compréhensible**. Contraire : **inintelligible**.

intempéries n. f. pl. Mauvais temps. *Les viticulteurs ont été victimes des intempéries : pluie, grêle, vent et gel.*

intempestif, ive adj. Qui se produit à un moment qui n'est pas convenable. *Des manifestants ont fait une irruption intempestive au milieu de la réunion.*

intenable adj. Insupportable. *Une chaleur intenable.*

intendance n. f. Dans une collectivité, service chargé du ravitaillement en nourriture et en matériel, et de la gestion des dépenses.
> *L'intendant du collège est la personne chargée de l'intendance.*

intense adj. Qui est très fort, très important ou très vif. *Une circulation intense sur l'autoroute. Une chaleur intense. Une joie intense.*
> *Il désire intensément réussir ses examens, de manière intense. Ce footballeur suit un entraînement intensif, qui demande des efforts intenses. Travailler intensivement, d'une manière intensive. Aux approches de Paris, la circulation s'intensifie, elle devient plus intense, elle s'accentue. Redouter une intensification des combats, le fait qu'ils s'intensifient. L'intensité d'un son, c'est son caractère intense.*

intenter v. → conjug. **aimer**. Engager une action en justice contre quelqu'un.

intention n. f. **1** Ce qu'on a projeté de faire. *Avoir l'intention de s'acheter un vélo.* **2** À l'intention de quelqu'un : spécialement pour lui. *Acheter des fleurs à l'intention de sa mère.*
> *Une personne bien intentionnée a de bonnes intentions (1).*

intentionnel adj. Fait avec une intention, délibéré, volontaire. *Cet oubli était intentionnel.*
> *Omettre intentionnellement d'inviter quelqu'un, de manière intentionnelle, exprès.*

inter– préfixe. Indique une situation entre plusieurs choses, un intervalle : *interligne, interplanétaire.*

intercalaire n. m. Feuille qu'on intercale dans un classeur.

intercaler v. → conjug. **aimer**. Introduire une chose entre deux autres. *L'auteur a intercalé des citations dans son livre.*

intercéder v. → conjug. **digérer**. Intervenir en faveur de quelqu'un, pour prendre sa défense. *Intercéder pour un condamné.*

intercepter v. → conjug. **aimer**. Arrêter ou prendre quelque chose au passage. *Réussir à intercepter un avion ennemi.*
> *Le gardien de but a réussi l'interception du ballon, l'action de l'intercepter.*

interchangeable adj. Qu'on peut mettre à la place les uns des autres. *Les pneus avant de la voiture sont interchangeables.*

interclasse n. m. Courte pause entre deux heures de cours.

interdire v. → conjug. **dire**. (sauf à la 2ᵉ personne du pluriel du présent : vous interdisez). Ordonner à quelqu'un de ne pas faire quelque chose. *Le gardien nous interdit de marcher sur la pelouse.*
Synonyme : **défendre**. Contraires : **autoriser**, **permettre**.
> *Respecter l'interdiction de fumer, le fait que fumer soit interdit.*

interdit, ite adj. **1** Qui n'est pas permis. *L'accès du magasin est interdit aux animaux.* **2** Très étonné, stupéfait. *Cette nouvelle l'a laissé interdit.*
Synonyme : **défendu** (1). Contraire : **autorisé** (1).

intéressant, ante adj. **1** Qui suscite l'intérêt. *L'insecticide a produit un effet intéressant sur le tableau d'Isidore.* **2** Avantageux, peu cher. *Acheter un manteau en solde à un prix très intéressant.*
Synonyme : **inintéressant** (1).

intéressé, ée adj. **1** Qui agit dans son intérêt personnel. *Cet homme cupide est toujours intéressé.* **2** Qui est directement concerné par quelque chose. *Les gens intéressés doivent s'inscrire pour le débat.*
Contraires : **désintéressé** (1), **généreux** (1).

intéresser v. → conjug. **aimer**. **1** Susciter l'intérêt de quelqu'un. *Ce livre est ennuyeux et ne m'a pas intéressé.* **2** Concerner quelqu'un, avoir de l'importance pour lui. *Ces nouvelles mesures intéressent tous les citoyens.* **3** Faire participer aux bénéfices. *Intéresser les salariés aux profits de l'entreprise.* **4** S'intéresser à : manifester de l'intérêt pour quelque chose. *S'intéresser beaucoup aux nouvelles techniques.*
Contraires : **ennuyer** (1), **se désintéresser** (4).

intérêt n. m. **1** Attention ou curiosité particulière qu'on porte à quelque chose. *Écouter un débat avec intérêt.* **2** Ce que quelque chose a d'intéressant. *La*

découverte de ce virus est d'un grand intérêt pour la science. **3** Ce qui est utile ou profitable à quelqu'un. *Dans son intérêt, ses parents l'obligent à finir ses devoirs avant de regarder la télévision.* **4** Fait de rechercher égoïstement ce qui est avantageux pour soi. *Il a agi par intérêt.* **5** Bénéfice produit par un capital placé ou prêté. *Quand on emprunte de l'argent à la banque, on doit rembourser en plus des intérêts.*

intérieur, eure adj. et n. m.
• adj. **1** Qui est situé dedans. *L'escalier intérieur est en bois.* **2** Qui concerne le territoire du pays où l'on habite. *La politique intérieure de la France.*
Contraire : extérieur (1 et 2).
• n. m. **1** Partie d'une chose ou d'un lieu qui est dedans. *L'intérieur de la voiture est gris.* **2** Endroit où l'on habite. *Un intérieur cossu.*
Synonyme : dedans (1). Contraire : extérieur (1).

intérieurement adv. **1** À l'intérieur. *Intérieurement, il y a tout à refaire dans cette maison.* **2** En soi-même. *Il paraît à l'aise, mais intérieurement il est très gêné.*
Contraire : extérieurement (1 et 2).

intérim n. m. Exercice provisoire d'une fonction. *Assurer l'intérim de la présidence de la République.*
> *Pendant les vacances, l'entreprise embauche des* **intérimaires**, *des personnes qui font des intérims.*

interjection n. f. Mot invariable exprimant un sentiment, une sensation, un ordre. *« Bravo ! », « aïe ! », « chut » sont des interjections.*

interligne n. m. Espace entre deux lignes écrites ou imprimées. *Un texte imprimé en double interligne.*

interlocuteur, trice n. Personne à qui l'on parle. *Quand elle parle, elle ne regarde pas son interlocuteur.*

interloqué, ée adj. Surpris, décontenancé, déconcerté. *Isidore est interloqué devant le succès de son tableau.*

intermède n. m. Ce qui interrompt quelque chose. *Ce voyage a été un bon intermède.*

intermédiaire adj., n. et n. m.
• adj. Qui est entre deux choses. *L'adolescence est une période intermédiaire entre l'enfance et l'âge adulte.*
• n. Personne qui met en relation deux personnes ou deux groupes. *Ils n'ont pas eu besoin d'intermédiaire pour se réconcilier.*
• n. m. *Par l'intermédiaire de quelqu'un ou de quelque chose :* grâce à quelqu'un, au moyen de quelque chose. *Il a acheté sa voiture par l'intermédiaire des petites annonces.*

interminable adj. Qui semble ne jamais devoir se terminer. *Le voyage a été interminable.*
Contraires : court, bref, instantané.

intermittent, ente adj. Qui s'arrête et recommence par intervalles. *Les pannes intermittentes de ma voiture m'inquiètent.*
Synonyme : discontinu. Contraire : continu.
> *En automne, il pleut par* **intermittence**, *de manière intermittente.*

internat n. m. **1** Établissement scolaire où vivent des internes. **2** Concours donnant le titre d'interne des hôpitaux.

international, ale, aux adj. Qui concerne plusieurs nations ou toutes les nations. *Des championnats internationaux. Les relations internationales sont parfois tendues.*

internaute n. Personne qui utilise le réseau télématique international Internet.

interne adj. et n.
• adj. Qui est situé ou qui se produit à l'intérieur. *Une hémorragie interne.*
Contraire : externe.
• n. **1** Élève logé et nourri dans un établissement scolaire. **2** Étudiant en fin d'études de médecine qui travaille dans un hôpital.
Synonyme : pensionnaire (1).

interpeller v. → conjug. **aimer. 1** Adresser brusquement la parole à quelqu'un. *Interpeller un passant pour lui demander son chemin, pour lui demander l'heure.* **2** Arrêter quelqu'un pour vérifier son identité ou pour l'interroger. *Hier, la police a interpellé plusieurs suspects.*
On prononce [ɛ̃tɛʀpəle]. Synonyme : apostropher (1).
> *À la fin de la manifestation, la police a procédé à plusieurs* **interpellations**, *elle a interpellé (2) plusieurs manifestants.*

Interphone n. m. Système de téléphone dans un immeuble.
Ce mot s'écrit avec une majuscule car c'est le nom d'une marque.

interplanétaire adj. Qui est situé ou qui a lieu entre les planètes. *Les voyages interplanétaires sont courants dans les films de science-fiction.*

s'interposer v. → conjug. **aimer.** Intervenir pour séparer ou mettre d'accord des adversaires. *Ils sont vraiment très en colère, ne t'interpose surtout pas dans leur dispute.*
> *Une force d'*interposition*, ce sont des troupes chargées de s'interposer dans un conflit.*

interprétation n. f. **1** Action d'expliquer ou de donner un sens. *L'interprétation des rêves.* **2** Manière d'interpréter un rôle ou un morceau de musique. *Le film est moyen, mais l'interprétation des acteurs est remarquable.*

interprète n. *1* Personne qui traduit oralement les paroles de quelqu'un dans une autre langue. *2* Personne qui interprète un rôle ou un morceau de musique. *Ce chanteur est à la fois compositeur, auteur et interprète.*

interpréter v. → conjug. **digérer.** *1* Expliquer ou donner un sens à quelque chose. *Je ne sais pas comment interpréter son silence.* *2* Jouer un rôle ou un morceau de musique. *Je vais vous interpréter ma nouvelle chanson.*

interrogateur, trice adj., **interrogatif, ive** adj. → **interroger.**

L'ADJECTIF ET LE PRONOM INTERROGATIFS

L'adjectif interrogatif accompagne, en le précédant, le nom sur lequel se pose la question. Il s'accorde avec ce nom.

■ Il interroge sur la qualité ou l'identité de la personne, de l'animal ou de la chose désignée par le nom.
> **Quel** jour sommes-nous ?
> **Quelle** heure est-il ?

■ On le rencontre également dans l'interrogation indirecte :
> Je me demande **quelle** heure il est.

■ Les différentes formes

	Singulier	Pluriel
Masculin	Quel	Quels
Féminin	Quelle	Quelles

Le pronom interrogatif sert à interroger. Il remplace le nom, l'antécédent, précédé d'un adjectif interrogatif. Il s'accorde en genre et en nombre avec le nom qu'il remplace.

> *De ces deux pulls, **lequel** préfères-tu ?*
> (lequel = quel pull ?)
> *Parmi ces fleurs, **lesquelles** sont les plus belles ?*
> (lesquelles = quelles fleurs ?)

■ Certaines formes invariables sont employées sans antécédent.
> **Que** manges-tu ?
> **Qui** frappe ?

■ Les différentes formes

		Singulier	Pluriel
(variables)	**Masculin**	Lequel	Lesquels
	Féminin	Laquelle	Lesquelles
(invariables)	**Chose**	Que (qu')	Quoi
	Personne	Qui	

---

interrogation n. f. *1* Action d'interroger, demande, question. *Ses interrogations sont restées sans réponse.* *2* Ensemble de questions posées à un élève. *Une interrogation écrite.* *3* Point d'interrogation : signe de ponctuation (?) qu'on place à la fin d'une phrase interrogative.

interrogatoire n. m. Ensemble de questions posées par un juge ou un policier à un suspect, un accusé ou un témoin.

interroger v. → conjug. **ranger.** Poser des questions. *Interroger un élève.*
> Il m'a lancé un regard *interrogateur*, comme s'il voulait m'interroger. *Les pronoms, les adjectifs et les adverbes* *interrogatifs* servent à interroger. *Ce répondeur est* *interrogeable* *à distance,* on peut l'interroger par téléphone.

interrompre v. → conjug. **répondre.** *1* Faire cesser, empêcher de continuer. *Je ne veux pas interrompre votre repas.* *2* Couper la parole. *Ne m'interromps pas tout le temps.* *3* S'interrompre : s'arrêter de faire quelque chose, de parler.

interrupteur n. m. Petit appareil servant à couper ou à rétablir le courant électrique.

interruption n. f. Action d'interrompre ou de s'interrompre. *Ils ont travaillé un jour et une nuit sans interruption.*

intersection n. f. Endroit où deux lignes, deux surfaces, deux voies se croisent, croisement.

intersidéral, ale, aux adj. Qui est situé ou qui a lieu entre les astres. *Un vol intersidéral.*

interstellaire adj. Qui est situé ou qui a lieu entre les étoiles. *L'espace interstellaire.*

interstice n. m. Petit espace vide. *Le froid pénètre par les interstices des fenêtres.*

intervalle n. m. *1* Distance qui sépare deux choses. *Laisse un intervalle entre le mur et le lit.* *2* Temps qui sépare deux faits. *Ils sont arrivés à cinq minutes d'intervalle à notre rendez-vous.*

intervenir v. → conjug. **venir.** *1* Prendre part à une action pour y jouer un rôle déterminant, agir. *Un passant est intervenu pour les séparer.* *2* Se produire, arriver. *Un accord est intervenu.*

intervention n. f. *1* Action d'intervenir. *L'intervention des pompiers a été extrêmement rapide.* *2* Opération chirurgicale. *Subir une intervention.*

intervertir v. → conjug. **finir.** Mettre une chose à la place d'une autre. *Intervertir deux chiffres en composant un numéro de téléphone.*
> Il a fait une *interversion* de mots, il les a intervertis.

interview n. f. Entretien d'un journaliste avec une personne. *Accorder, demander une interview.*
Mot anglais qui se prononce [ɛ̃tɛʀvju].
Isidore est célèbre ! Les journalistes accourent pour l'interviewer, pour qu'il réponde à une interview.

intestin n. m. Partie du tube digestif qui est comprise entre l'estomac et l'anus. *L'intestin est divisé en deux parties, l'intestin grêle et le gros intestin, ou côlon.*
Elle a des douleurs intestinales, de l'intestin.

L'intestin est situé après l'estomac. Il comprend deux parties : l'intestin grêle et le gros intestin (ou côlon). L'intestin grêle mesure de 6 à 8 m de longueur. C'est dans cette partie du tube digestif que s'achève la digestion des aliments et que les éléments nutritifs passent dans le sang. Le gros intestin fait suite à l'intestin grêle. Il est long de 1,40 à 1,70 m. Il reçoit les déchets de la digestion, c'est-à-dire tous les éléments qui n'ont pas été absorbés. Sa partie terminale, le rectum, s'ouvre sur l'anus par lequel ces déchets sont évacués.
Regarde aussi **digestif.**

intime adj. *1* Qui se situe au plus profond de soi. *J'ai l'intime conviction qu'il est coupable. 2* Qui est personnel, privé. *Tenir un journal intime. 3* Avec qui on a des liens très étroits. *Des amis intimes.*
J'en suis intimement persuadé, de manière intime (1), très profondément.

intimer v. → conjug. **aimer.** *Intimer un ordre :* le donner avec autorité. *Il m'a intimé l'ordre de me taire.*

intimider v. → conjug. **aimer.** *1* Faire peur, effrayer. *Tes menaces ne m'intimident pas. 2* Troubler, rendre timide. *Elle est intimidée par son professeur de chant.*
Ce sont des manœuvres d'intimidation, destinées à intimider (1).

intimité n. f. *1* Relations étroites et familières entre personnes. *Il y a entre eux une grande intimité. 2* Vie privée. *Dans l'intimité, c'est quelqu'un de très gentil.*

intituler v. → conjug. **aimer.** Donner un titre. *Comment as-tu intitulé ton poème ? Cet ouvrage s'intitule « Les Trois Mousquetaires ».*

intolérable adj. Que l'on ne peut tolérer, insupportable, inadmissible. *Des douleurs intolérables. Un comportement intolérable.*

intolérant adj. Qui ne supporte pas les idées ou les petits défauts des autres.
Contraire : tolérant.
Il est d'une grande intolérance, il est très intolérant.

intonation n. f. Ton de la voix. *Il a pris une intonation suppliante.*

intoxication n. f. Empoisonnement par un produit toxique. *Une intoxication alimentaire.*
Ils ont été intoxiqués par des champignons, ils ont subi une intoxication.

intra– préfixe. Signifie « à l'intérieur de ». *Une piqûre intraveineuse se fait à l'intérieur de la veine.*

intraduisible adj. Qu'on ne peut pas traduire. *Ce jeu de mots anglais est intraduisible en français.*

intraitable adj. Intransigeant, inflexible. *Il est intraitable sur les horaires.*

intramusculaire adj. Qui se fait à l'intérieur d'un muscle. *Une piqûre intramusculaire.*

intransigeant, ante adj. Qui n'accepte aucun compromis, aucune concession.
Synonymes : inflexible, intraitable.
Son intransigeance frise parfois l'intolérance, son caractère intransigeant.

intransitif, ive adj. Se dit d'un verbe qui ne peut pas avoir de complément d'objet. *« Partir » est un verbe intransitif.*
Contraire : transitif.

intraveineux, euse adj. Qui se fait à l'intérieur d'une veine. *Une piqûre intraveineuse.*

intrépide adj. Qui ne craint pas le danger.
Synonymes : courageux, brave, hardi.
Il s'est jeté à l'eau avec intrépidité, d'une manière intrépide.

intrigant, ante n. → **intriguer.**

intrigue n. f. *1* Ensemble des événements racontés par un roman, une pièce de théâtre ou un film. *Une intrigue compliquée. 2* Manœuvre secrète, machination. *Mener des intrigues. Déjouer une intrigue.*

intriguer v. → conjug. **aimer.** *1* Exciter la curiosité. *Son comportement bizarre m'intrigue. 2* Mener des intrigues, manœuvrer. *Il a intrigué pour être élu.*
Il arrivera à ses fins, c'est un intrigant, une personne qui intrigue (2).

introduction n. f. *1* Action d'introduire. *L'introduction d'une marchandise en fraude dans un pays. 2* Début d'un texte, d'un ouvrage ou d'un discours qui présente le sujet.
Contraire : conclusion (2).

introduire v. → conjug. **cuire.** *1* Faire entrer. *Introduire une pièce de monnaie dans un distributeur de boissons. 2* S'introduire :* entrer, pénétrer quelque part. *Un renard s'est introduit dans le poulailler.*

introuvable adj. Impossible ou difficile à trouver. *On cherche le chat partout mais il est introuvable.*

a
b
c
d
e
f
g
h
i
j
k
l
m
n
o
p
q
r
s
t
u
v
w
x
y
z

intrus, se n. Personne qui s'est introduite dans un lieu, un groupe ou un milieu sans y être invitée.
Il a fait intrusion dans la réunion, il est arrivé en intrus.

intuition n. f. Impression ou sentiment de comprendre ou de deviner certaines choses. *J'ai l'intuition que ça va marcher.*
On ne peut rien lui cacher, elle est très intuitive, elle a beaucoup d'intuition. Intuitivement, je sais qu'il dit la vérité, de façon intuitive.

Inuits

Peuple des terres arctiques de l'Alaska, du Canada, du Groenland et de la Sibérie orientale, autrefois appelés Esquimaux, terme aujourd'hui péjoratif. Les Inuits sont originaires d'Asie. Ils ont longtemps vécu de la pêche, de la chasse (phoques, baleines, ours, caribous) et de la cueillette, se déplaçant en fonction des saisons. En 1977, les populations inuits se sont regroupées en une association reconnue par l'ONU depuis 1982. Plus de 8000 d'entre eux habitent le Nunavik (« Le pays où vivre »), au nord du Québec. En 1986 le Nunavik a acquis le statut de région socioculturelle après un référendum.

inusable adj. Qui ne s'use pas ou qui s'use très lentement. *Un tissu inusable.*

inusité, ée adj. Qu'on n'emploie pas ou presque pas. *Un mot inusité.*
Contraires : usité, usuel, courant.

inutile adj. Qui ne sert à rien, qui n'a aucun effet. *Des gadgets inutiles, des efforts inutiles.*
Synonyme : superflu. Contraire : utile.
Il s'est fatigué inutilement, de façon inutile. Il a compris l'inutilité de son acte, qu'il était inutile.

inutilisable adj. Qu'on ne peut pas utiliser. *Ce vieux vélo est devenu inutilisable.*
Contraire : utilisable.

inutilisé, ée adj. Qui n'est pas utilisé. *Un billet inutilisé ne peut être remboursé.*

inutilité n. f. → **inutile.**

invaincu, ue adj. Qui n'a jamais été vaincu. *Une équipe invaincue en championnat.*

invalide adj. et n. Qui ne peut pas mener une vie active normale à cause d'une infirmité. *Son accident l'a rendu invalide. Un invalide de guerre.*
Contraire : valide.
Il touche une pension d'invalidité, à cause de son état d'invalide.

invariable adj. Qui ne varie pas, ne change pas. *Les adverbes sont des mots invariables.*
Contraire : variable.
Il répond invariablement la même chose, de façon invariable, systématiquement.

invasion n. f. *1* Action d'envahir un pays avec des forces armées. *Repousser une invasion. 2* Arrivée soudaine et massive. *Une invasion de moustiques.*

À partir du ve siècle, l'Empire romain connaît une longue période d'invasions qui ne cessera qu'au xe siècle.
Plus tard, les Sarrasins menacent la Gaule, puis c'est au tour des Vikings de s'attaquer à cette région convoitée. ***Regarde page ci-contre.***

invective n. f. Parole violente contre quelqu'un, injure. *Se répandre en invectives.*
Le client furieux s'est mis à invectiver les vendeurs, à leur lancer des invectives.

invendable adj. Qu'on ne peut pas vendre. *Cette vieille voiture est invendable.*

inventaire n. m. Liste détaillée et précise d'un ensemble de choses. *Tous les ans, les commerçants font l'inventaire de leur stock.*

inventer v. → conjug. **aimer.** *1* Créer ou trouver quelque chose de nouveau. *Niépce a inventé la photographie. 2* Imaginer. *Une histoire vraie ou inventée.*
L'inventeur est la personne qui invente (1) quelque chose. Avoir l'esprit inventif, c'est avoir le talent ou le goût d'inventer (1 et 2).

invention n. f. *1* Objet, appareil ou système inventés. *Le téléphone portable est une invention récente. 2* Histoire inventée pour tromper, mensonge. *Tu ne vas pas croire à ces inventions !*

inverse adj. et n. m.
● adj. Qui est contraire ou opposé. *Il est parti en sens inverse.*
Dès qu'elle arrive, il s'en va et inversement, de façon inverse, réciproquement. Inverser l'ordre alphabétique, c'est le mettre dans l'ordre inverse.
● n. m. Le contraire. *Il fait l'inverse de ce qu'il faut faire.*

inversion n. f. Changement dans l'ordre habituel des mots d'une phrase. Il peut y avoir inversion du sujet dans une phrase interrogative : « Veux-tu du thé ? », ou dans une phrase affirmative : « Dans le thé, se noyait une fourmi ».

les invasions

Pendant cinq siècles, les hordes d'envahisseurs qui déferlent sur l'ouest de l'Europe vont anéantir l'unité établie par l'Empire romain.

les Germains

■ Les « Barbares », peuples de Germanie, passent le Rhin et envahissent la Gaule. Peu après 400, les Romains ne peuvent plus les contenir.

■ Ils arrivent par groupes successifs : les **Vandales** traversent la Gaule, l'Espagne et se fixent en Afrique du Nord ; les **Wisigoths** pillent Rome et s'installent en Espagne ; les **Ostrogoths** se fixent en Italie ; les **Burgondes**, les **Francs**, les **Alamans** envahissent la Gaule. Les **Angles** et les **Saxons** conquièrent l'Angleterre actuelle et chassent les Bretons qui se réfugient en Armorique (Bretagne actuelle).

■ Les Francs qui se fixent en Gaule donneront naissance au royaume de France.

En 732, à Poitiers, Charles Martel arrête les Arabes.

les Sarrasins

Au VIIIᵉ siècle, la Gaule est menacée par une invasion arabe venue du sud. Les Sarrasins (Arabes musulmans), veulent répandre leur religion, l'islam. Ils sont arrêtés à Poitiers par Charles Martel et repoussés en Espagne.

les Huns

En 451, les Huns, venus d'Asie centrale, envahissent à leur tour la Gaule. Ils ravagent et pillent les régions qu'ils traversent. Romains et Germains s'allient pour les chasser.

À la tête des Huns, Attila dévaste l'Europe.

En 476 l'Empire romain d'Occident, affaibli par ces invasions, s'effondre. La civilisation gallo-romaine disparaît.

les Vikings

Aux IXᵉ et Xᵉ siècles, les Normands (ou Vikings), venus de Scandinavie, ravagent les côtes de l'Europe. Ils remontent fleuves et rivières, pillent, incendient, terrorisent la population. L'armée des Francs ne peut les vaincre. Pour mettre fin à ces attaques, le roi de France Charles le Simple leur donne une région de l'ouest du royaume qui devient la Normandie.

Sur leurs drakkars, bateaux rapides et robustes, les Vikings atteignent les côtes d'Europe.

invertébré n. m. Animal qui n'a pas de colonne vertébrale.

Dépourvus d'épine dorsale osseuse ou cartilagineuse, les invertébrés, qui représentent 95 % des espèces animales recensées, se rencontrent sous des formes extrêmement variées.
Regarde page ci-contre.

investigation n. f. Recherche minutieuse et approfondie. *Les investigations de la police.*

investir v. → conjug. **finir**. *1* Placer de l'argent dans une affaire pour qu'il rapporte. *Investir dans l'immobilier.* *2* Charger officiellement une personne d'un pouvoir ou d'une fonction. *Le président a été investi de pouvoirs exceptionnels.* *3* Assiéger, cerner un lieu. *Les gendarmes ont investi l'immeuble.*
  Il a fait un **investissement** rentable, le capital qu'il a investi (*1*) va lui rapporter de l'argent.

invétéré, ée adj. Qui a pris depuis longtemps une mauvaise habitude. *Une fumeuse invétérée.*

invincible adj. Qu'on ne peut ni vaincre ni dominer. *Une armée invincible.*

inviolable adj. Qu'on doit toujours respecter. *Un serment inviolable, un droit inviolable.*

invisible adj. Qu'on ne peut pas voir ou que l'on voit très peu. *Une cicatrice invisible.*

inviter v. → conjug. **aimer**. Demander à quelqu'un de venir à un endroit ou d'assister à quelque chose. *Inviter des amis pour son anniversaire.*
  Les **invités** ne sont pas encore arrivés, les personnes qu'on a invitées. *J'ai reçu une **invitation** pour le cocktail, j'y ai été invité.*

invivable adj. Très difficile à vivre, à supporter. *Une ambiance invivable.*

invocation n. f. → **invoquer**.

involontaire adj. Qui n'est pas volontaire. *Une erreur involontaire.*
  Il l'a poussé **involontairement**, d'une manière involontaire, sans le faire exprès.

invoquer v. → conjug. **aimer**. *1* Appeler une divinité à son secours par des prières. *2* Donner comme justification. *Invoquer un prétexte pour ne pas venir.*
  Adresser une **invocation** à un saint pour qu'il cesse de pleuvoir, c'est l'invoquer (*1*).

invraisemblable adj. Qui ne semble pas vrai. *Il lui est arrivé une histoire invraisemblable.*
Synonyme : incroyable. Contraire : vraisemblable.
  Son récit est plein d'**invraisemblances**, de choses invraisemblables.

invulnérable adj. Qui ne peut pas être blessé ou être atteint moralement.
Contraire : vulnérable.

iode n. m. *1* Matière présente dans l'eau de mer et dans les algues. *2* *Teinture d'iode :* solution désinfectante à base d'iode.

Ionesco Eugène

Écrivain et auteur dramatique français né en 1909 et mort en 1994. Né d'un père roumain et d'une mère française, Ionesco passe son enfance en France puis séjourne en Roumanie. En 1938, il s'installe définitivement en France. Il est l'un des maîtres du théâtre de l'absurde. Ses pièces expriment, sur le mode comique, la difficile condition de l'homme. Parmi ses pièces les plus célèbres, il faut citer : *la Cantatrice chauve* (1950), *les Chaises* (1952), *Rhinocéros* (1959) et *Le roi se meurt* (1962). Ionesco est élu à l'Académie française en 1970.

Irak ou Iraq

République de l'ouest de l'Asie. L'Irak s'ouvre au sud sur le golfe Arabo-Persique. Le centre du pays est occupé par une plaine formée par les bassins du Tigre et de l'Euphrate. L'Irak se situe sur le territoire de l'ancienne Mésopotamie. Le climat est sec et chaud. L'agriculture ne suffit pas aux besoins vitaux de la population. Les réserves de pétrole sont très importantes, mais les installations sont dans un état déplorable. Un régime dictatorial l'a conduit à deux conflits : une guerre contre l'Iran (1980-1988) puis, à la suite de sa tentative d'annexion du Koweït, la guerre du Golfe (1991). L'ONU a imposé un embargo paralysant le secteur pétrolier et rationnant cruellement la population. En mars 2003, les États-Unis aidés de plusieurs pays européens envahissent l'Irak et abolissent la dictature en place.

438 320 km²
24 510 000 habitants :
les Irakiens ou Iraquiens
Langues : arabe, kurde, syriaque
Monnaie : dinar
Capitale : Bagdad

les invertébrés

En dehors des insectes, des crustacés, des mollusques et des spongiaires, il existe cinq autres groupes importants d'invertébrés.

annélides

Ils ont un corps cylindrique, composé d'une succession d'anneaux sans pattes.

Ténia.

Sangsue.

Lombric ou ver de terre.

échinodermes

Ce mot signifie « peau de hérisson ». Ces animaux ont un corps protégé par des plaquettes calcaires recouvertes de pointes mobiles ou fixes incrustées sous la peau.

Étoile de mer.

Oursin.

cnidaires

Ils sont dotés d'une poche digestive et d'une série de tentacules entourant la bouche. Chaque tentacule est doté de cellules urticantes destinées à paralyser les proies.

Méduse.

Corail.

Anémone de mer.

arachnides

Ce groupe comprend les araignées (plus de 30 000 espèces), les scorpions et les acariens. Souvent confondus avec les insectes, ils en diffèrent car ils sont dépourvus d'ailes et d'antennes et possèdent quatre paires de pattes.

Épeire diadème.

Tarentule.

Mygale.

Scorpion.

Acarien.

myriapodes

Mille-pattes ou iule.

Scolopendre.

Ce mot signifie « dix mille pieds ». Ces animaux ont un corps composé d'une tête et d'un grand nombre d'anneaux portant une ou plusieurs paires de pattes.

Regarde aussi animal, crustacés, insectes *et* mollusques.

Iran

République islamique de l'ouest de l'Asie. Un haut plateau désertique occupe le centre du territoire, entouré de chaînes de montagnes. Le climat est continental. L'agriculture, l'élevage et la pêche tiennent une place importante dans l'économie. L'industrie est dominée par le secteur pétrolier. Jusqu'en 1935, l'Iran s'appelle la Perse. À partir de 1921, le pays est gouverné par la dynastie des Pahlavi dont le dernier représentant, le Châh Mohammad Rezâ, est renversé en 1979. Depuis, la population est soumise à un régime islamique imposé par les religieux. Une guerre oppose l'Iran à l'Irak de 1980 à 1988.

1 648 200 km²
68 070 000 habitants :
les Iraniens
Langues : persan, kurde, turc, azéri, baloutche, arabe, arménien…
Monnaie : rial
Capitale : Téhéran

Irlande

République du nord-ouest de l'Europe. Le pays occupe la plus grande partie de l'île d'Irlande. Le relief est constitué d'une plaine centrale entourée de petits massifs montagneux. De nombreux lacs parsèment le pays. Le climat est doux et humide. Le pays dispose de grands pâturages. L'élevage, la pêche et la culture de céréales dominent l'agriculture. Les industries mécanique et agroalimentaire (bière et whisky surtout), ainsi que le secteur tertiaire, sont bien développés.

De nombreuses sociétés étrangères, notamment américaines, sont installées en Irlande. L'Irlande est un État libre depuis 1921 et appartient à l'Union européenne.

70 280 km²
3 911 000 habitants :
les Irlandais
Langues : anglais, irlandais
Monnaie : euro
(ex-livre irlandaise)
Capitale : Dublin

irascible adj. Qui se met en colère facilement. **Synonymes : coléreux, irritable.**

iris n. m. *1* Plante à grandes fleurs bleues, violettes ou blanches. *2* Partie circulaire et colorée de l'œil, ayant en son centre un petit trou, la pupille. **On prononce** [iris].

irisé, ée adj. Qui a les couleurs de l'arc-en-ciel. *Des reflets irisés.*

Irlande

Soumise par les Anglais dès 1175, l'Irlande se révolte périodiquement contre l'occupant, qui réprime les différents soulèvements. Au xixe siècle, à la suite d'une effroyable famine, l'île se dépeuple (émigration aux États-Unis), et un nouveau mouvement pour l'indépendance se crée. En 1921, un traité aboutit au maintien du nord de l'île au sein du Royaume-Uni (Irlande du Nord) et à la naissance de l'État libre d'Irlande. La rivalité entre les catholiques (favorables à l'indépendance) et les protestants (qui désirent rester Britanniques) est à l'origine de graves conflits.

ironie n. f. Manière moqueuse de s'exprimer consistant à dire le contraire de ce qu'on veut faire comprendre. *Une remarque pleine d'ironie.*
Il a toujours un air ironique, qui montre de l'ironie. Elle lui a demandé ironiquement s'il n'était pas trop fatigué, de manière ironique. Il a ironisé sur la naïveté de sa sœur, il en a parlé avec ironie.

irradier v. → conjug. **modifier.** Exposer à l'action d'un rayonnement radioactif. *Après un accident dans la centrale nucléaire, des personnes ont été irradiées.*
Ils ont subi une faible irradiation, ils ont été faiblement irradiés.

irraisonné, ée adj. Que la raison ne peut pas contrôler. *Une crainte irraisonnée.*

irrationnel, elle adj. Qui n'est pas conforme à la raison, au bon sens. *Un comportement irrationnel.* **Contraires : logique, rationnel.**

irréalisable adj. Qui ne peut pas être réalisé. *Un espoir irréalisable.*

irrécupérable adj. Qu'on ne peut récupérer. *Cette chemise déchirée est irrécupérable.*

irrécusable adj. Qu'on ne peut mettre en doute. *Une affirmation irrécusable.* **Synonymes : incontestable, irréfutable.**

irréductible adj. Qu'on ne peut faire céder. *Un adversaire irréductible.*

irréel, elle adj. Qui ne semble pas réel. *Une lumière irréelle.*
Contraire : réel.

irréfutable adj. Qui ne peut être réfuté. *Une preuve irréfutable.*
Synonymes : incontestable, irrécusable.

irrégulier, ère adj. *1* Qui n'a pas une forme ou une fréquence régulière. *Un sol irrégulier, une respiration irrégulière.* *2* Qui n'est pas conforme au modèle normal. *« Faire », « venir » sont des verbes irréguliers.* *3* Qui n'est pas conforme aux règles, aux lois. *Il a perdu son billet : il est en situation irrégulière.*
*L'enquête a été marquée par plusieurs **irrégularités**, par plusieurs choses irrégulières (3). Il travaille très **irrégulièrement**, de façon irrégulière (1).*

irrémédiable adj. À quoi on ne peut porter aucun remède. *Une perte irrémédiable.*
Synonyme : irréparable.
*Les cultures ont été **irrémédiablement** ravagées par la tempête, d'une manière irrémédiable.*

irremplaçable adj. Qu'on ne peut pas remplacer. *Personne n'est irremplaçable.*

irréparable adj. *1* Qui ne peut être réparé. *Un appareil irréparable et bon à jeter.* *2* Irrémédiable. *Un malheur irréparable.*

irréprochable adj. Qui ne mérite aucun reproche. *Son attitude est irréprochable.*

irrésistible adj. *1* À quoi on ne peut pas résister. *Elle a un charme irrésistible.* *2* Qui fait rire. *C'est une blague irrésistible.*

irrespirable adj. *1* Dangereux ou désagréable à respirer. *Des vapeurs irrespirables.* *2* Au figuré. Insupportable. *L'ambiance est irrespirable.*

irresponsable adj. Qui agit sans se préoccuper des conséquences de ses actes. *Il faut être irresponsable pour partir en montagne par un temps pareil !*

irréversible adj. Qui ne permet pas de revenir en arrière. *Une évolution irréversible.*

irrévocable adj. Qu'on ne peut pas changer, définitif. *Une décision irrévocable.*

irriguer v. → conjug. **aimer.** Faire venir de l'eau sur des terres par un système de tuyaux ou de canaux pour les arroser. *Irriguer des champs.*
*L'**irrigation** permet de cultiver des régions arides, l'action d'irriguer.*

irritable adj., **irritant, ante** adj. → irriter.

irritation n. f. *1* État d'une personne irritée, énervée. *Son irritation augmente.* *2* Inflammation légère de la peau ou d'un organe. *Une irritation de la gorge.*

irriter v. → conjug. **aimer.** *1* Énerver, mettre en colère. *Son attitude irrite toute la classe.* *2* Provoquer une légère inflammation. *Savon qui irrite la peau.*
*Sa maladie le rend **irritable**, il s'irrite (1) facilement. Son attitude est **irritante**, elle irrite (1) les autres.*

irruption n. f. Entrée brusque et inattendue. *Faire irruption dans une pièce.*

Isaac

Personnage de la Bible, fils d'Abraham et de Sara. L'histoire d'Isaac est racontée dans la Genèse, le premier livre de la Bible. Dieu demande à Abraham de sacrifier son fils pour prouver sa foi. Abraham obéit mais, au dernier moment, Dieu arrête son bras et substitue un bélier à l'enfant. Isaac est le père d'Ésaü et de Jacob, dont les douze fils seront les ancêtres des douze tribus d'Israël.

isba n. f. Maison en bois des paysans russes.

islam n. m. Religion des musulmans.
*L'**art islamique**, c'est l'art de l'islam, du monde musulman.*
***Regarde* religion.**

Islande

République du nord-ouest de l'Europe. L'Islande est une île de l'Atlantique Nord, au sud du cercle polaire arctique. C'est une terre volcanique d'où jaillissent des geysers. Environ 10 % des terres sont recouvertes de glaciers. La population se regroupe sur la côte sud-ouest du pays. L'économie se fonde sur l'élevage et la pêche.

La géothermie (utilisation de la chaleur du sous-sol) est exploitée dans la vie quotidienne.

Sous domination du Danemark à partir de 1380, l'Islande est indépendante en 1918 et devient une république en 1944.

103 000 km²
287 000 habitants : les Islandais
Langue : islandais
Monnaie : couronne islandaise
Capitale : Reykjavik

isocèle

isocèle adj. Se dit d'un trapèze ou d'un triangle qui a deux côtés égaux.

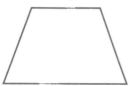

Trapèze isocèle : les 2 côtés non parallèles sont égaux.

Triangle isocèle : les 2 côtés sont de même longueur.

isolant, ante adj. et n. m. Se dit d'une matière qui isole du bruit, de la chaleur, du froid ou de l'électricité. *Un revêtement isolant. Le liège est un bon isolant.*

isolation n. f. → **isoler.**

isolé, ée adj. Qui est séparé, à l'écart. *Un village isolé, un cas isolé.*
> Les élèves de cette classe sont sympathiques si on les considère *isolément*, de façon isolée, séparément.

isoler v. → conjug. **aimer.** *1* Mettre quelqu'un à l'écart des autres. *Isoler un malade contagieux.* *2* Protéger un lieu du froid, du chaud ou du bruit par des matériaux isolants. *Isoler une pièce, une maison.* *3* Empêcher le passage du courant électrique par un isolant. *Ces fils électriques sont mal isolés.*
> Il fait des travaux d'*isolation* dans ce grenier, pour l'isoler (*2*) du froid et de la chaleur. *Il ne supporte pas son* isolement, le fait d'être isolé (*1*), la solitude.

isoloir n. m. Cabine où doit passer l'électeur pour mettre son bulletin de vote dans une enveloppe à l'abri des regards.

isotherme adj. Qui maintient à une température constante. *Sac isotherme pour produits surgelés.*

israélite adj. et n. m. Qui est de religion juive.

issu, ue adj. Qui est né, qui descend d'une famille, d'un milieu. *Elle est issue d'une famille d'agriculteurs.*

issue n. f. *1* Passage par où l'on peut sortir. *Issue de secours. Voie sans issue.* *2* Au figuré. Manière de résoudre un problème, solution, échappatoire. *Une situation sans issue.*

isthme n. m. Étroite bande de terre, entre deux mers, reliant deux terres.
On prononce [ism].

Italie

État du sud de l'Europe.

Regarde page ci-contre.

italique adj. et n. m. Lettre d'imprimerie inclinée vers la droite. *Les exemples sont en italique.*

itinéraire n. m. Chemin que l'on suit pour aller d'un lieu à un autre. *Un itinéraire peu encombré.*

itinérant, ante adj. Qui se déplace d'un endroit à un autre. *Un cirque itinérant.*

ivoire n. m. *1* Matière dure et blanche qui constitue les défenses de l'éléphant. *2* Partie dure des dents, recouverte d'émail.

ivre adj. *1* Qui a bu trop d'alcool et n'est pas dans son état normal. *Être légèrement ivre, complètement ivre.* *2* Au figuré. Très excité. *Être ivre de bonheur, de colère.*
Synonymes : soûl (*1*), fou (*2*).
> Le conducteur était en état d'*ivresse*, il était ivre (*1*).

ivrogne n. Personne qui boit beaucoup d'alcool et est souvent ivre.

Israël

République de l'extrême ouest de l'Asie. Israël est largement ouvert sur la mer Méditerranée. C'est un pays long de 450 km pour une largeur de 14 à 115 km. Le relief est varié : plaines et cours d'eau au nord et à l'ouest, désert du Néguev au sud. Le climat est chaud et sec l'été, doux l'hiver. La population est composée de 80 % de juifs et de 14 % de musulmans. Grâce à l'irrigation, Israël produit des agrumes, du vin et de l'huile d'olive, du blé et du coton. Le secteur industriel est surtout développé dans les domaines de la haute technologie, de l'industrie chimique et de transformation. L'État d'Israël est créé en 1948, à l'issue du partage de la Palestine décidé par l'ONU. Plusieurs guerres ont depuis opposé Israël aux pays arabes ; les tensions demeurent vives.

21 060 km²
6 304 000 habitants : les Israéliens
Langues : hébreu, arabe
Monnaie : nouveau shekel
Capitale : Jérusalem (non reconnue par la communauté internationale)

Italie

État méditerranéen du sud de l'Europe constitué par une longue et étroite péninsule en forme de botte et des grandes îles de la Sicile et de la Sardaigne.

■ C'est un pays de contraste aux paysages variés. Dans le Nord, la chaîne des Alpes forme une barrière hérissée de sommets (Grand Paradis, 4061 m) qui dominent la grande plaine du Pô, riche terre de culture. Au centre, les Apennins, véritable épine dorsale montagneuse, séparent l'est et l'ouest du pays. Dans le sud du pays, certains volcans sont toujours en activité (Vésuve, Etna).

■ Le climat, méditerranéen, varie cependant avec les vents, l'altitude, et l'importance des précipitations. Le sud du pays est chaud et sec, le nord-est tempéré et humide.

■ Les fleuves italiens sont peu utilisés pour la navigation. Les principaux sont : le Pô (652 km), l'Adige (410 km), l'Arno (241 km), le Tibre (396 km). L'Italie du nord compte de nombreux lacs (Garde, Majeur, Lugano). Les grands ports italiens sont Gênes, Ostie, Naples, Salerne (côte occidentale) et Trieste (côte orientale).

■ L'agriculture est très développée dans le Nord qui exporte des céréales, des légumes, des fruits et de la viande. L'Italie est le second producteur de vin au monde. L'activité industrielle (mécanique, chimie, agroalimentaire, automobile et textile) assure au pays des ressources importantes. L'Italie du Sud a un développement plus lent ; la séche-resse ralentit la mise en valeur des terres. Naples est toutefois un grand pôle industriel. Dans l'ensemble, le niveau de vie italien est élevé.

■ La richesse du passé historique de l'Italie favorise le tourisme. Florence, Palerme, Syracuse, Rome, Venise, sont des cités célèbres dans le monde entier. L'Italie exporte sa culture à travers ses voitures, sa mode, sa gastronomie…

■ L'Italie est une des grandes puissances de l'Union européenne.

Le Ponte Vecchio à Florence.

La place Navone à Rome.

Les ruines de Pompéi.

301 340 km²
57 482 000 habitants :
les Italiens
Langue : italien
Monnaie : euro
(ex-lire italienne)
Capitale : Rome

Régions et villes principales

TRENTIN-HAUT-ADIGE
VAL D'AOSTE
FRIOUL-VÉNÉTIE-JULIENNE
Trente
Aoste
LOMBARDIE
VÉNÉTIE
Trieste
Milan
Turin
Venise
PIÉMONT
ÉMILIE-ROMAGNE
200 km
Gênes
Bologne
SAINT-MARIN
LIGURIE
MARCHES
Florence
Ancône
TOSCANE
Pérouse
OMBRIE
ABRUZZES
MOLISE
ROME
L'Aquila
VATICAN
Campobasso
LATIUM
Bari
CAMPANIE
POUILLE
SARDAIGNE
Naples
Potenza
Tarente
BASILICATE
CALABRE
Cagliari
Catanzaro
Palerme
Reggio di Calabria
SICILE

Jj.Kk

Il n'arrive rien à Justin et à son chien Kalin.

JUSTIN ET K.

j' pron. → **je.**

jabot n. m. Poche située à la base du cou des oiseaux et dans laquelle les aliments sont gardés en réserve avant de passer dans l'estomac.

jacasser v. → conjug. **aimer.** *1* Pousser son cri, quand il s'agit de la pie. *2* Familier. Bavarder bruyamment et sans arrêt.

jachère n. f. État d'une terre qu'on laisse reposer pendant un certain temps en ne la cultivant pas. *Un champ en jachère.*

jacinthe n. f. Plante à bulbe dont les fleurs colorées et parfumées forment des grappes. La jacinthe cultivée mesure jusqu'à 30 ou 40 cm. Elle a de longues feuilles allongées. Il en existe une trentaine de variétés aux tons différents : mauve, blanc, rouge, jaune… La jacinthe des bois possède des fleurs en forme de clochettes de couleur généralement violette.

Jacinthe des bois.

Jacinthe cultivée.

jade n. m. Pierre fine de couleur verte.

jadis adv. Autrefois, dans le temps passé.
On prononce [ʒadis].

jaguar n. m. Grand félin d'Amérique du Sud.
On prononce [ʒagwaʀ].

Le jaguar vit dans les forêts humides et chaudes. D'une longueur de 1,80 m environ, et pouvant atteindre 100 kg, c'est un redoutable chasseur nocturne. Excellent nageur, il est capable de s'attaquer à des caïmans. Longtemps chassé parce qu'il s'en prend au bétail, le jaguar est une espèce menacée.

jaillir v. → conjug. **finir.** Sortir subitement et avec force. *La lave jaillit du volcan.*
En ouvrant la cocotte, elle a été surprise par le jaillissement de la vapeur, par la vapeur qui a jailli.

jais n. m. Pierre noire et brillante, dont on fait des bijoux. *Un collier de jais.*
Homonymes : geai, jet, j'ai (du verbe avoir).

jalon n. m. *1* Piquet qu'on plante en terre pour marquer une direction ou une limite. *2* Poser des jalons : se préparer avant d'agir. *Poser des jalons pour se réconcilier après une dispute.*

jalonner v. → conjug. **aimer.** *1* Border à intervalles réguliers. *Des panneaux publicitaires jalonnent la route. 2* Au figuré. Marquer des étapes successives. *Les succès ont jalonné sa vie.*

jalousement adv. Avec une très grande vigilance. *Un secret jalousement gardé.*

jalouser v. → **jaloux.**

jalousie n. f. *1* Sentiment de dépit ou d'envie devant les avantages ou les succès des autres. *Sa promotion a excité la jalousie de ses collègues. 2* Crainte de voir la personne que l'on aime préférer quelqu'un d'autre ou être infidèle. *Faire une scène de jalousie.*

jaloux, ouse adj. et n. Qui éprouve de la jalousie. *Elle est jalouse de son frère. Un mari jaloux.*
Depuis son arrivée dans l'entreprise, il jalouse ses collègues, il en est jaloux, il les envie.

Jamaïque

Démocratie parlementaire des Grandes Antilles, située dans la mer des Caraïbes, au sud de Cuba. La Jamaïque est une île en partie montagneuse, au climat tropical tempéré sur le versant nord. Son économie repose sur la culture de la canne à sucre et de la banane, la production de bauxite (qui sert à la fabrication d'aluminium) et le tourisme. Toutefois, le pays est pauvre, marqué par de fortes inégalités sociales qui engendrent beaucoup de violences. La musique populaire jamaïcaine, le reggae, a connu un succès mondial.

Découverte par Christophe Colomb en 1494, la Jamaïque passe sous domination anglaise en 1655.

Elle devient indépendante, membre du Commonwealth, en 1962.

> **10 990 km²**
> **2 627 000 habitants :**
> **les Jamaïcains**
> **Langue : anglais**
> **Monnaie : dollar jamaïcain**
> **Capitale : Kingston**

jamais adv. **1** À aucun moment. *Je n'ai jamais dit cela.* **2** Un jour, à un moment quelconque. *Si jamais il revient, préviens-moi.* **3** *À tout jamais :* pour toujours.

jambage n. m. Trait vertical d'une lettre. *Les trois jambages du « m ».*

jambe n.f. **1** Membre inférieur de l'homme. *Avoir mal à une jambe.* **2** Partie d'un pantalon qui recouvre la jambe. **3** *À toutes jambes :* à toute vitesse. *Partir à toutes jambes.* **4** *Prendre ses jambes à son cou :* s'enfuir en courant. **5** Familier. *Faire quelque chose par-dessus la jambe :* le faire sans soin.

jambon n. m. Cuisse ou épaule de porc préparée crue ou cuite. *Une tranche de jambon fumé.*

Le *jambonneau* est un petit jambon fait avec la partie inférieure de la jambe du porc.

jante n. f. Partie extérieure d'une roue, sur laquelle est monté le pneu.

janvier n. m. Premier mois de l'année, qui a 31 jours.

Japon

Monarchie constitutionnelle de l'est de l'Asie orientale, dont le nom en japonais signifie « pays du Soleil levant ». Le Japon est un archipel qui s'étend en arc de cercle sur environ 2 500 km. Il comprend quatre îles principales (Hokkaido, Honshu, Shikoku et Kyushu) et de nombreuses petites îles. Il est baigné au nord-ouest par la mer du Japon, à l'est et au sud par l'océan Pacifique. Les montagnes, d'origine volcanique, occupent 75 % du territoire. Le point culminant est le mont Fuji. La forêt occupe environ les deux tiers du pays. Le climat est frais au nord, doux et humide au sud.

Les tremblements de terre et les raz-de-marée sont très fréquents.

Le mont Fuji (3 776 m), emblème du Japon.

■ La densité de la population est l'une des plus fortes du monde (1 500 hab/km²) sur la surface habitée ! Les habitants se concentrent sur la plus grande île, Honshu, qui abrite Tokyo. Les grandes villes, Tokyo, Kawasaki, Yokohama, Kyoto, Osaka et Kobe se trouvent sur la façade pacifique. Manquant de place, les Japonais gagnent régulièrement du terrain sur la mer. Le niveau de vie des habitants est élevé.

■ La production agricole sert essentiellement le marché intérieur. La pêche est très développée. Les grandes entreprises sont orientées vers les domaines de la haute technologie, de la chimie, de l'automobile et des transports. De puissantes banques soutiennent les groupes industriels.

■ En 1868, le Japon féodal s'ouvre sur l'Occident, et son économie se développe. Sorti ruiné de la Seconde Guerre mondiale, il devient pourtant, en 30 ans à peine, la deuxième puissance économique du monde ; cependant, depuis la fin des années 1990, le pays est affecté par une grave crise économique.

> **377 750 km²**
> **127 478 000 habitants :**
> **les Japonais**
> **Langue : japonais**
> **Monnaie : yen**
> **Capitale : Tokyo**

a b c d e f g o p q r s t u v w x y z

japper v. ➜ conjug. **aimer.** Pousser des petits aboiements aigus, quand il s'agit d'un petit chien.
Nous avons été réveillés par les jappements des chiots.

jaquette n. f. *1* Veste de cérémonie pour homme, descendant jusqu'aux genoux. *2* Couverture amovible qui protège un livre.

jardin n. m. *1* Terrain clos où l'on cultive des fleurs, des arbres ou des légumes. *2* *Jardin public :* espace vert aménagé dans une ville et ouvert à tous. *3* *Jardin d'enfants :* école pour des enfants très jeunes.
Son père aime beaucoup faire du jardinage, cultiver son jardin (*1*). *Il a jardiné toute la journée,* il a fait du jardinage. Le métier du *jardinier* est de cultiver les jardins (*1*). *Une jardinerie* est un magasin où on vend tout ce qui concerne le jardinage.

jardinière n. f. *1* Bac où l'on fait pousser des fleurs. *2* *Jardinière de légumes :* mélange de légumes cuits, coupés en petits morceaux.

jargon n. m. *1* Langage déformé ou incompréhensible, charabia. *2* Langage propre à une profession. *Le jargon des médecins est parfois difficile à comprendre.*

Jarre trouvée sur l'île de Crète.

jarre n. f. Grand vase en terre cuite.
Homonyme : jars.

Fabriquée en terre cuite, la jarre est un récipient ventru à haut bord évasé. Elle servait autrefois à conserver les aliments.

jarret n. m. *1* Partie arrière du genou. *2* Morceau de viande de veau ou de porc correspondant à la partie supérieure des membres.

jars n. m. Mâle de l'oie.
On prononce [ʒɑʀ]. **Homonyme : jarre.**

jaser v. ➜ conjug. **aimer.** Faire des commentaires malveillants ou indiscrets sur quelqu'un.
Sa conduite fait jaser les voisins.

jasmin n. m. Arbuste à fleurs jaunes ou blanches très odorantes.

Le jasmin pousse dans les régions méditerranéennes et en Extrême-Orient. On en extrait un parfum capiteux.

jatte n. f. Récipient rond et sans rebord. *Une jatte de lait.*

jauge n. f. *1* Instrument qui sert à mesurer le niveau d'un liquide dans un récipient ou un réservoir. *Jauge de niveau d'huile.* *2* Volume intérieur d'un bateau de commerce.
Synonyme : tonnage (2).

jauger v. ➜ conjug. **ranger.** *1* Mesurer avec une jauge. *Jauger un réservoir.* *2* Au figuré. Apprécier la valeur de quelqu'un. *Il a jaugé son adversaire au premier coup d'œil.* *3* Avoir telle jauge, quand il s'agit d'un bateau.

jaune adj., n. m. et adv.
• adj. Qui est de la couleur du citron, du tournesol, de l'or.
• n. m. *1* La couleur jaune. *Le jaune lui va bien.* *2* *Jaune d'œuf :* partie jaune qui est au centre d'un œuf.
Ce vieux monsieur a les cheveux jaunâtres, qui tirent sur le jaune.
• adv. *Rire jaune :* de façon forcée.

jaunir v. ➜ conjug. **finir.** *1* Rendre jaune. *Le tabac a jauni ses dents.* *2* Devenir jaune. *Le papier de ce livre a jauni.*

jaunisse n. f. Maladie du foie qui produit une coloration jaune de la peau.

javelot n. m. Sorte de lance employée en athlétisme. *Le lancer du javelot.*

jazz n. m. Musique rythmée créée par les Noirs des États-Unis au début du XXᵉ siècle.
Mot anglais qui se prononce [dʒaz].

Le jazz apparaît aux États-Unis au début du XXᵉ siècle dans la communauté noire. Il résulte de nombreuses influences musicales, parmi lesquelles la musique traditionnelle africaine, le negro spiritual, chanté dans les églises, et le blues, au thème mélancolique.
C'est à La Nouvelle-Orléans, un grand port du sud-est des États-Unis, sur le Mississippi, que naissent les premiers orchestres de jazz. Le style «New Orleans» se répand rapidement dans le monde entier. Le jazz comprend aujourd'hui de multiples courants aux caractéristiques différentes.

je pron. Pronom personnel de la première personne du singulier qui a la fonction de sujet. *Je parle.*
«Je» devient «j'» devant une voyelle ou un «h» muet. «J'arrive.» «J'habite ici.».

jean n. m. *1* Toile résistante servant à faire des vêtements. *Une jupe en jean.* *2* Blue-jean. *Il s'habille toujours en jean.*
Mot anglais qui se prononce [dʒin].

Jeanne d'Arc

Héroïne française de la guerre de Cent Ans née en 1412 et morte en 1431. On l'appelle aussi *la Pucelle d'Orléans*. À l'âge de treize ans, Jeanne d'Arc dit entendre des voix célestes lui donnant la mission de chasser les Anglais de France. Après avoir convaincu le roi Charles VII de lui confier une petite armée, elle délivre Orléans assiégée en 1429. Elle remporte ensuite plusieurs autres victoires qui redonnent confiance aux troupes françaises. En juillet 1429, elle fait sacrer le roi Charles VII à Reims. Mais, en 1430, elle est faite prisonnière et livrée aux Anglais. Jugée par l'Église et condamnée pour hérésie, Jeanne d'Arc est brûlée vive sur la place du marché de Rouen, le 30 mai 1431. Elle est réhabilitée en 1456 grâce à Charles VII, et déclarée sainte en 1920 par le pape Benoît XV.

Regarde aussi **Cent Ans.**

Jeep n. f. Automobile tout-terrain.
Mot anglais qui se prononce [dʒip]. Ce mot s'écrit avec une majuscule car c'est le nom d'une marque.

Jenner Edward

Médecin britannique né en 1749 et mort en 1823. Jenner étudie une grave maladie contagieuse, la variole. Il remarque que les paysans qui ont eu la *vaccine* (une maladie qui s'attrape au contact des vaches) sont protégés contre la variole. En 1796, il inocule la vaccine à un jeune enfant : après avoir guéri, celui-ci résiste aux germes de la variole. Jenner vient de découvrir l'immunité, c'est-à-dire les défenses naturelles de l'organisme, et le principe de la vaccination (mot tiré de la *vaccine*).

jérémiades n. f. plur. Lamentations continuelles.

jerrican n. m. Bidon rectangulaire à poignée, d'une contenance de vingt litres environ. *Un jerrican d'essence.*
Mot anglais qui se prononce [ʒeʁikan]. On écrit aussi : jerrycan.

jersey n. m. Tissu tricoté. *Une veste en jersey.*
Mot anglais qui se prononce [ʒɛʁzɛ].

Jérusalem

Ville de Palestine, capitale, non reconnue par la communauté internationale, de l'État d'Israël. Jérusalem, la ville sainte, est un lieu de pèlerinage pour le judaïsme, le christianisme et l'islam. La vieille ville compte de nombreuses synagogues, églises et mosquées. Le mur des Lamentations est un lieu de recueillement très fréquenté par les Juifs. Au Xᵉ siècle av. J.-C., le roi David choisit Jérusalem comme capitale du peuple hébreu. Son fils, Salomon, en fait une cité somptueuse. Mais c'est sous le règne d'Hérode (Iᵉʳ siècle av. J.-C.) que la ville atteint son apogée. Elle est conquise par les Arabes en 637 puis, au cours des Croisades, devient par deux fois la capitale du monde chrétien.
En 1948, elle est partagée entre la Jordanie et Israël. Ce dernier prend possession de la partie jordanienne en 1967.

Jésus-Christ

Fondateur de la religion chrétienne, né vers – 4 ou – 5 avant notre ère et probablement mort en 30. L'an 0 de notre calendrier, qui correspond à sa naissance, a été fixé par erreur quelques années plus tard. Pour les chrétiens, Jésus est le fils de Dieu né de la Vierge Marie. Il est le Messie annoncé dans l'Ancien Testament de la Bible, envoyé de Dieu sur Terre pour sauver les hommes. Sa vie est racontée par ses disciples, les Apôtres, dans les Évangiles. Jésus est aussi l'un des prophètes reconnus par la religion musulmane.
Il est né à Bethléem, en Galilée, au nord de la Palestine. En l'an 27, il est baptisé dans le fleuve Jourdain par Jean-Baptiste, qui le désigne comme le Messie. Jésus commence peu après à prêcher son message, la venue du royaume de Dieu, en Palestine et en Judée. Sa popularité grandissante le fait considérer comme une menace par le pouvoir en place.
Il est arrêté, condamné à mort et crucifié sur ordre du procurateur romain Ponce Pilate.

jet n. m. **1** Action de jeter, de lancer. *Des jets de pierres.* **2** Liquide ou gaz qui jaillit avec force. *Un jet de vapeur, un jet d'eau.*
Homonymes : geai, jais, j'ai.

jetable adj. → jeter.

jetée n. f. Construction qui s'avance dans la mer pour protéger un port ou permettre l'accostage des bateaux.

jeter v. *1* Lancer. *Jeter des pierres. 2* Se débarrasser des choses inutiles, les mettre aux ordures. *Jeter des vieux papiers. 3 Se jeter :* se laisser tomber, se précipiter. *Se jeter à l'eau. Se jeter sur quelqu'un. 4 Se jeter :* déverser ses eaux. *La Marne se jette dans la Seine. 5 Jeter un coup d'œil :* regarder rapidement.

Un rasoir *jetable*, c'est un rasoir qu'on jette (*2*) après l'avoir utilisé.

La conjugaison du verbe
JETER 1er groupe

indicatif présent	**je jette, il ou elle jette, nous jetons, ils ou elles jettent**
imparfait	**je jetais**
futur	**je jetterai**
passé simple	**je jetai**
subjonctif présent	**que je jette**
conditionnel présent	**je jetterais**
impératif	**jette, jetons, jetez**
participe présent	**jetant**
participe passé	**jeté**

jeton n. m. Pièce plate et ronde servant à divers usages. *Jetons pour marquer les points au jeu.*

jeu n. m. **Plur. : des jeux.** *1* Activité physique ou intellectuelle que l'on pratique pour s'amuser. *Jeux de société, jeux d'adresse, jeux de hasard. 2 Jeu de mots :* plaisanterie qui utilise les ressemblances entre les mots. *3* Ensemble des jeux de hasard où l'on mise de l'argent. *Avoir la passion du jeu. 4* Ensemble d'objets qui sert à jouer. *Un jeu de cartes, d'échecs, de dominos. Un jeu vidéo. 5* Ensemble d'objets de même nature. *Un jeu de clés. 6* Espace entre deux pièces d'un mécanisme. *Il y a trop de jeu. 7* Manière d'interpréter un rôle ou un morceau de musique. *Apprécier le jeu d'un comédien. 8 Être en jeu :* être en question, en cause. *Son avenir est en jeu.*

Le jeu à XIII est né en 1906 à partir du rugby à XV. Il se pratique avec un ballon ovale et oppose deux équipes de treize joueurs. Les règles du jeu sont légèrement différentes de celles du rugby à XV. Le jeu à XIII est plus couramment appelé rugby à XIII. *Regarde aussi* **rugby.**

jeudi n. m. Jour de la semaine qui suit le mercredi.

à jeun adv. Sans avoir mangé. *Prendre un médicament à jeun.*
On prononce [aʒœ̃].

jeune adj., et n.
• adj. *1* Qui n'est pas d'un âge avancé. *Ils se sont mariés très jeunes. 2 Jeune homme, jeune fille, jeunes gens :* personnes entre l'adolescence et l'âge adulte. *3* Qui est moins âgé qu'une autre personne. *Elle est plus jeune que lui. 4* Qui a les qualités propres à la jeunesse. *Il est très jeune de caractère.*
Contraires : âgé, vieux.
• n. Personne jeune. *Une émission pour les jeunes.*

jeûner v. → conjug. **aimer.** Se priver de nourriture. *Pendant le ramadan, les musulmans jeûnent tout le jour.*
On prononce [ʒøne].

Son *jeûne* l'a affaibli, le fait de jeûner.

jeunesse n. f. *1* Partie de la vie comprise entre l'enfance et l'âge mûr. *2* Ensemble de personnes jeunes. *Des livres pour la jeunesse.*

jiu–jitsu → jujitsu.

joaillerie n. f. *1* Art de fabriquer des bijoux avec des matières précieuses. *2* Magasin du joaillier.
On prononce [ʒɔajʀi].

Le *joaillier* est quelqu'un dont le métier est la joaillerie (*1*).

jockey n. m. Cavalier dont le métier est de monter les chevaux de course.
Mot anglais qui se prononce [ʒɔkɛ].

Joconde → Léonard de Vinci.

Joffre Joseph

Militaire français, maréchal de France né en 1852 et mort en 1931. Joffre participe à la guerre France-Allemagne de 1870, puis sert dans les colonies françaises, au Tonkin (une région d'Indochine), au Soudan et à Madagascar. Au début de la Première Guerre mondiale, en 1914, il est nommé commandant en chef des armées du Nord et du Nord-Est. Il remporte la bataille de la Marne, empêchant les Allemands d'atteindre Paris. Ayant échoué en 1916 dans la bataille de la Somme, il est relevé de son commandement. Il est nommé maréchal de France la même année.

jogging n. m. *1* Course à pied que l'on pratique pour faire de l'exercice. *Faire du jogging. 2* Survêtement. *Être en jogging.*
Mot anglais qui se prononce [dʒɔgin].

joie n. f. *1* Sentiment de plaisir, de bonheur ou de satisfaction. *Être fou de joie. Quelle joie de vous voir ! 2* S'en donner à cœur joie : prendre beaucoup de plaisir à ce qu'on fait.

joindre v. *1* Rapprocher, assembler des choses. *Joindre des planches. Joindre les talons. 2* Ajouter. *Joindre un timbre pour la réponse. 3* Atteindre, contacter. *Je l'ai joint par téléphone. 4* Se joindre à quelqu'un, à un groupe :* le rejoindre, aller avec lui.

La conjugaison du verbe
JOINDRE 3ᵉ groupe

indicatif présent	**je joins, il ou elle joint, nous joignons, ils ou elles joignent**
imparfait	**je joignais**
futur	**je joindrai**
passé simple	**je joignis**
subjonctif présent	**que je joigne**
conditionnel présent	**je joindrais**
impératif	**joins, joignons, joignez**
participe présent	**joignant**
participe passé	**joint**

joint, jointe adj. et n. m.
● adj. *1* Qui est rapproché de façon à se toucher. *Avoir les mains jointes, les pieds joints. 2* Ci-joint : ajouté à ceci. *Ci-joint une lettre de remerciements. Dans la lettre ci-jointe.*
● n. m. Pièce ou matériau qui sert à rendre étanche un assemblage. *Joint de robinet.*

jointure n. f. Articulation de deux os. *Faire craquer les jointures de ses doigts.*

joker n. m. Carte à jouer pouvant remplacer n'importe quelle autre carte.
Mot anglais qui se prononce [ʒɔkɛʀ].

joli, ie adj. *1* Agréable à voir ou à entendre. *Une jolie fille. Une jolie voix. 2* Familier. Important. *C'est une jolie somme !*
Elle est joliment habillée, d'une manière jolie (*1*).

jonc n. m. Plante à longue tige flexible qui pousse dans les endroits humides.
On prononce [ʒɔ̃].

joncher v. → conjug. **aimer.** Recouvrir. *Le sol est jonché de feuilles mortes.*

jonction n. f. Endroit où deux choses se joignent. *Prenez à gauche à la jonction des deux routes.*

jongler v. → conjug. **aimer.** Lancer en l'air des objets que l'on relance aussitôt qu'on les a rattrapés. *Jongler avec des balles, des quilles, des torches.*
Les jongleurs sont les artistes de cirque qui pratiquent l'art de jongler.

jonque n. f. Bateau à voile d'Extrême-Orient, à fond plat.

jonquille n. f. Fleur jaune qui pousse au printemps.

Jonquille est le nom courant d'une espèce de narcisse. C'est une plante à bulbe, aux feuilles étroites et allongées. Sa fleur a une corolle très développée dont la forme rappelle celle d'une trompette. La jonquille est l'une des premières fleurs du printemps.

Jordanie

Monarchie constitutionnelle de l'ouest de l'Asie. La Jordanie est bordée au nord par la Syrie, au nord-est par l'Irak, à l'est et au sud par l'Arabie saoudite et à l'ouest par Israël. Elle dispose d'une étroite ouverture sur la mer Rouge (26 km). Son territoire est en grande partie désertique. La population se concentre majoritairement autour de la capitale, Amman. Dans la vallée du Jourdain se pratique l'agriculture (blé, orge, vin, olive). Le secteur industriel s'appuie sur l'agroalimentaire et les ressources minières (phosphates) ; le tourisme se développe. Ce pays est pauvre, les inégalités sociales y sont fortement marquées.

La Jordanie est créée en 1949 ; elle est issue de la réunion de la Transjordanie et de la Cisjordanie. En 1967, cette dernière est occupée par Israël et, en 1988, la Jordanie s'en sépare.

89 210 km²
5 329 000 habitants :
les Jordaniens
Langues : arabe, anglais
Monnaie : dinar
Capitale : Amman

599

joue n. f. Chacun des deux côtés du visage, situés de part et d'autre du nez.
Homonymes : joug, il joue (du verbe jouer).

jouer v. → conjug. **aimer.** *1* S'amuser, se livrer à un jeu ou à un sport. *Les enfants sont en train de jouer. Jouer à la poupée, au ballon. Jouer au tennis. 2* Miser de l'argent à des jeux de hasard. *Jouer à la roulette, jouer au tiercé. 3* Se servir d'un instrument de musique. *Jouer du violon. 4* Interpréter un rôle ou représenter en public. *Qui joue dans ce film ? Cette pièce ne se joue plus. 5* Chercher à paraître ce qu'on n'est pas. *Jouer les idiots. 6* Se déformer. *Le bois a joué sous l'effet de l'humidité.*

jouet n. m. Objet servant à jouer.

joueur, euse adj. et n.
● adj. Qui aime jouer. *Un chat joueur.*
● n. *1* Personne qui pratique un jeu ou un sport. *Un joueur de dés. Une joueuse de basket. 2* Être beau joueur ou mauvais joueur :* bien ou mal accepter de perdre.

joufflu, ue adj. Qui a de grosses joues.

joug n. m. Pièce de bois qui sert à atteler les bœufs.
On prononce [ʒu]. Homonyme : joue.

jouir v. → conjug. **finir.** *1* Posséder quelque chose ou en profiter. *Jouir d'une grosse fortune. 2* Apprécier, savourer. *Jouir de son succès.*
    Les locataires ont la jouissance du jardin, ils ont le droit d'en jouir (*1*), d'en profiter.

joujou n. m. **Plur. : des joujoux.** Jouet, dans le langage enfantin.

jour n. m. *1* Espace de temps de 24 heures. *Les sept jours de la semaine. 2* Espace de temps entre le lever et le coucher du soleil. *Les jours rallongent, raccourcissent. 3* Lumière du soleil. *Il fait jour. 4* Être à jour :* ne pas être en retard. *5* Mettre à jour :* actualiser. *Mettre à jour son carnet d'adresses. 6* De nos jours :* à notre époque. *7* Vivre au jour le jour :* sans s'occuper du lendemain. *8* Faire quelque chose au grand jour :* sans rien dissimuler.
Synonyme : journée (*2*).
    Un travail journalier, c'est un travail qui se fait chaque jour (*1*), un travail quotidien. *Il lui téléphone journellement*, chaque jour (*1*), quotidiennement.

journal n. m. **Plur. : des journaux.** *1* Publication quotidienne ou périodique qui donne des informations. *Lire les journaux. Un journal pour enfants. 2* Bulletin quotidien d'informations à la radio ou à la télévision. *Le journal télévisé. 3* Cahier où l'on écrit régulièrement les événements de sa vie ou ses sentiments. *Tenir son journal.*

journalier, ière adj. → **jour.**

journaliste n. Personne qui écrit dans les journaux ou donne des informations à la radio ou à la télévision.
    Faire du journalisme, c'est faire le métier de journaliste.

journée n. f. Espace de temps entre le lever et le coucher du soleil. *La journée a été belle.*
Synonyme : jour.

journellement adv. → **jour.**

joute n. f. Au Moyen Âge, combat entre deux cavaliers armés de lances.

jovial, ale adj. Qui est gai, de bonne humeur, ouvert. *Un caractère jovial, un visage jovial.*
Synonyme : enjoué. Contraires : maussade, morose, triste. Au masculin pluriel, on dit « jovials » ou « joviaux ».

joyau n. m. **Plur. : des joyaux.** Bijou précieux.

joyeux, euse adj. Qui éprouve ou qui exprime de la joie. *Une joyeuse bande. Un sourire joyeux.*
Synonyme : gai. Contraire : triste.
    Ils ont fini l'année joyeusement, de façon joyeuse.

jubiler v. → conjug. **aimer.** Éprouver une très grande joie. *Sa victoire le fait jubiler.*
    Il ne peut cacher sa jubilation, le fait qu'il jubile.

jucher v. → conjug. **aimer.** Mettre à un endroit élevé. *Le chat s'est juché sur le haut de l'échelle.*

judaïsme n. m. Religion des juifs.
    La loi judaïque est l'ensemble des règles du judaïsme.
Regarde religion et Juifs.

judas n. m. Petit dispositif dans une porte qui permet de voir sans être vu.

Judas

Un des douze apôtres de Jésus. Selon les Évangiles (première partie du Nouveau Testament de la Bible), Judas, dit Judas Iscariote, trahit Jésus et le livre aux Romains pour trente pièces d'argent. Pris de remords, il se donne la mort.

---

judiciaire adj. Qui concerne la justice. *Une erreur judiciaire.*

judicieux, euse adj. Qui montre un jugement sûr, pertinent. *Une remarque judicieuse.*
    Il a répondu judicieusement à toutes les questions, d'une façon judicieuse.

judo n. m. Sport de combat d'origine japonaise, dérivé du jujitsu.

Le judoka est la personne qui pratique le judo.

Le judo est inventé au Japon en 1882 à partir du jujitsu. Son principe consiste à utiliser au mieux la force de l'adversaire pour son propre compte. Chaque combat oppose deux judokas et dure de 2 à 5 minutes. Il comporte des prises conduisant à des immobilisations, des projections, des déséquilibres, des clés et des étranglements.

Le judo se pratique sur un tapis (le tatami). Chaque judoka, pieds nus, porte une veste ample, le judogi, et un pantalon en tissu léger. La veste est maintenue par une ceinture dont la couleur indique le grade du judoka. Le blanc est la couleur des débutants, le noir, la couleur des judokas confirmés. Le judo masculin est régulièrement inscrit aux jeux Olympiques depuis 1972 ; le judo féminin depuis 1992.

juge n. m. *1* Magistrat dont la fonction est de rendre la justice. *Juge d'instruction. Juge pour enfants.* *2* Personne à qui l'on demande son avis. *Je vous fais juge de la situation.*

jugement n. m. *1* Décision rendue par un tribunal. *Le jugement n'a pas encore été prononcé.* *2* Opinion favorable ou défavorable. *C'est un jugement un peu rapide.* *3* Faculté d'apprécier les choses d'une manière juste et sensée, bon sens. *Manquer de jugement.*
Synonymes : sentence, verdict (*1*).

jugeote n. f. Familier. Bon sens. *Il a peu de jugeote.*

juger v. → conjug. **ranger.** *1* Examiner une affaire afin de rendre un jugement. *Juger un crime, un accusé.* *2* Porter un jugement, une appréciation sur quelqu'un ou quelque chose. *Ne le jugez pas sur sa mine, mais sur ses actes.* *3* Penser, estimer. *Il a jugé inutile de nous prévenir.*

juguler v. → conjug. **aimer.** Arrêter le développement de quelque chose. *La crise a été jugulée.*
Synonyme : enrayer.

juif, juive n. et adj.
● n. Personne dont la religion est le judaïsme.
● adj. Qui concerne le judaïsme. *La religion juive.*

Juifs

Peuple pratiquant le judaïsme, la première religion monothéiste (qui croit en un seul dieu). Les Juifs sont les descendants des Hébreux ; le mot vient de l'hébreu *yehùdi*, qui désigne un membre du royaume de Juda. Après la destruction de Jérusalem par les Romains en 70 ap. J.-C., les Juifs se dispersent dans le monde entier. Ils forment des communautés qui restent soudées grâce à la langue hébraïque et à une forte tradition religieuse.

Au cours de l'histoire, les Juifs sont régulièrement victimes de l'antisémitisme (hostilité contre leur peuple), accusés de toutes sortes de méfaits, obligés de porter des signes distinctifs et enfermés dans des ghettos. Ce rejet, d'abord d'origine religieuse et pratiqué par les chrétiens, se double aux XIXᵉ et XXᵉ siècles d'un sentiment raciste alimenté par la réussite sociale de certains Juifs, particulièrement en Allemagne.

Les persécutions atteignent leur comble durant la Seconde Guerre mondiale, entre 1940 et 1945, aboutissant à la mort de six millions de Juifs, exterminés dans les camps nazis. En 1948, la communauté internationale crée un État juif en Palestine, Israël.

***Regarde aussi* Hébreux.**

juillet n. m. Septième mois de l'année, qui a 31 jours.

juin n. m. Sixième mois de l'année, qui a 30 jours.

jujitsu n. m. Art martial japonais, ancêtre du judo.
On écrit aussi : jiu-jitsu.

Technique de lutte à mains nues des anciens guerriers japonais, le jujitsu leur permet de continuer à combattre efficacement après la perte de leurs armes. Il devient un art martial au XVIIᵉ siècle, en période de paix ; il est codifié au XIXᵉ siècle.

juke-box n. m. Plur. : des juke-box ou des juke-boxes. Lecteur de disques automatique et payant, placé généralement dans un café.
Mot anglais qui se prononce [dʒukbɔks].

jumeau, elle, eaux adj. et n.
● adj. et n. Se dit de deux enfants nés d'une même grossesse. *Ce sont des jumeaux. Il a une sœur jumelle.*
● adj. *Lits jumeaux :* ensemble de deux lits à une place mis côte à côte.

jumelage n. m. Association de deux villes situées dans des pays différents afin de favoriser les contacts et les échanges.
Ces deux villes sont jumelées, associées par jumelage.

jumelle adj. et n. f. ➜ **jumeau**.

jumelles n. f. plur. Instrument formé de deux lunettes, et qui permet de voir au loin.

jument n. f. Femelle du cheval.

jungle n. f. Forêt humide et dense des régions tropicales de l'Asie, où vivent les grands fauves.

La jungle est le domaine des grands arbres, des lianes, des broussailles et d'immenses herbes enchevêtrées. Elle abrite une vie animale extrêmement variée : on y trouve des espèces rares de serpents, de félins, de singes, d'insectes…

junior n. et adj.
● n. et adj. Sportif âgé de 17 à 21 ans. *L'équipe des juniors. L'équipe junior.*
● adj. Qui concerne les adolescents. *La mode junior.*

jupe n. f. Vêtement féminin qui part de la taille et descend plus ou moins bas sur les jambes. *Une jupe courte, une jupe longue.*

Jupiter

Divinité de la mythologie romaine, dieu suprême, maître du ciel, de la lumière, du tonnerre et des éclairs. Il est l'équivalent du Zeus de la mythologie grecque. Fils de Saturne et de Rhéa, Jupiter a pour épouse Junon. C'est l'un des protecteurs de Rome, aux côtés de Junon et de Minerve ; on le vénère dans un temple du Capitole. Jupiter est qualifié d'*Optimus Maximus* (« le meilleur et le plus grand »). Les empereurs lui rendent hommage et s'identifient à lui. Jupiter est aussi le nom d'une planète.

***Regarde aussi* Soleil.**

jupon n. m. Sous-vêtement qui se porte sous une jupe ou sous une robe.

Jura

Massif montagneux en forme d'arc de cercle s'étendant dans l'est de la France, en Suisse et en Allemagne. L'ouest du Jura est formé de plateaux s'élevant par degrés jusqu'à 1 000 m au-dessus de la plaine de la Saône. L'est présente une série de chaînons montagneux parallèles. C'est là que se trouvent les plus hauts sommets du massif, dont le point culminant, le crêt de la Neige (1 718 m). Le climat du Jura est froid et humide. Une grande partie du massif est couverte de forêts de conifères. L'industrie du bois y est active, ainsi que l'élevage (fabrication de fromages comme le comté) et la culture de la vigne dans le sud. Le tourisme est une ressource importante pour la région.

juré n. m. Membre d'un jury.

jurer v. ➜ conjug. **aimer**. *1* Promettre par serment. *Il a juré sur l'honneur de dire la vérité.* *2* Affirmer avec force. *Je te jure que je ne l'ai pas vu !* *3* Dire des jurons. *C'est un homme grossier qui n'arrête pas de jurer.* *4* Être mal assorti. *Ces deux couleurs jurent ensemble.*

juridique adj. Qui concerne les lois, le droit. *Des études juridiques.*

juron n. m. Exclamation grossière qui marque la colère ou le dépit.

jury n. m. *1* Ensemble de personnes réunies pour juger un accusé dans une affaire criminelle. *2* Ensemble de personnes chargées de décerner des prix ou de faire passer un examen ou un concours. *Le jury d'un festival de cinéma.*

jus n. m. *1* Liquide extrait de certains fruits ou certains légumes. *Jus d'orange. Jus de tomate.* *2* Liquide provenant de la cuisson d'une viande. *Le jus d'un rôti.*
   *Cette pêche est très **juteuse**, elle contient beaucoup de jus (1).*

jusque prép. et conj.
● prép. Indique une limite dans l'espace ou dans le temps. *Elle est allée jusqu'à la mer. Il a dormi jusqu'à midi.*
● conj. *Jusqu'à ce que :* jusqu'au moment où. *Il a attendu jusqu'à ce qu'elle revienne.*

justaucorps n. m. Maillot collant pour la danse ou la gymnastique.

juste adj. et adv.

• adj. **1** Qui est conforme à la justice, équitable. *Le jugement que tu portes est sévère mais juste.* **2** Qui est exact, correct. *Tu es sûr que c'est l'heure juste ?* **3** Qui est trop étroit. *Une veste un peu juste.* **4** Qui suffit à peine. *Une heure, c'est un peu juste pour terminer ce travail.*
Contraires : injuste (*1*), faux (*2*), large (*3*).

• adv. **1** Avec justesse, comme il convient. *Chanter juste.* **2** Exactement, précisément. *Il est midi juste. C'est juste à côté.* **3** D'une manière à peine suffisante. *C'est juste assez grand.* **4** Seulement. *Je reste juste une heure.*
Contraires : faux (*1*), presque (*2*), à peu près (*2*).

justement adv. Exactement, précisément. *On parlait justement de lui.*

justesse n. f. **1** Qualité d'une chose juste, exacte. *La justesse d'une montre. Cette remarque est pleine de justesse.* **2** *De justesse :* de peu. *Elle a eu son examen de justesse.*

justice n. f. **1** Qualité morale qui consiste à respecter les droits de chacun. *Agir avec justice.* **2** Pouvoir de faire respecter les lois, le droit. *Rendre la justice.* **2** Ensemble des institutions qui exercent ce pouvoir. *Il a des ennuis avec la justice.*
Contraire : injustice (*1*).

justicier, ière n. Personne qui agit en défenseur du droit, de la justice, en redresseur de torts.

justifier v. → conjug. **modifier. 1** Expliquer, excuser. *Je me demande comment il va parvenir à justifier une si longue absence.* **2** Présenter les preuves de ce qu'on dit ou fait. *Elle ferait mieux de justifier ses dépenses extravagantes.* **3** Rendre légitime, autoriser. *Je ne vois pas ce qui pourrait justifier son inquiétude. Sa terrible erreur ne se justifie pas.* **4** *Se justifier :* démontrer son innocence.
> *Qu'as-tu à dire pour ta justification ?* pour te justifier (*4*). *Sans justificatif, vos frais ne seront pas remboursés,* sans document qui les justifie (*2*).

jute n. m. Fibre végétale dont on fait des cordages ou de la toile. *Sac en toile de jute.*

juteux, euse adj. → jus.

juvénile adj. Qui caractérise la jeunesse. *Un enthousiasme juvénile.*
Contraire : sénile.

juxtaposer v. → conjug. **aimer.** Placer des choses côte à côte. *Juxtaposer des échantillons de tissu pour les comparer.*
> *Cette juxtaposition de couleurs n'est pas vraiment réussie,* ces couleurs juxtaposées.

Kafka Franz

Écrivain tchèque de langue allemande né en 1883 et mort en 1924. Employé de bureau passionné par l'écriture, Kafka, de santé fragile, est solitaire et isolé. Ses écrits décrivent un monde hostile, où les personnages vivent des situations absurdes, angoissantes, parfois cruelles, qu'ils ne maîtrisent et ne comprennent pas. Ces situations « kafkaïennes » sont en partie inspirées de sa vie tourmentée. Kafka ne deviendra célèbre qu'après sa mort. Parmi ses œuvres, il faut citer : *Journal* écrit entre 1910 et 1920), *la Métamorphose* (1915), *le Procès* (1925) et *le Château* (1926).

1. kaki adj. inv. D'une couleur brune tirant sur le verdâtre. *Les uniformes des militaires sont très souvent kaki.*

2. kaki n. m. Fruit originaire d'Asie, de couleur orangée, à chair sucrée, qui ressemble à une tomate.

Le kaki est le fruit d'un arbre appelé plaqueminier cultivé sur les bords de la Méditerranée. Il mûrit en hiver. De la taille d'une pomme, il a une chair juteuse et sucrée. On le consomme frais ou en confiture.

kaléidoscope n. m. Tube contenant des morceaux de verre coloré qui forment, grâce à un jeu de miroirs, des dessins symétriques et changeants.

kangourou n. m. Mammifère herbivore d'Australie de la famille des marsupiaux, qui se déplace par bonds et dont la femelle abrite ses petits dans une poche ventrale.

Kant Emmanuel

Philosophe allemand né en 1724 et mort en 1804. Kant étudie et enseigne toute sa vie des disciplines aussi variées que les sciences, les mathématiques, le droit, la théologie (étude de la religion) et la philosophie. Il élabore un nouveau courant de pensée qui analyse, de façon critique, les limites et le pouvoir de la raison. Il est l'auteur de nombreux ouvrages, dont le plus célèbre est *Critique de la raison pure* (1781).

kaolin n. m. Argile blanche très pure utilisée pour faire la porcelaine.

kapok n. m. Duvet végétal très léger utilisé pour rembourrer les coussins.

karaté n. m. Sport de combat d'origine japonaise.
Le karatéka est la personne qui pratique le karaté.

Le karaté est un des arts martiaux les plus répandus. Il se pratique pieds et mains nus. Les coups, portés avec le tranchant de la main, le poing ou les pieds, visent le haut du corps (tête, cou, poitrine et ventre), mais sont arrêtés avant de toucher l'adversaire. L'attaque est souvent accompagnée d'un cri, le « kiaï ». Chaque combat dure trois minutes. Les qualités du karatéka sont la rapidité, l'équilibre et la maîtrise de soi. Le combattant porte une veste et un pantalon amples maintenus par une ceinture. Depuis 1970, un championnat du monde a lieu tous les deux ans.

kart n. m. Petite voiture de sport à une place, sans carrosserie.
Mot anglais qui se prononce [kart]. **Homonyme : carte.**
Le karting est le sport qu'on pratique avec un kart.

kayak n. m. Embarcation légère à une ou deux places, qu'on manœuvre avec une pagaie double. *Le kayak est à l'origine le canot traditionnel des Inuits.*

Kenya

République de l'est de l'Afrique. Le Kenya est ouvert sur l'océan Indien au sud-est. Il est limité au nord par le Soudan et l'Éthiopie, à l'est par la Somalie, au sud par la Tanzanie et à l'ouest par l'Ouganda. De hauts plateaux occupent l'ouest et le centre du territoire, traversé par une grande faille, la Rift Valley. Le point culminant est le mont Kenya (5 199 m). Une grande plaine s'étend à l'est. Le climat est chaud et humide sur la côte, plus tempéré dans les hauteurs. Le Nord et le Nord-Est sont désertiques. L'économie s'appuie sur l'agriculture d'exportation (thé, café) et, surtout, le tourisme. Le pays connaît de fortes inégalités sociales ; une partie de la population a le niveau de vie le plus bas de l'Afrique.
Sous domination britannique à partir de 1895, le Kenya devient indépendant et membre du Commonwealth en 1963.

580 370 km²
31 540 000 habitants :
les Kényans
Langues : anglais,
swahili…
Monnaie : shilling
kényan
Capitale : Nairobi

Kazakhstan

République d'Asie centrale. Le Kazakhstan est limité au nord par la Russie, à l'est par la Chine, au sud par le Kirghizistan, l'Ouzbékistan et le Turkménistan, à l'ouest par la mer Caspienne. Son vaste territoire, occupé par des plaines et des plateaux, est semi-désertique. Le climat est continental, marqué par de grands écarts de température entre l'été et l'hiver. L'économie se fonde sur l'agriculture (céréales, coton), sur l'élevage et sur l'industrie (métallurgie). Les sous-sols possèdent d'immenses richesses minières (pétrole, gaz naturel, charbon, or, argent, uranium, fer), encore peu exploitées.
Région de l'Empire russe, puis République de l'URSS, le Kazakhstan devient indépendant en 1991.

2 724 900 km²
15 469 000 habitants :
les Kazakhs
Langues : kazakh, russe
Monnaie : tengue
Capitale : Astana

képi n. m. Coiffure cylindrique à visière portée par certains militaires.

kermesse n. f. Fête organisée au bénéfice d'une institution ou d'une œuvre de charité, avec des jeux et des stands, généralement en plein air.

kérosène n. m. Carburant pour avions à réaction, tiré du pétrole.

Kessel Joseph

Écrivain et journaliste français né en 1898 et mort en 1979. L'engagement de Kessel comme pilote lors de la Première Guerre mondiale est à l'origine de ses premiers écrits, où le thème principal est la fraternité (*l'Équipage*, 1923). Devenu grand reporter, il parcourt de nombreux pays et en tire matière à des romans d'aventures : *Fortune carrée* (1955), *le Lion* (1958), *les Cavaliers* (1967). Lors de la Seconde Guerre mondiale, il s'engage dans la Résistance et écrit avec son neveu Maurice Druon le célèbre *Chant des Partisans* (1943). Cette guerre lui inspire également un roman, *l'Armée des ombres* (1944). Kessel est élu à l'Académie française en 1962.

ketchup n. m. Sauce épaisse à base de tomates, épicée et légèrement sucrée.
Mot anglais qui se prononce [kɛtʃœp].

Khephren

Pharaon d'Égypte qui règne vers 2550 av. J.-C. On écrit aussi Chéphren. Pour lui servir de tombeau, Khephren fait construire, sur le plateau de Gizeh, la deuxième grande pyramide, à côté de celle de Chéops, son père. Le sphinx situé à proximité est sans doute une représentation du pharaon.
***Regarde aussi* Égypte.**

kibboutz n. m. Exploitation agricole collective, en Israël.

Chaque membre du kibboutz participe à l'ensemble des activités de l'exploitation et, en échange, voit assurer ses besoins essentiels : logement, nourriture, vêtements, soins… Le groupe prend aussi en charge l'éducation des enfants (écoles, dortoirs communs). Les kibboutz prônent la propriété collective et l'égalité pour tous. Ils ne représentent qu'un faible pourcentage de la société israélienne, mais ils participent activement au développement rural d'Israël.

kidnapping n. m. Enlèvement d'une personne afin d'obtenir une rançon.
Mot anglais qui se prononce [kidnapiŋ].
Synonyme : rapt.
*On ne sait pas qui **a kidnappé** l'enfant,* qui a commis le kidnapping. *La police a arrêté les **kidnappeurs**,* les auteurs du kidnapping.

Kilimandjaro

Volcan d'Afrique de l'Est, situé en Tanzanie, près de la frontière du Kenya. Le Kilimandjaro est le plus haut sommet du continent africain ; il culmine à 5 895 m.
Sa couronne de neiges éternelles domine la savane brûlante. Formé de deux cratères, le Kilimandjaro est un volcan peu actif.

kilo n. m. Abréviation de kilogramme. *Il a grossi de 5 kilos pendant ses vacances.*
En abrégé : kg.

kilo– préfixe. Devant une unité de mesure, indique qu'elle est multipliée par 1 000.

kilogramme n. m. Unité de mesure des poids valant 1 000 grammes.
En abrégé : kilo ou kg.

kilomètre n. m. Unité de mesure des distances valant 1 000 mètres.
En abrégé : km.
*Le compteur de la voiture indique le **kilométrage**, le nombre de kilomètres qu'elle a parcourus. Les bornes **kilométriques** indiquent des distances en kilomètres.*

kilt n. m. Jupe courte et plissée qui fait partie du costume traditionnel des Écossais.

kimono n. m. *1* Longue tunique japonaise à larges manches et croisée devant. *2* Tenue des judokas, des karatékas, composée d'un pantalon et d'une veste.

kinésithérapeute n. Personne qui pratique des massages ou fait faire des mouvements de gymnastique pour rééduquer des malades ou des blessés.
En abrégé : kiné.
*La **kinésithérapie**, est l'activité du kinésithérapeute.*

kiosque n. m. *1* Pavillon de jardin ouvert de tous côtés. *Un kiosque à musique.* *2* Petite boutique sur la voie publique. *Un kiosque à journaux, un kiosque à fleurs.*

a b c d e f g h i j k l m n o p q r s t u v w x y z

Kipling

Kipling Rudyard

Écrivain britannique né en 1865 et mort en 1936. Né en Inde, alors sous domination britannique, Kipling est envoyé en pension en Angleterre. De retour en Inde en 1882, il publie des nouvelles, dont plusieurs relatent la vie des Anglais dans l'empire colonial. Il connaît rapidement le succès. Il voyage ensuite beaucoup, en Chine, au Japon, aux États-Unis.

Son œuvre la plus célèbre est *le Livre de la Jungle* (1894), dans lequel il met en scène Mowgli, le petit d'homme qui, après avoir vécu auprès des animaux, rejoint le monde des humains. Kipling publie d'autres livres pour enfants : *Histoires comme ça pour les enfants* (1902), *Puck, lutin de la colline* (1906). On lui doit aussi un roman d'aventures, *Capitaines courageux* (1897), un roman tiré de son enfance, *Kim* (1901), et de nombreux poèmes. Kipling reçoit le prix Nobel de littérature en 1907.

Kirghizistan

République d'Asie centrale. Le Kirghizistan est limité au nord par le Kazakhstan, à l'est par la Chine, au sud par le Tadjikistan et à l'ouest par l'Ouzbékistan. C'est un pays montagneux (pic Pobedy : 7 439 m) au climat continental. Le Kirghizistan pratique l'agriculture et l'élevage. L'industrie se fonde sur l'exploitation des ressources du sous-sol (charbon, antimoine) et sur l'activité agroalimentaire. Ancienne république de l'URSS jusqu'en 1991, cet État est ensuite devenu indépendant.

199 900 km²
5 067 000 habitants :
les Kirghiz
Langues : kirghize, russe
Monnaie : som
Capitale : Bichkek

Kiribati

République de l'océan Pacifique, située de part et d'autre de l'équateur. Le Kiribati est un archipel qui compte 33 îles réparties sur environ 5 millions de km². Le climat est tropical, marqué par de longues périodes de sécheresse. Les typhons sont fréquents. L'économie des îles se fonde sur l'agriculture (noix de coco, bananes, algues) et sur la pêche. Sous domination britannique à partir de 1892, le Kiribati devient indépendant en 1979. Il est membre du Commonwealth.

728 km²
86 000 habitants :
les Kiribatiens
Langue : anglais
Monnaie : dollar australien
Capitale : Bairiki

kirsch n. m. Eau-de-vie de cerises.

kit n. m. Objet ou meuble vendu en pièces détachées que l'acheteur assemble lui-même. *Acheter une armoire en kit.*
Mot anglais qui se prononce [kit].

kiwi n. m. *1* Oiseau de Nouvelle-Zélande aux ailes très réduites et au long bec. *2* Fruit exotique à peau brune et à chair verte et juteuse.

Klaxon n. m. Avertisseur sonore d'automobile.
Mot anglais qui se prononce [klakson]. Ce mot s'écrit avec une majuscule car c'est le nom d'une marque.
Les voitures du mariage sont passées en klaxonnant, en faisant fonctionner leur Klaxon.

K.-O. adj. inv. Hors de combat. *Le boxeur a été mis K.-O. par son adversaire.*
On prononce [kao]. K.-O. est l'abréviation de l'anglais knock-out.

koala n. m. Petit mammifère d'Australie de la famille des marsupiaux qui vit dans les arbres.

Ressemblant à un petit ours, le koala mesure de 60 à 80 cm de longueur ; il a le museau court, la tête ronde

et deux larges oreilles. Ses doigts sont munis de griffes et sa fourrure épaisse est générale-ment grise. Il vit dans les arbres, des eucalyp-tus dont il consomme les feuilles. Le koala est un mammifère marsupial, comme le kangourou : la femelle porte une poche sur le ventre, dans laquelle se développe son petit.

Koweït

Émirat de la pénin-sule ara-bique. Le Koweït est ouvert sur la mer au nord-est du golfe Persique. Il est limité au nord par l'Irak, au sud par l'Arabie saoudite et à l'ouest par l'Iran. À part quelques oasis, le territoire, uniformément plat, est désertique. Le climat est sec et chaud. Ne possédant pas de cours d'eau, le pays doit dessaler l'eau de mer pour obtenir de l'eau potable. La population se concentre dans les villes du littoral. Le Koweït tire 90 % de ses ressources de l'exploitation du pétrole et du gaz naturel, dont il possède des réserves très importantes.
Le niveau de vie des Koweïtiens est l'un des plus élevés du monde.

17 811 km²
2 443 000 habitants :
les Koweïtiens
Langue : arabe
Monnaie : dinar
Capitale : Koweït

Sous domination britannique à partir de 1914, le Koweït devient indépendant en 1961. En août 1990, il est annexé par l'Irak, puis libéré à la fin de la guerre du Golfe en février 1991.

kraft n. m. Papier d'emballage très résistant.

Kremlin

Enceinte fortifiée du centre de Moscou, la capitale de la Russie. Le Kremlin est situé entre la place Rouge et la Moskova (la rivière qui traverse la ville). Les murailles fortifiées en brique rouge font une vingtaine de mètres de hauteur, sont longues de deux kilomètres et comptent dix-neuf tours – *kremlin* signifie, en russe, forteresse. À l'intérieur de l'enceinte se trouvent, notamment, plusieurs cathédrales des XVᵉ et XVIᵉ siècles et des palais d'époques diverses.
Autrefois résidence des tsars, puis siège du gouvernement de l'URSS, le Kremlin est aujourd'hui le siège offi-ciel du gouvernement de Russie et la résidence de son président.

kung-fu n. m. Sport de combat d'origine chinoise. **On prononce** [kuɲfu].

Le kung-fu est un art martial chinois très ancien, probablement apparu au VIᵉ siècle. Il est proche du karaté, à la différence que les coups sont réellement portés, ce qui en fait un sport de combat dangereux. La technique, aux styles très variés, nécessite un long entraîne-ment. Les coups se don-nent avec les mains ouvertes, les poings et les pieds. De nom-breuses prises entraînent immobilisa-tions et étranglements. On peut aussi combattre avec des armes.

kyrielle n. f. Grande quantité. *Il nous a lancé une kyrielle d'injures.*

kyste n. m. Petite grosseur anormale qui se forme sous la peau ou dans un organe. *Elle vient juste d'être opérée d'un kyste.*

Ll

LUCY

Lucy n'a pas beaucoup réfléchi.

l' art. → **le.**

1. la art. → **le.**

2. la n. m. inv. Sixième note de musique de la gamme.

là adv. *1* Dans un lieu autre qu'ici. *J'habite ici, elle habite là. 2* Précédé d'un trait d'union, sert à renforcer l'adjectif démonstratif. *C'est cette montre-là que je voudrais. 3 Là-bas :* au loin. *4 Là-haut :* dans un lieu situé au-dessus.

label n. m. Marque apposée sur certains produits pour en garantir l'origine et la qualité.

labeur n. m. Littéraire. Travail long et pénible.

laboratoire n. m. Lieu aménagé pour faire des expériences et des recherches scientifiques, des analyses biologiques, ou pour développer des photos.

laborieux, euse adj. Qui coûte beaucoup de travail et d'efforts. *Mener des recherches laborieuses.*
  Il est arrivé laborieusement à avoir son examen, d'une façon laborieuse, avec difficulté.

labourer v. → conjug. **aimer.** Retourner la terre avec une charrue. *On pratique les labours entre deux cultures,* le travail consistant à labourer la terre. *Le labourage se faisait autrefois avec un cheval,* l'action de labourer. *Le laboureur* est le paysan qui laboure son champ.

labrador n. m. Chien de chasse à poil ras, noir ou crème.
  Très docile, le labrador est souvent utilisé comme chien d'aveugle.
  C'est un excellent nageur.

labyrinthe n. m. Réseau compliqué de chemins, de rues, de couloirs dans lequel on se perd facilement. *Un labyrinthe de ruelles.*
Synonyme : dédale.

lac n. m. Grande étendue d'eau douce.
Homonyme : laque.

lacer v. → conjug. **tracer.** Attacher avec un lacet. *Lacer ses chaussures.*

lacérer v. → conjug. **digérer.** Mettre en lambeaux, déchirer. *Lacérer une affiche, un livre.*

lacet n. m. *1* Petit cordon servant à attacher des chaussures. *2* Suite de virages très serrés. *Route de montagne en lacets.*

lâche adj. et n.
  ● adj. et n. Qui manque de courage, qui fuit le danger ou les difficultés. *Un lâche attentat. Ne compte pas sur lui, c'est un lâche.*
Contraires : audacieux, brave, hardi.
  Le juge a été lâchement assassiné, d'une manière lâche.

• adj. Qui n'est pas tendu ou qui n'est pas serré. *Ressort lâche. Nœud lâche.*

lâcher v. → conjug. **aimer.** *1* Cesser de tenir ou de retenir. *Lâcher un ballon. Lâcher les chiens.* *2* Céder, casser. *Moteur qui lâche.* *3* Abandonner, laisser tomber. *Lâcher ses études. Lâcher un ami.*

Ce **lâcheur** est parti au moment de payer l'addition, il nous a lâchés (*3*).

lâcheté n. f. *1* Caractère d'une personne lâche. *Il a laissé accuser un innocent par lâcheté.* *2* Action basse, vile. *Commettre une lâcheté.*
Contraire : courage.

lacis n. m. Réseau serré de choses entrelacées. *Un lacis veineux.*
On prononce [lasi].

laconique adj. Qui est exprimé avec peu de mots, qui est bref et concis. *Le style laconique d'une lettre.*

Il a répondu **laconiquement**, d'une manière laconique.

lacrymogène adj. Qui fait pleurer. *Gaz, bombe lacrymogènes.*

lactaire n. m. Champignon qui laisse écouler un lait blanc ou coloré quand on le brise.

lacté, ée adj. *1* Qui contient du lait. *Dessert, farine lactés.* *2* Voie lactée : immense traînée d'étoiles que l'on peut voir par nuit claire.

lacune n. f. Manque, insuffisance, par ignorance ou déficience. *Il a de grosses lacunes en mathématiques.*

lacustre adj. Qui vit ou se trouve dans un lac ou au bord d'un lac.

Les habitations lacustres sont soutenues par des pieux plantés dans l'eau et appelés pilotis. On trouve ce genre d'habitat en Extrême-Orient et en Afrique, ainsi qu'en Amérique du Sud et en Nouvelle-Guinée.

Maisons lacustres au Bénin en Afrique.

La Fayette

Général et homme politique français né en 1757 et mort en 1834. Marie Joseph Gilbert Motier, marquis de La Fayette, s'illustre en soutenant à partir de 1777 la cause de l'indépendance américaine. Il participe sur place au combat contre les Anglais. Rentré en France, député de la noblesse, il prend part aux États généraux de 1789 qui marquent les débuts de la Révolution française. Partisan d'une monarchie constitutionnelle, La Fayette tente en vain de concilier la royauté avec la Révolution. Éloigné de la politique sous Napoléon Ier, il redevient député en 1815. Il participe à la révolution de juillet 1830, qui permet à Louis-Philippe de devenir roi (monarchie de Juillet).

La Fontaine Jean de

Poète français né en 1621 et mort en 1695. Grâce à son poème *Adonis* (1658), La Fontaine est remarqué par Fouquet, surintendant général des Finances de Louis XIV, qui lui offre sa protection. Quand Fouquet est chassé du pouvoir, il prend sa défense dans *Élégie aux nymphes de Vaux* (1661). Ensuite, sous la protection de la duchesse d'Orléans puis de Mme de La Sablière, La Fontaine publie ses *Fables* (1668-1694), qui lui apportent la célébrité. Il y met en scène des animaux dont les traits de caractère et les défauts sont ceux des hommes. On peut citer, parmi les plus connues, *la Cigale et la Fourmi*, *le Corbeau et le Renard* et *le Lièvre et la Tortue.*

lagon n. m. Étendue d'eau séparée de la pleine mer par un récif de corail.

Le lagon peut se trouver à l'intérieur d'un atoll (barrière circulaire de récifs coralliens) ou entre une côte et une barrière de corail parallèle.

barrière de corail

lagon

lagune n. f. Étendue d'eau séparée de la pleine mer par une bande de sable. *Venise est construite sur une lagune.*

laïc n. m. → **laïque**.

laïcité n. f. Caractère de ce qui est laïque, indépendant de toute religion. *La laïcité de l'État, de l'enseignement public.*

laid, laide adj. Qui n'est pas agréable à regarder, qui est disgracieux, vilain. *Un visage laid, un tableau laid.*
Homonymes : laie, lait, les.
> *Ce monument est remarquable par sa laideur, son caractère laid.*

laie n. f. Femelle du sanglier. *Une laie et ses marcassins.*

lainage n. m. Tissu de laine ou vêtement en laine.

laine n. f. Toison du mouton et de certains mammifères, dont on utilise les fibres comme textile. *Pelote de laine. Pull-over, manteau, tapis en laine.*
> *Il a des cheveux laineux, qui ont l'aspect de la laine. L'industrie lainière concerne la production et la transformation de la laine.*

laïque adj. et n.
• adj. *1* Qui est indépendant de toute religion. *En France, l'enseignement public est laïque et obligatoire.*
Contraires : confessionnel, religieux.
• n. Chrétien qui ne fait pas partie du clergé. *L'entretien de l'église est assuré par des laïques.*
S'écrit aussi « laïc » au masculin.

laisse n. f. Lanière que l'on attache au collier d'un chien pour le tenir, le promener.

laisser v. → conjug. **aimer.** *1* Ne pas prendre ou ne pas emmener avec soi. *Laisser sa valise à la consigne. Laisser son enfant à la garde d'une nourrice. 2* Ne pas empêcher quelqu'un de faire quelque chose. *Laisse-moi parler. Laissez-la passer. Se laisser faire. 3* Confier ou donner quelque chose à quelqu'un. *Laisser un message. Laisser un pourboire. Laisser sa part de tarte à son frère. 4* Vendre à un prix avantageux, céder. *Je vous laisse le tout pour vingt euros. 5* Transmettre par voie de succession. Laisser une maison en héritage.*

laisser-aller n. m. inv. Manque de soin, négligence, relâchement. *Il y a du laisser-aller dans son travail.*

laissez-passer n. m. inv. Permis officiel et écrit d'entrer quelque part et d'y circuler.

lait n. m. Liquide blanc sécrété par les glandes mammaires d'une femme qui vient d'avoir un bébé, et par les femelles des mammifères. *Lait pasteurisé, stérilisé.*

Les yaourts, le fromage blanc, les desserts lactés sont des laitages, des aliments fabriqués à partir du lait. Les vaches laitières sont élevées pour produire beaucoup de lait. Dans une laiterie, le lait est transformé en beurre, en crème et en fromage. Avant la mode du bronzage, on aimait les teints laiteux, blancs comme du lait.

laitance n. f. Sperme des poissons.

laiterie n. f., **laiteux, euse** adj., **laitier, ère** adj. → **lait**.

laiton n. m. Alliage jaune de cuivre et de zinc. *Fil de laiton.*

laitue n. f. Variété de salade.

laïus n. m. Familier. Discours interminable. *Il a fait tout un laïus sur le rôle de l'éducation.*

lama n. m. *1* Mammifère sauvage ou domestiqué des régions montagneuses d'Amérique du Sud. *2* Moine bouddhiste, au Tibet.

Le lama appartient à la même famille que le chameau, mais ne possède pas de bosse. Il peut atteindre 1,30 m à l'épaule pour un poids de 150 kg. Son pelage est généralement bicolore (blanc et brun, gris ou noir). C'est un animal résistant utilisé pour le transport des marchandises. Il est aussi élevé pour sa chair, sa laine et son cuir, et pour le lait des femelles. Le lama manifeste son mécontentement en crachant.

lamantin n. m. Gros mammifère aquatique.

Le lamantin peut mesurer jusqu'à 4,50 m de longueur et peser 650 kg. Il a une queue aplatie et ses deux membres antérieurs lui servent de nageoires. C'est un animal herbivore qui se nourrit de plantes aquatiques. On le trouve dans les eaux tropicales atlantiques, en Amérique et en Afrique, près des côtes et dans les fleuves. On pense que le lamantin, dont le nom vient de son cri plaintif, est à l'origine du mythe des sirènes de l'Antiquité.

Poète et homme politique français né en 1790 et mort en 1869. Lamartine publie, en 1820, les *Méditations poétiques*. Ce recueil de poèmes rencontre un immense succès et marque en France les débuts du courant romantique, qui se fonde sur la libre expression des sentiments. Parmi ces poèmes, *le Lac* est resté le plus célèbre. Parallèlement à la littérature, Lamartine mène une carrière diplomatique et politique ; il est ministre des Affaires étrangères en 1848. Battu à l'élection présidentielle, il se retire de la vie politique. Ses autres œuvres comprennent les *Harmonies poétiques et religieuses* (1830), *Jocelyn* (1836) et *Graziella* (1852).

lambeau n. m. Morceau de tissu ou de papier déchiré. *Vêtement en lambeaux.*

lambin, ine adj. et n. Familier. Qui agit sans se presser. *Une fillette un peu lambine. Dépêche-toi de t'habiller ! Quel lambin !*
　Elle aime lambiner en rentrant de l'école, agir comme un lambin.

lambris n. m. inv. Revêtement décoratif, en bois ou en marbre, des murs ou du plafond d'une pièce.

lame n. f. *1* Partie tranchante d'un outil, d'un couteau. *Lame de ciseau, de rasoir, de scie, d'épée. 2* Morceau plat et étroit. *Lame de parquet. 3* Très grosse vague.

lamelle n. f. Fine tranche ou lame très mince. *Découper des champignons en lamelles.*

lamentable adj. *1* Navrant, pitoyable, désolant. *On l'a retrouvé ivre mort, dans un état lamentable. 2* Très mauvais. *Notre équipe a eu des résultats lamentables.*
　Leur expédition a échoué lamentablement, d'une façon lamentable.

se lamenter v. → conjug. **aimer.** Se répandre en lamentations, se plaindre. *Au lieu de te lamenter sur ton sort, agis !*
　Tu nous fatigues avec tes lamentations, le fait que tu te lamentes.

laminer v. → conjug. **aimer.** Étirer un métal pour le réduire en barres, en feuilles, en tôles en le faisant passer dans un laminoir.
　Un laminoir est une machine composée de deux cylindres d'acier tournant en sens inverse, entre lesquels on place le métal à laminer.

lampadaire n. m. Lampe montée sur un pied ou un support élevé.

lampe n. f. Appareil d'éclairage. *Lampe de bureau, lampe de chevet. Lampe de poche.*

lampion n. m. Lanterne à abat-jour en papier de couleur. *La place du village est décorée avec des lampions pour le bal.*

On appelle lampion, ou encore lanterne vénitienne, un cylindre de papier plissé et coloré à l'intérieur duquel est placée une bougie ou une ampoule. Le lampion peut être suspendu à un point fixe ou promené au bout d'un bâton lors d'un défilé.

lamproie n. f. Poisson de mer ou de rivière, sans écailles ni nageoires, ressemblant à une anguille.

lance n. f. *1* Ancienne arme composée d'un long manche terminé par une pointe en fer. *2 Lance à eau, à incendie :* tube en métal ajusté sur un tuyau d'arrosage pour diriger le jet d'eau.

lancée n. f. *Sur sa lancée :* en profitant de son élan. *Sur sa lancée, la moto renversa un spectateur.*

lance-flammes n. m. inv. Engin de combat qui projette un liquide enflammé.

lancement n. m. *1* Action de lancer. *Lancement du disque. Lancement d'une fusée. 2* Ensemble des actions publicitaires assurant la promotion d'un produit.

lance-pierres n. m. inv. Instrument à deux branches muni d'un élastique, servant à lancer des pierres.
Synonyme : fronde.

lancer v. et n. m.
　• v. → conjug. **tracer.** *1* Envoyer loin de soi. *Lancer un ballon, une pierre. 2* Émettre. *Lancer un appel, un message, une invitation. 3* Pousser en avant, mettre en mouvement. *Lancer un moteur, un navire. 4* Mettre en circulation sur le marché, faire connaître au public. *Lancer un produit, un acteur, une mode. 5 Se lancer dans quelque chose :* s'y engager avec détermination. *Elle s'est lancée dans l'étude du piano.*
　• n. m. Épreuve d'athlétisme consistant à lancer le plus loin possible un disque, un poids, un javelot ou un marteau.

lanceur n. et n. m.
● n. Athlète spécialiste du lancer.
● n. m. Fusée destinée à lancer un engin spatial.

lancinant, ante adj. *Douleur lancinante :* vive et qui se manifeste par des élancements répétés.

landau n. m. **Plur. : des landaus.** Voiture pour bébé à hautes roues et à capote.

lande n. f. Région couverte d'une végétation rase de bruyères, de genêts et d'ajoncs. *La lande bretonne.*

Landes

Grande région du sud-ouest de la France, située en bordure de l'océan Atlantique. Les Landes sont, à l'origine, une plaine aux immenses étendues désolées occupées par des marécages. On y pratique l'élevage des moutons, gardés par des bergers montés sur des échasses. Au début du XIXᵉ siècle, les Landes sont asséchées et plantées de pins maritimes. Aujourd'hui, la forêt couvre 1 million d'hectares ; c'est la plus vaste de France. Le parc naturel régional de Gascogne a été créé en 1970.

langage n. m. *1* Faculté propre à l'homme de s'exprimer et de communiquer au moyen de la parole. *2* Ensemble des signes permettant de communiquer. *Le langage des sourds-muets. Le langage des dauphins. Les langages informatiques. 3* Façon de s'exprimer d'une personne ou d'un groupe. *Langage courant, familier, littéraire. Langage technique, juridique.*

lange n. m. Grand tissu de laine ou de coton dont on emmaillotait autrefois les bébés de la taille aux pieds. *Langer un bébé,* c'est lui mettre un lange ou une couche.

langoureux, euse adj. Plein de langueur, alangui. *Un regard langoureux. Une danse langoureuse.*

langouste n. f. Gros crustacé marin.

La langouste a de très longues antennes mais, contrairement au homard, ne possède pas de pinces. Dotée de cinq paires de pattes, elle mesure jusqu'à 40 cm de longueur. Son abdomen se termine par une nageoire qui a la forme d'un éventail. Selon les espèces, sa couleur varie du brun-roux au vert ou au rouge orangé. Les langoustes sont très recherchées pour leur chair délicieuse.

langoustine n. f. Petit crustacé marin aux longues pinces étroites.

langue n. f. *1* Organe mobile, placé dans la bouche. *2* Système de mots et de règles utilisé par un groupe pour parler et écrire. *La langue maternelle est celle dans laquelle on a appris à parler. Apprendre une langue étrangère. 3* Langage qui caractérise une époque, un milieu ou un domaine particulier. *La langue populaire. La langue littéraire. 4 Avoir la langue bien pendue :* parler beaucoup et avec facilité. *5 Ne pas avoir la langue dans sa poche :* avoir le sens de la repartie. *6 Savoir tenir sa langue :* savoir garder un secret. *7 Mauvaise langue* ou *langue de vipère :* personne qui dit du mal des autres.

La langue porte à sa surface les papilles, qui permettent de percevoir le goût. Elle joue aussi un rôle important dans la mastication et la déglutition des aliments, ainsi que dans la parole.
La langue présente des aspects différents selon les animaux : elle est courte et râpeuse chez le chat, longue et gluante chez les fourmiliers, séparée en deux parties (bifide) chez les serpents…
Regarde aussi p. 614 et 615 et goût.

Chez l'homme, la langue est composée de plus d'une quinzaine de muscles.

Languedoc

Ancienne province du sud de la France, située entre le Massif central et la Méditerranée. Sous l'Ancien Régime, le sud de la France est le pays de la langue d'oc (*oc* signifie «oui»), qui s'oppose à la langue d'oïl, parlée dans le Nord. La capitale du Languedoc est Toulouse. Occupée par les Romains vers 120 av. J.-C., la province subit les invasions barbares des Vᵉ et VIIIᵉ siècles. Rattachée au royaume de France au XIIIᵉ siècle, elle connaît au XVIᵉ siècle les luttes sanglantes des guerres de Religion, qui opposent les protestants et les catholiques.

languette n. f. Morceau de cuir protégeant le dessus du pied, qui ressemble à une petite langue.

langueur n. f. État d'âme mélancolique et rêveur ou manque d'énergie, de dynamisme. *La langueur des villes du Midi à l'heure de la sieste.*

languir v. → conjug. **finir**. *1* Attendre impatiemment une personne ou une chose qui manque.

Il languit de la revoir. **2** Manquer d'entrain, traîner en longueur. *La conversation languit, les invités commencent à s'ennuyer.*

La conversation devenait languissante et morne, elle languissait (2).

lanière n. f. Longue et étroite bande de cuir ou de tissu. *Sandales à lanières.*

lanterne n. f. Boîte vitrée contenant une source lumineuse, qu'on peut tenir à la main.

Laon

Ville française de la Région Picardie, située sur une butte dominant la plaine de Champagne. Laon est un centre administratif. La vieille ville, entourée de remparts et de portes fortifiées, possède des monuments anciens dont une cathédrale gothique des XIIe et XIIIe siècles, la cathédrale Notre-Dame. Laon devient un évêché dès le Ve siècle. C'est une ville importante sous la dynastie des Carolingiens et celle des Capétiens ; elle reste un centre intellectuel reconnu durant tout le Moyen Âge.

02

Préfecture de l'Aisne
27 878 habitants : les Laonnois

Laos

236 800 km²
5 529 000 habitants :
les Laotiens
Langues : lao, dialectes,
français, anglais
Monnaie : kip
Capitale : Vientiane

République populaire démocratique du sud-est de l'Asie. Le territoire du Laos est montagneux et en grande partie couvert par la forêt. À l'ouest coule le Mékong, un long fleuve qui permet l'irrigation des cultures. Le climat est tropical avec une saison de pluies (mousson) et une saison sèche. Le Laos est le pays le moins peuplé d'Asie du Sud-Est. La culture du riz et l'exploitation de la forêt représentent l'essentiel des ressources. Sous domination française à partir de la fin du XIXe siècle, le Laos devient indépendant en 1949. La République populaire démocratique est proclamée en 1975.

La Palice Jacques II (seigneur de)

Militaire français né vers 1470 et mort en 1525. La Palice participe aux guerres d'Italie sous les rois Charles VIII, Louis XII et François Ier. Après la bataille de Marignan (1515), François Ier le nomme maréchal de France. La Palice meurt à la bataille de Pavie en 1525. Ses soldats composent une chanson à sa gloire, dont un couplet a été détourné en : «Un quart d'heure avant sa mort, il était encore en vie.» C'est pourquoi on dit une «vérité de La Palice» ou une «lapalissade» pour parler de façon moqueuse d'une phrase qui énonce une évidence.

lapalissade n. f. Vérité évidente. *«Il vaut mieux être riche et bien portant que pauvre et malade» est une lapalissade.*

laper v. → conjug. **aimer.** Boire à coups de langue. *Le chat, le chien lapent l'eau de leur écuelle.*

lapereau, eaux n. m. Jeune lapin.

lapidaire adj. Bref et concis, laconique. *Style lapidaire.*

lapider v. → conjug. **aimer.** Tuer quelqu'un en lui lançant des pierres.

lapin, ine n. Petit mammifère rongeur à longues oreilles, élevé pour sa chair et sa fourrure.

laps n. m. *Laps de temps :* espace, intervalle de temps, en général court. *Après un certain laps de temps, il revint à lui.*
On prononce [laps].

lapsus n. m. Emploi involontaire d'un mot pour un autre, en parlant ou en écrivant.
On prononce [lapsys].

laquais n. m. Autrefois, valet qui portait la livrée, l'uniforme de la maison pour laquelle il travaillait.

laque n. f. **1** Résine brun-rouge produite par certains arbres d'Extrême-Orient, entrant dans la composition d'un vernis. **2** Peinture résistante à l'aspect brillant. **3** Produit que l'on vaporise sur les cheveux pour les fixer.
Homonyme : lac.

Laquer un meuble, c'est le recouvrir de laque (1) ou (2).

laqué, ée adj. *Canard laqué :* canard que l'on badigeonne d'une sauce aigre-douce en cours de cuisson, spécialité de la cuisine chinoise.

laquelle pron. → **lequel.**

laquer v. → **laque.**

larcin n. m. Petit vol. *Commettre de menus larcins.*

les langues

L'espèce humaine se caractérise par sa capacité à s'exprimer.
Le langage est commun à tous les êtres humains. Mais l'organisation des
sons en mots et en phrases pour communiquer varie selon les peuples ;
la langue est ce qui distingue chacun d'eux.

qu'est-ce qu'une langue ?

■ Chaque langue possède ses particularités (sons, organisation des mots dans la phrase) qui sont définies par sa grammaire. La grammaire varie d'une langue à l'autre.

■ Les langues nationales se présentent sous deux aspects : l'oral et l'écrit. Toutefois certains parlers de minorités africaines ou amérindiennes, et quelques dialectes n'ont pas de transcriptions écrites.
■ Il existe des familles de langues. Ainsi des liens de parenté se retrouvent entre les langues de l'Europe et celles du nord de l'Inde, formant la famille « indo-européenne ». Plus de 1,5 milliard de personnes parlent une langue appartenant à cette famille. Il existe d'autres familles : afro-asiatique (Afrique, Asie), chamito-sémitique (Proche-Orient, nord de l'Afrique).
■ Au Mexique, en Espagne et en Turquie, quelques personnes utilisent encore des langues sifflées : elles s'appellent, s'interpellent en modulant des sifflements. En Afrique du Sud, existent des « langues à clics », caractérisées par des claquements de langue.

les 12 championnes

Il y a plus de 4 000 langues dans le monde.
Voici les 12 les plus utilisées en millions de personnes :

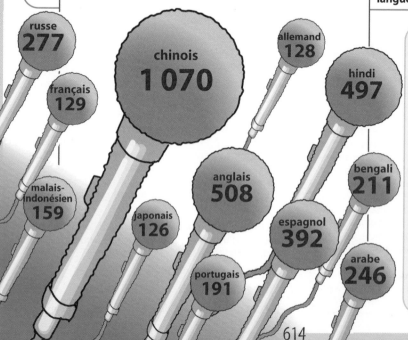

russe **277**

chinois **1 070**

allemand **128**

hindi **497**

français **129**

malais-indonésien **159**

japonais **126**

anglais **508**

espagnol **392**

bengali **211**

portugais **191**

arabe **246**

une langue unique ?

Depuis le XVIIIe siècle, on a cherché à mettre au point, sans succès, une langue universelle. Entre 500 et 600 langues ont été proposées ! Parmi elles, le *volapük* proposé en 1879 et surtout l'*esperanto* en 1887 qui a obtenu le plus grand succès sans pour autant s'imposer. Ce dernier a pourtant tout pour plaire : une grammaire en 16 règles ne comportant pas d'exceptions, pas de verbes irréguliers, un seul article… Aujourd'hui, l'esperanto a toujours ses adeptes et est employé dans le monde par près de 3 millions de personnes.

une longue histoire

Le serment de Strasbourg.

■ Le français, l'italien, l'espagnol, le portugais, le roumain sont des langues issues du latin. Le plus ancien texte écrit en français est le serment de Strasbourg (842), des petits-fils de Charlemagne, Charles le Chauve et Louis le Germanique s'alliant contre leur frère Lothaire pour la succession au trône.

■ Par l'ordonnance de Villers-Cotterêts signée par François Ier en 1539 , le français devient langue officielle à la place du latin. Cependant, jusqu'au XVIIIe siècle, les personnes cultivées continuent à s'exprimer en latin et des ouvrages savants sont encore publiés dans cette langue.

■ Au Moyen Âge, la France est partagée entre les langues d'oïl au nord de la Loire et les langues d'oc au sud, dialectes issus du latin.
De là naîtront des langues régionales comme le francien, le normand, le poitevin, le picard au nord, l'auvergnat, le gascon, le provençal, le languedocien au sud.

le français ailleurs

■ Aujourd'hui le français est employé par plus de 129 millions de personnes dans une trentaine de pays. En Europe on parle français en Belgique, en Suisse, au Luxembourg ; en Afrique, dans de nombreux États anciennement colonisés ; en Amérique, au Canada (Québec, Acadie), en Guyane ; dans le Pacifique, en Polynésie et en Nouvelle-Calédonie.
■ La grammaire française est la même dans tous les pays francophones, mais certains mots n'ont pas le même sens d'un pays à l'autre. Le dîner, par exemple, est le repas familial du soir en France alors qu'il est celui du midi en Belgique, au Canada et en Suisse. Dans ces pays, le souper est le repas familial du soir et on déjeune le matin et non le midi.
■ Chaque pays crée les mots propres à son environnement. Parfois, ces mots viennent du vieux français.
■ Quant aux Canadiens français, entourés d'anglophones, ils mènent une lutte beaucoup plus intensive que les Français contre les multiples emprunts américains.

Le français du Québec

Quelques exemples

amanchure n.f. Mauvais montage, mauvaise affaire, mauvaise organisation.

carreauté adj. En motifs de carreaux. *Une veste carreautée.*

char n. m. Automobile.

courriel n. m. E-mail.

croche n. m. Courbe, détour d'un chemin. *Il a pris le croche.*

débarque n. f. *1* Chute. *2* *Prendre une débarque :* Tomber.

débarquer v. Descendre (d'un véhicule).

embarquer v. *1* Tromper, berner quelqu'un. *2* Monter (dans un véhicule).

garrocher v. Lancer. *Garrocher des cailloux.*

girafe n. m. Grande échelle des pompiers ou bras hydraulique portant une nacelle.

jongler v. int. Songer, réfléchir.

patate n. f. *1* Pomme de terre. *2* Le mort dans les jeux d'enfants. *3* *Faire patate :* rater.

poudrerie n. f. Neige légère soulevée par le vent et poussée en rafales.

traversier n. m. Ferry-boat.

verrat n. m. Fripouille. *Attends que je t'attrape, mon verrat !*

zarzais adj. et n.m. Niais.

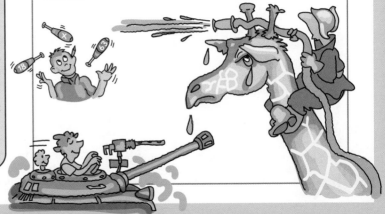

lard n. m. Épaisse couche de graisse que le porc a sous la peau.
On met des lardons dans les quiches, les omelettes.

larder v. → conjug. **aimer.** *1* Piquer avec des lardons. *Larder une viande.* *2* Transpercer, piquer à coups répétés. *Larder quelqu'un de coups de couteau.*

large adj. et n. m.
● adj. *1* Qui a une largeur de tant. *Ici le fleuve est large de 1 km.* *2* Dont la largeur est grande. *Une large avenue.* *3* Ample. *Un pantalon large du bas.* *4* Grand, important. *Il a été élu à une large majorité.* *5* Qui est compréhensif, ouvert, tolérant. *Avoir les idées larges.* *6* Généreux. *Il n'a pas été large avec toi, il ne t'a pas donné beaucoup.*
Profiter des largesses de quelqu'un, du fait qu'il se montre large (*6*).
Contraires : étroit (*1, 2* et *3*), serré (*3*), petit, court (*4*), borné (*5*), mesquin (*6*).
● n. m. *1* Largeur. *Le salon a 4 mètres de large.* *2* Pleine mer. *Vent du large.* *3* *Être au large :* avoir beaucoup d'espace ou être dans une situation financière confortable. *4* *Prendre le large :* prendre la fuite.

largement adv. *1* D'une manière large, ample. *Ouvrir largement la fenêtre.* *2* Suffisamment. *Tu as largement le temps. Être largement payé.*

largesses n. f. plur. → **large.**

largeur n. f. *1* La plus petite dimension d'une surface. *Cette étagère a 1 m de longueur et 30 cm de largeur.* *2* *Largeur d'esprit :* qualité d'une personne ouverte aux idées des autres, tolérante.

larguer v. → conjug. **aimer.** *1* Détacher les cordages, les voiles d'un bateau. *2* Laisser tomber du haut d'un avion. *Larguer des bombes.*

larme n. f. *1* Liquide salé qui s'écoule de l'œil. *Pleurer à chaudes larmes.* *2* Très petite quantité de boisson. *Encore une larme de cognac ?*

larmoyer v. → conjug. **essuyer.** *1* Avoir les yeux qui pleurent. *La fumée de tabac me fait larmoyer.* *2* Se lamenter, pleurnicher. *Cesse de larmoyer sur ton sort !*

La Rochelle

Ville française de la Région Poitou-Charentes, située en bordure de l'océan Atlantique. La Rochelle est un port de pêche et de commerce et une ville touristique ; elle est reliée par un pont à l'île de Ré, voisine. La cité conserve des monuments importants : l'Hôtel de ville de style Renaissance, les trois tours du port (XIVe et XVe siècles), vestiges de l'ancienne enceinte, et la porte de la Grosse-Horloge (XIIIe siècle). La Rochelle accueille chaque année un festival de chanson francophone, les *Francofolies.* Tour à tour sous domination française et anglaise, la ville revient définitivement au royaume de France en 1372. En 1627, devenue protestante, elle subit un siège de quatorze mois mené par Richelieu, qui fait raser les remparts.

17 *Préfecture de la Charente-Maritime*
80 055 habitants : les Rochelais

La Roche–sur–Yon

Ville française de la Région Pays-de-la-Loire, située sur les bords de l'Yon. La Roche-sur-Yon est surtout un centre administratif et commercial. La ville a un tracé géométrique. Incendiée et ruinée lors des guerres de Vendée entre 1793 et 1796, elle est transformée en 1804 en place militaire par Napoléon Ier, qui lui donne le nom de Napoléon-Vendée. Elle s'appelle Bourbon-Vendée sous la Restauration, puis Napoléon-Vendée sous le second Empire. Elle retrouve son nom d'origine en 1871.

85 *Préfecture de la Vendée*
52 947 habitants : les Yonnais

larve n. f. Forme des insectes ou des amphibiens avant leur état adulte. *La chenille est la larve du papillon, le têtard est la larve de la grenouille.*

larynx n. m. Organe creux situé entre le pharynx et la trachée, qui contient les cordes vocales.

las, lasse adj. *1* Qui est fatigué ou qui exprime la fatigue. *Être las de marcher. Un regard las.* *2* Qui est découragé, qui en a assez. *Je suis lasse d'attendre de ses nouvelles.*
Au masculin, « las » se prononce [la].
Son regard, sa démarche expriment la lassitude, l'état de quelqu'un de las (*1* ou *2*).

lasagnes n. f. plur. Pâtes alimentaires en larges rubans, disposées en couches alternées avec de la viande hachée, gratinées au four.

Lascaux

Grotte préhistorique française située près du village de Montignac, en Dordogne. La grotte de Lascaux est composée de deux grandes salles et de plusieurs galeries. Elle compte de nombreuses gravures et peintures qui remontent à 15 000 ans av. J.-C., considérées comme des chefs-d'œuvre de l'art du paléolithique. On y voit des représentations d'animaux (bisons, cerfs, bouquetins, félins, ours…) et de scènes de chasse, ainsi que plusieurs signes dont le sens reste mystérieux. La grotte de Lascaux est découverte par quatre jeunes garçons en 1940. Ouverte au public en 1948, elle est fermée en 1963 pour cause de détérioration. Une reconstitution fidèle exécutée à proximité, Lascaux II, reçoit les visiteurs depuis 1985.

laser n. m. Appareil qui produit un faisceau de lumière très concentrée, utilisé dans de nombreuses techniques. *Platine, imprimante laser.*
Mot anglais qui se prononce [lazɛʀ].

Le mot laser est un sigle anglais (*Light Amplification by Stimulated Emission of Radiation*, ce qui veut dire «amplification de la lumière par émission stimulée de radiations»). Ce dispositif permet de rassembler et de concentrer les rayons lumineux en un étroit faisceau qui peut être dirigé très précisément. Ces rayons ne sont pas seulement ceux de la lumière visible ; ce sont aussi des rayons X, ultraviolets… Inventé à la fin des années 1950, le laser est actuellement utilisé dans de nombreux domaines : médecine, industrie, recherche scientifique, photographie…

lasser v. → conjug. **aimer. 1** Fatiguer en ennuyant. **2** Décourager. *Se lasser de chercher du travail sans en trouver.*
Il commence à être lassant avec ses plaintes perpétuelles, il me lasse (*1*).

lasso n. m. Longue corde à nœud coulant. *Les cowboys capturent les chevaux sauvages au lasso.*

latent, ente adj. Qui existe sans se manifester, en restant caché. *Une révolte qui reste à l'état latent.*

latéral, ale, aux adj. Qui se trouve sur le côté. *Sortir par une porte latérale.*

latex n. m. Sécrétion blanchâtre de certaines plantes. *Le caoutchouc est fabriqué avec le latex de l'hévéa.*

latin n. m. Langue des Romains de l'Antiquité, dont sont issues plusieurs langues dont le français.

latitude n. f. **1** Faculté, liberté d'agir. *Je te laisse toute latitude pour organiser ton travail.* **2** Distance qui sépare un point de la surface terrestre de l'équateur.

La latitude donne, avec la longitude, les coordonnées géographiques exactes d'un lieu. Il existe une latitude nord et une latitude sud. La latitude s'exprime en degrés (de $0°$ à $90°$).
Par exemple, Paris est à la latitude nord de $48°$ 50. Cela signifie que le point où se trouve Paris forme, avec le centre de la Terre et l'équateur, un angle de $48°$ 50.

La Tour Georges de

Peintre français né en 1593 et mort en 1652. En 1639, La Tour est nommé peintre ordinaire du roi par Louis XIII. S'inspirant des œuvres du Caravage, un grand peintre italien, il réalise des compositions où les jeux d'ombre et de lumière créent une atmosphère souvent mystérieuse. Le contraste est saisissant entre le fond sombre, généralement noir, et la clarté qui illumine les visages et le centre de la scène. La Tour traite des thèmes religieux (*l'Adoration des bergers, le Reniement de saint Pierre, Saint Joseph charpentier*) et des scènes de la vie quotidienne (*le Tricheur à l'as de carreau, la Diseuse de bonne aventure*). Longtemps oublié, il redevient célèbre au début du xxᵉ siècle.

Le Tricheur à l'as de carreau

latte n. f. Long morceau de bois étroit. *Les lattes du plancher. Sommier à lattes.*

lauréat, ate n. Personne qui a remporté un prix dans un concours.

laurier n. m. Arbuste à feuillage persistant.

Le laurier-sauce est un arbuste des régions méditerranéennes aux feuilles coriaces vert sombre et aux petites fleurs blanchâtres. Ses feuilles, au parfum aromatique, sont utilisées en cuisine. Il ne faut pas le confondre avec le laurier-cerise, utilisé dans les haies et dont les fruits sont toxiques, ni avec le laurier-rose, arbuste ornemental dont toutes les parties sont dangereuses.

Laurier-sauce.

lavable adj. → **laver**.

lavabo n. m. Cuvette à hauteur de table, munie d'un robinet et d'un tuyau d'évacuation, servant à faire sa toilette.

lavage n. m. → **laver**.

Laval

Ville française de la Région Pays-de-la-Loire, située sur les bords de la Mayenne. Laval est un centre industriel actif (constructions mécaniques et électriques surtout). La vieille ville abrite un château des XIIe et XVIe siècles et un château de la Renaissance, une cathédrale et des églises anciennes comme l'église romane de Notre-Dame-de-Pritz. Un pont du XIIIe siècle enjambe la Mayenne. Le musée d'Art naïf possède de nombreuses œuvres du Douanier Rousseau (1844-1910), peintre natif de la ville. En 1793, Laval est au cœur de la guerre de Vendée et voit s'affronter royalistes et républicains.

53

Préfecture de la Mayenne
54 379 habitants : les Lavallois

lavande n. f. Plante à fleurs très odorantes. *Un savon à la lavande.*

La lavande est une plante aromatique originaire des bords de la Méditerranée. Ses feuilles, de couleur vert cendré, sont étroites et allongées en fer de lance. La floraison a lieu en été. Les fleurs, groupées en épis au sommet des fines tiges, sont bleues ou violettes.

Elles sont très odorantes et fournissent l'huile de lavande utilisée en parfumerie. Séchées et mises en sachets, elles servent à parfumer le linge et à éloigner les mites. La lavande est surtout cultivée dans le sud de la France.

lave n. f. Matière en fusion qui sort d'un volcan en éruption et qui, en se refroidissant, donne une roche volcanique. *Coulée de lave.*

lave-linge n. m. inv. Machine à laver le linge.

laver v. → conjug. **aimer**. *1* Nettoyer avec de l'eau, du savon, de la lessive, etc. *Laver le sol à grande eau. Se laver les dents, la figure. Laver sa voiture. 2* Se laver les mains de quelque chose : décliner toute responsabilité.

Ce pull a rétréci au **lavage**, quand on l'a lavé. *On a choisi pour la cuisine une peinture* **lavable**, que l'on peut laver. *Il va porter ses vêtements à la* **laverie** *automatique*, un endroit où l'on lave son linge dans une machine moyennant paiement. *Le* **laveur** *de carreaux nettoie les vitres chaque mois*, une personne dont le métier est de laver. *Autrefois, les femmes lavaient leur linge au* **lavoir** *du village*, un bassin public aménagé.

lave-vaisselle n. m. inv. Machine à laver la vaisselle.

lavoir n. m. → **laver**.

Lavoisier Antoine Laurent de

Chimiste français né en 1743 et mort en 1794. Membre de l'Académie des sciences, Lavoisier est aussi fermier général du royaume à partir de 1779, chargé de percevoir l'impôt. Lavoisier est considéré comme le père de la chimie moderne. Il est le premier à montrer que, lors d'une réaction chimique, même s'il y a changement d'état de la matière, il y a toujours conservation de la quantité de matière : «Rien ne se perd, rien ne se crée, tout se transforme.» Il découvre aussi la composition de l'eau et montre le rôle de l'oxygène dans la combustion et dans la respiration des êtres vivants. Mais, en 1793, Lavoisier est arrêté avec les autres fermiers généraux ; il est guillotiné en 1794.

laxatif n. m. Médicament contre la constipation.

laxisme n. m. Indulgence excessive.

On reproche à ce professeur d'être **laxiste**, de faire preuve de laxisme.

layette n. f. Ensemble des vêtements d'un nourrisson. *Tricoter de la layette.*

1. le, la, les art. Articles définis masculin, féminin, pluriel. *Le fils et la fille de l'agriculteur aident à faire les foins.*

« Le » et « la » deviennent « l' » devant une voyelle ou un h muet : « l'abricotier », « l'hiver ».

2. le, la, les pron. Pronoms personnels masculin, féminin, pluriel de la troisième personne qui ont la fonction de complément. *C'est un bon livre, lis-le. Cette fille, je la connais.*

« Le » et « la » deviennent « l' » devant une voyelle ou un h muet : « Elle l'aime, son chat ! »

leader n. m. **1** Chef d'un parti politique, d'une organisation, meneur d'un groupe. **2** Concurrent ou équipe en tête d'une compétition sportive.

Mot anglais qui se prononce [lidœr].

lécher v. → conjug. **digérer**. Passer la langue sur une surface. *Chatte qui lèche ses petits.*

Leclerc

Militaire français, maréchal de France né en 1902 et mort en 1947. Son vrai nom est Philippe Marie de Hauteclocque. Leclerc s'illustre au cours de la Seconde Guerre mondiale en refusant la capitulation de la France et en rejoignant le général de Gaulle à Londres, en juillet 1940. Il est chargé par ce dernier de constituer la 2e division blindée afin de participer au débarquement en Normandie avec les troupes anglaises. Il entre dans Paris le 24 août 1944, et la garnison allemande se rend à lui. Leclerc libère ensuite Strasbourg et emmène sa division jusqu'en Bavière, en Allemagne. En 1945, il reçoit pour la France la capitulation du Japon. Il est élevé à la dignité de maréchal cinq ans après sa mort.

leçon n. f. **1** Ce qu'un maître donne à apprendre. *Apprendre sa leçon de géographie.* **2** Cours donné par un professeur à un élève ou à un petit groupe d'élèves. *Prendre des leçons de danse, de piano.* **3** Enseignement que l'on peut tirer d'une action, en particulier d'un échec. *Que cela te serve de leçon !*

lecteur, trice n. et n. m.
● n. Personne qui lit. *Courrier des lecteurs d'une revue. C'est un gros lecteur de bandes dessinées.*
● n. m. Appareil qui reproduit des sons enregistrés ou qui lit des informations. *Lecteur de cassettes, de vidéodisques, de C.D., de cédérom, de DVD.*

lecture n. f. **1** Action de lire. *Aimer la lecture. Être plongé dans la lecture d'un roman.* **2** Ce que l'on lit. *Apporter de la lecture à un malade hospitalisé.*

légal, ale, aux adj. Conforme à la loi. *Avoir l'âge légal pour travailler.*

Contraire : illégal.

*En France, l'instruction est **légalement** obligatoire de 6 à 16 ans, de manière légale. Des députés contestent la **légalité** de cette mesure, son caractère légal.*

légataire n. Personne qui bénéficie d'un héritage.

Synonyme : héritier.

légendaire adj. **1** Qui n'existe que dans les légendes. *La licorne est un animal légendaire.* **2** Qui est célèbre, fameux. *Ses colères sont légendaires.*

légende n. f. **1** Récit traditionnel à caractère merveilleux. *La légende de Robin des bois.* **2** Petit texte explicatif placé sous une photo ou un dessin.

léger, ère adj. **1** Qui pèse peu. *Une fillette légère.* **2** Qui est mince, a une faible épaisseur. *Une légère couche de neige. Une robe légère.* **3** Peu abondant. *Faire un dîner léger.* **4** Faible, peu important. *Une légère différence. Une brise légère.* **5** Peu intense, peu fort. *Un sommeil léger. Une odeur légère.* **6** Qui est sans gravité. *Une blessure légère. Un léger accrochage.* **7** Qui manque de sérieux, qui est frivole, superficiel. *Se montrer un peu léger.* **8** À la légère : sans réfléchir. *Lucy joue avec le feu, elle agit à la légère.*

Contraires : lourd (1), grave (6).

légèrement adv. **1** D'une façon légère. *Manger légèrement, s'habiller légèrement. Accélérer légèrement.* **2** À peine, un peu. *Il est légèrement plus grand que son cousin.* **3** Inconsidérément, sans réfléchir, à la légère. *Agir légèrement.*

légèreté n. f. **1** Caractère d'une chose légère. *La légèreté d'un bois, d'une étoffe.* **2** Agilité, grâce. *Marcher, bondir avec légèreté.* **3** Désinvolture, insouciance, irresponsabilité. *Faire preuve de légèreté.*

légion n. f. **1** Dans l'Antiquité romaine, armée composée de soldats à pied et à cheval. **2** Avec une majuscule. *Légion étrangère :* formation militaire française composée de volontaires français et étrangers. **3** Avec une majuscule. *Légion d'honneur :* décoration donnée en récompense de services civils et militaires rendus à la France.

légionnaire n. m. **1** Soldat d'une légion romaine. **2** Avec une majuscule. Soldat de la Légion étrangère.

législatif, ive adj. **1** Qui fait les lois. *Le pouvoir législatif est exercé par les sénateurs (au Sénat) et par les députés (à l'Assemblée nationale).* **2** *Élections législatives :* élections des députés par les citoyens.

législation n. f. Ensemble des lois d'un pays.

légitime adj. **1** Qui est reconnu par la loi. *Enfant légitime.* **2** Qui est juste, fondé, justifié. *Sa colère est légitime.*

*Il se révolte **légitimement** contre l'injustice qui lui est faite*, de façon légitime (**2**).

léguer v. → conjug. **digérer.** Donner par testament. *Faute d'héritier, il a légué tous ses biens à sa nièce.*
*Il a fait un **legs** à chacun de ses enfants*, il leur a légué quelque chose.

légume n. m. Plante potagère dont certaines parties se mangent.
Selon les espèces de légumes, on consomme les racines, les tubercules, les feuilles, les fruits, les bulbes, les tiges ou les graines.
Regarde p. 622 et 623.

leitmotiv n. m. inv. Phrase ou idée qui revient sans cesse. *Vivre à la campagne est devenu son leitmotiv.*
On prononce [lajtmɔtif] **ou** [lɛtmɔtiv].

Le Mans

Ville française de la Région Pays-de-la-Loire, située sur les bords de la Sarthe. Le Mans est un centre industriel (automobile surtout), commercial et universitaire. La vieille ville, entourée de murs gallo-romains du IIIᵉ siècle, compte de nombreux monuments anciens. Chaque année se déroulent sur son circuit des compétitions automobiles et motocyclistes, célèbres dans le monde entier, les *Vingt-Quatre Heures du Mans*. Ancienne cité gauloise conquise par les Francs au VIᵉ siècle, envahie par les Normands en 1063, elle est ensuite rattachée à l'Angleterre. Elle est réunie au royaume de France en 1481.

72 *Préfecture de la Sarthe*
150 605 habitants : les Manceaux

lémurien n. m.
Mammifère primate proche du singe.
Il existe une vingtaine d'espèces de lémuriens. Leur taille varie de 20 cm pour 65 g à 75 cm pour 10 kg. Ils ont un museau pointu, de gros yeux ronds dirigés vers l'avant et une longue queue souvent touffue. La plupart sont nocturnes et vivent dans les arbres. Selon les espèces, ils se nourrissent de végétaux, d'insectes, ou bien des deux. On en trouve surtout à Madagascar, mais aussi dans quelques forêts d'Afrique et d'Asie. Tous sont menacés de disparition à cause de la destruction des forêts tropicales.

Lena

Fleuve de Russie qui traverse l'est de la Sibérie. Longue de 4 270 km, la Lena prend sa source dans les montagnes qui dominent la rive ouest du lac Baïkal et se jette dans l'océan Arctique. Elle est navigable seulement quelques mois dans l'année en raison des rigueurs du climat. C'est un fleuve très poissonneux.

Le Nain

Peintres français du XVIIᵉ siècle. Les Le Nain sont trois frères : Antoine et Louis, nés entre 1600 et 1610 et morts en 1648, et Matthieu, né vers 1607 et mort en 1677. Très unis, passionnés de peinture, les trois frères s'installent à Paris en 1629. Ils signent leurs toiles de leur nom de famille, sans préciser leur prénom. Les Le Nain sont rapidement appréciés et reçoivent de nombreuses commandes. Ils représentent des scènes de la vie quotidienne, notamment paysannes, mais aussi des portraits et des thèmes religieux. Les expressions des personnages sont d'une impressionnante vérité.
On attribue à Antoine des toiles de petite taille (*Réunion de famille, Portraits dans un intérieur*). Louis est l'auteur des célèbres compositions *le Repas des paysans, Famille de paysans, la Charrette*. Matthieu a sans doute réalisé des portraits à la fine élégance tels *Anne d'Autriche, Mazarin* et *les Petits Joueurs de cartes*.

Repas de paysans

lendemain n. m. Jour qui vient juste après celui dont on parle. *Il est revenu le lendemain.*

Lénine

Homme politique russe né en 1870 et mort en 1924. Son vrai nom est Vladimir Ilitch Oulianov. Il adhère à un cercle marxiste en 1888 et organise la lutte pour la libération de la classe ouvrière. Arrêté, il est déporté de 1897 à 1900 en Sibérie, sur la Lena (d'où le nom de Lénine). Il s'exile ensuite en Suisse, puis à Paris. Il publie des textes qui exposent ses thèses révolutionnaires. En 1917, quand éclate la révolution, Lénine rentre en Russie et prend la tête des mouvements ouvriers et paysans. Il fait accepter le plan qui conduit à la création du nouvel État soviétique. Élu chef du gouvernement, il mène une lutte sans merci contre la bourgeoisie.

Le Nôtre André

Architecte et dessinateur de jardins né en 1613 et mort en 1700. Le Nôtre est le créateur des jardins « à la française », caractérisés par une composition géométrique, des perspectives ouvertes à l'infini et l'implantation de plans d'eau et de fontaines. Il crée des jeux d'eau spectaculaires. On doit à Le Nôtre l'aménagement de nombreux parcs : Versailles, Sceaux, Vaux-le-Vicomte.

lent, ente adj. Qui met beaucoup de temps à faire quelque chose, qui manque de vivacité. *Il est lent à comprendre. Avoir des mouvements, des gestes lents.* *Un convalescent marche **lentement**,* de manière lente. *En Afrique la **lenteur** des trains est bien connue,* leur caractère lent.

lente n. f. Œuf de pou. *Les lentes sont difficiles à éliminer, elles s'accrochent aux cheveux.*

lentement adv., **lenteur** n. f. → **lent.**

lentille n. f. **1** Petite graine comestible. *Petit salé aux lentilles.* **2** Disque de verre utilisé dans les microscopes, les télescopes, les appareils photo. **3** Verre de contact correcteur de la vue. **4** *Lentille d'eau :* petite plante aquatique à feuilles rondes et bombées qui pousse à la surface des étangs et des mares.

La lentille est une petite légumineuse. Elle produit des gousses renfermant de petites graines rondes que l'on consomme cuites, comme légume. Les tiges et les feuilles sont un bon fourrage pour le bétail.

Léonard de Vinci

Peintre, sculpteur, ingénieur, architecte et savant italien né en 1452 et mort en 1519. Léonard s'initie très jeune à la peinture et à la sculpture dans l'atelier de Verrocchio, à Florence. Il étudie aussi les mathématiques, la physique, l'anatomie, l'astronomie et la mécanique. En 1483, il entre au service du duc de Milan et y reste pendant dix-sept ans. Puis, célèbre dans toute l'Italie, il se déplace de ville en ville. Il passe ses dernières années en France, sur l'invitation de François Ier.

L'œuvre de Léonard est immense. En peinture, il réalise de splendides tableaux comme *la Vierge aux rochers, la Cène* et *la Joconde.* L'utilisation de teintes adoucies, qui dégagent les formes par contraste, ainsi que les jeux de lumière et d'ombre donnent à ses toiles une atmosphère délicate, vaporeuse. Mais Léonard est aussi un ingénieur et un inventeur de génie. Il imagine des machines volantes, des bateaux à vapeur, des chars de combat, des sous-marins, des scaphandres, des forteresses, des canaux…

La Joconde

les légumes

Chaque espèce de légume est issue d'une plante sauvage progressivement adaptée et transformée par l'homme pour répondre à ses besoins. On classe les légumes selon la partie de la plante que l'on consomme.

en gros ou en famille

■ Les maraîchers, dont le métier consiste en la production de légumes pour l'approvisionnement des marchés, pratiquent la culture en plein champ (betteraves, pois, pommes de terre) sur de grandes surfaces ou sur des étendues plus restreintes en utilisant des techniques permettant des rendements importants, plus rapides, et à l'abri des intempéries (serres, tunnels de forçage, chauffage…).

■ La culture des légumes se pratique également dans de nombreux jardins familiaux. Elle peut être alors adaptée en quantité et en qualité à la consommation des possesseurs de ces jardins.

bulbes

Ail.

Échalote.

Poireau.

Oignon.

Fenouil.

racines et tubercules

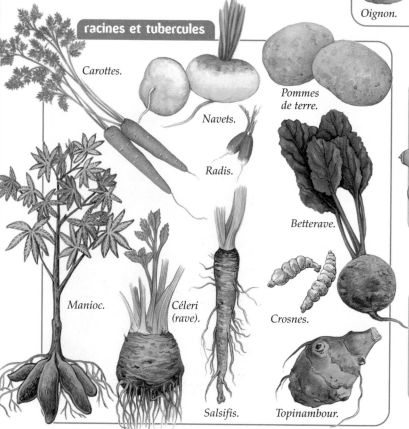

Carottes.

Navets.

Pommes de terre.

Radis.

Betterave.

Manioc.

Céleri (rave).

Crosnes.

Salsifis.

Topinambour.

graines

Pois.

Haricots.

Fèves.

Lentilles.

une tige comestible

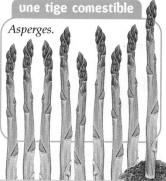

Asperges.

feuilles

Cresson.

Épinard.

Mâche.

Oseille.

Artichaut.

Bette ou blette.

Chou.

les salades

Laitue.

Endive.

Frisée.

Scarole.

Romaine.

pétioles

C'est la base charnue des feuilles.

Rhubarbe.

Céleri (branche).

Cardon.

Bette ou blette.

fruits

Haricots verts.

Piment.

Chou-fleur.

Aubergine.

Poivron.

Tomates.

Regarde aussi **cucurbitacées.**

léopard n. m. Panthère d'Afrique.

Le léopard mesure entre 1 m et 1,50 m de longueur. Ce grand félin chasse à l'affût des mammifères et des oiseaux. Il est capable de grimper dans les arbres pour attraper les singes. Il y cache ses proies afin d'éviter que les autres prédateurs ne les lui prennent. Il mène en général une vie solitaire. Les femelles ont des portées de trois petits en moyenne.

lèpre n. f. Grave maladie contagieuse qui se manifeste par des plaies profondes sur la peau.
*Il existe encore 15 millions de **lépreux** dans le monde,* des personnes atteintes de la lèpre.

Le Puy-en-Velay

Ville française de la Région Auvergne, située sur les bords de la Borne. Le Puy-en-Velay est un centre administratif et commercial. Le tourisme est très actif. La ville est dominée par un rocher volcanique, au sommet duquel se trouve une immense statue de la Vierge, et par le mont Aiguilhe, surmonté de la chapelle romane Saint-Michel (Xe-XIIe siècles). Elle possède aussi une splendide cathédrale de style roman (XIe et XIIe siècles), Notre-Dame-du-Puy. Cité romaine sous le nom de *Podium Aniciense*, Le Puy-en-Velay devient capitale du Velay au Moyen Âge. Son industrie de la dentelle est florissante aux XVIIe et XVIIIe siècles.

43 *Préfecture de la Haute-Loire*
22 010 habitants : les Aniciens ou Ponots

lequel, laquelle, lesquels, lesquelles pron. *1* Pronom relatif qui s'emploie après une préposition. *Le fleuve sur lequel nous naviguons. La classe dans laquelle tu es. 2* Pronom interrogatif. *Parmi ces livres, lequel choisis-tu ?*
Avec les prépositions « à » et « de », « lequel » se contracte en « auquel », « duquel », « auxquels », « desquels », « auxquelles », « desquelles ».

les art. → le.

lèse-majesté n. f. *Crime de lèse-majesté :* attentat contre un souverain ou contre une personne très importante.

léser v. → conjug. **digérer.** *1* Désavantager quelqu'un dans un partage. *Être lésé dans un héritage. 2* Blesser. *La balle n'a pas lésé d'organe vital.*
Contraire : favoriser (*1*).

lésiner v. → conjug. **aimer.** Dépenser le moins possible. *Lésiner sur la nourriture.*

lésion n. f. Blessure ou atteinte d'un organe dues à une maladie ou un accident.

Lesotho

Monarchie constitutionnelle du sud de l'Afrique. Le Lesotho est enclavé dans le territoire de l'Afrique du Sud. C'est un pays surtout montagneux, au climat très chaud l'été et froid l'hiver. De nombreux cours d'eau naissent dans les montagnes. Cette eau, canalisée, est la principale ressource en énergie. L'agriculture et l'élevage ne suffisent pas aux besoins alimentaires de la population. Le Lesotho est un pays pauvre. Créé au XIXe siècle, le royaume s'appelle à l'origine Basutoland. Sous domination britannique à partir de 1868, il devient indépendant en 1966 et prend le nom de Lesotho. Il est membre du Commonwealth.

30 350 km²
1 800 000 habitants :
les Lesothans
Langues : sesotho, anglais
Monnaie : loti
Capitale : Maseru

Lesseps Ferdinand Marie de

Diplomate français né en 1805 et mort en 1894. En Égypte, le vicomte de Lesseps étudie un projet de canal dans l'isthme de Suez, pour relier la mer Méditerranée à la mer Rouge. Après dix ans d'efforts, le canal de Suez est inauguré, le 17 novembre 1869. Lesseps entreprend ensuite le percement de l'isthme de Panama, sur le continent américain, pour joindre l'océan Atlantique et l'océan Pacifique. Mais la société qu'il dirige fait faillite et il meurt avant l'achèvement des travaux.

lessive n. f. *1* Produit liquide ou en poudre pour laver le linge. *2* Linge lavé. *Étendre une lessive. 3 Faire la lessive :* laver le linge.

> On *lessive* les murs avant de les repeindre, on les lave avec de la lessive (*1*).

lest n. m. *1* Poids servant à stabiliser un bateau ou à manœuvrer un ballon. *Jeter du lest. 2 Lâcher du lest :* faire des concessions, se montrer arrangeant.

> Les ballons *sont lestés* (*1*) *de sacs de sable,* ceux-ci servent de lest.

leste adj. Alerte, souple, agile. *Être leste comme un chat.*

léthargie n. f. Sommeil profond ou état d'abattement, de torpeur.

> Être dans un état *léthargique,* marqué par la léthargie.

Lettonie

République du nord de l'Europe, sur la mer Baltique. La Lettonie est limitée au nord par l'Estonie, au sud par la Lituanie et à l'est par la Russie et la Biélorussie. Le territoire est constitué d'une grande plaine au climat tempéré. Les Russes constituent 30 % de la population. L'agriculture, l'élevage et l'exploitation forestière sont développés. Les ports sur la Baltique sont des lieux de commerce importants entre la Russie et l'Occident. La capitale, Riga, est un centre touristique actif.

Intégrée à l'Empire russe puis république de l'Union soviétique, la Lettonie redevient indépendante en 1991. Adhère à l'Union européenne en 2004.

64 600 km²
2 329 000 habitants :
les Lettons
Langues : letton, russe
Monnaie : lat letton
Capitale : Riga

lettre n. f. *1* Chaque signe d'un alphabet. *Il y a 26 lettres dans l'alphabet français. 2* Texte écrit que l'on adresse à quelqu'un. *Écrire une lettre à une amie. 3 À la lettre* ou *au pied de la lettre :* exactement, scrupuleusement. *Suivre un règlement à la lettre. 4* Au pluriel. La littérature, la philosophie, l'histoire, les langues anciennes et vivantes. *Faire des études de lettres.*

leucémie n. f. Cancer des cellules du sang.

> Les malades *leucémiques* sont des personnes atteintes de leucémie.

1. leur, leurs adj. possessif. Correspond au pronom personnel de la troisième personne du pluriel. *Je connais leur fils. Elles ont accroché leurs manteaux.*

2. le leur, la leur, les leurs pron. possessif. Correspond au pronom personnel de la troisième personne du pluriel. *Notre fils est du même âge que le leur. Nos filles sont à peu près du même âge que les leurs.*

3. leur pron. inv. Pronom personnel de la troisième personne du pluriel qui a la fonction de complément d'objet indirect. *On leur a donné à manger.*

leurre n. m. Illusion, tromperie, faux espoir. *Le succès de votre entreprise était un leurre.*

se leurrer v. → conjug. **aimer.** Se faire des illusions, se tromper. *Ne nous leurrons pas, ce travail ne sera pas si facile.*

levain n. m. Pâte qu'on a mélangée à de la levure pour la faire lever. *Pain au levain.*

levant adj. m. *Soleil levant :* soleil qui se lève.

levée n. f. *1* Heure de ramassage du courrier par la poste. *La prochaine levée est à 15 heures. 2* Ensemble des cartes que l'on ramasse quand on a gagné un coup dans un jeu de cartes.
Synonyme : pli (*2*).

lever v. et n. m.
• v. → conjug. **promener** *1* Diriger vers le haut. *Lever les yeux, la main. Lever son verre. 2* Mettre un terme à quelque chose. *Tout a été dit, on peut lever la séance. Finalement, le professeur a levé l'interdiction. 3* Enrôler, mobiliser des soldats. *Lever des troupes, une armée. 4* Pousser, sortir de terre. *Le blé commence à lever. 5* Gonfler sous l'effet de la fermentation. *La pâte à pain lève. 6 Se lever :* sortir du lit. *Il se lève tôt. 7 Se lever :* paraître à l'horizon. *La lune, le soleil se lèvent. 8 Se lever :* commencer à souffler. *Le vent se lève. 9 Se lever :* se dégager, devenir plus clair, quand il s'agit du temps.
• n. m. *1 Lever du jour :* moment où le soleil se lève. *2* Moment où l'on se lève. *Faire sa gymnastique chaque matin au lever. 3 Lever du rideau :* moment où le rideau s'ouvre pour faire apparaître la scène, au théâtre.

levier n. m. *1* Barre rigide qui prend appui sur un point pour soulever un objet très lourd. *2* Tige, manette qui commande un mécanisme. *Levier de changement de vitesse.*

Un levier est un dispositif très simple. En exerçant une force à une extrémité de la barre, on fait pivoter

levraut

celle-ci autour du point d'appui, ce qui soulève la charge placée à l'autre extrémité.

levraut n. m. Jeune lièvre.

lèvre n. f. *1* Chacune des deux parties charnues qui forment l'extérieur de la bouche. *Rouge à lèvres.* *2* Chacun des replis du sexe féminin. *3 Du bout des lèvres :* sans enthousiasme. *Elle a répondu du bout des lèvres.*

lévrier n. m. Chien au museau allongé, aux jambes fines et au corps svelte, qui court très vite.

Il existe plusieurs races de lévriers. Le lévrier afghan et le lévrier anglais sont les plus rapides. C'est avec le second que sont organisées des courses dans de nombreux pays.

levure n. f. Produit utilisé pour faire lever la pâte du pain et de certains gâteaux.

lexique n. m. *1* Petit dictionnaire. *Acheter un lexique italien-français avant de partir en Italie. 2* Ensemble des mots d'une langue.

lézard n. m. Petit reptile à quatre pattes et à longue queue, au corps recouvert d'écailles.

lézarde n. f. Fissure dans une construction.
Les murs se lézardent, ils se couvrent de lézardes.

1. lézarder v. → conjug. **aimer.** Se chauffer au soleil comme un lézard.

2. se lézarder v. → lézarde.

liaison n. f. *1* Ce qui fait le lien, l'enchaînement entre deux idées, deux parties d'un texte. *2* Prononciation de la dernière consonne d'un mot avec la première voyelle du mot suivant. *Dans «les enfants», on fait la liaison entre «les» et «enfants». 3* Communication, relation entre des personnes. *Établir une liaison radio. Avoir une liaison amoureuse. 4* Communication régulière entre deux lieux. *Liaisons aériennes, téléphoniques, ferroviaires.*

liane n. f. Plante grimpante des forêts tropicales, qui s'accroche autour d'une autre plante.

liant, liante adj. Qui est d'un caractère sociable, qui se lie facilement.

liasse n. f. Paquet de billets de banque, de lettres, de journaux.

libeller v. → conjug. **aimer.** Rédiger selon des règles précises. *Libeller un contrat, un mandat, un chèque.*
Le libellé de votre chèque est incomplet, il manque la date, la façon dont il est libellé.

libellule n. f. Insecte à quatre ailes transparentes, au corps allongé et aux yeux globuleux à facettes, qui vit au bord des rivières.

libéral, ale, aux adj. *1* Qui est favorable aux libertés individuelles. *Un régime politique libéral.* *2* Qui est tolérant, peu autoritaire. *Ses parents sont très libéraux.* *3 Profession libérale :* profession indépendante comme celle de médecin, d'architecte, d'avocat. **Contraire : autoritaire** (*1* et *2*).

libérateur, trice adj. et n. Qui libère un peuple ou un territoire d'une oppression.

libération n. f. *1* Action de rendre libre quelqu'un qui est retenu prisonnier, ou un peuple qui subit une occupation étrangère. *Libération des otages.* *2* Avec une majuscule. Période de la Seconde Guerre mondiale (1943 à 1945) durant laquelle les territoires occupés par l'armée allemande furent libérés par les Alliés et par la Résistance.

libérer v. → conjug. **digérer.** *1* Mettre en liberté une personne. *Libérer un prisonnier.* *2* Délivrer d'une occupation étrangère. *Libérer une ville, un pays.* *3* Dégager un lieu ou le rendre libre. *Libérer le passage. Libérer un appartement.* *4 Se libérer :* se rendre libre, se dégager d'un travail, d'une obligation. *Je vais essayer de me libérer pour pouvoir venir.*

liberté n. f. Fait d'être libre. *« Liberté, Égalité, Fraternité » est la devise de la France.*

libraire n. Personne qui vend des livres. *Je regarde les nouveautés à la vitrine de la librairie,* du magasin du libraire.

libre adj. *1* Qui n'est pas retenu en captivité ni en esclavage. *L'accusé est libre.* *2* Qui peut décider, agir, penser, s'exprimer par lui-même. *Se sentir libre. Tu es libre de refuser.* *3* Qui n'est pas soumis à une tyrannie ou à une puissance étrangère. *Pays libre.* *4* Qui n'est pas occupé ou qui est dégagé, sans obstacle. *La voie est libre. Avoir du temps libre.* *5* Qui n'est pas imposé. *Rédaction libre. Figures libres en patinage artistique.* *6 École libre :* école privée, généralement religieuse. **Contraire : prisonnier** (*1*).

librement adv. *1* En étant libre. *Des daims se promènent librement dans le parc.* *2* Avec franchise, ouvertement, carrément. *Je vais vous parler librement.*

libre-service n. m. **Plur. : des libres-services.** Magasin où l'on se sert soi-même.

Libéria

République de l'ouest de l'Afrique ouverte sur l'océan Atlantique. Le territoire du Libéria est constitué d'une large plaine côtière et d'un plateau intérieur. Le climat est chaud et humide. La population est constituée d'une vingtaine d'ethnies. L'économie du Libéria a beaucoup souffert de la guerre civile. L'industrie est détruite, mais l'agriculture reprend. Le pays dispose d'importantes réserves minières. Au début du XIXe siècle, des esclaves noirs américains libérés s'installent sur le territoire (d'où le nom du pays) ; la république indépendante du Libéria est créée en 1847. À partir de 1980, un régime de dictature conduit à une guerre civile (1990-1997).

111 370 km²
3 239 000 habitants :
les Libériens
Langues : anglais, bassa, kpellé, kru…
Monnaie : dollar libérien
Capitale : Monrovia

Libye

État islamique d'Afrique du Nord, ouvert sur la mer Méditerranée. Le désert couvre la quasi-totalité du territoire de la Libye. Seule la zone côtière est moins aride. C'est là que se concentre la population et que se pratiquent les cultures (olives, agrumes, dattes). L'économie est fondée sur les ressources en pétrole et gaz naturel. Une partie importante de la population est très pauvre. Colonie italienne à partir de 1934, le royaume de Libye devient indépendant en 1951. En 1969, le roi est renversé et la république est proclamée. Il s'agit en fait d'un régime militaire. Depuis 1977, le chef d'État est appelé le «Guide de la révolution».

1 759 540 km²
5 445 000 habitants :
les Libyens
Langue : arabe
Monnaie : dinar libyen
Capitale : Tripoli

licence n. f. *1* Autorisation administrative nécessaire pour ouvrir un commerce ou participer à des compétitions sportives. *Licence de tennis.* *2* Diplôme universitaire. *Préparer une licence de lettres.*

licencié, ée n. *1* Personne titulaire d'un diplôme de licence. *Un licencié en droit.* *2* Personne titulaire d'une licence sportive.

licencier v. → conjug. **modifier.** Renvoyer une personne de son travail. *Son père a été licencié pour raisons économiques, il est au chômage.*
Contraires : embaucher, engager, recruter.
  *Elle a reçu une lettre de **licenciement**, une lettre l'informant qu'elle allait être licenciée.*

lichen n. m. Végétal formé de l'association d'un champignon et d'une algue, très résistant, qui pousse sur les pierres, les troncs.
On prononce [likɛn].

licite adj. Permis par la loi ou le règlement. *Activités, moyens, profits licites.*
Contraire : illicite.

licorne n. f. Animal fabuleux.

Cet animal légendaire est représenté avec un corps de cheval, une barbe de bouc et, sur le front, une seule longue corne torsadée. Les origines du mythe de la licorne sont incertaines. Elle est déjà évoquée dans l'Antiquité en différents points de la planète, par exemple en Chine, où elle est le symbole de la royauté. En Occident, on la trouve sur de nombreuses tapisseries du Moyen Âge ; elle y est un symbole de pureté.

lie n. f. Dépôt qui se forme au fond d'un tonneau ou d'une bouteille de vin.
Homonyme : lit.

liège n. m. Matériau léger, isolant et imperméable.

Le liège est fourni principalement par l'écorce du chêne-liège des régions méditerranéennes. On ne fait la première récolte que lorsque l'arbre a atteint une trentaine d'années et que la circonférence du tronc est d'environ 70 cm. Le liège est retiré de l'arbre par plaques. L'écorce se reforme ensuite progressivement ; il faut attendre entre huit et dix ans pour pouvoir effectuer une nouvelle récolte. Chaque arbre fournit une dizaine de récoltes. Le liège sert à la fabrication de bouchons, de flotteurs, de bouées.

Écorce. *Chêne-liège.*

lien n. m. *1* Tout objet servant à lier, à attacher. *Il réussit à défaire ses liens et s'enfuit.* *2* Rapport, relation entre deux événements ou entre deux personnes. *Il y a peut-être un lien entre ces deux affaires. Y a-t-il un lien de parenté entre vous ?*

lier v. → conjug. **modifier.** *1* Entourer d'un lien. *Lier une botte de paille. Lier ses lettres.* *2* Unir par un lien d'amitié. *Se lier d'amitié avec quelqu'un. Ces deux enfants sont très liés.* *3* Lier connaissance avec quelqu'un :* nouer une relation avec lui. *4* Être lié par une promesse :* être engagé avec quelqu'un par une promesse.
Synonyme : attacher (*1*). Contraires : délier (*1*), détacher (*1*).

Liechtenstein

Principauté du centre de l'Europe. Le Liechtenstein, situé dans les Alpes entre la Suisse et l'Autriche, est l'un des plus petits pays du monde. Son territoire est montagneux, et le climat varie en fonction de l'altitude. L'été est chaud et sec, l'hiver très enneigé. L'agriculture est peu développée, l'industrie est active, mais c'est le secteur financier qui fournit la majorité des ressources du pays.
En raison des avantages fiscaux qu'offre le Liechtenstein, des milliers de sociétés installent leur siège social sur son territoire. Le niveau de vie des habitants est l'un des plus élevés de la planète. Le Liechtenstein devient une principauté en 1719. Elle se dote d'une constitution démocratique en 1921.

157 km²
33 000 habitants :
les Liechtensteinois
Langue : allemand
Monnaie : franc suisse
capitale : Vaduz

lierre n. m. Plante grimpante aux feuilles toujours vertes.

Le lierre peut atteindre plusieurs mètres de longueur. Il s'accroche aux arbres et aux murs grâce à de petites racines, les crampons. Les feuilles sont de deux types : sur les rameaux portant les fleurs, elles sont ovales et sans lobes ; sur les rameaux sans fleurs, elles peuvent avoir trois à cinq lobes. Les fleurs sont disposées en ombelles. Les fruits sont de petites baies noires toxiques.

liesse n. f. Littéraire. *En liesse :* qui déborde de joie, d'enthousiasme, quand il s'agit d'une foule. *Peuple en liesse à l'annonce de la mort d'un tyran.*

1. lieu, lieux n. m. *1* Endroit déterminé. *Quel est votre lieu de naissance ? Choisir un lieu de vacances. 2 Avoir lieu :* se produire, arriver. *3 Au lieu de :* plutôt que de, à la place de. *Au lieu de ricaner, aide-le ! 4 Tenir lieu de :* faire fonction de, remplacer. *Son vieux voisin lui tient lieu de grand-père. 5 Lieu commun :* banalité, cliché. *Dire « il vaut mieux être riche et bien portant que pauvre et malade » est un lieu commun.*

2. lieu, lieus n. m. Poisson de mer très répandu, à chair maigre. *Lieu noir ou colin. Lieu jaune.*

lieu-dit n. m. Plur. : *des lieux-dits.* Lieu de la campagne qui porte un nom particulier. *Au lieu-dit du Gouffre d'Enfer.*
On écrit aussi : lieudit.

lieue n. f. *1* Ancienne mesure de distance valant environ 4 km. *2 Être à cent lieues de faire quelque chose :* en être très loin. *J'étais à cent lieues de la soupçonner !*

lieutenant n. m. Officier de grade inférieur à celui de capitaine, qui commande une section.

lieutenant-colonel n. m. Plur. : *des lieutenants-colonels.* Officier dont le *grade est inférieur à celui de colonel.*

lièvre n. m. *1* Mammifère rongeur proche du lapin mais plus haut sur pattes, donc très rapide à la course. *La femelle du lièvre est appelée « hase », son petit le « levraut ». 2 Courir deux lièvres à la fois :* poursuivre deux buts différents en même temps.

ligament n. m. Ensemble de fibres très résistantes.

Les ligaments sont de couleur blanche. Ils relient entre eux les os d'une articulation ou maintiennent certains organes à leur place. Un étirement des ligaments est appelé entorse ; il survient le plus souvent au poignet, au genou ou à la cheville.
Regarde aussi **articulation.**

ligature n. f. Lien, fil servant à serrer ou à assembler. *Le jardinier maintient la greffe au moyen d'une ligature. Le chirurgien ligature une artère*, il noue une ligature autour d'elle.

ligne n. f. *1* Trait continu. *Ligne blanche. Ligne d'arrivée. Relier deux points par une ligne. 2* Contour, forme d'un objet ou du corps. *Ce fauteuil a une belle ligne. Garder la ligne en mangeant peu. 3* Suite de mots écrits ou imprimés, d'une longueur donnée. *Aller à la ligne. 4* Itinéraire régulier desservi par un moyen de transport. *Ligne de métro. Ligne aérienne. 5* Série continue de personnes ou de choses. *Mettez-vous en ligne ! Poiriers plantés en ligne. 6* Câble électrique transmettant l'information. *Appeler quelqu'un sur sa ligne directe. Restez en ligne. 7* Fil de Nylon d'une canne à pêche. *8 Ligne de conduite :* règles que l'on se donne dans la vie, ou pour mener à bien une action précise.

lignée n. f. Ensemble des descendants d'une personne.

ligneux, euse adj. Qui est de la nature du bois. *Un arbre est une plante ligneuse.*

ligoter v. → conjug. **aimer.** Attacher quelqu'un solidement avec une corde.

ligue n. f. Association à but moral, humanitaire, etc. *La Ligue des droits de l'homme.*

se liguer v. → conjug. **aimer.** S'unir, s'allier contre quelqu'un. *Il est tellement désagréable que tout le monde a fini par se liguer contre lui.*

lilas n. m. Arbuste produisant des grappes de fleurs blanches, mauves ou violettes, très parfumées.

Lille

Ville française de la Région Nord-Pas-de-Calais, située sur les bords de la Deûle. Lille est une grande métropole régionale, qui possède un secteur textile important et s'est orientée vers des activités de haute technologie et de services. C'est également une ville universitaire. Lille abrite de nombreux monuments anciens : l'église gothique Saint-Maurice (XIVe siècle), l'ancienne Bourse de 1652, la citadelle de Vauban (XVIIe siècle)…
La ville, grande cité drapière au Moyen Âge, n'est rattachée au royaume de France qu'en 1667. Elle est occupée par l'armée allemande pendant les deux guerres mondiales.

59 *Préfecture du Nord*
191 164 habitants : les Lillois

limace n. f. Mollusque rampant, sans coquille, nuisible pour les plantes cultivées.

limande n. f. Poisson de mer plat, à peau rugueuse.

lime n. f. Outil en métal long et plat, servant à user et à polir. *Lime à ongles. Lime à métaux, à bois.*
Le prisonnier s'est évadé après *avoir limé* les barreaux de sa cellule, il les a usés au moyen d'une lime.

limier n. m. Personne qui suit une piste pour retrouver quelqu'un. *La police a envoyé ses plus fins limiers.*

limitation n. f. → **limiter**.

limite n. f. *1* Ligne, borne, repère qui marque la séparation entre deux terrains, deux territoires. *Limites d'un terrain de football. 2* Fin d'une période. *La limite d'âge pour se présenter au concours est 40 ans. 3* Point au-delà duquel on ne peut aller. *Il est allé jusqu'à la limite de ses forces.*

limiter v. → conjug. **aimer**. *1* Constituer la limite de quelque chose. *La France est limitée au sud-ouest par la chaîne des Pyrénées. 2* Se limiter : se borner, se restreindre. *Avec un petit budget, on est obligé de se limiter à l'essentiel.*
La *limitation* de vitesse est de 130 km/h sur l'autoroute, le fait qu'elle soit limitée.

limitrophe adj. Qui a des frontières communes. *Départements, pays limitrophes.*

Ville française de la Région Limousin, située sur les bords de la Vienne. Limoges est un centre administratif et commercial qui a modernisé son secteur industriel et offre de nombreux services. C'est également une ville universitaire. Limoges abrite la cathédrale gothique Saint-Étienne (XIIIe-XVIe siècles) et deux églises de même style décorées de beaux vitraux.
Limoges devient la capitale du Limousin à la fin du XVIe siècle. À partir du XVIIIe siècle, la ville se spécialise dans la fabrication de la porcelaine et devient célèbre dans le monde entier.

87 *Préfecture de la Haute-Vienne*
137 502 habitants : les Limougeauds

limon n. m. Mélange de sable et d'argile constituant un sol très fertile, déposé par un cours d'eau.

limonade n. f. Boisson gazeuse sucrée et parfumée.

limpide adj. *1* Clair et transparent. *Une eau limpide. 2* Au figuré. Clair et simple. *Une explication limpide.*
Contraires : trouble (*1*), obscur (*2*).

limpidité n. f. *1* Qualité de ce qui est limpide, transparent. *2* Au figuré. Clarté. *Limpidité de style.*

lin n. m. Plante à fleurs bleues, dont on utilise les graines pour faire de l'huile et les fibres pour faire de la toile fine. *Chemise, torchon en lin.*

linceul n. m. Grand morceau de toile dans lequel on ensevelit un mort.
Synonyme : suaire.

Homme d'État américain né en 1809 et mort en 1865. Député républicain, Lincoln milite contre l'esclavage. Il est élu président des États-Unis en 1860. Les États du Sud, esclavagistes, se séparent alors de l'Union américaine (ils font sécession). Une guerre civile éclate entre le Nord et le Sud en 1861. Lincoln est réélu en 1864, et le Nord remporte la guerre de Sécession en 1865. L'esclavage est aboli, mais Lincoln est assassiné par un fanatique sudiste le 14 avril 1865.

Aviateur américain né en 1902 et mort en 1974. Lindbergh s'intéresse très tôt à l'aviation. En 1927, du 20 au 21 mai, il effectue la première traversée de l'Atlantique sans escale à bord du *Spirit of Saint Louis*. Cet exploit lui vaut la célébrité en Europe et aux États-Unis. Il raconte son vol dans le livre *The Spirit of Saint Louis* (1953).

linge n. m. *1* Sous-vêtements et vêtements légers. *Mettre son linge dans la machine à laver. 2* Linge de maison : draps, serviettes, nappes, etc.

lingerie n. f. Ensemble des sous-vêtements pour femmes.

lingot n. m. Bloc de métal précieux moulé. *Un lingot d'or pèse environ 1 kg.*

linguistique n. f. Science qui étudie le langage.
On prononce [lɛ̃gyistik].

linoléum n. m. Revêtement de sol imperméable.
On prononce [linɔleɔm]. En abrégé : lino.

linotte n. f. *1* Petit oiseau siffleur, au plumage brun et rouge. *2* Tête de linotte :* personne étourdie.

linteau, eaux n. m. Pièce horizontale qui surmonte l'ouverture d'une porte, d'une fenêtre.

lion n. m. Grand félin d'Afrique.
La lionne est la femelle du lion. *Le lionceau* est le petit du lion et de la lionne.

lionceau, eaux n. m. Petit du lion et de la lionne.

lipide n. m. Corps gras. *L'huile, le beurre, le saindoux sont des lipides.*

liquéfier v. → conjug. **modifier.** Rendre liquide. *La tablette de chocolat s'est liquéfiée sous l'effet de la chaleur.*

liqueur n. f. Boisson alcoolisée sucrée et parfumée. *Liqueur de cassis.*

liquidation n. f. → **liquider.**

liquide adj. et n. m.
● adj. *1* Qui coule. *Du savon liquide. Une sauce trop liquide. 2* Argent liquide : sous forme de billets et de pièces.
Synonyme : espèces (2).
● n. m. *1* Substance liquide. *L'eau est un liquide. 2* Argent liquide : *Préférez-vous un chèque ou du liquide ?*

liquider v. → conjug. **aimer.** *1* Vendre à bas prix. *2* Familier. Tuer, éliminer. *La mafia a liquidé un témoin gênant.*
Le magasin affiche «*liquidation du stock avant fermeture définitive*», la marchandise est liquidée (*1*).

1. lire v. *1* Être capable de déchiffrer et de comprendre une écriture. *En CP, on apprend à lire. Il sait lire l'arabe. 2* Prendre connaissance d'un texte écrit ou d'un document. *Lire une lettre. Lire une partition, une carte. 3* Énoncer à voix haute un texte écrit. *Lire un*

discours. *4* Reconnaître, discerner, découvrir grâce à certains signes. *La peur se lit dans ses yeux.*

2. lire n. f. Monnaie italienne. *L'euro remplace la lire à partir du 1er janvier 2002.*

lis n. m. *1* Grande fleur blanche très parfumée. *2* Fleur de lis : emblème des rois de France.
On prononce [lis].
On écrit aussi : lys.

La fleur de lis. *L'emblème de la royauté.*

Le lis est une plante à bulbe dont la longue tige peut dépasser 1 m de hauteur. Les feuilles sont en forme de lance. Les grandes fleurs décoratives, souvent odorantes, sont groupées au sommet de la tige. On cultive dans les régions tempérées de l'hémisphère Nord de très nombreuses variétés de couleurs différentes.

Lisbonne

Capitale du Portugal, située à l'ouest du pays, sur l'embouchure du Tage. Lisbonne compte près de 680 000 habitants. Fondée par les Phéniciens, la ville est conquise par les Maures au VIIIe siècle avant de devenir, à partir de 1260, la capitale du pays. Au XVe siècle, grâce aux conquêtes maritimes du Portugal elle est la cité la plus riche d'Europe. Plusieurs tremblements de terre et de gigantesques incendies la ravagent en 1531, 1755 et 1988. Lisbonne conserve cependant un patrimoine historique prestigieux dont le monastère des Hiéronymites (XVIe siècle) et la forteresse de Belem, forteresse construite dans l'eau au XVIe siècle.

liseré n. m. Ruban étroit dont on borde un vêtement ou un tissu. *Une nappe blanche à liseré bleu.*
On écrit aussi : liséré.

liseron n. m. Plante grimpante sauvage à fleurs blanches ou roses en forme d'entonnoir.

Le liseron grimpe dans les haies, où il s'enroule autour des arbustes. Les fleurs s'épanouissent le matin et fanent le soir. Le liseron est aussi appelé volubilis ou belle-de-jour.

La conjugaison du verbe
LIRE 3e groupe

indicatif présent	je lis, il ou elle lit, nous lisons, ils ou elles lisent
imparfait	je lisais
futur	je lirai
passé simple	je lus
subjonctif présent	que je lise
conditionnel présent	je lirais
impératif	lis, lisons, lisez
participe présent	lisant
participe passé	lu

a b c d e f g h i j k l m n o p q r s t u v w x y z

lisible adj. Facile à lire. *Une écriture très lisible.*
La **lisibilité** *d'un texte, d'une écriture*, c'est son caractère lisible. *Écris plus* **lisiblement**, de façon lisible.

lisière n. f. *1* Bord d'un tissu. *2* Bordure d'un terrain. *Lisière d'un champ, d'une forêt.*

lisse adj. Qui présente une surface polie, égale, sans aspérités. *Peau, écorce, pierre lisses.*
Contraires : inégal, granuleux, rugueux.
Au sortir de l'eau, le canard **lisse** *ses plumes avec son bec*, il les rend lisses.

liste n. f. Suite de mots, de noms, généralement en colonne. *Être sur une liste d'attente.*

Liszt Franz

Pianiste et compositeur hongrois né en 1811 et mort en 1886. Initié dès l'enfance au piano, Liszt connaît rapidement le succès. Il rencontre les grands artistes de l'époque (Chopin, Berlioz, Paganini), à Vienne puis à Paris. Pianiste virtuose, compositeur de génie, Liszt joue dans l'Europe entière. Ses nombreuses œuvres reflètent son tempérament audacieux ; il inaugure sur le plan de la technique et de l'harmonie. Parmi ses chefs-d'œuvre figurent des poèmes symphoniques tels les *Préludes* (1850), la *Sonate en si mineur* (1853), *les Rhapsodies hongroises* (1846-1885) et des œuvres religieuses remarquables.
Liszt, qui a eu plus de 400 élèves, est l'une des plus grandes figures musicales du XIXe siècle.

lit n. m. *1* Meuble sur lequel on dort. *Se mettre au lit.* *2* Creux dans le sol dans lequel s'écoule un cours d'eau. *Torrent qui sort de son lit.*

litanie n. f. *1* Prière. *Réciter des litanies.* *2* Longue et ennuyeuse énumération. *Une litanie de griefs, de plaintes.*

litchi n. m. Petit fruit exotique à noyau, à l'écorce rugueuse et à la chair blanche et sucrée.

literie n. f. Ensemble des pièces servant à faire un lit (matelas, oreillers, draps…).

lithographie n. f. *1* Reproduction d'un dessin au crayon ou à l'encre grasse sur une pierre calcaire ou une plaque de zinc. *2* L'image ainsi obtenue.
En abrégé : litho.

litière n. f. *1* Paille disposée sur le sol d'une écurie ou d'une étable pour que les animaux puissent s'y coucher. *2* Sorte de gravier absorbant où les chats d'appartement font leurs besoins.

litige n. m. Désaccord, différend, dispute entre deux personnes. *Le litige sera arbitré par les tribunaux.*
Il reste un point **litigieux** *dans cette affaire*, un point constituant un litige.

litre n. m. *1* Unité de mesure de capacité employée surtout pour les liquides. *Réservoir d'essence de 40 litres. Sac-poubelle de 20 litres. 2* Contenu d'une bouteille d'un litre. *Ils ont bu 2 litres de lait.*

littéraire adj. Qui concerne la littérature. *Œuvres littéraires.*

littéralement adv. Véritablement, absolument. *Il m'a littéralement mis à la porte.*

littérature n. f. Ensemble des œuvres des écrivains.
La littérature regroupe les romans, poésies, mémoires, essais, biographies, pièces de théâtre… composés pour exprimer avec art les idées, les préoccupations, les pensées, les réflexions que suscite l'époque au cours de laquelle vivent leurs auteurs. *Regarde p. 634 et 635.*

littoral, aux n. m. Bord de mer. *Le littoral breton, méditerranéen. Les plantes du littoral.*
Synonymes : côte, rivage.

Lituanie

République de l'est de l'Europe, ouverte sur la mer Baltique. Le territoire de la Lituanie est plat et parsemé d'environ 3 000 lacs. La forêt est également très présente. Le climat est tempéré par l'influence océanique : les hivers sont doux et les étés assez frais. L'agriculture, l'élevage et l'exploitation du bois sont bien développés. L'industrie se modernise.
Annexée par l'empire Russe, indépendante en 1920, la Lituanie est intégrée à l'Union soviétique en 1940. Elle redevient indépendante en 1991. Adhère à l'Union européenne en 2004.

65 200 km²
3 465 000 habitants :
les Lituaniens
Langues : lituanien, russe, polonais
Monnaie : litas
Capitale : Vilnius

liturgie n. f. Cérémonial, règles qui fixent le déroulement d'un culte religieux. *La liturgie catholique.*

livide adj. Très pâle. *Être livide de peur.*
Synonymes : blafard, blême.

living n. m. Pièce qui sert à la fois de salon et de salle à manger.
Mot anglais qui se prononce [livin].

livraison n. f. → **livrer.**

1. livre n. f. *1* Unité de poids valant un demi-kilo ou 500 grammes. *Acheter une livre d'oignons. 2* Livre ou *livre sterling (£) :* monnaie anglaise.

2. livre n. m. Assemblage de feuilles imprimées réunies sous une couverture.

livrée n. f. Sorte d'uniforme que portaient autrefois les domestiques.

livrer v. → conjug. **aimer.** *1* Remettre à son destinataire la marchandise commandée. *Livrer un canapé.* *2* Remettre quelqu'un à la justice ou à la police. *Le meurtrier s'est livré à la police. 3* Dénoncer, trahir. *Il a livré ses complices. 4* Se livrer : se confier, parler de soi. *Il est taciturne et se livre peu. 5* Se livrer : se consacrer à, pratiquer. *Il se livre à son activité favorite : la lecture.*

> *Pour cette voiture, il y a un délai de **livraison** d'un mois,* un délai pour la livrer (*1*). *Un **livreur** est venu apporter des fleurs à la maison,* une personne qui livre (*1*).

livret n. m. *1* Petit livre, carnet contenant certaines informations. *Livret scolaire. Livret de famille. 2* Texte sur lequel a été composée la musique d'un opéra.

livreur, euse n. → **livrer.**

lobe n. m. Partie charnue du bas de l'oreille.

local, ale, aux adj. et n. m.
• adj. D'une région ou d'un lieu, d'un endroit précis. *Lire le journal local. Produits locaux. Anesthésie locale.*
• n. m. Bâtiment ou pièce destinés à un usage particulier. *Chercher un local pour jouer de la batterie.*

localement adv. D'une manière locale, qui concerne un lieu, un endroit particuliers. *Le temps est localement orageux.*

localiser v. → conjug. **aimer.** *1* Déterminer, repérer précisément le lieu où se trouve quelque chose ou quelqu'un. *Localiser un avion par radar. 2* Limiter à un endroit, circonscrire. *Les pompiers ont réussi à localiser l'incendie.*

> *Les chiens d'avalanche ont permis la **localisation** des personnes enfouies,* le fait de les localiser.

localité n. f. Petite agglomération, village.

locataire n. Personne qui loue un logement à un propriétaire.

location n. f. *1* Action de louer un logement. *Signer un contrat de location. 2* Réservation de places de spectacle, ou de billets d'avion ou de train.

locomotion n. f. *Moyens de locomotion :* moyens de transport. *Disposez-vous d'un moyen de locomotion ?*

locomotive n. f. Machine qui tire les trains. *Locomotive à vapeur, locomotive électrique.*

locution n. f. Expression formée d'un groupe de mots employés toujours ensemble. *« Fichez le camp ! » est une locution familière.*

loge n. f. *1* Logement de concierge ou de gardien. *2* Petite pièce dans laquelle s'habillent, se maquillent et se reposent les acteurs, au théâtre. *3* Être aux premières loges :* à la meilleure place pour voir ou savoir quelque chose.

loger v. → conjug. **ranger.** *1* Habiter dans un endroit. *Loger dans une chambre de bonne. Être bien, mal logé. 2* Fournir un lieu d'habitation à quelqu'un, l'héberger. *Loger des réfugiés. 3* Se loger : trouver un lieu où habiter. *Il est souvent difficile de se loger dans les grandes villes. 4* Faire entrer quelque part. *Une armoire où l'on peut loger beaucoup de choses.*

> *La famille de Lucy n'a plus de **logement**,* un lieu où se loger (*3*). *Il doit un mois de loyer à sa **logeuse**,* la personne qui le loge (*2*). *Il a quitté le **logis** familial,* le lieu où loge sa famille (*1*).

loggia n. f. Balcon couvert.

logiciel n. m. Programme d'ordinateur. *Logiciels de jeux, de dessin, de traitement de texte.*

logique adj. et n. f.
• adj. Qui est conforme au bon sens, dont le raisonnement est juste, cohérent. *Esprit logique. Résultat logique.*
• n. f. Manière de raisonner juste et cohérente. *Son raisonnement manque de logique.*

> *Logiquement, elle devrait être déjà rentrée,* de façon logique.

logis n. m. → **loger.**

logo n. m. Signe ou dessin, symbole d'une marque. *Le logo de la Metro-Goldwyn-Mayer est un lion qui rugit.*

loi n. f. *1* Ensemble de règles émises par l'autorité souveraine d'un État, qui fixent les droits et les devoirs de chaque citoyen. *Nul n'est censé ignorer la loi. Au nom de la loi, je vous arrête ! 2* Principe expliquant un phénomène naturel. *Les lois de l'équilibre, de la pesanteur. 3* Au pluriel. Règle, convention. *Les lois de la politesse, de l'hospitalité.*

la littérature

L'œuvre littéraire de qualité traverse les siècles, garde son originalité, sa vigueur, son éclat d'origine. Son auteur devient immortel…

■ Platon, Sénèque, Aristote sont de grands philosophes de la Grèce antique dont les œuvres ont influencé et influencent encore de nombreux écrivains dans le monde.

Une littérature orale a précédé la littérature écrite. Longtemps, contes, légendes, récits, épopées se sont transmis par la parole. L'accès aux œuvres littéraires écrites n'était réservé qu'à un petit nombre, les manuscrits coûtant très cher. Ce n'est qu'à partir du xvᵉ siècle, avec l'invention de l'imprimerie, que la littérature a pu se répandre plus aisément.

■ Chaque pays, au cours de son histoire, a eu ses auteurs célèbres qui sont parfois devenus universels comme Goethe en Allemagne, Shakespeare en Angleterre, Dante en Italie, Cervantès en Espagne, Voltaire en France pour n'en citer que quelques-uns. Leurs œuvres traduites dans toutes les langues sont étudiées, commentées, jouées lorsqu'il s'agit de pièces de théâtre, et forment pour de nombreux peuples une base de culture.

■ La littérature française est une des plus riches et des plus variées du monde. Du Moyen Âge à nos jours, chaque siècle a eu ses auteurs célèbres qui ont abordé dans des styles très variés tous les genres littéraires. Qui ne connaît Rabelais, Montaigne, La Fontaine, Molière, Rousseau, Chateaubriand, Victor Hugo, Zola, Proust, Mauriac, Sartre…

Qui dit mieux ?

La Bible est le livre le plus vendu dans le monde. Depuis le xixᵉ siècle, on en a tiré 6 milliards d'exemplaires !

■ Chaque année, des prix littéraires sont décernés pour récompenser les auteurs d'ouvrages remarqués.

Parmi les principaux prix français, on distingue :
• le prix Goncourt,
• le prix Renaudot,
• le prix Femina,
• le prix Interallié.

Les prix étrangers les plus célèbres sont :
• le prix Pulitzer et le National Book Award aux États-Unis,
• le Booker Prize en Grande-Bretagne,
• le prix Nobel de littérature.

les genres littéraires

poésie

C'est une forme d'écriture particulière où la forme des vers, le rythme, l'harmonie jouent un grand rôle pour traduire les sentiments, les émotions.

chanson de geste

C'est un poème épique qui met en scène des héros légendaires. Ainsi la *Chanson de Roland*, écrite au Moyen Âge, raconte en plusieurs milliers de vers l'histoire du neveu de Charlemagne.

épopée

C'est un long poème qui raconte les exploits de héros souvent mythologiques. Ainsi l'*Iliade* et l'*Odyssée* d'Homère relatent l'histoire d'Ulysse. *Gilgamesh,* qui raconte l'histoire d'un roi mésopotamien, est la plus ancienne épopée connue au monde.

roman

C'est le genre littéraire le plus répandu, qu'il soit policier, de science-fiction, d'espionnage, historique, sentimental… C'est une œuvre d'imagination qui fait vivre des personnages aux caractères, aux sentiments, aux passions proches des nôtres et souligne ainsi les traits caractéristiques de la nature humaine. Certains personnages de roman sont devenus des portraits typiques, des caricatures universelles.

essai

Ce sont des réflexions sur un thème précis.

conte, légende et fable

Issus de la tradition populaire, ce sont des récits de faits imaginaires. Qu'ils soient drôles, tristes ou cruels, ils ont souvent un rôle éducatif, on en tire un enseignement, une morale.

nouvelle

C'est un court roman à l'intrigue simple.

biographie

C'est un texte qui retrace la vie d'une personne. Lorsqu'un auteur raconte lui-même sa vie, il s'agit d'une autobiographie.

pamphlet

C'est un écrit souvent violent, satirique, qui vise une cible précise (personne, groupe…).

mémoires

Ils relatent les événements auxquels l'auteur a participé ou dont il a été le témoin.

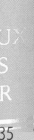

loin

loin adv. *1* À une grande distance. *Regarder au loin. J'habite loin de mon école.* *2* À une grande distance dans le temps. *L'hiver n'est pas loin.* *3* *Loin de là* : bien au contraire. *Il n'est pas sot, loin de là.* *4* *Aller trop loin* : dépasser les bornes, exagérer.
Contraire : près (*1*).

lointain, aine adj. et n. m.
• adj. Qui est éloigné dans le temps ou dans l'espace. *Un pays lointain. Un souvenir lointain.*
Contraire : proche.
• n. m. *Dans le lointain* : au loin, à l'horizon. *On commence à distinguer les Alpes dans le lointain.*

loir n. m. Petit rongeur à queue touffue.
Le loir dépasse rarement 15 cm de longueur. Il se nourrit de graines et de fruits. Il hiberne six mois par an, d'où l'expression familière « dormir comme un loir » pour parler de quelqu'un qui dort profondément et longtemps.

Loire

Le plus long fleuve français. La Loire (1 020 km) prend sa source au mont Gerbier-de-Jonc, dans le Massif central, et se jette dans l'océan Atlantique par un large estuaire. Son bassin couvre plus du cinquième de la superficie de la France. Son cours est irrégulier ; elle est peu utilisée pour la navigation sauf vers son embouchure. La Loire arrose les villes de Saint-Étienne, Orléans, Blois, Tours, Nantes et Saint-Nazaire. Sur sa rive gauche, elle reçoit l'Allier, le Cher, l'Indre, la Creuse et la Vienne ; sur la rive droite, le Loir, la Sarthe et la Mayenne. Le Val de Loire est une région riche grâce à ses cultures (vignes) et ses célèbres châteaux de la Renaissance, tel celui de Chambord.

loisirs n. m. plur. *1* Temps libre. *Son travail lui laisse beaucoup de loisirs.* *2* Occupations auxquelles on consacre son temps libre. *Mes loisirs préférés sont la lecture et le football.*

lombago n. m. Douleur aiguë dans les reins, généralement à la suite d'un effort violent.
On prononce [lɔ̃bago] ou [lœ̃bago]. On écrit aussi : lumbago.

lombaire adj. Qui concerne le bas du dos. *Vertèbres lombaires. Douleurs lombaires.*

lombric n. m. Ver de terre.

London Jack

Écrivain américain né en 1876 et mort en 1916. Son vrai nom est John Griffith London. London connaît une enfance malheureuse, quitte très tôt l'école et exerce différents métiers, dont celui de chercheur d'or en Alaska. Autodidacte (il s'instruit lui-même), il écrit de nombreux romans d'aventures, en grande partie inspirés par sa vie. Il y dénonce la cruauté, la misère, et montre les aspects hostiles et violents de la société. Il connaît un grand succès. Ses œuvres les plus célèbres sont *l'Appel de la forêt* (1903), *le Loup des mers* (1904) et *Croc-Blanc* (1905). Jack London se donne la mort en 1916.

Londres

Capitale du Royaume-Uni, située au sud-est de l'Angleterre, sur les bords de la Tamise. Londres est l'une des plus importantes villes européennes. C'est, après New York, la plus grande place financière du monde. La City est un centre d'affaires très réputé. La vie politique, culturelle et industrielle y est intense. Londres est aussi le principal port de la Grande-Bretagne. La ville compte près de 2,4 millions d'habitants, l'agglomération un peu plus de 7 millions.
C'est une ville très touristique, qui abrite de nombreux monuments, parmi lesquels la Tour de Londres (XIᵉ siècle), l'abbaye de Westminster (XIIIᵉ-XVIᵉ siècles), le palais de Westminster (XIXᵉ siècle), la cathédrale Saint-Paul (fin du XVIIᵉ siècle) et Buckingham Palace (XVIIIᵉ siècle), résidence de la famille royale. Elle possède aussi de riches musées : British Museum, National Gallery, Tate Gallery… et depuis l'an 2000, la roue du *Millenium* qui s'élève à 135 mètres de hauteur.
Ce sont les Romains qui lui donnent le nom de *Londinium*. En 1666, la ville est en majeure partie détruite par un terrible incendie. Au cours de la Seconde Guerre mondiale, c'est depuis Londres que le général de Gaulle lance à la radio son appel du 18 juin 1940, pour organiser la Résistance française. La ville est gravement touchée par les bombardements allemands.

long, longue adj., adv., n. m. et n. f.
• adj. *1* Qui a une grande longueur. *Une longue avenue. Avoir les cheveux très longs.* *2* Qui a telle longueur. *Un voilier long de 9 mètres.* *3* Qui dure longtemps. *Un long voyage en train.* *4* *Être long à faire quelque chose* : être lent à le faire. *Elle est longue à se préparer.*

Elles ont longuement parlé avec leurs amies, d'une façon longue (*3*).

● adv. Beaucoup. *Il en sait long sur cette histoire.*

● n. m. *1* Longueur. *Ma chambre fait 4 mètres de long sur 3 mètres de large. 2 De long en large :* dans un sens puis dans l'autre. *Il marche de long en large dans la pièce. 3 En long et en large :* dans tous les détails. *Il m'a raconté son aventure en long et en large. 4 Le long de :* en suivant le bord de. *Marcher le long de la plage. 5 De tout son long :* de toute sa longueur. *Tomber de tout son long dans la boue.*

● n. f. *1* Note de musique longue. *2 À la longue :* petit à petit. *À la longue, tu finiras par t'y habituer.*

longe n. f. Corde ou courroie pour conduire un cheval à la main, ou le faire travailler en cercle, sans cavalier.

longer v. → conjug. **ranger.** Suivre le bord d'un lieu. *La voie ferrée longe la mer.*

longévité n. f. Longue durée de vie. *La longévité des tortues est connue.*

longiligne adj. Grand et mince. *Un jeune homme longiligne.*

longitude n. f. Distance séparant un point du globe terrestre du méridien de Greenwich en Angleterre.

La longitude indique la distance qui sépare un point de la Terre du méridien d'origine, le méridien de Greenwich. Avec la latitude, elle permet de donner les coordonnées géographiques précises d'un lieu. La longitude s'exprime en degrés. Il existe une longitude est et une longitude ouest. Elle représente un angle dont un des sommets se trouve sur l'axe de la Terre. Par exemple, Paris est à 2° 20 de longitude est. Cela signifie que le point où se trouve Paris forme avec l'axe de la Terre et le méridien de Greenwich, ou méridien 0°, un angle de 2° 20.

longitudinal, ale, aux adj. Qui est pris dans le sens de la longueur. *Coupe longitudinale d'un bâtiment.* **Contraire : transversal.**

longtemps adv. Pendant un long espace de temps. *Tu as dormi longtemps.*

longue adj., **longuement** adv. → **long.**

longueur n. f. *1* Dimension la plus grande d'une chose. *Plier une feuille dans le sens de la longueur. 2* Distance. *Courir sur une longueur de 500 mètres. 3* Durée ou taille particulièrement grandes. *La longueur d'une attente. La longueur d'un nez. 4 À longueur de :* sans s'arrêter. *Il râle à longueur de journée. 5* Au pluriel. Passages trop longs, dans un film, un livre.

Les dimensions du corps servaient de référence pour les mesures de longueur anciennes : le pouce valait 2 cm, le pied 30,8 cm. Une lieue qui valait 4 000 m correspondait à une heure de marche. C'est en 1795 que le système métrique remplace ces mesures anciennes en France.

Regarde page suivante.

longue–vue n. f. **Plur. : des longues-vues.** Lunette qui grossit fortement les objets éloignés.

La longue-vue ou lunette d'approche a été inventée en Italie à la fin du XVIᵉ siècle. Contrairement à la lunette astronomique, où l'image est inversée, la longue-vue terrestre est munie d'un dispositif qui permet d'observer les objets dans leur position réelle.

Lons-le-Saunier

Ville française de la Région Franche-Comté, située sur les bords de la Vallière. Lons-le-Saunier est un centre administratif et commercial régional. C'est aussi une station thermale. La ville abrite quelques monuments anciens, notamment deux églises du Moyen Âge et la pharmacie de l'hôpital, du XVIIIᵉ siècle. Lons-le-Saunier se développe à l'époque romaine sous le nom de Ledo Salinarius, qui vient de ses salines.

39 *Préfecture du Jura*
19 966 habitants : les Lédoniens

---

look n. m. Familier. Aspect physique, allure. *Il a décidé de changer de look.*
Mot anglais qui se prononce [luk].

looping n. m. Acrobatie aérienne consistant pour l'avion à faire une boucle.
Mot anglais qui se prononce [lupiŋ].

lopin n. m. Petite parcelle de terrain. *Il possède un lopin de terre près de la rivière.*

loquace adj. Qui parle facilement et beaucoup. *Il n'est pas très loquace sur ce qui se passe à l'école.*
Synonyme : bavard.

loque n. f. Morceau de tissu ou vêtement déchirés. *Cette chemise tombe en loques. Enfant vêtu de loques.*
Synonymes : haillon, lambeau.

loquet n. m. Petite barre métallique qui, en s'abaissant, ferme une porte.

lord n. m. Titre de noblesse, en Grande-Bretagne.

lorgner v. → conjug. **aimer.** Regarder du coin de l'œil, avec convoitise. *Il lorgne sur l'assiette de son voisin.*

lorgnette n. f. *1* Jumelle de théâtre. *2 Voir les choses par le petit bout de la lorgnette :* d'une façon étroite et un peu mesquine.

lorgnon

LES LONGUEURS

Mesurer une longueur, c'est la comparer à une autre longueur prise pour unité.
L'unité principale des mesures de longueur est le mètre (m).
Il comporte des multiples et des sous-multiples.

■ Les grandes longueurs

Pour mesurer les longueurs dans l'espace on utilise :
• l'année-lumière ou année de lumière (al) qui vaut 9 461 milliards de kilomètres et correspond à la distance que parcourt la lumière en 1 an. Ainsi, lorsque nous regardons l'étoile Polaire, qui se trouve à 430 al de la Terre, nous percevons la lumière émise il y a 430 ans, c'est-à-dire un an avant la nuit de la Saint-Barthélemy.
• l'unité astronomique (UA), qui vaut 149 600 000 km et correspond à la distance moyenne entre la Terre et le Soleil.

L'anaconda peut atteindre plus de 8 m.

■ Les petites longueurs

Pour mesurer les longueurs inférieures au millimètre (microbes, ondes…) on utilise :
• le micromètre (µm) qui vaut 1 millionième de m ;
• l'angström (Å) qui vaut 1 dix-millionième de mm.

La fourmi mesure moins de 10 mm.

Tableau récapitulatif

	→	**kilomètre** km 1 000 m
■ Les multiples du mètre ont des valeurs 10 fois, 100 fois, 1 000 fois supérieures au mètre.	→	**hectomètre** hm 100 m
	→	**décamètre** dam 10 m
	→	**mètre** m 1 m
	→	**décimètre** dm 0,1 m
■ Les sous-multiples du mètre ont des valeurs 10 fois, 100 fois, 1 000 fois inférieures au mètre.	→	**centimètre** cm 0,01 m
	→	**millimètre** mm 0,001 m

lorgnon n. m. Lunettes sans branches que l'on pinçait autrefois sur le nez.

loriot n. m. Petit oiseau qui vit dans les vergers et dans les bois. Le plumage du mâle est jaune et noir, celui de la femelle est vert.

Lorrain (Le)

Peintre français né en 1600 et mort en 1682. Son vrai nom est Claude Gellée. Le Lorrain quitte très jeune sa région natale, la Lorraine, pour se rendre en Italie où il vit jusqu'à sa mort. Il devient un maître du paysage classique (*Port de mer au soleil couchant, Vue d'un port à l'aube*…). L'éclairage de ses compositions (lumière oblique, soleil couchant, teintes chaudes et dorées baignant la toile) crée des atmosphères caractéristiques. Il est rapidement apprécié et travaille pour la haute noblesse romaine. On lui doit de nombreuses scènes

Vue d'un port à l'aube

mythologiques ou religieuses (*l'Embarquement de la reine de Saba, Mariage d'Isaac et de Rebecca, David sacré roi par Samuel*…).

Lorraine

Région du nord-est de la France. La Lorraine est une région de plateaux. La forêt couvre une grande partie du territoire. À l'origine, la Lorraine est occupée par les Celtes, qui exploitent déjà ses mines de sel et de fer. Elle se développe à l'époque romaine. Longtemps disputée entre la Bourgogne, la France et le Saint Empire romain germanique, la région revient à la couronne de France en 1766. Une partie de la Lorraine (la Moselle) est annexée par l'Allemagne de 1871 à 1919 et de 1940 à 1944.

lors adv. *1* *Lors de :* au moment de, pendant. *Il a été contaminé lors d'un voyage.* *2* *Depuis lors :* depuis ce moment-là. *Il a eu cet accident, depuis lors il boîte.*

lorsque conj. Quand, au moment où. *Pense à éteindre les lumières lorsque tu partiras.*

losange n. m. Figure géométrique à quatre côtés égaux et dont les angles ne sont pas droits.

Le losange est également un parallélogramme, ses côtés étant parallèles deux à deux. Ses diagonales se coupent à angle droit en leur milieu.

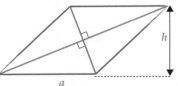

L'aire A du losange est égale au produit de la longueur d'un côté a choisi comme base par la hauteur h correspondante :
$A = a \times h$.

lot n. m. *1* Argent ou objet gagnés dans une loterie, une tombola. *Remporter le gros lot.* *2* Part, parcelle qui reviennent à chacun dans un partage. *Diviser un terrain en lots.* *3* Ensemble d'articles vendus ensemble. *Un lot de casseroles.*

loterie n. f. Jeu de hasard dans lequel les numéros des billets gagnants sont tirés au sort.

Lothaire Ier

Empereur d'Occident né en 795 et mort en 855. Lothaire Ier appartient à la dynastie carolingienne. Il est le fils aîné de Louis Ier le Pieux et le petit-fils de Charlemagne. À la mort de son père en 840, ses frères s'allient contre lui et l'obligent à accepter, en 843, le traité de Verdun qui partage l'Empire en trois parties. Lothaire reçoit l'Italie, la Provence, la Bourgogne, la Lorraine, l'Alsace et les Pays-Bas. Il choisit Aix-la-Chapelle pour capitale.

loti, ie adj. *Être bien loti* ou *mal loti :* être favorisé ou défavorisé par le sort.

lotion n. f. Produit liquide parfumé utilisé pour les soins de la peau ou des cheveux. *Une lotion après-rasage.*

lotissement n. m. *1* Terrain divisé en lots destinés à être construits. *2* Ensemble des habitations qui s'y trouvent. *J'habite un lotissement à la sortie de la ville.*

loto n. m. *1* Jeu de société consistant à remplir le plus vite possible un ensemble de cases numérotées avec des jetons tirés au sort. *2* Loterie nationale, en France.

lotte n. f. Poisson de mer à la chair recherchée, remarquable par sa grosse tête.
Synonyme : baudroie.

lotus n. m. Nénuphar à grosses fleurs blanches ou bleues.
On prononce [lɔtys].

louable adj. → **louer 2.**

louanges n. f. plur. Paroles qui louent quelqu'un, vantant ses mérites, compliments, félicitations. *Un concert de louanges.*

1. louche adj. Qui n'est pas clair, qui est trouble, suspect. *Un individu louche. Une affaire louche.*

2. louche n. f. Cuillère ronde à long manche pour servir la soupe.

loucher v. → conjug. **aimer.** *1* Avoir les deux yeux qui ne regardent pas dans la même direction. *2* *Loucher sur quelque chose :* la regarder avec envie, lorgner dessus. *Il louche sur le dessert.*

1. louer v. → conjug. **aimer.** *1* Mettre à la disposition de quelqu'un un logement, un véhicule, une machine contre paiement. *Mes parents louent une chambre à une étudiante.* *2* Pouvoir disposer d'un logement, d'un véhicule, d'une machine pour un certain temps contre paiement. *Nous avons loué une voiture pour nous promener en Grèce.* *3* Réserver une place en payant à l'avance. *Louer des places de concert.*

2. louer v. → conjug. **aimer.** *1* Vanter les qualités, faire l'éloge de quelqu'un ou de quelque chose. *2* *Se louer de :* se féliciter de, être tout à fait content de. *Voilà des parents heureux, qui n'ont qu'à se louer de leurs enfants.*

Ton intention est vraiment *louable*, elle mérite d'être louée (*2*).

loufoque adj. Extravagant, saugrenu. *Une vieille dame un peu loufoque.*

louis n. m. Ancienne pièce d'or française.

Louis IX

Louis IX ou Saint Louis

Roi de France né en 1214 ou 1215 et mort en 1270. Louis IX n'a que douze ans à la mort de son père, Louis VIII. Sa mère, Blanche de Castille, assure la régence du royaume jusqu'en 1242. Louis IX jouit d'une grande popularité. On loue sa bonté, sa justice, sa sagesse et sa foi chrétienne. Il s'efforce de faire régner l'ordre et la paix sur l'ensemble du royaume. Il interdit les tournois et les guerres privées et donne à la justice du roi priorité sur les justices des seigneurs. Il ordonne l'utilisation de la monnaie royale sur tout le territoire. En 1248, Louis IX part pour la septième croisade, qui se termine par un échec. Il rentre en France en 1254, mais se lance en 1270 dans la huitième croisade. Atteint de la peste, il meurt devant Tunis le 25 août. Il est canonisé (déclaré saint) par le pape Boniface VIII en 1297.

Louis XI

Roi de France né en 1423 et mort en 1483. Louis XI est le fils de Marie d'Anjou et de Charles VII, contre lequel il se révolte à plusieurs reprises. Il monte sur le trône en 1461. Se méfiant des nobles et des princes, il s'entoure de fidèles conseillers issus du peuple et de la bourgeoisie. Avare, laid, cruel et superstitieux, Louis XI préfère la ruse à la guerre. Soucieux d'étendre le royaume de France, il se heurte au puissant duc de Bourgogne, Charles le Téméraire.

À la mort de ce dernier, Louis XI récupère la Bourgogne. Entre 1480 et 1481, la France s'agrandit encore de l'Anjou, du Maine, de la Provence et du Roussillon. Louis XI redresse également l'économie. À sa mort, ce roi peu populaire laisse une France prospère dont les frontières sont à peu près celles que nous connaissons aujourd'hui.

Louis XIII le Juste

Roi de France né en 1601 et mort en 1643. Louis XIII n'a que neuf ans à la mort de son père, Henri IV. Sa mère, Marie de Médicis, prend en charge la régence du royaume. Louis XIII est sacré roi à Reims en 1614 et, en 1615, épouse Anne d'Autriche. En 1617, il écarte sa mère du pouvoir. À partir de 1624, Louis XIII gouverne sous les conseils du cardinal de Richelieu. Ils mettent un terme aux révoltes protestantes et soumettent les Grands du royaume. Il développe la marine, encourage le commerce et lutte contre les Espagnols et les Autrichiens qui menacent les frontières. Mais les opérations militaires coûtent cher et les impôts augmentent, rendant impopulaires le roi et son ministre.

Louis XIV le Grand

Roi de France né en 1638 et mort en 1715. Fils de Louis XIII et d'Anne d'Autriche, Louis XIV n'a que cinq ans à la mort de son père. Sa mère assure la régence avec le cardinal Mazarin. Entre 1648 et 1653, ils doivent faire face à une révolte contre la monarchie, la Fronde. Louis XIV s'affirme comme souverain en 1661, à la mort de Mazarin. Il exerce un pouvoir absolu pendant cinquante-quatre ans, le plus long règne de l'histoire de France. Soucieux de la puissance de son pays, Louis XIV engage la France dans des guerres qui ruinent ses finances. Mais il entreprend en même temps une modernisation de l'administration et, aidé de Colbert, assure au pays un développement industriel et commercial sans pareil. Louis XIV, le « Roi-Soleil », joue aussi un grand rôle dans le rayonnement culturel de la France, en protégeant toutes les formes d'art. La Cour est installée à Versailles, devenue la capitale du royaume.

Louis XV le Bien-Aimé

Roi de France né en 1710 et mort en 1774. Il est l'arrière-petit-fils de Louis XIV. Il n'a que cinq ans à la mort de celui-ci. Jusqu'à sa majorité en 1723, son oncle, le duc Philippe d'Orléans, gouverne. Louis XV s'appuie sur le duc de Bourbon, puis sur le cardinal de Fleury. La France retrouve une certaine forme de prospérité. À la mort de Fleury, en 1743, Louis XV gouverne seul, mais il subit l'influence de ses favorites et mène une politique qui mécontente l'opinion. À partir de 1750, il doit faire face à la révolte des parlements. Puis, de 1756 à 1763, la guerre de Sept Ans contre l'Angleterre fait perdre à la France le Canada et l'Inde.

Louis XVIII

Roi de France né en 1755 et mort en 1824. Louis XVIII est le frère de Louis XVI. Il est proclamé roi après l'abdication de Napoléon I er en 1814. C'est la première Restauration de la monarchie, qui prend fin avec le retour de Napoléon pendant les Cent-Jours. Louis XVIII retrouve son trône en 1815, après la chute de l'Empereur ; c'est la seconde Restauration. Le roi essaie de se rendre populaire en préservant certains acquis révolutionnaires. Mais ses maladresses (remplacement du drapeau tricolore par le drapeau blanc, retour à certaines habitudes de l'Ancien Régime) le rendent impopulaire. La fin de son règne est marquée par le triomphe des contre-révolutionnaires dont le chef, le comte d'Artois, lui succède sous le nom de Charles X.

Louis XVI

Roi de France né en 1754 et mort en 1793. Petit-fils de Louis XV, Louis XVI devient roi à vingt ans. Il se laisse influencer par sa femme Marie-Antoinette. Il ne soutient pas ses ministres réformateurs (Turgot, Necker) et conforte le pouvoir des privilégiés. En 1789, la France connaît une grave crise financière. Les maladresses répétées de Louis XVI conduisent à la Révolution, qui débute en 1789. La France se dote d'une Constitution, à laquelle le roi jure fidélité le 14 juillet 1790. La monarchie devient parlementaire. Mais Louis XVI tente de quitter la France pour rejoindre des troupes étrangères prêtes à l'aider. Arrêté à Varennes le 20 juin 1791, il perd la confiance du peuple. La première République est proclamée le 21 septembre 1792. Louis XVI est jugé et guillotiné le 21 janvier 1793, il est le dernier monarque de l'Ancien Régime.

Louis–Philippe I er

Roi de France né en 1773 et mort en 1850. Fils de Louis-Philippe-Joseph, duc d'Orléans, Louis-Philippe est porté au pouvoir en juillet 1830, à la faveur de la révolution qui chasse le roi Charles X. C'est la monarchie de Juillet. Le roi prête serment sur une Charte qui offre certaines garanties au peuple (liberté de la presse, élargissement du corps électoral, abolition de la censure). En réalité, le pouvoir appartient à la haute bourgeoisie qui, tout en développant l'économie du pays, s'enrichit de façon considérable. Les oppositions au régime ne cessent de grandir. L'autoritarisme renaissant du roi et de son ministre Guizot, ainsi que le refus de faire des réformes, mettent à mal le pouvoir. En février 1848, l'opposition déclenche une insurrection qui tourne à la révolution. Louis-Philippe abdique le 24 février.

loup

loup n. m. *1* Mammifère carnivore ressemblant au chien, qui vit dans les forêts. *2* Autre nom du bar, poisson de mer très recherché. *3* Masque de tissu noir, couvrant l'espace allant des sourcils au bas du nez. *4* Loup de mer : marin ayant beaucoup navigué.

loupe n. f. Lentille de verre bombée qui grossit les objets. *Examiner une plante, un insecte à la loupe.*

louper v. → conjug. **aimer.** Familier. Manquer, rater. *Louper son train.*

loup–garou n. m. **Plur. : des loups-garous.** Homme qui, selon certaines légendes, se transforme en loup la nuit.

lourd, lourde adj. et adv.
• adj. *1* Dont le poids est élevé. *Une lourde valise.* *2* Qui est pesant, oppressant, difficile. *Un repas lourd. Un sommeil lourd. Une démarche lourde.* *3* Qui accable, qui est difficile à supporter. *Une lourde tâche. Avoir de lourdes responsabilités.* *4* Qui manque de finesse, de subtilité. *Une plaisanterie lourde.* *5* Rempli de quelque chose. *Un regard lourd de menaces. Une phrase lourde de sous-entendus.*
Contraire : léger.
    *Il a **lourdement** insisté sur le prix de son cadeau,* d'une manière lourde (*4*).
• adv. *1* Beaucoup. *Ce paquet pèse lourd. Il n'en fait pas lourd dans la maison.* *2* Il fait lourd : le temps est orageux.

lourdaud, aude adj. Balourd, gauche, maladroit au physique et au moral.

lourdement adv. → lourd.

lourdeur n. f. *1* Pesanteur, caractère pesant. *La lourdeur d'une démarche, d'une silhouette.* *2* Absence de finesse, de vivacité d'esprit. *Lourdeur d'esprit.*

loutre n. f. Mammifère carnivore.

Les loutres, adaptées à la nage, ont un corps effilé, des pieds palmés et un pelage brun imperméable. La loutre commune mesure environ 75 cm queue comprise. Elle vit près des cours d'eau de l'hémisphère Nord et se nourrit surtout de poissons et de grenouilles. Chassée pour sa fourrure, elle est devenue rare. La loutre de mer, plus grande, se rencontre dans le Pacifique Nord. Elle se sert d'une pierre posée sur sa poitrine pour briser les coquillages qu'elle consomme.

louve n. f. Femelle du loup.

louveteau, eaux n. m. *1* Petit du loup et de la louve. *2* Jeune scout, entre 8 et 12 ans.

louvoyer v. → conjug. **essuyer.** *1* Naviguer en faisant des zigzags. *2* Au figuré. Utiliser des moyens détournés, biaiser.

se lover v. → conjug. **aimer.** S'enrouler sur soi-même, se pelotonner. *Le chat dort, lové au creux du divan.*

loyal, ale, aux adj. Qui est fidèle à sa parole, droit, honnête. *Cet adversaire a été loyal. Elles ont été loyales avec lui.*
Contraires : déloyal, hypocrite, malhonnête, perfide.
> *La loyauté d'une conduite, d'une personne,* c'est son caractère loyal. *Il a accepté loyalement sa défaite,* de façon loyale.

loyer n. m. Somme d'argent à payer chaque mois par un locataire au propriétaire qui lui loue un appartement ou une maison. *Il paie un loyer de 500 euros par mois, charges comprises.*

lubie n. f. Caprice, idée fantaisiste. *Qu'est-ce que c'est que cette nouvelle lubie de vouloir manger avec ses doigts ? Il dort par terre pour s'endurcir, c'est sa dernière lubie.*

lubrifier v. → conjug. **modifier.** Huiler, graisser un mécanisme, un moteur. *Lubrifier une chaîne de vélo, une serrure.*
> *Le moteur de la tondeuse à gazon a rouillé, il faut absolument l'enduire d'un lubrifiant,* d'un produit qui le lubrifie.

lucane n. m. Insecte vivant dans les forêts de chênes et de châtaigniers.
> Le lucane peut mesurer jusqu'à 8 cm de long : c'est l'un des plus gros coléoptères des régions tempérées. On l'appelle aussi « cerf-volant », car le mâle porte des puissantes mandibules qui rappellent les bois des cerfs. Les femelles pondent leurs œufs dans les troncs des arbres. Les larves creusent des galeries dans le bois dont elles se nourrissent.

lucarne n. f. Petite fenêtre percée dans une toiture. *La lucarne d'un grenier.*

lucide adj. **1** Qui dispose de toutes ses facultés intellectuelles, qui est tout à fait conscient. *Malgré l'âge et la maladie, il est resté parfaitement lucide.* **2** Qui est clairvoyant et perspicace. *Il connaît bien ses défauts, il est lucide sur son propre compte.*
> *Elle a constaté lucidement qu'elle manquait d'expérience,* de façon lucide (2). *Pas d'emballement, analysons la situation avec lucidité,* d'une manière lucide (2).

luciole n. f. Petit insecte volant, dont le corps est lumineux.

lucratif, ive adj. Qui procure de l'argent, des bénéfices. *Un commerce lucratif.*

Nom donné au squelette d'un australopithèque trouvé en Éthiopie en 1974. Surnommée Lucy ou Lucie d'après une chanson des Beatles *Lucy in the sky with diamonds,* elle aurait vécu il y a environ trois millions d'années. Elle devait peser 30 kg, mesurer entre 1 m et 1,10 m et avoir une vingtaine d'années. Elle marchait le dos voûté, possédait de courtes jambes et de longs bras. Son cerveau était trois fois plus petit que le nôtre.

luette n. f. Petit organe mobile situé au fond du palais, et qui bloque l'entrée du nez quand on avale.

lueur n. f. **1** Lumière faible ou intermittente. *Lire à la lueur d'une bougie. La lueur des éclairs.* **2** Expression brève dans le regard. *Une lueur de malice, de colère.* **3** *Une lueur d'espoir :* un petit peu d'espoir. *Il est très gravement atteint, mais il reste une lueur d'espoir.*

luge n. f. Petit traîneau.
> La première compétition de luge a lieu dans les Alpes suisses en 1883. La luge simple pèse 24 kg. Le pilote, allongé sur le dos, la dirige en déplaçant le poids du corps et en s'aidant de poignées. La piste, faite de lignes droites et de virages, mesure de 1 000 m à 1 500 m, et la vitesse atteinte peut dépasser 100 km/h. La luge est une épreuve des jeux Olympiques d'hiver depuis 1964.

lugubre adj. Triste, sinistre, funèbre. *Un château lugubre. Un air lugubre.*
Contraires : gai, pimpant.

lui pron. **1** Pronom personnel de la troisième personne du singulier, masculin et féminin qui a la fonction de complément d'objet indirect. *Ton frère est rentré : je vais lui demander de m'aider.* **2** Pronom personnel de la troisième personne du singulier, masculin qui a la fonction de sujet. *Lui, au moins, il dit merci !*

luire v. → conjug. **cuire.** Émettre ou refléter de la lumière. *Le soleil, la lune luisent. Un casque qui luit au soleil.*
Synonyme : briller.

luisant, ante adj. *1* Qui luit. *La route est luisante après la pluie.* *2* *Ver luisant :* insecte dont la femelle émet une lumière jaune vert.

Lully Jean-Baptiste

Compositeur français d'origine italienne né en 1632 et mort en 1687. Remarqué par le roi Louis XIV pour ses talents de compositeur, d'acteur et de danseur, Lully bénéficie de sa protection. De 1664 à 1670, il compose la musique des comédies-ballets de Molière telles que *le Bourgeois gentilhomme* (1670) et participe à leur chorégraphie. Lully est à l'origine d'un style musical dit «style français». Ses grandes œuvres lyriques, comme *Alceste* (1674), *Thésée* (1675) et *Amadis* (1684) font de lui le créateur de l'opéra français. Sa musique connaît le succès dans l'Europe entière.

lumbago n. m. → **lombago.**

lumière n. f. *1* Clarté du jour. *Pièce qui manque de lumière.* *2* Éclairage artificiel. *La lumière d'un phare. Les lumières de la ville.* *3* *Faire la lumière sur quelque chose :* le tirer au clair, l'élucider.

Lumière (Siècle des) → **Siècle des Lumières.**

Lumière (les frères)

Scientifiques et industriels français. Louis est né en 1864 et mort en 1948 ; Auguste est né en 1862 et mort en 1954. Les frères Lumière perfectionnent les techniques de la photographie puis, en 1895, mettent au point le premier cinématographe.
Le 28 décembre 1895, au Grand Café, sur le boulevard des Capucines à Paris, ils projettent en public le premier film de cinéma : *la Sortie des usines Lumière.* Ils tournent d'autres courts métrages, en particulier *l'Arroseur arrosé* et *l'Arrivée du train en gare de La Ciotat.* Ils reprennent ensuite leurs recherches dans d'autres domaines, et mettent au point un procédé de photographie en couleurs.

luminaire n. m. Tout appareil d'éclairage. *Acheter un lampadaire, des spots dans une boutique de luminaires.*

lumineux, euse adj. *1* Qui émet, qui réfléchit ou qui reçoit la lumière. *Les enseignes lumineuses des magasins la nuit. Appartement très lumineux.* *2* Qui est clair, radieux. *Un sourire lumineux.* *3* Au figuré. Remarquable par sa clarté. *Un exposé lumineux.*
Les nuits d'été, le ciel de Provence peut avoir une **luminosité** *extraordinaire*, il est lumineux (*1*).

lunaire adj. → **lune.**

lunatique adj. Qui est d'humeur changeante, fantasque, imprévisible.

lunch n. m. **Plur. : des lunchs ou des lunches.** Repas froid servi sous forme de buffet, à midi.
Mot anglais qui se prononce [lœntʃ] **ou** [lœʃ]**.**

lundi n. m. Premier jour de la semaine.

lune n. f. *1* Astre satellite de la Terre. *2* *Nouvelle lune :* période où la Lune n'est pas visible. *3* *Pleine lune :* période où la Lune est parfaitement ronde. *4* *Être dans la lune :* très distrait. *5* *Demander ou promettre la lune :* quelque chose d'impossible. *6* *Clair de lune :* clarté de la lune. *À cause de Lucy, toute la famille est obligée de dormir au clair de lune.*
Un paysage **lunaire**, *c'est un paysage désolé comme celui de la Lune.*

La Lune est située à environ 384 400 km de la Terre ; son diamètre est de 3 476 km. Elle fait le tour de la Terre en 29 jours, 12 heures et 44 minutes. Comme elle met le même temps pour effectuer une rotation sur elle-même, elle présente toujours la même face à la Terre. La Lune n'émet pas de lumière, elle réfléchit les rayons du Soleil. Le sol lunaire est fait de cratères et de montagnes. Il n'y a pas d'atmosphère sur cet astre, ce qui provoque des écarts de température de près de 300 °C entre le jour et la nuit !
La Lune est née il y a 4,6 milliards d'années, en même temps que la Terre. Le 21 juillet 1969, l'Américain Neil Armstrong est le premier homme à fouler son sol.

luné, ée adj. Familier. *Être bien luné* ou *mal luné :* être de bonne ou de mauvaise humeur.

lunette n. f. *1* Instrument d'optique grossissant, servant en particulier à observer les astres. *2* Au pluriel. Paire de verres fixés sur une monture, destinés à corriger la vue ou à protéger les yeux. *Lunettes de soleil, de protection, de plongée.*

lupin n. m. Plante des jardins, aux fleurs en grappe.

lurette n. f. Familier. *Il y a belle lurette :* il y a bien longtemps. *Il y a belle lurette que les bébés ne portent plus de langes.*

luron, onne adj. *Gai* ou *joyeux luron :* personne agréable à fréquenter.

lustre n. m. Appareil d'éclairage formé de plusieurs lampes, que l'on suspend au plafond. *Chez ma grand-mère, il y a un lustre en cristal.*

lustré, ée adj. Qui a des reflets brillants. *Le poil lustré d'un animal en bonne santé.*

luth n. m. Instrument de musique ancien à cordes pincées.

L e luth comprend une caisse très bombée et un manche assez court dont l'extrémité est perpendiculaire à l'instrument.

Le luth compte 7, 13 ou 21 cordes. Il se joue avec ou sans médiator (petite lame rigide en corne). Originaire d'Orient, le luth est introduit en Europe au XIVe siècle. À partir du XVIIIe siècle, on ne l'utilise plus que rarement. Redécouvert au XXe siècle, il est aujourd'hui à nouveau fabriqué.

Homonyme : lutte.

Luther Martin

R éformateur religieux allemand né en 1483 et mort en 1546. Ordonné moine en 1507, Luther étudie la théologie et devient professeur d'université. Ses lectures et ses réflexions le conduisent à critiquer l'Église catholique. Il dénonce en particulier la vente d'indulgences, c'est-à-dire le rachat des péchés contre une somme d'argent. En 1517, Luther publie 95 thèses qui exposent ses critiques. Ces écrits font grand bruit. Comme il refuse de renoncer à ses idées, Luther est excommunié. Il suggère alors une nouvelle forme de christianisme qui s'inspirerait davantage de la Bible : c'est le protestantisme. Il organise cette nouvelle doctrine, qui se répand rapidement en Europe, notamment dans les pays du Nord.

luthier n. m. Artisan qui fabrique et répare des instruments à cordes comme les luths, les guitares, les violoncelles et les contrebasses. *Il est allé choisir son violon chez un luthier.*

lutin n. m. Petit personnage imaginaire espiègle et malicieux, farfadet.

lutte n. f. *1* Sport de combat opposant deux adversaires sans arme ni accessoire, le but étant d'immobiliser l'autre sur le sol. *2* Affrontement violent, bataille entre deux personnes ou deux groupes. *Ce fut une lutte incessante pour le pouvoir entre ces deux équipes. 3* Ensemble d'actions menées pour vaincre un mal, atteindre un certain objectif. *Lutte contre le cancer, le sida, le chômage.*

L a lutte est pratiquée dès l'Antiquité chez les Égyptiens, les Grecs et les Romains.

Les lutteurs s'affrontent à mains nues. Le but du combat est de plaquer au sol les épaules de son adversaire et de l'immobiliser si possible.
Cette discipline se pratique selon deux variantes : la lutte gréco-romaine et la lutte libre. Dans la première, toutes les prises doivent se porter au-dessus de la ceinture et l'usage des jambes est interdit. Dans la seconde, toutes les prises sont autorisées. Le combat se déroule en deux périodes de trois minutes séparées par 30 secondes de repos.
Les athlètes sont rangés par catégories en fonction de leur poids. La lutte féminine est également développée. La lutte gréco-romaine est inscrite aux jeux Olympiques en 1896, la lutte libre en 1904.

Synonyme : combat (*2* et *3*). Homonyme : luth.

lutter v. → conjug. **aimer.** *1* Mener une lutte corps à corps. *2* Se battre, combattre, résister. *Peuple qui lutte pour son indépendance. Lutter contre la maladie.*

lutteur, euse n. *1* Athlète qui pratique la lutte. *2* Personne au tempérament énergique, qui aime se battre pour obtenir quelque chose.

Synonyme : battant (*2*).

luxation n. f. Déplacement, déboîtement d'un os hors de son articulation. *Luxation de l'épaule, du genou, de la hanche.*

Il s'est luxé le coude en tombant, il s'est fait une luxation.

luxe n. m. Manière de vivre caractérisée par une abondance de biens et d'objets coûteux, raffinés et superflus. *Vivre dans le luxe. Produit, hôtel de luxe.*

Ils ont un train de vie luxueux, caractérisé par le luxe. *Leur villa est luxueusement meublée*, de façon luxueuse.

Luxembourg

Monarchie du nord de l'Europe. Le Luxembourg est un très petit pays vallonné.
Le Nord, qui appartient au plateau ardennais, est très boisé. Le Sud, prolongement de la Lorraine, est la région agricole et industrielle du pays. Les hivers sont froids et la neige abondante dans les Ardennes, ils sont moins rudes dans le Sud. L'économie du Luxembourg se fonde principalement sur l'industrie (chimie, textile) et le secteur financier. Ce pays est une place bancaire internationale. Le tourisme est bien développé. La capitale est le siège du secrétariat du Parlement européen et celui de la Cour européenne de Justice. Pendant les deux guerres mondiales, le grand-duché de Luxembourg est occupé par l'Allemagne. Il devient membre du Benelux en 1947. Il appartient à l'Union européenne.

2 586 km²
447 000 habitants :
les Luxembourgeois
Langues : français,
allemand,
luxembourgeois
Monnaie : euro
(ex-franc luxembourgeois
et franc belge)
Capitale : Luxembourg

se luxer v. → luxation.

luxuriant, ante adj. Abondant et exubérant, quand il s'agit de la végétation. *Un jardin tropical luxuriant.*

luzerne n. f. Plante à fleurs violettes qui sert de fourrage au bétail. *Champ de luzerne.*

Lyautey Louis Hubert Gonzalve

Militaire français, maréchal de France, né en 1854 et mort en 1934. La plus grande partie de la carrière militaire de Lyautey se déroule hors de France, dans les colonies : Algérie, Tonkin, Madagascar…
Il est nommé résident général de la République française au Maroc en 1912. Respectueux des habitants, il mène une politique de pacification et encourage le développement du pays. Lyautey est ministre de la Guerre entre 1916 et 1917. Il est promu maréchal de France en 1921.

lycée n. m. Établissement public d'enseignement secondaire allant de la seconde à la terminale. *On entre au lycée après le collège.*
Il y a une manifestation de **lycéens**, des élèves des lycées.

lymphatique adj. Indolent, mou, sans énergie. *Un tempérament lymphatique.*

lymphe n. f. Liquide transparent qui circule à l'intérieur de l'organisme.

lyncher v. → conjug. **aimer.** Mettre à mort quelqu'un, considéré comme coupable, sans qu'il ait été jugé. *La foule a voulu lyncher le voleur de bétail.*

lynx n. m. Mammifère carnivore appartenant à la famille des félidés.

Lyon

Ville française de la Région Rhône-Alpes, située au confluent du Rhône et de la Saône. Lyon est la deuxième plus grande agglomération de la France. C'est une cité dynamique à vocation européenne où tous les secteurs d'activités sont représentés ; elle possède aussi trois universités. Classée au patrimoine de l'humanité, la ville abrite des vestiges romains, une cathédrale des XIIᵉ-XVᵉ siècles, Saint-Jean, une basilique romane du XIIᵉ siècle, des maisons de style Renaissance… Elle compte de nombreux musées, dont celui de la Marionnette (c'est à Lyon que Guignol est créé au XIXᵉ siècle).
La cité est fondée en 43 av. J.-C. sous le nom de *Lugdunum.* Capitale de la Gaule lyonnaise, elle est le lieu de résidence des empereurs, qui y construisent de nombreux monuments. Au IIᵉ siècle, c'est la cité la plus développée de toute la Gaule. Après avoir appartenu au royaume de Bourgogne-Provence, la ville est rattachée à la France par Philippe le Bel en 1307.

69

Préfecture du Rhône
453 187 habitants : les Lyonnais

lyre n. f. Instrument de musique à cordes pincées, utilisé dans l'Antiquité.

lyrique adj. **1** Qui est enthousiaste, passionné, inspiré, exalté. **2** *Artiste lyrique :* chanteur ou chanteuse d'opéra ou d'opérette. **3** *Théâtre lyrique :* l'opéra ou l'opérette.
Il parle avec **lyrisme** de son Algérie natale, d'une manière lyrique (**1**).

lys n. m. → lis.

Mm

Qui est donc Mélusine ?

MÉLUSINE

m' pron. → **me.**

ma adj. possessif. → **mon.**

Maastricht (traité de)

Traité fondateur de l'Union européenne, signé par les pays membres de la Communauté européenne le 7 février 1992, dans la ville de Maastricht, aux Pays-Bas.
Le traité de Maastricht vise à la mise en place de l'Union économique et monétaire (UEM) avec la création d'une monnaie unique, l'euro. Il doit aussi conduire à l'harmonisation des institutions entre les différents pays concernés, afin de réaliser une Union politique (défense commune, justice, police…). Enfin, le traité crée la citoyenneté européenne, qui permet à n'importe quel citoyen d'un pays de l'Union européenne de s'installer dans un autre État membre.

Regarde aussi Europe.

macabre adj. Qui concerne la mort ou qui fait penser à la mort. *Un spectacle macabre.*

macadam n. m. Revêtement de route constitué d'un mélange de pierres concassées et de sable, tassé au rouleau compresseur.

macaque n. m. Singe d'Asie, trapu, à queue courte, parfois utilisé pour la recherche médicale.

macaron n. m. **1** Petit gâteau rond fait de pâte d'amandes et de blancs d'œufs. **2** Insigne, badge de forme ronde.

macaroni n. m. Pâte en forme de tube.

macédoine n. f. Mélange composé de légumes cuits ou de fruits, découpés en petits morceaux.

Macédoine

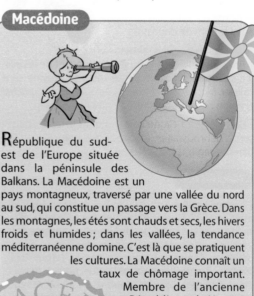

République du sud-est de l'Europe située dans la péninsule des Balkans. La Macédoine est un pays montagneux, traversé par une vallée du nord au sud, qui constitue un passage vers la Grèce. Dans les montagnes, les étés sont chauds et secs, les hivers froids et humides ; dans les vallées, la tendance méditerranéenne domine. C'est là que se pratiquent les cultures. La Macédoine connaît un taux de chômage important. Membre de l'ancienne République de Yougoslavie, la Macédoine devient indépendante en 1991. Elle connaît des tensions avec la Grèce, car le nord de celle-ci porte également le nom de Macédoine.

25 713 km²
2 046 000 habitants :
les Macédoniens
Langues : macédonien,
albanais, serbe, turc
valaque, rom
Monnaie : denar
Capitale : Skopje

macérer v. → conjug. **digérer.** Tremper longuement dans un liquide.

machaon n. m. Papillon de jour.

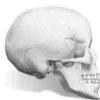

Les ailes du machaon peuvent atteindre une envergure de 9 cm. Vues de dessus, elles sont jaunes marquées de noir. Les ailes postérieures possèdent un arc bleuté et une tache rouge ronde ; elles se prolongent par une petite « queue », d'où ce papillon tire son autre nom de grand porte-queue. Le machaon apparaît dès les premiers beaux jours. Sa chenille se nourrit des feuilles des plantes de la famille de la carotte.

mâche n. f. Variété de salade.

La mâche a de petites feuilles arrondies, que l'on consomme en salade quand la plante est jeune. On lui donne aussi le nom de doucette.

mâcher v. → conjug. **aimer.**
1 Broyer les aliments avec ses dents avant de les avaler. *2* Triturer quelque chose dans sa bouche sans l'avaler. *Mâcher des chewing-gums. 3 Ne pas mâcher ses mots :* dire brutalement ce que l'on pense.

machette n. f. Grand couteau dont la lame épaisse sert à débroussailler, à couper des branches, utilisé dans les régions tropicales.

Machiavel

Homme politique et écrivain italien né en 1469 et mort en 1527. Machiavel occupe des fonctions officielles dans la république de Florence et exerce des missions diplomatiques auprès des Cours européennes. Écarté du pouvoir par le retour des Médicis, il entreprend la rédaction de ses principaux ouvrages. *Le Prince* (publié en 1532) est un traité sur la conquête et la conservation du pouvoir. Il décrit les qualités de l'homme d'État qui, dans toute action visant à servir l'intérêt de la patrie, ne doit se préoccuper que du but à atteindre, ce qui autorise la ruse et la malhonnêteté. Ce que l'on appelle le machiavélisme s'exprime dans la célèbre formule : « La fin justifie les moyens ».

machiavélique adj. Rusé et sans scrupules. *Un politicien machiavélique. Un plan machiavélique.*
On prononce [makjavelik]**.**

Se méfier du machiavélisme d'un homme d'affaires, de son comportement machiavélique.

mâchicoulis n. m. Ouverture pratiquée en haut d'un rempart.

Situé au sommet d'une muraille ou d'une tour, dans les châteaux forts, le mâchicoulis est percé d'ouvertures qui permettent de laisser tomber des projectiles sur les assaillants.

mâchicoulis

machin n. m. Familier. Objet dont on ne connaît pas le nom. *Je me demande à quoi sert ce machin.*

machinal, ale, aux adj. Que l'on fait sans s'en rendre compte, sans réfléchir, comme une machine. *Il m'a salué d'un geste machinal.*
Synonymes : automatique, mécanique.
Répondre machinalement à une question, de façon machinale.

machination n. f. Manœuvres secrètes organisées dans le but de nuire. *Cet innocent a été condamné à la suite d'une machination.*

machine n. f. Appareil destiné à effectuer certains travaux par transformation de l'énergie. *Une machine à vapeur. Une machine à laver. Une machine à coudre.*
La machinerie d'un navire, c'est la salle dans laquelle se trouve l'ensemble des machines qui servent à le faire marcher. *C'est au début du xixe siècle que le machinisme a commencé à se développer*, l'utilisation généralisée des machines dans l'industrie.

machiniste n. m. *1* Conducteur d'autobus. *2* Personne chargée des décors au théâtre, au cinéma, à la télévision.

macho n. m. Homme qui considère la femme comme inférieure à l'homme et veut la dominer.
Mot espagnol qui se prononce [matʃo]**.**

mâchoire n. f. Chacun des deux os de la face, situés à l'intérieur de la bouche où sont implantées les dents.

Crâne d'homme.   *Crâne de cheval.*

Chez de nombreux mammifères, dont l'homme, la mâchoire inférieure et la mâchoire supérieure portent le même nombre de dents. La mâchoire inférieure, articulée sur le crâne, est mobile.

mâchonner v. ➜ conjug. **aimer.** Mordiller, mâcher quelque chose machinalement. *Il mâchonne un petit morceau de papier.*

Mackenzie

Fleuve du nord du Canada. Long de 4 600 km, le Mackenzie prend sa source dans les montagnes Rocheuses et se jette dans l'océan Arctique par un vaste delta. On l'appelle Athabasca de sa source jusqu'au lac Athabasca, puis rivière des Esclaves jusqu'au Grand Lac des Esclaves. Coupé de rapides dans la première partie de sa course, il coule ensuite en pente douce vers l'océan. Calme et large, il est alors navigable de juin à octobre, mais pris par les glaces le reste de l'année. À l'ouest du fleuve se trouve un ensemble montagneux appelé monts Mackenzie, qui culmine à 2 726 m.

Mâcon

Ville française de la Région Bourgogne, située sur les bords de la Saône. Carrefour routier très fréquenté, Mâcon est aussi un port fluvial actif. C'est une ville administrative, industrielle et commerciale (vins du Mâconnais). Elle abrite les vestiges de la cathédrale romane et gothique Saint-Vincent, détruite pendant la Révolution, des maisons du XVIIIᵉ siècle, l'hôtel-Dieu de la même époque et plusieurs musées, dont celui des Ursulines.
Cité gauloise sous le nom de Matisco, la ville est conquise par Jules César. Elle devient, au VIᵉ siècle, le siège d'un évêché. Cédée aux ducs de Bourgogne en 1435, elle est rattachée au royaume de France en 1477.

71

Préfecture de la Saône-et-Loire
36 068 habitants : les Mâconnais

maçon n. m. Personne qui construit des bâtiments ou effectue des travaux d'enduit, de ravalement…

maçonnerie n. f. Ensemble des bases et des murs d'une maison, faits de pierre, de brique ou de béton et construits par un maçon. *Quand la maçonnerie sera terminée, on fera la toiture.*

maculé, ée adj. Littéraire. Taché, sali. *Ses doigts sont maculés d'encre.*

Madagascar

République de l'océan Indien, située au sud-est de l'Afrique. Madagascar est la quatrième île du monde par sa superficie ; elle est un peu plus grande que la France. Le centre du territoire est occupé par de hauts plateaux qui descendent en pente raide à l'est et en pente douce à l'ouest. Le climat est tropical, tempéré sur les hauteurs. L'agriculture produit du manioc et du riz pour l'alimentation de la population, et du café, de la canne à sucre, de la vanille et des clous de girofle pour l'exportation. L'industrie est peu développée, malgré des ressources minières importantes.
Sous domination française à partir de 1885, Madagascar devient territoire d'outre-mer en 1946 et accède à l'indépendance en 1960.

587 040 km²
16 916 000 habitants :
les Malgaches
Langues : malgache, français
Monnaie : franc malgache
Capitale : Antananarivo

madame n. f. **Plur. : mesdames.** *1* Nom donné à une femme mariée. *Je vous présente madame Martin.* *2* Titre donné à des femmes, mariées ou non, et précédant leur fonction. *Madame la Présidente.*
En abrégé : Mᵐᵉ.

madeleine n. f. Petit gâteau léger qui a la forme d'une coquille.

mademoiselle n. f. **Plur. : mesdemoiselles.** Nom donné à une jeune fille ou à une femme qui n'est pas mariée. *Ma voisine s'appelle mademoiselle Duval.*
En abrégé : Mˡˡᵉ.

madone n. f. *1* Représentation peinte ou sculptée de la Vierge Marie. *2* Avec une majuscule. Nom que l'on donne à la Vierge Marie. *3* *Un visage de madone :* un visage aux formes pures et régulières qui rappelle celui de la Vierge Marie.

madras n. m. Étoffe légère aux couleurs vives. *Un foulard en madras.*
On prononce [madras].

Madrid

Capitale de l'Espagne, située au centre du pays, sur le plateau de Nouvelle-Castille. Madrid est une métropole internationale. De nombreuses sociétés et établissements bancaires y ont leur siège. La ville possède également un secteur industriel. Grand pôle culturel européen, Madrid abrite plusieurs universités et un riche patrimoine historique et artistique (musée du Prado, Académie royale de musique, etc.). Le tourisme est bien développé. La ville compte presque 3 millions d'habitants, les Madrilènes.

madrier n. m. Planche de bois très épaisse. *Étayer un toit avec des madriers.*

maestria n. f. Maîtrise, virtuosité, grande habileté. *Interpréter un morceau de musique avec maestria.*
On prononce [maɛstrija].

mafia n. f. Organisation secrète réunissant des trafiquants, des escrocs, des criminels.
On écrit aussi : maffia.
Il a traité son adversaire politique de mafieux, de faire partie d'une mafia.

magasin n. m. *1* Bâtiment, local, où l'on vend des marchandises. *Un magasin de chaussures, de jouets.* *2* Entrepôt où l'on stocke des marchandises. *Cet article n'est plus en magasin.*
Synonymes : boutique (1), réserve (2).
Un magasinier est chargé de s'occuper des marchandises stockées dans un magasin (2).

magazine n. m. *1* Journal illustré publié à intervalles réguliers. *2* Émission de radio ou de télévision diffusée régulièrement sur un sujet particulier.

mage n. m. *1* Personne qui pratique l'art de la magie. *2 Les Rois mages :* les trois rois qui, selon l'Évangile, vinrent adorer Jésus à sa naissance à Bethléem.

Maghreb

Région du nord-ouest de l'Afrique, située entre la mer Méditerranée et le désert du Sahara. En arabe, le mot *Maghreb* signifie «Couchant» (c'est-à-dire l'Ouest). Le Maghreb comprend le Maroc, l'Algérie et la Tunisie. L'union économique créée en 1989 sous l'appellation d'Union du Maghreb arabe (UMA) regroupe le Maroc, l'Algérie, la Tunisie, la Libye et la Mauritanie.

magie n. f. *1* Ensemble des moyens, des pratiques, des paroles mystérieuses qui ont pour but d'accomplir des choses merveilleuses, surnaturelles. *2 Tour de magie :* tour de prestidigitation.
Le magicien a fait sortir un lapin de son chapeau, celui qui fait des tours de magie (1), le prestidigitateur. *Dans les contes, les fées et les sorcières ont des pouvoirs magiques*, des pouvoirs extraordinaires dus à la magie (1).

magistral, ale, aux adj. Qui est remarquable, excellent. *Cette affaire a été réglée avec une habileté magistrale.*
Notre équipe a magistralement joué cette partie, de façon magistrale.

magistrat n. m. *1* Personne chargée de rendre la justice. *Les juges sont des magistrats.* *2* Personne qui exerce une fonction politique ou administrative. *Les maires sont des magistrats.*

magistrature n. f. *1* Fonction, charge remplies par un magistrat. *Son père est dans la magistrature.* *2* Ensemble des magistrats.

magma n. m. Matière pâteuse qui se forme à l'intérieur de la Terre à partir de roches en fusion.

magnanime adj. Littéraire. Qui se montre généreux, clément, indulgent avec les autres. *Le vainqueur de la bataille s'est montré magnanime envers ses prisonniers.*

Magellan

Navigateur portugais né vers 1480 et mort en 1521. En 1517, Magellan entre au service du roi d'Espagne, le futur Charles Quint. Il le convainc de financer une expédition destinée à atteindre les Indes par l'ouest. Le 20 septembre 1519, Magellan quitte l'Espagne avec cinq navires et 265 hommes. Il traverse l'Atlantique jusqu'à l'Amérique du Sud, puis contourne le continent en franchissant le détroit auquel on a donné son nom. Il pénètre dans l'océan Pacifique, découvre les îles Mariannes en mars 1521, puis les Philippines en avril. Mais, le 27 avril, il est tué au cours d'une bataille avec des indigènes. Son lieutenant Sebastian Elcano prend le commandement de l'expédition. Il revient en Espagne le 6 septembre 1522 après avoir contourné l'Afrique. Il ne reste qu'un seul navire et 18 hommes. Elcano achève le premier tour du monde, démontrant ainsi que la Terre est ronde.

Traiter un ennemi vaincu avec magnanimité, se montrer magnanime envers lui.

magnésium n. m. Métal léger, d'une couleur blanc argenté, qui brûle en donnant une flamme extrêmement lumineuse.
On prononce [manɛzjɔm].

magnétique adj. **1** Qui attire le fer. *Un aimant a des propriétés magnétiques.* **2** *Bande magnétique :* ruban sur lequel on enregistre des sons et des images.

magnétiser v. → conjug. **aimer.** Rendre magnétique.
Synonyme : aimanter.

magnétisme n. m. Ensemble des propriétés que possèdent les matériaux aimantés.
Regarde ci-dessous.

magnétophone n. m. Appareil servant à l'enregistrement et à la lecture des sons. *Écouter une cassette sur un magnétophone.*

magnétoscope n. m. Appareil servant à l'enregistrement des images et des sons sur une bande magnétique que l'on peut regarder ensuite sur l'écran d'un téléviseur.

magnifique adj. D'une beauté remarquable. *Un spectacle magnifique. Il fait un temps magnifique.*
Synonymes : superbe, somptueux, splendide.
Admirer la magnificence d'un palais, son aspect magnifique, grandiose. *Un salon magnifiquement meublé*, de façon magnifique, somptueuse.

magnolia n. m. Arbre d'ornement donnant des grandes fleurs très parfumées.

magnum n. m. Bouteille d'une contenance d'un litre et demi. *Un magnum de champagne.*
On prononce [magnɔm].

magot n. m. Familier. Somme d'argent que l'on a accumulée peu à peu. *Personne ne sait où ce vieil avare a caché son magot.*

magouille n. f. Familier. Arrangement louche, malhonnête. *Faire des magouilles.*

magret n. m. Filet de viande découpé sur la poitrine d'un canard ou d'une oie.

le magnétisme

La magnétite ou « pierre aimantée » est un minerai qui attire le fer et l'acier ; c'est un aimant naturel.

■ On fabrique des aimants artificiels en frottant un morceau de fer sur un aimant ou en faisant passer un courant électrique dans un fil entourant une barre de fer. L'aimant électrique est appelé électroaimant.

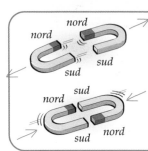

Un aimant est toujours constitué de deux pôles magnétiques : le nord et le sud. Les pôles de même nom se repoussent, les pôles de noms différents s'attirent.

le champ magnétique

C'est la partie de l'espace dans lequel l'aimant agit. Plus l'aimant est puissant, plus le champ magnétique est étendu.

En saupoudrant de limaille de fer une feuille de papier sous laquelle on place un aimant, on voit apparaître des lignes de champ courbes et parallèles qui joignent les deux pôles de l'aimant et représentent le champ magnétique.

La Terre possède un champ magnétique. C'est lui qui influence l'aiguille aimantée de la boussole dont une des pointes s'oriente vers le pôle Nord terrestre.

Magritte

Magritte René

Peintre belge né en 1898 et mort en 1967. Ayant découvert les toiles du peintre De Chirico en 1922, Magritte rejoint le groupe des surréalistes français en 1927. Il a laissé de nombreux textes dans lesquels il explique sa conception de la peinture. Son but, plutôt que de « donner à voir » est de « donner à penser ». Les éléments qui figurent sur ses toiles sont tirés de la vie quotidienne et représentés avec un grand réalisme, mais leur association à quelque chose d'insolite, d'inquiétant, même si l'humour est souvent présent. Ses œuvres comprennent *l'Homme du large* (1926), *le Musée d'une nuit* (1927), *la Condition humaine* (1933), *le Faux Miroir* (1935), *le Thérapeute* (1937), *Ceci n'est pas une pipe* (1948).

La Condition humaine

maharadjah n. m. Ancien prince de l'Inde.
On prononce [maʀadʒa] **ou** [maaʀadʒa].

Mahler Gustav

Compositeur et chef d'orchestre autrichien né en 1860 et mort en 1911. Mahler étudie au Conservatoire de Vienne et devient chef d'orchestre. Dès 1880, il dirige avec brio divers grands opéras et acquiert une renommée internationale qui le conduit jusqu'à New York.

Il manifeste également un grand talent de compositeur. Son œuvre est influencée par de grands artistes : Beethoven, Bach et Wagner. Mahler a composé le célèbre *Chant de la Terre* (1908), des symphonies et des dizaines de lieder (chants).

Mahomet

Fondateur de la religion musulmane, né vers 570 et mort en 632. Son nom en arabe est Muhammad. Originaire de la ville de La Mecque (aujourd'hui en Arabie Saoudite), Mahomet est un marchand. En 610, vers l'âge de quarante ans, il reçoit la révélation : l'ange Gabriel lui donne pour mission de prêcher la croyance en un dieu unique, Allah. Il reçoit ensuite des messages divins de 612 à 632, paroles qui seront transcrites dans le Coran. Combattu par les habitants de La Mecque, Mahomet s'enfuit pour Médine en 622. Cet exil est appelé l'Hégire ; il marque le début du calendrier musulman. À Médine, Mahomet crée une communauté de croyants dont les lois sont basées sur l'islam, et désigne La Mecque comme première ville sainte de cette religion. En 630, il conquiert La Mecque ; à sa mort, il a étendu son autorité à l'ensemble de la péninsule Arabique.

mai n. m. Cinquième mois de l'année, qui a 31 jours. **Homonymes : mais, mes, mets.**

maigre adj. *1* Qui a très peu de graisse sur le corps. *Il est maigre mais très musclé.* *2* Qui contient très peu de matières grasses ou pas du tout. *De la viande maigre, du fromage maigre.* *3* Au Figuré. Peu important. *Un maigre salaire.*
Synonyme : médiocre (*3*). Contraires : gros, gras (*1*), considérable (*3*).
> *Ces enfants affamés sont d'une maigreur pitoyable, ils sont si maigres (1) qu'ils font pitié. Une petite fille pâle et maigrichonne, un peu maigre (1). Faire un régime pour maigrir, pour devenir plus maigre (1).*

maille n. f. *1* Petite boucle de laine, de fil, qui, assemblée aux autres, forme un tissu, un tricot, un filet. *Un pull à grosses mailles.* *2* Espace vide, trou laissés entre ces boucles. *Le poisson a glissé à travers les mailles du filet.*

maillet n. m. Marteau de bois à deux têtes. *Au jeu de croquet, on pousse la balle avec un maillet.*

maillon n. m. Chacun des anneaux d'une chaîne. **Synonyme : chaînon.**

maillot n. m. *1* Vêtement collant qui couvre le buste. *Ces cyclistes portent des maillots aux couleurs de leur club.* *2* Maillot de bain : vêtement que l'on porte pour se baigner, pour nager.

main n. f. *1* Partie du corps située à l'extrémité du bras, formée de la paume et de cinq doigts. *Se donner la main. Écrire de la main droite.* *2* Avoir la main : dans les jeux de cartes, jouer le premier. *3* Avoir la main heureuse : avoir de la chance quand on fait un choix.

4 *Avoir quelque chose à portée de la main :* suffisamment près pour pouvoir le prendre avec la main. **5** *De la main à la main :* sans passer par un intermédiaire. **6** *En mains propres :* au destinataire lui-même, en personne. *Remettre une lettre en mains propres.* **7** *En mettre sa main au feu :* être sûr de quelque chose au point de le jurer. *Il est innocent, j'en mettrais ma main au feu.* **8** *En venir aux mains :* se battre. **9** *Gagner haut la main :* sans aucune difficulté. **10** *Faire main basse sur quelque chose :* s'en emparer, le voler.

mainate n. m. Oiseau au plumage noir et au bec jaune. *Le mainate est un imitateur de la voix humaine.*

main-d'œuvre n. f. **1** Travail exécuté par un ouvrier. *La réparation de cette télévision représente une heure de main-d'œuvre.* **2** Ensemble d'ouvriers. *Cette entreprise recherche de la main-d'œuvre très qualifiée.*

main-forte n. f. *Prêter main-forte à quelqu'un :* lui apporter son aide.

maint, e adj. Littéraire. Plusieurs. *Il m'a aidé en maintes occasions.*

maintenance n. f. Fait de maintenir une machine ou un appareil en bon état de marche. *Une entreprise qui assure la maintenance de photocopieuses.*

maintenant adv. En ce moment, à présent, à l'instant même. *Nous devons agir maintenant.*

maintenir v. → conjug. **venir.** **1** Garder dans une même position, empêcher de bouger. *Le dossier de ce siège maintient le dos bien droit.* **2** Conserver dans un certain état, faire durer. *Maintenir la bonne entente dans un groupe. Le beau temps se maintient depuis une semaine.* **3** Affirmer, soutenir. *Il maintient qu'il n'est pas coupable.*

maintien n. m. **1** Façon de se tenir. *Une jeune femme au maintien élégant.* **2** Action de maintenir, de conserver dans un même état. *Ces troupes assurent le maintien de la paix à la frontière.*
Synonymes : attitude, tenue (*1*).

maire n. m. Personne élue pour administrer les affaires d'une commune.

Les mariages civils ont lieu à la mairie, le bâtiment où se trouvent le bureau du maire et tous les services qui s'occupent de l'administration de la commune.

Représentant de l'État dans la commune. Le maire est élu pour six ans, avec ses adjoints, lors de la première réunion des membres du conseil municipal, lui-même élu au suffrage universel par les habitants de la commune.
Le maire préside le conseil municipal. Il organise l'ensemble des services municipaux, publie des arrêtés, fait respecter la loi, veille à la sécurité des habitants, réglemente les constructions, s'assure de l'hygiène de la commune notamment en ce qui concerne le ramassage des ordures, intervient dans l'aménagement des cantines scolaires et la distribution des repas… Il célèbre les mariages et veille à la bonne tenue des registres d'état civil.

mais conj. Sert à indiquer : **1** Une opposition à la phrase précédente. *Il est en colère, mais il sourit.* **2** Une différence, une précision, une explication. *Il n'est pas méchant, mais un peu taquin.*

maïs n. m. Céréale qui donne des épis à gros grains jaunes comestibles. *Une salade de maïs.*

maison n. f. **1** Bâtiment qui sert d'habitation. *Des maisons de brique, de bois.* **2** Logement d'une personne, son domicile. *Rentrer à la maison.* **3** Bâtiment destiné à un usage déterminé. *Une maison de retraite. Une maison de repos.* **4** Entreprise, firme, société. *Il est employé dans cette maison depuis quinze ans.*

Toute la **maisonnée** *est réunie pour le dîner,* toutes les personnes qui habitent la même maison (*2*). *Une* **maisonnette** *est une petite maison (*1*).*

Maison-Blanche

Résidence du président des États-Unis, située dans la ville de Washington. La Maison-Blanche est entourée d'un vaste parc.
Elle comporte deux étages et plus de cent pièces, dont le célèbre Bureau ovale, occupé par tous les présidents américains. Comme son nom l'indique, c'est une grande bâtisse blanche. Construite à partir de 1792, elle prend le nom de Maison-Blanche en 1902.

maître, maîtresse n., n. m., n. f. et adj.
• n. **1** Personne qui détient le pouvoir. *Avec son armée, il s'est rendu maître du pays.* **2** Personne propriétaire d'un animal domestique. *Ce chien obéit à son maître.* **3** Enseignant d'une école maternelle ou primaire. *Les enfants écoutent leur maîtresse.*
Synonymes : instituteur, institutrice (*3*).
• n. m. **1** Personne très renommée, considérée comme un modèle dans son domaine. *Balzac est l'un des grands maîtres du roman.* **2** Titre donné à un notaire ou à un avocat. **3** *Coup de maître :* action très habilement exécutée. *Réussir un coup de maître.*
• n. f. Femme qui a des relations sexuelles avec un autre homme que son mari.
• adj. **1** Qui est le plus important, qui est dominant. *La patience est la qualité maîtresse de ce professeur.* **2** *Être maître de soi :* garder son calme, son sang-froid, se contrôler.

maître chanteur n. m. **Plur. : des maîtres chanteurs.** Personne qui pratique le chantage. *Être victime d'un maître chanteur.*

Maître de Moulins (le)

Peintre français de la fin du XVe siècle, dont on ignore le nom. On l'appelle le Maître de Moulins car il a travaillé quelque temps dans la ville de Moulins. On lui attribue le splendide triptyque de la *Vierge en gloire* de la cathédrale de Moulins, la *Nativité* du musée d'Autun et des portraits : *Pierre II de Bourbon, Anne de France…* Sa peinture est remarquable par la composition des scènes, la précision du trait, le souci du détail et la pureté des tons.

La Vierge en gloire

maître nageur n. m. **Plur. : des maîtres nageurs.** Personne dont le métier est d'enseigner la natation.

maîtrise n. f. **1** Fait de dominer, de contrôler totalement. *Il a perdu la maîtrise de son véhicule.* **2** *Maîtrise de soi* : qualité d'une personne qui contrôle ses émotions, ses sentiments. **3** Grande habileté. *Il joue ce morceau de musique avec une parfaite maîtrise.* **4** *Agent de maîtrise* : personne chargée d'encadrer et de diriger le travail des ouvriers.
Synonymes : contremaître (**4**), **contrôle** (**1**), **sang-froid** (**2**), **virtuosité** (**3**).

maîtriser v. → conjug. **aimer. 1** Dominer par la force, dompter. *Maîtriser un agresseur.* **2** Venir à bout d'un danger, d'une difficulté. *Maîtriser un incendie.* **3** *Se maîtriser* : garder son calme, son sang-froid. *Il est incapable de se maîtriser quand il est énervé.*
Synonyme : contrôler (**2** et **3**).

majesté n. f. **1** Avec une majuscule. Titre donné aux souverains. *Sa Majesté le roi de France.* **2** Allure imposante. *Les touristes sont impressionnés par la majesté de ce paysage de montagnes.*

Une allure majestueuse, pleine de majesté (**2**). *Le cortège royal avance majestueusement*, avec majesté (**2**).

majeur, eure adj. et n. m.
● adj. **1** Plus grand ou plus important. *L'eau a inondé la majeure partie des cultures.* **2** Qui a atteint l'âge de la majorité. *Tu seras majeur quand tu auras dix-huit ans.*
Contraire : mineur (**2**).
● n. m. Doigt du milieu de la main, qui est plus long que les autres.
Synonyme : médius.

major n. m. Grade le plus élevé des sous-officiers dans l'armée.

majorer v. → conjug. **aimer.** Augmenter le montant de quelque chose. *Majorer des prix, des salaires.*
Le gouvernement a décidé la majoration des impôts, de les majorer.

majorette n. f. Petite fille ou jeune fille portant un uniforme et participant à un défilé, à une parade.

majorité n. f. **1** Le plus grand nombre, la majeure partie. *La majorité des enfants aime les dessins animés.* **2** Plus de la moitié des suffrages dans une élection. *Aucun candidat n'a eu la majorité.* **3** Âge légal auquel une personne a les droits et les devoirs d'un adulte. *En France, quand on a atteint l'âge de la majorité, on a le droit de voter.*
Contraire : minorité (**2**).
Les élections ont montré que ce parti politique était majoritaire, qu'il avait la majorité (**2**).

majuscule n. f. Grande lettre qui s'écrit de façon particulière.
Contraire : minuscule.

LES MAJUSCULES

On met une majuscule :
● au début d'une phrase ;
● après un point, un point d'interrogation, un point d'exclamation, des points de suspension s'ils terminent la phrase ;
● après l'ouverture des guillemets lorsque l'on rapporte les paroles d'une personne ;
● lorsqu'on écrit un nom propre : *Antoine Dupont, Bruxelles, le Nil, les Alpes, l'Italie ;*
● en poésie, au début de chaque vers ;
● aux titres honorifiques : *Son Excellence, Sa Majesté, Monseigneur ;*
● lorsque l'on désigne les habitants d'un pays, d'une ville, d'un lieu : *les Français, les Canadiens, les Marseillais, les Suisses.*

mal adv., adj. inv., n. m. et préfixe.

• adv. **1** De manière incorrecte, fausse, inexacte. *Elle chante mal. Tu as mal compris ce que je t'ai dit.* **2** De manière défavorable, désavantageuse, fâcheuse. *Cette affaire va mal finir.* **3** *Se trouver mal :* s'évanouir. **4** Familier. *Pas mal :* en assez grand nombre, beaucoup. *Il a appris pas mal de choses intéressantes en voyageant.*
Contraire : **bien** (**1** et **2**).

• adj. inv. **1** Qui est contraire à la morale. *C'est mal de tricher.* **2** *Pas mal :* plutôt bien. *Tu devrais goûter ces chocolats, je les trouve pas mal.*
Contraire : **bien** (**1**).

• n. m. **1** Ce qui est contraire aux règles de la morale, au bien. *Apprendre à faire la différence entre le bien et le mal.* **2** Effort, peine, difficulté. *Avoir du mal à comprendre un problème. Se donner du mal pour réussir.* **3** Paroles méchantes, désagréables. *Dire du mal des autres.* **4** Souffrance physique. *Avoir mal au dos. Avoir des maux de tête.* **5** Grand malheur, désastre, fléau. *Les épidémies, les guerres sont des maux qui causent de terribles souffrances.*
Le pluriel « **maux** » ne s'utilise que dans les sens (**4**) et (**5**).

• préfixe. S'utilise pour former des mots servant à exprimer ce qui est contraire, mauvais, négatif, comme « *mal*chance », « *mal*faisant », « *mal*honnête ».

malade adj. et n. Qui a des troubles de santé. *Tomber malade. L'infirmière s'occupe bien de ses malades.*

maladie n. f. Trouble de santé. *La rougeole est une maladie.*

maladif, ive adj. **1** Qui est souvent malade. *Une enfant maladive.* **2** Qui est anormal, incontrôlable, exagéré. *Il est d'une timidité maladive.*

maladresse n. f. **1** Manque d'adresse, d'habileté. *Il a raté un but par maladresse.* **2** Action maladroite, manque de délicatesse. *Ses maladresses lui ont coûté très cher.*

maladroit, oite adj. et n. **1** Qui manque d'habileté. *Faire des gestes maladroits.* **2** Qui manque de tact, de finesse. *Elle a vexé ses camarades par des réflexions maladroites.*
Contraire : **adroit**.
Courir, sauter, danser **maladroitement**, de façon maladroite (**1**).

malaise n. m. **1** Sensation pénible provoquée par un trouble physique. *Il a eu un malaise à cause de la chaleur.* **2** Sentiment d'inquiétude ou de gêne. *Cette dispute a créé un malaise pendant le dîner.*

malaisé, ée adj. Difficile à faire. *Les déplacements en voiture sont malaisés à cause de la neige.*

Malaisie

Fédération d'Asie du Sud-Est. La Malaisie est formée d'une péninsule située au sud de la Thaïlande, et d'une partie de l'île de Bornéo.
Le territoire est essentiellement montagneux. Le climat est équatorial humide. La majorité de la population se concentre sur la péninsule où se trouve la capitale ; plus du tiers des habitants est d'origine chinoise. L'agriculture se pratique dans les vallées et les plaines côtières.
Le secteur industriel est dynamique. Sous domination britannique à partir de 1795, la Malaisie obtient son indépendance en 1957 ; elle devient membre du Commonwealth en 1963.

329 750 km²
23 965 000 habitants :
les Malaisiens
Langues : malais, chinois, anglais, tamoul
Monnaie : ringgit
Capitale : Kuala Lumpur

malaria n. f. Nom donné autrefois au paludisme.

Malawi

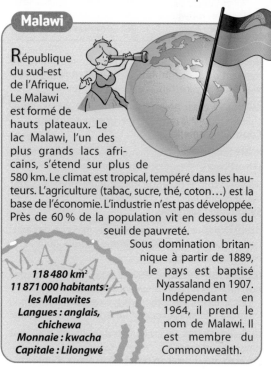

République du sud-est de l'Afrique. Le Malawi est formé de hauts plateaux. Le lac Malawi, l'un des plus grands lacs africains, s'étend sur plus de 580 km. Le climat est tropical, tempéré dans les hauteurs. L'agriculture (tabac, sucre, thé, coton…) est la base de l'économie. L'industrie n'est pas développée. Près de 60 % de la population vit en dessous du seuil de pauvreté.
Sous domination britannique à partir de 1889, le pays est baptisé Nyassaland en 1907. Indépendant en 1964, il prend le nom de Malawi. Il est membre du Commonwealth.

118 480 km²
11 871 000 habitants :
les Malawites
Langues : anglais, chichewa
Monnaie : kwacha
Capitale : Lilongwé

a b c d e f g h i j k l **m** n o p q r s t u v w x y z

malaxer v. → conjug. **aimer**. Pétrir une substance pour la rendre plus molle et homogène.

malchance n. f. Manque de chance. *Il a plu le jour du pique-nique, quelle malchance !*

Maldives (îles)

République de l'océan Indien, au sud-ouest de la péninsule indienne.
Les Maldives sont formées de 1 200 îles coralliennes, dont environ 200 seulement sont habitées. Aucune ne dépasse 2 m au-dessus du niveau de la mer. L'archipel bénéficie d'un climat tropical humide ; il est soumis aux cyclones et aux précipitations violentes. Ses ressources proviennent essentiellement du tourisme et de la pêche. Sous domination britannique à partir de 1887, les Maldives deviennent indépendantes en 1965. Elles sont membres du Commonwealth.

298 km²
309 000 habitants :
les Maldiviens
Langues :
divehi, anglais
Monnaie : rufiyaa
Capitale : Male

maldonne n. f. *1* Dans un jeu, erreur faite au moment de la distribution des cartes. *2* Familier. *Il y a maldonne :* il y a erreur, c'est un malentendu.

mâle n. m. et adj. Animal qui appartient au sexe masculin. *Le jars est le mâle de l'oie. Une souris mâle.*
Contraire : femelle.

malédiction n. f. Malchance persistante qui entraîne des malheurs. *Ce vent est une malédiction pour la vigne.*

maléfice n. m. Pratique magique destinée à porter malheur. *Les maléfices d'une sorcière.*
Synonyme : sortilège.

maléfique adj. Qui provoque le mal par des pratiques surnaturelles. *Cet homme semble doué d'un pouvoir maléfique.*

malencontreux, euse adj. Qui arrive mal à propos. *Faire des réflexions malencontreuses.*
Le spectacle a été **malencontreusement** *interrompu par une coupure de courant,* de façon malencontreuse.

mal-en-point adj. inv. Qui est dans un mauvais état physique ou moral.
On écrit aussi : mal en point (sans traits d'union).

malentendant, ante n. Personne qui n'entend pas très bien.

malentendu n. m. Fait de mal comprendre. *Ne vous fâchez pas, ce n'est qu'un malentendu !*
Synonyme : méprise.

malfaçon n. f. Défaut de fabrication. *Le remplacement de l'appareil est garanti en cas de malfaçon.*

malfaisant, ante adj. Qui fait du mal. *Un individu malfaisant.*
Synonymes : néfaste, nuisible. Contraire : bienfaisant. On prononce [malfəzã].

malfaiteur n. m. Personne qui commet des actes criminels. *Les kidnappeurs, les faussaires, les gangsters sont des malfaiteurs.*

malfamé, ée adj. Qui a mauvaise réputation. *Un quartier malfamé.*

malformation n. f. Défaut congénital d'un organe qui ne s'est pas développé normalement pendant la grossesse. *Ce bébé est né avec une malformation de la jambe.*

malgré prép. Indique une opposition. *Nous sommes sortis malgré le mauvais temps.*
Synonyme : en dépit de.

malhabile adj. Qui manque d'habileté, maladroit. *Des gestes malhabiles.*
Contraires : adroit, habile.

malheur n. m. *1* Événement tragique, douloureux. *La sécheresse est un malheur pour toute la population.* *2* Malchance. *Le malheur a voulu qu'il tombe en panne en pleine nuit.*
Contraires : bonheur, chance (2).

malheureux, euse adj. et n.
• adj. *1* Qui est dans une situation triste, pénible, qui a du chagrin. *Il s'est senti malheureux en quittant ses amis.* *2* Qui a des conséquences fâcheuses. *Cette remarque malheureuse a provoqué une dispute.* *3* Qui est insignifiant, sans importance. *Que d'histoires pour une malheureuse égratignure !*
Je l'ai invité, **malheureusement** *il n'est pas libre,* de façon malheureuse (2).
• n. Personne malheureuse, misérable. *Ce malheureux n'a plus de logement.*

malhonnête adj. Qui manque d'honnêteté. *Un homme d'affaires malhonnête. Utiliser des moyens malhonnêtes pour s'enrichir.*
Contraire : honnête.
Ce tricheur mérite d'être puni de sa **malhonnêteté**, *son comportement malhonnête. Gagner de l'argent* **malhonnêtement**, *de façon malhonnête.*

Mali

République de l'ouest de l'Afrique. Le nord du territoire du Mali (plus de 1 million de km²) est occupé par le désert du Sahara. Le Centre et le Sud sont des plaines irriguées par les fleuves Niger et Sénégal ; le climat y est plus humide. L'agriculture emploie près de 80 % de la population, mais moins de 2 % des terres sont cultivables. L'industrie est peu développée. Le Mali est l'un des pays les plus pauvres du monde.

**1 240 190 km²
12 623 000 habitants :
les Maliens
Langues : français,
bambara, sénoufo,
sarakolé, dogon…
Monnaie : franc CFA
Capitale : Bamako**

Sous domination française à partir de 1857, le pays reçoit le nom de Soudan français en 1920. Il devient indépendant en 1960 sous le nom de république du Mali.

malice n. f. Tendance à la moquerie, à la taquinerie. *Il a un regard brillant de malice.*
  Des paroles malicieuses, un sourire malicieux, qui sont pleins de malice.

malin, maligne adj. et n.
• adj. *1* Qui sait se débrouiller. *Il se croit toujours plus malin que les autres.* *2* Familier. *Ce n'est pas malin :* ce n'est pas intelligent. *Ce n'est pas malin de faire peur à ton petit frère.* *3* Qui est très grave et risque d'entraîner la mort. *Souffrir d'une tumeur maligne.*
Synonyme : astucieux (1). Contraire : bénin (3).
• n. Personne maligne. *C'est un malin qui s'y connaît en affaires !*
Contraires : nigaud, idiot.

malingre adj. Qui paraît fragile, en mauvaise santé. *Une petite fille pâle et malingre.*
Synonyme : chétif. Contraire : robuste.

malintentionné, ée adj. Qui a de mauvaises intentions. *Il risque de perdre son travail à cause d'un collègue malintentionné.*

malle n. f. Sorte de grand coffre en bois ou en métal qui sert à transporter des affaires quand on voyage.

malléable adj. Qui est facile à étirer, à aplatir, à modeler. *L'or est un métal très malléable.*

mallette n. f. Petite valise. *Comme cadeau, il a reçu une mallette contenant plusieurs jeux.*

malmener v. → conjug. **promener.** Maltraiter, brutaliser. *Un passant s'est fait malmener par une bande de voyous.*

malnutrition n. f. Alimentation qui ne fournit pas les éléments nécessaires à l'organisme. *En Afrique, les gens souffrent souvent de malnutrition.*

malodorant, ante adj. Qui a une mauvaise odeur. *Il faut jeter rapidement ces déchets malodorants.*

Malot Hector

Écrivain français né en 1830 et mort en 1907. Malot est l'auteur d'un grand nombre d'ouvrages populaires dont les plus célèbres sont des récits pour enfants : *Romain Kalbris* (1869), *Sans famille* (1878), son plus grand succès, et *En famille* (1893). Hector Malot met en scène des personnages typés, attachants et émouvants. Leurs aventures se déroulent dans la France du XIXᵉ siècle, qu'il évoque de façon pittoresque.

malotru, ue n. Personne grossière, sans éducation. *Ce malotru est parti sans même remercier la maîtresse de maison.*

malpropre adj. Qui n'est pas propre. *Des draps malpropres. Un enfant malpropre.*
Synonyme : sale.
  Cet appartement est d'une malpropreté écœurante, il est malpropre.

Malraux André

Écrivain et homme politique français né en 1901 et mort en 1976. Malraux tire de ses expériences les thèmes de ses œuvres. L'Indochine et la Chine lui inspirent *les Conquérants* (1928) et *la Voie royale* (1930). Avec *la Condition humaine*, en 1933, il obtient le prix Goncourt.
En 1936, Malraux participe à la guerre d'Espagne et dénonce le fascisme dans *l'Espoir* (1937). Pendant la Seconde Guerre mondiale, il prend part à la Résistance française. À partir de cette époque, il délaisse le roman et publie de nombreux essais sur l'art, tel *le Musée imaginaire de la sculpture mondiale* (1952-1954). De 1959 à 1969, Malraux est ministre des Affaires culturelles dans le gouvernement du général de Gaulle.

malsain, aine adj. Qui n'est pas bon pour la santé. *Ces régions marécageuses ne sont pas habitées car elles sont malsaines.*
Synonyme : insalubre.

malt n. m. Graines d'orge que l'on transforme par un traitement spécial et que l'on utilise ensuite pour la fabrication de la bière, du whisky.

Malte

République de la mer Méditerranée, entre la Sicile et la Tunisie. Malte est un petit archipel dont l'île principale est celle de Malte. Le territoire est constitué d'un plateau aride peu élevé ; les côtes sont rocheuses et découpées. Le climat est méditerranéen. L'approvisionnement en eau douce est assuré par des usines de dessalement de l'eau de mer. L'économie repose essentiellement sur le tourisme, l'agriculture et les revenus que la population installée à l'étranger transfère au pays. Sous domination britannique à partir de 1800, Malte devient indépendante en 1964 et république en 1974. Elle est membre du Commonwealth. Adhère à l'Union européenne en 2004.

316 km²
393 000 habitants :
les Maltais
Langues : maltais,
anglais, italien
Monnaie : livre maltaise
Capitale : La Valette

maltraiter v. → conjug. **aimer.** Traiter une personne ou un animal de manière brutale, violente. *Des voyous ont maltraité un passant avant de le voler.*

malveillant, ante adj. Qui a des intentions méchantes, hostiles à l'égard des autres. *Une personne malveillante lui a écrit une lettre de menaces.*
   Cet incendie n'est pas accidentel, il est dû à une malveillance, un acte malveillant.

malversation n. f. Fait de détourner à son profit de l'argent qui ne vous appartient pas.

malvoyant, ante adj. et n. Qui souffre de troubles de la vision. *Les malvoyants et les malentendants.*

maman n. f. Nom affectueux qu'une personne donne à sa mère. *Il pleure et demande sa maman.*

mamelle n. f. Organe des femelles des mammifères, qui sécrète le lait pour nourrir les petits. *Les chiots tètent les mamelles de leur mère.*

mamelon n. m. **1** Petite pointe au bout du sein. **2** Petite élévation de terrain au sommet arrondi. *Ce château a été bâti sur un mamelon.*

mammifère n. m. Animal vertébré qui possède un cerveau développé et dont la femelle a des mamelles pour allaiter ses petits.

Les mammifères forment une classe de vertébrés qui comprend plus de 4 000 espèces. Considérés comme les plus évolués des animaux, ils sont apparus sur Terre il y a plusieurs millions d'années et peuplent depuis, tous les continents et tous les milieux. L'homme est un mammifère.
Regarde p. 660 et 661.

mammouth n. m. Éléphant fossile de grande taille. **On prononce** [mamut].

Le mammouth vit au cours de la dernière période glaciaire de l'ère quaternaire. Il est bien adapté au froid : son épaisse peau est recouverte d'un manteau laineux, lui-même protégé par une toison à longs poils. Il mesure jusqu'à 3 m de hauteur et porte deux longues défenses recourbées pouvant dépasser 5 m de longueur. Il est chassé par les hommes préhistoriques. Le mammouth s'éteint il y a environ 10 000 ans. Des animaux entiers, en parfait état de conservation, ont été retrouvés congelés dans les glaces de Sibérie.

manager n. m. **1** Personne qui participe à la direction d'une entreprise. *Le manager a réuni tous ses collaborateurs.* **2** Personne qui organise les tournées d'un artiste ou le travail. **Mot anglais qui se prononce** [manadʒœr].

1. manche n. f. **1** Partie d'un vêtement qui couvre les bras ou une partie des bras. *Une robe à manches courtes.* **2** Chacune des parties d'un jeu. *Après la première manche et la deuxième manche, on joue la belle.*

3 Manche à air : tube de tissu qui se gonfle quand le vent souffle et indique ainsi sa direction.

2. manche n. m. Partie d'un objet par laquelle on peut le tenir, le manœuvrer. *Un couteau à manche de bois. Le manche d'une pelle, d'un râteau, d'une bêche.*

Manche

Bras de l'océan Atlantique situé entre la France et la Grande-Bretagne. La Manche a une profondeur moyenne de 100 m. Sa largeur varie de 180 km à 34 km, dans le détroit dit pas de Calais. Ses eaux sont fraîches : en moyenne 8 °C en hiver, 17 °C en été. Les marées sont fortes.
Le trafic maritime et portuaire de la Manche est important. De grands ports français (Cherbourg, Le Havre, Boulogne) et anglais (Southampton, Plymouth) ont une activité intense. Des ferry-boats et le tunnel sous la Manche relient la France et l'Angleterre.

manchette n. f. *1* Titre en caractères gras placé à la première page d'un journal. *2* Coup donné avec l'avant-bras.

manchon n. m. Cylindre de fourrure dans lequel on glissait ses mains pour les protéger du froid.

1. manchot, ote adj. et n. Qui est privé d'un de ses bras ou des deux bras.

2. manchot n. m. Oiseau marin de l'Antarctique, au plumage noir et blanc, qui possède deux petites ailes très courtes qui ne lui permettent pas de voler.

mandarin n. m. Fonctionnaire de l'ancien empire de Chine.

mandarine n. f. Fruit très parfumé ressemblant à une petite orange.
Le mandarinier, c'est l'arbre qui produit des mandarines.

mandat n. m. *1* Formulaire qui permet d'envoyer une somme d'argent par la poste. *Elle a reçu un mandat de 100 euros de la part de sa tante.* *2* Charge confiée à un représentant élu. *En France, les députés ont un mandat de cinq ans.* *3* Mission, charge que l'on confie à quelqu'un. *Le détective a reçu mandat de mener cette enquête.* *4* Mandat d'arrêt : document officiel permettant de procéder à l'arrestation d'une personne.
Un mandataire est une personne qui a reçu un mandat (*3*), une mission. *Le gérant de l'immeuble est mandaté pour signer à la place du propriétaire,* il en a reçu le mandat (*3*).

Mandela Nelson

Homme d'État sud-africain né en 1918. Avocat, Mandela milite très tôt contre l'apartheid, le régime de ségrégation contre les Noirs qui sévit en Afrique du Sud, et adhère dès 1944 au Congrès national africain (ANC). Arrêté en 1962, il est condamné en 1964 à la prison à perpétuité. En 1990, il est libéré par le gouvernement du président Frederik De Klerk. Les lois sur l'apartheid sont supprimées en 1991, et Mandela devient président de l'ANC. En 1993, il reçoit, avec Frederik De Klerk, le prix Nobel de la paix. L'année suivante, les élections le portent au pouvoir ; il devient le premier président noir d'Afrique du Sud. Il se retire de la politique en 1999.

mandibule n. f. Chacune des deux parties tranchantes de la bouche des insectes et des crustacés.

mandoline n. f. Instrument de musique à cordes.
Dérivée du luth, la mandoline est un instrument d'origine italienne apparu au XVIIe siècle. La plus répandue est la mandoline napolitaine. Elle est composée d'une caisse de résonance allongée et généralement très bombée, à l'ouverture ovale, et d'un manche assez court. Elle porte quatre doubles cordes et se joue à l'aide d'un médiator (petite lame plus ou moins rigide).

mandrill n. m. Grand singe d'Afrique.
Le mandrill est caractérisé par sa tête assez grosse et son museau allongé de couleur rouge, bordé de sillons bleus. La peau de son arrière-train est bleue bordée de rouge. Le mâle mesure environ 80 cm pour un poids de 50 kg ; la femelle est plus petite. Le mandrill vit en communauté dans les arbres. Il se nourrit de fruits, de graines, d'insectes et de petits vertébrés. La femelle met au monde un seul jeune à la fois.

les mammifères

Les mammifères ont des traits caractéristiques communs, qui n'empêchent pas d'observer de grandes différences entre eux. Ils sont terrestres ou aquatiques et se rencontrent aussi bien dans les zones arides désertiques que sous les climats polaires.

leurs points communs

■ Toutes les mères possèdent des mamelles et allaitent leurs petits. En dehors de l'ornithorynque qui pond des œufs, les mammifères sont vivipares, c'est-à-dire qu'ils mettent au monde des petits déjà formés.

■ La durée de la gestation est plus ou moins longue ; d'une quinzaine de jours chez l'opossum à 22 mois chez l'éléphant. Lorsque les petits naissent à l'état embryonnaire comme chez les marsupiaux (kangourou), ils terminent leur croissance dans la poche marsupiale de la mère.

■ Tous ont le sang chaud et à température constante.

■ La plupart ont le corps couvert de poils.

■ Tous respirent au moyen de poumons.

■ Tous possèdent sept vertèbres cervicales.

■ Tous ont un cœur divisé en quatre cavités.

les mammifères terrestres

On peut les regrouper selon leur alimentation et leur dentition.

■ **Les herbivores.**
Ils se nourrissent de végétaux. Ils ont souvent une dentition incomplète ; ils n'ont pas de canines, mais leurs incisives et leurs molaires sont très développées. *Regarde* herbivore.

■ **Les carnivores.**
Ils se nourrissent de chair animale. Ils ont les dents pointues, les canines très développées, leurs molaires ont des pointes tranchantes. *Regarde* carnivore.

■ **Les insectivores.**
Ils ont les dents pointues et acérées, pour pouvoir aisément broyer les carapaces des insectes. *Regarde* insectivore.

■ **Les rongeurs.**
Ils ont une alimentation diversifiée selon les espèces. Leurs incisives sont longues et taillées en biseau, leurs molaires larges et plates ; ils n'ont pas de canines. *Regarde* rongeur.

■ **Les omnivores.**
Certains carnivores (comme l'homme ou l'ours) qui mangent aussi des végétaux sont des omnivores. Ils ont une dentition complète (incisives, canines, molaires) adaptée à une alimentation variée.
Les singes sont des omnivores qui ont une préférence marquée pour les végétaux.

Babouin.

Porc.

Ours.

Sanglier.

Pécari.

Phacochère.

un mammifère volant

La chauve-souris est un mammifère adapté au vol. Elle est nocturne et s'oriente grâce à l'écho d'ultrasons qu'elle émet, à son odorat et à sa très bonne vision dans l'obscurité.

dans les eaux douces

Ornithorynque.

Castor.

Otarie.

les mammifères aquatiques

dans les mers et les océans

Phoque.

Morse.

Lamantin.

Les cétacés ne portent pas de poils et leurs membres antérieurs sont transformés en nageoires.

Narval.

Marsouin.

Dauphin.

Baleine franche.

Épaulard ou orque.

Cachalot.

manège n. m. *1* Plate-forme tournante sur laquelle sont fixés des animaux en bois, des petits véhicules sur lesquels on monte pour s'amuser. *2* Lieu où l'on apprend à faire de l'équitation. *3* Manière d'agir, habile mais plus ou moins franche. *Il se croit malin, mais j'ai compris son petit manège.*
Synonyme : **manœuvre** (*3*).

Manet Édouard

Peintre français né en 1832 et mort en 1883. Dans ses premières compositions, Manet est influencé par l'Espagnol Vélasquez. Rompant avec les conventions, il apporte une vision nouvelle et simplifiée de l'art. *Le Déjeuner sur l'herbe* (1862) et *le Fifre* (1866) lui attirent de violentes critiques de la part des défenseurs de l'art académique. Exclu des Salons officiels, il reçoit un accueil chaleureux des impressionnistes. Il influence leurs peintures et se trouve lui-même marqué par leurs recherches. Manet a peint plus de 400 toiles, parmi lesquelles on peut encore citer *Olympia* (1863), *Sur les berges de la Seine* (1874), *En bateau* (1874) et *Après-midi d'un faune* (1876).

Le Déjeuner sur l'herbe

manette n. f. Poignée ou levier qui permettent de manœuvrer un appareil, une machine. *Les manettes d'une console de jeux vidéo.*

mangeable adj. → **manger.**

mangeoire n. f. Récipient dans lequel mangent les animaux de la ferme, le bétail, les volailles.

manger v. → conjug. **ranger.** *1* Absorber des aliments en les mâchant et en les avalant. *Manger des fruits. Manger avec appétit.* *2* Se nourrir, prendre un repas. *Manger à la cantine. Manger avec des amis.*
   Ces pommes vertes ne sont pas *mangeables*, on ne peut pas les manger. *Elle apprécie les bonnes choses*

mais ce n'est pas une grosse *mangeuse*, elle ne mange pas beaucoup.

mangouste n. f. Petit mammifère carnivore au pelage brun, qui vit en Asie et en Afrique. *Les mangoustes sont capables de tuer des serpents.*

mangue n. f. Gros fruit tropical à la peau fine et lisse.

La mangue est un fruit charnu dont la longueur peut atteindre 15 cm et le poids dépasser 1 kg. Elle est de couleur verte, brune, jaune ou rouge. Sa chair jaune, douce et sucrée, entoure un gros noyau. Elle se consomme fraîche ou sous forme de fruit au sirop.

maniable adj. → **manier.**

maniaque adj. et n.
● adj. Qui est trop attaché à certaines habitudes. *Plus il vieillit, plus il devient maniaque.*
● n. *1* Personne qui a une manie. *C'est une maniaque de la propreté.* *2* Malade mental. *Cet homme recherché par la police est un dangereux maniaque.*

manie n. f. Habitude bizarre ou ridicule souvent exaspérante pour les autres. *Elle critique tout, c'est devenu une vraie manie !*

manier v. → conjug. **modifier.** *1* Bouger, déplacer quelque chose en se servant de ses mains. *Les déménageurs manient les objets fragiles avec précaution.* *2* Se servir d'un objet, d'un outil, d'un véhicule. *Ce gros camion n'est pas facile à manier.*
Synonyme : **manipuler** (*1*).
   Cet ouvre-boîte n'est pas *maniable*, il n'est pas facile à manier (*2*). *Les soldats apprennent le* *maniement* *des armes,* la façon de les manier (*2*).

manière n. f. *1* Façon de faire quelque chose. *Il existe différentes manières de préparer ce poisson. J'aime beaucoup sa manière de s'habiller.* *2* Au pluriel. Attitude, comportement. *Il aurait besoin d'apprendre les bonnes manières !* *3* Au pluriel. Faire des manières : faire des embarras, manquer de naturel. *Arrête de faire des manières et viens jouer avec nous.* *4* De manière à : afin de. *Nous partirons tôt de manière à éviter les embouteillages.*
   Une personne très *maniérée*, qui fait beaucoup de manières (*3*).

manifestant, ante n. → **manifester.**

manifestation n. f. *1* Fait d'exprimer, de montrer ce que l'on éprouve. *Des manifestations d'enthousiasme.* *2* Rassemblement public de personnes qui protestent ou qui réclament quelque chose. *Participer à une manifestation contre la guerre.*

manifeste adj. et n. m.
● adj. Qui est parfaitement visible, certain. *Il est tout rouge, sa colère est manifeste.*
Synonyme : évident.
> *Ce cadeau lui a manifestement fait plaisir*, de façon manifeste, évidente.
● n. m. Document écrit par lequel on fait connaître ses idées, ses opinions.

manifester v. → conjug. **aimer**. *1* Faire savoir, exprimer publiquement. *Manifester sa joie. 2 Se manifester :* apparaître, se montrer. *Sa grippe se manifeste par des accès de fièvre. 3* Participer à une manifestation. *Manifester contre le racisme.*
> *Des incidents ont opposé la police et les manifestants*, les personnes qui manifestent (*3*).

manigancer v. → conjug. **tracer**. Préparer quelque chose de manière secrète, sournoise. *Je me demande ce qu'elle manigance.*
> *Méfiez-vous des manigances de cet individu*, de ce qu'il manigance.

manille n. f. Jeu de cartes où la carte la plus forte est le dix. *La manille se joue à quatre partenaires.*

manioc n. m. Arbuste tropical cultivé pour ses racines, d'où l'on tire le tapioca.

manipuler v. → conjug. **aimer**. *1* Manier. *Ce chimiste a l'habitude de manipuler des produits toxiques. 2* Déplacer, transporter, changer de place. *Les déménageurs ont manipulé des caisses toute la journée.*
> *Les objets sont fragiles, il vaut mieux éviter les manipulations inutiles*, le fait de les manipuler.

manivelle n. f. Outil métallique qui a la forme d'une tige coudée et qui sert à faire tourner un mécanisme.

mannequin n. m. *1* Statue représentant un être humain et servant à présenter des vêtements. *Il y a des mannequins dans la vitrine. 2* Personne dont le métier est de présenter des modèles de vêtements devant un public. *Assister à un défilé de mannequins.*

1. manœuvre n. f. *1* Geste qu'il faut exécuter pour faire fonctionner quelque chose. *Les marins font des manœuvres pour sortir du port. 2* Exercice que font les soldats pour s'entraîner. *3* Moyen, combinaison, ruse pour atteindre son but. *Il n'a pas été élu malgré toutes ses manœuvres.*
Synonyme : manège (*3*).

2. manœuvre n. m. Travailleur manuel sans qualification professionnelle.

manœuvrer v. → conjug. **aimer**. *1* Faire des manœuvres. *Le conducteur a du mal à manœuvrer sur cette petite route. 2* Faire fonctionner. *Il faut manœuvrer ce levier pour ouvrir la porte du garage. 3* Employer certains moyens habiles pour obtenir ce que l'on veut. *Il a si bien manœuvré qu'il s'est fait offrir un vélo par son père.*

manoir n. m. Petit château campagnard.

manomètre n. m. Appareil servant à mesurer la pression d'un gaz ou d'un liquide.

manquant, ante adj. → **manquer**.

manque n. m. Absence, pénurie, insuffisance. *Ces plantes poussent difficilement à cause du manque de soleil.*
Contraire : abondance.

manquer v. → conjug. **aimer**. *1* Ne pas avoir ce qu'il faut. *Manquer de nourriture. Cette maison manque de confort. 2* Ne pas être présent, ne pas se trouver là où il faut. *Cet élève manque depuis deux jours. Il manque un livre dans mon sac. 3* Rater. *Le chasseur a manqué le lièvre. Elle a manqué son avion. 4 Manquer à quelqu'un :* le faire souffrir à cause de son absence. *Il est loin de chez lui, ses parents lui manquent. 5 Manquer de :* être sur le point de, faillir. *Il a manqué de se noyer. 6 Ne pas manquer de faire quelque chose :* ne pas oublier de le faire. *Je ne manquerai pas de t'écrire. 7 Manquer à sa parole :* ne pas faire ce que l'on a promis.
> *Ce bracelet est cassé, il faut remplacer le chaînon manquant*, qui manque (*2*).

Mans (Le) → Le Mans.

mansarde n. f. Pièce aménagée sous un toit dont une des cloisons est oblique.
> *Il habite dans une petite chambre mansardée*, une mansarde.

mante n. f. Insecte aux grandes pattes antérieures très puissantes.
Homonyme : menthe.

La mante des régions tempérées, appelée aussi mante religieuse, peut atteindre 6 cm de longueur. Sa couleur lui permet de se camoufler dans son environnement. Sa tête triangulaire est très mobile. Elle doit son nom à sa position particulière, qui semble être une attitude de prière. La femelle dévore souvent le mâle, plus petit, pendant ou après l'accouplement.

manteau, eaux n. m. *1* Vêtement chaud, à manches longues, qui se porte par-dessus les autres vêtements. *Si tu avais mis ton manteau, tu ne te serais pas enrhumé. 2* Partie d'une cheminée construite au-dessus du foyer.

mantille n. f. Écharpe de dentelle qui couvre la tête et les épaules et qui fait partie du costume traditionnel des femmes en Espagne.

manucure n. Personne dont la profession consiste à soigner et à embellir les mains, les ongles.

1. manuel, elle adj. Qui se fait à l'aide des mains. *Un travail manuel.*
> *Ces broderies ont été réalisées* **manuellement**, *de façon manuelle.*

2. manuel n. m. Livre scolaire. *Un manuel de français, de géographie.*

manufacture n. f. Usine dans laquelle des ouvriers très qualifiés fabriquent des objets de grande qualité.

manufacturé, ée adj. Fabriqué industriellement. *À partir des matières premières, on fait des produits manufacturés.*

manuscrit, ite adj. et n. m.
• adj. Écrit à la main. *Une lettre manuscrite.*
• n. m. *1* Livre ancien écrit à la main. *Un manuscrit du Moyen Âge. 2* Texte original. *Les manuscrits d'un écrivain sont lus et imprimés par un éditeur.*

manutention n. f. Travail qui consiste à manipuler, à emballer, à stocker et à expédier des marchandises.
> *Les* **manutentionnaires** *sont les personnes chargées de la manutention.*

Mao Zedong ou Mao Tsé-toung

Homme d'État chinois né en 1893 et mort en 1976. Mao découvre le marxisme à l'université de Pékin. Il contribue, en 1921, à la création du parti communiste chinois. Malgré la menace des armées nationalistes, Mao s'applique à répandre les idées communistes dans les campagnes. En 1935, il devient le chef du mouvement. À l'issue d'une guerre civile de trois ans contre les nationalistes, il proclame à Pékin, le 1er octobre 1949, la République populaire de Chine. Mao s'empare du pouvoir. Son programme politique est exposé dans le «Petit Livre rouge». Il isole peu à peu la Chine du reste du monde. La dictature s'installe. Des millions de Chinois paient de leur vie cette «Révolution culturelle». Jusqu'à sa mort cependant, Mao, souvent appelé le «Grand Timonier», est l'objet d'un véritable culte.

mappemonde n. f. Carte qui représente les deux hémisphères du globe terrestre sous forme de deux cercles dessinés côte à côte.

Les premières mappemondes remontent au Moyen Âge. Elles représentent une Terre plate et ne comportent que trois continents : l'Europe, l'Asie et l'Afrique. À partir du XVe siècle, on commence à tenir compte du fait que la Terre est ronde, mais c'est au XVIe siècle que Mercator, un savant flamand, introduit dans les mappemondes à la fois cet élément et le respect des formes des continents.

maquereau, eaux n. m. Poisson de mer au dos vert et bleu rayé de noir.

maquette n. f. Modèle réduit.

maquiller v. → conjug. **aimer.** *1* Mettre des produits de beauté, des fards sur le visage. *Les acteurs se maquillent avant d'entrer en scène. 2* Transformer l'aspect d'une chose dans l'intention de tromper. *Les voleurs de voitures les maquillent pour qu'on ne les reconnaisse pas.*
> *Acheter des produits de* **maquillage**, *pour se maquiller (1).*

maquis n. m. *1* Terrain broussailleux des régions méditerranéennes. *2* Lieu secret où les combattants clandestins se réunissaient pendant la Seconde Guerre mondiale pour lutter contre l'occupation de la France par les troupes allemandes.
> *Les* **maquisards** *étaient les résistants qui vivaient clandestinement dans le maquis (2).*

marabout n. m. *1* Grand oiseau échassier d'Afrique. *2* En Afrique, sage musulman qui vit en ermite.

Le marabout appartient à la famille des cigognes. Il mesure jusqu'à 1,50 m de longueur pour une envergure de plus de 3 m. Son dos est gris bleuté et son ventre blanc. Sa tête et son cou, sous lequel pend une poche, sont de couleur rose, dépourvus de plumes. Le marabout, au bec puissant et épais, est un charognard qui consomme aussi des proies vivantes (insectes, petits mammifères, jeunes crocodiles). Il niche dans les arbres. La femelle pond de 3 à 5 œufs.

maraîcher, ère adj. et n.
• adj. Qui concerne la culture des légumes.
• n. Personne qui cultive et vend des légumes.

marais n. m. Terrain recouvert par des eaux stagnantes. *On assèche les marais pour pouvoir les cultiver.* **Synonyme : marécage.**

marasme n. m. Situation où l'activité économique est ralentie.

Marat Jean-Paul

Homme politique français né en 1743 et mort en 1793. Marat est l'une des figures marquantes de la Révolution française. Après des études de médecine, il exerce en Angleterre puis en France. Il publie dès cette époque des écrits dans lesquels il dénonce la corruption de la cour du roi et affirme ses principes de justice et d'égalité. En septembre 1789, peu après le début de la Révolution, il fonde *l'Ami du peuple*, un journal très influent dans lequel il encourage le peuple au soulèvement violent. En 1792, Marat est élu député de Paris à la Convention. L'opposition girondine le fait traduire devant le Tribunal révolutionnaire en avril 1793. Mais, acquitté sous les acclamations du peuple, il réussit à éliminer les Girondins de la Convention, le 2 juin 1793. Le 13 juillet 1793, il est assassiné, alors qu'il est en train d'écrire dans sa baignoire, par une opposante girondine, Charlotte Corday.

marathon n. m. *1* Course à pied qui se déroule sur un peu plus de 42 km. *2* Au figuré. Épreuve ou discussion qui dure longtemps et qui demande beaucoup d'endurance.
Un marathonien est un coureur qui dispute un marathon (1).

marâtre n. f. Mère qui maltraite ses enfants.

maraudeur, euse n. Personne qui vole des fruits, des légumes dans la campagne, dans les jardins.

marbre n. m. Pierre très dure qui présente des taches diversement colorées, qui se polit facilement et s'utilise en sculpture et en architecture. *Une statue de marbre.*
Elle a le visage marbré de rouge à cause du froid, marqué de taches rouges semblables à celles du marbre. *Les marbrures d'un papier peint,* les taches marbrées.

marc n. m. *1* Résidu d'un fruit pressé. *Du marc de raisin.* *2* Eau-de-vie fabriquée à partir de la distillation du marc de raisin. *Ils ont bu un verre de marc comme digestif.* *3* Marc de café :* substance noire et poudreuse qui reste quand on a filtré du café.
On prononce [mar]. Homonymes : mare, marre.

marcassin n. m. Petit du sanglier.

marchand, ande n. et adj.
• n. Personne qui a pour métier de vendre des produits, des objets. *Un marchand de journaux, de vins.*
• adj. Qui se rapporte au commerce. *Une galerie marchande.*

marchander v. → conjug. **aimer.** Discuter pour obtenir une chose à un prix inférieur au prix indiqué. *Marchander des objets anciens chez un brocanteur.*
L'affaire a été conclue après un long marchandage, après avoir marchandé.

marchandise n. f. Objet qui peut être vendu ou acheté. *Commander, livrer des marchandises.*

marche n. f. *1* Action de marcher. *Ils ont atteint le sommet de la colline après une longue marche.* *2* Déplacement dans tel ou tel sens. *Faire marche avant, marche arrière.* *3* Fonctionnement d'une machine, d'un véhicule, d'un appareil. *Mettre le chauffage en marche.* *4* Chacune des parties plates qui forment un escalier. *Il a descendu les marches en courant.* *5* Marche à suivre :* manière de procéder. *Je vais vous indiquer la marche à suivre pour faire cet exercice.*

marché n. m. *1* Lieu réservé certains jours à des commerçants qui installent leur étalage pour vendre leurs produits. *2* Faire le marché :* acheter des produits alimentaires, faire des courses. *3* Ensemble des achats et des ventes concernant un certain type de produits. *Le marché des téléphones portables est en expansion.* *4* Arrangement, accord, contrat. *Conclure un marché.* *5* Familier. *Par-dessus le marché :* en plus. *Il gèle et, par-dessus le marché, le chauffage est en panne.*
Homonyme : marcher.

marchepied n. m. Marche ou série de marches qui servent à monter, et à descendre, dans un train ou un autobus. *Le train va partir, ne reste pas sur le marchepied.*

marcher v. → conjug. **aimer.** *1* Se déplacer en se servant de ses jambes. *Marcher vite. Marcher pieds nus.* *2* Fonctionner, en parlant d'un appareil, d'un véhicule. *Ce téléviseur ne marche plus.* *3* Avancer, progresser, évoluer. *Il dirige une entreprise qui marche bien.* *4* Familier. *Faire marcher quelqu'un :* le tromper.
Homonyme : marché.
Cette longue randonnée est réservée aux bons marcheurs, aux personnes capables de marcher (1).

mardi n. m. Deuxième jour de la semaine, qui vient après le lundi. *Elle va à la piscine tous les mardis.*

mare n. f. Étendue d'eau stagnante de petite dimension. *Des grenouilles plongent dans la mare.*
Homonymes : marc, marre.

marécage n. m. Synonyme de marais.
On s'enfonce quand on marche sur ce terrain marécageux, couvert de marécages.

maréchal, aux n. m. Titre honorifique accordé à certains généraux.

maréchal-ferrant n. m. **Plur. : des maréchaux-ferrants.** Artisan qui ferre les chevaux.

marée n. f. *1* Mouvement des eaux de la mer qui montent et descendent de façon régulière. *À marée haute, la mer monte ; à marée basse, la mer s'éloigne.* *2 Marée noire :* nappe de pétrole qui se répand accidentellement en mer ou le long des côtes.

marelle n. f. Jeu d'enfants qui consiste à faire avancer un palet sur des cases dessinées sur le sol en sautant à cloche-pied.

mareyeur, euse n. Commerçant qui vend le poisson en gros aux poissonniers.

margarine n. f. Matière grasse d'origine végétale dont la consistance ressemble à celle du beurre.

marge n. f. *1* Espace laissé en blanc sur une page écrite ou imprimée. *L'institutrice fait des corrections dans la marge de nos cahiers.* *2* Intervalle de temps disponible. *Si l'avion a du retard, cela vous laisse une marge pour boire un café.* *3 En marge :* à l'écart, en dehors. *Certains artistes décident de vivre en marge de la société.*

margelle n. f. Rebord de pierre d'un puits, d'une fontaine ou d'un bassin. *Les margelles sont souvent de forme circulaire.*

margelle

marginal, ale, aux n. Personne qui vit en marge de la société parce qu'elle est rejetée ou parce qu'elle veut vivre librement.

marguerite n. f. Fleur des champs dont le cœur jaune est entouré de pétales blancs.

mari n. m. Homme avec lequel une femme est mariée. *Ma cousine nous a présenté son mari.*

mariage n. m. Cérémonie officielle qui unit un homme et une femme. *Le mariage aura lieu à 11 heures à la mairie.*

Marianne

Buste de femme coiffée d'un bonnet phrygien, représentant la République française. C'est après avoir proclamé la République, en 1792, que la Convention nationale décide de représenter celle-ci par une image de femme, symbole de la déesse Liberté. La Marianne disparaît en 1799, date de la prise de pouvoir de Napoléon Bonaparte. En 1849, elle est choisie pour figurer sur les timbres-poste. Elle s'installe définitivement dans toutes les mairies françaises après la chute de Napoléon III, en 1870. De nos jours, les Marianne ont pour modèle des vedettes françaises.

Marie-Antoinette

Reine de France née en 1755 et morte en 1793. Fille de l'empereur François Ier d'Autriche, Marie-Antoinette passe son enfance à Vienne. En 1770, alors qu'elle n'a que quinze ans, elle épouse le dauphin, futur roi Louis XVI. On lui prête à la Cour une vie de luxe et d'intrigues qui la rend rapidement impopulaire. Au cours de la Révolution, en 1789, Marie-Antoinette cherche l'appui de l'Autriche, dont elle espère une aide armée, et organise en 1791 la fuite du roi, qui se termine par un échec. Emprisonnée le 13 août 1792, elle est condamnée à mort par le Tribunal révolutionnaire. Elle est guillotinée à Paris le 16 octobre 1793.

marier v. → conjug. **modifier.** *1* Célébrer l'union d'un homme et d'une femme par le mariage. *C'est le maire qui a marié les deux époux.* *2 Se marier :* devenir mari et femme. *Ils se sont mariés à la campagne l'été dernier.*
Les invités viennent féliciter les mariés, l'homme et la femme qui se sont mariés (2).

marigot n. m. Étendue d'eau marécageuse dans les régions tropicales.

marin, ine adj. et n. m.
• adj. Qui se rapporte à la mer. *La baleine est un mammifère marin. Une carte marine.*
• n. m. Homme qui travaille sur un navire. *Les marins font des manœuvres pour sortir du port.*

marinade n. f. → **mariner.**

marine n. f. et adj. inv.
• n. f. *1* Ensemble des personnes et des choses qui se rapportent à la navigation en mer. *Ce magasin est spécialisé dans les articles de marine.* *2* Ensemble des navires d'un pays. *Il est officier de la marine française.*
• adj. inv. *Bleu marine :* bleu foncé. *Des uniformes bleu marine.*

mariner v. → conjug. **aimer.** Macérer dans une marinade. *Faire mariner des maquereaux dans du vin blanc et du citron.*
　Une marinade de sanglier, un liquide aromatisé dans lequel on fait mariner de la viande de sanglier.

marinier, ère n. Personne dont le métier est de naviguer le long des canaux, des fleuves. *Le marinier manœuvre sa péniche pour passer l'écluse.*
Synonyme : batelier.

marionnette n. f. Poupée que l'on manipule avec les mains ou avec des fils pour la faire bouger. *Un spectacle de marionnettes.*
　Au Guignol, on ne voit pas les marionnettistes, les personnes qui manipulent les marionnettes.

maritime adj. *1* Qui est situé au bord de la mer. *Une région maritime.* *2* Qui se fait sur mer. *La navigation maritime.*

Marivaux

Écrivain français né en 1688 et mort en 1763. Marivaux trouve le succès dans l'écriture de pièces de théâtre, notamment des comédies. Son écriture est raffinée et subtile. Ses pièces traitent de la naissance de l'amour et du jeu amoureux, il y dénonce l'hypocrisie, le mensonge et les ruses du langage. Les plus célèbres sont *Arlequin poli par l'amour* (1720), *la Double Inconstance* (1723), *le Jeu de l'amour et du hasard* (1730) et *les Fausses Confidences* (1737). Le terme « marivaudage » désigne l'échange de propos élégants et spirituels.

---

marjolaine n. f. Plante sauvage aromatique.

mark n. m. Unité monétaire allemande, avant que ce pays n'adopte l'euro.

marketing n. m. Ensemble des techniques commerciales et publicitaires utilisées pour faire connaître et faire vendre un produit.
Mot anglais qui se prononce [marketiŋ]**.**

marmaille n. f. Familier. Groupe de petits enfants bruyants et remuants.

marmelade n. f. Fruits écrasés et cuits avec du sucre. *De la marmelade de pommes.*

marmite n. f. Récipient muni de deux anses et d'un couvercle qui sert à faire cuire des aliments.

marmiton n. m. Apprenti cuisinier.

marmonner v. → conjug. **aimer.** Parler entre ses dents. *Il est en colère et marmonne dans son coin.*

marmot n. m. Familier. Jeune enfant.

marmotte n. f. Petit mammifère rongeur qui vit en montagne.

La marmotte des Alpes vit entre 1 000 m et 3 000 m d'altitude. Elle mesure entre 50 cm et 60 cm de longueur, pour un poids de 4 à 8 kg. Toutes les marmottes se nourrissent de graines et d'herbes. Elles vivent en petites colonies dans des terriers profonds et vastes, où elles hibernent. À l'approche d'un danger, elles poussent un sifflement strident pour prévenir leurs congénères.

Maroc

Monarchie constitutionnelle du nord de l'Afrique, ouverte sur la mer Méditerranée et sur l'océan Atlantique. Le Maroc comprend quatre chaînes de montagnes séparées par des plateaux et des vallées fertiles. De grandes plaines occupent les côtes. Le climat est méditerranéen au nord, frais en montagne, et aride dans le sud désertique. Les grandes villes (Rabat, Casablanca, Fès, Marrakech) concentrent près de 60 % de la population. L'agriculture et la pêche tiennent une place importante dans l'économie. L'industrie est peu développée et les ressources minières sont mal exploitées en dehors de l'importante production de phosphates. Le tourisme, en croissance constante, est un atout essentiel.
Sous domination française à partir de 1912, le Maroc accède à l'indépendance en 1956 et devient un royaume en 1957.

710 850 km²
(avec le Sahara espagnol)
30 072 000 habitants :
　les Marocains
Langues : arabe,
　berbère, français
Monnaie : dirham
Capitale : Rabat

maroquinerie n. f. Fabrication et commerce des objets en cuir.

Elle a acheté un sac et une valise chez un maroquinier, un commerçant qui vend de la maroquinerie.

Marot Clément

Poète français né en 1496 et mort en 1544. Valet au service du roi François Ier, Marot a contribué au renouveau de la langue française en abandonnant les contraintes traditionnelles. Il est l'auteur de poèmes variés, touchant à tous les genres : ballades, épîtres, rondeaux… Il manie l'humour et la satire avec beaucoup de talent. Soupçonné de sympathie pour le protestantisme, il doit plusieurs fois s'exiler. Il faut citer, parmi ses œuvres, l'*Adolescence clémentine*, l'*Enfer* et plusieurs *Épîtres au roi*.

marotte n. f. Manie, habitude. *Elle passe tout son temps à faire des puzzles, c'est sa nouvelle marotte.*

marquant, ante adj. → **marquer.**

marque n. f. *1* Signe qui permet de distinguer une chose d'une autre. *Les livres de la bibliothèque portent une marque spéciale. 2* Trace, empreinte. *Des marques de doigts, de pas. 3* Signe qui montre, qui prouve quelque chose. *Ce cadeau est une marque d'affection. 4* Nom qui désigne les choses, les objets réalisés par un même fabricant. *Elle achète toujours la même marque de jus de fruits.*

Synonymes : preuve (*3*), **témoignage** (*3*).

marquer v. → conjug. **aimer.** *1* Faire une marque, un signe distinctif. *Sur la liste, les absents sont marqués d'une croix. 2* Laisser des marques, des traces. *La vieillesse a marqué son visage de rides profondes. 3* Écrire, noter, inscrire. *Le prix de ce pull est marqué sur une étiquette. 4* Laisser une impression forte et durable dans la mémoire de quelqu'un. *Cet accident l'a beaucoup marqué. 5* Obtenir un point, réussir un but. *Notre équipe a marqué juste avant la fin du match.*

La découverte de l'Amérique est un fait marquant de l'histoire de l'humanité, un fait qui marque (*4*).

marqueterie n. f. Assemblage de pièces de bois, d'ivoire, de métal, etc., appliquées sur un meuble pour le décorer.

On prononce [markɛtri].

marqueur n. m. Feutre à pointe épaisse. *L'encre de ce marqueur est indélébile.*

marquis, ise n. Titre de noblesse supérieur au titre de comte et inférieur à celui de duc.

marraine n. f. Femme qui prend l'engagement de veiller sur un enfant et de le protéger toute sa vie. *Pendant la cérémonie du baptême, la marraine tient son filleul au-dessus des fonts baptismaux.*

marrant, ante adj. Familier. Amusant, drôle, comique. *Une histoire marrante.*

marre adv. Familier. *En avoir marre :* en avoir assez. *J'en ai marre de nos disputes !*

Homonymes : marc, mare.

marron n. m. et adj. inv.

• n. m. *1* Fruit du châtaignier. *Des marrons grillés, des marrons glacés. 2 Marron d'Inde :* fruit du marronnier. *3* Couleur brun-rouge qui rappelle celle du marron. *Il s'habille souvent en marron.*

Synonyme : châtaigne (*1*).

Le marronnier est un grand arbre qui produit le marron d'Inde (*2*).

Le marron ou châtaigne est le fruit du châtaignier. Il est comestible.

Le marron ou marron d'Inde est le fruit du marronnier. Il n'est pas comestible.

• adj. inv. Qui est de couleur marron. *Des chaussettes marron.*

mars n. m. Troisième mois de l'année, qui compte 31 jours.

Mars

Divinité de la mythologie romaine, dieu de la Guerre. Mars est l'équivalent d'Arès dans la mythologie grecque. Fils de Jupiter et de sa femme Junon, il est aussi le dieu de la Végétation, du Printemps et de la Jeunesse. Les Romains organisent une fête en son honneur pendant le mois de mars. Mars est aussi le nom d'une planète.

Regarde aussi **Soleil.**

Marseillaise (la)

Hymne national français. Écrite en avril 1792 à Strasbourg par Rouget de Lisle, *la Marseillaise* s'appelle d'abord *Chant de guerre pour l'armée du Rhin.* Elle est adoptée par un bataillon de Marseillais (d'où son nom) le 10 août 1792. Décrétée chant national le 14 juillet 1795, supprimée sous l'Empire, elle devient hymne national le 14 février 1879. *La Marseillaise* se compose de sept couplets. On ne connaît pas avec certitude l'auteur de la musique.

Marseille

Ville française de la Région Provence-Alpes-Côte d'Azur, située sur la mer Méditerranée. Premier port de France, troisième d'Europe, Marseille est un important pôle d'activités. Le secteur industriel y est bien développé, ainsi que celui de la haute technologie. La ville est le siège de plusieurs grandes écoles et de trois universités. Située au fond d'une baie, elle est entourée de collines sur lesquelles s'étagent ses différents quartiers. Elle abrite plusieurs musées et de nombreux monuments : des vestiges grecs et romains, les forts Saint-Nicolas (XVIIe siècle) et Saint-Jean (XVe et XVIIe siècles) autour du Vieux Port, la basilique Notre-Dame-de-la-Garde, surmontée d'une statue de la Vierge Marie qui domine la ville.

La cité est fondée vers 600 av. J.-C. par les Phocéens (Grecs de Phocée), qui lui donnent le nom de Massalia. Conquise en 49 av. J.-C. par Jules César, elle connaît la prospérité puis subit, au Ve siècle, les invasions barbares. Les croisades lui permettent de reprendre une importante activité commerciale. La ville est rattachée au royaume de France en 1481.

13

Préfecture des Bouches-du-Rhône
807 071 habitants : les Marseillais

Marshall (îles)

République du centre de l'océan Pacifique. Les îles Marshall comprennent trente-deux îles et atolls principaux. L'ensemble des îles s'étend sur une zone maritime de 1,3 million de km². Le climat est tropical. L'économie est entièrement dépendante de l'aide américaine. À partir de 1885, tour à tour sous domination allemande, japonaise puis américaine, les îles Marshall deviennent indépendantes en 1986.

180 km²
52 000 habitants :
les Marshallais
Langue : anglais
Monnaie : dollar
des États-Unis
Capitale : Dalap-
Uliga-Darrit

marsouin n. m. Mammifère marin plus petit qu'un dauphin.

marsupial, aux n. m. Mammifère dont la femelle possède une poche sur le ventre, dans laquelle le petit qui vient de naître finit de se développer. *Les koalas et les kangourous sont des marsupiaux.*

marteau, eaux n. m. *1* Outil constitué d'un bloc de métal fixé sur un manche. *Enfoncer un clou dans un mur à coups de marteau.* *2* Sphère de métal reliée à un câble qu'un athlète lance le plus loin possible.

marteau-piqueur n. m. **Plur. : des marteaux-piqueurs.** Outil utilisé pour défoncer les sols durs et qui fonctionne à l'aide d'un système à air comprimé.

marteler v. → conjug. **modeler.** *1* Battre à coups de marteau. *Le forgeron chauffe le fer et le martèle sur l'enclume.* *2* Frapper à coups répétés. *Le boxeur martèle la poitrine de son adversaire.*

On entend le **martèlement** des bottes sur le plancher, le bruit des bottes qui martèlent (*2*).

martial, ale, aux adj. *1* Énergique, décidé, déterminé, combatif. *Il lance des ordres d'une voix martiale.* *2* *Arts martiaux :* sports de combat d'origine asiatique. *Le judo, le karaté, l'aïkido sont des arts martiaux.*

martien, enne n. Habitant imaginaire de la planète Mars.

martinet n. m. *1* Oiseau migrateur proche de l'hirondelle. *2* Petit fouet fait de plusieurs lanières fixées sur un manche.

martin-pêcheur n. m. **Plur. : des martins-pêcheurs.** Oiseau au plumage très coloré qui se nourrit de poissons.

Il existe plusieurs espèces de martins-pêcheurs. Ce sont des oiseaux qui mesurent en moyenne une quinzaine de centimètres de longueur. Ils vivent près des cours d'eau, plongeant pour saisir leurs proies dans leur long bec. Ils nichent dans des galeries creusées près de leur lieu de chasse.

martre n. f. Petit mammifère carnivore au corps allongé, à la fourrure brune et soyeuse.

La martre commune mesure de 30 à 50 cm, pour un poids de 1 à 2 kg. Elle se nourrit de petits mammifères, d'oiseaux, d'œufs et de fruits. La femelle a des portées de 4 à 5 petits. La martre a longtemps été chassée pour sa fourrure.

martyr, e n. et adj.
● n. Personne qui accepte les souffrances et la mort pour défendre ses croyances religieuses ou son idéal.
● adj. Qui est maltraité, torturé. *Un enfant martyr.*

martyre n. m. *1* Souffrances, tortures et mort d'un martyr. *Le martyre des premiers chrétiens.* *2* Très grande souffrance physique ou morale.
> *Martyriser une personne, un animal,* leur faire subir un martyre (*2*).

Marx Karl

Philosophe et homme politique allemand né en 1818 et mort en 1883. Marx est à l'origine, avec son ami Friedrich Engels, du *Manifeste du parti communiste* (1848). Il est l'auteur de nombreux autres écrits philosophiques et économiques dont *le Capital.* Selon Marx, les avancées de l'histoire reposent sur la lutte des classes ; la classe ouvrière exploitée doit prendre le pouvoir puis supprimer les classes sociales. La pensée de Marx, le marxisme, aura une grande influence au xxᵉ siècle dans les pays où s'installent des régimes politiques communistes, notamment en Russie, lors de la révolution de 1917.

---

mas n. m. Maison campagnarde en Provence.
On prononce [ma] **ou** [mas]. **Homonymes : ma, mât.**

mascarade n. f. Mise en scène destinée à tromper. *Cette réconciliation est une véritable mascarade.*

mascotte n. f. Animal ou objet qui sont considérés comme portant bonheur. *Ce lapin est devenu la mascotte de notre équipe de foot.*

masculin, ine adj. et n. m.
● adj. *1* Qui se rapporte à un homme ou à un animal mâle. *Un prénom masculin. Des vêtements masculins.* *2* Qui est précédé du déterminant « un » ou « le » au singulier. *« Cheval », « salon » sont des noms masculins.*
● n. m. Genre masculin, en grammaire. *« Beau » est le masculin de « belle ».*
Contraire : féminin.

masochiste adj. et n. Qui éprouve du plaisir à souffrir. *Il doit être un peu masochiste pour accepter toutes les corvées sans protester.*

masque n. m. Objet destiné à cacher ou à protéger le visage. *Au carnaval, on se déguise et l'on porte des masques. Un masque de plongée sous-marine.*

masqué, ée adj. *1* Qui porte un masque. *Il a été attaqué par un homme masqué.* *2* *Bal masqué :* bal où les invités portent un masque.

masquer v. ➔ conjug. **aimer.** Empêcher de voir. *Des nuages masquent le sommet de la montagne.*
Synonymes : cacher, dissimuler.

massacrant, ante adj. *Être d'une humeur massacrante :* être de très mauvaise humeur.

massacre n. m. *1* Fait de massacrer un grand nombre d'êtres vivants. *Des massacres de civils désarmés.* *2* Au figuré et familier. Destruction, gâchis. *Toute la vaisselle est en miettes, c'est un vrai massacre.*
Synonyme : tuerie (*1*).

massacrer v. ➔ conjug. **aimer.** *1* Tuer avec sauvagerie. *Les vainqueurs ont massacré leurs prisonniers.* *2* Au figuré et familier. Détruire, abîmer, saccager. *On a massacré cette forêt pour construire une route.*

massage n. m. ➔ **masser 1.**

masse n. f. *1* Grande quantité de matière formant un bloc compact. *Les icebergs sont d'énormes masses de glace.* *2* Très grand nombre. *Il a réuni une masse de documents sur ce sujet. Les spectateurs sont venus en masse.* *3* Au pluriel. Ensemble des gens des classes sociales les moins favorisées. *4* Gros marteau à tête de fer ou de bois. *Une masse de forgeron.* *5* Quantité de matière d'un corps.
> *Les supporters se massent à l'entrée du stade,* ils se rassemblent en masse (*2*).

Dans le langage courant, on utilise souvent le mot « poids » à la place de « masse ». Or, le poids d'un corps varie en fonction du lieu où il se trouve (sur la Lune, par exemple, le poids d'un corps est six fois moindre que sur Terre). La masse, elle, ne varie jamais. Elle dépend de la quantité et de la nature des matériaux qui la constituent.
Regarde page ci-contre.

1. masser v. ➔ conjug. **aimer.** Manipuler certains endroits du corps pour assouplir les muscles, soulager les douleurs musculaires.
> *Les sportifs se font faire des massages,* ils se font masser. *Un masseur* est une personne dont le métier est de faire des massages.

2. se masser v. ➔ **masse.**

massif, ive adj. et n. m.
● adj. *1* Qui est entièrement constitué de la même matière. *Les étagères sont en bois massif.* *2* Qui est épais, compact, donne une impression de lourdeur. *Un boxeur au corps massif.* *3* Qui existe ou qui agit en masse, en grande quantité. *Une dose massive de ce médicament peut être mortelle.*

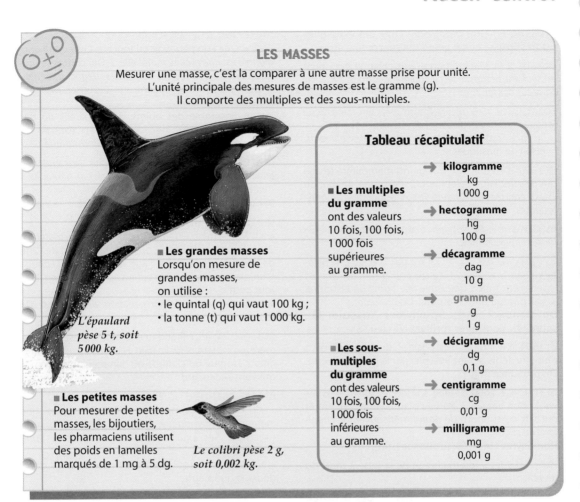

LES MASSES

Mesurer une masse, c'est la comparer à une autre masse prise pour unité.
L'unité principale des mesures de masses est le gramme (g).
Il comporte des multiples et des sous-multiples.

Les grandes masses
Lorsqu'on mesure de grandes masses, on utilise :
• le quintal (q) qui vaut 100 kg ;
• la tonne (t) qui vaut 1 000 kg.

L'épaulard pèse 5 t, soit 5 000 kg.

Les petites masses
Pour mesurer de petites masses, les bijoutiers, les pharmaciens utilisent des poids en lamelles marqués de 1 mg à 5 dg.

Le colibri pèse 2 g, soit 0,002 kg.

Tableau récapitulatif

■ **Les multiples du gramme** ont des valeurs 10 fois, 100 fois, 1 000 fois supérieures au gramme.	→ **kilogramme** kg 1 000 g
	→ **hectogramme** hg 100 g
	→ **décagramme** dag 10 g
	→ **gramme** g 1 g
■ **Les sous-multiples du gramme** ont des valeurs 10 fois, 100 fois, 1 000 fois inférieures au gramme.	→ **décigramme** dg 0,1 g
	→ **centigramme** cg 0,01 g
	→ **milligramme** mg 0,001 g

---

*Les électeurs ont voté **massivement**, de façon massive (3), en grand nombre.*
• n. m. **1** Montagne. *Le massif des Vosges.* **2** Fleurs, plantes ou arbustes formant un ensemble compact. *Une pelouse décorée de massifs d'azalées.*

Massif armoricain

Massif ancien de l'ouest de la France. Le Massif armoricain est limité à l'est par le Bassin parisien et au sud par le Bassin aquitain. S'avançant dans la mer, il sépare l'océan Atlantique de la Manche et couvre la Bretagne, la Vendée, l'Anjou, le Bas-Maine et la Normandie occidentale. L'ensemble est peu élevé : son altitude moyenne est d'environ 100 m ; il culmine à 417 m au mont des Avaloirs.

Massif central

Massif ancien du centre et du sud de la France. S'étendant sur environ 80 000 km², le Massif central couvre plus du septième du territoire français. Il est constitué d'un ensemble de monts séparés par des plaines et des bassins, ce qui l'a longtemps rendu difficilement franchissable. Il s'abaisse en pente douce vers le nord et l'ouest du pays, mais il est plus abrupt à l'est (vallée du Rhône) et au sud (Cévennes). Le nord du massif, l'Auvergne, est occupé par d'anciens volcans, aujourd'hui éteints ou en sommeil. C'est là que se trouvent les plus hauts sommets : puy de Sancy (1 885 m) et plomb du Cantal (1 855 m). De nombreuses rivières naissent dans le Massif central.

massue n. f. Gros bâton dont l'une des extrémités est très épaisse et qui peut s'utiliser comme arme.

mastic n. m. Matière pâteuse et collante qui durcit en séchant. *Le mastic sert à boucher des trous, à fixer les carreaux des fenêtres.*

mastiquer v. → conjug. **aimer.** Mâcher. *Il mastique longuement sa viande avant de l'avaler.*

La **mastication** facilite la digestion des aliments, le fait de mastiquer.

mastodonte n. m. *1* Très grand mammifère fossile qui ressemblait à l'éléphant. *2* Personne, animal ou chose énorme. *Les lutteurs de sumo sont de vrais mastodontes.*

masure n. f. Maison en mauvais état. *Une vieille masure abandonnée.*

1. mat, mate adj. *1* Qui n'a pas d'éclat. *Une peinture mate. Une photo tirée sur papier mat.* *2* Qui est légèrement foncé. *Une jeune fille brune au teint mat.* *3* Qui produit un son étouffé. *Un bruit mat.* **On prononce** [mat]. **Synonymes : assourdi** (*3*), **sourd** (*3*). **Contraires : brillant** (*1*), **clair** (*2*).

2. mat n. m. Aux échecs, position du roi qui ne peut plus être déplacé sans être pris par le joueur adverse. **On prononce** [mat].

mât n. m. *1* Long poteau sur lequel sont fixées les voiles d'un bateau. *2* Poteau planté verticalement et qui sert de support. *Un grand mât soutient le chapiteau du cirque.* **Homonyme : mas. On prononce** [mɑ].

matador n. m. Torero chargé de la mise à mort du taureau.

match n. m. **Plur. : des matchs ou des matches.** Compétition sportive qui se déroule entre deux adversaires ou entre deux équipes concurrentes. *Un match de boxe, de basket, de football.*

matelas n. m. Sorte de grand coussin rectangulaire qui se place sur un sommier et sur lequel on dort.

matelassé, ée adj. Qui est garni d'une doublure rembourrée. *Un manteau matelassé.*

matelot n. m. Marin. *Le capitaine a ordonné aux matelots de hisser les voiles.*

mater v. → conjug. **aimer.** Faire obéir par la force. *Les officiers ont maté la rébellion.*

se matérialiser v. → conjug. **aimer.** Se réaliser. *Il espère que son projet va se matérialiser.*

matériau, aux n. m. Matière qui sert à la construction des édifices, à la fabrication des objets. *La pierre, le bois, le béton sont des matériaux.*

matériel, elle adj. et n. m.

• adj. *1* Que l'on peut voir ou toucher. *Cette empreinte digitale est une preuve matérielle.* *2* Qui concerne uniquement les choses, les objets. *Des dégâts matériels.* *3* Qui se rapporte à l'argent, aux dépenses. *Avoir des difficultés matérielles.*

• n. m. Ensemble des objets, des appareils ou des machines qui sont nécessaires pour exercer un métier ou une activité. *Du matériel informatique.*

matériellement adv. Dans la réalité. *Il est matériellement impossible de faire ce travail en une heure. Est-il matériellement possible de rencontrer Mélusine ?* **Synonymes : concrètement, réellement.**

maternel, elle adj. et n. f.

• adj. *1* De la mère. *Un enfant a besoin d'amour maternel.* *2* École maternelle : école où les enfants vont de l'âge de deux ou trois ans à l'âge de six ans. *3* Langue maternelle : langue qu'un enfant apprend quand il est tout petit.

• n. f. École maternelle. *Son petit frère vient d'entrer à la maternelle.*

maternité n. f. *1* État d'une femme qui est devenue mère. *La maternité lui va bien. Elle est en congé maternité.* *2* Hôpital ou clinique où l'on reçoit les femmes qui vont accoucher.

mathématique adj. et n. f. pl.

• adj. *1* Qui se rapporte aux mathématiques. *Une méthode mathématique.* *2* Qui est d'une très grande précision. *Ses explications sont d'une exactitude mathématique.*

• n. f. pl. Science qui étudie les nombres, les grandeurs, la géométrie.

Les **mathématiciens** sont des spécialistes des mathématiques.

maths n. f. pl. Familier. Mathématiques. *Être fort en maths.*

matière n. f. *1* Substance que l'on peut voir, toucher. *L'eau est une matière liquide, la pierre est une matière solide.* *2* Substance qui a des caractéristiques spéciales. *Le caoutchouc est une matière élastique et résistante.* *3* Sujet que l'on étudie. *Les maths, la physique, la biologie sont des matières scientifiques.* *4* Matière première : matière qui existe à l'état brut dans la nature et que l'on peut transformer pour fabriquer des objets. *Le pétrole, le coton et le charbon sont des matières premières.*

matin n. m. Premières heures du jour. *Ils sont partis en randonnée tôt le matin.*

matinal, ale, aux adj. *1* Du matin. *Il emmène son chien faire sa promenade matinale.* *2* Qui se lève de bonne heure. *Déjà debout, tu es très matinal !*

matinée n. f. *1* Partie de la journée entre le lever du jour et midi. *Il a dormi toute la matinée.* *2* Séance d'un spectacle qui a lieu l'après-midi. *Il préfère aller au théâtre en matinée plutôt qu'en soirée.*

Matisse Henri

Peintre et sculpteur français né en 1869 et mort en 1954. Matisse est d'abord influencé par Gauguin, Cézanne, Van Gogh. Sa peinture, sombre au départ, se tourne vers une composition plus libre et des couleurs plus vives. À partir de 1905, il simplifie les formes, la perspective et utilise de larges touches de couleurs vives. Il expose à Paris à l'automne 1905 et devient le chef de file des «fauves», terme moqueur employé par un critique. Le fauvisme s'impose comme un courant nouveau de l'art moderne du xxe siècle. De 1907 à 1911, Matisse enseigne son art, qui se répand à l'étranger. Son style s'affirme avec des œuvres comme *la Desserte rouge* (1908), *la Danse II* (1909-1910), *les Poissons rouges* (1911) et *le Triptyque marocain* (1912). Des gouaches découpées et des sculptures complètent la richesse de son œuvre.

La Danse II

matou n. m. Chat mâle adulte.

matraquage n. m. *Matraquage publicitaire :* répétition insistante, continuelle d'un même slogan publicitaire.

matraque n. f. Bâton de bois ou de caoutchouc dur, utilisé comme arme.
Des voyous ont matraqué un passant avant de le voler, ils l'ont frappé à coups de matraque.

matricule n. m. Numéro d'inscription sur une liste ou un registre. *Les prisonniers ont un matricule.*

matrimonial, ale, aux adj. *Agence matrimoniale :* entreprise qui a pour but de mettre en contact des hommes et des femmes qui souhaitent se marier.

maturité n. f. *1* État de ce qui est mûr. *Nous cueillerons ces pommes quand elles seront arrivées à maturité.* *2* État d'une personne adulte, réfléchie, sérieuse. *C'est un étudiant brillant, mais il manque de maturité.*

maudire v. → conjug. **finir.** Manifester violemment sa colère. *Chaque fois qu'il perd quelque chose, il maudit son étourderie.*
Contraire : bénir.

maudit, ite adj. Qui est très gênant, exaspérant, détestable. *Cette maudite pluie a gâché nos vacances !*

maugréer v. → conjug. **créer.** Grommeler, ronchonner. *Ce vieux monsieur n'arrête pas de maugréer.*

Maupassant Guy de

Écrivain français né en 1850 et mort en 1893. C'est sous l'influence de Gustave Flaubert que Maupassant s'intéresse à la littérature et rencontre des auteurs célèbres tel Zola. Sa première nouvelle, *Boule-de-Suif* (1880), est un succès ; elle marque le début de sa carrière. Conteur de talent, Maupassant est un pessimiste qui dépeint, à travers des thèmes variés, un monde de souffrance, d'égoïsme et de cruauté. Son souci de justesse et la richesse de son style font de ses descriptions des modèles littéraires. Maupassant a écrit environ trois cents nouvelles et contes réunis en recueils, dont *la Maison Tellier* (1881), *les Contes de la bécasse* (1883) et *les Contes du jour et de la nuit* (1885). Il a aussi publié six romans, dont *Une Vie* (1883), *Bel-Ami* (1885) et *Pierre et Jean* (1888).

Mauriac François

Écrivain français né en 1885 et mort en 1970. Orphelin de père, Mauriac est élevé de façon stricte par une mère très pieuse qui a sur lui une grande influence. Il publie ses premiers textes dès 1909, mais c'est avec *le Baiser au lépreux* (1922), suivi de *Genitrix* (1923), de *Thérèse Desqueyroux* (1927) et du *Nœud de vipères* (1932) qu'il devient l'un des plus célèbres romanciers de sa génération. Ses romans ont pour thème les passions et les conflits qui se déroulent dans les familles soumises aux conventions et aux règles du bien et du mal dictées par la foi religieuse.
Mauriac est élu à l'Académie française en 1933. Ses *Mémoires intérieurs* (1959 et 1965) sont des textes où il se dévoile ; ils permettent de bien comprendre le sens de son œuvre.

Maurice

Maurice (île)

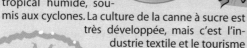

République de l'océan Indien située à l'est de Madagascar. Maurice est une île d'origine volcanique. Le climat est tropical humide, soumis aux cyclones. La culture de la canne à sucre est très développée, mais c'est l'industrie textile et le tourisme qui sont les bases de l'économie. À partir du XVIIe siècle, l'île Maurice est tour à tour sous domination hollandaise, française et britannique. Elle devient indépendante en 1968. L'île est membre du Commonwealth.

2 040 km²
1 210 000 habitants : les Mauriciens
Langues : anglais, créole, français, langues indiennes
Monnaie : roupie mauricienne
Capitale : Port-Louis

Mauritanie

République islamique du nord-ouest de l'Afrique, ouverte à l'ouest sur l'océan Atlantique. Le désert du Sahara occupe plus des deux tiers de la Mauritanie. Seules les régions du sud et du sud-ouest, drainées par le fleuve Sénégal, sont fertiles. Le climat est chaud et sec. Le manque de terres cultivables rend la production agricole insuffisante ; elle occupe cependant la plus grande partie de la population. La pêche et les ressources minières assurent les principales exportations. Colonie française à partir de 1920, la Mauritanie devient en 1946 un territoire d'outre-mer. Elle accède à l'indépendance en 1960.

1 025 520 km²
2 807 000 habitants : les Mauritaniens
Langues : arabe, français, hassaniya, pulaar, soninké, ouolof
Monnaie : ouguiya
Capitale : Nouakchott

mausolée n. m. Monument funéraire de taille imposante et d'architecture somptueuse.

maussade adj. *1* Qui est de mauvaise humeur. *Elle a été silencieuse et maussade toute la journée.* *2* Qui inspire la tristesse, l'ennui, la mélancolie. *Un ciel gris et maussade.*
Synonymes : morose, grognon (*1*).

mauvais, aise adj. et adv.
• adj. *1* Qui est désagréable au goût. *Elle fait de très mauvais gâteaux.* *2* Qui présente des défauts, des imperfections. *Une mauvaise émission. Un appareil de mauvaise qualité.* *3* Désagréable, triste, pénible. *Apprendre de mauvaises nouvelles.* *4* Méchant. *Il devient mauvais quand on le contrarie.* *5* Qui n'est pas d'un bon niveau, faible, insuffisant, médiocre. *Elle est très mauvaise en grammaire.*
Contraire : bon.
• adv. *1* *Sentir mauvais :* dégager une odeur désagréable. *Les ordures sentent mauvais.* *3* *Il fait mauvais :* le temps est pluvieux, orageux.
Contraires : bon (*1*)**, beau** (*2*).

mauve adj. D'une couleur violet pâle.

mauve n. f. Plante sauvage.

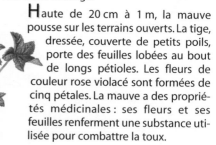

Haute de 20 cm à 1 m, la mauve pousse sur les terrains ouverts. La tige, dressée, couverte de petits poils, porte des feuilles lobées au bout de longs pétioles. Les fleurs de couleur rose violacé sont formées de cinq pétales. La mauve a des propriétés médicinales : ses fleurs et ses feuilles renferment une substance utilisée pour combattre la toux.

mauviette n. f. Familier. Personne chétive, maladive et qui manque de courage.

maxillaire n. m. Chacun des deux os qui constituent la mâchoire.

maximal, ale, aux adj. Synonyme de maximum.

maxime n. f. Phrase courte qui énonce une vérité, une règle de conduite. *« Mieux vaut tard que jamais »* *est une maxime.*

maximum n. m. et adj. **Plur. : des maximums ou des maxima.**
• n. m. Le plus grand nombre possible. *Faire le maximum d'efforts. Proposer le maximum de possibilités.*
• adj. Qui est le plus grand, le plus élevé, le plus important. *La vitesse maximum. Le tarif maximum.*
On prononce [maksimɔm]**. Synonyme : maximal.**
Contraire : minimum.

Mayas

Ancien peuple d'Amérique centrale (de 2 000 av. J.-C. jusqu'à 1 500 apr. J.-C.). Le territoire des Mayas couvre le Guatemala et le sud du Mexique actuels. Les Mayas pratiquent l'élevage et l'agriculture, en particulier la culture du maïs, qui est à l'origine de leur nom. Excellents mathématiciens, ils s'intéressent aussi à l'astronomie et mettent au point un calendrier solaire de 365 jours. Leur écriture ressemble aux hiéroglyphes égyptiens, mais n'a pas encore été déchiffrée. Les Mayas adorent des dieux auxquels ils offrent des sacrifices. On a retrouvé plus de 80 sites mayas dans la forêt tropicale. La qualité de leurs œuvres d'art a fait surnommer les Mayas les «Grecs du Nouveau Monde».

Sacrifice humain chez les Mayas.

mayonnaise n. f. Sauce froide que l'on fait en battant ensemble de l'huile et du jaune d'œuf.

Mazarin Jules

Cardinal et homme politique français d'origine italienne né en 1602 et mort en 1661. En 1639, il entre au service de Richelieu, ministre de Louis XIII, et prend la nationalité française. Nommé cardinal en 1641, il remplace Richelieu à sa mort en 1642. Louis XIII meurt en 1643. Sa veuve, Anne d'Autriche, conserve les services du cardinal. Mazarin assure avec elle le gouvernement du royaume pendant l'enfance de Louis XIV. Il poursuit la politique de Richelieu. Il se heurte à l'opposition des Grands du royaume et ne peut empêcher une guerre civile, la Fronde. Il surmonte toutefois cette épreuve, d'où l'autorité royale sort renforcée.
Mazarin est impopulaire auprès de la Cour comme auprès du peuple. On ne lui pardonne ni son origine étrangère, ni son influence sur la reine, ni son enrichissement.

mazout n. m. Liquide obtenu à partir de la distillation du pétrole. *Le mazout est un combustible utilisé pour le chauffage.*

McKinley (mont)

Sommet le plus haut de l'Amérique du Nord, situé dans la chaîne de l'Alaska. Haut de 6 194 m, le mont McKinley est un massif glaciaire soumis au climat polaire. Son sommet a été atteint en juin 1913 par des alpinistes américains.

me pron. Pronom personnel de la première personne du singulier qui a la fonction de complément. *Il me regarde avec attention. Tu peux me téléphoner demain. Elle m'a écrit une longue lettre.*
« Me » devient « m' » devant une voyelle ou un « h » muet.

méandre n. m. Courbe que forme un cours d'eau.

Les méandres se forment dans les vallées, là où les cours d'eau ont un débit assez lent : leurs eaux, pas assez puissantes pour user les terrains durs qu'elles rencontrent, doivent les contourner. La Seine fait de nombreux méandres entre Paris et Rouen.

mécanicien, enne n. Personne dont le métier est d'entretenir et de réparer les moteurs, les machines.

mécanique adj. et n. f.
• adj. *1* Qui fonctionne grâce à un mécanisme. *Une horloge mécanique. 2* Qui concerne le fonctionnement d'un moteur, d'une machine. *Il a eu beaucoup d'ennuis mécaniques avec ce vieux camion. 3* Qui est réalisé à la machine. *Tissage mécanique. 4* Que l'on fait sans réfléchir. *Il accomplit son travail avec des gestes mécaniques.*
Synonymes : machinal, automatique (4).
Il a éteint mécaniquement la lumière en sortant de la pièce, de façon mécanique (4), sans réfléchir.
• n. f. Science et technique qui concernent la construction des machines, leur fonctionnement, leur entretien.

mécanisme n. m. Ensemble des pièces agencées de façon à faire fonctionner une machine, un moteur.

mécène n. m. Personne ou entreprise qui fournissent une aide financière aux artistes, aux écrivains.
À l'époque de la Renaissance, de nombreux artistes ont pu réaliser leurs œuvres grâce au mécénat de personnes riches et puissantes, l'aide et la protection de mécènes.

méchamment adv. → méchant.

méchanceté n. f. *1* Comportement d'une personne méchante. *Il est d'une telle méchanceté que tout le monde le fuit.* *2* Action ou parole méchante. *Dire des méchancetés.*

méchant, e adj. et n.
• adj. *1* Qui fait volontairement du mal. *Elle est plus bête que méchante. 2* Agressif, dangereux. *Un chien méchant.*
Contraires : bon, gentil (1).
Ne me parle pas si méchamment, de façon méchante (1).
• n. Personne méchante. *À la fin de l'histoire, les bons réussissent à vaincre les méchants.*

mèche n. f. *1* Touffe de cheveux. *Il a une mèche blonde sur le front. 2* Cordon placé à l'intérieur d'une bougie et qui dépasse légèrement pour qu'on puisse l'allumer. *3* Tige d'acier qui s'adapte à une perceuse et sert à faire des trous. *4* Familier. *Être de mèche avec quelqu'un :* être son complice. *5* Familier. *Vendre la mèche :* révéler quelque chose qui devait rester secret.

méchoui n. m. Mouton que l'on fait rôtir, entier, à la broche.

méconnaissable adj. Qui est difficile à reconnaître. *Il est méconnaissable depuis qu'il s'est laissé pousser la barbe et les moustaches.*

méconnaissance n. f. Fait d'ignorer quelque chose. *Il a commis une infraction par méconnaissance de la loi.*

méconnaître v. → conjug. **connaître.** Ne pas estimer quelqu'un ou quelque chose à sa juste valeur. *Méconnaître les qualités d'un ami.*
Contraires : apprécier, estimer.
Cet écrivain reste méconnu du grand public, le public le méconnaît.

mécontent, ente adj. Insatisfait, contrarié, fâché. *Je suis mécontente de votre travail.*
Contraires : content, satisfait.
Les ouvriers font la grève pour manifester leur mécontentement, le fait qu'ils sont mécontents. *L'augmentation des prix mécontente tous les consommateurs,* elle les rend mécontents.

Mecque (La)

Ville de l'ouest de l'Arabie Saoudite. La Mecque est la première ville sacrée de la religion musulmane (Jérusalem étant la deuxième). Lieu de naissance du prophète Mahomet, vers lequel se tournent les croyants lors de la prière, La Mecque est une ville de pèlerinage strictement interdite aux non-musulmans. Sa Grande Mosquée contient la Kaaba, un édifice cubique dans lequel se trouve la Pierre noire qui aurait été donnée à Abraham par l'ange Gabriel. Le Coran impose à tout musulman qui en a les moyens de faire au moins une fois dans sa vie le pèlerinage à La Mecque.

médaille n. f. *1* Bijou de forme ronde et plate comme une pièce de monnaie. *2* Décoration donnée en récompense. *Ce sportif a remporté plusieurs médailles d'or aux jeux Olympiques.*
Un sportif médaillé, qui a reçu une ou plusieurs médailles (*2*) pour ses victoires.

médaillon n. m. Bijou en forme de petite boîte qui peut renfermer un portrait, une mèche de cheveux.

médecin n. m. Personne qui exerce la médecine, qui soigne les maladies.
Synonyme : docteur.

médecine n. f. Science qui a pour objet d'étudier et de soigner les maladies. *Faire des études de médecine.*

média n. m. Moyen de diffusion des informations au public. *La presse, la radio, la télévision, les réseaux informatiques sont des médias.*

médian, ane adj. et n. f.
• adj. Qui se trouve au milieu. *Trace la ligne médiane de cette feuille de papier.*
• n. f. Ligne droite qui joint l'un des sommets d'un triangle et le milieu du côté opposé à ce sommet.

Les trois médianes d'un triangle sont concourantes en un point O appelé centre de gravité du triangle.

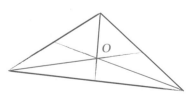

médiateur, trice n. Personne chargée de régler un désaccord entre deux personnes, deux pays. *Ils se sont mis d'accord par l'intermédiaire d'un médiateur.*

La guerre a été évitée grâce à la médiation d'une organisation internationale, à son rôle de médiateur.

médiathèque n. f. Collection qui rassemble des documents (films, livres, journaux, diapositives, CD) correspondant aux différents médias.

médiation n. f. → **médiateur, trice.**

médiatique adj. Qui est connu du public par l'intermédiaire des médias. *Le football est un sport très médiatique.*

médiatisation n. f. Fait de communiquer des informations au public par l'intermédiaire des médias. *La médiatisation d'un procès par la télévision.*

médiator n. m. Petite lame plus ou moins rigide pour gratter les cordes d'instruments tels que la guitare ou la mandoline.

médical, ale, aux adj. Qui se rapporte à la santé, à la médecine. *Une visite médicale.*

médicament n. m. Produit destiné à soigner des maladies ou à calmer les douleurs. *Il est passé à la pharmacie pour acheter des médicaments.*

médicinal, ale, aux adj. Se dit d'une plante qui peut être utilisée comme médicament.

Médicis Catherine de

Reine de France née en 1519 et morte en 1589. Fille de Laurent II de Médicis, appelé Laurent le Magnifique, Catherine épouse en 1547 le futur roi de France Henri II. Elle devient régente du royaume en 1560, lorsque son fils Charles IX, à peine âgé de dix ans, devient roi. Elle gouvernera en fait tout au long du règne de ce dernier. Avec son ministre Michel de l'Hospital, elle tente en vain de réconcilier catholiques et protestants, plongés dans les guerres de Religion. En 1572, devant l'influence grandissante de Coligny, le chef du parti huguenot (protestant), elle se rapproche du duc de Guise et des catholiques. Elle est à l'origine du massacre de la Saint-Barthélemy, dans la nuit du 23 au 24 août 1572, au cours duquel Coligny et plus de 3 000 huguenots sont tués à Paris. À partir de 1574, date de la mort de Charles IX, elle continue d'exercer le pouvoir au côté d'Henri III, mais elle a moins d'influence.

Médicis Marie de

Reine de France née en 1573 et morte en 1642. Fille du grand-duc de Toscane François de Médicis, Marie de Médicis épouse le roi de France Henri IV en 1600. À l'assassinat de ce dernier en 1610, son fils Louis XIII n'a que neuf ans. Elle assure la régence du royaume, renvoie les conseillers d'Henri IV et subit l'influence de son favori, Concini. Il en découle une agitation intérieure qu'elle ne peut maîtriser. Louis XIII l'écarte du pouvoir en 1617, après avoir fait assassiner Concini. Revenue en grâce auprès du roi, elle favorise la nomination de Richelieu comme ministre principal, en 1624. Mais, à l'origine d'un nouveau complot, elle doit s'exiler définitivement en 1630.

médiéval, ale, aux adj. Du Moyen Âge. *Ce château date de l'époque médiévale.*

médiocre adj. Qui est insuffisant, plutôt mauvais. *Ce devoir est médiocre.*

Cet acteur joue médiocrement, de façon médiocre, plutôt mal. *Il vit pauvrement à cause de la médiocrité de son salaire,* de son caractère médiocre, très bas.

médire v. → conjug. **dire.** Dire du mal de quelqu'un. *Médire de ses voisins.*

Elle n'écoute jamais les médisances, les paroles malveillantes de quelqu'un qui médit. *Il vaut mieux se méfier des gens médisants,* des gens qui racontent des médisances.

méditer v. → conjug. **aimer.** Réfléchir avec beaucoup de concentration. *Méditer longuement avant de prendre une décision.*

Il paraît plongé dans de profondes méditations, il paraît méditer.

Méditerranée

Mer comprise entre l'Europe, l'Asie et l'Afrique. La mer Méditerranée communique avec l'océan Atlantique par le détroit de Gibraltar. Elle est reliée à la mer Noire par le détroit des Dardanelles et celui du Bosphore, par l'intermédiaire de la mer de Marmara. Avec 2 500 000 km² de superficie, c'est la plus vaste des mers continentales. Elle est longue d'environ 3 800 km pour une largeur comprise entre 400 et 1 600 km. Sa profondeur moyenne est de 1 500 m. Ses eaux sont tièdes et ses marées peu importantes. Au carrefour de plusieurs continents, elle connaît depuis l'Antiquité une activité économique et culturelle importante. Les Romains l'appelaient *mare nostrum* (notre mer).

médium n. m. D'après certaines doctrines, personne qui serait capable d'entrer en communication avec les esprits des morts.
Mot latin qui se prononce [medjɔm]**.**

médius n. m. Doigt du milieu de la main.
Synonyme : majeur. On prononce [medjys]**.**

méduse n. f. Animal marin au corps gélatineux et transparent.

La méduse est un animal très simple : son corps en forme de cloche est constitué de deux couches de cellules transparentes soudées par une substance gélatineuse. Elle porte des tentacules qui servent à la capture des proies (plancton, petits poissons). La bouche, sur la face inférieure, est entourée, elle aussi, de tentacules. Les méduses contractent en permanence leur corps pour se déplacer et continuer de flotter. Leur taille varie de quelques centimètres à plus de 1 m de diamètre. Certaines espèces tropicales sont très dangereuses pour l'homme. Les méduses existaient déjà il y a 600 millions d'années !

médusé, ée adj. Frappé d'étonnement, stupéfait. *Quand il a vu la mer pour la première fois, il en resté médusé.*

meeting n. m. Réunion publique. *Un meeting politique.*
Mot anglais qui se prononce [mitiŋ]**.**

méfait n. m. *1* Action qui nuit à autrui. *Il a commis de nombreux méfaits. 2* Effet nuisible, conséquence néfaste. *Les méfaits de l'alcoolisme.*

se méfier v. → conjug. **modifier.** Ne pas avoir confiance. *C'est une femme indiscrète dont il vaut mieux se méfier.*
Contraire : se fier.
> *Un enfant sans* méfiance, *qui ne se méfie de rien, de personne. Il n'a aucune raison d'être* méfiant *avec moi, de se méfier de moi.*

mégalithe n. m. Monument constitué d'une ou de plusieurs pierres brutes de grande taille. *Les dolmens, les menhirs sont des mégalithes.*

En Europe occidentale, les mégalithes correspondent à la période de la préhistoire qui s'étend entre 3 500 et 1 500 ans av. J.-C. Ils sont vraisemblablement rattachés à des rites religieux. On distingue deux types principaux de mégalithes :

• les menhirs (« pierres debout » en breton) sont de grandes pierres dressées, qui peuvent être disposées en ligne ou en cercle. Ils étaient peut-être voués au culte du Soleil ;
• les dolmens (« tables de pierre » en breton) sont constitués de deux pierres verticales sur lesquelles repose une dalle horizontale qui peut peser jusqu'à 50 t. Certains dolmens alignés constituent des allées couvertes.

Dolmen.

Menhir.

mégalomane adj. et n. Qui se croit capable d'accomplir les projets les plus insensés.

par mégarde adv. Par inattention, par inadvertance, sans faire exprès.

mégère n. f. Femme méchante, agressive.

mégot n. m. Ce qui reste d'une cigarette ou d'un cigare qu'on a fumés. *Ne jette pas ce mégot n'importe où, il peut provoquer un incendie.*

meilleur, eure adj. et n.
• adj. *1* Comparatif de supériorité de « bon ». *Mon gâteau est bon, mais le tien est meilleur. 2* Superlatif de « bon ». *C'est la meilleure nageuse du club.*
Contraire : pire.
• n. Personne ou chose meilleures que les autres. *Il a gagné parce qu'il est le meilleur.*

Mékong

Fleuve du sud-est de l'Asie. Long de 4 200 km, le Mékong prend sa source dans le plateau du Tibet, en Chine, à environ 5 000 m d'altitude. Il coule dans d'étroits et profonds défilés rocheux. Il longe plusieurs pays auxquels il sert de frontière (Myanmar, Thaïlande, Laos) et traverse ensuite le Cambodge puis le Vietnam. Il se partage en plusieurs bras avant de rejoindre la mer de Chine méridionale par un vaste delta. Son cours irrégulier le rend peu navigable. Il sert surtout à l'irrigation des cultures et à la production d'électricité. Il arrose de grandes villes telles Luang Prabang, Vientiane et Phnom Penh.

mélancolie n. f. Sentiment de tristesse vague, sans cause précise. *Il parle de ses années de jeunesse avec mélancolie.*

Ces vieilles maisons grises le rendent mélancolique, lui inspirent de la mélancolie. Il écoutait une mélodie ancienne en souriant mélancoliquement, de façon mélancolique.

Mélanésie

Région constituée d'un ensemble d'îles du sud-ouest de l'océan Pacifique, en Océanie. La Mélanésie est principalement constituée par la Papouasie-Nouvelle-Guinée, l'archipel Bismarck, les îles Salomon, Vanuatu, les îles Fidji et la Nouvelle-Calédonie. Les îles sont montagneuses, souvent volcaniques, dominées par la forêt. Selon leur position, elles sont soumises à un climat équatorial chaud et très humide ou à un climat tropical plus sec. La population vit surtout de l'agriculture (igname, patate douce, canne à sucre, noix de coco, banane, café) et de la pêche. Quelques territoires offrent des richesses minières (manganèse, cuivre, nickel).

mélanger v. ➜ conjug. **ranger.** *1* Réunir des éléments différents pour en faire un tout. *Pour faire une vinaigrette, il faut bien mélanger l'huile, le vinaigre, le sel et le poivre. 2* Emmêler ou embrouiller. *Les dossiers étaient bien classés, mais tu as tout mélangé.*
Synonyme : mêler (2).
Ce dessert délicieux est un mélange de fruits et de glace, un ensemble de fruits et de glace mélangés (1). Un mélangeur est un robinet spécialement fabriqué pour mélanger l'eau chaude et l'eau froide, pour doser la bonne température de l'eau.

mélasse n. f. Sorte de sirop très épais qui provient de la fabrication du sucre. *On utilise la mélasse de la canne à sucre pour faire du rhum.*

mêlée n. f. *1* Bataille désordonnée, confuse. *Le match s'est terminé par une mêlée générale. 2* Au rugby, moment du match où des joueurs des deux équipes se font face en se tenant par les épaules et essaient de reprendre le ballon.

mêler v. ➜ conjug. **aimer.** *1* Mélanger. *Mêler l'utile à l'agréable. Il a mêlé des détails amusants au récit de son voyage. 2 Se mêler à un groupe : se joindre à lui. Nous nous sommes mêlés à la foule. 3 Se mêler de quelque chose : intervenir dans les affaires des autres. Mêle-toi de ce qui te regarde !*

mélèze n. m. Conifère proche du sapin qui pousse en haute montagne. *Les aiguilles des mélèzes tombent en hiver.*

méli-mélo n. m. Familier. Mélange d'objets en désordre. *Quel méli-mélo dans ce tiroir !*

mélodie n. f. Suite de notes de musique formant un air. *Il a oublié les paroles de cette chanson, mais il se souvient de la mélodie.*

mélodieux, euse adj. Agréable à entendre. *Un chant mélodieux.*

mélodrame n. m. Pièce de théâtre dans laquelle se déroule une série d'événements dramatiques, souvent invraisemblables.
On a du mal à croire cette histoire mélodramatique, qui ressemble à un mélodrame.

mélomane n. Personne qui aime la musique, qui sait l'écouter et l'apprécier.

melon n. m. *1* Gros fruit à pépins, de forme ronde ou ovale, dont la chair est juteuse et sucrée. *2 Chapeau melon :* chapeau d'homme, en feutre, de forme ronde et bombée.

Melun

Ville française de la Région Ile-de-France, située sur les bords de la Seine. Melun est un important centre administratif, agricole et industriel qui bénéficie de la proximité de Paris. La ville nouvelle de Melun-Sénart, toute proche, est une zone d'habitation et d'emploi très active. Melun abrite l'église Notre-Dame (XIe-XIIe et XVe-XVIe siècles), l'église gothique de Saint-Aspais (XVIe siècle) et un riche musée installé dans une des résidences de Fouquet, surintendant des finances de Louis XIV. Ville fortifiée gauloise, *Melodonum* est conquise par les Romains en 53 av. J.-C. La ville devient résidence royale sous les premiers Capétiens. Passée sous domination anglaise en 1420, elle revient au royaume de France en 1430.

77

***Préfecture de la Seine-et-Marne
36 998 habitants : les Melunais***

membrane n. f. Enveloppe de peau mince et souple qui entoure un organe. *La rétine est une membrane qui tapisse le fond de l'œil.*

membre n. m. *1* Partie du corps rattachée au tronc et qui permet de faire des mouvements. *Les quatre membres du corps humain sont les bras et les jambes. 2* Personne qui fait partie d'un ensemble, d'un groupe organisé. *Les membres d'une famille, d'un club.*

même adj., pron. et adv.
• adj. *1* Qui est exactement semblable. *Nous avons le même cartable. 2* Après un nom ou un pronom, *même* est utilisé pour renforcer celui-ci. *Je n'invente rien, ce sont les paroles mêmes que j'ai entendues. J'irai moi-même faire les courses.*

Contraire : **différent** (*1*). Quand « même » sert à renforcer un pronom personnel, il se place, avec un trait d'union, derrière ce pronom.

- **pron.** Ce qui est semblable à autre chose. *Cette valise est pratique, j'aimerais acheter la même.*
- **adv.** *1* Y compris, et aussi. *Tout le monde s'est baigné, même les plus frileux.* *2* **De même** : de la même façon. *Il se repose, tu devrais faire de même.* *3* **Quand même, tout de même** : malgré tout, pourtant. *Il est très fatigué, mais il travaille quand même.* *4* **À même** : directement. *Il s'est allongé à même le sol.*

mémento n. m. Petit livre qui donne les éléments essentiels concernant un sujet, une matière. *Un mémento d'histoire.*
Mot latin qui se prononce [memɛ̃to]**.**

Peintre flamand d'origine allemande né vers 1433 et mort en 1494. Il s'installe à Bruges dès 1465 et dirige un atelier renommé. Sa peinture, influencée par les grands maîtres flamands comme Van der Weyden et Van Eyck, est délicate et fine. La douceur des tons crée une atmosphère paisible, adaptée aux thèmes religieux et aux portraits qu'il réalise. La mise en scène de ses compositions manifeste un souci permanent d'équilibre et d'harmonie. Parmi ses œuvres, il faut citer *le Triptyque de saint Christophe, l'Adoration des mages, la Vierge à l'Enfant, le Jugement dernier* et *les Saintes Femmes.*

Les Saintes Femmes

1. mémoire n. f. *1* Capacité que possède le cerveau de se souvenir. *Elle n'a aucune mémoire. Avoir un trou de mémoire.* *2* Élément d'un ordinateur sur lequel sont stockées et conservées des informations que l'on peut ensuite consulter. *Mettre des données en mémoire.* *3* **En mémoire** ou **à la mémoire d'une personne** : en souvenir d'elle ou à sa gloire. *Écrire un poème à la mémoire d'un héros.*

2. mémoire n. m. *1* Texte écrit sur un sujet déterminé. *Elle prépare un mémoire sur les Indiens d'Amérique.* *2* Au pluriel. Livre dans lequel une personne fait le récit de sa vie, de ses souvenirs. *Tu es beaucoup trop jeune pour écrire tes mémoires !*

mémorable adj. Que l'on gardera toujours dans la mémoire, inoubliable. *Cette victoire restera un événement mémorable.*

mémoriser v. → conjug. **aimer.** Apprendre et fixer dans sa mémoire. *Il a du mal à mémoriser les dates en histoire.*

Ville de l'Égypte ancienne, située sur la rive gauche du Nil, au sud du Caire. Durant tout l'Ancien Empire, de 2686 à 2050 av. J.-C, Memphis est la capitale de l'Égypte et la résidence des pharaons. On y vénère le dieu Ptah, dont l'influence est aussi grande que celle de Rê. Un temple est également consacré au dieu Apis.
Memphis est remplacée par Thèbes comme capitale de l'Égypte au Moyen Empire. Elle commence à décliner à la fondation d'Alexandrie, en 332 av. J.-C. La ville est détruite par les Arabes au VIIe siècle apr. J.-C. et sert de réserve de pierres pour la construction du Caire.

menaçant, ante adj. → **menacer.**

menace n. f. *1* Geste ou parole destinés à faire peur. *Des menaces de mort. Une lettre de menaces.* *2* Signe qui fait craindre un danger.

menacer v. → conjug. **tracer.** *1* Chercher à faire peur à quelqu'un par des menaces. *Il menace sa victime d'un couteau.* *2* Risquer de se produire. *Ce film menace d'être ennuyeux.*

> *Cette bande de voyous a une allure* **menaçante**, *qui menace (1)*

ménage n. m. *1* Ensemble des travaux nécessaires pour entretenir une maison, pour la nettoyer. *Faire le ménage.* *2* Couple qui vit sous le même toit. *Ce jeune ménage vient d'avoir un enfant.*

1. ménager v. → conjug. **ranger**. *1* Utiliser avec modération, sans exagération. *Ménager ses forces, sa santé. 2* Traiter sans brusquerie, sans dureté. *Votre mère est fatiguée, vous devez la ménager. 3* Prévoir, organiser ou préparer. *Les organisateurs ont ménagé une rencontre entre les deux meilleures équipes de la région. 4 Se ménager :* éviter de faire des efforts excessifs. *S'il est malade, il doit se ménager.*

Il faut l'avertir de cette mauvaise nouvelle avec *ménagement*, en le ménageant (*2*).

2. ménager, ère adj. et n. f.
• adj. Qui concerne l'entretien, le nettoyage d'une maison. *Elle a horreur des travaux ménagers.*
• n. f. Femme qui s'occupe de sa famille, de sa maison.

ménagerie n. f. Lieu où sont rassemblés des animaux qui sont présentés au public.

Mende

Ville française de la Région Languedoc-Roussillon, située sur sur les bords du Lot. Mende est une cité administrative et commerciale. Elle est le point de départ d'excursions touristiques vers les Causses et les gorges du Tarn. La ville abrite la cathédrale Saint-Pierre (XIVe-XVIe siècles, restaurée au XVIIe siècle après les guerres de Religion). Mende possède encore le battant de la plus grosse cloche de la chrétienté, la Non-Pareille, détruite en 1579. Le pont Notre-Dame, qui enjambe le Lot, date du XIVe siècle. L'origine de la ville remonte à l'époque romaine. Au Ve siècle, elle devient le siège d'un évêché et, au XIVe siècle, capitale du Gévaudan.

48 *Préfecture de la Lozère*
13 103 habitants : les Mendois

Mendelssohn–Bartholdy Felix

Compositeur allemand et interprète né en 1809 et mort en 1847. Mendelssohn manifeste très jeune des dons exceptionnels d'interprète et de compositeur. À vingt ans, il dirige à Berlin une grande œuvre de Bach, *la Passion selon saint Matthieu*. Il voyage beaucoup et joue souvent en public. Sa musique, son interprétation et sa direction d'orchestre sont très appréciées. Mendelssohn est l'un des représentants de la musique romantique du début du XIXe siècle. Parmi ses nombreuses compositions figurent cinq grandes symphonies, des oratorios, des concertos, ainsi que l'ouverture *le Songe d'une nuit d'été* (1843).

---

mendier v. → conjug. **modifier**. Demander l'aumône. *Il doit mendier pour se nourrir.*

Un *mendiant* est une personne sans ressources qui mendie. *Ce chômeur est réduit à la mendicité,* à mendier.

mener v. → conjug. **promener**. *1* Aller jusqu'à tel ou tel endroit. *Ce boulevard mène à la gare. 2* Amener ou diriger. *Il a mené son équipe à la victoire. Tu peux mener tes affaires comme tu en as envie. 3* Vivre de telle ou telle façon. *Mener une vie paisible, une vie aventureuse. 4* Être en tête, avoir l'avantage. *C'est notre équipe qui mène à la mi-temps.*

Les *meneurs* sont en tête de la manifestation, les personnes qui mènent (*2*) les autres.

ménestrel n. m. Au Moyen Âge, musicien ambulant.

meneur, euse n. → **mener**.

menhir n. m. Monument constitué d'un grand bloc de pierre allongé planté verticalement, datant de la fin de la préhistoire.
On prononce [mɛnir].

méninge n. f. *1* Membrane qui enveloppe le cerveau et la moelle épinière. *2* Au pluriel. Familier. Le cerveau, l'esprit. *Il se creuse les méninges pour trouver la bonne réponse.*

Une *méningite* est une grave maladie due à une inflammation des méninges (*1*).

ménisque n. m. Cartilage du genou.

menotte n. f. *1* Petite main. *Les menottes potelées d'un bébé. 2* Au pluriel. Bracelets métalliques unis par une chaîne, destinés à immobiliser les mains des prisonniers.

mensonge n. m. Affirmation contraire à la vérité. *Dire, raconter des mensonges.*
Contraire : vérité.

Le témoin a fait des déclarations *mensongères*, ayant le caractère d'un mensonge.

mensualité n. f. Somme qu'une personne paye ou reçoit chaque mois. *Ce téléviseur est payable en douze mensualités.*

mensuel, elle adj. et n. m.
• adj. *1* Qui a lieu, qui se produit chaque mois. *Un paiement mensuel. 2* Qui paraît chaque mois. *Un magazine mensuel.*

Rembourser une dette *mensuellement*, par versements mensuels (*1*).
• n. m. Publication qui paraît chaque mois. *S'abonner à un mensuel.*

mensurations n. f. pl. Mesures de certaines parties du corps humain. *Au cours de la visite médicale, l'infirmière prend les mensurations des élèves.*

mental, ale, aux adj. *1* Qui concerne le fonctionnement du cerveau, de l'intelligence. *Être atteint d'une maladie mentale. 2 Calcul mental :* qui se fait de tête, sans écrire ni parler à haute voix.
Synonyme : psychique (*1*).

Il est capable de faire cette division mentalement, par un calcul mental (2).

mentalité n. f. Manière de penser et d'agir. *Le développement des moyens de communication a modifié les mentalités.*

menteur, euse n. et adj. → **mentir.**

menthe n. f. Plante aromatique qui pousse dans les lieux humides.

La menthe est une plante robuste qui peut atteindre 1 m de hauteur. Il en existe de nombreuses espèces, sauvages ou cultivées. Les tiges sont dressées ou rampantes. Les feuilles vert sombre sont dentelées et duveteuses. Les fleurs, groupées en épis, sont roses ou blanches. La menthe est très odorante. Elle est consommée fraîche comme condiment. Elle est aussi utilisée dans de multiples préparations, en confiserie, parfumerie et pharmacie.

mention n. f. *1* Note écrite, destinée à indiquer, à préciser. *Vous devez remplir ce formulaire en rayant les mentions inutiles. 2* Appréciation que l'on donne à un candidat lors d'un examen. *Mention «passable». Mention «très bien». 3 Faire mention de quelque chose :* le signaler. *Aucun journal n'a fait mention de cette affaire.*

Dans son récit, l'auteur mentionne certains faits très importants, il en fait mention (*3*).

mentir v. → conjug. **sortir.** Raconter des mensonges. *Vous pouvez croire ce qu'il dit, car il est incapable de mentir.*

On ne peut pas croire un mot de ce qu'il dit, c'est un menteur, quelqu'un qui a l'habitude de mentir.

menton n. m. Bas du visage au-dessous de la bouche. *Avoir un menton rond, pointu.*

1. menu, ue adj. *1* Qui est mince, frêle, délicat. *C'est une petite fille menue et fragile. 2* Qui est très petit, très fin. *Découper de la viande en menus morceaux. 3* Qui n'est pas très important ou qui n'a pas beaucoup de valeur. *Il a raconté son histoire jusque dans les plus menus détails.*
Contraires : corpulent, gras, gros (*1*).

2. menu n. m. *1* Liste de plats composant un repas. *Ce restaurant propose des plats à la carte ou un menu. 2* Liste des différentes opérations qui s'affichent sur l'écran d'un ordinateur pour que l'utilisateur puisse choisir ce qu'il veut faire.

menuet n. m. Danse ancienne. *Le menuet se dansait à «pas menus», à petits pas.*

menuiserie n. f. *1* Travail du bois effectué par un menuisier. *Faire de la menuiserie. 2* Atelier du menuisier.

menuisier n. m. Artisan qui travaille le bois, fabrique des meubles.

se méprendre v. → conjug. **prendre.** Littéraire. Se tromper. *Ce n'est pas ce que j'ai voulu dire, vous vous êtes mépris sur le sens de mes paroles.*

Il n'est pas coupable, c'est une terrible méprise, on s'est mépris, c'est une erreur.

mépris n. m. *1* Sentiment de celui qui ne ressent aucune estime, aucun respect pour quelqu'un. *Il n'éprouve que du mépris pour ce traître. 2 Au mépris de quelque chose :* sans en tenir compte. *Porter secours à quelqu'un au mépris du danger.*
Contraire : respect (*1*).

méprisable adj., **méprisant, ante** adj. → **mépriser.**

méprise n. f. → **se méprendre.**

mépriser v. → conjug. **aimer.** *1* Avoir du mépris pour quelqu'un. *Il n'a pas d'amis parce qu'il méprise tout le monde. 2* Ne pas tenir compte de quelque chose. *Mépriser les richesses. Mépriser le danger.*
Contraire : admirer (*1*).

Cet individu est un homme méprisable, on peut le mépriser (*1*). *Regarder quelqu'un d'un air méprisant,* qui méprise (*1*).

mer n. f. Vaste étendue d'eau salée. *Naviguer en pleine mer. Passer ses vacances à la mer. La mer Méditerranée. La mer du Nord.*

mercantile adj. *Avoir l'esprit mercantile :* être uniquement préoccupé par l'idée de gagner de l'argent.

mercenaire n. m. Soldat qui reçoit de l'argent pour se battre au service d'un gouvernement étranger.

mercerie n. f. Magasin où l'on vend tous les articles nécessaires pour faire de la couture.

1. merci n. m. Formule de politesse utilisée pour remercier. *Merci de votre visite. Je vous dois un grand merci pour ce service.*

2. merci n. f. *1 À la merci de quelqu'un, de quelque chose :* sous sa dépendance. *Il est à la merci de ses ennemis. Les marins sont à la merci d'une tempête. 2 Sans merci :* sans pitié. *Une lutte sans merci.*

mercredi n. m. Troisième jour de la semaine, qui suit le mardi. *Je n'ai pas classe le mercredi.*

mercure n. m. Métal blanc et brillant comme de l'argent, de consistance liquide, très toxique.

Mercure

Divinité de la mythologie romaine, messager des dieux. Son équivalent dans la mythologie grecque est Hermès. Fils de Jupiter, dieu des Dieux, et de Maïa, une Pléiade, Mercure est aussi le dieu des Commerçants, des Voleurs et des Voyageurs. On le représente avec un chapeau rond orné de deux ailes, des sandales et un caducée (baguette surmontée de deux ailes où s'enroulent des serpents). Mercure est ausi le nom d'une planète.

Regarde aussi **Soleil.**

merde n. f. *1* Mot vulgaire qui désigne les excréments des hommes et des animaux. *2* Exclamation grossière qui exprime la colère, la déception, etc. *Merde, j'ai raté mon avion !*

mère n. f. *1* Femme qui a mis au monde un ou plusieurs enfants. *Il a les mêmes yeux que sa mère.* *2* Femelle qui a donné naissance à un ou plusieurs petits. *L'agneau bêle pour appeler sa mère.*

merguez n. f. Petite saucisse pimentée. *Faire griller des merguez au barbecue.*

méridien n. m. Ligne courbe imaginaire qui passe par les deux pôles du globe terrestre. *Le méridien de Greenwich, en Angleterre, est le méridien à partir duquel on calcule la longitude.*

méridional, ale, aux adj. et n.
• adj. *1* Qui est au sud. *Nous avons visité la partie méridionale de l'Angleterre.* *2* Qui concerne le sud de la France. *La Provence est une région méridionale.*
• n. Personne originaire du sud de la France.

Mérimée Prosper

Écrivain français né en 1803 et mort en 1870. Mérimée appartient au courant des auteurs romantiques du XIXᵉ siècle et fréquente ces derniers dans les salons littéraires de Paris. Sa charge d'inspecteur des monuments historiques et les nombreux voyages qu'il effectue le conduisent vers le récit historique (*Chronique du règne de Charles IX*, 1829). Mais l'histoire n'est qu'un prétexte à la narration de petits faits et d'anecdotes pittoresques, et Mérimée doit surtout son succès à ses nouvelles, dans lesquelles il peut donner libre cours à son imagination. Parmi ses ouvrages les plus célèbres, on trouve *Mateo Falcone* (1829), *Colomba* (1840) et *Carmen* (1845), qui inspirera le célèbre opéra de Bizet.

meringue n. f. Gâteau très léger à base de blanc d'œuf battu en neige et de sucre.

merise n. f. Petite cerise sauvage au goût acidulé. *Le merisier est un cerisier sauvage qui donne des merises et dont le bois est utilisé en ébénisterie.*

méritant, ante adj. Qui a du mérite parce qu'il accomplit sa tâche malgré les difficultés. *Une jeune fille méritante qui travaille pour faire vivre ses parents.*

mérite n. m. Ce qui rend une personne estimable, honorable. *Elle a beaucoup de mérite de s'occuper de ces personnes malades.*

mériter v. → conjug. **aimer.** *1* Avoir droit à quelque chose, en être digne. *Mériter une récompense, des remerciements.* *2* Être justement condamné à subir quelque chose de désagréable. *Mériter une punition.* *3* Valoir la peine. *Cette idée mérite d'être étudiée.*

méritoire adj. Qui est digne de louange, d'éloge. *Elle a fait des efforts méritoires pour améliorer ses notes.*

merlan n. m. Poisson marin qui vit près des côtes.

merle n. m. Oiseau dont le mâle a le bec jaune et le plumage noir. La femelle possède un plumage brun-roux. *Le merle siffle.*

Mermoz Jean

Aviateur français né en 1901 et mort en 1936. D'abord pilote de l'armée de l'air, Mermoz rejoint la compagnie d'aviation civile Latécoère en 1924. Il effectue le transport du courrier sur différentes destinations. En 1927, la compagnie devient l'Aéropostale, et Mermoz est chargé d'établir en Amérique du Sud la liaison Buenos-Aires-Rio de Janeiro, ce qu'il fait avec succès en 1928. Il ouvre ensuite d'autres lignes sur le continent sud-américain, notamment, en 1929, Rio de Janeiro-Santiago du Chili, où il survole la cordillère des Andes.
Le 12 mai 1930, il réalise la première liaison postale entre la France et l'Amérique du Sud. Mermoz disparaît en mer en 1936, à bord de l'hydravion *Croix-du-Sud.*

mérou n. m. Gros poisson qui vit dans les mers chaudes et dont la chair est très appréciée.

Mérovingiens

Dynastie de rois francs qui règne de 481 à 751. Le nom de Mérovingiens vient de Mérovée, qui aurait régné au Ve siècle. Mais le véritable fondateur de la dynastie est Clovis Ier, qui règne de 481 à 511. Après Dagobert Ier, arrière-petit-fils de Clovis, souverain de 629 à 638, les rois mérovingiens, appelés « rois fainéants », laissent gouverner à leur place les maires du palais, sortes de Premiers ministres. En 751, l'un d'eux, Pépin le Bref, évince le dernier Mérovingien, Childéric III, et se fait donner le titre de roi des Francs. C'est le début de la dynastie des Carolingiens. Le règne des Mérovingiens a été marqué par un certain déclin de la France.

merveille n. f. **1** Chose extrêmement belle, magnifique. *Cette bague ancienne est une merveille.* **2** À merveille : extrêmement bien. *Ces deux amis s'entendent à merveille.*

merveilleux, euse adj. **1** Magique, surnaturel, miraculeux. *Le magicien possédait une pierre aux pouvoirs merveilleux.* **2** Qui est d'une beauté étonnante, extraordinaire. *Un merveilleux coucher de soleil.*
   Une femme **merveilleusement** *vêtue,* de façon merveilleuse (**2**).

mes adj. possessif. → **mon.**

mésange n. f. Petit oiseau aux couleurs vives.

Les mésanges mesurent entre 10 et 14 cm de longueur pour un poids variant de 6 à 20 g. Elles ont un bec court et de fines pattes. Elles se nourrissent d'insectes et de graines et nichent dans des trous d'arbre, où la femelle pond de 4 à 12 œufs. Parmi les espèces les plus communes en Europe, on trouve la mésange charbonnière, la mésange bleue, la mésange noire et la mésange à longue queue.

Mésange charbonnière.

mésaventure n. f. Aventure désagréable. *Le voyage s'est très bien terminé malgré de nombreuses mésaventures.*

mesdames n. f. pl. → **madame.**

mesdemoiselles n. f. pl. → **mademoiselle.**

mésentente n. f. Désaccord, désunion. *Cet enfant souffre de la mésentente de ses parents.*

mésestimer v. → conjug. **aimer.** Littéraire. Sous-estimer. *On a trop longtemps mésestimé l'œuvre de cet écrivain.*

la Mésopotamie

La Mésopotamie, en grec « pays entre les deux fleuves », est une région d'Asie englobant les vallées du Tigre et de l'Euphrate. Chaude, fertile et facile à irriguer, elle a connu de nombreuses invasions.

Sumer et Babylone

Vers 3 500 av. J.-C., apparaissent la civilisation sumérienne, les premiers canaux d'irrigation et de grandes cités : Our, Lagash, Ourouk. Les Sumériens inventent la roue et l'écriture. Vers 1 700 av. J.-C., Hammourabi unifie la Mésopotamie et fait de Babylone une capitale luxueuse et monumentale.

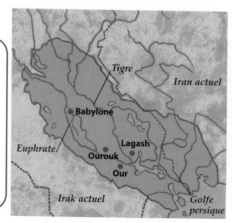

Tigre

Iran actuel

Babylone

Lagash

Euphrate

Ourouk

Our

Irak actuel

Golfe persique

les invasions

La Mésopotamie est vite envahie par les Assyriens, les Chaldéens, les Perses, les Grecs après les victoires d'Alexandre le Grand. Parthes et Sassanides l'incluent dans leurs Empires. Au VIIe siècle de notre ère, les Arabes la conquièrent et la dénomment « Irâq al Arabi ». L'invasion des Mongols en 1258 désorganise l'irrigation. Des travaux modernes ont rendu à cette région de l'Irak sa richesse agricole.

mesquin, ine adj. Qui est étroit d'esprit, sans générosité. *Une femme envieuse et mesquine.*

Il a montré sa **mesquinerie**, son caractère mesquin.

mess n. m. Salle dans laquelle les officiers et les sous-officiers prennent leur repas.
Homonyme : messe.

message n. m. Information que l'on transmet par écrit ou oralement. *Si je suis absent, laissez-moi un message.*

Un **messager** est une personne chargée de porter un message à quelqu'un.

messagerie n. f. **1** Souvent au pluriel. Entreprise qui assure le transport de marchandises. **2** *Messagerie électronique :* système de communication qui permet d'échanger des messages par l'intermédiaire d'un réseau informatique.

messe n. f. Cérémonie la plus importante du culte catholique. *À la fin de la messe, le prêtre bénit les fidèles.*
Homonyme : mess.

Messiaen Olivier

Compositeur français né en 1908 et mort en 1992. Messiaen entre au Conservatoire de Paris dès l'âge de 11 ans. Il est très doué pour la composition, l'improvisation et le jeu d'orgue. Messiaen puise son inspiration dans le thème de la nature, particulièrement les chants d'oiseaux (*Réveil des oiseaux*, 1953 ; *Catalogue d'oiseaux*, 1959). Il s'inspire aussi de la musique indienne. Mais c'est l'inspiration religieuse et mystique qui marque le plus son œuvre. Messiaen a écrit des pièces pour orgue, pour piano et pour orchestre, parmi lesquelles : *Vingt Regards sur l'Enfant Jésus* (1945) et *Couleurs de la cité céleste* (1963). Il est aussi l'auteur de l'opéra *Saint François d'Assise* (1983).

messidor n. m. Dixième mois du calendrier républicain (fin juin, fin juillet).

Messie n. m. Envoyé de Dieu sur la Terre pour sauver les hommes. *Pour les juifs, le Messie n'est pas encore venu sur Terre ; pour les chrétiens, le Messie est Jésus-Christ.*

messieurs n. m. pl. → **monsieur.**

messire n. m. Titre donné autrefois aux seigneurs.

mesure n. f. **1** Dimension d'une chose. *Prendre les mesures d'une pièce, d'un meuble. Le mètre est une unité de mesure.* **2** En musique, division en unités de temps égales. *Le pianiste joue les premières mesures du morceau.* **3** Modération dans le comportement, dans la manière d'agir. *Avoir le sens de la mesure.* **4** Moyen mis en œuvre pour atteindre tel ou tel but. *Prendre des mesures pour combattre une épidémie.* **5** *Dans la mesure du possible :* dans les limites de ce qui est possible. **6** *Être en mesure de :* avoir la possibilité, la capacité de. *Il n'est pas en mesure de venir vous voir.* **7** *Dépasser la mesure :* dépasser les limites, exagérer.

C'est un homme politique prudent et **mesuré**, qui agit avec mesure (**3**), qui est modéré.

LES MESURES

■ L'unité de mesure des **longueurs** est le mètre (m).	*Regarde* **longueur.**
■ L'unité de mesure des **masses** est le gramme (g).	*Regarde* **masse.**
■ L'unité de mesure des **capacités** est le litre (l).	*Regarde* **volume.**
■ L'unité de mesure des **aires** est le mètre carré (m²).	*Regarde* **surface.**
■ L'unité de mesure des **volumes** est le mètre cube (m³).	*Regarde* **volume.**
■ L'unité de mesure du **temps** est l'heure (h).	*Regarde* **temps.**

mesurer v. → conjug. **aimer. 1** Déterminer les mesures d'une chose. *Mesurer un terrain.* **2** Avoir telle mesure, telle taille, telle grandeur. *Cet arbre mesure plus de dix mètres.* **3** Se rendre compte. *Elle n'a pas mesuré la gravité de la situation.* **4** *Se mesurer avec* ou *à quelqu'un :* rivaliser avec lui.

métairie n. f. Domaine agricole exploité par un agriculteur qui doit remettre une partie des récoltes au propriétaire.

Un **métayer** est un agriculteur qui loue et exploite une métairie.

métal, aux n. m. Matière qui possède la propriété d'être un bon conducteur de l'électricité et de la chaleur et qui est généralement brillante. *Le cuivre, le fer, l'or, l'argent, le plomb sont des métaux.*

La tour Eiffel est une construction **métallique**, faite de métal. *Une peinture gris* **métallisé** rappelle l'éclat du métal.

métallurgie n. f. Ensemble des techniques qui permettent de transformer les métaux afin de les rendre utilisables.

L'industrie **métallurgique**, qui concerne la métallurgie. *Un ingénieur, un ouvrier* **métallurgistes**, qui travaillent dans la métallurgie.

métamorphose n. f. *1* Transformation du corps de certains animaux au cours de leur croissance. *La métamorphose de la chenille en papillon.* *2* Changement qui modifie complètement l'aspect d'une personne ou d'une chose. *Elle a grandi et minci, c'est une vraie métamorphose !*

métamorphoser v. → conjug. **aimer**. *1* Modifier, transformer totalement. *Il était timide, sa réussite l'a métamorphosé.* *2* Se métamorphoser : changer de forme. *Le têtard se métamorphose en grenouille.*

métaphore n. f. Procédé qui consiste à remplacer un mot par un autre plus imagé. *Quand on dit «brûler d'impatience» au lieu de «être très impatient», on fait une métaphore.*

«*Verser des torrents de larmes*» *est une expression* *métaphorique, qui constitue une métaphore.*

métayer n. m. → **métairie**.

météo n. f. Abréviation de météorologie et de météorologique.

météore n. m. Étoile filante.

météorite n. m. ou n. f. Fragment de matière venu de l'espace, qui traverse l'atmosphère terrestre. *Il arrive que des météorites tombent sur la Terre.*

météorologie n. f. Science qui étudie le climat, le temps qu'il fait.
En abrégé : météo.

Les prévisions météorologiques annoncent de la pluie et du vent, celles de la météorologie. Les météorologistes ou les météorologues sont les spécialistes de la météorologie.

La météorologie est une science très ancienne qui intéressait déjà les savants grecs au ivᵉ siècle av. J.-C. Mais les progrès importants ne sont réalisés qu'à partir du xviiᵉ siècle.
Regarde p. 688 et 689.

méthode n. f. *1* Système logique que l'on suit pour réaliser quelque chose. *Travailler avec méthode.* *2* Livre qui enseigne les règles essentielles à connaître sur un sujet. *Une méthode de piano.* *3* Procédé, moyen ou technique. *Il aimerait trouver une méthode efficace pour arrêter de fumer.*

Une personne méthodique agit avec méthode (1), de façon logique et organisée. Ranger très méthodiquement ses affaires, de façon méthodique.

méticuleux, euse adj. Qui fait tout avec soin en tenant compte des plus petits détails. *Une maîtresse de maison très méticuleuse.*
Synonyme : minutieux. Contraire : négligent.

Il range toujours ses affaires très méticuleusement, de façon méticuleuse, avec beaucoup de soin.

métier n. m. *1* Travail qui permet de gagner sa vie. *Il a choisi le métier de jardinier.* *2* Métier à tisser : machine qui sert à tisser des étoffes, à fabriquer des tissus.

Le métier à tisser peut être manuel ou commandé mécaniquement par un moteur. Le tissage se fait en croisant des fils longitudinaux, les fils de chaîne, avec des fils transversaux, les fils de trame. Le métier manuel en bois remonte à l'Antiquité. On l'utilise encore aujourd'hui dans des versions modernisées pour certains travaux particuliers. Le métier mécanique apparaît à la fin du xviiiᵉ siècle ; il est mis au point par un Anglais, Edmund Cartwright, en 1785. L'inventeur français Joseph Marie Jacquard perfectionne la technique au début du xixᵉ siècle. Aujourd'hui, les métiers à tisser modernes peuvent être commandés par ordinateur.

métis, isse n. Personne dont les deux parents sont différents par la couleur de leur peau.

mètre n. m. *1* Unité de mesure de longueur. *Un mètre est égal à 100 centimètres.* *2* Objet gradué qui mesure un mètre. *Prendre les mesures d'un meuble avec un mètre.*

Le métrage d'un morceau de tissu, c'est sa longueur en mètres. Le système métrique, c'est le système des poids et des mesures qui a le mètre (1) comme unité de mesure de base.

métro n. m. Train qui sert au transport des personnes dans les grandes villes et dont les lignes sont souvent souterraines.

«**Métro**» **est l'abréviation de «chemin de fer métropolitain».**

métronome n. m. Instrument qui donne la mesure quand on exécute un morceau de musique.

Le métronome est composé d'une tige-balancier actionnée par un ressort. Ce balancier oscille de droite à gauche en émettant un claquement en fin de course. Un petit curseur monté sur le balancier peut être déplacé vers le haut ou vers le bas, pour accélérer ou ralentir le rythme du battement. Le métronome est conçu vers 1812 par le Hollandais Nicolas Winkel, mais c'est l'Allemand

Johann Nepomuk Maelzel qui dépose le brevet en 1816 et en tire tous les bénéfices !

métropole n. f. *1* Capitale d'un pays ou ville importante d'une région. *Bordeaux, Marseille sont des métropoles régionales. 2* Pays auquel se rattache un territoire situé outre-mer. *Il a quitté la Guadeloupe pour faire ses études en métropole.*

Une ville *métropolitaine* est une ville située en métropole (*2*) et non dans un territoire d'outre-mer.

mets n. m. Aliment cuisiné et servi à un repas. *La dinde aux marrons est un mets traditionnel à Noël.* **Homonymes : mai, mais, mes.**

mettable adj. → **mettre.**

metteur n. m. *Metteur en scène :* personne dont le métier est de diriger la réalisation d'un film, d'une pièce de théâtre.

mettre v. *1* Placer, poser, déposer quelque part. *Mettre ses vêtements dans un placard. Mettre une lettre à la poste. 2* Ajouter. *Mettre du lait dans son café. 3* Revêtir, enfiler un vêtement. *Mettre des gants, un pull. Mettre ses chaussettes. 4* Faire passer d'un état à un autre, d'une position à une autre. *Mettre un appareil en marche. Mettre des paroles en musique. Cet incident nous a mis de mauvaise humeur. 5* Utiliser son temps ou son argent à faire quelque chose. *Elle a mis une heure pour faire ce devoir. 6 Se mettre :* se placer, s'installer à tel endroit ou dans telle position. *Il s'est mis à côté de moi. Se mettre à genoux. 7 Se mettre :* s'habiller de telle ou telle façon. *Se mettre en maillot de bain, en pyjama. 8 Se mettre :* commencer. *Se mettre à travailler, à jouer, à rire.*

Ce pull est vieux, mais il est encore *mettable*, on peut encore le mettre (*3*), le porter.

La conjugaison du verbe
METTRE 3e groupe

indicatif présent	**je mets, il ou elle met, nous mettons, ils ou elles mettent**
imparfait	**je mettais**
futur	**je mettrai**
passé simple	**je mis**
subjonctif présent	**que je mette**
conditionnel présent	**je mettrais**
impératif	**mets, mettons, mettez**
participe présent	**mettant**
participe passé	**mis**

Metz

Ville française de la Région Lorraine, au confluent de la Moselle et de la Seille. Carrefour routier international, Metz est un important centre administratif régional. Un secteur industriel moderne s'est développé, la ville accueille une université et des grandes écoles. Metz abrite un musée d'Art et d'Histoire et de beaux monuments : la cathédrale gothique Saint-Étienne (XIIIe-XVIe siècles), des églises romanes et gothiques et de beaux hôtels particuliers du XVIIIe siècle. Sa situation géographique, proche de la frontière allemande, lui a fait connaître des invasions diverses. La ville est occupée par l'Allemagne de 1871 à 1918 puis, pendant la Seconde Guerre mondiale, de 1940 à 1944.

57 *Préfecture de la Moselle*
127 498 habitants : les Messins

1. meuble adj. Que l'on peut facilement labourer. *Une terre meuble.*

2. meuble n. m. Objet utilisé pour l'aménagement d'une maison. *Il a commandé des meubles pour son studio : un lit, une armoire, une table, des chaises.*

meubler v. → conjug. **aimer.** Installer des meubles dans une maison, dans un appartement. *Il a acheté un grand lit et une commode ancienne pour meubler sa chambre.*

meugler v. → conjug. **aimer.** Pousser son cri, quand il s'agit des vaches, des bœufs.

On entend le *meuglement* des vaches dans l'étable.

meule n. f. *1* Grosse pierre cylindrique et dure qui servait autrefois à moudre le grain dans les moulins. *2* Roue ou disque de matière dure qui sert à aiguiser ou à polir. *Affûter la lame d'un couteau sur une meule. 3* Gros amas de foin que l'on entasse dans un pré ou dans un champ après la récolte.

meulière n. f. Roche calcaire très dure qui est employée en construction. *Un mur en meulière.*

meunier, ère n. Personne qui exploite un moulin à céréales et fabrique de la farine.

meurtre n. m. Action de tuer volontairement une personne. *Commettre un meurtre.* **Synonyme : assassinat.**

meurtrier, ère n. et adj.
● n. Personne qui a commis un meurtre. *Arrêter, juger, condamner un meurtrier.* **Synonyme : assassin.**
● adj. Qui provoque la mort de nombreuses personnes. *Une lutte meurtrière. Une épidémie meurtrière.*

la météorologie

La météorologie étudie les phénomènes qui se déroulent dans l'atmosphère terrestre. Elle cherche à en comprendre les mécanismes pour prévoir le temps à venir.

Le baromètre
Il mesure la pression atmosphérique. Il est gradué en mm. Lorsque la pression baisse, c'est l'annonce du mauvais temps ; lorsqu'elle s'élève, c'est l'annonce du beau temps.

L'hygromètre
Il sert à mesurer le degré d'humidité de l'air.

L'héliographe
Il enregistre la durée d'ensoleillement quotidien.

Le thermomètre à minimum et à maximum
Placé à l'abri, il relève la plus basse et la plus haute température sur une période de 24 heures, permettant de calculer la valeur moyenne.

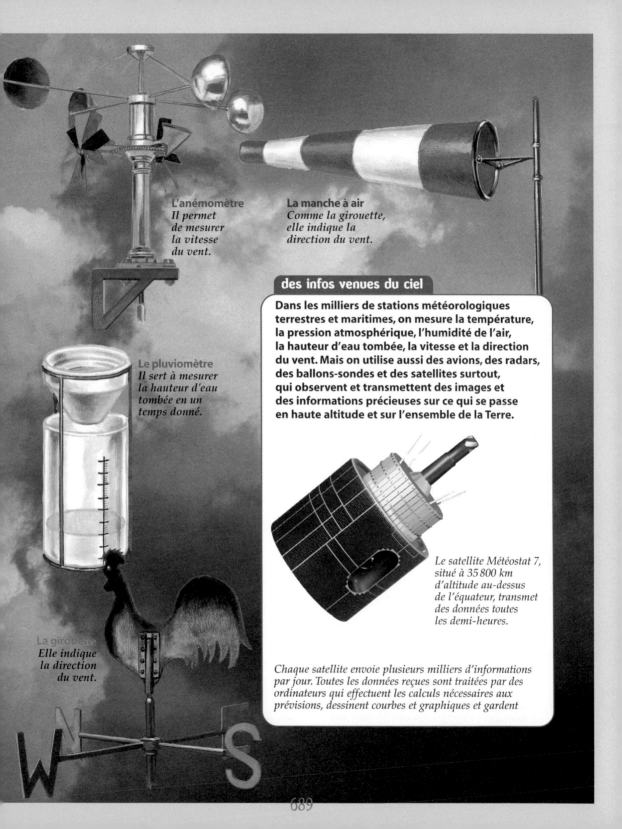

L'anémomètre
*Il permet
de mesurer
la vitesse
du vent.*

La manche à air
*Comme la girouette,
elle indique la
direction du vent.*

Le pluviomètre
*Il sert à mesurer
la hauteur d'eau
tombée en un
temps donné.*

**Dans les milliers de stations météorologiques
terrestres et maritimes, on mesure la température,
la pression atmosphérique, l'humidité de l'air,
la hauteur d'eau tombée, la vitesse et la direction
du vent. Mais on utilise aussi des avions, des radars,
des ballons-sondes et des satellites surtout,
qui observent et transmettent des images et
des informations précieuses sur ce qui se passe
en haute altitude et sur l'ensemble de la Terre.**

*Le satellite Météostat 7,
situé à 35 800 km
d'altitude au-dessus
de l'équateur, transmet
des données toutes
les demi-heures.*

*Chaque satellite envoie plusieurs milliers d'informations
par jour. Toutes les données reçues sont traitées par des
ordinateurs qui effectuent les calculs nécessaires aux
prévisions, dessinent courbes et graphiques et gardent*

La girouette
*Elle indique
la direction
du vent.*

meurtrière

meurtrière n. f. Ouverture verticale très étroite dans un mur de fortifications.

Pratiquées dans les murs des châteaux forts, les meurtrières permettent aux soldats de lancer des projectiles (des flèches surtout) sur leurs assaillants, tout en restant à l'abri.

meurtrière

meurtrir v. → conjug. **finir.** Blesser en laissant des traces sur la peau. *Un coup de poing l'a meurtri au visage.*
    Le corps du blessé est couvert de **meurtrissures**, *il a le corps meurtri, couvert de marques, de bleus.*

meute n. f. **1** Troupe de chiens dressés pour la chasse à courre. **2** Groupe de gens qui poursuivent, qui harcèlent quelqu'un. *La vedette est partie discrètement pour échapper à la meute des journalistes.*

mévente n. f. Chute des ventes. *Une longue période de mévente perturbe l'économie d'un pays.*

Mexique

République fédérale d'Amérique du Nord. Le Mexique s'ouvre à l'est sur le golfe du Mexique et à l'ouest sur l'océan Pacifique. Des chaînes de montagnes (point culminant, le volcan Orizaba à 5 700 m) entourent un vaste plateau central. Le fleuve Rio Grande sert de frontière avec les États-Unis. Le climat est tropical, mais les températures varient avec l'altitude. La population se concentre sur le plateau central. Le Mexique produit du maïs et exporte du café, du sucre et du coton. L'économie s'appuie surtout sur l'industrie, où dominent la production pétrolière, l'exploitation minière et la sidérurgie. La pauvreté affecte une grande partie de la population, notamment les Indiens des zones rurales. Centre de la civilisation aztèque, le Mexique voit débarquer en 1519 les troupes du conquistador espagnol Cortès.
L'empire aztèque est anéanti en deux ans ; le Mexique devient colonie espagnole. Il accède à l'indépendance en 1821.

1 958 200 km²
101 965 000 habitants :
les Mexicains
Langues : espagnol
et 56 langues indiennes
Monnaie : nouveau peso
Capitale : Mexico

mezzanine n. f. Espace aménagé de façon à former un petit étage intermédiaire dans une pièce haute de plafond.
On prononce [mɛdzanin].

mi n. m. inv. Note de musique qui suit le *ré* dans la gamme.
Homonyme : mie.

mi– Préfixe. Signifie « à moitié », « au milieu ». *Se retrouver à mi-chemin. La mi-temps d'un match.*

miauler v. → conjug. **aimer.** Pousser son cri quand il s'agit du chat.
    La nuit, on entend les **miaulements** *des chats.*

mica n. m. Roche brillante et transparente composée de lamelles accolées qui s'effritent facilement.

mi-carême n. f. Jeudi qui se situe entre mardi gras et Pâques. *À la mi-carême, on organise des fêtes où l'on se déguise.*

miche n. f. Gros pain rond.

Michel-Ange

Sculpteur, peintre et architecte italien né en 1475 et mort en 1564. Son véritable nom est Michelangelo Buonarroti. Michel-Ange est considéré comme le génie de la Renaissance italienne. Dès l'âge de treize ans, il étudie la peinture et la sculpture à Florence et conçoit ses premières œuvres. Il séjourne à Rome, où il réalise une *Pietà* (1499) en marbre pour la basilique Saint-Pierre. Ce chef-d'œuvre est suivi du *David* (1501-1504), sculpture où l'artiste surpasse les modèles antiques grecs et romains. Michel-Ange est ensuite appelé en 1508 par le pape Jules II pour décorer le plafond de la chapelle Sixtine, au Vatican. Pendant quatre ans, couché sur un échafaudage, il réalise des fresques où

David.

prennent place plus de trois cents personnages de la Bible. Il revient ensuite à la sculpture (*Moïse*, vers 1515) puis peint une autre gigantesque fresque sur un mur de la chapelle Sixtine, *le Jugement dernier* (1536-1541). Michel-Ange est aussi un architecte de talent. Il a notamment dessiné la place du Capitole à Rome et la coupole de la basilique Saint-Pierre, et participé à leur réalisation.

à mi-chemin adv. Vers le milieu du chemin, du trajet. *On s'est arrêtés à mi-chemin, pour se reposer.*

mi-clos, mi-close adj. À moitié fermé. *La chatte ronronne, les yeux mi-clos.*

micmac n. m. Familier. Manœuvres suspectes et embrouillées. *Je n'aime pas beaucoup tous ces micmacs !*

micro n. m. *1* Appareil qui sert à enregistrer des sons, à les transmettre ou à les amplifier. *2* Familier. Micro-ordinateur. *Il travaille sur son micro.*
« Micro », au sens (1), est une abréviation de « microphone ».

micro- Préfixe. Signifie «petit». *Un micro-organisme est un être vivant très petit, microscopique.*

microbe n. m. Micro-organisme qui provoque certaines maladies et qui ne peut être observé qu'au microscope.
Une maladie **microbienne** est une maladie causée par un microbe.

microclimat n. m. Climat particulier à un lieu et qui diffère du climat des zones voisines.

microfilm n. m. Film constitué d'images de très petites dimensions. *Certains documents sont photographiés sur des microfilms.*

Micronésie (États fédérés de)

État fédéral de l'ouest de l'océan Pacifique, au nord de l'équateur. La Micronésie est composée de plus de 600 îles volcaniques élevées ou coralliennes basses et plates. Le climat est chaud et humide. La production agricole et la pêche couvrent à peine les besoins de la population ; seul le coprah (extrait de la noix de coco) est exporté. La Micronésie vit surtout de l'aide américaine. Administrée par les États-Unis à partir de 1947, la Micronésie est indépendante depuis 1986.

700 km²
108 000 habitants :
les Micronésiens
Langue : anglais
Monnaie : dollar des États-Unis
Capitale : Palikir

micro-onde n. f. **Plur. : des micro-ondes.** *1* Onde électromagnétique de très petite longueur. *2 Four à micro-ondes :* four permettant de réchauffer très rapidement des aliments, qu'ils soient surgelés ou non.
On dit aussi : un micro-ondes pour désigner un four à micro-ondes.

micro-ordinateur n. m. **Plur. : des micro-ordinateurs.** Petit ordinateur. *Un micro-ordinateur portable.* **On dit aussi : micro.**

micro-organisme n. m. **Plur. : des micro-organismes.** Être vivant microscopique dont certains comme les virus, les bactéries, peuvent provoquer des maladies.

microphone n. m. → micro.

microprocesseur n. m. Élément principal d'un ordinateur qui exécute les directives que lui donne l'utilisateur de l'ordinateur.

microscope n. m. Instrument d'optique grossissant qui permet d'observer des choses invisibles à l'œil nu. *Étudier une bactérie au microscope.*

microscopique adj. *1* Qui ne peut être vu qu'à l'aide d'un microscope. *Les microbes sont des organismes microscopiques.* *2* De très petite taille, minuscule. *Ce sable fin est constitué de grains microscopiques.*

midi n. m. *1* Milieu du jour, correspondant à la douzième heure après minuit. *Rendez-vous à midi devant la gare.* *2* Avec une majuscule : sud de la France. *Marseille, Toulouse, Nice sont des villes du Midi.*

mie n. f. *1* Partie moelleuse à l'intérieur du pain. *2 Pain de mie :* pain fait essentiellement de mie et d'une croûte fine qui n'est pas croustillante.
Homonyme : mi.

miel n. m. Substance sucrée et sirupeuse produite par les abeilles à partir du nectar des fleurs.

mielleux, euse adj. Qui est d'une douceur pleine d'hypocrisie. *Un sourire mielleux.*

le mien, la mienne pron. et n. m. pl.
• pron. possessif. Correspond au pronom personnel de la première personne du singulier. *Si tu n'as pas de stylo, prends le mien. Ce n'est pas ta robe, c'est la mienne.*
• n. m. pl. Mes parents, ma famille, mes amis. *Je regrette de partir loin des miens.*

miette n. f. *1* Parcelle de pain, de gâteau. *Il ne reste plus que quelques miettes de biscuits dans l'assiette.* *2* Petit morceau. *La vaisselle est en miettes.*

mieux adv., n. m. et adj.
• adv. *1* Comparatif de «bien». *Ton stylo écrit mieux que le mien.* *2 Aller mieux :* être en meilleure santé. *3 Valoir mieux :* être préférable. *Il vaut mieux partir tôt.*

4 Superlatif de « bien ». *C'est la femme la mieux habillée de la soirée.*

● n. m. *1* Ce qui est meilleur. *Partons en train, c'est encore le mieux.* *2* Amélioration. *La météo annonce un léger mieux pour demain.* *3* Faire de son mieux : faire aussi bien que possible.

● adj. *1* Meilleur, préférable. *Tu devrais vivre à la campagne, ce serait mieux pour toi.* *2* Qui a plus de qualités. *Ce directeur est mieux que le précédent.*
Contraire : pire (*1*).

mièvre adj. Qui est d'un charme fade, d'une grâce maniérée. *Des histoires romanesques un peu mièvres.*

mignon, onne adj. Délicat, gracieux, charmant. *C'est une enfant très mignonne, mais un peu timide.*

migraine n. f. Mal de tête.

migration n. f. *1* Déplacement d'une population qui quitte un pays, une région pour s'installer ailleurs. *Les famines et les guerres provoquent des migrations.* *2* Déplacement de certains animaux qui quittent, en groupe, un lieu, généralement en fonction des saisons. *La migration des hirondelles vers le sud.*
On trouve des poissons, des oiseaux, des insectes parmi les animaux **migrateurs**, les animaux qui font des migrations (*2*).

mijoter v. ➜ conjug. **aimer.** Cuire à feu doux. *Un cassoulet mijote dans la cocotte.*

mikado n. m. Jeu constitué de plusieurs baguettes de bois fines et pointues qu'il faut saisir à une à une sans faire bouger les autres.

mil n. m. Céréale cultivée dans les régions tropicales, dont les graines servent à faire de la farine.

mildiou n. m. Maladie de certaines plantes telles que la vigne, les céréales, qui est causée par des champignons microscopiques.

mile n. m. Mesure de longueur anglaise équivalant à 1 609 mètres.
Mot anglais qui se prononce [majl].

milice n. f. Troupe de civils volontaires qui viennent en renfort des troupes régulières ou de la police.
Les **miliciens** sont les personnes qui font partie d'une milice.

milieu, eux n. m. *1* Partie d'une chose qui se trouve à égale distance des extrémités, des bords. *Pose ce plat au milieu de la table.* *2* Moment qui se situe à égale distance du début et de la fin de quelque chose. *Le milieu d'un spectacle.* *3* Entourage social dans lequel on vit. *Rencontrer des gens de milieux différents.* *4* Environnement naturel dans lequel se développe une espèce animale ou végétale. *La grenouille est adaptée aux milieux terrestre et aquatique.*

militaire adj. et n. m.
● adj. Qui se rapporte à l'armée. *Des avions militaires.*
● n. m. Personne qui fait partie de l'armée. *Des militaires ont été envoyés pour défendre les frontières.*

militer v. ➜ conjug. **aimer.** Participer activement aux actions d'une association, d'un groupe. *Militer pour la paix, pour les droits de la femme.*
Un **militant** syndical est une personne qui milite dans un syndicat.

1. mille adj. inv. *Regarde ci-dessous.*

MILLE
S'écrit **M** en chiffres romains.

● adj. inv. *1* Dix fois cent. *Une salle de mille personnes.* *2* Un grand nombre. *Ils ont vécu mille aventures pendant ce voyage.*

millième
● adj. et n. Qui occupe le rang ou la place numéro 1 000 dans une série. *Ce nouveau magasin va offrir un cadeau à son millième client.*
● n. m. Chaque partie d'un tout qui a été divisé par mille. *Un millième ou 1/1 000. Une somme de un million représente un millième de la somme totale de un milliard.*

millier
● n. m. Ensemble formé d'environ mille personnes ou choses. *Cette région accueille des milliers de touristes chaque année.*

millénaire
● adj. Qui a mille ans ou plus. *Un édifice millénaire.*
● n. m. Période de mille ans. *Le troisième millénaire s'achèvera à la fin de l'an 3000.*

2. mille n. m. Unité de distance internationale utilisée dans la marine et dans l'aviation et qui vaut 1 852 mètres.

millefeuille n. m. Gâteau fait de fines tranches de pâte feuilletée et de couches de crème superposées.

millénaire adj. et n. m. ➜ **mille.**

mille-pattes n. m. inv. Petit invertébré qui possède de nombreuses paires de pattes.

millepertuis n. m. Plante vivace médicinale dont les feuilles semblent percées de trous minuscules.

millésime n. m. Date mentionnée sur une pièce de monnaie ou sur une bouteille de vin, indiquant l'année de fabrication ou de récolte.

millet n. m. Céréale à petits grains cultivée en Afrique.

Millet Jean-François

Peintre français né en 1814 et mort en 1875. Les premières toiles de Millet sont des portraits et des sujets historiques ou mythologiques. Il s'oriente ensuite vers la peinture de scènes paysannes.
En 1849, il s'installe à Barbizon, un village à proximité de Fontainebleau, avec un groupe de peintres. S'attachant aux personnages plus qu'aux paysages, Millet compose ses œuvres les plus célèbres : *les Glaneuses* (1857) et *l'Angélus* (1857). À partir de 1860, il fait une plus large place au paysage (*l'Hiver aux corbeaux*, 1862 ; *le Printemps*, 1868-1873).

L'Angélus

milli– préfixe. Se place devant un mot désignant une unité et divise cette unité par mille. *Le millimètre est la millième partie du mètre.*

millième adj. , n. et n. m. → mille.

millier n. m. → mille.

milligramme n. m. Millième partie du gramme. **En abrégé : mg.**

millilitre n. m. Millième partie du litre. **En abrégé : ml.**

millimètre n. m. Millième partie du mètre. **En abrégé : mm.**
Une feuille de papier millimétré (ou millimétrique) est quadrillée de lignes séparées les unes des autres par un espace d'un millimètre.

MILLION
S'écrit $\overline{M}$ en chiffres romains.

• adj. inv. Mille fois mille. *Cette toile de Van Gogh vaut plusieurs millions d'euros.*

millionième
• adj. et n. Qui occupe le rang ou la place numéro 1 000 000 dans une série.
Le millionième abonné à ce journal recevra un cadeau.
• n. m. Chaque partie d'un tout qui a été divisé par un million. *Un millionième ou 1/1 000 000. Ce département compte précisément un millionième de la population totale du pays.*

millionnaire
• n. Personne riche qui possède un ou plusieurs millions d'une monnaie donnée.
Rockfeller est un célèbre millionnaire américain.

mime n. Acteur qui s'exprime par gestes, par mimiques, sans utiliser la parole.

MILLIARD
Ne s'écrit jamais en chiffres romains.

• n. m. Mille fois un million. *Il existe des milliards d'étoiles dans l'Univers.*

milliardième
• adj. et n. Qui occupe le rang ou la place numéro 1 000 000 000 dans une série. *Aucun être actuellement vivant ne connaîtra la milliardième année de notre ère.*

• n. m. Chaque partie d'un tout qui a été divisé par un milliard. *Un milliardième ou 1/1 000 000 000. Un milliardième de la production mondiale de riz.*

milliardaire
• n. Personne extrêmement riche qui possède un ou plusieurs milliards d'une monnaie donnée.
Bill Gates est un célèbre milliardaire américain.

mimer v. → conjug. **aimer.** Imiter en s'exprimant par gestes, par certaines attitudes, par des changements de physionomie, sans parler.

mimétisme n. m. **1** Imitation involontaire des gestes, des attitudes d'une personne. *Il marche comme son grand frère, par mimétisme.* **2** Capacité que possèdent certains animaux de prendre la couleur du milieu dans lequel ils se trouvent. *Le mimétisme du caméléon lui permet de se dissimuler et d'échapper à ses prédateurs.*

mimique n. f. Geste ou expression du visage qui expriment ce que l'on ressent. *Il ne dit rien, mais on devine son étonnement en voyant ses mimiques.*

mimolette n. f. Fromage originaire de Hollande, en forme de boule à pâte orangée.

mimosa n. m. Arbuste qui pousse dans les régions chaudes et qui donne des fleurs en forme de petites boules jaunes et duveteuses, très parfumées.

minable adj. Familier. Qui est très médiocre, lamentable. *Un film minable. Toucher un salaire minable.*

minaret n. m. Tour d'une mosquée. Le minaret fait partie de la mosquée. Du haut de cette tour, parfois très haute, le muezzin (religieux musulman) appelle les fidèles à la prière rituelle cinq fois par jour.

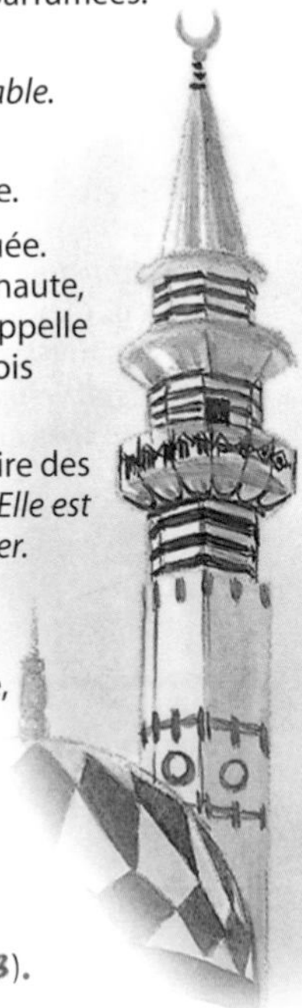

minauder v. → conjug. **aimer.** Faire des manières pour se faire remarquer. *Elle est ridicule quand elle se met à minauder.*

mince adj. **1** Qui est peu épais. *Couper du jambon en tranches très minces.* **2** Qui a une forme élancée, fine, allongée. *Des fleurs aux longues tiges minces. Un sportif mince et musclé.* **3** Qui est sans grande importance, sans grande valeur. *Le détective n'a recueilli que de minces indices.*
Synonymes : fin (*1*), insignifiant (*3*).
Contraires : épais (*1*), gros (*2*).
Elle a une silhouette d'une **minceur** élégante, elle est mince (*2*).

1. mine n. f. **1** Allure, aspect extérieur, apparence. *Un homme à la mine inquiétante.* **2** Aspect du visage. *Avoir bonne mine, mauvaise mine.* **3** *Faire mine de :* faire semblant. *Il a fait mine de croire cette histoire pourtant invraisemblable.*

2. mine n. f. **1** Endroit où se trouvent des gisements de minerais que l'on peut exploiter. *Des mines de charbon, d'or, de fer.* **2** Bâtonnet de matière grise ou colorée, placé à l'intérieur d'un crayon, et qui sert à écrire. **3** Engin explosif. *L'explosion de mines enfouies dans le sol.*
Les **mineurs** sont des ouvriers qui travaillent dans les mines (*1*) pour extraire du charbon, des minerais. *Une région* **minière** est une région où l'on exploite de nombreuses mines (*1*).

miner v. → conjug. **aimer.** **1** Déposer, enfouir des mines explosives. *Miner un terrain.* **2** Au figuré. Ruiner peu à peu, affaiblir, ronger. *Être miné par les soucis.*

minerai n. m. Roche contenant un métal que l'on peut extraire. *Du minerai de fer, de cuivre.*

minéral, ale, aux adj. et n. m.
• adj. **1** Qui est constitué d'une matière qui n'est ni végétale ni animale. *Le granit est une matière minérale.* **2** *Eau minérale :* eau qui contient des matières minérales dissoutes. *Boire un verre d'eau minérale.*
• n. m. Matière naturelle qui constitue les roches.
La **minéralogie** est la science qui étudie les minéraux.

Selon la nature de la roche, les minéraux se présentent en un assemblage plus ou moins compact. Il existe environ 2 000 minéraux, mais seulement une vingtaine constituent plus des trois quarts des roches existantes. **Regarde page ci-contre.**

minéralogique adj. *Plaque minéralogique :* plaque d'immatriculation d'un véhicule.

Minerve

Divinité de la mythologie romaine, déesse de la Sagesse et de la Connaissance. Toujours représentée casquée, Minerve est l'équivalent d'Athéna dans la mythologie grecque. Protectrice de Rome, elle est, avec Junon et Jupiter, l'une des divinités principales du monde romain.

minet, ette n. Familier. Chat, chatte.

1. mineur, e adj. et n.
• adj. **1** Qui est de moindre importance. *Un problème mineur.* **2** Qui n'a pas atteint l'âge de la majorité. *Elle n'a pas dix-huit ans, elle est encore mineure.*
Synonyme : secondaire (*1*). Contraires : majeur (*1* et *2*), important (*1*).
• n. Personne mineure. *Les mineurs n'ont pas le droit de vote.*
Contraire : majeur.

les minéraux

Les minéraux sont constitués de cristaux, sortes de petits solides aux formes géométriques régulières, dont la surface est lisse.

de toutes les formes

Certains minéraux ont la forme de cubes, d'autres de prismes, d'autres d'aiguilles, d'autres d'hexagones…

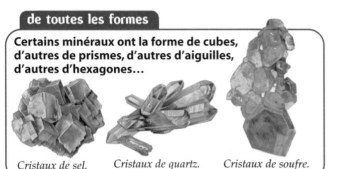

Cristaux de sel. *Cristaux de quartz.* *Cristaux de soufre.*

divers ingrédients

La craie. Roche formée à partir de squelettes d'animaux marins et de débris de végétaux. Elle contient plus de 95 % de calcite.

Le granit. Roche volcanique. Elle contient 3 minéraux : le quartz, le feldspath et le mica.

Le sable. Roche composée de plusieurs minéraux présents sous forme de grains séparés parmi lesquels on trouve le quartz.

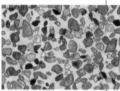

Sable grossi 15 fois.

précieuse ou fine ?

Les cristaux de certains minéraux sont utilisés pour la fabrication des bijoux. Les joailliers les taillent et les polissent pour leur donner un aspect étincelant. Le plus précieux est le diamant. Composé de carbone, c'est aussi le plus dur de tous les corps. Quatre minéraux ont l'appellation pierre précieuse du fait de leur rareté, les autres sont des pierres fines.

■ Les minerais sont des roches qui contiennent, soit à l'état pur, soit sous forme de mélange, des minéraux desquels on extrait des métaux. Exemples : minerai de fer, de cuivre, d'aluminium, d'uranium.

Minerai d'uranium.

pierres précieuses

Diamant.

Saphir.

Émeraude.

Rubis.

pierres fines

Jade.

Opale.

Aigue-marine.

Tourmaline.

Lapis-lazuli.

Grenat.

2. mineur n. m. → mine 2.

mini– préfixe. Signifie « plus petit », « plus court ».
Un minibus. Une minijupe.

miniature n. f. *1* Tableau de très petites dimensions.
2 Objet reproduit en très petit format. *Une maison de poupée avec des meubles miniatures ou en miniature.*

  Un lecteur de CD *miniaturisé*, fabriqué en format réduit, en miniature (*2*).

minibus n. m. Bus de petites dimensions.

minier, ère adj. → mine 2.

minijupe n. f. Jupe très courte.

minimal, ale, aux adj. Synonyme de minimum.

minime adj. et n.
• adj. Très petit, très faible, infime. *Les dégâts causés par cet accident sont heureusement minimes.*
• n. Jeune sportif de treize à quinze ans.

minimiser v. → conjug. **aimer.** Diminuer l'importance d'une chose. *N'essayez pas de minimiser vos responsabilités dans cette affaire.*

minimum n. m. et adj. **Plur. : des minimums ou des minima.**
• n. m. La plus petite quantité possible, le moins possible. *En maths, il fait le minimum. Prévoir un minimum de dépenses.*
Contraire : maximum.
• adj. Qui représente le minimum. *Il faudra une durée minimum de huit jours pour faire cet énorme travail.*
On prononce [minimɔm]. **Synonyme : minimal.**
Contraire : maximum.

ministère n. m. *1* Fonction de ministre. *Elle est chargée du ministère de l'Environnement.* *2* Ensemble des ministres qui forment le gouvernement. *Former un nouveau ministère.* *3* Ensemble des bâtiments où sont installés les bureaux d'un ministre et de ses collaborateurs. *Une délégation de parents d'élèves est attendue au ministère de l'Éducation nationale.*

ministériel, elle adj. Qui concerne un ministre ou un ministère. *Une décision ministérielle.*

ministre n. m. *1* Membre du gouvernement qui est à la tête d'un ministère. *Le ministre de l'Économie et des Finances.* *2* Premier ministre : chef du gouvernement. *Le Premier ministre est nommé par le président de la République.*

Minitel n. m. Terminal d'ordinateur relié au réseau téléphonique. *Sur un Minitel, on peut consulter l'annuaire, demander divers renseignements, effectuer des réservations, etc.*
Ce mot s'écrit avec une majuscule, car c'est le nom d'une marque.

minium n. m. Peinture destinée à protéger les métaux de la rouille. *Les barreaux de la grille ont été passés au minium.*
On prononce [minjɔm].

minois n. m. Visage jeune et gracieux. *Cette fillette a un joli minois.*

minorité n. f. *1* Petit nombre. *Cette loi n'a obtenu qu'une minorité de votes.* *2* Période durant laquelle une personne est mineure. *En France, la minorité prend fin à l'âge de dix-huit ans.*
Contraire : majorité (*1* et *2*).

  Un parti politique *minoritaire*, qui n'est soutenu que par une minorité (*1*) de personnes.

Minotaure

Monstre de la mythologie grecque à corps d'homme et à tête de taureau. Le Minotaure est le fils de Pasiphaé, femme du roi de Crète Minos, et d'un taureau blanc que Poséidon a fait sortir de la mer. Dès sa naissance, il est enfermé dans le Labyrinthe construit par Dédale. À date fixe, chaque année, Minos lui offre pour nourriture sept jeunes garçons et sept jeunes filles d'Athènes. Le Minotaure est tué par Thésée.

minoterie n. f. Usine destinée à la transformation des grains en farine.

minuit n. m. Instant où finissent les vingt-quatre heures du jour présent et où commence le jour suivant. *Notre train part à minuit (0 heure).*

minuscule adj. et n. f.
• adj. Extrêmement petit. *À l'horizon, le voilier n'est plus qu'un point minuscule.*
• n. f. Petite lettre. *Écrivez ces mots en minuscules.*
Contraire : majuscule.

minute n. f. *1* Unité de mesure du temps égale à 60 secondes. *Une heure équivaut à 60 minutes.* *2* Très court instant. *Je reviens dans une minute.*
En abrégé : min.

  Dépêchons-nous, notre travail est minuté, il est organisé suivant un horaire précis, à une minute (*1*) près.

minuterie n. f. Système électrique qui éteint automatiquement la lumière au bout de quelques minutes.

minuteur n. m. Dispositif qui permet de régler une durée de temps déterminée. *La sonnerie du minuteur du micro-ondes.*

minutie n. f. Très grande précision dans les détails. *Un horloger doit travailler avec minutie.*
Ce mot se prononce [minysi].

> *La police ne trouve aucun indice malgré des recherches minutieuses, des recherches effectuées avec minutie. Le témoin a décrit minutieusement la scène, de façon minutieuse.*

mirabelle n. f. Petite prune ronde, d'un jaune doré, au goût sucré.

miracle n. m. *1* Événement inexplicable que l'on attribue à une intervention divine. *Dans la Bible, on trouve le récit des miracles accomplis par Jésus-Christ. 2* Fait extraordinaire qui semble dû à un heureux hasard. *C'est un miracle qu'il n'ait pas été blessé.*

miraculeux, euse adj. *1* Qui est le résultat d'un miracle, d'une intervention divine. *Une apparition miraculeuse. 2* Qui est extraordinaire, incroyable. *Un sauvetage miraculeux.*

> *Il a miraculeusement échappé à ses poursuivants,* de façon miraculeuse (*2*).

mirador n. m. Poste d'observation du haut duquel on surveille un camp de prisonniers.

mirage n. m. Illusion d'optique qui se produit dans des lieux désertiques où l'air est surchauffé.

mire n. f. *1 Être le point de mire :* être le centre d'intérêt, retenir l'attention de tous. *2 Ligne de mire :* ligne qui va de l'œil d'une personne qui va tirer jusqu'au point qu'il vise.
Homonyme : myrrhe.

se mirer v. → conjug. **aimer.** Littéraire. Se refléter. *La lune se mirait dans les eaux du lac.*

mirifique adj. Qui est trop merveilleux pour pouvoir se réaliser. *Faire des promesses mirifiques.*

mirobolant adj. Familier. Mirifique. *Faire des projets mirobolants.*

miroir n. m. Objet dont la surface polie renvoie un reflet. *Se regarder dans un miroir.*

miroiter v. → conjug. **aimer.** *1* Renvoyer la lumière en émettant des reflets brillants. *L'eau du fleuve miroite au soleil. 2 Faire miroiter :* présenter la possibilité d'un avantage à quelqu'un pour le séduire, pour le convaincre de faire quelque chose.
Synonyme : scintiller (*1*).

> *Le miroitement de la mer au lever du soleil,* les reflets de la mer qui miroite (*1*).

misaine n. f. *Mât de misaine :* mât qui est situé à l'avant d'un voilier.

misanthrope adj. et n. Qui n'aime pas la compagnie des gens. *Ce misanthrope préfère vivre avec ses chiens.*

mise n. f. *1* Action de mettre. *La mise en vente d'un nouveau produit. 2* Somme d'argent ou jetons qu'on risque au jeu. *Il a gagné en doublant sa mise.*
Synonyme : enjeu (*2*).

> *Il avait misé une grosse somme sur le gagnant,* il avait joué une grosse mise (*2*).

misérable adj. *1* Qui est extrêmement pauvre, qui fait pitié. *Des gens misérables qui vivent dans la rue. 2* Qui est dérisoire ou sans importance. *Toucher un salaire misérable.*
Synonymes : insignifiant (*2*) **minime** (*2*).

> *Ce clochard vit misérablement,* de manière misérable (*1*).

misère n. f. *1* État de très grande pauvreté. *Le chômage l'a réduit à la misère. 2* Chose pénible ou douloureuse. *C'est une misère de voir tant de sans-abri.*
Synonyme : dénuement (*1*). **Contraires : opulence** (*1*), **richesse** (*1*).

> *Un miséreux qui demande l'aumône,* une personne qui vit dans la misère (*1*).

▸ Le Soupir des amants ◂

Miró Joan

Peintre et sculpteur espagnol né en 1893 et mort en 1983. Les premières toiles de Miró, influencées par les œuvres de Matisse, Cézanne et Van Gogh, portent déjà une marque très personnelle (*l'Église et le Village*, 1919). Il s'écarte du caractère réaliste des objets en privilégiant la forme et le symbole. En 1924, Miró adhère au mouvement surréaliste. Il compose une série d'œuvres où le rêve, le fantastique et l'humour se manifestent à travers des mises en scène qui deviennent peu à peu abstraites (*Dialogue des insectes*, 1924-1925). La guerre civile espagnole (1936) lui inspire des œuvres plus violentes (*Aidez l'Espagne*, 1937). À partir de 1944, il continue à produire des toiles abstraites comme *le soleil rouge ronge l'araignée* (1948) et *le Soupir des amants* (1953), mais il se tourne aussi vers la céramique, la sculpture et la peinture murale (décoration de l'Unesco à Paris).

miséricorde n. f. Pardon qu'on accorde à quelqu'un par compassion.

misogyne adj. et n. Qui n'a que du mépris pour les femmes. *Il est misogyne, convaincu de la supériorité des hommes.*

missel n. m. Livre qui contient les prières de la messe.

missile n. m. Fusée qui transporte une charge explosive. *Les tirs de missiles ont fait des victimes civiles.*

mission n. f. *1* Ce qu'on demande à quelqu'un de faire. *Il a pour mission d'essuyer le tableau. 2* Ensemble de personnes auxquelles on demande quelque chose. *Envoyer une mission scientifique explorer une région. 3* Groupe de religieux envoyés quelque part pour propager la foi chrétienne.
Synonymes : charge (*1*)**, tâche** (*1*)**.**
Des ***missionnaires*** sont des religieux qui font partie d'une mission (*3*).

Mississippi

Fleuve des États-Unis. Le Mississippi, long de 3 779 km, prend sa source dans la région des Grands Lacs, au nord-ouest du Minnesota, et se jette dans le golfe du Mexique par un vaste delta. Il reçoit de puissants affluents comme le Missouri, l'Ohio, l'Arkansas et la Red River. C'est un cours d'eau à faible pente aux crues dévastatrices. La navigation y est relativement aisée. Le Mississippi arrose les villes de Minneapolis, Saint Paul, Saint Louis, Memphis, Baton Rouge et La Nouvelle-Orléans.

missive n. f. Littéraire. Lettre que l'on écrit à quelqu'un. *Nous avons bien reçu votre missive.*

Missouri

Rivière des États-Unis, affluent du Mississippi. Long de 4 370 km, le Missouri naît dans les montagnes Rocheuses, dans le nord-ouest du pays, et rejoint le Mississippi peu avant la ville de Saint Louis. Il reçoit les eaux de la Yellowstone River, de la Platte River et de la Kansas River. Des barrages régulent son débit, mais il provoque parfois d'importantes inondations.
La navigation, impossible dans son cours supérieur torrentueux, est assez aisée dans son cours inférieur. Le Missouri arrose les villes de Bismarck, Omaha, Kansas City et Jefferson City.

mistral n. m. Vent violent venant du nord, qui souffle dans la vallée du Rhône et en Provence.

Mistral Frédéric

Poète français né en 1830 et mort en 1914. Originaire de Provence, Mistral crée un mouvement littéraire destiné à promouvoir la langue occitane. Son œuvre maîtresse, *Mireille* (1859), inspire le compositeur Charles Gounod, qui en tire un opéra en 1864. Mistral décrit la Provence dans d'autres poèmes ou recueils de poésie, comme *Calendal* (1867), *les Iles d'or* (1875) et *les Olivades* (1912). Il reçoit le prix Nobel de littérature en 1904.

mitaine n. f. Gant qui laisse découvert le bout des doigts.

mite n. f. Insecte dont la larve s'attaque à la laine, à la fourrure. *Un pull rongé aux mites.*
Homonyme : mythe.
La couverture *mitée* était toute trouée, attaquée par les mites.

mi–temps n. f. inv. *1* Pause entre les deux parties d'un match. *Les joueurs profitent de la mi-temps pour se reposer. 2* Chacune des deux périodes d'un match. *À la fin de la première mi-temps, le score est de 1 à 0. 3* À mi-temps :* pendant la moitié du temps normal de travail. *La caissière travaille à mi-temps.*

miteux, euse adj. D'aspect misérable, pitoyable. *Un vieil hôtel miteux.*
Synonyme : minable. Contraire : luxueux.

mitigé, ée adj. Qui est mêlé de critiques ou de réserves. *Ce film a reçu un succès très mitigé.*

mitigeur n. m. Mélangeur. *Changer le mitigeur du lavabo.*

mitonner v. → conjug. **aimer.** Préparer longuement et avec beaucoup de soin. *Mitonner un bon ragoût.*

mitoyen, enne adj. Qui sert de séparation entre deux choses et leur est commun. *Les deux jardins ont un mur mitoyen.*

mitraille n. f. Décharge d'armes à feu ou d'obus.

mitrailler v. → conjug. **aimer.** *1* Tirer des projectiles par rafales. *Les avions ont mitraillé des sites stratégiques. 2* Familier. Photographier ou filmer sans arrêt. *Les photographes mitraillent les jeunes mariés.*

mitraillette n. f. Arme à feu portative qui tire par rafales.

mitrailleuse n. f. Arme automatique montée sur un support et qui tire par rafales.

mitre n. f. Coiffure triangulaire et haute portée par le pape, les évêques et archevêques lors de cérémonies.

mitron n. m. Apprenti boulanger ou pâtissier.

à mi-voix adv. D'une voix très faible. *Parler à mi-voix pour ne pas déranger tout le monde.*

mixeur n. m. Appareil électrique qu'on utilise pour broyer ou mélanger des aliments. *Passer une soupe de légumes au mixeur.*
On écrit aussi : « mixer », comme en anglais.

mixte adj. *1* Composé de personnes des deux sexes. *Le collège est mixte, il y a des filles et des garçons. 2* Formé d'éléments hétérogènes. *Cette cuisinière mixte fonctionne au gaz et à l'électricité.*

mixture n. f. Mélange alimentaire qui n'est pas appétissant. *Impossible d'avaler cette horrible mixture !*

mnémotechnique adj. Qui permet de se rappeler facilement quelque chose.
Il existe de très nombreux procédés mnémo-techniques.
Regarde page suivante.

mobile adj. et n. m.
• adj. *1* Qui peut bouger ou changer de place. *Cette cloison mobile est très facile à ouvrir. 2* Dont la date ou la valeur peut varier. *La Pentecôte est une fête mobile.*
Contraires : fixe (*1* et *2*), immobile (*1*).
Sa fracture est guérie et son bras a retrouvé toute sa mobilité, *son caractère mobile (1).*
• n. m. *1* Motif, raison qui pousse quelqu'un à agir. *Dans cette tragique histoire, c'est l'argent qui a été le mobile du crime. 2* Objet suspendu dont les éléments bougent avec les courants d'air.

mobilier, ère adj. et n. m.
• adj. *Bien mobilier :* bien qu'on peut transporter, déplacer. *Les meubles sont des biens mobiliers.*
• n. m. Ensemble de meubles. *Le mobilier scolaire doit être fonctionnel.*

mobiliser v. → conjug. **aimer.** *1* Appeler quelqu'un à l'armée en cas de guerre. *Mobiliser des troupes. 2* Faire appel à l'action ou à la participation de certaines personnes. *Mobiliser les parents d'élèves pour lutter contre la violence à l'école.*
Contraire : démobiliser (*1*).
Décréter la mobilisation, *l'action de mobiliser (1).*

mobilité n. f. → **mobile.**

Mobylette n. f. Marque déposée d'un cyclomoteur. *On lui a acheté une Mobylette pour aller au lycée.*

mocassin n. m. Chaussure basse et plate, sans lacets.

moche adj. Familier. Laid. *Sa nouvelle coiffure est vraiment moche.*
Contraires : beau, joli.

modalité n. f. Façon dont quelque chose doit se faire. *Demander des précisions sur les modalités de remboursement.*

1. mode n. f. Manière de s'habiller, de vivre, de penser qui varie selon les époques et les goûts.

2. mode n. m. *1* Façon de faire. *Mode de vie. Mode d'action. Mode d'emploi. Mode de paiement. 2* Forme du verbe qui indique la manière dont l'action est présentée. *En français, les six modes sont l'infinitif, l'indicatif, le subjonctif, le conditionnel, l'impératif et le participe.*

modelage n. m. → **modeler.**

modèle n. m. *1* Objet ou personne dont on se sert pour les imiter, les copier ou les reproduire. *Servir de modèle à un sculpteur. 2* Exemple digne d'être imité. *Un modèle de générosité. 3* Produit de l'industrie destiné à être fabriqué en série. *Cette voiture de collection est un vieux modèle. 4* Modèle réduit : reproduction d'un objet en petite dimension, maquette.*
Le modélisme *est l'activité qui consiste à fabriquer des modèles (4) réduits. Un* modéliste *est une personne qui dessine des modèles (3) pour la mode.*

modeler v. Pétrir une matière molle pour lui donner une forme. *Faire un serpent en pâte à modeler.*
Il fait du modelage *avec de la terre glaise, il la modèle.*

La conjugaison du verbe
MODELER 1er groupe

indicatif présent	je modèle,
	il ou elle modèle,
	nous modelons,
	ils ou elles modèlent
imparfait	je modelais
futur	je modèlerai
passé simple	je modelai
subjonctif présent	que je modèle
conditionnel présent	je modèlerais
impératif	modèle, modelons,
	modelez
participe présent	modelant
participe passé	modelé

modélisme n. m., **modéliste** n. → **modèle.**

les moyens mnémotechniques

Les procédés mnémotechniques permettent de mémoriser en s'amusant des règles de grammaire ou de mathématiques et des listes diverses. En voici quelques-uns.

Le carré de l'hypoténuse est égal, si je ne m'abuse, à la somme des carrés des deux autres côtés.

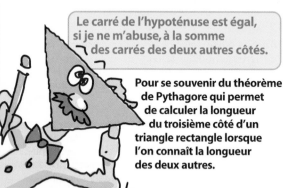

Pour se souvenir du théorème de Pythagore qui permet de calculer la longueur du troisième côté d'un triangle rectangle lorsque l'on connaît la longueur des deux autres.

Mais où est donc ornicar ?

Pour se souvenir des sept conjonctions de coordination : mais, ou, et, donc, or, ni, car. Attention à l'orthographe.

Je n'aperçois qu'un p à apercevoir.

Pour se souvenir qu'apercevoir est un des rares verbes commençant par « ap- » à ne prendre qu'un « p ».

Perchée sur la racine de la bruyère, la corneille boit l'eau de la fontaine Molière.

Pour se souvenir du nom des principaux écrivains du XVIIe siècle :
Racine,
La Bruyère,
Corneille,
Boileau,
La Fontaine, Molière.

– Monsieur, vous tirez mal !
– Je suis un novice, pardon !

Pour se souvenir des neuf planètes du système solaire de la plus proche à la plus éloignée du Soleil : Mercure, Vénus, Terre, Mars, Jupiter, Saturne, Uranus, Neptune, Pluton.

C'est assez dit la baleine, j'ai le dos fin, je me cache à l'eau.

Pour se souvenir des trois espèces de cétacés : la baleine, le dauphin et le cachalot. Attention à l'orthographe.

modérer v. → conjug. **digérer**. Diminuer la force ou l'excès. *Modérer la violence de ses propos. Modérer sa consommation de chocolat.*
Synonymes : réfréner, tempérer.

Elle a eu un rôle modérateur *dans le débat*, qui a permis de modérer les excès des autres. *C'est une personne* modérée, *qui sait se modérer. Essaie de manger* modérément, *de manière modérée, sans excès. On peut boire de la bière, mais avec* modération, *modérément, sans excès.*

moderne adj. Qui est de notre époque ou qui existe depuis peu. *Cette cuisine moderne est fonctionnelle.*
Synonyme : contemporain. Contraires : ancien, archaïque.

Il a modernisé *l'entreprise*, il l'a rendue plus moderne et adaptée à l'époque actuelle. *La* modernisation *d'un équipement informatique*, c'est l'action de le moderniser. *Le* modernisme, c'est le goût ou la recherche de ce qui est moderne.

modeste adj. *1* Qui ne se vante pas. *Malgré tous ses succès, il est resté modeste. 2* Qui est peu important. *Se contenter de revenus modestes. 3* Qui est simple et sans luxe. *Être né dans un milieu modeste.*
Contraires : orgueilleux (*1*), prétentieux (*1*), vaniteux (*1*).

Il vit modestement, *de façon modeste (3). Il parle avec* modestie, *en étant modeste (1).*

modicité n. f. → **modique.**

modifier v. Changer quelque chose en y apportant certaines transformations. *Modifier la disposition des meubles dans une pièce.*

On a fait des modifications *dans la loi*, on l'a modifiée.

La conjugaison du verbe **MODIFIER** 1er groupe	
indicatif présent	**je modifie, il ou elle modifie, nous modifions, ils ou elles modifient**
imparfait	**je modifiais, nous modifiions**
futur	**je modifierai**
passé simple	**je modifiai**
subjonctif présent	**que je modifie**
conditionnel présent	**je modifierais**
impératif	**modifie, modifions, modifiez**
participe présent	**modifiant**
participe passé	**modifié**

Peintre et sculpteur italien né en 1884 et mort en 1920. Modigliani s'installe à Paris en 1906. Il manifeste son goût pour le portrait dès ses premières toiles, qui sont influencées par l'œuvre du peintre Cézanne mais aussi par celles des cubistes (*la Juive*, 1908). Son style personnel s'affirme cependant rapidement. Il est caractérisé par la simplification et l'allongement des formes, l'ovale des visages et l'étirement des yeux de ses personnages.
Pendant quatre ans, de 1909 à 1913, Modigliani se consacre à la sculpture. Il s'inspire de l'art africain et réalise une série de *Têtes stylisées* qui vont reprendre les mêmes caractéristiques que ses peintures. Puis il revient à la peinture de portraits et de nus féminins : *Max Jacob* (1916), *Nu couché* (1917), *Portrait d'Anna Zborowska* (1918)… Il meurt de maladie à l'âge de 36 ans.

Portrait d'Anna Zborowska

modique adj. Qui a peu de valeur. *Toucher une somme très modique.*
Contraires : considérable, important.

Nous sommes agréablement surpris par la modicité *des prix*, leur caractère modique.

modulation n. f. → **moduler.**

module n. m. Élément d'un équipement qui peut se combiner avec d'autres pour former un ensemble. *Ajouter des modules à une bibliothèque.*

moduler v. → conjug. **aimer.** Émettre un son ou chanter un air avec des intonations changeantes et harmonieuses.

Les modulations *d'un chant d'oiseau*, le fait qu'il soit modulé.

moelle n. f. *1* Substance grasse et molle qui se trouve dans les os. *2 Moelle épinière :* partie du système nerveux située dans la colonne vertébrale.
On prononce [mwal].

moelleux, euse adj. Qui est mou et agréable au toucher, au goût. *Le mohair est un tissu moelleux.*
On prononce [mwalø].

moellon n. m. Pierre de construction de petite dimension. *Monter un mur en moellons.*
On prononce [mwalɔ̃].

mœurs n. f. plur. Manière de vivre et ensemble des habitudes d'une personne, d'un groupe social ou d'une espèce animale. *Ce scientifique étudie les mœurs des abeilles.*
On prononce [mœr] **ou** [mœrs].

mohair n. m. Laine très douce faite de poils de chèvre angora. *Un pull en mohair.*

moi pron. Pronom personnel de la première personne du singulier qu'on utilise soit pour renforcer le sujet «je», soit après «c'est», soit comme complément après une préposition. *Moi j'ai faim. C'est moi qui décide. Viens avec moi.*
Homonyme : mois.

moignon n. m. Partie qui reste d'un membre qui a été amputé.

moindre adj. Moins important. *Avoir le sommeil léger et se réveiller au moindre bruit.*

moine n. m. Religieux qui vit en communauté.

moineau n. m. **Plur. : des moineaux.** Petit oiseau au plumage brun et beige. *Les moineaux sont très courants dans les villes.*

moins adv. et prép.
• adv. *1* Indique une quantité inférieure ou un degré inférieur. *Manger moins de graisse et moins de sucre pour maigrir. Être moins grand que son frère. 2* À moins de ou à moins que : sauf dans le cas où. *On va être en retard, à moins que l'on parte tout de suite. 3* Au moins : au minimum. *J'ai attendu le bus au moins un quart d'heure, sinon plus. 4* Du moins : en tout cas, ou plutôt. *Il va gagner, du moins c'est ce qu'il croit. 5* Le moins : désigne le degré le plus bas. *Ce qu'elle aime le moins, ce sont les mathématiques.*
Contraire : plus (1).
• prép. *1* Exprime une soustraction. *Huit moins cinq égale trois (8 − 5 = 3). 2* Désigne un nombre en dessous de zéro degré. *Dans ce pays, il peut faire jusqu'à moins quarante degrés (− 40°).*

moire n. f. Tissu aux reflets changeants et chatoyants.
La surface moirée d'un lac, qui a des reflets comme la moire.

mois n. m. *1* Chacune des douze divisions de l'année. *Décembre est le dernier mois de l'année. 2* Espace de temps d'environ trente jours. *Prendre un mois de vacances. 3* Salaire payé pour un mois de travail. *Toucher son mois.*
Homonyme : moi.

moisir v. → conjug. **finir.** Se couvrir de taches dues à des champignons minuscules qui se développent sur des matières humides ou en décomposition. *Le pain a moisi, il est immangeable.*
Cette cave est mal aérée et sent le moisi, l'objet qui a moisi. *Le roquefort contient des moisissures bleues,* des taches de moisi.

moisson n. f. Action de récolter les céréales. *Les blés sont mûrs, la moisson va commencer.*
Nos voisins moissonnent le blé, ils font la moisson. *Les moissonneurs sont les gens qui font la moisson. Les moissonneuses-batteuses sont les machines agricoles qui coupent et battent automatiquement les épis des céréales.*

moite adj. Qui est légèrement humide ou chargé d'humidité. *Une chaleur moite.*
La moiteur d'une serre, son caractère moite.

moitié n. f. *1* Chacune des parties égales d'un tout divisé en deux. *Dix est la moitié de vingt. 2* Milieu d'un espace ou d'une période. *N'avoir fait que la moitié du chemin. 3* À moitié : à demi, pas complètement. *Un verre à moitié vide. N'être qu'à moitié convaincu.*

moka n. m. Gâteau au café garni d'une crème au beurre.

mol adj. m. → **mou 1.**

molaire n. f. Grosse dent située au fond de la bouche.
Les molaires sont placées après les prémolaires. Chez l'homme, elles sont au nombre de douze (six

par mâchoire). Elles servent à broyer et à écraser les aliments. Sur chaque mâchoire, les deux dernières molaires, appelées « dents de sagesse » apparaissent tardivement, vers l'âge de vingt ans, ou pas du tout. La forme des molaires est variable chez les mammifères. Chez les carnivores, par exemple, certaines molaires portent des pointes servant à déchiqueter.

Moldavie

République de l'est de l'Europe. La Moldavie est bordée à l'est, au nord et au sud par l'Ukraine, à l'ouest par la Roumanie. Le territoire est formé d'une grande plaine vallonnée traversée par deux grands fleuves, le Dniestr et le Prout. Le climat continental est adouci par l'influence de la mer Noire toute proche. Les ressources du pays reposent sur l'agriculture et l'élevage. L'industrie, dépendante de la Russie, est en difficulté ; seule l'agroalimentaire se développe.
Ancienne république de l'Union soviétique, la Moldavie est indépendante depuis 1991.

33 850 km²
4 270 000 habitants :
les Moldaves
Langues : roumain,
russe, ukrainien, turc,
bulgare
Monnaie : leu
Capitale : Chisinau

môle n. m. Jetée qui protège l'entrée d'un port ou qui permet aux bateaux d'accoster.
Synonyme : digue.

molécule n. f. Ensemble d'atomes liés entre eux. *La molécule est la plus petite partie d'une matière ou d'un corps.*

molester v. → conjug. **aimer.** Faire subir des violences physiques à quelqu'un. *Quelques manifestants ont été molestés par la police.*
Synonymes : brutaliser, malmener, maltraiter.

molette n. f. *1* Petite roue dentée qui met en marche un mécanisme. *2* *Clé à molette :* outil qui comporte deux pièces qui peuvent se rapprocher et serrer un objet.

Molière

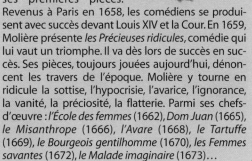

Auteur dramatique et comédien français né en 1622 et mort en 1673. Son vrai nom est Jean-Baptiste Poquelin. En 1643, Molière crée à Paris, avec la famille Béjart, l'Illustre-Théâtre, qui fait faillite. La troupe parcourt la France et Molière écrit ses premières pièces. Revenus à Paris en 1658, les comédiens se produisent avec succès devant Louis XIV et la Cour. En 1659, Molière présente *les Précieuses ridicules*, comédie qui lui vaut un triomphe. Il va dès lors de succès en succès. Ses pièces, toujours jouées aujourd'hui, dénoncent les travers de l'époque. Molière y tourne en ridicule la sottise, l'hypocrisie, l'avarice, l'ignorance, la vanité, la préciosité, la flatterie. Parmi ses chefs-d'œuvre : *l'École des femmes* (1662), *Dom Juan* (1665), *le Misanthrope* (1666), *l'Avare* (1668), *le Tartuffe* (1669), *le Bourgeois gentilhomme* (1670), *les Femmes savantes* (1672), *le Malade imaginaire* (1673)…

molle adj. f., **mollement** adv. → **mou 1.**

mollesse n. f. *1* Caractère de ce qui est mou. *La mollesse d'un matelas.* *2* Manque d'énergie et de vitalité. *Une personne indolente qui agit avec mollesse.*
Synonymes : apathie (*2*), indolence (*2*). Contraires : dureté (*1*), dynamisme (*2*), vivacité (*2*).

1. mollet adj. m. *Œuf mollet :* œuf cuit dans sa coquille, de façon que le jaune ne soit plus liquide (œuf à la coque), mais pas encore solidifié (œuf dur).

2. mollet n. m. Partie charnue à l'arrière de la jambe, entre le genou et la cheville.

molletonné, ée adj. Qui est doublé d'un tissu épais et moelleux. *Un manteau molletonné.*

mollir v. → conjug. **finir.** *1* Devenir tout mou. *À la chaleur, le beurre mollit.* *2* Perdre de sa force ou de sa vitalité. *Sa résolution a molli devant les difficultés.*
Synonyme : faiblir (*2*).

mollusque n. m. Animal au corps mou souvent protégé par une coquille.

Les mollusques sont dépourvus de membres et de squelette. Ils occupent le deuxième rang en nombre d'animaux. Il en existe près de 100 000 espèces.
Regarde page suivante.

molosse n. m. Gros chien de garde.

môme n. Familier. Enfant, gamin, gosse.

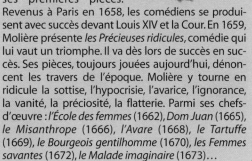

les mollusques

Les mollusques se rencontrent surtout dans le milieu marin. Ils sont pourvus d'un pied, masse musculaire qui leur permet de se déplacer. La plupart respirent par des branchies.

bivalves

Ils ont une coquille en deux parties. Le muscle qui permet de fermer ces deux parties est l'un des plus puissants du monde animal.

Huître portugaise.

Moule.

Huître plate.

Pétoncle.

Palourde.

Praire.

gastéropodes

Ils sont terrestres ou marins et ont le corps protégé par une coquille externe ou interne.

terrestres

marins

Escargot.

Limace.

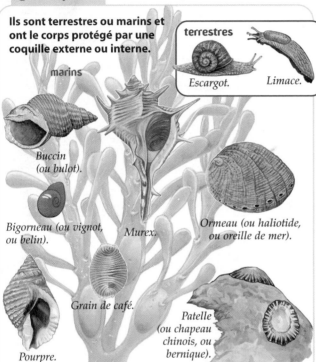

Buccin (ou bulot).

Bigorneau (ou vignot, ou belin).

Murex.

Ormeau (ou haliotide, ou oreille de mer).

Grain de café.

Patelle (ou chapeau chinois, ou bernique).

Pourpre.

céphalopodes

Ils ont un organe propulseur qui remplace une partie du pied et une couronne de tentacules munis de ventouses qui entoure leur tête.

Seiche.

Calmar (ou calamar).

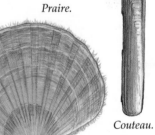

Coquille Saint-Jacques.

Couteau.

Coque.

Nautile.

Poulpe.

moment n. m. *1* Espace de temps plus ou moins court. *Avoir un moment d'inattention.* *2* Instant opportun pour faire quelque chose. *Il pleut, ce n'est pas le moment de sortir.* *3* À tout moment : sans cesse ou n'importe quand. *4* Au moment où : à l'instant précis où quelque chose se passe. *5* Du moment que : puisque. *Du moment que tu en es sûr, je te crois.* *6* D'un moment à l'autre : dans très peu de temps, incessamment. *7* Par moments : quelquefois, de temps en temps. *8* Pour le moment : pour l'instant, actuellement. Fermeture **momentanée** *pour cause de travaux, pour un moment (1) seulement. L'autoroute est* **momentanément** *fermée, de façon provisoire.*

momie n. f. Cadavre qui a été embaumé. *Les Égyptiens et certains Précolombiens fabriquaient des momies.* **Regarde ci-dessous.**

mon, ma adj. possessif. **Plur. : mes.** Correspond au pronom personnel de la première personne du singulier. *Je te présente mon frère, ma sœur et mes parents.* Au féminin singulier, devant un nom ou un adjectif commençant par une voyelle ou un « h » muet, on emploie « mon » au lieu de « ma » : mon **expérience**, mon habitude. **Homonyme : mont.**

Monaco

Principauté d'Europe ouverte sur la Méditerranée. Monaco est le plus petit État du monde après le Vatican. Le territoire se limite à une étroite bande rocheuse qui longe la mer. Le climat est méditerranéen. Monaco est entièrement urbanisé. L'économie repose sur le tourisme, un secteur de services (notamment financiers) et l'activité de sociétés attirées par les avantages fiscaux.

Monaco est à l'origine une colonie phénicienne. En 1419, il devient définitivement possession de la famille Grimaldi.

1,81 km²
34 000 habitants :
les Monégasques
Langues : français,
monégasque
Monnaie : euro
Capitale : Monaco

les momies

Dès le IIIe milénaire av. J.-C., les Égyptiens pratiquent la momification. Ils pensent qu'un corps conservé après la mort peut continuer à vivre dans l'au-delà.

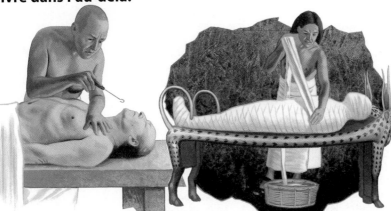

Pour momifier un corps, les embaumeurs en retirent les viscères (foie, poumons…) et le cerveau, puis le remplissent avec des onguents (pommades grasses) parfumés.

Ils recouvrent le corps de cristaux de soude pendant soixante-dix jours pour le dessécher. Ils l'enveloppent ensuite dans des bandelettes de lin.

La momie est ensuite conservée dans des sarcophages emboîtés les uns dans les autres. Plus de trois mille ans après, on a retrouvé des momies dans un état de conservation exceptionnel.

monarchie n. f. État gouverné par un monarque. *En 1815, les monarchistes ont repris le pouvoir, les partisans de la monarchie. Le monarque a été replacé sur son trône, le souverain qui gouverne seul ou qui est à la tête d'un État.*

Au cours du règne de Louis XIV, de 1661 à sa mort en 1715, la France connaît un régime de monarchie absolue. Le roi rassemble tous les pouvoirs. Ses ministres se contentent désormais de le conseiller et d'appliquer ses décisions. Une administration de plus en plus puissante règle la bonne marche du royaume, tandis que la noblesse est réduite à un rôle secondaire. Cette politique autoritaire s'accompagne de guerres de conquêtes.
Un culte s'organise autour du « Roi-Soleil » célébré à la manière d'un être divin.
Regarde p. 708 et 709.

monarque n. m. Papillon. Les monarques sont des papillons de jour. Ils mesurent une dizaine de centimètres.
Ils vivent en Amérique du Nord et migrent du sud des États-Unis vers le Canada chaque été. Il en existe de nombreuses espèces.

monastère n. m. Groupe de bâtiments habités par des moines ou des religieuses.

monceau n. m. **Plur.: des monceaux.** Gros tas de choses amoncelées. *Accumuler un monceau de papiers sur son bureau.*

mondain, aine adj. Qui aime sortir et fréquenter les gens riches et connus, la haute société. *C'est une femme mondaine, elle adore les réceptions.*

monde n. m. **1** Ensemble de tout ce qui existe, l'Univers. *Le mystère de la création du monde.* **2** La Terre, l'ensemble du globe. *Faire le tour du monde en bateau.* **3** Ensemble des êtres humains qui vivent sur la Terre. *Le monde entier se sent concerné par cette guerre.* **4** Nombre indéterminé de personnes. *Il y a un monde fou dans le métro!* **5** Groupe social bien défini. *Le monde des affaires.* **6** *Au bout du monde:* très loin. **7** *Mettre un enfant au monde:* accoucher. **8** *Se faire un monde de quelque chose:* lui donner une importance exagérée. **9** *Tout le monde:* toutes les personnes. **10** *Venir au monde:* naître.
Il s'intéresse à l'actualité mondiale, qui concerne le monde (3) entier. C'est un livre mondialement connu, par le monde (3) entier.

Monet Claude

Peintre français né en 1840 et mort en 1926. Monet est initié à l'art du paysage par le peintre Eugène Boudin. Il réalise ses premières toiles en plein air et non plus en atelier. En 1859, il rencontre de jeunes peintres tels Pissarro, Renoir, Sisley qui s'enthousiasment pour cette nouvelle façon de peindre. Monet devient le chef de file de l'impressionnisme.
Par petites touches de couleurs claires juxtaposées, Monet évoque les jeux de lumière, les reflets, les miroitements de l'eau. Parmi ses paysages les plus réussis: *Coucher de soleil à Lavacourt* (1880), *le Parlement de Londres* (1904). Sa grande série des *Nymphéas* est célèbre.

Le Parlement de Londres

monétaire adj. Qui concerne la monnaie ou les monnaies. *Une grave crise monétaire.*

Mongolie

République d'Asie centrale. Le vaste territoire est montagneux au nord et au nord-ouest (monts de l'Altaï) et désertique au centre et au sud-est (désert de Gobi). Le climat est continental, avec d'énormes écarts de température: 40 °C en été et jusqu'à –30 °C en hiver! L'économie se fonde sur l'agriculture et, surtout, l'élevage. L'industrie est peu développée. La Mongolie est un pays pauvre. Soumise à la Chine à partir du XVIIe siècle, elle devient autonome en 1911, puis passe sous domination russe dès 1912. Elle est indépendante depuis 1945.

1 566 500 km²
2 559 000 habitants: les Mongols
Langues: mongol, kazakh, russe, chinois
Monnaie: tugrik
Capitale: Oulan-Bator

mongolien, enne adj. et n. Qui est atteint d'une grave maladie congénitale qui provoque des malformations du corps et un handicap mental.

moniteur, trice n. Personne chargée d'enseigner certains sports ou certaines activités, ou d'encadrer des enfants en colonies de vacances.

monnaie n. f. *1* Ensemble des billets et des pièces servant à payer. *La monnaie de l'Union européenne s'appelle l'euro.* *2* Argent rendu, qui correspond à la différence entre l'argent qu'on a donné et la somme due. *Rendre la monnaie à un client.* *3* Ensemble de pièces de faible valeur. *Avoir besoin de monnaie pour payer le parcmètre.*

monnayer v. → conjug. **payer.** Tirer un profit de quelque chose. *Ne pas vouloir monnayer ses services.*

Monnet Jean

Homme politique et économiste français né en 1888 et mort en 1979. Monnet est considéré comme le « père de l'Europe ». Chargé, après la Seconde Guerre mondiale, de planifier la reconstruction de la France, il conçoit la nécessité d'une union européenne, à la fois pour éviter de nouveaux conflits et pour développer l'économie. Il rédige, le 9 mai 1950, la déclaration qui crée la Communauté européenne du charbon et de l'acier (CECA). Il préside celle-ci de 1952 à 1955, puis, en 1955, fonde le Comité d'action pour les États-Unis d'Europe. Ce comité joue un grand rôle dans la création de la Communauté économique européenne (CEE).

mono– préfixe. Signifie « seul ». *Un monosyllabe est un mot qui a une seule syllabe.*

monocle n. m. Verre de lunette pour un seul œil.

On fait tenir un monocle en le coinçant sous l'arcade sourcilière. Il connaît un grand succès dans la société du XIXe siècle, où il est considéré comme très élégant.

monocoque n. m. Voilier qui n'a qu'une seule coque. *Une régate opposant des monocoques et des catamarans.*

monocorde adj. Dont le ton ne varie pas et est monotone. *Une voix monocorde.*

monoculture n. f. Culture d'une seule espèce de plante. *Cette exploitation fait la monoculture du blé.* **Contraire : polyculture.**

monogame adj. Qui ne peut être marié légalement qu'à une seule personne en même temps, par opposition aux personnes bigames ou polygames.

monolithe n. m. Monument qui est fait d'un seul bloc de pierre. *Un obélisque est un monolithe.*
  Les menhirs sont des monuments **monolithiques**, ce sont des monolithes.

monologue n. m. Texte qu'un acteur dit seul sur scène.

monologuer v. → conjug. **aimer.** Parler tout seul, sans laisser les autres s'exprimer.

monopole n. m. Droit exclusif de vendre un produit ou un service.

monopoliser v. → conjug. **aimer.** Accaparer quelque chose pour son seul usage personnel. *Monopoliser la parole sans laisser les autres s'exprimer.*

monoski n. m. Sport de glisse qui se pratique avec un seul ski sur lequel on pose les deux pieds.

monosyllabe n. m Mot qui ne comporte qu'une seule syllabe. *« Dé » est un monosyllabe.*

monothéiste n. Personne qui croit en un seul Dieu.
  Le **monothéisme** *est la religion des monothéistes.* **Contraire : polythéisme.**

monotone adj. Qui ne présente aucune variété. *C'est monotone de passer toujours ses vacances au même endroit.*
  Elle se plaint de la **monotonie** *de sa vie*, de son caractère monotone.

monseigneur n. m. Titre honorifique donné aux archevêques, aux évêques ou aux princes. **En abrégé : Mgr.**

monsieur n. m. Plur. : **des messieurs.** *1* Mot qui sert à s'adresser à un homme ou qu'on utilise pour parler de lui. *J'ai rencontré monsieur Durand au marché.* *2* Homme. *Un vieux monsieur.* **Au singulier, on prononce [məsjø]. Au pluriel, on prononce [mesjø]. « Monsieur » s'abrège « M. ». « Messieurs » s'abrège « MM. »**

monstre n. m. et adj.
  • n. m. *1* Animal ou être imaginaire. *2* Être vivant anormal et difforme. *Un mouton à cinq pattes est un monstre.* *3* Personne très cruelle ou perverse. *Il faut être un monstre pour commettre un tel crime.*
  • adj. Familier. Très important, énorme. *Ce livre a eu un succès monstre.*

la monarchie absolue

La monarchie absolue désigne un règne où le roi incarne tous les pouvoirs. Elle atteint son apogée en France au XVIIe siècle avec Louis XIV.

la suprématie des rois

■ Progressivement, à partir du Moyen Âge, le pouvoir royal se renforce en France. Les rois Henri IV et Louis XIII, les ministres Richelieu et Mazarin luttent contre les nobles pour faire triompher l'autorité royale.

Le début du règne de Louis XIV est encore marqué par ces luttes qui vont pousser le jeune roi à renforcer le pouvoir central de l'État.

■ Les ministres qui l'entourent sont chargés de mettre en œuvre sa politique.

Tout le territoire est administré et contrôlé par des intendants tout-puissants, placés à la tête des provinces.

■ Ce pouvoir absolu se traduit également par des décisions intérieures brutales comme la révocation de l'édit de Nantes (1685) qui interdit le protestantisme en France.

Commerce et industrie

Pour enrichir le pays, Colbert crée des manufactures comme celle des Gobelins, des compagnies de commerce comme la Compagnie des Indes orientales et améliore la circulation dans le pays en construisant routes et canaux.

la démesure de Versailles

■ L'immense palais de Versailles doit être à l'image de la puissance du souverain. Ses dimensions, son architecture, sa décoration, ses jardins, ses fontaines, ses bassins reflètent l'orgueil et l'ambition du monarque.

■ Les fêtes et les spectacles se succèdent à Versailles où le roi accueille avec faste de nombreux souverains étrangers.

■ Le roi est aussi celui qui assure la renommée des artistes, des écrivains, des savants qu'il choisit et protège et auxquels il offre cadeaux et pensions.

Entamée à partir des années 1660, la construction du palais de Versailles dure plus de 40 ans. Le château devient un véritable modèle d'architecture classique, tandis que l'aménagement du parc marque l'apogée des « jardins à la française ».

la soumission de la noblesse

Représentant de Dieu sur la Terre, le roi veut être obéi sans réserve et vénéré par ses « sujets ». Se méfiant toujours des nobles, il en fait des courtisans qui vivent en grand nombre de ses faveurs à Versailles et participent à tous les actes de sa vie. C'est un honneur, un privilège pour eux d'assister au « lever du roi », à la « toilette du roi », au « déjeuner du roi »… événements transformés en cérémonies organisées selon des règles précises : l'étiquette.

Versailles est la capitale du royaume pendant un siècle, de 1682 jusqu'à la Révolution en 1789.

« L'État, c'est moi »,
aurait affirmé Louis XIV qui dit détenir son pouvoir directement de Dieu. Il choisit comme emblème le Soleil afin de montrer sa puissance et sa supériorité.

splendeurs et misères d'un règne

■ Enfin, la puissance du roi se manifeste dans le domaine des armes par des victoires militaires. Les guerres de conquête, qui occupent une grande partie du règne, font se dresser l'Europe entière contre la France. Elles permettent d'agrandir le territoire, mais très coûteuses, vident les caisses de l'État.

■ À la mort de Louis XIV, s'achève le plus long règne de l'histoire de France. Le roi a réorganisé l'administration du pays et modernisé l'industrie et le commerce, mais la condition des paysans reste misérable et le peuple aspire à plus de justice. Le rejet de la monarchie absolue va conduire progressivement vers le changement et s'achever par la Révolution.

monstrueux, euse adj. *1* Qui est abominable, effroyable, horrible. *Un crime particulièrement monstrueux. 2* Qui est gigantesque, colossal, énorme. *Il y a une grosse tempête et des vagues monstrueuses.*

Cette ville s'est **monstrueusement** *développée en quelques années*, de façon monstrueuse (*2*). *Le procureur a rappelé la* **monstruosité** *du meurtre*, son caractère monstrueux (*1*).

mont n. m. Élévation de terrain d'une certaine importance. *La Loire prend sa source au mont Gerbier-de-Jonc.*
Homonyme : mon.

montage n. m. → **monter.**

montagne n. f. Relief important du sol s'élevant à une grande hauteur. *La chaîne des Pyrénées est une montagne qui sépare la France et l'Espagne.*

Les **montagnards** *sont des personnes qui vivent à la montagne. Les Alpes sont une région* **montagneuse**, *une région de montagnes.*

Montagnes Rocheuses (les)

Chaîne de montagnes de l'ouest de l'Amérique du Nord. Les Montagnes Rocheuses ou Rocheuses s'étendent sur plus de 3 500 km de longueur, du sud des États-Unis au nord du Canada. Formées de chaînons parallèles orientés nord/sud, elles sont entaillées de vallées transversales.
De nombreux sommets dépassent 4 000 m d'altitude. Les Rocheuses sont peu habitées. Elles sont riches en ressources minières (cuivre, plomb, zinc, or, uranium). Le tourisme est actif et de nombreux parcs nationaux sont ouverts.

Montaigne Michel Eyquem de

Écrivain français né en 1533 et mort en 1592. Après des études de droit, Montaigne devient, en 1557, conseiller au parlement de Bordeaux. Il rencontre Étienne de La Boétie, avec lequel il se lie d'amitié. La mort de ce dernier, en 1563, l'affecte beaucoup. Il abandonne ses fonctions en 1570. Il se consacre alors à la publication des œuvres de La Boétie, puis, à partir de 1572, à la rédaction de ses *Essais*, l'ouvrage qui va l'occuper jusqu'à la fin de sa vie. Il en publie quatre éditions de son vivant. La dernière paraît après sa mort, en 1595. Les *Essais* renferment les réflexions sur la condition de l'homme que l'auteur tire de ses lectures, de ses voyages et de ses rencontres.

montant, ante adj. et n. m.
• adj. *1* Qui monte, qui va de bas en haut. *La marée montante. 2* Qui couvre le cou ou les chevilles. *Un col montant, des chaussures montantes.*
Contraire : descendant (*1*).
• n. m. *1* Total d'un compte, d'une facture. *Calculer le montant de ses dépenses. 2* Barre disposée verticalement. *Les deux montants d'une échelle.*

Montauban

Ville française de la Région Midi-Pyrénées, située sur les bords du Tarn. Montauban est un centre administratif et commercial. La cathédrale Notre-Dame (XVIIe-XVIIIe siècles) abrite un chef-d'œuvre d'Ingres, natif de la ville : *le Vœu de Louis XIII.* Le musée Ingres est situé dans l'ancien palais épiscopal. Montauban est fondé au XIIe siècle.
Devenue place protestante au XVIe siècle, elle est soumise en 1629 par Richelieu qui fait détruire ses fortifications.

82 *Préfecture du Tarn-et-Garonne*
54 421 habitants : les Montalbanais

Mont-Blanc

Massif des Alpes situé à la frontière entre la France et l'Italie. Le Mont-Blanc est orienté sud-ouest/nord-est. Un tunnel routier long de 11,6 km traverse le massif, joignant la France à l'Italie. Le Mont-Blanc compte plusieurs hauts sommets, dont l'Aiguille du Midi (3 842 m).
Le mont Blanc est aussi le nom du point culminant des Alpes (4 808 m), dont le sommet a été atteint pour la première fois en 1786 par les alpinistes Paccard et Balmat.

Mont-de-Marsan

Ville française de la Région Aquitaine, située au confluent de la Douze et du Midou. Mont-de-Marsan est un centre commercial important (volailles, foie gras) et le siège du Centre d'expériences aériennes militaires. Le château (XIIIe-XIVe siècles) abrite un musée de préhistoire et d'histoire naturelle.
La ville est rattachée au royaume de France à la fin du XVIe siècle. C'est un ancien carrefour des routes de pèlerinage vers Saint-Jacques-de-Compostelle (Espagne).

40 *Préfecture des Landes*
32 234 habitants : les Montois

monté, ée adj. *1 Coup monté :* action malveillante préparée à l'avance et en secret. *2 Pièce montée :* gâteau en forme de pyramide et décoré.

monte-charge n. m. **Plur. : des monte-charges.** Appareil qui permet de faire monter et descendre de lourdes charges.

montée n. f. *1* Action de monter, d'aller de bas en haut. *Il y a plus d'une heure de montée pour atteindre ce pic. 2* Route qui monte. *Les cyclistes pédalent fort dans la montée. 3* Augmentation ou hausse de quelque chose. *Avoir une montée de fièvre. La montée des prix.* **Synonymes : ascension** (*1*), **côte** (*2*). **Contraires : baisse** (*3*), **descente** (*1* et *2*).

monter v. → conjug. **aimer.** *1* Partir du bas d'un endroit pour aller vers le haut. *Monter les escaliers pour aller au premier étage. 2* Être en pente. *Ce chemin est raide et monte beaucoup. 3* Porter quelque chose dans un lieu élevé. *Monter des meubles au grenier. 4* Augmenter en niveau, en valeur ou en intensité. *Les températures montent quand il y a du soleil. 5* Prendre place dans un véhicule ou sur une monture. *Monter pour la première fois en avion. Monter à cheval. 6* Assembler, former, organiser de manière à constituer un tout. *Ce meuble en kit est à monter soi-même. 7* Concevoir et organiser. *Monter une entreprise. 8 Se monter :* atteindre telle somme. *L'addition se monte à 15 euros.* **Contraires : baisser** (*4*), **descendre** (*1, 2, 3, 4, 5*). « Monter » se conjugue avec l'auxiliaire être quand il est intransitif : *le chat est monté dans l'arbre* ; il se conjugue avec l'auxiliaire avoir quand il a un complément d'objet direct : *papa a monté le vélo au grenier.* *Le mode d'emploi précise le montage de la bibliothèque,* la manière de la monter (*6*). *Un monteur* est une personne qui monte (*6*) des films.

Montesquieu Charles de Secondat

Écrivain et philosophe français né en 1689 et mort en 1755. Après des études de droit, le baron de Montesquieu devient conseiller au parlement de Bordeaux. En 1721, il publie *les Lettres persanes,* roman satirique où il critique avec esprit la société de son temps. Devenu célèbre, Montesquieu est accueilli dans les cercles littéraires et se consacre à l'écriture. Son œuvre majeure est *De l'esprit des lois* (1748), dans laquelle il propose une étude comparée des systèmes politiques. Son succès est immense, mais sa philosophie inquiète et l'ouvrage est interdit en 1751. L'œuvre de Montesquieu a exercé une influence considérable sur les idées du XVIIIe siècle (le « siècle des Lumières »).

Monteverdi Claudio

Compositeur italien né en 1567 et mort en 1643. Monteverdi compose sa première œuvre à l'âge de quinze ans. Il entre au service du duc de Mantoue en 1590 puis, en 1613, obtient le poste de maître de chapelle à Saint-Marc de Venise, une des plus hautes responsabilités musicales. Il compose des cantates, des messes, et surtout des opéras comme *Orfeo* (1607), *Arianna* (1608), *le Retour d'Ulysse dans sa patrie* (1640) et *le Couronnement de Poppée* (1642). Il influence profondément le langage musical de son époque. On le considère comme l'un des créateurs de l'opéra italien.

Montgolfier frères

Industriels et inventeurs français. Joseph est né en 1740 et mort en 1810 ; Étienne est né en 1745 et mort en 1799. Les frères Montgolfier sont passionnés par la recherche scientifique. Ils inventent ensemble le ballon à air chaud. En 1783, ils font décoller un gros ballon de 12 m de diamètre, qui s'élève à 2 000 m d'altitude : la montgolfière est née. Ils répètent l'expérience à Versailles, devant Louis XVI et sa Cour. Le ballon mesure cette fois 24 m de diamètre et transporte dans une cage d'osier un canard, un coq et un mouton. Un peu plus tard, deux hommes effectuent le premier voyage en montgolfière et survolent Paris.

montgolfière n. f. Gros ballon gonflé à l'air chaud ou avec un gaz plus léger que l'air, équipé d'une nacelle.

monticule n. m. Petite élévation du sol. *Grimper sur un monticule de terre.*

Montmartre

Colline située dans un quartier Nord de Paris. À 130 m d'altitude, Montmartre est le point culminant de la capitale. Le quartier, pittoresque, est un site touristique. L'église Saint-Pierre (XIIe siècle) est l'une des plus anciennes de Paris. La basilique du Sacré-Cœur, au sommet de la colline, a été bâtie de 1875 à 1891. À la fin du XIXe siècle puis au début du XXe, de nombreux peintres tels Pissaro, Utrillo, Picasso et Braque s'installent sur la butte Montmartre. Aujourd'hui encore, l'endroit conserve un aspect campagnard avec ses petites rues, ses vieilles maisons et ses jardins.

Montpellier

Montpellier

Ville française de la Région Languedoc-Roussillon, située sur les bords du Lez. Montpellier est une cité dynamique. La construction de quartiers modernes, l'investissement dans les technologies de pointe, les activités culturelles et touristiques en ont fait un grand pôle du sud-est de la France. Montpellier abrite une cathédrale gothique du XIVe siècle, des hôtels particuliers des XVIIe et XVIIIe siècles. La ville compte également de riches musées et le plus vieux jardin botanique de France (1593). Fondée au IXe siècle, elle est, au Moyen Âge, un important centre commercial et une ville universitaire réputée. Elle est rattachée au royaume de France en 1349.

34

Préfecture de l'Hérault
229 055 habitants : les Montpelliérains

montre n. f. Petit appareil portatif qui indique l'heure. *Changer le bracelet de sa montre.*

Montréal

Ville canadienne de la province de Québec, située sur les bords du fleuve Saint-Laurent. Avec plus d'un million d'habitants (trois millions avec sa banlieue), Montréal est la plus grande ville du Canada après Toronto. C'est le premier port du pays et la deuxième ville au monde de langue française. Grand centre commercial et financier, mais aussi scientifique, artistique et culturel, Montréal possède également trois grandes universités. Bâtie sur une île, la ville est desservie par un important réseau de communications. Cinq grands ponts enjambent le Saint-Laurent. La ville abrite de riches musées et de prestigieux monuments.
Montréal est à l'origine un village indien iroquois où Jacques Cartier, qui a découvert le Canada, débarque en 1535.
La ville est fondée en 1642 par des colons français sous le nom de Ville-Marie de Montréal.

montrer v. → conjug. **aimer.** *1* Faire voir. *Montre-moi tes photos de vacances. 2* Désigner, indiquer avec un geste. *Montrer à son copain où se trouve l'entrée de la grotte. 3* Démontrer, prouver. *Cet échec montre qu'il n'a pas assez travaillé. 4* Laisser paraître sa pensée ou ses émotions. *Ne pas vouloir montrer qu'on a de la peine. 5* Faire comprendre en expliquant. *Montre-moi comment marche cet appareil.*

Mont-Saint-Michel

Îlot rocheux situé dans la baie du Mont-Saint-Michel, dans la Manche. Le Mont-Saint-Michel mesure 80 m de hauteur pour un périmètre de 900 m ; il est relié à la côte par une digue. À son sommet se dresse une abbaye bénédictine construite à partir du Xe siècle. La flèche de l'église abbatiale s'élève à plus de 150 m au-dessus du niveau de la mer. Les divers bâtiments de l'abbaye ont été construits entre le XIe et le XVe siècle. Ils sont entourés de remparts des XIIIe-XVe siècles. Le Mont-Saint-Michel est un site très touristique.

monture n. f. *1* Animal sur lequel on monte. *Un cavalier qui chevauche sa monture. 2* Support qui permet de tenir les verres d'une paire de lunettes.

monument n. m. Édifice imposant ou remarquable. *Pour les fêtes, les monuments de la ville sont illuminés.*

monumental, ale, aux adj. Qui est très grand, imposant. *La statue monumentale l'a impressionné.*

se moquer v. → conjug. **aimer.** *1* Rire à propos de quelqu'un ou de quelque chose, les tourner en ridicule. *Il est vexé qu'on se soit moqué de lui. 2* Ne pas faire attention à quelque chose, ne pas s'en soucier. *Se moquer du danger. 3* Essayer de tromper quelqu'un en pensant qu'il est naïf. *Se moquer des clients en leur vendant des produits avariés.*
Synonyme : railler (*1*).
Il a un air *moqueur*, l'air de quelqu'un qui se moque (*1*). Il n'apprécie pas les *moqueries* de ses copains, ce qu'ils font pour se moquer (*1*) de lui.

moquette n. f. Tapis fixé au sol qui recouvre entièrement la surface d'une pièce.

moqueur, euse adj. → se moquer.

moraine n. f. Amas formé par des débris de rochers.

Les moraines sont constituées des matériaux arrachés à la montagne par le déplacement des glaciers. On en distingue trois types principaux :
• la moraine de fond : débris rassemblés sur le fond du glacier ;
• les moraines latérales : débris déposés de chaque côté du glacier ;
• la moraine frontale : débris déposés à l'avant de la masse de glace qui se déplace.
Regarde aussi glacier.

moral, ale, aux adj., n. m. et n. f.
• adj. *1* Qui concerne les règles à suivre pour bien se conduire ou pour respecter ce qui est juste. *Un film*

moral car les bons sont récompensés. **2** Qui concerne l'esprit, la pensée. *Le chagrin est une douleur morale.*
Contraires : immoral (1), physique (2).

• n. m. État d'esprit de quelqu'un, optimiste ou pessimiste. *Avoir bon moral.*

• n. f. **1** Ensemble des règles de conduite à suivre pour faire le bien et distinguer le bien du mal. *Un acte odieux et contraire à la morale.* **2** Enseignement, leçon à tirer d'une histoire. *La morale de son aventure est qu'il faut toujours rester prudent.* **3** *Faire la morale à quelqu'un :* le réprimander ou le sermonner au sujet de sa conduite.

moralement adv. **1** En respectant les règles de la morale. *Voler est un acte moralement répréhensible.* **2** En ce qui concerne le moral. *Moralement, ce succès lui a fait du bien.*
Contraire : physiquement (2).

moralisateur, trice adj. Qui a tendance à faire la morale. *Des paroles moralisatrices.*

moraliste n. Écrivain qui observe de façon critique et moralisatrice les hommes et leur conduite. *Jean de La Fontaine est un grand moraliste français.*

moralité n. f. **1** Conduite d'une personne en conformité avec les règles de la morale. *Une personne d'une moralité douteuse.* **2** Conclusion morale d'une histoire, d'un événement. *Il perd toujours au jeu, moralité : il devrait s'arrêter de jouer.*

morbide adj. Qui est anormal et malsain moralement. *Un spectacle morbide.*

morceau n. m. **Plur. : des morceaux. 1** Petite partie de quelque chose. *Recoller les morceaux d'une assiette cassée.* **2** Fragment d'une œuvre musicale. *Jouer un morceau de guitare.*

morceler v. → conjug. **jeter.** Diviser en plusieurs parties. *Morceler un terrain.*
Le *morcellement* d'une propriété entre les héritiers, l'action de la morceler.

mordant, ante adj. Qui est blessant, sarcastique. *Répondre à quelqu'un avec une ironie mordante.*

mordiller v. → conjug. **aimer.** Mordre légèrement et à plusieurs reprises. *Mordiller un crayon.*

mordoré, ée adj. Qui est d'un brun à reflets dorés. *Un châle en soie mordorée.*

mordre v. → conjug. **répondre. 1** Blesser en serrant avec les dents. *Un chien l'a mordue à la jambe.* **2** Entamer un aliment avec ses dents. *Mordre une pomme à pleines dents.* **3** Se faire prendre dans un appât. *Pêcher en espérant que le poisson va mordre.* **4** Dépasser légèrement une limite. *Mordre une ligne continue en doublant est une infraction.*

La *morsure* du chien peut être dangereuse, le fait d'être mordu (1) par un chien.

se morfondre v. → conjug. **répondre.** S'ennuyer à force d'attendre trop longtemps. *Se morfondre en attendant l'arrivée du train.*

morgue n. f. **1** Attitude arrogante et méprisante. *Cette personne pleine de morgue ne dit jamais bonjour.* **2** Endroit où sont déposés provisoirement les cadavres avant l'inhumation.

moribond, onde adj. et n. Qui est en train de mourir. *Les quelques personnes découvertes sous les décombres sont moribondes, il n'y a guère d'espoir de les sauver.*

morille n. f. Champignon comestible au chapeau qui ressemble à une éponge.

Le pied de la morille est blanc et son chapeau blond ou brun ; les deux sont creux. Les morilles poussent au printemps, de préférence sous les arbres (frênes, ormes, conifères). Les morilles sont très recherchées. Il faut toujours les faire cuire, car elles sont toxiques crues.

morne adj. Qui est triste ou maussade. *Un temps morne et pluvieux.*

morose adj. D'humeur triste et maussade. *Tous ses ennuis le rendent morose.*
Sa morosité nous inquiète, son caractère morose.

morphine n. f. Médicament tiré de l'opium, utilisé pour calmer les très fortes douleurs.

morphologie n. f. **1** Aspect général du corps. *Avec sa large carrure et ses muscles, il a vraiment une morphologie de sportif.* **2** En grammaire, étude de la forme des mots. *L'étude des dérivés fait partie de la morphologie.*

mors n. m. Petite barre métallique qui, placée dans la bouche d'un cheval, sert à le diriger. *Les rênes sont fixées sur le mors.*
On prononce [mɔr]. **Homonyme : mort.**

1. morse n. m. Gros mammifère marin qui vit dans les mers polaires.

Le morse peut atteindre 5 m de longueur pour un poids de 1,3 t chez le mâle (la femelle est plus petite).

Il se caractérise par ses grandes défenses, qui sont des canines. Elles lui servent dans les combats contre les autres mâles, mais aussi comme point d'appui quand il grimpe sur la glace. Le morse se nourrit surtout de mollusques et de crustacés. Sociable, il vit en colonies de plusieurs centaines d'individus.
La femelle met au monde un seul petit après une gestation de 15 à 16 mois.

2. morse n. m. Système de signaux composé de traits et de points, servant à envoyer des messages.

Le morse a longtemps été utilisé pour la transmission de messages codés. Dans la transmission qui peut se faire par signaux lumineux, sonores ou électriques, la durée du trait équivaut à la durée de trois points. Le SOS (appel de secours) correspond à 3 points 3 traits 3 points.

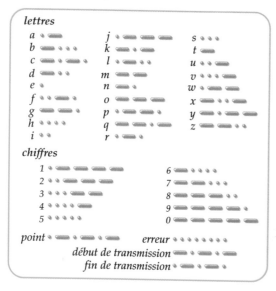

lettres

chiffres

point — *erreur* — *début de transmission* — *fin de transmission*

morsure n. f. → mordre.

mort, morte adj., n. et n. f.
• adj. *1* Qui n'est plus en vie. *Un chien mort a été retrouvé sous les décombres. 2* Qui manque d'activité, d'animation. *Ce quartier de bureaux est complètement mort le soir. 3 Langue morte :* langue qui ne se parle plus de nos jours.
Contraire : vivant (1, 2, 3).
• n. Personne qui a cessé de vivre. *On déplore plusieurs morts dans l'accident.*
• n. f. *1* Instant où la vie s'arrête définitivement. *Trouver la mort dans un terrible incendie. 2* Au figuré. Déclin ou disparition de quelque chose. *Dans cette région, la guerre a entraîné la mort du tourisme.*
Homonyme : mors.

mortadelle n. f. Gros saucisson d'origine italienne.

mortalité n. f. Nombre de personnes qui meurent, par rapport à une population ou une période.

Morte (mer)

Mer intérieure de l'ouest de l'Asie, située à la frontière entre la Jordanie et Israël. La mer Morte mesure 85 km de longueur pour une largeur moyenne de 17 km. Sa profondeur varie de 400 m dans le nord à une dizaine de mètres dans le sud. La mer Morte est alimentée par les eaux du fleuve Jourdain. Bien qu'elle n'ait pas d'évacuation, son niveau varie peu, car elle est soumise à une évaporation intense due au climat désertique. Les eaux de la mer Morte sont si salées que la vie y est impossible, à l'exception de quelques bactéries. Le corps humain y flotte aisément.

mortel, elle adj. *1* Qui doit fatalement mourir un jour. *Les hommes sont mortels. 2* Qui peut entraîner la mort. *Un poison mortel. 3* Qui est profondément ennuyeux. *Un dîner mortel où tout le monde s'ennuie.*
Contraire : immortel (1).

mortellement adv. *1* De façon à entraîner la mort. *Un soldat mortellement blessé. 2* Extrêmement, énormément. *S'ennuyer mortellement.*

mortier n. m. *1* Grand bol dans lequel on broie certaines substances ou certains aliments avec un pilon. *2* Mélange utilisé en maçonnerie, composé de sable, d'eau, de ciment ou de chaux. *Le maçon prépare le mortier. 3* Canon dont l'angle de tir est courbe.

mortifier v. → conjug. **modifier.** Humilier, vexer profondément. *Ces critiques sévères l'ont mortifié.*
  *L'équipe entière a subi une **mortification** après sa défaite en championnat,* elle a été mortifiée.

mort-né, mort-née adj. **Plur. : mort-nés, mort-nées.** Qui est mort en venant au monde. *Des chiots mort-nés.*

mortuaire adj. Qui concerne les morts ou les enterrements. *Couronnes mortuaires. Cérémonie mortuaire.*

morue n. f. Gros poisson des mers froides. *Quand elle est fraîche, la morue s'appelle aussi cabillaud.*

morve n. f. Liquide jaune et visqueux qui s'écoule du nez.
  *Un enfant **morveux**,* qui a la morve au nez.

mosaïque n. f. Assemblage de petits fragments de pierre ou de céramique de toutes les couleurs, et qui forme un dessin.

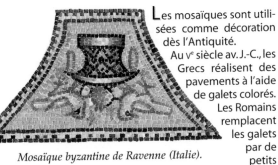

Les mosaïques sont utilisées comme décoration dès l'Antiquité.
Au Vᵉ siècle av. J.-C., les Grecs réalisent des pavements à l'aide de galets colorés. Les Romains remplacent les galets par de petits cubes de pierre et de verre colorés. L'art de la mosaïque atteint son sommet dans l'empire byzantin, puis en Italie.

Mosaïque byzantine de Ravenne (Italie).

Moscou

Capitale de la Russie située à l'ouest du pays sur les bords de la Moskova. Moscou est un centre économique, politique et culturel de première importance. Le secteur industriel est très développé, la ville étant également un grand port intérieur relié par des canaux à cinq mers : mer Baltique, mer Noire, mer Blanche, mer d'Azov et mer Caspienne. Moscou abrite les vestiges d'un riche passé historique et possède de nombreuses églises, dont la superbe Basile-le-Bienheureux (XVIᵉ siècle) située à côté du Kremlin. La vie artistique y est intense. Fondée au début du XIIᵉ siècle, la ville devient capitale religieuse de la Russie en 1326, puis capitale politique. Mais elle perd ce statut en 1715, le tsar Pierre le Grand lui préférant Saint-Pétersbourg.
Elle retrouve sa place prédominante en 1918, quand le gouvernement soviétique s'y installe. Moscou souffre actuellement de la misère et de la violence urbaine. La ville compte près de 9 millions d'habitants.

mosquée n. f. Édifice religieux qui est le lieu de culte des musulmans.

mot n. m. *1* Groupe de lettres qui a une signification. *Chercher le sens d'un mot dans un dictionnaire. Une phrase est composée de plusieurs mots. 2* Message très bref, dit ou écrit. *J'ai un mot à te dire. Envoyer un mot de félicitations. 3* Avoir le dernier mot : l'emporter sur les autres dans une discussion. *4* Avoir son mot à dire : avoir le droit d'exprimer son opinion. *5* Gros mot : mot grossier. *6* Mot à mot : sans modifier un seul mot. *Répéter mot à mot ce qu'on a entendu. 7* Se donner le mot : se mettre secrètement d'accord pour faire ou dire quelque chose.

motard, arde n. et n. m.
● n. Personne qui conduit une moto. *Les motards se rassemblent pour la course.*
Synonyme : motocycliste.
● n. m. Policier ou gendarme à moto.

motel n. m. Hôtel aménagé près des grandes routes et des autoroutes pour héberger les automobilistes.

moteur, trice adj., n. m. et n. f.
● adj. Qui produit ou communique un mouvement. *Les roues motrices d'une voiture.*
● n. m. Appareil conçu pour transformer une énergie en mouvement. *Le moteur est à l'avant de la voiture.*
● n. f. Véhicule muni d'un moteur qui permet la traction des rames de train, de métro.

motif n. m. *1* Raison qui justifie une action. *Avoir un motif valable pour s'absenter. 2* Modèle, sujet d'un tableau. *Prendre des fruits comme motif pour peindre une nature morte. 3* Dessin décoratif, souvent répété plusieurs fois. *Les motifs d'un papier peint.*

motion n. f. Texte proposé par un membre d'une assemblée pour être voté.

motiver v. → conjug. **aimer.** *1* Justifier une action en donnant un motif, une raison. *Motiver un choix, une décision. 2* Encourager quelqu'un à agir, le stimuler. *Ce succès l'a motivé pour continuer à bien travailler.*
    *La **motivation** lui a manqué pour aller au bout de son projet,* le fait d'être motivé (*2*).

moto n. f. Véhicule à moteur qui a deux roues.
« Moto » est l'abréviation de « motocyclette ».

motocross n. m. Course de motos sur un terrain accidenté.

motoculteur n. m. Petit engin à moteur utilisé pour certains travaux agricoles.

motocyclette n. f. Synonyme vieilli de moto.

motocycliste n. Synonyme vieilli de motard.

motorisé, ée adj. Qui utilise des véhicules à moteur. *Les troupes motorisées de la gendarmerie.*

motrice n. f. → **moteur.**

mots croisés n. m. plur. Jeu qui consiste à trouver des mots à partir de leur définition et à les inscrire dans les cases horizontales et verticales d'une grille.

motte n. f. *1* Petite masse de terre. *2* Gros morceau de beurre qui est vendu au détail.

motus ! interj. Familier. Utilisé pour demander à quelqu'un de garder le silence.
On prononce [mɔtys].

1. mou, molle adj. *1* Qui se déforme ou s'enfonce facilement quand on appuie dessus. *Ce canapé trop*

mou n'est pas confortable. **2** Qui manque d'énergie. *Un enfant mou et nonchalant.*
Contraires : actif (2), dur (1), dynamique (2), énergique (2). Homonymes : moue, moût. Au masculin, « mou » devient « mol » devant une voyelle ou un « h » muet.

> *Notre équipe a réagi* mollement *à l'attaque adverse,* de façon molle (**2**).

2. mou n. m. Poumon de certains animaux de boucherie. *Acheter du mou pour son chat.*
Homonymes : moue, moût.

mouchard, arde n. Personne qui dénonce quelqu'un. *Un mouchard a renseigné la police.*

> *Mon voisin de classe a* mouchardé *au directeur de l'école,* il a eu le rôle d'un mouchard.

mouche n. f. **1** Petit insecte très commun, qui a deux ailes. **2** Appât pour la pêche à la ligne. **3** *Faire mouche :* atteindre la cible visée. **4** *Prendre la mouche :* se mettre brusquement en colère.

> *Un* moucheron *est un tout petit insecte proche de la mouche.*

se moucher v. → conjug. **aimer.** Souffler par le nez pour le débarrasser des mucosités qui l'encombrent.

> *Un* mouchoir *est un petit carré de tissu ou de papier utilisé pour se moucher.*

moucheron n. m. → **mouche.**

moucheté, ée adj. Tacheté. *Un chien au pelage brun moucheté de blanc.*

mouchoir n. m. → **se moucher.**

moudre v. Réduire des grains en poudre en les écrasant. *Moudre du café.*

La conjugaison du verbe
MOUDRE 3ᵉ groupe

indicatif présent	**je mouds,**
	il ou elle moud,
	nous moulons,
	ils ou elles moulent
imparfait	**je moulais**
	nous moulions
futur	**je moudrai**
passé simple	**je moulus**
subjonctif présent	**que je moule**
conditionnel présent	**je moudrais**
impératif	**mouds, moulons,**
	moulez
participe présent	**moulant**
participe passé	**moulu**

---

moue n. f. Grimace faite en avançant les lèvres. *Une moue de mécontentement.*
Homonymes : mou, moût.

mouette n. f. Oiseau marin au plumage gris pâle et aux pattes palmées.

moufle n. f. Gros gant qui n'a une séparation que pour le pouce. *Ces moufles fourrées sont très chaudes.*

mouflon n. m. Mammifère ruminant sauvage qui vit dans les montagnes. *Le mouflon mâle porte des grandes cornes recourbées.*

mouiller v. → conjug. **aimer. 1** Imprégner d'eau ou d'un autre liquide. *Mouiller une éponge pour laver la table.* **2** Jeter l'ancre. *Le voilier a mouillé dans une crique déserte.*

> *Le bateau est arrivé au* mouillage *à 11 heures,* un endroit où il peut mouiller (**2**).

mouillette n. f. Morceau de pain qu'on trempe dans un œuf à la coque.

moulage n. m., **moulant, ante** adj. → **mouler.**

1. moule n. f. Mollusque marin comestible, à la coquille noire et allongée. *Les moules vivent fixées sur les rochers.*

2. moule n. m. Objet creux qui a une certaine forme, dans lequel on verse une substance qui prendra cette forme. *Un moule à cake.*

mouler v. → conjug. **aimer. 1** Reproduire une forme grâce à un moule. *Mouler une statue en plâtre.* **2** Suivre exactement les contours du corps. *Une robe très collante qui moule trop.*

> *En colonie de vacances, elle a appris à faire des* moulages, *des objets reproduits en moulant (1). Il porte un pantalon* moulant, *qui moule (2) le corps.*

moulin n. m. **1** Bâtiment équipé d'une meule pour moudre le grain et faire de la farine. **2** Petit appareil ménager, mécanique ou électrique, qui sert à moudre des aliments. *Un moulin à légumes, à poivre.*

Le moulin à eau est constitué d'une roue qui, entraînée par la force de l'eau, fait tourner un axe sur lequel sont fixées les meules devant écraser le grain. Il existe deux types de roues : la roue à aubes, qui permet d'utiliser la force du courant d'un cours d'eau, et la roue à augets (sortes de petits godets) employée dans les chutes d'eau. Aujourd'hui ces systèmes ont été abandonnés car leur rendement est trop faible.

Le moulin à vent est constitué d'ailes fixées sur un axe. Cet axe porte une roue dentelée qui, par un système de pignons, entraîne les meules devant broyer le grain. Les ailes, généralement au nombre de quatre, sont recouvertes de toile ou de fines lamelles de bois et mesurent 10 à 12 m de long. Les moulins à vent étaient construits en plaine, sur une colline ou une butte. Afin qu'ils soient toujours bien placés face au vent, le toit ou bien le moulin tout entier pouvaient pivoter.

La Hollande, pays plat et venté, comptait de nombreux moulins à vent.

Moulin Jean

Résistant français né en 1899 et mort en 1943. Jean Moulin est nommé préfet à Chartres en 1937. En juin 1940, pendant la Seconde Guerre mondiale, il refuse de coopérer avec l'occupant allemand et se rallie, à Londres, au général de Gaulle. Celui-ci le charge d'unifier les différents mouvements de la Résistance. En 1943, Moulin devient le premier président du Conseil national de la Résistance. Trahi en France, il est arrêté près de Lyon par la Gestapo. Il est torturé et décède pendant son transfert en Allemagne. En 1964, sa dépouille est déposée au Panthéon. Malgré de nombreuses enquêtes, on ne connaît toujours pas l'identité de celui ou de ceux qui l'ont dénoncé.

moulinet n. m. Bobine équipée d'une manivelle qui permet de dérouler et d'enrouler le fil d'une canne à pêche.

Moulins (Maître de) → **Maître de Moulins.**

Moulins

Ville française de la Région Auvergne, située sur les bords de l'Allier. Moulins est un centre administratif et commercial régional qui a développé quelques industries. La cathédrale Notre-Dame (XVe-XVIe et XIXe siècles) renferme le célèbre tryptique du Maître de Moulins, *la Vierge en gloire* (début du XVIe siècle). Du vieux château des ducs de Bourbon (XIVe siècle), seul subsiste le donjon, surnommé la Mal-coiffée.

Moulins doit son nom aux nombreux moulins à eau construits sur le long de l'Allier. Résidence des ducs de Bourbon au XIVe siècle, la ville est rattaché au royaume de France au XVIe siècle.

03 *Préfecture de l'Allier*
22 667 habitants : les Moulinois

moulu, ue adj. Qui a été réduit en poudre. *Acheter du café moulu.*

moulure n. f. Ornement décoratif en creux ou en relief. *Ce vieil appartement a des moulures sur les murs et au plafond.*

mourir v. *1* Cesser de vivre. *Ce vieux monsieur est mort centenaire.* *2* Cesser d'exister, disparaître peu à peu. *Laisser mourir le feu dans la cheminée.* *3* Mourir de soif, de faim : avoir très soif, très faim.

Ce blessé est ***mourant****, il est en train de mourir (1).*

La conjugaison du verbe MOURIR 3e groupe

indicatif présent	**je meurs, il ou elle meurt, nous mourons, ils ou elles meurent**
imparfait	**je mourais nous mourions**
futur	**je mourrai**
passé simple	**je mourus**
subjonctif présent	**que je meure**
conditionnel présent	**je mourrais**
impératif	**meurs, mourons, mourez**
participe présent	**mourant**
participe passé	**mort**

mouron n. m. Petite plante des prés à toutes petites fleurs.

mousquetaire n. m. Gentilhomme à cheval et armé, qui était chargé de la garde du roi.

Les mousquetaires doivent leur nom au fait qu'ils sont armés d'un mousqueton (pistolet). La première compagnie de mousquetaires est créée en 1622 par le roi Louis XIII, la seconde par Richelieu en 1660. Sous Louis XIV, ils portent un uniforme, bordé d'or pour la première compagnie, d'argent pour la seconde. Le célèbre roman d'Alexandre Dumas *les Trois Mousquetaires* (1844) est librement inspiré de la vie du comte gascon d'Artagnan, mousquetaire de Louis XIII.

mousqueton n. m. Crochet métallique à ressort en forme de boucle. *Les alpinistes utilisent des mousquetons pour l'escalade.*

1. mousse n. f. *1* Petites bulles serrées. *Se rincer les mains pour retirer la mousse du savon.* *2* Matière spongieuse en caoutchouc. *Acheter de la mousse pour fabriquer un coussin.* *3* Dessert léger à base de blancs d'œufs en neige. *Une mousse au citron, au chocolat.* *4* Plante aux tiges très courtes et serrées qui recouvre les sols humides. *La mousse forme un tapis moelleux dans les sous-bois.*

Le champagne, la bière, le cidre sont des boissons qui *moussent*, qui font de la mousse (*1*). Je viens d'acheter un produit *moussant* pour le bain, qui mousse. Le vieux banc *moussu* au fond du jardin, couvert de mousse (*4*).

2. mousse n. m. Jeune apprenti marin.

mousseline n. f. Tissu très léger et transparent. *Une robe en mousseline de soie.*

mousser v. → **mousse 1**.

mousseron n. m. Petit champignon des prés. *Le mousseron est comestible.*

mousseux, euse adj. et n. m.
• adj. Qui fait de la mousse, des bulles. *Une bière mousseuse.*
• n. m. Vin qui mousse et pétille comme le champagne. *J'aurais préféré boire du cidre plutôt que du mousseux.*

mousson n. f. Vent saisonnier qui souffle en Asie, en particulier en Inde. *La mousson d'été souffle de la mer vers la terre et apporte de fortes pluies, la mousson d'hiver souffle de la terre vers la mer.*

moussu, ue adj. → **mousse 1**.

moustache n. f. *1* Ensemble des poils qui poussent entre la lèvre supérieure et le nez. *Il porte une grosse moustache.* *2* Au pluriel. Longs poils du museau de certains animaux. *Les moustaches du chat.*

Le maire est un homme barbu et *moustachu*, qui porte une moustache (*1*).

moustique n. m. Insecte ailé qui vit dans les lieux humides et qui pique. *Il a des boutons dus à des piqûres de moustique.*

L'été, dans le Midi, on utilise une *moustiquaire*, une sorte de rideau qui sert à se protéger des moustiques.

C'est la femelle du moustique qui pique pour sucer le sang. Le mâle, lui, se nourrit de la sève des plantes. Certains moustiques transmettent le paludisme, d'autres la fièvre jaune.

moût n. m. Jus de raisin qui sort du pressoir et qu'on n'a pas encore fait fermenter.
Homonymes : mou, moue.

moutarde n. f. *1* Plante qui porte des grappes de fleurs jaunes. *2* Condiment piquant fabriqué avec les graines de cette plante.

mouton n. m. *1* Mammifère domestique ruminant au poil frisé très épais. *Le berger garde son troupeau de moutons.* *2* Viande de mouton. *Un ragoût de mouton.* *3* Au pluriel. Petites vagues qui forment de l'écume. *4* Au pluriel. Petits nuages qui ressemblent à des flocons. *5* Au pluriel. Amas de poussière. *Il y a des moutons sous la commode.*

mouture n. f. Produit en poudre obtenu après avoir moulu des grains. *Mouture de blé. Mouture de café.*

mouvant, ante adj. *Sables mouvants :* sables très humides dans lesquels on s'enfonce.

mouvement n. m. *1* Geste qu'on fait en bougeant son corps ou une partie de son corps. *Faire des mouvements d'assouplissement.* *2* Fait de changer de place ou de position. *Le mouvement des planètes.* *3* Déplacement de personnes ou de véhicules. *Surveiller le mouvement des troupes ennemies.* *4* Réaction impulsive. *Provoquer un mouvement d'indignation.* *5* Groupe organisé en vue d'un objectif. *Militer dans un mouvement politique.* *6* Partie d'une œuvre musicale. *Le premier mouvement d'une sym-*

phonie. **7** Mécanisme qui fait fonctionner un instrument ou une machine. *Le mouvement d'une pendule.*

mouvementé, ée adj. Agité ou troublé par des aventures inattendues, des imprévus. *Une séance mouvementée au Sénat.*

mouvoir v. **1** Faire fonctionner ou mettre en action. *Les éoliennes sont mues par la force du vent.* **2** Se mouvoir : bouger, faire des mouvements. *Se mouvoir difficilement avec une jambe plâtrée.*

La conjugaison du verbe
MOUVOIR 3ᵉ groupe

indicatif présent	**je meus,**
	il ou elle meut,
	nous mouvons,
	ils ou elles meuvent
imparfait	**je mouvais**
	nous mouvions
futur	**je mouvrai**
passé simple	**je mus**
subjonctif présent	**que je meuve**
conditionnel présent	**je mouvrais**
impératif	**meus, mouvons,**
	mouvez
participe présent	**mouvant**
participe passé	**mû**

---

1. moyen, enne adj. **1** Qui se situe entre deux extrêmes en taille, en valeur, en quantité. *Dans cette école, le nombre moyen des élèves par classe est de 25.* **2** Qui n'est ni très bon ni très mauvais. *Un élève très moyen en français.* **3** Qui est obtenu en calculant une moyenne. *Le prix moyen du mètre carré varie selon les quartiers de la ville.* **4** Cours moyen : chacune des deux classes qui suivent le cours élémentaire.

 Cet élève travaille très *moyennement*, de façon moyenne (**2**), ni très bien ni très mal.

2. moyen n. m. **1** Ce qui permet de parvenir à un but. *Trouver un moyen pour convaincre. Choisir le train comme moyen de transport.* **2** Au moyen de : grâce à, à l'aide de. *Retirer une vis au moyen d'un tournevis.* **3** Au pluriel. Ressources qui permettent de vivre. *Avoir les moyens de partir en vacances.* **4** Au pluriel. Capacités, qualités intellectuelles ou physiques. *Sa maladie lui a fait perdre une partie de ses moyens.*

Moyen Âge n. m. Période de l'histoire qui s'étend du vᵉ au xvᵉ siècle.

 Un style moyenâgeux, qui date du Moyen Âge ou y fait penser.

Jusqu'au XIIIᵉ siècle, la société du Moyen Âge s'organise autour de trois groupes : les paysans, les religieux et les seigneurs guerriers. Les siècles suivants voient se développer villes, échanges et commerces. ***Regarde p. 720 et 721.***

moyennant prép. En échange de. *Travailler moyennant un salaire.*

moyenne n. f. **1** Moitié de la note maximale. *Avoir juste la moyenne, c'est-à-dire 10 sur 20.* **2** Vitesse obtenue en divisant la distance parcourue par le temps qu'il a fallu pour la parcourir. *Mettre deux heures à pied pour faire 10 km, c'est faire une moyenne de 5 km à l'heure.* **3** Opération mathématique consistant à additionner plusieurs quantités et à diviser le total obtenu par le nombre de quantités. *Ses trois notes en français sont 16, 12 et 14 ; il calcule sa moyenne : $16 + 12 + 14 = 42$, soit 14 de moyenne.*

moyennement adv. → moyen 1.

moyeu n. m. **Plur. : des moyeux.** Partie centrale de la roue d'un véhicule.
On prononce [mwajø].

Mozambique

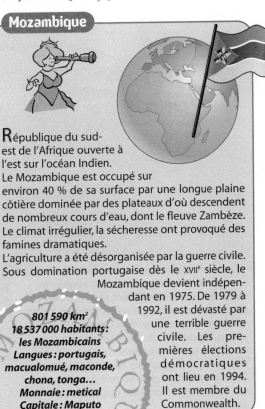

République du sud-est de l'Afrique ouverte à l'est sur l'océan Indien.
Le Mozambique est occupé sur environ 40 % de sa surface par une longue plaine côtière dominée par des plateaux d'où descendent de nombreux cours d'eau, dont le fleuve Zambèze. Le climat irrégulier, la sécheresse ont provoqué des famines dramatiques.
L'agriculture a été désorganisée par la guerre civile. Sous domination portugaise dès le XVIIᵉ siècle, le Mozambique devient indépendant en 1975. De 1979 à 1992, il est dévasté par une terrible guerre civile. Les premières élections démocratiques ont lieu en 1994. Il est membre du Commonwealth.

801 590 km²
18 537 000 habitants :
les Mozambicains
Langues : portugais,
macualomué, maconde,
chona, tonga…
Monnaie : metical
Capitale : Maputo

le Moyen Âge

Le Moyen Âge est la période qui s'étend du ve au xve siècle. Ce millénaire a profondément modifié l'Europe occidentale.

les débuts du Moyen Âge

Du ve siècle jusque vers l'an mil, l'Europe subit guerres et invasions. Des rois comme Clovis, Pépin le Bref, Charlemagne constituent de grands États vite partagés entre leurs successeurs. L'époque est dominée par la misère, l'ignorance et l'insécurité.

Charlemagne.

le monde féodal

À partir de l'an mil, le régime féodal s'impose peu à peu : les seigneurs du nord, propriétaires des terres, sont les employeurs et les protecteurs des paysans qui leur doivent des impôts, des corvées et une parfaite obéissance. Ils prennent à leur service d'autres chevaliers moins puissants, les vassaux, qui font serment de fidélité à leur suzerain. Avec eux, ils chassent, font la guerre à d'autres seigneurs et vivent dans leurs châteaux forts.

Les troubadours sont conviés dans les châteaux.

l'apogée de la civilisation médiévale

Du xie au xiie siècle la population augmente, les techniques s'améliorent et se diffusent : charrues à soc de fer, moulins à eau et à vent, attelages plus puissants grâce au collier d'épaule pour les chevaux. On défriche de nouvelles terres, le commerce s'accroît et donne lieu à de grandes foires. De puissants États se créent, l'Église accroît son pouvoir et son influence sur la vie quotidienne des hommes.

l'Église souveraine

Propriétaire de vastes domaines, financée par les dîmes et les aumônes, appuyée sur un clergé séculier (les évêques et les curés) et régulier (les moines) de plus en plus nombreux, l'Église est la première puissance de la société médiévale, à qui elle inspire ses idéaux. Elle multiplie la construction d'édifices religieux, chapelles, églises, cathédrales, dominés d'abord par le style roman, puis, à partir de la fin du XIIᵉ siècle, par le style gothique plus élancé.

On lui doit la création des premiers hôpitaux, appelés alors hôtels-Dieu, des universités, et une grande part des chefs-d'œuvre artistiques du Moyen Âge.

les villes et la bourgeoisie

Les artisans et les commerçants qui peuplent les villes profitent des conflits entre les seigneurs et l'Église pour réclamer leur autonomie avec l'appui du roi. Organisés en corporations de métiers, ils prennent en main l'administration des villes, qui s'agrandissent et se protègent par de solides remparts. Les progrès de l'industrie et du commerce donnent aux bourgeois une influence croissante dans les affaires du royaume.

Une rue commerçante au XVᵉ siècle.

la fin du Moyen Âge

Calamités, guerres entre grands États et épidémies comme la Peste Noire de 1348 font du XIVᵉ et du XVᵉ siècle une époque terrible. Elle est aussi marquée en France par les jacqueries, révoltes paysannes durement réprimées, et la guerre de Cent Ans qui oppose les troupes anglaises et françaises de 1337 à 1453.

Mozart

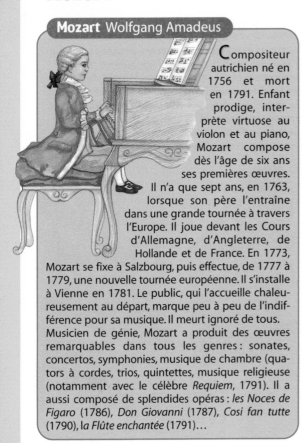

Mozart Wolfgang Amadeus

Compositeur autrichien né en 1756 et mort en 1791. Enfant prodige, interprète virtuose au violon et au piano, Mozart compose dès l'âge de six ans ses premières œuvres. Il n'a que sept ans, en 1763, lorsque son père l'entraîne dans une grande tournée à travers l'Europe. Il joue devant les Cours d'Allemagne, d'Angleterre, de Hollande et de France. En 1773, Mozart se fixe à Salzbourg, puis effectue, de 1777 à 1779, une nouvelle tournée européenne. Il s'installe à Vienne en 1781. Le public, qui l'accueille chaleureusement au départ, marque peu à peu de l'indifférence pour sa musique. Il meurt ignoré de tous.

Musicien de génie, Mozart a produit des œuvres remarquables dans tous les genres : sonates, concertos, symphonies, musique de chambre (quators à cordes, trios, quintettes, musique religieuse (notamment avec le célèbre *Requiem*, 1791). Il a aussi composé de splendides opéras : *les Noces de Figaro* (1786), *Don Giovanni* (1787), *Cosi fan tutte* (1790), *la Flûte enchantée* (1791)…

mozzarelle n. f. Fromage à pâte molle d'origine italienne.
On prononce [mɔdzarɛl].

mucosité n. f. Liquide visqueux et épais produit par une muqueuse, en particulier celle du nez.

mucoviscidose n. f. Maladie génétique causée par un excès de mucosités dans les bronches, qui provoque de graves troubles respiratoires.

mue n. f. *1* Fait de muer pour certains animaux. *2* Moment de la puberté où les adolescents muent, où leur voix devient plus grave.

muer v. → conjug. **aimer.** *1* Pour certains animaux, changer de pelage ou de plumage. *2* Changer de timbre de voix, qui devient plus grave. *Les garçons muent au moment de la puberté.*

muet, muette adj. et n.
• adj. et n. Qui ne peut pas avoir l'usage de la parole. *Les muets communiquent en faisant des gestes avec les mains. Il est muet depuis son accident.*
• adj. *1* Qui ne veut pas parler ni s'exprimer. *L'accusé*

est resté muet pendant toute l'audience. *2* Se dit d'une lettre qui est écrite mais qu'on ne prononce pas. *Le « e » de porte est un « e » muet. 3* Se dit d'un film qui n'a pas de paroles.

muezzin n. m. Religieux musulman qui appelle les fidèles à la prière du haut du minaret.
On prononce [myɛdzin].

mufle n. m. *1* Extrémité du museau de certains mammifères. *2* Familier. Personne grossière, sans éducation. *Ce mufle ne dit jamais bonjour.*
> Manifester une certaine **muflerie**, l'attitude grossière d'un mufle (*2*).

muflier n. m. Gueule-de-loup.

mugir v. → conjug. **finir.** *1* Pousser son cri, quand il s'agit des bovins. *2* Produire un son sourd et prolongé. *Il doit y avoir un feu, on entend les sirènes mugir.*
Synonymes : beugler (*1*), meugler (*1*).

mugissement n. m. *1* Cri des bovins. *2* Bruit sourd et prolongé. *J'entends le mugissement du vent dans les arbres.*
Synonymes : beuglement (*1*), meuglement (*1*).

muguet n. m. Petite fleur des bois, aux clochettes blanches et parfumées. *Cueillir des brins de muguet.*

mulâtre n. Personne métisse née d'un parent noir et d'un parent blanc.

1. mule n. f. Animal femelle né du croisement d'un âne et d'une jument.

2. mule n. f. Sorte de pantoufle qui laisse le talon libre.

1. mulet n. m. Animal mâle né du croisement d'un âne et d'une jument. *Le mulet est un animal stérile.*

2. mulet n. m. Poisson de mer allongé et comestible. *Les mulets vivent en bancs près des côtes.*

muletier adj. m. *Chemin muletier :* petit chemin à flanc de montagne, très étroit et escarpé.

mulot n. m. Petit rat des champs et des bois, qui vit dans un terrier.

multi– préfixe. Signifie « plusieurs » : *multicolore, multicoque.*

multicolore adj. Qui a des couleurs variées. *Le clown porte un costume multicolore.*
Contraire : uni.

multicoque n. m. Voilier qui a plusieurs coques.

multimédia n. m. Technique qui permet, grâce à l'électronique, de présenter des documents et des informations sous forme de textes, d'images et de sons. *Acheter un cédérom au rayon du multimédia.*

multiple adj. et n. m.
• adj. Divers et nombreux. *Un livre qui comporte de multiples illustrations.*
• n. m. Nombre entier qui contient plusieurs fois un autre nombre entier. *8 est un multiple de 4 et de 2.*

multiplicande n. m. Nombre que multiplie un autre nombre. *Dans la multiplication 10 × 8, 10 est le multiplicande.*

multiplicateur n. m. Nombre qui en multiplie un autre. *Dans la multiplication 10 × 8, 8 est le multiplicateur.*

multiplication n. f. *1* Une des quatre opérations d'arithmétique qui consiste à calculer le produit d'un nombre ajouté plusieurs fois à lui-même. *8 × 5 × 40 est une multiplication.* *2* Au figuré. Augmentation en nombre. *Le verglas a entraîné une multiplication des accidents.*
Regarde page suivante.

multiplier v. → conjug. **modifier.** *1* Faire une multiplication. *En multipliant sept par cinq, on obtient trente-cinq (7 × 5 = 35).* *2* Au figuré. Augmenter le nombre ou la quantité de quelque chose. *Multiplier les fautes d'orthographe par manque d'attention.*

multitude n. f. Très grand nombre de personnes ou de choses. *Avoir une multitude de cadeaux à Noël.*

muni, ie adj. Équipé d'un élément nécessaire ou supplémentaire. *Une valise munie de roulettes.*

municipalité n. f. Division administrative dirigée par des représentants élus, qui sont le maire et les conseillers municipaux.
*Son père est employé **municipal**, il travaille pour la municipalité.*

se munir v. → conjug. **finir.** Prendre avec soi. *Il faut se munir de vêtements imperméables pour faire de la voile.*

munitions n. f. pl. Ce qui est nécessaire pour charger une arme à feu. *Les cartouches, les balles, les obus sont des munitions.*

munster n. m. Fromage fabriqué dans les Vosges avec du lait de vache.
On prononce [mœstɛr].

muqueuse n. f. Membrane très fine qui recouvre un organe et sécrète des mucosités.

mur n. m. *1* Construction verticale qui sert de clôture ou qui soutient un bâtiment. *Les murs de cette maison sont en brique.* *2* Cloison intérieure qui sépare les pièces d'une habitation. *Les murs du salon sont peints en blanc.* *3* Mur du son : pour un avion, vitesse du son.
Homonymes : mûr, mûre.

*Des **murailles** entourent la propriété,* de hauts murs épais. *Un panneau **mural**,* qui se fixe au mur. ***Murer** les ouvertures d'un immeuble pour éviter les squatteurs,* c'est les boucher par un mur ou une maçonnerie. *Un **muret** sépare les deux jardins,* un petit mur.

mûr, mûre adj. *1* Qui a atteint un stade de développement complet. *Attendre que les fruits soient mûrs pour les cueillir.* *2* Qui a fini de se développer, physiquement et intellectuellement. *Un homme d'âge mûr.* *3* Dont le jugement est réfléchi et sage. *Cette jeune fille est très mûre pour son âge.*
Homonymes : mur, mûre.

muraille n. f., **mural, ale, aux** adj. → mur.

mûre n. f. Petit fruit noir et comestible poussant sur des ronces.
Homonymes : mur, mûr.

mûrement adv. Très longtemps et soigneusement. *Une décision mûrement réfléchie.*

murène n. f. Poisson au corps mince et long, sans écailles. *La murène est très vorace.*

murer v., **muret** n. m. → mur.

murex n. m. Mollusque qui vit dans les mers chaudes dont on tirait autrefois un colorant, la pourpre.

mûrier n. m. Arbre cultivé pour ses feuilles qui servent de nourriture aux vers à soie.

Murillo Bartolomé Esteban

Peintre espagnol né en 1618 et mort en 1682. Murillo rencontre le succès grâce à onze toiles réalisées entre 1645 et 1646 pour le cloître du couvent des Franciscains de Séville. Le thème religieux marque une grande partie de son œuvre (*la Vierge au chapelet*). Sa peinture, assez sombre à ses débuts, s'éclaire peu à peu. On lui doit aussi des portraits et plusieurs tableaux représentant les enfants des rues (*les Mangeurs de pastèques et de raisins, le Jeune Mendiant*).
Peintre de la sensibilité et de la douceur, il est un représentant de l'art de Séville du XVIIe siècle.

Le Jeune Mendiant

multiplication

LA MULTIPLICATION

La multiplication est une opération qui consiste à calculer le produit de deux nombres.

■ La multiplication peut remplacer l'addition lorsque les quantités à additionner sont égales.
$$18 + 18 + 18 + 18 + 18 + 18 + 18 + 18 = 18 \times 8 = 144$$
On dit que 144 est le produit de 18 (le **multiplicande**) par 8 (le **multiplicateur**).

■ La multiplication possède trois propriétés :
- elle est **commutative**, c'est-à-dire que le résultat ne change pas si l'on modifie l'ordre des termes :
$$18 \times 8 = 8 \times 18 = 144$$
- elle est **associative**, c'est-à-dire qu'on peut écrire :
$$18 \times 8 = (6 \times 3) \times 8 = 6 \times (3 \times 8) = 6 \times 24 = 144$$
- elle est **distributive** par rapport à l'addition, c'est-à-dire qu'on peut écrire :
$$18 \times 8 = (10 + 8) \times 8 = (10 \times 8) + (8 \times 8) = 80 + 64 = 144$$

■ **Pour multiplier par 10, 100, 1 000, 10 000…**
On écrit à droite du multiplicande autant de zéros qu'il y en a au multiplicateur.
$$18 \times 10 = 180 \quad 18 \times 100 = 1\,800 \quad 18 \times 1\,000 = 18\,000 \quad 18 \times 10\,000 = 80\,000$$

■ **Pour multiplier par 20, 30, 40, 50, 60, 70, 80, 90 ; par 200, 300, 400… ; par 2 000, 3 000, 4 000…**
On multiplie par 2, 3, 4, 5, 6, 7, 8, 9, et l'on écrit à droite du produit autant de zéros qu'il y en a au multiplicateur.

$18 \times 20 = 360$	$18 \times 30 = 540$	$18 \times 40 = 720$
$18 \times 200 = 3\,600$	$18 \times 300 = 5\,400$	$18 \times 400 = 7\,200$
$18 \times 2\,000 = 36\,000$	$18 \times 3\,000 = 54\,000$	$18 \times 4\,000 = 72\,000$

■ **Pour multiplier des nombres entiers**

```
            213                    532
          ×  24                  × 204
213 × 4     852        532 × 4    2 128
213 × 20   4 260       532 × 200 106 400
          5 112                  108 528
```

■ **Pour multiplier des nombres décimaux**

```
       18,4                  3,07
     ×  3,2                ×  4,32
       368                   614
       552                   921
      58,88                 1228
                          13,2624
```

- On effectue l'opération sans s'occuper des virgules, on compte le nombre total de chiffres après les virgules au multiplicande et au multiplicateur, on place la virgule au produit.
- Pour multiplier un nombre décimal par 10, 100, 1 000… on déplace la virgule d'autant de rangs vers la droite qu'il y a de zéros au multiplicateur.
$$18,25 \times 10 = 182,5 \quad 18,25 \times 100 = 1\,825$$
$$18,25 \times 1\,000 = 18\,250$$

La table de Pythagore

1	2	3	4	5	6	7	8	9
2	4	6	8	10	12	14	16	18
3	6	9	12	15	18	21	24	27
4	8	12	16	20	24	28	32	36
5	10	15	20	25	30	35	40	45
6	12	18	24	30	36	42	48	54
7	14	21	28	35	42	49	56	63
8	16	24	32	40	48	56	64	72
9	18	27	36	45	54	(63)	72	81

Le résultat de la multiplication se trouve à l'intersection des lignes portant les deux nombres.

mûrir v. ➜ conjug. **finir.** *1* Devenir mûr. *Attendre que les raisins mûrissent pour commencer les vendanges.* *2* Devenir plus sage et plus réfléchi avec l'expérience. *Elle a mûri grâce à ses voyages.* *3* Élaborer avec soin, mettre au point. *Mûrir longuement un projet.*

murmure n. m. *1* Faible bruit de voix, confus et sourd. *Il doit y avoir des gens à la porte, j'entends des murmures.* *2* Protestation ou plainte. *Un murmure désapprobateur.*
Synonyme : chuchotement (1).

murmurer v. ➜ conjug. **aimer.** *1* Dire tout bas, chuchoter. *Il a murmuré quelque chose d'inaudible.* *2* Manifester à voix basse son mécontentement. *Les élèves ont murmuré en apprenant les sanctions.*

musaraigne n. f. Petit mammifère insectivore au museau pointu, proche de la souris.

musarder v. ➜ conjug. **aimer.** Flâner, perdre son temps à des riens. *Musarder au soleil, sans rien faire.*

musc n. m. Substance à odeur très forte, produite par certains animaux, utilisée pour faire des parfums.

muscade n. f. Graine du fruit d'un arbuste tropical qu'on utilise comme condiment. *Râper un peu de muscade (ou de noix de muscade) pour parfumer un plat.*

muscat n. m. *1* Variété de raisin très parfumé. *2* Vin doux fabriqué avec ce raisin et servi en apéritif.

muscle n. m. Organe constitué de fibres, qui se contracte et permet le mouvement de certaines parties du corps.
　　Un sportif est le plus souvent très musclé, a les muscles très développés. Se faire une déchirure musculaire, qui concerne un muscle. La musculature d'un athlète, c'est l'ensemble de ses muscles. Faire de la musculation, des exercices pour développer ses muscles.
Regarde ci-dessous.

les muscles

Le corps humain compte environ 650 muscles. Ils représentent plus de la moitié du poids du corps.

records

Le plus grand muscle du corps est le grand fessier ; le plus petit, celui qui commande l'étrier, un petit os de l'oreille interne.

trois catégories

On distingue trois sortes de muscles :
■ **Les muscles striés.** Ils sont attachés aux os par les tendons ; ils réalisent les mouvements volontaires.
■ **Les muscles lisses.** Ils se trouvent dans la paroi des organes. Leurs contractions se font de façon involontaire, sans intervention consciente de notre part.
■ **Le muscle cardiaque.** Il forme le cœur. C'est un muscle creux dont les contractions se font elles aussi de façon automatique.

Les muscles qui fonctionnent par opposition (flexion, extension) sont dits antagonistes.

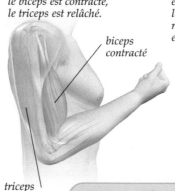

Lorsque le bras est en flexion, le biceps est contracté, le triceps est relâché.

biceps contracté

triceps relâché

Lorsque le bras est en extension, le biceps est relâché, le triceps est contracté.

triceps contracté

biceps relâché

La crampe est la contraction involontaire d'un muscle ; elle est souvent douloureuse.

Clio
(histoire).

Thalie
(comédie).

Érato
(élégie).

Euterpe
(musique).

Polymnie
(poésie).

Calliope
(éloquence).

Terpsichore
(danse).

Uranie
(astronomie).

Melpomène
(tragédie).

muse n. f. *1* Se dit d'une femme qui inspire un artiste. *2* Avec une majuscule. Divinité de la mythologie grecque.
Regarde ci-dessus.

museau n. m. **Plur. : des museaux.** Partie antérieure de la tête de certains animaux comprenant le nez et la gueule. *Le chat a trempé son museau dans un grand bol de lait.*

musée n. m. Bâtiment où sont rassemblés des collections d'œuvres d'art ou des objets présentant un intérêt historique ou scientifique. *Visiter un musée des arts et traditions populaires.*

museler v. → conjug. **jeter.** Mettre un appareil autour du museau d'un animal pour l'empêcher de mordre. *Les chiens dangereux doivent être muselés.*
*Ce chien dangereux porte une **muselière**, un appareil servant à le museler.*

musette n. f. *1* Sac de toile porté en bandoulière. *Les pêcheurs ont chacun leur musette avec leurs provisions. 2 Bal musette :* petit bal populaire où l'on danse au son de l'accordéon.

muséum n. m. Musée consacré aux sciences naturelles. *Les salles du muséum ont été rénovées.*
On prononce [myzɛɔm].

musical, ale, aux adj. → **musique.**

music–hall n. m. **Plur. : des music-halls.** Établissement où se donnent des spectacles de variétés.
Mot anglais qui se prononce [mysikol].

musique n. f. Art de combiner les sons de façon harmonieuse, en suivant certaines règles.
*Apprécier la qualité **musicale** d'un film,* celle qui concerne la musique. *Les **musiciens** sont les personnes qui composent ou qui jouent de la musique.*

L'histoire de la musique se confond avec celle des civilisations.
Regarde p. 728 et 729.

Les neuf Muses sont les filles de Zeus et de Mnémosyne (la Mémoire). Inspiratrices des intellectuels et des artistes, elles ont chacune une attribution.

Musset Alfred de

É crivain français né en 1810 et mort en 1857. Musset fréquente les salons littéraires, où il rencontre Victor Hugo, Alfred de Vigny et Prosper Mérimée. Il publie avec succès son premier recueil de vers, *Contes d'Espagne et d'Italie,* en 1830. En 1833, il rencontre l'écrivain George Sand. Leur liaison dure peu, mais marque l'écrivain : le roman *la Confession d'un enfant du siècle* (1836), inspiré de sa vie, témoigne du tourment provoqué par la passion amoureuse. Musset est aussi l'auteur de plusieurs pièces de théâtre, dont *les Caprices de Marianne* (1833), *Lorenzaccio* (1834) et *On ne badine pas avec l'amour* (1834). Il est élu à l'Académie française en 1852.

Mussolini Benito

H omme politique italien né en 1883 et mort en 1945. Avant la Première Guerre mondiale, Mussolini est un militant socialiste qui s'oppose à la guerre. Exclu du parti socialiste en 1914, il fonde un journal, *Il Popolo d'Italia,* qui va devenir le quotidien du parti fasciste. Il entraîne dans son mouvement la bourgeoisie, l'armée et la police. Il conduit en 1922 une « marche sur Rome » et devient chef du gouvernement. Il obtient rapidement les pleins pouvoirs et crée un État fasciste, fondé sur la dictature d'un parti unique. Lors de la Seconde Guerre mondiale, il s'allie à Hitler. Mais l'Italie subit de nombreuses défaites et il doit démissionner. Arrêté en juillet 1945, il est fusillé par des partisans italiens.

musulman, ane adj. et n.
● adj. Qui concerne l'islam. *La religion musulmane est fondée sur le Coran.*
● n. Personne qui pratique l'islam. *Les musulmans vont prier à la mosquée.*

mutant, ante n. *1* Être vivant qui a subi une ou plusieurs mutations. *2* Héros imaginaire de la science-fiction qui pourrait apparaître après une mutation de l'espèce humaine.

mutation n. f. *1* Modification des caractères génétiques d'un être vivant. *2* Grande transformation, profonde évolution. *Une industrie en pleine mutation.* *3* Changement de lieu de travail, d'affectation. *Obtenir sa mutation à Paris.*
    *Notre instituteur veut **être muté** en province,* il veut obtenir sa mutation (*3*) en province.

mutiler v. → conjug. **aimer.** Rendre handicapé ou infirme à la suite de l'amputation d'un ou de plusieurs membres. *Être mutilé par un éclat d'obus.*
    *Les **mutilés** de guerre touchent une pension,* les personnes qui ont été mutilées.

mutin n. m. Personne qui se révolte, avec d'autres, contre une autorité. *Les mutins ont pris les gardiens de la prison en otage.*
    *Une **mutinerie** a éclaté,* une révolte collective organisée par des mutins. *Les prisonniers **se sont mutinés**,* ont organisé une mutinerie.

mutisme n. m. Attitude d'une personne qui reste silencieuse, qui refuse de parler.

mutuel, elle adj. et n. f.
● adj. Qui s'échange entre deux ou plusieurs personnes. *Une amitié mutuelle.*
Synonyme : réciproque.
● n. f. Association d'entraide qui offre à ses adhérents un système d'assurance. *Cotiser à une mutuelle pour être mieux remboursé en cas de maladie.*

*S'aider **mutuellement**,* de façon mutuelle, réciproquement. *Un **mutualiste** est un membre d'une mutuelle.*

mycélium n. m. Filaments souterrains qui servent de racines aux champignons.
On prononce [miseljɔm].

mycologie n. f. Étude des champignons.

mycose n. f. Maladie de la peau provoquée par des champignons microscopiques.

mygale n. f. Grosse araignée des pays chauds.

Les mygales sont des araignées au corps velu, dont les plus grandes dépassent 20 cm d'envergure pattes comprises. Elles possèdent deux puissants crochets à l'avant du corps pour mordre leurs proies (insectes, araignées, voire petits amphibiens et oiseaux). Leur morsure est douloureuse pour l'homme, mais pas mortelle.
Certaines espèces nichent dans des galeries creusées dans le sol et obturées par des fils de soie. Les femelles pondent de 50 à 2 000 œufs à l'intérieur d'un cocon.

myopathie n. f. Maladie très grave qui empêche le fonctionnement des muscles.
    *Un **myopathe** est atteint de myopathie.*

myopie n. f. Trouble de la vision qui empêche de voir nettement ce qui est loin. *Porter des lunettes pour corriger sa myopie.*
    *Une personne **myope** est atteinte de myopie.*

myosotis n. m. Plante des lieux humides, aux petites fleurs bleues.
On prononce [mjɔzɔtis].

Myanmar

République d'Asie, ex-Birmanie, ouverte sur le golfe du Bengale et bordée par l'Inde à l'ouest, la Chine au nord-est, le Laos et la Thaïlande au sud. Le Myanmar a un climat de mousson. Le nord est montagneux.
Le bassin du fleuve Irrawaddy, qui traverse le pays dans presque toute sa longueur, est fertile ; c'est là que les Birmans cultivent le riz. Le teck, bois précieux, représente une grande partie des exportations. Mais le Myanmar reste pauvre car la plupart des ses ressources naturelles ne sont pas exploitées. Le régime dictatorial, la production et le trafic illégal de drogue nuisent à l'image du pays et à son développement.

676 580 km²
48 852 000 habitants : les Birmans
Langues : birman, anglais, dialectes
Monnaie : kyat
Capitale : Rangoon

la musique

L'histoire de la musique est liée à l'histoire de l'humanité : toutes les civilisations lui ont accordé une place importante. Le chant a sans doute été la première manifestation musicale. Aujourd'hui, la musique et le chant sont présents en permanence dans notre vie.

l'Antiquité

■ Dans l'Antiquité, chez les Égyptiens, puis chez les Grecs et les Romains, la musique, la danse et la poésie sont associées. Chez les Grecs, l'art musical revêt un caractère sacré.

la période classique

■ La période classique s'étend de la fin du XVIIIe siècle jusqu'au début du XIXe siècle. La musique classique obéit à des règles précises. Au début du siècle, le piano remplace le clavecin. Deux grands maîtres marquent cette époque : Mozart et Beethoven.

le Moyen Âge

■ Au Moyen Âge, les chants religieux (chants grégoriens) prennent une grande importance. L'orgue apparaît dans les églises. C'est aussi à cette époque que, passant de château en château, troubadours et trouvères interprètent leurs poèmes en s'accompagnant d'instruments de musique.

■ Au temps de la Renaissance, la musique fait la part belle au chant.

le romantisme

■ Au XIXe siècle, le mouvement romantique s'impose. Le compositeur se libère des règles classiques, il donne libre cours à ses sentiments, à ses émotions. Schubert, Chopin, Wagner sont quelques célèbres représentants de ce nouveau style musical.

la musique baroque

■ La musique baroque apparaît au XVIIe siècle. Elle a des représentants célèbres : Bach, Vivaldi, Haendel. Des concerts publics sont organisés ; ils réunissent plusieurs dizaines de musiciens.

la musique moderne et contemporaine

■ La musique moderne apparaît au XXe siècle. Utilisant de nouvelles harmonies, le compositeur cherche à créer un climat particulier. Satie, Stravinsky, Debussy font partie de ce courant.

■ Avec la musique contemporaine un nouveau pas est franchi dans l'originalité ; l'ordinateur est utilisé dans la composition.

le jazz

■ Le jazz est un phénomène musical inventé par le peuple noir américain au début du XXe siècle.
Il intègre la tradition du negro spiritual, chant religieux des esclaves noirs, de la musique africaine et des rythmes libres tel que celui du blues.
De grands musiciens marquent ce genre : Duke Ellington, Louis Armstrong, John Coltrane, Miles Davis…

■ Il influencera fortement les courants musicaux qui suivront et qui préféreront sa liberté de création aux règles auparavant admises. L'improvisation est la meilleure illustration de cette nouvelle conception de la musique.

reggae et punk

■ À la fin des années 70, le reggae, musique jamaïcaine symbolisée par Bob Marley, déferle sur l'Amérique et l'Europe.

■ Les groupes les plus célèbres, le mouvement punk notamment, (Sex Pistols, Clash) s'en inspirent.

et maintenant ?

■ Depuis les années 80, la musique se décline en une multitude de courants s'influençant les uns les autres. S'y mêlent la tradition musicale des quatre coins du monde et les ressources de l'électronique : raï, world music, hip hop, groove, techno… illustrent tous une pratique musicale où les arrangements et le mixage comptent autant que la composition elle-même.

rock et pop

■ Le rock apparaît après la Seconde Guerre mondiale, symbolisé notamment par Elvis Presley. C'est une musique populaire qui utilise les instruments électriques et raconte dans ses chansons la vie quotidienne, les aspirations et les révoltes des jeunes occidentaux.

■ Dans les années 60-70, les groupes les plus célèbres, comme les Beatles et les Rolling Stone attirent dans leurs concerts des dizaines de milliers de fans.
Aux États-Unis, des musiciens comme Bob Dylan, Janis Joplin, Jimmy Hendrix associent le rock à un vaste mouvement contestataire et pacifiste. En 1969, le concert de Woodstock, près de New York, rassemble pendant trois jours près de 400 000 hippies.

myriade n. f. Quantité immense. *Dans cette région humide, il y a des myriades de moustiques.*

myrrhe n. f. Résine odorante fournie par un arbre des régions chaudes.
Homonyme : mire.

myrtille n. f. Petit fruit noir qui pousse en montagne sur des arbustes. *De la confiture de myrtilles.*

mystère n. m. **1** Chose impossible à comprendre ou à expliquer. *Mélusine est une fée. Comment savoir si les fées existent vraiment ? C'est un mystère.* **2** Chose qu'on garde secrète. *Je ne sais pas ce qu'elle prépare, c'est un mystère.*
Synonyme : énigme (**1**).

mystérieux, euse adj. **1** Qui est difficile à expliquer ou à comprendre. *Une disparition très mystérieuse.* **2** Qui dissimule un secret. *Prendre un air mystérieux.*
Synonyme : inexplicable (**1**).
   La comète a mystérieusement disparu, de façon mystérieuse (**1**).

mysticisme n. m. → mystique.

mystifier v. → conjug. **modifier**. Tromper quelqu'un en abusant de sa naïveté ou de sa confiance. *Il vous a mystifiés avec ses histoires d'ovnis !*
   Il a été victime d'une mystification, on l'a mystifié.

mystique adj. et n. Qui est guidé par un très fort sentiment religieux et par la recherche de la communion avec Dieu. *Il est devenu mystique au point de se retirer dans un monastère.*
   Le mysticisme est l'attitude des personnes mystiques.

mythe n. m. Récit légendaire qui met en scène des êtres imaginaires et raconte leurs exploits. *Lire un livre sur les mythes de la Grèce ancienne.*
Homonyme : mite.
   Hercule est un héros mythique, il fait partie d'un mythe. *La mythologie est l'ensemble des mythes et des légendes d'un peuple, d'une civilisation. Jupiter est un personnage mythologique,* qui appartient à la mythologie.

La mythologie grecque, dont découle la mythologie romaine, raconte l'histoire des dieux et des héros de la Grèce antique. Les Grecs vénèrent un grand nombre de dieux qui possèdent d'extraordinaires pouvoirs. Ils ont toutefois de nombreux traits de caractères humains : ils se fâchent, se disputent, se jalousent, se réconcilient ou se font la guerre.
Dans la mythologie grecque, douze dieux principaux habitent le mont Olympe, une haute montagne de la Grèce. Zeus, le dieu des Dieux, est le maître de l'Olympe. On trouve à ses côtés : Héra, son épouse, Poséidon (dieu de la Mer), Déméter (déesse des Champs et des Récoltes), Athéna (déesse de la Guerre et de la Sagesse), Apollon (dieu de la Lumière et de la Beauté), Artémis (déesse de la Chasse), Aphrodite (déesse de l'Amour), Hermès (dieu des Voyageurs, des Voleurs et messager des dieux), Dionysos (dieu du Vin et des Beaux-arts), Arès (dieu de la Guerre) et Héphaïstos (dieu du Feu et des Forges). Hadès, dieu de la Mort et de la Vie, règne sur les Enfers.
La mythologie grecque compte également des héros tels Thésée ou Héraclès. Les monstres (le Minotaure, l'Hydre, le Sphinx, Cerbère – le chien à trois têtes gardien des Enfers) représentent le Mal contre lequel luttent les héros.
Des créatures extraordinaires peuplent aussi les récits mythologiques : les centaures, mi-hommes mi-chevaux, les nymphes des mers et des forêts, les satyres, mi-hommes mi-boucs…

les dieux de la mythologie

Dieux grecs		Dieux romains
Zeus	→	Jupiter
Héra	→	Junon
Poséidon	→	Neptune
Déméter	→	Cérès
Athéna	→	Minerve
Héphaïstos	→	Vulcain
Apollon	→	Phébus
Artémis	→	Diane
Hadès	→	Pluton
Aphrodite	→	Vénus
Hermès	→	Mercure
Dionysos	→	Bacchus
Arès	→	Mars

Athéna
Les dieux grecs sont présents à tous les moments de la vie quotidienne.

Minerve
Les dieux romains s'inspirent de la mythologie grecque.

mythomane adj. et n. Qui ne peut pas s'empêcher d'imaginer des histoires fausses. *Ne le crois pas, c'est un mythomane.*

Nn

Nestor est un homme sans histoire.

NESTOR

n' adv. → **ne.**

nabot, e n. Personne de très petite taille.
Synonyme : nain.

Nabuchodonosor

Roi de Babylone des VIIe et VIe siècles av. J.-C. Nabuchodonosor II devient roi de Babylone en 605 av. J.-C. Conquérant, il combat les Égyptiens pour s'assurer le contrôle de la Syrie et de la Palestine.

Il s'empare de Jérusalem à plusieurs reprises ; en 597 av. J.-C., il détruit la ville, fait raser son Temple et déporte la population. En 573 av. J.-C., après treize ans de siège, il soumet la ville phénicienne de Tyr. Au cours de son règne, Nabuchodonosor enrichit aussi Babylone de magnifiques constructions (double enceinte, temple de Mardouk, tour « de Babel »…).

nacelle n. f. Grand panier suspendu à une montgolfière, où prennent place les passagers.

nacre n. f. Matière brillante, dure et irisée qui recouvre l'intérieur de la coquille de certains mollusques. *Des boutons en nacre.*
Un vernis nacré, qui a l'aspect de la nacre.

nage n. f. *1* Action ou façon de nager. *Le crawl est une nage plus rapide que la brasse. 2 Être en nage :* transpirer abondamment.

nager v. → conjug. **ranger.** *1* Se déplacer dans l'eau en faisant des mouvements appropriés. *Aller à la piscine pour apprendre à nager. 2* Porter un vêtement trop large. *Nager dans un pantalon trop grand.*
Synonyme : flotter (2).

Les nageoires des poissons sont les organes qui leur permettent de nager (*1*). *Dans cette famille, ils sont tous d'excellents nageurs,* des personnes qui nagent (*1*) bien.

naguère adv. Littéraire. Il y a quelque temps. *Ils étaient amis naguère, mais depuis l'année dernière ils sont fâchés.*

naïf, naïve adj. Qui croit trop facilement ce qu'on lui dit. *Avec l'expérience acquise à l'occasion de ce stage, il est devenu moins naïf.*
Synonyme : crédule.
Croire naïvement une plaisanterie rocambolesque, de façon naïve. *La naïveté d'un enfant,* c'est son caractère naïf.

nain, naine adj. et n.
• adj. Qui appartient à une espèce particulièrement petite. *Un bonsaï est un arbre nain.*
• n. Personne dont la taille est très petite.

naissance n. f. *1* Fait de naître, de commencer à vivre. *La date et le lieu de naissance. 2* Apparition ou commencement de quelque chose. *La naissance d'une amitié.*

naissant, ante adj. Qui commence tout juste à se former, à apparaître. *Une barbe naissante.*

naître v. → conjug. **connaître.** *1* Venir au monde. *Un bébé qui vient de naître s'appelle un nouveau-né. 2* Commencer à exister, à se manifester. *Une profonde amitié est née entre elles deux.*
« Naître » se conjugue comme « connaître », sauf au passé simple (je naquis) et au participe passé (né).

naïve adj. f., **naïvement** adv., **naïveté** n. f. → **naïf.**

naja n. m. Cobra.

Namibie

Namibie

République du sud-ouest de l'Afrique ouverte sur l'océan Atlantique. Le long de la côte s'étend le désert du Namib. Le reste du territoire est constitué d'un plateau. Le climat est sec et aride. L'élevage et la pêche sont des ressources importantes, mais l'économie repose surtout sur les richesses minières. Le pays connaît des inégalités sociales très importantes. Sous domination de l'Allemagne puis de l'Afrique du Sud, la Namibie est indépendante depuis 1990. Elle est membre du Commonwealth.

824 290 km²
1 961 000 habitants :
les Namibiens
Langues : ovambo,
afrikaans, anglais, khoi
Monnaie : dollar
namibien
Capitale : Windhoek

Nancy

Ville française de la Région Lorraine, située sur les bords de la Meurthe. Nancy, qui développe des activités liées à la haute technologie, possède deux universités, des grandes écoles, des centres de recherche et de beaux monuments : l'église des Cordeliers (xvᵉ siècle), le palais ducal (xviᵉ siècle), l'hôtel de ville et la place Stanislas (xviiiᵉ siècle)… La ville devient résidence des ducs de Lorraine au xiiiᵉ siècle. Elle est rattachée à la France en 1766.

54 *Préfecture de Meurthe-et-Moselle*
105 830 habitants : les Nancéiens

nanisme n. m. Fait d'être nain.

Nanterre

Ville française de la Région Île-de-France, située sur les bords de la Seine. Nanterre est un centre administratif, industriel et culturel qui bénéficie de la proximité de Paris. Une grande université, Paris-X, accueille des milliers d'étudiants. Nanterre est le lieu de naissance de sainte Geneviève, patronne de Paris.

92 *Préfecture des Hauts-de-Seine*
86 219 habitants : les Nanterrois

Nantes

Ville française de la Région Pays-de-la-Loire, située sur l'estuaire de la Loire. Nantes est l'un des plus importants ports de France. C'est aussi un centre industriel tourné vers l'agroalimentaire, l'électrique et l'électronique.

Nantes possède de nombreux monuments parmi lesquels l'imposant château des ducs de Bretagne (xvᵉ-xviᵉ siècles), la cathédrale Saint-Pierre-Saint-Paul (xvᵉ-xixᵉ siècles), des églises des xivᵉ, xvᵉ et xviiᵉ siècles, un hôtel de ville du xviiᵉ siècle… La ville abrite aussi un riche musée des Beaux-Arts et un Muséum d'histoire naturelle. C'est enfin le lieu de naissance de Jules Verne.

Cité de la tribu gauloise des *Namnètes* (d'où vient son nom), Nantes devient un important centre commercial sous l'Empire romain. Résidence des ducs de Bretagne à partir du xᵉ siècle, elle est rattachée au royaume de France en 1532. Henri IV y signe en 1598 l'édit de Nantes, qui accorde la liberté de culte aux protestants.

Au xviiiᵉ siècle, Nantes doit sa fortune au commerce des esclaves africains. Au cours de la Révolution, la Terreur y est très rude.

44 *Préfecture de la Loire-Atlantique*
277 728 habitants : les Nantais

nanti, ie adj. et n. Se dit d'une personne riche. *Ce quartier chic est réservé aux nantis.*

napalm n. m. Essence transformée en gel utilisée pour fabriquer des bombes incendiaires.

naphtaline n. f. Substance blanche utilisée pour lutter contre les mites.

Naples

Ville du sud de l'Italie, située sur la mer Tyrrhénienne, au fond de la baie de Naples. Port de voyageurs et de commerce, Naples est le plus important centre économique de l'Italie du Sud. C'est une ville de grands contrastes où se côtoient opulence et pauvreté. Naples compte plus de 1 million d'habitants. La richesse artistique de la cité et la beauté de son site attirent de nombreux touristes. Les îles d'Ischia et de Capri encadrent la célèbre baie ; le volcan Vésuve se trouve à proximité.

La ville est fondée par les Grecs vers 500 av. J.-C., sous le nom de Neapolis (« la ville neuve »). Elle a connu de nombreuses invasions au cours de son histoire.

Napoléon Ier Bonaparte

Empereur des Français né en 1769 et mort en 1821. Né à Ajaccio, en Corse, Napoléon Bonaparte fait ses études à l'école militaire de Brienne. Nommé général de division en 1795, il s'illustre lors des campagnes d'Italie (1796) et d'Égypte (1798-1799). Devenu très populaire, il s'empare du pouvoir par un coup d'État, le 9 novembre 1799 (le 18 brumaire de l'an VIII). Il se fait nommer consul à vie en 1802, puis couronner empereur en 1804, sous le nom de Napoléon Ier. Il gouverne seul, réorganise l'administration, fait rédiger le Code Napoléon (Code civil), le Code pénal, crée les lycées et la Banque de France… À l'extérieur, l'Empire couvre une grande partie de l'Europe, mais les guerres le fragilisent. En 1814, Napoléon est vaincu par une coalition européenne. Il doit abdiquer, mais parvient à reprendre le pouvoir pendant cent jours en 1815. À nouveau vaincu, il meurt exilé dans l'île de Sainte-Hélène en 1821.

Napoléon III

Empereur des Français né en 1808 et mort en 1873. Neveu de Napoléon Ier, Charles Louis Napoléon Bonaparte mène plusieurs conspirations pour essayer de renverser la monarchie instaurée après la chute de Napoléon Ier. Emprisonné, il s'échappe pour Londres au bout de six ans, en 1846. Il rentre en France à la faveur de la révolution de 1848 et devient président de la République. Habile tacticien, très populaire, il s'empare du pouvoir par un coup d'État, le 2 décembre 1851. L'année suivante, il proclame la restauration de l'Empire et prend le titre de Napoléon III (c'est le second Empire). Napoléon III exerce un pouvoir absolu. La France connaît une grande période de prospérité, mais l'opposition républicaine se développe. Le 4 septembre 1870, deux jours après la défaite de l'armée française à Sedan au cours de la guerre contre l'Allemagne, l'empereur est déchu. Il doit s'exiler en Angleterre, où il meurt trois ans plus tard.

nappe n. f. **1** Grande étendue de liquide ou de gaz. *Des nappes de pétrole ont pollué la plage.* **2** Tissu qui sert à couvrir et à protéger une table.
  Un **napperon** est une petite nappe (**2**).

napper v. ➜ conjug. **aimer.** Recouvrir un mets d'une sauce ou d'une crème. *Un Esquimau à la vanille nappé de chocolat.*

napperon n. m. ➜ **nappe.**

narcisse n. m. Plante à bulbe.

Le narcisse est l'une des premières fleurs du printemps. Le narcisse-trompette est appelé jonquille. Le narcisse tire son nom d'un personnage de la mythologie grecque, Narcisse. Celui-ci, tombé amoureux de sa propre image reflétée dans l'eau d'une fontaine, ne peut s'en éloigner. Il se laisse mourir, et la fleur qui porte aujourd'hui son nom pousse à sa place.

narcotique n. m. Produit qui engourdit et endort.

narguer v. ➜ conjug. **aimer.** Provoquer, braver. *Oser narguer la police.*

narine n. f. Chacun des deux trous du nez.

narquois, oise adj. Qui est ironique et malicieux. *Regarder quelqu'un d'un air narquois.*
Synonymes : goguenard, moqueur, railleur.

narrateur, trice n. Personne qui fait un récit, qui raconte une histoire.

narration n. f. Récit d'un fait, d'un événement. *Faire une narration fidèle de ce qui s'est passé.*

narval n. m. **Plur. : des narvals.** Cétacé des mers arctiques, appelé autrefois licorne des mers.

Le narval mesure jusqu'à 4 m de longueur et peut peser plus de 1 t. Il utilise sa défense, longue de 2 à 3 m, dans les combats entre mâles. Le narval vit en groupe et se nourrit principalement de crevettes et de poissons. La femelle met au monde un petit qui ne la quittera pas avant trois ans. Le narval est chassé par les Inuits pour sa peau, sa chair et l'ivoire de sa défense.

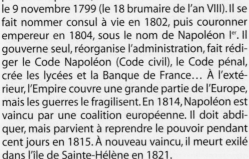

Seul le mâle possède cette défense torsadée qui est le résultat de la croissance de l'incisive de l'animal.

nasal, ale, aux adj. Du nez. *Une infection nasale.*

naseau n. m. **Plur. : des naseaux.** Narine de certains grands mammifères comme le cheval, le bœuf, le cerf.

nasiller v. → conjug. **aimer.** Parler avec une voix qui semble venir du nez.
*Il a une voix **nasillarde**, qui nasille.*

nasse n. f. Panier conique et allongé utilisé pour prendre des poissons.

natal, ale, als adj. Où l'on est né. *Marseille est sa ville natale.*

natalité n. f. Nombre des personnes qui naissent, par rapport à une population ou une période. *La contraception a fait baisser la natalité.*

natation n. f. Sport qui consiste à nager.

L'histoire de la natation remonte à l'Antiquité. Les Égyptiens et les Grecs la pratiquaient régulièrement. Elle devient un sport en Europe au début du XIXe siècle.
On distingue quatre styles principaux de nage : la brasse, la plus simple et la plus pratiquée, le crawl, la plus rapide, le dos (crawlé) et le papillon. Chacune de ces nages est inscrite aux différentes compétitions : championnat de France, d'Europe, du monde et jeux Olympiques. Les principaux records sont homologués sur des distances de 50 m, 100 m et 200 m. Un bassin de compétition mesure en général 50 m sur 21 et comporte huit couloirs de 2,50 m chacun. La natation est inscrite aux jeux Olympiques depuis 1896.
La natation synchronisée est une discipline féminine, ballet aquatique en musique pratiqué en solo, en duo ou en équipe. C'est un sport olympique depuis 1984.

Papillon.

Crawl.

natif, ive adj. Originaire. *Un Parisien est natif de Paris.*

nation n. f. Ensemble des hommes et du territoire d'un pays, qui forme un tout politique.
Synonyme : État.

national, ale, aux adj. **1** Qui appartient à une nation. *En France, la fête nationale est le 14 Juillet.* **2** *Route nationale :* route importante, dont l'entretien dépend de l'État.

nationaliser v. → conjug. **aimer.** Placer sous la direction de l'État une entreprise qui appartenait à des personnes privées. *Nationaliser une banque.*
Contraire : privatiser.
*Ce parti est partisan des **nationalisations**, de nationaliser les entreprises.*

nationalisme n. m. Doctrine des gens qui croient que leur nation est supérieure aux autres.
*Un **nationaliste** est un partisan du nationalisme.*

nationalité n. f. Appartenance juridique de quelqu'un à une nation. *Cet immigré demande la nationalité du pays où il vit et travaille.*

natte n. f. **1** Tresse de cheveux. *Elle a attaché sa natte avec un élastique.* **2** Petit tapis de paille tressée. *Étendre une natte sur la plage pour se sécher au soleil.*

naturaliser v. → conjug. **aimer.** Accorder à un étranger la nationalité du pays où il a choisi de vivre. *Naturaliser français des travailleurs immigrés.*
*Demander sa **naturalisation**, le fait d'être naturalisé.*

naturaliste n. Spécialiste qui s'occupe des sciences naturelles.

nature n. f et adj. inv.
● n. f. **1** Tout ce qui existe dans le monde et qui n'est pas transformé par l'homme. *La protection de la nature.* **2** La campagne, les forêts, les prés, par opposition à la ville. *Aimer se promener en pleine nature.* **3** Caractère, tempérament d'une personne. *Être d'une nature optimiste.* **4** Propriété particulière qui caractérise une chose. *Étudier la nature des sols.* **5** *Nature humaine :* ensemble des caractères communs à tous les êtres humains. **6** *Nature morte :* tableau qui représente des objets divers, des fruits ou des animaux morts. **7** *Payer en nature :* payer en marchandises au lieu de payer en argent.
● adj. inv. Se dit d'un aliment auquel on n'a rien ajouté. *Tu veux un yaourt nature ou un yaourt aux fruits ?*

naturel, elle adj. et n. m.
● adj. **1** Qui appartient à la nature. *Les cyclones et les raz de marée sont des phénomènes naturels.* **2** Qui n'a pas été fait ni transformé par l'homme. *Un lac naturel.*

3 Qui est normal. *C'est tout naturel d'aider ses amis.*
4 Qui est spontané et sincère. *Prendre une pose affectée et pas naturelle sur une photo.*
Contraires : artificiel (*2*), forcé (*4*).
• n. m. *1* Caractère, tempérament d'une personne. *Être d'un naturel enjoué. 2* Simplicité, spontanéité. *Se comporter avec beaucoup de naturel.*
Contraire : affection (*2*).

naturellement adv. *1* De manière naturelle. *Ses cheveux bouclent naturellement. 2* Évidemment, bien sûr. *Naturellement, nos cousins ont encore refusé notre invitation.*
Synonymes : bien entendu (*2*), forcément (*2*).

naturisme n. m. Nudisme. *Sur cette plage, des gens pratiquent le naturisme.*
Les *naturistes* sont des adeptes du naturisme.

naufrage n. m. Fait pour un bateau de couler ou de s'échouer. *Le naufrage d'un pétrolier a provoqué une marée noire.*
Les *naufragés* ont pu être sauvés, les passagers du bateau qui a fait naufrage. *Autrefois, les naufrageurs* étaient des gens qui provoquaient des naufrages pour piller les épaves.

Nauru

République du Pacifique Sud, située à 4 000 km au nord-est de l'Australie. Le Nauru est une petite île au climat chaud et sec. Jusqu'en l'an 2000, l'exploitation des réserves de phosphates a assuré l'essentiel des ressources, mais a endommagé plus de 80 % du territoire. Ces réserves sont aujourd'hui épuisées. Pour satisfaire ses besoins, le pays importe la plus grande partie de ses aliments, de son eau potable et de ses produits fabriqués. Découvert à la fin du XVIIIe siècle, successivement sous domination allemande, australienne puis britannique, Le Nauru devient indépendant en 1968. Il est membre du Commonwealth.

20 km²
13 000 habitants :
les Nauruans
Langue : anglais
Monnaie : dollar
australien
Capitale : Yaren

nauséabond, onde adj. Qui sent extrêmement mauvais. *L'odeur nauséabonde des poubelles.*
Synonymes : fétide, répugnant.

nausée n. f. Envie de vomir, mal au cœur. *Le roulis du bateau donne la nausée.*

nautile n. m. Mollusque marin.

La coquille du nautile peut atteindre 30 cm de diamètre. Elle est divisée en compartiments dont le plus extérieur est habité par l'animal. Les autres, remplis d'azote, servent de flotteurs. Le nautile possède plusieurs dizaines de tentacules avec lesquels il capture, la nuit, ses petites proies, notamment des crevettes. C'est un « fossile vivant » : il existait déjà, tel quel, il y a 450 millions d'années !

nautique adj. Qui concerne les sports qui se pratiquent sur l'eau. *Faire du ski nautique.*

naval, ale, als adj. Qui concerne les bateaux et la navigation. *Les navires sont construits dans des chantiers navals.*

navet n. m. Plante potagère dont on mange la racine. *Faire rissoler des navets.*

navette n. f. *1* Bobine d'un métier à tisser qui sert à entrecroiser les fils. *2* Véhicule effectuant des allers et retours réguliers entre deux lieux. *Une navette relie les deux aéroports. 3* Navette spatiale : véhicule conçu pour aller dans l'espace et revenir sur Terre.*

navigable adj. → naviguer.

navigant, ante adj. Se dit de l'équipage d'un avion.

navigateur, trice n. *1* Personne qui navigue. *Les grands navigateurs du XVIe siècle. 2* Membre de l'équipage d'un avion ou d'un bateau chargé de déterminer la route à suivre.

navigation n. f. *1* Action de naviguer. *Les vagues rendent la navigation dangereuse pour les petits bateaux. 2* Circulation des avions. *Les aiguilleurs du ciel organisent la navigation aérienne.*

naviguer v. → conjug. **aimer.** Se déplacer sur l'eau, en bateau. *Ce vieux marin a beaucoup navigué.*
Les canaux sont des voies *navigables,* où l'on peut naviguer.

navire n. m. Grand bateau conçu pour naviguer en pleine mer et pour transporter des passagers.

navrant, ante adj. Qui est affligeant, désolant, triste. *Un incident navrant.*

navré, ée adj. Désolé. *Je suis navré de vous déranger.*

nazi, ie n. et adj.
- n. Membre du parti national-socialiste allemand.
- adj. Relatif aux nazis. *Le régime nazi.*
  Le *nazisme* est la doctrine des nazis et de Hitler.

Le nazisme ou national socialisme est un mouvement politique ayant dominé l'Allemagne de 1933 à 1945. Adolf Hitler y adhère dès sa création à Munich en 1920 et l'impose à l'Allemagne lorsqu'il prend le pouvoir en 1933.
Ce mouvement fondé sur la dictature, l'embrigadement des masses et une politique de conquête des territoires est raciste et prône en particulier l'élimination des Juifs et des Tsiganes.

ne adv. Placé devant un verbe, indique la négation et est le plus souvent accompagné de « pas, plus, point, jamais, rien, aucun ». *Je n'ai pas faim. Il n'habite plus ici.* « **Ne** » **devient** « **n'** » **devant une voyelle ou un** « **h** » **muet.**

né, née adj. *1* Qui est venu au monde. *Née à Paris, elle habite maintenant à Lyon. 2* Qui a un don inné et naturel. *C'est un artiste né.*
Homonyme : nez.

Neandertal (homme de)

L'homme de Neandertal appartient à l'espèce *Homo sapiens*, ayant vécu en Europe et en Afrique du Nord entre – 120 000 et – 35 000 ans. Il mesure entre 1,50 m et 1,70 m. Il a le front droit, des bourrelets osseux importants au-dessus des orbites. Il utilise des armes et des outils en pierre taillée, en os ou en bois. Il est le premier homme à enterrer ses morts avec des offrandes. Le premier squelette d'homme de Neandertal a été découvert en 1856 dans une vallée d'Allemagne appelée Neandertal.

néanmoins adv. Sert à marquer une opposition. *Ce chien est gentil, néanmoins il faut s'en méfier.*
Synonymes : cependant, pourtant, toutefois.

néant n. m. *1* Ce qui n'existe pas. *2* Réduire quelque chose à néant :* l'anéantir.

nébuleux, euse adj. et n. f.
- adj. *1* Couvert de nuages. *Ciel nébuleux. 2* Au figuré. Qui manque de clarté, de précision. *Un projet nébuleux.*
Synonymes : confus (2), flou (2), vague (2).
- n. f. Nuage de gaz et de poussières dans l'espace.

nécessaire adj. et n. m.
- adj. Dont on ne peut pas se passer. *La nourriture est nécessaire à la vie.*
Synonymes : essentiel, indispensable. Contraires : inutile, superflu.
- n. m. *1* Ce dont on ne peut pas se passer pour vivre. *Manquer du nécessaire. 2* Trousse ou boîte contenant des objets destinés à un usage particulier. *Un nécessaire de couture, de toilette. 3* Faire le nécessaire :* faire tout ce qu'il faut pour arriver à un but précis.
  Il doit *nécessairement* être opéré, de façon nécessaire, forcément. *Manger est une* nécessité *pour l'organisme*, une chose nécessaire. *Cette maladie* nécessite du repos, le rend nécessaire. *Une personne* nécessiteuse, qui manque du nécessaire pour vivre.

nécrologie n. f. Petit article dans la presse consacré à une personne qui vient de mourir.
  La rubrique *nécrologique* de ce savant résume sa carrière, sa nécrologie.

nécropole n. f. Grand cimetière, dans l'Antiquité. *Les nécropoles égyptiennes.*

nectar n. m. *1* Liquide sucré sécrété par les fleurs. *2* Boisson délicieuse. *Ce vin est un nectar.*

nectarine n. f. Fruit à la peau très lisse qui ressemble à la pêche.

nef n. f. *1* Partie centrale d'une église, entre le portail et le chœur. *2* Grand bateau à voiles d'autrefois.

néfaste n. f. Qui est nuisible et a des conséquences mauvaises. *Les drogues sont très néfastes pour la santé.*

Néfertiti

Reine d'Égypte du XIVe siècle av. J.-C. Néfertiti, dont le nom signifie « la belle est venue », est réputée pour sa grande beauté. Elle est l'épouse du pharaon Akhénaton. Elle participe à la réforme religieuse menée par celui-ci pour imposer le culte unique du dieu Aton, le disque solaire. On a découvert de magnifiques bustes sculptés de Néfertiti.

nèfle n. f. Petit fruit que l'on consomme très mûr.
  Le *néflier* est l'arbuste qui produit les nèfles.

négatif, ive adj., n. m., n. f.
● adj. *1* Qui marque un refus ou une négation. *Une réponse négative.* *2* Qui n'est pas constructif et ne fait que s'opposer. *Une attitude négative.* *3* Nombre négatif : nombre dont la valeur est inférieure à zéro. **Contraires : affirmatif (*1*), positif (*1*, *2* et *3*).**
● n. m. Pellicule photographique développée et sur laquelle les parties claires et sombres sont inversées.
● n. f. *Répondre par la négative :* par un refus.

négation n. f. Acte consistant à nier.

LA NÉGATION

La négation est exprimée dans la phrase à l'aide d'adverbes appelés **adverbes de négation.**

● La négation peut être **totale** : ne... pas, ne... point, ne... jamais, ne... rien, ne... personne, ne... aucun.
*Il **ne** vient **pas**. Il **n'**est **jamais** à l'heure. Je **n'**attends **personne**.*

● La négation peut être **partielle** : ne... guère, ne... pas beaucoup.
*Je **n'**aime **guère** cela. Il **n'**a **pas beaucoup** d'appétit.*

● La double négation est marquée par l'emploi de ne... ni... ni.
*Il **ne** nage **ni** la brasse **ni** le crawl.*

● L'adverbe de négation **non.**
✔ Il est employé seul en réponse à une interrogation :
*– Tu viens jouer ? **Non**, j'ai du travail...*
✔ Il sert de préfixe négatif :
*La **non**-violence, le **non**-dit.*

négligé, ée adj. Qui dénote un manque de soin. *Une tenue négligée.*

négligeable adj. Peu important. *Une quantité négligeable de gens s'est opposée au projet.*
Synonyme : insignifiant.

négligent, ente adj. Qui manque de soin, d'attention ou d'application. *C'est un élève négligent et pas du tout consciencieux.*
Laisser négligemment ses disques traîner, de façon négligente, sans soin. *Faire preuve d'une grande négligence,* c'est le fait d'être très négligent.

négliger v. → conjug. **ranger.** *1* Ne pas s'occuper de quelque chose ou de quelqu'un. *Négliger sa santé. Reprocher à quelqu'un de négliger ses amis. 2 Se négliger :* ne pas prendre soin de sa personne.

négoce n. m. Littéraire. Activité commerciale.
Synonyme : commerce.

négociant, ante n. Personne qui fait du commerce en gros. *Un négociant en fruits et légumes.*

négocier v. → conjug. **modifier.** Discuter afin de parvenir à un accord. *Négocier une augmentation.*
Des négociations sont en cours entre salariés et patronat, ils négocient. *Les négociateurs ont fini par signer,* des personnes chargées des négociations.

nègre, négresse n. Terme raciste désignant une personne noire.

négrier n. m. Autrefois, personne qui achetait et vendait des esclaves noirs.

neige n. f. *1* Eau congelée qui tombe du ciel sous forme de flocons blancs. *2* Œufs en neige :* blancs d'œufs battus qui forment une mousse compacte.
Il va neiger, il va tomber de la neige. *On fait du ski sur les pentes neigeuses,* couvertes de neige.

nénuphar n. m. Plante aquatique aux grandes feuilles rondes et à fleurs.

néo– préfixe. Signifie « nouveau » : *néologisme, néolithique.*

néolithique n. m. Période de la préhistoire qui est la plus proche de nous.

néologisme n. m. Mot ou sens nouveau qui apparaît dans la langue. *Beur et souris sont des néologismes.*

néon n. m. Gaz qu'on utilise pour l'éclairage.

néophyte n. Personne qui pratique depuis peu une discipline, un art, une religion.

Népal

Monarchie constitutionnelle d'Asie située dans la partie sud de l'Himalaya. Au nord, la chaîne du haut Himalaya comprend le point culminant de la planète, le mont Everest (8 846 m) et d'autres sommets dépassant 8 000 m. En dehors de la mousson chaude, le pays jouit d'un climat sec et doux. La majorité de la population vit dans les bassins et les vallées du centre. L'essentiel des ressources vient de l'agriculture, de l'exportation d'électricité vers l'Inde et du tourisme. Le pays est l'un des plus pauvres du monde. Sous domination britannique à partir de 1816, le Népal devient indépendant en 1923.

140 797 km²
24 609 000 habitants :
les Népalais
Langues : népali, maithili, bhojpuri...
Monnaie : roupie népalaise
Capitale : Katmandou

Neptune

Neptune

Divinité de la mythologie romaine, dieu de la Mer et des cours d'eau. Neptune est l'équivalent du Poséidon de la mythologie grecque. Il est à l'origine le dieu de l'Eau ; il devient ensuite le dieu de la Mer et le protecteur des pêcheurs. Neptune est représenté comme un géant barbu tenant à la main un trident. Neptune est aussi le nom d'une planète.

Regarde aussi Soleil.

nerf n. m. *1* Filament qui relie toutes les parties du corps au cerveau et à la moelle épinière, et qui transmet les sensations et les mouvements. *2* Au figuré. Énergie, dynamisme. *Manquer de nerf. 3 Être à bout de nerfs :* être extrêmement énervé. *4 Taper sur les nerfs de quelqu'un :* l'agacer considérablement.
On prononce [nɛr].

Néron

Empereur romain né en 37 et mort en 68. Son nom en latin est Lucius Domitius Claudius Nero. Néron est placé sur le trône par sa mère. Soumis à des influences néfastes, il gouverne de façon cruelle. Il fait exécuter plusieurs de ses proches, dont sa mère. Il se produit sur les scènes de théâtre et dans les arènes, il organise des spectacles coûteux. Il fait assassiner les riches Romains pour prendre leur fortune. En 64, soupçonné d'être à l'origine du terrible incendie de Rome, il en rejette l'accusation sur les chrétiens, qu'il fait massacrer par milliers. Son impopularité ne cesse de grandir. Le sénat se dresse contre lui et le déclare ennemi public. Néron s'enfuit de Rome et se donne la mort.

nerveux, euse adj. *1* Qui n'est pas calme et s'énerve facilement. *Il est nerveux et n'arrive pas à se détendre. 2* Qui a des accélérations rapides. *Cette grosse voiture est très nerveuse. 3 Système nerveux :* ensemble formé par les nerfs, le cerveau et la moelle épinière.

  Il marche nerveusement de long en large, de façon nerveuse *(1). Manifester une grande nervosité,* l'état d'une personne très nerveuse *(1).*
Regarde page ci-contre.

nervure n. f. Chacune des lignes en relief à la surface des feuilles.

n'est-ce-pas ? adv. Sert à demander un avis ou à obtenir une confirmation. *J'ai raison, n'est-ce-pas ?*

net, nette adj. et adv.
• adj. *1* D'une propreté parfaite. *Cette chambre est nette, le ménage a été fait à fond. 2* Qui est évident et qu'on ne peut pas discuter. *Cet élève a fait de nets progrès en lecture. 3* Dont on distingue parfaitement les détails. *Cette photo est ratée, elle n'est pas nette. 4 Faire place nette :* débarrasser de ce qui gêne. *5 Poids net :* poids d'une marchandise sans l'emballage. *6 Salaire net :* salaire après déduction des cotisations.
Contraires : brut (*5* et *6*), flou (*3*), sale (*1*).
• adv. De façon brutale, tout d'un coup. *La corde s'est cassée net.*

nettement adv. *1* D'une manière claire et précise, distinctement. *Se détacher nettement à l'horizon. 2* Beaucoup. *Un enfant nettement trop gros.*

netteté n. f. *1* Caractère de ce qui est net et permet de distinguer chaque détail. *La netteté d'une image. 2* Clarté et précision. *Apprécier la netteté d'un exposé.*

nettoyer v. → conjug. **essuyer.** Rendre propre, net. *Nettoyer la cuisine et la salle de bains.*
  Prendre une serpillière pour le **nettoyage** *du carrelage,* pour le nettoyer. *Le service du* **nettoiement** *s'occupe de nettoyer une ville.*

1. neuf adj. et n. m. inv. *Regarde ci-dessous.*

NEUF
S'écrit **IX** en chiffres romains.

• adj. inv. Huit plus un.
• n. m. inv. Le chiffre ou le nombre neuf. *Le neuf, c'est son anniversaire.*
Devant une voyelle ou un « h » muet on prononce parfois [nœv].

neuvième
• adj. et n. Qui occupe le rang ou la place numéro 9 dans une série. *Il est neuvième en français.*
• n. m. Chaque partie d'un tout qui a été divisé par neuf. *Un neuvième ou 1/9.*

2. neuf, neuve adj. et n. m.
• adj. Qui vient d'être acheté ou qui n'a pas encore été utilisé. *Des chaussures neuves.*
• n. m. Ce qui est neuf. *Emménager dans du neuf.*

le système nerveux

Le système nerveux, composé des nerfs et du cerveau, constitue un réseau qui transmet des informations à notre corps et des ordres à nos muscles.

■ Le système nerveux central comprend l'encéphale (composé du cerveau, du cervelet et du bulbe), et la moelle épinière.

L'encéphale est logé dans la boîte crânienne, la moelle épinière est protégée par la colonne vertébrale.

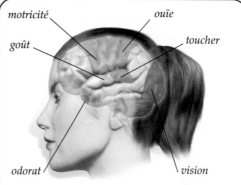

le cerveau

- motricité
- ouïe
- goût
- toucher
- odorat
- vision

Le cerveau reçoit les informations extérieures (lumière, couleurs, sons) et commande notre corps. Chacune de ses parties joue un rôle déterminé. Le cortex, substance grise qui enveloppe le cerveau, est le siège du langage, de la mémoire, de la réflexion…

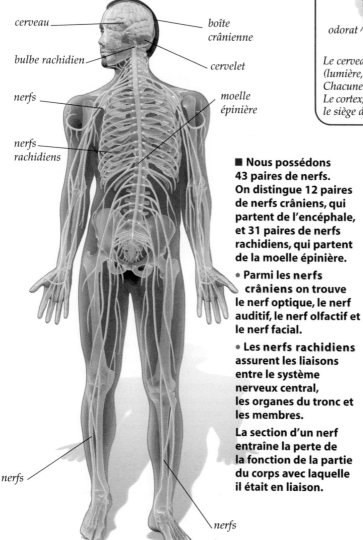

- cerveau
- boîte crânienne
- bulbe rachidien
- cervelet
- nerfs
- moelle épinière
- nerfs rachidiens
- nerfs
- nerfs

■ Nous possédons 43 paires de nerfs. On distingue 12 paires de nerfs crâniens, qui partent de l'encéphale, et 31 paires de nerfs rachidiens, qui partent de la moelle épinière.

• Parmi les **nerfs crâniens** on trouve le nerf optique, le nerf auditif, le nerf olfactif et le nerf facial.

• Les **nerfs rachidiens** assurent les liaisons entre le système nerveux central, les organes du tronc et les membres.

La section d'un nerf entraîne la perte de la fonction de la partie du corps avec laquelle il était en liaison.

■ Il existe des **nerfs sensitifs**, qui informent des sensations (lumière, couleur, odeur, bruit…), et des **nerfs moteurs**, qui transmettent les ordres aux muscles. Certains nerfs, appelés **nerfs mixtes**, sont à la fois sensitifs et moteurs.

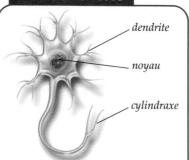

la cellule nerveuse

- dendrite
- noyau
- cylindraxe

La cellule nerveuse est minuscule et ne peut être examinée qu'au microscope. Elle est composée d'un noyau et de ramifications, les dendrites. Un dendrite plus long que les autres, le cylindraxe, forme le nerf, qui est parfois très long.

neurasthénie n. f. Maladie qui se manifeste par un profond abattement, une dépression.
Cette personne toujours triste est neurasthénique, elle souffre de neurasthénie.

neurologie n. f. Branche de la médecine qui s'occupe des maladies du système nerveux.
Des troubles neurologiques, qui se rapportent à la neurologie. *Un neurologue* est un médecin spécialiste de neurologie.

neurone n. m. Chacune des cellules du cerveau et de la moelle épinière.

neutraliser v. → conjug. **aimer.** Empêcher l'action de quelqu'un ou de quelque chose. *Réussir à neutraliser un fou qui menaçait la foule.*
La neutralisation de la circulation par un accident, c'est l'action de la neutraliser.

neutre adj. *1* Qui refuse de prendre parti. *Ce pays veut rester neutre dans ce conflit. 2* Qui est terne et sans éclat. *Des couleurs neutres.*
Faire preuve de neutralité, du fait d'être neutre (*1*).

neuve adj. f. → **neuf 2.**

neuvième adj., n. et n. m. → **neuf 1.**

névé n. m. En montagne, masse de neige dure qui est en train de se transformer en glace.

Nevers

Ville française de la Région Bourgogne, située au confluent de la Loire et de la Nièvre. Nevers est un petit centre industriel et administratif. La cité offre de beaux monuments : l'église romane Saint-Étienne du XIe siècle, le palais ducal (XVe-XVIe siècles). D'abord forteresse gauloise, la ville devient romaine puis, à la fin du IXe siècle, capitale du comté de Nevers (transformé en duché au XVIe siècle). Les premiers ateliers de faïence ont été installés à la fin du XVIe siècle. Aujourd'hui la faïencerie d'art de Nevers est toujours vivante.

58 *Préfecture de la Nièvre*
43 082 habitants : les Nivernais

neveu n. m. Plur. : **des neveux.** Fils de la sœur ou du frère de quelqu'un.

névralgie n. f. Douleur ressentie sur le trajet d'un nerf ou à la tête.

névralgique adj. *Point névralgique* : point délicat et critique d'une situation. *Les pourparlers en sont arrivés à un point névralgique et les chances de paix se sont amenuisées.*

névrose n. f. Maladie mentale caractérisée en particulier par des angoisses et des obsessions.
Une personne névrosée, atteinte de névrose.

New Delhi

Capitale fédérale de l'Inde située au nord-ouest du pays, sur les bords de la Yamuna, un affluent du Gange. La ville, englobée dans la vaste cité de Dehli, abrite l'ensemble des bâtiments officiels du gouvernement. Elle a été construite à partir de 1912, selon un plan symétrique.
New Delhi compte plus de 5,7 millions d'habitants tandis que Delhi, troisième ville de l'Inde dépasse les 10 millions d'habitants.

Newton sir Isaac

Mathématicien et physicien anglais né en 1642 et mort en 1727. Les découvertes de Newton, le résultat de ses recherches en mathématique, en optique et en physique, sont à l'origine de nombreux progrès fondamentaux de la science. Il découvre notamment la composition de la lumière blanche et énonce la loi de la gravitation universelle, qui dit que tout objet subit les effets d'une force, la gravité, qui le fait chuter ou tourner. On raconte que c'est la chute d'une pomme qui lui a inspiré cette loi !

New York

Ville de la côte est des États-Unis, située sur l'océan Atlantique. New York est la plus grande ville des États-Unis, elle compte plus de 8 684 000 habitants (plus de 18 millions avec l'agglomération !). La cité est cosmopolite, car ce sont les vagues successives d'immigrants européens et asiatiques, ainsi que la population noire, qui l'ont constituée. New York est un puissant centre économique, culturel et financier international. C'est aussi là que siège l'ONU. La ville est divisée en cinq quartiers : l'île de Manhattan avec le quartier des affaires (Wall Street), le Bronx, le Queens, Brooklyn et Richmond. New-York abrite de très riches musées, dont le Museum of Modern Art et le Metropolitan Museum of Art. À l'entrée du port se dresse la statue de la Liberté, cadeau de la France aux États-Unis, érigée en 1886. Haute de 46 m, elle est l'œuvre du sculpteur français Auguste Bartholdi, sur une charpente de Gustave Eiffel.

nez n. m. **1** Partie proéminente du visage, qui permet de respirer et qui est l'organe de l'odorat. **2** *Mener quelqu'un par le bout du nez*: réussir à lui faire faire ce qu'on veut. **3** *Ne pas voir plus loin que le bout de son nez*: être incapable de prévoir les événements. **4** *Se trouver nez à nez avec quelqu'un*: face à face avec lui. **On prononce** [ne]. **Homonyme: né.**

ni conj. Sert à relier, accompagné de « ne », des éléments négatifs. *Le malade ne veut ni manger ni boire.* **Homonymes: nid, nie (du verbe nier).**

Niagara

Rivière célèbre pour ses chutes. Le Niagara délimite la frontière entre le Canada et les États-Unis. À cet endroit, la rivière chute de 46 m. Le tourisme (plus de 2 millions de visiteurs par an!) et l'énergie hydroélectrique sont d'importantes ressources pour la région. Niagara Falls désigne les villes américaine et canadienne situées de chaque côté de la frontière.

niais, niaise adj. et n. Sot et naïf. *Une réponse niaise. Cesse de dire des niaiseries*, des paroles niaises.

Nicaragua

République d'Amérique centrale ouverte à l'est sur la mer des Caraïbes, à l'ouest sur l'océan Pacifique. Le territoire, qui est le plus vaste de l'Amérique centrale, est montagneux et volcanique. Les plaines de la côte est sont occupées par la forêt, celle de la bordure ouest concentrent l'essentiel de la population. Le climat est tropical. Des cyclones et des séismes secouent le pays. L'économie est fondée sur l'agriculture et sur la pêche. Le Nicaragua a été ruiné par la situation politique. Il a été ravagé en 1998 par l'ouragan Mitch. Sous domination espagnole dès 1521, le pays est indépendant en 1821. Jusqu'à la fin des années 1980, il subit dictatures, coups d'État et guerres civiles.

130 000 km²
5 335 000 habitants: les Nicaraguayens
Langues: espagnol, anglais, créole, langues indiennes, garifuna…
Monnaie: cordoba or
Capitale: Managua

Nice

Ville française de la Région Provence-Alpes-Côte d'Azur, au bord de la Méditerranée. Station balnéaire à l'ensoleillement exceptionnel, Nice est aussi un centre administratif avec quelques industries.
Le port est très actif. La promenade des Anglais, de renommée mondiale, est une large avenue plantée de palmiers qui longe la mer. Construite sur une colline, la vieille ville (XVIIᵉ-XVIIIᵉ siècles) a de beaux monuments, dont la cathédrale Sainte-Réparate et l'église Saint-Jacques (XVIIᵉ siècle). Le musée Chagall, le musée Matisse et le musée des Beaux-Arts présentent de splendides collections. Le carnaval annuel connaît un succès international. Fondée par les Grecs au Vᵉ siècle av. J.-C., la cité est conquise par les Romains en 27 av. J.-C. Elle est ensuite rattachée au comté de Provence puis à la maison de Savoie.
En 1860, Nice est définitivement réunie à la France.

06 *Préfecture des Alpes-Maritimes*
345 892 habitants: les Niçois

niche n. f. **1** Petit abri pour les chiens. **2** Renfoncement pratiqué dans l'épaisseur d'un mur pour y placer des objets décoratifs.

nichée n. f. Ensemble des petits oiseaux d'une même couvée qui sont encore dans le nid.

nicher v. → conjug. **aimer.** **1** Faire son nid. *Des hirondelles nichent sous le toit.* **2** *Se nicher*: se mettre ou se cacher quelque part. *La souris est allée se nicher dans un trou.*

nickel n. m. Métal blanc brillant et inoxydable. *Le guidon de ce magnifique vélo est nickelé*, recouvert de nickel.

nicotine n. f. Substance nocive contenue dans le tabac.

nid n. m. **1** Abri construit par les oiseaux pour y pondre et y couver leurs œufs, puis y élever leurs petits. **2** Habitation de certains animaux. *J'ai trouvé un nid de souris dans le grenier.* **Homonymes: ni, nie (du verbe nier).**

Les oiseaux construisent une très grande variété de nids, qui diffèrent selon les espèces et les milieux naturels (plaine, forêt, rivière, mer…).
Plus ou moins élaborés, les nids servent à couver les œufs et élever les oisillons. Haut perchés ou dans les branches basses, dans les buissons ou sur le sol, au plafond des granges ou dans les trous des vieux troncs d'arbres, les nids sont bâtis avec les matériaux trouvés sur place tels que la paille, les brins d'herbe,

Nid de cigogne en branchages.

Nid de tisserin en brins d'herbe tissés.

Nid d'hirondelle en terre.

la mousse des arbres, les brindilles, le papier, la terre… Ils sont aussi parfois offerts par l'homme : nichoirs, boîtes aux lettres…
Pour de nombreuses espèces, les nids sont réutilisés d'année en année.

nièce n. f. Fille du frère ou de la sœur de quelqu'un.

Niépce Nicéphore

Physicien français né en 1765 et mort en 1833. Niépce est considéré comme l'inventeur de la photographie. À partir de 1816, utilisant des chambres noires, il essaie de fixer des images sur des plaques de verre recouvertes de substances sensibles à la lumière, parmi lesquelles il choisit le « bitume de Judée ». Sa première prise de vue, obtenue vers 1826 ou 1827, lui demande plusieurs heures de pose en plein soleil ! En 1829, Niépce s'associe avec Louis Jacques Daguerre, qui mène aussi des recherches sur la fixation des images. Ce dernier perfectionne l'invention après la mort de Niépce et met au point le procédé photographique appelé daguerréotype.

nier v. → conjug. **modifier**. Dire qu'une chose est fausse. *L'accusé nie avoir participé au hold-up.*

nigaud, aude adj. et n. Qui est niais, sot, naïf. *Ce grand nigaud n'est vraiment pas malin.*

Niger

République de l'ouest de l'Afrique. Le territoire est très étendu. Le nord et le nord-est du pays sont désertiques. Le sud, très chaud, reçoit des pluies irrégulières. Le pays est traversé par le fleuve Niger, le long duquel se concentre la vie économique. L'agriculture dépend des conditions climatiques, souvent rudes. L'industrie de ce pays pauvre est peu développée. Colonie française à partir de 1922, le Niger devient indépendant en 1960.

1 267 000 km²
11 544 000 habitants :
les Nigériens
Langues : français,
haoussa, peul, zarma,
kanuri, tamachaq
Monnaie : franc CFA
Capitale : Niamey

Nigeria

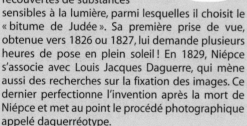

République fédérale de l'ouest de l'Afrique ouverte sur l'océan Atlantique (golfe de Guinée). Le Nigeria est couvert au nord par la savane et au sud par la forêt tropicale. C'est le pays le plus peuplé d'Afrique. L'agriculture est bien développée (arachide, cacao, caoutchouc…). L'essentiel de l'économie est toutefois fondé sur la production de pétrole et de gaz naturel, qui représentent 95 % des exportations. Sous domination britannique dès le XVIᵉ siècle, le Nigeria en devient une colonie en 1914. Il accède à l'indépendance en 1960.
Il connaît, jusqu'en 1998, une succession de dictatures et de coups d'État. Le pays est membre du Commonwealth.

923 768 km²
120 911 000 habitants :
les Nigérians
Langues : anglais,
haoussa, ibo, yorouba…
Monnaie : naira
Capitale : Abuja

le Nil

Avec ses 6 671 km, le Nil traverse tout le nord-est de l'Afrique. C'est un des plus longs fleuves du monde. L'extraordinaire civilisation de l'Égypte ancienne s'épanouit sur ses rives.

Blanc et Bleu

Après avoir traversé le lac Victoria et franchi plusieurs barrières rocheuses, le Nil coule dans la plaine soudanaise où il prend le nom de Nil Blanc. Près de la ville de Khartoum il reçoit le Nil Bleu (c'est la couleur des eaux qui est à l'origine de ces appellations). Le Nil traverse ensuite une zone désertique, entre en Égypte et devient un grand lac de 500 km de longueur, le lac Nasser, formé par la retenue du barrage d'Assouan. Entre Assouan et Le Caire, la capitale égyptienne, le Nil coule dans une vallée fertile très peuplée, avant de se jeter dans la mer Méditerranée.

Le Nil en Égypte. Considérée comme un « don du Nil », l'Égypte a connu la prospérité grâce au fleuve nourricier. Les crues ont fertilisé la terre, les eaux ont permis le transport des matériaux utilisés pour la construction des monuments prestigieux tels ceux de la vallée des Rois et des Reines. Au long de son cours égyptien, temples, tombeaux et pyramides témoignent de ce riche passé.

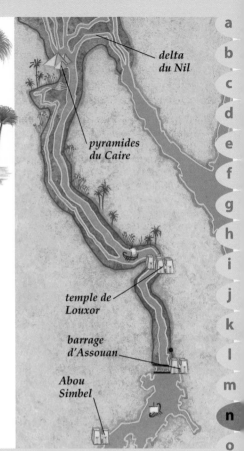

delta du Nil

pyramides du Caire

temple de Louxor

barrage d'Assouan

Abou Simbel

---

nimbus n. m. Gros nuage gris qui annonce la pluie. **On prononce** [nɛ̃bys].

Nîmes

Ville française de la Région Languedoc-Roussillon, située au sud du massif des Cévennes. Ville touristique, Nîmes a également développé des activités agricoles et industrielles. Nîmes conserve des vestiges romains des Ier et IIe siècles, tels la Maison carrée, les Arènes, la porte d'Auguste et le *castellum divisorium* (château d'eau), où se terminait l'aqueduc qui alimentait la ville en eau. Cité romaine prospère, elle subit de graves dégâts lors des invasions barbares du Ve siècle. Elle passe sous tutelle des comtes de Toulouse en 1185 et revient à la France en 1229.

30 *Préfecture du Gard*
137 740 habitants : les Nîmois

---

n'importe adv. De manière indifférente. *Il ne faut pas manger n'importe quoi.*

Niort

Ville française de la région Poitou-Charentes, située au bord de la Sèvre Niortaise. Niort a développé quelques industries modernes. La ville conserve un donjon (XIIe-XVe siècles), un vieil hôtel de ville (XIVe-XVIe siècles), une église gothique (XVe-XVIe siècles). L'origine de Niort remonte à l'époque romaine, où la ville porte le nom de Novium Ritum (le nouveau gué). Elle se développe au Moyen Âge, passe aux mains des Anglais, puis est reprise par Du Guesclin en 1372. Elle subit de graves dommages lors des guerres de Religion au XVIe siècle.

79 *Préfecture des Deux-Sèvres*
59 346 habitants : les Niortais

a b c d e f g h i j k l m **n** o p q r s t u v w x y z

nitrate n. m. Produit chimique. *Certains nitrates sont utilisés comme engrais.*

nitroglycérine n. f. Puissant explosif liquide. *La dynamite est constituée de nitroglycérine.*

niveau n. m. **Plur. : des niveaux. 1** Hauteur de quelque chose par rapport à une surface servant de point de repère. *On calcule la hauteur des montagnes à partir du niveau de la mer.* **2** Degré de connaissance. *Avoir un bon niveau en français.* **3** Instrument servant à vérifier qu'une surface est bien horizontale. **4** Chacun des étages d'un bâtiment. *Les meubles sont au troisième niveau du magasin.* **5** *Niveau de vie :* conditions d'existence liées au pouvoir d'achat.

Un niveau à bulle.

Le niveau est utilisé pour les constructions (mur, fenêtre…) ou pour tracer des lignes horizontales ou verticales. Le plus employé est le niveau à bulle. Le plan est horizontal ou vertical lorsque la bulle se situe exactement entre les deux repères tracés sur le tube en verre.

niveler v. → conjug. **jeter.** Rendre une surface plane en faisant disparaître les creux et les bosses. *Des engins de terrassement nivellent la route.*
Le *nivellement* du terrain se fait à l'aide d'un bull-dozer, l'action de le niveler. *Une niveleuse* est un engin de travaux publics qui sert à niveler le sol.

nivôse n. m. Quatrième mois du calendrier républicain (fin décembre, fin janvier).

Nobel Alfred

Chimiste suédois né en 1833 et mort en 1896. Nobel s'intéresse très tôt aux explosifs, en particulier à la nitroglycérine liquide, qui explose au moindre choc. En 1866, il invente la poudre dynamite, plus facile à manipuler, qui nécessite un détonateur, puis, en 1875, la dynamite-gomme. Il met au point, en 1887, la balistite, une poudre à canon. De nombreuses usines se mettent à fabriquer ces produits, et Nobel acquiert une immense fortune. Conscient du danger de ses inventions, Nobel milite pour la paix dans le monde. Par testament, il lègue la plus grande partie de sa fortune pour que soient créés les prix Nobel, qui récompensent chaque année des personnalités en physique, chimie, médecine ou biologie, littérature et paix. Le prix d'économie est créé par la Banque de Suède en 1969. Les prix Nobel sont remis lors d'une cérémonie à Stockholm (Suède) à la date anniversaire de la mort d'Alfred Nobel.

nobiliaire adj. Qui est une preuve d'appartenance à la noblesse. *La particule « de » était un signe nobiliaire.*

noble adj. et n.
● adj. et n. Qui fait partie de la noblesse. *Avant 1789, les nobles jouissaient de nombreux privilèges.*
● adj. Qui fait preuve de générosité et mérite l'admiration. *Ce geste noble vous honore.*
Il a décidé noblement de pardonner, de façon noble, généreuse.

noblesse n. f. **1** Classe sociale riche et puissante avant la Révolution française. *Les privilèges de la noblesse ont été abolis.* **2** Comportement qui dénote la grandeur d'âme et la générosité. *Agir avec noblesse.*
Synonyme : aristocratie (1). Contraire : bassesse (2).

noce n. f. Fête donnée pour un mariage. *Être invité à une noce.*

nocif, ive adj. Qui est très dangereux pour la santé. *Toutes les drogues sont nocives.*
La nocivité du tabac a été prouvée, son caractère nocif.

noctambule n. Personne qui aime sortir la nuit pour s'amuser.

nocturne adj., n. m. et n. f.
● adj. **1** Qui a lieu pendant la nuit. *Les médecins des urgences assurent les visites nocturnes.* **2** Se dit d'un animal qui vit surtout la nuit. *La chouette est un animal nocturne qui dort dans la journée.*
Contraire : diurne (2).
● n. m. Morceau de musique pour piano, à caractère lent et mélancolique.
● n. f. **1** Ouverture d'un magasin ou d'une exposition tard dans la soirée. **2** Match ou compétition qui a lieu en soirée.

Noé

Personnage de la Bible. Dieu déclenche une gigantesque inondation (le Déluge) pour anéantir le genre humain. Il ordonne à Noé de construire un grand bateau, l'arche de Noé, d'y embarquer sa famille ainsi qu'un couple de chaque espèce animale. Après quarante jours et quarante nuits de pluie, Noé, sa famille et les animaux quittent l'arche et repeuplent la Terre. Noé, père d'une nouvelle humanité, aurait vécu neuf cent cinquante ans !

Noël n. m. **1** Fête chrétienne qui a lieu le 25 décembre pour célébrer l'anniversaire de la naissance de Jésus-Christ. **2** *Père Noël :* personnage légendaire chargé de distribuer des cadeaux aux enfants la nuit de Noël.

nœud n. m. *1* Boucle faite en entrelaçant et en serrant une ficelle ou une corde, en particulier pour attacher quelque chose. *Défaire un nœud.* *2* Croisement important de plusieurs voies de communication. *Cette gare de triage est un nœud ferroviaire.* *3* Partie dure à l'intérieur du bois d'un arbre, qui forme des cercles plus sombres. *4* Au figuré. Ce qui constitue le point essentiel d'une question. *Voici le nœud de l'affaire.* *5* Unité de vitesse d'un bateau. *Un nœud équivaut à 1 mille par heure, soit 1852 mètres par heure.* **On prononce** [nø].

noir, noire adj., n., n. m. et n. f.
● adj. *1* De la couleur la plus foncée. *Pour la cérémonie, les hommes doivent porter un smoking noir.* *2* Qui a la peau très sombre. *Aux États-Unis, il existe une minorité noire originaire d'Afrique.* *3* Au figuré. *Avoir les idées noires* : avoir le cafard, être pessimiste ou triste.
Tu as une tache noirâtre sur la veste, un peu noire (*1*).
La noirceur de l'ébène, sa couleur noire (*1*).
● n. Avec une majuscule. Personne qui a la peau noire. *Aux États-Unis, les Noirs représentent 20 % de la population.*
● n. m. *1* Couleur noire. *Choisis du noir pour colorier ce corbeau.* *2* Obscurité. *Avoir peur du noir.* *3* *Travail au noir* : travail qui n'est pas déclaré aux impôts.
● n. f. Note de musique qui vaut la moitié d'une blanche.

noircir v. → conjug. **finir.** *1* Rendre noir. *Le charbon noircit les mains.* *2* Présenter quelque chose de façon pessimiste. *Les journaux ont noirci la situation.*

noise n. f. Littéraire. *Chercher noise à quelqu'un* : le provoquer.

noisette n. f. Fruit comestible recouvert d'une coquille dure.
Le noisetier, c'est l'arbuste qui produit des noisettes.

noix n. f. Fruit comestible recouvert d'une coquille dure.
Le noyer, c'est l'arbre qui produit des noix.
On donne ce nom à divers autres fruits recouverts d'une coquille et dont on mange l'amande : noix de coco, noix de cajou, noix de pécan…

Noix.

Noix de cajou.

nom n. m. *1* Mot servant à désigner une chose, un animal ou une personne. *«Château» est un nom masculin.* *2* *Nom de famille* : nom commun aux personnes d'une même famille. *3* Ensemble formé par le prénom et le nom de famille. *Chaque élève doit inscrire son nom sur sa copie.*
Synonyme : patronyme (*2*). Homonyme : nom.

LE NOM	
■ **Le nom commun** sert à désigner une personne, un animal, un objet concret ou une notion abstraite. Il est généralement précédé d'un déterminant.	■ **Le nom propre** sert à désigner le nom des personnes, des villes, des pays… Il commence toujours par une majuscule et est parfois précédé d'un déterminant.

nomade n. Personne qui se déplace beaucoup et n'a pas d'habitation fixe. *Les peuples nomades du Sahara se déplacent à dos de chameau.*
Contraire : sédentaire.

nombre n. m. *1* Chiffre ou assemblage de chiffres qui servent à compter. *286 est un nombre à trois chiffres.* *2* Quantité plus ou moins grande de personnes ou de choses. *Le nombre des élèves par classe ne doit pas dépasser trente.* *3* Catégorie grammaticale qui permet de distinguer le singulier et le pluriel. *Si le sujet est au pluriel, le verbe s'accorde en nombre et se met au pluriel.*
Les spectateurs étaient nombreux, en grand nombre (*2*).
Les nombres constituent une notion de base des mathématiques. Leur histoire remonte aux premières civilisations.
Regarde p. 746 et 747.

Regarde p. 746 et 747.

nombril n. m. Petite cicatrice ronde et creuse au milieu du ventre. *Le nombril est l'endroit où le cordon ombilical a été coupé.*
On prononce [nɔ̃bri] **ou** [nɔ̃bril].

nomenclature n. f. Ensemble des mots d'un dictionnaire.

nominal, ale, aux adj. Qui concerne le nom des personnes. *Elle a dressé une liste nominale des personnes absentes.*

nominatif, ive adj. Qui est constitué de noms. *Faire la liste nominative des participants.*

nomination n. f. Action de nommer ou fait d'être nommé à une fonction.

les nombres

La numération écrite est née du besoin de l'homme de tenir un compte précis de ses biens, de ses troupeaux… Elle devint rapidement une nécessité lors des premiers échanges commerciaux.

l'histoire des nombres

Les premières formes de comptage remontent aux temps préhistoriques. Des os marqués de traits et de points ont été retrouvés dans différentes grottes en Europe, en Afrique, en Asie.

les primitifs

Les premiers pictogrammes (dessins) ont aidé aux progrès de la numération. Ainsi la main pouvait représenter 5, deux mains 10, les ailes d'oiseaux 2, le trèfle 3, etc.

Le bâton à encoches est le plus connu des procédés utilisés par l'homme primitif. Au début du XXᵉ siècle, certains peuples européens l'utilisaient encore ! Il s'agit en fait d'un procédé mnémotechnique (un aide-mémoire). L'encoche peut avoir une signification numérique particulière.

La cordelette à noeuds jouait le même rôle que le bâton à encoches mais elle était parfois plus pratique d'utilisation. Chez les Incas du Pérou, elle portait le nom de quipu.

les premières civilisations

Environ 3 500 ans av. J.-C., des documents sumériens, égyptiens, chinois, montrent un usage systématique des nombres.

Cette tablette babylonienne comporte le signe élémentaire signifiant «un».

On a trouvé sur certains papyrus égyptiens des nombres en écriture hiéroglyphique.

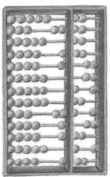

L'abaque ou boulier chinois est une « planche à compter » qui fonctionne selon un principe simple : chaque colonne correspond à une classe décimale distincte : unités, dizaines, centaines. Le boulier est encore en usage de nos jours.

les 10 doigts de la main

■ La majorité des peuples de l'Antiquité adopta la numération décimale (base 10), influencée sans doute par le nombre des doigts. Toutefois, les Mayas utilisèrent la base 20, les Babyloniens la base 60.

■ Le comptage à l'aide des doigts a joué un rôle important dans l'histoire de la numération. Il y a quatre siècles encore, tout homme instruit devait posséder cette technique.

écrire les nombres

■ L'écriture des nombres se fait à l'aide de chiffres ordonnés selon des rangs : centaines, dizaines, unités.
Dans 456 : 4 est le chiffre des centaines, 5 est le chiffre des dizaines et 6 est le chiffre des unités.

■ Pour écrire les grands nombres, on sépare le nombre en tranches de trois chiffres, ce qui permet de lire successivement les unités, les milliers, les millions, les milliards.
Ainsi on n'écrit pas 461283516749 mais 461 283 516 749, et on lit : 461 milliards 283 millions 516 mille 749.

■ La valeur de chaque chiffre qui compose un nombre dépend de sa place dans la suite naturelle des nombres et aussi de sa position par rapport aux autres chiffres qui constituent le nombre.
Ainsi : dans 320, on a 3 centaines plus 2 dizaines plus 0 unité ; dans 203, on a 2 centaines plus 0 dizaine plus 3 unités.

■ C'est l'introduction du zéro qui a permis l'utilisation de cette numération. On peut écrire n'importe quel nombre en n'utilisant que des chiffres de 0 à 9. Cette découverte due à un Indien inconnu remonte au Ve siècle ; elle fit faire un immense progrès à l'arithmétique.

■ Ce sont les Arabes qui ont diffusé en Europe la numération que nous utilisons aujourd'hui.

les nombres décimaux

■ Les nombres peuvent être entiers ou comporter une virgule : ils sont alors décimaux.
La virgule sépare la partie entière de la partie décimale.
Dans 36,25 la partie entière est 36 et la partie décimale est 25.
Pour comparer des nombres décimaux, on compare d'abord les parties entières, puis les dixièmes, puis les centièmes…
$36,25 < 45,76$ car $36 < 45$

■ Si les parties entières sont identiques, on compare chaque chiffre après la virgule en commençant par les dixièmes, puis les centièmes…
$36,25 > 36,22$ car :
$36 = 36$ $2 = 2$ mais $5 > 2$.

les puissances

Elles servent à indiquer qu'un nombre est multiplié par lui-même un certain nombre de fois.
$5^3 = 5 \times 5 \times 5$
5^3 se lit : 5 puissance 3 ; 3 est l'exposant.
On utilise les puissances pour simplifier les grands nombres qui se terminent par plusieurs zéros.
Ainsi pour 10 000, on écrit : 10^4 ($10 \times 10 \times 10 \times 10$) ou bien pour 1 milliard (1 000 000 000), on écrit : $10^9 = (10 \times 10 \times 10 \times 10 \times 10 \times 10 \times 10 \times 10 \times 10)$.

nommer v. → conjug. **aimer**. **1** Donner le nom d'une personne ou d'une chose. *Nomme-moi toutes les conjonctions de coordination.* **2** Choisir quelqu'un pour remplir une fonction. *Mon cousin vient d'être nommé préfet.* **3** *Se nommer :* s'appeler, avoir pour nom. *L'auteur d'*Alice au pays des merveilles *se nomme Lewis Carroll.*

> Il a critiqué **nommément** son voisin, en le nommant (**1**).

non adv. et préfixe.

• adv. Indique la négation ou le refus. *« Tu veux de l'eau ? – Non, je n'ai pas soif. »*
Contraire : oui. Homonyme : nom.
• préfixe. Indique le contraire, le refus, l'absence : *non-voyant, non-violence, non-sens.*

nonagénaire adj. et n. Qui a entre quatre-vingt-dix et cent ans. *Les nonagénaires sont de plus en plus nombreux, surtout parmi les femmes.*

nonchalant, ante adj. Qui manque d'ardeur, d'énergie, de vivacité. *Ils se promenaient d'un pas nonchalant.*
Synonyme : indolent. Contraire : énergique.

> Une démarche pleine de **nonchalance**, à caractère nonchalant. *Il s'est allongé* **nonchalamment** *dans un hamac,* avec nonchalance.

non–lieu n. m. **Plur. : des non-lieux.** Décision de justice qui consiste à arrêter les poursuites contre un accusé. *Bénéficier d'un non-lieu.*

nonne n. f. Religieuse. *Un couvent de nonnes.*

non–sens n. m. inv. Action ou parole absurde, dépourvue de sens. *C'est un non-sens de construire si près du fleuve.*

non–violent, ente adj. et n. **Plur. : des non-violents, non-violentes.** Qui refuse d'utiliser la violence. *Les non-violents ont défilé pour demander la paix dans le monde.*

> La **non-violence** est la doctrine des non-violents.

non–voyant, ante n. **Plur. : des non-voyants, des non-voyantes.** Aveugle.

nord n. m. et adj.

• n. m. **1** Un des quatre points cardinaux, qui est la direction indiquée par l'aiguille de la boussole, à l'opposé du sud. *Cette pièce n'a jamais de soleil car elle est exposée au nord.* **2** Région située dans cette direction. *Habiter dans le nord de la France.*
Quand ce mot est employé seul, sans complément, il commence par une majuscule : habiter dans le Nord, les villes du Nord.
• adj. inv. Situé du côté du nord. *Les banlieues nord de Paris.*

Nord (mer du)

Mer du nord-ouest de l'Europe. La mer du Nord est bordée à l'ouest par la Grande-Bretagne, au nord par les îles Shetland, à l'est par la Scandinavie, et au sud par la France, la Belgique et les Pays-Bas. Ouverte au nord sur l'Atlantique, elle communique au sud avec la Manche par le pas (détroit) de Calais, et au nord-est avec la mer Baltique par plusieurs détroits du Danemark.
Elle s'étend sur 575 000 km^2. Sa profondeur est faible et ses eaux fraîches. Elle connaît de fortes marées et de violentes tempêtes.
La mer du Nord joue un rôle économique important pour les pays d'Europe de l'Ouest. Le trafic y est intense. De grands ports sont installés le long de ses côtes : Dunkerque, Hambourg, Anvers et Rotterdam…

nordique adj. Qui appartient aux pays de l'Europe du Nord. *La Suède est un pays nordique.*

normal, ale, aux adj. et n. f.

• adj. Qui n'a rien d'exceptionnel, qui est habituel, ordinaire ou naturel. *Après une telle randonnée, c'est normal d'être fatigué.*
Contraire : anormal.

> **Normalement** il se lève vers 8 heures, de façon normale, habituellement.

• n. f. *La normale :* ce qui est normal, courant, ordinaire. *Un niveau intellectuel supérieur à la normale.*

Normandie

Ancienne province française du nord-ouest du pays. La Normandie correspond aux actuelles régions de Haute et de Basse-Normandie ; elle comprend les départements de l'Eure, de la Seine-Maritime, du Calvados, de la Manche et de l'Orne. S'étendant en partie sur le Massif armoricain et sur le Bassin parisien, elle est formée de collines herbeuses où se pratiquent élevage et culture. La Normandie compte plus de 500 km de côtes sur lesquelles se trouvent des stations balnéaires (Deauville, Trouville), des ports (Cherbourg, Le Havre, Dieppe) et des villes dynamiques (Rouen, Caen, Bayeux, Évreux). La Normandie doit son nom aux envahisseurs normands (les Vikings) auxquels le roi de France Charles le Simple cède la région au Xe siècle. Alternativement anglaise et française, elle revient à la France en 1468. À la fin de la Seconde Guerre mondiale, en 1944, les plages de Normandie sont le théâtre du débarquement des troupes alliées.

norme n. f. *1* Ce qui correspond à la majorité des cas. *La norme est de se lever le matin.* *2* Règle à laquelle on doit se conformer pour fabriquer un produit. *Respecter les normes de sécurité.*

Norvège

M onarchie constitutionnelle du nord de l'Europe, ouverte à l'ouest sur l'océan Atlantique (mer de Norvège), au nord sur l'océan Arctique et au sud sur la mer du Nord.
La Norvège est en grande partie montagneuse et soumise au climat polaire, sauf le long des côtes sud. L'hiver, la température peut descendre jusqu'à – 25 °C ! Le pays compte un grand nombre d'îles et des milliers de lacs. L'économie, prospère, est fondée sur l'exploitation des ressources en pétrole et en gaz naturel, sur une industrie dynamique et sur la pêche. Les Norvégiens ont l'un des niveaux de vie les plus élevés du monde.
Sous domination du Danemark puis de la Suède, la Norvège devient indépendante en 1905.

323 880 km²
4 514 000 habitants : les Norvégiens
Langue : norvégien
Monnaie : couronne norvégienne
Capitale : Oslo

nos adj. possessif. → **notre.**

nostalgie n. f. Sentiment de tristesse vague provoqué par le souvenir de quelque chose que l'on regrette. *Avoir la nostalgie de son pays natal.*
*Penser à son enfance le rend **nostalgique**, plein de nostalgie.*

nota bene n. m. inv. Note ou remarque placée à la fin d'un texte.
Mots latins qui se prononcent [nɔtabene]. **En abrégé : N. B.**

notable adj. et n.
• adj. Qui est digne d'être remarqué. *Faire des progrès notables.*
Synonymes : important, appréciable, sensible.
*L'état de santé du malade s'est **notablement** amélioré, d'une façon notable.*

• n. Personne qui a une situation sociale importante. *Il a invité les notables : le maire, le médecin, le notaire…*

notaire n. Personne qui établit des actes de vente ou des contrats. *Déposer un testament chez un notaire.*

notamment adv. En particulier, surtout, spécialement. *Aimer le sport, notamment le tennis.*

notation n. f. *1* Façon de noter un devoir. *La notation habituelle va de 0 à 20.* *2* Représentation des sons par des signes écrits.

note n. f. *1* En musique, chacun des signes représentant un son. *La gamme est composée de sept notes.* *2* Brève remarque qui explique un point de détail d'un texte. *Il y a des notes en bas de page dans ce livre.* *3* Chiffre qui indique l'appréciation d'un enseignant sur un devoir. *Avoir de bonnes notes en français.* *4* Petit texte qu'on écrit pour se souvenir de quelque chose. *Au musée, les élèves ont pris des notes.* *5* Papier qui indique ce qu'on doit payer, addition. *Demander la note au restaurant.*

noter v. → conjug. **aimer.** *1* Écrire un renseignement pour s'en souvenir. *As-tu noté mon adresse ?* *2* Mettre telle note à un devoir. *Ce professeur note très sévèrement.* *3* Constater, remarquer quelque chose. *On a noté une légère amélioration du temps.*

notice n. f. Petit texte qui explique comment se servir d'un objet. *Une notice est jointe à l'appareil.*
Synonyme : mode d'emploi.

notifier v. → conjug. **modifier.** Annoncer de manière officielle. *On a notifié à ce joueur son élimination de l'équipe pour faute.*
*La **notification** d'une décision, le fait de la notifier.*

notion n. f. *1* Idée intuitive qu'on se fait de quelque chose. *La notion de la différence entre le bien et le mal.* *2* Connaissance rudimentaire dans un domaine. *N'avoir que quelques notions d'anglais.*
Synonyme : rudiments (2).

notoire adj. Qui est bien connu. *Être d'une hypocrisie notoire.*

notoriété n. f. Renommée. *Cet acteur jouit d'une notoriété internationale.*
Synonymes : célébrité, renom, réputation.

notre adj. possessif. **Plur. : nos.** Correspond au pronom personnel de la première personne du pluriel. *Nous recevons souvent nos amis dans notre maison.*

le nôtre, la nôtre, les nôtres pron. et n. m. pl.
• pron. possessif. Correspond au pronom personnel de la première personne du pluriel. *Ces disques ne nous appartiennent pas car les nôtres sont marqués.*
• n. m. pl. Nos parents ou nos proches.

nouer v. → conjug. **aimer**. **1** Faire un nœud à quelque chose ou attacher avec un nœud. *Nouer ses cheveux. Apprendre à nouer ses lacets.* **2** *Avoir la gorge nouée :* être incapable de parler à cause de l'émotion.

noueux, euse adj. **1** Qui a des bosses aux articulations dues à des rhumatismes. *Des mains noueuses et déformées.* **2** Se dit du bois d'un arbre qui comporte beaucoup de nœuds.

nougat n. m. Friandise à base de miel et d'amandes.

nougatine n. f. Friandise à base de caramel et d'amandes pilées.

nouille n. f. Pâte alimentaire en forme de lamelles. *Faire cuire les nouilles dans beaucoup d'eau salée.*

nourrice n. f. Femme qui garde chez elle des bébés contre rétribution.

nourricier, ère adj. Qui élève un enfant qui n'est pas le sien mais qui a été adopté. *Il n'a connu que ses parents nourriciers.*
Synonyme : adoptif.

nourrir v. → conjug. **finir**. **1** Donner à manger. *L'agricultrice nourrit ses poules avec du grain.* **2** Subvenir aux besoins de quelqu'un, l'entretenir. *Avoir une famille nombreuse à nourrir.* **3** *Se nourrir :* consommer, manger tel aliment. *Les insectivores sont des animaux qui se nourrissent d'insectes.*

Ce plat est très **nourrissant**, il nourrit (**2**) bien. La **nourriture**, c'est l'ensemble des aliments avec lesquels on se nourrit.

nourrisson n. m. Enfant nouveau-né qui ne se nourrit encore que de lait.

nourriture n. f. → **nourrir**.

nous pron. Pronom personnel de la première personne du pluriel, qui a la fonction de sujet ou de complément. *Nous allons bien. Il nous a envoyé ses vœux.*

nouveau, nouvelle adj. et n. Plur. : **nouveaux, nouvelles**.
• adj. **1** Qui existe ou qu'on possède depuis peu de temps. *Un nouveau virus. Acheter une nouvelle maison.* **2** Qui est original et inédit. *Inventer un nouveau procédé de fabrication.* **3** Qui est arrivé récemment quelque part. *Il y a deux nouveaux élèves dans la classe.*
Contraire : ancien. Au masculin, l'adjectif «nouveau» devient «nouvel» devant une voyelle ou un «h» muet : *un nouvel album, un nouvel hôtel.*
• n. Personne qui est arrivée récemment. *Il y a des nouveaux chaque année dans l'école.*
• n. m. **1** Événement nouveau ou imprévu. *Y a-t-il du nouveau depuis hier?* **2** *À nouveau* ou *de nouveau :* encore une fois. *Il a de nouveau perdu.*

• n. f. **1** Événement récent qu'on vient d'apprendre. *La nouvelle de leur arrivée nous ravit.* **2** Récit moins long qu'un roman. *Aimer lire des nouvelles.* **3** Au pluriel. Informations diffusées par les médias. *Lire tous les jours les nouvelles dans le journal.* **4** Au pluriel. Autre sens : *il n'a pas donné de ses nouvelles depuis longtemps.*

nouveau-né, nouveau-née n. Plur. : **nouveau-nés, nouveau-nées**. Bébé ou petit animal qui vient de naître.

nouveauté n. f. **1** Chose, produit nouveau. *Tu trouveras ce disque au rayon des nouveautés car il vient de sortir.* **2** Caractère de ce qui est nouveau. *Aimer le changement et la nouveauté.*

nouvel adj. m., **nouvelle** adj. f. et n. f. → **nouveau**.

nouvellement adv. Depuis peu de temps, récemment. *Les peintures ont été nouvellement refaites.*

Nouvelle-Zélande

Monarchie constitutionnelle du Pacifique Sud, située au sud-est de l'Australie. La Nouvelle-Zélande est constituée de deux îles principales, l'île du Nord et l'île du Sud, séparées par le détroit de Cook, et d'un grand nombre de petites îles. Le territoire est essentiellement montagneux. Le climat est tempéré humide ; les tempêtes sont fréquentes. L'île du Nord, la plus peuplée, abrite les deux plus grandes villes du pays : Wellington, la capitale, et Auckland.
L'élevage, l'exploitation forestière et la pêche sont des sources de richesses pour le pays. L'industrie et le secteur des services sont aussi très prospères, et le tourisme est très actif. Le niveau de vie des Néo-Zélandais est élevé. Sous domination britannique à partir du milieu du XIXᵉ siècle, la Nouvelle-Zélande devient indépendante et membre du Commonwealth en 1907.

270 530 km²
3 846 000 habitants :
les Néo-Zélandais
Langues : anglais, maori
Monnaie : dollar
néo-zélandais
Capitale : Wellington

novateur, trice adj. Qui innove de façon originale. *Cet architecte a des idées très novatrices.*

novembre n. m. Onzième mois de l'année, qui a 30 jours.

novice adj. et n. Débutant dans une activité ou un métier. *C'est un novice, il n'a pas encore d'expérience.*

noyade n. f. → noyer 1.

noyau n. m. **Plur. : des noyaux. 1** Partie dure qui se trouve dans certains fruits et qui renferme la graine. *Le noyau d'une cerise, d'une pêche.* **2** Partie centrale de quelque chose. *Le noyau d'une cellule.* **3** Au figuré. Petit groupe de personnes qui font quelque chose en commun. *Démanteler un noyau de terroristes.*
On prononce [nwajo].

1. noyer v. → conjug. **essuyer. 1** Faire mourir un animal ou une personne par asphyxie sous l'eau. *Se noyer dans un torrent.* **2** Au figuré. Embrouiller l'esprit. *Ses explications confuses m'ont complètement noyé, je ne sais plus où j'en suis.* **3** *Noyer le poisson :* parler beaucoup pour essayer d'éviter une question embarrassante.
On prononce [nwaje].

> *Il a nagé longtemps pour échapper à la* noyade, *au fait de se noyer (1). Les pompiers ont trouve le* noyé *dans le canal,* une personne qui s'est noyée (1).

2. noyer n. m. → noix.

nu, nue adj. et n. m.
• adj. **1** Qui n'a pas de vêtement. *Être nu dans son bain.* **2** Qui n'a aucun ornement ni décoration. *Quand les murs sont nus, la pièce semble plus grande.* **3** *À l'œil nu :* qu'on peut voir sans instrument d'optique spécial. *Certaines étoiles ne sont pas visibles à l'œil nu.*
• n. m. Tableau représentant une personne nue.
Homonyme : nues.

nuage n. m. **1** Accumulation de gouttelettes d'eau qui flottent dans l'atmosphère. **2** Amas de matière légère ou de vapeur qui empêche de voir. *Un nuage de poussière, de sable, de fumée.* **3** Au figuré. *Un nuage de lait :* une très petite quantité, un soupçon. *Mettre un nuage de lait dans son café.* **4** Au figuré. *Être dans les nuages :* être distrait ou rêvasser.

> *Demain, on prévoit un ciel* nuageux, *couvert de nuages (1).*

Les nuages sont une étape du cycle de l'eau. Ils proviennent de la condensation de la vapeur d'eau. Celle-ci est produite par l'évaporation de l'eau des mers, des lacs, des fleuves et des rivières sous l'action de la chaleur et du vent. On distingue plusieurs types de nuages, différents par leurs formes et l'altitude à laquelle ils se situent dans le ciel.
Regarde ci-contre.

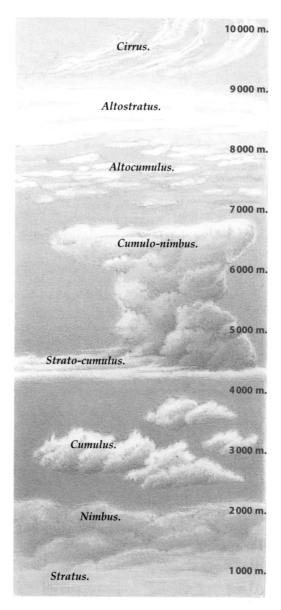

Cirrus. — 10 000 m.

Altostratus. — 9 000 m.

Altocumulus. — 8 000 m.

— 7 000 m.

Cumulo-nimbus. — 6 000 m.

— 5 000 m.

Strato-cumulus.

— 4 000 m.

Cumulus. — 3 000 m.

Nimbus. — 2 000 m.

Stratus. — 1 000 m.

nuance n. f. **1** Chacun des tons différents d'une même couleur. *Le carmin et le vermillon sont des nuances de rouge.* **2** Différence légère et subtile. *Il y a une nuance entre bon et délicieux.*

> *Nuancer son jugement,* c'est l'exprimer en y introduisant des nuances (**2**).

nucléaire adj. et n. m.
• adj. Qui utilise l'énergie qui est libérée par le noyau de l'atome quand il se désagrège. *Dans les pays indus-*

trialisés, l'électricité est de plus en plus produite par des centrales nucléaires.
● n. m. Énergie nucléaire.

Dans de nombreux pays, une grande partie de l'électricité est fournie par les centrales nucléaires. L'étanchéité des réacteurs est constamment surveillée, car la réaction nucléaire produit une importante radioactivité, très dangereuse pour les êtres vivants. *Regarde* énergie.

nudisme n. m. Pratique qui consiste à vivre nu, au grand air.
Synonyme : naturisme.
    Les nudistes *sont des adeptes du nudisme.*

nudité n. f. État d'une personne nue.

nuée n. f. Multitude d'insectes ou d'oiseaux volant ensemble et formant comme un nuage. *Une nuée de criquets.*

nues n. f. pl. *1 Porter quelqu'un aux nues :* lui faire des louanges excessives. *2 Tomber des nues :* être extrêmement surpris par un événement inattendu.
Homonyme : nu.

nuire v. ➔ conjug. **cuire.** Faire du tort ou du mal. *Ces critiques ont nui à sa réputation. La nicotine nuit gravement à la santé.*
    Le bruit et la pollution sont des nuisances *dans les villes, des facteurs qui nuisent à la qualité de vie. Un rongeur très* nuisible *pour les récoltes, qui leur nuit.*

nuit n. f. Espace de temps pendant lequel le Soleil est absent et où il fait sombre. *La nuit tombe vite en hiver.*

1. nul, nulle adj. et pron.
● adj. Aucun, pas un seul. *Nul besoin de t'expliquer !*
● pron. Pas une seule personne. *Nul ne sait où il est parti, c'est un mystère.*

2. nul, nulle adj. *1* Qui est sans aucune valeur, ou qui est extrêmement mauvais dans un domaine. *Cette émission est nulle. Être nul en mathématiques. 2 Match nul :* à égalité, sans vainqueur ni vaincu.
    Il avoue sa nullité *en dictée,* le fait qu'il est nul (*1*).

nullement adv. Absolument pas, pas du tout. *Je ne suis nullement responsable dans cette histoire.*

nulle part adv. À aucun endroit. *Nulle part il ne se sent mieux que chez lui.*

nullité n. f. ➔ nul 2.

numéral, ale, aux adj. *Adjectif numéral :* qui représente un nombre, et indique soit la quantité (*six : numéral cardinal*), soit le rang (*sixième : numéral ordinal*).

numérateur n. m. Dans une fraction, terme qui est placé à gauche (ou au-dessus) de la barre, et qui indique de combien de parties de l'unité cette fraction se compose. *Dans 5/9, le numérateur est 5.*

numération n. f. Manière de représenter les nombres. *Dans la numération romaine, 7 s'écrit VII.*

numérique adj. *1* Qui est évalué en considérant le nombre. *L'infériorité numérique d'une équipe. 2* Qui enregistre une information en la traitant sous forme de nombres. *Un affichage numérique.*

numéro n. m. *1* Chiffre ou ensemble de chiffres. *Donne-moi ton numéro de téléphone. 2* Exemplaire d'un journal. *Le prochain numéro de cette revue sortira mardi. 3* Partie d'un spectacle de variétés ou de cirque. *Les jongleurs commencent leur numéro.*
    Numéroter les pages, c'est y mettre un numéro (*1*). *La* numérotation *d'une rue,* c'est l'action de la numéroter.

nu-pieds n. m. inv. Sandale légère laissant le pied très découvert.

nuptial, ale, aux adj. Qui concerne la cérémonie du mariage. *Bénédiction nuptiale.*
On prononce [nypsjal].

nuque n. f. Partie arrière du cou. *Avoir des douleurs dans la nuque liées à une mauvaise position.*

Nuremberg

Ville d'Allemagne située en Bavière. Choisie par Hitler pour y tenir chaque année le congrès du parti nazi, la ville de Nuremberg donne son nom en 1935 aux premières lois racistes dirigées contre les Juifs. Devenue une ville symbole du nazisme, elle accueille après la Seconde Guerre mondiale, de 1945 à 1946, le procès de Nuremberg mené par un tribunal militaire international ; vingt-quatre dirigeants nazis accusés de crimes de guerre et de crimes contre l'humanité y sont jugés. Dix-neuf sont condamnés (dont douze à la peine de mort).

nutritif, ive adj. *1* Qui est nourrissant. *L'avocat est un fruit très nutritif. 2* Qui a rapport à la nutrition. *La qualité nutritive d'un aliment.*

nutrition n. f. Façon de se nourrir, de s'alimenter. *Ces enfants faméliques souffrent de troubles de la nutrition.*
    Un nutritionniste *est un médecin spécialiste des problèmes de nutrition.*

Nylon n. m. Textile synthétique. *Des bas en Nylon.*
Ce mot s'écrit avec une majuscule car c'est le nom d'une marque.

nymphe n. f. Dans la mythologie grecque, divinité des Forêts, des Montagnes et des Eaux.

Oo

Olive n'a pas de chance !

OLIVE

oasis n. f. Endroit dans un désert où il y a de la végétation grâce à la présence d'un point d'eau.
On prononce [ɔazis].

Les oasis se rencontrent généralement dans les vallées ou dans les dépressions, où l'eau des nappes souterraines est récupérée grâce à des puits, parfois très profonds. La population des oasis est sédentaire. Elle pratique la culture, à l'ombre des grands palmiers-dattiers, et l'élevage. L'oasis est un lieu d'escale pour les populations nomades, qui peuvent y faire du commerce.

Ob

Fleuve de Russie. L'Ob est l'un des plus importants cours d'eau d'Asie. Long de plus de 5 410 km, il prend sa source en Sibérie occidentale, dans le massif de l'Altaï, et se jette par un long estuaire dans l'océan Arctique, en mer de Kara. Il traverse des cités industrielles dont la grande ville de Novossibirsk. La navigation sur l'Ob est interrompue une grande partie de l'année à cause du gel de ses eaux.

obéir v. → conjug. **finir**. Faire ce que quelqu'un ordonne ou interdit. *Obéir à ses parents.*
Contraire : désobéir.

Il n'est pas très obéissant, *il n'obéit pas facilement. Il exige l'*obéissance *de ses élèves*, qu'ils lui obéissent.

obélisque n. m. Grande colonne de pierre à quatre faces.

Dans l'Égypte ancienne, les obélisques jouent un rôle dans le culte du Soleil (ils servent à capter les rayons divins). Ils sont couverts de hiéroglyphes et s'affinent jusqu'à leur sommet, terminé en forme de petite pyramide. Ils peuvent atteindre une trentaine de mètres de hauteur et peser plusieurs centaines de tonnes. Il ne subsiste plus qu'un des deux obélisques qui s'élevaient devant le temple d'Amon à Louqsor, l'autre a été érigé sur la place de la Concorde à Paris.

Obélisque de Louqsor.

obèse adj. et n. Qui est anormalement gros.
*L'*obésité *est une maladie*, le fait d'être obèse.

objecter v. → conjug. **aimer**. Opposer un argument à une demande ou à une affirmation. *Il a objecté qu'il était trop fatigué pour sortir.*
*Partons, si tu n'y vois pas d'*objection, *si tu n'as rien à objecter.*

objecteur n. m. *Objecteur de conscience :* jeune homme qui refuse de faire son service militaire pour des raisons morales ou religieuses.

1. objectif, ive adj. Qui n'est pas influencé par des préjugés, des préférences ou des idées personnelles. *Un avis objectif. Un témoin objectif.*
Synonyme : impartial. Contraire : subjectif.
Il a décrit objectivement *les faits*, de façon objective. *Son jugement manque d'*objectivité, *il n'est pas très objectif.*

2. objectif n. m. *1* But que l'on cherche à atteindre. *Quels sont vos objectifs ?* *2* Système optique d'un appareil photo ou d'une caméra, formé de lentilles.

objection n. f. → objecter.

objectivement adv., **objectivité** n. f. → objectif 1.

objet n. m. *1* Chose fabriquée par l'homme et ayant un usage particulier. *2* But d'une action ou d'une activité. *Quel est l'objet de ta venue ?* *3* Complément d'objet : complément qui désigne la personne ou la chose qui subit l'action exprimée par le verbe.

obliger v. → conjug. **ranger.** *1* Forcer, contraindre. *Tu n'es pas obligé de venir.* *2* Littéraire. Rendre service, faire plaisir. *Vous m'obligeriez beaucoup en me prêtant votre portable.*
> *Je suis dans l'obligation de partir*, je suis obligé (*1*) de partir. *C'est une visite médicale obligatoire*, on est obligé (*1*) d'y aller. *Le bulletin scolaire doit être obligatoirement signé par les parents*, de façon obligatoire. *Nous avons des voisins très obligeants*, qui aiment obliger (*2*), serviables, complaisants. *Il est d'une extrême obligeance*, il est très obligeant.

oblique adj. Qui n'est ni horizontal ni vertical. *Des lignes obliques.*
> *La voiture a obliqué à droite*, a tourné en oblique.

oblitérer v. → conjug. **digérer.** Apposer un cachet sur un timbre pour qu'il ne puisse pas être réutilisé.

oblong, oblongue adj. De forme allongée.

obnubiler v. → conjug. **aimer.** Obséder. *Il est obnubilé par son travail.*

obole n. f. Petite somme d'argent que l'on donne. *Donner son obole à une quête.*

obscène adj. Qui choque gravement la pudeur par son indécence et sa grossièreté. *Des graffitis obscènes, un geste obscène.*
> *Des obscénités*, ce sont des paroles, des actes ou des images obscènes.

obscur, ure adj. *1* Sans lumière, sombre. *Une ruelle obscure.* *2* Difficile à comprendre, confus. *Un texte obscur.* *3* Peu connu. *Un artiste obscur.*
Contraires : lumineux (*1*), clair (*2*), célèbre (*3*).
> *Il va pleuvoir, le ciel s'obscurcit*, devient obscur (*1*), s'assombrit. *La pièce est plongée dans l'obscurité*, elle est obscure (*1*), plongée dans le noir. *Il sentait obscurément qu'il se trompait*, d'une façon obscure (*2*), vaguement, confusément.

obséder v. → conjug. **digérer.** Occuper l'esprit de façon insistante et continuelle. *Cette idée l'obsède.*
> *Il ne peut se débarrasser de ce souvenir obsédant*, qui l'obsède.

obsèques n. f. pl. Enterrement, funérailles.

obséquieux, euse adj. D'une politesse excessive. *Un sourire obséquieux.*
Synonyme : servile.
> *L'obséquiosité de son accueil me gêne*, son caractère obséquieux.

observable adj. → observer.

observateur, trice adj. et n.

● adj. Qui sait bien observer. *Olive n'est pas très observatrice.*
● n. Personne qui assiste à un événement sans y participer. *Venir à une réunion comme observateur.*

observation n. f. *1* Action d'observer. *Avoir l'esprit d'observation.* *2* Remarque, réflexion, commentaire. *Ce texte appelle plusieurs observations.* *3* Léger reproche. *Son retard lui a valu une observation.*

observatoire n. m. Établissement destiné aux observations astronomiques ou météorologiques.

observer v. → conjug. **aimer.** *1* Examiner avec attention pour étudier, connaître ou surveiller. *Observer un phénomène scientifique. Observer les oiseaux avec des jumelles.* *2* Remarquer, constater. *Elle lui a fait observer qu'il s'était trompé.* *3* Respecter une règle, un usage. *Observer le silence.*
> *Cette étoile n'est observable qu'au télescope*, elle ne peut être observée (*1*) qu'ainsi.

obsession n. f. Idée ou image qui obsède, idée fixe. *Se venger est devenu chez lui une obsession.*

obstacle n. m. *1* Ce qui gêne ou empêche le passage. *Contourner un obstacle.* *2* Au figuré. Ce qui gêne ou empêche une action. *Il a rencontré beaucoup d'obstacles dans son enquête.*

s'obstiner v. → conjug. **aimer.** Persister avec entêtement dans une conduite ou une opinion. *Il s'obstine dans son refus.*
Synonymes : s'acharner, s'entêter.
> *Il poursuit ses recherches avec obstination*, en s'obstinant. *Il défend obstinément son point de vue*, avec obstination.

obstruction n. f. *Faire de l'obstruction :* empêcher le bon déroulement d'une action ou d'un débat.

obstruer v. → conjug. **aimer.** Faire obstacle, boucher. *Le passage est obstrué par une voiture mal garée.*

obtempérer v. → conjug. **digérer.** Obéir à un ordre. *Il a refusé d'obtempérer.*

obtenir v. → conjug. **venir.** Réussir à avoir ce que l'on veut ou à atteindre un résultat. *Obtenir une permission. Obtenir un diplôme.*
> *L'obtention d'un passeport*, le fait de l'obtenir.

obtus, use adj. *1* Qui manque de finesse, d'ouverture d'esprit. *Il est complètement obtus. 2 Angle obtus :* angle plus grand qu'un angle droit.
Synonyme : borné (*1*). Contraire : aigu (*2*).

obus n. m. Projectile explosif, tiré par un canon.

oc n. m. *Langue d'oc :* ensemble des dialectes parlés dans le sud de la France, où «oui» se disait autrefois *oc*, à la différence du nord de la France où «oui» se disait *oïl*.
Synonyme : occitan.

occasion n. f. *1* Circonstance qui provoque ou facilite une action. *Profiter de l'occasion pour sortir. 2* Achat à un prix avantageux. *Une voiture à ce prix, c'est une occasion ! 3 D'occasion :* qui n'est pas vendu neuf. *Des vêtements d'occasion.*
   C'est une rencontre occasionnelle, qui se produit par occasion (*1*), par hasard. *Il ne regarde la télévision qu'occasionnellement,* de manière occasionnelle et non habituelle. *La tempête a occasionné beaucoup de dégâts,* elle en a été l'occasion (*1*), la cause.

occident n. m. *1* Ouest, couchant. *2* Avec une majuscule. *L'Occident :* l'ensemble des pays d'Europe de l'Ouest et d'Amérique du Nord.
Contraire : orient (*1*).

occidental, ale, aux adj. et n.
• adj. *1* Qui est à l'occident, à l'ouest. *L'Europe occidentale. 2* Qui concerne l'Occident. *Les pays occidentaux.*
Contraire : oriental.
• n. Avec une majuscule. Habitant de l'Occident.

occitan n. m. Langue d'oc.

occulte adj. *1* Qui est secret et mystérieux. *Cet homme a eu un rôle occulte dans la négociation. 2 Sciences occultes :* ensemble des théories et des pratiques qui font intervenir des forces non rationnelles, comme la magie, l'astrologie ou l'alchimie.
   Elle se passionne pour l'occultisme, pour les sciences occultes (*2*).

occulter v. → conjug. **aimer.** Cacher, dissimuler. *Occulter un souvenir désagréable.*

occultisme n. m. → occulte.

occupant, ante n. *1* Personne qui habite un lieu. *Les occupants de l'immeuble. 2* Ennemi qui occupe un pays. *Résister aux occupants.*

occupation n. f. *1* Activité, travail. *Avoir de nombreuses occupations. 2* Action d'occuper un lieu, un pays. *Une armée d'occupation. 3 L'Occupation :* période de la Seconde Guerre mondiale pendant laquelle le France a été occupée par les Allemands (1940-1944).

occupé, ée adj. *1* Qui est pris par un travail ou par une activité. *C'est un homme très occupé. 2* Qui est utilisé par quelqu'un. *Toutes les cabines téléphoniques sont occupées.*
Contraires : inoccupé (*1* et *2*), libre (*2*).

occuper v. → conjug. **aimer.** *1* Habiter un lieu. *Qui occupe l'appartement du premier ? 2* Envahir par la force un lieu, un pays et s'en rendre maître. *Occuper une usine. Occuper un pays vaincu. 3* Remplir une durée ou un espace. *À quoi occupes-tu tes loisirs ? Le lit occupe toute la chambre. 4 S'occuper de quelque chose ou de quelqu'un :* y consacrer son temps, son attention. *Elle s'occupe du jardin, il s'occupe des enfants.*

océan n. m. Très vaste étendue d'eau salée. *L'océan Atlantique, l'océan Pacifique, l'océan Indien.*
   Le climat océanique est le climat doux et humide des régions proches des océans. *L'océanographie* est la science qui étudie les mers et les océans. *Sur un navire océanographique,* on fait des recherches en océographie. *L'océanographe* est le spécialiste d'océanographie.

Océanie

Un des six continents. L'Océanie est située dans la partie sud de l'océan Pacifique, entre l'Asie et l'Amérique.
Regarde page suivante.

Regarde page suivante.

océanique adj., **océanographe** n., **océanographie** n. f., **océanographique** adj. → océan.

ocelot n. m. Félin d'Amérique du Sud au pelage tacheté de brun.
   L'ocelot mesure environ 65 cm de longueur. Sa tête ressemble à celle du chat sauvage, avec de gros yeux et de courtes oreilles. C'est un excellent grimpeur. Il chasse la nuit les petits mammifères, les oiseaux et les reptiles. La femelle a des portées de trois ou quatre petits. Longtemps recherché pour sa fourrure, il est aujourd'hui protégé.

ocre adj. inv. ou n. m. Se dit d'une couleur brun rouge ou brun jaune. *Des murs ocre.*

l'Océanie

L'Océanie est composée d'environ 20 000 îles, réparties sur près de 176 millions de km², soit presque le tiers de la surface du globe !

Vue aérienne de Sydney, en Australie.

Une plage sur l'une des îles Fidji.

■ La plupart des îles sont peu peuplées, voire inhabitées : l'Océanie compte environ 32 millions d'habitants. Cette population est composée d'une grande diversité de peuples venus d'Asie mais aussi d'Europe. Ainsi, l'Australie et la Nouvelle-Zélande sont peuplées de nombreux descendants européens.

■ La Nouvelle-Calédonie, Wallis-et-Futuna et la Polynésie française, dont fait partie Tahiti sont des territoires français.

■ Dans les petites îles, l'activité économique se résume le plus souvent à quelques cultures tropicales (canne à sucre, noix de coco), à la pêche et au tourisme.

Le kangourou est devenu le symbole de l'Australie.

■ Les plus grandes îles ont un relief montagneux, les plus petites, souvent d'origine volcanique, conservent des volcans en activité. D'autres sont des atolls d'origine corallienne.

■ Le climat est chaud, parfois aride et désertique comme dans la partie ouest de l'Australie. La pluie arrose les versants est des îles montagneuses, qui sont soumis aux alizés (vents d'est). Les cyclones sont fréquents.

Tropique du Cancer

Îles Mariannes

M i c r o n é s i e

Îles Carolines

Îles Marshall

M é l a n é s i e

Îles Kiribati

Équateur

P o l y n é s i e

Îles de la Ligne

Nouvelle-Guinée

Îles Salomon

Tuvalu

Darwin

Îles Samoa

Îles de la Société

Cairns

Îles Fidji

Mer de Corail

Îles Cook

Nouvelle-Calédonie

Îles Tonga

Îles Australes

Tropique du Capricorne

Australie

Brisbane

OCÉAN PACIFIQUE

Geraldton

Perth

Sydney

Adélaïde

Canberra

Melbourne

Tasmanie

Wellington

Nouvelle-Zélande

1000 km

Ce lézard à collerette, appelé aussi dragon d'Australie, vit dans le nord-ouest du pays.

Les trois plus grandes îles de l'Océanie sont l'Australie, la Nouvelle-Guinée et la Nouvelle-Zélande. L'Océanie comprend aussi la Micronésie (petites îles), la Mélanésie (îles noires) et la Polynésie (îles nombreuses).

octave n. f. Intervalle de huit notes formant la gamme.

octobre n. m. Dixième mois de l'année, qui a 31 jours.

octogénaire adj. et n. Qui a entre quatre-vingts et quatre-vingt-neuf ans.

octogone n. m. Figure géométrique à huit angles et huit côtés.

octroi n. m. Autrefois, taxe perçue sur les marchandises à l'entrée des villes.

octroyer v. → conjug. **essuyer.** Accorder par faveur. *Octroyer un délai.*

oculaire adj. *1* Qui concerne l'œil. *Le globe oculaire.* *2 Témoin oculaire :* celui qui a vu quelque chose de ses propres yeux.

oculiste n. Médecin spécialiste des yeux.
Synonyme : ophtalmologiste.

ode n. f. Long poème.

odeur n. f. Sensation que l'on perçoit par le nez. *Une odeur agréable.*

odieux, euse adj. *1* Très désagréable. *Il a vraiment un comportement odieux.* *2* Qui soulève l'indignation. *Un crime odieux.*
   Il s'est conduit **odieusement**, de façon odieuse.

odorant, ante adj. Qui dégage une odeur, généralement agréable. *Des roses odorantes.*

odorat n. m. Sens qui permet de percevoir les odeurs.
L'odorat est un des cinq sens.
Regarde ci-dessous.

odyssée n. f. Voyage riche en aventures.

Odyssée

Poème épique de l'Antiquité, attribué au poète grec Homère. L'*Odyssée*, divisée en trois grandes parties, est composée de vingt-quatre chants. Elle se situe après la guerre de Troie, dont un épisode est raconté dans l'*Iliade*. Elle décrit les multiples aventures d'Ulysse au cours des dix années que dure son voyage de retour de Troie vers l'île d'Ithaque sa patrie.

l'odorat

Les récepteurs de l'odorat et ceux du goût travaillent ensemble pour nous faire sentir les odeurs qui nous environnent.

■ **L'odorat est très développé chez certains animaux (chiens, félins…). Chez les insectes, les organes de l'odorat sont situés sur les antennes.**

■ **L'odorat et le goût sont des sens associés. Ainsi, lorsque nous sommes enrhumés et que notre odorat est perturbé, nous percevons moins bien la saveur des aliments.**

le nez

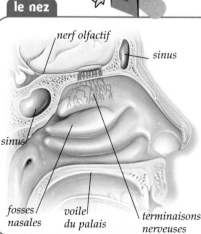
nerf olfactif — sinus — sinus — fosses nasales — voile du palais — terminaisons nerveuses

Les cellules responsables de l'odorat (cellules olfactives) se trouvent dans le nez. Elles captent les molécules odorantes transportées par l'air que nous respirons et qui s'échappent des objets qui nous entourent. Chaque cellule olfactive se termine par une fibre nerveuse. La réunion de ces fibres constitue le nerf olfactif, qui transmet les informations (les odeurs) au cerveau.

œcuménique adj. Qui vise à rassembler toutes les religions. *Le mouvement œcuménique.*
On prononce [ekymenik] **ou** [økymenik]**.**

œdème n. m. Gonflement anormal d'une partie du corps.
On prononce [edɛm] **ou** [ødɛm]**.**

œil n. m. **Plur. : des yeux. 1** Organe de la vue. *Avoir de bons yeux. Avoir les yeux bleus, verts, marron.* **2** *Coup d'œil* : regard rapide. **3** *Ouvrir l'œil* : être très attentif. **4** *À l'œil nu* : sans l'aide d'un instrument d'optique. *Des planètes visibles à l'œil nu.* **5** *Sous les yeux de quelqu'un* : juste devant lui, en sa présence. **6** Familier. *À l'œil* : gratuitement.
On prononce [œj] **au singulier et** [jø] **au pluriel.**

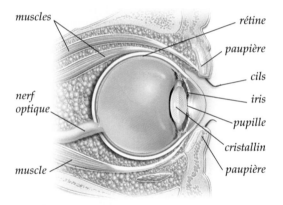

muscles — rétine — paupière — cils — iris — pupille — cristallin — paupière — nerf optique — muscle

L'œil est situé à l'abri dans une cavité appelée orbite. Il est protégé par les paupières qui, à chaque battement, en assurent le nettoyage. Les cils, à l'extrémité des paupières, sont destinés à arrêter les poussières. L'œil est mobile grâce à six muscles qui le rattachent au crâne.
Les images qui se forment au fond de l'œil, sur la rétine, sont transmises au cerveau par le nerf optique. La vision combinée des deux yeux permet d'apprécier les distances et de voir le relief. Le champ de vision est déterminé par la position des yeux ; chez l'homme, il est de 180°.
Regarde aussi **vue.**

œil-de-bœuf n. m. **Plur. : des œils-de-bœuf.** Petite fenêtre ronde ou ovale.

œillade n. f. Clin d'œil complice ou amoureux.

œillère n. f. **1** Chacune des pièces de cuir destinées à empêcher un cheval de regarder sur les côtés. **2** Au figuré. *Avoir des œillères* : être borné, avoir l'esprit étroit.

œillet n. m. **1** Plante à fleurs rouges, roses ou blanches très odorantes. **2** Petit trou cerclé de métal servant à passer un lacet ou une tige. *Les œillets d'une chaussure, d'une ceinture.* **3** *Œillet d'Inde* : espèce d'œillet à fleurs orangées.

L'œillet est cultivé dans le monde entier, il en existe d'innombrables espèces.

œsophage n. m. Partie du tube digestif qui va de la bouche à l'estomac.
On prononce [ezɔfaʒ]**.**

L'œsophage est un tube élastique de 20 à 25 cm de longueur. Il fait partie de l'appareil digestif et relie l'arrière de la bouche à l'estomac. Ses parois sont constituées de muscles recouverts à l'intérieur par une muqueuse. Leurs contractions font cheminer la nourriture jusqu'à l'estomac.

œuf n. m. Ce que pondent les femelles des oiseaux et des autres animaux ovipares comme les poissons, les reptiles, les grenouilles, et qui contient un germe. *Œuf de poule, de cane, de caille. Œufs d'esturgeon ou caviar. Œufs de lump. Manger des œufs (de poule) à la coque, sur le plat ou durs.*
On prononce [œf] **au singulier et** [ø] **au pluriel.**

L'œuf, protégé par différentes membranes, contient un ovule fécondé (ou non) entouré de réserves nutritives. De nombreux animaux (les ovipares) pondent des œufs de taille et de forme très variables : les insectes, les poissons, les amphibiens, les reptiles, les oiseaux. Chez les reptiles et les oiseaux, l'œuf est protégé par une coquille calcaire. Le jaune contient l'embryon et ses réserves, tandis que le blanc sert à protéger des chocs.

Œuf de coucou.

Œuf de poule. *Œuf de caille.*

œuvre n. f. **1** Résultat d'une activité ou d'un travail. *Cette grande fresque est l'œuvre de toute la classe.* **2** Production ou ensemble des productions d'un écrivain ou d'un artiste. *C'est une œuvre de jeunesse. C'est une œuvre d'art. C'est l'œuvre de Léonard de Vinci.* **3** Organisation à but humanitaire. *Faire un don à une œuvre.* **4** *Mettre en œuvre quelque chose* : l'utiliser, le mettre en pratique. *Mettre en œuvre un programme.*
Pour faire passer cette réforme, il a fallu **œuvrer***, tout mettre en œuvre (4), agir activement.*

Offenbach Jacques

Compositeur français d'origine allemande né en 1819 et mort en 1880. Offenbach entre au Conservatoire de Paris en 1833, puis dirige le Théâtre-Français et, en 1855, fonde celui des Bouffes-Parisiens. Il compose de nombreuses opérettes parmi lesquelles *la Belle Hélène* (1864) et *la Vie parisienne* (1866). Sa musique est légère, vivante, drôle, et ses œuvres remportent un vif succès. L'opéra *les Contes d'Hoffmann*, son chef-d'œuvre, est présenté en 1881, un an après sa mort.

offense n. f. Parole ou action qui blesse quelqu'un dans sa dignité ou son honneur.
Synonymes : affront, insulte.
   C'est une remarque offensante, qui constitue une offense. *Je ne voulais pas t'*offenser, te faire offense.

offensif, ive adj. Qui attaque ou sert à attaquer. *Des armes offensives.*
Contraire : défensif.

offensive n. f. Attaque. *L'ennemi est finalement passé à l'offensive.*

office n. m. *1* Agence, bureau. *L'office du tourisme.* *2* Cérémonie religieuse. *Assister à l'office.* *3* Faire office de : jouer le rôle de, servir de. *Voisin qui fait office de gardien. Chambre qui fait office de bureau.* *4* D'office : sans demander son avis à la personne concernée. *5* Au pluriel. *Bons offices : services. Il m'a offert ses bons offices.*

officiel, elle adj. et n. m.
• adj. Qui est fait, organisé ou confirmé par l'État ou une autorité reconnue. *Un voyage officiel. La nouvelle est officielle.*
Contraire : officieux.
   La décision a été officialisée, rendue officielle. *Sa nomination n'a pas encore été annoncée* officiellement, de manière officielle.
• n. m. Personne qui a une fonction importante dans une institution publique. *La tribune des officiels.*

officier n. m. Militaire qui a un grade égal ou supérieur à celui de sous-lieutenant.

officieux, euse adj. Qui est de source sûre, mais qui n'est pas officiel. *Les résultats des élections sont encore officieux.*
   J'ai appris officieusement *la nouvelle,* de manière officieuse.

officinal, ale, aux adj. Qui est utilisé en pharmacie. *Des plantes officinales.*

offrande n. f. Littéraire. Don. *Faire une offrande à une œuvre de bienfaisance.*

offrant n. m. *Le plus offrant :* la personne qui offre le prix le plus élevé. *Vendre au plus offrant.*

offrir v. → conjug. **couvrir.** *1* Donner en cadeau. *Offrir des livres.* *2* Proposer. *Offrir son aide à quelqu'un.* *3* Présenter. *Ce nouveau logement offre de nombreuses possibilités.*
   Votre offre *m'intéresse,* ce que vous m'offrez (*2*), votre proposition.

offusquer v. → conjug. **aimer.** Choquer, déplaire fortement. *Il l'a offusquée par sa grossièreté.*

ogive n. f. *1* Chacun des deux arcs croisés en diagonale qui soutiennent la voûte d'une église gothique. *2* Ogive nucléaire : partie avant d'un missile ou d'une bombe qui contient la charge nucléaire.

ogre, ogresse n. Géant des contes de fées qui dévore les enfants.

oh ! interj. Exprime la surprise, l'admiration ou l'indignation. *Oh ! que c'est méchant !*
Homonymes : au, eau, haut.

oie n. f. Gros oiseau migrateur aux pattes palmées et au long cou, dont une espèce est domestiquée. *Le mâle de l'oie est le jars. Foie gras d'oie.*

oignon n. m. *1* Plante potagère dont le bulbe, à saveur forte et piquante, est utilisé en cuisine. *2* Bulbe de certaines plantes (tulipe, jacinthe, lis, etc.). *3* Familier. *En rang d'oignons :* sur une seule ligne.
On prononce [ɔɲɔ̃].

oïl n. m. *Langue d'oïl :* ensemble des dialectes parlés autrefois dans le nord de la France, où « oui » se disait *oïl.*

oiseau n. m. **Plur. : des oiseaux.** *1* Animal vertébré capable de voler et qui pond des œufs *2* À vol d'oiseau : en ligne droite.
   Il y a trois oisillons *dans le nid,* trois jeunes oiseaux.

Vertébrés à sang chaud, les oiseaux sont les seuls animaux à posséder des plumes. Leur corps de forme aérodynamique, leur squelette léger et leurs membres antérieurs transformés en ailes leur donnent la capacité de voler.
Lors des migrations, certains oiseaux parcourent des milliers de kilomètres. L'autruche et le manchot sont des oiseaux qui ne volent pas. Il existe près de 9 000 espèces d'oiseaux.
Regarde p. 760 à 763.

oiseau–mouche n. m. **Plur. : des oiseaux-mouches.** Colibri.

oiseux, euse adj. Inutile et sans intérêt. *Une discussion oiseuse.*

les oiseaux

L'ancêtre de l'oiseau est un « reptile volant », l'archéoptéryx, dont le bec était encore muni de dents et qui vivait sur Terre il y a 150 millions d'années. L'oiseau s'est adapté à un grand nombre de milieux. Il est présent sur tous les continents, dans les zones désertiques glaciales et montagneuses comme au-dessus des mers.

l'oiseau

rectrices

rémiges

tectrices

Autruche.

Colibri.

■ La taille et le poids de l'oiseau varient selon l'espèce ; de quelques cm et 2 g pour le colibri à plus de 2 m et 130 kg pour l'autruche.

■ L'oiseau possède une bonne vue, elle est perçante chez les rapaces et les espèces nocturnes. Son ouïe est fine. Son odorat est peu développé sauf chez certaines espèces qui se nourrissent de charognes.

Comme il ne possède pas de dents, l'oiseau a deux estomacs : le jabot, qui recueille la nourriture ; le gésier, constitué de puissants muscles et rempli de petits cailloux, qui la broie.

■ Le squelette de l'oiseau est léger mais solide. Les os sont creux et contiennent des sacs d'air ; on dit qu'ils sont « pneumatiques ». Cet air est particulièrement utile à l'oiseau lorsqu'il vole. Les os du bassin sont soudés à la colonne vertébrale. Le sternum est prolongé en avant par une saillie osseuse, le bréchet. C'est là que les puissants muscles des ailes sont attachés.

■ Les plumes assurent le vol et maintiennent constante la température du corps. Les rémiges sont les grandes plumes des ailes, les rectrices celles de la queue, les tectrices, plus petites, recouvrent le duvet. Elles se renouvellent lors de la mue. Un petit passereau possède environ 1 000 à 1 500 plumes ; un cygne plus de 25 000 !

■ Le bec, adapté au mode d'alimentation de chaque espèce, est constitué d'une substance dure, la kératine. L'oiseau l'utilise pour se nourrir, lisser ses plumes, construire son nid et se défendre.

■ L'oiseau se reproduit en pondant des œufs dans un nid qu'il bâtit lui-même (le coucou, lui, les dépose dans le nid des autres). L'oisillon perce la coquille pour sortir de l'œuf. À sa naissance, il est aveugle et sans plumes ou, comme le caneton par exemple, couvert de duvet ; il peut nager ou marcher immédiatement.

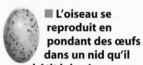

oiseaux des sous-bois et de la forêt

Bouvreuil.
Rouge-gorge.
Coucou.
Fauvette.
Geai.
Pinson.
Pic-vert.
Tourterelle.
Mésange bleue.
Mésange charbonnière.
Chardonneret.
Grive.
Pic-épeiche.
Martin-pêcheur.
Loriot.
Perdrix.
Rossignol.
Faisan.
Roitelet.

rapaces

Aigle royal.

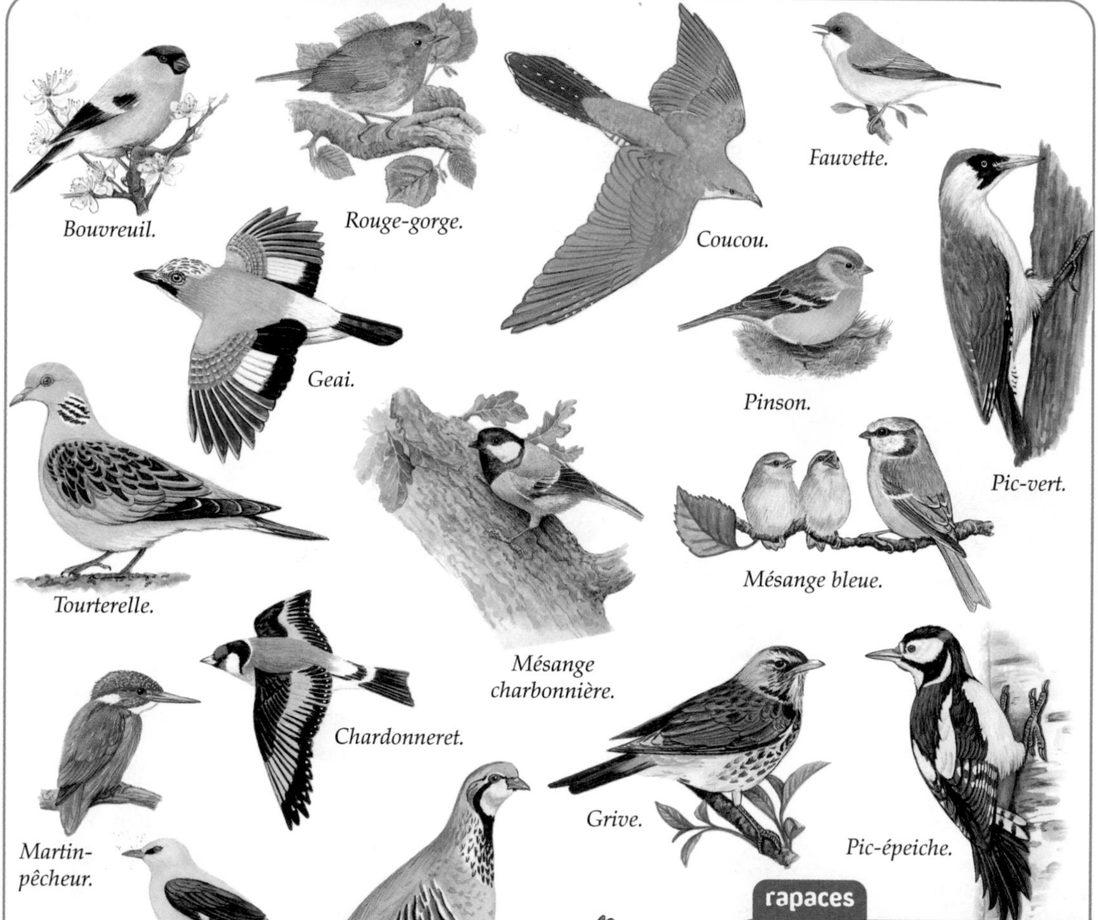

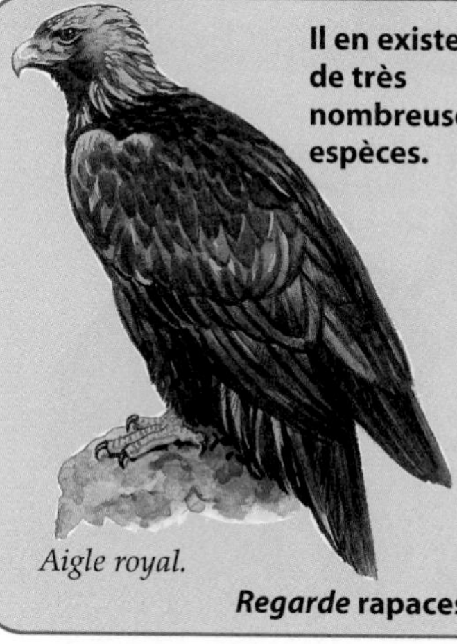

Il en existe de très nombreuses espèces.

***Regarde* rapaces.**

les oiseaux

oiseaux des plaines

Alouette.

Pie.

Hirondelle.

Étourneau.

Pigeon.

Moineau.

Corbeau.

Bergeronnette.

Merle.

Caille.

Cigogne.

Courlis.

oiseaux de mer

Albatros.

Goéland.

Frégate.

Mouette.

Pélican.

Fou de Bassan.

Pingouin.

Manchot.

oiseaux coureurs

Émeu.

Casoar.

Autruche.

762

oiseaux des bords de rivière et d'étang

Eider.

Cygne.

Grue.

Ortolan.

Canard colvert.

Héron.

Ibis.

Flamant rose.

Grèbe huppé.

perroquets

Perruche.

Ara.

Cacatoès.

Perroquet gris du Gabon.

oiseaux exotiques

Calao.

Bengali.

Toucan toco.

Marabout.

Huppe.

Colibri.

Canari.

Cardinal.

Kiwi.

Paon.

Grand tétras.

Paradisier.

Tisserin.

763

oisif, ive adj. Qui est sans activité, sans occupation. *Mener une vie oisive.*
Synonymes : désœuvré, inactif, inoccupé.
Je ne supporte plus cette oisiveté, le fait d'être oisif.

oisillon n. m. → oiseau.

oisiveté n. f. → oisif.

O. K. adv. Familier. D'accord.
Mot américain qui se prononce [ɔke].

okapi n. m. Mammifère ruminant d'Afrique, au pelage brun, rayé de blanc sur les pattes et la croupe.

L'okapi appartient à la même famille que la girafe. De la taille d'un cheval, il pèse de 200 à 250 kg. Le mâle porte deux courtes cornes recouvertes de peau. Timide et solitaire, l'okapi se nourrit de feuilles qu'il cueille avec une langue noire d'environ 30 cm de longueur. Il ne vit que dans les forêts du nord de la République démocratique du Congo. Cet animal a été découvert en 1901.

oléagineux, euse adj. et n. m. Se dit d'une plante qui contient de l'huile. *Les plantes oléagineuses. Le tournesol, l'olivier, l'arachide sont des oléagineux.*
Regarde **huile.**

oléoduc n. m. Pipeline servant au transport du pétrole.

olfactif, ive adj. Relatif à l'odorat. *Le sens olfactif.*

olive n. f. Petit fruit à noyau de l'olivier, dont on extrait de l'huile.
L'olivier est un arbre des régions méditerranéennes dont le fruit est l'olive. *Une oliveraie* est une plantation d'oliviers.

Arbre au tronc noueux, l'olivier peut atteindre 10 m de hauteur et vivre plus de 1 000 ans. Les feuilles sont persistantes. Les fruits sont comestibles : ce sont les olives, qui se consomment vertes ou mûres (noires). Elles fournissent une huile très appréciée. Le bois d'olivier, très dur, jaune veiné de brun, est utilisé en ébénisterie. Cultivé depuis l'Antiquité, l'olivier est un symbole de fécondité et de paix.

olympique adj. **1** *Jeux Olympiques :* ensemble de compétitions sportives internationales qui ont lieu tous les quatre ans dans un pays différent. **2** Qui concerne les jeux Olympiques. *Champion olympique. Piscine olympique.*
Une olympiade est la période de quatre ans entre deux jeux Olympiques.

Olympiques (jeux)

L'histoire des jeux Olympiques remonte à l'Antiquité. Ensemble d'épreuves sportives et artistiques, ils sont disputés tous les quatre ans dans la ville grecque d'Olympie, entre 776 av. J.-C. et 394 apr. J.-C. Les femmes n'y participent pas.
Les jeux Olympiques modernes naissent à la fin du XIXe siècle sous l'influence du Français Pierre de Coubertin ; ils se déroulent eux aussi tous les quatre ans. Les premières épreuves ont eu lieu en 1896. Il existe des jeux Olympiques d'été et des jeux Olympiques d'hiver (en alternance tous les deux ans depuis 1994).

Oman

Sultanat du sud-est de la péninsule Arabique, ouverte sur l'océan Indien (mer d'Oman). L'Oman, montagneux au nord et au sud, est essentiellement désertique. Le climat sec et aride domine. Les rares cultures sont irriguées. L'économie est basée sur l'exploitation du pétrole et du gaz naturel, dont l'exportation assure à la population un niveau de vie élevé.
Du XVIIe au XIXe siècle, le pays possède plusieurs territoires à l'est du continent africain, dont Zanzibar. Depuis 1970, Oman s'est modernisé considérablement.

309 500 km²
2 768 000 habitants :
les Omanais
Langue : arabe
Monnaie : riyal
Capitale : Mascate

ombilical, ale, aux adj. *Cordon ombilical :* cordon de chair qui relie le fœtus à sa mère et que l'on coupe à la naissance. *La cicatrice du cordon ombilical forme le nombril.*

omble n. m. **1** Poisson d'eau douce à petites écailles.

ombrage n. m. *1* Ensemble de feuilles d'arbres qui donnent de l'ombre. *Marcher sous les ombrages.* *2* Au figuré. *Prendre ombrage de quelque chose :* être vexé.

C'est un jardin **ombragé**, abrité du soleil par un ombrage (*1*). Elle a un caractère **ombrageux**, elle prend ombrage (*2*) facilement, elle est susceptible.

ombre n. f. *1* Zone sombre où la lumière n'arrive pas. *Nous préférons déjeuner à l'ombre.* *2* Image sombre projetée par un corps qui arrête la lumière. *Un chat qui joue avec son ombre.* *3* Au figuré. *Pas l'ombre de quelque chose :* pas la moindre trace. *Il n'y a pas l'ombre d'un doute.*

ombrelle n. f. Petit parasol portatif que les femmes utilisaient autrefois pour se protéger du soleil.

omelette n. f. Plat fait avec des œufs battus et cuits à la poêle.

omettre v. → conjug. **mettre.** Oublier de dire ou de faire quelque chose. *Il a omis de les avertir.*

omission n. f. *1* Action d'omettre. *Mentir par omission.* *2* Ce qui est omis. *Il y a beaucoup d'omissions dans cette liste.*

omni– préfixe. Signifie «tout».

omnibus n. m. et adj. inv. Se dit d'un train qui s'arrête à toutes les gares.
On prononce [ɔmnibys].

omniprésent, ente adj. Présent partout et continuellement. *Un bruit omniprésent.*

omnisports adj. inv. Qui concerne plusieurs sports. *Une salle omnisports.*

omnivore adj. Qui se nourrit à la fois de viande et de végétaux. *L'homme est omnivore.*

omoplate n. f. Os plat de l'épaule.

on pron. Pronom personnel indéfini de la troisième personne qui a la fonction de sujet et qui peut désigner : *1* Les gens. *On raconte beaucoup de choses sur lui.* *2* Quelqu'un. *On a sonné à la porte.* *3* Familier. Nous. *On revient dans cinq minutes.*

once n. f. *1* Ancienne unité de poids qui valait environ 30 grammes. *2* Au figuré. Très petite quantité. *Il n'a pas une once de méchanceté.*

oncle n. m. Frère du père ou de la mère.

onctueux, euse adj. Qui a une consistance douce, moelleuse et veloutée. *Un potage onctueux.*

onde n. f. *1* Chacune des rides qui se propagent à la surface de l'eau à la suite d'un choc. *Les ondes concentriques provoquées par la chute d'une pierre dans l'eau.* *2* Vibration qui se propage. *Ondes sonores, lumi-* neuses, sismiques. *3* Au figuré. *Être sur la même longueur d'onde :* se comprendre. *4* Au pluriel. La radio. *On entend beaucoup cette chanson sur les ondes.*

ondée n. f. Pluie soudaine et de courte durée.

on-dit n. m. inv. Rumeur, bruit qui court. *Ce ne sont que des on-dit.*

ondulation n. f. *1* Mouvement léger et régulier de quelque chose qui s'élève et qui s'abaisse. *L'ondulation des vagues.* *2* Succession de creux et de bosses. *Les ondulations d'un terrain.*

ondulé, ée adj. Qui présente des ondulations. *Un toit en tôle ondulée.*

onduler v. → conjug. **aimer.** *1* Avoir un mouvement d'ondulation. *Le vent fait onduler les rideaux.* *2* Friser légèrement. *Ses cheveux ondulent naturellement.*

onéreux, euse adj. Qui coûte cher. *Des vacances onéreuses.*
Synonyme : coûteux. Contraire : bon marché.

ongle n. m. Partie cornée qui recouvre le dessus du bout des doigts.

onglée n. f. Engourdissement douloureux du bout des doigts provoqué par le froid. *Avoir l'onglée.*

onguent n. m. Pommade pharmaceutique grasse.
On prononce [ɔ̃gã].

onirique adj. Qui évoque le rêve. *Une atmosphère onirique.*

onomatopée n. f. Mot dont le son imite ce qu'il désigne.

L'onomatopée peut reproduire des sons émanant de personnes, d'animaux et toutes sortes d'autres bruits.
Regarde page suivante.

ONU

Sigle de l'Organisation des Nations unies. Le but de l'ONU est de maintenir la paix dans le monde, de favoriser la coopération internationale et de veiller au respect des droits de l'homme et des libertés fondamentales. Elle a son siège à New York et regroupe actuellement 191 pays. Le secrétaire général de l'ONU est élu pour cinq ans. L'organisation dispose d'une force armée, les casques bleus, d'un organe de décision, le Conseil de sécurité, et d'une Cour internationale de justice qui siège aux Pays-Bas. L'ONU est fondée à San Francisco le 26 juin 1945, pour remplacer la Société des Nations (SDN).

les onomatopées

Crac, boum, hue… Ces petits mots qui sont la traduction écrite des sons existent en très grand nombre. En voici quelques-uns…

On pourrait croire que les animaux parlent tous la même langue. Il n'en est rien…

onyx n. m. Variété d'agate présentant des anneaux de diverses couleurs.

ONZE

S'écrit **XI** en chiffres romains.

- adj. inv. Dix plus un.
- n. m. inv. **1** Le chiffre ou le nombre onze. *Page onze. Le 11 du mois.* **2** Équipe de football. *Le onze de France.*

onzième

- adj. et n. Qui occupe le rang ou la place numéro 11 dans une série. *Son cheval s'est classé onzième.*
- n. m. Chaque partie d'un tout qui a été divisé par onze. *Un onzième ou 1/11.*

opale n. f. Pierre fine à reflets irisés.

opaque adj. Qui ne laisse pas passer la lumière. *Du verre opaque.*
Contraires : translucide, transparent.

OPEP

Sigle de l'Organisation des pays exportateurs de pétrole. Créée en 1960 pour établir les prix de vente des produits pétroliers, l'OPEP regroupe en 2000 onze pays exportateurs de pétrole : l'Arabie saoudite, l'Iraq, l'Iran, le Koweït, le Venezuela, le Qatar, l'Indonésie, la Libye, les Émirats arabes unis, l'Algérie et le Nigeria.
L'OPEP a son siège à Vienne, en Autriche. Elle utilise le pétrole comme une « arme politique », car les pays qu'elle approvisionne sont dépendants de cette source d'énergie.

opéra n. m. **1** Pièce de théâtre mise en musique et chantée. **2** Théâtre où l'on joue ces pièces.
Les *opéras-comiques* sont des opéras (**1**) dans lesquels alternent airs chantés et dialogues parlés. *Une opérette* est un opéra-comique au ton léger.

opérable adj. → opérer.

opéra-comique n. m. → opéra.

opérateur, trice n. Personne chargée de faire fonctionner un appareil. *Un opérateur radio.*

opération n. f. **1** Action ou ensemble d'actions à accomplir pour obtenir un résultat. *Une opération de* sauvetage en montagne. **2** Action d'ouvrir le corps pour soigner un organe malade ou pour l'enlever. *Une opération à cœur ouvert.* **3** Technique de calcul arithmétique. *Les quatre opérations sont l'addition, la soustraction, la multiplication et la division.* **4** Transaction financière ou commerciale. *Cet achat est une bonne opération.*
Le nouveau système sera *opérationnel* dans une semaine, prêt à réaliser correctement une opération (**1**), à fonctionner. *Le malade a été conduit au bloc opératoire,* dans la salle où ont lieu les opérations (**2**) chirurgicales.

opérer v. → conjug. **digérer. 1** Accomplir, effectuer une action. *Il ne faut pas opérer ainsi.* **2** Produire un effet. *Le traitement n'a pas encore opéré.* **3** Pratiquer une opération chirurgicale. *Il a été opéré de l'appendicite.*
Le malade n'est pas *opérable*, il ne peut pas être opéré (**3**).

opérette n. f. → opéra.

ophtalmologie n. f. Branche de la médecine spécialisée dans les maladies des yeux.
L'*ophtalmologiste*, ou oculiste, est le médecin spécialiste d'ophtalmologie.

opiner v. → conjug. **aimer.** *Opiner du bonnet, de la tête :* donner son accord d'un signe de tête.

opiniâtre adj. Que rien n'arrête. *Un travail opiniâtre, une personne opiniâtre.*
Synonymes : acharné, persévérant.
Il a réussi grâce à son opiniâtreté, son attitude opiniâtre.

opinion n. f. **1** Manière de penser, avis. *Elle a son opinion sur la question.* **2** *L'opinion publique* ou *l'opinion :* ce que pensent la plupart des gens.

opium n. m. Drogue tirée du pavot. *Fumer de l'opium.*
On prononce [ɔpjɔm].
L'*opiomane* est une personne droguée à l'opium.

opossum n. m. Petit marsupial d'Amérique, à fourrure grise, aux doigts munis de griffes.
On prononce [ɔpɔsɔm].

On connaît environ 75 espèces d'opossums. La taille des plus grands ne dépasse pas celle d'un chat. Ce sont souvent d'excellents grimpeurs. Certains se nourrissent de fruits, d'autres chassent de petits animaux. La femelle met au monde ses petits après douze jours d'incubation ; ils poursuivent ensuite leur développement, pendant deux mois environ, dans sa poche ventrale.

oppidum n. m. Ville fortifiée, élevée sur une hauteur par les Gaulois et les Romains.
On prononce [ɔpidɔm].

opportun, une adj. Qui arrive à propos. *Choisir le moment opportun.*
Contraire : inopportun.
> *Il est arrivé opportunément*, de façon opportune, au bon moment. *Je doute de l'opportunité de cette démarche*, de son caractère opportun.

opportunisme n. m. Attitude consistant à profiter sans scrupule des circonstances.
> *Un opportuniste* fait preuve d'opportunisme.

opportunité n. f. → opportun.

opposant, ante n. → opposer.

opposé, ée adj. et n. m.
• adj. *1* Qui est situé en vis-à-vis ou dont le sens est inverse. *Le mur opposé. La direction opposée. 2* Qui est très différent. *Des caractères opposés. 3* Qui est hostile. *Être opposé à la violence.*
• n. m. *1* Côté opposé, sens opposé. *L'opposé du recto est le verso. 2* Contraire. *Faire l'opposé de ce qu'on dit.*
Synonyme : inverse.

opposer v. → conjug. **aimer.** *1* Mettre en lutte ou en compétition. *La rivalité qui les oppose. Ce match oppose deux équipes. 2* Présenter comme obstacle ou comme objection. *Il a opposé peu de résistance. Opposer des arguments. 3* Comparer des choses très différentes. *Opposer la mer et la montagne. 4 S'opposer :* lutter contre, ne pas accepter. *Je m'oppose à ce projet.*
> *Il y a beaucoup d'opposants à cette réforme*, de personnes qui s'y opposent (4).

opposition n. f. *1* Situation de choses ou de personnes opposées. *Être en opposition avec ses parents. 2* Action de s'opposer. *Faire opposition à un projet. 3* Ensemble des partis qui s'opposent au gouvernement. *La majorité et l'opposition.*

oppresser v. → conjug. **aimer.** Gêner la respiration. *Se sentir oppressé.*

oppresseur n. m. Celui qui opprime les autres.

oppression n. f. *1* Difficulté à respirer. *2* Action d'opprimer. *Lutter contre l'oppression.*

opprimer v. → conjug. **aimer.** Écraser sous le poids d'un pouvoir tyrannique et injuste. *Opprimer un peuple.*
> *Il faut défendre les opprimés*, les personnes qu'on opprime.

opter v. → conjug. **aimer.** Choisir. *Opter pour la première solution.*

opticien, ienne n. Personne qui fabrique ou vend des instruments d'optique, en particulier des lunettes.

optimal, ale, aux adj. Qui est le meilleur possible. *Un rendement optimal.*

optimiste adj. et n. Qui a tendance à voir le bon côté des choses.
Contraire : pessimiste.
> *J'envisage l'avenir avec optimisme*, d'une manière optimiste.

option n. f. Ce qui est laissé au choix, qui n'est pas imposé. *Il y a plusieurs matières à option au baccalauréat.*
> *Ce modèle de voiture comprend plusieurs accessoires optionnels*, qui sont en option, qu'on peut acheter en plus.

optique adj. et n. f.
• adj. Qui concerne la vision. *Le nerf optique.*
• n. f. *1* Science qui étudie les lois de la lumière et de la vision. *2 Instruments d'optique :* qui précisent ou corrigent la vision (microscopes, loupes, télescopes, jumelles, verres correcteurs, etc.). *3* Manière de voir, point de vue. *Il a changé d'optique.*

opulence n. f. Grande abondance de biens, de richesses. *Vivre dans l'opulence.*
> *Il vient d'une famille opulente*, qui vit dans l'opulence, très riche.

opuntia n. m. Plante grasse d'Amérique, à piquants.
On prononce [ɔpɔ̃sja].

opuscule n. m. Petit ouvrage, brochure.

1. or conj. Sert à passer d'une idée à une autre en introduisant une opposition. *Elle doit passer chez lui, or elle a perdu son adresse.*
Homonyme : hors.

2. or n. m. *1* Métal précieux jaune. *Une chaîne en or. 2 Acheter, vendre à prix d'or :* très cher. *3 Rouler sur l'or :* être très riche. *4 Avoir un cœur d'or :* être très généreux.
Homonyme : hors.

oracle n. m. Réponse qu'une divinité donnait à ceux qui la consultaient, dans l'Antiquité. *Rendre un oracle.*

orage n. m. Violente perturbation atmosphérique accompagnée d'éclairs, de tonnerre, de pluie ou de grêle. *Olive n'avait pas vu qu'un énorme orage allait éclater.*

orageux, euse adj. *1* Qui annonce l'orage. *Un temps orageux. 2* Au figuré. Agité, violent. *Une discussion orageuse.*

oral, ale, aux adj. et n. m.
• adj. *1* Qui se fait de vive voix, et non par écrit. *Les*

épreuves orales d'un examen. **2** Qui concerne la bouche. *Un médicament à prendre par voie orale.*

Il nous a répondu **oralement**, *de manière orale (1), de vive voix.*

● n. m. Épreuve orale d'un examen. *Elle révise ses oraux.*

orange n. f. et adj. inv.

● n. f. Fruit rond et comestible de l'oranger, d'un jaune tirant sur le rouge. *L'orange est un agrume.*

L'oranger est un arbre des pays chauds qui produit les oranges. Une orangeraie est un terrain planté d'orangers. Une orangerie est une serre où l'on abrite pendant l'hiver les orangers cultivés en pot. Une orangeade est une boisson faite de jus d'orange, de sucre et d'eau.

● adj. inv. De la couleur de l'orange. *Des chaussettes orange.*

Au soleil couchant, le ciel a une couleur orangée, proche de la couleur orange.

orang-outan n. m. **Plur. : des orangs-outans.** Grand singe d'Asie, aux longs bras et au poil roux, qui vit dans les arbres.

On prononce [ɔʀɑ̃utɑ̃]. **On écrit aussi : orang-outang.**

orateur, trice n. Personne qui prononce un discours.

oratoire adj. Qui concerne l'art de parler en public. *Des effets oratoires.*

orbite n. f. **1** Cavité osseuse où se trouve l'œil. **2** Courbe que décrit un astre ou un satellite gravitant autour d'un astre.

Une station orbitale est un véhicule spatial qui reste en orbite (2) autour de la Terre.

orchestre n. m. **1** Groupe de musiciens qui jouent ensemble. *Un orchestre de jazz.* **2** Ensemble des places situées au rez-de-chaussée dans une salle de spectacle.

On prononce [ɔʀkɛstʀ].

orchestrer v. → conjug. **aimer.** Organiser une action d'une certaine ampleur. *Orchestrer un mouvement de mécontentement.*

On prononce [ɔʀkɛstʀe].

orchidée n. f. Plante des pays chauds.

On prononce [ɔʀkide].

On a dénombré plus de 20 000 espèces d'orchidées. Les plus beaux spécimens se rencontrent dans les forêts tropicales humides de l'hémisphère Sud.

ordinaire adj. et n. m.

● adj. **1** Habituel, normal, courant. *Une journée ordinaire.* **2** Banal, commun. *Du tissu de qualité ordinaire.*

Elle se lève **ordinairement** *très tôt, de manière ordinaire (1), d'habitude.*

● n. m. **1** Ce qui est habituel, courant. *Ce repas sort de l'ordinaire.* **2** D'ordinaire : habituellement.

ordinal, ale, aux adj. *Nombre ordinal :* qui indique le rang, l'ordre. *Premier, deuxième, troisième sont des nombres ordinaux.*

Contraire : cardinal.

ordinateur n. m. Machine électronique capable d'exécuter très rapidement des opérations à partir de programmes contenus dans sa mémoire.

***Regarde* informatique.**

ordonnance n. f. **1** Disposition de quelque chose selon un ordre. *L'ordonnance des mots dans la phrase.* **2** Papier sur lequel le médecin indique les médicaments à prendre. **3** Texte de loi venant du gouvernement. **4** Autrefois, soldat mis au service d'un officier.

ordonné, ée adj. **1** Qui a de l'ordre. *Des enfants ordonnés.* **2** Qui est en ordre. *Une maison bien ordonnée.*

Contraire : désordonné.

ordonnée n. f. L'une des deux coordonnées qui, avec l'abscisse, permet de définir la position d'un point dans un plan.

ordonner v. → conjug. **aimer.** **1** Disposer selon un certain ordre, organiser, classer. *Ordonner ses idées.* **2** Donner un ordre, commander. *Je t'ordonne de te taire !* **3** Donner le sacrement qui permet de devenir prêtre catholique. *Il a été ordonné prêtre.*

ordre n. m. **1** Manière de classer ou de ranger. *L'ordre alphabétique.* **2** *Ordre du jour :* liste des questions qui doivent être examinées par une assemblée. **3** Disposition ordonnée de quelque chose. *Mettre de l'ordre dans une bibliothèque. Une pièce en ordre.* **4** Qualité de quelqu'un qui range les choses à leur place. *Avoir de l'ordre.* **5** État d'une société stable et bien organisée. *Troubler l'ordre public. Rétablir l'ordre. Les forces de l'ordre.* **6** Catégorie. *Ce sont des affaires du même ordre.* **7** Association des membres de certaines professions libérales. *Ordre des médecins, des avocats.* **8** Association de religieux obéissant à certaines règles. **9** *Entrer dans les ordres :* devenir prêtre ou religieux. **10** Acte ou parole qui oblige à faire quelque chose. *Donner, recevoir un ordre.* **11** *Être sous les ordres de quelqu'un :* être son inférieur dans une hiérarchie.

Contraire : désordre (1 et 3).

ordures n. f. pl. Déchets, détritus dont on se débarrasse. *Boîte à ordures.*

ordurier, ière adj. Très grossier, obscène. *Des paroles ordurières.*

orée n. f. Littéraire. Lisière, bordure. *L'orée du bois.*

oreille n. f. *1* Chacun des deux organes de l'ouïe dont la partie visible est située de chaque côté de la tête. *Avoir les oreilles décollées.* *2* Ouïe. *Avoir l'oreille fine. Être dur d'oreille.* *3* Se faire tirer l'oreille : se faire prier. *4* Se faire tirer les oreilles : se faire réprimander.

L'oreille est l'organe de l'audition et de l'équilibre. Chez les mammifères, elle est constituée de trois parties : l'oreille externe, l'oreille moyenne et l'oreille interne.
Regarde **ouïe.**

oreiller n. m. Coussin qui sert à soutenir la tête pendant le sommeil.

oreillette n. f. Chacune des deux cavités supérieures du cœur, qui communiquent avec les ventricules.

oreillons n. m. pl. Maladie contagieuse due à un virus et caractérisée par un gonflement des glandes situées sous les oreilles.

d'ores et déjà adv. Dès maintenant. *D'ores et déjà, sa fortune est faite.*
On prononce [dɔʀzedeʒa].

orfèvre n. Personne qui fabrique ou qui vend des objets en métaux précieux.
L'orfèvrerie, c'est l'art de l'orfèvre.

organe n. m. Partie du corps ayant une fonction particulière. *Les poumons sont les organes de la respiration.*

Constitués d'un grand nombre de cellules, les organes sont les parties du corps qui assurent des fonctions particulières : les yeux sont les organes de la vue ; les oreilles, ceux de l'ouïe… Le cerveau, le cœur, les poumons, le foie, sont aussi des organes. Certains organes sont reliés les uns aux autres et constituent un «appareil» qui accomplit une fonction plus complexe. Par exemple, le larynx, la trachée artère, les bronches et les poumons forment l'appareil respiratoire ; l'œsophage, l'estomac, le foie, le pancréas et les intestins forment l'appareil digestif. Les différents appareils dépendent les uns des autres. Ils ont en charge le bon fonctionnement de l'organisme.
Regarde **corps.**

organique adj. *1* Qui concerne les organes. *Une maladie organique.* *2* Qui provient d'organismes vivants. *Des matières organiques.*

organisateur, trice n. → **organiser.**

organisation n. f. *1* Action ou manière d'organiser. *Elle a bien voulu se charger de l'organisation de la soi-*rée. *Il faut revoir l'organisation du service.* *2* Association ou groupement ayant des buts déterminés. *Une organisation syndicale.*

organisé, ée adj. *1* Qui sait organiser sa vie, son emploi du temps. *Une personne très organisée.* *2* Voyage organisé : préparé à l'avance par une agence de voyages.

organiser v. → conjug. **aimer.** *1* Préparer en détail, mettre en place. *Organiser une fête, une excursion.* *2* S'organiser : aménager sa vie, son emploi du temps ou ses affaires avec efficacité.
C'est une bonne organisatrice, elle sait organiser (1).

organisme n. m. *1* Être vivant, végétal ou animal. *Les organismes microscopiques.* *2* Corps humain. *Les besoins de l'organisme.* *3* Ensemble de services travaillant à une tâche précise. *Un organisme de tourisme.*

organiste n. → **orgue.**

orge n. f. Céréale utilisée pour l'alimentation du bétail et la fabrication de la bière.

orgelet n. m. Petit furoncle situé sur la paupière.

orgie n. f. Fête où l'on mange et où l'on boit trop.

orgue n. m. Grand instrument de musique à vent composé de tuyaux et de plusieurs claviers. **Au pluriel, orgue est féminin : «les grandes orgues d'une église».**

L'organiste est le musicien ou la musicienne qui joue de l'orgue.

Les orgues sont surtout utilisées dans les églises mais il en existe aujourd'hui de plus petites, électroniques, pour un usage privé.

orgueil n. m. Sentiment, souvent exagéré, de sa propre valeur.
Contraires : humilité, modestie.
Il est orgueilleux, plein d'orgueil, prétentieux.

orient n. m. *1* Direction de l'est, levant. *2* Avec une majuscule. *L'Orient :* l'ensemble des pays situés à l'est de l'Europe (l'Asie et certains pays du bassin méditerranéen).
Contraire : occident (1).

orientable adj. → **orienter.**

oriental, ale, aux adj. et n.
• adj. *1* Qui est à l'orient, à l'est. *Les Pyrénées orientales.*
2 Qui concerne l'Orient. *Les pays orientaux.*
Contraire : occidental.
• n. Avec une majuscule : habitant de l'Orient.

orientation n. f. *1* Action de situer un lieu par rapport aux points cardinaux. *Avoir le sens de l'orientation.* *2* Manière dont quelque chose est orienté. *L'orientation d'une maison.* *3* Voie scolaire ou professionnelle dans laquelle on s'engage. *Une conseillère d'orientation.*

orienter v. → conjug. **aimer.** *1* Disposer quelque chose dans telle ou telle direction. *La maison est orientée au sud.* *2* Diriger quelqu'un vers telle ou telle voie. *Orienter un élève vers l'enseignement artistique.* *3* S'orienter : repérer sa position.
Sa lampe de bureau est orientable, on peut l'orienter (*1*) dans diverses directions.

orifice n. m. Trou, ouverture. *L'orifice d'un tube, d'une serrure.*

oriflamme n. f. Bannière longue et étroite.

originaire adj. → origine.

original, ale, aux adj., n. et n. m.
• adj. *1* Qui ne ressemble à rien d'autre, qui sort de l'ordinaire. *Un projet original.* *2* Qui est d'origine, qui vient directement de l'auteur, qui n'est pas une copie. *Film en version originale. Un dessin original.*
Synonymes : personnel (*1*), nouveau (*1*), authentique (*2*).
Sa tenue manque d'originalité, elle n'est pas originale (*1*), elle manque de fantaisie.
• adj. et n. Dont le comportement est bizarre, excentrique. *C'est une originale.*
• n. m. Œuvre, document ou modèle original, authentique. *Je garde l'original, je vous laisse une photocopie.*

origine n. f. *1* Pays ou milieu dont quelqu'un est issu. *Elle est d'origine italienne.* *2* Provenance de quelque chose. *L'origine d'un mot.* *3* Cause, source. *Une maladie d'origine virale.* *4* Commencement, début. *L'origine de la vie. À l'origine, il n'avait invité que deux ou trois personnes.*
Elle est originaire du Midi, c'est de là qu'elle vient, qu'elle tire son origine (*1*). *Le sens originel d'un mot,* c'est son sens initial, celui qu'il avait à l'origine (*4*).

orignal n. m. Élan que l'on trouve au Canada et en Alaska.

oripeaux n. m. pl. Vieux vêtements usés et bizarres. *Les oripeaux dont elle s'accoutrait faisaient rire tout le monde.*

O. R. L. Abréviation de «oto-rhino-laryngologiste».

orme n. m. Grand arbre à feuilles dentelées.

ormeau n. m. **Plur. : des ormeaux.** *1* Jeune orme. *2* Mollusque marin comestible.

orner v. → conjug. **aimer.** Décorer, embellir. *Le sapin est orné de guirlandes.*
La pièce est très sobre, sans aucun ornement, sans élément pour l'orner, sans décoration. *Le jardin est plein de plantes ornementales,* de plantes décoratives qui servent d'ornement.

ornière n. f. Sillon profond creusé par les roues d'un véhicule dans un chemin de terre.

ornithologie n. f. Science qui étudie les oiseaux.
L'ornithologue est le spécialiste en ornithologie.

ornithorynque n. m. Mammifère d'Australie qui pond des œufs.

L' ornithorynque est un mammifère primitif caractérisé par son museau aplati en bec de canard. Il mesure entre 40 et 60 cm queue comprise et pèse jusqu'à 1,5 kg. Son corps est recouvert d'une épaisse fourrure brune. Ses pattes sont courtes et palmées, et sa queue est aplatie. C'est une espèce protégée.

oronge n. f. *1* Champignon comestible au chapeau rouge orangé, appelé aussi *amanite des Césars*. *2 Fausse oronge :* champignon vénéneux au chapeau rouge tacheté de blanc, appelé aussi *amanite tue-mouches.*

orphelin, ine adj. et n. Se dit d'un enfant qui a perdu l'un de ses parents ou les deux.
Un *orphelinat* est un établissement qui recueille et élève des orphelins.

orque n. f. Grand mammifère marin carnivore.
Synonyme : épaulard.

Orsay (musée d')

Musée national français situé à Paris, sur les bords de la Seine. Installé dans l'ancienne gare d'Orsay réaménagée, le musée d'Orsay est formé de trois galeries distinctes. Il réunit des tableaux de la seconde moitié du xixe siècle et du début du xxe siècle. L'impressionnisme et les courants qui s'y rattachent y tiennent une large place. On peut, par exemple, y voir *le Moulin de la Galette* de Renoir et *le Déjeuner sur l'herbe* de Manet. Le musée d'Orsay a été inauguré en 1986.

orteil n. m. Doigt de pied.

orthodontiste n. Dentiste spécialisé dans la correction des mauvaises positions des dents.

orthodoxe adj. et n.
• adj. Conforme à une tradition, à une doctrine ou aux usages. *Sa méthode est peu orthodoxe.*
• adj. et n. Se dit des chrétiens des Églises d'Orient qui se sont séparées de Rome au xie siècle et ne reconnaissent pas l'autorité du pape. *L'Église orthodoxe russe, grecque. Les catholiques et les orthodoxes.*

orthogonal, ale, aux adj. Qui forme un angle droit. *Deux droites orthogonales se coupent à angle droit.*
Synonyme : perpendiculaire.

orthographe n. f. Manière correcte d'écrire un mot. *Vérifier l'orthographe d'un mot dans le dictionnaire.* Certains mots sont difficiles à *orthographier*, à écrire selon les règles de l'orthographe. *On parle beaucoup de réforme orthographique*, de réforme de l'orthographe.

orthopédique adj. Se dit d'un appareil destiné à corriger les malformations des os ou des articulations. *Des chaussures orthopédiques.*

orthophoniste n. Personne spécialisée dans la correction des troubles du langage parlé ou écrit.

ortie n. f. Plante dont les feuilles dentées sont couvertes de poils fins qui produisent une démangeaison douloureuse quand on les touche.

Les jeunes pousses d'ortie peuvent se consommer en potage ou en légume. On utilise également l'ortie en tisane pour soulager les rhumatismes.

ortolan n. m. Petit oiseau migrateur à la chair savoureuse.

orvet n. m. Petit lézard sans pattes dont la queue se brise facilement. L'orvet mesure de 30 à 50 cm de longueur. Il se nourrit d'insectes.

os n. m. Chacun des organes durs et solides du squelette de l'homme et des animaux vertébrés.
On prononce [ɔs] au singulier et [o] au pluriel.
L'os est recouvert d'une membrane coriace (le périoste) ; au niveau des articulations, il est protégé par du cartilage. C'est un organe dur, mais vivant : il renferme des vaisseaux sanguins et des nerfs.
***Regarde aussi* squelette.**

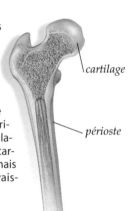

cartilage

périoste

oscar n. m. *1* Récompense cinématographique décernée chaque année à Hollywood.
Ce film a obtenu cinq oscars.
2 Récompense décernée par certains jurys. *L'oscar de la publicité.*

osciller v. → conjug. **aimer.** Pencher alternativement d'un côté puis de l'autre, se balancer. *Les roseaux oscillent sous le vent.*
On prononce [ɔsile].
Les *oscillations* du bateau lui font mal au cœur, les mouvements du bateau qui oscille.

osé, ée adj. *1* Audacieux, risqué. *Une tentative osée.*
2 Qui peut heurter les convenances, choquer. *Une plaisanterie osée.*

oseille n. f. Plante potagère cultivée pour ses feuilles au goût acide. *De la soupe à l'oseille.*

oser v. → conjug. **aimer**. Avoir l'audace ou le courage de faire quelque chose. *Il n'a pas osé lui dire ce qu'il pensait.*

osier n. m. Petit saule dont on utilise les branches longues et souples pour tresser des paniers, des corbeilles, des sièges. *Un fauteuil en osier.*

Osiris

Divinité de la mythologie égyptienne, dieu du royaume des Morts. Osiris est le fils de Geb, dieu de la Terre, et Nout, la déesse du Ciel. Il est représenté serré dans des bandelettes, la tête coiffée d'une étroite et haute coiffe entourée de deux plumes d'autruche. Il tient dans les mains le sceptre et le fouet, attributs du pouvoir.
Selon la légende, Osiris enseigne aux hommes l'agriculture et les arts. Son frère Seth, jaloux, l'assassine et le découpe en quatorze morceaux qu'il disperse dans toute l'Égypte. Isis, la femme d'Osiris, reconstitue son corps, ensuite momifié par Anubis, le dieu chacal. Osiris ressuscite et devient dieu du royaume des Morts après que son fils Horus a tué Seth.

ossature n. f. *1* Ensemble des os qui constituent le squelette. *Une ossature puissante.* *2* Ensemble des éléments qui constituent la charpente d'une construction. *L'ossature d'un immeuble.*

osselets n. m. pl. Jeu d'adresse qui consiste à lancer et à rattraper sur le dos de la main de petits objets de plastique ou de métal en forme d'os.

ossements n. m. pl. Os desséchés d'hommes ou d'animaux morts. *Des ossements préhistoriques.*

osseux, euse adj. *1* Qui concerne les os. *Une maladie osseuse.* *2* Dont les os sont très apparents. *Une main osseuse.*

ossuaire n. m. Lieu où sont conservés des ossements humains.

ostensible adj. Qui est fait pour être remarqué. *Elle a soupiré de façon ostensible.*
Contraire : discret.

Il l'a **ostensiblement** *ignoré*, de façon ostensible.

ostentation n. f. Attitude de quelqu'un qui veut se faire remarquer. *Il a regardé l'heure avec ostentation.*
Contraire : discrétion.

Il raconte ses exploits de façon **ostentatoire**, avec ostentation.

ostréiculture n. f. Élevage des huîtres.
Les **ostréiculteurs** *sont des personnes qui pratiquent l'ostréiculture.*

otage n. m. Personne qu'on garde prisonnière pour l'échanger contre quelqu'un ou quelque chose. *Un hold-up avec prise d'otages.*

OTAN

Sigle de l'Organisation du traité de l'Atlantique Nord. L'OTAN représente l'alliance d'un certain nombre de pays (les signataires du traité) pour défendre leur territoire et en assurer la stabilité et la liberté. Le traité est signé le 4 avril 1949 dans le cadre de la charte des Nations unies.
L'OTAN a son siège à Bruxelles, en Belgique. La France en est membre, mais n'appartient plus à sa partie militaire depuis 1966.

otarie n. f. Mammifère marin qui ressemble au phoque mais qui a des oreilles.

ôter v. → conjug. **aimer** *1* Enlever, retirer. *Ôter une tache. Ôter le gras du jambon. Ôter ses gants.* *2* Soustraire. *3 ôté de 10 égale 7.*

otite n. f. Inflammation de l'oreille.

oto–rhino–laryngologiste n. Au plur. : des oto-rhino-laryngologistes. Médecin spécialiste des maladies du nez, des oreilles et de la gorge.
En abrégé : « oto-rhino » ou « O. R. L. ».

ou conj. Indique : *1* Un choix. *Tu préfères la mer ou la montagne ? 2* Une équivalence. *L'O. R. L., ou oto-rhino-laryngologiste. 3* Une approximation. *Il y a deux ou trois jours.*
Homonymes : hou, houe, houx, où.

où adv. et pron.
● adv. Sert à interroger sur le lieu ou sur la direction. *Où est-il ? Je ne sais pas où il va.*
● pron. Pronom relatif représentant un complément circonstanciel de lieu ou de temps. *La maison où j'habite. Le jour où je suis né.*
Homonymes : hou, houe, houx, ou.

ouailles n. f. pl. Les fidèles d'une paroisse. *Le curé et ses ouailles.*

ouate n. f. Coton spécialement préparé pour servir à des pansements ou à la toilette.
On peut dire : « la ouate » ou « l'ouate ».
Homonyme : watt.

oubli n. m. **1** Fait d'oublier. *Tomber dans l'oubli.* **2** Distraction, négligence, étourderie. *Commettre, réparer un oubli.*

oublier v. → conjug. **modifier. 1** Ne plus se souvenir de quelque chose ou de quelqu'un. *J'ai oublié le titre du film.* **2** Ne pas penser à prendre quelque chose ou à faire quelque chose par étourderie. *J'ai oublié mes clés. J'ai oublié de le prévenir.* **3** Ne plus se préoccuper de quelque chose. *Oublier ses problèmes.*

oubliettes n. f. pl. Cachot souterrain où l'on enfermait les prisonniers condamnés à perpétuité.

oued n. m. Cours d'eau des régions arides, souvent à sec.

ouest n. m. inv. et adj. inv.
• n. m. inv. **1** Un des quatre points cardinaux situé du côté où le soleil se couche. *Ne plantez pas cet amandier à l'ouest, car il sera exposé au vent.* **2** Région située dans cette direction. *L'ouest de la France.*
Quand ce mot est employé seul, sans complément, il commence par une majuscule : « habiter dans l'Ouest, les régions de l'Ouest ».
• adj. inv. Situé du côté de l'ouest. *La côte ouest.*

ouf ! interj. Exprime le soulagement. *Ouf ! Il est parti, bon débarras !*

oui adv. Indique une affirmation ou une approbation. *Tu veux bien ? Oui.*
Contraire : non. Homonyme : ouïe.

ouï-dire n. m. inv. *Par ouï-dire :* pour l'avoir entendu dire. *Savoir quelque chose par ouï-dire.*

ouïe n. f. **1** Celui des cinq sens qui permet de percevoir les sons. **2** Au pluriel. Les deux fentes situées de chaque côté de la tête d'un poisson, par lesquelles il rejette l'eau et qui lui permettent de respirer.
Homonyme : oui.

L'oreille est l'organe de l'ouïe ; elle assure également notre équilibre.
Regarde page ci-contre.

ouille interj. Exprime la douleur, le mécontentement ou la surprise. *Ouille ! Je me suis cogné.*

ouïr v. Littéraire. Entendre. *J'ai ouï dire qu'ils avaient déménagé.*
Ce verbe ne s'emploie qu'à l'infinitif, aux temps composés et au participe passé.

ouistiti n. m. Petit singe d'Amérique du Sud à longue queue.

ouragan n. m. Tempête très violente. *Lors d'un ouragan, la vitesse du vent dépasse 120 km/h.*

Ouganda

République de l'est de l'Afrique. L'Ouganda est constitué principalement de hauts plateaux ; plusieurs lacs couvrent 15 % de sa superficie. Le climat est équatorial, chaud et humide, tempéré en altitude. La population est composée de plus de dix groupes ethniques. L'économie repose essentiellement sur l'agriculture. Les réserves minières sont peu exploitées.
Sous domination britannique à partir de 1894, le pays devient indépendant et membre du Commonwealth en 1962.
L'Ouganda connaît une succession de dictatures et de coups d'État jusqu'à l'organisation, en 1996, d'une élection présidentielle.

241 040 km²
25 004 000 habitants :
les Ougandais
Langues : anglais, kiganda, kiswahili
Monnaie : shilling ougandais
Capitale : Kampala

Oural

Chaîne de montagnes de Russie, qui marque la limite entre l'Europe et l'Asie. L'Oural s'étend sur plus de 2 000 km du nord au sud, de la mer de Kara (océan Arctique), jusqu'à la mer Caspienne. Sa largeur est comprise entre 40 et 150 km. Sa hauteur moyenne est d'environ 1 600 m. Le nord de la chaîne est découpé et parsemé de glaciers. C'est là que se trouve le point culminant, le Narodnaïa (1 894 m). Le centre est occupé par des collines peu élevées et comporte de nombreuses voies de passage. Le sud est couvert de forêts de conifères.
L'Oural renferme d'importantes richesses minières : fer, charbon, cuivre, manganèse, zinc, or, argent, chrome, nickel. L'industrie y est très développée.

ourlet n. m. Repli cousu en bordure d'un tissu. *L'ourlet de sa jupe est décousu.*
Ourler des torchons, c'est leur faire un ourlet.

ours n. m. **1** Grand mammifère carnivore à la fourrure épaisse et aux griffes puissantes. *L'ours est un plantigrade.* **2** Au figuré. Homme bourru, peu sociable.
L'ourse est la femelle de l'ours, *l'ourson* est son petit.

l'ouïe

Le récepteur de l'ouïe est l'oreille. Elle permet d'entendre car elle assure la transmission du son jusqu'au cerveau.

■ Les animaux dont la vue est faible bénéficient d'une ouïe fine : les insectivores, les chiens, les éléphants…

■ Les serpents sont sourds. Ils sont cependant sensibles aux vibrations. Pour les éloigner, il faut taper le sol du pied.

TAP TAP

■ L'oreille interne est le centre de l'équilibre. Elle stimule les muscles qui maintiennent la position du corps humain.

l'oreille

L'oreille se compose de trois parties distinctes :

■ **L'oreille externe.** Le pavillon puis le conduit auditif captent les sons (bruits, musique, parole…) qui vibrent dans l'air.

■ **L'oreille moyenne.** Le son fait vibrer le tympan; une chaîne de petits os (le marteau, l'enclume et l'étrier) vibre à son tour.

■ **L'oreille interne.** Le son est transformé en influx nerveux dans le limaçon et il est transmis au cerveau par un nerf.

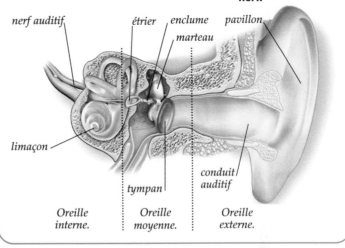

nerf auditif   *étrier*   *enclume*   *pavillon*

marteau

limaçon

conduit auditif

tympan

Oreille interne.   *Oreille moyenne.*   *Oreille externe.*

---

oursin n. m. Animal marin à coquille ronde hérissée de piquants.

L'oursin est un invertébré qui se nourrit d'algues. Des plaques épineuses forment sa coquille, appelée « test ». Ses organes reproducteurs forment des languettes rouges qui sont comestibles.

ourson n. m. → ours.

oust ! interj. S'emploie pour chasser quelqu'un ou pour qu'il se presse. *Allez oust !*
On écrit aussi : ouste !

outil n. m. Objet fabriqué qui sert à faire un travail manuel.
On prononce [uti].
L'*outillage* d'un menuisier, c'est l'ensemble des outils dont il a besoin pour exercer son métier. *Il est bien outillé pour jardiner*, il a les outils nécessaires.

Avec les armes, les outils sont les premiers objets que l'homme a fabriqués. Les plus anciens outils connus remontent à 2 millions d'années ! D'abord en pierre taillée (racloirs et bifaces en silex) puis en pierre polie (haches), les outils se perfectionnent avec l'invention des métaux. À l'origine, ils sont essentiellement agricoles (couteau, hache, faucille…), ils se diversifient et se multiplient avec l'apparition de nouveaux métiers.

outrage n. m. Offense grave, en parole ou en action. *Il m'a fait l'outrage de me soupçonner.*
Synonymes : affront, injure.
Il a toujours un air *outragé*, l'air de quelqu'un qui a subi un outrage.

outrance n. f. **1** Exagération dans les paroles ou les actions. *L'outrance de ses critiques me choque.* **2** *À outrance :* exagérément.
Synonyme : excès (1).
Il a eu une réaction *outrancière*, pleine d'outrance (1), exagérée.

outre

1. outre prép. et adv.

● prép. *1* En plus de. *Outre ses deux chiens, il a aussi trois chats.* *2* *Outre mesure* : plus qu'il ne faut, trop. *Inutile de s'inquiéter outre mesure.*

● adv. *1* *En outre* : de plus. *C'est une grande sportive et en outre une bonne élève.* *2* *Passer outre* : ne pas tenir compte d'un conseil, d'un ordre ou d'une interdiction.

2. outre n. f. Sac en peau de bouc retournée et cousue servant à contenir un liquide.

Dans les campagnes, on utilisait autrefois, pour le transport du vin à dos de mulet, de grandes outres qui pouvaient contenir de 30 à 40 l de liquide.

outre– préfixe. Signifie « au-delà de ».

outré, ée adj. Indigné, scandalisé. *Je suis outré par sa grossièreté.*

outremer adj. inv. D'un bleu intense. *Des yeux outremer.*

outre–mer adv. Au-delà des mers, par rapport à la France.

La France d'outre-mer compte quatre départements, quatre territoires et deux collectivités territoriales. L'économie de ces régions repose sur les cultures fruitières (banane, ananas, agrumes), la production de canne à sucre et le tourisme. La plupart reçoivent une aide financière de l'État, mais le niveau de vie des habitants n'est pas aussi élevé qu'en métropole. *Regarde ci-contre.*

outrepasser v. → conjug. **aimer.** Aller au-delà de ce qui est permis. *Outrepasser ses droits, ses pouvoirs.*

outsider n. m. Concurrent qui ne fait pas partie des favoris.
Mot anglais qui se prononce [autsajdœʀ].

ouvert, erte adj. *1* Qui n'est pas fermé. *Une fenêtre ouverte. Avoir les yeux ouverts. Le magasin est ouvert.* *2* Franc et confiant. *Un caractère ouvert.*
Contraires : fermé (1), renfermé (2).
   Parle-moi ouvertement, de façon ouverte (*2*), franchement.

ouverture n. f. *1* Action d'ouvrir ou de s'ouvrir. *L'ouverture d'un coffre. L'ouverture d'un parachute.* *2* Fait d'être ouvert au public. *Les heures d'ouverture d'un magasin.* *3* Commencement, début. *L'ouverture de la chasse.* *4* Espace vide qui permet un passage. *Faire une ouverture dans un mur.*

ouvrable adj. *Jour ouvrable* : jour de la semaine normalement consacré au travail.
Contraire : férié.

quatre départements (D.O.M.)

Martinique

Saint-Pierre et la montagne Pelée (Martinique).

Guadeloupe

■ La Martinique et la Guadeloupe font partie des Antilles françaises. Ces îles sont situées dans l'océan Atlantique, près du continent américain. Ce sont des terres volcaniques au climat tropical tempéré par les alizés. On y cultive principalement la banane et la canne à sucre.

Guyane

■ La Guyane française, située au nord de l'Amérique du Sud, est couverte par la forêt dense. Une grande partie de la population vit dans le nord, près de Cayenne, où se trouve la base spatiale de Kourou, lieu de lancement des fusées Ariane.

Réunion

■ La Réunion est une île volcanique de l'océan Indien, au sud-est de l'Afrique, avec des sommets élevés (piton des Neiges, 3 069 m). Le piton de la Fournaise (2 631 m) est un volcan actif. Le climat tropical permet la culture de la canne à sucre, de la vanille, du thé.

la France d'outre-mer

Dispersées dans les deux hémisphères, les terres françaises d'outre-mer représentent une superficie de plus de 500 000 km² pour une population d'environ 2 millions d'habitants.

■ **Les terres d'outre-mer sont l'héritage de l'histoire coloniale de la France. Les populations qui y vivent ont des origines très diverses : autochtones, descendants d'Européens, d'esclaves africains, de peuples asiatiques… Les descendants d'Européens nés dans les îles antillaises sont appelés Créoles.**

quatre territoires (T.O.M.)

■ **La terre Adélie, située dans l'Antarctique est, avec 350 000 km², le plus grand des territoires français d'outre-mer. Il fait partie des terres australes, vastes étendues de glace où sont installées des bases de recherche scientifique.**

■ **La Nouvelle-Calédonie est une île montagneuse du Pacifique. Elle est peuplée de Mélanésiens, les Canaques, d'Européens et d'Asiatiques. Sa capitale est Nouméa. L'exploitation des gisements de nickel représente la principale ressource de l'île.**

■ **La Polynésie française est un archipel situé dans le Pacifique Sud. Les îlots sont dispersés dans un immense espace ; la plupart sont inhabités. La majorité de la population se regroupe dans la ville de Papeete, sur l'île de Tahiti. Le tourisme, la culture du coprah et la pêche sont les principales ressources.**

■ **Wallis-et-Futuna est un archipel volcanique de la Polynésie française.**

deux collectivités territoriales

■ **Saint-Pierre-et-Miquelon est un archipel situé dans l'Atlantique Nord, près des côtes de Terre-Neuve. Le climat est rude, les hivers sont longs et très froids. La population se concentre sur l'île de Saint-Pierre. Toute l'économie est basée sur la pêche (morue surtout), car les eaux sont très poissonneuses.**

■ **L'île de Mayotte, située dans l'océan Indien, entre les Comores et Madagascar, abrite une base navale française.**

Le port de Saint-Pierre (Saint Pierre et Miquelon).

Une scène de pêche en Polynésie française.

ouvrage n. m. **1** Travail, tâche. *Se mettre à l'ouvrage.* **2** Travail de couture ou de tricot. *Une boîte à ouvrage.* **3** Livre. *Publier un ouvrage d'histoire.*

ouvragé, ée adj. Travaillé et décoré avec soin. *Une commode finement ouvragée.*

ouvrant, ante adj. → **ouvrir.**

ouvre-boîtes n. m. inv. Instrument servant à ouvrir les boîtes de conserve.

ouvre-bouteilles n. m. inv. Instrument servant à décapsuler les bouteilles.
Synonyme : décapsuleur.

ouvreur, euse n. Personne qui place les spectateurs dans une salle de spectacle. *Ouvreuse de cinéma.*

ouvrier, ière n. et adj.
● n. Personne salariée qui exerce un travail manuel. *Ouvrier d'usine. Ouvrier agricole.*
● adj. Qui concerne les ouvriers. *La classe ouvrière.*

ouvrière n. f. Chez les abeilles, les guêpes et les fourmis, femelle stérile qui assure la construction du nid et la défense de la colonie.

ouvrir v. → conjug. **couvrir**. **1** Déplacer la partie mobile qui ferme une ouverture afin de faire communiquer l'extérieur et l'intérieur. *Ouvrir la porte, la fenêtre.* **2** Détacher, écarter ou déplier ce qui était attaché, fermé ou replié. *Ouvrir un paquet. Ouvrir des huîtres.* **3** Créer une ouverture, une voie. *Ouvrir une fenêtre dans un mur. Ouvrir un chemin à travers la forêt.* **4** Faire fonctionner. *Ouvrir la télévision.* **5** Créer, fonder. *Ouvrir une nouvelle boutique.* **6** Être accessible au public. *Le magasin ouvre à 10 heures.* **7** Commencer, entamer. *Ouvrir le dialogue. Ouvrir une enquête.* **8** *S'ouvrir* : s'éclore, s'épanouir. *La fleur s'est ouverte.*
Contraire : fermer.
Un toit ouvrant est un toit qui peut s'ouvrir (*1*).

ovaire n. m. Chacune des deux glandes qui servent à la reproduction, chez les femmes et les femelles des animaux. *Les ovules se forment dans l'ovaire.*

ovale adj. Qui a la forme courbe et allongée d'un œuf. *Le ballon de rugby est un ballon ovale.*

ovation n. f. Acclamation collective en l'honneur de quelqu'un. *Le public a fait une ovation au champion.*

overdose n. f. Dose excessive de drogue, pouvant entraîner la mort.
Mot anglais qui se prononce [ɔvərdoz].

ovin, ine adj. et n. m. Qui concerne les moutons. *La race ovine, les ovins.*

ovipare adj. et n. Qui se reproduit en pondant des œufs.

ovni n. m. Objet aperçu dans le ciel et considéré comme un engin extra-terrestre. Ovni est le sigle de « objet volant non identifié ».

ovule n. m. Cellule reproductrice produite par les ovaires, chez les femmes et les femelles des animaux.

oxyde n. m. Combinaison d'oxygène et d'un autre élément. *L'oxyde de carbone est un gaz toxique composé de carbone et d'oxygène. La rouille est de l'oxyde de fer.*
Le fer s'oxyde rapidement à l'humidité, il se couvre d'une couche d'oxyde, de rouille. *Le minium permet d'éviter l'oxydation du fer,* il l'empêche de s'oxyder.

oxygène n. m. Gaz invisible et inodore qui est contenu dans l'air et qui est indispensable à la vie.
L'eau oxygénée est un liquide désinfectant qui contient de l'oxygène.

ozone n. m. **1** Gaz bleuté et odorant, utilisé comme désinfectant. **2** *Couche d'ozone* : partie de la haute atmosphère très riche en ozone qui protège la Terre des rayons du Soleil.

Ouzbékistan

République du centre de l'Asie. L'Ouzbékistan est majoritairement désertique. Le climat est continental. La population se concentre le long des fleuves et au pied des chaînes de montagnes de l'est du pays, où est située la capitale du pays, Tachkent.
La culture du coton est très développée. Malheureusement, les énormes quantités d'eau prélevées pour l'irrigation dans l'Amou-Daria, fleuve qui alimente la mer d'Aral, a réduit de moitié la superficie de celle-ci.
Le sous-sol renferme des ressources minières (or) et pétrolières encore peu exploitées. Ancienne république de l'Union soviétique, l'Ouzbékistan est indépendant depuis 1991.

447 400 km²
25 705 000 habitants : les Ouzbeks
Langues : ouzbek, russe, tadjik
Monnaie : som
Capitale : Tachkent

Pp

La frayeur de Philomène.

PHILOMÈNE

pacha n. m. Gouverneur de province, dans l'ancien Empire turc.

pachyderme n. m. Ancien nom donné à l'éléphant, au rhinocéros et à l'hippopotame.

pacifier v. → conjug. **modifier.** Rétablir la paix dans un pays en guerre.

pacifique adj. **1** Qui aime la paix, qui lutte pour l'obtenir. *Un peuple pacifique.* **2** Qui se passe dans le calme, paisible. *Relations pacifiques entre deux pays, deux provinces.*
Contraire : violent.

Pacifique (océan)

Océan le plus vaste du monde (180 millions de km²). Le Pacifique s'étend entre l'Asie, l'Australie et le continent américain. Il est ouvert au sud sur l'Antarctique et communique, au nord, avec l'océan Glacial Arctique. Il comporte des fosses très profondes (celle des Mariannes atteint 11 034 m) et des chaînes d'îles volcaniques soumises aux tremblements de terre. Le nom de Pacifique lui a été donné en 1520 par le navigateur Magellan.

pacifiquement adv. D'une manière pacifique, sans violence.

pacifiste adj. et n. Partisan de la paix. *Les pacifistes luttent pour la paix internationale.*

pack n. m. Emballage contenant plusieurs denrées alimentaires de même sorte. *Pack de yaourts.*

pacotille n. f. Marchandise de mauvaise qualité ou sans valeur. *Bijoux de pacotille.*

pacte n. m. Accord, alliance, traité conclu entre des pays ou des personnes. *Signer, rompre un pacte.*
Il est accusé d'avoir pactisé avec l'ennemi, d'avoir conclu un pacte avec la partie adverse.

pactole n. m. Moyen de s'enrichir. *Il croit avoir trouvé le pactole.*

paella n. f. Plat espagnol fait de riz au safran cuit avec des moules, des langoustines, du chorizo, du poulet et des légumes.
Mot espagnol qui se prononce [paela] **ou** [paelja].

pagaie n. f. Rame courte à bout large appelé pelle.
On dirige un canoë en pagayant, en ramant à l'aide de pagaies.

La pagaie n'est pas fixée à l'embarcation. On utilise une pagaie simple pour le canoë ou la pirogue, une pagaie double (une pelle à chaque bout) pour le kayak.

pagaille n. f. Familier. Désordre, fouillis. *Semer la pagaille.*

Paganini Niccolo

Violoniste et compositeur italien né en 1782 et mort en 1840. Paganini compose ses premières œuvres dès l'âge de huit ans et donne son premier concert à douze ans ! Il connaît un immense succès dans toute l'Europe. Interprète virtuose, il écrit des morceaux d'un niveau technique très élevé, dont ses *24 Caprices* pour violon (1820), et des concertos et des sonates pour violon et guitare.

paganisme n. m. Nom donné par les premiers chrétiens aux cultes des païens, en particulier dans la Rome et la Grèce antiques.

pagayer v. → **pagaie**.

1. page n. f. *1* Chacune des deux faces d'une feuille de papier. *Première page d'un journal. 2* Feuille de papier. *Arracher une page à un cahier. 3* Texte écrit sur une page. *Je finis ma page. 4* Tourner la page : oublier le passé, passer à autre chose. *5* Être à la page : au courant de l'actualité, à la mode.

2. page n. m. Jeune homme noble qui était au service d'un seigneur ou d'une grande dame.

pagination n. f. Numérotation des pages d'un livre. *Erreur de pagination.*

pagne n. m. Morceau de tissu qu'on enroule autour de la taille et qui couvre tout ou partie des jambes.

Pagnol Marcel

Écrivain et cinéaste français né en 1895 et mort en 1974. Dans ses pièces de théâtre, *Marius* (1929) et *Fanny* (1931), adaptées au cinéma, puis dans le film *César* (1936), il met en scène avec humour la vie à Marseille. Cette trilogie lui apporte le succès. Il porte alors à l'écran des récits de Jean Giono, comme *la Femme du boulanger* (1938), et produit ses propres films (*la Fille du puisatier*, 1940 ; *Manon des Sources*, 1953…). Il raconte son enfance en Provence dans des recueils de souvenirs : *la Gloire de mon père* (1957), *le Château de ma mère* (1958)… Il est élu à l'Académie française en 1946.

pagode n. f. Temple bouddhiste d'Extrême-Orient (Chine, Inde, Japon).

Pagode à Katmandou (Népal).

Construite en bois, en brique ou en pierre, la pagode possède un toit saillant à étages, aux bords relevés. La plus ancienne pagode chinoise connue date de 523.

paie n. f. Somme d'argent que l'on perçoit en échange d'un travail, salaire. *Toucher sa paie en fin de mois. Bulletin de paie.*
On écrit aussi : paye.

paiement n. m. Action de payer. *Paiement en espèces, par chèque, par carte de crédit.*

païen, enne adj. et n. D'une religion dans laquelle on vénérait plusieurs dieux, pour les premiers chrétiens. *Les anciens Romains étaient un peuple païen.*

paillasse n. f. Enveloppe remplie de paille servant de matelas.

paillasson n. m. Petit tapis servant à s'essuyer les pieds, placé devant une porte d'entrée.

paille n. f. *1* Tige des céréales, une fois séparée du grain, servant de litière ou d'aliment aux animaux, ou à faire des objets de vannerie. *Botte de paille. Chapeau de paille. 2* Petit tuyau pour aspirer une boisson. *3* Être sur la paille : sans ressources, ruiné. *4* Homme de paille : personne qui sert de prête-nom dans une affaire louche.

paillette n. f. *1* Petite lamelle ou rondelle d'une matière brillante que l'on coud sur un tissu. *Une robe du soir à paillettes. 2* Parcelle d'or mélangée au sable de certaines rivières.

paillote n. f. Cabane à toit de paille des régions tropicales et équatoriales.

pain n. m. *1* Aliment fait de farine, d'eau, de sel, de levain, qui forme une pâte que l'on pétrit et cuit au four. *2* Pain d'épice : sorte de gâteau à base de farine de seigle, de miel et d'épices.

pair, paire adj., n. m. et n. f.
• adj. *Nombre pair :* divisible par deux. *2, 4, 6, 8, 10 sont des nombres pairs.*
Contraire : impair.
• n. m. *1* Personne semblable à une autre par la fonction, le rang. *Un écrivain et ses pairs. 2* Au pair : se dit d'un travail de garde d'enfants et de ménage effectué en échange du logement et de la nourriture. *Travailler au pair dans une famille. 3* Aller de pair : aller ensemble. *4* Hors pair : sans égal, exceptionnel. *Une couturière hors pair.*
• n. f. *1* Ensemble de deux choses identiques allant ensemble. *Une paire de chaussettes. 2* Objet composé de deux éléments identiques. *Paire de lunettes.*

paisible adj. Calme, tranquille, serein. *Un air paisible. Un quartier paisible.*
*La mère contemple son enfant qui dort **paisiblement**, de façon paisible, tranquillement.*

paître v. → conjug. **connaître.** Brouter l'herbe. *Le berger mène paître son troupeau dans les alpages.*

paix n. f. *1* Absence de guerre dans un pays, absence de conflit entre des personnes. *En temps de paix. Vivre en paix. 2* Calme, tranquillité d'une personne, d'un lieu. *Laissez-le en paix. La paix du soir.*

Pakistan

République fédérale du sud-ouest de l'Asie, ouverte au sud sur la mer d'Oman.
Le territoire du Pakistan est formé de deux parties : au nord et à l'ouest, une région de plateaux et de hautes montagnes, et à l'est, la plaine fertile de l'Indus. Le climat est sec. L'essentiel de l'économie repose sur la culture du coton et l'industrie textile. Les ressources du sous-sol sont peu exploitées. Le pays est très peuplé. Le Pakistan est créé en 1947 ; une des deux Provinces qui le constituent devient le Bangladesh en 1971. Il est membre du Commonwealth. Le pays connaît des troubles internes et des tensions avec l'Inde.

796 100 km²
149 911 000 habitants :
les Pakistanais
Langues : ourdou,
anglais, pendjabi,
sindhi, pachtou…
Monnaie : roupie
Capitale : Islamabad

palabres n. f. pl. ou n. m. pl. Discussion interminable.
*Il a fallu **palabrer** longtemps avec les douaniers,* ils nous ont laissé passer après de longues palabres.

palace n. m. Hôtel de grand luxe. *Descendre dans un palace.*

palais n. m. *1* Grande et somptueuse demeure d'un roi ou d'un grand personnage. *Les palais de Versailles, de l'Élysée, du Louvre. 2 Palais de justice :* bâtiment où siègent les tribunaux. *3* Partie supérieure de l'intérieur de la bouche.
Homonyme : palet.

palan n. m. Appareil constitué d'un double système de poulies, destiné à soulever de très lourdes charges.

pale n. f. Partie plate d'un aviron ou d'une hélice.

pâle adj. *1* Dont le teint est blanc, blême, sans couleur. *Être pâle de rage. 2* Clair. *Vert pâle. 3* Faible. *Une pâle lumière.*
*Il relève d'une opération, il est encore **pâlot**, un peu **pâlichon**, il est un peu pâle (1). On voit qu'il est malade à la **pâleur** de son teint,* à sa couleur pâle (1).

palefrenier, ière n. Personne chargée de l'entretien des écuries, de l'alimentation et du soin des chevaux.

paléolithique n. m. Âge préhistorique de la pierre taillée.

paléontologie n. f. Science des êtres vivants (animaux et végétaux) fondée sur l'étude des fossiles.

Palestine

Région du Proche-Orient comprenant la Cisjordanie, la bande de Gaza et l'État d'Israël. À la fin du XIXᵉ siècle, de nombreux Juifs émigrent en Palestine, la terre de leurs ancêtres, les Hébreux. Des tensions naissent peu à peu avec les Arabes de Palestine ; elles s'aggravent lors de la création, en 1948, de l'État d'Israël. Après trois guerres avec les pays arabes, Israël occupe, en 1967, toute la Palestine. En 1988, l'Organisation de libération de la Palestine (OLP) annonce la création d'un État indépendant « en Palestine ». Les négociations avec Israël sont souvent difficiles, mais des accords sont signés pour reconnaître l'autonomie palestinienne sur certains territoires occupés par l'armée israélienne (bande de Gaza, principales villes de Cisjordanie). Les discussions se poursuivent entre Israéliens et Palestiniens pour parvenir à la paix entre les deux communautés.

palet n. m. Objet plat et rond que l'on lance dans certains jeux, comme le hockey sur glace.
Homonyme : palais.

Palau ou Belau

République de l'ouest du Pacifique, située au nord de la Nouvelle-Guinée. Palau est un archipel comprenant plus de 300 îles et îlots. Le climat est chaud et humide. La majorité de la population vit sur la petite île de Koror. L'économie repose sur la pêche, la production de coprah, l'exploitation des forêts et, surtout, le tourisme.
Sous tutelle américaine à partir de 1947, Palau est indépendant depuis 1994.

460 km²
20 000 habitants :
les Palauens
Langues : anglais,
palauen
Monnaie : dollar
des États-Unis
Capitale : Koror

palette n. f. Plaque percée d'un trou pour le pouce, servant au peintre à mélanger ses couleurs.

palétuvier n. m. Grand arbre des côtes marécageuses des pays tropicaux, dont les racines sont à l'air libre.

pâleur n. f., **pâlichon, onne** adj. → **pâle.**

palier n. m. **1** Plate-forme située au milieu d'un escalier. *Ils habitent sur le même palier.* **2** *Par paliers :* par étapes, progressivement. *Maladie qui évolue par paliers.* **Homonyme : pallier.**

pâlir v. → conjug. **finir. 1** Devenir pâle, blêmir. *Il a pâli sous l'insulte.* **2** Perdre son éclat, passer. *Une vieille photo pâlie par le temps.*

palissade n. f. Barrière de planches. *Palissade d'un chantier.*

palissandre n. m. Bois exotique dur, gris, brun ou rouge, veiné, utilisé pour faire des meubles.

Palissy Bernard

Céramiste et savant français né en 1510 et mort vers 1590. Après seize ans de recherches, Palissy parvient à percer le secret de fabrication des glaçures (sortes de vernis que l'on applique sur les poteries). Il réalise alors de nombreuses œuvres : coupes, vases décorés de scènes mythologiques, plats… Il exécute, pour Catherine de Médicis, une grotte en céramique vernissée dans le jardin du château des Tuileries. Refusant de renoncer à sa foi protestante, Palissy est emprisonné à la Bastille en 1589 où il meurt.

palliatif n. m. Moyen provisoire, mesure insuffisante pour résoudre un problème. *Accueillir les réfugiés dans des camps n'est qu'un palliatif.*

pallier v. → conjug. **modifier.** Résoudre provisoirement en apportant un palliatif. *Pallier un manque.* **Homonyme : palier.**

palmarès n. m. Liste des lauréats d'un concours, ou liste de succès, de prix. *Un athlète au palmarès impressionnant.* **On prononce** [palmaʀɛs].

palme n. f. **1** Feuille de palmier. **2** Distinction, récompense. *Ce film a remporté la palme d'or au festival de Cannes.* **3** Chaussure de caoutchouc prolongée d'une nageoire, qui permet d'augmenter la vitesse d'un nageur.

palmé, ée adj. Dont les doigts sont réunis par une membrane. *La grenouille a les pattes palmées.*

palmier n. m. Arbre des régions tropicales. *Les palmeraies* sont les plantations de palmiers.

Il existe près de 3 000 espèces de palmiers. Le tronc cylindrique, sans branches, est terminé par un bouquet de feuilles pouvant mesurer plusieurs mètres de long. Il est couvert d'« écailles », qui sont les points d'attache des anciennes feuilles. Les palmiers ont des usages très variés : bois de construction, fibres (comme le raphia), fruits… Les plus répandus sont le palmier dattier (qui fournit les dattes) et le cocotier (noix de coco).

Palmier dattier.

Cocotier.

palmipède n. m. Ensemble des oiseaux aquatiques aux pieds palmés (mouette, oie, pingouin, etc.).

palombe n. f. Pigeon ramier.

pâlot, otte adj. → **pâle.**

palourde n. f. Coquillage bivalve, ovale, comestible, qui vit dans le sable.

palper v. → conjug. **aimer.** Examiner en touchant avec la main, les doigts. *Palper le ventre d'un malade.*

palpitant, ante adj. Passionnant, captivant. *Un récit palpitant.*

palpitations n. f. pl. Battements accélérés du cœur. *L'abus de café peut donner des palpitations.*

palpiter v. → conjug. **aimer.** Battre très fort, quand il s'agit du cœur.

paludisme n. m. Maladie très répandue dans les pays tropicaux, transmise par certains moustiques, et qui se traduit par de violents accès de fièvre. **Synonyme : malaria.**

se pâmer v. → conjug. **aimer.** Littéraire. Être transporté, défaillir. *Se pâmer d'aise, d'admiration.*

pampa n. f. Vaste plaine d'Amérique du Sud, située en grande partie en Argentine.

La superficie de la pampa est supérieure à celle de la France. On y pratique l'élevage et l'agriculture. Dans la partie est se trouvent les grandes villes d'Argentine telles Buenos Aires, Rosario et Santa Fe.

pamphlet n. m. Court texte satirique, qui s'attaque à une personne, au gouvernement.

Voltaire fut un célèbre **pamphlétaire**, *un auteur de pamphlets.*

pamplemousse n. m. Gros agrume rond, à peau jaune et à chair juteuse et acidulée.

Le **pamplemoussier** *est un arbre qui produit les pamplemousses.*

pan n. m. *1* Partie flottante d'un vêtement. *Pan de chemise. 2 Pan de mur :* portion de mur.

panacée n. f. Remède universel, solution miraculeuse à tous les maux, toutes les difficultés.

panache n. m. *1* Bouquet de plumes ornant une coiffure. *2 Avoir du panache :* avoir de l'allure, de l'éclat.

panaché, ée adj. et n. m.
• adj. Fait d'éléments différents. *Glace panachée vanille-framboise.*
• n. m. Mélange de bière et de limonade.

Panama

République d'Amérique centrale, ouverte au nord sur l'océan Atlantique et au sud sur l'océan Pacifique.
Le Panama comprend plusieurs chaînes de montagnes couvertes de forêts. Le climat est tropical, chaud et humide, tempéré en altitude. L'agriculture fournit du riz, du maïs et des bananes. L'industrie est peu développée. Le pays tire l'essentiel de ses ressources de l'exploitation du canal de Panama. Il connaît d'importantes inégalités sociales. Colonie espagnole à partir de 1510, le Panama devient indépendant en 1903. Il a connu de graves troubles politiques et une intervention de l'armée américaine en 1989 destinée à rétablir la démocratie.

75 520 km²
3 064 000 habitants :
les Panaméens
Langues : espagnol,
langues indiennes
Monnaie : balboa
(théoriquement),
dollar (de fait)
Capitale : Panama

Panama (canal de)

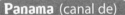

Canal reliant l'océan Atlantique à l'océan Pacifique, situé dans la République de Panama, au sud de l'Amérique centrale. Long de 79,6 km, le canal de Panama est emprunté chaque jour par 35 à 45 bateaux. Il faut environ huit heures pour le franchir. Le Français Ferdinand de Lesseps en lance le projet dès 1876, mais le canal ne sera inauguré qu'en 1914.

panaris n. m. Infection aiguë d'un doigt.
On prononce [panaʀi].

pancarte n. f. Écriteau, panneau. *Les horaires du magasin figurent sur la pancarte.*

pancréas n. m. Glande digestive située en arrière de l'estomac.

Le pancréas, en forme de grappe, mesure de 15 à 20 cm de longueur pour une largeur d'environ 3,5 cm. Il sécrète un suc digestif (le suc pancréatique), qui est déversé dans l'intestin grêle. Il produit aussi deux hormones, l'insuline et le glucagon.

panda n. m. Mammifère d'Asie dont il existe deux espèces, le grand panda et le petit panda.

Les deux espèces de panda vivent dans les forêts montagneuses de l'ouest et du sud de la Chine. Le grand panda ressemble à un gros ours noir et blanc. Il peut mesurer 1,60 m et peser plus de 100 kg. Il se nourrit de bambous (qu'il saisit à l'aide d'une sorte de sixième doigt), d'œufs et de petits mammifères. Menacé de disparition, c'est un animal protégé. Le petit panda a la taille d'un chat. Il a une fourrure brun-roux et une longue queue rayée de noir et de blanc. C'est un bon grimpeur qui mange des pousses de bambou.

Grand panda.

pané, ée adj. Enrobé de chapelure avant cuisson. *Poisson pané.*

panégyrique n. m. Louange, éloge. *Faire le panégyrique de quelqu'un.*

panier n. m. *1* Récipient à anses, généralement en osier, servant à transporter ou contenir des choses. *Panier à provisions. Panier à bouteilles. 2* Filet de basket, ouvert en bas. *Réussir un panier.*

panique n. f. Terreur soudaine et incontrôlable, souvent collective, face à un danger. *Foule prise de panique.*
Il panique facilement aux examens, il perd tous ses moyens, il est pris de panique.

panne n. f. Arrêt anormal de fonctionnement d'un moteur, d'un système. *Panne d'essence, d'électricité.*

panneau, eaux n. m. *1* Plaque de bois ou de métal servant de support à des informations. *Panneaux publicitaires, électoraux, de signalisation routière. 2* Surface plane délimitée. *Panneaux d'une armoire, d'une porte.*

panonceau, eaux n. m. Petit panneau, écriteau, enseigne.

panoplie n. f. *1* Déguisement. *Panoplie de pompier. 2* Collection d'armes.

panorama n. m. Vue circulaire que l'on a d'un paysage depuis un point élevé.
Depuis le mont Ventoux, on a une magnifique vue panoramique, un panorama.

panse n. f. *1* Première poche de l'estomac des ruminants. *2* Familier. Ventre. *Se remplir la panse.*

pansement n. m. Compresse, coton, adhésif ou bande que l'on applique sur une plaie pour la protéger et la soigner. *Pansements adhésifs.*

panser v. → conjug. **aimer.** *1* Mettre un pansement. *Panser une blessure. 2* Nettoyer un cheval de sa sueur et de la poussière en le brossant.
Homonyme : penser.

pantagruélique adj. Digne de Pantagruel, un géant, héros de Rabelais, à l'appétit énorme. *Un festin pantagruélique.*

pantalon n. m. Vêtement composé d'une culotte descendant jusqu'aux pieds.

Panthéon

Les temples que les Grecs et les Romains consacrent à tous leurs dieux s'appellent des panthéons. Celui de Rome, construit en 27 av. J.-C., est constitué d'un vaste porche rectangulaire à colonnades et est surmonté d'un dôme.
À Paris, le Panthéon, construit de 1764 à 1790, était destiné à être une église, il a été baptisé Panthéon à la Révolution française. Le dôme, entouré de trente-deux colonnes, s'élève à 83 m de hauteur. Dédié à la mémoire des personnages illustres, sa façade porte l'inscription : « Aux grands hommes, la patrie reconnaissante. » Il abrite, entre autres, les cendres de Victor Hugo, de Jean Jaurès, de Marie Curie et de Jean Moulin.

---

panthère n. f. Grand félin d'Afrique et d'Asie, à la robe jaune tachetée de noir.
Synonyme : léopard.

pantin n. m. Figurine en bois ou en coton, dont on fait bouger bras et jambes avec des fils.

pantois, oise adj. Littéraire. Stupéfait, interloqué, sidéré. *Un tel culot m'a laissé pantois.*

pantomime n. f. Pièce de théâtre mimée, sans paroles.

pantoufle n. f. Chausson.

paon n. m. Grand oiseau qui a un superbe plumage bleu-vert, une aigrette et une longue queue qu'il peut dresser en éventail. *Paon qui fait la roue.*
On prononce [pã].
La paonne a un plumage discret, aux tons beige et brun, la femelle du paon.

paon du jour n. m. Papillon de jour appelé aussi vanesse.

papa n. m. Nom affectueux que l'on donne à son père.

papal, ale, aux adj., **papauté** n. f. → pape.

papaye n. f. Fruit exotique de la taille d'un gros melon, ovale et à la chair jaune orangé.

La papaye est le fruit du papayer, un arbre des régions tropicales. C'est un gros fruit allongé, de couleur jaune, qui peut peser jusqu'à 10 kg. Elle renferme de nombreuses graines noires à la saveur épicée.
La pulpe juteuse est consommée fraîche, en jus de fruits ou en confiture. On tire de la papaye la papaïne, utilisée pour soigner les troubles de la digestion.

pape n. m. Chef de l'Église catholique. *Le pape est élu par les cardinaux.*
La résidence papale se trouve à Rome, du pape.
L'Église actuelle est sous la papauté de Jean-Paul II, le pouvoir du pape.

paperasse n. f. Papier écrit, inutile et encombrant. *Son bureau est envahi par la paperasse.*
Il y a moins de paperasserie à remplir qu'avant, de paperasses.

papeterie n. f. Magasin qui vend du matériel pour écrire et des fournitures pour l'école et le bureau.
Mon papetier est aussi libraire, la personne qui tient la papeterie.

papier n. m. *1* Matière se présentant sous forme de feuilles minces, obtenue à partir d'une pâte de fibres végétales. *Papier à dessin. Papier d'emballage. Papier-calque.* *2* Feuille écrite ou imprimée. *Ranger ses papiers.* *3* Au pluriel. Pièces d'identité, carte d'identité, passeport, permis de conduire.

papille n. f. Petit grain en relief sur la surface de la langue.

Les papilles gustatives sont les organes du goût. Ce sont de minuscules excroissances reliées à des fibres nerveuses qui transportent au cerveau les informations sur le goût des aliments que nous absorbons.
Regarde aussi goût.

papille

papillon n. m. *1* Insecte aux quatre ailes souvent très colorées. *2* *Nœud papillon :* nœud plat servant de cravate.

On rencontre des papillons partout dans le monde, des milieux tropicaux aux milieux polaires. C'est dans les milieux équatoriaux que se trouvent les plus grands et les plus colorés. Les papillons appartiennent à l'ordre des lépidoptères : ce mot signifie « ailes en écaille ». Leurs ailes sont en effet constituées de fines écailles qui se recouvrent comme les tuiles d'un toit. On compte de 150 000 à 200 000 espèces de papillons.
Regarde p. 786.

papillonner v. → conjug. **aimer.** Aller de-ci de-là, d'une chose à l'autre. *Papillonner d'une idée à l'autre.*

papillote n. f. Papier métallisé servant à envelopper un bonbon, ou bien un poisson ou une viande cuits au four ou sur le gril.

papilloter v. → conjug. **aimer.** Cligner des yeux. *Il m'arrive d'avoir les yeux qui papillotent sous l'effet de la fatigue.*

Papin Denis

Physicien et inventeur français né en 1647 et mort vers 1712. Papin met au point, en 1679, une marmite à vapeur avec une soupape de sécurité. C'est le premier autoclave. Protestant, il est contraint de quitter la France en 1685, après la révocation de l'édit de Nantes. Il s'installe en Allemagne, où il enseigne les mathématiques à l'université. Il poursuit ses recherches et construit plusieurs appareils (ventilateurs, fourneaux…). En 1687, il met au point le principe de la machine à vapeur à piston.

papoter v. → conjug. **aimer.** Familier. Bavarder.

Papouasie-Nouvelle-Guinée

Démocratie du sud-ouest de l'océan Pacifique, située au nord de l'Australie. La Papouasie-Nouvelle-Guinée est constituée de la moitié de l'île de la Nouvelle-Guinée et de plusieurs autres îles volcaniques. Le territoire est montagneux, avec des plaines au nord et au sud. La forêt dense en occupe la quasi-totalité. Le climat est très chaud et humide. La population compte près de 800 communautés distinctes. L'essentiel des ressources provient de l'agriculture ; les minerais du sous-sol sont peu exploités. Sous domination australienne à partir de 1921, le pays est indépendant depuis 1975. Il est membre du Commonwealth.

462 840 km²
5 586 000 habitants :
les Papouans-Néo-Guinéens
Langues : pidgin mélanésien, anglais, 700 langues locales
Monnaie : kina
Capitale : Port Moresby

paprika n. m. Poudre de piment doux.

papyrus n. m. *1* Plante herbacée qui pousse le long des fleuves d'Afrique, dont le Nil. *2* Manuscrit des anciens Égyptiens.

Les longues tiges fines du papyrus peuvent atteindre 3 m de hauteur. Elles se terminent par des feuilles très allongées disposées en ombrelle. Dans l'Antiquité, les Égyptiens utilisent les fibres des tiges pour fabriquer une sorte de papier, le papyrus.

Manuscrit égyptien.

Plante.

pâque n. f. *La pâque :* fête juive annuelle, qui commémore le départ des Juifs d'Égypte.
Homonyme : Pâques.

les papillons

Il existe des papillons diurnes (de jour) aux couleurs vives et des papillons nocturnes (de nuit), généralement de plus petite taille qui se caractérisent également par des battements d'ailes très rapides.

de la chenille au papillon

Œuf grossi 20 fois.

Chenille.

Chrysalide.

Papillon.

■ Avant de devenir un insecte parfait, le papillon subit une métamorphose complète qui comporte quatre phases distinctes : l'œuf minuscule qui donne naissance à une larve ou chenille, au corps mou. Après des mues successives la larve s'enroule généralement dans une espèce de cocon et devient nymphe ou chrysalide, dernière phase avant l'apparition du papillon.

papillons de jour

■ Certaines espèces sont des insectes migrateurs qui sont capables de voler sur plusieurs milliers de kilomètres.

Vanesse.

Monarque.

Machaon.

■ En butinant de fleur en fleur, les papillons transportent le pollen et assurent ainsi la reproduction des végétaux.

Paon du jour.

■ Certains papillons sont nuisibles, comme la piéride du chou qui s'attaque aux plantes cultivées.

Piéride du chou.

papillons de nuit

Bombyx.

Sphinx tête-de-mort.

■ L'envergure des papillons (ailes ouvertes) varie de 3 millimètres à 30 centimètres. C'est dans les milieux équatoriaux que se trouvent les plus grands et les plus colorés.

Grand paon de nuit.

paquebot n. m. Grand navire servant à transporter des passagers. *Paquebot de croisière.*

pâquerette n. f. Petite plante sauvage dont la fleur blanche ou rosée, fleurissant au printemps, ressemble à une petite marguerite.

Pâques n. f. pl. et n. m.
• n. f. pl. Fête chrétienne annuelle qui commémore la résurrection du Christ. *Joyeuses Pâques.*
• n. m. Le jour de Pâques. *Pâques est célébré un dimanche, entre le 22 mars et le 25 avril selon les années.*

paquet n. m. *1* Objet enveloppé dans un emballage, colis. *Envoyer un paquet par la poste. 2* Produit vendu dans un emballage. *Paquet de cigarettes, de café, de sucre. 3* Familier. *Mettre le paquet :* faire le maximum pour réussir quelque chose.

paquetage n. m. Affaires personnelles et équipement d'un soldat.
Synonyme : barda.

par prép. Indique de nombreux compléments. *1* Le lieu. *Passez par ici et moi par là. S'asseoir par terre. 2* Le temps qu'il fait. *Par un beau jour d'été. Par gros temps. 3* La fréquence. *Trois fois par jour. 4* La distribution. *Participation de 10 euros par personne. En rang deux par deux. 5* Le moyen. *Il est arrivé par bateau. 6* Introduit un complément d'agent. *Il a été grondé par son père.*

para– préfixe. Exprime l'idée de se protéger contre. *Un parasol protège du soleil.*

parabole n. f. *1* Histoire de l'Évangile qui contient une morale, un enseignement. *La parabole du fils prodigue. 2* Courbe géométrique dont chaque point est équidistant d'un point fixe, le *foyer,* et d'une droite fixe, la *directrice.*

parabolique adj. *Antenne parabolique :* qui permet de capter les programmes de télévision transmis par satellite.

parachever v. → conjug. **promener.** Achever jusqu'au bout. *Il ne lui a manqué que quelques heures pour parachever son dessin.*

parachute n. m. Objet formé d'une grande toile attachée à un harnais qui, en se déployant, ralentit la chute d'une personne qui saute, ou d'objets qu'on lance d'un avion.
Il a fait partie d'un commando de parachutistes, des soldats qui combattent au sol après avoir été parachutés, lancés d'avion munis de parachutes. Les associations humanitaires ont organisé des parachutages de vivres et de médicaments, ils les ont largués par parachute. Il pratique le parachutisme, le saut en parachute.

Léonard de Vinci étudie le principe du parachute dès le début du XVIᵉ siècle, mais le tout premier saut a lieu en 1797, à partir d'un ballon. Le parachutisme sportif, dérivé du parachutisme militaire, s'est surtout développé à partir des années 1960. Les sauts s'effectuent d'avion, à l'altitude maximale, sans oxygène, de 4500 m. La chute libre, avant ouverture du parachute, permet d'effectuer des figures spectaculaires. La vitesse de chute peut atteindre 200 km/h ! Parachute ouvert, elle varie de 2 à 8 m/s (d'environ 7 à 30 km/h). Des championnats du monde de parachute sont organisés tous les deux ans.

parade n. f. *1* Défilé, en particulier militaire. *2* Action de parer un coup dans certains sports.

parader v. → conjug. **aimer.** *1* Défiler en tenue de parade. *2* Se montrer sous un jour avantageux pour se faire admirer.

paradis n. m. *1* Selon les religions chrétienne et musulmane, lieu de bonheur parfait que connaissent les âmes des justes après la mort. *Le paradis et l'enfer. 2* Lieu enchanteur, particulièrement agréable.
On a trouvé un endroit paradisiaque pour camper, un vrai paradis (2) sur terre.

paradisier n. m Oiseau de Nouvelle-Guinée au plumage très coloré.
Synonyme : oiseau de paradis.

paradoxe n. m. Opinion contraire au bon sens ou à la logique.
Mon grand-père dit qu'il se sent seul, mais il ne veut rencontrer personne, c'est paradoxal, cela relève du paradoxe.

parafe n. m. → paraphe.

paraffine n. f. Substance solide blanche, qui sert à fabriquer des bougies.

parages n. m. pl. *Dans les parages :* dans les environs, dans le voisinage. *Je serai dans les parages et j'en profiterai pour venir vous voir.*

paragraphe

paragraphe n. m. Morceau d'un texte qui débute par un mot en retrait et qui se termine par un passage à la ligne. *J'ai lu le premier paragraphe de son discours.*

Paraguay

République d'Amérique du Sud. Le Paraguay est une vaste étendue quasiment déserte à l'ouest ; l'est est formé d'un plateau et de plaines fertiles, où se concentre la majeure partie de la population. Le climat alterne inondations et sécheresse. L'économie repose sur l'agriculture, l'élevage et l'exploitation des forêts, mais surtout sur la production d'énergie hydroélectrique, dont environ la moitié est exportée vers le Brésil et l'Argentine. Le niveau de vie de la population reste bas.

Sous domination espagnole dès le XVIᵉ siècle, le Paraguay devient indépendant en 1813. Longtemps soumis à une dictature militaire, il a adopté une Constitution démocratique en 1992.

406 752 km²
5 740 000 habitants :
les Paraguayens
Langues : espagnol, guarani
Monnaie : guarani
Capitale : Asunción

paraître v. → conjug. **connaître**. *1* Apparaître, devenir visible. *Les étoiles commencent à paraître.* *2* Être publié. *Cette revue paraît 4 fois par an.* *3* Sembler, avoir l'air. *Il paraît triste. Paraître plus jeune que son âge. 4 Il paraît que :* on dit que. *Il paraît qu'il va neiger demain.*
Contraire : disparaître (*1*).

parallèle adj., n. m. et n. f.
● adj. Se dit d'une ligne qui est toujours à égale distance d'une autre ligne et qui ainsi ne la croise jamais. *La route est parallèle à la voie ferrée, elle la longe sans la couper.*
On a disposé la table ***parallèlement*** *au mur,* de manière à ce qu'elle soit parallèle au mur. *Mon père fait contrôler le* ***parallélisme*** *des roues de la voiture,* on vérifie qu'elles sont bien parallèles.
● n. m. *1* Cercle imaginaire parallèle à l'équateur, et servant à mesurer la latitude. *2* Comparaison que

l'on établit entre deux choses, deux personnes. *On peut faire un parallèle entre eux, ils ont beaucoup de points communs.*
● n. f. Droite parallèle à une autre.

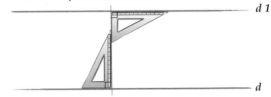

Pour tracer la parallèle d 1 à une droite d, il suffit d'élever, à l'aide de l'équerre, une perpendiculaire à d, de prendre un point quelconque sur cette droite, et, toujours à l'aide de l'équerre, de tracer d 1 en partant de ce point.

parallélépipède n. m. Solide ayant 6 faces parallèles deux à deux, 12 arêtes et 8 sommets. *Une boîte à chaussures est un parallélépipède.*

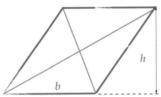

Le volume d'un parallélépipède se calcule en multipliant sa longueur par sa largeur, par sa hauteur.
$$V = a \times b \times h$$

parallélisme n. m. → **parallèle**.

parallélogramme n. m. Figure géométrique ayant quatre côtés parallèles deux à deux. C'est un quadrilatère. Ses diagonales se coupent en leur milieu.

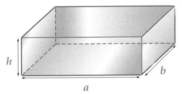

L'aire A du parallélogramme se calcule en multipliant la base b par la hauteur h.
$$A = b \times h.$$

paralyser v. → conjug. **aimer**. *1* Rendre incapable de bouger une partie ou la totalité du corps à la suite d'une maladie ou d'un accident. *2* Au figuré. Empêcher de réagir, d'agir ou de fonctionner. *Il est paralysé par la timidité. Les grèves paralysent tout le pays.*
Un ***paralytique,*** *c'est une personne qui est paralysée (*1*), obligée de se déplacer en fauteuil roulant.*

paralysie n. f. *1* Impossibilité de bouger une partie du corps, à la suite d'un accident ou d'une lésion nerveuse. *Être atteint d'une paralysie des membres inférieurs. 2* Au figuré. Impossibilité d'agir ou arrêt complet d'une activité. *Paralysie des transports.*

paralytique n. → **paralyser**.

parapente n. m. Sport qui utilise une aile rectangulaire.

Dérivé du parachutisme, le parapente est apparu en 1978 en Haute-Savoie. Il consiste à décoller d'une falaise ou d'une pente montagneuse. Le parapente permet de parcourir des distances dépassant 100 km. Il existe des championnats nationaux et d'Europe et un championnat du monde qui a lieu tous les 2 ans.

parapet n. m. Petit mur servant de garde-fou. *Le parapet d'un pont.*

paraphe n. m. Signature, généralement réduite aux initiales du prénom et du nom.
On écrit aussi : parafe.
On doit parapher chaque page d'un contrat, les marquer d'un paraphe au bas de chaque page.

parapluie n. m. Sorte de grande ombrelle pliante munie d'un manche, qui sert à se protéger de la pluie.

parascolaire adj. Qui vient en complément des activités et du travail faits à l'école.

parasite n. m. **1** Animal ou végétal qui vit aux dépens d'un autre. *Les poux et les tiques sont des parasites.* **2** Personne qui vit aux dépens des autres, de la société. **3** Au pluriel. Perturbations dans la réception d'une émission de radio ou de télévision.

parasol n. m. Sorte de vaste ombrelle munie d'un piquet, que l'on fixe à une table ou que l'on plante dans le sol pour se protéger du soleil.

paratonnerre n. m. Tige métallique fixée sur un toit et servant à protéger un bâtiment de la foudre.

Le paratonnerre est constitué d'une longue tige en fer pointue surplombant la construction à protéger, et reliée à la terre par un conducteur. Le paratonnerre a été inventé en 1752 par Benjamin Franklin.

paravent n. m. Cloison mobile faite de trois ou quatre panneaux verticaux que l'on déplie.

parc n. m. **1** Vaste jardin planté d'arbres entourant généralement une grande demeure ou un château. **2** *Parc naturel :* réserve où les animaux et les végétaux sont protégés. **3** *Parc à huîtres :* bassin destiné à la production d'huîtres. **4** *Parc de stationnement :* parking. **5** *Parc de loisirs :* espace de plein air aménagé, avec plan d'eau, jeux pour enfants, etc.

parcelle n. f. Petite partie de quelque chose. *Son terrain comprend plusieurs parcelles, plusieurs lots.*

parce que conj. Sert à indiquer la cause. *Il a dormi douze heures parce qu'il était très fatigué.*

parchemin n. m. Peau d'animal spécialement préparée pour écrire dessus.

La peau de mouton, de veau, de porc ou de chèvre est frottée jusqu'à devenir une fine membrane. Le parchemin apparaît vers le IIe siècle. À partir du XIIe siècle (en Occident), il est peu à peu remplacé par le papier.

parcimonie n. f. *Avec parcimonie :* en mesurant strictement ce que l'on donne. *L'argent de poche est donné avec parcimonie dans cette famille.*
On a fait une distribution parcimonieuse, avec parcimonie.

parcmètre n. m. Appareil qui comptabilise le temps de stationnement payant pour les voitures.

parcourir v. → conjug. **courir.** **1** Traverser en allant partout. *Parcourir une ville.* **2** Faire un trajet. *Parcourir une longue distance à pied.* **3** Lire rapidement, feuilleter. *Parcourir le journal.*

parcours n. m. **1** Trajet, itinéraire. *Le parcours d'un autobus.* **2** Circuit précis à effectuer pour une épreuve sportive. *Le cavalier reconnaît d'abord les obstacles de son parcours à pied.*

par–delà prép. De l'autre côté de. *Par-delà les Alpes commence l'Italie.*

pardessus n. m. Manteau d'homme.

pardon n. m. **1** Action de pardonner. *Je te demande pardon, je ne voulais pas te blesser.* **2** Formule de politesse qu'on emploie pour s'excuser. *Pardon, Madame, auriez-vous l'heure ?*

pardonner v. →conjug. **aimer. 1** Ne pas en vouloir à quelqu'un, ne pas chercher à se venger de ce qu'il a fait. *Je te pardonne pour cette fois.* **2** Excuser. *Pardonnez ma franchise.*

*Tu as cassé le vase par maladresse, tu es **pardonnable**, tu peux être pardonné (1).*

Paré Ambroise

Chirurgien français né en 1509 et mort en 1590. Barbier-chirurgien dans l'armée, Paré est ensuite nommé chirurgien du roi. Il sert Henri II, François II, Charles IX puis Henri III. Il a inventé la ligature des artères pour stopper les hémorragies (jusque-là, on appliquait sur la plaie un fer rougi au feu), s'est intéressé au traitement des fractures et a perfectionné la technique d'extraction des projectiles. Il est également l'auteur de plusieurs ouvrages d'anatomie. On le considère comme le fondateur de la chirurgie moderne.

pare– préfixe. Signifie «protéger contre». *Un pare-chocs protège contre les chocs.*

pare–balles adj. inv. *Gilet pare-balles :* gilet de protection, porté par certains policiers.

pare–brise n. m. inv. Grande vitre à l'avant d'un véhicule.

pare–chocs n. m. inv. Pièce de métal ou de plastique placée à l'avant et à l'arrière d'un véhicule pour amortir les chocs.

pareil, eille adj., n. et n. f.
• *adj.* **1** Semblable, identique, similaire. *Dans le lotissement, toutes les maisons sont pareilles.* **2** Tel, de cette sorte. *Ne laisse pas passer une occasion pareille !* **Contraire : différent** (1).
• *n. Ne pas avoir son pareil, sa pareille* ou *être sans pareil (eille) :* être inégalable, incomparable, exceptionnel dans son genre. *Il n'a pas son pareil pour imiter les oiseaux.*
• n. f. *Rendre la pareille à quelqu'un :* lui faire subir la même chose.

parent, ente n. **1** Personne qui appartient à la même famille. *C'est une parente éloignée de ma mère.* **2** Au pluriel. Le père et la mère. *J'aime beaucoup les parents de mon ami.*

parenté n. f. Rapport entre personnes de la même famille. *Nous portons le même nom, mais nous n'avons aucun lien de parenté.*

parenthèse n. f. Chacun des deux signes de ponctuation ( ) encadrant un ou plusieurs mots qui apportent une précision dans une phrase. *Dans la phrase :*

« Il aime beaucoup la musique (jazz et rock surtout) », « jazz et rock surtout » sont mis entre parenthèses.

paréo n. m. Pagne traditionnel tahitien, qu'on enroule autour du corps.

parer v. → conjug. **aimer. 1** Écarter, esquiver un coup, une attaque. **2** *Se parer :* mettre ses plus beaux vêtements et ses bijoux. **3** *Parer au plus pressé :* régler d'abord les questions urgentes. **4** *Être paré contre :* être prémuni contre, à l'abri de. *Bien paré contre le froid.*

pare–soleil n. m. inv. Petit écran qui protège l'intérieur d'une voiture contre le soleil.

paresse n. f. Comportement de quelqu'un qui évite l'effort et le travail, qui aime à ne rien faire.
J'ai paressé au lit jusqu'à midi, j'y suis resté par paresse.

paresseux, euse adj., n. et n. m.
• adj. et n. Qui fait habituellement preuve de paresse. *Un écolier paresseux. Un paresseux qui reste au lit jusqu'à midi.*
• n. m. Mammifère herbivore d'Amérique du Sud, qui se déplace très lentement.

parfait, aite adj. Qui est sans défaut, irréprochable. *Un travail parfait. Un crime parfait.*
Contraire : imparfait.

parfaitement adv. **1** D'une manière parfaite. *Il est parfaitement bilingue,* il parle aussi bien le français que l'espagnol. **2** Tout à fait, entièrement. *Cela m'est parfaitement égal.*

parfois adv. Quelquefois, de temps à autre. *Le frère et la sœur se disputent parfois.*

parfum n. m. **1** Odeur agréable. *Le parfum du lilas.* **2** Produit aromatique que l'on met sur la peau pour sentir bon. *Un flacon de parfum.* **3** Goût. *Quel parfum choisis-tu pour ta glace ?*
*Ma sœur est coquette, elle aime **se parfumer**,* se mettre du parfum (2). *Les draps de la maison sont **parfumés** à la lavande,* ils ont ce parfum (1). *Les parfums (2) sont fabriqués par des **parfumeurs** et vendus dans des **parfumeries**.*

pari n. m. **1** Sorte de jeu dans lequel les participants s'engagent à donner quelque chose à celui qui aura raison. *Gagner, perdre un pari.*

paria n. m. Personne exclue de la société. *Traiter quelqu'un comme un vrai paria.*

parier v. → conjug. **modifier. 1** Faire un pari. *Qu'est-ce qu'on parie ?* **2** Miser de l'argent sur un cheval, aux courses. *Parier sur le favori.* **3** Être certain de quelque chose. *Je te parie qu'il a oublié notre rendez-vous.*
*Un **parieur** est une personne qui parie (2) aux courses de chevaux.*

Paris

Ville française de la Région Île-de-France, située sur les bords de la Seine. Ses 20 arrondissements constituent un département. La ville s'étend sur 105 km², l'agglomération sur 2 575 km². Capitale politique de la France, centre financier, commercial et culturel, Paris est une cité moderne dont le rayonnement dépasse très largement les frontières du pays. Paris possède de magnifiques monuments : la cathédrale gothique Notre-Dame-de-Paris (XIIᵉ-XIIIᵉ siècles), l'hôtel des Invalides (XVIIᵉ), les hôtels du XVIIᵉ siècle du quartier du Marais, l'arc de triomphe de l'Étoile (début XIXᵉ), la basilique du Sacré-Cœur (fin du XIXᵉ), la tour Eiffel (1887-1889) et abrite de très riches musées, dont le Louvre, le musée d'Orsay et le centre Georges-Pompidou, ainsi que de nombreux théâtres.

Dans l'Antiquité, Paris porte le nom de *Lutetia* (Lutèce). La cité, occupée par la tribu celte des *Parisii*, est conquise par les Romains en 52 av. J.-C. et prend le nom de Paris au IIIᵉ siècle.

Au Vᵉ siècle, elle résiste à Attila, puis se soumet à Clovis qui en fait la capitale du royaume des Francs. Grâce à la Seine, le commerce y est très florissant et, à partir du XIIᵉ siècle, l'importance de la ville ne cesse de croître. Paris est le théâtre de la Révolution française. Les Allemands l'occupent pendant la Seconde Guerre mondiale.

75

Capitale de la France
2 147 857 habitants : les Parisiens

parité n. f. Égalité. *La parité entre les hommes et les femmes dans un gouvernement.*

parjure n. m. *1* Faux serment. *2* Personne qui se rend coupable d'un faux serment, traître.
Le témoin s'est parjuré devant le tribunal, il a commis un parjure (*1*).

parka n. f. ou m. Veste imperméable longue, à capuche et aux nombreuses poches.

parking n. m. Parc de stationnement pour voitures. **Mot anglais qui se prononce** [paʀkiŋ].

parlant, ante adj. *1* Qui est accompagné de paroles. *Les débuts du cinéma parlant datent de 1926.* *2* Qui se passe de commentaires, éloquent. *Cet élève est surmené, la chute de ses résultats scolaires en est la preuve parlante.*

Parlement n. m. Ensemble des personnes élues qui votent les lois. *En France, le Parlement comprend l'Assemblée nationale et le Sénat.*

parlementaire adj. et n.
• adj. Qui concerne le Parlement. *Les débats parlementaires ont duré toute la nuit.*
• n. *1* Membre d'un Parlement, député ou sénateur. *2* Personne déléguée qui a pour mission de parlementer avec l'ennemi.

parlementer v. → conjug. **aimer.** Discuter, négocier, pour parvenir à un accord. *L'envoyé du gouvernement parlemente avec les terroristes.*

parler v → conjug. **aimer.** *1* Prononcer des sons articulés, des mots. *Un petit enfant commence généralement à parler vers 2 ans.* *2* S'exprimer au moyen d'une langue. *Il parle l'italien mais ne l'écrit pas.* *3* Exprimer à haute voix une intention. *Ses parents parlent de quitter Paris.* *4* Avouer. *Son complice a fini par parler.*
Ma grande sœur a été séduite par un beau **parleur,** quelqu'un qui parle beaucoup. *Le détenu est appelé au* **parloir,** le box d'une prison ou la pièce d'un internat où l'on peut parler avec les visiteurs. *La concierge passe son temps en* **parlotes,** elle parle beaucoup.

parmesan n. m. Fromage italien à pâte dure.

parmi prép. *1* Au milieu de. *Chercher un ami parmi la foule.* *2* Au nombre de, entre. *Lequel parmi vous veut m'accompagner ?*

parodie n. f. Imitation comique d'une œuvre ou d'un auteur sérieux. *Une parodie de Racine.*
Synonyme : pastiche.
Un imitateur qui **parodie** *les hommes politiques,* qui en donne une parodie.

paroi n. f. *1* Versant abrupt d'une montagne. *La paroi nord des Grandes Jorasses est l'une des ascensions les plus difficiles des Alpes.* *2* Surface intérieure d'un lieu ou d'un objet creux. *Parois d'une grotte, d'un navire.*

paroisse n. f. Territoire confié à la charge d'un curé.
Les grévistes de la faim ont été accueillis dans la salle **paroissiale,** *de la paroisse. Le curé et ses* **paroissiens** *y tiennent une permanence,* les fidèles de la paroisse.

parole n. f. *1* Faculté ou fait de parler. *Prendre la parole. Donner la parole à quelqu'un.* *2* Mot ou suite de mots prononcés. *Elle n'a pas dit une parole de la journée.* *3* Promesse sur l'honneur. *Je t'en donne ma parole. Il n'a pas tenu sa parole.* *4* Texte d'un morceau de musique. *Les paroles d'une chanson.*
Un **parolier,** *c'est quelqu'un qui écrit des paroles (*4*) de chansons.*

paronyme n. m. Mot dont la forme est très proche de celle d'un autre mot, mais dont le sens est tout à fait différent. *« École » et « écolo », « éruption » et « irruption » sont des paronymes.*

paroxysme n. m. Le plus haut degré, l'intensité maximale d'un sentiment ou d'un phénomène. *Être au paroxysme de la colère, de la joie.*

parpaing n. m. Grosse brique creuse en ciment. **On prononce** [parpɛ̃].

parquer v. → conjug. **aimer.** Mettre dans un endroit clos, enfermer. *Parquer des moutons.*

parquet n. m. Plancher fait de lattes en bois.

parrain n. m. Homme qui s'engage, le jour du baptême de son filleul, à lui apporter son soutien et à l'aider dans la vie. *Le parrain et la marraine.*

parrainer v. → conjug. **aimer.** Financer une entreprise ou un sport, dans un but publicitaire.

parricide n. et n. m.
• n. Personne qui a tué son père ou sa mère.
• n. m. Meurtre du père ou de la mère.

parsemé, ée adj. Couvert çà et là. *Un ciel parsemé d'étoiles. Un chemin parsemé d'embûches.*

part n. f. *1* Partie, portion, morceau. *Répartir un butin en trois parts égales. 2 À part* : à l'écart. *Prendre un élève à part. Servir les légumes à part. 3 À part quelqu'un* ou *quelque chose* : excepté, sauf. *Tout le monde est là, à part un enfant malade. 4 Prendre part à quelque chose* : y participer. *5 Faire part de quelque chose à quelqu'un* : le lui annoncer. *6 D'une part… d'autre part* : d'un côté… de l'autre. *7 De la part de quelqu'un* : en son nom, en venant de lui. *Je vous remets le paquet de la part de mon frère.*

partager v. → conjug. **ranger.** *1* Diviser en parts. *Partager un héritage. 2* Donner une partie de ce qui est à soi, mettre en commun quelque chose avec quelqu'un. *Partager son déjeuner avec un ami. 3* Séparer. *Le ruisseau partage le jardin en deux. 4 Être partagé* : être tiraillé entre deux envies contradictoires, être perplexe, hésitant. *Elle est partagée entre l'envie de rire et celle de pleurer.*
> Les héritiers ont décidé le **partage** de la maison en deux, l'action de la partager (*1*).

partance n. f. *En partance* : qui va partir. *Paquebot en partance pour le Canada.*

partant, ante adj. et n. m.
• adj. Familier. *Être partant* : être d'accord. *Qui serait partant pour une balade ?*
• n. m. Concurrent au départ d'une course.

partenaire n. Personne avec qui on est associé, ou avec qui on partage une activité. *Rechercher un partenaire financier.*

parterre n. m. Massif de fleurs.

Parthénon

Temple de Grèce situé à Athènes, sur l'Acropole. Le Parthénon est construit entre 447 et 432 av. J.-C., sous le règne de Périclès. Il est dédié à la déesse Athéna, la protectrice de la cité. En marbre blanc, il mesure 69,51 m de longueur sur 30,86 m de largeur. À l'origine, une colossale statue d'Athéna en or et ivoire, haute d'environ 12 m, se dressait dans la salle centrale.

parti n. m. *1* Organisation politique. *Les partis de la majorité, de l'opposition. 2 Prendre parti pour quelqu'un* : lui donner raison et le soutenir. *3 Prendre parti* : choisir son camp, décider. *Il refuse de prendre parti, il veut rester neutre. 4 En prendre son parti* : se résigner, accepter les choses comme elles sont. *5 Être de parti pris* : avoir des préjugés, des idées toutes faites, être partial. *6 Tirer parti de quelque chose* : savoir l'exploiter.
Homonyme : partie.

partial, iale, aux adj. Qui fait preuve d'un parti pris, qui a des préférences injustes. *Un bon arbitre ne doit pas être partial.*
Contraires : équitable, impartial, neutre.
> Il est difficile de le juger sans **partialité**, sans parti pris, sans être partial.

participant, ante n., **participation** n. f. → participer.

participe n. m. L'une des formes du verbe. *Participe présent* : « choisissant » ; *participe passé* : « choisi ».

LE PARTICIPE

Le participe est un mode de conjugaison des verbes. C'est un mode impersonnel. Il n'a que deux temps : le participe présent et le participe passé.

Le participe présent

• Verbes des 1er et 3e groupes : le participe présent se forme en ajoutant la terminaison **ant** au radical du verbe : chanter → chant**ant**, recevoir → recev**ant**

• Verbes du 2e groupe : le participe présent se forme en ajoutant la terminaison **issant** au radical du verbe : finir → fin**issant**, rougir → roug**issant**
Le participe présent est invariable.

Le participe passé

Le participe passé peut être employé seul ou avec les auxiliaires être ou avoir. Il a les formes :

participer v. → conjug. **aimer**. *1* Prendre part à. *Participer à un concours, à un débat. 2* Payer une part de. *L'école a demandé aux familles de participer au financement de la sortie de fin d'année.*
*Le maire s'est félicité du grand nombre des **participants** à la manifestation, de ceux qui avaient participé (1). Fais un effort de **participation** à la vie de la maison, à l'action de participer (1).*

se particulariser v. → conjug. **aimer**. Se distinguer, se différencier des autres. *Il cherche toujours à se particulariser.*

particularité n. f. Caractère particulier de quelqu'un ou de quelque chose. *Elle a une particularité : un œil gris, et l'autre bleu.*
Synonymes : caractéristique, singularité.

particule n. f. *1* Toute petite partie d'une matière. *Une particule de mica. 2* Préposition *de* ou *du* précédant un nom de famille. *Alfred de Musset portait un nom à particule.*

particulier adj., n. m. et adv.
● adj. *1* Qui caractérise quelqu'un ou quelque chose. *Signes particuliers : néant. L'odeur particulière des ajoncs. 2* Qui ne concerne qu'une seule personne. *Prendre des cours particuliers de maths.*
Synonymes : distinctif (1), spécial (1), individuel (2).
● n. m. Personne quelconque. *Nous avons préféré vendre la voiture à un particulier et non à un garage.*
● adv. *En particulier :* d'une manière particulière, spécialement, surtout. *J'aime les animaux, en particulier les chevaux.*

● **é**, pour les verbes du 1er groupe : chanter → chant**é**
● **i**, pour les verbes du 2e groupe : finir → fin**i**
● **i, u, is, t**, pour les verbes du 3e groupe : partir → part**i**, courir → cour**u**, mettre → m**is**, peindre → peint.

L'accord du participe passé

● **Employé seul**, il s'accorde comme un adjectif qualificatif avec le nom qu'il accompagne.
*Un **enfant** poli. Des **filles** polies.*
● **Avec l'auxiliaire être**, il s'accorde avec le sujet du verbe. ***Ils** sont polis. **Elle** est polie.*
● **Avec l'auxiliaire avoir**, il ne s'accorde pas avec le sujet.
*Les enfants ont jou**é** la comédie.*
*Elle a bien jou**é** son rôle.*
Il s'accorde avec le complément d'objet direct (COD) quand celui-ci est placé devant le verbe.
*La comédie que les enfants ont jou**ée**.*
*Les applaudissements qu'elle a re**çus**.*

particulièrement adv. *1* En particulier. *2* Spécialement, très. *Cette enfant a l'air particulièrement sensible.*

partie n. f. *1* Morceau, élément, portion d'un tout. *Les différentes parties du corps. Passer une partie de son temps à lire. 2* Durée d'un jeu ou d'un sport nécessaire pour qu'il y ait un gagnant. *Faire une partie d'échecs, de ping-pong. 3* Chacune des personnes qui signent un contrat ou qui engagent un procès. *La partie adverse. 4* Prendre quelqu'un à partie : s'en prendre à lui, l'attaquer. 5* Avoir affaire à forte partie : à un adversaire très fort. 6* Faire partie de : être du nombre de.
*Ma mère travaille à temps **partiel**, pendant une partie (1) de son temps. La forêt française a été **partiellement** détruite par la tempête, elle a été en partie détruite.*

partir v. → conjug. **sortir**. *1* Quitter un endroit, s'en aller. *Partir en vacances. 2* Avoir tel point de départ. *En France, la plupart des voies ferrées partent de Paris. 3* Commencer, débuter. *Une affaire bien mal partie. 4* À partir de : dès, à compter de, depuis. *Cet appartement sera libre à partir du 15. Il s'est mis à neiger à partir de Grenoble.*
Contraires : rester (1), aboutir (2), finir (3).

partisan, ane n. et adj.
● n. *1* Personne qui prend parti pour quelqu'un, pour un groupe, une idée. *Les partisans de la République. 2* Combattant qui ne fait pas partie de l'armée régulière.
● adj. *Être partisan de :* être d'avis de, en faveur de. *Je suis partisan d'attendre.*

partition n. f. Feuille sur laquelle figure un morceau de musique. *Déchiffrer une partition.*
Les notes d'une partition sont écrites sur des lignes parallèles groupées par cinq, formant les portées.

partout adv. Dans tous les endroits. *Nous t'avons cherché partout.*
Contraire : nulle part.

parure n. f. Ensemble de bijoux.

parution n. f. Publication, sortie d'un livre ou d'un journal.

parvenir v. → conjug. **venir**. *1* Arriver à destination. *Ta lettre ne m'est jamais parvenue. 2* Atteindre un but, arriver à, réussir à. *Il est parvenu à me convaincre. Parvenir au sommet de la montagne.*

parvenu, ue n. Personne qui s'est enrichie rapidement et qui fait étalage de sa richesse.

parvis n. m. Place située devant la façade d'une église, d'un bâtiment public.

pas

Au Moyen Âge, le parvis est un lieu où l'on rend la justice et où l'on fait du théâtre. Les représentations racontent souvent des épisodes de la vie de Jésus, de celle d'un saint ou d'un martyr.

parvis

1. pas adv. Indique la négation. *Je ne veux pas y aller. Pas question!*

2. pas n. m. *1* Action de mettre un pied devant l'autre pour marcher. *Faire ses premiers pas. Marcher à grands, à petits pas. 2* Trace de pieds. *Revenir sur ses pas. 3* La plus lente des allures du cheval. *Aller au pas. 4 Pas de la porte :* seuil, entrée d'une maison. *5 Faire le premier pas :* avoir l'initiative d'une action. *6 Marcher sur les pas de quelqu'un :* suivre son exemple, l'imiter. *7 Mettre quelqu'un au pas :* le rappeler à l'ordre. *8 Être dans un mauvais pas :* dans une situation délicate, difficile.

Pascal Blaise

Mathématicien, physicien et philosophe français né en 1623 et mort en 1662. Pascal s'intéresse très tôt aux mathématiques et à la physique. Dès l'âge de seize ans, il écrit un traité scientifique remarqué. Il mène de nombreuses expériences, publie des écrits de mathématiques et de physique, et invente une machine à calculer. En 1654, Pascal est touché par la foi. Il publie, entre 1656 et 1657, dix-huit lettres, *les Provinciales*, dans lesquelles il prend parti contre les théories des jésuites. Il commence aussi la rédaction d'une *Apologie de la religion chrétienne*. Ces textes inachevés, qui contiennent ses réflexions sur la condition humaine, sont publiés après sa mort sous le titre *Pensées*.

passable adj. Correct, moyen, honnête. *Des résultats passables.*
Il joue passablement du violon, de façon passable.

passage n. m. *1* Action de passer. *Les heures de passage du bus. Il est de passage à Paris. 2* Endroit par où l'on passe. *Passage pour piétons. 3* Extrait d'une œuvre. *Il a lu des passages de l'Iliade. 4 Passage à niveau :* croisement entre une voie ferrée et une route.

1. passager, ère adj. Momentané, provisoire, éphémère. *Une brouille passagère entre deux amis.*

2. passager, ère n. Personne transportée à bord d'un avion, d'un bateau, d'un train ou d'une voiture. *Passager clandestin.*

passant adj., n. et n. m.
• adj. Animé, fréquenté. *Une rue passante.*
• n. Personne qui passe à pied dans la rue. *Demander l'heure à un passant.*
• n. m. Anneau servant à maintenir l'extrémité d'une ceinture.

passe n. f. *1* Action de passer le ballon à un partenaire. *2 Être en passe de :* sur le point de. *Bateau en passe de gagner la course. 3 Mot de passe :* formule convenue que l'on doit dire pour pouvoir passer. *4 Être dans une mauvaise passe :* traverser une période difficile, pleine de soucis.

passé, ée adj. et n. m.
• adj. *1* Qui n'est plus, qui est révolu. *L'année passée. 2* Éteint, fané, quand il s'agit d'une couleur. *Un bleu passé.*
• n. m. *1* Temps qui n'est plus. *Le passé, le présent et le futur. Évoquer le passé. 2* Temps d'un verbe indiquant une action ou un état passés. *Le passé composé, le passé simple, l'imparfait sont des temps du passé.*

passe-droit n. m. **Plur. : des passe-droits.** Faveur accordée à quelqu'un, qui lui permet de faire quelque chose de normalement interdit.

passe-montagne n. m. **Plur. : des passe-montagnes.** Cagoule.

passe-partout n. m. et adj. inv.
• n. m. Clé permettant d'ouvrir plusieurs serrures. *Les serruriers ont des passe-partout.*
• adj. inv. Qui convient partout, quelles que soient les circonstances. *Il porte des vêtements passe-partout pour voyager.*

passe-passe n. m. inv. *Tour de passe-passe :* tour d'adresse d'un prestidigitateur, consistant à faire disparaître puis réapparaître un objet.

passeport n. m. Pièce d'identité qui permet d'aller dans les pays étrangers. *Passeport valide ou périmé.*

passer v. → conjug. **aimer.** *1* Avancer d'un point à un autre. *Passer sur un pont. Passer devant quelqu'un sans le voir. 2* Traverser un lieu. *Pour aller en Italie, on peut passer par la Suisse. 3* Aller quelque part sans s'y attarder. *Elle est passée prendre de mes nouvelles. 4* Être admis. *Toute la classe passe en CM1. 5* Subir un contrôle ou des épreuves d'examen. *Passer une visite médicale. Passer le bac. 6* Être projeté. *Film qui passe à la télévision. 7* Employer son temps. *Il a passé la journée à lire. 8* S'écouler. *En vacances, le temps passe vite. 9* Étendre sur une surface. *Passer de la cire sur un meuble. 10* Perdre de son éclat. *La couleur des rideaux a passé.*

11 Passer pour : être considéré comme. *Il passe pour être très fort en maths. 12 Passer sur quelque chose :* ne pas en tenir compte, oublier volontairement. *Passons sur cette bêtise. 13 Se passer de quelque chose :* s'en priver. *On se passera de voiture. 14 Se passer :* se produire, avoir lieu. *L'histoire se passe au Moyen Âge.*

passereau, eaux n. m. Petit oiseau. *Les moineaux, les merles, les rouges-gorges sont des passereaux.*

passerelle n. f. *1* Petit pont réservé aux piétons. *2* Escalier ou plan incliné donnant accès à un avion ou à un bateau. *Passerelle d'embarquement. 3* Plate-forme située au-dessus du pont d'un navire, où se tient le commandant.

passe–temps n. m. inv. Occupation agréable pour passer le temps. *Quel est ton passe-temps favori ?* **Synonymes : divertissement, hobby.**

passeur, euse n. *1* Personne qui fait traverser un cours d'eau sur un bateau, quand il n'y a pas de pont. *2* Personne qui fait passer clandestinement une frontière.

passible adj. *Être passible d'une amende, d'une peine :* la risquer. *Quand on brûle un feu rouge, on est passible d'un retrait de permis.*

passif, ive adj. *1* Qui subit sans réagir, qui est indifférent. *Il est trop passif en classe. 2* Forme que prend le verbe quand le sujet subit l'action.

Il s'est laissé insulter **passivement**, d'une manière passive, sans réagir. *Sa* **passivité** *inquiète son entourage,* son caractère passif.
Regarde ci-dessous et p. 796.

LA VOIX PASSIVE

● Lorsqu'un verbe est écrit à la voix active, le sujet considéré **fait l'action**. Lorsqu'un verbe est écrit à la voix passive, le sujet considéré **subit l'action**.

Le vent chasse le nuage. → *Le nuage est chassé par le vent.*

● Dans la phrase à la voix passive, le verbe est conjugué avec l'**auxiliaire être**.

● Quand on transforme la phrase active en phrase passive, le complément d'objet de la phrase active devient le sujet de la phrase passive.
Le sujet de la phrase active devient **complément d'agent** de la phrase passive.
Les transformations de phrases active/passive ne peuvent s'effectuer qu'avec des verbes transitifs directs.

● Quand on ne connaît pas le responsable de l'action dans une phrase à la voix passive, on emploie le pronom indéfini **on** comme sujet pour mettre cette phrase à la voix active.

Le tableau a été volé → *On a volé le tableau.*

passion n. f. *1* Amour intense, violent pour quelqu'un. *Vivre une passion. 2* Intérêt vif et soutenu pour quelque chose. *Avoir la passion de son métier. 3* Ardeur, impétuosité. *Il a défendu son point de vue avec passion.*

Il a tué sa femme par jalousie, c'est un crime **passionnel**, inspiré par la passion (*1*). *Le rôle de l'école dans la société suscite des débats* **passionnés**, tumultueux, pleins de passion (*3*). *Il aime* **passionnément** *lire,* la lecture est pour lui une passion (*2*).

passionner v. → conjug. **aimer.** Intéresser fortement, vivement. *Il se passionne pour l'astronomie.*

Elle est plongée dans un livre **passionnant**, qui la passionne.

passivement adv., **passivité** n. f. → **passif.**

passoire n. f. Ustensile de cuisine percé de trous, servant à égoutter ou à filtrer.

pastel n. m. et adj. inv.
● n. m. *1* Crayon ou bâtonnet faits d'une poudre colorée agglomérée. *Dessin au pastel. 2* Œuvre réalisée grâce à cet instrument.
● adj. inv. D'une couleur douce et claire. *Des tons pastel.*

pastèque n. f. Très gros fruit à écorce verte et à chair rouge gorgée d'eau.

pasteur n. m. Personne qui dirige le culte, dans la religion protestante.

Pasteur Louis

Chimiste et biologiste français né en 1822 et mort en 1895. Pasteur est le fondateur de la microbiologie, la science qui étudie les micro-organismes (les microbes). Après des recherches en chimie, Pasteur s'intéresse aux fermentations. Il découvre qu'elles sont dues à des micro-organismes et démontre que ceux-ci n'apparaissent pas spontanément, mais à partir de germes existant dans l'air. Il invente la pasteurisation, un procédé de conservation des aliments. Il montre aussi que les microbes sont à l'origine de nombreuses maladies et, en 1885, met au point le vaccin contre la rage. En 1888, un centre de recherches sur les maladies infectieuses est créé en son honneur à Paris ; c'est l'Institut Pasteur.

passif

La conjugaison
du verbe « aimer »
à LA VOIX PASSIVE

→ **indicatif**

présent	je suis aimé, ée	passé	j'ai été aimé, ée
	tu es aimé, ée	composé	tu as été aimé, ée
	il, elle est aimé, ée		il, elle a été aimé, ée
	nous sommes aimés, ées		nous avons été aimés, ées
	vous êtes aimés, ées		vous avez été aimés, ées
	ils, elles sont aimés, ées		ils, elles ont été aimés, ées

→ **conditionnel**

présent	je serais aimé, ée

imparfait	j'étais aimé, ée	plus-que-	j'avais été aimé, ée
	tu étais aimé, ée	parfait	tu avais été aimé, ée
	il, elle était aimé, ée		il, elle avait été aimé, ée
	nous étions aimés, ées		nous avions été aimés, ées
	vous étiez aimés, ées		vous aviez été aimés, ées
	ils, elles étaient aimés, ées		ils, elles avaient été aimés, ées

tu serais aimé, ée
il, elle serait aimé, ée
nous serions aimés, ées
vous seriez aimés, ées
ils, elles seraient aimés, ées

passé j'aurais été aimé, ée
tu aurais été aimé, ée
il aurait été aimé, ée
nous aurions été aimés, ées
vous auriez été aimés, ées
ils, elles auraient été aimés, ées

passé simple	je fus aimé, ée	passé antérieur	j'eus été aimé, ée
	tu fus aimé, ée		tu eus été aimé, ée
	il, elle fut aimé, ée		il eut été aimé, ée
	nous fûmes aimés, ées		nous eûmes été aimés, ées
	vous fûtes aimés, ées		vous eûtes été aimés, ées
	ils, elles furent aimés, ées		ils, elles eurent été aimés, ées

futur simple	je serai aimé, ée	futur antérieur	j'aurai été aimé, ée
	tu seras aimé, ée		tu auras été aimé, ée
	il, elle sera aimé, ée		il, elle aura été aimé, ée
	nous serons aimés, ées		nous aurons été aimés, ées
	vous serez aimés, ées		vous aurez été aimés, ées
	ils, elles seront aimés, ées		ils, elles auront été aimés, ées

→ **infinitif**

présent	être aimé(s), ée(s)
passé	avoir été aimé(s), ée(s)

→ **subjonctif**

présent	que je sois aimé, ée	passé	que j'aie été aimé, ée
	que tu sois aimé, ée		que tu aies été aimé, ée
	qu'il, elle soit aimé, ée		qu'il, elle ait été aimé, ée
	que nous soyons aimés, ées		que nous ayons été aimés, ées
	que vous soyez aimés, ées		que vous ayez été aimés, ées
	qu'ils, elles soient aimés, es		qu'ils, elles aient été aimés, ées

→ **participe**

présent	étant aimé(s), ée(s)
passé	ayant été aimé (s), ée(s)

imparfait	que je fusse aimé, ée	plus-que-	que j'eusse été aimé, ée
	que tu fusses aimé, ée	parfait	que tu eusses été aimé, ée
	qu'il, elle fût aimé, ée		qu'il, elle eût été aimé, ée
	que nous fussions aimés, ées		que nous eussions été aimés, ées
	que vous fussiez aimés, ées		que vous eussiez été aimés, ées
	qu'ils, elles fussent aimés, ées		qu'ils, elles eussent été aimés, ées

→ **impératif**

présent	sois aimé, ée
	soyons aimés, ées
	soyez aimés, ées
passé	aie été aimé, ée
	ayons été aimés, ées
	ayez été aimés, ées

pasteuriser v. → conjug. **aimer.** Détruire les microbes d'un liquide destiné à la consommation en le chauffant. *Lait pasteurisé.*

pastiche n. m. Imitation du style d'un écrivain ou d'un peintre.

pastille n. f. Petit bonbon rond et aplati. *Pastilles à la menthe.*

pastis n. m. Boisson à l'anis, très alcoolisée, que l'on dilue avec de l'eau.

patate n. f. Familier. *1* Pomme de terre. *2 Patate douce :* tubercule d'une plante tropicale, à la chair rosée et sucrée.

pataud, aude adj. Familier. Maladroit, lourd, gauche. *Un chiot pataud.*

pataugeoire n. f. Bassin très peu profond pour les jeunes enfants.

patauger v. → conjug. **ranger.** *1* Marcher dans un sol boueux ou dans l'eau. *2* Familier. S'embrouiller, s'empêtrer. *Patauger dans des explications confuses.*

patchwork n. m. Tissu fait de morceaux assemblés de couleurs ou de matières différentes. *Une couverture en patchwork.*
Mot anglais qu'on prononce [patʃwœrk]**.**

pâte n. f. *1* Mélange à base de farine et d'eau ou de lait, destiné à être cuit, pour faire du pain ou des gâteaux. *Pâte brisée. Pâte à crêpes. 2* Au pluriel. Aliment fait de semoule de blé dur. *Les spaghettis, les macaronis, les tagliatelles sont des pâtes. 3* Préparation plus ou moins molle, destinée à divers usages. *Pâte à modeler. Pâte à papier. Pâte dentifrice. 4 Mettre la main à la pâte :* aider, participer à une activité, un travail.

> *Ton riz est **pâteux**, trop cuit*, il a la consistance d'une pâte (*3*).

pâté n. m. *1* Hachis de viande mélangé à des épices et cuit au four. *Pâté de lapin, de campagne. 2* Grosse tache d'encre. *Faire des pâtés en écrivant avec un stylo plume. 3 Pâté de maisons :* ensemble de maisons délimité par quatre rues. *Faire le tour du pâté de maisons. 4 Pâté de sable :* sable de plage que les enfants moulent avec un seau.

pâtée n. f. Mélange de divers aliments dont on nourrit les animaux. *Pâtée pour chiens, pour chats.*

patelin n. m. Familier. Village.

patelle n. f. Mollusque à coquille en forme de cône, qui se fixe aux rochers.
Synonyme : bernique.

patère n. f. Crochet ou série de crochets servant à suspendre des vêtements.

paternalisme n. m. Comportement exagérément bienveillant et protecteur d'un chef d'entreprise vis-à-vis de ses employés.

> *Le patron de l'usine a pris un ton **paternaliste** pour s'adresser aux ouvriers en grève*, il les a traités avec paternalisme.

paternel, elle adj. *1* Du père. *L'autorité paternelle. 2* Qui est du côté du père, dans la famille. *Ma grand-mère paternelle est la mère de mon père.*

paternité n. f. *1* Fait d'être père. *2* Au figuré. Fait d'être l'auteur d'un acte, d'une idée, d'une découverte, d'une œuvre. *Revendiquer la paternité d'un livre.*

pâteux, euse adj. → **pâte.**

pathétique adj. Qui bouleverse par son caractère dramatique. *Le spectacle pathétique d'enfants tués par les bombardements.*

pathologique adj. Qui concerne la maladie. *Elle a une peur pathologique de la foule.*

patibulaire adj. Qui a une allure suspecte, sinistre et inquiétante. *La mine patibulaire de cet homme terrifie Philomène.*

patiemment adv. → **patient 1.**

patience n. f. *1* Qualité de quelqu'un qui sait attendre dans le calme. *Perdre patience. 2* Qualité de quelqu'un qui supporte les difficultés, et qui persévère sans se décourager. *Le travail exige beaucoup de patience. Patience ! Tu vas y arriver. 3* Jeu de cartes qui se joue tout seul.
Contraire : impatience (*1*). Synonyme : réussite (*3*).

1. patient, ente adj. *1* Qui a de la patience. *Il n'est pas très patient avec les enfants. 2* Qui demande de la patience. *De patientes recherches.*

> *Il a attendu **patiemment** sur le quai de la gare qu'on vienne le chercher*, de façon patiente. *Pour le faire **patienter**, le chef de gare lui a donné une glace*, pour qu'il soit patient.

2. patient, ente n. Client d'un médecin ou d'un chirurgien. *Le médecin reçoit ses patients.*

patienter v. → **patient 1.**

patin n. m. *1 Patin de frein :* pièce mobile qui, en frottant sur une roue de bicyclette, permet de freiner. *2 Patin à glace :* chaussure munie d'une lame d'acier pour glisser sur la glace. *3 Patin à roulettes :* chaussure équipée de 4 roues, pour rouler sur le sol.

patinage n. m. → **patiner.**

patine n. f. Aspect terni que prennent certains matériaux avec le temps. *Avec les années, ces meubles en bois ont pris de la patine.*

patiner v. → conjug. **aimer.** *1* Faire du patin à glace ou à roulettes. *2* Tourner dans le vide. *Les roues de la voiture patinent sur le verglas.*

Les Français sont parmi les meilleurs **patineurs** *artistiques,* ils patinent *(1)* sur la glace. *Il s'entraîne régulièrement en allant à la* **patinoire**, *une piste aménagée pour patiner (1). Je suis allée voir un championnat de* **patinage**, la pratique du patin à glace.

Le patinage sur glace est utilisé très tôt comme moyen de locomotion dans les pays froids, notamment en Scandinavie. À l'origine, les patins sont faits avec des os d'animaux, remplacés ensuite par le bois et le fer.
Au XVIIIe siècle, les premières courses de vitesse sont organisées en Hollande, mais le patinage artistique n'apparaît

Patinage de vitesse.

qu'au XIXe siècle, en Russie. La première patinoire artificielle est construite à Paris en 1892. Le patinage artistique entre aux jeux Olympiques en 1908, et le patinage de vitesse en 1924. Chaque année ont lieu des championnats nationaux, d'Europe et du monde de ces deux disciplines.

Patinage artistique.

patinette n. f. Trottinette.

patineur, euse n., **patinoire** n. f. → **patiner.**

patio n. m. Cour intérieure, généralement entourée d'arcades, dans une maison de style espagnol.

pâtir v. → conjug. **finir.** Subir un dommage. *Les côtes bretonnes et vendéennes ont beaucoup pâti de la marée noire.*
Synonyme : souffrir.

pâtisserie n. f. *1* Gâteau. *Elle aime beaucoup les pâtisseries à la crème. 2* Commerce et boutique du pâtissier.

pâtissier, ère n. et adj.
• n. Personne qui confectionne et vend des gâteaux.
• adj. *Crème pâtissière :* crème épaisse à base de lait,

de jaunes d'œufs, de farine et de sucre, avec laquelle on fourre des gâteaux.

patois n. m. Langue particulière à une région. *Au village, les personnes âgées parlent encore le patois.*

pâtre n. m. Littéraire. Berger.

patriarche n. m. Vieillard respectable à la tête d'une nombreuse famille.

patrie n. f. Pays où l'on est né, auquel on est très attaché.
Être **patriote**, *c'est être très attaché à sa patrie, et prêt à la défendre en cas de lutte armée, c'est faire preuve de* **patriotisme.** *La Marseillaise est un chant* **patriotique**, *inspiré par le patriotisme.*

patrimoine n. m. *1* Biens hérités de sa famille. *Il a dilapidé le patrimoine familial. 2* Héritage commun d'une collectivité. *Le patrimoine artistique de la France.*

patriote n., **patriotique** adj., **patriotisme** n. m. → **patrie.**

1. patron, onne n. *1* Personne qui dirige une entreprise, un atelier, un commerce. *2* Dans la religion chrétienne, saint ou sainte qui protège une ville, une profession ou les personnes qui portent son nom. *Sainte Geneviève est la patronne de Paris.*
Il y a eu une rencontre entre les représentants des syndicats et ceux du **patronat**, *l'ensemble des patrons (1).*

2. patron n. m. Modèle en papier, aux dimensions du vêtement à couper, que l'on pose sur le tissu avant de le tailler.

patronal, ale, aux adj. *1* Du patronat. *Intérêts patronaux. 2* Du saint patron. *La fête patronale d'un village.*

patronat n. m. → **patron 1.**

patronner v. → conjug. **aimer.** Soutenir, aider, parrainer. *Ce candidat aux élections municipales est patronné par un député.*
Cette exposition est organisée sous le **patronage** *du président de la République,* c'est lui qui la patronne.

patronyme n. m. Nom de famille.

patrouille n. f. Petite équipe de soldats ou de policiers en charge d'une mission.
Les soldats **patrouillent** *dans la ville occupée,* ils sont groupés en patrouille pour surveiller la ville.

patte n. f. *1* Membre d'un animal. *2* Languette de cuir ou de tissu servant à attacher, à fermer.

patte-d'oie n. f. **Plur. : des pattes-d'oie.** Carrefour d'où partent plusieurs routes.

pâturage n. m. Prairie, herbage où l'on mène paître le bétail.

pâture n. f. *1* Pâturage. *2* Nourriture d'un animal.

Pau

Ville française de la Région Aquitaine, située sur les bords du gave de Pau. C'est une cité dynamique commerciale, administrative et industrielle et un centre universitaire et touristique.
Pau possède un château des XIIIᵉ-XVIᵉ siècles, qui abrite deux musées dont l'un est consacré aux arts et traditions régionales. Fondée au XIᵉ siècle, la ville devient la capitale du Béarn au XIVᵉ siècle et résidence des rois de Navarre en 1512. Elle est rattachée à la France en 1620.

64

Préfecture des Pyrénées-Atlantiques
80 610 habitants : les Palois

---

paume n. f. *1* Creux de la main. *2* *Jeu de paume :* ancien jeu où l'on renvoyait une balle avec une raquette ou une batte par-dessus un filet.

paupière n. f. Morceau de peau bordé de cils qui protège l'œil.

paupiette n. f. Tranche de viande roulée et garnie de farce. *Paupiettes de veau.*

pause n. f. Interruption momentanée, temps d'arrêt dans un travail, un discours, une musique.
Homonyme : pose.

pauvre adj. et n.
• adj. et n. *1* Qui n'a pas de ressources, qui manque d'argent pour subvenir à ses besoins. *Les quartiers pauvres d'une ville. Les riches et les pauvres. 2* Qui est malheureux, à plaindre. *Un pauvre homme. Le pauvre, il a souffert.*
• adj. Qui produit peu. *Une terre pauvre.*
   La **pauvreté** *des pays du tiers-monde continue d'augmenter,* leur caractère pauvre (*1*). *La majorité des Africains vit* **pauvrement**, *de façon pauvre (1).*

se pavaner v. → conjug. **aimer.** Se montrer orgueilleusement, prendre la pose, parader. *Il se pavane dans son blouson de cuir.*

pavé n. m. Petit bloc de pierre taillée servant au revêtement d'une rue, d'une cour.
   Les rues de Paris au Moyen Âge étaient **pavées**, *recouvertes de pavés.*

pavillon n. m. *1* Petite maison. *Ils habitent un pavillon en banlieue. 2* Drapeau hissé sur un bateau. *Navire battant pavillon français. 3* Partie extérieure de l'oreille.

pavoiser v. → conjug. **aimer.** *1* Orner avec des drapeaux. *Pavoiser une rue. 2* Il n'y a pas de quoi pavoiser :* pas de quoi être fier, ou se réjouir.

pavot n. m. Plante cultivée pour ses fleurs ressemblant au coquelicot, pour ses graines et pour ses capsules, dont on extrait l'opium.

payable adj. → **payer.**

payant, ante adj. *1* Qui coûte de l'argent. *L'entrée de ce spectacle est payante. 2* Au figuré : profitable. *Son travail a été payant, il a été brillamment reçu à son examen.*

paye n. f. → **paie.**

payer v. *1* Verser une somme due. *L'entreprise lui paye son salaire chaque 1ᵉʳ du mois. Payer ses impôts. 2* Verser une somme en échange de quelque chose. *Payer comptant une paire de chaussures. 3* Être profitable. *Un travail qui paye mal. 4* Récompenser. *Il a été largement payé de ses peines.*
   Les commandes sont **payables** *à la livraison, elles doivent être payées (2) à ce moment. Je te conseille de ne pas lui prêter de l'argent, c'est un mauvais* **payeur***, il ne paye pas ses dettes.*

La conjugaison du verbe

PAYER 1ᵉʳ groupe

indicatif présent	**je paie/paye,**
	il ou elle paie/paye,
	nous payons,
	ils ou elles paient/payent
imparfait	**je payais**
futur	**je paierai/payerai**
passé simple	**je payai**
subjonctif présent	**que je paie/paye**
conditionnel présent	**je paierais/payerais**
impératif	**paye/paie, payons, payez**
participe présent	**payant**
participe passé	**payé**

---

pays n. m. *1* Territoire entouré par des frontières et dirigé par un gouvernement. *Les pays européens. 2* Région. *Un pays d'élevage, de vignes.*
Synonyme : État (*1*).

paysage n. m. Aspect, vue d'ensemble d'un pays. *Admirer le paysage.*

paysagiste n. Personne dont le métier est de s'occuper des jardins et des parcs, d'aménager les espaces verts d'une ville.

paysan, anne n. et adj.
● n. Personne qui vit du travail de la terre ou de l'élevage des animaux.
Synonymes : agriculteur, cultivateur.
● adj. Des paysans. *La sagesse paysanne.*
La paysannerie est aujourd'hui bien moins nombreuse qu'il y a un siècle, l'ensemble des paysans.

Pays-Bas

Monarchie constitutionnelle du nord-ouest de l'Europe, ouverte sur la mer du Nord. Le royaume des Pays-Bas comprend également les Antilles néerlandaises. Le territoire est constitué de collines et de plaines. La zone côtière est plate et protégée de la mer par des dunes, des digues et des canaux. Le climat est océanique. L'agriculture est très développée (élevage, céréales, légumes et fleurs), ainsi que l'industrie (agroalimentaire, métallurgie, chimie, exploitation du gaz naturel, haute technologie). Rotterdam est le premier port mondial. La Haye est le siège des pouvoirs publics et de la cour des Pays-Bas ainsi que du Tribunal pénal international. Le niveau de vie est l'un des plus élevés au monde.

41 530 km²
16 067 000 habitants :
les Néerlandais
Langue : néerlandais
Monnaie : euro (ex-florin)
Capitale : Amsterdam

Depuis 1831, date de l'indépendance de la Belgique, les Pays-Bas occupent leurs frontières actuelles. Ils appartiennent à l'Union européenne.

P.–D.G. n. m. Président-directeur général.
On prononce [pedeʒe].

péage n. m. *1* Prix à payer pour emprunter certaines routes ou ponts. *Autoroute à péage.* *2* Endroit où l'on paye ce droit de passage. *S'arrêter au péage.*

peau, peaux n. f. *1* Revêtement extérieur du corps. *2* Cuir tanné de certains animaux. *Portefeuille en peau de porc.* *3* Enveloppe d'un fruit. *Peau de l'orange, de la pêche.* *4* Peau du lait : pellicule qui se forme à la surface du lait frais. *5* Se mettre dans la peau de quelqu'un :* s'imaginer à sa place.
Homonyme : pot.

La peau recouvre la totalité du corps et le protège contre les agressions extérieures (froid, chaleur, chocs, microbes…). C'est une couche élastique dont l'épaisseur varie, chez l'homme, de 1 à 4 mm. Organe du toucher, la peau comporte trois parties.
L'épiderme est la couche externe ; il se renouvelle continuellement. Le derme contient les vaisseaux sanguins, les nerfs, la base des poils, les glandes sudoripares (qui produisent la sueur) et les glandes sébacées (elles fabriquent le sébum, substance grasse qui maintient la souplesse de la peau).
L'hypoderme est la couche profonde, riche en graisses.
La peau est parsemée de minuscules ouvertures, les pores, qui servent à éliminer la sueur.
Regarde aussi **toucher.**

poil *base du poil*
pore *épiderme*
glande sudoripare *derme* *hypoderme*

Peau–Rouge n. Plur. : des Peaux-Rouges. Indien d'Amérique du Nord aussi appelé Amérindien.

pécari n. m. Cochon sauvage d'Amérique, dont le cuir est recherché. *Des gants en pécari.*

peccadille n. f. Petite faute sans gravité. *Ils se sont brouillés pour une peccadille.*

1. pêche n. f. *1* Action d'attraper du poisson. *Pêche à la ligne.* *2* Poissons pêchés. *Une pêche miraculeuse.*
En vacances, j'aime beaucoup pêcher des crevettes, partir à la pêche. Les pêcheurs sont partis en mer, les marins dont le métier est la pêche.

2. pêche n. f. Fruit à noyau dur, à chair juteuse et à peau veloutée. *Pêche jaune, pêche blanche.*
Les pêchers donnent des belles fleurs roses, les arbres qui produisent les pêches.

péché n. m. Faute commise contre les lois de la religion. *Les sept péchés capitaux sont l'avarice, la colère, l'envie, la gourmandise, la luxure, l'orgueil et la paresse.*
Homonymes : pêcher, pécher.
Quel enfant n'a pas péché par gourmandise, n'a commis le péché de gourmandise ? *Marie Madeleine est la femme pécheresse des Évangiles,* qui a commis de nombreux péchés.

pêcher v. et n. m. ➜ **pêche 1.** et **pêche 2.**

pécheur, pécheresse n. ➜ **péché.**

pêcheur, euse n. ➜ **pêche 1.**

pectoral, ale, aux adj. et n. m. pl.
• adj. *1* De la poitrine. *Muscles pectoraux.* *2* *Nageoires pectorales :* situées sur la face ventrale d'un poisson.
• n. m. pl. Muscles de la poitrine. *La pratique de l'aviron développe les pectoraux.*

pécule n. m. Économies. *Il s'est constitué un petit pécule.*

pécuniaire adj. Qui concerne l'argent. *Être dans une situation pécuniaire difficile.*
Synonyme : financier.

pédagogie n. f. *1* Science de l'éducation, art d'enseigner. *2* Méthode d'enseignement. *Une pédagogie nouvelle d'apprentissage d'une langue vivante.*
L'enseignement assisté par ordinateur permet de nouvelles méthodes pédagogiques, adaptées à la pédagogie. *Pour être instituteur, il faut être bon* pédagogue, il faut avoir le sens de la pédagogie (*1*).

pédale n. f. *1* Pièce d'un instrument de musique, d'un appareil, d'une machine, que l'on actionne avec le pied. *Pédales d'un piano. Pédales d'une bicyclette.* *2* Familier. *Perdre les pédales :* perdre ses moyens ou perdre la tête.
Pédale ! ça grimpe dur, appuie sur les pédales. *Le* pédalier *d'une bicyclette,* c'est l'ensemble constitué des pédales, du pignon et des roues dentées.

pédalo n. m. Petite embarcation munie d'une roue à pales, que l'on fait avancer avec des pédales.

pédant, ante adj. Qui fait étalage de son savoir d'une manière prétentieuse et doctorale.
Son pédantisme *est insupportable,* son ton, ses manières pédantes.

pédestre adj. Qui se fait à pied. *Randonnée pédestre.*

pédiatrie n. f. Médecine des enfants.
Le pédiatre *est un médecin spécialisé en pédiatrie.*

pédicure n. Personne qui soigne les pieds.

pedigree n. m. Document sur lequel figurent les origines d'un animal de race. *Pedigree d'un cheval.*
Mot anglais qu'on prononce [pedigʀe].

pédoncule n. m. Queue d'une fleur ou d'un fruit.
Le pédoncule est une sorte de petite tige qui porte la fleur, puis le fruit.

pédophile n. Adulte qui est attiré sexuellement par les enfants. *La police a arrêté les membres d'un réseau de pédophiles.*

pédoncule

pègre n. f. Milieu des criminels, des voleurs, des escrocs.

peigne n. m. *1* Instrument à dents fines servant à démêler et à coiffer les cheveux. *2* *Passer au peigne fin :* fouiller en examinant les moindres recoins.
Elle se peigne *devant la glace,* elle coiffe ses cheveux avec un peigne.

peignoir n. m. Vêtement en tissu-éponge que l'on met en sortant du bain.

peindre v. *1* Recouvrir de peinture. *Peindre une porte.* *2* Faire un tableau avec de la peinture. *Peindre un paysage, un portrait…* *3* Au figuré. Décrire, représenter avec des mots. *Ce roman peint le monde paysan.*

La conjugaison du verbe
PEINDRE 3e groupe

indicatif présent	je peins, il ou elle peint, nous peignons, ils ou elles peignent
imparfait	je peignais
futur	je peindrai
passé simple	je peignis
subjonctif présent	que je peigne
conditionnel présent	je peindrais
impératif	peins, peignons, peignez
participe présent	peignant
participe passé	peint

peine n. f. *1* Condamnation prononcée par un tribunal contre un accusé reconnu coupable. *Une peine d'un an de prison.* *2* Chagrin, tristesse, douleur morale. *Faire de la peine à quelqu'un.* *3* Effort, fatigue. *Se donner de la peine. Être récompensé de ses peines.* *4* *Avoir de la peine à faire quelque chose :* le faire difficilement, avec effort. *Il a de la peine à marcher.* *5* *À peine :* tout juste, presque pas. *Il sait à peine lire.*
Homonymes : pêne, penne.

peiner v. → conjug. aimer. *1* Faire de la peine à quelqu'un. *Cette nouvelle m'a beaucoup peiné.* *2* Avoir de la peine, des difficultés à faire quelque chose. *Peiner à monter une côte.*

peintre n. m. *1* *Peintre en bâtiment :* personne qui peint les murs intérieurs et extérieurs d'une maison, les plafonds, et pose les papiers peints. *2* Artiste qui fait de la peinture.

peinture n. f. *1* Art de peindre. *Faire de la peinture.* *2* Tableau, toile. *Une exposition de peintures.* *3* Matière servant à peindre. *De la peinture à l'huile, de la peinture acrylique.*

peinturlurer v. → conjug. **aimer.** Barbouiller avec de la peinture.

péjoratif, ive adj. Qui exprime une idée défavorable, un jugement négatif. *«Barbouillage», «flemmard» sont des mots péjoratifs.*

pékinois n. m. Petit chien à poils longs, aux oreilles pendantes et au museau aplati.

pelage n. m. Poil ou fourrure d'un animal. *Le pelage d'un chat, d'un fauve.*

pelé, ée adj. *1* Qui a perdu ses poils. *Une veste en fourrure toute pelée.* *2* Sans végétation. *Une montagne pelée.*

pêle-mêle adv. En désordre, en vrac. *Il a jeté le contenu de son cartable pêle-mêle sur son lit.*

peler v. → conjug. **modeler.** *1* Enlever la peau d'un fruit, d'un légume. *Peler des pommes de terre.* *2* Avoir la peau qui se détache par petits morceaux. *Il a le nez qui pèle, il a pris un coup de soleil.*

pèlerin n. m. Personne qui se rend en voyage dans un lieu saint.
*La Mecque est le lieu de **pèlerinage** de tous les musulmans,* qui accueille des pèlerins.

pélican n. m. Grand oiseau aux pattes palmées.
Le pélican peut mesurer jusqu'à 1,70 m de longueur et 3 m d'envergure. Il a un plumage gris ou blanc avec le bord des ailes noir. Ses pattes sont courtes et palmées. Le pélican possède un long bec sous lequel pend une large poche. Il se sert de cette poche comme d'une épuisette pour pêcher les poissons dont il se nourrit. Elle sert aussi de réservoir de nourriture pour ses petits.

pelisse n. f. Manteau doublé de fourrure.

pelle n. f. Outil formé d'une plaque de métal, fixée à un manche. *On creuse un trou avec une pelle.*
*Le fossoyeur jette des **pelletées** de terre sur le cercueil,* de la terre ramassée avec une pelle.

pelleteuse n. f. Pelle mécanique montée sur roues ou sur chenilles.

pellicule n. f. *1* Petite écaille qui se détache du cuir chevelu. *Shampooing contre les pellicules.* *2* Fine couche. *Une pellicule se forme à la surface du lait.* *3* Feuille de plastique recouverte d'une substance sensible à la lumière, utilisée pour la photographie et pour le cinéma.

pelote n. f. *1* Boule formée de fil ou de ficelle. *Pelote de laine.* *2* *Pelote basque :* sport traditionnel du Pays basque.
La pelote dérive du jeu de paume. Disparu des autres régions à partir du XVIIᵉ siècle, ce jeu s'est développé sous le nom de pelote dans le Pays basque de chaque côté des Pyrénées. La pelote basque consiste à lancer une balle très dure, la pelote, à l'aide d'une batte en bois, d'un petit panier en osier (chistera) ou encore à main nue. Il existe deux types de jeux : les jeux directs, où les joueurs sont face à face, et les jeux indirects, où ils jouent face à un mur contre lequel ils lancent la pelote. Des championnats du monde ont lieu tous les quatre ans.

peloton n. m. *1* Groupe compact de coureurs, de cyclistes dans une course. *Être dans le peloton de tête.* *2* *Peloton d'exécution :* groupe de soldats chargés de fusiller un condamné.

se pelotonner v. → conjug. **aimer.** Se rouler en boule. *Le chat se pelotonne pour dormir.*

pelouse n. f. Terrain couvert de gazon.

peluche n. f. *1* Tissu à poils doux et longs. *Ours en peluche.* *2* Au pluriel. Petites boules de fibres qui se forment sur un tissu, un tricot.
*Un vieux canapé **pelucheux**, dont le tissu forme des peluches (2). Ce pull-over **peluche**, présente des peluches (2).*

pelure n. f. *1* Peau d'un fruit ou d'un légume qu'on a pelés. *Pelures d'oignons, d'oranges.* *2* *Papier pelure :* très fin.

pénal, ale, aux adj. *1* Qui concerne les peines ou les infractions. *2* *Code pénal :* ensemble des textes de lois qui définissent les infractions et les peines correspondantes.

pénalité n. f. *1* Sanction, peine. *Le contrat prévoit une pénalité en cas de retard, une amende à payer pour chaque journée de retard par rapport à la date prévue.*

2 Désavantage infligé à un joueur ou à une équipe qui n'a pas respecté le règlement d'une épreuve sportive.
Ce conducteur a été pénalisé pour avoir brûlé un feu rouge, on lui a infligé une pénalité. *La pénalisation consiste à enlever des points ou à ajouter du temps,* le fait d'être pénalisé.

penalty n. m. Plur. : **penaltys** ou **penalties.** Au football, pénalité consistant à faire tirer par un joueur de l'équipe lésée un coup de pied à 11 m du but adverse défendu par le seul gardien.
Mot anglais qu'on prononce [penalti].

penaud, aude adj. Honteux, confus, embarrassé.
Il est tout penaud d'avoir été surpris la main dans le sac.

penchant n. m. Tendance, inclination, goût pour quelque chose. *Avoir un penchant à la paresse.*

pencher v. → conjug. **aimer.** *1* Incliner vers le bas ou sur le côté. *Pencher la tête. Ne te penche pas par la fenêtre.* **2** Au figuré. *Se pencher sur quelque chose :* s'y intéresser de près. *Je vais me pencher sur ce problème.*

pendable adj. *Jouer un tour pendable à quelqu'un :* lui jouer un mauvais tour.

pendaison n. f. Action de pendre quelqu'un ou de se pendre.

1. pendant prép. et conj.
• prép. Indique le moment où se passe une action. *Il a neigé pendant la nuit.*
Synonyme : durant.
• conj. *1* Indique le fait que deux choses se passent en même temps. *Il est parti pendant que tu dormais.* **2** Indique une opposition. *Pendant que vous bavardez, les autres travaillent.*
Synonymes : alors que, tandis que.

2. pendant, ante adj. et n. m.
• adj. Qui pend. *Un chien aux oreilles pendantes.*
• n. m. *Pendant d'oreilles :* longues boucles d'oreilles.

pendentif n. m. Bijou suspendu par une chaîne.

penderie n. f. Placard où l'on pend ses vêtements.

pendre v. → conjug. **répondre.** *1* Être suspendu. *Jambon qui pend au plafond.* **2** Accrocher, suspendre. *Pendre son blouson au portemanteau.* **3** *Se pendre :* se suicider en se suspendant par le cou avec une corde.

pendu, ue n. Personne qui s'est tuée en se pendant ou que l'on a pendue.

1. pendule n. f. Petite horloge.
En voyage j'emporte ma pendulette pour me réveiller, une petite pendule.

2. pendule n. m. Objet suspendu à un fil, qui oscille autour d'un point fixe.

pêne n. m. Partie mobile d'une serrure, qui bloque la porte quand on tourne la clé.
Homonymes : peine, penne.

pénétrant, ante adj. *1* Qui pénètre, transperce. *Un vent pénétrant.* **2** Au figuré. Perspicace, clairvoyant, aigu. *Un regard pénétrant.*

pénétration n. f. *1* Action de pénétrer, de s'introduire quelque part. *Pénétration de l'eau de pluie dans le sol.* **2** Qualité d'un esprit clairvoyant et fin.
Synonyme : sagacité (2).

pénétré, ée adj. *Prendre un air pénétré :* prendre l'air convaincu de son importance.

pénétrer v. → conjug. **digérer.** *1* Entrer quelque part. *Pénétrer dans une grotte.* **2** Au figuré. Découvrir, réussir à comprendre. *Pénétrer un secret. Pénétrer les intentions de quelqu'un.*

pénible adj. *1* Dur, éprouvant, fatigant. *Un mineur fait un travail pénible.* **2** Douloureux, difficile à supporter moralement. *Un souvenir pénible.*
Mon grand-père marche péniblement depuis sa chute, de façon pénible, difficilement (*1*).

péniche n. f. Bateau à fond plat.

Les péniches mesurent environ 38 m de longueur sur un peu plus de 5 m de largeur. Essentiellement utilisées pour le transport des marchandises sur les fleuves, les rivières et les canaux, elles peuvent contenir jusqu'à 350 t de marchandises. Certaines sont spécialisées dans des transports particuliers comme le pétrole, le sable ou les céréales. Les mariniers vivent à bord.

pénicilline n. f.
Antibiotique.

péninsule n. f. Grande presqu'île.

Une péninsule est une vaste étendue de terre qui s'avance dans la mer, reliée au continent par une étroite bande de terre. La péninsule Ibérique, au sud-ouest de l'Europe, baignée par l'océan Atlantique et la mer Méditerranée, est constituée de l'Espagne et du Portugal. Au sud-est de l'Europe s'étend la péninsule des Balkans, entourée par la mer Noire, la mer Méditerranée et la mer Adriatique. L'Italie est une

OCÉAN ATLANTIQUE

France

Péninsule Ibérique

Italie

Espagne

MER MÉDITERRANÉE

autre péninsule méditerranéenne dont la forme est souvent comparée à celle d'une botte.

pénis n. m. Organe génital de l'homme.
Synonyme : verge. On prononce [penis].

pénitence n. f. *1* Punition. *Comme pénitence, tu seras privé de télévision.* *2 Faire pénitence :* se repentir de ses péchés, dans la religion catholique.
Un *pénitent,* c'est une personne qui fait pénitence (*2*).

pénitencier n. m. Prison, bagne.

pénitent, ente n. → **pénitence**.

pénitentiaire adj. Qui concerne l'organisation et la vie dans les prisons. *Système pénitentiaire.*

penne n. f. Chacune des grandes plumes des ailes et de la queue d'un oiseau.
Homonymes : peine, pêne.

pénombre n. f. Lumière faible, demi-jour. *Tirer les volets pour plonger la chambre dans la pénombre.*

pensable adj. Que l'on peut imaginer. *Ce n'est pas pensable d'être aussi distrait !*
Synonyme : imaginable. Contraires : impensable, inimaginable.

pense-bête n. m. **Plur. : des pense-bêtes.** Familier. Ce qui sert à ne pas oublier une chose que l'on doit faire. *J'ai mis un pense-bête sur mon bureau pour ne pas rater ce rendez-vous.*

pensée n. f. *1* Capacité de réfléchir, de penser. *La parole est l'expression de la pensée.* *2* Idée, opinion, jugement, réflexion. *Confier ses pensées à un ami.* *3* Fleur aux couleurs variées dont les pétales ont un aspect velouté.

penser v. → conjug. **aimer.** *1* Former des idées dans son esprit. *Les êtres humains sont capables de*

penser. *2* Avoir quelqu'un, quelque chose à l'esprit. *Penser à sa famille. Je me demande à quoi tu penses.* *3* Avoir telle ou telle opinion, tel ou tel jugement. *Je pense que tout se passera bien.* *4* Prévoir, envisager. *Il pense arriver dimanche.*
Voltaire était un grand *penseur,* un homme qui pensait (*1*) aux problèmes essentiels.

pensif, ive adj. Qui est profondément absorbé dans ses pensées. *Il a écouté mes paroles d'un air pensif.*
Synonyme : songeur.

pension n. f. *1* Établissement scolaire dans lequel les élèves sont nourris et logés. *2* Somme d'argent versée régulièrement à quelqu'un. *Elle est divorcée et reçoit une pension alimentaire pour ses enfants.* *3* Forfait comprenant le prix d'une chambre et de un ou plusieurs repas. *La pension complète comprend le petit déjeuner, le déjeuner et le dîner.*
Synonymes : internat, pensionnat (*1*).
Elle a fait toutes ses études dans un *pensionnat,* dans une pension (*1*). Cet invalide est *pensionné,* il reçoit une pension (*2*).

pensionnaire n. *1* Élève qui fait ses études dans une pension, un internat. *Les pensionnaires rentrent dans leur famille chaque week-end.* *2* Personne qui est en pension dans un hôtel.
Synonyme : interne (*1*).

pensionnat n. m., **pensionné, ée** n. → **pension**.

pensum n. m. Travail ennuyeux, corvée. *Recopier tous ces brouillons, quel pensum !*
On prononce [pɛ̃sɔm].

pentagone n. m. Figure géométrique qui a cinq côtés et cinq angles.
On prononce [pɛ̃tagɔn].

pente n. f. Surface inclinée. *Descendre une pente à vélo. Ce chemin monte en pente raide.*
Un terrain *pentu* est en pente, incliné.

Pentecôte n. f. Fête chrétienne que l'on célèbre le septième dimanche après Pâques. *La Pentecôte commémore la descente du Saint-Esprit sur les apôtres.*

pentu, ue adj. → **pente**.

pénurie n. f. Manque des ressources nécessaires pour survivre. *Pénurie d'eau, de nourriture. Pénurie d'argent.*
Contraire : abondance. Synonyme : insuffisance.

pépier v. → conjug. **modifier.** Pousser de petits cris, quand il s'agit de jeunes oiseaux.

pépin n. m. Petite graine à l'intérieur de certains fruits. *Des pépins de raisin, de pomme, de mandarine.*

pépinière n. f. Terrain où sont plantés et élevés de jeunes arbres destinés à être ensuite plantés ailleurs.
Il a replanté dans son jardin un jeune cerisier qu'il a acheté chez un **pépiniériste**, *une personne qui s'occupe d'une pépinière.*

pépite n. f. Morceau d'or à l'état pur dans les roches, dans le sable des rivières.

perçant, ante adj. *1* Qui a un son très aigu et très puissant. *Une voix perçante. Des cris perçants. 2 Vue perçante :* très bonne vue.

percée n. f. *1* Ouverture qui permet de passer ou qui permet de voir une perspective. *On a découvert une percée dans les fourrés pour pénétrer dans le bois. 2* Action de rompre les défenses de l'adversaire. *Tenter une percée à travers les lignes ennemies.*
Synonyme : **trouée** (*1*).

percement n. m. → **percer.**

perce-neige n. m. inv. Petite fleur blanche en forme de clochette.

Le perce-neige doit son nom au fait qu'il fleurit en hiver, quand le sol est encore recouvert de neige. C'est une plante aux longues feuilles étroites. Chaque tige porte une fleur blanche qui pend vers le bas. Le perce-neige mesure jusqu'à 30 cm de hauteur. Certaines espèces sont cultivées dans les jardins.

perce-oreille n. m. **Plur. : des perce-oreilles.** Insecte qui porte une sorte de petite pince à l'extrémité de l'abdomen.

percepteur n. m. Fonctionnaire chargé de percevoir les impôts.

perceptible adj. Que l'on peut percevoir par la vue ou par l'ouïe. *À l'horizon, le voilier n'est plus qu'un point à peine perceptible.*
Contraire : **imperceptible.**

perception n. f. *1* Action de percevoir le monde extérieur grâce à nos sens. *Le chien a une bonne perception des odeurs car son odorat est très développé. 2* Bureau du percepteur. *Vous devez adresser le règlement de vos impôts à la perception.*

percer v. → conjug. **tracer.** *1* Faire un trou, pratiquer une ouverture, un passage. *Percer un tunnel dans la montagne. 2* Pousser en traversant la gencive. *La première dent du bébé est en train de percer. 3* Au figuré. Découvrir ce qui était caché ou incompréhensible. *Percer un mystère.*
On a entrepris le **percement** *d'une nouvelle route, de la percer (1). Une* **perceuse** *est un outil qui sert à percer (1) des trous.*

percevoir v. → conjug. **recevoir.** *1* Reconnaître, ressentir grâce aux organes des sens. *Percevoir un bruit, une odeur. Il a cru percevoir une lueur dans le lointain. 2* Recevoir une somme d'argent. *Percevoir un salaire, des indemnités.*

1. perche n. f. Poisson d'eau douce qui possède une nageoire dorsale épineuse.

2. perche n. f. *1* Tige longue et mince faite de bois, de métal, etc. *Pour faire du saut à la perche, on utilise des perches en fibre de verre. 2 Tendre la perche à quelqu'un :* l'aider à se sortir d'une situation embarrassante.
Un **perchiste** *est un athlète qui pratique le saut à la perche (1).*

se percher v. → conjug. **aimer.** Se tenir ou se poser sur quelque chose situé en hauteur. *Les hirondelles viennent se percher sur les fils téléphoniques.*
Les poules s'endorment sur leur **perchoir**, *un support sur lequel elles se perchent.*

perchiste n. → **perche 2.**

perchoir n. m. → **se percher.**

perclus, use adj. Qui est handicapé, immobilisé. *Être perclus de douleurs, de rhumatismes.*

percolateur n. m. Appareil qui fonctionne à la vapeur et qui est utilisé pour faire du café.

percussion n. f. *Instrument à percussion :* instrument de musique dont on joue en frappant dessus avec les mains, avec des baguettes. *Le tambour est un instrument à percussion.*
Un **percussionniste** *est un musicien qui joue d'un ou de plusieurs instruments à percussion.*

percutant, ante adj. Qui frappe l'esprit, fait beaucoup d'effet. *Elle trouve toujours des arguments percutants pour défendre ses idées.*

percuter v. → conjug. **aimer.** Heurter avec violence. *Le camion a percuté une voiture à l'arrêt.*

perdant, ante adj. et n. → **perdre.**

perdition n. f. *En perdition :* en train de sombrer, de faire naufrage. *Ce navire est en perdition.*

perdre v. → conjug. **répondre.** *1* Ne plus avoir en sa possession. *Perdre sa valise, son portefeuille, ses gants. 2* Être battu au cours d'une épreuve, d'un jeu. *Perdre un match. Il a perdu la première manche. 3* Être définitivement séparé de quelqu'un par la mort. *Perdre ses parents, un ami. 4* Ne pas profiter, gaspiller. *Perdre son temps. Perdre une bonne occasion. 5* Cesser de se dominer, de contrôler son comportement. *Perdre son sang-froid. 6 Perdre la raison :* devenir fou. *7 Se perdre :* ne plus retrouver son chemin, s'égarer.

Les promeneurs se sont perdus dans la montagne. **8** *S'y perdre :* ne plus rien comprendre. *Cette histoire est trop compliquée, je m'y perds !*
Contraire : gagner (2). Synonyme : égarer (1).

Les **perdants** ont eu droit à un prix de consolation, ceux qui ont perdu (**2**).

perdreau, eaux n. m. Jeune perdrix.

perdrix n. f. Oiseau au corps trapu, au plumage gris ou roux, commun en Europe. *La perdrix est un gibier très recherché.*
On prononce [pɛʀdʀi].

perdu, ue adj. **1** Qu'on ne peut plus retrouver. *Un enfant perdu. Des objets perdus.* **2** Qui va mourir. *Sa blessure est mortelle, il est perdu.* **3** Éloigné, isolé. *Ils vivent dans un coin perdu.*

père n. m. **1** Homme qui a un ou plusieurs enfants. *Un père de famille nombreuse.* **2** Nom donné à certains prêtres catholiques. *Le mariage sera célébré par le père Martin.*
Homonymes : pair, paire.

pérégrinations n. f. pl. Voyages fréquents. *Il a vécu mille aventures au cours de ses pérégrinations.*

péremptoire adj. Qui n'admet aucune réplique. *Il a demandé le silence d'un ton péremptoire.*

perfection n. f. Caractère d'une personne ou d'une chose qui n'a aucun défaut. *Atteindre la perfection. Peindre, chanter à la perfection.*

Un **perfectionniste** est une personne qui recherche la perfection de façon exagérée.

perfectionner v. → conjug. **aimer.** **1** Améliorer les performances de quelque chose. *Perfectionner un appareil.* **2** *Se perfectionner :* faire des progrès, devenir meilleur. *Se perfectionner en orthographe.*

Suivre des cours de **perfectionnement** en informatique, destinés à se perfectionner (**2**).

perfectionniste n. → **perfection.**

perfide adj. Trompeur, sournois, déloyal. *Une femme perfide. Des paroles perfides.*

C'est un homme franc, incapable de **perfidie**, d'être perfide. *Le traître souriait* **perfidement**, *de façon perfide.*

perforer v. → conjug. **aimer.** Percer en formant des trous. *Perforer des feuilles de papier pour les ranger dans un classeur.*

Il a une **perforation** de l'intestin causée par un coup de couteau, son intestin est perforé.

performance n. f. Résultat obtenu au cours d'une compétition, d'une course. *Notre équipe a réalisé une très belle performance en gagnant ce match.*

performant, ante adj. Qui donne les meilleurs résultats possibles. *Une voiture performante.*

perfusion n. f. Injection lente de sang ou d'un médicament liquide dans l'organisme.

pergola n. f. Petite construction de jardin sur laquelle on fait généralement pousser des plantes grimpantes. *On a dîné sous la pergola.*

Périclès

Homme d'État athénien né vers 495 et mort en 429 av. J.-C. Périclès est, pendant trente ans, réélu « stratège », c'est-à-dire haut magistrat responsable des affaires d'Athènes. Il développe la démocratie, encourage le commerce, et fait d'Athènes une cité très puissante, mais souvent en guerre contre ses rivales (dont Sparte). Périclès s'entoure de grands artistes, d'architectes (notamment son ami Phidias), d'historiens, de philosophes… Il fait élever de nombreux monuments dont le Parthénon, sur l'Acropole. Son règne, appelé « siècle de Périclès », est l'âge d'or de la vie intellectuelle et artistique d'Athènes.

péricliter v. → conjug. **aimer.** Aller à la ruine. *Cette entreprise est en train de péricliter.*
Contraire : prospérer.

péridurale n. f. Anesthésie locale qui se fait par une injection entre deux vertèbres de la colonne vertébrale. *La péridurale est parfois utilisée pour les femmes enceintes juste avant leur accouchement.*

Périgueux

Ville française de la Région Aquitaine, située sur les bords de l'Isle. Périgueux est un centre administratif, industriel et commercial. Une fabrique de timbres-poste y est installée.
Périgueux abrite des vestiges romains, la cathédrale Saint-Front (XIIe siècle), l'église romane Saint-Étienne (XIe-XIIe siècles) et des maisons du Moyen Âge et de la Renaissance. Dans l'Antiquité, la ville porte le nom de Vésone. Elle est le centre de la tribu gauloise des *Petrocorii*.

24 *Préfecture de la Dordogne*
32 274 habitants : les Périgourdins

péril n. m. **1** Littéraire. Danger. *Ils ont affronté mille périls au cours de cette aventure.* **2** *À ses risques et périls :* en acceptant les risques, les conséquences de ce que l'on fait.

Les randonneurs ont entrepris une escalade périlleuse, qui présente de nombreux périls, dangereuse.

périmé, ée adj. Dont le délai est expiré. *Un billet périmé, une carte d'abonnement périmée.*
Contraire : valable.

périmètre n. m. *1* Longueur d'une ligne qui délimite le contour d'une surface. *Le périmètre d'un carré est égal à la somme de ses quatre côtés. 2* Contour qui délimite un lieu quelconque. *La circulation est interdite à l'intérieur du périmètre du centre-ville.*

période n. f. Espace de temps. *Il a passé de longues périodes de sa vie à l'étranger.*

périodique adj. et n. m.
● adj. Qui se reproduit à des intervalles plus ou moins réguliers. *Elle souffre d'accès de dépression périodiques.*
   Cette région est périodiquement dévastée par des cyclones, de façon périodique.
● n. m. Journal qui paraît à certains intervalles de temps réguliers. *Les magazines mensuels sont des périodiques.*

péripétie n. f. Événement inattendu. *Le voyage s'est bien terminé après de multiples péripéties.*
On prononce [peʀipesi].

périphérie n. f. Ce qui est situé dans un endroit éloigné du centre. *On a construit de nouveaux immeubles à la périphérie de la ville.*

périphérique adj. et n. m.
● adj. Qui est situé à la périphérie d'un endroit. *Vous pouvez faire le tour de la ville en prenant les boulevards périphériques.*
● n. m. *1* Route ou boulevard périphérique. *2* Élément relié à un ordinateur. *Un clavier, une imprimante sont des périphériques.*

périphrase n. f. Groupe de plusieurs mots que l'on utilise à la place d'un seul mot et qui désigne la même chose. *« Le roi de la jungle » est une périphrase pour désigner le lion.*

périple n. m. Grand voyage. *Il revient d'un périple de plusieurs mois en Afrique.*

périr v. → conjug. **finir.** Littéraire. Mourir. *Tous les passagers du bateau ont péri dans le naufrage.*

périscolaire adj. Qui complète l'enseignement scolaire. *Les sorties au théâtre, au cinéma font partie des activités périscolaires.*

périscope n. m. Appareil optique qui permet de voir par-dessus un obstacle.

Le périscope est fait d'un jeu de miroirs ou de prismes placés aux extrémités d'un tube. Le péri-

scope du sous-marin est muni de lentilles grossissantes. Il peut atteindre 15 m de hauteur. Il est utilisé pour observer la surface de la mer lorsque le bâtiment est en plongée à faible profondeur. Des systèmes électroniques permettent la vision de nuit.

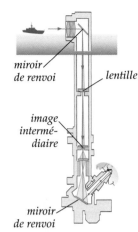

miroir de renvoi

lentille

image intermédiaire

miroir de renvoi

périssable adj. Qui ne se conserve pas longtemps. *La viande, le poisson sont des produits périssables.*

péristyle n. m. Ensemble de colonnes qui entoure un édifice. *Le péristyle d'un temple grec.*

perle n. f. *1* Petite boule de nacre qui se forme parfois à l'intérieur d'une huître. *On récolte les perles pour en faire des bijoux. 2* Petite boule percée pour pouvoir être enfilée. *Des perles de bois, de verre, de plastique. 3* Employé de grande valeur, irréprochable. *Cette femme de ménage est une perle.*
   Les huîtres perlières sont des huîtres qui produisent des perles (1).

perler v. → conjug. **aimer.** Couler en formant de petites gouttes. *La sueur perle sur son front.*

perlier, ère adj. → **perle.**

permanence n. f. *1* Service qui fonctionne sans interruption. *Une permanence téléphonique est assurée pour renseigner les clients. 2* Salle où les élèves peuvent travailler en dehors des heures de cours. *3 En permanence :* de façon permanente, continuellement. *Cette chaîne de télévision diffuse des informations en permanence.*

permanent, ente adj. Qui est continu, constant, incessant. *Il vit dans une angoisse permanente.*
Contraire : passager.

permanente n. f. Traitement destiné à faire friser les cheveux.

perméable adj. Qui peut être traversé par un liquide. *Le sable est une roche perméable.*
Contraire : imperméable.
   La perméabilité d'un terrain calcaire, son caractère perméable.

permettre v. → conjug. **mettre.** *1* Donner l'autorisation de faire quelque chose. *Mes parents m'ont permis d'aller au cinéma. 2* Rendre possible. *Cette carte d'abonnement me permet de voyager à des tarifs*

réduits. **3** *Se permettre de :* se donner le droit, la liberté de. *Je me permets de vous dire que vous avez tort.*
Synonyme : autoriser (1). Contraires : défendre, interdire (1), empêcher (2).

Elle vient d'avoir son *permis* de conduire, le document officiel qui lui permet (1) de conduire. *Je vous donne la* permission *de sortir*, je vous permets (1) de sortir.

permuter v. → conjug. **aimer.** Mettre une chose à la place d'une autre. *Si on permute la lettre «p» avec la lettre «l», on écrit le mot «loupe» au lieu du mot «poule».*
Synonyme : intervertir.

«45» devient «54» par permutation *des deux chiffres*, quand on les permute.

pernicieux, euse adj. Qui est dangereux, malsain, nocif, nuisible. *Soutenir des théories pernicieuses.*

péroné n. m. L'un des deux os de la jambe, situé en arrière du tibia.

pérorer v. → conjug. **aimer.** Parler longuement et de manière prétentieuse. *Il n'a pas arrêté de pérorer pendant tout le dîner.*

perpendiculaire adj. et n. f.
● adj. Qui coupe une ligne, un plan, une surface en formant un angle droit. *Les côtés d'un carré sont perpendiculaires deux à deux.*

Deux droites perpendiculaires.

● n. f. Ligne perpendiculaire.

perpétrer v. → conjug. **digérer.** Littéraire. Accomplir, exécuter, commettre quelque chose de mal. *Perpétrer un attentat.*

perpétuel, elle adj. Qui ne cesse jamais. *Il y a un va-et-vient perpétuel de voyageurs dans cette gare.*

Cet enfant est perpétuellement *agité*, de façon perpétuelle, sans arrêt.

perpétuer v. → conjug. **aimer.** Faire durer très longtemps. *Perpétuer les coutumes d'une région.*

perpétuité n. f. *À perpétuité :* pour toujours, à vie. *Être condamné à la prison à perpétuité.*

Pérou

République d'Amérique du Sud, ouverte à l'ouest sur l'océan Pacifique. Le territoire du Pérou comprend trois régions : une étroite plaine côtière où se trouvent les grandes villes ; au centre, la cordillère des Andes, avec des sommets volcaniques (Huascarán, 6 768 m) ; à l'est, la forêt amazonienne. Le climat est frais sur la côte, tropical humide dans la plaine amazonienne, froid et sec dans les Andes. Le pays tire ses principales ressources de la pêche et des réserves du sous-sol. La majeure partie de la population est très pauvre. Sous domination espagnole dès 1532, le Pérou devient indépendant en 1821. Il subit jusque dans les années 1980 dictatures et coups d'État.

1 285 216 km²
26 767 000 habitants :
les Péruviens
Langues : espagnol,
quechua, aymara
Monnaie : nouveau sol
Capitale : Lima

Perpignan

Ville française de la Région Languedoc-Roussillon, située sur les bords de la Têt. Perpignan est un centre administratif régional, un marché agricole et une ville universitaire.
La ville est dominée par une citadelle du XVIᵉ siècle qui renferme l'ancien palais des rois de Majorque (XIIIᵉ-XIVᵉ siècles). Une autre forteresse, le Castillet (XIVᵉ-XVᵉ siècles), se dresse dans la vieille ville. La cathédrale Saint-Jean date de la même époque. Français et Espagnols se disputent longtemps la cité. Cédée par l'Espagne à Louis XIV, elle est rattachée à la France en 1659.

66 *Préfecture des Pyrénées-Orientales*
107 241 habitants : les Perpignanais

perplexe adj. Qui hésite sur ce qu'il doit penser ou sur ce qu'il doit faire. *Les explications embrouillées des témoins nous ont laissés perplexes.*
Synonymes : embarrassé, hésitant, indécis.

Il ne comprend pas ce que je veux et me regarde avec perplexité, *il est perplexe.*

perquisition n. f. Recherche opérée par la police dans un endroit pour y trouver des indices lors d'une enquête.

Les policiers ont perquisitionné *le domicile du suspect*, ils ont fait une perquisition.

Perrault Charles

Écrivain français, né en 1628 et mort en 1703. Entré à l'Académie française en 1671, Perrault relance la « querelle des Anciens et des Modernes », dispute entre les partisans des auteurs de l'Antiquité et ceux qui, comme lui, soutiennent les auteurs modernes. Mais il est surtout célèbre pour ses contes, *Histoires ou Contes du temps passé* (1697), recueil intitulé aussi *Contes de ma mère l'Oye*. On y trouve *le Petit Poucet*, *Cendrillon*, *le Chat botté*, *la Belle au bois dormant*, *le Petit Chaperon rouge*…

perron n. m. Escalier extérieur qui se termine par un palier au niveau de la porte d'entrée d'une maison.

perroquet n. m. Oiseau au plumage brillamment coloré, qui est capable d'imiter la parole humaine.

perruche n. f. Oiseau au plumage coloré semblable à un petit perroquet.

perruque n. f. Faux cheveux. *Pour interpréter le rôle d'un vieillard, cet acteur porte une perruque.*

persan n. m. Chat aux poils longs et soyeux.

Perse

Ancien nom de l'Iran. L'Empire perse, fondé vers le VIe siècle av. J.-C. par Cyrus le Grand, comprend l'Asie Mineure, la Mésopotamie et l'Égypte. Le roi Darius Ier (roi de 522 à 486 av. J.-C.) l'étend jusqu'à l'Inde. En 331 av. J.-C., l'empire est conquis par Alexandre le Grand. Les Sassanides, au IIIe siècle apr. J.-C., fondent un nouvel Empire perse ; il est soumis par les conquêtes arabes au VIIe siècle.

Regarde ci-dessous.

la Perse

La Perse est un empire qui domine le Proche-Orient dans l'Antiquité, du VIe siècle au IVe siècle av. J.-C.

vie et mort de l'Empire

■ Vers le VIe siècle av. J.-C., les Perses tentent de conquérir l'Occident. Le roi Cyrus le Grand soumet les Mèdes, les Lydiens, les Babyloniens et fonde un puissant empire. Son fils y rattache l'Égypte.
■ Vers 521 av. J.-C., le monde oriental est unifié, et l'Empire, à son apogée, s'étend jusqu'à l'océan Indien. Le roi Darius Ier tente alors de conquérir la Grèce. Il est vaincu à Marathon en 490 av. J.-C. Xerxès Ier, son fils, sera défait à son tour à Salamine en 480 av. J.-C.
■ Agité par de nombreuses révoltes, l'Empire perse est conquis entre 334 et 331 av. J.-C. par le roi de Macédoine Alexandre le Grand.

Persépolis est une des capitales de l'Empire perse construite par Darius 1er.
Un grandiose et luxueux palais royal est élevé sur une colline artificielle. La ville est incendiée par Alexandre le Grand en 330 av. J.-C.

Les armées d'Alexandre le Grand triomphent de celles de Darius III.

persécuter v. → conjug. **aimer.** Faire subir des traitements injustes et cruels. *Persécuter des opposants politiques.*

> Au cours de leur histoire, les Juifs ont subi de terribles *persécutions*, on les a persécutés. *La victime s'est révoltée contre ses *persécuteurs*, contre ceux qui la persécutaient.*

persévérer v. → conjug. **digérer.** Continuer à faire ce que l'on a décidé sans se laisser décourager. *Il persévère dans ses efforts malgré les difficultés.* **Synonymes : s'obstiner, persister. Contraires : abandonner, renoncer.**

> Elle a toutes les chances de réussir avec de la *persévérance*, si elle persévère. *Une élève attentive et *persévérante*, qui fait preuve de persévérance.*

persienne n. f. Volet constitué de lames de bois ou de métal. *Dans le Midi, on ferme les persiennes aux heures les plus chaudes de la journée.*

persifler v. → conjug. **aimer.** Rendre quelqu'un ridicule en se montrant ironique, railleur envers lui. *Persifler un adversaire politique.*

> Cet écrivain a subi les *persiflages* des journalistes, les journalistes l'ont persiflé. *Parler sur un ton *persifleur*, en persiflant.*

persil n. m. Plante aromatique dont les feuilles sont utilisées pour relever le goût des aliments. **On prononce [pɛʀsi].**

persistance n. f. → persister.

persistant, ante adj. *1* Qui dure, qui persiste. *Il souffre d'une fièvre persistante.* *2* Qui ne jaunit pas et ne tombe pas, en parlant du feuillage d'un arbre. *Les pins, les cèdres sont des arbres à feuilles persistantes.*

persister v. → conjug. **aimer.** *1* Persévérer, s'obstiner, continuer. *Je persiste à croire que tu te trompes. Persister dans ses mensonges.* *2* Se maintenir, durer. *Si la chaleur persiste, la sécheresse est à craindre.*

> Il va mieux malgré la *persistance* de certaines douleurs, ses douleurs persistent (*2*).

personnage n. m. *1* Personne qui joue un rôle important dans la société. *Charlemagne est un des grands personnages de l'histoire de France.* *2* Personne imaginée par un écrivain, un cinéaste. *Dans ce film policier, le personnage principal est le détective.*

personnaliser v. → conjug. **aimer.** Donner à une chose un caractère personnel qui la différencie des autres. *Avec des autocollants et quelques accessoires, il a personnalisé sa moto.*

personnalité n. f. *1* Caractère particulier d'une personne, qui la différencie des autres. *Avoir une forte personnalité.* *2* Personne importante dans la société.

Ce journaliste a interviewé de nombreuses personnalités politiques.

1. personne pron. Aucun être humain. *Philomène appelle au secours, mais personne ne répond.*

2. personne n. f. *1* Être humain. *Ce dîner est prévu pour dix personnes.* *2* Forme de la conjugaison qui permet de désigner celui ou ceux qui parlent, à qui l'on parle ou de qui l'on parle. *« Elle chante » est à la troisième personne du singulier.* *3* En personne : lui-même, elle-même. *C'est le directeur en personne qui va vous recevoir.*

personnel, elle adj. et n. m.
- adj. *1* Qui est particulier à une personne, qui n'appartient qu'à elle. *Je viens vous donner mon opinion personnelle sur la question.* *2* Pronom personnel : pronom qui désigne une ou des personnes. *« Je », « nous », « eux » sont des pronoms personnels.* **Regarde pronoms personnels.**
- n. m. Ensemble de personnes employées dans une entreprise, un service, un commerce.

personnellement adv. *1* En personne. *Je réglerai personnellement ce problème.* *2* En ce qui concerne une personne et elle seule. *Personnellement je pense que vous avez raison.*

personnifier v. → conjug. **modifier.** Représenter une idée ou une chose sous l'aspect d'une personne. *Dans ce conte, l'auteur personnifie l'hiver sous les traits d'un vieillard aux cheveux blancs.*

perspective n. f. *1* Technique qui permet de représenter une chose en donnant une impression de profondeur, de relief. *Ce groupe d'immeubles est dessiné en perspective.* *2* Idée de ce qui va se produire ou de ce qui peut se produire. *Les enfants sont très excités à la perspective d'organiser un spectacle.*

perspicace adj. Qui est capable de découvrir, de deviner ce qui est compliqué ou caché. *Ce détective est très perspicace.*

> C'est une femme naïve qui manque totalement de *perspicacité*, qui n'est pas perspicace.

persuader v. → conjug. **aimer.** *1* Convaincre. *Il voulait m'aider mais je l'ai persuadé d'aller se reposer.* *2* Être persuadé de quelque chose : en être sûr, convaincu. *Je suis persuadé de t'avoir déjà rencontré.*

> C'est un vendeur très *persuasif*, il sait persuader (*1*) les clients. *Cet homme politique a un grand pouvoir de *persuasion*, il sait persuader (*1*) les gens.*

perte n. f. *1* Fait de perdre une chose que l'on possédait. *La perte de sa montre l'a beaucoup contrarié.* *2* Fait d'être séparé de quelqu'un par la mort. *La perte de son chien lui a causé beaucoup de chagrin.*

3 Fait de perdre de l'argent. *Ce commerçant a subi de grosses pertes.* *4* **En pure perte** : sans utilité, sans résultat. *Il se fatigue en pure perte.* *5* **À perte de vue** : aussi loin qu'il est possible de voir.
Contraires : gain, profit (3).

pertinemment adv. De manière certaine. *Je sais pertinemment que tu es en train de mentir.*
On prononce [pɛʀtinamã].

pertinent, ente adj. Qui convient exactement à la situation. *Faire des réflexions pertinentes.*

perturbation n. f. *1* Trouble, désordre, agitation empêchant le déroulement ou le fonctionnement de quelque chose. *Certains élèves ont semé la perturbation dans la classe.* *2* Changement de temps qui se manifeste sous forme de vents violents et de fortes pluies. *La météo annonce une nouvelle perturbation.*
> *La conférence a été interrompue par des **perturbateurs**, des personnes qui sont venues pour semer la perturbation (1). Le mauvais temps a **perturbé** le trafic aérien : il a causé des perturbations (1).*

pervenche n. f. Plante à fleurs bleues ou mauves, qui pousse dans les endroits ombragés.

pervers, e adj. et n. Qui prend plaisir à faire le mal. *Cet homme est sournois et pervers.*
> *Il s'amuse à tourmenter son chien avec une certaine **perversité**, de façon perverse, méchante.*

pervertir v. → conjug. **finir.** Faire changer en mal. *La passion du pouvoir a perverti cet homme politique.*

pesant, ante adj. *1* Qui pèse lourd. *Cet âne transporte des sacs pesants sur son dos.* *2* Qui provoque une sensation de lourdeur, de gêne. *L'atmosphère humide et pesante de la jungle.* *3* Au figuré. Que l'on a du mal à supporter. *Après leur dispute, l'ambiance est devenue pesante.*
> *Les éléphants se déplacent **pesamment**, de manière pesante (1).*

pesanteur n. f. Force qui attire les corps vers le centre de la Terre et qui fait que ces corps ont un poids.

pesée n. f. → **peser.**

pèse-lettre n. m. **Plur. : des pèse-lettres.** Petite balance qui sert à peser les lettres.

pèse-personne n. m. **Plur. : des pèse-personnes.** Balance plate sur laquelle on se tient debout pour se peser.

peser v. → conjug. **promener.** *1* Avoir tel ou tel poids. *Cet homme pèse plus de 100 kg* *2* Mesurer le poids d'une personne ou d'une chose. *L'épicier pèse des oranges sur sa balance.* *3* Avoir beaucoup d'im-

portance, influer. *Vos conseils ont pesé dans notre décision.* *4* Donner une impression de lourdeur, d'oppression. *De terribles responsabilités pèsent sur ses épaules.* *5* Évaluer ou étudier avec soin. *Avant de se décider, il faut peser le pour et le contre.*
> *C'est l'heure de la **pesée** du bébé, l'heure où on le pèse (2).*

peseta n. f. Unité monétaire espagnole, avant que ce pays n'adopte l'euro.
On prononce [pezeta].

pessimiste adj. et n. Qui a tendance à toujours voir le plus mauvais côté des choses. *Je suis sûr que tu vas réussir, ne sois pas si pessimiste.*
Contraire : optimiste.
> *Il envisage l'avenir avec **pessimisme**, il est pessimiste, il n'a pas confiance en l'avenir.*

peste n. f. *1* Maladie contagieuse extrêmement grave. *Le bacille de la peste est généralement transmis à l'homme par le rat.* *2* Au figuré. Personne nuisible, méchante. *Cette femme est une vraie peste !*
> *Un **pestiféré** est une personne atteinte de la peste.*

pester v. → conjug. **aimer.** Exprimer sa mauvaise humeur. *Il n'arrête pas de pester quand il est dans les embouteillages.*

pesticide n. m. Produit chimique qu'on utilise pour détruire les parasites qui attaquent les cultures.

pestiféré, ée n. → **peste.**

pestilentiel, elle adj. Qui sent très mauvais. *Une odeur pestilentielle se dégage de ces poubelles.*
Synonyme : nauséabond.

pet n. m. Gaz qui se forme dans l'intestin et qui est expulsé par l'anus en faisant du bruit.

pétale n. m. Chacune des parties colorées qui constituent la corolle des fleurs. *Les marguerites ont perdu leurs pétales en se fanant.*

pétanque n. f. Jeu de boules très populaire dans le midi de la France.

La pétanque se joue sur un terrain de 6 à 10 m de longueur, avec des boules de métal de 7 à 8 cm de diamètre. Elle consiste à lancer les boules pour les placer le plus près possible du cochonnet, une petite boule de bois de 25 à 35 mm de diamètre.

Des championnats de France et des championnats du monde sont organisés tous les ans. Le mot pétanque vient du provençal *pèd tanco*, qui signifie pieds fixés au sol.

pétarade n. f. Suite de courtes détonations. *On entend les pétarades du feu d'artifice.*

    Sa vieille moto pétarade au démarrage, elle fait entendre une pétarade.

pétard n. m. Petite charge explosive que l'on fait sauter pour s'amuser à l'occasion de certaines fêtes.

péter v. → conjug. **digérer.** *1* Familier. Faire un pet. *2* Familier. Casser. *J'ai pété la monture de mes lunettes.*

pétillant, ante adj. *1* Gazeux. *Les sodas sont des boissons pétillantes.* *2* Au figuré. Qui brille, qui scintille. *Elle a un regard pétillant de gaieté.*

pétiller v. → conjug. **aimer.** *1* Faire entendre des petits bruits secs. *Le bois brûle en pétillant.* *2* Laisser échapper des bulles. *Le champagne pétille.* *3* Au figuré. Briller avec beaucoup d'éclat. *Les yeux des enfants pétillaient d'excitation.*

petit, ite adj., n. et adv.
- adj. *1* Qui est de taille inférieure à la taille moyenne. *Une femme petite. Un petit appartement.* *2* Qui est plus jeune. *Il s'occupe très bien de son petit frère.* *3* Qui n'est pas très important en quantité, en intensité, etc. *Un petit groupe de touristes. Un petit bruit.* **Contraire : grand.**
- n. *1* Enfant jeune. *À la récréation, les grands embêtent souvent les petits.* *2* Jeune animal. *La chienne allaite ses petits.*
- adv. *Petit à petit* : peu à peu. *Petit à petit, son travail s'améliore.*

petit-beurre n. m. **Plur. : des petits-beurre.** Petit gâteau au beurre.

petit déjeuner n. m. **Plur. : des petits déjeuners.** Premier repas de la journée. *On a acheté des croissants pour le petit déjeuner.*

petite-fille n. f. **Plur. : des petites-filles.** Fille d'un fils ou d'une fille. *Ce sont des grands-parents qui s'occupent beaucoup de leur petite-fille.*

petit-fils n. m. **Plur. : des petits-fils.** Fils d'un fils ou d'une fille. *Notre voisine est grand-mère de trois petits-fils.*

petit four n. m. **Plur. : des petits fours.** Petit gâteau sucré ou salé. *Servir du champagne et des petits fours à ses invités.* **On écrit aussi : petit-four.**

pétition n. f. Texte signé par un groupe de personnes qui adressent une demande ou une protesta-tion à un représentant officiel. *Faire une pétition pour la libération des prisonniers politiques.*

petit-lait n. m. **Plur. : des petits-laits.** Liquide qui reste quand le lait a caillé.

petit pois n. m. **Plur. : des petits pois.** Petite graine ronde et verte enfermée dans une cosse et que l'on consomme comme légume. *Écosser des petits pois.*

petits-enfants n. m. pl. Enfants du fils ou de la fille. *Pour Noël, les grands-parents invitent leurs enfants et leurs petits-enfants.*

petit-suisse n. m. **Plur. : des petits-suisses.** Fromage frais en forme de petit cylindre. *Il aime les petits-suisses avec du sucre.*

pétoncle n. m. Mollusque comestible qui vit dans les fonds sableux.

pétrel n. m. Oiseau marin palmipède vivant en colo-nies en haute mer.

pétrifier v. → conjug. **modifier.** Rendre quelqu'un incapable de bouger sous l'effet d'une violente émo-tion. *La peur nous avait pétrifiés.*

pétrin n. m. *1* Grand récipient dans lequel on pétrit la pâte pour faire le pain. *2* Familier. *Être dans le pétrin :* être dans une situation embarrassante, difficile.

pétrir v. → conjug. **finir.** Malaxer, mélanger avec les mains. *Pétrir de la pâte pour faire une tarte.*

pétrole n. m. Liquide visqueux que l'on extrait du sous-sol et qui fournit de l'énergie. *Le raffinage per-met de transformer le pétrole brut en essence.*

    Des gisements pétrolifères, qui contiennent du pétrole.

pétrolier, ère adj. et n. m.
- adj. Qui se rapporte au pétrole. *L'industrie pétrolière.*
- n. m. Navire spécialement aménagé pour le trans-port du pétrole.

pétrolifère adj. → **pétrole.**

pétulant, ante adj. Qui est vif, impétueux, exubé-rant. *Cette fillette pétulante anime toute la maison.*

pétunia n. m. Plante cultivée pour ses fleurs roses, blanches ou violettes en forme de cornet.

peu adv. *1* En petite quantité ou en petit nombre. *Elle dépense peu d'argent. Ce magasin attire peu de monde.* *2* Pas très, pas tellement. *Elle paraît peu intéressée par son travail.* *3* Un peu : légèrement. *Il est un peu prétentieux.* *4* Un peu de : une petite quantité de. *Je boirais bien un peu de café.* *5* Peu à peu : progressivement, petit à petit. *Il s'habitue peu à peu à sa nouvelle vie.* *6* Sous peu : bientôt. *Ils seront rentrés sous peu.* *7* Depuis peu : il n'y a pas longtemps, récemment. *Il habite ici depuis peu.*
Contraires : beaucoup (*1*), très (*2*).

peuplade n. f. Groupe de personnes vivant en tribu.

peuple n. m. *1* Ensemble de personnes vivant sur le même territoire, parlant la même langue et ayant la même culture, les mêmes mœurs. *Les différents peuples d'Europe.* *2* Ensemble des personnes les moins favorisées d'une société, d'un pays. *Le peuple s'est révolté contre les privilégiés.*

peuplé, ée adj. Habité par des personnes.

peuplement n. m. *1* Fait de peupler, d'habiter. *Le peuplement de ces régions a été rapide.* *2* Ensemble d'êtres vivant dans une région. *Les reptiles forment le principal peuplement de ce désert.*

peupler v. → conjug. **aimer.** Occuper un territoire, un pays, l'habiter. *Les Indiens furent sans doute les premiers à peupler les territoires de l'Amérique du Nord.*

peuplier n. m. Grand arbre au tronc mince et élancé qui pousse dans les lieux humides.

Il existe plusieurs espèces, dont le peuplier d'Italie qui peut atteindre 30 m de hauteur et vivre de 100 à 300 ans. Son tronc est clair et ses feuilles argentées ont la forme d'un cœur. Les fleurs réunies en grappes forment des « chatons ».

peur n. f. Sentiment violent de crainte que l'on ressent face à un danger réel ou imaginaire. *Avoir peur des serpents. Les histoires de fantômes lui font peur.*
Un enfant *peureux*, un animal *peureux*, qui ont facilement peur, qui sont craintifs.

peut-être adv. Indique une possibilité, une probabilité ou un doute. *Je viendrai peut-être vous voir demain. Peut-être que cette affaire va s'arranger.*
Contraires : certainement, sûrement.

phacochère n. m. Mammifère proche du sanglier qui vit dans les savanes d'Afrique.

Le phacochère peut mesurer jusqu'à 80 cm à l'épaule et peser plus de 100 kg. Sa tête large est pourvue de quatre bosses ressemblant à de grosses verrues. De chaque côté du groin pointent deux défenses (quatre chez le mâle). Le phacochère se nourrit majoritairement de plantes et de racines.

phalange n. f. Chacun des segments articulés qui composent les doigts et les orteils. *Chacun de nos doigts comporte trois phalanges, le pouce n'en a que deux.*

pharaon n. m. Nom désignant le souverain, le roi dans l'Égypte ancienne.

Selon la tradition, le pharaon est aussi un dieu, vénéré comme le fils de Rê (le dieu du Soleil). Maître de la terre d'Égypte, il possède tous les pouvoirs. Entouré de prêtres puissants et de scribes, il est le chef des armées, rend la justice, ordonne les travaux des champs, règle toute la vie de son peuple. Les pharaons se font construire de magnifiques tombeaux (les pyramides), parfois gigantesques, richement décorés à l'intérieur. L'histoire a retenu le nom de grands souverains tels Akhenaton et Ramsès II.

Akhenaton.

Ramsès II.

phare n. m. *1* Grande tour équipée d'un système d'éclairage tournant qui sert à guider les bateaux, la nuit. *2* Lumière avant d'un véhicule. *Allumer les phares d'une voiture.*

La lumière des plus grands phares porte aujourd'hui à plusieurs dizaines de kilomètres.
Les premiers phares, éclairés par des feux de bois, sont construits par les Grecs et les Romains sur les bords de la Méditerranée. Le mot « phare » vient de l'île de Pharos, où est construit vers 285 av. J.-C. le phare d'Alexandrie (130 m de hauteur), l'une des Sept Merveilles du monde. Il s'est effondré en 1303.

pharmacie n. f. *1* Science qui concerne la préparation des médicaments. *Un étudiant en pharmacie.* *2* Magasin où sont vendus des médicaments. *Cette usine fabrique des produits pharmaceutiques*, des médicaments, des produits vendus en pharmacie (*2*). *Les pharmaciens sont des personnes qui ont fait des études de pharmacie (1) et qui tiennent une pharmacie (2).*

pharynx n. m. Conduit qui va du fond de la bouche jusqu'à l'œsophage.
Il souffre d'une pharyngite, d'une inflammation du pharynx.

C'est dans le pharynx que passe la nourriture en direction de l'estomac et l'air en direction des poumons. Quand on avale, une petite languette, l'épiglotte, se ferme pour empêcher les aliments de tomber dans les voies respiratoires. Si elle se ferme mal, on avale « de travers », une violente toux se déclenche alors pour expulser la nourriture.

phase n. f. Chacune des périodes qui marquent l'évolution d'une action, d'une situation. *Les phases de la métamorphose d'un têtard en grenouille.*

phasme n. m. Insecte au corps très allongé, qui ressemble aux tiges des plantes sur lesquelles il vit.

Le jour, les phasmes restent immobiles sur les plantes pour ne pas être vus de leurs prédateurs. La nuit, ils se déplacent lentement et se nourrissent de feuilles. Dans les régions tropicales, ils peuvent atteindre 30 cm de longueur !

Phéniciens

Ancien peuple des bords de la Méditerranée, originaire de Phénicie, région correspondant au Liban, à Israël et à la Syrie actuels. Les Phéniciens fondent leurs premières cités vers 2 500 ans av. J.-C. Grands navigateurs, ils utilisent les premiers navires équipés d'une quille, et deviennent les plus grands commerçants de l'Antiquité. Les Phéniciens sont aussi les inventeurs de l'alphabet, l'ancêtre du nôtre. À partir de 700 av. J.-C., les Phéniciens subissent diverses conquêtes. En 539 av. J.-C., ils sont soumis par les Perses.

phénix n. m. Oiseau qui, selon la légende, se jetait dans le feu et renaissait de ses cendres.

phénoménal, ale, aux adj. Surprenant, prodigieux, extraordinaire, colossal. *Cet homme possède des richesses phénoménales.*

phénomène n. m. *1* Fait que l'on peut constater et que l'on peut étudier. *Les éruptions volcaniques sont des phénomènes naturels.* *2* Familier. Personne qui sort de l'ordinaire. *On peut s'attendre à tout avec lui, quel phénomène !*

philanthrope n. Personne généreuse et désintéressée qui veut améliorer le sort de tous les êtres humains.

philanthropie n. f. Amour désintéressé d'une personne pour tous les êtres humains. *Par philanthropie, ce médecin soigne gratuitement les gens qui manquent d'argent.*
Une association philanthropique est composée de personnes qui agissent par philanthropie.

philatéliste n. Personne qui collectionne les timbres-poste.
Il a une véritable passion pour la philatélie, c'est un philatéliste passionné.

Philippe Auguste

Roi de France né en 1165 et mort en 1223. Fils de Louis VII, il monte sur le trône à quinze ans, en 1180, sous le nom de Philippe II (le nom d'Auguste lui sera donné plus tard). Il engage très tôt la lutte contre la dynastie des Plantagenêts (notamment contre Richard Cœur de Lion et Jean sans Terre) qui, en plus de l'Angleterre, possède la moitié des terres françaises. Il remporte la bataille de Bouvines en 1214, ce qui lui permet de reprendre de nombreuses régions. À l'intérieur du royaume, Philippe Auguste renforce le pouvoir royal. Il embellit Paris, fait paver ses rues, construire une enceinte, et entreprend la construction de la forteresse du Louvre.

Philippe IV le Bel

Roi de France né en 1268 et mort en 1314. Petit-fils de Louis IX (Saint Louis), fils de Philippe III le Hardi, Philippe le Bel monte sur le trône en 1285. Il veut établir un pouvoir royal tout-puissant et entre en conflit avec le pape Boniface VIII. En 1305, le nouveau pape, Clément V, se range de son côté et installe, en 1309, la papauté à Avignon.
Recherchant sans cesse de l'argent pour mieux organiser l'administration de la France, Philippe le Bel lève de nombreux impôts, confisque les biens des Juifs, fait arrêter de nombreux moines-soldats de l'ordre des Templiers et s'empare d'une grande partie de leurs richesses.

Philippines

République du sud-est de l'Asie. Les Philippines comptent plus de 7 100 îles ! Deux d'entre elles, Luçon au nord, où se trouve la capitale Manille, et Mindanao au sud, représentent près des deux tiers du territoire. L'archipel est volcanique ; les tremblements de terre y sont fréquents. Le climat est tropical, chaud et humide. L'agriculture (riz, maïs, canne à sucre, tabac) emploie près de 40 % de la population. L'industrie est en développement. Le sous-sol renferme de l'or, du chrome et du cuivre. Près de la moitié de la population vit au-dessous du seuil de pauvreté. Sous domination espagnole à partir de 1565, les Philippines deviennent indépendantes en 1946. Depuis, leur histoire est marquée par une grande instabilité politique.

300 000 km²
78 580 000 habitants :
les Philippins
Langues : tagalog,
anglais
Monnaie : peso
philippin
Capitale : Manille

philodendron n. m. Arbuste à grandes feuilles, cultivé comme plante d'ornement.
On prononce [filodɛ̃dʀɔ̃].

philosophe n. et adj.
• n. Personne qui fait des études, des recherches en philosophie. *Socrate est l'un des plus grands philosophes grecs de l'Antiquité.*
• adj. Qui considère la vie, les événements avec sagesse et optimisme. *Elle reste très philosophe malgré tous ses ennuis.*

philosophie n. f. *1* Ensemble des études qui concernent les grands problèmes de l'être humain, de son rôle dans l'Univers. *2* Attitude courageuse et optimiste. *Il supporte avec philosophie les difficultés de l'existence.*

L'existence du bien et du mal pose un problème *philosophique*, un problème qui concerne la philosophie (*1*).

philtre n. m. Boisson magique qui aurait le pouvoir de rendre amoureux.
Homonyme : filtre.

phobie n. f. Peur maladive et incontrôlable. *Elle a la phobie des microbes.*

phonétique n. f. et adj.
• n. f. Étude des sons que l'on utilise dans le langage.
• adj. Qui se rapporte aux sons du langage.

Dans l'écriture phonétique, chaque signe correspond à un son du langage. Écrire un mot en phonétique, c'est écrire la prononciation de ce mot.

LA PHONÉTIQUE
L'Alphabet phonétique international (API) permet de transcrire les sons des différentes langues.

Sons voyelles

[a]	le br**a**s	[œ]	le b**œu**f
[ɑ]	la p**â**te	[ø]	le f**eu**
[o]	l'**au**to	[ə]	m**e**, le ch**e**min
[ɔ]	l'**é**cole	[i]	la s**ou**ris
[y]	la r**ue**	[ɑ̃]	le v**en**t
[u]	la r**ou**e	[ɔ̃]	le b**on**b**on**
[e]	le pr**é**	[ɛ̃]	la p**in**ce
[ɛ]	la t**ê**te, la n**ei**ge, m**ai**s	[œ̃]	le parf**um**, br**un**

Sons consonnes

[p]	**p**a**p**a	[ʃ]	le **ch**ien
[b]	la **b**oule	[l]	**L**ucie, la ma**ll**e
[t]	la **t**en**t**e	[r]	**R**oger
[d]	le **d**in**d**on	[m]	**m**ê**m**e
[k]	la **c**our, le **qu**ai, le **k**ilo	[n]	le **n**uage, so**nn**er
[g]	le **g**ant, **gu**ider	[ɲ]	il ga**gn**e
[f]	la **F**rance	[ŋ]	cam**p**ing, ri**ng**
[v]	**v**endre		
[s]	**s**ous, le poi**ss**on	[j]	le ra**y**on, le sole**il**
[z]	la mai**s**on, le **z**èbre	[w]	**ou**i
[ʒ]	le **j**our, il na**g**e	[ɥ]	l**u**i

phoque n. m. Mammifère marin à la fourrure rase. *Les phoques vivent surtout dans les mers froides.*

phosphate n. m. Produit chimique contenant du phosphore, employé comme engrais.

phosphore n. m. Substance chimique qui luit dans l'obscurité.

phosphorescent, ente adj. Qui brille dans l'obscurité. *Les yeux phosphorescents des chats.*

photo n. f. et adj. inv.
• n. f. *1* Technique qui permet de reproduire des images sur une pellicule sensible à la lumière. *Faire de la photo. 2* Image que l'on obtient en utilisant cette technique. *Des photos en noir et blanc, en couleurs.*
• adj. inv. Qui se rapporte à la photo. *Un appareil photo.*
« Photo » est l'abréviation courante des mots « photographie » et « photographique ».
Regarde page suivante.

la photographie

Inventée au XIXe siècle, la photographie s'est rapidement développée. Elle est désormais omniprésente dans notre vie.

un art pour tous

■ **Au début du XIXe siècle, entre 1816 et 1837, Niépce puis Daguerre découvrent le moyen de fixer et de développer des images.**

■ **À la fin des années 1880, l'Américain George Eastman invente le rouleau de pellicule souple. Cette découverte permet de réduire la taille des appareils et simplifie leur emploi.**

Caché sous son voile noir, le photographe va fixer la scène sur une plaque.

■ **Au XXe siècle, les techniques s'améliorent. La photographie en couleurs, inventée dès 1891, se développe à partir de 1935.**

L'appareil photo occupe une place grandissante dans la vie quotidienne. Il devient rapidement un outil indispensable dans de nombreux domaines : sciences, médecine, journalisme, astronomie, publicité, loisirs…

l'ancêtre de l'appareil photo

■ **On utilise dès l'Antiquité la chambre noire pour observer les éclipses.**

■ **À partir du XVIe siècle, on fabrique des boîtes noires portatives équipées de lentilles et permettant d'effectuer une mise au point améliorant la netteté de l'image. C'est de ces modèles que vont naître les premiers appareils photo.**

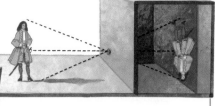

Le principe de la chambre noire. Dans une pièce plongée dans l'obscurité, si un petit orifice laisse passer la lumière, il se forme sur le mur opposé une image inversée de ce qui se trouve à l'extérieur de la pièce.

le passage à l'informatique

Les appareils numériques, mis au point dans les années 1990, sont dotés d'un microprocesseur qui garde en mémoire les photos prises. Celles-ci peuvent être visualisées sur un petit écran vidéo placé sur l'appareil. Elles sont ensuite traitées à l'aide d'un ordinateur. On peut fixer ces photos sur papier grâce à une imprimante.

photocopie n. f. Copie d'un document, réalisée par la technique de la photographie. *Il a fait la photocopie de sa carte d'identité.*

> *Photocopier une lettre en plusieurs exemplaires,* c'est en faire des photocopies. *Une photocopieuse* est un appareil qui sert à faire des photocopies.

photogénique adj. Dont le visage, les traits sont très expressifs sur les photos.

photographe n. Personne dont le métier est de prendre des photos. *Il est photographe pour un magazine sportif.*

photographie n. f. → **photo.**

photographier v. → conjug. **modifier.** Prendre des photos. *Photographier un paysage, un monument.*

photographique adj. → **photo.**

phrase n. f. Suite de mots formant un ensemble organisé qui a un sens. *Le premier mot d'une phrase commence par une majuscule.*

phrygien adj. *Bonnet phrygien :* bonnet rouge que portaient les révolutionnaires en 1789 et qui fut adopté comme emblème de la République.

> L'origine du bonnet phrygien remonte à l'Antiquité. La Phrygie, ancienne région d'Asie Mineure, est annexée par les Romains, et ses habitants (les Phrygiens) tombent en esclavage. Quand l'un d'eux est libéré, il se coiffe d'un bonnet rouge.

phylloxéra n. m. *1* Insecte nuisible qui détruit les vignes. *2* Maladie de la vigne causée par cet insecte.

physicien, enne n. → **physique 1.**

physiologie n. f. Science qui étudie le fonctionnement des organes des êtres vivants.

> *Il ne souffre pas de troubles psychologiques mais de troubles physiologiques,* qui concernent la physiologie, le fonctionnement de ses organes.

physionomie n. f. Aspect, expression d'un visage. *Il a tort de juger les gens sur leur physionomie.*

physionomiste adj. Qui garde en mémoire les visages des personnes qu'il rencontre. *Il m'a tout de suite reconnu, il est très physionomiste.*

1. physique n. f. et adj.
• n. f. Science qui étudie la matière, les phénomènes naturels. *La physique comporte différentes branches : l'électricité, la mécanique, la physique nucléaire, etc.*
> *Les physiciens* sont des scientifiques qui étudient la physique.

• adj. Qui se rapporte à la physique. *Étudier les propriétés physiques d'un métal.*

2. physique n. m. et adj.
• n. m. État, aspect extérieur du corps, du visage. *Elle a un physique jeune et séduisant.*
• adj. Qui concerne le corps. *Un effort physique. Suivre des cours d'éducation physique.*
> *Depuis qu'il fait du sport, il a beaucoup changé physiquement,* sur le plan physique.

piaffer v. → conjug. **aimer.** *1* Frapper le sol avec les sabots avant, en parlant des chevaux. *2 Piaffer d'impatience :* s'agiter pour manifester son impatience. *Les enfants piaffent d'impatience à l'approche du départ.*

piailler v. → conjug. **aimer.** *1* Pousser des petits cris aigus, en parlant des oiseaux. *2* Familier. Crier. *Des enfants piaillent dans la rue.*
> *Au lever du soleil, il entend le piaillement des moineaux,* il entend les moineaux qui piaillent (*1*).

piano n. m. Instrument de musique à clavier et à cordes. *Jouer du piano.*
> *Un pianiste* est un musicien qui joue du piano.

pianoter v. → conjug. **aimer.** Taper du bout des doigts sur quelque chose. *Il pianote sur son bureau avec nervosité.*

piauler v. → conjug. **aimer.** Crier, en parlant des petits oiseaux. *Des oisillons piaulent dans leur nid.*

pic n. m. et adv.
• n. m. *1* Montagne dont le sommet est très pointu. *2* Outil pointu. *Creuser dans une roche avec un pic. 3* Oiseau qui se sert de son bec pointu pour creuser l'écorce des arbres et attraper les insectes et les larves dont il se nourrit.
• adv. *1 À pic :* à la verticale. *Des rochers s'élèvent à pic au-dessus du rivage. 2* Familier. *À pic :* au bon moment. *Tu tombes à pic, j'ai une nouvelle à t'annoncer.*
Homonyme : pique.

Picardie

Région administrative française comptant trois départements : l'Aisne, l'Oise et la Somme. La Picardie est essentiellement agricole, avec des exploitations de grande taille. L'industrie alimentaire est bien développée. Amiens, Saint-Quentin, Compiègne, Beauvais, Château-Thierry et Soissons sont des villes importantes. Ancienne province de France, sa capitale est Amiens. Riche région agricole, elle connaît la prospérité grâce à l'industrie textile, surtout à partir du XVIᵉ siècle. Longtemps disputée par les couronnes anglaise et française, la Picardie est définitivement rattachée à la France en 1477.

Picasso

Peintre et sculpteur espagnol né en 1881 et mort en 1973. Picasso reçoit une formation artistique classique dans son pays avant de s'installer à Paris en 1904. Son œuvre comprend plusieurs périodes. Les toiles de la période bleue, où dominent les tons de bleu, sont marquées par la tristesse (*la Chambre bleue*, 1901) ; celles de la période rose, par des couleurs claires (*les Saltimbanques*, 1905). À partir de 1906, Picasso rompt avec le réalisme et utilise des formes géométriques pour représenter les objets. Son tableau *les Demoiselles d'Avignon* (1907) est le point de départ du cubisme. Il réalise aussi des collages, des gravures, des sculptures. Bouleversé par la guerre d'Espagne, il en dénonce la violence dans *Guernica* (1937). Picasso a exercé une grande influence sur l'art du XXᵉ siècle.

Guernica

pic épeiche n. m. **Plur. : des pics épeiches.** Oiseau de la famille des pics.

pichenette n. f. Petit coup sec donné avec un doigt replié sous le pouce et que l'on détend brusquement. *D'une pichenette, il a fait avancer sa bille.*
Synonyme : chiquenaude.

pichet n. m. Petit pot à anse, muni d'un bec verseur. *Un pichet de vin.*

pickpocket n. m. Voleur qui pratique le vol à la tire.
Mot anglais qui se prononce [pickpɔkɛt].

picorer v. → conjug. **aimer.** Prendre, piquer avec le bec. *Les poules picorent des grains de maïs.*

picotement n. m. Sensation de légères piqûres. *Ressentir des picotements dans la gorge.*
   La fumée nous picote les yeux, elle provoque des picotements.

pictogramme n. m. Petit dessin utilisé pour donner certaines indications.

La première écriture connue, inventée par les Sumériens vers 3 300 av. J.-C., est à base de picto-

grammes, qui représentent des objets familiers. Aujourd'hui, on utilise dans les lieux publics des pictogrammes codifiés pour renseigner, par exemple sur un danger, sur l'existence d'un restaurant, d'une piscine, d'une piste cyclable….

Danger.

Restaurant.

Piscine.

Piste cyclable.

pic–vert n. m. **Plur. : des pics-verts.**
Oiseau jaune et vert de la même famille que les pics.
On prononce [pivɛʁ]. **« Pic-vert » s'écrit aussi « pivert ».**

Le pic-vert vit principalement en Europe. Il peut mesurer une trentaine de centimètres. Il se nourrit essentiellement d'insectes.

pie n. f. et adj. inv.
• n. f. **1** Oiseau au plumage noir et blanc, à la longue queue. *La pie jacasse.* **2** *Être bavard comme une pie :* être très bavard.
• adj. inv. Qui est noir et blanc. *Des juments pie.*

pièce n. f. **1** Chacune des parties qui composent un tout. *Assembler les différentes pièces d'une maquette.* **2** Morceau de tissu cousu sur un vêtement aux endroits où il est troué. *Il porte un pantalon avec des pièces aux genoux.* **3** Espace délimité par des cloisons, des murs dans un bâtiment. *Ils vivent dans un appartement de trois pièces.* **4** Petit morceau de métal de forme ronde et plate, utilisé comme monnaie. *Une pièce de dix francs.* **5** *À la pièce :* un par un. *Ces verres sont vendus à la pièce.* **6** *Mettre en pièces :* casser ou déchirer en plusieurs morceaux. **7** *Pièce d'identité :* document qui indique l'identité d'une personne et qui comporte sa photo.
   Il n'a que quelques piécettes dans sa poche, des petites pièces (**4**) de monnaie.

pied n. m. **1** Partie du corps qui termine la jambe et sur laquelle on s'appuie pour se tenir debout ou pour marcher. *Avoir mal aux pieds.* **2** Partie d'une chose qui repose sur le sol ou qui s'attache au sol. *S'asseoir au pied d'un arbre.* **3** Support d'un objet, d'un meuble. *Un pied de lampe.* **4** En poésie, chacune des syllabes comprises dans un vers. *Un vers de douze pieds est un alexandrin.* **5** Ancienne mesure de longueur égale à environ trente centimètres. *6 À pied* : en marchant. *Il est allé à la gare à pied. 7 Avoir pied* : avoir la tête hors de l'eau et les pieds en contact avec le fond de l'eau. *8 Avoir le pied marin* : être capable de garder son équilibre sur un bateau qui est en mouvement. *9 Perdre pied* : perdre ses moyens, son assurance. *À la dernière question, le candidat a perdu pied. 10* Familier. *Faire des pieds et des mains* : utiliser tous les moyens possibles.

pied–à–terre n. m. inv. Logement que l'on occupe de temps en temps. *Il vit à la campagne et il a un pied-à-terre en ville.*
On prononce [pjetatɛʀ].

pied–de–biche n. m. **Plur. : des pieds-de-biche.** Outil constitué d'une barre de fer recourbée et fendue à un bout, qui sert de levier.

pied de nez n. m. **Plur. : des pieds de nez.** Geste moqueur que l'on fait en appuyant le pouce sur son nez et en tendant la main en avant, les doigts écartés.

piédestal, aux n. m. *1* Support, socle sur lequel repose une statue, une colonne, un vase, etc. *Une sculpture posée sur un piédestal. 2 Mettre quelqu'un sur un piédestal* : lui témoigner une grande admiration, le considérer comme supérieur aux autres.

piège n. m. *1* Engin qui sert à attraper des animaux. *Un piège à souris. Poser des pièges pour capturer des renards. 2* Manœuvre destinée à tromper. *Tendre un piège à quelqu'un.*

Parmi les pièges les plus courants, on trouve :
• les lacets : la proie est retenue par un fil qui forme un nœud coulant, le collet ;
• les pièges à ressort : ce sont les pièges les plus nombreux, depuis la tapette à souris jusqu'aux pièges pour gros animaux ;
• les pièges à récipients : ce sont des trous camouflés contenant une cage ;
• les filets terrestres ou aquatiques.

piéger v. → conjug. **siéger.** *1* Capturer à l'aide d'un piège. *Des braconniers ont piégé un renard. 2* Placer un engin explosif dans un bâtiment, un véhicule, etc. *Piéger une voiture. 3* Au figuré. Mettre quelqu'un dans une situation difficile ou dangereuse. *Il s'est fait piéger par un escroc.*

piéride du chou n. f. Papillon dont la chenille se nourrit de chou.

La piéride du chou est un papillon de jour aux ailes jaune pâle tachetées de brun. Sa chenille est nuisible aux cultures. La chenille de la piéride de la rave, un papillon voisin, s'attaque à la rave.

Pierre Ier le Grand

Tsar puis empereur de Russie né en 1672 et mort en 1725. Pierre Ier devient tsar en 1682, mais ne règne qu'à partir de 1689. De 1697 à 1698, il effectue un voyage en Europe et, à son retour, entreprend de moderniser la Russie sur le modèle européen. Il développe l'industrie et le commerce, crée des écoles spécialisées (médecine, écoles d'ingénieurs…) et réforme la plupart des institutions. Brutal, il impose ses choix en utilisant la répression. Sur le plan extérieur, ayant doté la Russie d'une puissante armée, il déclare la guerre à la Suède pour conquérir des terres sur la mer Baltique, et impose la Russie comme une puissance européenne. Il fait construire Saint-Pétersbourg, sur la Baltique, et en fait la nouvelle capitale (1715). Pierre Ier prend le titre d'empereur en 1721.

pierre n. f. *1* Matière minérale dure que l'on trouve en grande quantité sur la Terre. *Des blocs de pierre. Un tailleur de pierres. 2* Fragment de pierre. *Lancer des pierres. Se blesser en marchant sur des pierres. 3 Pierre précieuse* : pierre rare que l'on utilise pour en faire des bijoux. *Les émeraudes, les diamants sont des pierres précieuses. 4* Au figuré. *Jeter la pierre à quelqu'un* : le blâmer, lui faire des reproches.
Synonymes : roche (*1*)**, caillou** (*2*)**.**

Elle portait une robe sertie d'or et de **pierreries**, de pierres précieuses (*3*). Un chemin **pierreux**, couvert de pierres.

piété n. f. Attachement profond à Dieu et à la pratique religieuse.

piétiner v. → conjug. **aimer.** *1* Écraser avec les pieds. *Ne marche pas sur les plates-bandes, tu vas piétiner les fleurs. 2* Avancer très lentement ou rester debout au même endroit sans avancer. *Des visiteurs piétinent à l'entrée du musée. 3* Ne pas progresser. *On cherche un accord, mais la discussion piétine.*

piéton, onne n. m. et adj.
• n. m. Personne qui se déplace à pied. *Les piétons traversent au feu rouge.*
• adj. Piétonnier. *Une rue piétonne.*

piétonnier, ère adj. Qui est réservé aux piétons. *Un quartier piétonnier.*
Synonyme : piéton.

piètre adj. Très médiocre. *Obtenir de piètres résultats. Avoir piètre allure.*

pieu, pieux n. m. Morceau de bois pointu à un bout, que l'on enfonce dans le sol. *Il a fixé un grillage sur des pieux pour faire sa clôture.*
Synonyme : piquet. Homonyme : pieux.

pieusement adv. Avec un très grand respect. *Cette vieille dame garde pieusement les photos de sa famille.*

pieuvre n. f. Mollusque marin de grande taille, qui possède huit tentacules munis de ventouses.
Synonyme : poulpe.

pieux, pieuse adj. Qui se conduit avec beaucoup de piété, qui est profondément attaché à la religion.

pigeon n. m. Oiseau de taille moyenne, aux ailes courtes, au plumage brun, gris ou blanc. *Le roucoulement des pigeons.*

Les pigeons voyageurs peuvent être dressés pour porter ou rapporter des messages.
Un pigeonnier est une petite construction destinée à abriter et à élever des pigeons.

Au Moyen Âge, seuls les propriétaires ont le droit de construire un pigeonnier dont la taille est fonction de la superficie de leurs terres.
Au XVIᵉ siècle, le pigeonnier du château d'Époisses, en Côte d'Or, compte plus de 3 000 cases.

piger v. → conjug. **ranger**. Familier. Comprendre. *Je ne pige rien à ce que tu me racontes.*

pigment n. m. Substance qui donne à une chose sa coloration. *La chlorophylle est un pigment qui donne aux feuilles leur couleur verte.*

pignon n. m. **1** Partie haute d'un mur, de forme triangulaire, située entre les deux pentes du toit d'une maison. **2** Roue dentée. *Quand on roule à bicyclette, la chaîne fait tourner le pignon de la roue arrière.*

Pilate Ponce

Chevalier romain du Iᵉʳ siècle apr. J.-C., Pilate représente Rome dans la province de Judée, en tant que procurateur, de 26 à 36. C'est un administrateur sévère, cruel et peu apprécié. C'est lui qui prononce la sentence de mort contre Jésus, alors qu'il le pense sans doute innocent, pour éviter une révolte. Plus tard, en se lavant les mains, Pilate aurait dit : « Je ne suis pas responsable du sang de ce Juste. » De là est née l'expression « s'en laver les mains », qui signifie décliner sa responsabilité dans une affaire.

Pilâtre de Rozier François

Chimiste français né en 1754 et mort en 1785. Pilâtre de Rozier est connu pour avoir accompli avec le marquis d'Arlandes, le 21 novembre 1783, le premier vol humain en montgolfière, qui venait d'être inventée par les frères Montgolfier. Le vol, au-dessus de Paris, dura vingt minutes.

1. pile adv. Familier. **1** Exactement. *Le train est arrivé à 8 heures pile.* **2** Tomber pile : se produire, arriver au bon moment. *Tu tombes pile !* **3** S'arrêter pile : s'arrêter tout d'un coup, brusquement.

2. pile n. f. **1** Tas d'objets placés les uns sur les autres. *Une pile de journaux, de serviettes.* **2** Pilier, support. *Les piles d'un pont.* **3** Appareil qui fournit de l'électricité. **4** Pile atomique : réacteur nucléaire. **5** Côté d'une pièce de monnaie sur lequel est mentionnée sa valeur. *Jouer à pile ou face.*

La pile est un appareil qui transforme une réaction chimique en énergie électrique. Les piles les plus courantes sont rondes ou plates ; elles ont des puissances qui varient de 1,5 volt à 9 volts. Pour certains appareils comme les montres ou les calculettes, on utilise de petites piles boutons au lithium. La pile est inventée en 1800 par le physicien italien Alessandro Volta. Il s'agit au départ d'une « pile » de petites rondelles métalliques séparées par des rondelles de tissu trempées dans de l'eau salée. En 1868, le chimiste Georges Leclanché met au point la pile qui, perfectionnée, devient la « pile sèche » que nous utilisons toujours aujourd'hui.

piler v. → conjug. **aimer**. **1** Écraser, réduire en poudre, broyer. *Piler du poivre, des épices, des noix.* **2** Familier. S'arrêter pile. *Il a pilé au feu rouge.*
Écraser des amandes avec un pilon, un ustensile à bout arrondi qui sert à piler (1).

pileux, euse adj. *Système pileux :* ensemble des poils et des cheveux.

pilier n. m. Poteau qui sert à soutenir un édifice. *Le toit du temple repose sur des piliers de marbre.*
Synonyme : colonne.

piller v. → conjug. **aimer**. S'emparer d'un endroit et voler tout ce qui peut s'y trouver. *Des bandes armées ont pillé la ville.*
Ces magasins ont été mis au pillage par des voyous, ils ont été pillés. Le village a été dévasté par des pillards, des gens qui pillent.

pilon n. m. → **piler**.

pilonner v. → conjug. **aimer.** Bombarder un lieu de façon violente et répétée.

pilori n. m. Poteau auquel on attachait autrefois un condamné qui devait subir une peine publique.

pilotage n. m. → **piloter.**

pilote n. et adj.
• n. Personne qui est chargée de la conduite d'un bateau, d'un avion, d'une voiture de course. *Un pilote de guerre. Un pilote d'essai.*
• adj. Qui essaie de nouvelles méthodes. *Une classe pilote.*

piloter v. → conjug. **aimer.** Conduire, diriger un véhicule en tant que pilote. *Piloter un avion.*
Ce voilier est équipé d'un **pilotage** *automatique*, d'un système qui le pilote automatiquement.

pilotis n. m. Ensemble de pieux servant de support à une maison construite au-dessus de l'eau ou d'un sol humide. *Un village sur pilotis.*

Les pieux de bois ou pilots, sur lesquels on pose le plancher de l'habitation, sont enfoncés dans le sol. On utilise généralement les pilotis dans les lieux humides ou inondables. On a découvert de nombreux vestiges préhistoriques de villages sur pilotis construits sur les rives des lacs.

pilule n. f. Médicament qui a la forme d'une petite boule. *Des pilules homéopathiques.*

pimbêche n. f. Fille ou femme prétentieuse, déplaisante.

piment n. m. Fruit de différentes plantes des pays chauds, au goût piquant, utilisé dans certains plats. *Le paprika est un piment doux.*
Une sauce **pimentée**, assaisonnée avec du piment.

pimpant, ante adj. Qui a de l'éclat et de l'élégance. *Des jeunes filles en robes pimpantes.*

pin n. m. Arbre de la famille des conifères dont les aiguilles restent vertes toute l'année. *Le fruit du pin s'appelle la pomme de pin.*
Homonyme : pain.

L'été, les incendies ravagent de nombreuses **pinèdes**, *des lieux plantés de pins.*

Il existe près de 80 espèces de pins. Certaines peuvent atteindre 40 m de hauteur. Les feuilles sont de longues aiguilles groupées par deux. Le fruit, un cône appelé pomme de pin, est couvert d'écailles qui s'entrouvrent pour laisser échapper les graines. Chaque graine est munie d'une petite aile qui peut la transporter loin de l'arbre sous l'effet du vent. Parmi les espèces de pins les plus courantes, on trouve le pin sylvestre, le pin parasol et le pin maritime. Le bois du pin est utilisé pour faire des charpentes, des parquets, des meubles, des poteaux télégraphiques et de la pâte à papier.

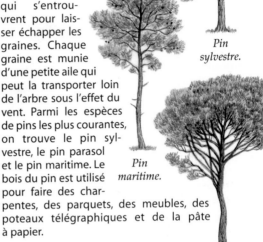

Pin sylvestre.

Pin maritime.

Pin parasol.

pinacle n. m. *Porter quelqu'un au pinacle :* le couvrir de louanges, d'éloges.

pince n. f. **1** Instrument composé de deux branches et qui sert à saisir ou à serrer un objet. *Arracher des clous avec une pince. Des pinces à linge.* **2** Patte antérieure articulée de certains crustacés. *Les pinces du homard, du crabe.*

pincé, ée adj. *Air pincé :* air mécontent, distant, méprisant. *Prendre un air pincé.*

pinceau, eaux n. m. Instrument constitué d'une touffe de poils attachée au bout d'un manche et servant à appliquer de la peinture, de la colle.

pincée n. f. Petite quantité de poudre ou de grains que l'on saisit entre deux doigts. *Elle a ajouté une pincée de sel dans l'eau bouillante.*

pincement n. m. **1** Action de pincer. **2** *Avoir un pincement au cœur :* avoir une brève sensation d'angoisse et de douleur. *Elle a eu un pincement au cœur en quittant ses parents.*

pincer v. → conjug. **tracer.** **1** Serrer entre les doigts ou entre deux objets. *Arrête de me pincer, tu me fais mal ! Se pincer le doigt dans une portière.* **2** Rapprocher et serrer très fort. *Il pince les lèvres pour ne pas éclater de rire.* **3** Familier. Surprendre, prendre en faute. *Il s'est fait pincer au volant d'une voiture volée.*

Un **pinçon** est une marque qui reste sur la peau d'une personne quand on l'a pincée (*1*).

pince-sans-rire n. inv. Personne qui fait des plaisanteries en gardant un air sérieux.

pincettes n. f. pl. *1* Longue pince en fer utilisée pour saisir, pour remuer des braises, des tisons. *2 Ne pas être à prendre avec des pincettes :* être de très mauvaise humeur.

pinçon n. m. → pincer.

pinède n. f. → pin.

pingouin n. m. Oiseau marin au plumage noir et blanc, aux pattes palmées, qui vit dans les régions arctiques.

Les pingouins vivent en colonies sur les rochers. Ils se nourrissent de poissons, qu'ils attrapent en plongeant sous l'eau.

ping-pong n. m. Désigne le tennis de table dans le langage courant.
On prononce [piŋpɔ̃g].
***Regarde* tennis de table.**

pingre adj. et n. Qui est avare, très mesquin. *Il s'est enrichi, mais il est toujours aussi pingre.*

pinson n. m. *1* Petit oiseau migrateur, bon chanteur. *2 Être gai comme un pinson :* être très gai.

pintade n. f. Oiseau au plumage gris parsemé de taches claires, dont la chair est très appréciée.

Les **pintadeaux** sont de jeunes pintades.

pioche n. f. *1* Outil composé d'un manche sur lequel est fixé un fer pointu. *Le jardinier creuse des trous avec sa pioche. 2* Ensemble de cartes ou de dominos dans lequel on pioche au cours d'une partie.

piocher v. → conjug. **aimer.** *1* Creuser à l'aide d'une pioche. *Piocher la terre. 2* Prendre une carte ou un domino dans le tas qui n'a pas été distribué. *Il a pioché plusieurs fois avant d'avoir la carte qui lui manquait.*

piolet n. m. Sorte de petite pioche utilisée par les alpinistes.

1. pion n. m. Chacune des pièces que l'on déplace dans un jeu d'échecs, un jeu de dames, etc. *Tu as mal joué, tu vas perdre ce pion.*

2. pion, ionne n. Familier. Surveillant dans un établissement scolaire. *Il est pion dans un lycée.*

pionnier, ère n. *1* Personne qui va s'installer sur des terres inhabitées pour les défricher et les cultiver. *Les pionniers de l'Ouest américain. 2* Personne qui fait la première quelque chose que personne n'avait tenté avant elle. *Les pionniers de l'aviation.*

pipe n. f. Petit objet dont on se sert pour fumer.

pipeau, eaux n. m. Petite flûte. *Jouer du pipeau.*

pipeline n. m. Canalisation utilisée pour le transport de certains liquides et de certains gaz. *On transporte du pétrole par pipelines à travers le désert.*
Mot anglais qui se prononce [piplin] **ou** [pajplajn].

piper v. → conjug. **aimer.** *1* Modifier quelque chose dans l'intention de tromper. *Jouer avec des dés pipés. 2* Familier. *Ne pas piper :* ne pas dire un mot. *Comme il savait qu'il avait tort, il n'a pas pipé.*
Synonyme : truquer (*1*).

pipette n. f. Petit tube de verre dans lequel on prélève une petite quantité de liquide pour faire des expériences, des analyses.

pipi n. m. Familier. *Faire pipi :* uriner.

piquant, ante adj. et n. m.
● adj. Qui provoque une sensation qui ressemble à une piqûre. *Une sauce piquante.*
● n. m. Partie pointue et acérée, épine, aiguille. *Certaines plantes, comme les cactus, et certains animaux, comme les oursins, sont recouverts de piquants.*

pique n. f. et n. m.
● n. f. Arme faite d'un long bâton muni d'une pointe en fer.
● n. m. Dans un jeu de cartes, l'une des deux couleurs noires, représentée sous la forme de la pointe d'une pique. *Le valet de pique.*
Homonyme : pic.

piqué n. m. *En piqué :* en se dirigeant vers le sol dans une position presque verticale. *Les forces aériennes ont attaqué en piqué.*

pique-assiette n. inv. Personne qui cherche toutes les occasions de se faire inviter.

pique-nique n. m. Plur. : **des pique-niques.** Repas que l'on fait en plein air. *Faire un pique-nique à la plage.*

Nous **avons pique-niqué** au bord de l'eau, fait un pique-nique.

piquer v. → conjug. **aimer.** *1* Percer la peau. *Se faire piquer par une guêpe. Se piquer avec une aiguille. 2* Familier. Faire une piqûre. *Se faire piquer contre la grippe. 3* Piquer à la machine :* faire des points de couture avec une machine à coudre. *4* Irriter, brûler. *Cette fumée pique les yeux. Le piment pique la gorge. Le froid nous pique la peau. 5* Familier. *Piquer une colère, une crise :* se mettre brusquement en colère. *6* Descendre en piqué ou se diriger droit vers quelque chose. *Les mouettes piquent dans l'eau pour attraper des poissons.* **7** Familier. Voler, dérober. *J'aimerais savoir qui m'a piqué ma gomme !*

piquet n. m. **1** Petite baguette de bois ou de métal à bout pointu, que l'on enfonce dans le sol. *La chèvre est attachée à un piquet.* **2** *Piquet de grève :* groupe de grévistes chargés de faire respecter les consignes de grève sur les lieux de travail.

piqueter v. → conjug. **jeter.** Parsemer de points, de petites taches. *Ces vieux outils sont piquetés de rouille.*

piquette n. f. Vin de mauvaise qualité au goût aigrelet.

piqûre n. f. **1** Petite blessure causée par un objet pointu ou par le dard d'un animal. *Une piqûre d'aiguille. Une piqûre de guêpe.* **2** Injection d'une substance dans le corps à l'aide d'une seringue. *Faire une piqûre à un malade.*

Pirandello Luigi

Écrivain italien né en 1867 et mort en 1936. Auteur d'une œuvre considérable, Pirandello a abordé tous les genres : poèmes, essais, romans, nouvelles. Mais il est surtout célèbre pour ses pièces de théâtre, comme *Chacun sa vérité* (1916), *Six personnages en quête d'auteur* (1921) et *Ce soir on improvise* (1930). Pirandello est à l'origine du renouveau du théâtre moderne, qu'il libère des règles conventionnelles. Il reçoit le prix Nobel de littérature en 1934.

piranha n. m. Poisson carnivore qui vit dans les fleuves d'Amérique du Sud.

piratage n. m. → **pirater.**

pirate n. m. **1** Bandit qui attaque et pille les navires. *Le drapeau noir à tête de mort flottait sur le bateau des pirates.* **2** *Pirate de l'air :* personne qui tient sous la menace l'équipage et les passagers d'un avion pour obtenir quelque chose.
 Ce navigateur a été victime d'actes de piraterie, d'attaques menées par des pirates.

pirater v. → conjug. **aimer.** Faire illégalement la copie d'une œuvre originale, d'un enregistrement. *Pirater un CD, une cassette.*
 La loi punit le piratage, le fait de pirater une œuvre.

piraterie n. f. → **pirate.**

pire adj. et n. m.
● adj. Plus mauvais. *Ses ennuis sont pires que les tiens. Il a choisi la pire solution.*
Contraire : meilleur.
● n. m. Ce qu'il y a de plus mauvais. *Nous avons évité le pire.*

pirogue n. f. Barque longue et étroite.

La pirogue est une embarcation légère généralement creusée dans un tronc d'arbre. Elle est munie d'une voile ou propulsée à la pagaie. La pirogue est utilisée en Afrique et en Océanie ; elle est souvent décorée.

Pirogue préhistorique.

pirouette n. f. Tour que l'on fait sur soi-même en s'appuyant sur un pied. *Le clown a fait une pirouette avant de quitter la scène.*

1. pis adv. *Aller de mal en pis :* aller de plus en plus mal. *Tout va de mal en pis depuis qu'il est au chômage.*

2. pis n. m. Mamelle de certains animaux femelles. *Le pis de la vache, de la chèvre.*

pis–aller n. m. inv. Solution dont on doit se contenter faute de mieux. *Elle a accepté ce travail temporaire, mais ce n'est qu'un pis-aller.*

pisciculture n. f. Élevage des poissons.
 Un bassin piscicole, où l'on fait de la pisciculture.

piscine n. f. Grand bassin de natation. *Elle a appris à nager à la piscine.*

pissenlit n. m. Plante à fleurs jaunes dont les feuilles sont comestibles.

Le pissenlit a des feuilles allongées et découpées, d'où son autre nom de dent-de-lion. La tige se termine par une « fleur » jaune, qui est en fait un ensemble de nombreuses petites fleurs. Après fécondation, elle forme une sorte de pompon, dont les fruits, surmontés par une « ombrelle » de poils (aigrette), s'envolent au moindre souffle. On consomme les feuilles du pissenlit en salade.

pisser v. → conjug. **aimer.** Familier. Uriner. *La chatte a pissé sur la moquette.*

pisseux, euse adj. Qui est d'une couleur terne, jaunie. *Un vieux dessus-de-lit d'un blanc pisseux.*

pistache n. f. Petite graine verte comestible. *De la glace à la pistache. Des pistaches grillées.*

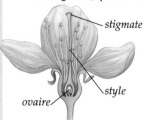

La pistache est le fruit du pista-chier, petit arbre cultivé sur les bords de la Méditerranée. C'est l'amande enfermée dans une coque dure que l'on consomme grillée, en cuisine et en confiserie.

piste n. f. *1* Trace qu'une personne ou un animal laisse sur son passage. *Les chiens de chasse sont sur la piste du renard. La police a perdu la piste des cambrioleurs.* *2* Route de terre qui n'est pas aménagée pour la circulation. *Ils cheminaient sur une piste poussié-reuse à travers la savane.* *3* Terrain aménagé pour la pratique de certains sports. *Une piste de ski. La piste d'un circuit automobile.* *4* Piste d'atterrissage : lieu destiné au décollage et à l'atterrissage des avions. *5* Espace circulaire aménagé pour diverses activités. *Une piste de cirque. Une piste de danse.*

pistil n. m. Organe femelle de reproduction d'une fleur, qui reçoit le pollen.

Le pistil est composé de trois parties :
• le stigmate, partie supérieure renflée, est garni de poils fins et collants qui capturent les grains de pollen provenant des étamines (organes mâles) ;
• le style est une sorte de petit tube qui fait communiquer le stig-mate avec l'ovaire ;
• l'ovaire est la partie inférieure renflée ; il contient l'ovule qui, fécondé par un grain de pollen, donnera la graine.

stigmate

style

ovaire

pistole n. f. Ancienne monnaie d'or d'Espagne et d'Italie.

pistolet n. m. Arme à feu portative à canon court. *Charger un pistolet. Tirer un coup de pistolet.*

piston n. m. *1* Pièce qui coulisse dans le cylindre d'une machine, d'un moteur. *Le piston d'une pompe à vélo.* *2* Familier. Protection qui permet à une personne d'obtenir un emploi, un avantage. *Elle a eu le poste de directrice par piston.*
Il refuse de se faire **pistonner** pour obtenir cet emploi, de l'obtenir par piston (*2*).

pitance n. f. Littéraire. Nourriture. *Le malheureux pri-sonnier n'avait droit qu'à une maigre pitance.*

pit-bull n. m. Plur. : des pit-bulls. Grand chien à la mâchoire extrêmement puissante, utilisé comme chien de combat.
Mot anglais qui se prononce [pitbul].

piteux, euse adj. Misérable, pitoyable, médiocre. *Après sa chute, il était en piteux état.*
Il s'est **piteusement** excusé de sa mauvaise plaisan-terie, de façon piteuse.

pitié n. f. Sentiment de sympathie que l'on éprouve à l'égard des gens qui souffrent et qu'on voudrait soulager. *Avoir pitié des sans-abri.*

piton n. m. *1* Clou ou vis dont la tête est en forme de crochet ou d'anneau. *2* Sommet montagneux pointu et isolé. *Un piton rocheux.*
Homonyme : python.

pitoyable adj. Qui inspire de la pitié. *Les rescapés du naufrage sont dans un état pitoyable.*
Ces malheureux sont **pitoyablement** logés, de façon pitoyable.

pitre n. m. Personne qui amuse les autres par ses plaisanteries et ses grimaces. *Elle passe son temps à faire le pitre.*
Synonyme : clown.
Il nous énerve avec ses **pitreries**, ses grimaces, ses farces de pitre.

pittoresque adj. Qui retient l'attention par son charme ou son originalité. *Ces vieilles ruelles sont très pittoresques.*

pivert n. m. → **pic-vert.**

pivoine n. f. Plante cultivée pour ses fleurs rouges, roses ou blanches.

pivot n. m. Pièce fixe d'un mécanisme autour de laquelle tourne une pièce mobile. *Les ailes d'un venti-lateur tournent autour d'un pivot.*
Pivoter sur ses talons, c'est tourner sur ses talons comme sur un pivot.

pizza n. f. Sorte de tarte salée faite avec de la pâte à pain garnie de tomates, d'olives, de fromage, etc. *La pizza est un plat d'origine italienne.*
Mot italien qui se prononce [pidza].
Nous avons dîné dans une **pizzeria**, un restaurant où l'on sert des pizzas.
Mot italien qui se prononce [pidzeʀja].

placard n. m. Sorte d'armoire aménagée dans un mur ou fixée à un mur. *Il a fixé des placards aux murs de sa cuisine.*

placarder v. → conjug. **aimer.** Coller, fixer des affiches, des avis sur un support. *Placarder des affiches publicitaires sur des panneaux.*

place n. f. *1* Endroit occupé par une chose. *Remettre un livre à sa place.* *2* Siège dans un lieu public ou dans un véhicule. *Le cinéma est plein, il ne reste plus une place.* *3* Rang que l'on a dans un classement. *Il a fini la course à la deuxième place.* *4* Emploi, travail. *Elle cherche une place de secrétaire.* *5* Emplacement découvert entouré de bâtiments. *L'église est sur la place du village.* *6* Place forte : ville ou bâtiment fortifié. *7* À la place de : au lieu de, pour remplacer. *Il a pris un gâteau à la place d'un fruit.* *8* Ne pas tenir en place : s'agiter sans arrêt. *9* Se mettre à la place de quelqu'un : imaginer les sentiments qu'il éprouve dans la situation où il se trouve. *Je comprends que tu sois déçu, je me mets à ta place.*

placement n. m. *1* Argent que l'on place dans une affaire pour qu'il rapporte des intérêts. *Faire un bon placement.* *2* Bureau de placement : organisme chargé de trouver des emplois pour les personnes qui cherchent du travail.

placenta n. m. Chez les mammifères, organe qui relie l'embryon à l'utérus. *Le placenta assure les échanges nutritifs et respiratoires entre l'embryon et sa mère pendant la grossesse.*
On prononce [plasɛ̃ta].

placer v. → conjug. **tracer.** *1* Mettre à telle ou telle place. *Il a placé les valises dans le coffre de la voiture. On nous a placés au dernier rang.* *2* Placer de l'argent : mettre de l'argent dans une banque, dans une affaire pour qu'il rapporte des bénéfices. *3* Raconter, prononcer, exprimer quelque chose. *Tu parles tellement que je ne peux pas placer un mot.*

placide adj. Qui est tranquille, paisible. *Notre voisin est un homme silencieux et placide.*

plafond n. m. *1* Surface qui constitue la partie supérieure d'une pièce. *Il a refait la cuisine du sol au plafond.* *2* Au figuré. Limite que l'on ne peut dépasser. *Il s'est fixé un plafond de 200 euros pour l'achat d'une montre.*

> Les ventes ne peuvent plus augmenter, elles *plafonnent*, elles ont atteint un plafond (*2*). *Un plafonnier* est un appareil d'éclairage fixé à un plafond (*1*).

plage n. f. *1* Étendue constituée de sable ou de galets le long de la mer. *S'allonger sur la plage pour bronzer.* *2* Plage arrière d'une voiture : sorte de tablette qui se trouve sous la vitre arrière d'une voiture.

plagier v. → conjug. **modifier.** Copier, imiter sans scrupules les œuvres d'un écrivain, d'un artiste.

> Ce peintre n'est qu'un vulgaire *plagiaire*, une personne qui plagie les œuvres d'un autre peintre. *Un écrivain accusé de plagiat*, accusé d'avoir plagié l'œuvre d'un autre écrivain.

plaid n. m. Couverture en laine écossaise.
On prononce [plɛd].

plaider v. → conjug. **aimer.** Défendre une cause devant la justice. *L'avocat de l'accusé a longuement plaidé pour convaincre les jurés.*

> Une *plaidoirie* est le discours que fait un avocat qui plaide pour son client.

plaidoyer n. m. Exposé, texte qui a pour but de défendre, de soutenir une personne, une idée. *Cet article est un fervent plaidoyer en faveur de la paix.*

plaie n. f. Blessure. *Soigner, désinfecter une plaie.*

plaignant, ante n. Personne qui dépose une plainte en justice.

plaindre v. *1* Avoir pitié. *Je plains ces malheureux réfugiés.* *2* Se plaindre : exprimer sa souffrance. *Il supporte son mal aux dents sans se plaindre.* *3* Se plaindre : manifester son mécontentement. *Il n'arrête pas de se plaindre de son sort.*

La conjugaison du verbe PLAINDRE 3ᵉ groupe

indicatif présent	**je plains, il ou elle plaint, nous plaignons, ils ou elles plaignent**
imparfait	**je plaignais**
futur	**je plaindrai**
passé simple	**je plaignis**
subjonctif présent	**que je plaigne**
conditionnel présent	**je plaindrais**
impératif	**plains, plaignons, plaignez**
participe présent	**plaignant**
participe passé	**plaint**

plaine n. f. Grande étendue de terre plate. *La plaine de la Beauce.*

de plain-pied adv. Au même niveau. *La cuisine est de plain-pied avec le jardin.*

plainte n. f. *1* Cri de souffrance, gémissement. *Les plaintes d'un blessé, d'un malade.* *2* Manifestation de mécontentement. *Des clients insatisfaits ont adressé des plaintes au directeur du magasin.* *3* Déclaration faite devant la justice pour se plaindre de quelque chose d'illégal. *Porter plainte pour coups et blessures.*
Homonyme : plinthe.

> Des cris *plaintifs*, de faibles cris qui ressemblent à des plaintes (*1*).

plaire v. *1* Être intéressant, agréable, plaisant. *Cet endroit me plaît beaucoup. J'espère que mes amis t'ont plu.* *2* Se plaire : être content, satisfait de l'endroit où l'on se trouve. *Elle se plaît beaucoup dans cette école.* *3* S'il te plaît, s'il vous plaît : formules de politesse utilisées quand on demande quelque chose. *Prête-moi ton stylo, s'il te plaît.*
Contraire : déplaire.

La conjugaison du verbe
PLAIRE 3e groupe

indicatif présent	**je plais, il ou elle plaît, nous plaisons, ils ou elles plaisent**
imparfait	**je plaisais**
futur	**je plairai**
passé simple	**je plus**
subjonctif présent	**que je plaise**
conditionnel présent	**je plairais**
impératif	**plais, plaisons, plaisez**
participe présent	**plaisant**
participe passé	**plu**

plaisamment adv. → plaisant.

plaisance n. f. *De plaisance :* qui concerne la navigation quand on la pratique pour son plaisir et non pas pour son travail. *Un bateau de plaisance.*
Cette partie du port est réservée aux bateaux des plaisanciers, de personnes qui pratiquent la navigation de plaisance.

plaisant, ante adj. et n. m.
● adj. *1* Qui est agréable, attrayant. *Ce petit village de montagne est très plaisant.* *2* Amusant, drôle. *Une anecdote plaisante.*
● n. m. *Mauvais plaisant :* personne qui fait des plaisanteries de mauvais goût.
Il sait raconter plaisamment ses mésaventures, de manière plaisante (*2*).

plaisanter v. → conjug. **aimer**. *1* Dire des choses qui amusent, qui font rire. *Il est toujours prêt à plaisanter.* *2* Ne pas plaisanter avec quelque chose : le prendre au sérieux. *Il ne plaisante pas avec le règlement.*
Il adore faire des plaisanteries, dire ou faire des choses pour plaisanter (*1*).

plaisantin n. m. Personne qui manque de sérieux, sur laquelle on ne peut pas compter. *Je ne lui confie aucune responsabilité, c'est un plaisantin.*

plaisir n. m. *1* Impression, sensation agréable. *Quel plaisir de pique-niquer dans les bois !* *2* Avec plaisir : volontiers, de bon cœur. *Si tu as besoin de moi, je t'aiderai avec plaisir.*

1. plan, plane adj. Qui n'a aucune aspérité, plat, lisse. *Pour que ce meuble soit stable, il faut l'installer sur une surface plane.*

2. plan n. m. *1* Dessin représentant un lieu, un bâtiment. *Faire les plans d'une maison. Consulter le plan de la ville.* *2* Manière dont un texte est organisé. *Faire le plan d'un devoir avant de le rédiger.* *3* Organisation, préparation d'un projet. *Régler les derniers détails d'un plan avant d'agir.* *4* Surface plane. *Sur le quai, il y a un plan incliné pour descendre le bateau dans l'eau.* *5* Place d'une personne, d'une chose selon sa distance. *Sur la photo, les enfants sont au premier plan ; à l'arrière-plan, on aperçoit des arbres.* *6* Niveau, valeur, importance. *On ne peut pas mettre sur le même plan un roman et une œuvre historique.* *7* Laisser quelque chose en plan : ne pas terminer quelque chose, l'abandonner. *Il a laissé tous ses projets en plan.*
Homonyme : plant.

planche n. f. *1* Morceau de bois plat, plus long que large et peu épais. *Ces planches serviront à faire des étagères.* *2* Page d'un livre contenant des illustrations. *Il y a plusieurs planches en couleurs dans ce dictionnaire.* *3* Faire la planche : flotter sur le dos. *4* Planche à roulettes : skateboard. *5* Planche à voile ou windsurf : planche munie d'une voile et d'un mât pour se déplacer sur l'eau.
Les brosses à dents sont sur la planchette au-dessus du lavabo, la petite planche (*1*). *Les planchistes sont des personnes qui pratiquent la planche à voile (5).*

Inventée au début des années 1960, la planche à voile se compose d'un flotteur en matière plastique (la planche), équipé d'une voile fixée à un mât mobile. Le véliplanchiste se tient debout sur la planche et oriente la voile dans le sens du vent à l'aide d'un arceau entourant la voile, le *wishbone*. La vitesse peut dépasser 40 km/h. La planche à voile est une discipline olympique depuis 1984 pour les hommes, depuis 1992 pour les femmes. Des championnats du monde ont lieu chaque année.

plancher n. m. **1** Sol constitué de planches. *Les pas résonnent sur le plancher.* **2** Au figuré. Niveau le plus bas, limite inférieure. *Cette compagnie d'assurances fixe un plancher de 80 euros pour les versements mensuels.* **Contraire : plafond (2).**

planchette n. f., **planchiste** n. → **planche.**

plancton n. m. Ensemble de micro-organismes animaux ou végétaux flottant au fil de l'eau. *Le plancton constitue la nourriture essentielle de la baleine.*

planer v. → conjug. **aimer.** **1** Voler sans remuer les ailes. *L'aigle plane en surveillant sa proie.* **2** Voler en ayant le moteur à l'arrêt. *L'avion entame sa descente en planant.* **3** Au figuré. Flotter comme une menace. *Un danger inconnu semble planer dans ces vieilles rues.* Piloter un **planeur**, un avion sans moteur, qui se déplace en planant (**2**).

Le planeur est un appareil volant très léger dépourvu de moteur. Ses ailes sont très longues et étroites. Il décolle tiré par un avion ou une voiture. Le pilote vole ensuite grâce aux courants d'air de l'atmosphère. La pratique du planeur s'appelle le vol à voile. Des championnats du monde sont organisés tous les deux ans.

planétaire adj. **1** Qui concerne les planètes. *Notre système planétaire comporte les planètes qui gravitent autour du Soleil.* **2** Qui concerne toute la planète Terre. *Une guerre planétaire. L'économie planétaire.* **Synonyme : mondial (2).**

planétarium n. m. Salle comportant un plafond en forme de coupole sur lequel sont représentés les mouvements des planètes. **On prononce [planetaʀjɔm].**

planète n. f. Corps céleste qui tourne autour du Soleil. *Mercure, Vénus, la Terre, Mars, Jupiter, Saturne, Uranus, Neptune et Pluton sont les principales planètes du système solaire.* **Regarde aussi ciel.**

planeur n. m. → **planer.**

planifier v. → conjug. **modifier.** Prévoir, organiser selon un plan. *Planifier l'économie d'un pays. Planifier son emploi du temps.* La **planification** des dates de vacances scolaires, la façon dont elles sont planifiées.

planisphère n. m. Carte représentant la Terre.

On ne peut représenter la Terre (sphérique) sur une feuille (plane) sans déformations. Il existe cependant plusieurs systèmes où l'on fait correspondre les points du globe à ceux du planisphère. Ces systèmes s'appellent des projections.

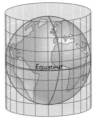 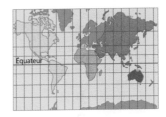

La projection de Mercator, cartographe flamand (XVIᵉ s.).

planning n. m. Plan qui prévoit l'organisation détaillée d'un travail. *Faire un planning pour des travaux.* **Mot anglais qui se prononce [planiŋ].**

planquer v. → conjug. **aimer.** Familier. Cacher. *Les voleurs avaient planqué leur butin dans une cave.*

plant n. m. Jeune plante que l'on doit repiquer ou qui vient d'être repiquée. *Des plants de laitue.* **Homonyme : plan.**

plantaire adj. → **plante 1.**

plantation n. f. **1** Plantes cultivées, cultures. *Les plantations ont été détruites par les inondations.* **2** Grande exploitation agricole dans les pays tropicaux. *Une plantation de canne à sucre.* Un **planteur** de café, un agriculteur qui exploite une plantation (**2**) de café.

1. plante n. f. *Plante du pied :* dessous du pied. Une verrue **plantaire** est une verrue qui se trouve sous la plante du pied.

2. plante n. f. Tout végétal qui est fixé dans la terre par des racines.

Les plantes, dont on connaît aujourd'hui environ 400 000 espèces, forment une immense famille. Sauvages ou cultivées, elles sont un élément vital pour l'homme et les animaux sur la Terre. **Regarde p. 828 à 831.**

planter v. → conjug. **aimer.** **1** Mettre une plante en terre. *Planter des salades. Planter un arbre.* **2** Enfoncer dans la terre ou dans quelque chose de solide. *Planter des clous dans une planche.* **3** *Se planter :* se tenir debout et rester sans bouger. *Il s'est planté devant la porte en attendant que je sorte.*

planteur n. m. → **plantation.**

les plantes

Source d'oxygène et d'alimentation, utilisées dans la fabrication de médicaments, de textiles, les plantes ont de très nombreuses qualités. On peut les regrouper selon leurs caractéristiques ou l'usage que l'on en fait.

qu'est-ce qu'une plante ?

■ La plupart des plantes ont une structure commune qui comporte des racines, une tige, des feuilles et des fleurs.

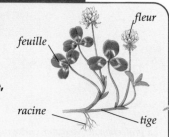

fleur

feuille

racine

tige

■ Certaines tiges sont souterraines et peuvent se présenter sous forme de rhizome, de bulbe ou de tubercule.

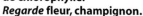

Tubercule. *Bulbe.* *Rhizome.*

■ Les plantes à fleurs se reproduisent grâce à leurs graines. Certaines plantes n'ont ni fleurs ni graines. Dans certains cas, elles ont des racines, des tiges et des feuilles comme les fougères. Dans d'autres, elles sont sans racines, sans tiges, sans feuilles comme les algues, les lichens et les champignons. Ces derniers ne possèdent pas non plus de chlorophylle.
Regarde fleur, champignon.

dioxyde de carbone

■ Pour se développer, les plantes vertes utilisent l'eau du sol et l'énergie solaire. Sous l'action des rayons du Soleil, la plante absorbe du dioxyde de carbone et libère de l'oxygène. Cet échange gazeux appelé photosynthèse se produit au niveau des feuilles qui possèdent un pigment vert, la chlorophylle.

oxygène

plantes médicinales

Leur utilisation est très ancienne, elles peuvent être consommées en tisane ou en préparation pharmaceutique.

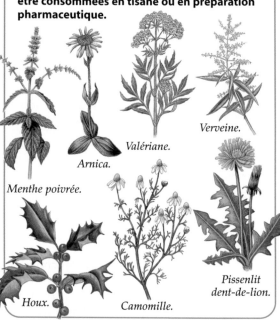

Verveine.

Valériane.

Arnica.

Menthe poivrée.

Pissenlit dent-de-lion.

Houx.

Camomille.

plantes fourragères

Elles forment la base de la nourriture du bétail.

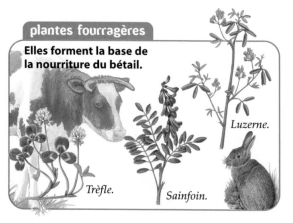

Luzerne.

Trèfle.

Sainfoin.

Comme leur nom l'indique, elles sont destinées à la décoration et à l'embellissement des jardins.

Mauve.

Fusain.

Seringa.

Troène.

Buis.

Bruyère.

Chèvrefeuille.

Fougère.

Tamaris.

Genévrier.

Cytise.

Genêt.

Forsythia.

Ficus (ou caoutchouc).

Guimauve (ou rose trémière).

Philodendron.

plantes grasses

■ Ce sont les plantes des régions arides. Elles ont la capacité de retenir l'eau.

Cactus (opuntia).

Aloès.

Figuier de Barbarie.

Yucca.

Agave.

Cierge géant.

les plantes

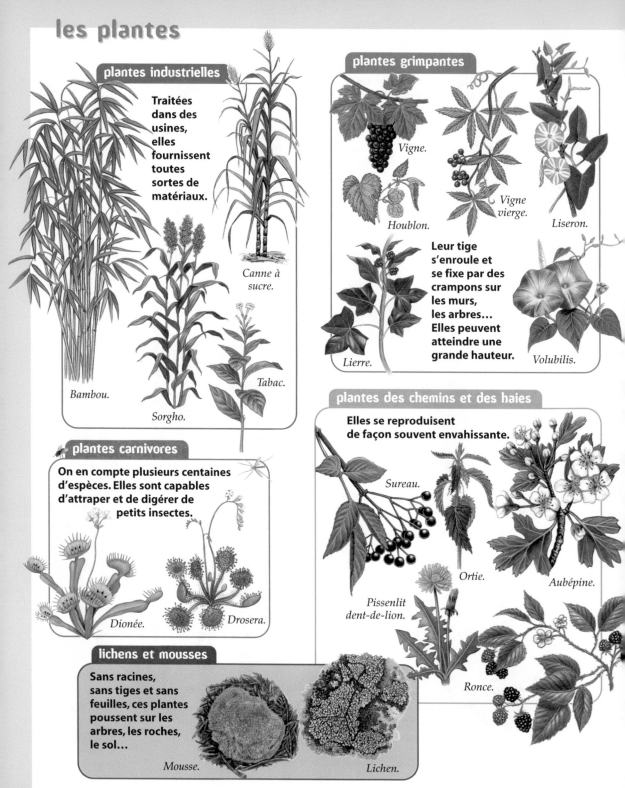

plantes industrielles

Traitées dans des usines, elles fournissent toutes sortes de matériaux.

Canne à sucre.

Bambou.

Sorgho.

Tabac.

plantes grimpantes

Vigne.

Houblon.

Vigne vierge.

Liseron.

Leur tige s'enroule et se fixe par des crampons sur les murs, les arbres… Elles peuvent atteindre une grande hauteur.

Lierre.

Volubilis.

plantes carnivores

On en compte plusieurs centaines d'espèces. Elles sont capables d'attraper et de digérer de petits insectes.

Dionée.

Drosera.

plantes des chemins et des haies

Elles se reproduisent de façon souvent envahissante.

Sureau.

Ortie.

Aubépine.

Pissenlit dent-de-lion.

Ronce.

lichens et mousses

Sans racines, sans tiges et sans feuilles, ces plantes poussent sur les arbres, les roches, le sol…

Mousse.

Lichen.

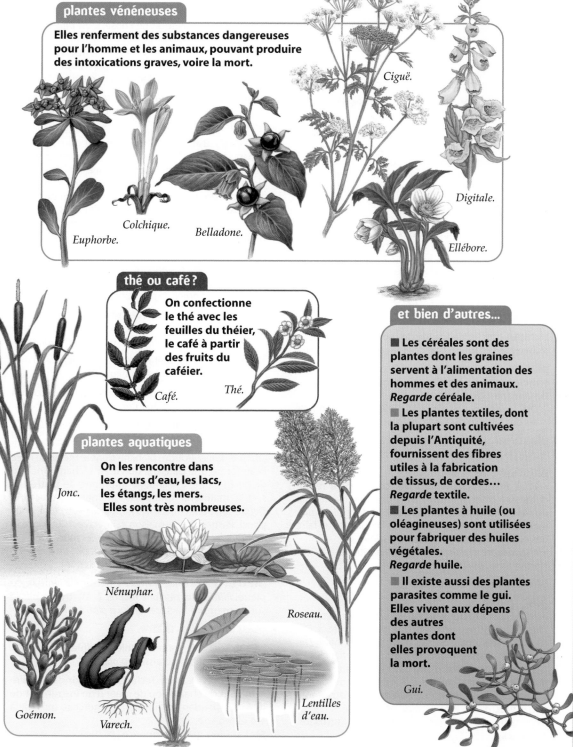

plantes vénéneuses

Elles renferment des substances dangereuses pour l'homme et les animaux, pouvant produire des intoxications graves, voire la mort.

Ciguë.

Digitale.

Colchique.

Euphorbe.

Belladone.

Ellébore.

thé ou café ?

On confectionne le thé avec les feuilles du théier, le café à partir des fruits du caféier.

Café.

Thé.

plantes aquatiques

On les rencontre dans les cours d'eau, les lacs, les étangs, les mers. Elles sont très nombreuses.

Jonc.

Nénuphar.

Roseau.

Goémon.

Varech.

Lentilles d'eau.

et bien d'autres...

■ **Les céréales sont des plantes dont les graines servent à l'alimentation des hommes et des animaux.** *Regarde* **céréale.**

■ **Les plantes textiles, dont la plupart sont cultivées depuis l'Antiquité, fournissent des fibres utiles à la fabrication de tissus, de cordes…** *Regarde* **textile.**

■ **Les plantes à huile (ou oléagineuses) sont utilisées pour fabriquer des huiles végétales.** *Regarde* **huile.**

■ **Il existe aussi des plantes parasites comme le gui. Elles vivent aux dépens des autres plantes dont elles provoquent la mort.**

Gui.

plantigrade n. m. Animal qui se déplace en posant la plante des pieds tout entière sur le sol. *Les ours sont des plantigrades.*

plantoir n. m. Outil pointu avec lequel on fait des trous dans la terre pour piquer des plants.

plantureux, euse adj. Copieux, très abondant. *Un dîner plantureux.*

plaque n. f. *1* Feuille plate de métal ou de matière rigide. *Une plaque de fer, de verre. 2* Pièce de métal portant certaines indications, certains numéros. *La plaque d'immatriculation d'une voiture. 3* Tache qui se développe sur la peau. *Des plaques d'eczéma.*
> *Une plaquette de beurre*, du beurre vendu sous la forme d'une petite plaque (*1*).

plaquer v. → conjug. **aimer.** *1* Recouvrir une chose d'une plaque, d'une fine couche de métal précieux. *Cette montre est plaquée argent. 2* Projeter et maintenir avec force. *Il a plaqué son adversaire au sol.*
> *Un bijou en plaqué or* est un bijou en métal ordinaire que l'on a plaqué (*1*) avec de l'or.

plaquette n. f. → **plaque.**

plasma n. m. Partie liquide du sang dans laquelle se trouvent les globules blancs et les globules rouges.

plastic n. m. Explosif ayant une consistance qui ressemble à celle du mastic. *Une charge de plastic.*
Homonyme : plastique.
> *Des terroristes ont plastiqué plusieurs voitures,* ils les ont fait exploser avec du plastic.

plastifier v. → conjug. **modifier.** Recouvrir d'une feuille de plastique. *Ma carte d'identité est plastifiée.*

plastique adj. et n. m.
• adj. *1 Arts plastiques :* arts qui cherchent à reproduire ou à créer la forme des choses. *La sculpture, la peinture sont des arts plastiques. 2 Matière plastique :* matière artificielle que l'on peut mouler pour faire des objets. *Un jouet en matière plastique.*
• n. m. Matière plastique. *Un sac en plastique.*
Homonyme : plastic.

plastiquer v. → **plastic.**

plat, plate adj. et n. m.
• adj. *1* Qui n'a ni creux ni bosse. *Camper sur un terrain plat. 2* Qui est peu profond. *Une assiette plate. 3* Qui n'est pas très épais ou qui n'est pas très haut. *Des chaussures plates, à talons plats. 4* Au figuré. Qui manque de caractère, d'originalité. *Ce roman est écrit dans un style plat et ennuyeux. 5 À plat :* à l'horizontale. *Il a posé son livre à plat sur le bureau. 6 À plat :* dégonflé. *Un pneu à plat. 7 Être à plat :* être épuisé.
Synonymes : banal, fade, insipide (*4*). Contraire : creux (*2*).

• n. m. *1* Partie plate d'une chose. *C'est plus facile de faire du vélo sur du plat. Le plat de la main. 2* Sorte de grande assiette pour servir les aliments. *Elle a mis le gigot dans un plat. 3* Aliment préparé pour un repas. *Il y a plusieurs plats au choix dans ce menu.*

platane n. m. Grand arbre à larges feuilles, dont l'écorce se détache en plaques. *Une place de village ombragée de platanes.*

plateau, eaux n. m. *1* Support plat pour poser ou transporter des choses. *Apporter les boissons sur un plateau. 2* Partie plate d'une balance sur laquelle on place les poids ou ce que l'on veut peser. *3* Étendue de terrain dont la surface est plate. *Les moutons grimpent jusqu'au plateau couvert de pâturages. 4* Scène d'un théâtre, lieu de tournage d'un film, d'une émission télévisée. *Philomène se réfugie sur le plateau du théâtre.*

plate-bande n. f. **Plur. : des plates-bandes.** Bande de terre garnie de plantes cultivées. *La pelouse est ornée de plates-bandes de tulipes.*

plate-forme n. f. **Plur. : des plates-formes.** Surface plane et horizontale, plus ou moins surélevée. *Le phare est construit sur une plate-forme au bord de la falaise.*

1. platine n. m. Métal précieux, malléable, d'une couleur blanc-gris, utilisé en bijouterie.

2. platine n. f. Support sur lequel on place un disque pour pouvoir l'écouter.

platitude n. f. Banalité, paroles sans intérêt. *Elle n'a dit que des platitudes durant toute la soirée.*

plâtre n. m. *1* Poudre blanche dont le mélange avec l'eau forme une pâte qui durcit en séchant. *Une statuette en plâtre. 2* Bandage imprégné de plâtre qui sert à maintenir immobile un membre fracturé. *Depuis son accident, elle a la jambe dans un plâtre. 3* Au pluriel. Parties d'une maison faites avec du plâtre. *Il faut finir les plâtres avant de peindre les murs.*
> *Les plafonds ont été remis en l'état par un plâtrier,* un ouvrier chargé de faire les plâtres (*3*).

plâtrer v. → conjug. **aimer.** *1* Recouvrir, enduire de plâtre. *Plâtrer un mur, une fissure. 2* Mettre un plâtre sur un membre fracturé. *On lui a plâtré le bras.*

plâtrier n. m. → **plâtre.**

plausible adj. Vraisemblable, crédible. *Les déclarations de ce témoin paraissent plausibles.*

play-back n. m. inv. Technique qui consiste à faire semblant de chanter ou de jouer d'un instrument de musique pendant la diffusion du morceau qui a déjà été enregistré.
Mot anglais qui se prononce [plɛbak].

play-boy n. m. **Plur.: des play-boys.** Homme jeune et séduisant qui fréquente les milieux à la mode. *Il croit nous éblouir avec ses allures de play-boy.* **Mot anglais qui se prononce** [plɛbɔj]**.**

plèbe n. f. Dans la Rome antique, nom qui désignait la classe populaire.

plébiscite n. m. Vote par lequel le peuple tout entier doit approuver ou refuser une décision importante prise par ses dirigeants.

> *Plébisciter un homme d'État,* c'est approuver ce qu'il a décidé par un plébiscite.

plein, pleine adj., n. m. et prép.
● adj. *1* Qui est totalement rempli. *Une bouteille pleine. Ce soir, le théâtre est plein. 2* Qui contient quelque chose en grande quantité. *Son visage est plein de boutons. Ce devoir est plein d'erreurs. 3* Qui attend un petit ou des petits, en parlant de certains animaux. *La chatte est pleine. 4* Qui est entier, total. *Il est salarié à plein temps. Obtenir pleine satisfaction. 5 En plein:* au milieu. *Naviguer en pleine mer. Il a neigé en plein été.* **Contraire: vide (1).**
● n. m. *1* Faire le plein: remplir complètement le réservoir d'un véhicule. *2 Battre son plein:* être à son maximum, à son point culminant.
● prép. *1* Beaucoup, en grande quantité. *Il a des égratignures plein les jambes. 2* Familier. *Plein de:* beaucoup de. *Il y a plein d'enfants dans la cour.*

pleinement adv. Totalement, entièrement. *Il est pleinement responsable de ses actes.*

plénière adj. f. *Assemblée plénière:* assemblée à laquelle tous les membres d'une association sont convoqués.

plénitude n. f. Littéraire. Totalité. *Malgré l'âge, il a conservé la plénitude de ses capacités intellectuelles.*

pléonasme n. m. Faute qui consiste à ajouter un mot à un autre mot qui exprime la même idée. *«Descendre en bas» est un pléonasme.*

pléthore n. f. Trop grande abondance. *En ce moment, il y a pléthore de fraises.* **Contraire: pénurie.**

> *Les fruits, les légumes se vendent mal quand leur production est pléthorique,* quand il y a pléthore.

pleurer v. → conjug. **aimer.** *1* Verser des larmes. *Pleurer de souffrance, de rage, de joie. 2* Être affligé, attristé par quelque chose. *Pleurer la mort d'un parent.*

> *Calmer les pleurs d'un enfant,* calmer un enfant qui pleure (1). *Cet enfant n'arrête pas de pleurnicher,* il pleure sans arrêt pour des choses insignifiantes.

pleurésie n. f. Grave maladie due à une inflammation de la membrane qui enveloppe les poumons.

pleurnicher v. → **pleurer.**

pleurote n. m. Champignon qui se développe sur le tronc de certains arbres. *Les pleurotes sont généralement comestibles, mais il existe une variété vénéneuse: le pleurote de l'olivier.*

pleurs n. m. pl. → **pleurer.**

pleutre n. m. et adj. Littéraire. Lâche, poltron.

pleuvoir v. *1* Tomber, quand il s'agit de la pluie. *Il a plu toute la journée. Il pleut à torrents. 2* Tomber en grande quantité. *À la fin de la guerre, les obus pleuvaient sur la ville.*

La conjugaison du verbe PLEUVOIR 3e groupe

indicatif présent	**il pleut**
	ils ou elles pleuvent (*2*)
imparfait	**il pleuvait**
futur	**il pleuvra**
passé simple	**il plut**
subjonctif présent	**qu'il pleuve**
conditionnel présent	**il pleuvrait**
impératif	*inusité*
participe présent	**pleuvant** (*2*)
participe passé	**plu**

plexiglas n. m. Matière plastique dure et transparente utilisée à la place du verre. **On prononce** [plɛksiglas]**. Plexiglas est le nom d'une marque, mais on l'écrit couramment sans majuscule.**

plexus n. m. *Plexus solaire:* ensemble de nerfs qui se situent à la hauteur de l'estomac. **On prononce** [plɛksys]**.**

pli n. m. *1* Forme que prend un tissu, un papier qui a été plié. *Les plis d'une jupe, d'un rideau. 2* Marque laissée sur ce qui a été plié ou froissé. *Cette chemise est mal repassée, il reste des plis. 3* Ensemble de cartes ramassées en un coup par un joueur. *4* Lettre. *Recevoir un pli urgent. 5 Faire une mise en plis:* donner une forme aux cheveux mouillés pour qu'ils bouclent quand ils seront secs.

pliable adj. → **plier.**

pliage n. m. Feuille de papier que l'on plie pour lui donner telle ou telle forme. *À la maternelle, on apprend à faire des pliages.*

pliant, ante adj. et n. m.

● adj. Qui est spécialement fabriqué pour pouvoir être plié. *Une table pliante. Un mètre pliant.*

● n. m. Petit siège sans dossier dont les pieds peuvent se replier.

plier v. → conjug. **modifier.** *1* Rabattre une partie sur une autre. *Plier une feuille de papier. Plier un drap.* *2* Rapprocher les différentes parties d'un objet articulé. *Plier une chaise longue.* *3* Se courber. *Le vent fait plier les branches des arbres.* *4* Au figuré. *Se plier :* se soumettre, obéir, céder. *Il refuse de se plier à ce règlement stupide.*

> *Ce carton est trop épais, il n'est pas pliable, on ne peut pas le plier (1) facilement. Découper une feuille de papier en suivant la pliure, en suivant l'endroit où elle a été pliée (1).*

plinthe n. f. Bande de bois fixée au bas d'une cloison. *Les fils électriques sont placés derrière les plinthes.* **Homonyme : plainte.**

plissé, ée adj. → **plisser.**

plissement n. m. Déformation de la surface terrestre. *Des plissements sont à l'origine de la formation des Alpes.*

plisser v. → conjug. **aimer.** *1* Former des plis. *Plisser une feuille de papier en accordéon.* *2* Faire des plis ou être déformé par des plis. *Cette robe de coton plisse dès que je la mets. Plisser le front.*

> *Une jupe plissée est une jupe qui plisse (1).*

pliure n. f. → **plier.**

plomb n. m. *1* Métal lourd, de couleur gris-bleu, assez malléable. *2* Petite boule de plomb qui garnit une cartouche de fusil de chasse. *3* Fusible constitué de fils de plomb qui fondent quand le courant électrique est trop fort.

plomber v. → conjug. **aimer.** *1* Garnir avec du plomb pour alourdir. *Plomber un filet de pêche.* *2* Boucher une dent cariée avec un alliage.

> *Le dentiste lui a fait un plombage, il lui a plombé (2) une dent.*

plomberie n. f. Ensemble des canalisations, des appareils sanitaires d'un bâtiment. *Il faudra refaire toute la plomberie de ce vieil appartement.*

> *Si le robinet fuit, il faut faire venir un plombier, un ouvrier spécialiste en plomberie.*

plongeant, ante adj. Qui est dirigé vers le bas. *De la tour, on a une vue plongeante sur la ville.*

plongée n. f. *1* Action de plonger, de s'enfoncer sous l'eau. *Un sous-marin en plongée.* *2* Sport ou activité qui consiste à aller sous l'eau pour pêcher ou pour explorer les fonds marins.

> *Les plongeurs sont des personnes qui font de la plongée sous-marine (2).*

La plongée sous-marine sportive se pratique essentiellement en apnée, c'est-à-dire en retenant sa respiration. Le plongeur peut descendre à l'aide d'une gueuse (lourde masse qui l'entraîne) et remonter à l'aide de palmes, de tractions de bras ou d'une bouée. Actuellement, le record de plongée avec ce dernier matériel est de 115 m pour les hommes et de 95 m pour les femmes.

Depuis l'Antiquité, les pêcheurs de perles pratiquent la plongée sous-marine en apnée. La plongée avec bouteilles permet surtout d'explorer ou d'étudier les fonds marins.

plonger v. → conjug. **ronger.** *1* Se jeter sous l'eau la tête en avant. *Il a plongé du haut du rocher.* *2* Mettre dans un liquide. *Plonger son pinceau dans l'eau. Se plonger dans un bain moussant.* *3* Enfoncer. *Il a plongé ses mains dans ses poches.* *4* Au figuré. Mettre quelqu'un dans tel état, dans telle situation. *Cet échec l'a plongé dans un profond découragement.* *5* Se plonger : s'absorber complètement dans ce que l'on fait. *Se plonger dans la lecture.*

> *Sauter dans une piscine du haut d'un plongeoir, un tremplin situé en hauteur et duquel on peut plonger (1). À la piscine, on nous apprend à faire des plongeons, on nous apprend à plonger (1).*

Le plongeon est un sport qui consiste à effectuer un saut dans un bassin, en exécutant diverses figures. Le plongeur peut s'élancer d'un tremplin souple situé à une hauteur de 1 à 3 m ou d'une petite plate-forme placée entre 3 et 12 m. Il existe des championnats nationaux, d'Europe et du monde. La discipline est inscrite aux jeux Olympiques depuis 1904.

plongeur, euse n. → **plongée.**

ployer v ➜ conjug. **essuyer.** Littéraire. Se courber, plier, fléchir. *La violence du vent fait ployer les roseaux.*

pluie n. f. *1* Gouttes d'eau qui tombent des nuages. *Une pluie torrentielle. Marcher sous la pluie.* *2* Au figuré. Très grande quantité. *Accabler quelqu'un sous une pluie de reproches.*

plume n. f. *1* Chacune des tiges creuses et souples garnies de lamelles qui couvrent le corps des oiseaux. *2* Petite pièce pointue fixée au bout d'un stylo et qui sert à écrire. *Une plume en or.*

Le **plumage** blanc d'une colombe, c'est l'ensemble de ses plumes (*1*). *Épousseter les meubles avec un **plumeau**, un petit ustensile de ménage formé d'un manche garni de plumes (*1*). Avant de faire cuire une volaille, il faut la **plumer**, lui enlever ses plumes (*1*). Ce cavalier porte un casque orné d'un **plumet**, d'une touffe de plumes (*1*).*

Les plumes sont produites par l'épiderme des oiseaux (qui sont les seuls animaux à en porter), dans lequel elles sont implantées. Elles permettent à l'oiseau de voler et de maintenir sa chaleur interne. Il existe trois types de plumes :
• les pennes sont les grandes plumes colorées. On appelle rémiges celles qui forment les ailes, rectrices celles de la queue, tectrices celles du reste du corps ;
• les filoplumes sont des plumes simples semblables à des poils ;
• les plumules constituent le duvet qui couvre entièrement le corps de l'oiseau, sous les pennes.

plumier n. m. Petite boîte allongée pour ranger les stylos, les crayons. *À notre époque, les écoliers utilisent des trousses plutôt que des plumiers.*

la plupart n. f. *1* La majorité, le plus grand nombre. *Je connais la plupart de mes voisins.* *2* *La plupart du temps :* habituellement, le plus souvent. *La plupart du temps, il voyage en avion.*

pluralité n. f. Fait d'être plusieurs, d'être nombreux. *Un pays démocratique doit accepter la pluralité des partis politiques.*

pluriel n. m. Forme grammaticale d'un mot, qui sert à distinguer plusieurs personnes, plusieurs choses. **Contraire : singulier.**
Regarde ci-dessous.

LE PLURIEL

Le pluriel des noms

• Cas général : **s**
   un livre ➜ *des livre**s***
• Noms terminés par **s, x, z : pas de changement**
   *la souri**s*** ➜ *les souri**s**, une noi**x*** ➜ *des noi**x**,*
   *un ga**z*** ➜ *des ga**z***
• Noms en **au, eau, eu : x**
   *un tuy**au*** ➜ *des tuy**aux**, un s**eau*** ➜ *des s**eaux**,*
   *un f**eu*** ➜ *des f**eux***
Exceptions : *des landau**s**, des pneu**s***
• Noms en **al : aux**
   *un journ**al*** ➜ *des journ**aux***
Exceptions : bal, carnaval, chacal, festival, régal, récital
   *un ba**l*** ➜ *des bal**s***
• Noms en **ou : ous**
   *un cl**ou*** ➜ *des cl**ous***
Exceptions : bijou, caillou, chou, genou, hibou, joujou, pou
   *un bijo**u*** ➜ *des bijo**ux***
• Noms en **ail : ails**
   *un port**ail*** ➜ *des port**ails***
Exceptions : bail, corail, émail, soupirail, travail, vantail, vitrail
   *un trav**ail*** ➜ *des trav**aux***

Le pluriel des noms composés

• Nom + nom : accord des deux
   un chien-loup ➜ *des chien**s**-loup**s***

• Nom + préposition + nom : accord du Ier nom
   un arc-en-ciel ➜ *des arc**s**-en-ciel*
• Nom + adjectif : accord des deux
   *un coffre-fort, des coffre**s**-fort**s***
• Verbe + nom : le nom peut rester invariable ou se mettre au pluriel
   un chasse-neige ➜ *des chasse-neige*
   un tire-bouchon ➜ *des tire-bouchon**s***

Le pluriel des adjectifs

• Cas général : **s**
   un enfant poli ➜ *des enfants poli**s***
• Adjectifs en **eau : x**
   *un nouv**eau** client* ➜ *de nouv**eaux** clients*
• Adjectifs en **al : aux**
   *un coup brut**al*** ➜ *des coups brut**aux***
Exceptions : bancal, fatal, natal, naval
   *des combats naval**s***

Adjectifs de couleur

• Cas général : **s**
   *des souliers blanc**s**, des fleurs rouge**s***
• Noms employés comme adj. de couleur : invariables
   des chaussures marron, des rideaux orange
• Adjectifs composés : invariables
   des pulls bleu marine, des cheveux châtain clair

plus

1. plus adv. et prép.

• adv. **1** Mot qui indique l'augmentation, la supériorité. *Il est plus grand que moi. J'ai dix bonbons, mais il en a plus.* **2** *Au plus* : au maximum, pas davantage. *Il sera là dans dix minutes au plus.* **3** *Plus ou moins* : à peu près, approximativement. *Je suis plus ou moins au courant de cette affaire.* **4** *En plus* : et aussi, en outre. *Ce sac est pratique et en plus il est joli.*
Contraire : moins (1).
• prép. Indique le signe de l'addition. *Dix plus dix égale vingt (10 + 10 = 20).*
« Plus » se prononce : [ply] devant un mot qui commence par une consonne ; [plyz] devant un mot qui commence par une voyelle ; [plys] en fin de phrase ou comme signe de l'addition.

2. plus adv. **1** *Ne... plus* indique une action qui ne continue pas. *Je ne joue plus.* **2** *Non plus* : signifie « aussi » quand on l'utilise dans une phrase négative. *Je ne reviendrai pas et lui non plus.*
On prononce [ply].

plusieurs adj. Plus d'une personne ou plus d'une chose. *Il a invité plusieurs amis. Nous nous sommes rencontrés plusieurs fois.*

plus-que-parfait n. m. Temps composé du passé qui se conjugue avec un auxiliaire à l'imparfait. *Dans la phrase « j'avais déjà vu ce film », le verbe voir est au plus-que-parfait.*

Pluton

Divinité de la mythologie romaine, dieu de la Mort. Il est l'équivalent de Hadès dans la mythologie grecque. Pluton est le frère de Jupiter et de Neptune. Il règne sur le monde souterrain, les Enfers. D'abord considéré comme un dieu implacable et insensible, il devient un dieu bienfaisant procurant richesses agricoles et minières aux humains. Il est souvent représenté avec Cerbère, le chien à trois têtes gardien des Enfers, couché à ses pieds.
Pluton est aussi le nom d'une planète.

Regarde aussi Soleil.

plutonium n. m. Métal radioactif utilisé dans la fabrication de l'armement nucléaire.
On prononce [plytɔnjɔm].

plutôt adv. **1** De préférence. *Je préférerais un fruit plutôt qu'un gâteau.* **2** Assez. *Ce livre est plutôt ennuyeux.*

pluvial, ale, aux adj. Qui a rapport à la pluie. *Les gouttières recueillent les eaux pluviales.*

pluvieux, ieuse adj. Où il pleut souvent. *Un temps pluvieux. Une région pluvieuse.*

pluviomètre n. m. Instrument qui sert à mesurer la quantité de pluie qui est tombée à tel ou tel endroit.

Le pluviomètre est constitué d'un récipient cylindrique surmonté d'un entonnoir, et gradué en millimètres. On le vide généralement toutes les douze heures.
Certains pluviomètres enregistreurs permettent une lecture directe constante des précipitations.

pluviôse n. m. Cinquième mois du calendrier républicain (fin janvier, fin février).

pneu n. m. Enveloppe de caoutchouc qui entoure et protège une roue. *Les pneus de mon vélo sont complètement dégonflés.*

pneumatique adj. **1** Qui est constitué d'une enveloppe de caoutchouc gonflée d'air. *Un matelas, un canot pneumatiques.* **2** *Marteau pneumatique* : instrument qui fonctionne à l'air comprimé.

pneumonie n. f. Grave maladie des poumons.

Pô

Fleuve du nord de l'Italie. Long de 652 km, le Pô naît dans les Alpes, au mont Viso, et se jette dans la mer Adriatique par un vaste delta. D'abord torrent, le fleuve traverse ensuite une grande plaine, la plaine du Pô. Il arrose les villes de Turin, Plaisance, Crémone. Il reçoit de nombreux affluents qui apportent de grandes quantités d'alluvions.
Navigable sur plus de 550 km, utilisé pour l'irrigation, le Pô est un atout économique important pour l'Italie du Nord.

poche n. f. **1** Partie d'un vêtement dans laquelle on met des objets qu'on veut garder sur soi. *J'ai toujours un peu de monnaie dans la poche de mon blouson.* **2** Partie d'un sac, d'un cartable. *Elle a acheté un sac de voyage à plusieurs poches.* **3** Boursouflure, gonflement. *Avoir des poches sous les yeux.* **4** Déformation. *Le pantalon de son vieux costume fait des poches aux genoux.* **5** *De poche* : qui est de petite taille et peut tenir dans une poche. *Une lampe de poche.* **6** *Argent de poche* : somme d'argent destinée à des petites dépenses personnelles.

pocher v. → conjug. **aimer**. **1** Faire cuire dans un liquide très chaud. *Du poisson poché.* **2** *Pocher un œil à quelqu'un* : le frapper violemment au point que son œil devienne bleu et enflé.

pochette n. f. *1* Enveloppe, petit sac, sachet. *Une pochette de CD.* *2* Petit mouchoir que l'on fait dépasser de la poche supérieure d'un veston. *Il porte une cravate et une pochette assorties.*

pochoir n. m. Plaque de métal ou feuille de carton découpée selon certaines formes qui apparaissent quand on peint les parties découpées.

podium n. m. Estrade sur laquelle on fait monter les vainqueurs d'une compétition pour leur remettre leur récompense face au public.
Mot latin qui se prononce [pɔdjɔm].

Poe Edgar Allan

Écrivain américain né en 1809 et mort en 1849. Orphelin très jeune, Poe connaît une jeunesse difficile. Ses tourments et sa mélancolie influencent beaucoup son œuvre, où la mort est très présente. Il est l'auteur de poèmes (*le Corbeau*, 1845) et de contes fantastiques (*les Aventures d'Arthur Gordon Pym*, 1838 ; *le Scarabée d'or*, 1843). Ses recueils de nouvelles, *Histoires extraordinaires* (1840) et *Nouvelles Histoires extraordinaires* (1845), traduits en français par Charles Baudelaire, ont eu une grande influence sur le roman policier moderne.

---

1. poêle n. m. Appareil de chauffage qui fonctionne avec une matière combustible. *Un poêle à bois.*
On prononce : [pwal]. **Homonyme : poil.**

2. poêle n. f. Ustensile de cuisine en métal, peu profond, à fond plat, à long manche, utilisé surtout pour les fritures. *Des pommes de terre sautées à la poêle.*
On prononce : [pwal]. **Homonyme : poil.**

poêlon n. m. Casserole épaisse en terre ou en métal, munie d'un manche creux.
On prononce [pwalɔ̃].

poème n. m. *1* Texte en vers. *Apprendre un poème de Verlaine.* *2* Texte en prose d'inspiration poétique.
Synonyme : poésie (*1*).

poésie n. f. *1* Art d'utiliser les mots, les sons, les rythmes d'une langue pour exprimer des émotions, pour évoquer des images. *2* Poème. *Réciter une poésie.* *3* Caractère de ce qui est beau, touchant, émouvant. *Il aime la poésie de ce paysage au soleil couchant.*
Villon, Baudelaire, Verlaine sont de grands poètes français, des écrivains qui ont pratiqué l'art de la poésie (*1*), qui ont écrit des poèmes.

poétique adj. *1* Qui se rapporte à la poésie. *Une œuvre poétique.* *2* Qui a un charme émouvant, enchanteur. *Les couleurs des paysages d'automne sont particulièrement poétiques.*

poids n. m. *1* Ce que pèse une personne, une chose. *Le poids de ce sac de riz est de 50 kg.* *2* Morceau de métal qui sert à peser. *Le marchand pose un poids sur un plateau de la balance et les fruits sur l'autre plateau.* *3* En athlétisme, boule de métal qu'il faut lancer le plus loin possible. *4* Au figuré. Ce qui donne une impression de lourdeur, d'oppression, d'accablement. *Avoir un poids sur la conscience.* *5* Grande importance, influence. *Dans cette enquête, votre témoignage aura beaucoup de poids.* *6* Ne pas faire le poids : ne pas avoir les qualités nécessaires pour faire telle ou telle chose.
Homonymes : pois, poix.
Regarde p. 838.

poids lourd n. m. **Plur. : des poids lourds.** Grand camion destiné au transport des choses lourdes ou volumineuses.

poignant, ante adj. Qui provoque une impression douloureuse, pénible ou émouvante. *Une séparation poignante. Un film poignant.*

poignard n. m. Arme dont la lame est courte et acérée. *Donner, recevoir un coup de poignard.*
Il a poignardé sa victime dans le dos, il l'a frappée avec un poignard.

poigne n. f. *1* Force de la main, du poignet. *Je n'ai pas assez de poigne pour débloquer ce robinet.* *2* Au figuré. *Avoir de la poigne :* avoir de l'autorité.

poignée n. f. *1* Quantité qui peut se tenir dans une main fermée. *Une poignée de bonbons.* *2* Élément d'un objet qui permet de le tenir ou de l'utiliser à la main. *La poignée d'un sac, d'un outil. Une poignée de porte.* *3* Petit nombre de personnes. *Il suffit d'une poignée de volontaires pour organiser ce voyage.* *4* Poignée de main : geste qui consiste à saluer une personne en lui serrant la main.

poignet n. m. *1* Articulation qui unit la main à l'avant-bras. *Elle porte un bracelet d'argent au poignet.* *2* Partie de la manche qui couvre le poignet. *Il porte un vieux manteau aux poignets déchirés.*

poil n. m. *1* Petit filament qui se développe sur la peau des êtres humains et de certains mammifères. *Une chatte aux poils longs et soyeux.* *2* Poil d'animal ou filament en matière synthétique utilisé dans la fabrication de certains objets. *Les poils d'un pinceau.*
Homonyme : poêle.
Avoir les bras poilus, couverts de poils (*1*).

poinçon n. m. Tige métallique pointue destinée à percer des trous, à graver.

le poids

Le poids indique ce que pèse une masse. Alors que la masse d'un corps ne varie pas, le poids, lui, est variable selon le lieu où s'effectue la pesée.

balance romaine

L'équilibre se réalise en déplaçant un poids sur le fléau gradué.

balance automatique

Le poids est indiqué par l'aiguille qui se déplace devant un cadran.

balance de Roberval

La masse est posée sur un des plateaux qu'on équilibre à l'aide de poids placés sur le second plateau.

bascule

Cet appareil est utilisé pour évaluer les lourdes masses : camion, gros bagages…

fléau

curseur

Le poids est indiqué par un curseur que l'on déplace sur le fléau.

balance électronique

Le poids précis est indiqué directement sur un écran.

fléau

charge

plate-forme

Les charges sont posées sur la plate-forme.

---

poinçonner v. → conjug. **aimer**. Faire un trou dans un ticket, un billet à l'aide d'un instrument.

poindre v. → conjug. **joindre**. Littéraire. Apparaître, se lever. *Le jour commence à poindre.*

poing n. m. *1* Main fermée. *Un coup de poing. 2* Dormir à poings fermés : dormir profondément. *3* Être pieds et poings liés : dans l'impossibilité de se défendre.
Homonymes : point.

1. point adv. Littéraire. *Ne… point :* ne… pas. *Vous n'étiez point obligé de venir.*
Homonyme : poing.

2. point n. m. *1* Signe de ponctuation. *Une phrase peut se terminer par un point, un point d'interrogation, d'exclamation ou des points de suspension. 2* Signe utilisé dans l'écriture. *Mettre un point sur un i. 3* Endroit précis. *Retourner à son point de départ. 4* La plus petite portion de l'espace que l'on puisse imaginer ou voir. *Tracer une droite en joignant deux points. L'avion n'est* plus qu'un point dans le ciel. *5* Unité de notation. *Il a deux points d'avance. 6* Question, sujet précis. *Certains points de l'enquête ne sont pas éclaircis. 7* Piqûre faite avec une aiguille à coudre. *Les points de cet ourlet sont faits. 8* Douleur aiguë à un endroit précis. *Un point de côté. 9 Le point du jour :* le lever du jour. *10 À point :* au bon moment. *Arriver à point. 11 À point :* bien cuit. *Un steak à point. 12 Être mal en point :* être en mauvais état physique, malade ou blessé. *13 Mettre quelque chose au point :* régler, organiser. *Il met au point les détails de ce projet. 14 Sur le point de :* au moment, à l'instant de. *J'étais sur le point de te téléphoner.*
Homonyme : poing.

pointage n. m. → **pointer**.

point de vue n. m. **Plur. : des points de vue**. *1* Lieu d'où l'on a une belle vue sur un paysage. *Un point de vue magnifique sur la mer. 2* Avis, opinion, manière de voir. *Donner son point de vue sur un problème.*

pointe n. f. *1* Bout pointu et piquant d'un objet. *La pointe d'une aiguille, d'un couteau. 2* Extrémité effilée d'un objet. *La pointe d'un crayon. La pointe d'un clocher. 3* Bande de terre qui s'avance dans la mer. *La pointe de l'île. 4* Clou avec ou sans tête de même épaisseur sur toute sa longueur. *5* Extrémité des doigts de pieds. *Marcher sur la pointe des pieds. 6* De pointe : plus moderne que les autres. *Cette usine utilise des techniques de pointe. 7* Faire des pointes : pour un danseur, se déplacer sur la pointe de ses chaussons. *8* Heure de pointe : heure à laquelle les gens se déplacent en même temps en grand nombre.

Un chapeau, un crayon pointus, qui se terminent en pointe (*2*).

1. pointer v. → conjug. **aimer.** *1* Marquer d'un signe pour vérifier, pour contrôler. *Pointer une liste. 2* Signaler ses heures d'arrivée et de départ sur son lieu de travail. *3* Diriger, orienter vers telle ou telle direction. *Elle a pointé son doigt vers la fenêtre. 4* Dresser en pointe. *Au moindre bruit, la chienne pointe les oreilles.*

Au cours d'une élection, on fait le pointage des votants, on pointe (*1*) le nom de ceux qui ont voté.

2. pointer n. m. Chien de chasse, d'origine anglaise. **Mot anglais qui se prononce** [pwɛ̃tɛʁ].

pointillé n. m. Suite de petits points alignés. *Cet exercice consiste à trouver les mots manquants indiqués par les pointillés.*

pointilleux, euse adj. Qui se montre très exigeant et fait attention au moindre détail. *Le directeur est très pointilleux sur l'hygiène et la propreté de l'école.*

pointu, ue adj. → pointe.

pointure n. f. Taille, en parlant de chaussures, de gants, de chapeaux. *Ce modèle de baskets n'existe pas en pointure 45.*

point-virgule n. m. **Plur. : des points-virgules.** Signe de ponctuation marquant une pause plus importante que la virgule dans une phrase.

poire n. f. Fruit à pépins du poirier qui a une forme renflée vers le bas et plus mince vers la queue.

Les poiriers sont des arbres fruitiers qui produisent des poires.

poireau, eaux n. m. Légume de forme allongée dont le pied blanc se prolonge par des feuilles vertes. *Une soupe de poireaux.*

poirier n. m. → poire.

pois n. m. *1* Plante potagère qui donne des graines comestibles. *2* Pois de senteur :* plante grimpante qui donne des fleurs en grappes, très parfumées, de cou-

leurs variées. *3* À pois :* qui est décoré de petits ronds. *Une robe blanche à pois bleus.*
Homonymes : poids, poix.

poison n. m. *1* Substance très toxique qui peut provoquer la mort. *Certaines variétés de champignons contiennent du poison. 2* Familier. Personne insupportable, exaspérante. *Ces enfants sont odieux, ce sont de véritables poisons !*

poisseux, euse adj. Collant, gluant. *Des doigts poisseux de confiture. Une matière molle et poisseuse.*

En fondant, ces bonbons m'ont poissé les mains, ils ont rendu mes mains poisseuses.

poisson n. m. *1* Animal vertébré ovipare, au corps couvert d'écailles, qui vit dans l'eau et respire à l'aide de branchies. *2* Poisson d'avril :* farce que l'on fait traditionnellement le 1ᵉʳ avril.

Pour Noël, il a acheté des soles, des bars, une bourriche d'huîtres et des crevettes à la poissonnerie, un magasin où l'on vend du poisson (*1*), des crustacés et des coquillages. *Les pêcheurs sont nombreux sur les bords de cet étang poissonneux,* où il y a beaucoup de poissons (*1*). *Les poissonniers, les poissonnières* sont les commerçants qui vendent du poisson (*1*), des crustacés.

Comptant plus de 20 000 espèces, les poissons appartiennent à la classe des vertébrés.
Regarde p. 840 et 841.

poisson-chat n. m. Poisson d'eau douce à longs barbillons qui vit principalement dans les étangs.

Poitiers

Ville française de la Région Poitou-Charentes, située au bord du Clain. Poitiers a une économie dynamique et possède une université et, dans la banlieue proche, un parc européen consacré à la haute technologie, le Futuroscope. La ville abrite le baptistère Saint-Jean (IVᵉ-VIIᵉ siècles), la magnifique église romane Notre-Dame-la-Grande (XIIᵉ-XIIIᵉ siècles), la cathédrale gothique Saint-Pierre (XIIᵉ-XIIIᵉ siècles) et des maisons de la Renaissance.
En 732, Charles Martel stoppe à Poitiers une invasion des Arabes. Disputée par la France et l'Angleterre, la ville est reprise par les Français en 1372, pendant la guerre de Cent Ans.

86 **Préfecture de la Vienne**
87 012 habitants : les Poitevins

poitrail n. m. **Plur. : des poitrails.** Partie avant du corps du cheval située entre la base du cou et le haut des pattes avant.

a b c d e f g h i j k l m n o p q r s t u v w x y z

les poissons

Les poissons occupent tous les milieux aquatiques, de la rivière à l'océan, et présentent une grande diversité de caractères. La plupart ont le corps couvert d'écailles, ils possèdent des nageoires, respirent par des branchies l'oxygène dissous dans l'eau et pondent des œufs.

■ Certains poissons comme les anguilles vivent en eau douce et se reproduisent dans l'océan. D'autres comme les saumons font le chemin inverse ; ils quittent la mer pour venir se reproduire en eau douce.
■ Les poissons n'ont pas d'oreilles externes. Les ondes sonores sont transmises à l'oreille interne par les os du crâne.
■ La taille des poissons varie de quelques millimètres (11 mm pour certains gobies) à plusieurs mètres (presque 13 m pour les plus grands requins).
■ Plus de 1 000 poissons sont capables de bioluminescence, c'est-à-dire qu'ils peuvent produire leur propre lumière. Il n'en existe aucun en eau douce, ils évoluent pour la plupart dans les grandes profondeurs de l'océan.

poissons d'eau douce

Piranha.

Carpe.

Poisson-chat.

Goujon.

Sandre.

Gardon.

Ablette.

Tanche.

Omble.

Lamproie.

Brochet.

Perche.

Vairon.

Silure.

poissons de mer et d'eau douce

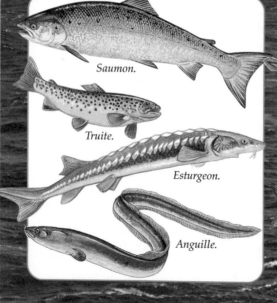

Saumon.

Truite.

Esturgeon.

Anguille.

Exocet (ou poisson volant).

Baudroie.

Cabillaud ou morue fraîche.

Espadon.

Hareng.

Limande.

Rouget grondin.

Mérou.

Barracuda.

Maquereau.

Merlu ou colin.

Congre.

Rascasse.

Bar.

Hippocampe.

Sardine.

Merlan.

Raie manta.

Roussette.

Daurade.

Thon.

Sole.

Requin.

Anchois.

Murène.

Torpille.

poitrine n. f. *1* Partie du corps située entre les épaules et le ventre et qui contient le cœur et les poumons. *2* Seins d'une femme. *Elle a une fort belle poitrine.*
Synonymes : buste (*1*), torse (*1*).

poivre n. m. Graine séchée du poivrier, utilisée comme épice et qui donne une saveur piquante aux aliments. *Du poivre en grains. Du poivre moulu.*
Poivrer une sauce, un plat, c'est les assaisonner avec du poivre.

poivrier n. m. *1* Arbuste tropical qui produit le poivre. *2* Petit ustensile pour mettre le poivre ou pour le moudre. *N'oublie pas de mettre le poivrier et la salière sur la table.*
Synonyme : poivrière (*2*).

poivrière n. f. Poivrier.

poivron n. m. Gros fruit du piment doux, rouge, vert ou jaune, qui se consomme comme un légume.
Le poivron est un fruit charnu consommé cru ou cuit. Originaire d'Amérique du Sud, le poivron est cultivé, en France, près de la Méditerranée.

poix n. f. Substance visqueuse, collante, à base de résines et de goudrons.
Homonymes : poids, pois.

poker n. m. Jeu de cartes d'origine américaine dans lequel on mise de l'argent.
Mot américain qui se prononce [pɔkɛʀ].

polaire adj. → pôle.

Polaire (étoile)

L'étoile Polaire fait partie de la constellation de la Petite Ourse, visible dans l'hémisphère Nord. Elle indique la direction du Nord. C'est l'étoile la plus brillante de la Petite Ourse. Avant l'apparition de la boussole, elle est utilisée comme point de repère par les marins.

étoile Polaire
Petite Ourse.

polariser v. → conjug. **aimer.** Attirer, concentrer sur soi. *Cette jolie femme polarise l'attention.*

polaroïd n. m. Appareil photographique qui développe les photos dès qu'elles ont été prises.
« Polaroïd » est le nom d'une marque, mais on l'écrit couramment sans majuscule. On prononce [pɔlaʀɔid].

Le polaroïd renferme une pellicule particulière comprenant à la fois le papier photographique et le réactif chimique nécessaire au tirage. La firme Polaroïd, aux États-Unis, a fabriqué le premier appareil à développement instantané à la fin des années 1940.

polder n. m. Terrain situé au-dessous du niveau de la mer, que l'on assèche et que l'on protège par des digues pour pouvoir le cultiver.
Mot néerlandais qui se prononce [pɔldɛʀ].

Espace conquis par l'homme sur la mer ou sur les marais. L'eau est évacuée à l'aide d'un système de canaux. Les Pays-Bas sont les premiers à aménager des polders, dès le XIIe siècle.

pôle n. m. *1* Chacun des deux points situés aux deux extrémités de l'axe imaginaire autour duquel la Terre tourne sur elle-même. *2* Région de la Terre située près de ces points. *3* Pôle d'attraction : ce qui attire l'attention. *Sur la place, le manège est le pôle d'attraction des enfants.*
Les régions polaires sont les régions situées près des pôles (1).
Regarde p. 844 et 845.

polémique n. f. Vive discussion. *Cette affaire avait provoqué une violente polémique dans les milieux politiques.*
Au lieu de chercher un accord, ils commencent à polémiquer, ils engagent une polémique.

1. poli, ie adj. → **polir.**

2. poli, ie adj. Qui observe les règles, les usages de la politesse. *Un homme poli. Une réponse polie.*
Synonyme : courtois. Contraires : impoli, grossier.
Accueillir ses invités poliment, d'une manière polie.

police n. f. *1* Ensemble des fonctionnaires chargés d'assurer le respect de la loi et la protection des personnes. *Un commissaire de police. 2 Police d'assurance :* contrat écrit établi entre une personne et sa compagnie d'assurances.

polichinelle n. m. *1* Marionnette qui représente un personnage bossu par-devant et par-derrière. *2 Secret de Polichinelle :* chose prétendument secrète, mais que tout le monde sait.

policier, ère adj. et n. m.
● adj. *1* Qui concerne la police. *Une enquête policière. 2* Qui a pour sujet une enquête, une intrigue concernant une affaire criminelle. *Un film, un roman policier.*
● n. m. Fonctionnaire de la police. *Des policiers ont amené le suspect au commissariat.*

poliment adv. → poli 2.

poliomyélite n. f. Grave maladie de la moelle épinière qui peut entraîner une paralysie.

polir v. → conjug. **finir.** Frotter un objet, une matière pour lui donner un aspect lisse et luisant. *Polir du bois, du marbre.*

> *Il ramasse des galets polis par la mer,* des galets que le mouvement des vagues a polis. *Le polissage du verre, du métal,* l'action de les polir.

polisson, onne n. Enfant turbulent et indiscipliné. *Gare à toi, petit polisson!*

politesse n. f. Ensemble des règles que l'on doit respecter pour se conduire correctement avec les autres. *Apprendre la politesse à un enfant.*
Contraire : impolitesse.

politique n. f. et adj.
• n. f. Manière de gouverner un pays. *L'opposition n'approuve pas la politique du chef de l'État.*
• adj. Qui se rapporte à la politique. *Un parti politique. Un homme politique. Défendre ses opinions politiques.*

> *Il a tendance à se méfier des politiciens,* des hommes qui s'occupent de la politique.

pollen n. m. Poussière constituée de petits grains produits par les étamines des fleurs.
On prononce [pɔlɛn].

Les grains du pollen, généralement jaunes, sont les éléments reproducteurs mâles de la fleur. Ils sont produits dans la partie supérieure des étamines (les anthères). Transporté par le vent ou par des insectes, le pollen se dépose sur le pistil d'une autre fleur de la même espèce pour la féconder. Il est récolté par les abeilles pour nourrir les habitants de la ruche.

polluer v. → conjug. **aimer.** Salir, dégrader, rendre malsain. *Le mazout pollue les plages. Les gaz d'échappement polluent l'atmosphère.*

> *Cette usine déverse des déchets polluants dans la rivière,* des déchets qui polluent la rivière. *Les écologistes veulent faire disparaître les industries pollueuses,* qui polluent l'environnement.

pollution n. f. Dégradation de l'environnement due à des substances nuisibles, à des déchets toxiques.

polo n. m. *1* Sport dans lequel les joueurs à cheval poussent une balle. *2* Chemise en tricot, à col ouvert.

Le polo est un sport originaire d'Orient ; il a été introduit en Europe au XIXe siècle. Il oppose deux équipes de quatre personnes à cheval. Le jeu consiste à envoyer dans le but adverse une petite balle en bois ou en plastique, en la frappant avec un long maillet. Il se pratique sur un terrain d'environ 275 m de longueur sur 145 ou 180 m de largeur. Il existe un championnat du monde de polo.

Polo Marco

Voyageur italien né vers 1254 et mort en 1324. Avec son père et son oncle, commerçants vénitiens, Marco Polo part, en 1271, pour un long voyage à travers l'Orient. Les trois hommes parviennent en 1275 à la cour de l'empereur de Chine qui leur confie plusieurs missions dans diverses régions de son empire. Les voyageurs repartent pour l'Italie seize ans plus tard, chargés de richesses. Ils arrivent à Venise en 1295. Mais au cours d'un conflit opposant Gênes à Venise, Marco Polo est fait prisonnier par les Génois. Dans sa cellule, il dicte ses souvenirs. Cet ouvrage, *le Livre des merveilles du monde*, représentera pour l'Europe une extraordinaire source d'informations sur l'Extrême-Orient.

polochon n. m. Familier. Traversin.

Pologne

République du centre de l'Europe, ouverte au nord sur la mer Baltique. La Pologne est une immense plaine. Seul l'extrême sud du pays est montagneux. Le climat est continental. L'agriculture est développée. Le pays dispose de ressources minières. L'industrie est un secteur important.
Partagée au XVIIIe siècle entre la Russie, la Prusse et l'Autriche, la Pologne devient indépendante en 1918. Pendant la Seconde Guerre mondiale, elle est envahie par l'Allemagne et la Russie, qui se la partagent.
Elle connaît ensuite un régime autoritaire communiste, jusqu'en 1989. Adhère à l'Union européenne en 2004.

323 250 km²
38 622 000 habitants :
les Polonais
Langue : polonais
Monnaie : zloty
Capitale : Varsovie

les pôles

Le pôle Nord est situé au centre de l'océan Glacial Arctique, le pôle Sud au centre d'un continent, l'Antarctique. Chacune des deux régions polaires est délimitée par un cercle polaire. Ce sont des terres inhospitalières très peu peuplées.

La banquise, qui recouvre la surface de la mer, est constituée d'eau salée gelée. Les icebergs sont d'énormes blocs de glace formés d'eau douce provenant des glaciers.

■ L'Arctique est un ensemble formé par un océan gelé entouré des continents européen, asiatique et américain. Il englobe une partie de la Suède, de la Norvège, de la Finlande, de la Sibérie, de l'Alaska et du Canada ainsi que le Groenland.

■ La région est peuplée en majorité par les Inuits. Ils habitent les zones les moins froides, sur les bords de la baie d'Hudson ou au Groenland. On y rencontre également une petite population de Lapons de Scandinavie et des petits groupes de Iakoutes sibériens qui élèvent des troupeaux de rennes.

l'Arctique

Détroit de Béring
Alaska
Yukon
Île Wrangel
Mackenzie
Mer de Beaufort
Archipel de la Nouvelle-Sibérie
Île de Banks
Mer des Laptev
Île Victoria
Île Melville
OCÉAN
Pôle magnétique
GLACIAL
Terre du Nord
Île Ellesmere
+ Pôle Nord
ARCTIQUE
Terre de Baffin
Archipel François-Joseph
Mer de Wandel
Nouvelle-Zemble
Groenland
Spitzberg
Mer de Barents
Mont Forel 3 360 ▲
Mer du Groenland
Cap Nord
Cercle polaire arctique
Islande
Scandinavie
1 000 km

■ L'hiver, la température moyenne est de –30 °C. Pendant l'été, très court, la température moyenne est de 0 °C. La mer est recouverte par la banquise, qui se fracture quand le temps se réchauffe.

■ Autour de l'océan Arctique, Russes et Américains ont installé des bases militaires.

■ Le pôle Nord a été atteint pour la première fois le 6 avril 1909 par l'Américain Robert E. Peary.

■ La toundra et, plus au sud, la taïga, se développent dès que la température s'élève. Les rennes, l'ours blanc, le renard polaire, le phoque, le morse et quelques oiseaux comptent parmi les rares animaux de l'Arctique.

La toundra en Laponie.

■ La découverte de pétrole en Alaska et en Sibérie est à l'origine de la construction de quelques villages.

■ L'Antarctique est un vaste continent désertique d'environ 14 millions de km², entouré par l'océan Indien, l'océan Atlantique et l'océan Pacifique. Il est recouvert d'une épaisse couche de glace (3 000 m d'épaisseur), qui représente la plus importante réserve d'eau douce du monde. On relève des températures extrêmes avoisinant −60 °C !

■ Le relief est accidenté. L'altitude moyenne est de 2 300 m. Le mont Vinson, le point culminant, atteint 5 140 m. La végétation se concentre sur les 5 % du territoire non recouverts de glace. Elle est composée de lichens, de mousses et d'algues.

■ La faune comprend surtout des baleines, des phoques et des oiseaux marins, notamment le manchot empereur, qui vit sur la banquise.

■ L'Antarctique n'appartient à aucune nation en particulier. Il fait l'objet d'une coopération internationale ; de nombreuses bases d'études scientifiques y sont installées. Les scientifiques sont les seuls habitants du continent !

La base Dumont d'Urville en Terre Adélie.

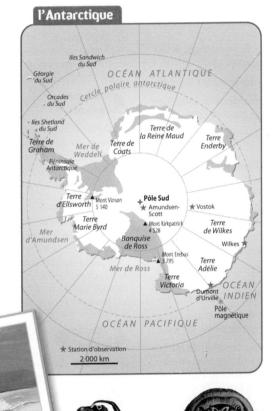

l'Antarctique

Iles Sandwich du Sud
OCÉAN ATLANTIQUE
Géorgie du Sud
Cercle polaire antarctique
Orcades du Sud
Iles Shetland du Sud
Terre de la Reine Maud
Terre de Graham
Mer de Weddell
Terre de Coats
Terre Enderby
Péninsule Antarctique
Terre d'Ellsworth
Mont Vinson 5 140
Pôle Sud
Amundsen-Scott
Vostok
Terre Marie Byrd
Mont Kirkpatrick 4 528
Terre de Wilkes
Mer d'Amundsen
Banquise de Ross
Wilkes
Mont Érebus 3 795
Terre Adélie
Mer de Ross
Terre Victoria
Dumont d'Urville
OCÉAN INDIEN
Pôle magnétique
OCÉAN PACIFIQUE
★ Station d'observation
2 000 km

■ L'accès au continent par l'océan n'est possible qu'en été, lorsque la banquise fond. La navigation y est périlleuse, en raison des icebergs qui dérivent à la surface de l'eau.

■ L'Antarctique a été atteint pour la première fois le 14 décembre 1911 par le Norvégien Roald Amundsen.

Un navire brise-glace sur la banquise.

poltron, onne adj. et n. Lâche, peureux. *Il s'est enfui, quel poltron !*

poly– préfixe. Signifie «plusieurs». *Un polygame est un homme qui a plusieurs épouses.*

polychrome adj. Qui est peint de plusieurs couleurs. *Une statue en bois polychrome.*
On prononce [pɔlikʀɔm].

polyculture n. f. Type d'agriculture qui consiste à cultiver différentes plantes dans une même exploitation agricole ou dans une même région.

polyester n. m. Textile synthétique. *Une chemise en polyester.*
On prononce [pɔliɛstɛʀ].

polygame adj. et n. Qui a plusieurs épouses, pour un homme.
> La *polygamie* est admise chez les musulmans, le fait pour les hommes d'être polygames.

polyglotte adj. et n. Qui sait parler plusieurs langues.

polygone n. m. Figure géométrique à plusieurs côtés. *L'hexagone est un polygone qui a six côtés.*

polystyrène n. m. Matière plastique très légère. *Un emballage en polystyrène.*

polytechnicien, enne n. Élève de l'École polytechnique, établissement d'enseignement supérieur préparant à des carrières scientifiques.

polythéiste adj. Qui croit en l'existence de plusieurs dieux.
> La religion des Romains de l'Antiquité était un *polythéisme*, une religion polythéiste.

polyvalent, ente adj. Qui a plusieurs utilisations possibles. *Dans cette salle polyvalente, il est possible d'organiser des concerts, des expositions.*

pommade n. f. Médicament qui a la consistance d'une crème grasse et que l'on applique sur la peau.

pomme n. f. *1* Fruit à pépins du pommier, de forme ronde. *Une compote de pommes. 2 Pomme de pin :* fruit du pin, constitué d'écailles disposées en forme de cône. *3 Pomme d'Adam :* petite bosse de cartilage située à l'avant du cou, chez les hommes. *4 Pomme d'arrosoir :* bout perforé de petits trous d'un arrosoir. *5* Familier. *Tomber dans les pommes :* s'évanouir.
> Les *pommiers* sont les arbres fruitiers qui produisent les pommes (*1*).

pommeau, eaux n. m. *1* Extrémité arrondie de certains objets. *Le pommeau d'une canne, d'une épée. 2* Partie avant de la selle d'un cheval.

pomme de terre n. f. Plur. : **des pommes de terre.** Plante dont les tiges souterraines produisent des tubercules comestibles. *La culture de la pomme de terre. Manger des pommes de terre sautées.*

pommelé, ée adj. *1 Cheval pommelé :* cheval dont la robe est parsemée de petites taches rondes, blanches et grises. *2 Ciel pommelé :* ciel couvert de petits nuages blancs ou gris.

pommette n. f. Partie supérieure de la joue, sous l'œil. *Elle a les pommettes rouges à cause de la fièvre.*

pommier n. m. → **pomme.**

1. pompe n. f. Appareil utilisé pour aspirer, comprimer ou renvoyer de l'air, un gaz, un liquide. *Une pompe à vélo. Une pompe à essence.*
> *Pomper* l'eau d'un puits, y puiser de l'eau à l'aide d'une pompe (*1*).

2. pompe n. f. *1 En grande pompe :* de manière somptueuse et solennelle. *Ce chef d'État étranger a été reçu en grande pompe. 2 Pompes funèbres :* entreprise chargée de l'organisation des enterrements.

Pompée

Général et homme d'État romain né en 106 av. J.-C. et mort en 48 av. J.-C. Adolescent, Pompée se met au service du général Sylla qu'il aide dans ses campagnes militaires. À la tête de ses légions, il remporte de nombreuses victoires et reçoit le titre de *Magnus* («le Grand»). Il devient l'un des plus importants personnages de Rome. En 60 av. J.-C., Pompée s'associe avec Jules César et Crassus pour gouverner (c'est un triumvirat). Mais Crassus meurt, et Pompée et César s'affrontent pour la conquête de Rome. En 49, César franchit avec ses troupes le Rubicon (fleuve séparant l'Italie de la Gaule). Vaincu en 48, Pompée s'enfuit en Égypte, où il meurt assassiné.

Pompéi

Ancienne ville romaine proche de Naples en Italie. Établie près du Vésuve, Pompéi est entièrement ensevelie sous une pluie de cendres par l'éruption de ce volcan en 79 apr. J.-C. De nombreux habitants périssent étouffés, mais l'essentiel des constructions reste intact. Des rues, des temples (temple d'Apollon, temple de Jupiter, temple de Vénus qui était la protectrice de la ville…), le forum, les thermes et plusieurs maisons ont subsisté. On y trouve des fresques murales et des mosaïques splendides. Pompéi témoigne aujourd'hui de la vie et de l'art dans la Rome antique.

pomper v. → pompe 1.

pompeux, euse adj. Qui est d'une solennité prétentieuse et un peu ridicule. *Un discours pompeux.*
  Cette petite boutique est *pompeusement* baptisée « *le palais des merveilles* », de façon pompeuse.

pompier n. m. Homme chargé de lutter contre les incendies, de faire des opérations de sauvetage, etc.

pompiste n. Personne dont le métier est de distribuer de l'essence dans une station-service.

pompon n. m. Touffe de brins de laine, de soie, etc., en forme de petite boule. *Le bébé porte un bonnet à pompon.*

se pomponner v. → conjug. **aimer.** S'habiller, se préparer avec soin et coquetterie. *Elle s'est pomponnée pour sortir avec ses amis.*

ponce adj. f. *Pierre ponce :* roche volcanique poreuse très légère. *La pierre ponce peut servir à décaper, à polir.*

poncer v. → conjug. **tracer.** Décaper ou polir à l'aide d'un appareil ou d'un matériau spécial. *Poncer du bois avec du papier de verre.*
  Décaper un parquet avec une *ponceuse* électrique, un outil électrique pour poncer.

poncho n. m. Vêtement chaud fait d'un grand morceau de tissu percé d'un trou pour passer la tête, qui se porte dans certaines régions d'Amérique du Sud. **Mot espagnol qui se prononce** [pɔ̃tʃo].

ponction n. f. *1* Fait de prélever une petite quantité de liquide contenu dans une partie du corps, à l'aide d'une seringue. *2* Prélèvement d'une somme d'argent. *La ponction correspondant aux charges sociales est indiquée sur une fiche de salaire.*

ponctualité n. f. → ponctuel, elle.

ponctuation n. f. Système de signes permettant de séparer des mots, des phrases.
On attribue l'invention de la ponctuation à Aristophane de Byzance, au IIᵉ siècle av. J.-C. Elle n'est toutefois codifiée qu'entre le XVIᵉ et le XVIIIᵉ siècles. **Regarde ci-contre.**

ponctuel, elle adj. *1* Qui arrive habituellement à l'heure. *C'est une élève très ponctuelle.* *2* Qui reste limité à un point particulier. *Ce projet s'est réalisé malgré des difficultés ponctuelles.*
  Il ne gardera pas cet emploi s'il manque de *ponctualité*, s'il n'est pas ponctuel (*1*). *Tous les jours, le repas est* ponctuellement *servi à midi*, de façon ponctuelle, à midi exactement.

ponctuer v. → conjug. **aimer.** *1* Écrire un texte en mettant la ponctuation. *Relis ta dictée et pense à bien*

la ponctuer. *2* Accompagner ses paroles par des gestes, des exclamations. *Il ponctue son récit de gesticulations comiques.*

LA PONCTUATION

● La ponctuation permet de traduire à l'écrit :
  ❖ les limites des phrases
  ❖ les limites des propositions à l'intérieur des phrases
  ❖ les intonations interrogatives, exclamatives et impératives
  ❖ les citations et les interventions des différents personnages dans un dialogue.

● Les signes de ponctuation sont indispensables à la compréhension d'un texte.

● On distingue **onze signes principaux** de ponctuation

  Le **point** → .
  Il marque la fin de la phrase. Il est aussi utilisé après une abréviation.

  La **virgule** → ,
  Elle sépare les éléments à l'intérieur de la phrase, et marque une pause.

  Le **point-virgule** → ;
  Il marque une pause plus importante que la virgule. Il sépare deux propositions.

  Les **deux points** → :
  Ils annoncent une énumération, une explication, une citation.

  Les **guillemets** → « »
  Ils s'emploient pour rapporter une citation ou des paroles.

  Le **tiret** → –
  Dans un dialogue, il marque le changement d'interlocuteur.

  Les **points de suspension** → . . .
  Ils vont par trois et marquent l'interruption de la phrase pour des causes diverses (longue énumération, hésitation).

  Le **point d'interrogation** → ?
  Il termine une question.

  Le **point d'exclamation** → !
  Il se place après une interjection, un ordre, un étonnement…

  Les **parenthèses** → ( )
  Elles servent à encadrer une explication ou un commentaire.

  L'**astérisque** → *
  Il indique un renvoi à une note, à une explication du sens d'un mot.

pondéré, ée adj. Qui est modéré et réfléchi dans ses jugements. *Demander des conseils à une personne pondérée.*

En grandissant, il apprend à agir avec *pondération*, il devient plus pondéré.

pondre v. → conjug. **répondre.** Produire des œufs, en parlant de certains animaux. *Les oiseaux, les reptiles, les poissons, les insectes pondent.*

Les poules élevées par ce fermier sont de bonnes pondeuses, des poules qui pondent. *La poule se met à couver ses œufs après la* **ponte**, l'action de pondre.

poney n. m. Cheval de petite taille utilisé pour les promenades des enfants ou pour leur apprendre à faire de l'équitation.

pont n. m. **1** Construction bâtie au-dessus d'un cours d'eau, d'une route ou d'une voie ferrée. **2** Plancher installé dans le creux de la coque d'un bateau. *Les marins lavent le pont du navire.* **3** *Pont aérien* : suite d'allées et venues effectuées par des avions pour rester en contact avec des régions isolées ou des zones dangereuses. **4** *Faire le pont* : être en congé pendant le jour ou les jours compris entre deux jours fériés.

ponte n. f. → pondre.

pontife n. m. *Souverain pontife* : titre donné au pape.

Un **pontificat**, c'est la période pendant laquelle le souverain pontife assure ses fonctions. *La messe pontificale du jour de Pâques, à Rome,* celle dite par le pontife.

pont-levis n. m. **Plur. : des ponts-levis.** Pont mobile qui s'abaisse et se lève à l'entrée d'un château fort ou d'une ville fortifiée.

Les châteaux forts et les villes fortifiées du Moyen Âge étaient la plupart du temps entourés de fossés ou de douves. À partir du XIIIᵉ siècle, on construit au-dessus de ces fossés des ponts-levis qui peuvent être relevés pour empêcher le passage.

Pontoise → Cergy-Pontoise.

ponton n. m. Plate-forme flottante. *Les voiliers sont amarrés à un ponton de bois.*

pop adj. inv. *Musique pop :* forme de musique inspirée du rock et influencée par la musique populaire du folklore américain.

pop-corn n. m. inv. Grains de maïs soufflés. *Les pop-corn se mangent sucrés ou salés.*

pope n. m. Prêtre de l'église orthodoxe.

> ### Popocatépetl
> Volcan du Mexique situé à 60 km de la ville de Mexico. Le Popocatépetl est, avec ses 5 452 m, un des plus hauts sommets du pays. Il semble qu'il ne soit pas totalement éteint. Il a été gravi pour la première fois en 1520 par des soldats espagnols de Cortés et des Indiens.

populaire adj. **1** Qui concerne le peuple, qui vient du peuple. *Les chants folkloriques font partie de la tradition populaire.* **2** Qui est connu et aimé de la majorité des gens. *Un homme politique très populaire.*

La presse et la télévision ont **popularisé** *les sports de glisse*, elles les ont rendus populaires (**2**). *La* **popularité** *de ce chanteur ne cesse de grandir*, il devient de plus en plus populaire (**2**).

population n. f. Ensemble des habitants d'un pays, d'une ville, d'une région.

Il habite un quartier **populeux**, un quartier où la population est importante, un quartier très peuplé. **Regarde p. 850 et 851.**

porc n. m. **1** Mammifère domestique omnivore dont le museau se termine par un groin. *On fait de la charcuterie avec la viande des porcs.* **2** Viande de porc. *Des côtes de porc grillées.*
On prononce : [pɔʀ]. **Homonymes :** pore, port.

Un **porcelet** *est un jeune porc* (**1**). *Faire de l'élevage* **porcin**, *des porcs* (**1**).

porcelaine n. f. Céramique fine et très fragile. *Un plat, un vase, des tasses en porcelaine.*

porcelet n. m. → porc.

porc-épic n. m. **Plur. : des porcs-épics.** Mammifère rongeur au corps recouvert de longs piquants.
On prononce [pɔʀkepik].

On trouve des porcs-épics dans l'Ancien Monde (sud de l'Europe, Afrique et Asie) et en Amérique. Les premiers sont des animaux terrestres, les seconds vivent plutôt dans les arbres. Le porc-épic à crête est le plus courant des porcs-épics de l'Ancien Monde. Il mesure jusqu'à 80 cm de longueur et peut peser plus de 25 kg. Il est couvert de longs piquants noirs et blancs, qui le protègent contre les prédateurs. Le bruit qu'il produit en agitant ces piquants creux intimide ses ennemis. C'est un animal nocturne qui se nourrit de végétaux.

porche n. m. Partie couverte à l'entrée d'un bâtiment. *Restons sous le porche jusqu'à la fin de l'orage.*

Le porche est un espace couvert qui précède l'entrée d'un bâtiment. Le porche de la cathédrale du Moyen Âge est haut, souvent soutenu par des colonnes et décoré de sculptures. Il accueille ceux qui, pour une raison quelconque, ne sont pas autorisés à pénétrer dans l'édifice. On y tient parfois des réunions.

porcherie n. f. Bâtiment destiné à l'élevage des porcs.

porcin, ine adj. → porc.

pore n. m. Trou minuscule à la surface de la peau, qui permet l'écoulement de la sueur.
Homonymes : porc ; port.

poreux, euse adj. Qui est perforé de nombreux trous minuscules. *Les matières poreuses, comme la craie, laissent passer l'eau.*

pornographique adj. Qui présente la sexualité de manière obscène, vulgaire. *Des photos pornographiques.*

porphyre n. m. Roche volcanique, souvent d'une couleur rouge foncé. *Un vase de porphyre.*

1. port n. m. *1* Endroit abrité et aménagé pour les bateaux. *Le voilier rentre au port. Un port fluvial. Un port maritime. 2 Arriver à bon port :* arriver sain et sauf à son lieu de destination.
Homonymes : porc, pore.
On a modernisé les installations portuaires, les installations du port (1).

2. port n. m. *1* Fait de porter quelque chose sur soi. *Le port du casque est obligatoire sur le chantier. Posséder un permis de port d'armes. 2* Prix à payer pour le transport d'un colis, l'envoi d'une lettre.

portable adj. et n. m.
• adj. *1* Qui peut être porté. *Cette jupe est un peu*

démodée, mais elle est encore portable. *2* Que l'on peut transporter avec soi ou sur soi. *Un téléviseur portable.*
Synonymes : mettable (*1*), portatif (*2*).
• n. m. Téléphone ou ordinateur portable. *Il m'a appelé sur mon portable.*

portail n. m. Plur. : des portails. → porte.

portant, ante adj. *1 Tirer à bout portant :* avec une arme à feu dont le bout du canon touche presque la cible. *2 Être bien, mal portant :* être en bonne ou en mauvaise santé.

portatif, ive adj. Portable. *Un poste de radio portatif.*

porte n. f. *1* Panneau mobile qui s'ouvre et se ferme pour permettre ou empêcher le passage dans un bâtiment. *Fermer une porte à clef. Frapper à la porte. 2 Mettre quelqu'un à la porte :* le renvoyer de chez soi ou le licencier. *3 Journée portes ouvertes :* journée pendant laquelle un établissement est ouvert au public, aux visiteurs.
Le portail d'une église, d'un parc, la grande porte (1) d'entrée.

en porte-à-faux adv. En équilibre instable. *La casserole s'est renversée parce qu'elle était posée en porte-à-faux.*

porte-à-porte n. m. inv. *Faire du porte-à-porte :* faire de la vente à domicile.

porte-avions n. m. inv. Navire de guerre.

Le porte-avions est spécialement conçu pour transporter et faire décoller et atterrir des avions de combat. Au décollage, l'avion est propulsé par une catapulte ; à l'atterrissage, il est stoppé par un câble qu'il crochète. Les porte-avions peuvent transporter plusieurs dizaines d'avions.
Les premiers porte-avions sont construits à la fin de la Première Guerre mondiale. Ce sont aujourd'hui des bateaux à propulsion nucléaire. La France s'est dotée d'un porte-avions moderne, le *Charles-de-Gaulle*, lancé en 2000 dont le pont d'envol a une superficie de 12 000 m², ce qui lui permet d'accueillir environ 40 avions.

la population

La population de la planète compte aujourd'hui plus de 6 milliards d'êtres humains et ne cesse d'augmenter. On estime qu'elle s'accroît chaque année d'environ 100 millions d'habitants.

Riche ou pauvre ?

20 % des habitants du globe disposent de 80 % des richesses de la planète. Ce sont les populations de l'Europe, de l'Amérique du nord, du Japon et de l'Australie. La plupart des pays riches sont situés dans l'hémisphère Nord.

Quelle densité ?

Le calcul de la densité permet de connaître le niveau de peuplement d'un pays ou d'une région. Elle s'obtient en divisant le nombre d'habitants par la superficie du pays. Pour la France (60 000 000 d'habitants pour 550 000 km²), la densité est d'environ 109 hab/km². En Inde, elle atteint 330 hab/km², alors qu'au Canada, elle n'est que de 3 hab/km² !

- ■ l'Asie : 84 hab./km²
- ■ l'Amérique : 20 hab./km²
- ■ l'Afrique : 28 hab./km²
- ■ l'Europe : 69 hab./km²
- ■ l'Océanie : 3 hab./km²
- ■ l'Antarctique : inhabité

Combien d'habitants ?

- ■ l'Asie : 3,8 milliards
- ■ l'Amérique : 868 millions
- ■ l'Afrique : 850 millions
- ■ l'Europe : 726 millions
- ■ l'Océanie : 32 millions
- ■ l'Antarctique : inhabité

Ville ou campagne ?

Les zones urbaines sont plus peuplées que les zones rurales. L'attrait de la ville, notamment pour chercher un emploi, se traduit par un peuplement qui s'accroît rapidement. Certaines grandes villes, en Asie et en Amérique du Sud, connaissent une surpopulation, qui s'accompagne d'une grande misère pour certains quartiers. Les villes concentrent la moitié de la population mondiale.

Où ?

La répartition de la population est très inégale. Le climat et le relief y jouent un rôle important. Les zones polaires, les déserts, les zones montagneuses et les forêts denses sont les régions les moins peuplées de la planète. Les plus peuplées sont le nord-ouest de l'Europe, l'Asie du Sud-Est, le nord-est de l'Amérique. L'Antarctique est inhabité, à l'exception de quelques équipes de scientifiques.

Chaque petit point représente 500 000 habitants.

Jusqu'à quel âge ?

L'espérance de vie est la durée moyenne de la vie d'une population donnée à un moment précis. Cette mesure donne des indications sur l'état sanitaire des peuples.

■ l'Asie : **67,2 ans**
■ l'Amérique du Sud : **70,2 ans**
■ l'Amérique du Nord : **77,3 ans**
■ l'Afrique : **48,9 ans**
■ l'Europe : **74,1 ans**
■ l'Océanie : **74,2 ans**

porte-bagages n. m. inv. Support installé sur certains véhicules pour y placer des bagages. *Le porte-bagages d'un vélo, d'une moto.*

porte-bonheur n. m. inv. Objet qui est censé porter bonheur. *On dit que le trèfle à quatre feuilles est un porte-bonheur.*

porte-cartes n. m. inv. Sorte de portefeuille pour ranger des papiers d'identité, des cartes de paiement, etc.

porte-clés n.m.inv. Anneau ou étui auquel on peut accrocher des clés.

porte-documents n. m. inv. Serviette plate pour transporter des papiers, des documents.

portée n. f. **1** Distance maximale à laquelle une arme peut lancer un projectile avec précision. *La portée d'un fusil.* **2** Importance, conséquence, effet. *On a du mal à imaginer la portée d'une telle découverte.* **3** Ensemble des petits de la femelle d'un mammifère qui naissent en même temps. *Une portée de chats.* **4** Ensemble des cinq lignes horizontales et parallèles sur lesquelles on écrit les notes de musique. **5** À la portée de : à une distance qui permet d'atteindre quelque chose sans se déplacer. *Passe-moi le sel, il est à la portée de ta main.* **6** Au figuré. À la portée de quelqu'un : à un niveau qui correspond à ses capacités physiques ou intellectuelles. *Cet exploit n'est pas à la portée de n'importe qui.*

porte-fenêtre n. f. **Plur. : des portes-fenêtres.** Porte vitrée qui donne sur un balcon, un jardin.

portefeuille n. m. Étui comprenant plusieurs poches pour ranger de l'argent, des papiers.

portemanteau, eaux n. m. Support sur pied ou fixé sur un mur, pour suspendre les vêtements.

porte-monnaie n. m. inv. Pochette pour mettre des pièces de monnaie.

porte-parole n. inv. Personne qui parle au nom d'autres personnes. *Le directeur a reçu les porte-parole des grévistes.*

porter v. → conjug. **aimer. 1** Tenir, soutenir, transporter. *Porter un enfant dans ses bras. Porter un sac.* **2** Apporter, transporter. *Porter des fleurs à une amie.* **3** Avoir sur soi. *Elle porte une robe en soie noire. Porter des lunettes.* **4** Avoir dans son ventre. *Avant d'accoucher, la chatte porte ses petits pendant deux mois.* **5** Avoir telle ou telle charge, supporter. *C'est lui qui porte toute la responsabilité de ce travail.* **6** Avoir une certaine intensité. *Il a la voix qui porte.* **7** Avoir une influence, un effet. *Mes remarques ont porté puisque son travail s'améliore.* **8** Concerner, avoir pour objet. *Notre discussion a porté sur la politique.* **9** Avoir comme nom, comme prénom. *Il porte un prénom démodé.* **10** *Porter plainte* : déposer une plainte devant la justice. **11** *Porter secours* : apporter une aide, un secours. **12** *Porter bonheur, malheur* : avoir un effet heureux ou malheureux. **13** *Se porter bien, mal* : être en bonne ou mauvaise santé.

porte-savon n. m. **Plur. : des porte-savons.** Petit support pour poser un savon.

porte-serviettes n. m. inv. Support pour poser, pour étendre les serviettes de toilette.

porteur, euse n. et adj.
• n. Personne dont le métier consiste à porter les bagages.
• adj. Qui porte dans son organisme les germes d'une maladie qu'il peut transmettre aux autres. *Cet homme est porteur d'un virus inconnu.*

porte-voix n. m. inv. Appareil portatif qui amplifie la voix.

portier n. m. Personne chargée d'accueillir ou de surveiller les personnes à l'entrée d'un bâtiment. *Un portier d'hôtel.*

portière n. f. Porte d'une voiture ou d'un wagon de chemin de fer. *Sur certains trains, la fermeture des portières est automatique.*

portillon n. m. Petite porte à battant. *Il y a un portillon au fond du jardin.*

portion n. f. **1** Quantité de nourriture destinée à une personne. *Les enfants auront droit à une portion supplémentaire quand tout le monde sera servi.* **2** Partie, division, élément d'un tout. *Une portion de terrain.*

portique n. m. **1** Support constitué d'une barre horizontale soutenue par deux poteaux et à laquelle sont suspendus des agrès, des balançoires. **2** *Portique de sécurité ou de détection* : cadre comportant un système de détection magnétique qui permet de contrôler les passagers dans les aéroports.

porto n. m. Vin sucré produit dans le nord du Portugal.

portrait n. m. **1** Représentation d'une personne et en particulier de son visage par le dessin, la peinture ou la photographie. *Ce peintre expose surtout des portraits.* **2** Description, orale ou écrite. *Faire un portrait pessimiste de la situation.* **3** *Être tout le portrait de quelqu'un* : lui ressembler énormément. *Il est tout le portrait de son grand-père.*

Elle pose pour un **portraitiste**, un artiste qui fait des portraits (**1**).

portuaire adj. → **port 1.**

Portugal

République du sud-ouest de l'Europe, ouverte à l'ouest sur l'océan Atlantique.

Le Portugal est montagneux et humide au nord, sec et plat au sud. Les grandes villes, Lisbonne (la capitale) et Porto, sont situées sur la côte. L'économie est fragile. Le pays pratique la culture de la vigne, de l'olivier et des céréales. Grâce à l'aide européenne, l'industrie s'est modernisée .

Le tourisme est une bonne source de revenus.

À partir du xvᵉ siècle, Henri le Navigateur organise de nombreuses expéditions vers les terres inconnues. Le Portugal devient une grande puissance maritime qui fonde des colonies en Amérique du Sud et en Afrique.

Au xxᵉ siècle, le pays connaît une importante instabilité politique et près de 50 ans de dictature à laquelle la «révolution des œillets» met fin en 1974. Le Portugal fait partie de l'Union européenne depuis 1986.

Le pont Vasco de Gama enjambe le Tage à Lisbonne.

Les quais de Porto.

91 980 km²
10 049 000 habitants :
les Portugais
Langue : portugais
Monnaie : euro
(ex-escudo)
Capitale : Lisbonne

portulan n. m. Carte marine ancienne.

Les navigateurs gênois et vénitiens, suivis par les Espagnols, les Portugais et les Arabes, créent, à partir du xiiiᵉ siècle, des cartes marines. Ils y font figurer les contours des côtes, la position des ports et des phares, des écueils… Certaines sont enrichies d'enluminures.

pose n. f. **1** Action de poser. *La pose d'un parquet.* **2** Manière de se tenir. *Prendre des poses devant la glace.*
Homonyme : pause.

posé, ée adj. Calme, pondéré, sérieux. *Un garçon posé.*
Ils ont répondu posément, de façon posée, sans s'énerver.

Poséidon

Divinité de la mythologie grecque, dieu de la Mer. Il correspond à Neptune dans la mythologie romaine. Poséidon est le frère de Zeus et d'Hadès. Il habite un palais tout au fond des océans, d'où il peut déclencher des tremblements de terre et des tempêtes. Les marins grecs le craignent et le prient avant d'entreprendre leurs voyages. On le représente barbu, armé d'un trident.

poser v. → conjug. **aimer. 1** Mettre, placer, déposer une chose dans un endroit. *Poser ses affaires sur la table.* **2** Installer, fixer une chose. *Poser des rideaux.* **3** Présenter ou proposer. *Poser une question. Poser une addition. Poser sa candidature à un emploi.* **4** Se tenir sans bouger devant un photographe, un peintre. *Toute la classe a posé pour la photo de fin d'année.* **5** *Se poser :* cesser de voler, atterrir. *L'avion s'est posé à l'heure prévue. L'oiseau s'est posé sur la branche.*

positif, ive adj. *1* Qui affirme, accepte, dit oui. *Donner une réponse positive. 2* Qui est plein de bon sens, de sens pratique. *Un esprit positif. 3* Qui révèle qu'une chose est présente. *Un test viral positif. 4 Nombre positif:* nombre supérieur à zéro, précédé du signe +.

Répondre **positivement** à une question, c'est répondre de façon positive (*1*), en disant oui.

position n. f. *1* Manière de se tenir. *Position debout, assise, couchée. 2* Place occupée dans l'espace. *La position d'un pays sur la carte. 3* Place dans un classement. *Arriver en troisième position. 4* Avis, opinion, point de vue. *Avoir des positions peu conformistes.*

positivement adv. → positif.

posologie n. f. Quantité de médicament à prendre, prescrite par le médecin.

posséder v. → conjug. **digérer.** Avoir à soi. *Ils possèdent une résidence secondaire en Normandie.*

Le **possesseur** d'une maison, c'est celui qui la possède, c'est le propriétaire. La **possession** d'une chose, c'est le fait de la posséder, de l'avoir à soi. *Les adjectifs et les pronoms **possessifs** indiquent celui ou celle qui possède une chose.

Les adjectifs POSSESSIFS

je →	**mon** frère	**ma** sœur	**mes** amis
tu →	**ton** frère	**ta** sœur	**tes** amis
il, elle →	**son** frère	**sa** sœur	**ses** amis
nous →	**notre** frère	**notre** sœur	**nos** amis
vous →	**votre** frère	**votre** sœur	**vos** amis
ils, elles →	**leur** frère	**leur** sœur	**leurs** amis

Mon, ton, son s'emploie aussi devant les noms féminins singuliers qui commencent par une voyelle ou un h muet : mon amie, ton habitude.

Les pronoms POSSESSIFS

je →	le **mien**	la **mienne**	les **miens**, les **miennes**
tu →	le **tien**	la **tienne**	les **tiens**, les **tiennes**
il, elle →	le **sien**	la **sienne**	les **siens**, les **siennes**
nous →	le **nôtre**	la **nôtre**	les **nôtres**
vous →	le **vôtre**	la **vôtre**	les **vôtres**
ils, elles →	le **leur**	la **leur**	les **leurs**

possibilité n. f. *1* Fait d'être possible. *Je n'ai pas la possibilité de venir demain. 2* Chose possible. *Il y a plusieurs possibilités.*
Contraire : impossibilité.

possible adj. et n. m.
• adj. *1* Que l'on peut faire. *Il est possible de faire cette promenade dans la journée. 2* Qui peut se produire. *Il est possible qu'il parte travailler à l'étranger.*
Contraire : impossible.
• n. m. *Faire son possible :* faire tout ce que l'on peut.

post– préfixe. Signifie «après». *Une lettre postdatée porte une date postérieure à sa date réelle.*

1. poste n. f. *1* Service public qui s'occupe du courrier. *Envoyer un colis par la poste. 2* Bâtiment où se trouve ce service. *La poste est fermée le dimanche.*

Une voiture **postale**, c'est une voiture de la poste. **Poster** une lettre, c'est la mettre à la poste. *Les **postiers** et les **postières** sont des employés de la poste.*

2. poste n. m. *1* Endroit où l'on doit se trouver. *Être fidèle au poste. 2* Local affecté à un groupe chargé d'une fonction particulière. *Un poste de police. Un poste de pilotage. 3* Fonction que l'on occupe. *Un poste d'ingénieur. Un poste de professeur. 4* Nom de certains appareils. *Un poste de télévision. Un poste téléphonique.*

Se **poster** à un endroit, c'est s'y mettre.

1. poster v. → poste 1. et poste 2.

2. poster n. m. Grande affiche décorative.
Mot anglais qui se prononce [pɔstɛʀ].

postérieur, eure adj. et n. m.
• adj. *1* Qui se situe après dans le temps. *Une date postérieure. 2* Qui se trouve derrière dans l'espace. *Les pattes postérieures du chien.*
Contraire : antérieur.
• n. m. Familier. Le derrière, les fesses. *Tomber sur le postérieur.*

postérité n. f. Ensemble des gens qui naîtront après nous et qui se souviendront de nous.

posthume adj. Qui paraît ou survient après la mort de quelqu'un. *Les œuvres posthumes d'un écrivain.*

postiche adj. Se dit d'une barbe ou de cheveux faux. *Une barbe postiche le rendait méconnaissable.*

postier, ère n. → poste 1.

postillon n. m. *1* Autrefois, conducteur d'une diligence. *2* Gouttelette de salive envoyée par quelqu'un qui est en train de parler.

Postillonner en parlant, c'est envoyer des postillons (*2*).

post–scriptum n. m. inv. Petit texte ajouté à une lettre après la signature, et le plus souvent précédé de l'abréviation P.-S.
Mot latin qui se prononce [pɔstskʀiptɔm].

postuler v. → conjug. **aimer.** Poser sa candidature à un poste, à un emploi.

Pour le poste de directeur, il y a plusieurs **postulants**, des personnes qui postulent.

posture n. f. *1* Position du corps, manière de se tenir. *Rester immobile sur un pied est une posture peu naturelle.* *2* *Être en mauvaise posture* : être dans une situation défavorable pour réussir.

pot n. m. *1* Récipient quelconque. *Les yaourts sont vendus en petits pots. Pot de confiture. Pot de fleurs.* *2* Récipient où les petits enfants font leurs besoins. *3* *Pot d'échappement* : conduit par lequel les gaz brûlés sortent du moteur. *4* *Tourner autour du pot* : ne pas répondre franchement à une question, ne pas dire tout de suite ce que l'on pense.
Homonyme : peau.

potable adj. Que l'on peut boire. *Attention : eau non potable !*

potage n. m. Sorte de soupe. *Potage de poireaux et de pommes de terre.*

potager, ère adj. et n. m.
● adj. *Plante potagère* : synonyme de légume. *Les carottes, les pommes de terre, les poireaux, les navets sont des plantes potagères.*
● n. m. Jardin où l'on cultive des plantes potagères.

potasse n. f. Substance minérale utilisée comme engrais.
Le *potassium* est un corps chimique, c'est le constituant principal de la potasse.
Mot latin qui se prononce [pɔtasjɔm].

pot-au-feu n. m. inv. Plat fait de viande de bœuf et de légumes bouillis.

pot-de-vin n. m. **Plur. : des pots-de-vin.** Somme d'argent que l'on donne en secret à une ou plusieurs personnes pour être favorisé dans une affaire. *L'entrepreneur a versé un pot-de-vin pour obtenir une commande.*

poteau n. m. **Plur. : des poteaux.** Pièce de bois ou de métal plantée verticalement dans le sol. *Des poteaux électriques. Un poteau indicateur. Les poteaux de but sur un terrain de rugby.*

potée n. f. Plat de viande et de légumes bouillis. *Une potée auvergnate.*

potelé, ée adj. Se dit du corps d'un enfant un peu grassouillet. *Des bras potelés.*
Synonyme : dodu. Contraire : maigre.

potence n. f. Dispositif qui servait autrefois à la pendaison des condamnés à mort.

potentiel, elle adj. et n. m.
● adj. Qui pourrait exister dans certaines conditions. *La publicité sert à trouver des clients potentiels.*
● n. m. Ce qui pourrait exister si certaines conditions étaient remplies. *La découverte du pétrole donne à cette région un grand potentiel économique.*

poterie n. f. *1* Technique consistant à fabriquer des objets en terre cuite. *Un atelier de poterie.* *2* Objet de terre cuite. *Les archéologues ont découvert des poteries préhistoriques.*
Le *potier* et la *potière* sont des artisans qui fabriquent des poteries.

Il existe différentes techniques de poterie : le moulage, le tournage ou le modelage.

Poteries gallo-romaines.

poterne n. f. Petite porte dissimulée dans une fortification ou dans la muraille d'un château fort, le plus souvent sous le pont-levis.

potiche n. f. Grand vase de porcelaine.

potier, ère n. → **poterie.**

potin n. m. Familier. *1* *Du potin* : du bruit. *Faire du potin.* *2* Au pluriel. *Des potins* : des bavardages, des ragots, des racontars. *Raconter des potins sur ses voisins.*

potion n. f. Médicament liquide. *Une potion magique.*

potiron n. m. Grosse citrouille. *En automne, je mange de la soupe au potiron.*

pot-pourri n. m. **Plur. : des pots-pourris.** *1* Air musical formé par l'assemblage de plusieurs autres airs. *2* Mélange de fleurs séchées.

pou n. m. **Plur. : des poux.** Insecte parasite qui vit dans les cheveux. *Un shampooing contre les poux.*
Homonyme : pouls.

pouah ! interj. Exprime le dégoût.

poubelle n. f. Récipient destiné aux ordures ménagères. *Les éboueurs vident les poubelles à l'arrière de leur camion.*

pouce n. m. et interj.
● n. m. *1* Le plus gros des doigts de la main. *Prendre quelque chose entre le pouce et l'index.* *2* Ancienne mesure de longueur qui valait un peu moins de trois centimètres. *3* *Donner un coup de pouce à quelqu'un* : l'aider à réussir.
● interj. *Pouce !* : interjection employée au cours d'un jeu par celui qui veut s'arrêter un instant.
Homonyme : pousse.

Pouchkine Alexandre Sergueïevitch

Poète, dramaturge et romancier russe né à Moscou en 1799 et mort en duel à Saint-Pétersbourg en 1837. Pouchkine donna à la littérature russe le style qui lui assurera sa valeur universelle.

Il connut notamment le succès avec des œuvres adaptées plus tard à l'opéra : *Boris Godounov* (1831), *Eugène Onéguine* (1833) et *la Dame de pique* (1834).

poudre n. f. **1** Matière qui se présente en grains minuscules. *Du sucre en poudre. De la lessive en poudre.* **2** Produit explosif. *De la poudre à canon.* **3** Produit de beauté servant au maquillage. *Se mettre de la poudre sur le visage.*

> *Se poudrer* les joues, c'est y mettre de la poudre (**3**) pour se maquiller. *La neige poudreuse* est fine et légère comme de la poudre (**1**). *Un poudrier* est une petite boîte qui contient de la poudre (**3**). *Une poudrière* est un local où l'on entrepose la poudre (**2**) et les explosifs.

pouf n. m. Siège constitué d'un gros coussin posé sur le sol.

pouffer v. → conjug. **aimer.** Éclater de rire.

pouilleux, euse adj. Très sale, misérable. *Un quartier pouilleux.*

poulailler n. m. → poule 1.

poulain n. m. Petit du cheval et de la jument.

1. poule n. f. **1** Oiseau domestique élevé pour ses œufs et sa chair. *Le mâle de la poule s'appelle le coq, ses petits s'appellent des poussins.* **2** Au figuré et familier. *Poule mouillée :* personne peureuse.

> *Un poulailler* est un local destiné aux poules (**1**), aux coqs et aux poulets. *Un poulet* est une jeune poule (**1**) ou un jeune coq élevé pour sa chair.

2. poule n. f. Groupe d'équipes participant à un championnat. *Notre équipe est en poule A.*

Il y a deux mots « poule » : le premier vient du latin *pulla* (petite poule) et le second de l'anglais *pool* (équipe).

poulet n. m. → poule 1.

pouliche n. f. Jeune jument.

poulie n. f. Petite roue sur laquelle passe une corde, un câble ou une chaîne et qui sert à soulever des charges.

poulpe n. m. Mollusque marin.
Synonyme : pieuvre.

Le poulpe est le plus intelligent de tous les mollusques. Il capture ses proies à l'aide de huit tentacules puissants munis de ventouses. En cas de danger, le poulpe expulse un liquide noir, l'encre, qui masque sa fuite. Certains poulpes géants de l'océan Pacifique Nord peuvent atteindre 6 mètres.

pouls n. m. Battement du sang dans les artères et les veines, qu'on peut mesurer en appuyant sur l'artère du poignet.
On prononce [pu]. Homonyme : pou.

poumon n. m. Chacun des deux organes de la respiration, situés dans la cage thoracique.

Les poumons sont constitués de deux parties symétriques, de forme conique, placées de part et d'autre de la trachée-artère. Le poumon gauche a deux lobes ; le droit en a trois. Les poumons sont les organes de la respiration. Ils prélèvent l'oxygène de l'air inspiré et rejettent le gaz carbonique avec l'air expiré.
Regarde respiration.

poupe n. f. Partie arrière d'un navire. *La poupe est à l'opposé de la proue.*

poupée n. f. Jouet d'enfant représentant une personne.

poupon n. m. **1** Nouveau-né, bébé, nourrisson. **2** Poupée représentant un bébé. *Un poupon en matière plastique.*

> *Pouponner*, c'est dorloter tendrement un bébé. *Une pouponnière* est un établissement où l'on prend soin des bébés.

pour prép. et n. m. inv.
• prép. Indique de nombreux compléments circonstanciels. **1** Le but. *Nous sommes venus pour nous amuser.* **2** La conséquence. *Il fait beaucoup trop chaud pour sortir.* **3** La cause. *Être condamné pour vol.* **4** La destination ou le destinataire. *Partir pour Paris. Un cadeau pour sa mère.* **5** Le temps (moment ou durée). *Un rendez-vous pour demain. Nous partons pour huit jours.* **6** Le rapport. *Il est très petit pour son âge.* **7** L'échange. *Acheter un livre pour vingt euros.* **8** Le choix. *Voter pour un candidat.*
• n. m. inv. *Peser le pour et le contre :* comparer les avantages et les inconvénients d'une décision.

pourboire n. m. Petite somme d'argent laissée par le client à la personne qui l'a servi, en plus du prix du service. *Donner un pourboire à un garçon de café.*

pourcentage n. m. Proportion calculée par rapport à cent unités.

LES POURCENTAGES

■ Calcul de la valeur d'un pourcentage

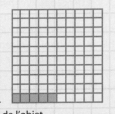

✔ Ce carré de 100 carreaux représente la valeur totale d'un objet. On peut aussi dire les 100/100 (cent centièmes) ou 100 % (cent pour cent) de la valeur de l'objet. Les 5 carrés verts représentent 5 % de la valeur totale de l'objet.

✔ Sur cette voiture de 15 000 euros, le garagiste consent une remise de 5 %, c'est-à-dire cinq pour cent ou 5/100 (cinq centièmes). Quel est le montant de la remise et quel est le nouveau prix de la voiture ?

Résolution
Le carré de 100 carreaux représente 15 000 euros.
Le montant de la remise, en vert sur le quadrillage, représente les 5/100 ou 5 % de 15 000 euros, c'est-à-dire (15 000 x 5) : 100 = 750 euros.
Le nouveau prix est donc : 15 000 – 750 = 14 250 euros.

■ Calcul du taux de pourcentage

Il s'agit de trouver en % (pour cent euros) ce que représente la remise.

Résolution
Pour 15 000 euros (100 pour 100 de la valeur totale de la voiture), la remise est de : 15 000 – 12 000 = 3 000 euros.
Pour 1 euro, elle est de 3 000 : 15 000 = 0,20.
Pour 100 euros, elle est de (3 000 x 100) : 15 000 = 20 %.

pourchasser v. → conjug. **aimer.** Poursuivre avec acharnement. *Le lion pourchasse les antilopes.*

se pourlécher v. → conjug. **digérer.** Se lécher les lèvres à la vue d'un mets appétissant.

pourparlers n. m. plur. Discussions en vue d'un accord. *Des pourparlers de paix.*
Synonyme : négociations.

pourpoint n. m. Ancien vêtement très ajusté qui couvrait le haut du corps.

pourpre adj., n. m. et n. f.
• adj. Rouge très foncé. *Une robe pourpre.*
• n. m. **1** La couleur pourpre. **2** Mollusque marin à la coquille rugueuse.
• n. f. Colorant rouge foncé que l'on tirait autrefois d'un mollusque marin.

pourquoi adv. **1** Sert à interroger sur la cause. *Pourquoi est-il parti ? Parce qu'il était fatigué.* **2** *C'est pourquoi* : sert à indiquer la cause. *Il était fatigué, c'est pourquoi il est parti.*

pourrir v. → conjug. **finir.** Se décomposer, se gâter. *Si on met les fruits et les légumes au réfrigérateur, ils pourrissent moins vite.*
Des taches de **pourriture** sur une poire indiquent que la poire est en train de pourrir.

poursuite n. f. **1** Action de poursuivre. *Se lancer à la poursuite d'un fuyard.* **2** Fait de continuer. *La poursuite des négociations.* **3** Au pluriel. Action en justice, procès. *Il a engagé des poursuites contre ses voisins.*

poursuivre v. → conjug. **suivre.** **1** Se dépêcher afin de rattraper une personne ou un animal qui s'enfuient. *Les policiers poursuivent la voiture des malfaiteurs. Le chien poursuit un lapin.* **2** Continuer à faire ce qu'on est en train de faire. *Malgré la pluie, ils ont poursuivi leur promenade.* **3** Déposer une plainte contre quelqu'un devant la justice. *Il est poursuivi pour coups et blessures.*
Il a pu échapper à ses **poursuivants**, à ceux qui le poursuivaient (**1**).

pourtant adv. Malgré cela, cependant, néanmoins. *Il n'est pas encore réveillé, pourtant il est déjà dix heures.*

pourtour n. m. Ligne qui fait le tour d'un lieu ou d'un objet. *Le pourtour de la table. Le pourtour de la ville.*

pourvoir v. **1** Donner à quelqu'un ce dont il a besoin. *Les parents pourvoient aux besoins de leurs enfants.* **2** *Se pourvoir de quelque chose* : prendre ce dont on a besoin. *Se pourvoir d'argent avant de partir en voyage.*

La conjugaison du verbe
POURVOIR 3e groupe

indicatif présent	**je pourvois, il ou elle pourvoit, nous pourvoyons, ils ou elles pourvoient**
imparfait	**je pourvoyais**
futur	**je pourvoirai**
passé simple	**je pourvus**
subjonctif présent	**que je pourvoie**
conditionnel présent	**je pourvoirais**
impératif	**pourvois, pourvoyons, pourvoyez**
participe présent	**pourvoyant**
participe passé	**pourvu**

pourvu que conj. *1* Exprime le souhait. *Pourvu qu'il fasse beau pendant nos vacances!* *2* Exprime la condition. *Nous partirons pourvu qu'il fasse beau.*

pousse n. f. Jeune plante, bourgeon. *Des jeunes pousses. Des pousses de bambou.*
Homonyme : **pouce.**

poussée n. f. *1* Force exercée en poussant. *Une poussée de l'épaule.* *2* *Poussée de fièvre :* montée brusque de la fièvre.

pousse-pousse n. m. inv. Petite voiture à deux roues, très répandue en Asie, utilisée pour le transport des personnes ou des marchandises, tirée par un homme à pied ou à bicyclette.

pousser v. → conjug. **aimer.** *1* Appuyer pour faire bouger dans une certaine direction. *Pousser la porte pour l'ouvrir. Pousser le ballon du pied.* *2* Inciter, encourager, entraîner quelqu'un à faire quelque chose. *Qu'est-ce qui l'a poussé à agir ainsi ?* *3* Se développer, grandir. *L'herbe pousse très vite au printemps. Ses cheveux ont beaucoup poussé.* *4* *Se pousser :* se déplacer. *Pousse-toi que je puisse passer !* *5* *Pousser un cri, un hurlement :* le faire entendre.
Contraires : **tirer** (*1*), **empêcher** (*2*).

poussette n. f. Voiture d'enfant montée sur des roulettes, que l'on pousse devant soi.

poussière n. f. Poudre très fine qui flotte dans l'air et se dépose sur les objets. *La voiture soulève un nuage de poussière.*
Ces meubles sont *poussiéreux,* ils sont couverts de poussière.

poussif, ive adj. Qui manque de souffle, qui a du mal à fonctionner. *Un cheval poussif. Un moteur poussif. Une machine poussive.*

poussin n. m. Petit de la poule, au moment où il sort de l'œuf.

poutre n. f. Longue pièce de bois ou de métal utilisée en construction. *Les poutres de la charpente sont attaquées par des vers.*
Une *poutrelle* est une petite poutre.

pouvoir v. et n. m.
• v. *1* Être capable. *Il peut imiter le cri des animaux.* *2* Avoir le droit ou l'autorisation. *En agglomération, on ne peut dépasser 50 kilomètres à l'heure.* *3* Être possible ou probable. *En cette saison, il peut faire chaud.* *4* *N'en pouvoir plus :* être très fatigué.
• n. m. *1* Le fait d'être capable ou d'avoir le droit de faire quelque chose. *Tu n'as pas le pouvoir de décider.* *2* Le fait de gouverner un pays. *Le pouvoir législatif appartient au Parlement, le pouvoir exécutif au gouvernement.* *3* *Pouvoir d'achat :* ce qu'on est capable d'acheter avec ce qu'on gagne. *4* Au pluriel. *Les pouvoirs publics :* les gens qui gouvernent le pays.

La conjugaison du verbe
POUVOIR 3e groupe

indicatif présent	je peux/puis, il ou elle peut, nous pouvons, ils ou elles peuvent
imparfait	je pouvais
futur	je pourrai
passé simple	je pus
subjonctif présent	que je puisse
conditionnel présent	je pourrais
impératif	*inusité*
participe présent	pouvant
participe passé	pu

Poussin Nicolas

Peintre français né en 1594 et mort en 1665. Installé à Rome à partir de 1624, Poussin y passe le reste de sa vie, sauf deux ans (1640-1642) au cours desquels il est appelé à Paris. Il puise les sujets de ses tableaux dans l'histoire antique, la mythologie et la religion (*Triomphe de Neptune, les Bergers d'Arcadie, l'Enfance de Bacchus, Moïse faisant jaillir l'eau du rocher…*).
Ses œuvres expriment l'émotion, la noblesse, la douceur. Poussin est l'un des premiers grands peintres du classicisme du XVIIe siècle. Il a eu une grande influence sur la peinture française, notamment sur des artistes tels Ingres et David.

Les Bergers d'Arcadie

praire n. f. Coquillage comestible.
Ce mollusque vit sur les fonds sableux dans lesquels il s'enfouit. Deux tubes, les siphons, situés à l'arrière du corps, lui permettent de respirer. L'eau entre par l'un et sort par l'autre.

prairial n. m. Neuvième mois du calendrier républicain (fin mai, fin juin).

prairie n. f. Terrain recouvert d'herbe.

praline n. f. Bonbon fait d'une amande grillée recouverte de sucre fondu.
> Le chocolat *praliné* est parfumé avec des pralines écrasées.

praticable adj. Se dit d'une voie où l'on peut circuler. *Après l'orage, le sentier n'était plus praticable.* **Contraire : impraticable.**

praticien, enne n. Personne qui exerce une profession de santé (médecin, dentiste, vétérinaire).

pratiquant, ante n. → **pratiquer.**

pratique adj. et n. f.
• adj. *1* Facile à utiliser, bien adapté, commode. *Un outil pratique. Cette fenêtre qui s'ouvre vers le haut, ce n'est pas pratique. 2* Qui a le sens des réalités. *Cette femme a un esprit très pratique. 3 Travaux pratiques :* exercices destinés à appliquer ce que l'on a appris auparavant.
• n. f. *1* Fait de mettre en application ce que l'on a appris. *La pratique s'oppose à la théorie. La pratique du ski, de la voile. 2* Manière d'agir, de se comporter. *Des pratiques illégales. 3* Fait de pratiquer une religion.

pratiquement adv. *1* Dans la pratique, dans la réalité. *Théoriquement, cela paraît simple, mais pratiquement, c'est assez compliqué. 2* Presque, à peu près. *Depuis son accident, il est pratiquement aveugle.*

pratiquer v. → conjug. **aimer.** *1* Exercer régulièrement une activité. *Pratiquer la marche à pied, la pêche à la ligne. 2* Faire, exécuter. *Pratiquer une opération chirurgicale. 3* Accomplir les actes prescrits par une religion.
> Être catholique *pratiquant,* c'est pratiquer (*3*) la religion catholique.

pré n. m. Terrain couvert d'herbe, prairie, pâturage.

pré– préfixe. Signifie « devant » ou « avant ». *Un prélavage précède le lavage principal.*

préalable adj. et n. m.
• adj. Qui doit précéder autre chose. *Pour aller dans ce pays, des démarches préalables sont nécessaires.*
• n. m. *Au préalable :* Avant de faire autre chose, d'abord, auparavant. *Vous pouvez entrer, mais essuyez-vous les pieds au préalable.*
> Si tu veux venir, demande-lui son avis *préalablement*, au préalable, avant.

préau n. m. **Plur. : des préaux.** Partie couverte d'une cour d'école, à l'abri des intempéries.

préavis n. m. Avertissement que l'on doit donner officiellement avant certaines actions. *Avant de quitter un logement, le locataire adresse un préavis au propriétaire.*

précaire adj. Dont l'avenir est peu sûr, incertain. *Un emploi précaire.* **Contraires : durable, garanti, solide, stable.**
> La *précarité* de son emploi, de sa santé, leur caractère précaire.

précaution n. f. Action destinée à se protéger d'un danger. *Prendre des précautions contre la grippe en se faisant vacciner.*

précédemment adv. Avant le moment présent. *Précédemment, je n'avais jamais vu quelque chose d'aussi drôle.* **On prononce [presedamã]. Synonymes : antérieurement, auparavant.**

précédent, ente adj. et n. m.
• adj. Qui se produit avant autre chose. *Je suis arrivé mardi, il est arrivé le jour précédent, c'est-à-dire lundi.* **Contraire : suivant.**
• n. m. Événement dont on a des exemples dans le passé, ce qui permet de mieux juger la situation présente. *Ce cyclone est une catastrophe sans précédent.* **Homonyme : précédant (du verbe précéder).**

précéder v. → conjug. **digérer.** *1* Se produire ou exister avant. *Des injures ont précédé une bagarre générale. 2* Aller devant. *Des motards précèdent la voiture officielle.*

précepte n. m. Phrase qui contient une règle de conduite. *«Aide-toi, le ciel t'aidera»* est un précepte plein de bon sens.

précepteur, trice n. Professeur engagé par une famille pour instruire les enfants à domicile.

prêche n. m. Discours prononcé par un curé ou un pasteur.
> Le curé *prêche* du haut de la chaire, il dit un prêche.

précieux, euse adj. *1* Qui a une grande valeur, coûte très cher. *Des bijoux précieux. 2* Qui est très utile. *Une aide précieuse. 3* Qui manque de simplicité, de naturel. *Un discours précieux, rempli de mots rares.*
> Conserver *précieusement* un objet, c'est le conserver comme une chose très précieuse (*1*). *Parler avec préciosité :* de façon précieuse (*3*).

précipice

précipice n. m. Ravin très abrupt et très profond. *Tomber dans un précipice.*

précipitamment adv. → **précipité.**

1. précipitation n. f. Fait d'agir en se pressant trop. *Il a répondu avec précipitation, sans réfléchir.*

2. précipitations n. f. plur. Chutes de pluie, de neige ou de grêle.

précipité, ée adj. Qui arrive plus vite que prévu. *Un départ précipité.*

> *Ils partent* **précipitamment**, *de façon précipitée.*

précipiter v. → conjug. **aimer.** *1* Faire aller plus vite. *Le mauvais temps a précipité notre retour de vacances. 2* Faire tomber d'un endroit élevé. *Le malheureux s'est précipité du haut d'un immeuble. 3* Se précipiter : accourir rapidement quelque part. *Tout le monde s'est précipité pour voir l'arrivée des coureurs.*

précis, ise adj. et n. m.
● adj. *1* Qui arrive à l'heure juste. *Soyez précis, on ne vous attendra pas! 2* Qui comporte beaucoup de détails. *Un compte rendu précis. Des renseignements précis. 3* Qui est fait de façon juste, efficace. *Un tir précis. Des gestes précis. 4* Qui est calculé exactement. *Arriver à quatre heures précises.*
Contraires : approximatif, imprécis, vague.
● n. m. Manuel qui indique ce qu'il faut savoir sur une matière. *Un précis de conjugaison.*

précisément adv. *1* De façon précise, exacte. *Décrivez précisément ce que vous avez vu. 2* Justement, tout à fait (en ce sens, indique que deux faits sont en rapport étroit). *Il n'est pas encore là, c'est précisément ce qui m'inquiète.*

préciser v. → conjug. **aimer.** *1* Expliquer de façon précise. *Préciser un récit, un témoignage. 2* Se préciser : devenir plus précis. *Le danger se précise.*

précision n. f. *1* Caractère de ce qui est précis. *Agir avec précision. 2* Renseignement précis. *Demander des précisions.*

précoce adj. *1* Qui arrive avant le moment habituel. *Des fruits précoces. Un printemps précoce. 2* Qui est en avance sur son âge. *Un enfant précoce.*
Contraire : tardif (1).
> *La* **précocité** *d'un enfant, d'une variété de pommes, c'est leur caractère précoce (1 et 2).*

précolombien adj. Qui existe en Amérique avant l'arrivée de Christophe Colomb au xvᵉ siècle.

> La plupart des civilisations précolombiennes se composent de tribus nomades vivant essentiellement de la chasse.
> ***Regarde ci-contre.***

les Mayas

Ils atteignent leur apogée au VIIᵉ siècle. Les constructions mayas sont de véritables œuvres d'art. Les Mayas sont organisés en cités. Chacune est dirigée par un chef qui détient le pouvoir politique et religieux. Les Mayas pratiquent l'agriculture et l'élevage. Le maïs – d'où est tiré le nom Maya – est la base de la nourriture. Les prêtres honorent les dieux par des sacrifices d'animaux et d'êtres humains. Les Mayas connaissent l'écriture, les mathématiques et l'astronomie.

Sacrifice par un prêtre maya (fresque).

Le dieu aztèque Quetzalcóatl.

les civilisations précolombiennes

On distingue trois civilisations : celle des Aztèques et celle des Mayas en Amérique centrale, celle des Incas dans la cordillère des Andes.

Aztèques
Mayas
Incas

les Aztèques

Au XIIe siècle, ils s'installent au centre du Mexique où ils cultivent la terre. Leur capitale Tenochtitlán est devenue Mexico. Les familles sont réunies en clans.
Le roi aztèque est le chef des clans. Ils adorent le Soleil et de nombreux autres dieux dont Quetzalcóatl (l'oiseau-serpent). Pour honorer ces dieux, ils pratiquent des sacrifices humains dans des temples aux formes pyramidales. Les Aztèques sont d'excellents architectes, ils sont aussi mathématiciens et astronomes. À la tête des troupes espagnoles, Hernán Cortés met fin, en 1521, à leur règne.

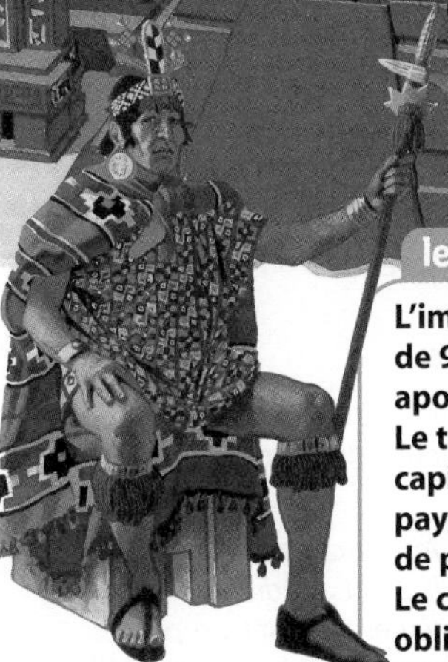

L'empereur, l'Inca, règle la vie de son peuple.

les Incas

L'immense empire inca, plus de 900 000 km², est à son apogée au XVe siècle.
Le territoire a pour centre sa capitale Cuzco reliée à tout le pays par un réseau de routes de plus de 16 000 km.
Le culte du dieu-Soleil est obligatoire dans tout l'Empire. Le travail est lui aussi obligatoire.
L'agriculture et l'élevage sont bien développés.
Dans ce pays montagneux, beaucoup de cultures (pomme de terre, manioc, maïs, haricot) se font en terrasses.

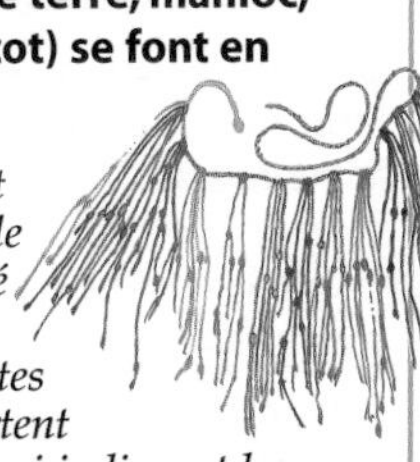

Le quipu est le système de comptabilité des Incas. Les cordelettes colorées portent des nœuds qui indiquent les quantités d'objets à compter.

Chez les Aztèques, les humains sont sacrifiés pour honorer les dieux.

préconçue adj. f. *Idée préconçue :* idée acceptée sans réfléchir, préjugé.

préconiser v. → conjug. **aimer.** Conseiller vivement, recommander avec insistance. *Préconiser une solution à un conflit.*

précuit, ite adj. Se dit d'un aliment cuit en partie avant d'être vendu. *Du riz précuit.*

précurseur adj. m. et n. m.
• adj. m. *Signe précurseur :* fait qui annonce qu'un événement va se produire. *Des courbatures sont un signe précurseur de la grippe.*
• n. m. Personne qui est en avance sur son époque, qui ouvre la voie dans un domaine.

prédateur n. m. Animal qui tue d'autres animaux pour se nourrir. *Le renard est un prédateur des lapins et des poules.*

prédécesseur n. m. Personne qui a occupé un poste avant une autre personne. *Henri IV fut le prédécesseur de Louis XIII sur le trône de France.*

prédestiné, ée adj. Qui paraît destiné à l'avance à être ou à agir de telle façon. *Monsieur Champion a gagné la course, il avait vraiment un nom prédestiné.*

prédicateur n. m. Personne qui fait un sermon, un prêche.

prédiction n. f. → **prédire.**

prédilection n. f. Préférence marquée pour une personne ou une chose. *Avoir une prédilection pour les fruits confits.*

prédire v. → conjug. **dire.** Annoncer à l'avance que quelque chose va arriver. *Il avait prédit que notre équipe gagnerait, malheureusement il s'est trompé !*
Ses prédictions ne se sont pas réalisées, ce qu'il avait prédit.

prédisposer v. → conjug. **aimer.** Mettre à l'avance dans des conditions favorables. *Son amour de la nature l'a prédisposé à exercer le métier d'agriculteur.*
Il a des prédispositions pour la musique, il est prédisposé à cette activité.

prédominer v. → conjug. **aimer.** Être le plus important. *Ce qui prédomine dans son caractère, c'est la gentillesse.*
La prédominance de la chaleur, l'été dernier, le fait que la chaleur a prédominé.

préfabriqué, ée adj. Se dit d'éléments de construction fabriqués à l'avance et qu'il ne reste plus qu'à assembler.

préface n. f. Texte placé au début d'un livre et destiné à le présenter.

Préfacer un livre, c'est en écrire la préface. *Le préfacier d'un livre,* c'est l'auteur de la préface.

préfecture n. f. *1* Ville du département où réside le préfet. *Grenoble est la préfecture de l'Isère. 2* Bâtiment où se trouvent les services du préfet. *La préfecture est fermée le dimanche.*
Les services préfectoraux ont leur siège à la préfecture.

préférable adj., **préféré, ée** adj. → **préférer.**

préférence n. f. *1* Fait de préférer. *Avoir une préférence pour le cinéma. 2 De préférence :* plutôt. *Venez le matin de préférence à l'après-midi.*

préférer v. → conjug. **révéler.** Aimer mieux. *Qu'est-ce que tu préfères, le cinéma ou le théâtre ?*
Le chat est son animal préféré, celui qu'il préfère. *La solution préférable,* c'est celle qu'il faut préférer.

préfet n. m. Fonctionnaire nommé par le gouvernement à la tête d'un département.

préfigurer v. → conjug. **aimer.** Annoncer ce qui va arriver. *Un roman qui préfigure l'avenir.*

préfixe n. m. Élément que l'on place devant un mot ou un radical pour former un mot dérivé.

LES PRÉFIXES

Certains préfixes ont un sens précis. En voici quelques-uns parmi les plus courants.

aéro (sur l'air) *aéroglisseur*	**néo** (nouveau) *néolithique*
anti (contre) *antivol*	**para** (contre) *paratonnerre*
auto (soi-même) *autodictée*	**poly** (plusieurs) *polyculture*
in (contraire) *inconnu*	**post** (après) *postdater*
inter (entre) *interclasse*	**pré** (avant) *prélavage*
kilo (mille) *kilomètre*	**re** (à nouveau) *revenir*
mal (contraire) *malpropre*	**sur** (au-dessus de) *surélever*
micro (petit) *microscopique*	**télé** (à distance) *télévision*
multi (plusieurs) *multicolore*	**trans** (à travers) *transpercer*

préhistoire n. f. Période très ancienne qui s'étend depuis l'apparition de l'homme jusqu'à l'invention de l'écriture.
Les fouilles préhistoriques ont pour but de retrouver des restes datant de la préhistoire.

On divise la préhistoire en deux époques : celle de la pierre ancienne ou pierre taillée, appelée le paléolithique, et celle de la pierre nouvelle ou pierre polie, appelée le néolithique.
Regarde p. 864 et 865.

préjudice n. m. Tort, dommage subi par quelqu'un. *Ces critiques sévères lui ont porté préjudice.*
   L'abus d'alcool est préjudiciable à la santé, il cause un préjudice.

préjugé n. m. Opinion préconçue et toute faite. *Apprendre à connaître quelqu'un sans aucun préjugé.*

préjuger v. → conjug. **ranger.** Émettre trop tôt et hâtivement une opinion sur quelque chose. *C'est difficile de préjuger de l'avenir.*

se prélasser v. → conjug. **aimer.** Se reposer de façon nonchalante. *Se prélasser sur une chaise longue.*

prélat n. m. Dignitaire du clergé dans l'Église catholique. *Les évêques, les cardinaux sont des prélats.*

prélever v. → conjug. **promener.** Prendre une partie d'un tout. *Prélever du sang pour faire une analyse.*
   Les astronautes ont fait des prélèvements de roches sur la Lune, ils ont prélevé des roches.

préliminaire adj. et n. m. plur.
• adj. Qui précède l'action principale et la prépare. *Un entretien préliminaire à une embauche.*
• n. m. plur. Ensemble des négociations qui préparent un traité, un accord. *Des préliminaires de paix.*

prélude n. m. *1* Événement qui en précède un autre et en constitue le début. *Sa forte fièvre a été le prélude de sa maladie. 2* Commencement d'un morceau de musique. *Jouer un prélude de Chopin.*

prématuré, ée adj. et n.
• adj. Qui a lieu trop tôt. *Il est prématuré de crier victoire avant d'avoir le résultat.*
• adj. et n. Se dit d'un enfant né avant terme.
   Accoucher prématurément après 7 mois de grossesse, de façon prématurée.

préméditer v. → conjug. **aimer.** Préparer quelque chose à l'avance et avec soin. *Un acte longuement prémédité.*
   Cet homme est accusé d'un crime avec préméditation, le fait qu'il l'ait prémédité.

prémices n. f. plur. Littéraire. Premières manifestations d'un événement. *Les feuilles qui commencent à tomber sont les prémices de l'automne.*

premier, ère adj., n., et n.f. → **un.**

premièrement adv. En premier lieu, d'abord. *Premièrement lave-toi les mains, et ensuite passe à table.*

prémolaire n. f. Chacune des huit dents situées entre la canine et les molaires.

prémonition n. f. Avertissement, pressentiment de ce qui va arriver. *Il avait eu la prémonition qu'un malheur allait arriver.*

Faire un rêve prémonitoire, qui a le caractère d'une prémonition.

se prémunir v. → conjug. **finir.** Se protéger de quelque chose en prenant des précautions. *Se prémunir contre les gerçures en se mettant de la crème.*

prenant, ante adj. *1* Qui est captivant, passionnant. *Un spectacle prenant. 2* Qui occupe beaucoup. *Ce travail trop prenant ne lui laisse pas de temps libre.*

prénatal, ale adj. **Plur. : prénatals, prénatales.** Qui a lieu avant la naissance, avant l'accouchement. *Tous les examens prénatals sont bons, la grossesse se passe bien.*

prendre v. *1* Saisir dans sa main ou ses mains. *Prendre un stylo pour écrire. 2* Emporter avec soi. *Prends un parapluie, il va pleuvoir. 3* Dérober une chose à quelqu'un. *Je ne trouve plus mon livre. Qui me l'a pris ? 4* Capturer un animal. *Prendre un papillon avec un filet. 5* Se rendre maître d'un lieu, s'en emparer. *Prendre une ville. 6* Absorber un aliment ou un produit. *Prendre du sirop contre la toux. 7* Utiliser comme moyen de transport. *Prendre l'avion, le bateau. 8* Demander ou nécessiter. *Ce coiffeur prend 20 euros pour une coupe. Ce travail va me prendre beaucoup de temps. 9* S'enflammer, commencer à brûler. *Les pompiers ont éteint le feu qui avait pris dans la grange. 10* Considérer d'une certaine manière. *Je l'ai pris pour un autre. Il se prend pour une star. 11* S'en prendre à quelqu'un :* l'attaquer ou le critiquer. *12 S'y prendre bien* ou *mal :* faire preuve d'adresse ou de maladresse.

La conjugaison du verbe
PRENDRE 3e groupe

indicatif présent	**je prends, il ou elle prend, nous prenons, ils ou elles prennent**
imparfait	**je prenais**
futur	**je prendrai**
passé simple	**je pris**
subjonctif présent	**que je prenne**
conditionnel présent	**je prendrais**
impératif	**prends, prenons, prenez**
participe présent	**prenant**
participe passé	**pris**

preneur, euse n. Personne qui accepte d'acheter quelque chose. *Cet appartement est très cher et n'a pas encore trouvé preneur.*

la préhistoire

Cette période est comprise entre l'apparition des lointains ancêtres de l'homme sur la Terre, il y a environ 6 millions d'années, et l'invention de l'écriture, il y a environ 5 000 ans.

Les hommes s'atta-quent à de grands animaux : bisons, mammouths, aurochs, rennes, cerfs…

Saumons et truites sont pêchés dans les rivières.

le paléolithique

Au paléolithique, les hommes sont des nomades. Ils se dépla-cent en groupes, chassent, pêchent et cueillent des fruits sauvages. Ils s'abritent dans des huttes qu'ils perfection-nent peu à peu.

Ce n'est qu'entre 500 000 et 300 000 ans av. J.-C. que les hommes appren-nent à produire et à utiliser le feu.
Ils peuvent alors se chauffer, s'éclairer, cuire leurs aliments.

L'essentiel des armes et des outils sont confectionnés à l'aide de silex taillés. Le bois de renne et les os des animaux servent aussi à la fabrication d'armes et de bijoux.

Les vêtements et les tentes sont réalisés avec les peaux des animaux tués.

le néolithique

Cette période ne dure que 5 000 ans. Environ 10 000 ans avant notre ère, le climat se réchauffe, ce qui modifie l'environnement. Les hommes tendent à devenir sédentaires.

Dans les premiers villages, les huttes sont parfois construites sur pilotis. Elles sont couvertes de roseaux, les murs sont faits de branchages ou de terre mélangée à de la paille.

La construction des mégalithes, monuments formés de blocs de pierre de plusieurs tonnes, date de 4 500 av. J.-C.

Les hommes élèvent les premiers animaux domestiques : chiens, porcs, bœufs, moutons.

L'invention du métier à tisser permet de fabriquer des étoffes de lin et de laine.

Ils commencent à cultiver la terre, ils labourent, sèment et récoltent des céréales : le blé, l'orge.

Ils tressent des paniers qui serviront au transport des marchandises.

Des fours leur servent à cuire des poteries d'argile pour conserver nourritures solides et liquides.

Le polissage de la pierre permet le perfectionnement des armes et des outils.

865

prénom n. m. Nom qui précède le nom de famille. *Valentin et Marie sont les prénoms de ses enfants.*

Prénommer son fils Pierre, c'est lui donner Pierre comme prénom.

préoccuper v. → conjug. **aimer.** Causer du souci à quelqu'un. *La détérioration de sa santé le préoccupe beaucoup.*
Synonyme : inquiéter.

Les menaces de guerre se précisent et la situation devient très préoccupante, elle préoccupe beaucoup les gens. Sa principale préoccupation est de trouver du travail, la chose qui le préoccupe le plus.

préparatifs n. m. plur., **préparation** n. f. → préparer.

préparatoire adj. *1* Qui permet de préparer quelque chose. *Une classe préparatoire aux grandes écoles. 2 Cours préparatoire :* première année de l'école primaire, qui suit la maternelle.
En abrégé : CP (*2*).

préparer v. → conjug. **aimer.** *1* Faire ce qui est nécessaire pour que quelque chose soit prêt. *Préparer une chambre pour les invités. Préparer un potage. 2* Travailler ou s'entraîner pour réussir. *Préparer un concours. 3 Se préparer :* s'arranger pour être prêt. *Préparez-vous à partir, c'est l'heure.*
Synonyme : s'apprêter (*3*).

Les préparatifs d'un voyage, ce qu'on a à faire pour le préparer (*1*). *La préparation de ce plat est compliquée*, l'action de le préparer (*1*).

prépondérant, ante adj. Qui a plus d'importance que les autres. *Ce leader a une influence prépondérante dans le groupe.*

La prépondérance d'un pays sur un autre, c'est son caractère prépondérant, sa supériorité.

préposé, ée n. *1* Personne affectée à une fonction particulière. *Un préposé aux douanes. 2* Facteur ou factrice. *Le préposé m'a remis un paquet.*

préposition n. f. Mot invariable qui sert à introduire un complément.

prérogative n. f. Avantage particulier lié à une fonction. *Les prérogatives d'un chef d'État.*

près adv. *1* À une distance relativement courte. *Il va à l'école à pied car il habite tout près. 2* Indique une approximation. *Il est près de midi et il dort encore !*
Synonymes : à peu près (*2*), environ (*2*), presque (*2*).
Contraire : loin (*1*). Homonyme : prêt.

présage n. m. Signe qu'on interprète comme favorable ou défavorable pour l'avenir. *Dans l'Antiquité, on tirait des présages à partir du vol des oiseaux.*

présager v. → conjug. **ranger.** Laisser prévoir une chose à venir, l'annoncer. *Ce ciel noir présage un orage.*

presbyte adj. et n. Qui ne voit pas nettement de près. *En vieillissant, il devient presbyte.*

Grand-père est atteint de presbytie, d'un handicap qui le rend presbyte.
On prononce [prɛsbisi].

presbytère n. m. Habitation du curé d'une paroisse.

presbytie n. f → presbyte.

prescription n. f. *1* Ce qui est prescrit. *Se conformer aux prescriptions de son médecin. 2* Délai après lequel un coupable ne peut plus être poursuivi par la justice.
Synonymes : recommandation (*1*), ordre (*1*).

Prescrire un régime à un enfant obèse, c'est lui en faire la prescription (*1*).

présent, ente adj. et n. m.
● adj. *1* Qui est là. *Il ne manque personne, tous les élèves sont présents. 2* Qui se passe actuellement, par opposition à futur ou à passé. *Profiter du temps présent, sans penser à l'avenir.*

Votre présence est indispensable, le fait que vous soyez présent (*1*).

● n. m. *1* Période de temps qui est en train de se passer. *2* Temps du verbe qui indique que l'action se passe maintenant. *« Les élèves jouent dans la cour »* est une phrase au présent. *3* Littéraire. Cadeau. *Recevoir des présents. 4 À présent :* actuellement, maintenant, en ce moment.

LES PRÉPOSITIONS

● Quelques prépositions courantes : à, après, avant, avec, chez, contre, de, dans, depuis, en, entre, par, pour, sans, vers…
   Claire écrit à sa tante. Elle lui parle de son voyage.
   Je partirai avec toi. Le train passera dans une heure.

● Certaines prépositions sont formées d'un **groupe de mots** ; on les appelle **locutions prépositives.** Elles jouent le même rôle que les prépositions. Quelques locutions prépositives courantes : à cause de, afin de, au-dessus de, au lieu de, avant de, de façon à, grâce à, près de…

● Après une préposition ou une locution prépositive, on peut toujours poser une question avec **qui ?** ou **quoi ?** dont la réponse est le complément.
   Claire écrit à qui ? À sa tante.

---

présentable adj., **présentateur, trice** n. → présenter.

présentation n. f. *1* Action ou manière de présenter une personne ou une chose ou de se présenter. *Assister à une présentation de mode. 2* Au pluriel. *Faire les présentations :* présenter les gens les uns aux autres.

présenter v. → conjug. **aimer.** *1* Faire connaître une personne à une autre. *J'ai présenté mon ami à mes parents. 2* Animer un spectacle, une émission. *Cet animateur présente une émission de variétés. 3* Montrer quelque chose. *Présenter son billet au contrôleur. 4* Disposer, exposer aux regards. *Ce commerçant présente joliment ses produits. 5 Se présenter :* être candidat à un examen, à un concours ou à une élection. *6 Se présenter :* survenir, se produire, arriver. *Si une difficulté se présente, préviens-moi.*

Ce plat brûlé n'est pas **présentable**, pas digne d'être présenté (*4*). *Un **présentoir*** est un support sur lequel on présente (*4*) des marchandises. *Philomène se précipite sur le **présentateur**, la personne qui présente (*2*) le spectacle.

préservatif n. m. Étui souple en caoutchouc que les hommes utilisent au moment des rapports sexuels pour se protéger de certaines maladies ou comme moyen de contraception.

préserver v. → conjug. **aimer.** Protéger contre ce qui est nuisible. *Se préserver du froid.*

La **préservation** du patrimoine, c'est l'action de le préserver.

président, ente n. *1* Personne qui dirige une assemblée, une réunion, un débat. *Le président du jury. 2* Chef de l'État, dans une république.

Être nommé à la **présidence** d'une association, à la fonction de président (*1*). *La voiture **présidentielle** est blindée,* celle du président (*2*). ***Présider** un débat,* c'est le diriger en tant que président (*1*).

présomptueux, euse adj. et n. Prétentieux. *Il faut être bien présomptueux pour être sûr de gagner !* **Contraire : modeste.**

presque adv. À peu près, mais pas tout à fait. *Attends-moi, j'ai presque fini mes devoirs.*

presqu'île n. f. Terre entourée en grande partie par la mer et reliée au continent par une étroite bande de terre.

pressant, ante adj. → presser.

presse n. f. *1* Ensemble des journaux et des magazines. *2* Machine servant à imprimer. *Ce livre n'est pas encore disponible, il est sous presse. 3* Machine destinée à comprimer, à écraser des objets. *Une presse hydraulique.*

A vec la radio, la télévision, l'Internet, la presse est l'un des grands médias qui traitent et diffusent l'information. La presse écrite est représentée par un nombre important de revues et de journaux quotidiens, hebdomadaires et mensuels. Certaines de ces publications sont spécialisées dans des sujets précis tels la santé, l'art, le cinéma, le sport, l'automobile, etc. **Regarde page suivante.**

pressé, ée adj. *1* Qui doit se dépêcher, par manque de temps. *Je suis trop pressée pour avoir le temps de te parler. 2* Qui est urgent et doit être fait rapidement. *Essaie de faire vite, car ce travail est pressé.*

presse-citron n. m. Plur. : des presse-citron(s). Ustensile utilisé pour presser les agrumes et en extraire le jus.

pressentir v. → conjug. **sortir.** Sentir confusément à l'avance ce qui va arriver. *Pressentir un danger.*

Les spectateurs ont eu le **pressentiment** que le trapéziste allait tomber, ils ont pressenti sa chute.

presse-papiers n. m. inv. Objet lourd qu'on pose sur des papiers.

presse-purée n. m. inv. Ustensile de cuisine qui sert à écraser des pommes de terre pour les transformer en purée.

presser v. → conjug. **aimer.** *1* Appuyer sur quelque chose. *Il faut presser ce bouton pour éteindre la radio. 2* Faire sortir le jus d'un fruit en le comprimant. *Presser un citron. 3* Inciter quelqu'un à agir rapidement. *On nous presse de terminer. 4* Être urgent. *Ce travail ne presse pas, prends ton temps. 5 Se presser :* se dépêcher. *Presse-toi, le bus arrive ! 6 Se presser :* s'entasser. *La foule se presse dans le métro aux heures de pointe.*

Une envie **pressante** d'aller aux toilettes, qui presse (*4*), qui est urgente.

pressing n. m. Magasin où l'on fait nettoyer et repasser des vêtements.
Mot anglais qui se prononce [presiŋ].

pression n. f. *1* Fait de presser, d'appuyer sur quelque chose. *Ouvrir une porte d'une pression de la main. 2* Force exercée par un liquide ou un gaz. *La pression de l'eau dans un tuyau. La pression atmosphérique diminue quand on s'élève dans l'atmosphère. 3* Sorte de bouton qu'on ferme en appuyant dessus. *Un vêtement muni de pressions. 4* Faire pression sur quelqu'un :* insister pour le contraindre à faire quelque chose.

pressoir n. m. Machine qui sert à écraser des fruits ou certaines graines pour en extraire le jus. *Un pressoir à huile.*

la presse

Même si dans la Rome antique on transcrit déjà des « nouvelles » sur des tablettes de cire, c'est avec l'invention de l'imprimerie, au XVᵉ siècle, que la presse voit le jour.

■ Dès la fin du Moyen Âge, les premières « feuilles de nouvelles » sont imprimées puis affichées ou distribuées. Toutefois, ce n'est qu'au XVIIᵉ siècle que la presse prend son essor avec l'organisation de la poste, qui en assure la diffusion.

■ En France, le premier hebdomadaire paraît à Paris en 1631 : il s'agit de *la Gazette*, lancée par Théophraste Renaudot.

■ En 1660, le premier quotidien sort en Allemagne. Il est suivi par un quotidien anglais en 1702. Il faut attendre 1777 pour qu'un grand quotidien français voie le jour : *le Journal de Paris*.

Au XIXᵉ siècle, le Petit Journal, vendu 1 sou, devient le premier quotidien populaire français.

■ À partir du XIXᵉ siècle, la presse se développe grâce à l'amélioration des techniques d'impression. Le prix de vente baisse.

■ En 1881, une loi institue, en France, la liberté de la presse. Désormais on peut exprimer ses opinions politiques sans être soumis à la censure.

la « une »

La « une » désigne la première page d'un journal. Elle présente l'essentiel de l'actualité.

bandeau publicitaire

sujet principal ou ouverture

nom du journal

accroche

titre

billet d'humeur

sommaire

La presse peut être de diffusion nationale ou régionale. Le premier quotidien français est un journal régional, Ouest France, avec environ 785 000 exemplaires vendus chaque jour. Il arrive loin devant le premier quotidien national d'informations générales, le Monde (400 000 exemplaires). La Montagne (215 000 exemplaires) est diffusée dans 7 départements du centre de la France.

quelques chiffres

Tous les pays du monde publient des quotidiens. Les États-Unis détiennent le record avec 1 520 titres, suivis par l'Allemagne avec 375 titres, puis viennent la Russie (285), le Japon (122), la France (117) et le Canada (107). Les quotidiens japonais atteignent les plus forts tirages : le *Yomiuri Shimbun* peut dépasser 14 millions d'exemplaires. Le *Bild Zeitung* allemand tire à 5 millions d'exemplaires et *l'Équipe*, en France, a frôlé les 2 millions d'exemplaires en juillet 1998 lors de la Coupe du monde de football.

pressurisé, ée adj. Qui est maintenu à la pression atmosphérique du sol. *Les avions sont pressurisés.*

prestance n. f. Maintien très élégant, qui impressionne. *Cette femme a beaucoup de prestance.*

prestation n. f. *1* Aide financière versée par un organisme officiel. *Toucher des prestations familiales.* *2* Fait, pour un artiste ou un sportif, de se produire en public. *Apprécier la prestation d'un acteur.*

preste adj. Rapide et adroit. *Rattraper une balle d'un geste preste.*
    *Réagir **prestement**, de manière preste.*

prestidigitation n. f. Art qui consiste à faire des tours de magie.
    *Au cirque, on a vu un **prestidigitateur**, un artiste qui faisait de la prestidigitation, un illusionniste.*

prestige n. m. Admiration et respect suscités par quelqu'un ou quelque chose. *Cette ville jouit d'un grand prestige aux yeux des étrangers.*
    *Un artiste **prestigieux**, qui a beaucoup de prestige.*

présumer v. → conjug. **aimer.** Penser qu'un événement est probable, supposer. *Je présume qu'il sera en retard comme d'habitude.*

1. prêt, prête adj. Qui a fini de se préparer ou d'être préparé. *Attendez-moi, je ne suis pas prête. Passer à table dès que le repas est prêt.*
Homonyme : près.

2. prêt n. m. *1* Chose prêtée. *Ce n'est qu'un prêt, ce n'est pas un cadeau.* *2* Somme d'argent prêtée. *Demander un prêt à la banque.*
Homonyme : près.

prêt-à-porter n. m. Fabrication de vêtements en série.
On prononce [prɛtapɔrte].

prétendant n. m. Homme qui fait la cour à une femme, ou qui souhaite l'épouser.

prétendre v. → conjug. **répondre.** *1* Soutenir quelque chose de douteux. *Elle prétend qu'elle est malade, mais c'est de la comédie.* *2* Avoir la volonté ou l'intention de faire une chose. *Prétendre se faire respecter.*
    *Avoir une **prétendue** migraine, c'est prétendre (1) qu'on a la migraine.*

prétention n. f. *1* Caractère d'une personne qui se prétend supérieure aux autres. *Il se croit le meilleur, quelle prétention!* *2* Intention ou volonté de faire quelque chose. *Avoir la prétention de se faire obéir.*
Contraire : modeste (1).
    *C'est un homme **prétentieux** et antipathique, plein de prétention (1), vaniteux.*

prêter v. → conjug. **aimer.** *1* Laisser quelqu'un disposer d'une chose, sous condition qu'il la rende. *Pense à me rendre le livre que je t'ai prêté.* *2* Attribuer, imputer quelque chose à quelqu'un. *Prêter à quelqu'un des propos qu'il n'a jamais tenus.* *3* Prêter l'oreille : écouter de façon attentive. *4* Prêter attention : être attentif.
    *Elle n'est pas **prêteuse**, elle ne prête (1) pas volontiers ce qui lui appartient.*

prétexte n. m. Fausse raison qu'on donne pour cacher un motif réel. *Il n'est pas venu sous prétexte qu'il était fatigué.*
    *Il n'a pas fait ses devoirs et a **prétexté** qu'il avait été malade, il a donné la maladie comme prétexte.*

prêtre n. m. Homme chargé du culte, dans certaines religions. *Un prêtre catholique.*
    *La **prêtrise** est la fonction de prêtre.*

preuve n. f. *1* Ce qui permet de prouver qu'une chose est vraie. *Avant d'accuser quelqu'un, il faut des preuves.* *2* Calcul qui permet de contrôler l'exactitude d'une opération. *3* Faire preuve d'une qualité : la montrer, la manifester. *Faire preuve de courage.* *4* Faire ses preuves : manifester ses capacités ou sa valeur.

preux n. m. Chevalier courageux et brave. *Charlemagne et ses preux.*

prévaloir v. → conjug. **valoir** (sauf au subjonctif présent : que je prévale). *1* L'emporter sur quelque chose. *Son point de vue a prévalu sur tous les autres.* *2* Se prévaloir de quelque chose : s'en vanter. *Il aime se prévaloir de ses nombreux diplômes.*

prévenant, ante adj. Qui est plein d'attentions gentilles et délicates. *Être prévenant avec ses invités.*
    *Faire preuve de **prévenance**, avoir l'attitude d'une personne prévenante.*

prévenir v. → conjug. **venir.** *1* Faire savoir par avance. *Il a prévenu qu'il serait en retard.* *2* Alerter, informer quelqu'un. *Philomène prévient le présentateur qu'il y a un individu bizarre.* *3* Prendre des précautions pour empêcher quelque chose de fâcheux. *Prévenir une maladie, un danger.*
Synonyme : avertir (2).

préventif, ive adj. Qui est destiné à prévenir, à empêcher quelque chose de fâcheux. *Le rôle préventif d'un vaccin.*
    *Se soigner **préventivement** pour éviter la grippe, de façon préventive.*

prévention n. f. Ensemble de mesures qui ont pour but de prévenir, d'éviter un danger, un risque ou un mal.

a b c d e f g h i j k l m n o p q r s t u v w x y z

préventivement adv. → préventif.

prévenu, ue n. Personne présumée coupable d'un délit et qui attend d'être jugée.

Prévert Jacques

Poète français né en 1900 et mort en 1977. Prévert affirme très tôt son non-conformisme, ainsi que son amour de la justice et de la liberté. Poète populaire, il écrit dans un style simple qui peut être ironique, mais aussi tendre et humoristique ; il joue souvent avec le langage. *Paroles* (1946) est son recueil de poèmes le plus célèbre. Prévert écrit aussi des scénarios et des dialogues de films, notamment ceux du cinéaste Marcel Carné tels *Quai des Brumes* (1938), *Le jour se lève* (1939), *les Visiteurs du soir* (1942) et *les Enfants du paradis* (1945). Il est également auteur de pièces de théâtre et de chansons.

prévisible adj. → prévoir.

prévision n. f. *1* Fait de prévoir quelque chose. *Prendre un parapluie en prévision d'une averse. 2* Ce qu'on a prévu. *Se tromper dans ses prévisions.*

prévoir v. → conjug. **voir (sauf au futur : je prévoirai et au conditionnel présent : je prévoirais).** *1* Imaginer à l'avance une chose probable. *Prévoir une amélioration du temps. 2* Organiser ou planifier quelque chose à l'avance. *Sur ce terrain, la commune a prévu la construction d'une piscine.*
   Malheureusement, son échec était prévisible, on a pu le prévoir (1).

prévoyant, ante adj. Qui sait prévoir et imaginer ce qui peut arriver. *Nous n'avons plus de boissons pour la fin de la randonnée, nous n'avons pas été assez prévoyants.*
   Faire preuve de prévoyance, de la qualité d'une personne prévoyante.

prie-Dieu n. m. inv. Chaise basse sur laquelle on s'agenouille pour prier.

prier v. → conjug. **modifier.** *1* S'adresser à Dieu ou à une divinité pour les honorer, les supplier. *2* Demander quelque chose en insistant. *Je te prie de me pardonner cette erreur.*

prière n. f. *1* Texte qu'on récite en s'adressant à Dieu ou à une divinité. *2* Demande faite avec insistance. *Prière de ne pas me déranger.*

primaire adj. et n. m.
• adj. *1* *Enseignement primaire :* enseignement du premier degré, qui va du cours préparatoire à la fin du cours moyen. *2* *Ère primaire :* la plus ancienne des périodes géologiques. *Au cours de l'ère primaire, les poissons et les reptiles sont apparus.*
• n. m. *1* Enseignement primaire. *2* Ère primaire.

primate n. m. Mammifère qui a un cerveau développé et des mains qui peuvent saisir. *L'homme et le singe sont des primates.*

primauté n. f. Supériorité, premier rang. *Dans ce lycée, la primauté est donnée à l'apprentissage des langues.*

1. prime adj. *De prime abord :* au premier abord, à première vue.

2. prime n. f. *1* Somme d'argent reçue en plus de son salaire. *Toucher une prime de fin d'année. 2* *En prime :* en supplément et en cadeau.
Synonyme : gratification (1).

primer v. → conjug. **aimer.** *1* Dominer, l'emporter. *Chez ces amis, c'est la générosité qui prime. 2* Accorder un prix ou une récompense à quelqu'un ou à quelque chose. *Ce cheval a été primé lors d'un concours.*

primesautier, ère adj. Littéraire. Qui est vif, gai et spontané. *Être d'une humeur primesautière.*

primeur n. f. *1* *Avoir la primeur de quelque chose :* être le premier à le connaître ou à en bénéficier. *2* Au pluriel. Fruits et légumes vendus avant la saison normale.

primevère n. f. Petite fleur qui pousse au début du printemps.

primitif, ive adj. *1* Qui existait à l'origine. *Teindre en noir un sac dont la couleur primitive était marron. 2* Qui est simple ou peu évolué. *Ce travail d'artisan se fait encore à l'aide d'outils primitifs.*
   La façade de cette maison a été repeinte, car primitivement elle était beige, de façon primitive (1).

primordial, ale, aux adj. Extrêmement important. *Jouer un rôle primordial dans une négociation.*
Synonymes : capital, fondamental. Contraire : secondaire.

prince n. m. *1* Fils d'un roi ou d'une reine, ou membre d'une famille royale. *2* Gouverneur d'une principauté. *Le prince de Monaco.*

princesse n. f. *1* Fille d'un roi, d'une reine ou d'un prince. *2* Femme d'un prince.

princier, ère adj. Qui est somptueux et digne d'un prince. *Une réception princière. Il nous a reçus d'une façon princière.*

principal, ale, aux adj., n., n. m. et n. f.
● adj. **1** Qui est le plus important ou qui compte le plus. *La capitale est la principale ville du pays.* **2** *Proposition principale* : proposition dont dépendent d'autres propositions appelées subordonnées.
Contraire : secondaire (**1**).
● n. Personne qui dirige un collège.
● n. m. Chose principale. *Il est en bonne santé et c'est le principal.*
Synonyme : essentiel.
● n. f. Proposition principale. *Dans la phrase « je crois qu'il va pleuvoir », « je crois » est la principale.*

principalement adv. Avant toute autre chose. *C'est une région viticole, qui produit principalement du vin.*
Synonymes : essentiellement, surtout.

principauté n. f. Petit État qui est gouverné par un prince. *La principauté de Monaco.*

principe n. m. **1** Règle de conduite qu'on se donne à soi-même. *Accepter de l'aide est contraire à ses principes.* **2** Loi scientifique. *Comprendre le principe de la pesanteur.* **3** *En principe* : théoriquement. *En principe, il revient demain.*

printanier, ère adj. Relatif au printemps, ou qui évoque le printemps. *Une douceur printanière.*

printemps n. m. Saison de l'année qui vient après l'hiver dans l'hémisphère Nord. *Le printemps dure du 20 ou 21 mars au 21 ou 22 juin, selon les années.*

priorité n. f. Droit de passer en premier, avant les autres. *Les handicapés ont priorité dans les transports.*
  Laisser passer les voitures prioritaires, qui ont la priorité.

prise n. f. **1** Action de prendre, de s'emparer de quelque chose. *La prise de ce médicament est réservée aux adultes. La prise d'une forteresse.* **2** Manière d'attraper un adversaire au judo, au catch. **3** Endroit auquel on peut se tenir pour avoir un point d'appui. *Les alpinistes repèrent les prises sur la paroi qu'ils escaladent.* **4** Dispositif qui permet de brancher un appareil électrique. *Il faut une prise spéciale pour la machine à laver.*

prisé, ée adj. Qu'on apprécie, qu'on estime beaucoup. *Un écrivain très prisé à l'étranger.*

prisme n. m. **1** Solide dont les deux bases sont égales et parallèles, et dont les côtés sont des parallélogrammes. **2** Objet transparent à facettes, qui décompose la lumière passant à travers.

Le prisme décompose la lumière blanche en sept couleurs (spectre de la lumière).

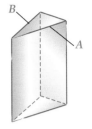
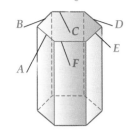

Prisme droit à base triangulaire.
Ses faces latérales sont des rectangles. Deux de ses faces latérales sont égales.
$A = B$

Prisme à base hexagonale.
Toutes les faces latérales sont égales.
Les faces opposées sont parallèles deux à deux.
$A = B = C = D = E = F$

prison n. f. Endroit où l'on enferme des prévenus et des condamnés.

prisonnier, ère n. et adj.
● n. Personne qui est en prison. *Les prisonniers sont enfermés dans des cellules.*
● adj. Qui n'arrive pas à se libérer de quelque chose. *Être prisonnier de ses préjugés.*

Privas

Ville française de la Région Rhône-Alpes, située sur les bords de l'Ouvèze. Privas est un petit centre administratif et industriel réputé pour sa confiserie (marrons glacés).
La ville, fondée au XIIe siècle, devient au XVIe siècle un centre protestant. Elle subit en 1629 une violente répression menée par l'armée de Louis XIII; sa population est massacrée et ses remparts détruits.

07 *Préfecture de l'Ardèche*
9 628 habitants : les Privadois

privation n. f. → **priver**.

privatiser v. → conjug. **aimer.** Placer sous la direction du secteur privé une entreprise qui appartenait à l'État.
Contraire : nationaliser.

privé, ée adj. **1** Qui est réservé à certaines personnes et interdit au public. *Ce château est privé et ne se visite pas.* **2** Qui ne dépend pas de l'État. *Travailler dans le secteur privé.* **3** Qui est strictement personnel et ne concerne pas les autres. *Respecter la vie privée des gens.*

priver v. → conjug. **aimer. 1** Empêcher quelqu'un de profiter de quelque chose d'agréable. *Les élèves trop turbulents ont été privés de sortie.* **2** *Se priver :*

renoncer à des choses agréables ou nécessaires. *Ils ont dû se priver pour pouvoir acheter une voiture.*

Souffrir de privations, du fait de se priver (2) de certaines choses.

privilège n. m. Droit ou avantage exclusif qui est accordé à une personne ou à un groupe de gens. *Cette fonction donne droit à certains privilèges.*

Une cérémonie réservée à quelques privilégiés, à des personnes qui bénéficient de privilèges.

prix n. m. *1* Somme d'argent à payer pour acheter quelque chose. *Comparer les prix avant d'acheter.* *2* Récompense ou distinction attribuées lors d'un concours ou d'une compétition. *Ce festival décerne des prix aux meilleurs films.* *3 À tout prix :* coûte que coûte. *4 Hors de prix :* trop cher, inabordable.

pro– préfixe. Signifie « pour, en faveur de ». *Une politique prochinoise est favorable à la Chine.*

probable adj. Qui a beaucoup de chances de se produire. *Le ciel est menaçant, il est probable qu'il va pleuvoir.*

Synonyme : **vraisemblable.** Contraire : **improbable.**

Il va probablement être reçu car il a beaucoup travaillé, de façon probable. *La probabilité d'un échec est envisageable,* son caractère probable.

probant, ante adj. Qui prouve quelque chose, qui est convaincant. *Des arguments probants ont disculpé l'accusé.*

probité n. f. Qualité d'une personne honnête, intègre.

Synonymes : **droiture, honnêteté, intégrité.**

problème n. m. *1* Exercice de mathématiques. *Un problème d'arithmétique, de géométrie.* *2* Difficulté ou situation embarrassante qu'il faut essayer de résoudre. *La faim dans le monde pose un vrai problème.*

La situation dans ce pays reste problématique, elle pose des problèmes (2).

procédé n. m. *1* Manière d'agir, de se conduire. *Utiliser des procédés malhonnêtes pour réussir.* *2* Manière de s'y prendre pour faire quelque chose. *Ce nouveau procédé de fabrication permet d'accroître la production.*

Synonyme : **méthode (2).**

procéder v. → conjug. **digérer.** Effectuer une tâche. *Les douaniers ont procédé à la fouille des bagages. Comment procéder pour ouvrir cette porte ?*

procédure n. f. *1* Façon de procéder pour obtenir ce qu'on désire. *Se renseigner sur la procédure à suivre pour obtenir une carte d'identité.* *2* Ensemble des formalités et des règles qui permettent le déroulement d'une action en justice. *Engager une procédure de divorce.*

procès n. m. Action en justice devant un tribunal, qui aboutit à un jugement. *À la suite du procès, cet homme a été condamné.*

procession n. f. Cortège à caractère religieux. *Une procession accompagnée de chants et de prières.*

processus n. m. Manière dont les choses se déroulent. *Le processus de la formation des glaciers.* **Mot latin qui se prononce** [prɔsesys].

procès-verbal n. m. Plur. : des procès-verbaux. *1* Acte écrit par une autorité qui constate un délit. *Le motard a dressé un procès-verbal à l'automobiliste.* *2* Compte rendu d'une réunion, d'une assemblée. Synonyme : **contravention (1).** En abrégé : **P.-V (1).**

prochain, aine adj. et n. m.
• adj. Qui vient immédiatement après, dans l'espace ou dans le temps. *Tourne à gauche au prochain carrefour. On est en novembre, le mois prochain on sera en décembre.*
• n. m. *Son prochain :* tout être humain. *Aimer son prochain.*
Synonyme : **autrui.**

prochainement adv. Bientôt. *On doit se revoir prochainement.*

proche adj. et n.
• adj. *1* Qui n'est pas très éloigné d'un endroit. *Les maisons sur la digue sont proches de la mer.* *2* Qui va bientôt arriver. *Les vacances sont presque finies, la rentrée est proche.* *3* Qui ne présente pas une grande différence. *Ces deux couleurs sont très proches.*
Synonyme : **voisin (1 et 3).** Contraire : **éloigné.**
• n. Membre de la famille ou ami intime. *Il n'y avait que les proches à l'enterrement.*

proclamer v. → conjug. **aimer.** *1* Annoncer officiellement et de façon solennelle. *En France, la Iʳᵉ République a été proclamée en 1792.* *2* Annoncer à haute voix et publiquement. *L'homme proclame son innocence devant Philomène et le présentateur.*
Synonyme : **clamer (2).**

La proclamation des résultats, c'est l'action de les proclamer (1).

procréation n. f. Action de donner la vie à un enfant.

procuration n. f. Papier officiel qui autorise quelqu'un à agir, et en particulier à voter à la place de quelqu'un d'autre.

procurer v. → conjug. **aimer.** Faire obtenir, fournir. *Procurer des billets de théâtre à un ami.*

procureur n. m. Magistrat chargé de l'accusation lors d'un procès. *Le procureur a requis une peine de prison contre l'accusé.*

prodigalité n. f. → **prodigue.**

prodige n. m. *1* Événement ou action extraordinaires, miraculeux. *Sortir indemne d'un tel accident est un prodige.* *2* Personne exceptionnellement douée. *Un morceau de piano interprété par un jeune prodige.*

    *Une réussite **prodigieuse**, qui tient du prodige (1). Une élève **prodigieusement** intelligente, de manière prodigieuse.*

prodigue adj. Qui est beaucoup trop dépensier. *À force d'être prodigue, il s'est ruiné.*

    *Reprocher à quelqu'un sa **prodigalité**, son caractère prodigue.*

prodiguer v. → conjug. **aimer.** Donner, accorder avec générosité. *Prodiguer des soins, des conseils.*

producteur, trice adj. et n.
• adj. et n. Qui produit des biens de consommation. *La Beauce est une région productrice de blé. Les producteurs de légumes sont mécontents de la chute des prix.*
• n. Personne qui produit un film ou une émission.

productif, ive adj. Qui produit en grande quantité. *Les engrais rendent les terres plus productives.*

production n. f. *1* Action de produire des biens agricoles ou industriels. *En Asie, on exporte une partie de la production de riz. 2* Quantité des biens produits. *La mécanisation a permis d'augmenter les productions.*

productivité n. f. Quantité de biens produits, rendement. *La productivité d'une terre.*

produire v. → conjug. **cuire.** *1* Causer, provoquer quelque chose. *Cette nouvelle a produit une vive impression. 2* Fournir ou fabriquer des biens de consommation. *Ce champ produit du maïs. Une usine qui produit des ordinateurs. 3* Financer la réalisation d'un film ou d'une émission. *4 Se produire :* arriver, avoir lieu, survenir. *L'accident s'est produit sur l'autoroute.*

produit n. m. *1* Chose produite par la nature ou fabriquée par l'homme. *Les fruits et les légumes sont des produits agricoles. 2* Résultat d'une multiplication. *56 est le produit de 8 x 7.*

proéminent, ente adj. Qui dépasse, qui est saillant. *Les parties proéminentes d'un toit.*

profanation n. f. → **profaner.**

profane adj. et n. Qui est tout à fait ignorant dans le domaine d'une science ou d'un art. *Ce profane ne connaît rien à la musique.*

profaner v. → conjug. **aimer.** Ne pas respecter le caractère sacré d'une chose ou d'un lieu. *Profaner des tombes.*

    *La **profanation** d'une église, c'est l'action de la profaner.*

proférer v. → conjug. **digérer.** Dire très fort et violemment. *Proférer des menaces, des injures.*

professeur n. Personne qui enseigne à des élèves. *Un professeur d'espagnol. L'homme explique à Philomène qu'il est professeur de grimaces.*

    *Parler d'un ton **professoral**, qui est propre aux professeurs. Cet élève veut se préparer au **professorat**, au métier de professeur.*

profession n. f. *1* Activité exercée pour gagner sa vie. *Sa profession de représentant l'oblige à se déplacer souvent. 2 Faire profession d'une opinion, d'un sentiment :* les déclarer publiquement.
Synonyme : métier (1).

professionnel, elle adj. et n.
• adj. Qui a un rapport avec une profession. *Les chômeurs n'ont pas d'activité professionnelle.*
• n. Personne qui pratique une activité ou un sport comme profession et non en amateur.

professoral adj., **professorat** n. m. → **professeur.**

profil n. m. Aspect du visage vu d'un de ses côtés.

se profiler v. → conjug. **aimer.** Se dessiner, se détacher sur un fond. *Les grands arbres se profilent sur le ciel bleu.*

profit n. m. *1* Avantage, intérêt, bénéfice. *Savoir tirer profit d'une expérience. Voter une loi au profit des handicapés. 2* Fait de gagner de l'argent, bénéfice. *Une entreprise prospère qui réalise de gros profits.*
Contraire : perte (2).

profiter v. → conjug. **aimer.** *1* Tirer un profit, un bénéfice, un avantage de quelque chose. *Profiter de ses vacances pour lire. 2* Être utile à quelqu'un. *Cette expérience lui a bien profité.*
Synonyme : servir (2).

    *Ce séjour à la montagne lui a été **profitable**, il en a profité (2).*

profiterole n. f. Pâtisserie composée d'un petit chou rempli de glace et nappé de chocolat fondu et chaud.

profiteur, euse n. Personne qui tire profit de tout, de façon peu scrupuleuse.

profond, onde adj. *1* Dont la distance qui va de la surface au fond est éloignée. *Un lac très profond. 2* Qui est très grand, intense. *Ressentir une joie profonde. 3* Qui va au fond des choses. *Une réflexion très profonde.*
Contraire : superficiel (2 et 3).

profondément adv. *1* À une grande profondeur. *Enfouir un trésor profondément dans le sol. 2* De manière intense. *Dormir profondément. Être profondément déçu.*

a
b
c
d
e
f
g
h
i
j
k
l
m
n
o
p
q
r
s
t
u
v
w
x
y
z

profondeur n. f. *1* Distance qui va de la surface au fond. *Mesurer la profondeur d'un puits.* *2* Dimension qui va du bord vers le fond d'une surface. *Le menuisier scie des planches de 30 centimètres de profondeur.*

profusion n. f. Très grande abondance. *Une profusion d'insectes s'est abattue sur la région.*

progéniture n. f. Ensemble des enfants d'une personne ou des petits d'un animal.

programmable adj., **programmation** n. f. → **programmer**.

programme n. m. *1* Liste des émissions, des films, des spectacles prévus et annoncés. *Regarder le programme pour choisir une émission intéressante.* *2* Ensemble des matières scolaires qui sont à étudier. *L'apprentissage de la lecture est au programme du cours préparatoire.* *3* Ensemble des projets, des buts à réaliser. *Le programme électoral d'un candidat.* *4* Ensemble des informations qu'on fournit à un ordinateur pour qu'il fonctionne.

programmer v. → conjug. **aimer**. *1* Inscrire un film, une émission, un spectacle au programme. *Ce spectacle de danse est programmé pour le mois de mai.* *2* Prévoir ou planifier à l'avance. *Programmer un voyage à l'étranger.* *3* Fournir des instructions à un ordinateur ou à un appareil pour en déclencher le fonctionnement. *Programmer un enregistrement sur un magnétoscope.*
> *Ce four est* *programmable*, *il peut être programmé (*3*).* *La* *programmation* *d'une émission, c'est l'action de la programmer (*1*).*

progrès n. m. *1* Changement en mieux, amélioration dans une matière ou un domaine quelconque. *Cet élève a fait de nets progrès en français.* *2* Développement des connaissances, de la société, de la civilisation. *Où s'arrêtera le progrès ?*

progresser v. → conjug. **aimer**. *1* Faire des progrès. *Ce sportif s'est beaucoup entraîné pour progresser.* *2* Avancer ou s'étendre. *Les troupes progressent vers la ville.* *3* Se développer. *Les ventes d'automobiles ont progressé.*
> *La* *progression* *d'une épidémie, le fait qu'elle progresse (*2*).*

progressif, ive adj. Qui se fait peu à peu, graduellement. *L'évolution progressive d'une maladie.*
> *Au début de l'été, les jours diminuent* *progressivement*, *de façon progressive.*

progression n. f. → **progresser**.

progressiste adj. et n. Qui est favorable au progrès de la société, aux réformes.

progressivement adv. → **progressif**.

prohiber v. → conjug. **aimer**. Interdire légalement. *L'alcool est prohibé dans les pays musulmans.* **Synonymes : défendre, proscrire. Contraire : autoriser.**

prohibitif, ive adj. Trop élevé, excessif, exorbitant. *Un prix prohibitif.*

proie n. f. *1* Animal qui sert de nourriture à un autre animal. *Le lion est à l'affût de sa proie.* *2* Au figuré. Être en proie à un sentiment, être tourmenté par ce sentiment. *En proie à l'inquiétude.* *3* Être la proie des flammes : être dévasté par un incendie. *4* Oiseau de proie : oiseau qui se nourrit de proies vivantes, rapace.

projecteur n. m. *1* Appareil qui projette un rayon lumineux très puissant. *La nuit, ce monument est éclairé par des projecteurs.* *2* Appareil qui permet de projeter des images sur un écran.

projectile n. m. Objet qui est lancé avec force, à la main ou avec une arme. *Des projectiles ont brisé une vitrine.*

projection n. f. *1* Action de projeter, ou matières projetées. *Des projections de lave et de cendres.* *2* Action de projeter un film ou des diapositives.

projet n. m. *1* Ce qu'on a l'intention de faire. *Faire des projets pour l'avenir.* *2* Esquisse d'un texte, d'une construction. *Des architectes ont exposé leurs projets pour un musée.* **Synonyme : plan.**

projeter v. → conjug. **jeter**. *1* Jeter ou lancer avec force. *Un freinage brutal les a projetés dans le pare-brise.* *2* Avoir l'intention, le projet de faire quelque chose. *Nous projetons de déménager.* *3* Faire apparaître des images sur un écran à l'aide d'un projecteur. *Projeter un film.* **Synonymes : envisager (*2*), prévoir (*2*).**

Prokofiev Serguëi Sergueïevitch

Compositeur et pianiste russe né en 1891 et mort en 1953. Prokofiev écrit ses premières compositions à l'âge de neuf ans. En 1918, il quitte la Russie pour l'étranger. Célèbre, il effectue de nombreuses tournées dans le monde puis, en 1934, rentre dans son pays qu'il ne quitte plus jusqu'à sa mort. La musique de Prokofiev est marquée d'un côté par le modernisme, de l'autre par la tradition russe classique. Il a composé des symphonies, des concertos et des sonates, des opéras (*l'Ange de feu* ; *le Joueur* ; *Guerre et Paix*), des ballets (*Roméo et Juliette*), des musiques de film et le célèbre conte musical *Pierre et le Loup*.

prolétaire n. Travailleur qui vit très modestement de son seul salaire.

Le prolétariat, c'est l'ensemble des prolétaires.

proliférer v. → conjug. **digérer.** Se reproduire très vite et devenir de plus en plus nombreux. *Dans cette région chaude et humide, les moustiques prolifèrent.*

La prolifération des algues sur les côtes, le fait qu'elles prolifèrent.

prolifique adj. Qui prolifère. *Les lapins sont réputés pour être très prolifiques.*

prolixe adj. Qui parle énormément. *Se montrer prolixe sur un sujet qu'on connaît bien.*
Synonymes : bavard, loquace.

prologue n. m. Première partie d'une pièce de théâtre, d'un roman, qui résume ce qui s'est passé avant le début de l'action.

prolonger v. → conjug. **ranger.** *1* Faire durer au-delà du temps prévu. *Prolonger ses vacances de deux jours. 2* Augmenter, étendre la longueur de quelque chose. *Cette route doit être prolongée jusqu'en Italie.*

La prolongation d'un match, c'est le fait de le prolonger (*1*) dans le temps. *Le prolongement d'une route,* c'est le fait de la prolonger (*2*) dans l'espace.

promener v. Faire faire un tour, un trajet plus ou moins long. *Aller se promener dans la forêt. Promener ses chiens.*

On va faire une promenade dans la forêt, on va s'y promener. *Nous avons rencontré des promeneurs,* des gens qui se promenaient.

La conjugaison du verbe
PROMENER 1er groupe

indicatif présent	je promène, il ou elle promène, nous promenons, ils ou elles promènent
imparfait	je promenais
futur	je promènerai
passé simple	je promenai
subjonctif présent	que je promène
conditionnel présent	je promènerais
impératif	promène, promenons, promenez
participe présent	promenant
participe passé	promené

promesse n. f. → **promettre.**

prometteur, euse adj. Qui laisse espérer un bon résultat, une réussite. *Ce jeune violoniste a un avenir prometteur.*

promettre v. → conjug. **mettre.** *1* S'engager à faire ou à donner quelque chose. *Je te promets que je passerai te voir. Promettre un cadeau à un enfant. 2 Se promettre :* prendre la décision de faire quelque chose. *Il s'est promis de ne plus faire de bêtises.*

Tenir ses promesses, ce qu'on avait promis (*1*).

promiscuité n. f. Situation très déplaisante qui oblige des personnes à vivre trop près les unes des autres. *Sur cette plage, la promiscuité est insupportable.*

promontoire n. m. Pointe de terre élevée qui s'avance dans la mer.

promoteur, trice n. Personne ou société qui finance la construction d'immeubles pour les vendre.

promotion n. f. *1* Action de promouvoir quelqu'un à un poste ou à un grade plus élevé. *Espérer obtenir une promotion. 2* Action de promouvoir un produit. *Ce magasin fait une promotion sur les canapés.*

Une vente promotionnelle, qui vend des articles en promotion (*2*).

promouvoir v. → conjug. **pouvoir.** *1* Élever quelqu'un à un poste ou à un grade supérieur. *Ce vendeur a été promu chef de rayon. 2* Développer la vente d'un produit par des publicités ou des réductions. *Cette firme veut promouvoir son dernier modèle de voiture.*

prompt, prompte adj. Littéraire. Rapide. *Être prompt à réagir.*
On prononce [prɔ̃, prɔ̃t].

La promptitude d'une réplique, c'est son caractère prompt, sa rapidité.

promulguer v. → conjug. **aimer.** Rendre officielle une loi en la publiant. *Une loi est applicable dès qu'elle est promulguée.*

La promulgation d'une loi, c'est l'action de la promulguer.

prôner v. → conjug. **aimer.** Littéraire. Recommander vivement. *Prôner la paix et la tolérance.*

pronom n. m. Mot qui remplace un nom ou un groupe de mots.

On distingue les pronoms personnels (je, il, vous…), les pronoms démonstratifs (celui, celle, ceci, cela…), les pronoms possessifs (le mien, le tien…), les pronoms interrogatifs (qui, quoi…), les pronoms indéfinis (on, chacun, rien, tous…), et les pronoms relatifs (dont, qui…).

Regarde page suivante et **démonstratif, possessif, interrogatif, relatif.**

875

LES PRONOMS PERSONNELS

Les pronoms personnels désignent les personnes, les animaux, les choses. Ils remplacent les noms ou les groupes du nom et en évitent la répétition.

On distingue :

● Les pronoms personnels **sujets**.
Ils désignent le sujet : je, tu, nous, vous
Ils remplacent le sujet : il, elle, ils, elles, on
Les hirondelles sont revenues ; elles nichent dans la grange.

● Les pronoms personnels **compléments**.
Ils remplacent le complément d'objet direct : me, te, en, le, la, les, nous, vous.
Ils remplacent le complément d'objet indirect : me, te, lui, en, y, nous, vous.
Alain achète des fleurs ; il les offre à sa mère.

● Certains pronoms sont employés pour insister sur la personne.
Moi, je n'irai pas à la campagne, toi, tu iras.
Ils peuvent être sujets ou compléments. Les principaux sont : moi, toi, soi, elle, elles, lui, leur, eux, nous, vous.

pronominal, ale, aux adj. Se dit de la forme du verbe lorsqu'il est précédé d'un pronom personnel. *« S'élancer » est un verbe pronominal.*
Regarde page suivante.

prononcé, ée adj. Que l'on perçoit de façon nette, évidente. *Avoir un accent du Midi très prononcé. Un goût prononcé de noisette.*

prononcer v. → conjug. **tracer.** *1* Articuler les sons d'un mot. *Seau et sot se prononcent de la même façon, ce sont des homonymes. 2* Dire à haute voix. *Prononcer un discours. 3 Se prononcer :* donner son avis ou prendre parti. *Se prononcer en faveur de quelqu'un.*
La prononciation est la manière de prononcer (1) les mots.

pronostic n. m. Prévision sur ce qui pourrait se passer. *Le pronostic était faux, c'est l'autre équipe qui a gagné.*
Pronostiquer la victoire d'un candidat, c'est en faire le pronostic.

propagande n. f. Action exercée pour influencer les gens et leur faire accepter certaines idées. *Ce parti distribue des tracts pour faire de la propagande.*

propager v. → conjug. **ranger.** *1* Faire connaître à un vaste public. *Propager une nouvelle, une rumeur. 2 Se propager :* s'étendre, progresser. *Avec la sécheresse, le feu s'est vite propagé.*
Synonyme : répandre (1).
Les pompiers luttent contre la propagation du feu, le fait qu'il se propage (2).

propane n. m. Gaz combustible. *Remplacer la bouteille de propane d'une cuisinière.*

prophète n. m. Homme qui fait connaître à tout le monde les volontés d'un dieu. *Le prophète de l'islam s'appelle Mahomet.*

prophétie n. f. Ce qui est annoncé pour l'avenir.
On prononce [prɔfesi]. Synonyme : prédiction.
Des paroles prophétiques, qui ont le caractère d'une prophétie. Prophétiser un événement, c'est l'annoncer comme une prophétie, le prédire.

propice adj. Qui arrive au bon moment. *Il y a du vent et le temps est propice pour faire de la voile.*
Synonymes : favorable, opportun.

proportion n. f. *1* Rapport entre deux quantités ou entre les différentes parties d'un ensemble. *Pour réussir cette recette, respecte bien la proportion des ingrédients. 2* Au pluriel. Dimensions d'un objet les unes par rapport aux autres. *Les proportions harmonieuses d'un bâtiment. 3* Au pluriel. Étendue, importance plus ou moins grande. *Une grève aux proportions inattendues.*
Une peine proportionnée au délit commis, en proportion (1) normale avec le délit. Un salaire proportionnel aux heures de travail, en rapport de proportion (1). Les impôts sont calculés proportionnellement aux revenus, de façon proportionnelle aux revenus.

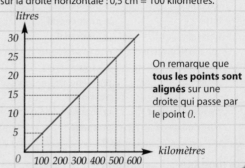

LA PROPORTIONNALITÉ

Une quantité est proportionnelle à une autre quand il y a entre elles un rapport qui fait que quand l'une varie, l'autre varie dans la même proportion.

Ainsi, si une voiture consomme **5** litres d'essence pour faire **100** kilomètres, elle consommera : **10** litres pour faire **200** kilomètres ; **15** litres pour faire **300** kilomètres ; **20** litres pour faire **400** kilomètres…

On peut effectuer une **représentation graphique :**
sur la droite verticale : 0,5 cm = 5 litres,
sur la droite horizontale : 0,5 cm = 100 kilomètres.

On remarque que **tous les points sont alignés** sur une droite qui passe par le point *0.*

La conjugaison
du verbe « se baigner »
à LA VOIX PRONOMINALE

→ **indicatif**

présent	passé composé
je me baigne	je me suis baigné, ée
tu te baignes	tu t'es baigné, ée
il, elle se baigne	il, elle s'est baigné, ée
nous nous baignons	nous nous sommes baignés, ées
vous vous baignez	vous vous êtes baignés, ées
ils, elles se baignent	ils, elles se sont baignés, ées

→ **infinitif**

présent	se baigner
passé	s'être baigné(s), ée(s)

imparfait	plus-que-parfait
je me baignais	je m'étais baigné, ée
tu te baignais	tu t'étais baigné, ée
il, elle se baignait	il, elle s'était baigné, ée
nous nous baignions	nous nous étions baignés, ées
vous vous baigniez	vous vous étiez baignés, ées
ils, elles se baignaient	ils, elles s'étaient baignés, ées

→ **participe**

présent	se baignant
passé	s'étant baigné(s), ée(s)

passé simple	passé antérieur
je me baignai	je me fus baigné, ée
tu te baignas	tu te fus baigné, ée
il, elle se baigna	il, elle se fut baigné, ée
nous nous baignâmes	nous nous fûmes baignés, ées
vous vous baignâtes	vous vous fûtes baignés, ées
ils, elles se baignèrent	ils, elles se furent baignés, ées

→ **impératif**

présent	baigne-toi
	baignons-nous
	baignez-vous

futur simple	futur antérieur
je me baignerai	je me serai baigné, ée
tu te baigneras	tu te seras baigné, ée
il, elle se baignera	il, elle se sera baigné, ée
nous nous baignerons	nous nous serons baignés, ées
vous vous baignerez	vous vous serez baignés, ées
ils, elles se baigneront	ils, elles se seront baignés, ées

passé	*inusité*

→ **subjonctif**

présent	passé
que je me baigne	que je me sois baigné, ée
que tu te baignes	que tu te sois baigné, ée
qu'il, elle se baigne	qu'il, elle se soit baigné, ée
que nous nous baignions	que nous nous soyons baignés, ées
que vous vous baigniez	que vous vous soyez baignés, ées
qu'ils, elles se baignent	qu'ils, elles se soient baignés, ées

→ **conditionnel**

présent
je me baignerais
tu te baignerais
il, elle se baignerait
nous nous baignerions
vous vous baigneriez
ils, elles se baigneraient

imparfait	plus-que-parfait
que je me baignasse	que je me fusse baigné, ée
que tu te baignasses	que tu te fusses baigné, ée
qu'il, elle se baignât	qu'il, elle se fût baigné, ée
que nous nous baignassions	que nous nous fussions baignés, ées
que vous vous baignassiez	que vous vous fussiez baignés, ées
qu'ils, elles se baignassent	qu'ils, elles se fussent baignés, ées

passé
je me serais baigné, ée
tu te serais baigné, ée
il, elle se serait baigné, ée
nous nous serions baignés, ées
vous vous seriez baignés, ées
ils, elles se seraient baignés, ées

propos

propos n. m. *1* But qu'on se fixe. *Le propos de ce comédien est d'amuser le public.* *2* **À propos :** au bon moment, à point. *Arriver à propos.* *3* **À propos de :** au sujet de. *Échanger ses idées à propos d'un film.* *4* Au pluriel. Paroles dites. *Tenir des propos élogieux.*

proposer v. → conjug. **aimer.** *1* Offrir quelque chose au choix de quelqu'un, ou lui soumettre une idée. *Philomène est ravie : l'homme lui a proposé de lui apprendre à faire des grimaces.* *Se proposer pour faire la vaisselle.* *2* **Se proposer de :** avoir l'intention de. *Se proposer d'aller au cinéma.*

proposition n. f. *1* Chose qui est proposée. *Elle m'a demandé de l'accompagner, j'ai accepté sa proposition.* *2* Partie d'une phrase contenant un verbe. *« J'aimerais bien qu'il parte » est formée d'une proposition principale et d'une proposition subordonnée.*

propre adj. et n. m.
● adj. *1* Qui est net, sans trace de saleté. *Ce plat n'est pas propre, il y a des traces dessus.* *2* Qui appartient de façon personnelle et particulière à quelqu'un. *Chacun a des goûts qui lui sont propres.* *3* Qui convient bien. *Cette eau potable est propre à la consommation.* *4* **Sens propre :** sens originel du mot par opposition au sens figuré.
Contraires : impropre (*3*), sale (*1*).
Apprendre à un enfant à manger **proprement**, de façon propre (*1*). *Apprécier la* **propreté** *d'un lieu,* son caractère propre (*1*).
● n. m. *1* Ce qui caractérise quelqu'un ou quelque chose. *Le propre d'un égoïste est de ne pas penser aux autres.* *2* **Mettre au propre :** recopier ce qui n'était qu'un brouillon.

propriété n. f. *1* Fait de disposer de quelque chose qu'on possède. *Accéder à la propriété.* *2* Vaste maison avec un jardin. *Avoir une propriété à la campagne.* *3* Qualité particulière à une chose. *Une des propriétés de l'or est d'être inaltérable.*
Synonymes : caractéristique (*3*), particularité (*3*).
Il est locataire de son studio et paie chaque mois son loyer au **propriétaire**, à la personne qui en a la propriété (*1*).

propulser v. → conjug. **aimer.** Mettre un engin en mouvement. *Les fusées sont propulsées par des moteurs très puissants.*
Des réacteurs permettent la **propulsion** *des engins spatiaux,* le fait de les propulser.

prorata n. m. inv. **Au prorata de :** en proportion de. *Être payé au prorata des heures effectuées.*

prosaïque adj. Qui manque de noblesse ou d'imagination. *Avoir des préoccupations très prosaïques.*
Synonymes : banal, terre à terre.

proscrire v. → conjug. **écrire.** Interdire rigoureusement. *L'islam proscrit la consommation d'alcool.*

proscrit, ite n. Personne qui a été condamnée à quitter son pays.

prose n. f. Manière ordinaire d'écrire, qui n'est pas soumise aux règles de la poésie. *Les romans et les nouvelles sont écrits en prose.*

prosélytisme n. m. Zèle que met quelqu'un à convertir les autres à sa religion ou à ses idées.

prospecter v. → conjug. **aimer.** Explorer une région ou un terrain pour essayer d'y découvrir des richesses naturelles, des gisements. *Prospecter les fonds sous-marins pour trouver du pétrole.*
Faire de la **prospection**, c'est l'action de prospecter.

prospectus n. m. Page de publicité distribuée gratuitement. *Jeter un tas de prospectus.*
On prononce [prɔspɛktys].

prospère adj. Qui est en plein développement, en plein épanouissement. *Cette région était prospère avant de péricliter.*
Synonyme : florissant.
Ce village **a prospéré** *grâce au tourisme,* il est devenu prospère. *La* **prospérité** *d'un secteur économique,* c'est son caractère prospère.

se prosterner v. → conjug. **aimer.** Se pencher très bas, en signe d'adoration ou de respect. *Les fidèles se prosternent au pied de la statue du saint.*

se prostituer v. → conjug. **aimer.** Pratiquer l'acte sexuel avec quelqu'un contre de l'argent.
Payer une **prostituée**, une femme qui se prostitue. *La* **prostitution** *est la pratique des personnes qui se prostituent.*

prostré, ée adj Qui est profondément abattu, accablé. *Retrouver les rescapés d'un tremblement de terre prostrés.*
La **prostration** *est l'état d'une personne prostrée.*

protagoniste n. Personne dont le rôle est déterminant dans une affaire ou une histoire. *Arrêter un des protagonistes de l'attentat.*

protecteur, trice adj. Qui vise à protéger, à défendre contre un danger. *Cette association protectrice des animaux est contre la chasse.*

protection n. f. *1* Action de protéger contre un danger. *Des policiers assurent la protection des personnalités.* *2* Ce qui permet de protéger. *Le casque est obligatoire pour servir de protection aux motards.*

protège-cahier n. m. Plur. : des protège-cahiers. Couverture souple servant à protéger un cahier.

protéger v. → conjug. **siéger.** *1* Défendre contre un éventuel danger. *Les animaux protègent leurs petits contre les prédateurs.* *2* Mettre à l'abri d'un mal ou d'un risque. *Ce produit protège le bois contre les termites.*

protéine n. f. Substance nourrissante contenue dans de nombreux aliments.

protestant, ante n. Chrétien qui ne reconnaît pas l'autorité du pape. *Le temple est le lieu de culte des protestants.*

Le *protestantisme* est la religion des protestants.

protester v. ➔ conjug. **aimer.** Déclarer énergiquement son désaccord ou sa désapprobation. *Protester contre les licenciements abusifs.*

Une manifestation de *protestataires*, de gens qui protestent. *La protestation s'est étendue à plusieurs syndicats,* le fait de protester.

prothèse n. f. Appareil destiné à remplacer la fonction d'un membre ou d'un organe.

Un *prothésiste* est une personne qui fabrique des prothèses.

protocole n. m. Ensemble des règles à respecter au cours d'une cérémonie officielle. *Se conformer au protocole.*
Synonyme : **étiquette.**

Une visite *protocolaire,* conforme au protocole.

prototype n. m. Premier exemplaire d'un objet, d'un appareil qui sera ensuite construit en série. *Ce prototype n'est pas encore dans le commerce.*

protubérance n. f. Petite bosse, excroissance. *Une verrue qui forme une protubérance sur la peau.*

proue n. f. Partie avant d'un bateau.
Contraire : **poupe.**

prouesse n. f. Exploit. *La traversée en solitaire de l'Atlantique sur un radeau est une prouesse.*

Proust Marcel

Écrivain français né en 1871 et mort en 1922. Après de brillantes études, Proust fréquente les salons mondains parisiens. Il entame un roman, *Jean Santeuil,* et traduit les écrits de l'Anglais John Ruskin. Peu à peu, il se coupe du monde, s'enferme chez lui et se consacre à l'écriture du roman *À la recherche du temps perdu.* Cette œuvre compte neuf volumes, publiés entre 1913 et 1927. Avec l'un d'eux, *À l'ombre des jeunes filles en fleurs,* il obtient le prix Goncourt en 1919. Proust est l'un des plus grands écrivains du XXᵉ siècle.

prouver v. ➔ conjug. **aimer.** Démontrer que quelque chose est vrai ou réel. *Il a un alibi qui prouve son innocence.*
Synonyme : **établir.**

Provence

Ancienne province du sud-est de la France couvrant les départements actuels des Bouches-du-Rhône, du Vaucluse, des Alpes-de-Haute-Provence, du Var et des Alpes-Maritimes. Le relief de la Provence est constitué de plaines et de bassins séparés par des chaînons montagneux. Le climat est méditerranéen. Spécialisée dans la culture des fruits et des légumes, la vigne et l'élevage ovin, la Provence tire d'importantes ressources du tourisme. Elle compte de grandes villes parmi lesquelles : Marseille, Nice, Avignon. Colonisée par les Phocéens (Grecs de Phocée) qui fondent Massalia (Marseille) vers 600 av. J.-C., la Provence est conquise par les Romains entre 125 et 121 av. J.-C. Elle subit les invasions barbares du Vᵉ siècle. Le comté de Provence devient indépendant au XIIᵉ siècle. Il est rattaché à la France en 1481.

provenir v. ➔ conjug. **venir.** *1* Venir de tel lieu. *Des pistaches qui proviennent de Grèce.* *2* Être le résultat, la conséquence de quelque chose. *Son échec provient de son manque de travail.*
Synonymes : **découler** (*2*), **résulter** (*2*).

Arrivée du train en *provenance* de Marseille, qui provient (*1*) de Marseille.

proverbe n. m. Petite phrase qui exprime un conseil de sagesse ou une vérité de bon sens.
Regarde page suivante.

proverbial, ale, aux adj. Qui est célèbre et connu de tous. *L'hospitalité proverbiale des peuples de la Méditerranée.*
Synonyme : **légendaire.**

providence n. f. Pour les chrétiens, bonté et sagesse avec lesquelles Dieu gouverne et protège le monde.

providentiel, elle adj. Qui est dû à un heureux hasard, se produit au bon moment. *L'arrivée providentielle des secours a permis de sauver des blessés.*

province n. f. *1* Région française, qui a ses traditions et ses coutumes. *2* Ensemble de la France, hormis Paris et sa banlieue. *La vie en province est plus calme qu'à Paris.*

Les *provinciaux* sont les gens qui habitent en province (*2*).

proviseur n. m. Directeur d'un lycée.

les proverbes

Expressions imagées de la sagesse populaire, les proverbes sont innombrables. En voici quelques-uns.

L'habit ne fait pas le moine.

Il ne faut pas juger les gens sur leur apparence.

Appeler un chat un chat.

Parler franchement en appelant les choses par leurs noms.

Qui se ressemble s'assemble.

On recherche toujours la compagnie des gens qui ont les mêmes qualités ou les mêmes défauts.

Quand on n'a pas ce que l'on aime, il faut aimer ce que l'on a.

Il faut savoir se contenter de ce que l'on a.

Qui vole un œuf vole un bœuf.

Commettre un petit vol montre que l'on est capable d'en commettre un plus gros.

Quand le chat n'est pas là, les souris dansent.

On profite souvent de l'absence d'une autorité pour faire ce qui est interdit.

On ne fait pas d'omelette sans casser des œufs.

On n'obtient rien sans difficulté.

Ventre affamé n'a point d'oreilles.

Quand on a faim, on est sourd à tout raisonnement.

provision n. f. *1* Ensemble de choses utiles qu'on garde en réserve. *Faire une provision de bois pour l'hiver.* *2* Somme d'argent disponible sur un compte. *Ce chèque sans provision a été refusé.* *3* Au pluriel. Produits nécessaires qu'on achète pour la vie de tous les jours. *Avoir des provisions pour plusieurs jours.*

provisoire adj. Qui est prévu pour ne pas durer longtemps. *Les sinistrés ont été relogés de façon provisoire.*
Synonyme : **temporaire.** Contraire : **définitif.**
Habiter **provisoirement** *chez un ami,* de façon provisoire.

provoquer v. → conjug. **aimer.** *1* Être à l'origine de quelque chose. *Les pluies ont provoqué des inondations.* *2* Pousser quelqu'un à réagir violemment en le défiant. *Des jeunes ont provoqué des policiers.*
Synonymes : **causer (***1***), entraîner (***1***).**
Avoir une attitude **provocante,** destinée à provoquer (*2*). *Des* **provocateurs** *ont troublé la manifestation,* des personnes qui provoquent (*2*) les autres. *Ne pas faire attention aux* **provocations,** aux actes ou aux paroles destinés à provoquer (*2*).

proximité n. f. Caractère de ce qui est proche, dans l'espace ou dans le temps. *Apprécier la proximité des commerçants. La proximité des vacances le réjouit.*

prudent, ente adj. Qui agit en réfléchissant, en prévoyant les risques de façon à les éviter. *Faire attention à la circulation et être très prudent en traversant.*
Contraire : **imprudent.**
Conduire avec une extrême **prudence,** avec l'attitude d'une personne prudente. *Attendre* **prudemment** *que l'orage cesse pour sortir,* avec prudence.

prune n. f. Fruit du prunier, à chair sucrée et juteuse. *Toutes les variétés de prunes ont un noyau.*
Le **prunier** *est l'arbre fruitier qui donne des prunes.*

pruneau n. m. **Plur. : des pruneaux.** Prune séchée de couleur noire.

prunelle n. f. *1* Toute petite prune au goût âpre. *2* Pupille de l'œil. *3* Tenir à quelque chose *comme à la prunelle de ses yeux :* le considérer comme ce qu'on a de plus précieux.
La prunelle est le fruit du prunellier, petit prunier sauvage qui pousse souvent dans les haies. Elle est de couleur bleue et a la taille d'une cerise. Elle mûrit à l'automne. On attend qu'elle ait gelé avant de la cueillir pour en faire de l'eau-de-vie et de la liqueur.

prunier n. m. → **prune.**

P.-S. → **post-scriptum.**

psaume n. m. Chant religieux, dans les cultes juif et chrétien.

pseudonyme n. m. Faux nom choisi par un artiste ou un écrivain à la place du sien. *Voltaire est le pseudonyme de François Marie Arouet.*
Synonyme : **nom d'emprunt.**

psychanalyse n. f. Méthode consistant à soigner les troubles psychiques d'un patient en lui demandant de parler de souvenirs vécus qui pourraient être à l'origine de ses troubles.
On prononce [psikanaliz].
Se faire **psychanalyser,** c'est se faire soigner grâce à la psychanalyse. *Un* **psychanalyste** *est un spécialiste de la psychanalyse.*

psychiatrie n. f. Partie de la médecine qui se consacre aux maladies mentales.
On prononce [psikjatri].
Un **psychiatre** *est un spécialiste de psychiatrie. Un hôpital* **psychiatrique,** *qui a la psychiatrie comme spécialité.*

psychique adj. Qui concerne le fonctionnement de l'esprit. *Souffrir de troubles psychiques.*
Synonyme : **mental.**

psychologie n. f. *1* Discipline qui étudie scientifiquement le comportement et les réactions des individus. *2* Faculté de comprendre de façon intuitive l'état d'esprit ou les sentiments des autres. *Faire preuve de psychologie.*
On prononce [psikɔlɔʒi].
Des troubles **psychologiques,** *qui concernent la psychologie (***1***).*

psychologue n. et adj.
● n. Spécialiste de psychologie. *Cet enfant traumatisé est suivi par un psychologue.*
● adj. Qui fait preuve de psychologie, d'intuition, de finesse. *En le vexant, tu ne t'es pas montré très psychologue.*
On prononce [psikɔlɔg].

psychose n. f. Peur obsédante, irraisonnée et souvent collective. *La psychose du terrorisme a envahi la population.*
On prononce [psikoz].

psychothérapie n. f. Traitement inspiré de la psychanalyse et destiné à guérir les troubles psychologiques.
On prononce [psikoterapi].
Un **psychothérapeute** *est un spécialiste de psychothérapie.*

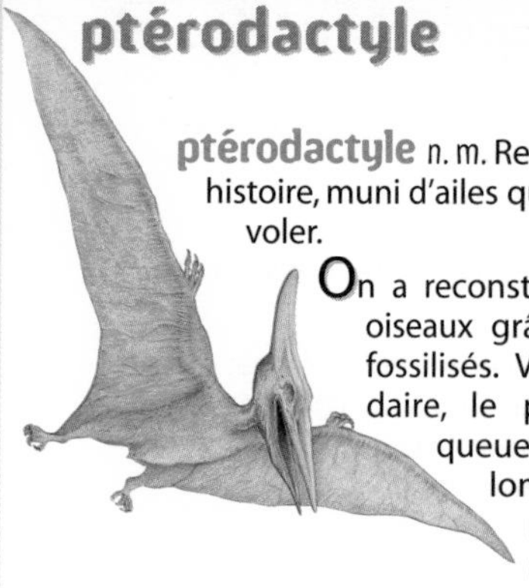

ptérodactyle n. m. Reptile fossile de la préhistoire, muni d'ailes qui lui permettaient de voler.

On a reconstitué cet ancêtre des oiseaux grâce à des squelettes fossilisés. Vivant à l'ère secondaire, le ptérodactyle a une queue courte et une très longue mâchoire. Il se nourrit probablement de poissons.

puant, ante adj., **puanteur** n. f. → **puer.**

pub n. m. Au Royaume-Uni, établissement où l'on sert des boissons alcoolisées.
Mot anglais qui se prononce [pœb].

puberté n. f. Période de la vie caractérisée par des transformations physiques et psychologiques, et qui marque le passage de l'enfance à l'adolescence.

pubis n. m. Partie du bas du ventre qui forme un triangle, et qui se couvre de poils au moment de la puberté.
On prononce [pybis].

public, ique adj. et n. m.
• adj. 1 Qui concerne l'ensemble de la population. *Le Président a fait une déclaration publique.* 2 Qui appartient à l'État et est ouvert à tout le monde. *Les aéroports et les gares sont des lieux publics. L'école publique.*
Contraire : privé (1 et 2).
• n. m. 1 Ensemble de la population. *Ce château et ce parc sont souvent ouverts au public.* 2 Ensemble des spectateurs. *Le public a vivement applaudi les comédiens.* 3 *En public* : en présence de beaucoup de monde.
Il a avoué ***publiquement*** *son erreur,* en public.

publication n. f. 1 Fait de publier un texte. *La publication de cet article a provoqué des polémiques.* 2 Œuvre ou texte publiés. *Cette revue est une publication mensuelle.*

publicité n. f. 1 Ensemble des techniques utilisées pour faire connaître un produit et mieux le vendre. *Cette marque fait beaucoup de publicité dans la presse et à la télévision.* 2 Image, annonce ou film court dont le but est de faire vendre un produit. *La boîte aux lettres est souvent remplie de publicités.*
Un clip ***publicitaire****,* qui fait de la publicité (1) pour quelque chose.
Regarde page ci-contre.

publier v. → conjug. **modifier.** 1 Éditer un texte pour le mettre en vente. *Cette maison d'édition ne publie que des romans policiers.* 2 Annoncer une nouvelle au public, en particulier par la presse. *Publier les résultats d'un sondage.*

publiquement adv. → **public.**

Puccini Giacomo

Compositeur italien né en 1858 et mort en 1924. Puccini se passionne très tôt pour l'opéra et compose des œuvres qui connaissent le succès dans le monde entier : *Manon Lescaut* (1893), *la Bohème* (1896), *Tosca* (1900), *Madame Butterfly* (1904). Sa musique, d'une grande richesse d'orchestration, est empreinte de lyrisme. Puccini a également composé des pièces pour piano et orgue, une *Messe* (1880) et un *Requiem* (1905).

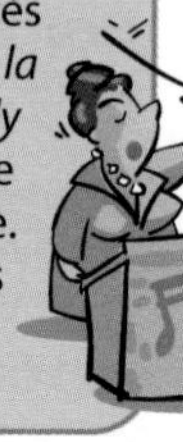

puce n. f. 1 Minuscule insecte brun, qui se déplace en sautant. *Les puces sont des parasites de l'homme.* 2 Très petit élément d'un circuit électronique, qui stocke des informations pouvant être lues par un ordinateur. *Les cartes de crédit sont des cartes à puce.* 3 *Marché aux puces* : lieu où l'on vend des objets d'occasion. 4 *Mettre la puce à l'oreille* : éveiller des soupçons.

puceron n. m. Minuscule insecte, parasite des plantes. *Soigner des rosiers contre les pucerons.*

pudding n. m. Gâteau anglais, garni de fruits secs et d'épices.
Mot anglais qui se prononce [pudiŋ].

pudeur n. f. Sentiment de gêne ou de retenue ressenti par quelqu'un qui n'ose pas montrer son corps ou parler de ses sentiments intimes. *Faire preuve d'une grande pudeur sur sa vie privée.*
Une jeune fille ***pudique****,* qui manifeste de la pudeur.

puer v. → conjug. **aimer.** Sentir extrêmement mauvais. *Ce poisson pue, il est avarié.*
Une poubelle ***puante****,* qui pue. *Ne pas supporter la* ***puanteur*** *des égouts,* leur caractère puant.

puériculture n. f. Ensemble des connaissances et des techniques nécessaires pour s'occuper de très jeunes enfants.
Une ***puéricultrice*** est une spécialiste de puériculture.

puéril, ile adj. Qui marque un manque de sérieux et de maturité et n'est pas digne d'un adulte. *Une réaction puérile.*
Synonyme : infantile.
La ***puérilité*** *de ses propos est navrante,* leur caractère puéril.

pugilat n. m. Violente dispute accompagnée de coups de poing.

la publicité

La publicité est très ancienne. On la date de 3 000 ans av. J.-C. en Haute-Égypte. On la trouve aussi, plus tard, dans les cités romaines, sous forme d'enseignes ou d'affichages pour des spectacles de cirque. On en a retrouvé des exemples en Italie, dans les ruines de Pompéi.

Au Moyen Âge, on utilise les crieurs de rue puis, à partir du XIVᵉ siècle, les enseignes. Au XVᵉ siècle, avec l'invention de l'imprimerie, la publicité commence à se développer.

La presse utilise rapidement la publicité, qui permet d'abaisser le prix des publications, en vendant des « espaces publicitaires ». Au XIXᵉ siècle, la naissance d'une presse populaire à fort tirage favorise son expansion. La publicité touche ensuite de nouveaux secteurs commerciaux ; l'invention de l'électricité et la modernisation de l'imprimerie amplifient sa diffusion.

Dans les années 30, la « réclame » vante, au moyen d'affiches et de prospectus, toutes sortes de produits, par exemple des médicaments.

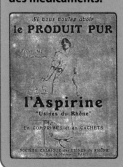

l'histoire d'une marque

Depuis 1898, le Bibendum vante les mérites des pneus Michelin. Devenu le symbole de la firme, son image et les slogans qui l'accompagnent n'ont cessé d'évoluer.

1912.

1898.

1965.

1927.

1985.

1998.

C'est au XXᵉ siècle qu'apparaît la publicité moderne. Trois nouveaux supports s'offrent à elle : le cinéma, la radio puis la télévision. De grandes agences se créent dans le monde ; le métier de publicitaire prend un essor gigantesque. La publicité trouve sa place partout, y compris en politique, lors des campagnes électorales.

La publicité possède aujourd'hui un pouvoir considérable, qui se développe encore avec un nouveau média à dimension internationale : Internet.

puis adv. **1** Après, ensuite. *Déjeuner, puis faire la sieste.* **2** *Et puis* : d'ailleurs, en plus, du reste. *Je n'ai pas le temps de manger, et puis je n'ai pas faim.*
Homonyme : puits.

puiser v. → conjug. **aimer. 1** Prendre une partie d'un liquide à l'aide d'un récipient. *Puiser un peu d'eau dans une fontaine.* **2** Prendre, prélever dans une réserve. *Puiser dans ses économies pour s'acheter une chaîne stéréo.*

puisque conj. Indique la cause, le motif. *Puisqu'il pleut, restons à la maison.*

puissance n. f. **1** Autorité, pouvoir ou influence qu'on exerce. *La puissance impériale.* **2** État qui possède des richesses et qui a beaucoup d'influence dans le monde. *Toutes les grandes puissances étaient réunies pour une conférence au sommet.* **3** Force, énergie ou intensité fournie par quelque chose. *La puissance d'un moteur. Régler la puissance d'un éclairage.*

puissant, ante adj. **1** Qui a un grand pouvoir, une grande influence. *Cet homme est riche et puissant.* **2** Qui a beaucoup de force, beaucoup d'énergie. *Une voiture puissante. Une musculature puissante.*

puits n. m. **1** Trou profond creusé dans le sol pour atteindre une nappe d'eau souterraine. **2** Trou destiné à l'exploitation d'un gisement de pétrole ou de minerai.
Homonyme : puis.

Un derrick au-dessus d'un puits de pétrole.

Un puits traditionnel d'alimentation en eau.

pull-over n. m. **Plur. : des pull-overs.** Tricot, le plus souvent en laine, qui s'enfile par la tête.
Mot anglais qui se prononce [pylɔvɛʀ]. On dit aussi : un pull.

pulluler v. → conjug. **aimer.** Se trouver en très grand nombre dans un endroit. *Les truites pullulent dans ce torrent.*
Synonyme : abonder.

pulmonaire adj. Qui se rapporte aux poumons. *Une affection pulmonaire.*

pulpe n. f. **1** Partie charnue et tendre d'un fruit. *Un jus d'oranges pressées servi avec la pulpe.* **2** Tissu qui remplit l'intérieur des dents.

pulsation n. f. Battement des artères et du cœur. *Quand on fait des efforts importants, les pulsations s'accélèrent.*

pulvériser v. → conjug. **aimer. 1** Projeter un liquide en fines gouttelettes. *Pulvériser un peu d'eau sur une plante verte.* **2** Détruire entièrement. *L'explosion a pulvérisé toutes les vitres.* **3** *Pulvériser un record* : le dépasser très largement.
> Un *pulvérisateur* est un appareil qui sert à pulvériser (**1**) un liquide. *Des pulvérisations d'insecticide*, c'est l'action de le pulvériser (**1**).

puma n. m. Grand félin carnassier au pelage beige. *Le puma vit en Amérique.*

punaise n. f. **1** Petit clou à tête large et plate et à pointe courte. *Fixer une affiche avec des punaises.* **2** Petit insecte parasite, au corps aplati. *La punaise sent très mauvais quand on l'écrase.*

1. punch n. m. Boisson alcoolisée, qui est un mélange de rhum, de sirop de sucre de canne et de jus de fruits. *Le punch est une spécialité des Antilles.*
On prononce [pɔ̃ʃ].

2. punch n. m. **1** Capacité qu'a un boxeur de porter des coups efficaces. **2** Familier. *Avoir du punch* : être dynamique, énergique.
Mot anglais qui se prononce [pœnʃ].

punching-ball n. m. **Plur. : des punching-balls.** Gros ballon fixé sur un support, que les boxeurs utilisent pour s'entraîner.
Mot anglais qui se prononce [pœnʃiŋbol].

punir v. → conjug. **finir.** Faire subir à quelqu'un une peine ou une sanction pour une faute qu'il a commise. *Punir le coupable d'une agression.*
> Une *punition* est ce qu'on inflige à quelqu'un pour le punir. *Organiser une expédition punitive*, destinée à punir l'ennemi.

1. pupille n. Enfant orphelin placé sous la garde d'un tuteur.

2. pupille n. f. Petit cercle noir situé au milieu de l'iris de l'œil.
Synonyme : prunelle.

pupitre n. m. Petite table inclinée qui permet de poser un livre ou une partition de musique.

pur, pure adj. *1* Qui n'est pas mélangé à une autre chose. *Une veste en pure soie. 2* Qui est limpide et non pollué. *L'eau pure d'un torrent. 3* Qui est irréprochable sur le plan moral. *Des intentions pures et honnêtes. 4* Qui est exactement et exclusivement tel. *Notre rencontre est un pur hasard.*

> *La **pureté** de l'air en montagne,* c'est son caractère pur (*2*). *Un filtre pour **purifier** l'eau,* la rendre pure (*2*) en supprimant les impuretés.

purée n. f. Légumes cuits et écrasés. *Cuire des pommes de terre à l'eau pour en faire de la purée.*

purement adv. *1* Exclusivement, uniquement. *Une action purement humanitaire. 2* Purement et simplement : totalement. *Un sujet purement et simplement tabou.*

pureté n. f. → **pur.**

purgatif n. m. Laxatif. *Prendre un purgatif contre la constipation.*

purgatoire n. m. Pour les catholiques, lieu où les âmes des morts doivent expier leurs péchés avant d'accéder au paradis.

purge n. f. *1* Action de purger un appareil. *La purge des radiateurs permet de faire sortir l'air. 2* Remède pour purger l'intestin.

purger v. → conjug. **ranger.** *1* Vider un appareil ou une conduite du gaz ou du liquide qui empêchent leur bon fonctionnement. *Purger les radiateurs. 2* Débarrasser les intestins de ce qui les encombre, avec une purge ou un purgatif. *3* *Purger une peine :* la subir. *Purger une peine de prison.*

purifier v. → **pur.**

purin n. m. Liquide qui s'écoule du fumier en décomposition. *Utiliser le purin comme engrais.*

puritain, aine adj. et n. Qui a des principes moraux excessivement rigides. *Ces religieuses mènent une vie très puritaine.*

pur-sang n. m. inv. Cheval de course de race pure.

purulent, ente adj. Qui contient ou qui produit du pus. *Il faut nettoyer cette plaie purulente avec un produit désinfectant.*

pus n. m. Liquide jaunâtre qui apparaît sur une plaie qui s'est infectée. *Le pus contient des microbes.*
On prononce [py].

pustule n. f. Bouton plein de pus. *Il a de l'acné et est couvert de pustules.*

putois n. m. Petit mammifère carnivore à fourrure brune.

Le putois mesure une quarantaine de centimètres. Il a le corps allongé, les pattes courtes et des marques blanches sur la face. Il vit dans un terrier dans les bois ou les haies et se nourrit d'oiseaux, de volailles, de petits mammifères, parfois de poissons. En cas de danger, le putois répand une odeur nauséabonde.

se putréfier v. → conjug. **modifier.** Se décomposer, pourrir. *Laisser des déchets végétaux se putréfier pour obtenir du compost.*

> *J'ai trouvé dans le grenier un cadavre de souris en état de **putréfaction***, qui s'est putréfié.

putride adj. Se dit d'une odeur qui se dégage de quelque chose qui est en train de se putréfier, de pourrir. *L'odeur putride du purin.*

putsch n. m. Coup d'État militaire. *Des généraux ont pris le pouvoir après avoir organisé un putsch.*
Mot allemand qui se prononce [putʃ].

Puy-en-Velay → **Le Puy-en-Velay.**

puzzle n. m. Jeu de patience constitué de petits morceaux qu'il faut assembler pour former une image.
Mot anglais qui se prononce [pœzl] **ou** [pœzœl].

Pygmées

Peuple africain qui vit dans la forêt équatoriale. Les Pygmées sont caractérisés par leur petite taille, souvent inférieure à 1,50 m. Ce sont des nomades qui vivent en groupes de 20 à 30 personnes. Ils pratiquent la chasse et la cueillette et échangent leurs produits avec les tribus sédentaires qui vivent de l'agriculture. Représentés par plusieurs ethnies différentes, les Pygmées n'ont pas de langue commune. On estime leur population de 150 000 à 200 000 personnes.

pyjama n. m. Vêtement composé d'une veste et d'un pantalon, qu'on porte pour dormir.

pylône

pylône n.m. Grand poteau en fer ou en béton qui sert de support. *Ces pylônes portent des câbles électriques.*

pyramide n.f. *1* Solide dont la base est un polygone et dont les faces latérales sont des triangles possédant un sommet commun formant une pointe. *2* Grand monument ayant cette forme. *Un édifice pyramidal,* en forme de pyramide (*1*).

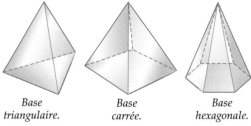

| Base triangulaire. | Base carrée. | Base hexagonale. |

Le polygone est la base de la pyramide, sa hauteur est la distance du sommet à sa base. La pyramide est dite régulière lorsque sa base est formée d'un polygone régulier : carré, rectangle, triangle, hexagone…

Plusieurs civilisations ont bâti des pyramides. Les peuples précolombiens d'Amérique, par exemple, construisent des pyramides à degrés, à sommet plat, qui servent de base à des temples. Les pyramides de l'Égypte ancienne, les plus célèbres, sont édifiées pour servir de tombeaux aux pharaons.

La première pyramide égyptienne est construite par l'architecte Imhotep pour le pharaon Djoser vers 3 000 ans av. J.-C. C'est une pyramide à degrés faite de blocs de pierre superposés.

Les tombeaux du roi et de la reine sont placés au cœur de la construction ; leur accès est très difficile.

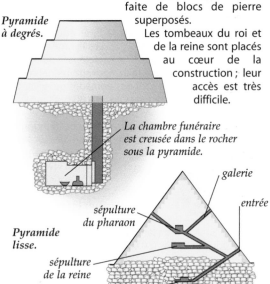

Pyramide à degrés.

La chambre funéraire est creusée dans le rocher sous la pyramide.

galerie

entrée

sépulture du pharaon

Pyramide lisse.

sépulture de la reine

fausse sépulture

Pour tromper les pilleurs, de fausses galeries sont creusées.

La première pyramide lisse à sommet pointu est celle de Chéops (ou Kheops), élevée vers 2600 av. J.-C. Elle est considérée dans l'Antiquité comme l'une des Sept Merveilles du monde.

La construction des grandes pyramides prend fin au début du Nouvel Empire, vers 1570 av. J.-C.

Pyrénées

Massif montagneux séparant la France de l'Espagne. Les Pyrénées s'étendent sur 430 km de l'océan Atlantique à la mer Méditerranée. Elles se divisent en Pyrénées occidentales, centrales et orientales. Les Pyrénées occidentales sont peu élevées et humides. Les Pyrénées centrales comptent les plus hauts sommets du massif (pic d'Aneto, 3 404 m). Les Pyrénées orientales s'abaissent progressivement vers la Méditerranée, mais possèdent encore des sommets élevés (pic Carlitte, 2 921 m). Le versant français du massif pyrénéen est bien arrosé, sauf dans sa partie méditerranéenne, au climat plus sec. Les forêts de sapins, de chênes et de châtaigniers dominent.

Pyrex n.m. Verre très résistant, qui peut aller au four. **Ce mot s'écrit avec une majuscule car c'est le nom d'une marque.**

pyromane n. Personne affligée d'une impulsion maladive qui la pousse à allumer des incendies.

Pythagore

Mathématicien et philosophe grec né vers 570 et mort vers 480 av. J.-C. La vie de Pythagore n'est pas bien connue. Vers 530 av. J.-C., il fonde une école dans une colonie grecque de l'Italie du Sud. On y enseigne les mathématiques, la géométrie, l'astronomie, la médecine et la musique ; ses étudiants acquièrent une grande renommée. On doit à Pythagore et à ses disciples de nombreuses découvertes sur les nombres, ainsi que plusieurs théorèmes, dont le célèbre théorème de Pythagore. Celui-ci permet de calculer la longueur du troisième côté d'un triangle rectangle lorsque l'on connaît la longueur des deux autres.

python n.m. Grand serpent d'Asie et d'Afrique, non venimeux. *Le python étouffe ses proies avant de les avaler.* **Homonyme : piton.**

La grande peur de Radégonde.

RADÉGONDE

Qatar

Émirat du nord de la péninsule arabique, sur le golfe Persique. Le Qatar est une presqu'île désertique. Le climat est très chaud et les pluies sont rares. L'économie repose essentiellement sur les riches réserves en pétrole et gaz naturel. Le niveau de vie des habitants est l'un des plus élevés du monde. Longtemps sous domination de l'Empire ottoman puis de la Grande-Bretagne, le Qatar est indépendant depuis 1971.

11 000 km²
601 000 habitants :
les Qatariens
Langue : arabe
Monnaie : riyal
Capitale : Doha

quadragénaire adj. et n. Qui a entre quarante et cinquante ans.
On prononce [kwadraʒenɛʀ].

quadrature n. f. *C'est la quadrature du cercle :* c'est un problème insoluble.
On prononce [kwadratyʀ].

quadri– préfixe. Signifie « quatre ». *Un quadrimoteur est un avion qui a quatre moteurs.*

quadriennal, ale, aux adj. Qui dure quatre ans ou qui a lieu tous les quatre ans.
On prononce [kwadrijenal].

quadrilatère n. m. Figure géométrique.
Le quadrilatère est un polygone à quatre côtés. Il existe des quadrilatères quelconques et des quadrilatères particuliers.

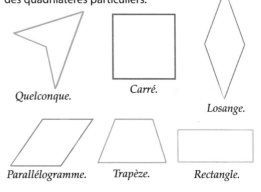

Quelconque. *Carré.* *Losange.*

Parallélogramme. *Trapèze.* *Rectangle.*

Les propriétés de quelques quadrilatères particuliers sont résumées dans ce tableau :

	Carré	Losange	Rectangle	Parallélogramme	Trapèze
2 côtés opposés parallèles	✓	✓	✓	✓	✓
Côtés opposés parallèles et égaux	✓	✓	✓	✓	
4 angles droits	✓		✓		
4 côtés égaux	✓	✓			
Diagonales égales	✓		✓		
Diagonales perpendiculaires	✓	✓			
Diagonales se coupant en leur milieu	✓	✓	✓	✓	

quadrillage n. m. → quadriller.

quadrille n. m. Danse exécutée par quatre couples de danseurs.

quadriller v. → conjug. **aimer.** *1* Diviser une surface en petits carrés en traçant des lignes verticales et horizontales. *Une feuille de papier quadrillé.* *2* Répartir des policiers ou des militaires dans plusieurs endroits d'une zone pour la surveiller. *La police quadrille la région pour essayer de retrouver le fugitif.*

    Le **quadrillage** d'une feuille de papier, c'est l'ensemble des traits qui la quadrillent (*1*).

quadrimoteur n. m. Avion qui a quatre moteurs. **On prononce** [kwadrimɔtœʀ] **ou** [kadrimɔtœʀ].

quadriréacteur n. m. Avion qui a quatre réacteurs. **On prononce** [kwadʀiʀeaktœʀ] **ou** [kadʀiʀeaktœʀ].

quadrupède n. m. Animal qui a quatre pattes. *Le chien, le cheval sont des quadrupèdes.* **On prononce** [kwadʀypɛd] **ou** [kadʀypɛd].

quadruple n. m. Nombre obtenu en multipliant un autre nombre par quatre. *Vingt est le quadruple de cinq (5 × 4 = 20).* **On prononce** [kwadʀypl] **ou** [kadʀypl].

quadrupler v. → conjug. **aimer.** Multiplier par quatre. *Quadrupler ses ventes grâce au crédit gratuit.* **On prononce** [kwadʀyple] **ou** [kadʀyple].

quadruplés, ées n. plur. Quatre enfants nés d'un même accouchement. **On prononce** [kwadʀyple] **ou** [kadʀyple].

quai n. m. *1* Partie d'un port aménagée pour l'accostage, le chargement et le déchargement des bateaux. *2* Plate-forme qui longe la voie ferrée dans une gare ou une station de métro. *Le matin, les quais du métro sont bondés.* *3* Voie aménagée le long des berges d'un fleuve. *Se promener sur les quais de la Seine à Paris.*

qualificatif, ive adj. et n. m.
• adj. *Adjectif qualificatif :* adjectif qui qualifie un nom en indiquant un caractère, une qualité. *Dans la phrase « ce grand château est superbe », « grand » et « superbe » sont des adjectifs qualificatifs.*
• n. m. Mot utilisé pour qualifier quelqu'un. *Employer des qualificatifs très élogieux.*

qualification n. f. *1* Diplôme, niveau de compétence ou expérience exigés pour un travail. *Il n'a pas les qualifications nécessaires pour ce poste.* *2* Fait de se qualifier pour une compétition. *Obtenir sa qualification en finale.*

qualifier v. → conjug. **modifier.** *1* Désigner quelqu'un ou quelque chose par un qualificatif qui le caractérise. *Qualifier quelqu'un de menteur.* *2* *Être qualifié :* avoir la qualification nécessaire pour faire un travail. *3* *Se qualifier :* avoir le droit de participer à une compétition après avoir réussi certaines épreuves préliminaires.

qualité n. f. *1* Ce qui fait la différence entre ce qui est bon et ce qui est mauvais. *Ces produits de la ferme sont d'excellente qualité.* *2* Trait de caractère qui fait le mérite et la valeur d'une personne. *Elle a beaucoup de qualités, dont le courage et la générosité.* *3* *En qualité de :* en tant que, comme. *Intervenir en qualité de médecin.* **Contraire : défaut** (*2*).

    Sur le plan **qualitatif** c'est cette marque la meilleure, sur le plan de la qualité (*1*).

quand adv. et conj.
• adv. Interroge sur le moment. *Quand partez-vous ?*
• conj. *1* Au moment où. *On est vite rentrés quand l'orage a éclaté.* *2* *Quand même :* malgré cela. *Il est malade mais a voulu venir quand même.* **Synonyme : lorsque** (*1*). **Homonyme : camp.**

quant à prép. En ce qui concerne. *Il a cru en cette histoire. Quant à moi, j'ai des doutes.* **On prononce** [kɑ̃ta].

quant-à-soi n. m. inv. *Être, rester, se tenir sur son quant-à-soi :* se montrer distant et réservé. **On prononce** [kɑ̃taswa].

quantité n. f. *1* Mesure qu'on peut évaluer en comptant en poids, en volume ou en nombre. *Peser la quantité de chaque ingrédient d'un gâteau.* *2* Grand nombre. *Avoir une quantité de disques.*

QUARANTE
S'écrit **XL** en chiffres romains.

• adj. inv. Quatre fois dix.
• n. m. inv. Le chiffre ou le nombre quarante. *Le **quarante** a gagné le gros lot.*

quarantième
• adj. et n. Qui occupe le rang ou la place numéro 40 dans une série. *La **quarantième** page d'un livre.*
• n. m. Chaque partie d'un tout qui a été divisé par quarante. *Un **quarantième** ou 1/40. Deux est le **quarantième** de quatre-vingts.*

quarantaine
• n. f. *1* Ensemble formé de plus ou moins quarante personnes ou choses. *L'accident a fait une **quarantaine** de blessés.* *2* Âge d'environ quarante ans. *On ne dirait pas qu'elle a dépassé la **quarantaine**.*

quart n. m. → quatre.

quart d'heure n. m. **Plur. : des quarts d'heure.** *1* Durée de quinze minutes. *2 Passer un mauvais quart d'heure :* passer un moment désagréable.

quartette n. m. Groupe de jazz comprenant quatre musiciens.
On prononce [kwaʀtet].

quartier n. m. *1* Portion qui représente environ le quart d'une chose. *Croquer un quartier de pomme. 2* Division naturelle de la pulpe d'un agrume. *Séparer les quartiers d'une orange. 3* Chacune des phases de la lune. *Le dernier quartier suit la pleine lune. 4* Partie d'une ville. *Elle habite un quartier populaire. 5 Quartier général :* poste de commandement d'une armée. *Les soldats doivent se rendre au quartier général.*

quart-monde n. m. Ensemble des pays ou des personnes les plus pauvres et défavorisés dans le monde ou une région.

quartz n. m. Roche très dure formée de cristaux.
On prononce [kwaʀts].

quasi adv. Presque, à peu près. *Si tôt, le métro est quasi vide. J'ai la quasi-certitude qu'il ment.*
Devant un nom, « quasi » forme un mot composé et est suivi d'un trait d'union.

quasiment adv. Familier. Quasi. *Une salle quasiment vide.*

quaternaire adj. et n. m.
● adj. *Ère quaternaire :* période géologique qui a suivi l'ère tertiaire, caractérisée par l'apparition et l'évolution de l'homme.
● n. m. Ère quaternaire.
On prononce [kwatɛʀnɛʀ].

QUATORZE
S'écrit **XIV** en chiffres romains.

● adj. inv. Dix plus quatre. *Avoir quatorze ans.*
● n. m. inv. Chiffre ou nombre quatorze.

quatorzième
● adj. et n. Qui occupe le rang ou la place numéro 14 dans une série. *Habiter au quatorzième étage.*
● n. m. Chaque partie d'un tout qui a été divisé par quatorze. *Un quatorzième ou 1/14.*

quatrain n. m. Strophe composée de quatre vers.

QUATRE
S'écrit **IV** en chiffres romains.

● adj. inv. Trois plus un. *Elle a quatre frères.*
● n. m. inv. Le chiffre ou le nombre quatre.
Dans des expressions : *1 Manger comme quatre :* manger énormément. *2* Familier. *Se mettre en quatre :* se donner du mal.

quatrième
● adj. et n. Qui occupe le rang ou la place numéro 4 dans une série. *C'est la quatrième maison de la rue. Il y a un balcon au quatrième.*
● n. f. Troisième année de l'enseignement secondaire.

quart
● n. m. *1* Chaque partie d'un tout qui a été divisé par quatre. *Le quart de quarante est dix. 2* Période pendant laquelle un marin est de garde. *Ils prennent leur quart à tour de rôle. 3* Gobelet en métal. *Chaque scout a une gamelle et un quart. 4 Et quart* ou *un quart :* quinze minutes de plus que l'heure précise. *Il est deux heures et quart, soit 14 h 15. 5 Moins le quart :* quinze minutes de moins que l'heure précise. *Il est midi moins le quart, soit 11 h 45.*
Homonymes : car, carre.

quatre-quarts n. m. inv. Gâteau fait avec le même poids de farine, de beurre, d'œufs et de sucre.

quatre-quatre n. m. inv. Voiture ou véhicule tout terrain qui a quatre roues motrices.
On écrit aussi : 4 x 4.

QUATRE-VINGT-DIX
S'écrit **XC** en chiffres romains.

● adj. inv. Neuf fois dix. *Ce fermier possède quatre-vingt-dix hectares de terrain.*
● n. m. inv. Le chiffre ou le nombre quatre-vingt-dix. *Le quatre-vingt-dix de la rue de la République.*

quatre-vingt-dixième
● adj. et n. Qui occupe le rang ou la place numéro 90 dans une série. *Le quatre-vingt-dixième régiment d'infanterie.*
● n. m. Chaque partie d'un tout qui a été divisé par quatre-vingt-dix. *Un quatre-vingt-dixième ou 1/90. Dix est le quatre-vingt-dixième de neuf cents.*

quatre-vingts

quatrième adj., n. et n. f. → quatre.

quatuor n. m. *1* Morceau de musique composé pour quatre instruments. *Interpréter un quatuor de Beethoven. 2* Ensemble formé de quatre musiciens. **On prononce** [kwatyɔʀ].

que pron., conj. et adv.
- pron. *1* Sert à interroger. *Que veux-tu manger ? 2* Au début d'une subordonnée relative, reprend, avec la fonction de complément, un nom de personne ou de chose. *L'homme que j'ai croisé est mon voisin. Les poires que j'ai cueillies sont délicieuses.*
- conj. *1* Relie une proposition subordonnée à la proposition principale. *J'aimerais que tu viennes avec moi. 2* Introduit le deuxième terme d'une comparaison. *Elle est plus grande que sa mère. 3* Introduit un ordre ou un souhait. *Que personne ne me dérange ! Qu'il s'en aille ! 4* Ne… que : seulement. *Ce bébé n'a que deux mois.*
- adv. Introduit une exclamation. *Qu'elle est belle !*
« Que » devient « qu' » devant une voyelle ou un « h » muet.

quel, quelle adj. et pron.
- adj. *1* Sert à poser une question. *Quel disque as-tu acheté ? Je me demande quelle heure il peut bien être. 2* Introduit une exclamation. *Quel dîner délicieux ! Quels beaux enfants ! 3* Quel que, quelle que : de quelque nature que. *Quelle que soit ta décision, tiens-nous au courant.*
- pron. Sert à interroger. *Quels sont tes passe-temps préférés ?*

quelconque adj. *1* N'importe lequel ou laquelle. *Inventer une raison quelconque pour ne pas venir. 2* Qui est médiocre, sans intérêt particulier. *Cet hôtel est quelconque et n'a aucun cachet.*

quelque adj. *1* Indique une quantité indéterminée et plutôt faible. *Pendant quelque temps, il a perdu connaissance. 2* Au pluriel. Indique un petit nombre de choses ou de personnes. *Manger quelques bonbons. Seulement quelques amis ont pu venir.*

quelque chose pron. Une chose imprécise. *Il y a quelque chose que je ne comprends pas.*

quelquefois adv. De temps en temps, parfois. *Il arrive quelquefois qu'il neige au printemps.*

quelque part adv. Dans un lieu quelconque. *Je me souviens de l'avoir rencontré quelque part.*

quelques-uns, quelques-unes pron. plur. Un petit nombre de choses ou de personnes. *Il a vendu quelques-uns de ses tableaux. Parmi les élèves, seules quelques-unes doivent redoubler.*

quelqu'un pron. Une personne indéterminée. *Quelqu'un t'a demandé au téléphone.*

quémander v. → conjug. **aimer.** Réclamer avec insistance. *J'aimerais qu'il arrête de quémander de l'argent sans arrêt !*

qu'en-dira-t-on n. m. inv. Ce que racontent les autres. *Se moquer du qu'en-dira-t-on.*

Québec

Province de l'est du Canada. Grande comme trois fois la France, la province de Québec est en partie couverte par la forêt. Les hivers sont longs et rigoureux, les étés courts et chauds.
La population, dont plus de 85 % est de langue française, compte près de 7 millions d'habitants. Elle se concentre essentiellement dans le Sud, dans la zone des basses terres du grand fleuve Saint-Laurent, qui réunit la région des Grands Lacs à l'océan Atlantique. Le sous-sol renferme de nombreuses richesses minières (or, argent, fer, cuivre, amiante…). De gigantesques barrages fournissent de grandes quantités d'énergie électrique qui alimentent de nombreuses industries dont celle du bois. Le Québec conserve un fort attachement à la France et à la culture européenne. Montréal, grand centre culturel et industriel, est la ville principale. Québec, la capitale de la province, est fondée en 1608 par le Français Samuel de Champlain. Au confluent du Saint-Laurent et de la rivière Saint-Charles, la ville est dominée par le château Frontenac (XIXe siècle).

Queneau Raymond

Écrivain français né en 1903 et mort en 1976. Après avoir fréquenté les surréalistes, Queneau crée son propre style. Ses textes, dans lesquels il mélange langues parlée et écrite, sont marqués par l'humour et le burlesque. Dans *Exercices de style* (1947), il reprend 99 fois la même anecdote sur un mode et un ton différents ! Queneau a écrit des romans (*Pierrot mon ami*, 1942 ; *Zazie dans le métro*, 1959) et des poèmes (*Cent Mille Milliards de poèmes*, 1961).

quenelle n. f. Rouleau composé de poisson ou de viande, hachés et mélangés à une pâte.

quenotte n. f. Familier. Dent d'un enfant.

quenouille n. f. Petit bâton de bois sur lequel on enroulait des fibres textiles pour les filer.

querelle n. f. Dispute plus ou moins violente provoquée par un désaccord entre des personnes. *Une querelle a éclaté entre les deux bandes.*
Il s'est querellé avec son frère, il a eu une querelle avec lui, il s'est disputé avec lui. *Un enfant querelleur*, qui aime se quereller avec les autres.

quérir v. Littéraire. Chercher. *Aller quérir quelqu'un.* Le verbe « quérir » ne s'emploie qu'à l'infinitif.

question n. f. *1* Demande qu'on adresse à quelqu'un pour en obtenir une réponse. *Répondre aux questions de l'examinateur.* *2* Problème, ou sujet qui mérite une discussion. *Débattre longuement d'une question.* *3* En question : dont on parle, dont il s'agit. *Voici la personne en question.* *4* Hors de question : exprime une interdiction ou un refus. *Il est hors de question que tu sortes ce soir.* *5* Il est question de : il s'agit de, ou il est envisagé de. *Il est question de construire une piscine dans ce village.*
Remplir un questionnaire, c'est répondre à une série de questions (*1*). *Questionner quelqu'un*, c'est lui poser des questions (*1*).

quête n. f. *1* Action de collecter de l'argent, au profit de personnes nécessiteuses ou d'une œuvre charitable. *Faire une quête en faveur des réfugiés.* *2* Être en quête de quelque chose : être à sa recherche.
Quêter dans la rue, c'est faire la quête (*1*).

quetsche n. f. Variété de prune, allongée et de couleur violet foncé.
On prononce [kwɛtʃ].

queue n. f. *1* Extrémité allongée qui se trouve dans le prolongement du corps de certains animaux. *La queue d'un chat.* *2* Tige d'une fleur ou d'un fruit. *La queue d'une cerise.* *3* Partie allongée de certains

ustensiles de cuisine, permettant de les saisir. *La queue d'une poêle.* *4* Ce qui se trouve au bout, à la fin. *Le wagon de queue.* *5* File de personnes qui attendent. *Il y a la queue au cinéma.* *6* À la queue leu leu : les uns derrière les autres. *7* Sans queue ni tête : qui n'a aucun sens. *8* Faire une queue de poisson : se rabattre brutalement devant une voiture après l'avoir doublée.

queue-de-cheval n. f. **Plur. : des queues-de-cheval.** Coiffure qui consiste à tirer les cheveux en arrière et à les nouer.

qui pron. *1* Sert à interroger au sujet d'une personne. *Qui a téléphoné ? Avec qui vas-tu au cinéma ?* *2* Au début d'une subordonnée relative, reprend, avec la fonction de sujet, un nom de personne ou de chose. *L'homme qui est devant toi est mon père. L'eau qui sort de la fontaine est potable.*

quiche n. f. Tarte salée garnie de lardons ou d'autres choses, et recouverte d'un mélange d'œufs et de crème. *Une quiche aux poireaux.*

quiconque pron. N'importe qui. *Faire quelque chose mieux que quiconque.*

quidam n. m. Personne quelconque, individu qu'on ne connaît pas. *Se faire aborder par un quidam.*
Mot latin qui se prononce [kɥidam] **ou** [kidam].

quiétude n. f. Littéraire. Tranquillité, calme. *Apprécier la quiétude d'un lieu.*

quignon n. m. *Quignon de pain :* morceau de pain qui comprend beaucoup de croûte.

quille n. f. *1* Pièce de bois oblongue qu'il faut renverser à l'aide d'une grosse boule qu'on lance. *2* Partie inférieure de la coque d'un bateau.

Le jeu de quilles se joue généralement avec neuf quilles disposées en carré, sur trois rangs. Il existe depuis l'Antiquité et s'est développé en Europe à partir du Moyen Âge. Sa version moderne, créée aux États-Unis, est le bowling, qui compte dix quilles.

Quimper

Ville française de la Région Bretagne, située sur les bords de l'Odet. Quimper est une ville administrative et commerciale. Elle abrite la cathédrale gothique Saint-Corentin, des maisons anciennes et plusieurs musées. Cité gallo-romaine dans l'Antiquité, la ville a été la capitale des comtes de Cornouaille.

29 *Préfecture du Finistère*
69 127 habitants : les Quimpérois

quincaillerie n. f. Magasin où l'on vend toutes sortes d'objets pour le ménage et le bricolage.
Un quincaillier est un commerçant qui tient une quincaillerie.

quinconce n. m. *En quinconce :* se dit de choses disposées par groupes de cinq, quatre se trouvant aux coins d'un carré et la cinquième au centre.

quinine n. f. Médicament contre le paludisme.

quinquagénaire adj. et n. Qui a entre cinquante et soixante ans.
On prononce [kɛ̃kaʒenɛʀ].

quinquennal, ale, aux adj. Qui dure cinq ans, ou qui a lieu tous les cinq ans.

quintal n. m. **Plur. : des quintaux.** Unité de mesure de masse qui vaut cent kilos.

quinte n. f. *Quinte de toux :* accès de toux violent et prolongé.

quintette n. m. *1* Ensemble de cinq musiciens. *2* Morceau de musique écrit pour cinq instruments.

quintuple n. m. Nombre obtenu quand on multiplie par cinq un autre nombre. *Trente est le quintuple de six (6 x 5 = 30).*

quintupler v. → conjug. **aimer.** Multiplier quelque chose par cinq. *Quintupler ses ventes.*

quintuplés, ées n. plur. Cinq enfants nés d'un même accouchement.

QUINZE
S'écrit **XV** en chiffres romains.

• adj. inv. Dix plus cinq. *Coûter quinze francs.*
• n. m. inv. *1* Le chiffre ou le nombre quinze. *Habiter au quinze.* *2* Équipe de rugby qui comporte quinze joueurs. *Le quinze de France.*

quinzième
• adj. et n. Qui occupe le rang ou la place numéro 15 dans une série. *Habiter le quinzième arrondissement.*
• n. m. Chaque partie d'un tout qui a été divisé par quinze. *Un quinzième ou 1/15. Le quinzième de soixante euros est quatre euros.*

quinzaine
• n. f. *1* Ensemble formé de plus ou moins quinze personnes ou choses. *Ce fermier élève une quinzaine de vaches.* *2* Durée d'environ quinze jours. *Prendre des vacances pendant la deuxième quinzaine de juin.*

quiproquo n. m. Erreur consistant à prendre une chose ou une personne pour une autre. *Il doit y avoir un quiproquo, nous ne parlons pas de la même chose !*
On prononce [kipʀoko].

quittance n. f. Document qui prouve qu'on a payé ce que l'on devait. *Une quittance de loyer.*

quitte adj. *1* Qui est libéré d'une dette ou d'une obligation. *Je suis quitte envers toi, je t'ai tout remboursé.* *2 En être quitte pour quelque chose :* ne subir qu'un tout petit inconvénient par rapport à ce qu'on craignait. *3 Quitte à :* au risque de. *Manger trop de chocolat, quitte à être malade.*

quitter v. → conjug. **aimer.** *1* Partir d'un lieu. *Quitter Paris pour s'installer en province.* *2* Cesser l'activité qu'on avait. *Quitter l'enseignement.* *3* S'éloigner ou se séparer de quelqu'un. *Je dois te quitter, j'ai un rendez-vous. Quitter son mari.*

qui–vive n. m. inv. *Être sur le qui-vive :* être sur ses gardes, prêt à se défendre.

quoi pron. *1* Sert à interroger au sujet de quelque chose. *Quoi de neuf ? De quoi parles-tu ? 2* Dans une subordonnée relative, reprend, avec la fonction de complément, un nom de chose. *Pars maintenant, sans quoi tu vas être en retard. Ne pas savoir quoi dire. 3 Quoi que :* quelle que soit la chose qui arrive. *Quoi qu'on lui dise, il n'en fait qu'à sa tête.*

quoique conj. Indique une opposition. *On peut compter sur lui, quoiqu'il soit déjà très occupé.*
Synonyme : bien que. «Quoique» est suivi du subjonctif.

quolibet n. m. Parole injurieuse ou moqueuse.
Synonymes : moquerie, raillerie.

quorum n. m. Nombre minimum de votants exigé pour qu'un vote soit valable.
Mot latin qui se prononce [kɔʀɔm] **ou** [kwɔʀɔm].

quota n. m. Pourcentage qui est fixé à l'avance. *Fixer des quotas d'importation.*

quote–part n. f. **Plur. : des quotes-parts.** Ce que chacun doit donner ou recevoir dans une répartition. *Au restaurant, chacun a payé sa quote-part.*

quotidien, enne adj. et n. m.
• adj. Qui se produit chaque jour. *Chaque matin, il fait sa toilette quotidienne.*
Faire quotidiennement une promenade, de façon quotidienne, tous les jours.
• n. m. *1* Journal qui paraît chaque jour. *2* La vie de tous les jours. *Ce gain améliore son quotidien.*

quotient n. m. Résultat d'une division. *40 est le quotient de 200 divisé par 5.*
On prononce [kɔsjɑ̃].

rabâcher v. → conjug. **aimer.** Répéter sans cesse la même chose. *Il rabâche toujours la même histoire.*
Synonymes : radoter, ressasser.

Avec lui, c'est toujours les mêmes **rabâchages**, *les mêmes histoires qu'il rabâche.*

rabais n. m. Baisse de prix. *Le libraire nous a fait un rabais de 10 %.*
Synonymes : réduction, remise.

rabaisser v. → conjug. **aimer.** **1** Mettre plus bas, faire descendre. *Rabaisser son siège.* **2** Au figuré. Diminuer l'importance ou la valeur. *Il se rabaisse tout le temps.*

rabat n. m. Partie d'un objet ou d'un vêtement qui peut se replier. *Des poches à rabat.*

rabat-joie n. m. inv. Personne qui trouble la joie des autres par son humeur chagrine.
Synonyme : trouble-fête.

rabattre v. → conjug. **battre.** **1** Abaisser ou replier. *Rabattre son col de veste.* **2** Accepter de faire un rabais. *Rabattre de 5 % sur le prix.* **3** Forcer le gibier à se diriger vers les chasseurs. **4** *Se rabattre :* revenir brusquement sur le côté de la route. *Le camion s'est rabattu trop vite.* **5** Au figuré. *Se rabattre sur quelque chose ou sur quelqu'un :* les choisir faute de mieux.

Les **rabatteurs** *sont les chasseurs chargés de rabattre (3) le gibier.*

rabbin n. m. Chef religieux d'une communauté juive.

Rabelais François

Écrivain français né vers 1494 et mort en 1553. Auparavant moine, Rabelais devient médecin en 1532. Il publie la même année les *Horribles et Épouvantables Faits et Prouesses du très renommé Pantagruel,* qui met en scène de façon humoristique et joyeuse la vie d'un géant. Il écrit ensuite la *Vie inestimable du grand Gargantua, père de Pantagruel* (1534). Il poursuit les aventures de Pantagruel dans d'autres ouvrages (*Tiers Livre,* 1546 ; *Quart Livre,* 1552). Dans ces livres aux épisodes cocasses, souvent invraisemblables, qui utilisent un langage très inventif, Rabelais défend les idées de la Renaissance. Les héros de Rabelais sont à l'origine d'expressions répandues : un « repas pantagruélique » désigne un énorme repas, « des moutons de Panurge » sont des gens qui suivent les autres sans réfléchir.

râble n. m. Bas du dos du lièvre ou du lapin.

râblé, ée adj. Qui est trapu et vigoureux.

rabot n. m. Outil de menuisier qui sert à rendre plate et lisse une pièce de bois.

La fenêtre ne ferme plus, il faut la **raboter**, *l'aplanir au moyen d'un rabot.*

raboteux, euse adj. Dont la surface est inégale, rugueuse. *Un sol raboteux.*

rabougri, ie adj. Mal développé, chétif. *Des arbres rabougris.*

rabrouer v. → conjug. **aimer.** Accueillir peu aimablement, répondre avec rudesse. *Se faire rabrouer.*
Synonyme : rembarrer.

racaille n. f. Ensemble d'individus malhonnêtes, de voyous.

raccommoder v. → conjug. **aimer.** Réparer du linge ou un vêtement en cousant.

Elle fait du **raccommodage**, *elle raccommode (1) des vêtements.*

raccompagner v. → conjug. **aimer.** Accompagner quelqu'un qui s'en va. *Se faire raccompagner en voiture.*
Synonymes : ramener, reconduire.

raccord n. m. **1** Peinture qu'on remet là où il en manque. **2** Pièce qui sert à raccorder deux éléments. *Raccord de pompe à vélo.*

raccorder v. → conjug. **aimer.** Relier, réunir. *La route sera bientôt raccordée à l'autoroute.*

Le **raccordement** *de cette maison au tout-à-l'égout est prévu bientôt, elle sera bientôt raccordée.*

raccourcir v. → conjug. **finir.** **1** Rendre plus court. *Raccourcir une jupe.* **2** Devenir plus court. *Les jours raccourcissent.*
Contraire : rallonger.

Nous avons pris un **raccourci**, *un chemin qui raccourcit (1) notre trajet.*

raccrocher v. → conjug. **aimer.** **1** Accrocher de nouveau ce qui a été décroché. *Raccrocher un tableau.* **2** Mettre fin à une communication téléphonique. **3** *Se raccrocher :* se retenir à quelque chose pour ne pas tomber. *Se raccrocher à la rampe de l'escalier.*

race n. f. **1** Groupe d'êtres humains ayant certains caractères physiques communs. *Les races jaune, noire et blanche.* **2** Subdivision d'une espèce animale. *Les différentes races de chien.* **3** *De race :* se dit d'un animal de race pure, non mélangée.

Ce discours est une incitation à la haine **raciale**, *à la haine des autres races (1). Les* **racistes** *sont des gens qui croient que leur race (1) est supérieure aux autres races. Lutter contre le* **racisme**, *contre les préjugés et les comportements racistes.*

racheter

racheter v. → conjug. **modeler**. *1* Acheter de nouveau. *Inutile de racheter du pain, il en reste.* *2* Acheter quelque chose d'occasion. *Qui veut racheter mon vélo ?* *3* Se racheter : réparer ses fautes.
> *Il est intéressé par le rachat de mon vélo, il veut bien le racheter (2).*

rachitique adj. Dont le squelette est déformé et insuffisamment développé. *Un enfant rachitique.*
> *Le rachitisme est dû à un manque de vitamine D,* la maladie des personnes rachitiques.

racial, ale, aux adj. → **race**.

racine n. f. *1* Partie d'une plante qui s'enfonce dans le sol et par laquelle elle se nourrit. *2* Partie par laquelle un organe s'implante dans le corps. *La racine d'une dent, des cheveux.* *3* Élément de base commun à tous les dérivés d'un mot. *Les mots « crochet », « accrocher », « décrocher » ont la même racine, « croc ».*

Les racines permettent à la plante de prélever l'eau et les sels minéraux du sol. L'absorption se fait grâce à de nombreux poils prolongeant l'extrémité des racines. Certaines racines se développent à la surface des tiges ou des feuilles (racines-crampons du lierre, par exemple). Les plantes qui vivent accrochées dans les arbres ont des racines aériennes qui absorbent l'humidité de l'air.

Racine Jean

Auteur dramatique français né en 1639 et mort en 1699. Sa première tragédie, *la Thébaïde*, est jouée en 1664, mais c'est avec *Andromaque*, en 1667, qu'il connaît le succès. Pendant les dix années qui suivent, il écrit et fait jouer les pièces considérées comme ses chefs-d'œuvre : *Britannicus* (1669), *Bérénice* (1670), *Bajazet* (1672), *Mithridate* (1673), *Iphigénie en Aulide* (1674) et *Phèdre* (1677). Admirateur de la littérature antique, Racine s'inspire dans ses tragédies des mythologies grecque et romaine et de l'histoire ancienne. Ses pièces décrivent un monde où l'amour et la passion se heurtent à l'ambition du pouvoir et aux calculs politiques. Racine est élu à l'Académie française en 1673. En 1677, il est chargé d'écrire l'histoire du règne du roi Louis XIV.

racisme n. m., **raciste** adj. et n. → **race**.

racket n. m. Action d'extorquer de l'argent ou des objets à quelqu'un en le menaçant.
Mot anglais qui se prononce [Rakɛt]. Homonyme : raquette.
> *Il s'est fait racketter, il a été la victime d'un racket. Ses racketteurs ont été arrêtés,* les personnes qui l'ont racketté.

raclée n. f. Familier. Volée de coups.

racler v. → conjug. **aimer**. Frotter ou gratter avec force. *Racler le fond d'une cocotte pour la nettoyer.*

raclette n. f. *1* Petit outil servant à racler. *Raclette pour nettoyer les vitres.* *2* Plat suisse fait de fromage que l'on chauffe et dont on racle la partie qui fond au fur et à mesure pour la manger.

racontar n. m. Familier. Commérage, ragot, médisance.

raconter v. → conjug. **aimer**. Faire le récit d'un événement réel ou imaginaire. *Raconte-nous ce qui s'est passé. Raconte-moi une histoire.*

racornir v. → conjug. **finir**. Rendre dur et sec comme de la corne. *Le jambon est tout racorni.*

radar n. m. Appareil qui permet de repérer la position d'un obstacle, d'un avion ou d'un objet que l'on ne voit pas.

rade n. f. *1* Grand bassin donnant sur la mer et dans lequel les bateaux peuvent s'abriter. *2* Familier. *En rade :* abandonné. *Je ne veux pas rester en rade !*

radeau n. m. **Plur. : des radeaux.** Embarcation faite d'un assemblage de morceaux de bois.

radiateur n. m. *1* Appareil de chauffage. *Radiateur à gaz, radiateur électrique.* *2* Appareil de refroidissement d'un moteur d'automobile.

1. radiation n. f. Propagation d'énergie sous forme d'ondes. *Un corps radioactif émet des radiations.*

2. radiation n. f. → **radier**.

1. radical, ale, aux adj. *1* Complet, total, absolu. *Un changement radical.* *2* Très efficace, très énergique. *Un traitement radical.*
> *Je suis radicalement contre cette réforme,* d'une manière radicale (*1*), totalement, absolument.

2. radical n. m. **Plur. : des radicaux.** Partie d'un mot qui ne change pas. *« Port » est le radical de « porter ».*

radicalement adv. → **radical 1**.

radier v. → conjug. **modifier**. Exclure quelqu'un d'une liste, d'un groupe. *Ce sportif a été radié du championnat pour dopage.*
> *Le club a demandé sa radiation,* qu'il soit radié.

894

radieux, euse adj. *1* Qui brille d'un grand éclat. *Radégonde est contente, le soleil est radieux. 2* Au figuré. Qui rayonne de bonheur. *Un sourire radieux.*

radin, ine adj. et n. Familier. Avare.

radio n. f., n. m. et préfixe.
● n. f. *1* Abréviation de radiodiffusion. *Une station de radio. Une émission de radio. 2* Poste récepteur de radiodiffusion. *Allumer la radio. 3* Procédé de communication des sons par le moyen des ondes. *Envoyer un message par radio. 4* Abréviation de radiographie. *Faire une radio des poumons.*
● n. m. Personne chargée des communications par radio à bord d'un bateau ou d'un avion.
● Préfixe. Indique quelque chose qui concerne la radiographie, la radiodiffusion ou la radioactivité.

radioactif, ive adj. Qui émet des rayonnements dus à des réactions nucléaires. *Les déchets radioactifs sont dangereux pour l'environnement.*
> La **radioactivité** peut être très dangereuse pour l'homme, le caractère radioactif de certaines substances.

radiodiffusion n. f. Émission et transmission de programmes sonores par les ondes.
En abrégé : radio.
> La conférence **sera radiodiffusée**, diffusée par radiodiffusion.

radiographie n. f. Photographie de l'intérieur du corps au moyen de rayons X.
En abrégé : radio.
> On lui **a radiographié** les poumons, on lui a fait une radiographie.

radiologie n. f. Partie de la médecine qui utilise les rayons X ou d'autres rayonnements pour faire des diagnostics ou pour soigner certaines maladies.
> Les **radiologues** sont des médecins spécialistes de radiologie.

radiophonique adj. Qui concerne la radiodiffusion. *Des jeux radiophoniques.*

radioréveil n. m. Appareil de radio qui fait aussi réveil.

radis n. m. Plante potagère dont on mange la racine crue. *Des radis roses. Un radis noir.*

radium n. m. Métal extrêmement radioactif.
On prononce [ʀadjɔm].

radius n. m. Un des deux os de l'avant-bras.
On prononce [ʀadjys].

radoter v. → conjug. **aimer.** Répéter sans cesse la même chose, rabâcher. *Tu me l'as déjà dit, arrête de radoter !*

*Elle m'ennuie avec ses **radotages**, ses histoires qu'elle radote. C'est un vieux **radoteur**, une personne qui radote.*

se radoucir v. → conjug. **finir.** Devenir plus doux. *Le temps s'est radouci. Son ton s'est radouci.*
> La météo annonce un **radoucissement** des températures, elles vont se radoucir.

rafale n. f. *1* Coup de vent bref et violent, bourrasque. *2* Série de coups de feu tirés très rapidement. *Une rafale de mitrailleuse.*

raffermir v. → conjug. **finir.** Rendre plus ferme. *Raffermir ses muscles.*
Contraire : ramollir.

raffinage n. m. → **raffiner.**

raffiné, ée adj. Délicat, fin, subtil. *Une personne raffinée. Une cuisine raffinée.*
Contraire : grossier.
> Ils reçoivent avec beaucoup de **raffinement**, d'une manière raffinée.

raffiner v. → conjug. **aimer.** Rendre un produit plus pur. *Raffiner du sucre, du pétrole.*
> Le **raffinage** du pétrole, c'est l'ensemble des opérations qui permettent de le raffiner et d'obtenir de l'essence et d'autres produits. *Une **raffinerie**, c'est une usine où l'on procède au raffinage.*

raffoler v. → conjug. **aimer.** Aimer beaucoup. *Il raffole des bonbons.*

raffut n. m. Familier. Bruit violent, tapage. *Faire du raffut.*

rafistoler v. → conjug. **aimer.** Familier. Réparer de façon grossière ou provisoire.

rafle n. f. Arrestation massive de personnes faite à l'improviste par la police.

rafler v. → conjug. **aimer.** Familier. Prendre et emporter sans rien laisser. *Il a raflé tous mes livres.*

rafraîchir v. → conjug. **finir.** *1* Rendre frais ou plus frais. *Rafraîchir du vin. Le temps s'est rafraîchi. 2* Donner une sensation de fraîcheur. *Boire pour se rafraîchir. 3* Remettre à neuf, rénover. *La peinture de sa chambre a besoin d'être rafraîchie.*
> J'ai envie d'une boisson **rafraîchissante**, qui rafraîchit (*2*).

rafraîchissement n. m. *1* Fait de devenir plus frais. *Un rafraîchissement de la température. 2* Boisson rafraîchissante. *Je vais prendre un rafraîchissement.*

ragaillardir v. → conjug. **finir.** Redonner des forces, du courage.
Synonymes : réconforter, revigorer.

rage n. f. *1* Maladie mortelle due à un virus et transmise à l'homme par la morsure de certains animaux contaminés (chiens, renards). *2* Colère très violente. *Être fou de rage. 3 Rage de dents :* mal de dents très douloureux. *4 Faire rage :* se déchaîner. *La tempête fait rage.*

> *Ça me fait **rager** d'avoir échoué,* ça me met en rage (*2*), ça me fait enrager. *Il a poussé un cri **rageur**,* qui exprime la rage (*2*), la colère. *Elle a claqué **rageusement** la porte,* d'une manière rageuse, furieuse.

ragondin n. m. Petit mammifère rongeur originaire d'Amérique du Sud, élevé pour sa fourrure.

ragot n. m. Familier. Médisance, commérage.

ragoût n. m. Plat de viande cuite avec des légumes dans une sauce. *Un ragoût de mouton.*

ragoûtant, ante adj. *Pas* ou *peu ragoûtant :* dégoûtant, pas appétissant.

raid n. m. *1* Opération militaire très rapide. *Un raid aérien. 2* Longue épreuve sportive d'endurance. *Un raid automobile.*
Mot anglais qui se prononce [ʀɛd]. **Homonyme : raide.**

raide adj. *1* Difficile à plier, rigide. *Avoir la jambe raide. 2 Cheveux raides :* qui ne frisent pas. *3* Très incliné, abrupt. *Un chemin en pente raide. 4 Tomber raide mort :* mourir subitement.
Contraire : souple (*1*). Homonyme : raid.

> *Il marche avec **raideur**,* de façon raide (*1*), sans souplesse. *Ils ont eu du mal à monter le **raidillon**,* le sentier en pente raide (*3*). *Ses muscles se **raidissent** sous l'effet de la fatigue,* ils deviennent raides (*1*), ils se contractent. *Il faut s'échauffer pour éviter le **raidissement** des muscles,* qu'ils se raidissent.

1. raie n. f. *1* Ligne ou bande tracée sur une surface, rayure. *Un maillot blanc à raies bleues. 2* Ligne séparant les cheveux. *Avoir la raie au milieu.*

2. raie n. f. Poisson de mer au corps plat et large.

La face dorsale des raies porte les yeux ; la face ventrale la bouche et les fentes branchiales. Elles se déplacent en battant de leurs grandes nageoires pectorales triangulaires et se nourrissent surtout de coquillages et de petits crustacés. Les raies électriques assomment leurs proies en produisant des

Raie manta.

décharges électriques (celles de la raie torpille atteignent 300 volts !). Il existe plus de 400 espèces de raies. Les plus petites mesurent une trentaine de centimètres, mais la mante (ou raie manta) du Pacifique peut atteindre 7 m d'envergure et dépasser 1 600 kg.

rail n. m. Chacune des deux barres d'acier parallèles formant une voie ferrée.
On prononce [ʀɑj].

railler v. → conjug. **aimer.** Ridiculiser, se moquer. *Il déteste qu'on le raille en public.*

> *Il a un air **railleur**,* qui raille, moqueur. *Tes **railleries** l'ont vexé,* tes propos railleurs, tes moqueries.

rainette n. f. Petite grenouille aux pattes en ventouse, qui vit dans les arbres.
Homonyme : reinette.

rainure n. f. Entaille longue et étroite. *Les rainures d'un parquet.*

raisin n. m. Fruit de la vigne, se présentant sous forme de grains réunis en grappes et dont on fait le vin. *Du raisin blanc, du raisin noir.*

raison n. f. *1* Faculté propre à l'homme de penser et de bien juger. *Une décision contraire à la raison. Perdre la raison. 2* Cause, explication, motif. *Pour quelle raison est-il parti ? Elle a de bonnes raisons de se plaindre. En raison des élections, l'école sera fermée lundi. 3 Avoir raison :* être dans le vrai. *4 Se faire une raison :* se résigner.
Contraire : tort (*3*).

raisonnable adj. *1* Qui pense et agit selon la raison. *Sois raisonnable, ne demande pas l'impossible ! 2* Modéré. *C'est un prix raisonnable.*
Synonymes : sage, sensé (*1*). Contraires : déraisonnable (*1*), excessif (*2*).

> *Il s'est comporté **raisonnablement**,* de façon raisonnable.

raisonnement n. m. Suite de jugements qui s'enchaînent logiquement pour aboutir à une conclusion. *Je n'arrive pas à suivre son raisonnement.*

raisonner v. → conjug. **aimer.** *1* Se servir de sa raison. *Raisonne un peu avant de te mettre en colère. 2* Essayer de rendre quelqu'un plus raisonnable. *Raisonner un enfant.*

rajeunir v. → conjug. **finir.** *1* Faire paraître plus jeune. *Cette tenue le rajeunit. 2* Retrouver un air de jeunesse. *Elle a rajeuni de dix ans depuis son divorce.*
Contraire : vieillir (*1* et *2*).

> *Ces vacances ont été pour elle une cure de **rajeunissement**,* elles lui ont permis de rajeunir (*2*).

rajouter v. → conjug. **aimer.** Ajouter de nouveau. *Ne rajoute plus de sel.*

> *Est-ce que je peux faire un rajout sur la liste ?* y rajouter quelque chose.

rajuster v. → conjug. **aimer. 1** Remettre en place ou en ordre. *Rajuster ses lunettes.* **2** Rectifier en fonction de nouvelles conditions. *Rajuster les salaires, les prix.* **On dit aussi : réajuster.**

> *Les syndicats demandent un rajustement ou un réajustement des salaires,* qu'ils soient rajustés (**2**), augmentés pour suivre la hausse des prix.

râle n. m. → **râler.**

ralenti n. m. **1** Régime le plus bas d'un moteur. *Le ralenti est mal réglé, la voiture cale tout le temps.* **2** *Au ralenti :* à une vitesse inférieure à la normale. *Passer un film au ralenti.*

ralentir v. → conjug. **finir.** Aller moins vite. *Le train commence à ralentir.* **Contraire : accélérer.**

> *Il y a un ralentissement à l'entrée de l'autoroute,* la circulation est ralentie. *Des ralentisseurs ont été installés aux abords de l'école,* des bosses en travers de la chaussée pour obliger les voitures à ralentir.

râler v. → conjug. **aimer. 1** Faire entendre un bruit rauque et anormal en respirant. *Un malade qui râle.* **2** Familier. Manifester sa mauvaise humeur en se plaignant ou en protestant. *Elle n'arrête pas de râler.*

> *On entend un râle,* le bruit de quelqu'un qui râle (**1**). *C'est un râleur,* il est toujours en train de râler (**2**), de se plaindre.

ralliement n. m. **1** Regroupement, rassemblement. *Donner un point de ralliement à un groupe de randonneurs.* **2** Adhésion à une cause, à un parti. *Il a obtenu le ralliement des indécis à notre projet.*

rallier v. → conjug. **modifier. 1** Rejoindre un lieu ou un groupe. *Le navire a rallié le port.* **2** Réunir, rassembler pour une cause commune. *Il a rallié tous les mécontents.* **3** *Se rallier :* adhérer à une cause, à un parti. *Ils se sont ralliés à notre point de vue.*

rallonge n. f. **1** Planche qu'on ajoute à une table pour la rallonger. **2** Fil électrique muni de prises et servant à en prolonger un autre.

rallonger v. → conjug. **ranger. 1** Rendre plus long. *Rallonger une jupe.* **2** Devenir plus long. *Les jours rallongent.* **Contraire : raccourcir.**

rallye n. m. Compétition sportive dans laquelle les concurrents doivent rallier un lieu après plusieurs épreuves. *Un rallye automobile.* **Mot anglais qui se prononce [Rali].**

ramadan n. m. Mois durant lequel les musulmans doivent respecter le jeûne entre le lever et le coucher du soleil.

ramage n. m. **1** Littéraire. Chant des oiseaux. **2** Au pluriel. Dessin représentant des branchages. *Du tissu à ramages.*

ramassage n. m. **1** Action de ramasser. *Le ramassage des ordures ménagères.* **2** *Ramassage scolaire :* transport des élèves par autocar entre leur domicile et l'école.

ramasser v. → conjug. **aimer. 1** Prendre par terre. *Radégonde a décidé d'aller ramasser des coquillages. Ramasser un stylo.* **2** Prendre en divers endroits pour mettre ensemble. *Ramasser les cahiers.* **3** *Se ramasser :* se mettre en boule. *Le chat se ramasse pour sauter.*

> *Les ramasseurs de balles* sont chargés de ramasser (**1**) les balles, au tennis.

ramassis n. m. Ensemble de choses sans valeur ou de personnes peu recommandables. *Un ramassis de bons à rien.*

rambarde n. f. Rampe, balustrade ou parapet qui sert de garde-fou. *La rambarde d'une terrasse.*

rame n. f. **1** Barre de bois aplatie et élargie à une extrémité qui sert à faire avancer une embarcation. **2** File de wagons attachés les uns aux autres. *Une rame de métro.* **3** Ensemble de cinq cents feuilles de papier.

> *Il rame vers le rivage,* il manœuvre les rames (**1**) pour faire avancer son embarcation. *C'est un canot à huit rameurs,* à huit personnes qui rament.

La rame est le principal moyen de propulsion des navires jusqu'à l'apparition, aux XVe et XVIe siècles, des caravelles et des galions aux larges voiles. Dans l'Antiquité, les navires de guerre grecs, les birèmes et les trirèmes, comportent deux ou trois rangs superposés de rameurs. Les navires romains et les drakkars des Vikings sont aussi propulsés à la rame. La rame a servi de gouvernail jusqu'au XIIIe siècle.
Regarde page suivante.

rameau n. m. **Plur. : des rameaux.** Petite branche d'arbre.

ramener v. → conjug. **promener. 1** Amener quelqu'un à l'endroit où il était avant. *Je l'ai ramené chez lui.* **2** Faire renaître ou faire réapparaître. *Ramener la paix.* **Synonymes : raccompagner (1), reconduire (1), rétablir (2).**

ramequin n. m. Petit récipient allant au four.

ramer v., **rameur, euse** n. → **rame.**

les rames

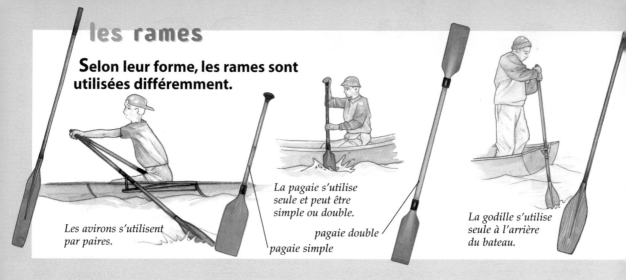

Selon leur forme, les rames sont utilisées différemment.

Les avirons s'utilisent par paires.

La pagaie s'utilise seule et peut être simple ou double.

pagaie double

pagaie simple

La godille s'utilise seule à l'arrière du bateau.

---

rami n. m. Jeu de cartes dont le but est de se débarrasser de toutes ses cartes en formant des combinaisons.

ramier n. m. Gros pigeon gris-bleu aux ailes et au cou barrés de blanc.
Synonyme : palombe.

se ramifier v. ➜ conjug. **modifier.** Se diviser en plusieurs branches, en plusieurs parties. *Un fleuve qui se ramifie.*
> Les bois du cerf forment des *ramifications*, ils se ramifient.

ramollir v. ➜ conjug. **finir.** Rendre plus mou. *Le beurre s'est ramolli.*
> Les pluies ont provoqué un *ramollissement* du sol, le sol s'est ramolli.

ramoner v. ➜ conjug. **aimer.** Racler un conduit de cheminée pour en enlever la suie.
> *Le ramoneur* est la personne dont le métier est de ramoner les cheminées. *Il faut faire le ramonage des cheminées tous les ans,* les ramoner.

rampe n.f. **1** Surface en pente permettant de passer d'un niveau à un autre. *On accède au garage par une rampe.* **2** *Rampe de lancement :* dispositif utilisé pour le lancement d'une fusée dans l'espace. **3** *Rampe d'accès :* dispositif qui permet à des véhicules de passer d'un niveau à un autre. **4** Barre qui borde un escalier et qui sert à se tenir. *L'escalier est glissant, tiens-toi à la rampe.* **5** Rangée de lumières disposées sur le devant d'une scène de théâtre.

ramper v. ➜ conjug. **aimer. 1** Avancer en se traînant par terre. *Le bébé rampe.* **2** Au figuré. S'abaisser, se conduire servilement. *Je déteste la façon dont il rampe devant ses chefs.*

Ramsès II

Pharaon d'Égypte né vers 1304 et mort vers 1238 av. J.-C. Le début du règne de Ramsès II est marqué par la guerre contre les Hittites, un peuple d'Asie Mineure. Lors de la célèbre bataille de Qadesh, le pharaon écrase le souverain hittite, mais d'autres combats ont lieu. Ces luttes se terminent cependant vers 1284 av. J.-C., par un traité de paix. Ramsès II va dès lors consacrer son énergie à apporter à l'Égypte prospérité et richesse. Il encourage le commerce maritime, qui devient florissant. Grand bâtisseur, il fait agrandir ou construire des monuments grandioses, en particulier les deux temples d'Abou Simbel. Sa momie est conservée au musée du Caire, en Égypte.

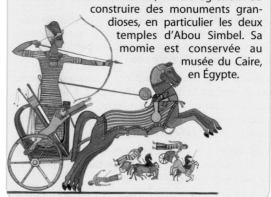

rance adj. Qui a pris en vieillissant une odeur forte et un goût désagréable. *Du beurre rance.*
> *L'huile a ranci,* elle est devenue rance.

ranch n. m. **Plur. : des ranchs ou des ranches.** Grande ferme d'élevage, aux États-Unis.
Mot anglais qui se prononce [Rãtʃ].

rancir v. → rance.

rancœur n. f. Amertume profonde due à une injustice ou à une déception.
Synonyme : ressentiment.

rançon n. f. *1* Somme d'argent exigée pour délivrer une personne prise en otage. *La rançon a été payée aux ravisseurs. 2* Désagrément qui accompagne un avantage. *Il n'a plus une minute à lui, c'est la rançon du succès.*
Les brigands **rançonnaient** les voyageurs, les attaquaient pour obtenir une rançon (*1*).

rancune n. f. Souvenir durable que l'on garde d'une injustice ou d'une offense et qui s'accompagne d'un désir de vengeance. *Elle ne lui garde pas rancune de leur dispute.*
Il est très **rancunier**, il éprouve de la rancune.

randonnée n. f. Longue promenade. *Faire une randonnée en montagne.*
Un **randonneur** est une personne qui fait des randonnées.

rang n. m. *1* Série de personnes ou de choses disposées côte à côte, sur une même ligne. *Se mettre en rang. Être assis au premier rang. 2* Place dans une série ou un classement. *Un artiste de premier rang.*

rangée n. f. Série de personnes ou de choses disposées sur une même ligne. *Une rangée de maisons.*

ranger v. *1* Mettre en ordre ou mettre à sa place. *Range ta chambre. Où sont rangées les assiettes ? 2 Se ranger :* se mettre en rangs. *Se ranger par quatre. 3 Se ranger :* s'écarter, se garer. *La voiture s'est rangée le long du trottoir.*
Il fait du **rangement** dans son bureau, il le range (*1*), il le met en ordre.

La conjugaison du verbe
RANGER 1er groupe

indicatif présent	**je range,**
	il ou elle range,
	nous rangeons,
	ils ou elles rangent
imparfait	**je rangeais**
futur	**je rangerai**
passé simple	**je rangeai**
subjonctif présent	**que je range**
conditionnel présent	**je rangerais**
impératif	**range, rangeons,**
	rangez
participe présent	**rangeant**
participe passé	**rangé**

ranimer v. → conjug. **aimer.** *1* Faire reprendre conscience. *Ranimer une personne évanouie. 2* Redonner de la force, de la vigueur. *Ranimer un feu.*

rap n. m. Style de musique dont les textes sont parlés sur un rythme très saccadé.
Un **rappeur** est un chanteur de rap.

rapace n. m. Oiseau de proie.

On désigne par rapaces tous les oiseaux possédant une vue perçante, des pattes robustes généralement pourvues de griffes et un bec crochu.
Regarde page suivante.

rapatrier v. → conjug. **modifier.** Faire revenir dans son pays. *Les touristes accidentés ont été rapatriés.*
Le consulat se charge de leur **rapatriement**, de les rapatrier. *Une aide aux* **rapatriés**, aux personnes rapatriées.

râpe n. f. *1* Ustensile de cuisine servant à réduire du fromage ou des légumes en petits morceaux. *2* Grosse lime utilisée par les menuisiers.
Râper du fromage, c'est le frotter avec une râpe (*1*).

râpé, ée adj. Très usé, élimé. *Une vieille jupe râpée.*

râper v. → râpe.

rapetisser v. → conjug. **aimer.** Devenir plus petit. *Son gilet a rapetissé au lavage.*

râpeux, euse adj. Rugueux comme une râpe. *La langue râpeuse des chats.*

Raphaël

Peintre italien né en 1483 et mort en 1520. En 1508, Raphaël se rend à Rome pour décorer certaines pièces du palais du Vatican et devient ensuite architecte en chef de la basilique Saint-Pierre. De sa peinture se dégagent équilibre et harmonie ; son trait est précis et ses constructions très rigoureuses. Il peint de nombreuses madones et des portraits. Parmi ses chefs-d'œuvre citons : *la Transfiguration, Saint Georges et le dragon,* ainsi que *le Triomphe de Galatée.*

Saint Georges et le dragon

les rapaces

Également nommés « oiseaux de proie », les rapaces se divisent en deux grands groupes : les diurnes et les nocturnes.

rapaces diurnes

Ils ont la tête allongée, les yeux latéraux, un bec épais et fort. Les pattes sont longues, sans plumes à partir de l'articulation des doigts, et les griffes sont courbes et acérées. Ils tuent leurs proies soit avec leurs griffes, soit directement avec leur bec. La plupart ont un plumage raide qui rend leur vol bruyant. Leurs nids, faits de branchages, sont construits en hauteur, souvent sur des rochers. Ils se nourrissent essentiellement de petits mammifères ou de charognes.

rapaces nocturnes

Ils ont la tête assez grosse, de grands yeux frontaux, le regard fixe. Le bec est crochu, court et puissant. Les pattes recouvertes de plumes portent des serres longues très acérées. Le plumage, dense et souple, permet un vol silencieux. Ils se nourrissent de petits mammifères, de reptiles, de grenouilles. Ils avalent leurs proies tout entières puis régurgitent, après digestion, des « pelotes de réjection » qui contiennent les os, les dents, la fourrure de ces proies. C'est aussi le cas pour certains rapaces diurnes. Ils nichent dans les vieux murs, les troncs des arbres, les granges, les greniers. Leur vision, très bonne même lorsque la lumière est faible, est nulle dans la nuit totale.

Condor.
C'est l'un des plus gros oiseaux volants.

Vautour.
Il a une préférence pour les charognes.

Aigle.
Il peut transporter de grosses proies avec ses serres.

Hibou.
Il possède une petite touffe de plumes mobiles au-dessus de chaque œil, tandis que la chouette n'en a pas.

Effraie.
Elle fait une chasse acharnée aux populations de rats et de souris. C'est un oiseau protégé.

Buse.
Elle plane en cercle.

Faucon pélerin.
Il chasse les oiseaux en plein vol. Il peut atteindre des vitesses extraordinaires (près de 300 km/h en vol piqué).

Grand duc.
Il peut s'attaquer à de très grosses proies (lapins, canards). C'est un animal protégé.

raphia n. m. Fibre très solide fournie par les feuilles d'un palmier et utilisée pour faire des liens ou des objets de vannerie.

rapide adj. et n. m.
• adj. *1* Qui va vite. *Une voiture rapide.* *2* Qui se fait ou qui se produit vite. *Des progrès rapides.*
Contraire : lent.
> Il est parti **rapidement**, d'une manière rapide (*1*), vite. *Elle a réagi avec* **rapidité**, elle a été rapide.
• n. m. *1* Partie d'un cours d'eau où le courant s'accélère. *Descendre des rapides en kayak.* *2* Train rapide qui ne s'arrête que dans les très grandes villes.

rapiécer v. → conjug. **tracer.** Réparer un vêtement en y cousant une pièce de tissu.

rappel n. m. *1* Action de rappeler quelque chose, de le remettre en mémoire. *Le rappel des faits.* *2* Applaudissements en fin de spectacle pour rappeler un artiste sur scène. *3* Nouvelle injection d'un vaccin destinée à en prolonger l'effet. *4* Technique de descente à l'aide d'une corde double, utilisée en alpinisme.

rappeler v. → conjug. **jeter.** *1* Appeler pour faire revenir. *Rappelle ton chien, il me fait peur.* *2* Appeler de nouveau au téléphone. *Je dois le rappeler demain.* *3* Remettre en mémoire. *Rappelle-moi ton adresse.* *4* Présenter une ressemblance. *Ce paysage me rappelle l'Algérie.* *5* Se rappeler : se souvenir de quelque chose. *Se rappeler une histoire drôle.*

rappeur, euse n. → rap.

rapport n. m. *1* Lien, relation. *Je ne vois pas le rapport entre ces deux événements. Elle a de bons rapports avec ses collègues.* *2* Profit que rapporte quelque chose. *Ce placement est d'un bon rapport.* *3* Exposé, compte rendu. *L'expert a rendu son rapport.* *4* Par rapport à : en comparant avec. *Il fait beau par rapport à hier.*

rapporter v. → conjug. **aimer.** *1* Remettre quelque chose à sa place ou le rendre à quelqu'un. *N'oublie pas de me rapporter mon livre.* *2* Apporter en revenant d'un endroit. *Radégonde espère qu'elle va rapporter beaucoup de coquillages. 3* Produire un bénéfice, être rentable. *Cette opération ne lui a rien rapporté.* *4* Venir répéter ce qu'on a entendu ou appris. *Rapporter une conversation.* *5* Dénoncer. *Il rapporte tout au professeur.* *6* Se rapporter à : avoir un rapport, un lien. *Tout ce qui se rapporte à l'histoire l'intéresse.*

rapporteur, euse n. et n. m.
• n. Personne qui rapporte, qui dénonce.
• n. m. *1* Personne chargée de faire un rapport, un compte rendu. *Le rapporteur d'un projet de loi devant une assemblée.* *2* Instrument en forme de demi-cercle gradué servant à mesurer les angles.

rapprocher v. → conjug. **aimer.** *1* Mettre plus près. *Rapproche-toi du feu, tu seras mieux.* *2* Rendre plus proche, réconcilier. *Les malheurs les ont rapprochés.* *3* Mettre en rapport, comparer. *Rapprocher deux témoignages.* *4* Se rapprocher : ressembler. *C'est ce modèle qui se rapproche le plus de ce que je cherche.*
Contraire : éloigner (*1*).
> Je n'avais pas fait le **rapprochement** entre ces deux événements, je ne les avais pas rapprochés (*3*).

rapt n. m. Enlèvement d'une personne, kidnapping.

raquette n. f. *1* Instrument à manche qui sert à renvoyer la balle. *Une raquette de tennis, de badminton, de ping-pong.* *2* Large semelle qu'on fixe à la chaussure pour marcher sur la neige sans s'enfoncer.
Homonyme : racket.

rare adj. *1* Qui ne se produit pas souvent. *Cela arrive, mais c'est rare.* *2* Qu'on ne trouve pas souvent. *Un objet rare.* *3* Au pluriel. Peu nombreux. *Les visiteurs sont rares.*
Contraires : fréquent (*1*), commun (*2*), courant (*2*).
> Il sourit **rarement**, à de rares (*1*) occasions, pas souvent. *C'est un timbre d'une grande* **rareté**, il est très rare (*2*). *C'est une pièce* **rarissime**, extrêmement rare (*2*). *Certaines espèces animales* **se raréfient**, deviennent plus rares. *La crise a provoqué une* **raréfaction** *de certains produits*, ils se sont raréfiés.

ras, rase adj. *1* Très court. *Un chien à poil ras.* *2* À ras bord : jusqu'au bord. *Un verre rempli à ras bord.* *3* En rase campagne : en terrain découvert.
Homonyme : rat.

rasade n. f. Contenu d'un verre que l'on a rempli à ras bord. *Boire une rasade de bière.*

rascasse n. f. Poisson de Méditerranée, à grosse tête hérissée de piquants.

rase-mottes n. m. inv. Vol très près du sol. *Avion qui fait du rase-mottes.*

raser v. → conjug. **aimer.** *1* Couper les poils ou les cheveux avec un rasoir, au ras de la peau. *Se raser la barbe. Se raser la tête.* *2* Passer très près, frôler. *Raser les murs.* *3* Démolir à ras de terre. *Raser un immeuble.* *4* Familier. Ennuyer.
> C'est un **raseur**, une personne ennuyeuse, qui rase (*4*). *Un* **rasoir**, c'est un instrument à lame très effilée qui sert à raser (*1*).

rassasier v. → conjug. **modifier.** Donner à manger pour ôter totalement la faim. *Ce plat m'a rassasié.*

rassembler v. → conjug. **aimer.** Réunir, mettre ensemble. *Rassembler des documents. Les élèves se sont rassemblés dans la cour.*
Synonyme : regrouper. Contraire : disperser.
> Il y a un **rassemblement** sur la place, un groupe de personnes rassemblées, un attroupement.

se rasseoir v. ➝ conjug. **asseoir.** S'asseoir de nouveau, après s'être levé.

rassis, ise adj. Qui n'est plus frais. *Du pain rassis.*

rassurer v. ➝ conjug. **aimer.** Redonner confiance, tranquilliser. *Tes explications me rassurent.*
Contraire : inquiéter.
> *Voilà des nouvelles rassurantes*, qui rassurent.

rat n. m. Mammifère rongeur à museau pointu et à longue queue, très nuisible.
Homonyme : ras.
> *La rate est la femelle du rat. Le raton est le petit du rat.*

se ratatiner v. ➝ conjug. **aimer.** Se tasser en se déformant. *Une pomme tombée qui se ratatine.*

ratatouille n. f. Plat fait d'aubergines, de courgettes, de poivrons, de tomates et d'oignons cuits dans de l'huile d'olive.

1. rate n. f. Organe situé dans l'abdomen, en arrière de l'estomac.
La rate est de forme ovale et plate, de couleur rouge foncé. Elle mesure environ 12 cm de longueur pour un poids de 200 g. Elle joue un rôle important dans l'épuration du sang, principalement en détruisant les globules rouges usagés. Elle garde en réserve le fer extrait lors de cette opération. Chez le fœtus, la rate fabrique des globules rouges.

2. rate n. f. ➝ **rat.**

raté, ée n. et n. m.
● n. Personne qui n'a pas réussi dans la vie ou dans sa profession.
● n. m. Bruit anormal d'un moteur.

râteau n. m. **Plur. : des râteaux.** Outil de jardinier à long manche et à dents, qui sert à ratisser.

râtelier n. m. Mangeoire à claire-voie, fixée au mur d'une étable ou d'une écurie pour mettre le fourrage.

rater v. ➝ conjug. **aimer.** *1* Ne pas réussir. *Rater une mayonnaise. L'affaire a raté. 2* Ne pas atteindre. *Rater un train.*
Synonymes : échouer (*1*), louper (*1* et *2*), manquer (*2*).

ratifier v. ➝ conjug. **modifier.** Confirmer officiellement. *Ratifier un contrat.*
> *Le traité ne sera valable qu'après ratification*, quand il aura été ratifié.

ration n. f. Quantité de nourriture attribuée à une personne ou à un animal pour une journée.

rationnel, elle adj. Conforme à la raison, au bon sens, à la logique. *Une organisation rationnelle.*
Contraire : irrationnel.

Il a installé rationnellement son bureau, de façon rationnelle.

rationner v. ➝ conjug. **aimer.** Distribuer un produit en quantité limitée. *L'essence est rationnée.*
> *En raison de la sécheresse, on annonce un rationnement de l'eau*, l'eau va être rationnée.

ratisser v. ➝ conjug. **aimer.** *1* Nettoyer ou égaliser à l'aide d'un râteau. *Ratisser une allée. 2* Fouiller minutieusement un lieu. *La police a ratissé le quartier.*
> *Les gendarmes ont procédé à une opération de ratissage*, ils ont ratissé (*2*) une zone.

raton n. m. *1* Petit du rat. *2* Raton laveur : mammifère carnivore d'Amérique.
Le raton laveur peut atteindre 1 m de longueur. Il vit toujours à proximité des cours d'eau car il se nourrit essentiellement de petits animaux aquatiques.

Il les attrape au moyen de ses pattes avant, munies de doigts très agiles. Les doigts de ses pattes arrière sont pourvus de longues griffes. Il doit son nom au fait qu'il lave ses aliments avant de les manger quand il est en captivité.

rattacher v. ➝ conjug. **aimer.** *1* Attacher de nouveau. *Rattacher ses lacets. 2* Établir un rapport de dépendance entre deux choses. *Rattacher une province à un pays.*
> *Ce service a demandé son rattachement à la direction générale*, d'y être rattaché (*2*).

rattraper v. ➝ conjug. **aimer.** *1* Reprendre quelqu'un ou un animal qu'on a laissé échapper. *Rattraper un prisonnier évadé. 2* Retenir quelqu'un ou quelque chose pour l'empêcher de tomber. *Il a rattrapé le vase de justesse. Elle s'est rattrapée à une branche. 3* Rejoindre quelqu'un ou quelque chose qui a pris de l'avance. *Il a réussi à rattraper le bus. 4* Regagner ou compenser une perte, un retard, réparer une erreur. *Rattraper le temps perdu. Rattraper une mayonnaise qui a tourné.*
> *Il doit suivre des cours de rattrapage*, pour rattraper (*4*) son retard scolaire.

rature n. f. Trait dont on barre un ou plusieurs mots pour les annuler. *Un devoir plein de ratures.*
> *Il a raturé un mot*, il l'a annulé par une rature.

rauque adj. Se dit d'une voix grave et éraillée.

ravages n. m. pl. Dégâts violents et importants. *Les ravages de la tempête.*
> *La forêt a été ravagée par le feu*, elle a subi des ravages, elle a été dévastée.

a
b
c
d
e
f
g
h
i
j
k
l
m
n
o
p
q
r
s
t
u
v
w
x
y
z

Ravaillac François

Fanatique français né en 1578 et mort en 1610. Exalté et déséquilibré, Ravaillac décide d'assassiner Henri IV. Le roi, partisan de la tolérance entre les protestants et les catholiques, a mis fin aux guerres de Religion par l'édit de Nantes en 1598. Par ce meurtre, Ravaillac pense sauver le catholicisme et la France. Le 14 mai 1610, alors que le carrosse royal est bloqué rue de la Ferronnerie, à Paris, il tue le roi à coups de couteau. Arrêté, il est torturé et écartelé le 27 mai.

ravaler v. → conjug. **aimer**. **1** Nettoyer et restaurer les murs extérieurs d'un bâtiment. **2** Se retenir d'exprimer un sentiment. *Ravaler son indignation.*
> L'immeuble a besoin d'un *ravalement*, d'être ravalé (**1**).

rave n. f. Plante potagère cultivée pour sa racine. *Le navet et la betterave sont des raves.*

Ravel Maurice

Compositeur français né en 1875 et mort en 1937. Ravel fait ses études au Conservatoire de Paris, où il est l'élève du compositeur Gabriel Fauré. La qualité de l'orchestration de ses premières œuvres le fait tout de suite remarquer. Sa musique est vivante, colorée, moderne, et ses compositions sont précises et rigoureuses. Le *Boléro* (1928), musique symphonique qui remporte un vif succès, est son œuvre la plus connue ; c'est aujourd'hui l'un des morceaux les plus joués dans le monde.

ravi, ie adj. Très content, enchanté. *Je suis ravi de vous rencontrer.*

ravier n. m. Petit plat creux et ovale dans lequel on sert les hors-d'œuvre.

ravigoter v. → conjug. **aimer**. Familier. Revigorer.

ravin n. m. Vallée étroite aux versants abrupts. *La voiture est tombée dans le ravin.*

raviner v. → conjug. **aimer**. Creuser le sol, faire des sillons. *Les pluies ont raviné les terres.*

ravioli n. m. Petit carré de pâte farci de viande, de légumes ou de fromage. *Des raviolis au parmesan.*

ravir v. → conjug. **finir**. **1** Plaire énormément. *Cette excursion a ravi tout le monde.* **2** À ravir : parfaitement bien. *Cette robe te va à ravir.* **3** Littéraire. Enlever de force ou prendre par ruse. *Il s'est laissé ravir la première place.*

Une femme ravissante, belle à ravir (**2**), très jolie. *Il la regarde danser avec ravissement*, il est ravi (**1**). *La police a arrêté les ravisseurs de l'enfant*, ceux qui l'avaient ravi (**3**), les kidnappeurs.

se raviser v. → conjug. **aimer**. Changer d'avis. *Elle voulait sortir, mais elle s'est ravisée au dernier moment.*

ravissant, ante adj., **ravissement** n. m. **ravisseur, euse** n. → ravir.

ravitailler v. → conjug. **aimer**. Approvisionner en nourriture ou en matériel. *Ravitailler un village isolé.*
> Les randonneurs vont chercher du *ravitaillement* au village, de quoi se ravitailler, des provisions.

raviver v. → conjug. **aimer**. **1** Rendre plus vif. *Raviver des couleurs.* **2** Au figuré. Faire revivre. *Cette musique ravive des souvenirs.*

rayer v. → conjug. **payer**. **1** Faire une rayure, une éraflure sur une surface. *Rayer les verres de ses lunettes.* **2** Annuler par un trait. *Rayer un mot.*

rayon n. m. **1** Ligne ou bande de lumière. *Un rayon de soleil.* **2** Rayonnement. *Les rayons X sont utilisés en radiographie ou pour soigner certaines tumeurs.* **3** Ligne qui relie le centre d'un cercle à n'importe quel point de sa circonférence. **4** Chacune des tiges de métal qui relient le centre d'une roue à la jante. **5** *Rayon d'action* : zone d'activité ou d'influence. *Cette entreprise a dû réduire son rayon d'action.* **6** Gâteau de cire à alvéoles fait par les abeilles pour recueillir le miel. **7** Étagère d'un meuble de rangement. *Les rayons d'une bibliothèque.* **8** Partie d'un magasin réservée à une catégorie de marchandises. *Le rayon des jouets.*
> Un *rayonnage*, c'est l'ensemble des rayons (**7**) d'un meuble de rangement.

rayonnant, ante adj. → rayonner.

rayonnement n. m. **1** Ensemble de radiations émises par une source. *Le rayonnement solaire.* **2** Influence, prestige. *Le rayonnement d'une civilisation.*

rayonner v. → conjug. **aimer**. **1** Exprimer de manière éclatante le bonheur ou la satisfaction. *Son visage rayonne de joie.* **2** Se déplacer à partir d'un point dans diverses directions. *À partir du village, nous pourrons rayonner dans toute la région.*
> Elle a un visage *rayonnant*, qui rayonne (**1**), radieux.

rayure n. f. **1** Chacune des bandes de couleur qui se détachent sur un fond de couleur différente. *Un pantalon à rayures.* **2** Éraflure sur une surface. *Un parquet plein de rayures.*

raz de marée n. m. inv. Vague isolée et très haute qui pénètre à l'intérieur des terres, due à un séisme ou à une éruption volcanique sous-marine. **On écrit aussi : raz-de-marée.**

razzia n. f. Fait de tout emporter sans rien laisser. *Quelqu'un a fait une razzia sur les coquillages, se dit Radégonde en voyant les rochers vides.* **On prononce** [Razja] **ou** [Radzja].

re- ou **ré-** Préfixe. Exprime la répétition, le retour en arrière ou le retour à l'état antérieur. *Redire, revenir, réchauffer.*

ré n. m. Deuxième note de la gamme.

réaction n. f. *1* Manière de réagir à une action, à un événement. *Je ne sais pas quelle sera sa réaction quand il apprendra la nouvelle.* *2* Avion à réaction : propulsé par un moteur qui éjecte les gaz vers l'arrière à grande vitesse.
⏵ *Un quadriréacteur possède quatre réacteurs,* quatre moteurs d'avion à réaction (*2*).

réactionnaire adj. et n. Qui s'oppose aux évolutions sociales et politiques. **Synonyme : conservateur. Contraire : progressiste.**

se réadapter v. ➜ conjug. **aimer.** S'adapter de nouveau à une activité, à une situation ou à un état dont on a perdu l'habitude.
⏵ *Après son accident, la réadaptation n'a pas été facile,* le fait de se réadapter.

réagir v. ➜ conjug. **finir.** *1* Répondre d'une certaine manière à une action, à un événement. *Il a réagi très violemment aux moqueries.* *2* Résister, s'opposer. *Ne te laisse pas faire, tu dois réagir !*

réajustement n. m., **réajuster** v. ➜ **rajuster.**

réalisable adj., **réalisateur, trice** n. ➜ **réaliser.**

réalisation n. f. *1* Action de réaliser, d'accomplir quelque chose. *La réalisation d'un rêve.* *2* Ce qui est réalisé. *Ce monument est une très belle réalisation.*

réaliser v. ➜ conjug. **aimer.** *1* Rendre réel, faire exister. *Réaliser un projet. Son rêve s'est réalisé.* *2* Effectuer, accomplir. *Réaliser un exploit.* *3* Diriger la préparation et l'exécution d'un film, d'une émission de télévision ou de radio. *4* Familier. Comprendre, se rendre compte. *Tu réalises ce que tu as fait !*
⏵ *C'est un projet réalisable,* qui peut se réaliser (*1*). *Un réalisateur est une personne qui réalise (3)* des films ou des émissions.

réaliste adj. et n. Qui tient compte de la réalité telle qu'elle est. **Contraire : idéaliste.**
⏵ *Il fait preuve de réalisme,* il voit les choses d'une manière réaliste.

réalité n. f. *1* Ce qui est réel, chose ou situation qui existe vraiment. *Il ne tient pas compte de la réalité.* *2* En réalité : en fait, réellement.

réanimation n. f. Ensemble des moyens médicaux utilisés pour rétablir l'activité cardiaque et respiratoire chez un malade ou un accidenté.
⏵ *Il a fallu le réanimer,* le soumettre à la réanimation.

réapparaître v. ➜ conjug. **connaître.** Apparaître de nouveau. *Malgré le traitement, les boutons ont réapparu.*
⏵ *Le chat qu'on croyait disparu a fait sa réapparition,* il a réapparu.

rébarbatif, ive adj. Qui décourage par son caractère déplaisant ou ennuyeux. *Un air rébarbatif. Un travail rébarbatif.* **Synonyme : rebutant.**

rebattu, ue adj. Dont on a trop parlé, qu'on a trop répété. *Une plaisanterie rebattue.*

rebelle adj. et n.
● adj. Qui résiste ou qui est hostile à quelque chose. *Un enfant rebelle aux études.*
● adj. et n. Qui se révolte contre une autorité. *Les troupes rebelles.*
⏵ *Les minorités opprimées se sont rebellées,* elles sont devenues rebelles, elles se sont révoltées. *La rébellion gagne du terrain,* le mouvement des rebelles, la révolte.

se rebiffer v. ➜ conjug. **aimer.** Protester ou s'opposer vivement. *À la moindre critique, elle se rebiffe.*

reboiser v. ➜ conjug. **aimer.** Planter des arbres sur un terrain où il n'y en a pas ou qui a été déboisé. *Reboiser une colline après un incendie.*
⏵ *Le reboisement protège les sols en pente contre l'érosion,* l'action de reboiser.

rebond n. m. ➜ **rebondir.**

rebondi, ie adj. Rond et dodu. *Des joues rebondies.*

rebondir v. ➜ conjug. **finir.** *1* Faire un ou plusieurs bonds après avoir heurté quelque chose. *La balle rebondit sur le sol.* *2* Avoir un développement ou des conséquences inattendues. *Ce témoignage a fait rebondir l'enquête.*
⏵ *Au ping-pong, il faut renvoyer la balle après le premier rebond,* après qu'elle a rebondi (*1*) une fois sur la table. *C'est une histoire à rebondissements,* qui rebondit (*2*) plusieurs fois.

rebord n. m. Partie qui dépasse en bordure de quelque chose. *Le rebord d'une fenêtre.*

reboucher v. ➜ conjug. **aimer.** Boucher de nouveau. *Reboucher un flacon. Reboucher un trou.*

à rebours adv. *Compte à rebours :* dans le sens inverse du sens normal, pour aboutir à zéro. *La fusée va partir, le compte à rebours est presque terminé.*

rebrousser v. → conjug. **aimer.** *1* Relever les cheveux ou les poils dans un sens contraire au sens naturel. *Le vent lui a rebroussé les cheveux.* *2* *Rebrousser chemin :* revenir sur ses pas.

> *Les chats n'aiment pas qu'on les caresse à* rebrousse-poil, en leur rebroussant (*1*) les poils.

rebuffade n. f. Accueil hostile, refus brutal ou méprisant.

rébus n. m. Suite de dessins ou de signes formant une phrase que l'on doit deviner. *Déchiffrer un rébus.* **On prononce** [Rebys].

On utilise la prononciation phonétique des dessins, des lettres ou des chiffres, pour découvrir le mot ou la phrase.

Rat-dé-gond-deux-haie-trait-bêle = Radégonde est très belle.

rebut n. m. *Mettre une chose au rebut :* s'en débarrasser.

rebuter v. → conjug. **aimer.** Décourager, choquer, déplaire. *Sa mauvaise humeur a de quoi rebuter.*

> *C'est un travail* rebutant, qui rebute, qui déplaît.

récalcitrant, ante adj. Qui résiste avec obstination à toute contrainte. *Un mulet récalcitrant.* **Synonyme : rétif. Contraire : docile.**

recaler v. → conjug. **aimer.** Refuser à un examen.

récapituler v. → conjug. **aimer.** Rappeler les points principaux d'une action, la résumer.

> *Voici un tableau* récapitulatif *de toutes les activités proposées,* qui les récapitule. *Elle a fait la* récapitulation *de sa journée,* elle l'a récapitulée.

receler v. → conjug. **modeler.** *1* Garder chez soi des objets volés par un autre. *2* Contenir, renfermer. *Ce vieux coffre recèle un secret.*

> *Le* recel *est un délit puni par la loi,* le fait de receler (*1*) des objets volés. *La police a arrêté le* receleur, la personne coupable de recel.

récemment adv. → **récent.**

recenser v. → conjug. **aimer.** Compter le nombre d'habitants d'un pays, d'une région ou d'une ville.

> *En France, le dernier* recensement *a été fait en 1999,* l'opération consistant à recenser la population.

récent, ente adj. Qui s'est produit ou qui existe depuis peu de temps. *Un événement récent.* **Contraire : ancien.**

> *C'est arrivé* récemment, *à une époque récente, dernièrement.*

récépissé n. m. Papier qui prouve qu'une lettre, un colis, de l'argent, une marchandise ont bien été reçus. **Synonyme : reçu.**

récepteur n. m. Appareil qui reçoit des signaux électriques envoyés par un émetteur et qui les transforme en images ou en sons. *Un récepteur de radio.*

réception n. f. *1* Fait de recevoir quelque chose. *La réception d'un colis.* *2* Réunion organisée chez soi pour recevoir des invités. *Donner une réception.* *3* Service d'un hôtel ou d'une entreprise où l'on reçoit les clients.

> *Réceptionner des marchandises,* c'est se charger de leur réception (*1*) et vérifier leur état. *Le* réceptionniste *est la personne qui travaille à la réception (*3*) d'un hôtel ou d'une entreprise.*

récession n. f. Ralentissement de l'activité économique d'un pays. **Contraire : expansion.**

recette n. f. *1* Total des sommes d'argent reçues. *Commerçant qui compte sa recette de la journée.* *2* *Faire recette :* avoir du succès. *Un spectacle qui a fait recette.* *3* Indication détaillée de la manière de préparer un plat. *La recette de la mousse au chocolat.* **Contraire : dépense (*1*).**

recevable adj. Qui peut être admis, accepté. *Cette demande n'est pas recevable.* **Synonyme : acceptable.**

receveur, euse n. *1* Personne chargée de recevoir les impôts. *Le receveur des contributions.* *2* Personne qui reçoit du sang ou un organe d'un donneur, lors d'une transfusion ou d'une greffe.

recevoir v. *1* Entrer en possession d'une chose qui a été envoyée ou donnée comme cadeau. *Recevoir une lettre. Recevoir des étrennes.* *2* Être touché ou

atteint par quelque chose, subir. *Recevoir des coups.*
3 Accueillir chez soi pour un repas, une réunion.
Recevoir des amis à dîner. *4* Admettre à un examen.
Être reçu au baccalauréat.

La conjugaison du verbe
RECEVOIR 3ᵉ groupe

indicatif présent	**je reçois,**
	il ou elle reçoit,
	nous recevons,
	ils ou elles reçoivent
imparfait	**je recevais**
futur	**je recevrai**
passé simple	**je reçus**
subjonctif présent	**que je reçoive**
conditionnel présent	**je recevrais**
impératif	**reçois, recevons,**
	recevez
participe présent	**recevant**
participe passé	**reçu**

rechange n. m. *De rechange :* destiné à remplacer une chose en cas de besoin. *Du linge de rechange.*

réchapper v. → conjug. **aimer.** Échapper à un danger grave, en sortir indemne. *L'accident était très violent, mais il en a réchappé.*

recharger v. → conjug. **ranger.** Charger de nouveau pour remettre en état de fonctionner. *Recharger une arme, un appareil photo.*
   Il faut changer la **recharge** de ce stylo, la cartouche d'encre qui sert à le recharger. *Ce briquet n'est pas* **rechargeable**, on ne peut pas le recharger.

réchaud n. m. Petit fourneau pour cuire ou réchauffer les aliments.

réchauffer v. → conjug. **aimer.** *1* Chauffer ce qui s'est refroidi. *Réchauffer un plat.* *2* Se réchauffer : avoir chaud de nouveau. *Courir pour se réchauffer.* *3* Se réchauffer : devenir plus chaud. *Le temps s'est réchauffé.*
   On annonce un **réchauffement** des températures, elles vont se réchauffer (*3*).

rêche adj. Rude au toucher, rugueux. *Avoir les mains rêches.*

recherche n. f. *1* Action de rechercher. *Échapper aux recherches de la police. Être à la recherche d'un emploi.* *2* Ensemble des travaux et des activités qui visent à faire progresser les connaissances. *Faire des*

recherches sur le cancer. *3* Raffinement extrême. *S'habiller avec une certaine recherche.*

recherché, ée adj. Qui est raffiné, soigné. *Une décoration très recherchée.*

rechercher v. → conjug. **aimer.** Chercher à retrouver, à découvrir ou à obtenir. *Rechercher un malfaiteur. Rechercher les causes d'une maladie.*

rechigner v. → conjug. **aimer.** Faire preuve de mauvaise volonté. *Rechigner à un travail.*

rechute n. f. Fait de retomber malade alors qu'on était en voie d'être guéri. *Faire une rechute.*
   Si tu ne suis pas ton traitement jusqu'au bout, tu risques de **rechuter**, de faire une rechute.

récidiver v. → conjug. **aimer.** Commettre une nouvelle infraction après avoir été condamné.
   Elle a été condamnée pour escroquerie avec **récidive**, elle a récidivé. C'est un **récidiviste**, une personne qui a récidivé.

récif n. m. Rocher ou groupe de rochers à fleur d'eau, dans la mer.

Les récifs se trouvent souvent près des côtes et sont dangereux pour la navigation. Les récifs coralliens des mers chaudes sont formés par l'accumulation de grandes quantités de squelettes de corail. Ils peuvent former des atolls, circulaires, ou des barrières au large des côtes.

récifs

récipient n. m. Ustensile creux destiné à contenir une substance solide ou liquide. *Les bouteilles, les plats sont des récipients.*

réciproque adj. et n. f.
● adj. Qui implique un échange équivalent entre des personnes. *Une admiration réciproque.*
Synonyme : mutuel.
   Quand elle ne sait pas, il l'aide, et **réciproquement**, et vice versa, de façon réciproque.
● n. f. Le contraire, l'inverse. *Il peut compter sur elle, mais la réciproque n'est pas vraie.*

récit n. m. Fait de raconter des événements réels ou imaginaires. *Faire le récit d'un voyage.*

récital n. m. **Plur. : des récitals.** Séance musicale donnée par un seul interprète. *Un récital de violon.*

réciter v. → conjug. **aimer.** Dire à haute voix un texte appris par cœur. *Réciter une poésie.*

Une *récitation*, c'est un texte qu'un écolier doit apprendre par cœur afin de le réciter.

réclamation n. f. → **réclamer.**

réclame n. f. *En réclame :* vendu à prix réduit, en promotion.

réclamer v. → conjug. **aimer.** Demander avec insistance, exiger, revendiquer. *Les grévistes réclament de meilleures conditions de travail.*

Mon père a acheté un magnétoscope qui ne marche pas, il a fait une *réclamation* auprès du magasin, il réclame qu'on le lui échange contre un autre.

reclasser v. → conjug. **aimer.** *1* Classer de nouveau. *La bibliothécaire reclasse les livres qui ne sont plus à leur place. 2* Trouver un nouvel emploi à des personnes licenciées.

L'entreprise a effectué le *reclassement* des ouvriers licenciés, elle les a reclassés (*2*).

réclusion n. f. Peine d'emprisonnement. *L'assassin a été condamné à la réclusion à perpétuité.*

se recoiffer v. → conjug. **aimer.** Arranger sa coiffure. *Recoiffe-toi avant de sortir.*

recoin n. m. Endroit peu accessible.
Radégonde regarde dans tous les recoins.

recoller v. → conjug. **aimer.** Réparer en collant. *Recoller un vase cassé.*

récolter v. → conjug. **aimer.** Cueillir, ramasser, arracher les produits de la terre.

On a eu une très bonne *récolte* d'abricots cette année, on en a récolté beaucoup.

recommandable adj., **recommandation** n. f. → **recommander.**

recommandé adj. Se dit d'une lettre ou d'un colis pour lesquels on paie un supplément contre la garantie qu'ils seront remis en mains propres à leur destinataire.

recommander v. → conjug. **aimer.** *1* Conseiller avec insistance. *Le médecin lui a recommandé du repos. 2* Vanter les qualités d'une personne. *Les voisins ont recommandé à mes parents la nouvelle baby-sitter.*

Ma mère m'a fait la *recommandation* de n'ouvrir à personne pendant son absence, elle me l'a recommandé (*1*). *Ce garçon est un voyou peu recommandable,* il n'y a personne pour le recommander (*2*).

recommencer v. → conjug. **tracer.** *1* Refaire depuis le début. *Recommencer un travail mal fait.*

2 reprendre après une interruption. *Les cours de musique recommencent début septembre.*

récompense n. f. Don que l'on fait à quelqu'un pour le remercier. *Le propriétaire du chien perdu offre une récompense à qui le retrouvera.*

Il *a été récompensé de ses efforts,* il a reçu sa récompense.

réconcilier v. → conjug. **modifier.** Rétablir l'entente entre des personnes qui s'étaient brouillées. *Il a fallu que le directeur intervienne pour les réconcilier.*

Ils ont fêté leur *réconciliation,* le fait de se réconcilier.

reconduire v. → conjug. **cuire.** Raccompagner, ramener. *Il n'y a plus de métro ni de bus, je vais vous reconduire chez vous.*

réconforter v. → conjug. **aimer.** *1* Redonner du courage. *Réconforter un malade. 2* Redonner des forces. *Voici un chocolat chaud pour vous réconforter.*

Les témoignages d'amitié ont été pour elle un grand *réconfort,* ils l'ont beaucoup réconfortée (*1*). Elle a besoin de paroles *réconfortantes,* qui la réconfortent (*1*).

reconnaissable adj. → **reconnaître.**

reconnaissance n. f. *1* Sentiment de gratitude que l'on éprouve pour un bienfaiteur. *Témoigner sa reconnaissance à quelqu'un. 2* Exploration d'un lieu. *Notre guide est parti en reconnaissance.*

Je lui suis très *reconnaissante* de m'avoir aidée, j'éprouve de la reconnaissance envers elle.

reconnaître v. → conjug. **connaître.** *1* Identifier quelqu'un ou quelque chose. *La victime a reconnu son agresseur. 2* Admettre, avouer. *Je reconnais que j'ai eu tort de me mettre en colère. 3* Explorer un lieu.

Il est facilement *reconnaissable* à sa haute taille, tu le reconnaîtras (*1*) tout de suite.

reconquérir v. → conjug. **acquérir.** Conquérir de nouveau.

La *reconquête* d'une ville occupée par l'ennemi, c'est l'action de la reconquérir.

reconstituer v. → conjug. **aimer.** Rétablir dans sa forme d'origine. *Les archéologues ont pu reconstituer le plan d'une ancienne villa romaine.*

Le juge d'instruction a procédé à la *reconstitution* du crime, il en a reconstitué le déroulement.

reconstruire v. → conjug. **cuire.** Construire à nouveau ce qui a été détruit.

La *reconstruction* d'une ville, c'est l'action de la reconstruire.

recopier v. → conjug. **modifier.** Copier à la main un texte. *Recopier un brouillon au propre.*

record n. m. *1* Exploit sportif jamais réalisé jusqu'alors. *Le record du saut à la perche. 2* Résultat encore jamais atteint. *Un record d'affluence à une exposition.*

Le **recordman** *du cent mètres,* celui qui détient le record (*1*) de cette course.

recoucher v. → conjug. **aimer.** Remettre au lit. *Recoucher un enfant.*

recoudre v. → conjug. **coudre.** Coudre ce qui a été décousu. *Recoudre un bouton.*

recouper v. → conjug. **aimer.** *1* Couper de nouveau. *Recouper du pain. 2* Vérifier une information en la confrontant avec une autre. *Ta version des faits recoupe celle qu'en donne la voisine.*

Lors d'une enquête, la police procède par **recoupement** *des témoignages,* selon que les témoignages se recoupent ou non (*2*).

recourbé, ée adj. Dont l'extrémité est courbe. *Un bec recourbé.*

recourir v. → conjug. **courir.** *1* Faire appel à l'aide de quelqu'un. *Recourir au médecin. 2* Employer certains moyens. *Recourir à la force, à la ruse.*

La voiture est tombée en panne sur l'autoroute, nous avons **eu recours** *à une dépanneuse,* nous avons dû recourir (*1*) à une dépanneuse.

recouvrer v. → conjug. **aimer.** *1* Retrouver, récupérer. *Recouvrer ses forces. Recouvrer la liberté. 2* Percevoir une somme due. *Le percepteur est chargé de recouvrer l'impôt.*

Le **recouvrement** *de l'impôt par le percepteur,* c'est l'action de le recouvrer (*2*).

recouvrir v. → conjug. **couvrir.** *1* Couvrir entièrement. *Recouvrir le sol avec de la moquette. 2* Couvrir avec du tissu, du papier, du plastique. *Recouvrir ses livres de classe. Recouvrir un fauteuil.*

récréation n. f. Moment destiné à la détente, au jeu. *La cour de récréation de l'école.*

se récrier v. → conjug. **modifier.** Protester vivement, s'indigner. *Tu as beau te récrier, il faut que tu partes.*

récriminer v. → conjug. **aimer.** Se plaindre, critiquer, revendiquer avec amertume.

Cesse donc tes **récriminations** *contre l'école,* de récriminer.

se recroqueviller v. → conjug. **aimer.** Se replier, se ramasser sur soi-même. *Les feuilles mortes se recroquevillent. Se recroqueviller de froid.*

recrudescence n. f. Reprise brutale. *La recrudescence d'une épidémie.*

recruter v. → conjug. **aimer.** *1* Former une troupe de soldats. *Recruter une armée. 2* Engager du personnel. *Cette entreprise recrute des ingénieurs.*

Une **recrue,** *c'est un jeune soldat qui vient d'être recruté (1). La direction du personnel est chargée du* **recrutement,** *de recruter (2) le personnel.*

rectangle n. m. Figure géométrique ayant quatre angles droits, et dont les côtés opposés sont égaux.

Une table de ping-pong est **rectangulaire,** *elle a la forme d'un rectangle.*

Le rectangle est un quadrilatère. Ses côtés sont parallèles et égaux deux à deux. Le rectangle a quatre angles droits.

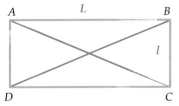

AB est parallèle et égal à DC.
AD est parallèle et égal à BC.

Les diagonales AC et BD sont égales et se coupent en leur milieu.
Le périmètre du rectangle (P) est égal à la somme des 2 longueurs et des 2 largeurs. $P = (L + l) \times 2$.
L'aire du rectangle (A) est égale au produit de la longueur par la largeur. $A = L \times l$.

rectificatif, ive adj. et n. m.
● adj. Qui a pour but de rectifier. *Note rectificative.*
● n. m. Texte destiné à rectifier une erreur, une information inexacte.

rectifier v. → conjug. **modifier.** Rendre exact, corriger. *Rectifier une faute d'orthographe.*

Permettez-moi d'apporter une **rectification** *à ce qui vient d'être dit,* une information destinée à rectifier.

rectiligne adj. En ligne droite. *Une rangée de peupliers bien rectiligne.*

recto n. m. Première page d'une feuille de papier. *Le début du texte est au recto, la suite au verso.*

rectum n. m. Dernière portion du gros intestin, qui débouche sur l'anus.
On prononce [rɛktɔm].

reçu n. m. Document signé prouvant que le signataire a reçu une somme d'argent ou un objet.

recueil n. m. Livre qui rassemble différents textes. *Un recueil de poèmes.*

recueillir v. → conjug. **cueillir.** *1* Réunir, rassembler. *Recueillir des dons, de l'argent, des vêtements. 2* Accueillir chez soi. *Recueillir un chien abandonné.*

3 **Se recueillir :** faire silence et méditer. *Se recueillir sur la tombe d'un proche.*

Écouter une cantate avec **recueillement**, en se recueillant (*3*).

recul n. m. *1* Mouvement vers l'arrière. *Radégonde a un mouvement de recul.* *2* Distance nécessaire pour voir ou pour juger. *J'ai besoin de prendre du recul pour comprendre ce qui s'est passé.*

reculade n. f. → **reculer.**

reculé, ée adj. *1* Éloigné dans l'espace, difficile d'accès. *Il vit dans un hameau reculé.* *2* Éloigné dans le temps. *À une époque reculée.*

reculer v. → conjug. **aimer.** *1* Faire aller en arrière. *Voiture qui recule. Reculer sa chaise.* *2* Au figuré. Renoncer à faire quelque chose de difficile. *Trop tard pour reculer ! 3* Retarder, remettre à plus tard. *Reculer un rendez-vous.*
Contraire : avancer (*1* et *3*).

Il donne le spectacle d'une lâche **reculade**, il est obligé de reculer (*2*). *Les enfants s'amusent à marcher à reculons*, en reculant (*1*).

récupérer v. → conjug. **digérer.** *1* Reprendre possession d'une chose prêtée ou perdue. *2* Retrouver ses forces. *Récupérer après un effort. 3* Recueillir un matériau pour le réutiliser. *Récupérer de la ferraille.*

Mon grand-père fabrique des meubles à partir de matériaux de **récupération**, qu'il a récupérés (*3*).

récurer v. → conjug. **aimer.** Nettoyer en frottant. *Récurer une casserole.*

récuser v. → conjug. **aimer.** Rejeter, ne pas admettre. *Récuser un témoignage.*

recyclable adj. → **recycler.**

recyclage n. m. *1* Récupération et réutilisation de certains déchets pour fabriquer de nouveaux produits. *Recyclage du papier, du verre. 2* Formation donnée à des adultes pour leur permettre de s'adapter aux nouvelles techniques dans leur métier. *Suivre un stage de recyclage en informatique.*

recycler v. → conjug. **aimer.** *1* Soumettre des matériaux usagés à un recyclage. *2* **Se recycler :** suivre un stage de recyclage, ou s'orienter vers une nouvelle activité professionnelle.

Le tri sélectif des déchets prévoit une poubelle pour les produits **recyclables**, qui peuvent être recyclés (*1*).

rédacteur, trice n. Personne chargée de la rédaction de textes, d'articles de journaux ou de revues. *Les rédacteurs d'un dictionnaire.*

rédaction n. f. *1* Action de rédiger un texte. *La rédaction de sa lettre lui a pris plusieurs heures.* *2* Exercice de français dans lequel on demande aux élèves d'écrire un texte sur un sujet donné. *Être bon en rédaction. 3* Ensemble des rédacteurs d'un journal. *Salle de rédaction.*

reddition n. f. Fait de se rendre, de capituler. *Reddition d'une armée.*

redescendre v. → conjug. **répondre.** Descendre de nouveau. *Redescendre chercher du pain.*

redevable adj. Qui doit quelque chose à quelqu'un. *Je suis redevable de ma réussite à mon professeur.*

redevance n. f. Somme d'argent, taxe que l'on paie à l'État pour bénéficier d'un service public. *En France, on paie une redevance pour la télévision.*

rédhibitoire adj. Qui constitue un empêchement radical. *Avoir le vertige est rédhibitoire pour pratiquer l'alpinisme.*

rédiger v. → conjug. **ranger.** Écrire un texte. *Rédiger une lettre, un article.*

redingote n. f. Longue veste, fendue dans le dos, que portaient autrefois les hommes.

redire v. → conjug. **dire.** *1* Dire à nouveau, répéter. *2* **Trouver quelque chose à redire à :** critiquer. *Je ne vois rien à redire à ce que tu fasses du piano.*

Il y a trop de **redites** dans ta rédaction, des choses que tu redis inutilement.

redondant, ante adj. Qui comporte des redites, des répétitions. *Un style redondant.*
Contraire : concis.

redoubler v. → conjug. **aimer.** *1* Refaire une année d'études dans la même classe. *Elle redouble son CM 2. 2* Augmenter, s'accroître. *L'averse redouble. 3* **Redoubler de :** apporter, mettre plus de. *Redoubler de prudence sur la route à cause du verglas.*

Il y a deux **redoublants** dans ma classe, deux élèves qui redoublent (*1*). *Mieux vaut un* **redoublement** *que d'aller à l'échec l'année suivante*, le fait de redoubler (*1*) une classe.

redouter v. → conjug. **aimer.** Synonyme de craindre. *Redouter la solitude. Redouter une personne.*

C'est un adversaire **redoutable**, qu'il faut redouter.

redoux n. m. Radoucissement de la température au cours de la saison froide.

redresser v. → conjug. **aimer.** *1* Remettre droit. *Redresser la tête, le buste. Redresser un piquet de tente tordu. 2* **Se redresser**, retrouver sa prospérité. *Pays qui se redresse difficilement après une guerre.*

On constate un **redressement** de l'économie du pays, l'économie se redresse (*2*).

redresseur n. m. *Redresseur de torts :* personne qui prétend faire la justice autour d'elle.

réduction n. f. *1* Action de réduire. *Réduction des dépenses. Réduction du temps de travail. 2* Diminution d'un tarif. *Les familles nombreuses ont droit à une réduction sur les billets de train. 3* Reproduction dans un format plus petit. *Réduction d'une photo.*
Synonymes : diminution (*1*), remise (*2*).

réduire v. → conjug. **cuire.** *1* Rendre moins important. *Réduire sa vitesse. 2* Transformer une substance en la broyant, en l'écrasant. *Réduire des légumes en purée. 3* Contraindre, obliger. *Réduire quelqu'un au silence.*

réduit, réduite adj. *1 Prix, tarif réduit :* qui a subi une réduction. *2 Modèle réduit :* reproduction exacte d'un objet construit en réduction. *Modèle réduit d'avion, de bateau.*
Synonyme : maquette (*2*).

rééditer v. → conjug. **aimer.** Faire une nouvelle édition d'un livre.
La maison d'édition a décidé de procéder à la réédition de ce livre épuisé, de le rééditer.

rééducation n. f. Ensemble d'exercices destinés à rétablir, chez une personne malade ou blessée, l'usage normal d'une partie du corps ou d'une fonction.
Il va chez le kinésithérapeute pour rééduquer son genou après sa fracture, il suit des séances de rééducation.

réel, réelle adj. Qui existe vraiment. *Le scénario de ce film a été écrit d'après des faits réels.*
Synonymes : authentique, vrai. Contraires : fictif, imaginaire.
Le personnage de cette histoire a réellement existé, de façon réelle.

réélire v. → conjug. **lire.** Élire de nouveau.
La réélection du président de la République, le fait qu'il a été réélu.

réellement adv. → réel.

refaire v. → conjug. **faire.** *1* Faire de nouveau ce qu'on a déjà fait. *Refaire son travail. Refaire un voyage. 2* Remettre à neuf. *Refaire les peintures de sa maison.*
Les copropriétaires ont voté la réfection de la toiture de l'immeuble, le fait de la refaire.

réfectoire n. m. Salle à manger d'une collectivité. *Réfectoire d'un hôpital, d'une école.*

référence n. f. *1* Indication précise permettant de retrouver un passage cité dans un livre. *2 Ouvrage de référence :* livre fait pour être consulté (encyclopédie, dictionnaire, atlas…). *3* Au pluriel. Attestations pour recommander quelqu'un qui cherche du travail auprès d'un employeur. *Cette candidate a vraiment de sérieuses références.*

référendum n. m. Consultation de tous les électeurs d'un pays, à qui l'on demande de voter pour ou contre une proposition du gouvernement.
On prononce [ʀefeʀɛ̃dɔm].

se référer v. → conjug. **digérer.** *1 Se référer :* se reporter à, recourir à, consulter un texte pour vérifier quelque chose. *Se référer au dictionnaire pour vérifier l'orthographe et le sens d'un mot. 2 En référer à quelqu'un :* lui soumettre un problème pour qu'il le tranche. *En référer à son supérieur hiérarchique.*

refermer v. → conjug. **aimer.** Fermer à nouveau. *Referme la porte derrière toi !*

réfléchir v. → conjug. **finir.** *1* Renvoyer la lumière. *Les arbres se réfléchissent dans le lac. 2* Examiner un problème ou une situation pour les comprendre, comparer, savoir comment agir. *J'ai besoin de réfléchir avant de prendre une décision.*
Synonyme : refléter (*1*).
C'est un enfant réfléchi, qui réfléchit (*2*).

refléter v. → conjug. **digérer.** *1* Réfléchir, renvoyer une image, la lumière. *Un mur blanc reflète la lumière, un mur noir l'absorbe. 2* Au figuré. Exprimer, traduire. *Un regard qui reflète l'ennui.*
Radégonde a vu le reflet d'un monstre dans l'eau, l'image du monstre reflétée (*1*) par l'eau.

réflexe n. m. Réaction immédiate et automatique devant certaines situations. *Quand on conduit, il faut avoir de bons réflexes.*

réflexion n. f. *1* Action ou capacité de réfléchir. *Faire preuve de réflexion. 2* Pensée, observation ou remarque. *Fais-nous part de tes réflexions sur ce film.*

refluer v. → conjug. **aimer.** Aller en sens inverse, se retirer. *La mer reflue à marée descendante.*

reflux n. m. Mouvement de la mer à marée descendante. *Le flux et le reflux.*

réforme n. f. Changement apporté à une institution pour l'améliorer.
Certains souhaitent réformer l'enseignement, y faire des réformes. Un parti réformateur, qui propose des réformes politiques et sociales. *Un réformiste* est un partisan d'une réforme politique plutôt que d'une révolution.

On appelle Réforme le mouvement religieux qui a donné naissance au protestantisme en Europe au XVIe siècle.
Regarde page ci-contre.

la Réforme

Au début du XVIᵉ siècle, l'inquiétude religieuse est grande. La peur du diable et de l'enfer domine de nombreux esprits. Les chefs de l'Église vivent comme de grands seigneurs et ne pensent qu'à s'enrichir. De nombreux chrétiens aspirent à des changements profonds, à une réforme.

Luther

■ En 1517, un moine allemand, Martin Luther, dénonce la vente des indulgences (rachat des péchés contre de l'argent) organisée par l'Église catholique. Le pape l'exclut de la communauté catholique.

■ Luther se lance alors dans une réforme du christianisme, inspirée de la lecture de la Bible, qu'il fait traduire en allemand et diffuser largement. Ce nouveau culte, le protestantisme, recueille un vif succès en Allemagne. Les protestants se regroupent dans des bâtiments sans luxe, les temples, et prient sous la conduite de pasteurs, leurs guides religieux.

Martin Luther.

Calvin

■ La réforme de Luther se répand en France. Un prêtre humaniste, Jean Calvin, reprend ses idées et les complète. Mais Calvin inquiète le pouvoir royal et doit quitter la France ; il se réfugie à Genève, en Suisse. Il joue un rôle important dans la poursuite de la Réforme et a de nombreux disciples, notamment en France, en Angleterre, en Hollande et dans le nord de l'Europe.

Jean Calvin.

les guerres de Religion

■ À partir de 1545, devant la montée du protestantisme, l'Église catholique décide de se transformer. Réunis en concile dans la ville de Trente, en Italie, les évêques réorganisent entièrement le fonctionnement de l'Église et décrètent la lutte contre les protestants.

■ L'affrontement sévère entre les « papistes » (les catholiques) et les « huguenots » (les protestants) entraîne batailles, persécutions et massacres dans une partie de l'Europe. De 1562 à 1598, c'est le temps des guerres de Religion, le massacre de la Saint-Barthélemy en est l'épisode le plus connu.

■ Le 13 avril 1598, par l'édit de Nantes, le roi Henri IV accorde la liberté de culte aux protestants et met fin aux guerres de Religion.

Dans la nuit du 23 au 24 août 1572 (jour de la Saint-Barthélemy), trois mille protestants sont tués à Paris.

refouler v. → conjug. **aimer**. *1* Faire reculer, repousser. *Refouler des envahisseurs. Immigrés clandestins refoulés à la frontière. 2* Au figuré. Réprimer, retenir. *Refouler sa colère, ses larmes.*

réfractaire adj. *1* Qui refuse de se soumettre. *Un enfant réfractaire à toute discipline. 2* Qui résiste à de très hautes températures. *Briques réfractaires.*

refrain n. m. Reprise des mêmes paroles d'une chanson entre chaque couplet.

réfréner v. → conjug. **digérer**. Réprimer, contenir un sentiment. *Réfréner son ardeur, son impatience.*

réfrigérateur n. m. Appareil électroménager servant à conserver au froid les aliments.

refroidir v. → conjug. **finir**. *1* Devenir plus froid. *Mange, ça va refroidir. 2* Au figuré. Diminuer l'enthousiasme de quelqu'un, le décourager. *Son accueil m'a refroidi.*
   *La météo annonce un **refroidissement** de la température,* elle va se refroidir (*1*).

refuge n. m. *1* Endroit où l'on se met à l'abri d'une menace, d'un danger. *2* Abri de haute montagne où les alpinistes peuvent dormir.
   ***Réfugions-nous** dans une grotte pour nous abriter de la pluie,* nous y avons trouvé refuge (*1*). *Les **réfugiés** demandent l'asile au pays voisin,* des personnes qui cherchent refuge hors de leur pays d'origine.

refuser v. → conjug. **aimer**. *1* Ne pas accepter quelque chose. *Refuser une offre. Refuser d'obéir. 2* Ne pas recevoir quelqu'un à un examen. *Être refusé au bac.*
   *Mon frère veut partir camper tout seul, il s'est heurté à un **refus** de la part de mes parents,* ils lui en ont refusé (*1*) l'autorisation.

réfuter v. → conjug. **aimer**. Rejeter une affirmation en démontrant qu'elle est fausse.
   *La **réfutation** d'un argument, d'une démonstration,* c'est le fait de les réfuter.

regagner v. → conjug. **aimer**. *1* Retrouver, rattraper ce qu'on avait perdu. *Regagner du terrain, du temps. 2* Rejoindre un lieu. *Regagner son domicile.*

regain n. m. Renouveau, nouvel élan. *Un regain d'activité, d'espoir.*

se régaler v. → conjug. **aimer**.
Prendre un grand plaisir à manger ou à boire. *Il se régale avec les coquillages, se dit Radégonde.*
Synonyme : se délecter.
   *Ton gâteau est un **régal**,* nous nous régalons.

regarder v. → conjug. **aimer**. *1* Diriger les yeux sur quelque chose ou sur quelqu'un. *Ne regarde pas dans l'assiette de ton voisin. 2* Concerner. *Ça ne te regarde pas. 3* Regarder à la dépense :* hésiter à dépenser son argent.
   *Il a jeté un **regard** noir sur sa sœur,* il l'a regardée (*1*) d'un air furieux. *Une vieille dame **regardante**,* qui regarde (*3*) à la dépense, qui est économe.

régate n. f. Course de voiliers.

régence n. f. Gouvernement exercé par un régent ou une régente.

régent, ente n. Personne qui gouverne un pays tant que le futur roi n'a pas atteint l'âge de régner.

régenter v. → conjug. **aimer**. Diriger autoritairement. *Elle veut régenter tout le monde.*

régime n. m. *1* Type d'organisation politique, économique et sociale d'un État. *Régime monarchique. Régime démocratique. 2* Ensemble de règles alimentaires. *Suivre un régime sans sel. Un régime pour maigrir. 3* Vitesse à laquelle tourne un moteur. *4* Grappe de fruits qui poussent sur la même tige. *Régime de bananes, de dattes.*

régiment n. m. Troupe de soldats de l'armée de terre commandée par un colonel.

région n. f. Partie d'un pays ou grande étendue géographique. *Les régions polaires, tropicales. La région lilloise.*
   *Un spectacle de danses **régionales**,* propres à une région. *Le **régionalisme**,* c'est un mouvement qui revendique l'autonomie d'une région. *Les **régionalistes** corses* sont des partisans du régionalisme.

La France est découpée en 26 régions administratives : 22 en métropole (dont la Corse) et 4 outre-mer. Chacune compte un nombre plus ou moins important de départements (seulement 2 pour la Région Nord-Pas-de-Calais, mais 8 pour la Région Rhône-Alpes, par exemple). Chaque région est administrée par un conseil régional élu pour 6 ans.
Regarde départements.

registre n. m. Livre servant à inscrire des noms, des chiffres, des faits. *Les naissances, les mariages et les décès figurent sur le registre d'état civil.*

réglable adj., **réglage** n. m. → **régler**.

règle n. f. *1* Instrument servant à tracer des traits. *2* Au figuré. Principes à suivre dans un jeu, un sport, une technique, etc. *Les règles du jeu d'échecs. Les règles d'accord des participes passés. 3* En règle :* conforme à la loi. *Papiers en règle. 4* En règle générale :* dans la plupart des cas, généralement. *5* Au pluriel. Écoulement de sang d'une durée de 3 à 5 jours, survenant chaque mois chez la femme en âge d'avoir des enfants, de la puberté à l'arrêt de la production d'ovules.

règlement n. m. *1* Ensemble de règles qu'il faut suivre. *Le règlement de l'école. 2* Action de régler une affaire. *Règlement à l'amiable d'un conflit. 3* Paiement. *Règlement comptant.*

> Autrefois le port d'une blouse était *réglementaire* dans les collèges, il était rendu obligatoire par le règlement (*1*). *Selon la* **réglementation** *du code de la route, on doit s'arrêter au feu rouge,* l'ensemble des règlements (*1*) du code de la route. *En France le port d'armes est strictement* **réglementé**, soumis à un règlement (*1*).

régler v. → conjug. **digérer.** *1* Ajuster, mettre au point. *Régler sa montre sur l'heure juste. Régler le son de la télévision. 2* Résoudre, mettre en ordre, trouver une solution à. *Régler un conflit, une affaire. 3* Payer. *Régler l'addition au restaurant.*

> *J'ai un tabouret à hauteur* **réglable**, dont on peut régler (*1*) la hauteur. *Mon père a apporté sa voiture au garage pour un* **réglage** *du moteur,* pour qu'il soit réglé (*1*).

réglisse n. m. et n. f.
• n. m. Bonbon à la réglisse. *Sucer du réglisse.*
• n. f. Plante dont la racine est utilisée en confiserie.

règne n. m. *1* Période durant laquelle gouverne un souverain. *Le règne de Louis XIV. 2* Grande division du monde naturel. *Le règne animal, le règne végétal et le règne minéral.*

régner v. → conjug. **digérer.** *1* Exercer le pouvoir, quand il s'agit d'un souverain. *2* Exister. *Le silence, la paix, l'harmonie règnent dans ce lieu.*

regonfler v. → conjug. **aimer.** Gonfler de nouveau. *Regonfler les pneus de son vélo.*

regorger v. → conjug. **ranger.** Abonder, contenir en grande quantité. *Lac qui regorge de poissons.*

régression n. f. Recul, diminution. *Le gouvernement annonce une régression du chômage.*
Contraire : progression.

> *La mortalité infantile a fortement* **régressé** *dans les pays occidentaux,* elle a connu une forte régression.

regret n. m. *1* Sentiment de tristesse dû à la perte de quelqu'un ou de quelque chose. *Quitter un lieu de vacances avec regret. 2* Mécontentement vis-à-vis de soi-même. *Le regret d'avoir manqué une occasion.*

regretter v. → conjug. **aimer.** *1* Éprouver du regret. *Regretter le temps passé. 2* Être mécontent, désapprouver, déplorer. *Je regrette que tu n'aies pu venir.*

> *Ton oubli est* **regrettable**, il faut le regretter (*2*).

regrouper v. → conjug. **aimer.** Réunir, rassembler des personnes ou des choses dispersées.

régulariser v. → conjug. **aimer.** *1* Mettre en conformité avec les lois, le règlement. *Un travailleur immigré qui régularise sa situation. 2* Rendre régulier. *Régulariser le débit d'un cours d'eau.*

régularité n. f. *1* Caractère régulier, égal. *Faire preuve de régularité dans son travail. 2* Conformité aux règles. *Régularité d'une élection.*
Contraire : irrégularité.

régulier, ère adj. *1* Qui reste égal, ou qui se répète à intervalles égaux. *Un rythme régulier. Une vitesse régulière. 2* Qui est conforme à la loi ou aux règles. *Verbes réguliers. Coup régulier.*

> *Ils vont très* **régulièrement** *rendre visite à leurs grands-parents,* ils leur rendent visite de façon très régulière (*1*).

réhabiliter v. → conjug. **aimer.** *1* Rétablir quelqu'un dans ses droits ou dans l'estime de tous. *Réhabiliter une personne victime d'une erreur judiciaire. 2* Rénover un bâtiment ou un quartier.

rehausser v. → conjug. **aimer.** *1* Surélever. *Rehausser un enfant avec un coussin. 2* Mettre en relief, en valeur. *Le rouge rehausse un teint bronzé.*

Reims

Ville française de la Région Champagne-Ardenne, située sur les bords de la Vesle. Reims est célèbre pour sa splendide cathédrale gothique du XIIIe siècle, la cathédrale Notre-Dame de Reims. C'est dans cet édifice qu'ont été sacrés la plupart des rois de France. La ville a aussi une réputation internationale grâce à la commercialisation du vin de Champagne.

---

rein n. m. *1* Chacun des deux organes qui filtrent le sang pour en éliminer les déchets, et qui sécrètent l'urine. *2* Au pluriel. Bas du dos. *Avoir mal aux reins.*

Les reins, au nombre de deux, sont situés dans l'abdomen. En forme de haricot, ils mesurent environ 12 cm de longueur et 6 cm de largeur, pour un poids de 150 g chacun. Les reins jouent un rôle très important dans le fonctionnement de l'organisme : ils purifient et filtrent le sang, en prélevant les déchets qui s'y trouvent pour former l'urine. Celle-ci est ensuite évacuée vers la vessie par deux petits canaux, appelés uretères.

réincarnation n. f. Fait de revivre dans un nouveau corps après la mort. *Les religions de l'Inde croient en la réincarnation.*

reine n. f. *1* Femme d'un roi ou femme gouvernant un royaume. *2* Seule femelle pouvant pondre des œufs chez les abeilles, les guêpes, les fourmis.

reine–claude n. f. Plur. : des reines-claudes. Variété de prune verte, à la chair juteuse.

reine–marguerite n. f. Plur. : des reines-marguerites. Plante proche de la marguerite, aux fleurs roses, mauves ou jaunes.

reinette n. f. Variété de pomme à chair parfumée, à peau grise ou jaune et rouge.
Homonyme : rainette.

réinsérer v. → conjug. **digérer.** Insérer de nouveau, réadapter quelqu'un à la vie sociale.
Cette association s'occupe de la réinsertion des anciens détenus, elle les aide à se réinsérer.

réintégrer v. → conjug. **digérer.** Revenir dans un lieu. *Réintégrer son domicile.*
Les grévistes exigent la réintégration des salariés licenciés, qu'ils soient réintégrés dans l'entreprise.

réitérer v. → conjug. **digérer.** Littéraire. Répéter. *Réitérer une demande.*

rejaillir v. → conjug. **finir.** *1* Jaillir de tous côtés. *2* Au figuré. Retomber. *Le scandale a rejailli sur la famille.*

rejet n. m. *1* Action de rejeter, refus. *Le rejet d'une offre, d'une proposition.* *2* Jeune pousse sur la souche d'une plante.

rejeter v. → conjug. **jeter.** *1* Renvoyer en lançant. *Rejeter un poisson à l'eau.* *2* Au figuré. Refuser, repousser, écarter. *Rejeter une candidature.* *3* Au figuré. Faire supporter par quelqu'un d'autre. *Rejeter la responsabilité sur un camarade.*

rejeton n. m. Familier. Enfant.

rejoindre v. → conjug. **joindre.** *1* Retrouver une ou plusieurs personnes. *Partir rejoindre des amis à la campagne.* *2* Rattraper quelqu'un. *Coureur cycliste qui rejoint le peloton de tête.* *3* Se réunir à, aboutir à un endroit. *Le sentier rejoint la route goudronnée à l'entrée du village.* *4* Se rejoindre : aboutir au même endroit. *Les deux pistes de ski se rejoignent.*

réjouir v. → conjug. **finir.** *1* Rendre heureux, joyeux. *Cette bonne nouvelle l'a réjoui.* *2* Se réjouir : éprouver de la joie. *Il se réjouit à l'idée de devenir grand-père.*
Pour fêter son anniversaire, le roi a ordonné des réjouissances, des festivités destinées à réjouir (1) tout le monde. Une nouvelle réjouissante, dont on se réjouit (2).

relâche n. f. *1* Fermeture momentanée d'une salle de spectacle. *Faire relâche au mois d'août.* *2* Sans relâche : sans interruption. *Travailler sans relâche.*

relâcher v. → conjug. **aimer.** *1* Détendre ce qui était tendu, serré. *Relâcher les rênes.* *2* Remettre en liberté. *Relâcher un otage.* *3* Se relâcher : faiblir, fléchir. *L'attention des élèves se relâche souvent à la fin du dernier trimestre.*
Le directeur de l'école déplore le relâchement de la discipline, le fait qu'elle se relâche (3).

relais n. m. *1* Dispositif qui retransmet des émissions envoyées par un émetteur. *Relais de télévision.* *2* Course de relais : course par équipes, dont les coureurs se remplacent à intervalles déterminés. *3* Prendre le relais : remplacer quelqu'un dans une activité.

relancer v. → conjug. **tracer.** *1* Lancer de nouveau. *Relancer un ballon.* *2* Donner un nouvel essor à. *Relancer l'économie d'un pays. Relancer le débat, la conversation.* *3* Solliciter de nouveau quelqu'un. *Son travail consiste à relancer les clients qui n'ont pas payé leurs factures.*
J'ai reçu une lettre de relance m'avisant de la fin de mon abonnement, qui me relance (3).

relater v. → conjug. **aimer.** Raconter, rapporter précisément un fait, une scène.

relatif, ive adj. *1* Qui a rapport à, qui concerne quelque chose. *Les lois relatives au mariage.* *2* Qui ne vaut que par comparaison, approximatif. *Vivre dans un confort relatif.* *3* Pronom relatif : mot servant à relier le nom ou le pronom qu'il représente à une proposition subordonnée relative.
Il est relativement grand, d'une manière relative (2), par comparaison avec d'autres.

LES PRONOMS RELATIFS

Les pronoms relatifs introduisent une proposition relative.

- Formes simples : **qui, que, qu', quoi, dont, où.**
  *J'ai acheté le livre **dont** je rêvais. Voilà un livre **que** je te conseille de lire.*

- Formes composées : **lequel** (laquelle, lesquels, lesquelles), **duquel** (de laquelle, desquels, desquelles), **auquel** (à laquelle, auxquels, auxquelles).
  *C'est le livre **auquel** je tiens le plus.*

Dans les trois exemples, on a remplacé le mot « livre » par un pronom relatif. « Livre » est l'**antécédent** de **dont**, de **que** et de **auquel**.

- La proposition subordonnée relative introduite par un pronom relatif complète un nom ou un groupe nominal de la proposition principale.

Dans les trois exemples, les propositions relatives complètent le mot « livre ».

relation n. f. *1* Rapport, lien existant entre deux ou plusieurs choses ou personnes. *Il n'y a aucune relation entre ces deux faits. Avoir des relations amicales avec quelqu'un. Relations diplomatiques entre des pays.* *2* Au pluriel. Gens célèbres ou importants que quelqu'un connaît.

relativement adv. → **relatif, ive.**

se relaxer v. → conjug. **aimer.** Se détendre.
> *Le yoga est une méthode de relaxation, pour se relaxer.*

relayer v. → conjug. **payer.** Remplacer quelqu'un dans une activité. *Les sentinelles se relaient à la porte de la caserne.*

reléguer v. → conjug. **digérer.** Mettre quelqu'un ou quelque chose à l'écart. *Il a été relégué au second plan et n'a plus aucun pouvoir.*

relent n. m. Mauvaise odeur. *Des relents d'égout.*

relevé n. m. *Relevé de compte :* document sur lequel sont relevés, notés, certains renseignements. *Relevé d'identité bancaire.*

relever v. → conjug. **promener.** *1* Remettre debout. *Aider quelqu'un à se relever.* *2* Ramasser, collecter. *Relever les copies.* *3* Noter par écrit. *Relever des noms. Relever le compteur.* *4* Diriger vers le haut, mettre plus haut. *Relever la tête. Relever ses manches, son col.* *5* Donner plus de goût. *Relever une sauce.* *6* Hausser, augmenter. *La direction a relevé les salaires.* *7* Remplacer quelqu'un dans un travail. *L'équipe de jour relève l'infirmière de nuit à 6 heures.*
> *Le professeur est tombé malade, un nouveau a pris la relève, il l'a relevé (7). Le gouvernement a décidé le relèvement de l'impôt sur les grandes fortunes, le fait de le relever (6).*

relief n. m. *1* Ensemble des creux et des saillies d'une surface. *Étude du relief de la France. Carte en relief des Alpes.* *2* *Mettre en relief quelque chose :* le faire ressortir, le mettre en valeur, en évidence. *Éclairage destiné à mettre en relief un bel objet.*

relier v. → conjug. **modifier.** *1* Réunir, joindre. *Relier un point à un autre par un trait. Les deux rives sont reliées par un pont.* *2* Assembler les pages d'un livre sous une couverture rigide.
> *Un ouvrage, une fois imprimé, est envoyé chez le relieur, une personne qui relie (2) les livres.*

religieusement adv. *1* D'une manière religieuse. *Se marier, être enterré religieusement.* *2* Avec recueillement. *Écouter religieusement une musique.*

religieux, euse adj. et n.
● adj. Qui concerne la religion. *Fêtes religieuses.*

● n. Personne qui a décidé de consacrer sa vie à Dieu. *Les prêtres, les moines sont des religieux.*

religion n. f. Ensemble de croyances en un Dieu unique ou en plusieurs dieux, et pratiques et rites qui s'y rapportent.

Dans toutes les civilisations, les hommes ont manifesté leur croyance en des êtres supérieurs, les dieux. Ils les vénèrent, leur construisent des temples et, souvent, leur offrent des sacrifices. Beaucoup de ces cultes ont disparu, d'autres se sont transformés. *Regarde p. 916 et 917.*

reliquat n. m. Ce qui reste d'une somme à payer.

relique n. f. Restes du corps d'un saint, auxquels on rend un culte.

relire v. → conjug. **lire.** Lire une nouvelle fois. *Il faut se relire pour corriger ses fautes.*

reliure n. f. Couverture d'un livre relié.

reluire v. → conjug. **cuire.** Briller, luire en réfléchissant la lumière. *Pour faire reluire les chaussures, il faut les astiquer.*

remâcher v. → conjug. **aimer.** Ressasser dans son esprit, ruminer. *Remâcher sa rancune.*

remanier v. → conjug. **modifier.** Modifier, changer. *Écrivain qui remanie le dernier chapitre de son livre.*
> *On annonce un remaniement ministériel, le gouvernement va être remanié.*

se remarier v. → conjug. **modifier.** Se marier de nouveau. *Il faut être divorcé ou veuf pour se remarier.*

remarquable adj., **remarquablement** adv. → **remarquer.**

remarque n. f. *1* Observation, commentaire, critique. *Faire une remarque pertinente.* *2* Note écrite attirant l'attention du lecteur sur un point précis.

remarquer v. → conjug. **aimer.**
1 S'apercevoir de quelque chose. *Radégonde se cache pour que le monstre ne la remarque pas.* *2* *Se faire remarquer :* chercher à attirer l'attention sur soi.
Synonymes : constater (*1*), noter (*1*).
> *Cette femme est d'une beauté remarquable, que tout le monde remarque (1). Son exposé était remarquablement clair, de façon remarquable.*

remballer v. → conjug. **aimer.** Emballer de nouveau ce qui était déballé.

rembarquer v. → conjug. **aimer.** Embarquer de nouveau à bord d'un avion ou d'un bateau.

rembarrer v. → conjug. **aimer.** Familier. Rabrouer quelqu'un, le remettre à sa place.

les religions

De très nombreuses religions sont pratiquées dans le monde. Trois d'entre elles – le judaïsme, le christianisme et l'islam – ont en commun la croyance en un Dieu unique : ce sont des religions « monothéistes ».

le judaïsme

■ La religion du peuple juif naît en Palestine il y a 4 000 ans. Le judaïsme est révélé au peuple par des prophètes comme Moïse, qui reçoit de Yahvé, le Dieu unique, les Dix Commandements, c'est-à-dire les règles à respecter pour la bonne conduite de sa vie. Ils sont contenus dans les cinq premiers livres de la Bible, appelés *Torah* par les juifs.

■ La fête de la pâque juive commémore la libération des Hébreux d'Égypte et leur départ vers la Terre promise. Chaque semaine, du vendredi soir au samedi soir, les juifs fêtent le shabbat.

Parmi les symboles de la religion juive, on distingue : la kippa, petite coiffure de tissu rond portée par les hommes ; le talit, châle revêtu par les hommes pour la prière, le chandelier à sept branches et l'étoile de David, une étoile à six branches.

■ Les chefs religieux sont les rabbins, et le lieu de prière la synagogue. Les juifs attendent la venue d'un Messie (un envoyé de Dieu) sur Terre.

le christianisme

■ Le christianisme naît il y a 2 000 ans, lorsque Jésus-Christ se présente comme le fils de Dieu, envoyé sur Terre pour libérer les hommes du mal et de la mort. Il enseigne la foi en un Dieu d'amour et un commandement unique : « Aimez-vous les uns les autres comme Dieu vous aime ». Il meurt crucifié par les Romains et,

Le principal symbole de la religion chrétienne est la croix. Les fêtes chrétiennes sont liées à la vie de Jésus et des saints (Noël, Pâques, Toussaint, Pentecôte…).

■ Les chrétiens se partagent entre les catholiques, qui sont les plus nombreux, les protestants et les orthodoxes. Les chefs religieux des catholiques sont les prêtres, les évêques et le pape ; le lieu de prière est l'église. Les guides religieux des protestants sont des pasteurs ; leur lieu de culte est le temple. Ceux des orthodoxes sont des popes ; le lieu de prière est l'église orthodoxe.

d'après les textes, ressuscite trois jours plus tard. Les chrétiens fêtent cette Résurrection le jour de Pâques.
La seconde partie de la Bible, le Nouveau Testament, regroupe les textes des apôtres, les Évangiles, qui contiennent la parole de Dieu et relatent la vie de Jésus.

Au cours du mariage juif, le marié brise un verre sous son talon en mémoire de la destruction du Temple de Jérusalem.

La Cène : au cours du dernier repas qu'il prend avec ses disciples, Jésus bénit le pain et le vin. Cette consécration est à l'origine du rite de la sainte communion.

Le judaïsme regroupe quelque 15 millions de croyants dans le monde.

On compte plus de 2 milliards de chrétiens dans le monde.

Le croissant de lune est l'un des symboles religieux de l'islam.

Les bains dans le Gange, fleuve sacré pour les hindouistes, sont une part importante de leur culte.

l'islam

L'islam est la seconde religion du monde par le nombre de fidèles (plus de 1,2 milliard).

l'hindouisme

■ Pratiqué en Inde depuis plus de 5 000 ans, l'hindouisme vénère de très nombreux dieux. Les trois principaux sont Brahma, le Créateur, Siva, le Destructeur et Vishnou, le Protecteur. Les « prêtres », les brahmanes, ont une influence importante sur la vie sociale indienne divisée en castes. Les hindouistes croient en la réincarnation. Mener une existence pieuse permet de briser le cycle de morts et de renaissances.

On compte environ 820 millions d'hindouistes dans le monde.

l'animisme

■ L'animisme est la religion traditionnelle de certains peuples d'Océanie, d'Afrique noire et d'Asie. Les animistes pensent que les animaux et les objets sont animés par des esprits, qu'ils ont une âme. Ils les honorent par des rites souvent associés à des pratiques magiques.

■ Fondé par le prophète Mahomet qui reçoit la parole d'Allah, Dieu des musulmans, l'islam naît en Arabie au début du VIIe siècle. Contenue dans un livre sacré, le Coran, cette parole enseigne les règles de vie à respecter (prier cinq fois par jour, jeûner pendant le Ramadan, faire l'aumône et faire un pèlerinage à La Mecque au moins une fois dans sa vie).

■ La religion musulmane est enseignée par les imams. Le culte est pratiqué dans les mosquées. Quand il prie, le musulman doit se tourner vers La Mecque, ville sainte située en Arabie Saoudite.

le bouddhisme

■ Pratiqué en Asie depuis 2 500 ans, le bouddhisme a été fondé par un sage de l'Inde, le Bouddha (« l'Éveillé »). Il enseigne que l'homme doit méditer et repousser désir et souffrance pour atteindre le bonheur absolu, le nirvâna. Les bouddhistes croient en la réincarnation : tant que le nirvâna n'est pas atteint, on renaît après la mort sous une forme humaine ou animale.

■ Plus qu'une religion, le bouddhisme est une philosophie et une façon de vivre. Il est enseigné par des moines. Le culte est pratiqué dans des temples et des pagodes.

Les moines jouent un rôle très important dans la vie spirituelle des fidèles.

La loi se nomme le dharma. La roue de la loi divisée en huit est un symbole résumant les leçons de Bouddha.

On compte plus de 360 millions de bouddhistes dans le monde.

Regarde aussi Jésus-Christ, Moïse, Mahomet, Bouddha.

remblai n. m. Matériaux destinés à combler un trou ou à rehausser un terrain.

Les ouvriers ***remblayent*** *la chaussée*, ils la nivellent avec un remblai.

rembourrer v. → conjug. **aimer.** Remplir de laine, de crin, etc. *Un fauteuil bien rembourré.*

rembourser v. → conjug. **aimer.** Rendre de l'argent à quelqu'un. *Rembourser une dette.*

Le ***remboursement*** *d'un billet non utilisé*, le fait de le rembourser. *Mes parents ont souscrit un prêt* ***remboursable*** *sur 15 ans*, qui doit être remboursé.

se rembrunir v. → conjug. **finir.** Prendre un air sombre. *Se rembrunir en apprenant son échec.*

Rembrandt

Peintre hollandais né en 1606 et mort en 1669. Rembrandt devient rapidement célèbre. Il s'installe à Amsterdam en 1631 et reçoit de nombreuses commandes. L'un de ses premiers chefs-d'œuvre, *la Leçon d'anatomie* (1632), est un modèle du portrait collectif. C'est un maître du clair-obscur ; les jeux d'ombre et de lumière éclairent les visages et renforcent l'intensité des scènes. Rembrandt a peint de nombreux portraits, se représentant aussi lui-même à différents âges (en tout une soixantaine d'autoportraits), et des scènes religieuses, tels *le Sacrifice d'Abraham* (1635) et *le Retour du fils prodigue* (1669). On lui doit également plus de 1 500 dessins à la plume et plus de 280 gravures !

Autoportrait

remède n. m. *1* Vieilli. Médicament. *Un remède de bonne femme. 2* Au figuré. Moyen d'améliorer une situation, de résoudre un problème. *Un remède contre l'ennui.*

Le gouvernement cherche à ***remédier*** *au chômage*, à trouver des remèdes (*2*).

remembrement n. m. Regroupement de plusieurs parcelles pour constituer un seul domaine agricole. *Le remembrement est destiné à faciliter la culture.*

se remémorer v. → conjug. **aimer.** Se souvenir, se rappeler. *Se remémorer tous les détails d'un voyage.*

remercier v. → conjug. **modifier.** *1* Dire merci, exprimer sa reconnaissance à quelqu'un. *2* Congédier, renvoyer un employé.

J'ai écrit une lettre de ***remerciement*** *à la famille qui m'a invité en vacances*, pour la remercier.

remettre v. → conjug. **mettre.** *1* Replacer une chose à sa place, la rétablir dans l'état où elle était. *Remettre un livre dans la bibliothèque. Remettre sa chambre en ordre. 2* Mettre à nouveau un vêtement. *Remettre son chapeau. 3* Donner en mains propres. *Remettre une lettre recommandée à son destinataire. 4* Renvoyer à plus tard, ajourner. *Remettre une réunion à une date ultérieure. 5* Ajouter. *Remettre une couche de peinture. 6* Se remettre : se rétablir, retrouver la santé. *Il se remet peu à peu de son accident. 7* Se remettre à faire quelque chose : recommencer. *Le bébé s'est remis à pleurer. 8* S'en remettre à quelqu'un : lui faire entièrement confiance.

réminiscence n. f. Souvenir vague.

remise n. f. *1* Action de remettre. *Remise en ordre, en marche. 2* Réduction. *Bénéficier d'une remise. 3* Local destiné à ranger des objets.

rémission n. f. *1* Atténuation provisoire des symptômes d'une maladie, accalmie. *Période de rémission. 2 Sans rémission :* sans indulgence, sans délai.

remontant n. m. Boisson ou médicament qui redonne des forces.

remontée n. f. *1* Action de remonter. *Remontée d'une pente, d'une rivière. 2 Remontée mécanique :* dispositif (téléski, télésiège, téléphérique) permettant aux skieurs d'accéder au départ des pistes.

remonte-pente n. m. Plur. : *des remonte-pentes.* Remontée mécanique faite d'un câble auquel sont accrochées des perches.

remonter v. → conjug. **aimer.** *1* Monter de nouveau. *Remonter à cheval, à bicyclette. 2* Augmenter après avoir baissé. *La température remonte. 3* Aller à contre-courant ou en sens inverse. *Remonter une rivière. 4* Assembler à nouveau une chose en pièces détachées. *Remonter un moteur, une armoire.* **5** Retendre le ressort d'un mécanisme. *Remonter son réveil.* **6** Au figuré. Réconforter. *Remonter le moral à quelqu'un.*

Contraire : redescendre (**2** et **3**).

Le *remontoir* d'une montre, c'est la petite pièce qui sert à remonter (**5**) son mécanisme.

remontrance n. f. Réprimande, reproche. *Faire des remontrances à un élève dissipé.*

remontrer v. → conjug. **aimer.** *En remontrer à quelqu'un :* se montrer supérieur à lui dans un domaine.

remords n. m. Sentiment de regret mêlé de honte, de malaise que l'on éprouve quand on a conscience d'avoir mal agi.

remorque n. f. **1** Véhicule sans moteur, qui doit être tracté par un autre. *La remorque d'un camion.* **2** *Être à la remorque de quelqu'un :* le suivre aveuglément, se laisser mener par lui.

remorquer v. → conjug. **aimer.** Tirer derrière soi. *Dépanneuse qui remorque une voiture en panne.*

Un *remorqueur* est un petit bateau très puissant qui sert à remorquer les gros navires dans un port.

remous n. m. **1** Tourbillon dans l'eau. *Les remous du sillage d'un bateau.* **2** Au figuré. Agitation, mouvement confus. *Remous dans une foule, un auditoire.*

rempailler v. → conjug. **aimer.** Refaire la garniture de paille d'une chaise ou d'un fauteuil.

Le métier de *rempailleur* est en voie de disparition, de celui qui rempaille des chaises.

rempart n. m. Muraille entourant un château fort ou une ville fortifiée.

remplacer v. → conjug. **tracer.** **1** Changer une chose pour une autre. *Remplacer le pain par des biscottes.* **2** Prendre la place de quelqu'un, faire son travail à sa place.

La maîtresse est en congé pour maladie, l'école a fait appel à une *remplaçante*, quelqu'un qui la remplace (**2**). *Un jeune médecin qui fait des remplacements*, qui remplace (**2**) d'autres médecins.

remplir v. → conjug. **finir.** **1** Rendre plein. *Remplir une gourde. Ce chanteur remplit les salles.* **2** Occuper son temps. *Il a eu une journée bien remplie.* **3** Compléter un document. *Remplir un chèque, un questionnaire.* **4** Exécuter, accomplir. *Remplir une mission. Remplir les conditions demandées pour un poste.*

Le *remplissage* de la piscine prend 24 heures, le fait de la remplir (**1**).

remporter v. → conjug. **aimer.** **1** Emporter ce qu'on avait apporté. *N'oublie pas de remporter ton moule à tarte !* **2** Au figuré. Obtenir. *Remporter un succès, un prix.*

remuant, ante adj. → remuer.

remue-ménage n. m. inv. Agitation bruyante.

remuer v. → conjug. **aimer.** **1** Faire bouger une partie du corps ou un objet. *Chien qui remue la queue.* **2** Mélanger, retourner. *Remuer la terre. Remuer la salade.*

Cet enfant est très *remuant*, il est turbulent, il remue (**1**) sans cesse.

rémunérer v. → conjug. **digérer.** Payer pour un travail, un service. *Un travail bénévole n'est pas rémunéré.*

Il a trouvé un travail *rémunérateur* pour l'été, un travail bien rémunéré. *Il est normal de percevoir une rémunération quand on travaille*, d'être rémunéré.

Remus et Romulus

Personnages de la mythologie romaine. Frères jumeaux, Remus et Romulus, fils du dieu Mars, sont abandonnés après leur naissance sur les rives du Tibre. Ils sont recueillis et nourris par une louve, puis élevés par un berger et sa femme. Selon la légende, Romulus, devenu adulte, est désigné par les dieux en 753 av. J.-C. pour fonder une ville sur le mont Palatin : Rome. Il trace la limite de la ville. Remus la franchit pour se moquer de son frère. Celui-ci le tue. Romulus devient alors le premier roi de Rome. La louve allaitant les deux enfants est devenue l'emblème de la ville.

---

renâcler v. → conjug. **aimer.** Manifester son opposition à faire quelque chose. *Obéir en renâclant.*

Synonyme : rechigner.

renaissance n. f. **1** Action de renaître. *Au printemps, on assiste à la renaissance de la nature.* **2** Avec une majuscule. Période historique allant de la fin du XIVᵉ siècle à la fin du XVIᵉ siècle, en Europe.

Le début du XVᵉ siècle est marqué en Italie par un renouveau dans les arts. Les sciences et les lettres connaissent un mouvement identique, que l'invention de l'imprimerie aide à propager. Ce courant se répand peu à peu dans toute l'Europe jusqu'à la fin du XVIᵉ siècle. On a donné à ce mouvement le nom de Renaissance.

Regarde p. 920 et 921.

la Renaissance

Après le Moyen Âge, la Renaissance est une période de changement dans toute l'Europe. Savants et artistes cherchent de nouvelles formes d'expression.

François Ier.

les arts

■ Le renouveau de l'architecture et de la sculpture commence en Italie vers 1420 avec des artistes célèbres comme Brunelleschi. Durant les xve et xvie siècles, les constructions ou restaurations de palais et d'édifices religieux se multiplient (chapelle Sixtine, basilique Saint-Pierre…). De grands peintres tels Michel-Ange et Raphaël les décorent.

Chambord est un des plus grands châteaux de la Loire. François Ier le fait construire à partir de 1519. Il y séjourne souvent avec sa cour. On y organise des chasses, des fêtes ; le roi y reçoit des souverains étrangers.

■ Au xve et au xvie siècles, au cours des guerres d'Italie, les rois de France et les grands seigneurs admirent les riches palais italiens. De retour en France, ils abandonnent les châteaux forts et font construire de somptueuses demeures.

■ À côté des peintures murales (les fresques), on réalise des œuvres sur des panneaux de bois ou des toiles. L'impression de profondeur est obtenue grâce à l'utilisation des lois de la perspective, découvertes en Italie au xve siècle. La représentation de l'homme prend une place de plus en plus importante.

Le château de la Renaissance est élégant, élancé, richement décoré. L'intérieur est éclairé par de hautes et larges fenêtres sculptées. De fines tourelles ornent les toits. De grandes salles accueillent une cour nombreuse, des banquets, des bals et diverses représentations. Le château est souvent situé au milieu d'un parc agrémenté de bassins. Il peut être aussi entouré de fossés remplis d'eau ou comme celui de Chenonceau (ci-dessus) enjamber un cours d'eau.

les sciences

Les disciplines scientifiques se développent rapidement durant la Renaissance. Savants, ingénieurs, médecins multiplient les découvertes qui remettent en question les croyances traditionnelles.
Léonard de Vinci, Ambroise Paré, Copernic, Galilée sont les plus célèbres savants de cette période.
Regarde aussi découverte.

■ En France, le roi François Ier contribue largement à ce renouveau. Il accueille à la cour de grands artistes italiens comme Benvenuto Cellini et Léonard de Vinci. Il installe ce dernier près de son château d'Amboise où l'artiste meurt en 1519. François Ier est également le mécène de savants et de gens de lettres.

Chef-d'œuvre de la peinture de la Renaissance, la Joconde, peinte vers 1503-1507 par Léonard de Vinci, serait le portrait d'une Florentine appelée Monna Lisa.

les lettres

■ Le renouveau intellectuel s'accompagne de la redécouverte des textes et des thèmes de l'Antiquité. Les gens de lettres croient encore en Dieu, mais ils mettent en avant la capacité de l'homme à agir sur son destin grâce à son intelligence, son énergie et son courage. Leur mouvement, l'humanisme, se répand à travers l'Europe grâce à des auteurs italiens comme Dante, Boccace, Pétrarque et à l'auteur hollandais Érasme. L'invention de l'imprimerie en 1450 permet de diffuser plus largement les écrits et les idées.
■ La littérature française connaît des heures de gloire avec des écrivains comme Rabelais, Ronsard, Montaigne.

renaître v. → conjug. **connaître.** *1* Reparaître, exister à nouveau. *L'espoir renaît.* *2* Reprendre des forces physiques ou morales. *Se sentir renaître après une maladie.*

renard n. m. Mammifère carnivore au pelage roux, à la queue touffue et à la tête triangulaire.
La **renarde** est la femelle du renard. *Les renardeaux* sont les petits de la renarde.

Renard Jules

Écrivain français né en 1864 et mort en 1910. Jules Renard connaît le succès en 1892, avec la publication de *l'Écornifleur*, un récit réaliste où se mêlent ironie et tendresse. Dans le roman *Poil de Carotte* (1894), inspiré de son enfance, il raconte l'histoire d'un enfant souffre-douleur. Amoureux de la nature, Jules Renard publie en 1896 *Histoires naturelles*, un bestiaire qui inspire cinq mélodies au compositeur Maurice Ravel. Ses comédies, notamment *le Pain de ménage* (1898), sont aussi des succès. Son *Journal* sera publié après sa mort (1925-1927).

renchérir v. → conjug. **finir.** Approuver fortement quelqu'un. *Mon père l'a complimenté et ma mère a renchéri.*

rencontre n. f. *1* Fait de se rencontrer. *Aller à la rencontre d'un ami.* *2* Partie, match, combat. *Une rencontre amicale entre deux équipes.*

rencontrer v. → conjug. **aimer.** *1* Se trouver par hasard en présence de quelqu'un. *Rencontrer un ami dans la rue.* *2* Faire la connaissance de quelqu'un. *Ils se sont rencontrés en Grèce.* *3* Affronter au cours d'une compétition. *La France rencontrera l'Italie.*

rendement n. m. *1* Ce que produit une terre, par rapport à la surface cultivée. *Rendement à l'hectare.* *2* Productivité. *Ouvrier, atelier ayant un bon rendement.*

rendez-vous n. m. inv. Rencontre convenue à l'avance entre deux ou plusieurs personnes. *Médecin qui reçoit sur rendez-vous.*

se rendormir v. → conjug. **dormir.** S'endormir à nouveau.

rendre v. → conjug. **répondre.** *1* Redonner, restituer quelque chose à quelqu'un. *Rendre un livre à la bibliothèque. Rendre la liberté à un prisonnier.* *2* Donner, apporter quelque chose à quelqu'un. *Rendre un service. Rendre la justice.* *3* Faire devenir. *Rendre fou. Rendre heureux.* *4* Se rendre : se soumettre à l'ennemi, capituler. *5* Se rendre quelque part : y aller. *Se rendre à la gare pour accueillir un ami.*

rêne n. f. Chacune des lanières de cuir maintenant en place le mors d'un cheval, et que le cavalier tient en main pour le conduire.

renégat, ate n. Personne qui a renié sa religion, ses amis ; traître.

renfermé, ée adj. et n. m.
● adj. Qui ne montre pas ses sentiments, qui est replié sur soi. *Un caractère renfermé.*
Synonyme : taciturne. Contraires : communicatif, expansif, ouvert.
● n. m. Mauvaise odeur d'un endroit qui n'a pas été aéré. *La cave sent le renfermé.*

renfermer v. → conjug. **aimer.** *1* Contenir. *Le double fond de la valise renfermait le plan du trésor.* *2* Se renfermer : se replier sur soi-même en cachant ses sentiments.

renflouer v. → conjug. **aimer.** *1* Remettre à flot un bateau échoué ou coulé. *2* Au figuré. Fournir de l'argent pour sauver une personne ou une entreprise en difficulté financière.

renfoncement n. m. Recoin d'une pièce ou partie en retrait d'un mur, d'une façade.

renforcer v. → conjug. **tracer.** *1* Rendre plus solide, plus fort. *Renforcer un barrage. Renforcer une équipe en y ajoutant un joueur.* *2* Au figuré. Rendre plus certain. *Son comportement fuyant a renforcé mes soupçons.*
Synonyme : consolider (*1*).
Faute d'un **renforcement** de la grosse poutre, toute la charpente va s'effondrer, si on ne renforce pas cette poutre.

renfort n. m. *1* Effectif ou matériel supplémentaires destinés à renforcer une armée ou une équipe. *Envoyer des renforts aériens.* *2* À grand renfort de quelque chose : en y recourant pour s'aider. *Il s'exprime à grand renfort de gestes.*

se renfrogner v. → conjug. **aimer.** Prendre un air mécontent.

rengaine n. f. Refrain connu, chanson à la mode. *Fredonner une vieille rengaine.*

se rengorger v. → conjug. **ranger.** Se gonfler d'orgueil, se pavaner. *Se rengorger comme un paon.*

renier v. → conjug. **modifier.** Abandonner, désavouer, renoncer à ce à quoi on aurait dû être fidèle. *Renier sa famille, ses amis. Renier ses promesses.*
Les Évangiles racontent le **reniement** de saint Pierre, le fait qu'il ait renié Jésus.

renifler v. → conjug. **aimer.** Aspirer bruyamment par le nez.

renne n. m. Grand mammifère de la famille du cerf, qui vit dans les régions arctiques.

Rennes

Ville française de la Région Bretagne, située au confluent de l'Ille et de la Vilaine. Rennes est un grand centre administratif, commercial et industriel, qui compte deux universités et de nombreux laboratoires de recherche scientifique. La vieille ville, détruite par un incendie en 1720, a été rebâtie. Elle abrite des édifices religieux de style gothique dont l'église Saint-Germain (XIVᵉ-XVIᵉ siècles), et des maisons du XVIIIᵉ siècle. Dans l'Antiquité, Rennes est la capitale de la tribu gauloise des Redones puis devient celle des ducs de Bretagne au IXᵉ siècle. La ville est rattachée à la France en 1532.

35   *Préfecture de l'Ille-et-Vilaine*
212 494 habitants : les Rennais

Renoir Auguste

Peintre français né en 1841 et mort en 1919. Ami de Monet, Renoir devient comme lui l'un des principaux représentants de l'impressionnisme. Il rend, par petites touches, les reflets de l'eau, les jeux de la lumière sur les plantes et sur les personnages, très présents dans ses toiles, qui dégagent une atmosphère de légèreté et de bonheur. *Le Moulin de la Galette* (1876), *le Déjeuner des canotiers* (1881), *les Grandes Baigneuses* (1884-1887) figurent parmi ses œuvres les plus célèbres.

Le Moulin de la Galette

renom n. m. Bonne réputation. *La ville doit son renom à sa cathédrale.*
Synonymes : célébrité, notoriété, renommée.

Le Bordelais est une région renommée pour ses vins, qui doit son renom à ses vins. *La renommée d'un artiste,* c'est son renom, sa notoriété.

renoncer v. → conjug. **tracer.** Abandonner volontairement un projet, une habitude. *Renoncer à un voyage. Renoncer à comprendre.*

renoncule n. f. Petite fleur sauvage dont une des espèces est le bouton-d'or.

renouer v. → conjug. **aimer.** *1* Refaire un nœud. *Renouer ses lacets.* *2* Rétablir une relation après une interruption. *Renouer avec un ami après une dispute.*

renouveau n. m. Renaissance, nouvel essor. *Un renouveau de l'économie.*

renouveler v. → conjug. **jeter.** *1* Changer une chose qui a déjà servi par une chose de même nature. *Renouveler l'eau d'un vase, l'air d'une pièce.* *2* Reconduire, prolonger. *Renouveler son passeport.* *3* Faire à nouveau, recommencer. *Je vous renouvelle mon offre. Que ça ne se renouvelle pas !*
   Mes parents ont signé un bail renouvelable tous les trois ans pour l'appartement, qui peut être renouvelé (*2*). *Ma tante m'a offert le renouvellement de mon abonnement,* le fait de le renouveler (*2*).

rénover v. → conjug. **aimer.** Remettre à neuf. *Rénover un appartement ancien.*
   Les travaux de rénovation du centre-ville ont commencé, les travaux pour le rénover.

renseigner v. → conjug. **aimer.** Donner une information à quelqu'un.
   Adressez-vous au bureau des renseignements, où l'on vous renseignera.

rentable adj. Qui produit un bénéfice, un profit. *La fête de fin d'année de l'école a été très rentable.*
   Pour rentabiliser cette entreprise, il faudrait moderniser le matériel, pour la rendre rentable. *La rentabilité d'un placement financier,* c'est son caractère rentable.

rente n. f. Revenu rapporté par un capital ou par des propriétés.
   Un rentier est une personne qui vit de ses rentes.

rentrée n. f. *1* Reprise d'activité après une interruption. *La rentrée des classes.* *2* Somme d'argent que l'on perçoit.

rentrer v. → conjug. **aimer.** *1* Entrer de nouveau quelque part. *2* Revenir chez soi. *Rentrer de voyage.* *3* Mettre à l'abri. *Rentrer les foins.* *4* Familier. Entrer en force dans, percuter. *La voiture est rentrée dans un arbre.* *5* Faire pénétrer, introduire. *Rentrer la clé dans la serrure.* *6* Rentrer dans l'ordre :* retrouver une situation normale.

renversant, ante adj. Très étonnant, stupéfiant. *Une nouvelle renversante.*

à la renverse adv. *Tomber à la renverse :* sur le dos, en arrière.

renversement n. m. *1* Retournement. *Renversement de la situation. 2* Mise à bas, chute. *Renversement d'un régime politique.*

renverser v. → conjug. **aimer.** *1* Faire tomber. *Renverser un verre. Il s'est fait renverser par une voiture. 2* Au figuré. Provoquer la chute d'un gouvernement ou d'un dirigeant.

renvoi n. m. *1* Action de renvoyer une personne d'un établissement, exclusion, licenciement. *Renvoi d'un employé. 2* Indication signifiant au lecteur qu'il doit se reporter à un autre endroit du livre. *Les renvois sont souvent indiqués par des flèches. 3* Rot. Avoir des renvois.*

renvoyer v. → conjug. **envoyer.** *1* Faire retourner quelqu'un là où il était. *Renvoyer un enfant acheter le pain qu'il a oublié. 2* Congédier, mettre à la porte, exclure. *Le directeur l'a renvoyé de l'école à cause de sa conduite. 3* Relancer. *Renvoyer le ballon. 4* Reporter à plus tard. *Renvoyer une réunion à la rentrée. 5* Réfléchir des ondes lumineuses ou sonores. *Un mur blanc renvoie la lumière. L'écho renvoie les sons.*

réorganiser v. → conjug. **aimer.** Organiser différemment. *On a réorganisé la bibliothèque de l'école.*

réouverture n. f. Action de rouvrir un établissement fermé. *Réouverture d'un cinéma, d'un café.*

repaire n. m. *1* Refuge d'une bête sauvage. *2* Refuge de malfaiteurs.
Homonyme : repère.

se repaître v. → conjug. **connaître.** Littéraire. Se nourrir. *Les lions se repaissent de la chair de l'antilope.*

répandre v. → conjug. **répondre.** *1* Renverser un liquide ou une chose qui s'étale. *Le bidon d'huile s'est répandu sur le sol. 2* Dégager, diffuser, émettre. *Répandre une odeur, un parfum, de la fumée. 3* Faire connaître. *Répandre une nouvelle. 4* Se répandre : se propager. *Épidémie qui se répand.*

répandu, ue adj. Que l'on voit souvent, courant. *Le moineau est un oiseau très répandu dans les villes.*

réparable adj. → **réparer.**

reparaître v. → conjug. **connaître.** Paraître de nouveau. *Le soleil a reparu après l'orage.*

réparateur, trice adj. et n.
● adj. Qui redonne des forces. *Sommeil réparateur.*
● n. Personne qui a pour métier de réparer des objets. *Réparateur de radios, de télévisions.*

réparer v. → conjug. **aimer.** *1* Remettre en état. *Réparer une montre, une voiture. 2* Au figuré. Rattraper, corriger, remédier à. *Réparer une maladresse, un oubli.*
*Ce vase cassé n'est pas **réparable,** il ne peut être réparé (1). Je ne sais pas combien va coûter la **réparation** de ce vélo, le travail pour le réparer (1).*

reparler v. → conjug. **aimer.** Parler de nouveau de quelque chose.

repartie n. f. Réponse rapide et pertinente. *Elle a la repartie facile.*
On prononce [ʀɛpaʀti].

repartir v. → conjug. **sortir.** Partir de nouveau. *Tu repars déjà ?*

répartir v. → conjug. **finir.** Partager, distribuer. *Répartir un chargement. Se répartir le travail à faire.*
*Le capitaine a veillé à la **répartition** des vivres entre les marins, à les répartir.*

repas n. m. Ensemble des aliments et des boissons que l'on prend chaque jour à certaines heures. *Radégonde voit que le monstre a fini son repas de coquillages.*

repasser v. → conjug. **aimer.** *1* Passer de nouveau. *Repasser par le même chemin pour rentrer. 2* Se présenter de nouveau à un examen. *Il doit repasser le bac l'année prochaine. 3* Faire passer de nouveau. *Repasser un film, un disque. Repasser un plat. 4* Défroisser du linge avec un fer chaud. *5* Apprendre, revoir. *Repasser ses leçons.*
*J'apprends à faire le **repassage** des chemises, à repasser (4).*

repeindre v. → conjug. **peindre.** Peindre de nouveau. *Cette façade a besoin d'être repeinte.*

se repentir v. et n. m.
● v. → conjug. **sortir.** Regretter vivement. *Se repentir d'avoir trop parlé.*
● n. m. Vif regret, remords.

repérage n. m. → **repère.**

se répercuter v. → conjug. **aimer.** *1* Être renvoyé quand il s'agit d'un son. *Le tonnerre se répercute dans toute la vallée. 2* Au figuré. Avoir des conséquences directes sur quelque chose. *La fatigue se répercute sur le moral.*
*Les **répercussions** de la crise économique sur le chômage, la manière dont elle se répercute.*

repère n. m. Marque permettant de retrouver un point précis dans l'espace. *Tracer des repères sur le bois avant de le découper. Les phares qui balisent la piste servent de points de repère aux avions.*
*Le radar du bateau permet le **repérage** des icebergs, de les repérer.*

se repérer v. → conjug. **digérer.** Se situer dans l'espace grâce à des points de repère.

répertoire n. m. *1* Carnet ou livre présentant des renseignements classés généralement par ordre alphabétique. *Un répertoire d'adresses. 2* Ensemble des œuvres interprétées par un musicien, un chanteur, etc.

Répertorier les œuvres d'un collectionneur, c'est les inscrire sur un répertoire.

répéter v. → conjug. **digérer.** *1* Dire une nouvelle fois. *Je te répète que c'est non. 2* Dire ce que quelqu'un d'autre a dit. *Ne le répète à personne. 3* Recommencer une action. *Répéter une expérience, une tentative. Les comédiens répètent la pièce.*

Le travail à la chaîne fait appel à des gestes répétitifs, qui se répètent (*3*) sans cesse.

répétition n. f. *1* Fait de se répéter, de faire appel au même mot ou à la même idée dans un texte. *2* Séance de travail des comédiens ou des musiciens. *La répétition générale est la dernière répétition avant le spectacle.*

se repeupler v. → conjug. **aimer.** Se peupler de nouveau. *Le gouvernement propose des mesures pour que les campagnes se repeuplent.*

Le repeuplement de la forêt après la tempête consiste à y replanter des arbres pour qu'elle se repeuple.

repiquer v. → conjug. **aimer.** Replanter en pleine terre de jeunes plantes issues de semis.

répit n. m. *1* Détente, pause, relâche. *La maladie lui a accordé un répit. 2* Sans répit :* sans cesse. *Travailler sans répit.*

replacer v. → conjug. **tracer.** Remettre une chose à sa place.

replet, ète adj. Gras, dodu. *Un visage replet. Une personne replète.*

repli n. m. *1* Pli profond, ondulation. *Replis d'un terrain. Replis d'un manteau, d'un rideau. 2* Retraite d'une armée. *Manœuvre de repli.*

replier v. → conjug. **modifier.** *1* Plier une chose dépliée. *Replier sa serviette, son journal. 2* Se replier :* effectuer un mouvement de repli, de recul. *Les manifestants se replient vers les bouches de métro.*

réplique n. f. *1* Repartie vive, objection. *Une réplique bien envoyée. 2* Partie du dialogue dite par un acteur, au théâtre. 3* Copie, reproduction d'une œuvre d'art. La statue de la Liberté sur la Seine à Paris est la réplique de celle de New York.*

Mon grand-père n'admet pas qu'on lui réplique, il veut qu'on lui obéisse sans réplique (*1*).

répondeur n. m. *Répondeur téléphonique :* appareil qui se branche sur le téléphone, et qui émet un message enregistré en réponse à un appel.

répondre v. *1* Dire ou écrire quelque chose en retour à quelqu'un qui vous a parlé, écrit, posé une question. *Répondre par oui ou par non. Répondre par retour de courrier à une lettre. 2* Correspondre à, concorder avec. *Tes résultats ne répondent pas à ce que nous espérions. 3* Répondre de quelqu'un :* s'en porter garant, s'engager pour lui.

Ma lettre est restée sans réponse, son destinataire ne m'a pas répondu (*1*).

La conjugaison du verbe

RÉPONDRE 3e groupe

indicatif présent	**je réponds,**
	il ou elle répond,
	nous répondons,
	ils ou elles répondent
imparfait	**je répondais**
futur	**je répondrai**
passé simple	**je répondis**
subjonctif présent	**que je réponde**
conditionnel présent	**je répondrais**
impératif	**réponds, répondons,**
	répondez
participe présent	**répondant**
participe passé	**répondu**

report n. m. → reporter 1.

reportage n. m. Article de journal, émission de radio ou de télévision réalisés par un reporter.

1. reporter v. → conjug. **aimer.** *1* Remettre à plus tard. *Reporter un rendez-vous, une décision. 2* Se reporter à quelque chose :* s'y référer, aller voir à l'endroit indiqué. *Se reporter à une table des matières, à un mode d'emploi.*

On a décidé le report de l'assemblée des parents d'élèves, de reporter (*1*) cette réunion.

2. reporter n. Journaliste qui recueille des informations sur le terrain, réalise des interviews pour le compte d'un journal, d'une radio ou d'une chaîne de télévision. *Reporter de guerre. Reporter-photographe.* **Mot anglais que l'on prononce [rəpɔrtɛr].**

reposer v. → conjug. **aimer.** *1* Être posé sur quelque chose, l'avoir comme support. *Une maison qui repose sur des fondations solides. 2* Au figuré. Être

repoussant

fondé. *Accusations qui ne reposent sur rien.* **3** Délasser, détendre. *Se reposer après un effort prolongé.* **4** *Se reposer sur quelqu'un :* se décharger sur lui, s'en remettre à lui.

> Tu as besoin de *repos,* du fait de te reposer (**3**). *J'ai passé un week-end très* **reposant,** *qui m'a bien reposé* (**3**).

repoussant, ante adj. Répugnant, dégoûtant. *Une odeur repoussante.*

repousser v. → conjug. **aimer.** **1** Faire reculer. *Repousser les assaillants.* **2** Éloigner de soi quelque chose. *Radégonde voit le monstre repousser son assiette.* **3** Au figuré. Écarter, rejeter, refuser. *Repousser une offre, une aide.* **4** Croître de nouveau. *Le gazon repousse vite.*

répréhensible adj. Qui mérite d'être blâmé, condamnable. *Un acte répréhensible.*

reprendre v. → conjug. **prendre.** **1** Prendre de nouveau. *Reprendre du gâteau. Reprendre sa place.* **2** Occuper de nouveau une position qu'on avait perdue. *L'ennemi a repris la ville. Reprendre l'avantage, le dessus.* **3** Recommencer. *Reprendre sa lecture. Reprendre des études.* **4** Corriger quelqu'un quand il se trompe. *Reprendre un élève qui fait une faute.* **5** Recommencer sa croissance, quand il s'agit d'une plante. *Les boutures ont bien repris.* **6** *On ne m'y reprendra plus :* je ne referai plus la même erreur.

représailles n. f. pl. Actes de vengeance exercés contre une personne ou un groupe de personnes. *Refuser de parler par crainte de représailles.*

représentant, ante n. **1** Personne qui en représente une ou plusieurs autres. *Il est représentant du personnel auprès de la direction de son entreprise.* **2** Personne dont le métier est de passer des commandes pour une entreprise commerciale.

représenter v. → conjug. **aimer.** **1** Figurer quelque chose d'abstrait au moyen d'un symbole. *On représente la Justice par une balance. On représente les sons par des notes.* **2** Figurer par le dessin, la peinture. *Le tableau représente la fille d'un roi.* **3** Jouer un spectacle en public. **4** Constituer, équivaloir à. *Ce livre a représenté des années de travail.* **5** Être le représentant de. *Ce pays est représenté à l'O.N.U. par un conseiller du Président.* **6** *Se représenter quelque chose :* se l'imaginer, l'évoquer. *Il est difficile pour un enfant de se représenter son âge adulte.*

> On a constitué un échantillon **représentatif** de l'ensemble de la population française, qui la représente (**5**). *Toute la classe a assisté à une* **représentation** *de l'Avare de Molière,* nous sommes allés voir la troupe qui représentait (**3**) la pièce.

répression n. f. → **réprimer.**

réprimande n. f. Reproche, remontrance.

> Il s'est fait **réprimander** *pour son retard,* on lui a fait des réprimandes.

réprimer v. → conjug. **aimer.** **1** Contenir, réfréner. *Réprimer un mouvement de colère, un fou rire.* **2** Sévir contre des personnes par la violence. *La dictature militaire a fait réprimer la manifestation.*

> La police est chargée de la **répression** *du banditisme,* de le réprimer (**2**).

repris de justice n. m. Personne qui a déjà été condamnée par la justice.

reprise n. f. **1** Action de reprendre, de recommencer. *Reprise d'une ville à l'ennemi. Reprise des hostilités. Reprise des cours.* **2** Leçon d'équitation. **3** Partie d'un match de boxe. **4** Raccommodage d'un tissu. **5** Capacité d'accélération d'un moteur. *Voiture qui a de bonnes reprises.* **6** Rachat. *Reprise d'une entreprise en difficulté par un grand groupe.*

> **Repriser** *un vêtement,* c'est le raccommoder en faisant une reprise (**4**).

réprobateur, trice adj. Qui exprime la réprobation. *Un air, un ton réprobateur.*

réprobation n. f. Jugement sévère, vive désapprobation. *Son attitude agressive a suscité la réprobation générale.*
Synonymes : condamnation, blâme.
Contraire : approbation.

reprocher v. → conjug. **aimer.** Blâmer, critiquer au sujet de quelque chose. *Reprocher à quelqu'un sa paresse, ses mensonges.*
Contraire : féliciter.

> Ma mère me fait des **reproches** *au sujet de l'état de ma chambre,* elle me reproche à ce sujet.

reproduction n. f. **1** Fonction par laquelle les êtres vivants perpétuent leur espèce. **2** Copie d'un objet. *Reproduction d'une clé. Reproduction d'une sculpture.* **3** Image obtenue à partir d'un original. *Un livre qui comporte de nombreuses reproductions en couleurs.*

> Les organes **reproducteurs** *de l'homme ou de la femme sont les organes génitaux,* ceux qui assurent la reproduction (**1**).

Regarde p. 927 et 928.

reproduire v. → conjug. **cuire.** **1** Imiter le plus fidèlement possible, copier. *Reproduire le cri d'un animal.* **2** Produire un original en de nombreux exemplaires. *Reproduire une photographie, un texte, un dessin.* **3** Répéter, recommencer. *Reproduire les mêmes erreurs. Que cela ne se reproduise plus !* **4** *Se reproduire :* donner naissance à des êtres vivants de la même espèce. *Les lapins se reproduisent très rapidement.*

la reproduction

Pour perpétuer l'espèce, animaux et végétaux doivent se reproduire. La reproduction sexuée est assurée par la rencontre d'une cellule mâle et d'une cellule femelle.

les femmes, les hommes et les animaux

Chez les humains, comme chez la plupart des animaux, c'est la rencontre de parents de sexe différent qui permet la reproduction.

Appareil reproducteur de l'homme.

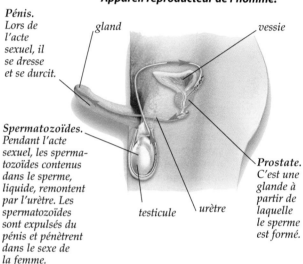

Pénis.
Lors de l'acte sexuel, il se dresse et se durcit.

gland

vessie

Spermatozoïdes.
Pendant l'acte sexuel, les spermatozoïdes contenus dans le sperme, liquide, remontent par l'urètre. Les spermatozoïdes sont expulsés du pénis et pénètrent dans le sexe de la femme.

testicule

urètre

Prostate.
C'est une glande à partir de laquelle le sperme est formé.

Appareil reproducteur de la femme.

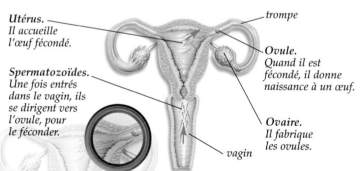

Utérus.
Il accueille l'œuf fécondé.

trompe

Ovule.
Quand il est fécondé, il donne naissance à un œuf.

Spermatozoïdes.
Une fois entrés dans le vagin, ils se dirigent vers l'ovule, pour le féconder.

Ovaire.
Il fabrique les ovules.

vagin

■ On appelle **vivipares** les espèces animales dont l'œuf, qui se développe dans le corps de la mère (c'est la gestation, appelée grossesse chez la femme), donnera naissance à un être complètement formé. La plupart des mammifères, dont l'homme, sont vivipares.
■ On appelle **ovipares** les espèces qui pondent des œufs, à l'intérieur desquels se développe l'embryon. Les oiseaux, la plupart des reptiles sont ovipares.

fille ou garçon ?

Le sexe du nouveau-né dépend du hasard de la rencontre de certains éléments appelés chromosomes sexuels. Dans les cellules des femelles, il y a deux chromosomes sexuels identiques, appelés chromosomes X. Chez les mâles, il y a un chromosome X et un chromosome Y. Lors de la fécondation, si un chromosome X de la femelle rencontre un chromosome X du mâle, l'œuf sera « XX » : il donnera naissance à une fille. Si un chromosome X femelle rencontre un chromosome Y mâle, l'œuf sera « XY » et donnera naissance à un garçon.

Childéric (**XY**)   Radégonde (**XX**)

Aldebert (**XY**)   Dagobert (**XY**)   Frédégonde (**XX**)   Brunehilde (**XX**)

et dans l'eau ?

■ Chez certains animaux aquatiques, comme de nombreux poissons et amphibiens, il n'y a pas accouplement. La femelle dépose ses ovules dans l'eau et le mâle les arrose avec ses spermatozoïdes. Le développement des nouveaux individus se fait dans l'eau.

la reproduction

de l'œuf au bébé

La gestation dure de quelques jours chez l'opossum à près de deux ans chez l'éléphant. Chez l'être humain, elle est en moyenne de neuf mois.

■ Certains couples ne peuvent pas avoir d'enfants parce que leurs cellules mâles et femelles ne se rencontrent pas. On peut procéder alors à une fécondation dans une éprouvette. Lorsqu'elle est réussie, l'œuf obtenu est replacé dans le ventre de la mère. Le bébé qui naît est parfois appelé « bébé-éprouvette ».

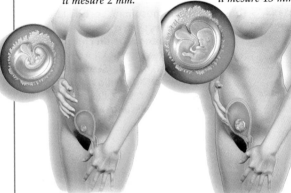

Embryon à 2 semaines :
il mesure 2 mm.

Embryon à 5 semaines :
il mesure 15 mm.

Fœtus à 4 mois :
il mesure 30 cm.

Bébé à 9 mois :
il mesure 50 cm.

L'éclosion des œufs, la « mise bas » chez les espèces vivipares (accouchement chez la femme) marquent la fin du développement et la naissance du nouvel être vivant.

la reproduction asexuée

Certaines plantes se reproduisent sans graines. Cette reproduction non sexuée des végétaux est appelée multiplication végétative. Quand on bouture une plante, c'est-à-dire que l'on coupe une tige pour la replanter et obtenir un nouveau plant, on utilise cette propriété de multiplication végétative.
■ Le fraisier, par exemple, produit des tiges rampantes horizontales, les stolons. L'extrémité du stolon s'enracine et donne naissance à une autre plante.
■ Les pommes de terre sont des tiges souterraines (appelées tubercules) qui germent pour donner de nouvelles plantes.

les végétaux

Comme chez l'homme et les animaux, il existe une reproduction sexuée des végétaux.

■ La fécondation se produit lorsqu'un grain de pollen rencontre un ovule. De cette rencontre naît un fruit contenant des graines qui, en germant, donneront naissance à de nouvelles plantes. Le transport des grains de pollen vers les ovules d'une autre fleur de la même espèce se fait souvent grâce au vent ou aux insectes qui butinent (transportant le pollen sur leur corps).

■ La plupart des plantes à fleurs possèdent des organes mâles et femelles.

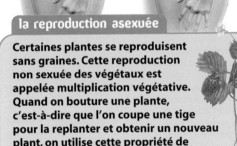

Étamines.
Ce sont les organes
mâles. Ils produisent
les grains de pollen.

Pistil.
C'est l'organe femelle
qui renferme les ovules.

réprouver v. → conjug. **aimer.** Désapprouver vivement, condamner sévèrement. *Réprouver la conduite de quelqu'un.*

reptile n. m. Animal vertébré dont le corps est recouvert d'écailles.

Les reptiles font partie des animaux les plus anciens vivant sur Terre. On en connaît quelque 7 000 espèces. Ils sont répartis en quatre groupes : les tortues, les lézards, les serpents et les crocodiliens. Animaux à sang froid, ils ont besoin de chaleur pour vivre. *Regarde page suivante.*

repu, ue adj. Qui a suffisamment mangé.
Synonyme : rassasié.

républicain, aine adj. et n.
● adj. De la république. *Les principes républicains.*
● n. Partisan de la république.

république n. f. Forme de gouvernement d'un pays où le pouvoir est confié à des représentants du peuple, élus par lui.

Le mot « république » vient du latin *res publica* signifiant « chose publique ». Ce mode de gouvernement s'oppose à la monarchie héréditaire. Il est adopté dans de très nombreux pays. *Regarde ci-dessous.*

répugnance n. f. Sentiment de répulsion, de dégoût très vif. *Il a de la répugnance pour le mensonge.*

la **République** française

La Révolution de 1789 aboutit en 1792 à la proclamation de la Iʳᵉ République. Depuis, ce mode de gouvernement a considérablement évolué.

la Iʳᵉ République

La Iʳᵉ République est proclamée le 21 septembre 1792 par la Convention, l'assemblée révolutionnaire qui vient de renverser la monarchie. Elle disparaît lors de la proclamation du premier Empire par Napoléon Iᵉʳ, en 1804.

la IIᵉ République

La IIᵉ République est proclamée le 25 février 1848.
En décembre 1848, Louis Napoléon Bonaparte en est élu président. Mais le coup d'État du 2 décembre 1851 lui donne tous les pouvoirs et il rétablit l'Empire le 2 décembre 1852 : c'est le second Empire.
La République disparaît à nouveau.

Marianne est le symbole de la République française. Sa devise « liberté, égalité, fraternité » est présente sur les frontons des mairies et parfois sur la monnaie et les timbres.

la IIIᵉ République

La IIIᵉ République voit le jour le 4 septembre 1870, à la chute de Napoléon III. Mais ce n'est que le 30 janvier 1875 qu'une nouvelle Constitution est élaborée par l'Assemblée. Cette République disparaît le 10 juillet 1940, après la capitulation de la France lors de la Seconde Guerre mondiale. Le maréchal Pétain se proclame chef de l'État français. Il instaure un gouvernement de collaboration avec l'Allemagne nazie qui durera jusqu'à la Libération.

la IVᵉ République

La IVᵉ République est instaurée par référendum le 13 octobre 1946, après qu'un gouvernement provisoire a assuré la gestion du pays à partir du 3 juin 1944. L'instabilité politique permanente et les conflits d'outre-mer, notamment la guerre d'Algérie, font chuter le régime en 1958.

la Vᵉ République

La Vᵉ République est proclamée le 4 octobre 1958. Le général de Gaulle en est le premier président. La nouvelle Constitution, modifiée en 1962, renforce les pouvoirs du président. Georges Pompidou succède au général de Gaulle en 1969. Valéry Giscard d'Estaing est élu en 1974, François Mitterrand en 1981, Jacques Chirac en 1995. En 2000, un référendum réduit la durée du mandat présidentiel de sept à cinq ans.

les reptiles

Les reptiles vivent surtout dans les régions tropicales, mais certaines espèces habitent également les régions tempérées. La plupart ont une vie terrestre, mais quelques-uns sont amphibies.

les tortues

Tortue marine.

Tortue terrestre.

Ce sont les seuls reptiles à posséder une carapace, constituée de 59 à 61 plaques osseuses. Elles peuvent être marines ou terrestres.

les crocodiliens

Ils sont tous carnivores. Leurs mâchoires sont puissantes et leurs dents se renouvellent. Plusieurs espèces sont protégées.

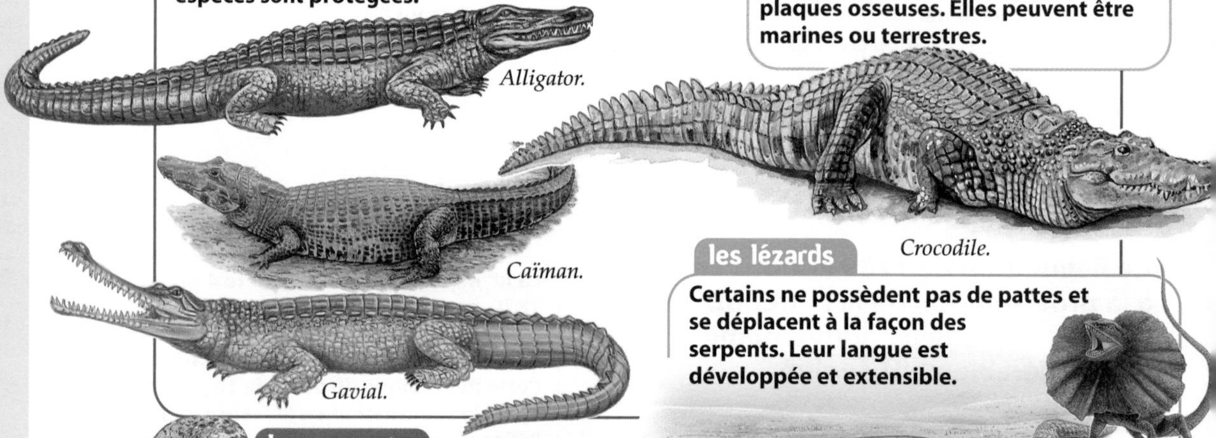

Alligator.

Caïman.

Gavial.

Crocodile.

les lézards

Certains ne possèdent pas de pattes et se déplacent à la façon des serpents. Leur langue est développée et extensible.

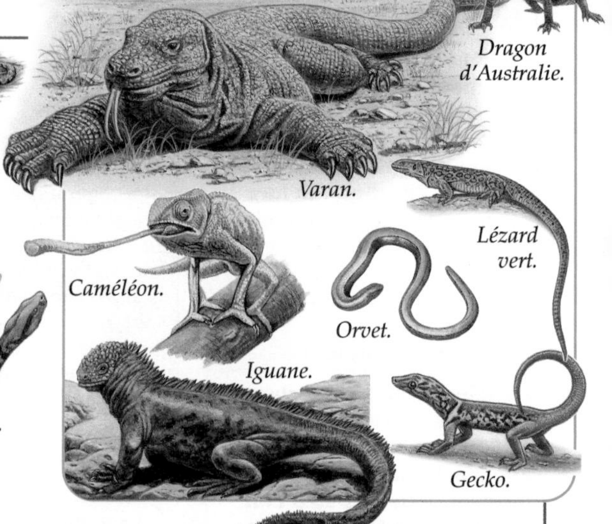

Dragon d'Australie.

Varan.

Lézard vert.

Caméléon.

Orvet.

Iguane.

Gecko.

les serpents

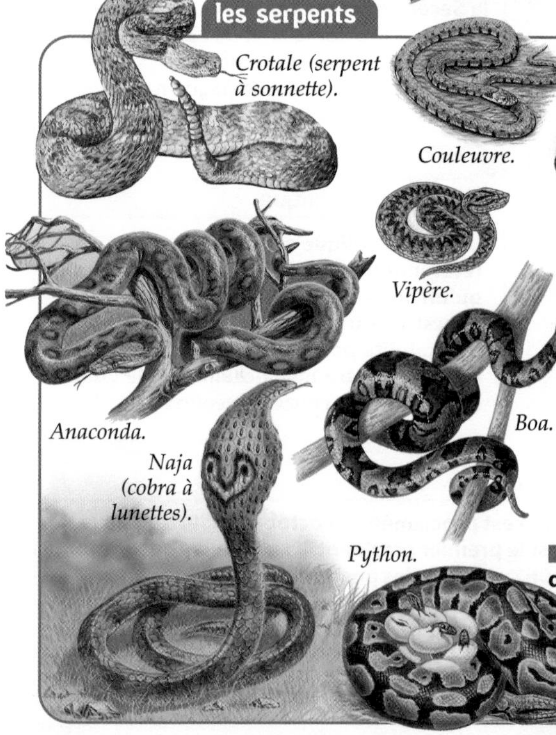

Crotale (serpent à sonnette).

Couleuvre.

Vipère.

Anaconda.

Naja (cobra à lunettes).

Boa.

Python.

■ Presque tous les serpents se déplacent sur terre, dans l'eau ou dans les arbres. La langue est un organe sensoriel important. Certaines espèces paralysent et tuent leurs proies à l'aide de venin, d'autres utilisent la puissance de leurs anneaux pour les étouffer.

Cet homme est d'une hypocrisie répugnante, qui m'inspire de la répugnance. *La vue d'un serpent lui répugne,* lui inspire de la répugnance.

répulsion n. f. Dégoût, répugnance instinctive.

réputation n. f. Opinion, bonne ou mauvaise, répandue sur quelqu'un ou quelque chose. *Ce restaurant a une très bonne réputation.*

réputé, ée adj. Qui a bonne réputation. *Un pâtissier réputé. Une région réputée pour ses vins.*

requérir v. → conjug. **acquérir.** *1* Demander au nom de la loi. *Le procureur a requis dix ans de prison pour l'accusé. 2* Demander, nécessiter. *Le travail d'horloger requiert une grande précision.*

requête n. f. Demande adressée à un magistrat, à une autorité.

requiem n. m. inv. Musique et chants de la messe pour les morts. *Le requiem de Mozart est célèbre.*

requin n. m. Poisson marin au corps fuselé, aux mâchoires munies de dents acérées, dont certaines espèces sont dangereuses pour l'homme.

Les requins sont des poissons au squelette fait de cartilage, et non d'os. On en trouve dans toutes les mers du globe. Il en existe environ 370 espèces, dont la taille varie de 25 cm (requin-chat nain) à 15 m de longueur (requin-baleine). Ce sont de redoutables prédateurs, à l'odorat et à l'ouïe très développés. Leur mâchoire peut porter plusieurs rangées de dents tranchantes qui se renouvellent constamment. Les requins se nourrissent d'autres poissons, de déchets variés, de tortues, parfois de phoques. Le requin-baleine et le requin-pèlerin ne mangent que du plancton. Bien qu'ils aient mauvaise réputation, les requins attaquent rarement l'homme. Les plus dangereux sont le requin blanc, le requin-tigre, le requin bleu et le requin-marteau.

Requin bleu.

requis, ise adj. Exigé, nécessaire, obligatoire. *Avoir l'âge requis. Présenter les conditions requises.*

réquisition n. f. Procédé par lequel les autorités d'un pays imposent la mise à leur disposition d'hommes ou de biens.

Le maire a réquisitionné l'école, il a procédé à sa réquisition.

réquisitoire n. m. Discours prononcé contre l'accusé par le procureur lors d'un procès.

RER n. m. Abréviation de Réseau Express Régional. Train qui dessert la région parisienne.
On prononce [ɛʀəɛʀ].

Le RER a vu le jour dans les années 1960. Il compte quatre lignes principales, sur lesquelles de nombreuses jonctions sont assurées avec le métro parisien, les gares et les aéroports.

rescapé, ée n. Personne qui a survécu à un accident ou à une catastrophe.
Synonyme : survivant.

rescousse (à la) adv. À l'aide, au secours. *Venir à la rescousse de quelqu'un.*

réseau n. m. *1* Ensemble de voies, de canaux, de lignes téléphoniques ou électriques, d'ordinateurs reliés entre eux. *2* Organisation clandestine. *Les réseaux de la Résistance.*

réséda n. m. Plante aux petites fleurs en grappes jaunes ou blanches très parfumées.

Le réséda est une plante herbacée haute de 50 cm à 1 m. Ses feuilles sont longues et étroites.
Les fruits servaient autrefois à teindre les tissus en jaune. L'huile de réséda est utilisée en parfumerie.

réservation n. f. Fait de retenir à l'avance une chambre dans un hôtel, une table dans un restaurant, une place dans un moyen de transport ou dans une salle de spectacle.

réserve n. f. *1* Provision, stock, épargne. *Réserves de riz, de munitions, d'argent. 2* Territoire où la faune et la flore sont protégées. *Réserve naturelle. Réserves de chasse, de pêche. 3* Attitude faite de discrétion, de retenue. *4* Restriction. *Émettre des réserves. Aimer quelqu'un sans réserve.*
Il est d'un caractère réservé, il manifeste de la réserve (3), montre peu ce qu'il ressent.

réserver v. → conjug. **aimer.** *1* Retenir à l'avance. *Réserver une table de restaurant, une chambre d'hôtel, un billet d'avion. 2* Mettre de côté. *Réserver sa part à un absent. 3* Destiner à quelqu'un ou à quelque chose. *Places réservées aux handicapées.*

réservoir n. m. Bassin ou récipient destinés à contenir un liquide ou un gaz. *Réservoir d'irrigation. Réservoir d'essence.*

résidence n. f. *1* Endroit où l'on habite. *Résidence principale et résidence secondaire.* *2* Groupe d'immeubles d'un certain confort.
  Un quartier résidentiel comporte surtout des résidences (2).

résider v. → conjug. **aimer.** Habiter quelque part. *Résider à l'étranger.*

résidu n. m. Reste, déchet. *Des résidus industriels.*

se résigner v. → conjug. **aimer.** Accepter sans révolte quelque chose de pénible.
  Il a accepté avec résignation sa maladie, il s'est résigné à la supporter.

résilier v. → conjug. **modifier.** Mettre fin à un contrat. *Résilier un abonnement.*
  La résiliation d'un bail, c'est le fait de le résilier.

résine n. f. Substance visqueuse sécrétée par certains arbres et en particulier les conifères.
  On appelle aussi les conifères des résineux, des arbres qui produisent de la résine.

résistance n. f. *1* Action de résister. *Il s'est laissé arrêter sans opposer de résistance.* *2* Qualité d'une personne capable de supporter une épreuve physique ou morale. *Avoir une grande résistance à la fatigue.* *3* Avec une majuscule. Organisation clandestine française pendant la Seconde Guerre mondiale.

Pendant la Seconde Guerre mondiale, dans les pays occupés par l'Allemagne, ceux qui n'acceptent pas cette occupation mènent des actions clandestines contre l'ennemi : c'est la Résistance. Pour la France, le général Charles de Gaulle lance le 18 juin 1940, depuis Londres, un appel à la résistance. Les résistants français refusant la capitulation et s'opposant au gouvernement de Vichy, s'organisent en réseaux, distribuent des journaux clandestins et harcèlent l'occupant. La Résistance subit une violente répression de la part de l'armée allemande, mais elle joue un rôle important dans la libération du pays. Jean Moulin est une grande figure de la Résistance.

résistant, ante adj. et n.
• adj. *1* Solide. *Un matériau résistant.* *2* Endurant, robuste. *Une personne résistante.*
• n. Personne qui faisait partie de la Résistance.

résister v. → conjug. **aimer.** *1* Ne pas céder sous l'action de quelque chose. *Ces arbres ont résisté à la tempête. Plat en terre qui résiste à la chaleur.* *2* Supporter. *Résister à la faim, à la soif, à la fatigue.* *3* Se défendre, s'opposer par la force. *Résister à un agresseur. Un peuple qui résiste à un envahisseur.*

résolu, ue adj. Qui est décidé, déterminé, qui sait se tenir à la décision prise. *Une attitude, un ton résolus.*
Contraires : indécis, irrésolu.

Être résolument contre la peine de mort, de façon résolue.

résolution n. f. *1* Décision prise après mûre réflexion. *Prendre une résolution contestable.* *2* Qualité d'une personne résolue. *Répondre avec résolution.*

résonance n. f. Qualité de ce qui résonne. *La résonance d'une église.*

résonner v. → conjug. **aimer.** Produire un son amplifié et prolongé. *Les pas résonnent sous la voûte.*

résorber v. → conjug. **aimer.** Faire disparaître progressivement.
  Des mesures visant à la résorption du chômage, qui ont pour but de le résorber.

résoudre v. *1* Trouver la solution d'un problème. *Résoudre une difficulté, une énigme, une équation.* *2* Se résoudre à : se décider à. *Il a dû se résoudre à reconnaître ses erreurs.*

La conjugaison du verbe
RÉSOUDRE 3e groupe

indicatif présent	je résous,
	il ou elle résout,
	nous résolvons,
	ils ou elles résolvent
imparfait	je résolvais
futur	je résoudrai
passé simple	je résolus
subjonctif présent	que je résolve
conditionnel présent	je résoudrais
impératif	résous, résolvons,
	résolvez
participe présent	résolvant
participe passé	résolu

respect n. m. *1* Sentiment d'estime, d'admiration et d'égards vis-à-vis d'une personne. *Avoir du respect pour ses parents, pour un professeur.* *2* Fait de tenir compte d'un règlement, de se conformer à un usage. *3* Tenir quelqu'un en respect :* le tenir à distance avec une arme.

respecter v. → conjug. **aimer.** *1* Éprouver, manifester du respect envers quelqu'un. *2* Se conformer à, tenir compte de. *Respecter les proportions dans une recette.* *3* Ne pas abîmer, ne pas troubler. *Respecter la faune et la flore. Respecter le silence d'une église.*
  Il a un âge respectable, qui doit être respecté (1).

respectif, ive adj. Qui concerne chaque chose ou chaque personne en particulier. *Reprenez vos places respectives.*

> *Ils ont trois enfants, Paul, Louis et Marie, âgés respectivement de 10, 8 et 6 ans, leur âge respectif est de 10 ans pour Paul, de 8 ans pour Louis et de 6 ans pour Marie.*

respectueux, euse adj. Qui témoigne du respect. *Être respectueux envers les autres.*

> *Il parle respectueusement à son grand-père,* de façon respectueuse.

respiration n. f. *1* Fait de respirer. *2 Respiration artificielle :* ensemble des gestes destinés à rétablir la respiration de quelqu'un.

> *Le système respiratoire est composé de tous les organes assurant la respiration.*

Regarde page suivante.

respirer v. → conjug. **aimer.** *1* Aspirer l'air dans les poumons puis le rejeter. *2* Avoir un moment de répit, être soulagé. *L'examen est passé, ouf, je respire ! 3* Exprimer, manifester. *Un visage qui respire la santé.*

resplendir v. → conjug. **finir.** Briller avec éclat. *Le ciel resplendit au couchant.*

> *Je trouve que tu as une mine resplendissante,* qui resplendit.

responsable adj. *1* Qui doit répondre devant la loi de ses actes ou de ceux dont il a la charge. *Les parents sont responsables des actes commis par leurs enfants mineurs. 2* Qui est la cause de. *L'alcool est responsable de nombreux accidents de la route. 3* Qui est chargé de quelque chose, qui a le pouvoir de prendre les décisions. *Il est responsable d'un service de plus de cinquante personnes.*

responsabilité n. f. *1* Fait d'être responsable de quelqu'un ou de quelque chose. *La responsabilité du chauffard dans l'accident a été établie. 2 Prendre ses responsabilités :* assumer les conséquences de ses actes.

resquiller v. → conjug. **aimer.** Familier. Entrer sans payer ou passer avant son tour dans une file d'attente.

> *Un resquilleur dans le métro s'est fait arrêter par un contrôleur,* une personne qui resquillait.

ressac n. m. Mouvement de retour des vagues sur elles-mêmes, après avoir heurté un obstacle.

se ressaisir v. → conjug. **finir.** Retrouver son calme, reprendre son sang-froid. *Après un court instant d'affolement, elle s'est vite ressaisie.*

ressasser v. → conjug. **aimer.** Redire sans arrêt, rabâcher. *Ressasser les mêmes plaisanteries.*

ressembler v. → conjug. **aimer.** Avoir des traits communs avec une personne ou une chose. *Il ressemble à son père. Ces deux dessins se ressemblent.* Contraire : différer.

> *On confond ces deux frères tellement leur ressemblance est frappante,* le fait qu'ils se ressemblent.
> *Ce portrait est ressemblant,* il ressemble à la personne qui a servi de modèle.

ressemeler v. → conjug. **jeter.** Remplacer la semelle d'une chaussure par une semelle neuve. *Le cordonnier a ressemelé mes mocassins.*

> *Ces chaussures seront encore mettables après un bon ressemelage,* quand elles auront été ressemelées.

ressentiment n. m. Souvenir que l'on garde d'une injustice, d'une offense, sans vouloir pardonner. Synonyme : rancœur.

ressentir v. → conjug. **sortir.** *1* Éprouver telle sensation ou tel sentiment. *Ressentir de vagues douleurs. Ressentir de l'affection pour quelqu'un. 2 Se ressentir de quelque chose :* continuer à en subir les effets. *Elle se ressent encore des suites de cet accident.*

resserrer v. → conjug. **aimer.** *1* Serrer, comprimer davantage. *Resserrer sa ceinture. Resserrer un écrou. 2 Se resserrer :* devenir plus étroit. *En montant, le sentier se resserre.*

resservir v. → conjug. **servir.** *1* Être utilisé à nouveau. *Ne jette pas cette boîte, elle pourra resservir. 2* Servir de nouveau à boire ou à manger. *Il reste encore du poulet, vous pouvez vous resservir.*

ressort n. m. *1* Pièce métallique qui reprend sa forme quand on l'a déformée. *Un sommier à ressorts. 2* Force qui pousse à agir, à réagir. *Avoir du ressort. Manquer de ressort. 3 En dernier ressort :* en définitive, en fin de compte. *En dernier ressort, il a demandé l'aide d'un ami. 4 Du ressort de quelqu'un :* des compétences. *Cette maladie est du ressort d'un cardiologue.* Synonyme : énergie (2).

Les ressorts servent à amortir les chocs (ressorts des automobiles, tampons des wagons de chemin de fer…) ou à produire un mouvement (pièces d'horlogerie). Lorsqu'il est comprimé, un ressort se déforme et emmagasine de l'énergie, qu'il rend en se détendant. Ce principe est utilisé dans le fonctionnement de nombreux appareils et outils.

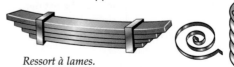

Ressort à lames.

Ressort à spirale.

Ressort hélicoïdal.

la respiration

Fonction vitale à tous les êtres vivants, elle apporte à l'organisme l'oxygène dont il a besoin.

oxygène

dioxyde de carbone

pharynx

larynx

trachée

bronches

poumons

diaphragme

l'homme

La respiration est un mouvement régulier, involontaire, qui se décompose en deux temps : l'inspiration, l'air entre dans les poumons, et l'expiration, l'air sort des poumons.

■ **La respiration permet à tout l'organisme, par l'intermédiaire des vaisseaux sanguins et du cœur, de recevoir l'oxygène de l'air indispensable à la vie et de rejeter le dioxyde de carbone (gaz carbonique). L'échange gazeux se fait dans les poumons.**

■ **Lors de l'inspiration, la cage thoracique (formée par les côtes, le sternum et la colonne vertébrale) se soulève et augmente de volume. Ce sont les muscles situés entre les côtes ainsi que le diaphragme, puissant muscle placé sous les poumons, qui permettent ce mouvement.**

■ **Lors de l'expiration, les muscles se relâchent et la cage thoracique diminue de volume.**

■ **L'arrêt prolongé des mouvements respiratoires provoque la mort par asphyxie.**

L'appareil respiratoire réunit les organes assurant la respiration : les voies respiratoires (nez, pharynx, larynx, trachée…), les bronches et les poumons.

les animaux

En général, l'animal muni de poumons respire comme l'homme.

■ **Les poissons respirent l'air contenu dans l'eau à l'aide de branchies. C'est à travers ces fines lamelles que se font les échanges d'oxygène et de dioxyde de carbone. Le mouvement respiratoire est assuré par l'ouverture et la fermeture régulières des opercules.**

■ **Si l'eau de l'aquarium n'est pas suffisamment oxygénée, le poisson meurt.**

branchies

entrée du courant d'eau

sortie du courant d'eau

■ **La grenouille possède une respiration pulmonaire (par les poumons) lorsqu'elle est dans l'air, et une respiration cutanée (par la peau) lorsqu'elle est dans l'eau. Dans ce dernier cas, les échanges gazeux s'effectuent au niveau de la peau, riche en vaisseaux sanguins.**

La respiration du poisson est assurée par les branchies qui filtrent dans le courant d'eau l'oxygène nécessaire à son organisme.

■ **Les vers de terre ont une respiration cutanée (par la peau).**

■ **Chez les insectes, l'air est transporté directement aux organes par de fins tubes qui s'ouvrent sur l'extérieur par des petits orifices.**

les végétaux

En respirant, les plantes assurent le renouveau de l'oxygène. Elles sont indispensables à la vie sur terre.

dioxyde de carbone

oxygène

À la lumière, les végétaux contenant une substance verte, la chlorophylle, absorbent du dioxyde de carbone (gaz carbonique) et rejettent de l'oxygène.

òxygène

dioxyde de carbone

La nuit, ces mêmes végétaux absorbent de l'oxygène et rejettent du dioxyde de carbone.

■ Les autres végétaux, non chlorophylliens, absorbent de l'oxygène et rejettent du dioxyde de carbone, de jour comme de nuit.

■ Des végétaux microscopiques comme les levures rejettent du dioxyde de carbone mais n'absorbent pas d'oxygène.

■ Une plante privée d'air meurt rapidement asphyxiée, la respiration ne se produisant plus.

Regarde aussi arbre.

ressortir v. → conjug. **sortir.** *1* Sortir d'un endroit après y être entré. *Ressortir d'un magasin les bras chargés de paquets.* *2* Être apparent, se voir nettement, se détacher. *Ses yeux bleus ressortent sur son visage bronzé.* *3* Résulter. *Il n'est rien ressorti de cette discussion.*

ressortissant, ante n. Personne qui habite dans un autre pays que le sien. *Les ressortissants américains en France.*

ressource n. f. *1* Moyen, possibilité, solution. *Si ta voiture est en panne, tu as toujours la ressource de partir en train.* *2* Au pluriel. Moyens d'existence. *Elle n'a pas de ressources suffisantes pour élever deux enfants.* *3* Au pluriel. Richesses économiques d'un pays, d'une région. *Ce pays est riche en ressources minières.*

ressusciter v. → conjug. **aimer.** Retrouver la vie. *Selon l'Évangile, Jésus-Christ est ressuscité le troisième jour après sa mort.*

restant n. m. → **rester.**

restaurant n. m. Établissement où l'on sert des repas. *Ce soir, on dîne au restaurant.*

Un *restaurateur* est une personne qui tient un restaurant.

restauration n. f. *1* Action de restaurer, de remettre quelque chose en état. *La restauration d'un bâtiment ancien.* *2* Métier de restaurateur. *Travailler dans la restauration.*

Restauration

Période de l'histoire de France de 1814 à 1830. En 1814, l'empereur Napoléon Iᵉʳ abdique. Louis XVIII, frère du roi Louis XVI guillotiné pendant la Révolution, prend le pouvoir. Il l'abandonne lors du retour de Napoléon pendant les Cent-Jours, de mars à juin 1815.
Après la défaite de ce dernier à Waterloo, Louis XVIII remonte sur le trône et cherche à restaurer le système de l'Ancien Régime. Charles X lui succède en 1824. Il poursuit cette politique, qui conduit à la révolution de juillet 1830. Charles X abdique et s'exile. C'est la fin de la Restauration.

restaurer v. → conjug. **aimer.** *1* Remettre en bon état. *Restaurer un tableau, une maison.* *2* Se restaurer : manger pour reprendre des forces. *Tu as besoin de te restaurer avant de reprendre ton travail.*
Synonyme : rénover *(1)*.

reste n. m. *1* Ce qui reste d'un ensemble. *Prends ma valise, je porterai le reste des bagages.* *2* Au pluriel. Les aliments qui restent, qui n'ont pas été mangés.

a b c d e f g h i j k l m n o p q r s t u v w x y z

rester

Demain, nous finirons les restes. 3 Du reste : d'ailleurs. *Nous devons partir, du reste la nuit tombe.*

rester v. → conjug. **aimer.** *1* Être dans un lieu pendant un certain temps, demeurer, séjourner. *Il est resté un an aux États-Unis. 2* Continuer à être dans tel ou tel état. *Rester calme. Il est resté silencieux toute la soirée. 3* Être là, exister. *Il reste des fruits pour le dessert. Il reste quelques minutes avant le départ.*

> *Il a dépensé 100 euros et il a mis le* **restant** *de son argent à la banque,* ce qui en restait (3).

restituer v. → conjug. **aimer.** Rendre ce qui a été emprunté ou volé. *Vous devez me restituer l'argent que je vous ai prêté.*

> *Il réclame la* **restitution** *d'un terrain appartenant à sa famille,* qu'on lui restitue ce terrain.

restreindre v. → conjug. **peindre.** *1* Réduire, diminuer, limiter. *Restreindre ses dépenses. 2 Se restreindre :* dépenser ou consommer moins. *Si tu veux maigrir, il faut te restreindre.*

restreint, einte adj. Limité, réduit, étroit. *Vivre dans un espace restreint.*

restriction n. f. *1* Au pluriel. Mesures prises pour réduire la consommation. *Les restrictions d'eau sont nécessaires en période de sécheresse. 2 Sans restriction :* sans exception, sans limitation. *On lui a accordé tout ce qu'il demandait sans restriction.*

résultat n. m. *1* Effet, conséquence, conclusion. *Les résultats de l'enquête. 2* Ce qui résulte d'un calcul, d'une opération. *Le résultat d'une multiplication. 3* Réussite ou échec à une épreuve sportive, à un examen.

> *Cette découverte* **résulte** *de nombreuses observations scientifiques,* elle en est le résultat (1).

résumer v. → conjug. **aimer.** Écrire ou décrire en peu de mots un événement, le contenu d'un texte. *Le journaliste a rapidement résumé la situation.*

> *Vous devez lire cet ouvrage et en faire le* **résumé**, le résumer.

résurrection n. f. Retour de la mort à la vie. *Pâques commémore la résurrection de Jésus-Christ.*

rétablir v. → conjug. **finir.** *1* Remettre en ordre, en état, en fonctionnement. *Rétablir le courant électrique. Rétablir l'ordre. 2 Se rétablir :* retrouver la santé, se remettre. *Le blessé s'est très vite rétabli.*

rétablissement n. m. *1* Action de rétablir ce qui existait auparavant. *Lutter pour le rétablissement de la démocratie dans un pays. 2* Fait de se rétablir, de guérir. *Le malade doit prendre ses médicaments jusqu'à son complet rétablissement.*
Synonyme : guérison (2).

retaper v. → conjug. **aimer.** Familier. *1* Remettre en état, rénover, restaurer. *Retaper une vieille maison. 2 Se retaper :* reprendre des forces. *Je suis très fatigué, j'ai besoin de me retaper.*

retard n. m. Fait d'arriver ou d'agir trop tard, plus tard que le moment prévu. *Être en retard. Avoir du retard dans son travail. L'avion aura du retard.*
Contraire : avance.

> *Dépêchons-nous, le chauffeur n'attend pas les* **retardataires**, *les personnes qui arrivent en retard.*

retardement n. m. *Bombe à retardement :* bombe munie d'un système qui retarde son explosion jusqu'à un moment fixé à l'avance.

retarder v. → conjug. **aimer.** *1* Provoquer un retard. *Le mauvais temps a retardé l'atterrissage. 2* Reporter à plus tard. *Retarder son départ, ses vacances. Retarder un rendez-vous. 3* Indiquer une heure moins avancée que l'heure réelle. *Ta montre retarde de dix minutes.*
Synonyme : repousser (1 et 2). Contraire : avancer (2 et 3).

retenir v. → conjug. **venir.** *1* Empêcher de partir. *Vous êtes pressé, je ne vous retiendrai pas longtemps. 2* Maintenir, empêcher de tomber. *Il a failli tomber à l'eau, mais je l'ai retenu. 3* Garder dans la mémoire. *Je n'ai pas retenu le titre de ce livre. 4* Faire une réservation. *Retenir des places de concert, des billets d'avion. 5* Faire une retenue dans un calcul. *Ôté de 12, je pose 4 et je retiens 1. 6* Prélever une partie d'une somme. *Retenir le montant des cotisations sociales sur le salaire. 7 Se retenir :* ne pas céder à une envie. *J'ai failli éclater de rire, mais je me suis retenu.*
Synonymes : se rappeler (3), réserver (4), garder (6), résister (7).

retentir v. → conjug. **finir.** Faire un bruit puissant, éclatant, sonore. *La sirène du bateau retentit.*

retentissant, ante adj. *1* Qui retentit. *Le cri retentissant du monstre fait sursauter Radégonde. 2* Qui provoque beaucoup d'intérêt. *Une réussite retentissante.*
Synonymes : éclatant, sonore (1).

retentissement n. m. Fait de provoquer beaucoup d'intérêt. *Cette découverte médicale a eu un grand retentissement.*

retenue n. f. *1* Chiffre que l'on met à part pour l'ajouter ou le retrancher aux chiffres de la colonne suivante dans une opération. *2* Punition qui consiste à obliger un élève à rester à l'école en dehors de ses heures de classe. *3* Somme prélevée sur un salaire. *4* Qualité d'une personne discrète. *Il manque vraiment de retenue.*

réticent, ente adj. Qui hésite, manque d'enthousiasme, de conviction. *Il n'a pas clairement refusé ma proposition, mais il s'est montré réticent.*

Il a accepté notre invitation avec **réticence**, *en restant réticent.*

rétif, ive adj. Qui refuse d'avancer. *Un cheval rétif.*

rétine n. f. Membrane qui recouvre le fond de l'œil. *La rétine contient des cellules sensibles aux impressions lumineuses qu'elle transmet au nerf optique.*

retiré, ée adj. Qui est à l'écart, éloigné, isolé. *Vivre dans un quartier retiré et tranquille.*

retirer v. → conjug. **aimer.** *1* Enlever, éloigner, séparer. *Retirer un produit de son emballage. Retirer un plat du four.* *2* Faire sortir d'un endroit. *Retirer un homme de prison. Retirer de l'argent de la banque.* *3* Reprendre ce qui a été donné, ou ce qui appartient à quelqu'un. *On lui a retiré son permis de conduire.* *4* Renoncer, abandonner. *Il a retiré ses accusations.* *5* Tirer profit de quelque chose. *Il retire beaucoup de satisfaction de son travail.* *6* Se retirer, s'en aller ailleurs. *Il s'est retiré dans un village au bord de la mer.* *7* Se retirer : descendre. *À marée basse, la mer se retire.*

retombées n. f. pl. *1* Retombées radioactives : poussières radioactives qui retombent à la surface de la Terre à la suite d'une explosion nucléaire. *2* Conséquences, effets, répercussions. *Cette affaire risque d'avoir des retombées politiques inattendues.*

retomber v. → conjug. **aimer.** *1* Redescendre après avoir sauté. *Radégonde est retombée sur le*

rocher. *2* Se retrouver dans la même situation. *Retomber malade. Retomber dans l'oubli.* *3* Atteindre quelqu'un, l'accabler. *C'est encore sur lui que la responsabilité retombera.*

retordre v. → conjug. **répondre.** *Donner du fil à retordre à quelqu'un :* lui causer des ennuis, des complications. *Ce projet m'a donné du fil à retordre.*

rétorquer v. → conjug. **aimer.** Répondre, répliquer. *Il a rétorqué que cela ne me regardait pas.*

retors, orse adj. Qui est plein de ruse. *Un homme d'affaires très retors.*

retoucher v. → conjug. **aimer.** Modifier, arranger, améliorer. *Retoucher une photo, un vêtement.*

Ton pantalon est trop grand, il faudra faire quelques **retouches**, *le retoucher.*

retour n. m. *1* Fait de revenir à l'endroit d'où l'on est parti. *Nous nous verrons à ton retour.* *2* Fait de se manifester à nouveau. *Attendre le retour du beau*

temps. *3* En retour : en échange. *Il a réparé mon vélo, et en retour je l'ai invité à dîner.* *4* Par retour de courrier : par le courrier suivant.

Contraire : départ (1).

retournement n. m. Changement brusque et total. *Un retournement de situation.*

retourner v. → conjug. **aimer.** *1* Tourner dans l'autre sens, sur une autre face. *Retourner un matelas. Retourner une carte.* *2* Revenir dans un endroit. *Retourner chez soi. J'aimerais retourner à Rome.* *3* Renvoyer. *Retourner une lettre à son expéditeur.* *4* Se retourner : tourner la tête, le corps. *Quand j'ai crié, elle s'est retournée.*

retracer v. → conjug. **tracer.** Raconter oralement ou par écrit. *Ce livre retrace la vie d'un musicien célèbre.*

rétracter v. → conjug. **aimer.** *1* Rentrer, contracter. *L'escargot rétracte ses cornes.* *2* Se rétracter : retirer ce qu'on avait dit auparavant. *Le suspect a fait des aveux, mais ensuite il s'est rétracté.*

Synonyme : se dédire (2).

Le chat a des griffes **rétractiles**, *qu'il peut rétracter (1).*

retrait n. m. *1* Action de retirer, de prélever, de confisquer. *Faire un retrait d'argent à la banque. Un retrait de permis de conduire.* *2* Action de reculer, de se retirer. *Le retrait des troupes ennemies.* *3* En retrait : en arrière. *Cette ferme est bâtie en retrait de la route.*

retraite n. f. *1* Situation d'une personne qui a cessé de travailler. *Prendre sa retraite à 60 ans.* *2* Argent que l'on reçoit quand on est à la retraite. *Elle touche une petite retraite.* *3* Fait de reculer, pour une armée, une troupe. *Le général a donné l'ordre de battre en retraite.*

Mon oncle est un **retraité**, *il a pris sa retraite (1).*

retrancher v. → conjug. **aimer.** *1* Enlever, soustraire, retirer, ôter. *Si tu retranches 6 de 10, il reste 4.* *2* Se retrancher : se mettre à l'abri dans un lieu protégé des attaques ennemies. *Les troupes se sont retranchées dans la forteresse.*

Contraires : additionner, ajouter (1).

Pourchasser un ennemi jusque dans ses **retranchements**, *dans les lieux où il s'est retranché (2).*

retransmettre v. → conjug. **mettre.** Diffuser une émission. *La télévision retransmet le match ce soir.*

Suivre la **retransmission** *d'un concert à la radio, le concert qui a été retransmis.*

rétrécir v. → conjug. **finir.** *1* Diminuer en largeur. *Cette robe est trop grande, tu devrais la rétrécir.* *2* Devenir plus étroit, plus serré. *Ce tissu rétrécit au lavage. En montant, la route se rétrécit.*

Contraires : agrandir, élargir.

Le **rétrécissement** *du fleuve ralentit la navigation, le fait qu'il se rétrécisse (2).*

rétribuer v. → conjug. **aimer.** Payer quelqu'un pour son travail. *Rétribuer un ouvrier.*
Synonyme : rémunérer.
Il a fait ces travaux de jardinage sans accepter de *rétribution*, d'être rétribué.

rétro adj. inv. Qui est inspiré de la mode d'une époque plus ancienne. *Des vêtements rétro.*

rétro– Préfixe Sert à désigner ce qui est en arrière dans le temps ou dans l'espace. *Un rétroviseur permet de voir la route à l'arrière d'une voiture.*

rétroactif, ive adj. Qui s'applique à une période passée. *Cette loi vient d'être votée avec effet rétroactif au 1er janvier de cette année.*

rétrograde adj. Qui est opposé aux idées modernes. *Son grand-père a un esprit rétrograde.*
Contraires : avancé, novateur.

rétrograder v. → conjug. **aimer.** *1* Reculer, régresser. *Cette équipe risque de rétrograder en deuxième division. 2* Passer à la vitesse inférieure. *Rétrograder avant un virage.*

rétrospectif, ive adj. et n. f.
● adj. Que l'on ressent après. *Une peur rétrospective.*
Quand il pense à ce qui aurait pu arriver, il en tremble *rétrospectivement*, de façon rétrospective.
● n. f. Exposition, spectacle présentant l'ensemble des œuvres d'un artiste depuis ses débuts ou l'ensemble des œuvres d'une période, d'un pays.

retroussé, ée adj. *Nez retroussé* : nez dont le bout est relevé.

retrousser v. → conjug. **aimer.** Relever, remonter, replier vers le haut. *Retrousser ses manches.*

retrouvailles n. f. pl. Fait de retrouver quelqu'un après une séparation. *Ces deux amis ont décidé de fêter leurs retrouvailles.*

retrouver v. → conjug. **aimer.** *1* Trouver ce que l'on avait égaré ou ce qui avait disparu. *J'ai retrouvé mon stylo sous l'armoire. 2* Rejoindre quelqu'un. *Je te retrouve demain devant la gare. 3* Se retrouver : être de nouveau en contact avec quelqu'un. *Ils se sont retrouvés par hasard au cours d'un voyage. 4* Se retrouver : être dans telle situation, dans tel état. *Il s'est retrouvé au chômage. Se retrouver seul.*

rétroviseur n. m. Petit miroir qui permet de voir ce qui se passe sur la route à l'arrière d'un véhicule.

réunifier v. → conjug. **modifier.** Unifier ce qui avait été désuni. *Réunifier un pays, un parti politique.*

réunir v. → conjug. **finir.** *1* Mettre ensemble, regrouper, rassembler. *Réunir sa famille pour un anni-* versaire. *Réunir ses affaires avant de partir. 2* Se réunir : se rencontrer. *Se réunir entre amis.*
Participer à une *réunion*, à un rassemblement de personnes qui se réunissent (*2*).

réussir v. → conjug. **finir.** *1* Obtenir un bon résultat. *Réussir à un examen. 2* Se terminer par un succès. *Il est guéri, le traitement a réussi. 3* Parvenir. *Il a réussi à s'enfuir. 4* Être favorable, bénéfique. *L'air de la mer lui réussit.*
Contraire : échouer (*1* et *2*).

réussite n. f. *1* Bon résultat. *Je te félicite de ta réussite. Cette exposition est une réussite. 2* Jeu de cartes qui se pratique seul. *Faire des réussites.*
Synonyme : succès (*1*). Contraire : échec (*1*).

revaloir v. → conjug. **valoir.** Rendre la pareille à quelqu'un. *Je te remercie de ton aide, je te revaudrai cela.*

revaloriser v. → conjug. **aimer.** Redonner de la valeur à quelque chose. *Revaloriser l'artisanat.*
Contraire : dévaloriser.
La *revalorisation* de la monnaie d'un pays, le fait de la revaloriser.

revanche n. f. *1* Fait de reprendre l'avantage. *Après cette défaite, j'ai décidé de prendre une revanche. 2* Partie d'un match ou d'un jeu qui donne au perdant la possibilité de gagner à son tour. *Perdre la première manche et jouer la revanche. 3* En revanche : en retour, en contrepartie. *Cette voiture est petite, en revanche elle est très confortable.*

rêvasser v. → conjug. **aimer.** Rêver à des choses vagues. *Elle rêvasse pendant que les autres travaillent.*

rêve n. m. *1* Suite d'images qui se forment dans notre esprit pendant notre sommeil. *Faire des rêves étranges. 2* Chose que l'on voudrait réaliser. *Elle voudrait être actrice, c'est son rêve.*

rêvé, ée adj. Qui convient parfaitement, idéal. *Cette rivière, c'est l'endroit rêvé pour pêcher.*

revêche adj. Hargneux, acariâtre, rébarbatif. *Avoir un air revêche.*

réveil n. m. *1* Moment où l'on se réveille. *Au réveil, il est toujours de bonne humeur. 2* Petite pendule équipée d'une sonnerie pour se réveiller.

réveiller v. → conjug. **aimer.**
1 Sortir quelqu'un du sommeil.
Sa chute a reveillé Radégonde.
2 Au figuré. Ranimer, raviver. *Cette bonne odeur a réveillé son appétit.*

réveillon n. m. Repas de fête organisé la nuit de Noël ou la nuit qui précède le nouvel an.

Pour Noël, nous réveillonnons en famille, nous passons le réveillon.

révélateur, trice adj. → **révéler.**

révéler v. → conjug. **digérer.** *1* Faire connaître, dévoiler, divulguer. *Révéler un secret, ses pensées, ses opinions. 2* Se révéler : apparaître, se manifester, se montrer. *Le génie de ce peintre s'est révélé dès ses premiers tableaux.*

On a découvert le coupable grâce à plusieurs détails *révélateurs*, qui révélaient (*1*) sa culpabilité. *Ce scandale a éclaté après les révélations d'un journaliste*, les informations qu'il a révélées (*1*).

revenant n. m. Apparition d'une personne morte. *Il ne croit pas aux histoires de revenants.*
Synonymes : esprit, fantôme.

revendiquer v. → conjug. **aimer.** Réclamer ce à quoi on estime avoir droit. *Revendiquer la liberté d'expression, l'amélioration des conditions de travail.*

Le directeur s'engage à tenir compte des *revendications* de ses employés, de ce qu'ils revendiquent.

revendre v. → conjug. **répondre.** Vendre quelque chose que l'on avait acheté. *Ils ont revendu leur appartement avant de partir à l'étranger.*

La *revente* de ce terrain lui rapportera un petit bénéfice, l'action de le revendre.

revenir v. → conjug. **venir.** *1* Venir de nouveau, à un autre moment. *Je reviendrai te voir la semaine prochaine. 2* Retourner d'où l'on vient. *Il revient à la maison vers 7 heures. 3* Se présenter à nouveau à l'esprit. *De vieux souvenirs me reviennent à la mémoire. 4* Être dû à quelqu'un. *À sa mort, l'héritage reviendra à ses enfants. 5* Coûter telle ou telle somme. *Avec la boisson, le repas revient à 30 euros. 6* Familier. Plaire. *Cet individu a une tête qui ne me revient pas. 7* Être équivalent, avoir le même résultat. *Cela revient au même. 8* Revenir à soi : reprendre connaissance. *Après le choc, il est revenu à lui. 9* Ne pas en revenir : être extrêmement surpris. *Cette histoire est incroyable, je n'en reviens pas. 10* Faire revenir un aliment : le faire rissoler. *Faire revenir des oignons dans un peu d'huile.*
Synonymes : repasser (*1*), rentrer (*2*).

revente n. f. → **revendre.**

revenu n. m. Total des sommes dont dispose une personne. *Cet homme d'affaires a de gros revenus.*

rêver v. → conjug. **aimer.** *1* Faire des rêves pendant le sommeil. *Radégonde s'était endormie sur la plage, elle a rêvé toute cette histoire. 2* Laisser aller son imagination, ses pensées. *Les contes de fées font rêver les enfants. 3* Souhaiter vivement. *Il rêve de devenir célèbre.*

réverbération n. f. → **réverbérer.**

réverbère n. m. Lampadaire qui éclaire les rues.

réverbérer v. → conjug. **digérer.** Renvoyer la lumière, la chaleur. *La neige réverbère la lumière du soleil.*
Synonyme : réfléchir.

La *réverbération du soleil*, le fait qu'il se réverbère.

reverdir v. → conjug. **finir.** Redevenir vert. *Au printemps, les arbres commencent à reverdir.*

révérence n. f. Salut qui consiste à s'incliner profondément en avant en pliant les genoux. *Faire la révérence devant le roi.*

révérer v. → conjug. **digérer.** Traiter avec un profond respect, vénérer. *Révérer un saint.*

rêverie n. f. État dans lequel notre esprit se laisse conduire par l'imagination ou par les rêves. *Être plongé dans une profonde rêverie.*

revers n. m. *1* Côté opposé au devant ou à la face. *2* Au tennis et au ping-pong, coup qui frappe la balle quand le joueur tient la raquette le dos de la main en avant. *3* Partie d'un vêtement replié vers l'endroit. *Faire des revers aux manches d'une veste. 4* Échec, défaite, malheur. *Subir des revers au cours de sa carrière.*
Synonymes : dos, envers, verso (*1*).

réversible adj. Se dit d'un vêtement que l'on peut porter aussi bien à l'envers qu'à l'endroit. *Une veste réversible.*

revêtir v. → conjug. **vêtir.** *1* Mettre un vêtement. *Pour le procès, l'avocat a revêtu sa robe noire. 2* Recouvrir une surface avec un matériau spécial. *Les murs de la cuisine sont revêtus d'un carrelage blanc.*

Il a mis du linoléum comme *revêtement* de sol, comme matériau pour revêtir (*2*) le sol.

rêveur, euse adj. et n. Qui se laisse aller à la rêverie. *Elle est restée rêveuse pendant toute la discussion.*

Il regardait *rêveusement* le paysage, de manière rêveuse, distraite.

revient n. m. *Prix de revient :* somme totale des dépenses nécessaires à la fabrication et à la mise en vente d'un objet, d'un produit.

revigorer v. → conjug. **aimer.** Redonner de la vigueur, réconforter, ragaillardir. *Ces boissons chaudes nous ont revigorés.*

revirement n. m. Changement total d'attitude, d'opinion. *Un revirement de l'opinion publique.*

réviser v. → conjug. **aimer.** *1* Revoir les choses que l'on a déjà apprises. *Réviser ses cours avant un examen. 2* Vérifier l'état d'une machine, d'un mécanisme. *Faire réviser sa voiture par un mécanicien.*
Synonymes : repasser, revoir (*1*).

révision n. f. *1* Action de réviser ce qu'on a appris. *En maths, la maîtresse nous fait faire des révisions.* *2* Action de réviser le fonctionnement d'une chose. *Cette vieille voiture a besoin d'une révision complète.*

revivre v. → conjug. **vivre.** *1* Vivre à nouveau quelque chose. *Il aimerait pouvoir revivre les meilleurs moments de sa vie.* *2* Retrouver ses forces, sa santé. *Quand il y a du soleil, je me sens revivre.* *3* Faire revivre : évoquer des choses du passé de manière vivante, animée. *Ce film nous fait revivre l'extraordinaire voyage de Marco Polo en Chine.*

révocation n. f. *1* Action de révoquer une loi. *La révocation de l'édit de Nantes supprima tous les droits des protestants en France.* *2* Action de révoquer un fonctionnaire.

revoir v. → conjug. **voir.** *1* Voir de nouveau. *Revoir un vieil ami. Revoir une émission.* *2* Voir à nouveau, en pensée. *Je le revois quand il était encore un bébé.* *3* Réviser, repasser. *Revoir ses leçons.*

révolte n. f. *1* Fait de se révolter contre une autorité. *Les crimes de ce dictateur ont provoqué des révoltes dans tout le pays.* *2* Indignation violente. *Il a un sentiment de révolte en voyant ces enfants maltraités.* **Synonymes : soulèvement, insurrection (*1*).**

*Cette punition est d'une injustice révoltante, qui provoque un sentiment de révolte (*2*). Le navire est aux mains des marins révoltés, des marins en révolte (*1*) contre leur capitaine.*

révolter v. → conjug. **aimer.** *1* Provoquer la révolte, l'indignation, la colère. *L'hypocrisie de cet homme me révolte.* *2* Se révolter : lutter contre une autorité. *Des prisonniers se sont révoltés.* **Synonymes : s'insurger, se rebeller, se soulever (*2*).**

révolu, ue adj. Qui est passé. *L'époque où l'on s'éclairait à la bougie est révolue.*

révolution n. f. *1* Changement brutal et total de régime politique. *2* Bouleversement profond qui se produit dans une société. *L'informatique a provoqué une révolution dans le domaine des télécommunications.* *3* Mouvement d'un astre qui effectue un tour complet autour d'un autre. *La révolution de la Lune autour de la Terre.*

*Le laser est un appareil qui a révolutionné le domaine médical, qui a provoqué une révolution (*2*).*

À la fin du XVIIIe siècle, le mécontentement grandit en France face au pouvoir royal absolu et aux privilèges de la noblesse et du clergé. Dans le même temps, les idées de liberté, d'égalité et de justice lancées par les philosophes se répandent. Le peuple réclame des réformes ; il souhaite une transformation de la société. **Regarde p. 942 et 943.**

révolutionnaire adj. et n.
● adj. *1* Qui se rapporte à la révolution, à une révolution. *Employer des méthodes révolutionnaires pour prendre le pouvoir.* *2* Qui est totalement nouveau. *L'électricité a été une invention révolutionnaire.*
● n. Personne qui prend part à une révolution. *Les révolutionnaires ont renversé le gouvernement.*

révolutionner v. → **révolution.**

revolver n. m. Arme à feu avec laquelle on peut tirer plusieurs coups sans la recharger. **Mot anglais qui se prononce [ʀevɔlvɛʀ].**

révoquer v. → conjug. **aimer.** *1* Annuler une décision, un document officiel. *Révoquer un testament.* *2* Priver quelqu'un de ses fonctions, de son pouvoir. *Révoquer un fonctionnaire coupable d'escroquerie.* **Synonyme : destituer (*2*).**

revue n. f. *1* Magazine qui est publié à des intervalles réguliers. *Une revue mensuelle. Une revue scientifique.* *2* Défilé de troupes au cours d'une cérémonie officielle. *La revue du 14 Juillet.* *3* Passer en revue : examiner un à un les éléments d'un ensemble. *Il a passé en revue toutes les solutions possibles.*

se révulser v. → conjug. **aimer.** En parlant des yeux, se tourner en ne laissant apparaître que le blanc. *Ses yeux se sont révulsés sous l'effet de la terreur.*

rez-de-chaussée n. m. inv. Partie d'un bâtiment située au niveau du sol. *Le rez-de-chaussée d'un immeuble.*

rhabiller v. → conjug. **aimer.** Habiller quelqu'un qui est déshabillé. *Rhabiller un bébé. Se rhabiller après avoir pris une douche.*

rhésus n. m. Élément présent ou absent dans les globules rouges du sang. **On prononce [ʀezys].**

rhétorique n. f. Art de bien parler, de s'exprimer de façon élégante et convaincante.

Rhin

Fleuve de l'ouest de l'Europe. Long de 1 320 km, le Rhin naît dans les Alpes suisses, à plus de 2 000 m d'altitude, et se jette dans la mer du Nord. Il longe l'est de la France et traverse l'Allemagne et les Pays-Bas. Le Rhin dessert d'importants ports fluviaux tels Bâle, Strasbourg, Mayence, ainsi que le port maritime de Rotterdam. Un réseau de canaux le relie à la Meuse, au Rhône, au Main et au Danube. Plusieurs centrales hydroélectriques sont construites sur son cours. C'est la voie navigable la plus importante d'Europe.

rhinocéros n. m. Gros mammifère sauvage, herbivore, à peau très épaisse, dont le nez porte une ou deux cornes suivant les espèces.
On prononce [rinɔserɔs].

rhino-pharyngite n. f. Rhume causé par l'inflammation de la muqueuse du nez et du pharynx.

rhizome n. m. Tige souterraine de certaines plantes qui pousse souvent à l'horizontale et qui donne naissance à des racines.

La partie supérieure du rhizome produit les tiges aériennes, la partie inférieure les racines. On peut obtenir de nouveaux plants à partir de morceaux de rhizome. L'iris et le muguet, par exemple, sont des plantes à rhizome.

Rhizome de lis.

rhododendron n. m. Arbuste à fleurs le plus souvent rouges, roses ou mauves.
On prononce [rɔdɔdɛ̃drɔ̃].

Rhône

Fleuve de l'ouest de l'Europe. Long de 812 km, le Rhône naît en Suisse, dans le massif du mont Saint-Gothard, à 1 850 m d'altitude, et se jette dans la mer Méditerranée par un vaste delta. Il traverse la France sur 522 km. Dans la partie supérieure de son cours, il traverse le lac Léman et arrose la ville suisse de Genève. En France, il passe par les villes de Lyon, Vienne, Valence et Avignon. Il communique avec le Rhin, la Seine et la Loire grâce à un réseau de canaux. Le Rhône est un fleuve rapide aux crues soudaines. De grands barrages hydroélectriques sont construits sur son cours.

rhubarbe n. f. Plante à grandes feuilles dont une partie est comestible.

C'est le pétiole, partie blanche veinée de rouge foncé comprise entre la feuille et la tige, que l'on consomme. On en fait des compotes et des confitures, auxquelles on doit ajouter beaucoup de sucre car la rhubarbe est très acide.

rhum n. m. Alcool qui provient de la distillation de la canne à sucre.
On prononce [rɔm].

rhumatisme n. m. Douleur qui se manifeste au niveau des articulations.

rhume n. m. Maladie sans gravité qui provoque des éternuements et des irritations de la gorge.

ribambelle n. f. Familier. Grand nombre de gens ou grande quantité de choses.

ricaner v. → conjug. **aimer.** Rire bêtement ou méchamment. *Arrête de ricaner, tu m'exaspères !*
*Quand on lui pose une question, il ne répond que par des **ricanements**, il ricane.*

riche adj. et n.
• adj. **1** Qui possède de l'argent, des choses de grande valeur. *Un riche propriétaire.* **2** Coûteux, luxueux, somptueux. *De riches étoffes brodées.* **3** Qui produit beaucoup. *Ces terres riches donnent des fruits magnifiques.* **4** Qui contient telle ou telle chose en grande quantité. *Un aliment riche en vitamines.*
• n. Personne riche.
*Un salon **richement** décoré*, de manière riche (**2**), luxueuse. *Ce domaine appartient à une famille **richissime**,* extrêmement riche (**1**).

Richelieu

Cardinal et homme politique français né en 1585 et mort en 1642. Évêque en 1607, Armand Jean Du Plessis est nommé cardinal de Richelieu en 1622. Il devient en 1624 le principal ministre de Louis XIII, avec lequel il va gouverner pendant dix-huit ans. Richelieu renforce le pouvoir royal. Il déjoue de nombreux complots et parvient à soumettre les grands seigneurs du royaume. Il retire aux protestants leur pouvoir politique et s'empare de leurs places fortes, notamment La Rochelle. Protecteur des arts et des lettres, Richelieu crée l'Académie française en 1634, agrandit la Sorbonne et fait bâtir le futur Palais-Royal. En politique extérieure, il s'attache à établir la prépondérance française en Europe.

richesse n. f. **1** Fortune, abondance de biens. *Cet homme possède la richesse et le pouvoir.* **2** Ressource naturelle qui existe dans un endroit. *Le charbon est la principale richesse de cette région.*

la Révolution française

À partir de 1789, un vaste mouvement de contestation gagne la France et renverse la monarchie française. La Révolution s'achèvera en 1799 avec l'arrivée au pouvoir de Bonaparte.

les sans-culottes

Ce sont les révolutionnaires parisiens nommés ainsi parce qu'ils ne portent pas la culotte, pantalon court des nobles, mais le pantalon populaire. Ils sont coiffés du bonnet phrygien à cocarde bleu, blanc, rouge, couleurs du drapeau républicain.

■ Devant les difficultés économiques et le mécontentement de ses sujets, le roi demande à tous les Français de rédiger des cahiers de doléances dans lesquels ils expriment leurs plaintes. Puis, le 5 mai 1789, il réunit à Versailles les états généraux qui rassemblent des représentants des trois ordres composant la France : le clergé, la noblesse et le tiers état.

■ Les députés du tiers état, qui sont majoritaires, s'opposent aux députés de la noblesse et du clergé. Ils décident de former une Assemblée nationale et s'engagent à donner une constitution à la France par le serment du Jeu de paume. Le roi ordonne à la noblesse et au clergé de rejoindre l'Assemblée nationale constituante, mais il rassemble des troupes autour de Paris. Cette décision entraîne le soulèvement des Parisiens, qui prennent la Bastille le 14 juillet 1789. La Révolution est en marche.

Le tiers état écrasé par les deux ordres privilégiés : le clergé et la noblesse.

■ Dans les campagnes, des révoltes paysannes se déclenchent. À Versailles, le roi doit désormais collaborer avec l'Assemblée. Celle-ci, soutenue par le peuple, vote l'abolition des privilèges le 4 août 1789. Le 26 août, l'Assemblée adopte la Déclaration des droits de l'homme et du citoyen. Désormais, les principes de liberté et d'égalité sont affirmés.

Le bonnet phrygien représente les nouveaux principes de liberté et d'égalité des citoyens.

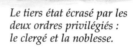

La prise de la Bastille est un événement symbolique : dans cette forteresse, on enferme les opposants au régime monarchique.

Regarde aussi droits de l'homme.

■ Le roi Louis XVI n'accepte pas certaines mesures révolutionnaires. En juin 1791, la reine Marie-Antoinette le persuade de fuir à l'étranger, pour y chercher du secours. Arrêté, le couple royal est ramené à Paris. Cette fuite fait perdre à Louis XVI la confiance du peuple.

■ En 1792, la guerre éclate entre la France et les rois d'Europe, qui craignent de subir une révolution dans leurs pays.
Le 10 août 1792, Louis XVI est arrêté et emprisonné. Le 20 septembre, les troupes révolutionnaires françaises remportent la victoire de Valmy contre l'armée des rois : la Révolution est sauvée. Une nouvelle Assemblée, la Convention, abolit la royauté et proclame la Iʳᵉ République le 21 septembre 1792. Louis XVI est guillotiné le 21 janvier 1793, Marie-Antoinette le 16 octobre de la même année.

Danton.

Robespierre.

Ces deux chefs s'accordent pour mener l'œuvre révolutionnaire jusqu'à ce que la Terreur les sépare. Danton est exécuté en avril 1794, suivi par Robespierre en juillet.

■ Entre 1793 et 1794, un régime de terreur est instauré. Malgré les victoires militaires, la République connaît de graves difficultés : famines et divisions politiques mettent le régime en péril. De nombreux opposants sont guillotinés et des massacres ont lieu dans toute la France, notamment en Vendée. On compte plus de 40 000 morts en deux ans. Les chefs révolutionnaires – dont Danton et Robespierre – seront à leur tour contestés puis guillotinés.

le 18 Brumaire

Général de la République, Bonaparte met un terme à la Révolution en prenant le pouvoir de manière autoritaire par le coup d'État du 18 Brumaire (9 novembre 1799).

La guillotine est installée en 1793 à Paris sur la place de la Révolution, aujourd'hui place de la Concorde.

richissime

richissime adj. → riche.

ricochet n. m. Rebond que fait un objet plat quand on le lance au ras de la surface de l'eau.
La flèche a ricoché sur le rocher, elle a fait un ricochet, elle a rebondi.

rictus n. m. Contraction des muscles de la bouche qui déforme le visage et lui donne un aspect grimaçant. *Un rictus de rage, de douleur.*
On prononce [Riktys].

ride n. f. *1* Petit pli de la peau. *La vieillesse et la fatigue accentuent les rides de son visage.* *2* Ondulation légère. *Le vent forme des rides à la surface du lac.*

rideau, eaux n. m. *1* Pièce de tissu qui se place devant une fenêtre. *Tirer les rideaux.* *2* Grande draperie qui dissimule la scène d'un théâtre avant le spectacle.

rider v. → conjug. **aimer**. *1* Faire des rides, des plis, des ondulations. *Le vent ride le sable des dunes.* *2* Se rider : se couvrir de rides. *Avec l'âge, son front s'est ridé.*

ridicule adj. et n. m.
• adj. *1* Qui provoque le rire, la moquerie. *Il s'habille de manière ridicule.* *2* Qui n'a pas de sens. *Cette discussion est ridicule, car le problème est réglé.* *3* Qui est insignifiant, minime. *Vous faites une bonne affaire, cette voiture est vendue à un prix ridicule.*
Synonymes : grotesque (*1*), absurde (*2*), dérisoire (*3*).
Il veut se faire remarquer et se conduit ridiculement, de façon ridicule (*1*). *Elle refuse de danser, elle a peur de se ridiculiser*, de se rendre ridicule (*1*).
• n. m. Ce qui est ridicule. *La peur du ridicule.*

rien pron. et n. m.
• pron. *1* Aucune chose. *Parle plus fort, je n'entends rien.* *2* Cela ne fait rien : c'est sans importance, ce n'est pas grave. *3* Pour rien : inutilement. *Il n'y a personne, nous sommes venus pour rien.*
• n. m. *1* Chose qui a peu d'importance. *Il se met en colère pour un rien.* *2* En un rien de temps : très rapidement. *Ce travail a été fait en un rien de temps.*

rieur, euse adj. et n.
• adj. *1* Qui aime rire. *Une jeune fille rieuse.* *2* Qui exprime la gaieté. *Des yeux rieurs.*
• n. Personne qui rit facilement, parfois aux dépens des autres. *Il a mis les rieurs de son côté.*

Rift Valley

Étroite vallée longue de plusieurs milliers de kilomètres, située à l'est de l'Afrique. C'est une fracture de l'écorce terrestre qui a plus de cinquante millions d'années. Une vingtaine de lacs en occupent le fond, dont les lacs Victoria et Tanganyika. Elle est bordée de nombreux volcans.

rigide adj. *1* Qui ne se déforme pas. *Un emballage en carton rigide.* *2* Qui est extrêmement sévère. *Elle est trop rigide en ce qui concerne l'éducation des enfants.*
Contraire : souple (*1* et *2*).

rigidité n. f. *1* Fait d'être rigide, dur, raide. *La rigidité d'une poutre en acier.* *2* Au figuré. Manque de souplesse, rigueur. *Il fait preuve d'une rigidité exagérée en ce qui concerne le règlement.*

rigolade n. f. Familier. Amusement, divertissement. *Le 1er avril, on a fait des farces, quelle rigolade !*

rigole n. f. *1* Petit fossé aménagé pour faire circuler de l'eau. *Creuser des rigoles pour irriguer des plantes.* *2* Filet d'eau qui coule.

rigoler v. → conjug. **aimer**. Familier. Rire. *Il nous a fait rigoler toute la soirée avec ses blagues.*
Un film rigolo, une histoire rigolote, qui fait rigoler.

rigoureux, euse adj. *1* Sévère, strict. *Le règlement est rigoureux dans cette école.* *2* Difficile à supporter, rude. *Un froid rigoureux.* *3* Qui est d'une grande précision. *Un raisonnement rigoureux.*
Pour guérir, tu dois suivre ce traitement rigoureusement, de façon rigoureuse (*3*), exactement.

rigueur n. f. *1* Grande sévérité. *Tous les coupables seront traités avec la même rigueur.* *2* Caractère de ce qui est pénible, dur à supporter. *La rigueur de l'hiver dans les régions polaires.* *3* Exactitude, grande précision. *En maths, il faut raisonner avec rigueur.* *4* À la rigueur : s'il est impossible d'agir autrement. *Je pourrais, à la rigueur, vous rejoindre après le dîner.* *5* De rigueur : qui est exigé, indispensable. *À ce gala, la tenue de soirée est de rigueur.*

rillettes n. f. pl. Sorte de pâté de viande, de porc ou d'oie, hachée et cuite dans la graisse.

Rimbaud Arthur

Poète français né en 1854 et mort en 1891. Rimbaud commence à écrire très jeune. Il rédige *le Bateau ivre* à dix-sept ans à peine. Il part la même année à Paris, où il se lie avec Verlaine. Une violente querelle, au cours de laquelle Rimbaud est blessé, les sépare en 1873. De cet échec naissent de nouvelles poésies (*Une saison en enfer*, 1873 ; *Illuminations*, 1886). À partir de 1874, Rimbaud renonce à l'écriture et entame une vie aventureuse à travers l'Europe et l'Afrique, exerçant divers métiers. Son œuvre a eu une grande influence sur la poésie moderne.

944

rime n. f. **1** Répétition d'un même son à la fin de deux ou de plusieurs vers. **2** *Sans rime ni raison :* de façon inexplicable, incompréhensible.

rimer v. → conjug. **aimer**. **1** Se terminer par le même son. *« Crapaud » rime avec « chapeau ».* **2** *Ne rimer à rien :* n'avoir aucun sens.

rincer v. → conjug. **tracer**. Laver avec de l'eau pure. *Rincer du linge. Se rincer les mains.*

Le lave-vaisselle s'arrête automatiquement après le *rinçage*, quand la vaisselle est rincée.

ring n. m. Estrade délimitée par des cordes pour les matchs de boxe ou de catch.
Mot anglais qui se prononce [ʀiŋ]**.**

Rio de Janeiro

Ville du sud-est du Brésil, située sur l'océan Atlantique. Rio est un grand port et un centre industriel, commercial et culturel important. C'est une ville très touristique, grâce à ses immenses plages tropicales célèbres dans le monde entier (Copacabana, Ipanema). La baie de Rio est dominée par un pic, le Pain de sucre (395 m). De l'autre côté de la ville, le pic Corcovado (704 m) lui fait face. Il est surmonté d'une célèbre statue du Christ de 38 m de hauteur. Chaque année, le carnaval de Rio attire des dizaines de milliers de visiteurs. Rio est la capitale du Brésil de 1763 à 1960, date à laquelle elle est remplacée par Brasilia, une ville ultramoderne construite à l'intérieur du pays. L'agglomération de Rio compte près de 10,2 millions d'habitants. Quant à la ville elle-même, elle en abrite plus de 5,5 millions.

riposter v. → conjug. **aimer**. Répondre, répliquer, contre-attaquer. *Quand il a été agressé, il a riposté par des injures et des coups.*

Sois prudent, méfie-toi de la *riposte* de ton adversaire, de la manière dont il va riposter.

rire v. et n. m.

• v. **1** Exprimer sa gaieté par certaines expressions du visage et par des petits sons sortant de la bouche, de la gorge. *Tout le monde a ri de sa plaisanterie. Rire aux éclats.* **2** Se moquer, railler. *Il s'est vexé parce qu'on a ri de lui.* **3** *Pour rire :* par plaisanterie. *Ne te fâche pas, j'ai dit ça pour rire.*

Sa prétention est vraiment *risible*, elle donne envie de rire (**2**).

• n. m. **1** Réaction d'une personne qui rit. *Pendant le spectacle, on entend les rires des spectateurs.* **2** *Avoir le fou rire, une crise de fou rire :* se mettre brusquement à rire sans pouvoir se maîtriser.

La conjugaison du verbe
RIRE 3ᵉ groupe

indicatif présent	**je ris, il ou elle rit, nous rions, ils ou elles rient**
imparfait	**je riais**
futur	**je rirai**
passé simple	**je ris**
subjonctif présent	**que je rie**
conditionnel présent	**je rirais**
impératif	**ris, rions, riez**
participe présent	**riant**
participe passé	**ri**

ris n. m. *Ris de veau :* plat confectionné avec une glande qui se trouve dans le cou des veaux.
Homonyme : riz.

risée n. f. *Être la risée de quelqu'un :* être victime de ses moqueries. *Il est la risée de toute la classe.*

risible adj. → **rire**.

risque n. m. Danger plus ou moins prévisible. *Pour réussir, il n'a pas hésité à prendre des risques.*

Une aventure *risquée*, qui comporte des risques.

risquer v. → conjug. **aimer**. **1** Mettre en danger. *Risquer sa vie.* **2** Être exposé à un risque. *Il risque de se blesser. Le toit risque de s'effondrer.*

risque-tout n. inv. Personne qui n'hésite pas à prendre des risques.

rissoler v. → conjug. **aimer**. Faire dorer un aliment à feu vif dans une matière grasse.

ristourne n. f. Réduction, remise. *La parfumeuse m'a fait une ristourne de 20 % sur mes achats.*

rite n. m. **1** Ensemble des règles particulières à une religion. *Le rite catholique.* **2** Habitude que l'on suit, sans jamais la modifier. *Toute la famille se réunit pour le nouvel an, c'est un rite.*

ritournelle n. f. Petit air qui revient à la fin de chaque couplet d'une chanson.

rituel, elle adj. **1** Qui concerne les rites religieux. *Un chant rituel.* **2** Que l'on accomplit comme un rite. *La famille se retrouve pour le déjeuner rituel du dimanche.*
Synonymes : habituel, traditionnel.

Chaque année, il envoie *rituellement* une carte de vœux à sa tante, de façon rituelle (**2**), habituelle.

rivage n. m. Terrain qui borde la mer.
Synonymes : côte, littoral.

rival, ale, aux adj. et n. Qui est en lutte avec quelqu'un pour remporter une victoire. *Des équipes rivales. Il a éliminé tous ses rivaux.*
Synonymes : adversaire, concurrent.

Il existe une vieille **rivalité** *entre ces deux hommes politiques, ils sont rivaux. Il est incapable de* **rivaliser** *avec ce grand champion, il ne peut être son rival.*

rive n. f. Terrain qui borde un cours d'eau ou un lac. *Des enfants pêchent sur les rives du fleuve.*

river v. → conjug. **aimer.** *1* Assembler, fixer avec des rivets. *River des plaques d'acier pour faire la coque d'un bateau. 2 Avoir les yeux rivés sur une personne ou une chose :* ne pas le quitter du regard.

riverain, aine n. *1* Personne qui habite sur la rive d'un cours d'eau. *2* Personne qui habite le long d'une rue. *Le stationnement est réservé aux riverains.*

rivet n. m. Sorte de clou dont on aplatit l'une des extrémités pour le fixer. *La boucle de ma ceinture de cuir est fixée par des rivets.*

rivière n. f. Cours d'eau affluent d'un autre cours d'eau. *La rivière se jette dans un fleuve.*

rixe n. f. Querelle violente où l'on échange des coups et des insultes.

riz n. m. Céréale cultivée dans les pays à climat chaud et humide. *Le riz constitue la base de l'alimentation dans certains pays d'Asie.*
Homonyme : ris.

Les **rizières** *sont des champs où l'on cultive le riz.*

robe n. f. *1* Vêtement de femme dont le haut et la jupe forment une seule pièce. *Une robe d'été.* *2* Vêtement ample porté par les avocats, les magistrats. *3 Robe de chambre :* vêtement que l'on porte à la maison. *4* Pelage de certains animaux, en parlant de sa couleur. *Un cheval à la robe mouchetée.*

Robespierre Maximilien de

Homme politique français né en 1758 et mort en 1794. Avocat, Robespierre est élu député aux états généraux à la veille de la Révolution française. Adversaire de la monarchie, défenseur des libertés du peuple, il se met au service de la Révolution. Intransigeant, refusant l'argent et le luxe, il est surnommé l'« Incorruptible ». Il fait partie de ceux qui votent la mort du roi Louis XVI. Robespierre organise le régime de la Terreur, qu'il pense être le seul moyen de protéger la Révolution. Tous les opposants politiques sont éliminés. En 1794, à la suite d'une conspiration, Robespierre est à son tour guillotiné.

robinet n. m. Dispositif qui sert à arrêter ou à permettre l'écoulement de l'eau ou d'un gaz.

robot n. m. *1* Dans les histoires de science-fiction, machine dont l'aspect et le comportement ressemblent plus ou moins à ceux d'un être humain. *2* Appareil automatique qui effectue certains travaux à la place de l'homme. *Un robot ménager.*

Robotiser un atelier de fabrication de machines, c'est l'équiper de robots (2). La robotique est l'ensemble des techniques qui servent à la création et à la construction des robots (2).

robuste adj. Fort, vigoureux, solide. *Un homme robuste. Le moteur de cette voiture est très robuste.*

Cette vieille armoire en chêne est d'une grande **robustesse**, *elle est très robuste.*

roc n. m. Masse de pierre. *Un tunnel creusé dans le roc.*
Homonyme : rock.

rocade n. f. Route qui contourne le centre d'une ville.

rocaille n. f. Amas de pierres. *Il ne pousse aucune plante sur cette rocaille.*

rocailleux, euse adj. *1* Qui est encombré de rocaille. *Un terrain rocailleux. 2* Rauque. *Une voix rocailleuse.*

rocambolesque adj. Qui dépasse l'imagination, invraisemblable. *Des aventures rocambolesques.*

roche n. f. *1* Matière minérale dure qui forme l'écorce terrestre. *Les roches volcaniques. 2* Masse de pierre, rocher. *Un éboulement de roches. 3 Clair comme de l'eau de roche :* évident.

Rochelle (La) → La Rochelle.

rocher n. m. Masse de roche, bloc de pierre. *À marée montante, la mer recouvre les rochers.*

Le bateau longeait prudemment la côte **rocheuse**, *formée de rochers.*

Roche-sur-Yon (La) → La Roche-sur-Yon.

Rocheuses → Montagnes Rocheuses.

rock n. m. Musique populaire née aux États-Unis. *Le rock est une forme de musique très rythmée.*
Homonyme : roc.

rockeur, euse n. Chanteur, chanteuse de rock.

rocking-chair n. m. **Plur. : des rocking-chairs.** Fauteuil à bascule.
Mot anglais qui se prononce [ʀɔkiɲtʃɛʀ].

rodage n. m. → roder.

rodéo n. m. Aux États-Unis, épreuve consistant à chevaucher et à maîtriser des chevaux sauvages, des taureaux.

roder v. → conjug. **aimer.** Faire fonctionner un véhicule à vitesse réduite pour que les différents éléments de son moteur s'ajustent bien.

Une voiture en **rodage**, c'est une voiture qu'il faut conduire lentement pour roder son moteur.

rôder v. → conjug. **aimer.** Errer quelque part avec des intentions plus ou moins honnêtes. *Un homme bizarre rôde autour de la maison.*

La nuit, il y a des **rôdeurs** *dans ces rues désertes*, des personnes qui rôdent.

Rodez

Ville française de la Région Midi-Pyrénées, située au pied du causse Comtal. Rodez est un centre administratif et commercial, siège d'un évêché. La ville abrite une cathédrale gothique en grès rouge, Notre-Dame (XIIIᵉ-XVIᵉ siècles), de belles maisons anciennes et deux riches musées dont un des Beaux-Arts.
Capitale du Rouergue sous les Romains, la cité se trouve, au Moyen Âge, partagée entre les comtes et les évêques. Elle est rattachée à la France en 1598.

12

Préfecture de l'Aveyron
26 367 habitants : les Ruthénois

rogner v. → conjug. **aimer.** Couper, tailler, égaliser les bords. *Rogner les pages d'un livre.*

Des **rognures** *d'ongles*, ce sont des bouts d'ongles que l'on a rognés.

rognon n. m. Rein de certains animaux, quand il peut être utilisé en cuisine.

rognure n. f. → **rogner.**

roi n. m. *1* Souverain qui dirige une monarchie. *2* Dans un jeu de cartes, figure représentant un roi, dans les quatre couleurs. *Le roi de trèfle, de cœur.* *3* Pièce principale du jeu d'échecs. *4* *La fête des Rois :* fête chrétienne qui rappelle la visite des Rois mages venant adorer Jésus au moment de sa naissance. *5* *La galette des Rois :* le gâteau que l'on mange à l'occasion de la fête des Rois et dans lequel on cache généralement une fève ou un petit objet.

roitelet n. m. Très petit oiseau qui porte une sorte de calotte jaune ou orangée.

rôle n. m. *1* Ensemble des paroles et des gestes d'un acteur quand il interprète tel ou tel personnage. *Il connaît bien son rôle. Dans cette pièce, elle a le rôle principal.* *2* Fonction, emploi ou influence d'une personne dans telle ou telle situation. *Ce chef d'État a joué un rôle important dans l'histoire de son pays.*

roller n. m. Chaussure munie de roulettes.
Mot anglais qui se prononce [ʀɔlœʀ].

Le roller est plus rapide que le patin à roulettes classique. Les roues sont placées en ligne sur un patin fixé sous la chaussure. Des courses sur piste et des compétitions acrobatiques sont organisées. Le roller s'est particulièrement développé à partir des années 1980-1990.

romain, aine adj. *Chiffres romains :* lettres qui servent à représenter des chiffres. *On utilise les chiffres romains pour le nom des souverains (Henri IV, Louis XIV), pour désigner les siècles (XXᵉ siècle), pour numéroter les chapitres (chapitre III), etc.*

1. roman, ane adj. *1* Qui vient du latin, en parlant d'une langue. *L'espagnol, le français, l'italien sont des langues romanes. 2* Qui concerne une forme d'art qui s'est développé au Moyen Âge. *L'architecture romane.*

Le style roman apparaît à la fin du Xᵉ siècle, et se développe aux XIᵉ et XIIᵉ siècles, surtout dans le centre et le midi de la France. Il s'inspire des architectures romaine, byzantine et islamique. L'église romane a des murs épais soutenus par des contreforts. La voûte en berceau est en pierre pour résister aux incendies. La façade et les chapiteaux des colonnes sont sculptés, les murs peints de fresques. Parmi les plus beaux exemples d'architecture romane, on peut citer la basilique de la Madeleine, à Vézelay en Bourgogne, la cathédrale d'Angoulême en Charente, la basilique Saint-Sernin de Toulouse et l'église de Santa Maria de Portonovo en Italie.

La cathédrale d'Angoulême.

2. roman n. m. Récit en prose qui décrit des personnages, des situations, des aventures. *Un roman d'aventures, un roman d'amour. Un roman policier.*
  Écrire la vie **romancée** *d'un homme célèbre*, racontée à la manière d'un roman. *Balzac est un grand romancier français du XIXᵉ siècle*, un auteur de romans.

romance n. f. Chanson sentimentale.

romancé, ée adj., **romancier, ère** n. → roman.

romand, ande adj. Se dit de l'ensemble des régions de la Suisse où l'on parle le français.

romanesque adj. Qui est merveilleux, extraordinaire ou émouvant comme dans les romans. *Il a eu une vie pleine d'aventures romanesques.*

romanichel, elle n. Tsigane qui vit en nomade. Ce mot est péjoratif.

romantique adj. Qui est rêveur, sensible, sentimental, idéaliste. *Un jeune homme romantique.*

romarin n. m. Arbuste aromatique qui pousse dans les endroits secs.

Rome

Capitale de l'Italie, située dans le centre du pays, sur les bords du Tibre. Rome est une importante métropole qui concentre une grande partie de la vie politique de l'Italie. La ville possède un patrimoine historique très riche, avec des monuments de toutes les époques. Citons notamment les vestiges romains (Colisée, Panthéon) et les magnifiques édifices religieux de la Renaissance, dont la basilique Saint-Pierre et la cité du Vatican, siège de la papauté. La ville de Rome est issue de la réunion de plusieurs villages, à la fin du VIIIᵉ siècle ou au début du VIIᵉ av. J.-C. Selon la légende, elle est fondée par Romulus, fils du dieu Mars. Elle devient la capitale d'un immense empire, qui se maintient jusqu'au IVᵉ siècle. Aujourd'hui, celle que l'on surnomme la Ville éternelle est une cité dynamique, où vivent plus de 2,6 millions d'habitants.
Regarde aussi p. 950 et 951.

rompre v. → conjug. **répondre**. *1* Casser, briser. *Il a rompu les chaînes qui le retenaient prisonnier. 2* Faire cesser, interrompre. *Rompre le silence. Rompre des négociations. 3* Mettre fin aux relations que l'on a avec quelqu'un. *Il a rompu avec sa fiancée. 4* Être *rompu à quelque chose* : être exercé, habitué à le faire. *Il est rompu aux négociations difficiles.*

Romulus → Remus.

ronce n. f. Arbuste épineux qui donne des mûres.

Roncevaux

Bataille qui se déroule le 15 août 778 entre une armée de Charlemagne et les Basques, dans les Pyrénées. En passant le col de Roncevaux, le chevalier Roland, neveu de Charlemagne, tombe dans un piège. Il appelle en vain du renfort en sonnant de l'olifant, une sorte de cor. Avant de mourir, il tente de briser son épée, Durandal. Cet épisode héroïque est raconté dans une « chanson de geste » de la fin du XIᵉ siècle, *la Chanson de Roland*, qui est l'un des plus anciens textes de la littérature française.

ronchonner v. → conjug. **aimer**. Familier. Grogner, bougonner, grommeler. *Il n'arrête pas de ronchonner !*

rond, ronde adj., n. m. et adv.
● adj. *1* Qui a la forme d'un cercle. *Un plat rond. Une boîte ronde. 2* Qui a la forme d'une sphère. *Les cerises sont des petits fruits ronds. 3* Arrondi. *Il a un ventre rond. 4* Petit et gros. *Une fillette ronde. 5* Chiffre rond* : nombre entier qui se termine par un ou plusieurs zéros.
● n.m. *1* Dessin de forme ronde. *Tracer des ronds à la craie. 2* Tourner en rond* : revenir au point de départ.
● adv. Familier. *Ne pas tourner rond* : aller mal.
  Une jeune femme **rondelette**, *un peu ronde (4), potelée. Couper un saucisson en* **rondelles**, *en tranches fines et rondes (1). Avoir des* **rondeurs**, *un corps aux formes rondes (3), charnues.*

rondement adv. Rapidement et efficacement. *Il a mené cette affaire rondement.*

rondeur n. f. → rond.

rondin n. m. Morceau de bois de forme cylindrique.

rond-point n. m. **Plur. : des ronds-points.** Place ronde où aboutissent plusieurs rues.

ronflant, ante adj. Pompeux, emphatique. *Parle simplement sans utiliser des mots ronflants.*

ronflement n. m. *1* Bruit du dormeur qui ronfle. *2* Bruit sourd et continu. *Le ronflement d'un moteur.*

ronfler v. → conjug. **aimer**. *1* Produire un bruit particulier en respirant pendant son sommeil. *Il a ronflé toute la nuit. 2* Produire un bruit sourd et continu. *On entend le feu qui ronfle dans la cheminée.*

ronger v. → conjug. **ranger**. *1* Mordre à petits coups de dents. *Ronger un os. 2* Attaquer, détruire, user peu à peu. *La rouille a rongé la vieille serrure. 3* Tourmenter. *Être rongé par l'inquiétude.*
  Les rats sont des **rongeurs**, *des mammifères qui rongent (1) les aliments.*

Les rongeurs représentent 40 % de l'ensemble des mammifères. On en compte plus de 1700 espèces.
Regarde page ci-contre.

les rongeurs

La plupart des rongeurs ont le corps trapu, les membres courts, des oreilles bien développées et une queue. On les rencontre sur tous les continents. Ils vivent sur terre, dans l'eau ou dans les arbres.

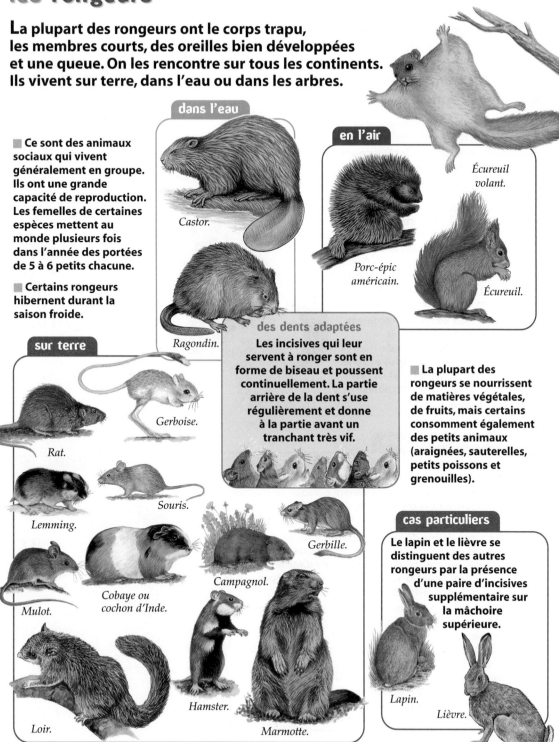

■ Ce sont des animaux sociaux qui vivent généralement en groupe. Ils ont une grande capacité de reproduction. Les femelles de certaines espèces mettent au monde plusieurs fois dans l'année des portées de 5 à 6 petits chacune.

■ Certains rongeurs hibernent durant la saison froide.

dans l'eau

Castor.

Ragondin.

en l'air

Écureuil volant.

Porc-épic américain.

Écureuil.

des dents adaptées

Les incisives qui leur servent à ronger sont en forme de biseau et poussent continuellement. La partie arrière de la dent s'use régulièrement et donne à la partie avant un tranchant très vif.

■ La plupart des rongeurs se nourrissent de matières végétales, de fruits, mais certains consomment également des petits animaux (araignées, sauterelles, petits poissons et grenouilles).

sur terre

Gerboise.

Rat.

Souris.

Lemming.

Gerbille.

Mulot.

Cobaye ou cochon d'Inde.

Campagnol.

Hamster.

Loir.

Marmotte.

cas particuliers

Le lapin et le lièvre se distinguent des autres rongeurs par la présence d'une paire d'incisives supplémentaire sur la mâchoire supérieure.

Lapin.

Lièvre.

Rome

Selon la légende, Rome est une petite bourgade fondée au bord du Tibre en 753 av. J.-C. Elle s'agrandit par des conquêtes. À la fin du IIIᵉ siècle av. J.-C., elle domine l'Italie. Elle étend ensuite sa puissance à l'ensemble du monde connu de l'époque.

la République conquérante

■ Organisée en cité par les Étrusques, Rome est dirigée par des rois jusqu'en 509 av. J.-C. Elle devient ensuite une République qui met sur pied une puissante armée : 30 légions de 6 000 fantassins chacune. Après la conquête de l'Italie, Rome étend ses opérations à toute la Méditerranée. Carthage est soumise au terme des longues guerres puniques (264-146 av. J.-C.). L'Afrique du Nord, l'Espagne, la Grèce, l'Asie, la Syrie et l'Égypte deviennent romaines. De 58 à 51 av. J.-C., Jules César et ses armées conquièrent la Gaule.

■ Les généraux victorieux reçoivent les honneurs du triomphe et le titre d'Imperator. Tentés de confisquer le pouvoir, Marius et Sylla, Pompée et César, Antoine et Octave se sont affrontés lors de terribles guerres civiles.

Avec la conquête de la Gaule, achevée en 51 av. J.-C., Jules César assure son pouvoir à Rome.

la gloire de l'Empire

■ En 27 av. J.-C., Octave, fils adoptif de César, obtient du Sénat tous les pouvoirs et le titre d'Auguste. Premier empereur de Rome, il sera vénéré presque comme un dieu. Commence alors une période de paix et de prospérité qui dure deux siècles : la *pax romana*.

■ La population de l'Empire atteint environ 50 millions d'habitants (Rome à elle seule en compte 1 million). L'empereur nomme des gouverneurs dans les provinces conquises. Celles-ci sont reliées à la capitale par un vaste réseau de routes (80 000 km).

■ Sous l'Empire, Rome connaît un développement économique et artistique sans précédent. Les empereurs y font construire temples, amphithéâtres, cirques, théâtres, arcs de triomphe, écoles, gymnases, thermes, bibliothèques et forums. L'eau courante est conduite jusqu'à Rome par des aqueducs. Les Romains les plus riches habitent de somptueuses demeures, les « villas », bâties sur de grands domaines agricoles.

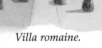

Villa romaine.

Les Romains se passionnent pour les jeux du cirque. Dans les arènes, les gladiateurs s'affrontent entre eux ou combattent des bêtes fauves.

Le Colisée est un amphithéâtre qui peut accueillir 100 000 spectateurs avides de combats sanglants.

L'Aqua Marcia est un gigantesque aqueduc qui alimente Rome en eau.

les dieux

Très religieux, les Romains adoptent les divinités des Étrusques, des Grecs et d'autres peuples, leur donnant parfois des noms différents. Ainsi, le dieu des dieux, Jupiter, est l'équivalent de Zeus. Les Romains vénèrent aussi des divinités qui régissent chaque événement de la vie. Les dieux sont honorés par des sacrifices. Des prêtres, les augures, font connaître la volonté des dieux.

Regarde aussi mythologie.

Minerve.

Jupiter.

Neptune.

patriciens, plébéiens, esclaves

La société est organisée en classes sociales.

■ La majorité des citoyens romains forme la plèbe. Artisans, commerçants ou paysans, ils fournissent le gros des troupes de l'armée romaine. Bien que représentés au Sénat par les tribuns, les plébéiens pauvres n'ont guère accès à la conduite des affaires publiques.

■ La noblesse, formée de patriciens et de plébéiens aisés, détient pouvoirs et richesses et fournit ses membres au Sénat, la principale institution politique. Celle-ci intervient dans toutes les décisions de la République avant de perdre de sa puissance sous l'Empire.

■ Les chevaliers constituent une aristocratie intermédiaire.

■ Les esclaves sont les peuples soumis par l'armée romaine. Innombrables, ils sont exploités comme domestiques, travailleurs agricoles, gladiateurs, etc.

Rome décline à partir du IVe siècle. Au Ve siècle, elle est mise à sac par les invasions barbares. L'Empire romain d'Occident disparaît définitivement en 476 apr. J.-C.

Regarde aussi invasions.

ronronnement n. m. *1* Sorte de petit ronflement sourd qu'un chat fait entendre pour manifester son contentement. *2* Bruit régulier produit par une machine, un moteur.
On dit aussi : ronron.
Le chat ronronne, il fait entendre un ronronnement.

Ronsard Pierre de

Poète français né en 1524 et mort en 1585. Atteint de surdité, Ronsard renonce à la carrière des armes et se consacre à l'étude de la poésie grecque et latine.
Avec Joachim Du Bellay et d'autres jeunes poètes, il fonde la Pléiade, un groupe qui s'inspire des auteurs antiques. Ronsard écrit beaucoup (*les Odes*, 1550-1552 ; *les Amours*, 1552 ; *les Hymnes*, 1555-1556 ; *les Discours des misères de ce temps*, 1562-1563…), et devient rapidement célèbre. Ses vers les plus connus sont « Mignonne, allons voir si la rose / qui ce matin avait déclose (…) ».

Roosevelt Franklin Delano

Homme politique américain né en 1882 et mort en 1945. Roosevelt est élu gouverneur de l'État de New York en 1929. Président des États-Unis en 1933, il met en place un programme économique et social de grande ampleur, le « New Deal ». Il est réélu en 1936 puis en 1940. En 1941, lors de la Seconde Guerre mondiale, il fait entrer les États-Unis dans le conflit aux côtés de la Grande-Bretagne et de la Russie. Il est réélu en 1944 et participe aux conférences d'après-guerre avec les Alliés.

roquefort n. m. Fromage à base de lait de brebis, contenant des moisissures d'une couleur bleu-vert.

roquet n. m. Petit chien hargneux qui aboie souvent sans raison.

roquette n. f. Petite fusée qui se propulse seule, utilisée comme arme, notamment contre les chars.

rosace n. f. Grand vitrail de forme ronde. *Les rosaces d'une cathédrale gothique.*

rosâtre adj. → rose 1.

rosbif n. m. Rôti de bœuf.

1. rose adj. et n. m.
● adj. Qui est d'une couleur rouge très clair. *Un bébé aux joues rondes et roses.*
Elle porte un affreux pull-over rosâtre, d'une couleur rose terne qui paraît sale.
● n. m. Couleur rose. *Une chambre peinte en rose.*

2. rose n. f. *1* Fleur parfumée dont la tige est garnie d'épines. *2 Rose des sables :* pierre des régions désertiques dont la forme rappelle celle d'une fleur. *3 Rose des vents :* représentation en forme d'étoile à 32 branches, qui indique les points cardinaux et qui permet de connaître la direction des vents.
Les rosiers sont des arbustes épineux qui donnent des roses (*1*). *Près de Paris, on peut visiter de magnifiques roseraies*, des terrains plantés de rosiers.

Les roses sont généralement de grandes fleurs solitaires, colorées. Fleurs d'ornement, elles sont aussi utilisées en parfumerie. Il faut plus de 3 000 kg de fleurs pour obtenir 1 litre d'essence de rose ! La culture du rosier remonte à l'Antiquité. La rose est aujourd'hui la fleur la plus répandue dans le monde. On en compte plusieurs milliers de variétés.

rosé, ée adj. et n. m.
● adj. Qui est teinté de rose très clair. *Ce bébé a une peau d'un joli blanc rosé.*
● n. m. Vin d'une couleur rouge très clair.

roseau, eaux n. m. Plante aquatique dont les hautes tiges sont creuses et très flexibles.

rosée n. f. Vapeur d'eau qui se dépose en fines gouttelettes sur le sol et les plantes pendant la nuit.

roseraie n. f. → rose 2.

rosette n. f. Petit insigne qui se porte à la boutonnière. *Recevoir la rosette de la Légion d'honneur.*

rosier n. m. → rose 2.

rossignol n. m. Petit oiseau au plumage brun clair, dont le chant est particulièrement mélodieux.

Rostand Jean

Biologiste et écrivain français né en 1894 et mort en 1977. Rostand mène des recherches sur la fécondation, les malformations et les mutations des amphibiens. Il souhaite intéresser le public aux questions de la biologie et de l'avenir du genre humain et publie des ouvrages de vulgarisation : *la Biologie et l'avenir humain*, 1949-1950 ; *Ce que je crois*, 1953 ; *Inquiétudes d'un biologiste*, 1967…

rostre n. m. Partie dure et effilée dans le prolongement de la tête de certains animaux.

rot n. m. Familier. Rejet, par la bouche, de gaz qui viennent de l'estomac.
Synonyme : renvoi.
Il n'a pu s'empêcher de roter, de faire un rot.

rotatif, ive adj. et n. f.
• adj. Qui fonctionne par un mouvement tournant. *Un moteur rotatif.*
• n. f. Presse d'imprimerie équipée de cylindres entraînés par un mouvement tournant.

rotation n. f. Mouvement tournant. *La rotation de la Lune autour de la Terre dure à peu près 28 jours.*

roter v. → **rot.**

rôti n. m. → **rôtir.**

rotin n. m. Tige flexible et résistante provenant d'une espèce de palmier. *Des chaises en rotin.*

rôtir v. → conjug. **finir.** Cuire une viande à feu vif. *Faire rôtir un poulet à la broche.*
Servir un rôti de bœuf, un morceau de viande de bœuf, que l'on fait rôtir. *Une rôtissoire électrique* est une sorte de four pour faire rôtir les viandes.

rotonde n. f. Bâtiment circulaire.

rotor n. m. Ensemble des éléments formant l'hélice d'un hélicoptère.

rotule n. f. Petit os plat et triangulaire situé à l'avant du genou.

roturier, ère n. Personne qui n'appartient pas à la noblesse. *Le roi pouvait anoblir un roturier.*

rouage n. m. Roue d'un mécanisme. *Les rouages d'une horloge.*

roublard, arde adj. et n. Familier. Rusé et peu scrupuleux. *Je n'ai pas confiance en lui, il est très roublard.*
Cet homme d'affaires est connu pour sa roublardise, son caractère roublard.

rouble n. m. Monnaie de la Russie.

roucouler v. → conjug. **aimer.** Faire entendre son chant quand il s'agit d'un pigeon, d'une tourterelle.
Le roucoulement doux et plaintif d'une colombe.

roue n. f. *1* Pièce de forme circulaire tournant autour d'un axe et permettant à un véhicule de rouler. *Les roues d'une bicyclette. 2* Élément de forme circulaire qui transmet le mouvement d'un mécanisme. *La chaîne d'un vélo tourne sur une roue dentée. 3* Faire la roue :* déployer en forme d'éventail les ailes de sa queue, quand il s'agit du paon.

La roue est probablement apparue au cours du IVe millénaire av. J.-C. en Mésopotamie. L'invention se perfectionne rapidement et révolutionne les moyens de transport. On réduit peu à peu le poids de la roue en l'évidant et en inventant les rayons.
Les premières roues à rayons de bois apparaissent environ 2 000 ans av. J.-C.

Rouen

Ville française de la Région Haute-Normandie, située sur la Seine. Rouen est un port très actif. L'industrie et le commerce sont très développés. Rouen est aussi une ville universitaire qui abrite la cathédrale Notre-Dame (XIIe-XVIe siècles), l'église Saint-Maclou (XVe siècle), un palais de justice du XVIe siècle, la tour Jeanne-d'Arc (1430) et un musée de la céramique. Cité gallo-romaine sous le nom de Rotomagus, elle devient l'une des principales villes du duché de Normandie au Xe siècle. Occupée par les Anglais durant la guerre de Cent Ans, elle est rattachée à la France en 1449. Rouen subit de nombreux dommages au cours de la Seconde Guerre mondiale.

76 *Préfecture de la Seine-Maritime*
108 758 habitants : les Rouennais

rouer v. → conjug. **aimer.** *Rouer de coups :* frapper, battre violemment. *La victime a été rouée de coups.*

rouet n. m. Instrument formé d'une roue actionnée par une pédale, qui servait à filer la laine, le chanvre.

rouge adj., n. m. et adv.
• adj. Qui est de la couleur du sang, du coquelicot. *Les framboises, les fraises sont des fruits rouges. Avoir les joues rouges de fièvre.*
La nappe est couverte de taches rougeâtres, un peu rouges. *Un homme au visage rougeaud,* dont le visage est très rouge. *Son corps est couvert de rougeurs,* de taches rouges. *Il a rougi de colère,* il est devenu rouge.
• n. m. *1* Couleur rouge. *Des roses d'un rouge éclatant. 2* Produit utilisé pour le maquillage. *Du rouge à lèvres. Du rouge à joues. Du rouge à ongles.*
• adv. *Voir rouge :* être en colère au point de devenir violent.

rouge–gorge n. m. Plur. : des rouges-gorges. Petit oiseau brun dont la gorge et la poitrine sont d'un rouge vif.

rougeole n. f. Maladie contagieuse qui provoque l'éruption de petites taches rouges sur la peau.

rougeoyer v. → conjug. **essuyer.** Prendre une couleur, des reflets rougeâtres. *Les flammes rougeoient dans la cheminée.*

rouget n. m. Poisson de mer de couleur rose.

Rouget de Lisle Claude

Officier de l'armée révolutionnaire et compositeur français né en 1760 et mort en 1836. Rouget de Lisle est célèbre pour avoir composé, en 1792, le *Chant de guerre pour l'armée du Rhin.* Interprété pour la première fois par des soldats marseillais, il est baptisé *la Marseillaise* et devient l'hymne national français.

rougeur n. f., **rougir** v. → **rouge.**

rouille n. f. Dépôt rougeâtre qui se forme sur certains métaux exposés à l'humidité.
Cette vieille serrure a rouillé à cause de l'humidité, elle s'est couverte de rouille.

roulade n. f. Culbute que l'on fait en se roulant en boule pour amortir un choc, une chute.

roulant, ante adj. Qui est muni de roulettes pour pouvoir être déplacé. *Une table roulante.*

roulé, ée adj. Plié en rond, en boule. *Pull à col roulé.*

rouleau, eaux n. m. *1* Objet de forme cylindrique. *Un rouleau à pâtisserie. 2* Bande enroulée sur elle-même ou sur un support cylindrique. *Un rouleau de Scotch, de papier peint. 3* Grosse vague qui s'enroule sur elle-même en déferlant sur le rivage.

roulement n. m. *1* Son sourd et continu. *Les roulements des tambours, du tonnerre. 2* Organisation qui consiste à se relayer à des intervalles réguliers pour exécuter un travail. *3 Roulement à billes :* mécanisme constitué de billes de métal polies qui roulent les unes contre les autres pour diminuer les frottements.

rouler v. → conjug. **aimer.** *1* Avancer, bouger en tournant sur soi-même. *La balle a roulé sous la table. Se rouler dans la neige. 2* Avancer, se déplacer sur des roues. *Les voitures roulent lentement en ville. Cet automobiliste roule trop vite. 3* Mettre sous forme de rouleau, enrouler. *Rouler une affiche, un tapis. 4* Familier. Tromper, berner, duper, gruger. *Cette montre ne marche pas, tu t'es fait rouler. 5 Se rouler :* s'enrouler. *Se rouler dans une couverture.*
Contraire : dérouler (*3*).

roulette n. f. *1* Petite roue. *Un lit à roulettes. 2* Instrument utilisé par le dentiste. *3* Jeu de hasard qui consiste à lancer une bille sur un plateau tournant portant des cases numérotées.

roulis n. m. Mouvement d'un bateau qui penche d'un bord à l'autre quand il y a de la houle. *Les passagers ont le mal de mer à cause du roulis.*

roulotte n. f. Grande voiture aménagée spécialement pour servir de logement.

Roumanie

République du sud de l'Europe, ouverte à l'est sur la mer Noire. Le nord et le centre de la Roumanie sont occupés par la chaîne montagneuse des Carpates. Le climat est continental. L'agroalimentaire, le textile et le travail du bois sont des secteurs dynamiques de l'économie. Le pays possède des ressources en pétrole et gaz naturel qui alimentent l'industrie. L'agriculture produit surtout du blé, du maïs et de la betterave. À partir de 1940, la Roumanie connaît une dictature qui est renversée par une insurrection en 1989 et remplacée par un régime présidentiel.

238 390 km²
22 387 000 habitants :
les Roumains
Langues : roumain, hongrois, allemand, rom
Monnaie : leu
Capitale : Bucarest

round n. m. Partie d'un combat de boxe. *Un coup de gong annonce la fin du premier round.*
Mot anglais qui se prononce [Rund] **ou** [Raund]**.**

roupie n. f. Monnaie de l'Inde, du Pakistan, du Népal.

rouquin, ine adj. et n. Familier. Qui a les cheveux roux.

rouspéter v. → conjug. **digérer.** Familier. Protester. *Il passe son temps à rouspéter.*

Rousseau Jean-Jacques

Écrivain et philosophe genevois de langue française né en 1712 et mort en 1778. Rousseau devient célèbre en publiant en 1750 un *Discours sur les sciences et les arts.* De caractère ombrageux, il s'isole, et écrit de nombreux ouvrages (*Discours sur l'origine de l'inégalité,* 1755 ; *la Nouvelle Héloïse,* 1761 ; *Du contrat social,* 1762 ; *Émile,* 1762). Ses critiques de la société et ses idées sur l'homme, la nature, la morale, l'éducation, la religion influenceront la Révolution française. Ses dernières œuvres, dont *les Confessions,* ne paraissent qu'après sa mort.

roussette n.f. **1** Petit requin tacheté dont la chair est comestible. **2** Variété de chauve-souris.

rousseur n. f. *Tache de rousseur : petite tache rousse sur la peau. Un visage couvert de taches de rousseur.*

roussi n. m. Odeur d'une chose qui commence à brûler. *Va surveiller le rôti, ça sent le roussi.*

route n.f. **1** Grande voie prévue pour circuler à l'extérieur des villes. *Une route nationale. Ce sentier mène jusqu'à la grande route.* **2** Direction, itinéraire, parcours à suivre. *Perdre sa route. Il a pris la route de Lyon.* **3** *Mettre en route :* mettre en marche.

routier, ère adj. et n. m.
• adj. Qui se rapporte aux routes. *Les transports routiers. Une carte routière.*
• n. m. Personne dont le métier consiste à conduire un camion sur de longues distances.

Autoroutes et voies rapides
Routes principales

routine n. m. Habitude d'agir, de se comporter toujours de la même façon.
Une existence routinière, caractérisée par la routine.

rouvrir v. → conjug. **couvrir.** Ouvrir de nouveau. *Le restaurant rouvrira dans une semaine.*

roux, rousse adj. et n.
• adj. D'une couleur jaune-orangé tirant sur le marron ou sur le rouge. *Des cheveux roux. Les teintes rousses des feuilles en automne.*
• n. Personne qui a des cheveux roux. *C'est une rousse.*

royal, ale, aux adj. **1** Du roi. *Le sceptre est le symbole du pouvoir royal.* **2** Digne d'un roi, somptueux, grandiose. *Il a offert à ses invités un repas royal.*

*Le maître de maison nous a reçus royalement, de manière royale (**2**), somptueusement.*

royaliste n. Partisan du roi, de la royauté. *Les royalistes souhaitent le retour de la monarchie.*

royaume n. m. Territoire gouverné par un roi ou une reine. *Le royaume de Danemark.*

Royaume-Uni

Monarchie constitutionnelle du nord-ouest de l'Europe.
Regarde page suivante.

royauté n. f. Régime dirigé par un roi, monarchie. *La royauté a été abolie en France.*

ruade n. f. → **ruer.**

ruban n. m. **1** Bande étroite, en tissu, utilisée comme ornement. *Une boîte de chocolats entourée d'un ruban.* **2** *Ruban adhésif :* bande de papier collant.

Rubens Pierre Paul

Peintre flamand né en 1577 et mort en 1640. Rubens se rend en Italie, où il découvre les œuvres des grands maîtres de la Renaissance. De retour à Anvers, il réalise la synthèse de l'art flamand et italien dans des compositions puissantes et très colorées. L'émotion est servie par la précision de la mise en scène et l'utilisation de l'ombre et de la lumière. Il laisse une œuvre considérable dont *l'Adoration des mages,* la *Kermesse* et *la Descente de Croix.*

La Kermesse

rubéole n. f. Maladie très contagieuse qui provoque l'apparition de petites taches rouges sur la peau.

rubis n. m. Pierre précieuse d'une couleur rouge vif.

rubrique n. f. Ensemble d'articles traitant d'un même sujet et paraissant régulièrement dans un journal. *La rubrique des faits divers.*

Royaume-Uni

Royaume-Uni

Monarchie constitutionnelle du nord-ouest de l'Europe. Le Royaume-Uni est constitué de la Grande-Bretagne, de l'Irlande du Nord, et d'îles (Orcades, Shetland, Hébrides) situées au nord et au nord-ouest du territoire. La Grande-Bretagne est une grande île qui comprend l'Angleterre, le pays de Galles et l'Écosse.

■ Le pays comporte de vastes espaces montagneux peu élevés, marqués par des vallées profondes. Ces régions, au sol pauvre et aux forêts rares, sont souvent désertes. Les côtes sont très découpées.

■ Le territoire ne possède pas de grands cours d'eau, à l'exception de la Tamise et de la Severn. Le climat est frais et très humide.

■ Le Royaume-Uni est très peuplé. Il a la plus forte densité européenne (240 hab./km^2). Les neuf dixièmes de la population vivent dans les villes. L'agglomération londonienne compte plus de 7 millions d'habitants.

■ L'agriculture, très mécanisée, n'occupe que 2 % de la population active. L'élevage (bœuf notamment) y tient une place prédominante. L'Écosse et le pays de Galles sont spécialisées dans l'élevage du mouton, tandis que le Sud-Est pratique la culture de céréales.

Rue typique de Londres.

Château et village du nord de l'Écosse.

■ Les atouts majeurs de l'industrie sont les gisements de pétrole de la mer du Nord, la construction navale, l'agroalimentaire, la production automobile, la chimie et les technologies de pointe. D'autre part, la Grande-Bretagne est une importante place financière internationale. Le tourisme est également un secteur florissant.

■ Le pays tire son influence dans le monde du fait de la prépondérance de l'anglais, langue de tous les échanges internationaux, et du rayonnement du Commonwealth. Cette association regroupe la plupart des anciennes colonies de l'Empire britannique.

■ La Grande-Bretagne est créée en 1707 avec l'Acte d'union des royaumes d'Angleterre et d'Écosse. Après l'Acte d'union de 1800, avec l'Irlande, la Grande-Bretagne devient le Royaume-Uni de Grande-Bretagne et d'Irlande, puis prend le nom officiel de Royaume-Uni de Grande-Bretagne et d'Irlande du Nord en 1921.

régions et villes principales

244 046 km^2
59 068 000 habitants :
les Britanniques
Langues : anglais,
gallois
Monnaie : livre sterling
Capitale : Londres

Vue aérienne de Londres.

ruche n. f. Abri aménagé pour l'élevage des abeilles.

rude adj. *1* Qui est pénible à supporter. *Un climat rude. Un travail rude.* *2* Qui a un comportement dur, austère, sévère. *Ces montagnards sont des hommes rudes.*
　Il traite son chat avec rudesse, il est rude (*2*) avec lui.

rudement adv. *1* De manière rude, dure, brutale. *Il m'a rudement dit de me taire.* *2* Familier. Très. *Il est rudement fier de son travail.*

rudesse n. f. → rude.

rudimentaire adj. Qui est limité à l'essentiel. *Mes connaissances en informatique sont rudimentaires.*

rudiments n. m. pl. Connaissances élémentaires, premières notions. *Avec cette méthode, tu apprendras les rudiments de la grammaire.*

rudoyer v. → conjug. **essayer.** Traiter avec rudesse, maltraiter, brutaliser. *Rudoyer un enfant.*

rue n. f. *1* Voie bordée d'habitations dans une ville, un village. *2* Être à la rue : être sans logement.
　Les ruelles du quartier, les petites rues.

ruée n. f. → ruer.

ruelle n. f. → rue.

ruer v. → conjug. **aimer.** *1* Lancer brusquement en l'air les pattes postérieures, quand il s'agit du cheval ou de l'âne. *2* *Se ruer :* s'élancer, se précipiter en masse. *Les enfants se sont rués dans la cour de récréation.*
　Méfie-toi des ruades de ce cheval, des mouvements qu'il fait quand il rue (*1*). *Le cours fini, c'est la ruée vers la sortie,* le mouvement des élèves qui se ruent (*2*).

rugby n. m. Sport d'équipe qui se pratique avec un ballon ovale et se joue à la main et au pied.

Le rugby naît en 1823 dans l'école de Rugby, en Angleterre. Les matchs opposent deux équipes de 13 ou 15 joueurs. Les buts sont constitués de deux montants réunis par une barre horizontale placée à 3 m du sol. La partie se déroule en deux mi-temps de 40 min. Le jeu consiste à porter le ballon derrière la ligne de buts adverse (essai), puis à transformer l'essai par un coup de pied, en faisant passer le ballon au-dessus de la barre des buts. Parmi les compétitions internationales, citons la Coupe du Monde et, en Europe, le tournoi des Six Nations.

rugbyman n. m. **Plur. : des rugbymans ou des rugbymen.** Joueur de rugby.
Mot anglais qui se prononce [rygbiman].

rugir v. → conjug. **finir.** Pousser son cri, quand il s'agit de certains fauves.
　Le lion pousse des rugissements, il rugit.

rugueux, euse adj. Qui est rude au toucher. *Ce bois n'est pas raboté, il est rugueux.*
Synonyme : râpeux. Contraire : lisse.

ruine n. f. *1* Restes d'un bâtiment détruit. *Les ruines d'une maison incendiée.* *2* Perte de tous les biens qu'une personne possède. *De mauvaises affaires ont entraîné sa ruine.* *3* *Tomber en ruine :* s'écrouler, s'effondrer. *Ce vieux château tombe en ruine.*

ruiner v. → conjug. **aimer.** *1* Provoquer la ruine de quelqu'un, de quelque chose. *La grêle a ruiné les agriculteurs.* *2* *Se ruiner :* perdre son argent, sa fortune.

ruineux, euse adj. Qui provoque des dépenses trop importantes. *Tous ces voyages sont ruineux.*

ruisseau, eaux n. m. Petit cours d'eau.

ruisseler v. → conjug. **jeter.** Couler le long de quelque chose. *La pluie ruisselle dans la rue en pente.*
　Un visage ruisselant de larmes, les larmes ruissellent. *Le ruissellement des pluies,* l'écoulement des eaux qui ruissellent.

rumeur n. f. *1* Bruit indistinct de voix. *On entend la rumeur de la fête.* *2* Nouvelle plus ou moins sûre qui se répand dans le public. *On dit que cette banque va faire faillite, mais ce n'est qu'une rumeur.*

ruminer v. → conjug. **aimer.** *1* Mâcher de nouveau les aliments qui remontent de l'estomac vers la bouche quand il s'agit de certains mammifères. *2* Au figuré. Tourner et retourner les mêmes choses dans sa tête. *Ruminer son chagrin.*
　Les vaches sont des ruminants, des mammifères qui ruminent.

rumsteck n. m. Morceau de viande de bœuf.
Mot anglais qui se prononce [ʀɔmstɛk].

rupestre adj. Qui est représenté, peint sur une paroi rocheuse. *Dans certaines grottes, on a retrouvé des peintures rupestres datant de la préhistoire.*

rupture n. f. *1* Fait de se rompre, de se briser. *La rupture d'un câble.* *2* Brusque interruption. *La rupture des négociations.* *3* Séparation qui met fin à des relations amicales ou sentimentales. *La rupture d'une amitié.*

rural, ale, aux adj. Qui concerne la vie à la campagne. *C'est un citadin qui ignore les habitudes rurales.*

ruse n. f. Moyen habile que l'on emploie dans l'intention de tromper. *Vaincre un adversaire par la ruse.*
　Il est très rusé, il agit avec beaucoup de ruse. *Le prisonnier tente de ruser pour s'enfuir,* d'agir avec ruse.

Russie

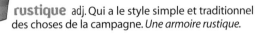

Russie

République fédérale de l'est de l'Europe et du nord de l'Asie, ouverte au nord sur l'océan Arctique et à l'est sur l'océan Pacifique. La Russie a des frontières communes avec treize pays. C'est le plus vaste État du monde. Les monts Oural séparent la plaine asiatique de la plaine européenne, où se concentre une grande partie de la population. L'est et le sud de la partie sibérienne sont montagneux. Un grand fossé est occupé par le lac le plus profond du monde, le lac Baïkal. À l'extrême est, la presqu'île du Kamtchatka compte de nombreux volcans en activité. Le climat est continental, avec des hivers très froids, surtout en Sibérie. Sur les bords de la mer Noire, au sud, le climat est méditerranéen.

Les ressources agricoles et industrielles de la Russie sont considérables. Les réserves minérales, en particulier le pétrole, sont les plus importantes au monde. Mais l'économie planifiée du système communiste a rendu la productivité faible et a isolé le pays, qui traverse une très grave crise économique. Du XVIIᵉ au début du XXᵉ siècle, la Russie est un empire dirigé par des tsars. La révolution de 1917 instaure un régime communiste et crée l'Union soviétique, au sein de laquelle la Russie joue un rôle prépondérant. La Fédération de Russie, composée de douze républiques autonomes, se forme après l'effondrement du bloc communiste en 1991.

Un paysage de bouleaux, arbres symboles de la Russie.

Une station du métro de Moscou.

17 075 400 km²
144 082 000 habitants :
les Russes
Langues : russe, bachkir, tatar, tchétchène…
Monnaie :
nouveau rouble russe
Capitale : Moscou

Regarde aussi **URSS.**

---

rustique adj. Qui a le style simple et traditionnel des choses de la campagne. *Une armoire rustique.*

rustre n. m. Homme grossier, mal élevé.

rut n. m. Période d'activité sexuelle durant laquelle les mammifères cherchent à s'accoupler. **On prononce** [ʀyt].

rutilant, ante adj. Brillant, éclatant, étincelant. *Les casseroles de cuivre, bien astiquées, sont rutilantes.*

Rwanda

République du centre-est de l'Afrique. Le Rwanda est constitué de hauts plateaux et d'un massif montagneux. Lacs et marais se succèdent à l'est. Le climat est tropical, tempéré en altitude. La population se compose de 80 % de Hutu, 19 % de Tutsi et 1 % de Twa (Pygmées). L'économie rwandaise (exportation de thé et de café), ruinée par la guerre, se reconstruit peu à peu. Sous domination belge à partir de 1923, le Rwanda devient indépendant en 1962. Depuis, le pays connaît des tensions permanentes entre les Tutsi, qui détiennent le pouvoir, et les Hutu. En 1994, une terrible guerre civile provoque le massacre de milliers de personnes.

26 340 km²
8 272 000 habitants :
les Rwandais
Langues : kinyarwanda, français, anglais, swahili
Monnaie : franc rwandais
Capitale : Kigali

rythme n. m. **1** Mouvement d'une musique. *Danser en suivant le rythme.* **2** Mouvement périodique et régulier. *Le rythme cardiaque, respiratoire.* **3** Allure d'une action. *Ce rythme de travail est épuisant.* *La gymnastique* **rythmique** *se pratique en suivant le rythme (1) d'un accompagnement musical.*

rythmer v. ➜ conjug. **aimer.** **1** Marquer le rythme, la cadence. *Rythmer une chanson en tapant des mains.* **2** Régler selon un rythme. *Les vents rythmaient la marche du voilier.*

rythmique adj. ➜ **rythme.**

Cathédrale Saint-Basile à Moscou.

Ss

SÉRAPHIN

*Séraphin est
vraiment super!*

s' pron., conj. → **se** et **si 1.**

sa adj. possessif. → **son 1.**

sabbat n. m. *1* Jour de repos consacré à Dieu, dans la religion juive. *Le sabbat commence le vendredi soir et se termine le samedi soir. 2* Dans les légendes populaires, assemblée de sorciers et de sorcières qui se réunissent la nuit.
Synonyme : shabbat (*1*).

sablage n. m. → **sabler.**

sable n. m. Matière formée d'une multitude de petits grains constitués de débris rocheux ou de débris de coquillages. *Une plage de sable fin.*

Une eau sableuse est une eau qui contient du sable. Pour mesurer le temps de cuisson d'un œuf à la coque, on se sert d'un sablier, un petit instrument de verre dans lequel du sable s'écoule régulièrement du haut vers le bas. Des camions transportent le sable provenant d'une sablière, une carrière d'où l'on extrait du sable. Les voitures roulent très mal sur les routes sablonneuses, les routes couvertes de sable.

*U*n sablier est constitué de deux récipients de verre superposés, qui communiquent par un étroit passage. Le sable fin placé dans l'ampoule du haut s'écoule régulièrement dans l'ampoule du bas. On pense que le sablier a été inventé au Moyen Âge en Europe. La première mention écrite de cet instrument remonte à la fin du xive siècle.

sablé n. m. Petit gâteau sec fait d'une pâte friable contenant une grande proportion de beurre.

sabler v. → conjug. **aimer.** *1* Couvrir de sable. *Le jardinier a sablé les allées du jardin. 2* Sabler le champagne : boire du champagne pour célébrer un événement heureux.

Le sablage d'une route verglacée, le fait de la sabler (*1*) pour la rendre moins glissante.

sableux, euse adj., **sablier** n. m., **sablière** n. f., **sablonneux, euse** adj. → **sable.**

saborder v. → conjug. **aimer.** Couler volontairement un navire. *Le capitaine a préféré saborder son navire pour qu'il ne tombe pas aux mains de l'ennemi.*

sabot n. m. *1* Chaussure faite d'une seule pièce de bois creusée. *Autrefois, à la campagne, on portait des sabots. 2* Corne qui enveloppe le bout des doigts de certains mammifères.

*L*e sabot est une sorte d'ongle épais et dur. Les ongulés, qui comprennent notamment les ruminants (vaches, chèvres…) et les équidés (chevaux, ânes, zèbres), ont des sabots. Pour protéger ceux des chevaux, on y applique des fers.

*Sabot de
vache.*

*Sabot de
cheval.*

saboter v. → conjug. **aimer.** *1* Abîmer ou détruire volontairement quelque chose. *Saboter une machine. 2* Faire quelque chose très vite et sans soin. *Saboter un travail.*
Synonyme : bâcler (*2*).

Le train a failli dérailler à cause du sabotage de la voie ferrée, parce que la voie ferrée a été sabotée (*1*). *Plusieurs machines de l'usine ont été détériorées par des saboteurs,* des gens qui les ont sabotées (*1*).

sabre n. m. Sorte d'épée dont la lame, droite ou courbe, n'est tranchante que d'un seul côté.

Il existe différents types de sabres. Jusqu'à la Seconde Guerre mondiale, le sabre est régulièrement porté par les officiers de l'armée de terre en tenue, pour être ensuite supprimé. Aujourd'hui, il a été rétabli dans les tenues réglementaires lors des cérémonies militaires. Le sabre est aussi une discipline de l'escrime.

sabrer v. → conjug. **aimer.** *1* Frapper à coups de sabre. *2* Faire des coupures importantes dans un texte.

1. sac n. m. *1* Objet servant à contenir, à transporter des choses. *Un sac de riz. Un sac en papier, en plastique. Un sac à dos. Un sac à main. 2* Prendre quelqu'un la main dans le sac : le prendre sur le fait, pendant qu'il commet un délit.

2. sac n. m. Pillage. *Cette ville a été mise à sac par des bandes armées.*

saccade n. f. Mouvement brusque et irrégulier. *Après quelques saccades, le vélomoteur s'est immobilisé.* Synonyme : à-coup.

> Avoir une démarche *saccadée,* c'est marcher par saccades.

saccager v. → conjug. **ranger.** Dévaster, ravager. *Des émeutiers ont saccagé plusieurs quartiers de la ville.*

> Le *saccage* de la forêt causé par la tempête, le fait qu'elle ait été saccagée.

sacerdoce n. m. Fonctions religieuses exercées par un prêtre.

sachet n. m. Petit sac. *Un sachet de thé.*

sacoche n. f. Gros sac en toile ou en cuir. *Le facteur porte sa sacoche en bandoulière.*

sacre n. m. Cérémonie religieuse qui donne un caractère sacré au pouvoir d'un souverain.

> *Napoléon fut* sacré *empereur par le pape Pie VII en 1804,* il reçut solennellement le titre d'empereur au cours de la cérémonie du sacre.

sacré, sacrée adj. *1* Qui concerne la religion, les choses divines. *La Bible est un livre sacré. 2* Que l'on doit absolument respecter. *Pour lui, la protection de la famille est un devoir sacré.*

sacrement n. m. Acte religieux de très grande importance célébré dans la religion chrétienne.

Le baptême est le sacrement qui marque l'entrée d'une personne dans l'Église catholique.

sacrer v. → **sacre.**

sacrifice n. m. *1* Offrande faite à un dieu. *Les Grecs immolaient des animaux en sacrifice à leurs dieux. 2* Fait de se priver de quelque chose. *Faire des sacrifices pour s'acheter une maison.*

sacrifier v. → conjug. **modifier.** *1* Offrir en sacrifice à une divinité. *Sacrifier un agneau. 2* Renoncer, abandonner, négliger. *Il sacrifie sa famille à son travail. 3* Se sacrifier : accepter toutes les privations. *Se sacrifier pour ses enfants.*

sacrilège n. m. Crime commis contre ce qui est sacré. *Saccager une église est un sacrilège.*

sacripant n. m. Familier. Vaurien, chenapan.

sacristain n. m. Homme qui s'occupe de l'entretien d'une église et des objets du culte.

sacristie n. f. Pièce d'une église où sont placés les objets du culte et où le prêtre se prépare avant une messe.

sadique adj. et n. Qui ressent du plaisir en faisant souffrir les autres. *C'est un sadique qui aime torturer les animaux.*

> Il traite ses employés avec *sadisme,* il a un comportement sadique.

safari n. m. Expédition de chasse en Afrique.

safran n. m. Poudre jaune provenant d'une fleur et que l'on utilise comme assaisonnement ou comme teinture. *Du riz au safran.*

saga n. f. Histoire romanesque concernant une même famille pendant plusieurs générations.

sagaie n. f. Sorte de javelot utilisé comme arme de chasse ou de guerre.

sage adj. *1.* Qui est raisonnable, sensé, sérieux, avisé. *Un homme sage. Une sage décision. 2* Qui est obéissant et tranquille. *Cette petite fille est sage et un peu timide.*

> En acceptant de suivre les conseils de son ami, il a agi *sagement,* de manière sage (*1*), raisonnable.

sage-femme n. f. **Plur. : des sages-femmes.** Personne dont la profession consiste à aider les femmes au moment de leur accouchement.

sagement adv. → **sage.**

sagesse n. f. *1* Qualité d'une personne sage, raisonnable, sensée. *Au lieu d'envenimer la discussion, il a eu la sagesse de se taire. 2* Comportement d'un enfant obéissant, docile, calme. *Ce petit garçon est d'une sagesse surprenante.*

Sahara

Désert d'Afrique du Nord. S'étendant de l'océan Atlantique à la mer Rouge, couvrant une superficie de plus de 8 millions de km², le Sahara est le plus grand désert du monde. C'est un désert de pierre et de sable avec, au centre, les massifs volcaniques du Hoggar (mont Tahat, 2 918 m) et du Tibesti (mont Emi Koussi, 3 415 m). Le seul fleuve est le Nil. Les autres cours d'eau (les oueds) sont temporaires. Dans la journée, la température peut dépasser 50 °C, mais les nuits sont froides (parfois au-dessous de 0 °C). Les pluies sont inférieures à 100 mm par an. La population (moins de 2 millions d'habitants) comprend des groupes nomades et des sédentaires, qui se rassemblent dans les oasis.

saignant, saignante adj. Que l'on fait très peu cuire. *Un steak saignant.*

saigner v. → conjug. **aimer.** *1* Perdre du sang. *Sa blessure n'est pas grosse, mais il saigne beaucoup.* *2* Égorger un animal et le laisser se vider de son sang. *Saigner un poulet.* *3* Se saigner : faire de très grosses dépenses. *Il s'est saigné pour payer les études de ses enfants.*

> *Il a eu un saignement de nez,* il a saigné (*1*) du nez.

saillir v. → conjug. **assaillir.** Dépasser, déborder, apparaître en relief. *Tous ses muscles saillent quand il soulève ses haltères.*

> *L'alpiniste grimpe en s'accrochant aux parties saillantes de la falaise,* aux parties qui saillent. *Les oiseaux se posent sur les pierres en saillie des murailles du château,* sur les pierres qui saillent.

sain, saine adj. *1* Qui est bon pour la santé. *Une nourriture saine. Un climat sain.* *2* Qui est en bonne santé. *Pendant l'épidémie, on a dû séparer les personnes saines des malades.* *3* Qui est normal, équilibré, raisonnable. *On peut se fier à lui, il a un jugement sain.* *4* Sain et sauf : qui est vivant et en bonne santé après avoir échappé à un danger.
Homonymes : saint, sein.

> *Avant de prendre une décision, il faut réfléchir sainement au problème,* de manière saine (*3*).

saindoux n. m. Graisse de porc fondue. *On recouvre les rillettes d'une couche de saindoux.*

sainement adv. → **sain.**

sainfoin n. m. Plante cultivée que l'on utilise comme fourrage.

saint, sainte adj. et n.
● adj. *1* Qui est sacré, appartient à la religion. *Jérusalem est une ville sainte pour les juifs, les chrétiens*

et les musulmans. *2* Qui est généreux, juste et dévoué. *Une sainte femme. Mener une vie sainte.*
● n. Personne qui, après sa mort, est reconnue comme digne d'un culte public par l'Église catholique. *La Toussaint est la fête de tous les saints.*
Homonymes : sain, sein.

Saint-Barthélemy (massacre de la)

Épisode sanglant des guerres de Religion, qui s'est déroulé à Paris dans la nuit du 23 au 24 août 1572. Il s'agit d'un massacre des protestants organisé à l'initiative de Catherine de Médicis, la reine mère, qui persuade le roi Charles IX d'en donner l'ordre, afin de contrer l'influence politique grandissante des chefs protestants, notamment de Coligny. La population catholique parisienne participe à la tuerie : plus de 3 000 protestants sont tués à Paris au cours de cette seule nuit. En province, les massacres se poursuivent jusqu'au mois d'octobre suivant.

saint-bernard n. m. inv. Chien de grande taille dressé pour rechercher les personnes disparues en montagne.

Saint-Brieuc

Ville française de la Région Bretagne, située à proximité de la Manche. Saint-Brieuc est un grand centre administratif, commercial et industriel (accessoires automobiles et agroalimentaire). Le tourisme est également bien développé. La ville abrite la cathédrale Saint-Étienne (XIVe-XVe siècles) ainsi que des maisons des XVe et XVIe siècles. Saint-Brieuc a pour origine un monastère fondé au VIe siècle par un moine gallois, saint Brieuc, qui fuyait les Saxons.

22
Préfecture des Côtes-d'Armor
48 895 habitants : les Briochins

Saint-Denis

Ville française de la Région Île-de-France, située dans la banlieue parisienne. Saint-Denis est célèbre pour sa magnifique église de style gothique des XIIe et XIIIe siècles. Après les premiers rois francs, Dagobert et Pépin le Bref, la plupart des rois de France y sont enterrés.
L'église, restaurée au XIXe siècle, devient une cathédrale en 1966.

Saint-Denis

Saint-Denis

Ville française de la côte nord de l'île de la Réunion située à l'embouchure de la rivière Saint-Denis. La vieille ville conserve des bâtiments de la Compagnie des Indes orientales et les anciennes villas créoles des propriétaires de plantations de café et de canne à sucre. Dans le jardin botanique, vieux de plus de deux siècles, de nombreuses variétés tropicales ont été acclimatées.
La présence d'une église catholique, d'un temple chinois, d'une mosquée et d'un temple hindou témoigne de la diversité de la population de Saint-Denis. Fondée il y a trois siècles, c'est la plus grande ville française d'outre-mer.

974 **Préfecture de la Réunion**
132 573 habitants : les Dyonisiens

Sainte-Lucie

République des Petites Antilles, située dans la mer des Caraïbes. L'île de Sainte-Lucie, d'origine volcanique, est montagneuse et très boisée. Le climat est tropical. L'économie repose sur l'agriculture (bananes, mangues, noix de coco…), la pêche et le tourisme. L'île fut découverte par Christophe Colomb en 1502. Disputée entre les Français et les Anglais dès le XVIIᵉ siècle, puis colonie britannique à partir de 1814, Sainte-Lucie devient indépendante en 1979. Elle est membre du Commonwealth.

620 km²
148 000 habitants : les Saint-Luciens
Langues : anglais, créole
Monnaie : dollar des Caraïbes
Capitale : Castries

sainte–nitouche n. f. **Plur. : des saintes-nitouches.** Personne hypocrite qui fait semblant d'être innocente, naïve.

sainteté n. f. **1** Caractère de ce qui est saint, sacré. *La sainteté d'un lieu de prières.* **2** *Sa Sainteté* : titre que l'on donne au pape.

Saint-Étienne

Ville française de la Région Rhône-Alpes, située sur les bords du Gier et du Furan. Saint-Étienne est un centre industriel et universitaire, siège de nombreuses entreprises. La ville abrite une église du XIVᵉ siècle et deux importants musées : un d'Art et d'Industrie, et un d'Art moderne. Elle doit son développement aux manufactures et industries qui s'y sont installées à partir du XVIᵉ siècle.

42 **Préfecture de la Loire**
183 522 habitants : les Stéphanois

Saint-Exupéry Antoine de

Aviateur et écrivain français né en 1900 et mort en 1944. Saint-Exupéry devient pilote de ligne en 1926. L'aviation est au centre de sa vie et de son œuvre littéraire. Dans ses romans, *Courrier Sud* (1928), *Vol de nuit* (1931), *Terre des hommes* (1939), il raconte ses expériences et s'interroge sur le sens de la vie et le bonheur que l'on trouve dans le dépassement de soi, l'amitié et la solidarité. En 1943, il publie *le Petit Prince*, un récit symbolique sur les vertus de l'esprit, de l'amour et de la fraternité. Saint-Exupéry disparaît à bord de son avion en 1944.

Saint-Kitts-et-Nevis

Fédération des Petites Antilles, située dans la mer des Caraïbes. Saint-Kitts-et-Nevis regroupent deux îles d'origine volcanique : Saint-Kitts, ou Saint-Christophe, et Nevis. Le climat est tropical humide. L'économie repose essentiellement sur les cultures et le tourisme. Sous domination britannique à partir de 1783, la fédération de Saint-Kitts-et-Nevis est indépendante depuis 1983. Elle est membre du Commonwealth.

267 km²
38 000 habitants : les Kittitiens et Néviciens
Langue : anglais
Monnaie : dollar des Caraïbes
Capitale : Basseterre

Saint-Laurent

Fleuve d'Amérique du Nord. Long de 1 140 km, le Saint-Laurent naît dans la région des Grands Lacs et se jette dans l'océan Atlantique (golfe du Saint-Laurent) par un vaste estuaire. Il forme la frontière entre le Canada et les États-Unis sur une partie de son cours. Au Canada, il arrose les villes de Montréal et de Québec. Le Saint-Laurent est aménagé pour la navigation, mais son cours supérieur n'est pas praticable en hiver, car il est pris dans les glaces.

Saint-Lô

Ville française de la Région Basse-Normandie, située sur les bords de la Vire. Saint-Lô est un centre agricole et industriel. Sa cathédrale gothique (XIVe siècle) et ses remparts du Moyen Âge ont été restaurés.

La ville prend le nom de Saint-Lô au VIe siècle. Au temps des guerres de Religion, cité protestante, elle connaît de nombreux troubles. Elle est presque entièrement détruite lors de la Seconde Guerre mondiale.

50

Préfecture de la Manche
21 585 habitants : les Saint-Lois

Saint Louis → Louis IX.

Saint-Marin

République d'Europe enclavée dans l'Italie du Nord. Saint-Marin, l'un des plus petits États du monde, appartient à la chaîne italienne des Apennins.

Le climat est méditerranéen. L'économie est essentiellement basée sur le tourisme. Saint-Marin est autonome vers le Xe siècle. C'est une république indépendante depuis le XIIIe siècle.

61 km²
27 000 habitants :
les Saint-Marinais
Langue : italien
Monnaie : euro
(ex-lire italienne)
Capitale : Saint-Marin

Saint-Pétersbourg

Ville du nord-ouest de la Russie, située à l'embouchure de la Neva. À cause de ses nombreux canaux et ponts, on appelle souvent Saint-Pétersbourg la « Venise du Nord ». C'est l'un des premiers ports maritimes et fluviaux de Russie, et son plus grand centre industriel. Cité culturelle, la ville abrite de splendides musées, des centres de recherche, des théâtres et plusieurs palais du XVIIIe siècle. Fondée en 1703 par le tsar Pierre le Grand, elle devient capitale de la Russie en 1712. Elle est rebaptisée Petrograd en 1914 et perd son statut de capitale en 1918, au profit de Moscou. Puis, en 1924, elle reçoit le nom de Leningrad avant de redevenir Saint-Pétersbourg en 1991.

Saint-Pierre de Rome

Basilique située dans la cité du Vatican. Saint-Pierre de Rome, la plus vaste des églises chrétiennes, renferme de nombreuses œuvres d'art de la Renaissance. Pouvant accueillir 80 000 personnes, elle est le lieu de grandes cérémonies célébrées par le pape. L'actuelle basilique est bâtie, de 1506 à 1626, sur les lieux présumés du tombeau de Saint-Pierre, l'apôtre du Christ.

Saint-Vincent-et-les-Grenadines

République des Petites Antilles, située dans la mer des Caraïbes. Saint-Vincent-et-les Grenadines est un archipel. L'île de Saint-Vincent, qui abrite la capitale, est montagneuse, d'origine volcanique. Les îles et îlots des Grenadines sont coralliens. Le climat est tropical, tempéré par les alizés. L'économie repose essentiellement sur l'agriculture et le tourisme. Sous domination britannique à partir de la fin du XVIIIe siècle, Saint-Vincent-et-les-Grenadines est indépendant et membre du Commonwealth depuis 1979.

388 km²
119 000 habitants :
les Saint-Vincentais-
et-Grenadins
Langue : anglais
Monnaie : dollar des
Caraïbes orientales
Capitale : Kingstown

saisie n. f. **1** Confiscation des biens d'une personne. *Si vous ne payez pas vos dettes, la justice peut ordonner la saisie de vos meubles.* **2** Enregistrement de données dans la mémoire d'un ordinateur.

saisir v. → conjug. **finir.** **1** Prendre, attraper rapidement ou fermement. *Il m'a saisi le bras pour m'empêcher de tomber.* **2** Mettre immédiatement à profit, ne pas manquer. *Saisir une occasion.* **3** Comprendre, percevoir. *Je n'ai pas saisi ce que tu viens de dire.* **4** Surprendre brutalement et désagréablement. *En sortant, le froid nous a saisis. Être saisi de peur.* **5** Procéder à la saisie d'un bien. *Si vous ne payez pas vos dettes, la justice peut saisir vos meubles.* **6** Effectuer la saisie de données dans la mémoire d'un ordinateur. *Il a saisi le texte de son exposé.* **7** *Se saisir de quelque chose :* s'en emparer. *Les rebelles se sont saisis des armes des policiers.*
Synonyme : empoigner (1).

saisissant, ante adj. Qui produit une forte impression. *Un spectacle saisissant.*
Synonyme : frappant.

saisissement n. m. Impression violente et soudaine causée par une émotion, une sensation.

saison n. f. **1** Chacune des quatre parties de l'année. *Les quatre saisons sont le printemps, l'été, l'automne et l'hiver.* **2** Période de l'année où l'on pratique une activité. *La saison de ski. La saison des vendanges.*

saisonnier, ère adj. et n. m.
• adj. Qui ne se pratique qu'à certaines périodes de l'année. *Cette compagnie aérienne propose des tarifs saisonniers intéressants.*
• n. m. Ouvrier qui fait un travail saisonnier. *Être saisonnier pour les vendanges.*

Laitue.

Romaine.

salade n. f. **1** Plante dont on mange les feuilles crues. *La laitue et la romaine sont des salades.* **2** Préparation faite d'un mélange d'aliments servis froids et assaisonnés. *Une salade de riz.* **3** *Salade de fruits :* mélange composé de fruits coupés en morceaux. *Un saladier* est un plat creux pour servir les salades.

salaire n. m. Somme d'argent versée régulièrement à quelqu'un pour son travail. *Les employés réclament une augmentation de leur salaire.*
La masse salariale d'une entreprise, c'est le montant total des salaires que l'entreprise verse. *La grève a pris fin à la suite d'un accord entre la direction et les salariés,* les employés de l'usine qui reçoivent un salaire. *Il y a eu de nombreuses discussions entre le patronat et le salariat,* entre les patrons et l'ensemble des salariés.

salaisons n. f. pl. Aliments que l'on a salés pour pouvoir les conserver.

salamandre n. f. Petit amphibien dont le corps ressemble à celui d'un lézard.

Les salamandres mesurent entre 8 cm et 30 cm de longueur. Leur peau, lisse et souple, est de couleur variable selon les espèces. Elles se nourrissent d'insectes, de limaces, de vers, d'escargots. La plupart pondent des œufs qui se développent dans l'eau.

salami n. m. Gros saucisson sec.

salant adj. m. *Marais salant :* bassin peu profond situé près des côtes et où l'on récolte le sel marin qui s'est déposé après évaporation de l'eau de mer.
Synonyme : saline.

salarial, ale, aux adj., **salariat** n. m., **salarié** adj. et n. → **salaire.**

sale adj. **1** Couvert de poussière, de crasse, de taches. *Avoir les mains sales. Du linge sale.* **2** Familier. Qui est très désagréable, détestable. *Un sale temps. Un sale individu. Une sale blague.*
Synonyme : malpropre (1). Contraire : propre (1). Homonyme : salle.
Il mange salement, de manière sale (1). *La boue a sali nos vêtements,* les a rendus sales (1).

salé, ée adj. et n. m.
• adj. Qui contient du sel, qui est assaisonné avec du sel. *L'eau de mer est salée. Une sauce salée et poivrée.*
• n. m. Viande de porc salée.

salement adv. → **sale.**

saler v. → conjug. **aimer.** **1** Assaisonner avec du sel. *Salez et poivrez un rôti.* **2** Imprégner de sel des aliments pour les conserver. *Saler du poisson.*

saleté n. f. **1** État de ce qui est sale. *Il porte des vêtements d'une saleté répugnante.* **2** Chose sale. *Cette plage est couverte de saletés.*

salière n. f. Petit récipient contenant du sel.

salin, ine adj. et n. f.
• adj. Qui contient du sel, qui est formé de sel. *De l'eau saline. Une roche saline.*
• n. f. Marais salant.

salir v. → sale.

salissant, ante adj. *1* Qui salit. *Les travaux de jardinage sont salissants. 2* Qui se salit facilement. *Les tee-shirts blancs sont salissants.*

salive n. f. Liquide qui est présent dans la bouche et qui aide à digérer les aliments.

Les glandes salivaires sont les glandes qui sécrètent la salive. La délicieuse odeur de la viande rôtie le fait saliver, sécréter de la salive.

salle n. f. *1* Pièce d'une habitation. *Une salle à manger. Une salle de bains. 2* Grand local destiné à tel ou tel usage. *Une salle de cinéma. Une salle d'opération.*
Homonyme : sale.

Salomon

Roi des Hébreux, né vers 970 et mort vers 931 av. J.-C. Salomon est le fils du roi David. Son règne est une période de paix et de prospérité. Il développe le commerce et les échanges culturels avec les peuples voisins. Il fait construire de somptueuses demeures et, surtout, le Temple de Jérusalem. Sa sagesse est légendaire ; la reine de Saba serait venue d'Arabie lui demander conseil.

Salomon (îles)

République de l'océan Pacifique, située au nord-est de l'Australie. Les îles Salomon sont composées de plusieurs centaines d'îles d'origine volcanique. Le climat est tropical, chaud et très humide. L'économie repose sur l'agriculture, la pêche et l'exploitation des forêts. Sous domination britannique à partir de 1899, les îles Salomon sont indépendantes et membres du Commonwealth depuis 1978.

28 900 km²
463 000 habitants :
les Salomonais
Langues : pidgin mélanésien, anglais
Monnaie : dollar des Salomon
Capitale : Honiara

salon n. m. *1* Pièce prévue pour recevoir des invités. *2* Avec une majuscule : exposition. *Le Salon du livre. Le Salon de l'agriculture. 3* Salon de coiffure : boutique tenue par un coiffeur. *4* Salon de thé : endroit où l'on peut consommer des pâtisseries et des boissons.

salopette n. f. Vêtement d'une seule pièce comprenant un pantalon et un haut à bretelles.

salpêtre n. m. Poudre blanche qui se forme sur les murs humides.

salsifis n. m. Plante dont les longues racines charnues sont comestibles.

saltimbanque n. Personne qui fait des acrobaties, dans les foires et les endroits publics.

salubre adj. Qui est sain, bon pour la santé.
Contraires : insalubre, malsain.

Faire des enquêtes pour évaluer la salubrité d'un quartier, son caractère salubre.

saluer v. → conjug. **aimer.** *1* Faire un salut à une personne que l'on rencontre. *Il m'a salué quand il m'a croisé dans la rue. 2* Accueillir de telle ou telle façon. *Saluer un homme politique par des acclamations.*

salut n. m. *1* Geste ou parole de politesse pour dire bonjour ou au revoir à quelqu'un. *Il nous a fait un salut de la main en partant. 2* Fait d'échapper à un danger, à la mort. *Il n'a dû son salut qu'à son courage.*

salutaire adj. Qui a un effet bienfaisant. *Il est épuisé, un peu de repos lui serait salutaire.*
Synonyme : bénéfique.

salutations n. f. pl. Formule de politesse que l'on utilise à la fin d'une lettre. *Je vous prie d'agréer mes sincères salutations.*

Salvador (Le)

République d'Amérique centrale, ouverte au sud sur l'océan Pacifique. Le Salvador est composé de massifs volcaniques. Le climat est tropical. L'économie repose sur l'agriculture. Sous domination espagnole à partir du XVIe siècle, le Salvador devient indépendant en 1821. Son histoire est marquée par des dictatures et une longue guérilla jusqu'en 1992.

21 040 km²
6 415 000 habitants :
les Salvadoriens
Langues : espagnol, nahuatlpipil
Monnaies : colón et dollar des États-Unis
Capitale : San Salvador

salve n. f. Ensemble de coups de canon ou de coups de feu qui sont tirés en même temps.

samba n. f. Danse populaire brésilienne.

samedi n. m. Sixième jour de la semaine, qui suit le vendredi. *Ils sortent ensemble tous les samedis.*

Samoa

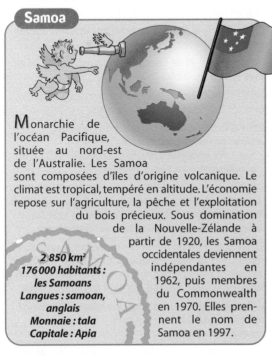

Monarchie de l'océan Pacifique, située au nord-est de l'Australie. Les Samoa sont composées d'îles d'origine volcanique. Le climat est tropical, tempéré en altitude. L'économie repose sur l'agriculture, la pêche et l'exploitation du bois précieux. Sous domination de la Nouvelle-Zélande à partir de 1920, les Samoa occidentales deviennent indépendantes en 1962, puis membres du Commonwealth en 1970. Elles prennent le nom de Samoa en 1997.

2 850 km²
176 000 habitants :
les Samoans
Langues : samoan,
anglais
Monnaie : tala
Capitale : Apia

samouraï n. m. Autrefois, au Japon, guerrier qui était au service d'un seigneur.
Mot japonais qui se prononce [samuʀaj].

Du XIIe au XVIIe siècles, les samouraïs sont au service des *daimyos*, anciens seigneurs féodaux du Japon. Ils sont à la fois cultivateurs et soldats. Ils forment ensuite une caste militaire uniquement destinée au métier des armes. Ils portent une armure, deux sabres, et obéissent à un code d'honneur, le *bushido* (voie des guerriers), qui les oblige à se donner la mort en cas de non-respect de ce code. La caste des samouraïs est abolie à la fin du XIXe siècle.

sanction n. f. **1** Punition infligée à quelqu'un qui ne respecte pas la loi, le règlement. *En cas d'indiscipline, les sanctions sont sévères.* **2** Fait d'approuver, de confirmer de façon officielle. *La sanction d'une loi, d'une décision.*

sanctionner v. → conjug. **aimer.** **1** Punir par une sanction. *Sanctionner un délit.* **2** Confirmer quelque chose de manière officielle. *Cette décision a été sanctionnée par un vote.*

sanctuaire n. m. Édifice sacré, lieu saint.

Sand George

Romancière française née en 1804 et morte en 1876. Son vrai nom est Aurore Dupin. Son premier roman, *Indiana*, publié sous le nom de George Sand en 1832, la fait reconnaître par la critique. Elle écrit ensuite *Valentine* (1832), puis *Lélia* (1833). Dans ces romans, elle revendique le droit à la liberté et dénonce l'hypocrisie de la société, en particulier face au mariage. Ses écrits font scandale, tout comme sa tenue : elle porte le pantalon et fume la pipe ! Elle affiche ses liaisons, entre autres avec le poète Alfred de Musset et avec le compositeur Frédéric Chopin. George Sand est l'auteur d'une œuvre importante. On y trouve notamment des romans sociaux (*le Compagnon du tour de France*, 1840 ; *Consuelo*, 1842-1843) et des romans « champêtres » (*la Mare au diable*, 1846 ; *la Petite Fadette*, 1849 ; *les Maîtres sonneurs*, 1853). Elle publie sa biographie, *Histoire de ma vie*, en 1854-1855.

sandale n. f. Chaussure légère faite d'une semelle retenue au pied par des lanières. *Des sandales de cuir, de toile.*
    Quand il fait chaud, elle aime porter des sandalettes, des sandales légères.

sandre n. m. Poisson qui vit dans les rivières et les lacs d'Europe et dont la chair comestible est très appréciée.

Le sandre peut atteindre 1 mètre de longueur. On le pêche à la ligne ou au lancer. C'est également un poisson d'élevage.

sandwich n. m. **Plur. : des sandwichs ou des sandwiches.** Tranches de pain entre lesquelles on met du fromage, du saucisson, de la salade, etc.
Mot anglais qui se prononce [sɑ̃dwiʃ].

San Francisco

Ville des États-Unis, située dans le nord de la Californie, au bord de l'océan Pacifique. Port et centre industriel développé, San Francisco est également une grande place financière. La ville est célèbre pour la beauté de sa baie et pour son site pittoresque, une succession de collines boisées dominant l'océan. Elle possède l'un des ponts suspendus les plus longs du monde, le pont du Golden Gate.

sang n. m. *1* Liquide rouge qui circule dans les artères et les veines à travers tout l'organisme. *Faire une transfusion de sang. Une tache de sang. 2 Son sang n'a fait qu'un tour :* il a réagi violemment à une forte émotion. *3 Se faire du mauvais sang :* s'inquiéter, s'angoisser, se tourmenter.
Homonymes : cent, sans.

> On lui a fait une transfusion *sanguine,* de sang. *Une bande de pillards menée par un chef* sanguinaire, qui aime répandre le sang, cruel. *Du pus* sanguinolent *s'écoulait de sa blessure,* mêlé de sang.

Regarde page suivante.

sang-froid n. m. Maîtrise de soi, présence d'esprit. *Face au danger, il a gardé son sang-froid.*

sanglant, ante adj. *1* Qui est taché, couvert de sang. *Des vêtements sanglants. Un poignard sanglant. 2* Qui fait couler le sang de nombreuses personnes. *Une lutte sanglante.*
Synonymes : ensanglanté (*1*), meurtrier (*2*).

sangle n. f. Bande large et plate, en cuir, en tissu épais, pour attacher, pour serrer. *La selle d'un cheval est maintenue par des sangles.*

sanglier n. m. Porc sauvage dont le corps est couvert de poils raides et durs. *La laie est la femelle du sanglier.*

sanglot n. m. Respiration saccadée et bruyante d'une personne qui pleure. *Éclater en sanglots.*

> En apercevant sa mère, il s'est arrêté de *sangloter,* pleurer avec des sanglots.

sangria n. f. Boisson à base de vin rouge dans lequel on fait macérer des fruits et du sucre.

sangsue n. f. Ver vivant dans les eaux stagnantes.
On prononce [sãsy].

Le corps de la sangsue est composé d'anneaux et possède une ventouse à chaque extrémité. Elle mesure de quelques millimètres à plus de 20 cm selon les espèces. Les sangsues vivent généralement dans les eaux douces ou marines ; certaines se ren-contrent dans les arbres des forêts tropicales. La plupart se nourrissent du sang des vertébrés. Elles peuvent en absorber plusieurs fois leur poids et ensuite jeûner pendant

une longue période. Les médecins utilisaient autrefois des sangsues pour réaliser des saignées (prélever le sang des malades).

sanguin, ine adj., **sanguinaire** adj., **sanguinolent, ente** adj. → **sang.**

sanitaire adj. *1* Qui concerne la santé, l'hygiène. *Des règles sanitaires strictes. 2 Appareil sanitaire :* appareil qui est relié à une installation d'eau courante. *Les lavabos, les toilettes, les baignoires sont des appareils sanitaires.*

sans prép. et conj.
• prép. Exprime le manque, l'absence. *Je viendrai sans mon frère. Elle écoute sans rien comprendre.*
Homonymes : cent, sang.
• conj. *Sans que :* de manière qu'une chose ne se produise pas. *Cette décision a été prise sans que j'en sois averti.*

sans-abri n. inv. Personne qui est sans logement. *Les bombardements ont fait des milliers de sans-abri.*

sans cesse adj. Sans arrêt, continuellement. *Le bébé a pleuré sans cesse cette nuit.*

sans-culotte n. m. **Plur. : des sans-culottes.** Nom donné aux révolutionnaires parisiens pendant la Révolution française.

Les sans-culottes sont appelés ainsi car ils portent un pantalon à rayures, et non la culotte, pantalon court des nobles et des bourgeois. Ce sont des gens du peuple, artisans, ouvriers, travailleurs manuels. Ils sont souvent chaussés de sabots, portent la blouse, le gilet et le bonnet phrygien. Ils sont armés d'une pique et parfois d'un sabre.

sans-faute n. m. inv. Épreuve parfaitement réussie, sans aucune faute. *En course d'obstacles, ce coureur a réalisé un sans-faute.*

sans-gêne adj. inv. et n. m. inv.
• adj. inv. Qui ne se gêne pas pour faire ce qu'il veut sans tenir compte des autres. *Arrêtez de bavarder pendant le spectacle, vous êtes vraiment sans-gêne.*
• n. m. inv. Comportement d'une personne qui ne se gêne pas pour les autres.

le sang

Le sang entretient la vie. Il assure le fonctionnement des organes en leur apportant l'énergie nécessaire et il les débarrasse des déchets qu'ils produisent.

composition

■ Le sang est composé d'un liquide incolore, le plasma, de globules rouges qui lui donnent sa couleur, de globules blancs qui assurent la défense de l'organisme et de plaquettes qui assurent la coagulation.

la circulation

■ Le sang est transporté dans le corps par des vaisseaux sanguins : les artères, les veines et les capillaires. La circulation du sang est assurée par le cœur, un muscle creux qui joue le rôle de pompe. Le cœur aspire et refoule le sang en moyenne 70 fois par minute chez une personne au repos (ce sont les battements du cœur).

■ La circulation sanguine est double : il existe une circulation artérielle et une circulation veineuse. Le sang se charge d'oxygène dans les poumons. Il est alors rouge clair et rejoint la partie gauche du cœur. Celle-ci le propulse dans tout le corps par la circulation artérielle (artères, artérioles, capillaires).

■ Au niveau des capillaires, les cellules du corps prélèvent les nutriments et rejettent les déchets. Les capillaires transportent le sang chargé de déchets jusqu'aux veinules, puis aux veines. Cette circulation veineuse apporte le sang (alors rouge foncé) jusqu'à la partie droite du cœur. Celui-ci se contracte et propulse le sang vers les poumons, où il s'oxygène à nouveau. Le cycle recommence.

partie droite du cœur

partie gauche du cœur

sang désoxygéné

sang oxygéné

alimentation, élimination

■ Le sang transporte vers les différentes parties de notre corps les « nutriments », c'est-à-dire les aliments digérés récupérés à travers les parois de l'intestin ainsi que l'oxygène absorbé au niveau des poumons.

■ Dans le même temps, il évacue vers l'extérieur les déchets produits par les organes. Ainsi, le dioxyde de carbone est rejeté par les poumons, l'urine par les reins et la sueur par la peau.

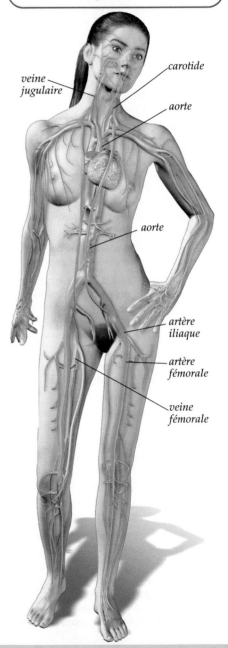

veine jugulaire

carotide

aorte

aorte

artère iliaque

artère fémorale

veine fémorale

sansonnet n. m. Étourneau.

sans-papiers n. Personne qui ne possède pas de papiers d'identité.

santal n. m. Arbuste d'Asie du Sud-Est dont le bois odorant est utilisé en parfumerie et en ébénisterie.

santé n. f. *1* Bon état physique. *Le grand air est excellent pour la santé.* *2* État, bon ou mauvais, de l'organisme. *Avoir une santé délicate.*

santon n. m. Petit personnage de terre cuite qui orne les crèches de Noël, en Provence.

São Tomé et Prìncipe

République de l'océan Atlantique, située dans le golfe de Guinée, au large de la côte ouest de l'Afrique. São Tomé et Prìncipe est un archipel formé d'îles montagneuses d'origine volcanique. Le climat est tropical, tempéré en altitude. L'économie repose essentiellement sur les cultures et la pêche. Colonie portugaise à partir de 1522, São Tomé et Prìncipe est indépendant depuis 1975.

960 km²
157 000 habitants :
les Santoméens
Langues : portugais,
créole, ngola
Monnaie : dobra
Capitale : São Tomé

saoul, e adj. → **soûl.**

saouler v. → **soûler.**

saper v. → conjug. **aimer.** Creuser, user à la base d'une chose. *La mer sape les falaises.*

sapeur-pompier n. m. Plur. : des sapeurs-pompiers. Pompier.

saphir n. m. Pierre précieuse de couleur bleue. *Le saphir de sa bague a de très beaux reflets.*

sapin n. m. Arbre résineux dont les feuilles persistantes sont en forme d'aiguilles.

Le sapin est un arbre au tronc droit, qui peut dépasser 40 m de hauteur. Il pousse d'abord très lentement, plus vite ensuite et peut vivre plusieurs centaines d'années. Sur le même arbre, on trouve des cônes mâles et des cônes femelles qui, après la fécondation, renferment les graines. Il existe plus d'une vingtaine d'espèces de sapins. Leur bois est utilisé en charpente et en menuiserie.

Sapin de Douglas.

sarabande n. f. Agitation désordonnée et bruyante. *Les enfants, excités, font la sarabande.*

sarbacane n. f. Tuyau dans lequel on souffle pour lancer de petits projectiles, fléchettes ou boulettes en terre cuite.

La sarbacane est constituée d'un long tube, généralement en roseau ou en bambou. Arme de chasse ou de guerre, elle est surtout utilisée par les tribus d'Amazonie et les Malais d'Indonésie. Les fléchettes sont généralement enduites de poison destiné à paralyser les proies.

sarcasme n. m. Moquerie blessante, raillerie. *Il ne peut plus supporter les sarcasmes.*
   Faire une remarque sarcastique, pleine de sarcasmes.

sarcelle n. f. Canard sauvage de petite taille.

sarcler v. → conjug. **aimer.** Arracher les mauvaises herbes à l'aide d'un outil. *Sarcler un champ.*

sarcophage n. m. Cercueil de pierre.

Le sarcophage est généralement fait d'un seul bloc. Il est utilisé dans l'Antiquité, en Asie, en Égypte, en Crète, chez les Grecs et les Romains. On le trouve aussi au début du Moyen Âge et dans les civilisations précolombiennes d'Amérique du Sud. Les sarcophages sont souvent ornés de peintures ou de sculptures.

Sarcophage du pharaon égyptien Toutankhamon.

sardine n. f. Petit poisson de mer au ventre argenté.

sardonique adj. Qui exprime une moquerie froide et méchante. *Un rire sardonique.*

sari n. m. En Inde, costume fait d'une grande pièce d'étoffe que les femmes portent drapée autour du corps.

sarment n. m. Petite branche de vigne qui pousse chaque année et qui porte les grappes de raisin.

sarrasin n. m. Céréale à petites graines. *Des galettes à la farine de sarrasin.*
Synonyme : blé noir.

Sartre Jean-Paul

Écrivain et philosophe français né en 1905 et mort en 1980. Professeur de philosophie, Sartre publie des essais et des romans qui le rendent célèbre. *La Nausée* (1938), où son héros s'interroge sur la raison de l'existence de l'homme, illustre sa théorie de l'« existentialisme ». Il développe ce thème dans ses autres œuvres, à l'occasion des événements de son époque (Résistance, Collaboration, racisme, mouvements politiques). *Le Mur* (1939), *l'Être et le Néant* (1943), ses pièces de théâtre, *les Mouches* (1943), *Huis clos* (1944) font de lui un des plus importants représentants de la philosophie moderne. À partir de 1945, il se consacre uniquement à la littérature et écrit notamment *les Mains sales* (1948) et *le Diable et le Bon Dieu* (1951). Sartre refuse le prix Nobel de littérature en 1964.

sas n. m. Petit espace fermé par deux portes étanches permettant le passage entre deux milieux dans lesquels les pressions sont différentes.
On prononce [sas].

satané, ée adj. Familier. Terrible, épouvantable, abominable. *Nous avons failli nous perdre à cause de ce satané brouillard !*

satanique adj. Qui semble inspiré par le diable. *Une invention satanique. Une ruse, un rire sataniques.*
Synonymes : démoniaque, diabolique.

satellite n. m. *1* Astre qui est en orbite autour d'une planète. *La Lune est le satellite de la Terre. 2* Engin placé en orbite autour de la Terre à l'aide d'une fusée. *Un satellite de télécommunications.*

Un satellite est un corps naturel ou artificiel qui tourne en orbite autour d'une étoile ou d'une planète. Les planètes du système solaire (la Terre, Vénus, Saturne, Mars…) sont des satellites naturels du Soleil. La Lune est le satellite naturel de la Terre. Un satellite artificiel est un engin lancé par l'homme dans l'espace, pour se placer sur orbite autour d'un astre. Les satellites mis sur orbite autour de la Terre servent aux observations scientifiques (météorologie, aide à la navigation…), aux observations militaires (surveillance des territoires) et aux télécommunications. Le premier satellite artificiel, *Spoutnik 1*, a été lancé par l'Union soviétique le 4 octobre 1957.

Spoutnik 1, premier satellite artificiel.

Satie Erik

Compositeur français né en 1866 et mort en 1925. Satie est considéré comme l'un des précurseurs de deux mouvements artistiques du début du XXᵉ siècle rompant avec les conventions, le dadaïsme et le surréalisme. Pianiste de cabaret à Montmartre, il compose de nombreuses pièces pour piano, dont les *Gymnopédies* (1888), les *Gnossiennes* (1890), *Trois Morceaux en forme de poire* (1890-1903). À l'âge de quarante ans, il reprend ses études de musique, puis écrit de nouvelles compositions pour piano aux titres surréalistes, tels les *Véritables Préludes flasques (pour un chien)* (1913).

satiété n. f. *À satiété :* jusqu'à ce que l'on soit rassasié. *Ils ont bu et mangé à satiété.*
On prononce [sasjete].

satin n. m. Étoffe brillante, lisse et douce au toucher. *Une jupe en satin blanc.*
De la peinture *satinée,* c'est de la peinture lisse et brillante comme du satin.

satire n. f. Critique qui ridiculise quelqu'un ou quelque chose. *Son dernier roman est une satire de la vie politique.*
Un journaliste *satirique* est un journaliste qui écrit des articles sous la forme de satires.

satisfaction n. f. *1* Sentiment de contentement que l'on éprouve quand tout se déroule comme on le souhaitait. *Il a réussi son examen à la grande satisfaction de ses parents. 2* Obtenir satisfaction : réussir à avoir ce que l'on demandait.

satisfaire v. → conjug. **faire**. *1* Apporter de la satisfaction. *Cette solution satisfait tout le monde.* *2* Contenter, exaucer. *Elle satisfait tous les désirs de ses enfants.* *3* Correspondre exactement ou faire exactement ce qu'il faut. *Pour faire partie de ce club, vous devez satisfaire à certaines obligations.*
> Les professeurs trouvent ton travail *satisfaisant,* il les satisfait (*1*). *Il est très satisfait de ses vacances,* elles l'ont satisfait (*1*), il en est très content.

saturé, ée adj. *1* Qui est complètement rempli par quelque chose. *Ces vieux murs sont saturés d'humidité.* *2* Qui est lassé, écœuré, dégoûté. *Je ne supporte plus la télévision, je suis saturé.*
> Il y a trop de voitures, le centre-ville arrive à *saturation,* il est saturé (*1*).

Saturne

Divinité de la mythologie romaine, dieu des Semailles. Il est l'équivalent de Cronos dans la mythologie grecque. Selon la légende, Saturne est chassé du ciel par son fils Jupiter ; il s'installe en Italie, où il fait régner la paix et l'abondance. À Rome, des fêtes, les saturnales, sont organisées en son honneur en décembre : pendant sept jours, le temps est consacré aux réjouissances, aux banquets, aux échanges de cadeaux. Les esclaves jouissent d'une certaine liberté et sont servis par leurs maîtres.
Saturne est aussi le nom d'une planète.
***Regarde aussi* Soleil.**

---

sauce n. f. Préparation liquide qui accompagne un plat. *Des pâtes à la sauce tomate. Une sauce à la crème fraîche, au curry, au vin blanc.*
> *Saucer son assiette,* finir la sauce qui reste dans son assiette en se servant d'un morceau de pain. *Une saucière* est un petit récipient dans lequel on sert une sauce.

saucisse n. f. Charcuterie faite de viande hachée, présentée en forme de rouleau, qui se mange chaude. *Des saucisses grillées.*

saucisson n. m. Sorte de saucisse, cuite ou séchée, qui se mange froide.

1. sauf prép. Excepté, hormis. *Il aime tous les légumes sauf les carottes.*

2. sauf, sauve adj. *Avoir la vie sauve :* échapper à la mort.

sauge n. f. Plante aromatique.

D'une taille de 20 à 80 cm en moyenne, la sauge porte des feuilles vert blanchâtre à l'aspect laineux et au parfum agréable. Les fleurs de couleur violette sont groupées en épis au sommet de la tige. Ses feuilles sont utilisées pour parfumer les viandes, les sauces, les vinaigres. Elle est aussi connue depuis l'Antiquité pour ses propriétés médicinales. Elle est notamment consommée en infusion pour faciliter la digestion.

saugrenu, ue adj. Qui semble surprenant, absurde, bizarre. *Il a souvent des idées saugrenues. Une invention saugrenue.*

saule n. m. Arbre aux branches souples, qui pousse dans les lieux humides.

Il existe de très nombreuses espèces de saules. Le saule blanc des régions tempérées peut atteindre 20 m de hauteur et vivre plus de cent ans. Ses branches portent des feuilles caduques longues et étroites. Le saule pleureur, aux longs rameaux retombants, est un arbre d'ornement. Les fins rameaux des saules sont souvent utilisés comme osier pour la fabrication de paniers. L'écorce contient une substance proche de l'aspirine.

saumâtre adj. Qui a le goût salé de l'eau de mer. *Une eau saumâtre.*

saumon n. m. Poisson à la chair rose qui vit en mer et remonte les fleuves ou les rivières pour pondre ses œufs en eau douce.

saumure n. f. Liquide très salé dans lequel on met certains aliments pour les conserver. *Des anchois conservés dans un bain de saumure.*

sauna n. m. Salle aménagée spécialement pour prendre des bains de vapeur.

saupoudrer v. → conjug. **aimer**. Verser une substance en poudre sur un aliment. *Une brioche saupoudrée de sucre.*

saur adj. m. *Hareng saur :* hareng salé et fumé.

saurien n. m. Reptile dont le corps est couvert d'écailles. *Les crocodiles, les alligators et les iguanes sont des sauriens.*

saut n. m. **1** Mouvement par lequel on se projette vers le haut, en s'élevant au-dessus du sol. *Il a franchi la barrière d'un saut.* **2** Visite rapide. *Je ferai un saut chez toi avant le dîner.* **3** *Saut périlleux :* acrobatie qui consiste à faire un tour complet sur soi-même en sautant.
Homonymes : sceau, seau, sot.
> Un *sauteur* à la perche est un athlète qui pratique le saut (**1**) à la perche. *Des oiseaux* sautillent *sur la pelouse,* ils font des petits sauts (**1**).

saute n. f. Changement brusque. *Une saute de vent. Avoir des sautes d'humeur.*

saute-mouton n. m. Jeu qui consiste à sauter par-dessus une personne courbée en avant, en appuyant les mains sur son dos. *Jouer à saute-mouton.*

sauter v. → conjug. **aimer.** **1** Faire un saut, des sauts. *Sauter par-dessus un obstacle. Sauter à pieds joints.* **2** Se jeter dans le vide. *Il a sauté d'un rocher. Sauter en parachute.* **3** S'élancer. *Il a sauté au cou de sa mère. L'animal lui a sauté à la gorge.* **4** Exploser. *Les rebelles ont fait sauter plusieurs bâtiments à la dynamite.* **5** Omettre. *J'ai sauté une ligne en relisant mon devoir.* **6** Cuire à feu vif dans une matière grasse. *Faire sauter des légumes dans un peu d'huile.*

sauterelle n. f. Insecte qui se déplace en sautant à l'aide de ses longues pattes postérieures.

sauteur, euse n., **sautiller** v. → saut.

sautoir n. m. **1** Long collier. *Un sautoir en argent.* **2** Endroit aménagé pour s'exercer au saut.

sauvage adj. et n.
• adj. **1** Qui n'est pas domestiqué, qui vit dans la nature, à l'écart des hommes. *Le lièvre est un animal sauvage.* **2** Qui pousse naturellement, sans être cultivé. *Le terrain vague était envahi de fleurs sauvages.* **3** Qui est inhabité et inculte. *Voyager dans des régions sauvages.* **4** Qui vit en dehors de la civilisation. *Une tribu sauvage.* **5** Qui recherche la solitude, qui reste à l'écart des autres. *C'est un garçon discret et un peu sauvage.* **6** Qui est brutal, féroce, barbare. *Une lutte sauvage et sans merci.*
Contraires : apprivoisé (**1**), domestique (**1**), sociable (**5**).
> Ils ont frappé *sauvagement* leur victime, de façon sauvage (**6**). *Tuer un ennemi avec* sauvagerie, de façon sauvage (**6**), avec cruauté.
• n. Personne sauvage, inhumaine, cruelle. *Ces hommes sont de véritables sauvages.*

sauvegarder v. → conjug. **aimer.** Préserver, protéger, assurer la défense de quelque chose. *Sauvegarder les espèces en voie de disparition.*
> Les écologistes luttent pour la *sauvegarde* de la nature, pour la sauvegarder.

sauve-qui-peut n. m. inv. Fuite désordonnée, incontrôlée, au cours de laquelle chacun essaie de se sauver comme il peut. *Des coups de feu ont provoqué un sauve-qui-peut général.*

sauver v. → conjug. **aimer.** **1** Mettre quelqu'un hors de danger. *Les pompiers ont sauvé les habitants de l'immeuble en feu.* **2** *Se sauver :* s'enfuir pour éviter un danger. *Les voleurs se sont sauvés en voiture.*
> Un journaliste a filmé le *sauvetage* des alpinistes, l'ensemble des actions accomplies pour les sauver (**1**). *Les naufragés ont été ramenés à terre par leurs* sauveteurs, les personnes qui avaient participé au sauvetage.

à la sauvette adv. Rapidement et sans attirer l'attention. *Il nous a quittés à la sauvette, sans dire au revoir.*

sauveur n. m. Personne qui sauve quelqu'un ou qui le libère de quelque chose. *Les populations, libérées du tyran, acclamaient leur sauveur.*

savamment adv. Habilement. *Toute cette affaire a été savamment organisée.*

savane n. f. Vaste plaine des régions tropicales.

La savane est une formation végétale des climats tropicaux marqués par une longue saison sèche. Les herbes peuvent atteindre 2 à 4 m de hauteur. La savane occupe de grands espaces en Amérique du Sud et en Afrique. En Afrique, elle est le domaine des grands mammifères (éléphants, girafes, zèbres…) et de leurs prédateurs. La savane est appelée « parc » lorsqu'elle est parsemée de buissons, d'arbustes ou d'arbres, tels les baobabs et les karités (arbres à beurre).

savant, ante adj. et n.
• adj. **1** Qui a lu, étudié beaucoup de choses, qui a de grandes connaissances. *Notre professeur d'histoire est un homme très savant.* **2** Qui est dressé pour faire certains tours d'adresse. *Un singe, un chien savants.* **3** Qui est difficile à comprendre. *Ce professeur utilise des mots trop savants pour ses élèves.*
• n. Personne qui a de grandes connaissances et qui fait progresser la science. *Le chimiste Lavoisier fut un grand savant.*

savate n. f. Vieille chaussure ou vieille pantoufle.

saveur n. f. Goût particulier à telle ou telle substance. *La saveur acide du citron.*

Savoie

Région du sud-est de la France, comprenant les départements de Savoie et de Haute-Savoie. Région montagneuse aux massifs entaillés de profondes vallées, la Savoie compte de nombreuses stations de sports d'hiver. Les villes comme Aix-les-Bains, Annecy, Chambéry sont des centres touristiques importants. Occupée dès le VIIe siècle par la tribu gauloise des Allobroges, la Savoie est conquise par les Romains en 121 av. J.-C. Elle devient ensuite possession des comtes de Savoie au XVe siècle avant d'être annexée par la France en 1796 sous le nom de département du Mont-Blanc. Elle revient de nouveau à la maison de Savoie en 1815. Ce n'est qu'en 1860 qu'elle est définitivement rattachée à la France.

savoir v. et n. m.
• v. *1* Être au courant, informé. *Je sais à quelle heure il doit arriver. 2* Avoir dans sa mémoire, dans son esprit des choses que l'on a apprises. *Savoir ses leçons. 3* Être capable de mettre en pratique ce que l'on a appris. *Savoir lire et écrire. Il sait faire du vélo.*
• n. m. Ensemble de connaissances que l'on a acquises pour l'étude. *Un homme d'un grand savoir.*

La conjugaison du verbe

SAVOIR 3e groupe

indicatif présent	**je sais, il ou elle sait, nous savons, ils ou elles savent**
imparfait	**je savais**
futur	**je saurai**
passé simple	**je sus**
subjonctif présent	**que je sache**
conditionnel présent	**je saurais**
impératif	**sache, sachons, sachez**
participe présent	**sachant**
participe passé	**su**

savoir-faire n. m. inv. Adresse, compétence, habileté. *Pour être menuisier, il faut un grand savoir-faire.*

savoir-vivre n. m. inv. Connaissance et pratique des règles de politesse. *Il ne dit jamais merci, c'est un manque de savoir-vivre.*

savon n. m. Produit utilisé pour le lavage, le nettoyage.
Se savonner les mains, les laver avec du savon. *Une savonnette à la lavande,* un petit savon pour la toilette. *Faire tremper du linge dans de l'eau savonneuse,* qui contient du savon.

savourer v. → conjug. **aimer.** Manger quelque chose lentement pour sentir et apprécier son goût. *Il savoure chaque bouchée de ce délicieux gâteau.*
Synonyme : déguster.

savoureux, euse adj. Qui a un goût délicieux. *Des fruits savoureux.*

saxophone n. m. Instrument de musique à vent, en métal.
Il est saxophoniste dans un orchestre de jazz, il joue du saxophone.

saynète n. f. Petite pièce comique. *Les enfants ont joué des saynètes pour le spectacle de fin d'année.*

sbire n. m. Individu sans scrupules qui commet des actes malhonnêtes pour le compte de quelqu'un d'autre.

scabreux, euse adj. Qui choque, inconvenant, indécent. *Raconter des histoires scabreuses.*

scalp n. m. Peau du crâne avec la chevelure, découpée et gardée comme trophée par certaines tribus indiennes d'Amérique.
Les Indiens scalpaient leurs ennemis, ils enlevaient leur scalp avec un couteau.

scalpel n. m. Instrument à lame tranchante et fine utilisé en chirurgie. *Faire une incision au scalpel.*

scalper v. → scalp.

scandale n. m. Fait révoltant, honteux, condamnable. *Ces enfants ont été maltraités, c'est un scandale !*
Emprisonner un innocent, c'est scandaleux ! c'est un scandale !

scandaliser v. → conjug. **aimer.** Indigner, choquer. *Son insolence a scandalisé tout le monde.*

scander v. → conjug. **aimer.** Prononcer des mots en détachant nettement les syllabes selon un certain rythme. *Les spectateurs, mécontents, scandaient : « Remboursez les billets ! »*

Scandinavie

Région du nord de l'Europe qui comprend le Danemark, la Norvège, la Suède et la Finlande. On y inclut aussi parfois l'Islande et les archipels de Féroé et Svalbard.

scanner n. m. Appareil de radiographie qui permet d'obtenir, sur écran, des images de l'intérieur du corps, par l'intermédiaire d'un ordinateur.
Mot anglais qui se prononce [skanɛʁ].

scaphandre n. m. Équipement permettant de respirer sous l'eau ou dans l'espace.
L'épave du bateau a été explorée par des scaphandriers, des plongeurs équipés de scaphandres.

Le scaphandre classique de plongée sous-marine se compose d'une combinaison imperméable, de chaussures à semelle de plomb et d'un casque muni d'un hublot. Un grand tuyau souple est relié au casque pour l'alimentation en air du plongeur depuis la surface. Le scaphandrier marche sur les fonds. Les premiers scaphandres ont été construits au XIXᵉ siècle.

Le scaphandre autonome, mis au point au XXᵉ siècle, comprend des bouteilles d'air comprimé portées sur le dos, munies d'un tuyau souple par lequel le plongeur respire. Celui-ci, chaussé de palmes, se déplace en nageant et n'est plus relié à la surface.
Le scaphandre des astronautes ressemble par sa forme au scaphandre classique. Il est utilisé pour les sorties dans l'espace.

scarabée n. m. Coléoptère au corps massif.

Il existe de nombreuses espèces de scarabées, dont certaines mesurent jusqu'à 15 cm. Comme les autres coléoptères, ils possèdent des ailes rigides (les élytres), qui protègent les ailes du vol au repos. Ils ont souvent des reflets brillants. Certains sont armés de mandibules ou de cornes (lucane cerf-volant, dynaste) qu'ils utilisent dans les combats entre mâles. Les scarabées consomment des débris de plantes ou des matières en décomposition. Il existe une espèce qui roule des boulettes de bouse dans lesquelles les femelles pondent leurs œufs (on les appelle couramment bousiers). Dans l'Égypte ancienne, le scarabée sacré symbolise l'immortalité.

scarlatine n. f. Maladie contagieuse débutant par une angine et une forte fièvre suivies de l'apparition de plaques rouges sur tout le corps.

scarole n. f. Variété de chicorée à larges feuilles croquantes qui se mangent en salade.

sceau, sceaux n. m. Cachet gravé avec lequel on fait une marque sur un document pour prouver qu'il est authentique. *Le sceau du roi.*
Homonymes : saut, seau, sot.

scélérat, ate n. Personne criminelle, malfaisante.

sceller v. → conjug. **aimer. 1** Marquer un document avec un sceau. *Sceller un traité de paix.* **2** Fixer quelque chose avec une substance qui durcit. *Ces poteaux sont scellés dans le sol avec du ciment.*
Contraire : desceller (2).

scénario n. m. Texte décrivant les scènes d'un film.
Un scénariste est une personne qui écrit des scénarios.

scène n. f. **1** Partie d'un théâtre où jouent les acteurs. *Les comédiens entrent en scène.* **2** Chacune des parties d'une pièce de théâtre. *Les acteurs répètent la scène deux du premier acte.* **3** Action dans une pièce de théâtre, dans un film. *La dernière scène se passe sur un bateau.* **4** Déroulement d'une action, d'un événement vus par les personnes présentes. *Après la bagarre, des témoins ont raconté la scène.* **5** Accès de colère. *À la moindre contrariété, elle nous fait une scène.* **6** *Scène de ménage :* dispute entre mari et femme. **7** *Mettre en scène :* préparer les acteurs, les décors, la musique pour la représentation d'une pièce, d'un film.

sceptique adj. Qui a tendance à ne pas croire quelque chose. *Il a promis de venir ce soir, mais je suis sceptique.*
Homonyme : septique.
Il a écouté mes excuses avec scepticisme, en restant sceptique, sans y croire vraiment.

sceptre n. m. Bâton qui est le symbole du pouvoir d'un souverain.

Le sceptre existe depuis l'Antiquité. Il représente le pouvoir du berger sur son troupeau, du roi ou de l'empereur sur son peuple, des dieux sur le monde. Le sceptre des rois de France porte à son sommet une fleur de lis ; celui de Napoléon Iᵉʳ, un aigle.

schéma n. m. Dessin simplifié qui sert à faire comprendre facilement quelque chose. *Pour installer ton répondeur, il suffit de regarder ce schéma.*

schématique adj. **1** Qui est représenté par un schéma. *Il a dessiné un plan schématique de la ville.* **2** Très simplifié. *Une explication schématique.*
Je vais vous dire ce qu'il faut faire schématiquement, de façon schématique (2).

schématiser v. → conjug. **aimer.** *1* Représenter sous la forme d'un schéma. *Schématiser une carte géographique. 2* Simplifier, résumer. *Il nous a schématisé la situation en quelques phrases.*

schiste n. m. Roche formée d'une superposition de feuilles qui peuvent facilement se détacher. *L'ardoise est un schiste.*

Schubert Franz

Compositeur autrichien né en 1797 et mort en 1828. Schubert compose ses premières œuvres dès l'âge de onze ans. Il écrit plus de 600 lieder, parmi lesquels on peut citer : *le Roi des aulnes* (1815), *la Belle Meunière* (1823) et *Voyage d'hiver* (1827). Schubert compose aussi des opéras, des symphonies, des œuvres religieuses, de la musique de chambre, dont le quintette *la Truite* (1819) et le quatuor *la Jeune Fille et la Mort* (1824), des sonates pour piano et violon, des valses, des marches, des menuets.

Schuman Robert

Homme politique français né en 1886 et mort en 1963. Schuman devient ministre des Affaires étrangères en 1948. S'inspirant des idées de Jean Monnet, il pose les bases de la réconciliation franco-allemande et de la construction de l'Europe. En 1951, il fonde la Communauté européenne du charbon et de l'acier (CECA), qui donnera naissance au Marché commun. Jusqu'à la fin de sa vie, il se consacre à l'élaboration des institutions européennes ; on le considère comme l'un des « pères de l'Europe ». Il préside l'Assemblée parlementaire européenne de 1958 à 1960.

Schumann Robert

Compositeur allemand né en 1810 et mort en 1856. Schumann étudie le piano, mais une paralysie de la main droite l'oblige à y renoncer. Il se tourne vers la composition, où il donne libre cours à son tempérament romantique et tourmenté. Il écrit des pièces remarquables comme *Carnaval* (1834-1835), *Études symphoniques* (1837), *Scènes d'enfants* (1838). En 1840, son mariage avec la pianiste Clara Wieck est à l'origine de l'écriture de plus de 200 lieder dont *les Amours du poète* et *l'Amour et la vie d'une femme* (1840). Schumann est aussi l'auteur de concertos pour piano, de symphonies et de musique de chambre.

---

schuss n. m. Descente à ski que l'on fait tout droit en suivant la ligne de la plus grande pente. **On prononce [ʃus].**

sciatique n. f. Douleur qui se produit le long du nerf allant de la hanche jusqu'au pied.

scie n. f. Outil dont la lame dentée sert à découper des matériaux durs. *Une scie à bois. Une scie électrique.* **Homonymes : ci, si, six.**

sciemment adv. En étant conscient de ce que l'on fait. *Il a sciemment accepté cette dangereuse mission.* **Synonymes : volontairement, consciemment.**

science n. f. *1* Ensemble des connaissances. *Les progrès de la science. 2* Matière qui concerne les observations, les recherches, les expériences faites dans un domaine particulier. *Les mathématiques, la physique sont des sciences.*

science-fiction n. f. Type de littérature ou de cinéma qui raconte des histoires se déroulant dans un futur imaginaire marqué par les progrès de la science.

scientifique adj. et n.
• adj. *1* Relatif à la science, à une science. *Une découverte scientifique. Des travaux scientifiques. 2* Qui est fait de manière rigoureuse, précise. *Il mène son enquête suivant des méthodes scientifiques.*
> *Ce phénomène a été* **scientifiquement** *prouvé,* il a été prouvé de façon scientifique (*2*).
• n. Spécialiste d'une science. *Ce biologiste est un scientifique réputé.*

scier v. → conjug. **modifier.** Couper, découper à l'aide d'une scie. *Scier du bois.*
> *Il travaille dans une* **scierie,** *une usine où l'on scie du bois pour en faire des planches.*

scinder v. → conjug. **aimer.** Diviser en plusieurs parties. *Pour faire une partie de basket, le professeur a scindé la classe en deux équipes.*

scintiller v. → conjug. **aimer.** Briller en jetant des éclats à intervalles irréguliers. *Au fond du coffret, des diamants scintillaient.*
> *Le* **scintillement** *des flammes, des étoiles,* l'éclat des flammes, des étoiles qui scintillent. *Au soleil, la mer était* **scintillante,** *elle scintillait.*

scission n. f. Division, séparation. *Une scission au sein d'un parti politique.*

sciure n. f. Poussière qui provient du bois qu'on a scié.

sclérose n. f. Durcissement anormal d'un organe, d'une artère.

se scléroser v. → conjug. **aimer.** *1* Être atteint de sclérose. *En vieillissant, ses artères se sclérosent. 2* Au figuré. Être incapable de s'adapter à des situations nouvelles. *Depuis qu'il a pris sa retraite, il se sclérose.*

scolaire adj. Qui concerne l'école. *L'année scolaire.*

scolariser v. → conjug. **aimer.** Admettre quelqu'un à l'école. *À six ans, un enfant doit être scolarisé.*

scolarité n. f. Période pendant laquelle un élève fréquente un établissement scolaire. *En France, la scolarité est obligatoire jusqu'à seize ans.*

scoliose n. f. Déformation de la colonne vertébrale.

scolopendre n. f. Mille-pattes venimeux qui vit dans les régions tropicales et méditerranéennes.

scoop n. m. Nouvelle communiquée en exclusivité par un journaliste.
Mot anglais qui se prononce [skup].

scooter n. m. Sorte de petite moto équipée de deux roues de petite taille. *Le conducteur d'un scooter est assis, les pieds reposant sur un plancher.*
Mot anglais qui se prononce [skutœʀ].

scorbut n. m. Maladie provoquée par le manque de certaines vitamines.
On prononce [skɔʀbyt].

score n. m. Total des points obtenus par chaque équipe, chaque adversaire, au cours d'un match, d'une épreuve, d'une élection.

scories n. f. pl. Déchets produits par la fusion des minerais, par la combustion de certaines matières.

scorpion n. m. Petit animal dont le corps recouvert d'une carapace se prolonge par une queue mobile terminée par un aiguillon venimeux.

Il existe environ 600 espèces de scorpions ; on les rencontre surtout dans les régions tropicales, mais aussi autour de la Méditerranée. Les scorpions mesurent entre 3 et 20 cm. Ils piquent leurs proies (insectes, araignées, parfois petits mammifères) en rabattant leur queue au-dessus de leur tête, et les attrapent à l'aide de leurs grandes pinces. Ils vivent dissimulés sous les pierres et sortent rarement le jour. Au cours de la reproduction, les scorpions se livrent à une danse nuptiale où le mâle et la femelle se tiennent par les pinces. Plusieurs espèces, en Afrique, au Moyen-Orient et en Amérique, sont dangereuses pour l'homme.

scotch n. m. Ruban adhésif. *Un rouleau de scotch.*
Scotch est le nom d'une marque, mais s'écrit couramment sans majuscule.

Il a scotché ses dessins sur les murs de sa chambre, il les a fixés avec du scotch.

Scott Walter

Écrivain britannique d'origine écossaise né en 1771 et mort en 1832. Scott se passionne pour les légendes écossaises et publie, en 1802, *Chansons de la frontière écossaise.* Il écrit ensuite des poèmes qui lui apportent le succès (*la Dame du lac*, 1810, *le Lord des îles*, 1815). Mais c'est avec ses romans historiques qu'il devient célèbre à travers l'Europe. Doué d'un excellent talent de conteur, il en publie une vingtaine, dont l'action se déroule entre le Moyen Âge et le XVIIIe siècle, parmi lesquels *Ivanhoé* (1819) et *Quentin Durward* (1823).

scoutisme n. m. Mouvement éducatif regroupant des jeunes qui pratiquent ensemble des activités destinées à développer leurs qualités physiques et morales.

Chaque été, des scouts viennent camper sur les bords du lac, des enfants ou des adolescents membres d'une association de scoutisme.

Scrabble n. m. Jeu qui consiste à former des mots sur une grille avec des jetons marqués des lettres de l'alphabet.
On prononce [skʀabl] ou [skʀabəl]. Ce mot s'écrit avec une majuscule car c'est le nom d'une marque.

scribe n. m. Dans l'Antiquité, personne qui était chargée de copier des textes administratifs, juridiques et religieux.

Dans l'Égypte ancienne, le scribe est un haut personnage de l'administration. Il sait lire, écrire et compter. Sa principale fonction est la rédaction des textes, mais, dans les provinces, il gouverne au nom du pharaon, lève les impôts, dirige les chantiers, veille à l'entretien des digues et des canaux, rend la justice. C'est un personnage souvent redouté. Le scribe est généralement riche et possède un domaine qui lui a été attribué par le pharaon.

script n. m. **1** Type d'écriture manuscrite dont les caractères ressemblent aux caractères d'imprimerie.

2 Scénario d'un film comportant, par écrit, les dialogues et les indications concernant la mise en scène.

scripte n. Personne chargée de noter tous les détails techniques au cours des différentes prises de vues pendant le tournage d'un film.

scrupule n. m. Trouble de conscience, inquiétude morale. *Un criminel sans scrupules.*

scrupuleux, euse adj. **1** Qui observe rigoureusement les règles de la morale, de l'honnêteté. *Un homme d'affaires scrupuleux.* **2** Consciencieux, rigoureux, minutieux. *Cet employé est très scrupuleux dans son travail.*

> Le malade doit suivre ce traitement *scrupuleusement,* de manière scrupuleuse (**2**).

scruter v. → conjug. **aimer.** Examiner avec attention. *Craignant la tempête, le capitaine scrutait l'horizon avec inquiétude.*

scrutin n. m. Vote qui se fait au moyen de bulletins que l'on dépose dans une urne.

sculpter v. → conjug. **aimer.** Tailler une matière dure pour lui donner des formes, pour représenter quelque chose. *Sculpter le bois, la pierre, le marbre.* **On prononce** [skylte].

> Ces statues de marbre sont l'œuvre d'un grand *sculpteur,* un artiste qui sculpte.

sculpture n. f. **1** Art de sculpter. *Les chefs-d'œuvre de la sculpture grecque.* **2** Œuvre d'art créée par un sculpteur. *Un temple orné de sculptures.* **On prononce** [skyltyr].

SDF n. Abréviation de « sans domicile fixe ». Le mot SDF désigne les personnes qui n'ont pas de maison, qui n'ont généralement pas de travail et qui, le plus souvent, vivent dans la rue.

se pron. Pronom personnel de la troisième personne du singulier et du pluriel qui a la fonction de complément. *Séraphin se réveille. Ils se sont reconnus de loin. Elle s'habitue à sa nouvelle école.* **Se devient « s' » devant une voyelle ou un « h » muet.**

séance n. f. **1** Réunion consacrée à des discussions, des travaux. *Tous les membres du club sont présents, on peut ouvrir la séance.* **2** Moment durant lequel se déroule une représentation, un spectacle. *La séance dure deux heures.* **3** Projection d'un film dans un cinéma. *Nous avons raté la première séance.*

seau, seaux n. m. Récipient muni d'une anse, qui sert à transporter des liquides. *Remplir, vider un seau.* **Homonymes : saut, sceau, sot.**

sec, sèche adj. et n. m.
• adj. **1** Qui n'est pas imprégné d'eau. *Cette chemise n'est pas tout à fait sèche.* **2** Où il y a peu d'humidité, peu de pluies. *Un climat sec.* **3** Qui a été déshydraté pour pouvoir être conservé. *Des haricots secs. Des figues sèches.* **4** Qui n'est pas sucré. *Une bouteille de vin blanc sec.* **5** Qui est brusque, dur, peu aimable. *Il donne des ordres d'une voix sèche.* **Contraires : humide (1 et 2), mouillé (1), frais (3), doux (4).**

> Il nous a dit au revoir très *sèchement,* d'une manière sèche (**5**), durement, froidement.

• n. m. **1** Endroit qui n'est pas humide. *Ces biscuits vont se ramollir si on ne les conserve pas au sec.* **2** À sec : sans eau. *Cet été, le ruisseau est à sec.*

sécateur n. m. Outil de jardinage qui a la forme de gros ciseaux et dont une seule lame est tranchante.

sécession n. f. Action par laquelle une partie de la population se sépare de l'État auquel elle appartient. *Cette province a fait sécession.*

séchage n. m. → **sécher.**

sèche-cheveux n. m. inv. Appareil électrique qui sèche les cheveux en produisant de l'air chaud. **Synonyme : séchoir.**

sèche-linge n. m. inv. Machine électrique qui sèche le linge en produisant de l'air chaud.

sèchement adv. → **sec.**

sécher v. → conjug. **digérer. 1** Rendre sec. *Le soleil a séché nos vêtements. Se sécher les cheveux.* **2** Devenir sec. *Ces fleurs sont en train de sécher. Le linge sèche sur la terrasse.*

> Avant d'emménager, il faut attendre le *séchage* des peintures, attendre le temps nécessaire pour que les peintures sèchent (**2**).

sécheresse n. f. Absence ou insuffisance de pluies. *La famine s'aggrave à cause de la sécheresse.*

séchoir n. m. **1** Support où sont fixés des fils ou des tringles sur lesquels on étend le linge pour qu'il sèche. **2** Sèche-cheveux.

second, seconde adj., n. m. et n. f.
• adj. Qui vient immédiatement après le premier. *La seconde partie du spectacle va commencer.* **Synonyme : deuxième.**
• n. m. Personne qui aide quelqu'un dans son travail. *Le directeur est absent, je vais vous présenter son second.*
• n. f. Classe de l'enseignement secondaire qui suit la troisième. *Les élèves qui passent en seconde vont au lycée.* **On prononce** [səgɔ̃], [səgɔ̃d].

secondaire

secondaire adj. et n. m.

• adj. **1** Qui a moins d'importance, qui vient au second rang. *Il joue un rôle secondaire dans cette affaire.* **2** *Enseignement secondaire :* enseignement suivant l'enseignement primaire et comportant les classes de la sixième jusqu'à la terminale. **3** *Ère secondaire :* période durant laquelle se sont développés les grands reptiles et où sont apparus les premiers mammifères. *Les dinosaures vivaient à l'ère secondaire.*

• n. m. Enseignement secondaire.

On prononce [səgɔ̃dɛʀ].

1. seconde adj. et n. f. ➜ **second.**

2. seconde n. f. **1** Unité de temps équivalant à la soixantième partie d'une minute. **2** Très court instant. *Écoute-moi, j'en ai pour une seconde.*

On prononce [səgɔ̃d].

seconder v. ➜ conjug. **aimer.** Aider, assister quelqu'un. *Ce directeur cherche quelqu'un pour le seconder.*

secouer v. ➜ conjug. **aimer. 1** Agiter, remuer avec force. *Séraphin secoue ses ailes.* **2** Provoquer un choc, ébranler. *Cet accident nous a beaucoup secoués.*

secourable adj., **secourir** v. ➜ **secours.**

secourisme n. m. Ensemble de soins de première urgence que l'on donne aux personnes blessées.

> *La victime de l'accident a reçu les soins des secouristes,* de personnes connaissant le secourisme.

secours n. m. **1** Aide, assistance, apportée à une personne en danger. *Demander des secours. Appeler au secours.* **2** Aide matérielle. *Envoyer des secours aux victimes de la famine.* **3** *De secours :* qui s'utilise en cas d'urgence, en cas de besoin. *Une sortie de secours.*

> *C'est une femme généreuse et secourable,* qui est toujours prête à porter secours à autrui. *Secourir des blessés, des personnes en danger,* c'est leur porter secours, les soigner, les aider.

secousse n. f. Mouvement brusque. *Les secousses du bus m'ont fait perdre l'équilibre.*

secret, ète adj. et n. m.

• adj. **1** Que l'on garde caché, qui est connu de peu de personnes. *Des documents secrets. Un accord secret.* **2** Qui ne fait pas facilement des confidences. *C'est une jeune fille très secrète.*

Synonymes : renfermé (2), réservé (2).

> *Un projet préparé secrètement,* de façon secrète (**1**).

• n. m. **1** Chose qui doit rester secrète, qu'il ne faut dire à personne. *Savoir garder un secret.* **2** *En secret :* en se cachant. *Je voudrais vous parler en secret.*

secrétaire n. et n. m.

• n. Personne chargée de classer des dossiers, de faire le courrier, de répondre au téléphone.

• n. m. Meuble à tiroirs qui comporte un panneau servant de table pour écrire.

secrétariat n. m. **1** Métier de secrétaire. *Des études de secrétariat et de comptabilité.* **2** Lieu de travail de un ou plusieurs secrétaires.

secrètement adv. ➜ **secret.**

sécréter v. ➜ conjug. **digérer.** Produire une substance, en parlant de certains organes. *Le foie sécrète la bile.*

> *La salive est une sécrétion des glandes salivaires,* le liquide qu'elles sécrètent.

sectaire adj. Qui refuse d'accepter des opinions différentes des siennes. *On ne peut pas parler de politique avec lui, il est trop sectaire.*

> *Les négociations ont échoué à cause de leur sectarisme,* de leur attitude sectaire.

secte n. f. Groupe dont les membres vivent en communauté sous la dépendance d'un chef spirituel.

secteur n. m. **1** Partie d'un espace : zone, quartier. *Le secteur animé d'une ville.* **2** Domaine qui regroupe certaines activités. *Le secteur public et le secteur privé.*

section n. f. **1** Partie d'une voie de communication. *Cette section d'autoroute est interdite à la circulation.* **2** Groupe d'adhérents au sein d'un parti, d'une organisation. *La section syndicale d'une entreprise.* **3** Au lycée, ensemble de matières regroupées suivant différentes orientations. *La section littéraire.*

Synonymes : portion (1), tronçon (1).

sectionner v. ➜ conjug. **aimer.** Couper, trancher. *Ce coup de couteau a failli lui sectionner un doigt.*

séculaire adj. Qui a un siècle ou plusieurs siècles d'existence. *Un chêne séculaire.*

sécuriser v. ➜ conjug. **aimer.** Rassurer, tranquilliser. *À l'hôpital, la présence des infirmières sécurise les malades.*

> *Une atmosphère sécurisante,* qui sécurise.

sécurité n. f. **1** Situation d'une personne qui est à l'abri du danger. *Être en sécurité.* **2** *La Sécurité sociale :* l'organisme qui assure le remboursement d'une partie des soins médicaux en échange de cotisations qui lui sont versées par les employeurs et les salariés.

sédatif, ive adj. et n. m. Se dit d'un médicament qui calme la douleur, l'anxiété.

sédentaire adj. et n.

• adj. Qui n'exige pas de déplacements. *Avoir un travail sédentaire.*

• adj. et n. Dont l'habitat est fixe. *Les nomades déplacent leur habitation tandis que les sédentaires vivent toujours au même endroit.*

sédiment n. m. Débris de roches déposés par l'eau ou le vent. *Ce fleuve charrie beaucoup de sédiments.*

Le calcaire est une roche *sédimentaire*, composée de sédiments.

sédition n. f. Révolte, soulèvement contre le pouvoir établi.

séduire v. → conjug. **cuire.** Plaire à quelqu'un, le charmer. *Ce comédien a séduit le public.*

C'est une femme *séduisante*, qui séduit beaucoup. Un *séducteur* est un homme qui aime séduire. Il exerce une grande *séduction* sur ses amis, il les séduit.

segment n. m. Portion de ligne droite limitée par deux points.

Segmenter quelque chose, c'est le diviser en segments.

ségrégation n. f. Fait de tenir à l'écart certaines personnes en raison de la couleur de leur peau, de leur origine, de leur religion.

Ségur (comtesse de)

Écrivain français d'origine russe née en 1799 et morte en 1874. Sophie Rostopchine, comtesse de Ségur, écrit de nombreux récits pour ses petits-enfants. Ce sont des histoires morales mettant en scène des enfants dans diverses situations de la vie quotidienne au XIXᵉ siècle, où le bien et le mal sont opposés de façon souvent caricaturale. Ces romans rencontrent un très grand succès. Elle en publie plus d'une vingtaine, dont les plus célèbres sont *les Petites Filles modèles* (1858), *les Mémoires d'un âne (1860)*, *les Malheurs de Sophie* (1864), *Un bon petit diable* (1865), *le Général Dourakine* (1866) et *Après la pluie le beau temps* (1869).

seiche n. f. Mollusque marin. *Lorsqu'elle est attaquée, la seiche projette un liquide noir.*

seigle n. m. Céréale dont les épis sont couverts de poils. *Avec le seigle, on fait une farine de couleur brune.*

seigneur n. m. *1* Au Moyen Âge, noble qui possédait de vastes terres et qui avait des vassaux. *2* Le Seigneur : titre donné à Dieu ou au Christ dans la religion catholique.

sein n. m. *1* Chez la femme, chacune des deux mamelles. *Donner le sein à son bébé. 2 Au sein de quelque chose* : à l'intérieur. *Il y a des divergences au sein de ce parti politique.*
Homonymes : sain, saint.

Seine

Fleuve de France. Longue de 776 km, la Seine naît dans le plateau de Langres, en Bourgogne, à 471 m d'altitude, et se jette dans la Manche par un large estuaire. La Seine reçoit de nombreux affluents, dont les principaux sont l'Aube, l'Yonne, la Marne, l'Oise et l'Eure. Elle arrose les villes de Troyes, Paris, Rouen, Honfleur et Le Havre. Un grand pont routier, le pont de Normandie, enjambe le fleuve à son estuaire. La Seine est un fleuve paisible, navigable sur plus de 560 km. Elle est le premier fleuve français pour le transport des marchandises.

séisme n. m. Tremblement de terre. *Une région dévastée par un séisme.*

SEIZE
S'écrit **XVI** en chiffres romains.

• adj. inv. Dix plus six. *Une classe de seize élèves.*
• n. m. inv. Le chiffre ou le nombre seize. *Il habite le 16 de la rue de la République.*

seizième
• adj. et n. Qui occupe le rang ou la place numéro 16 dans une série. *La seizième page est illustrée.*
• n. m. Chaque partie d'un tout qui a été divisé par seize. *Un seizième ou 1/16. Dix est le seizième de cent soixante.*

séjour n. m. *1* Fait de séjourner plus ou moins longtemps quelque part. *Le médecin lui a conseillé un séjour à la montagne. 2* Pièce principale d'un appartement ou d'une maison.

séjourner v. → conjug. **aimer.** Demeurer un certain temps dans un endroit. *Séjourner huit jours à l'hôtel.*

sel n. m. *1* Substance blanche extraite de l'eau de mer, qu'on utilise pour assaisonner ou conserver les aliments. *2* Au figuré. Ce qui donne de l'intérêt ou de la saveur à une histoire, à une situation. *Une plaisanterie pleine de sel.*
Homonymes : celle, selle.

sélection n. f. Fait de choisir, parmi les personnes ou des choses, celles qu'on juge les meilleures. *Cette exposition présente une sélection de tableaux.*

Un classement *sélectif* des élèves, qui se fait par sélection. *Sélectionner des films pour un festival,* c'est les choisir par sélection. *Un sélectionneur* est une personne qui sélectionne des joueurs pour une compétition.

self-service n. m. **Plur. : des self-services.** Restaurant ou cantine dans lesquels les clients se servent eux-mêmes.

selle n. f. *1* Morceau de cuir que l'on place sur le dos d'un cheval qu'on monte. *Le cavalier s'assoit sur la selle. 2* Siège d'un véhicule à deux roues. *Régler la selle de son vélo. 3 Aller à la selle :* faire ses besoins. *4* Au pluriel. Excréments humains.
Homonymes : celle, sel.
Le cavalier selle son cheval, il lui met une selle (*1*).
Homonyme : sceller.

sellette n. f. *Être sur la sellette :* être l'objet de critiques, de questions ou d'accusations.

selon prép. Indique : *1* Le point de vue de. *Selon moi, il a tort. 2* Le rapport à quelque chose. *Le temps varie selon les saisons. 3* La conformité. *Utiliser un appareil selon le mode d'emploi.*
Synonymes : d'après (*1*), en fonction de (*2*), suivant (*2* et *3*).

semailles n. f. pl. Travail qui consiste à semer des graines. *L'époque des semailles.*

semaine n. f. *1* Période de sept jours consécutifs. *Le lundi est le premier jour de la semaine, le dimanche est le dernier. 2* Partie de la semaine consacrée au travail. *Avoir une semaine très chargée. 3* Durée de sept jours. *Prendre trois semaines de vacances.*

sémaphore n. m. Appareil utilisé pour transmettre des signaux à distance.

Le sémaphore est un poste de signalisation que l'on trouve sur les côtes pour communiquer avec les navires, de façon visuelle. Autrefois, les sémaphores étaient constitués de bras articulés, dont les différentes positions correspondaient à des informations précises. Les signaux d'arrêt des trains placés sur les voies ferrées sont aussi appelés sémaphores.

semblable adj. et n.
• adj. Qui ressemble à quelque chose ou à quelqu'un d'autre. *Ces deux vases sont semblables et forment une paire.*
Synonymes : analogue, identique, pareil. Contraire : différent.
• n. Être humain considéré par rapport aux autres. *Se dévouer pour ses semblables.*

semblant n. m. *Faire semblant :* feindre de faire quelque chose. *Faire semblant de travailler.*
Synonyme : simuler.

sembler v. ➜ conjug. **aimer.** *1* Avoir l'apparence ou donner l'impression. *Le bébé semble avoir sommeil, allons le coucher. 2 Il semble :* on dirait. *Il semble que le temps se gâte. 3 Il me semble :* j'ai l'impression. *Il me semble qu'il a raison.*
Synonymes : avoir l'air (*1*), paraître (*1*).

semelle n. f. *1* Dessous de la chaussure, en contact avec le sol. *Ces chaussures ont des semelles de crêpe. 2 Ne pas quitter quelqu'un d'une semelle :* le suivre absolument partout.

semer v. ➜ conjug. **promener.** *1* Mettre des graines dans la terre. *Semer du persil. 2* Répandre. *L'incendie a semé la panique. 3* Familier. Distancer largement. *Les cambrioleurs ont réussi à semer les policiers qui les poursuivaient.*
L'agriculteur achète des semences, des graines à semer (*1*).

semestre n. m. Période qui dure six mois. *Il y a deux semestres dans une année.*
Une assemblée semestrielle, qui a lieu chaque semestre, une fois tous les six mois.

semi- préfixe. Signifie « à moitié » ou « partiellement ». *Une pierre semi-précieuse.*

sémillant, ante adj. Littéraire. Qui est plein de gaieté et d'entrain. *Un sémillant jeune homme.*

séminaire n. m. *1* Établissement qui forme les futurs prêtres. *2* Réunion de personnes qui travaillent sur un sujet précis et spécialisé. *Ces géologues ont organisé un séminaire sur les volcans.*
Ce jeune homme est un séminariste, il est élève dans un séminaire (*1*).

semi-remorque n. m. **Plur. : des semi-remorques.** Poids lourd composé d'une partie avant où se trouvent la cabine du chauffeur et le moteur, et d'une remorque à l'arrière.

semis n. m. *1* Fait de semer des graines. *Le printemps est l'époque des semis. 2* Endroit où les graines sont semées. *Arroser les semis de salades.*

semonce n. f. Réprimande, reproche, avertissement. *Recevoir une semonce pour indiscipline.*

semoule n. f. Graine de blé moulue très finement.

Sénat n. m. Avec une majuscule. En France, une des deux assemblées d'élus qui constitue, avec l'Assemblée nationale, le Parlement.
Les sénateurs sont les membres du Sénat. *Les élections sénatoriales,* des membres du Sénat.

Le Sénat siège à Paris, au palais du Luxembourg. Il compte 321 sénateurs élus pour neuf ans, renouvelables par tiers tous les trois ans. Les sénateurs sont élus au suffrage universel indirect par les députés, les conseillers généraux, les délégués des conseils municipaux et les conseillers régionaux. Ils discutent et votent les lois transmises par l'Assemblée nationale. Le président du Sénat est élu tous les trois ans ; il est le second personnage de l'État. En cas d'absence ou de décès du président de la République, c'est lui qui assure son remplacement provisoire.

Sénégal

République de l'ouest de l'Afrique, ouverte à l'ouest sur l'océan Atlantique. Le Sénégal est constitué en majorité de plaines semi-désertiques couvertes de savanes. Le climat est tropical, avec une longue saison sèche. La population se concentre dans l'ouest du pays, notamment sur la côte où se trouvent les grandes villes, dont Dakar, la capitale. L'économie est essentiellement fondée sur l'agriculture, l'élevage, la pêche et le tourisme. Les inégalités sociales sont importantes. Sous domination française à partir du XIXᵉ siècle, le Sénégal devient indépendant en 1960.

196 720 km²
9 855 000 habitants :
les Sénégalais
Langues : français,
ouolof, peul, sérère…
Monnaie : franc CFA
Capitale : Dakar

sénile adj. Qui concerne les vieillards ou la vieillesse. *Un vieux monsieur qui est pris de tremblements séniles.*
La sénilité est l'état d'une personne sénile.

senior n. *1* Sportif âgé d'au moins vingt ans. *L'équipe des seniors doit affronter celle des juniors.* *2* Personne d'un certain âge. *Pour ce poste, on demande des seniors expérimentés.*
Mot anglais qui se prononce [senjɔʀ].

sens n. m. *1* Signification. *Vérifier les sens d'un mot dans un dictionnaire.* *2* Ce qui permet de percevoir les sensations. *L'ouïe, la vue, le goût, l'odorat et le toucher sont les cinq sens.* *3* Capacité à comprendre ou à percevoir les choses. *Avoir le sens des affaires. N'avoir*

aucun sens de l'orientation. *4* Direction dans laquelle on va. *Suivre le sens des flèches. 5 Sens dessus dessous :* dans un grand désordre.
On prononce [sɑ̃s], **sauf dans l'expression « sens dessus dessous »** [sɑ̃dsydsu].

sensation n. f. *1* Ce qu'on éprouve avec son corps. *La soif, la peur, la fatigue sont des sensations.* *2* Impression plus ou moins précise. *Avoir une sensation de vertige.* *3* Faire sensation : susciter un grand intérêt, une forte impression.
Une prouesse sensationnelle, qui fait sensation (3).

sensé, ée adj. Qui a ou dénote beaucoup de bon sens. *Sa remarque est très sensée.*
Contraire : insensé. Homonyme : censé.

sensibiliser v. → conjug. **aimer.** Rendre quelqu'un attentif ou réceptif. *Sensibiliser l'opinion aux problèmes de l'environnement.*
Une campagne qui vise à la sensibilisation des gens sur les problèmes liés à l'alcool, à les sensibiliser.

sensibilité n. f. *1* Capacité à s'émouvoir. *Un enfant d'une grande sensibilité.* *2* Aptitude d'un organe ou d'un organisme à être sensible à quelque chose. *La sensibilité d'une peau au soleil. Une grande sensibilité à la douleur.* *3* Propriété d'un objet, d'un instrument sensible. *La sensibilité d'un baromètre, d'une pellicule photo.*

sensible adj. *1* Qui est émotif, facilement impressionnable. *Elle est trop sensible, la moindre émotion la fait pleurer.* *2* Qui réagit facilement aux sensations physiques. *Être sensible au froid, à la douleur.* *3* Qui réagit aux plus légères variations. *Un instrument de mesure très sensible.* *4* Qui mérite d'être remarqué. *Une baisse sensible des prix.*
Synonymes : important (4), notable (4).

sensiblement adv. *1* Presque. *Il a sensiblement le même âge que son ami.* *2* De façon notable, sensible. *L'état du malade s'est sensiblement amélioré.*

sensoriel, elle adj. Qui est relatif aux organes des sens. *Des troubles sensoriels.*

sensuel, elle adj. *1* Qui concerne les sens. *Le plaisir sensuel que procure un bon repas.* *2* Qui aime les sensations agréables et ce qui procure du plaisir. *Une femme sensuelle.*
La sensualité d'une comédienne, c'est son caractère sensuel (2).

sentence n. f. Décision prise par un tribunal. *La sentence est prononcée à la fin d'un procès.*
Synonymes : jugement, verdict.

senteur n. f. Littéraire. Odeur agréable. *J'aime la délicate senteur de ces fleurs.*

sentier n. m. Chemin étroit. *Ce sentier mène au bois.*

sentiment n. m. *1* Ce qu'on ressent. *La joie, la tristesse, la crainte, le désir, l'amour sont des sentiments.* *2* Connaissance intuitive, impression. *Avoir le sentiment d'être suivi par quelqu'un.*

sentimental, ale, aux adj. Qui attache une grande importance aux sentiments, et à l'amour en particulier. *Aimer les films sentimentaux.*

sentinelle n. f. Soldat armé qui fait le guet, qui monte la garde.

sentir v. ➜ conjug. **sortir.** *1* Percevoir une odeur grâce à l'odorat. *Sentir différents parfums avant d'en choisir un.* *2* Répandre telle odeur. *Ça sent le brûlé. Ce fromage sent fort.* *3* Éprouver tel sentiment ou telle sensation. *Je sens qu'il n'est pas d'accord. Se sentir fiévreux.*

sépale n. m. Chacune des parties vertes du calice d'une fleur, située à la base des pétales.

séparation n. f. *1* Action de se séparer. *Ses parents envisagent une séparation.* *2* Ce qui sépare un espace d'un autre. *Cette cloison mobile sert de séparation entre les deux chambres.*

séparatiste adj. et n. Qui est partisan de la séparation d'une région ou d'un territoire de l'État dont ils font partie.

séparément adv. Isolément, chacun de son côté. *Ils sont venus séparément.*
Contraire : ensemble.

séparer v. ➜ conjug. **aimer.** *1* Faire en sorte que des personnes ne soient plus ensemble. *Séparer un enfant de ses parents. Un couple qui se sépare.* *2* Diviser un espace. *Abattre un mur qui sépare deux pièces.* *3* Dissocier des choses. *On ne peut pas séparer ces deux problèmes.*
Contraires : mélanger (3), réunir (1).

SEPT
S'écrit **VII** en chiffres romains.

- adj. inv. Six plus un.
- n. m. Chiffre ou nombre sept. *Elle habite au sept de la rue.*
- **On prononce [sɛt]. Homonymes : cet, cette, set.**

septième
- adj. et n. Qui occupe le rang ou la place numéro 7 dans une série. *Dimanche est le septième jour de la semaine.*
- n. m. Chaque partie d'un tout qui a été divisé par sept. *Un septième ou 1/7.*
- **On prononce [sɛtjɛm].**

septembre n. m. Neuvième mois de l'année, qui a 30 jours. *L'automne commence en septembre.*

septennat n. m. Durée d'une fonction qui est de sept ans.

septentrional, ale, aux adj. Situé au nord. *La Finlande est un pays septentrional.*

septicémie n. f. Infection généralisée du sang, due à des microbes.

septième adj. et n. m. ➜ **sept.**

septique adj. *Fosse septique :* fosse dans laquelle les excréments se décomposent par fermentation.
Homonyme : sceptique.

septuagénaire adj. et n. Qui a entre soixante-dix et quatre-vingts ans.

sépulture n. f. Lieu où un mort est enterré.

séquelle n. f. Trouble qui persiste après un accident ou une maladie. *Il boite un peu, c'est une séquelle de sa chute.*

séquence n. f. Suite d'images qui forment une scène dans un film.

séquestrer v. ➜ conjug. **aimer.** Maintenir quelqu'un enfermé sans en avoir le droit. *Séquestrer un enfant pour demander une rançon.*
Une personne accusée de *séquestration*, d'avoir séquestré quelqu'un.

séquoia n. m. Très grand conifère d'Amérique du Nord.
On prononce [sekɔja].

Le séquoia est un arbre géant qui peut dépasser 110 m de hauteur, et dont le tronc mesure jusqu'à 13 m de circonférence. Son écorce, brun-rouge, peut atteindre 50 cm d'épaisseur.
Le feuillage, persistant, est composé de petites aiguilles vert-bleu. Les fruits sont de petits cônes ovales. Il existe deux espèces de séquoias : le séquoia géant et le séquoia toujours vert.
Ils peuvent vivre jusqu'à 4 000 ans ! Le mot « séquoia » vient du nom du chef indien cherokee See-Quayah.

Séquoia géant.

sérail n. m. Partie qui était réservée aux femmes, dans le palais d'un sultan.

serein, eine adj. *1* Qui est calme, paisible et ne manifeste aucune inquiétude. *Arriver serein le jour d'un examen. 2 Ciel serein :* ciel sans nuages, pur et calme.
Homonyme : serin.
> *Accepter* **sereinement** *une mauvaise nouvelle*, de façon sereine (*1*). *Envisager l'avenir avec* **sérénité**, dans un état serein (*1*).

sérénade n. f. Concert que l'on jouait autrefois le soir sous les fenêtres de la femme aimée.

sérénité n. f. → serein.

serf n. m. Paysan du Moyen Âge, qui dépendait entièrement d'un seigneur.
On prononce [SER]. Homonymes : cerf, serre, serres.

sergent n. m. Sous-officier qui a le grade le plus bas dans la hiérarchie de l'armée de terre et de l'air.

série n. f. *1* Succession de choses qui se suivent ou qui sont de même nature. *Une série de casseroles. 2 En série :* en grand nombre et sur un modèle identique. *Des vêtements fabriqués en série.*

sérieusement adv. *1* De façon sérieuse, appliquée. *Travailler très sérieusement. 2* Sans plaisanter. *Je te parle sérieusement. 3* Gravement. *Plusieurs personnes ont été sérieusement brûlées dans l'incendie.*

sérieux, euse adj. et n. m.
• adj. *1* Qui ne plaisante pas du tout. *Il est très sérieux quand il te dit que tu devrais t'appliquer. 2* Qui agit de façon consciencieuse et avec application. *Faire confiance à un garagiste sérieux. 3* Qui est grave ou inquiétant. *L'état du blessé est jugé sérieux.*
• n. m. *1* Attitude consciencieuse, appliquée. *Faire preuve de sérieux. 2 Garder son sérieux :* réussir à ne pas rire. *3 Prendre au sérieux :* estimer important.

serin n. m. Petit oiseau au plumage jaune.
Homonyme : serein.

seriner v. → conjug. **aimer.** Répéter la même chose inlassablement et de façon fastidieuse.

seringa n. m. Arbuste dont les fleurs blanches ou crème sont très odorantes.
On écrit aussi : seringat.

seringue n. f. Petite pompe reliée à une aiguille, qui permet d'injecter un liquide dans le corps.

serment n. m. Déclaration solennelle faite devant quelqu'un. *Le témoin prête serment devant les juges.*

sermon n. m. *1* Discours fait par un prêtre au cours de la messe. *2* Discours moralisateur et ennuyeux.
Synonyme : prêche (*1*).
> **Sermonner** *un enfant*, lui faire un sermon (*2*).

séropositif, ive adj. Qui est atteint du virus du sida.

serpe n. f. Outil qui a une lame large et courbe et un manche court.

serpent n. m. Reptile au corps allongé couvert d'écailles. *Séraphin aperçoit un serpent.*

serpenter v. → conjug. **aimer.** Décrire des sinuosités. *Une petite rivière serpente à travers les prés.*

serpentin n. m. Longue bande de papier enroulée sur elle-même, qui se déroule quand on la lance.

serpillière n. f. Grosse toile utilisée pour laver les sols. *Passer la serpillière sur un carrelage.*

serpolet n. m. Variété de thym.

serre n. f. Local dans lequel on fait pousser des végétaux à l'abri du froid.
Homonymes : cerf, serf, serres.

serré, ée adj. *1* Dont les éléments sont très rapprochés les uns des autres. *Un gazon touffu et serré. 2* Qui sont en grand nombre dans un lieu. *Des voyageurs serrés dans le métro.*

serrer v. → conjug. **aimer.** *1* Tenir en pressant. *Serrer quelqu'un dans ses bras. 2* Bloquer un mécanisme. *Serrer une vis. Serrer le frein à main. 3* Tirer sur les extrémités d'un lien. *Serrer ses lacets. 4* Mouler trop étroitement une partie du corps. *Ce col me serre le cou. 5 Se serrer :* se rapprocher les uns des autres.

serres n. f. pl. Griffes des oiseaux de proie. *Le vautour saisit sa proie dans ses serres.*
Homonymes : cerf, serf, serre.

serre-tête n. m. inv. Bandeau qui retient les cheveux.

serrure n. f. Dispositif qui permet d'ouvrir ou de fermer une porte ou un tiroir à l'aide d'une clé. *Après le cambriolage, on a dû remplacer la serrure de la porte d'entrée.*
> *Il a perdu ses clés et appelé un* **serrurier**, *une personne qui fait et répare des serrures et qui fabrique des clés. La* **serrurerie** *est la boutique du serrurier.*

sertir v. → conjug. **finir.** Fixer une pierre précieuse dans la monture d'un bijou.

sérum n. m. *1* Liquide jaunâtre qui se sépare du sang après coagulation. *2* Liquide, extrait du sang d'un animal immunisé, qu'on injecte pour lutter contre une maladie infectieuse. *Un sérum antivenimeux.*
Mot latin qui se prononce [serɔm].

servante n. f. Jeune fille chargée autrefois des travaux de la maison.

serveur, euse n. et n. m.
• n. Dans un café ou un restaurant, personne qui sert les clients. *Demander l'addition au serveur.*
• n. m. Ordinateur qui donne accès à un réseau informatique.

serviable adj. Qui aime rendre service. *Nos voisins sont serviables et nous aident pour bricoler.*

service n. m. *1* Ce qu'on fait pour être utile à quelqu'un. *Rends-moi service, aide-moi à faire la vaisselle.* *2* Manière de servir la clientèle. *Un service très soigné.* *3* Pourcentage réservé au personnel d'un café, d'un restaurant ou d'un hôtel. *On a payé 50 euros, service compris.* *4* Travail effectué dans le cadre de son métier. *Finir son service à 18 heures.* *5* Activité précise d'une entreprise ou d'une administration. *Il n'y a pas de service de rhumatologie dans cette clinique.* *6* Ensemble de pièces de vaisselle assorties. *Un service à thé.* *7* Service militaire : temps qu'un jeune homme doit passer à l'armée. *En France, le service militaire a été remplacé par un service volontaire de un à cinq ans.*

serviette n. f. *1* Pièce de tissu servant à s'essuyer la bouche ou le corps. *Des serviettes de table. Emporter une serviette de bain à la piscine.* *2* Sac servant à transporter des documents, des livres. *Acheter une serviette en cuir.*

servile adj. Qui est trop soumis. *Se montrer servile face à son patron.*
   Exécuter **servilement** *un ordre,* de façon servile.
   Faire preuve de **servilité**, *d'un caractère servile.*

servir v. *1* Donner à quelqu'un ce qu'il a demandé ou ce qu'il a commandé. *Dans ce restaurant, on sert jusqu'à minuit.* *2* Être utilisé pour faire quelque chose. *Une perceuse sert à faire des trous dans les murs.* *3* Se servir :

prendre soi-même ce que l'on veut. *Dans ce magasin, les clients peuvent se servir.* *4* Se servir de quelque chose : l'utiliser. *Se servir d'une poêle pour faire des crêpes.*

serviteur n. m. Autrefois, employé de maison, domestique.

servitude n. f. Contrainte à laquelle on ne peut pas échapper. *Une des servitudes de ce métier est le travail de nuit.*

ses adj. possessif → **son 1.**

sésame n. m. Plante cultivée pour ses graines qui fournissent une huile.

session n. f. *1* Période pendant laquelle siège un tribunal ou une assemblée. *2* Période pendant laquelle se déroule un examen. *Session de juin, de septembre.*

set n. m. *1* Chacune des parties d'un match de tennis, de volley-ball ou de ping-pong. *Gagner un match en trois sets.* *2* Set de table : napperon qu'on place sous l'assiette de chaque convive.
Mot anglais qui se prononce [sɛt]. Homonymes : cet, cette, sept.

setter n. m. Grand chien de chasse à poils longs.
Mot anglais qui se prononce [sɛtɛʀ].

seuil n. m. *1* Entrée d'une maison. *Rester sur le seuil pour faire un brin de causette.* *2* Limite au-delà de laquelle une situation est grave. *Vivre au-dessous du seuil de pauvreté.*

seul, seule adj. et n.
• adj. *1* Sans personne pour accompagner ou pour aider. *Aimer se promener seul. Apprendre à s'habiller tout seul.* *2* Qui est unique. *Je ne le connais pas bien, je ne l'ai rencontré qu'une seule fois.* *3* À l'exclusion des autres. *Seuls les meilleurs ont eu droit à un prix.*
• n. Personne seule. *Tu as été la seule à bien vouloir m'aider.*

seulement adv. *1* Pas davantage. *Il y a seulement un élève qui est absent.* *2* À l'instant, tout juste. *Elle vient seulement de partir.* *3* Mais, toutefois. *Il aimerait s'acheter une nouvelle automobile, seulement il n'a pas d'argent.*

sève n. f. Liquide qui circule dans les végétaux et qui les nourrit.

sévère adj. *1* Qui est intransigeant, dépourvu d'indulgence. *Ce maître est sévère et donne beaucoup de punitions.* *2* Qui est d'une certaine gravité ou d'une certaine importance. *L'armée a subi des pertes sévères.*
   Elles ont été **sévèrement** *punies,* de façon sévère (*1*).
   Faire preuve d'une grande **sévérité**, *d'un caractère sévère (1).*

La conjugaison du verbe
SERVIR 3e groupe

indicatif présent	je sers, il ou elle sert, nous servons, ils ou elles servent
imparfait	je servais
futur	je servirai
passé simple	je servis
subjonctif présent	que je serve
conditionnel présent	je servirais
impératif	sers, servons, servez
participe présent	servant
participe passé	servi

sévices n. m. pl. Mauvais traitements, violences. *Ces prisonniers ont subi des sévices corporels.*

Sévigné (marquise de)

Femme de lettres française née en 1626 et morte en 1696. Installée à Paris, Marie de Rabutin-Chantal, marquise de Sévigné, mène une vie mondaine. Elle fréquente les salons parisiens, où elle est appréciée pour son esprit et où elle se lie avec des personnages proches du pouvoir.

Ses qualités littéraires se révèlent dans sa correspondance : elle écrit quelque mille cinq cents lettres, dont plus de la moitié sont envoyées à sa fille. Elle y raconte la vie à Versailles et les événements de la Cour un ton vif et alerte, et dans un style brillant. Cette correspondance, qui dure jusqu'à sa mort, est une extraordinaire chronique du XVIIᵉ siècle. La première édition des *Lettres* de Mme de Sévigné paraît en 1726.

sévir v. → conjug. **finir.** *1* Punir sévèrement. *Sévir contre les fraudeurs.* *2* Causer des ravages ou faire de nombreuses victimes. *Une épidémie de grippe sévit actuellement.*

sevrer v. → conjug. **aimer.** Cesser de nourrir un bébé ou le petit d'un animal avec uniquement du lait en lui donnant progressivement d'autres aliments. *Le sevrage d'un bébé, c'est l'action de le sevrer.*

sexagénaire adj. et n. Qui a entre soixante et soixante-dix ans.

sexe n. m. *1* Caractéristiques physiques qui distinguent un homme d'une femme, un mâle d'une femelle. *Un bélier est de sexe mâle, une brebis de sexe femelle.* *2* Organes génitaux. *Le pénis est le sexe de l'homme.*

sexiste adj. et n. Qui considère que les hommes sont supérieurs aux femmes.

sextant n. m. Instrument de navigation qui permet de mesurer la hauteur d'un astre par rapport à l'horizon et de déterminer la position d'un bateau.

sexualité n. f. Ensemble de comportements liés à l'instinct sexuel, qui pousse les êtres à s'accoupler.

sexuel, elle adj. *1* Qui se rapporte au sexe. *Les organes sexuels.* *2* Qui concerne la sexualité. *Des rapports sexuels.*

seyant, ante adj. Qui va bien à quelqu'un et flatte son apparence. *Elle porte un corsage très seyant.*

Seychelles

République de l'océan Indien, située au nord-est de Madagascar. Les Seychelles sont un archipel composé d'une centaine d'îles et d'îlots granitiques ou coralliens dispersés sur 800 000 km². Le climat est tropical. L'île de Mahé, où se trouve la capitale, rassemble plus de 85 % des habitants. Le pays vit essentiellement du tourisme et de la pêche. Occupées par la France au XVIIIᵉ siècle, les Seychelles deviennent ensuite une colonie britannique en 1814. Indépendantes depuis juin 1976, elles sont aujourd'hui membres du Commonwealth.

450 km²
80 000 habitants :
les Seychellois
Langues : créole,
français, anglais
Monnaie : roupie
seychelloise
Capitale : Victoria

Shakespeare William

Poète et auteur dramatique anglais né en 1564 et mort en 1616. On connaît mal la vie de Shakespeare. On sait que vers 1592, à Londres, il est un acteur et un auteur réputé pour son talent. Son œuvre, immense et très variée, peut être divisée en trois périodes différentes. Entre 1590 et 1600, ce sont des œuvres de jeunesse qui comprennent des comédies (*la Mégère apprivoisée, le Songe d'une nuit d'été, Comme il vous plaira, la Nuit des rois*), des drames historiques (*Richard III, Henri V…*), des tragi-comédies (*le Marchand de Venise*). De cette période datent également les tragédies *Roméo et Juliette* et *Jules César*. À partir de 1601, Shakespeare exprime son pessimisme, voire son désenchantement, à travers les célèbres tragédies que sont *Hamlet, Othello, Macbeth, le Roi Lear.* Après 1607, l'auteur se tourne vers des tragi-comédies où le magique et le surnaturel l'emportent sur le réalisme (*la Tempête*).

shampooing n. m. *1* Produit utilisé pour se laver les cheveux. *Acheter un shampooing contre les pellicules. 2* Action de se laver les cheveux. *Se faire deux shampooings par semaine.*
Mot anglais qui se prononce [ʃɑ̃pwɛ̃].

shar–peï n. m. Chien d'origine chinoise à la langue noire bleutée.

La peau du shar-peï forme une multitude de plis sur son corps ; sa queue, épaisse et ronde, se termine en pointe.

shérif n. m. Chef de la police d'une ville, aux États-Unis.

sherpa n. m. Guide de haute montagne dans l'Himalaya.

shoot n. m. Coup de pied puissant donné dans un ballon, au football.
Mot anglais qui se prononce [ʃut].
Réussir à shooter dans le but, à faire un shoot.

shopping n. m. *Faire du shopping :* aller de boutique en boutique pour faire des achats.
Mot anglais qui se prononce [ʃɔpiŋ].

short n. m. Culotte courte. *S'acheter un short pour le sport.*
Mot anglais qui se prononce [ʃɔʀt].

show n. m. Spectacle de variétés. *Un show télévisé.*
Mot anglais qui se prononce [ʃo]. Homonyme : chaud.

1. si conj. Introduit l'expression d'une condition, d'une hypothèse, d'une possibilité. *Si la neige continue à tomber, on va pouvoir faire du ski. Je me demande s'il va venir.*
Homonymes : ci, scie, six. « Si » devient « s' » devant « il » et « ils ».

2. si adv. *1* Exprime l'affirmation en réponse à une question négative. *Tu n'as pas froid ? – Si, j'ai froid ! 2* Tellement. *Il fait si chaud qu'on transpire. 3* À ce point, aussi. *Je ne savais pas qu'elle était si belle.*
Homonymes : ci, scie, six.

3. si n. m. inv. Septième note de musique de la gamme.
Homonymes : ci, scie, six.

siamois, oise adj. et n. *1* *Frères siamois, sœurs siamoises,* jumeaux ou jumelles qui naissent attachés l'un à l'autre par une partie du corps. *2* *Chat siamois :* race de chat, au pelage clair et aux yeux bleus.

sibyllin, ine adj. Littéraire. Mystérieux, énigmatique. *Tenir des propos confus et sibyllins.*

sida n. m. Maladie virale très grave, transmissible par le sang ou au cours des rapports sexuels.
Les sidéens expérimentent un nouveau traitement, les personnes atteintes du sida.

sidérer v. → conjug. **digérer.** Familier. Étonner fortement, stupéfier. *Cette nouvelle nous a sidérés.*

sidérurgie n. f. Industrie qui transforme le minerai de fer en fonte ou en acier.
Travailler dans une usine sidérurgique, de sidérurgie.

siècle n. m. Période de cent ans. *L'aviation date de la fin du siècle dernier.*

siècle des Lumières

Au XVIII⁰ siècle, les sciences et les techniques connaissent un essor considérable et un courant d'idée nouvelles se répand dans toute l'Europe, transformant profondément les sociétés. En France, ce mouvement va ébranler la monarchie et déboucher sur la Révolution. On a appelé cette période le siècle des Lumières.

Regarde page ci-contre.

Regarde page ci-contre.

siège n. m. *1* Meuble qui sert à s'asseoir. *Ce banc va nous servir de siège. 2* Endroit où se trouvent la direction et les principaux bureaux d'une entreprise ou d'un organisme. *Cette société a son siège à Paris. 3* Fonction, place dans une assemblée d'élus. *Gagner des sièges lors d'une élection. 4* Opération militaire pour s'emparer d'un lieu. *Faire le siège d'une ville.*

siéger v. Tenir séance en assemblée. *Les députés européens siègent à Strasbourg.*

La conjugaison du verbe SIÉGER 3ᵉ groupe

indicatif présent	**je siège,**
	il ou elle siège,
	nous siégeons,
	ils ou elles siègent
imparfait	**je siégeais**
futur	**je siégerai**
passé simple	**je siégeai**
subjonctif présent	**que je siège**
conditionnel présent	**je siégerais**
impératif	**siège, siégeons, siégez**
participe présent	**siégeant**
participe passé	**siégé**

le siècle des Lumières

Au XVIIIᵉ siècle, appelé aussi « siècle des Lumières », se développe en Europe un courant intellectuel marqué par la foi en la raison et la défense des libertés.

Les gens cultivés se réunissent pour parler de philosophie, de politique, observer la nature et mener des expériences scientifiques.

découvrir et expérimenter

■ Les Lumières accompagnent le développement des sciences basées sur l'expérience. Les astronomes calculent la distance de la Terre à la Lune et indiquent avec précision les formes de notre planète. Les physiciens étudient les phénomènes électriques. Le chimiste Lavoisier découvre la composition de l'air et de l'eau ; les frères Montgolfier construisent les premiers aérostats ; l'ingénieur Cugnot met au point la première voiture à vapeur ; l'Anglais Jenner réalise les premières vaccinations.

Le naturaliste français Buffon écrit une Histoire naturelle qui présente toutes les connaissances de l'époque en zoologie, botanique et géologie.

penser librement

■ À travers les idées nouvelles se développe surtout l'esprit critique. Les philosophes en sont à l'origine. Ils contestent le pouvoir autoritaire et souhaitent transformer les institutions politiques, sociales et religieuses, afin de faire triompher les principes de justice, de liberté et de tolérance. Ils veulent réaliser le bonheur des hommes en les faisant raisonner sur leur condition, pour qu'ils se libèrent.
Ce sont ces principes et cette réflexion qui donneront au mécontentement populaire toute sa force à la veille de la Révolution française. Montesquieu, Voltaire, Diderot et Rousseau sont les grands philosophes du siècle des Lumières.

Diderot et d'Alembert, entourés d'un grand nombre de savants et de philosophes, publient l'Encyclopédie, un ouvrage en 28 volumes qui rassemble toutes les connaissances du moment.

explorer

■ Le grand commerce maritime se développe sur tous les océans. Grâce aux voyages des explorateurs Bougainville, La Pérouse et Cook, la cartographie s'améliore.

Au XVIIIᵉ siècle, la culture française rayonne sur toute l'Europe. Elle influence les arts, les modes et les idées. La langue française est la langue des gens cultivés.

le sien, la sienne pron. possessif, n. m. et n. f. pl.
• pron. possessif. Correspond au pronom personnel de la troisième personne du singulier. *Ce manteau n'est pas à lui, car le sien est rouge.*
• n. m. *1* *Y mettre du sien :* faire des efforts. *2* Au pluriel. Les parents ou les proches de quelqu'un. *Être entouré de tous les siens.*
• n. f. pl. Familier. *Faire des siennes :* faire des sottises.

Sierra Leone

République de l'ouest de l'Afrique ouverte sur l'océan Atlantique. Le territoire de la Sierra Leone est constitué par une large plaine côtière et un plateau granitique. Le climat est tropical, avec une longue saison humide. La population se concentre dans la plaine côtière. L'économie repose sur l'agriculture et les ressources minières, mais elle souffre des combats entre les troupes rebelles et gouvernementales.

Sous domination britannique à partir du XVIIᵉ siècle, la Sierra Leone devient indépendante et membre du Commonwealth en 1961. Depuis, elle connaît une succession de coups d'État, et vit toujours dans la guerre civile.

71 740 km²
4 764 000 habitants :
les Sierra-Léonais
Langues : anglais, krio,
mende, temne…
Monnaie : leone
Capitale : Freetown

sieste n. f. Moment où l'on se repose un peu après le déjeuner. *J'adore faire la sieste dans une chaise longue.*

siffler v. → conjug. **aimer.** *1* Émettre un son aigu en faisant sortir l'air de sa bouche ou en se servant d'un sifflet. *Quand il siffle, c'est qu'il est joyeux. L'arbitre siffle quand il y a faute.* *2* Produire un son aigu et prolongé. *Le vent siffle dans les branches.* *3* Pour certains animaux, émettre leur cri. *Écoute les oiseaux siffler.* *4* Appeler un animal en sifflant. *Le chasseur siffle son chien.* *5* Manifester son désaccord ou son mécontentement. *De nombreux spectateurs ont sifflé les comédiens.*

Entendre des **sifflements**, des sons produits par quelqu'un ou quelque chose qui siffle. *Papa **sifflote** en bricolant,* il siffle doucement.

sifflet n. m. *1* Petit instrument avec lequel on siffle. *Le gendarme a donné un coup de sifflet pour arrêter une voiture.* *2* Au pluriel. Sifflements qui expriment le désaccord, le mécontentement. *L'orateur a quitté la salle sous les sifflets du public.*

siffloter v. → **siffler.**

sigle n. m. Abréviation formée par les initiales d'un groupe de mots. *U. L. M. est le sigle de ultra-léger motorisé.*

signal n. m. **Plur. : des signaux.** *1* Signe, geste ou bruit qui sert à avertir ou à transmettre une information. *La cloche sonne, c'est le signal de la fin du cours.* *2* Dispositif qui sert à alerter ou à informer. *Tirer le signal d'alarme. Parlez après le signal sonore.*

signalement n. m. Description détaillée d'une personne. *Donner le signalement d'un agresseur à la police.*

signaler v. → conjug. **aimer.** *1* Indiquer par un signal. *Une affiche signale aux clients les dates de fermeture du magasin.* *2* Se signaler : se distinguer, se faire remarquer. *Se signaler par sa générosité.*
Regarde aussi code.

signalisation n. f. Ensemble des panneaux et des signaux qui permettent de régler la circulation.

signataire n. Personne qui a signé un écrit. *Qui sont les signataires du traité de paix ?*

signature n. f. Nom d'une personne écrit de sa main, qui sert à certifier qu'on est l'auteur d'un texte ou à l'approuver.

signe n. m. *1* Ce qui indique ou prouve quelque chose. *La fièvre est un signe d'infection. Cette légère brume est un signe de grosse chaleur.* *2* Geste destiné à faire savoir quelque chose. *Dire au revoir en faisant des grands signes de la main.* *3* Symbole écrit ou dessiné qui représente quelque chose. *Le point d'interrogation est un signe de ponctuation. Les hiéroglyphes sont les signes de l'écriture des anciens Égyptiens.* *4* Chacune des douze parties du zodiaque. *Être du signe du Capricorne.* *5* Ne pas donner signe de vie : ne pas donner de ses nouvelles. *Cela fait des mois qu'il n'a pas donné signe de vie.*
Homonyme : cygne.

signer v. → conjug. **aimer.** Écrire sa signature au bas d'un texte ou d'une œuvre. *Une lettre anonyme n'est pas signée.*

signet n. m. Petit ruban servant à marquer la page d'un livre et à la retrouver facilement.

significatif, ive adj. Qui est un signe révélateur de quelque chose. *Le taux d'abstention est significatif du désintérêt des électeurs.*

signifier v. → conjug. **modifier.** *1* Avoir pour sens, vouloir dire. *Chercher dans son dictionnaire ce que signifie le mot « pisciculture ».* *2* Notifier clairement, faire savoir. *Il nous a signifié sa décision.*
La **signification** *d'un mot, d'un fait, d'un geste,* c'est ce qu'ils signifient (*1*).

silence n. m. *1* Absence totale de bruit. *Apprécier le silence de la nuit.* *2* Fait de ne pas parler, de se taire. *Garder le silence pendant une cérémonie religieuse.*

silencieux, euse adj. et n. m.
• adj. *1* Où l'on n'entend pas ou presque pas de bruit. *Cette impasse est silencieuse, car le stationnement y est interdit.* *2* Qui garde le silence, ne parle pas. *Il est resté silencieux et n'a pas participé à la discussion.* *3* Qui a lieu ou qui fonctionne sans bruit. *Un moteur silencieux.*
Contraire : bruyant (*1* et *3*).
Le convoi funéraire avance **silencieusement** vers le cimetière, de façon silencieuse (*3*).
• n. m. Dispositif qui permet d'amortir le bruit d'une arme à feu ou d'un moteur.

silex n. m. Roche très dure à grains très fins.
Le silex – jaune, brun ou noir – se trouve dans le sous-sol sous forme de blocs isolés. La cassure d'un silex donne une lame à bords tranchants. Les hommes préhistoriques en font des outils et des armes (haches, lames de couteau, pointes de flèches et de harpons). Frappé avec du fer ou de l'acier, il produit des étincelles. C'est ce phénomène qui est utilisé dans les premiers fusils et les premiers briquets pour enflammer la poudre ou les mèches.

silhouette n. f. *1* Forme générale et floue d'un être ou d'une chose dont on ne voit que les contours. *Apercevoir la silhouette du clocher dans la brume.* *2* Aspect général du corps d'une personne. *Ce mannequin a une silhouette élancée.*

sillage n. m. Trace laissée derrière un bateau qui avance dans l'eau.

sillon n. m. Longue tranchée faite dans la terre par un instrument de labour.

sillonner v. → conjug. **aimer.** Parcourir ou traverser en tous sens. *Sillonner toute une région à vélo.*

silo n. m. Grand réservoir pour stocker les récoltes.

silure n. m. Poisson sans écailles qui vit dans les eaux douces des rivières et des lacs.
Les silures font partie du groupe des poissons-chats, caractérisés par les barbillons qui pendent autour de leur bouche et qui évoquent les moustaches d'un chat. Leur taille est très variable : le silure de verre, poisson d'aquarium dont on voit le squelette par transparence, mesure 10 cm, mais le silure glane atteint 5 m ! Ils se nourrissent d'autres poissons, de crustacés et d'amphibiens.

simagrées n. f. pl. Manières affectées destinées à attirer l'attention. *Sois simple et arrête de faire des simagrées !*

similaire adj. Qui est presque semblable à autre chose. *Sur ce sujet, mon point de vue est similaire au tien.* Synonymes : analogue, équivalent, voisin.

similitude n. f. Très grande ressemblance, analogie. *Il y a une similitude entre leurs témoignages.*

simoun n. m. Vent chaud et sec qui souffle dans le désert.

simple adj. *1* Qui est composé d'un seul élément, d'une seule partie. *Prendre un aller simple.* *2* Qui est facile à faire, à comprendre ou à utiliser. *Des jeux très simples pour les tout-petits.* *3* Qui se comporte de façon naturelle, sans manières ni prétention. *Malgré la gloire, il est resté très simple.* *4* Qui ne comporte pas d'ornements ni de fioritures inutiles. *Une décoration très simple.* *5* Qui ne nécessite rien de plus. *Ne te déplace pas, une simple lettre suffira.* *6* Temps simple : temps du verbe qui se conjugue sans auxiliaire.
Contraires : compliqué (*2*), composé (*6*), prétentieux (*3*).
Simplifier un formulaire, c'est le rendre plus simple (*2*). Les appareils électriques ont permis une **simplification** des tâches ménagères, de les simplifier.

simplement adv. *1* D'une manière simple, sans prétention ni affectation. *Être reçu simplement et chaleureusement chez ses amis.* *2* Seulement, uniquement. *J'ai fait ça simplement pour te rendre service.*

simplet, ette adj. Qui est naïf et un peu sot, niais.

simplicité n. f. *1* Qualité de ce qui est simple à faire ou à comprendre. *Ce mode d'emploi est d'une grande simplicité.* *2* Qualité d'une personne simple, qui ne fait pas de manières. *Il est prétentieux et manque de simplicité.*

simplification n. f., **simplifier** v. → **simple**.

simpliste adj. Qui simplifie exagérément les choses. *Ton raisonnement est simpliste, les choses sont plus compliquées que cela.*

simulacre n. m. Action simulée, mais qui a l'apparence du réel. *Un simulacre de combat.*

simuler v. → conjug. **aimer.** Faire semblant, feindre. *Simuler un malaise pour échapper à une corvée.*
  La *simulation* d'une maladie, c'est l'action de la simuler. *Ce garçon n'est qu'un simulateur,* il simule.

simultané, ée adj. Qui a lieu en même temps qu'autre chose. *L'arrivée simultanée de deux coureurs.*
  Les incendies se sont déclarés simultanément, de façon simultanée. *La simultanéité de ces deux événements est troublante,* leur caractère simultané.

sincère adj. **1** Qui dit ce qu'il pense ou ce qu'il ressent avec beaucoup d'honnêteté. *S'il t'a dit cela, tu peux le croire car il est sincère.* **2** Qui est réellement éprouvé. *Je ne pense pas que sa douleur soit sincère.*
  Il parle sincèrement de son passé, de façon sincère (**1**). *On peut douter de sa sincérité,* de son caractère sincère (**1** et **2**).

sinécure n. f. Emploi qui est bien payé, sans nécessiter un gros travail.

Singapour

République du sud-est de l'Asie. Singapour est composé d'une grande île (Singapour) et de petites îles environnantes. Le climat est équatorial. La densité de la population (composée majoritairement de Chinois) est considérable : 4 896 habitant au km² ! La ville de Singapour occupe 20 % de la surface de l'île. L'économie repose sur l'industrie (électronique, haute technologie, pétrochimie). Le port est l'un des premiers ports marchands au monde. Le niveau de vie des habitants est élevé.

618 km²
4 183 000 habitants :
les Singapouriens
Langues : anglais,
chinois, malais, tamoul
Monnaie : dollar de
Singapour
Capitale : Singapour

Sous domination britannique à partir de 1819, État de la Malaisie en 1963, Singapour devient indépendant en 1965. Il est membre du Commonwealth.

singe n. m. **1** Mammifère qui appartient à l'ordre des primates. **2** Familier. *Faire le singe :* faire des singeries. *Si tu continues à faire le singe, tu vas te faire punir.*

La taille des singes varie d'une vingtaine de centimètres pour le ouistiti à plus de 1,80 m pour le gorille. Ils vivent en société sur laquelle un vieux mâle exerce son autorité. On les classe en trois groupes : les grands singes, les singes d'Amérique et ceux d'Afrique et d'Asie dont une espèce vit en Europe. *Regarde page ci-contre.*

singer v. → conjug. **ranger.** Imiter quelqu'un en se moquant de lui. *Cet humoriste singe les hommes politiques.*

singerie n. f. Grimace, pitrerie. *Faire des singeries dans le dos de quelqu'un.*

singulier, ère adj. et n. m.
• adj. Qui attire l'attention par son caractère curieux ou inhabituel. *Elle a une façon singulière de s'habiller.* **Synonymes : bizarre, étrange.**
  Il porte un kilt pour se singulariser, pour se rendre singulier, se distinguer. *Te voilà singulièrement accoutré,* de façon singulière. *La singularité de cette voiture est qu'elle fonctionne sans essence,* c'est son caractère singulier, sa particularité.
• n. m. Forme que prend un mot qui désigne une seule personne ou une seule chose. « *Animal* » est employé au singulier. **Contraire : pluriel.**

sinistre adj. et n. m.
• adj. **1** Qui fait peur. *Cette vieille maison est remplie de bruits sinistres.* **2** Qui est très triste ou très ennuyeux. *Ce quartier est sinistre la nuit, il n'y a aucun éclairage. Une soirée sinistre.* **Synonymes : effrayant, inquiétant (1), lugubre (2). Contraire : gai (2).**
• n. m. Catastrophe qui cause des dégâts considérables. *Les pompiers s'affairent à maîtriser le sinistre.*
  Venir au secours des sinistrés, des personnes qui ont été victimes d'un sinistre.

sinon conj. **1** Autrement, sans quoi. *Il faut partir maintenant, sinon on va rater le train.* **2** Sauf, excepté, si ce n'est. *Rien ne l'intéresse, sinon le sport.*

sinueux, euse adj. Qui forme de nombreuses courbes, de nombreux virages. *Ce chemin de montagne est très sinueux.*
  Les sinuosités d'un cours d'eau, c'est sa ligne sinueuse, ses méandres.

sinus n. m. Cavité qui se trouve à l'intérieur de certains os du crâne et de la face. **Mot latin qui se prononce** [sinys].
  Avoir une sinusite, une inflammation des sinus.

les singes

Les singes vivent pour la plupart dans les zones tropicales. Ils sont omnivores avec une préférence pour les végétaux. Ils ont le corps couvert de poils.

grands singes

Gibbon.

Chimpanzé.

Orang-outan.

Gorille.

singes d'Afrique et d'Asie

Macaque.

Mandrill.

Babouin.

singes d'Amérique

Atèle.

Ouistiti.

■ Les singes vivent surtout dans les arbres, mais plusieurs espèces comme le chimpanzé, le gorille et le babouin sont aussi adaptées à la vie terrestre.

■ Les mains et les pieds des singes sont préhensiles : leurs pouces et leurs gros orteils sont opposables aux autres doigts, ce qui leur permet de saisir des objets avec les mains ou les pieds. Les doigts sont munis d'ongles.

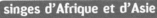

■ Quadrupèdes, les singes se déplacent par instants de manière bipède comme l'homme. Leurs bras étant plus longs que leurs jambes, en particulier chez le gibbon et l'orang-outan, ils les utilisent pour avancer. À l'exception des espèces qui vivent au sol, ils ont de longues queues. Dans certains cas, cette queue est préhensile : elle sert à se déplacer et à attraper branches et nourriture.

siphon n. m. *1* Tuyau recourbé placé sous les appareils sanitaires, qui empêche la remontée des eaux usées et des mauvaises odeurs. *Le siphon du lavabo est bouché par des cheveux. 2* Tube recourbé qui sert à transvaser un liquide.

sire n. m. Titre donné à un roi et à certains seigneurs au Moyen Âge.
Homonyme : cire.

sirène n. f. *1* Être imaginaire qui a une tête et un buste de femme et une queue de poisson. *Les sirènes attiraient les navigateurs par la douceur de leur chant. 2* Appareil qui fait un bruit fort et prolongé pour servir de signal ou d'alerte. *On entend la sirène d'un paquebot qui arrive au port.*

sirocco n. m. Vent très chaud et très sec, au Sahara.

sirop n. m. *1* Médicament liquide au goût sucré. *Acheter du sirop contre la toux. 2* Boisson épaisse et sucrée qu'on mélange à de l'eau. *Boire un verre d'eau avec du sirop de cassis.*
On prononce [siʀo].

siroter v. → conjug. **aimer.** Familier. Boire à petits coups, en prenant son temps. *Elle sirote son café.*

sirupeux, euse adj. Qui a la consistance visqueuse du sirop. *Une boisson sirupeuse.*

sismique adj. Qui a rapport aux séismes, aux tremblements de terre. *Une secousse sismique.*

sismographe n. m. Appareil qui sert à enregistrer la durée et l'importance des tremblements de terre.

site n. m. Endroit qui présente un intérêt particulier. *Visiter des sites archéologiques.*

sitôt adv. *1* Aussitôt. *Sitôt levée, elle fait sa gymnastique. 2* Pas de sitôt : pas avant longtemps. *Je ne reviendrai pas de sitôt.*

situation n. f. *1* Position, emplacement d'une ville, d'un édifice. *Cette maison en haut de la falaise a une situation privilégiée. 2* État dans lequel on se trouve. *La situation économique de ce pays en voie de développement s'est détériorée. 3* Emploi, place, métier. *Trouver une bonne situation dans l'informatique.*

situer v. → conjug. **aimer.** Déterminer la place de quelque chose dans l'espace, dans le temps ou dans un ensemble. *Paris est situé sur la Seine. L'intrigue de ce film se situe au XIXe siècle.*

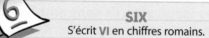

SIX
S'écrit **VI** en chiffres romains.

• adj. inv. Cinq plus un. *Six œufs font une demi-douzaine.*
• n. m. inv. Le chiffre ou le nombre six. *Elle habite au six.*
On prononce [sis] quand le mot est seul ou en fin de phrase ; [siz] devant une voyelle ou un « h » muet ; [si] devant une consonne.
Homonymes : ci, scie, si.

sixième
• adj. et n. Qui occupe le rang ou la place numéro 6 dans une série. *Juin est le sixième mois de l'année.*
• n. m. Chaque partie d'un tout qui a été divisé par six. *Un sixième ou 1/6.*
• n. f. Première année de l'enseignement secondaire.
On prononce [sizjɛm].

skaï n. m. Matière synthétique qui imite le cuir.
On prononce [skaj]. Skaï est le nom d'une marque, mais on l'écrit couramment sans majuscule.

skateboard n. m. Planche à roulettes.

Le skateboard est inventé en Californie dans les années 1960 par des surfeurs souhaitant s'entraîner sur terre lorsqu'il n'y avait pas de vagues. Ce nouveau sport se répand rapidement dans le monde entier. Des compétitions de vitesse, de saut en hauteur et en longueur, de slalom sont organisées. Actuellement, les records sont les suivants : vitesse, 126,12 km/h ; hauteur, 1,67 m ; longueur, 5,18 m.
Mot anglais qui se prononce [skɛtbɔʀd].

sketch n. m. Plur. : des sketchs ou des sketches. Pièce de théâtre très courte.
Mot anglais qui se prononce [skɛtʃ].

ski n. m. *1* Planche longue et étroite qu'on utilise pour glisser sur la neige ou sur l'eau. *2* Sport pratiqué sur la neige avec ces planches. *3 Ski nautique :* sport consistant à

glisser sur l'eau avec des skis, en étant tiré par un bateau à moteur. *Il apprend à skier*, à faire du ski (2). *Des skieurs descendent la piste*, des personnes qui skient. *Les pistes skiables ont été damées*, les pistes où l'on peut skier.

Ski alpin.

Le ski existe depuis des milliers d'années dans les pays du nord de l'Europe. À l'origine, les patins sont en bois. On a trouvé en Suède un ski vieux de 4 500 ans ! Le ski devient un sport au XIXᵉ siècle. Le ski nordique entre aux jeux Olympiques en 1924, le ski alpin en 1948. Il existe un championnat du monde tous les deux ans. Le ski est réparti en plusieurs disciplines :
• le ski alpin comporte trois épreuves : descente, slalom, épreuves combinées ;
• le ski nordique comporte quatre épreuves : course de fond, saut à skis, combiné, biathlon ;
• le ski artistique comporte trois épreuves : ballet, parcours sur bosses, saut acrobatique ;
• le ski de vitesse, ou kilomètre lancé, se pratique sur une longue piste rectiligne avec un équipement spécial.

Le ski nautique est inventé par l'Américain Ralph Samuelson en 1922. Les skis, généralement en fibre de verre, mesurent de 1,50 m à 1,80 m pour une largeur d'environ 15 cm. Le monoski est moins long et plus large. La corde servant à tracter a une longueur de 20 m. Les principales épreuves sont : les figures, le saut et le slalom. Des championnats du monde sont organisés tous les deux ans.

Ski nautique.

skipper n. m. Personne qui commande un voilier ou un yacht.
Mot anglais qui se prononce [skipœʀ].

slalom n. m. Descente à skis sur un parcours très sinueux délimité par des piquets.
On prononce [slalɔm].

slip n. m. Culotte qui sert de sous-vêtement ou de maillot de bain.

slogan n. m. Phrase courte qui doit retenir l'attention. *Un slogan publicitaire.*

Slovaquie

République d'Europe centrale. Le centre de la Slovaquie est occupé par le massif des Tatras, l'ouest par la chaîne des Carpates, au sud coule le Danube. La forêt recouvre plus du tiers du pays. Le climat est continental, avec d'abondantes chutes de neige en hiver. L'agriculture produit céréales, pommes de terre, betteraves, mais l'économie est surtout fondée sur l'industrie.

Incluse dans l'État de Tchécoslovaquie en 1918, la Slovaquie est indépendante depuis 1993. Adhère à l'Union européenne en 2004.

49 016 km²
5 398 000 habitants :
les Slovaques
Langues : slovaque, hongrois, tchèque…
Monnaie : couronne slovaque
Capitale : Bratislava

Slovénie

République de l'est de l'Europe, située dans la péninsule des Balkans et ouverte à l'ouest sur la mer Adriatique. Le nord-ouest de la Slovénie est montagneux. Le centre et l'est sont constitués de collines où se regroupe la population. Le climat, continental à l'intérieur, est doux près de la côte adriatique. L'économie repose sur l'agriculture, l'industrie et le tourisme.

Membre de l'ancienne Yougoslavie à partir de 1918, la Slovénie devient indépendante en 1991. Adhère à l'Union européenne en 2004.

20 251 km²
1 986 000 habitants :
les Slovènes
Langues : slovène, italien, hongrois
Monnaie : tolar
Capitale : Ljubljana

a b c d e f g h i j k l m n o p q r s t u v w x y z

smash n. m. Plur. : des smashes ou des smashs. Coup qui rabat violemment une balle haute au tennis, au ping-pong ou au volley-ball.
Mot anglais qui se prononce [smaʃ].

Smasher, c'est faire un smash.

S. M. I. C. n. m. Sigle de Salaire Minimum Interprofessionnel de Croissance, qui est le salaire minimum dont le montant est fixé par le gouvernement.

Le S. M. I. C. varie en fonction de l'évolution des prix d'un certain nombre de produits de consommation courante.

smoking n. m. Costume masculin noir très habillé.
Mot anglais qui se prononce [smɔkiŋ].

snack n. m. Café ou restaurant où l'on peut manger rapidement et à toute heure.
Mot anglais qui se prononce [snak].

snob adj. et n. Se dit d'une personne qui essaie d'imiter les gens chics ou mondains.
Mot anglais qui se prononce [snɔb].

Il fait preuve d'un grand snobisme, d'un comportement snob.

snowboard n. m. Sport pratiqué sur la neige avec une planche spéciale.
Mot anglais qui se prononce [snobɔrd].

Le snowboard, ou surf des neiges, est d'origine américaine. Il est introduit en Europe à la fin des années 1970. Ce sport de glisse se pratique sans bâtons. Les pieds sont fixés par des attaches, et la planche est guidée par des mouvements de balancier du corps. Les compétitions comprennent des slaloms, des figures et des sauts. Le snowboard figure aux jeux Olympiques d'hiver depuis 1998. Il existe des championnats du monde.

sobre adj. *1* Qui est simple, sans ornements inutiles. *Une maison décorée dans un style très sobre.* *2* Qui évite de trop manger ou de boire de l'alcool. *Mener une vie sobre, sans excès.*

Il s'habille toujours sobrement, de façon sobre (*1*). *Les athlètes doivent faire preuve d'une grande sobriété*, d'un caractère sobre (*2*).

soc n. m. Grosse lame pointue d'une charrue, qui creuse les sillons.

sociable adj. Qui aime la compagnie des autres. *Être très sociable et s'adapter très vite à un nouveau milieu.* **Contraire : sauvage.**

social, ale, aux adj. *1* Qui concerne la société. *Les différentes classes sociales.* *2* Qui vise à améliorer les conditions de vie. *Ces mesures sociales s'adressent aux plus défavorisés.*

socialisme n. m. Système politique et économique qui vise à rendre la société plus juste en privilégiant l'intérêt collectif plutôt que les intérêts particuliers.

Les socialistes sont les partisans du socialisme.

sociétaire n. Membre d'une société, d'une mutuelle ou d'une association.

société n. f. *1* Ensemble des individus qui vivent dans le même pays, qui ont les mêmes institutions, la même culture. *Étudier la société française du XIXᵉ siècle.* *2* Ensemble d'animaux vivant en groupe organisé. *La société des fourmis, des abeilles.* *3* Groupe de personnes réunies pour une activité commune. *La Société protectrice des animaux.* *4* Entreprise commerciale ou industrielle. *Diriger une société de transports.*

sociologie n. f. Science qui étudie les sociétés humaines et les phénomènes sociaux.

Une sociologue est une spécialiste de sociologie.

socle n. m. Ce qui sert de base à une statue ou à une colonne.

socquette n. f. Chaussette courte qui s'arrête à la cheville.

Socrate

Philosophe grec né en 470 et mort en 399 av. J.-C. Socrate pense que l'ignorance est la seule source du mal. Il enseigne que l'homme doit avant tout bien se connaître lui-même («Connais-toi toi-même») avant d'agir, et que c'est par cette connaissance qu'il peut vaincre ses défauts et s'améliorer. Socrate ne fonde pas d'école de philosophie et n'écrit aucun texte. Ses propos ont surtout été rapportés par son élève et disciple Platon. Les discours de Socrate apprenant au peuple à exercer son esprit critique, à rechercher la vérité en toute chose lui attirent la méfiance du pouvoir. Il est accusé de corrompre la jeunesse et, à la suite d'un procès, condamné à mort. Il refuse de fuir et se donne la mort en buvant une coupe de ciguë, un violent poison.

soda n. m. Boisson gazeuse, sucrée et aromatisée. *Un soda à l'orange.*

sœur n. f. *1* Fille née du même père et de la même mère qu'un autre enfant. *C'est lui le benjamin, ses deux sœurs sont plus âgées que lui.* *2* Religieuse.

sofa n. m. Sorte de canapé. *S'allonger sur un sofa.*

soi pron. *1* Pronom personnel de la troisième personne du singulier qui a la fonction de complément. *Être sûr de soi.* *2* *Cela va de soi :* c'est évident. **Homonymes : soie, soit.**

soi–disant adj. inv. et adv.
• adj. inv. Qui prétend être tel. *Ce soi-disant guérisseur était en fait un charlatan.*
• adv. D'après ce que prétend quelqu'un. *Il est soi-disant malade.*

soie n. f. *1* Tissu formé de fils fins et brillants sécrétés par une chenille appelée « ver à soie ». *2* Poil dur du porc et du sanglier. **Homonymes : soi, soit.**
    Une chambre tendue de soieries, de tissus en soie.

soif n. f. *1* Sensation provoquée par le besoin ou l'envie de boire. *Avoir faim et soif.* *2* Au figuré. Désir très vif de quelque chose. *Avoir soif de liberté.*

soigné, ée *1* adj. Qui est fait avec soin. *Apprécier le travail soigné d'un artisan.* *2* Qui fait très attention à son aspect extérieur. *Ses enfants sont toujours très soignés et bien habillés.*

soigner v. → conjug. **aimer.** *1* Faire quelque chose avec soin, avec application. *Il s'efforce de soigner ses devoirs.* *2* S'occuper avec soin de quelqu'un ou de quelque chose. *Elle adore soigner son jardin.* *3* Donner des soins médicaux. *Soigner une blessure.*
    Un soigneur est une personne qui soigne (*3*) les sportifs.

soigneux, euse adj. Qui apporte beaucoup d'attention, d'application et de soin à ce qu'il fait. *Elle est très soigneuse et sa chambre est toujours impeccable.*
    Ranger soigneusement ses affaires, de manière soigneuse, avec soin.

soin n. m. *1* Attention particulière que l'on met à faire quelque chose. *Ce travail a été fait avec beaucoup de soin.* *2* Tâche, devoir ou charge à accomplir. *On a laissé au gardien le soin de s'occuper de notre chat ce week-end.* *3* Au pluriel. Ensemble des moyens utilisés pour soigner un malade ou un blessé. *Les pompiers ont donné les premiers soins aux blessés.* *4* Être aux petits soins pour quelqu'un :* avoir pour lui beaucoup d'attentions délicates.

soir n. m. Fin du jour, moment où la nuit tombe. *Travailler du matin au soir.*

soirée n. f. *1* Durée comprise entre la fin du jour et le moment où l'on se couche. *Il a écouté de la musique toute la soirée.* *2* Réception, réunion ou spectacle qui a lieu le soir. *Une tenue habillée pour aller à une soirée.*

Soissons

Ville française située au nord-est de Paris. En 486, le roi franc Clovis y remporte une victoire sur le Romain Syagrius. Cette bataille est à l'origine du célèbre épisode du vase de Soissons, rapporté par l'historien Grégoire de Tours au VIᵉ siècle. Après le partage du butin, Clovis réclame, en plus de sa part, un vase pris dans une église pour le rendre au clergé. Un soldat franc s'y oppose et brise le vase d'un coup de hache. Quelques mois plus tard, Clovis, passant en revue ses troupes, jette à terre les armes de ce soldat. Alors que celui-ci se baisse pour les ramasser, le roi lui fend le crâne d'un coup de hache en prononçant ces mots : « Ainsi fis-tu du vase de Soissons. »

soit conj. et adv.
• conj. *1* Ou bien. *Au menu, on a droit soit à du fromage, soit à un dessert, mais pas les deux.* *2* C'est-à-dire. *Il a perdu son argent de poche, soit 30 euros.*
• adv. D'accord. *Tu veux sortir ? Soit, mais couvre-toi.*
« **Soit** », adverbe, se prononce [swat]. **Homonymes : soi, soie.**

SOIXANTE
S'écrit **LX** en chiffres romains.

• adj. inv. Six fois dix. *Elle a soixante ans.*
• n. m. inv. Le chiffre ou le nombre soixante. *Il y a une boucherie au soixante de la rue.*
On prononce [swasɑ̃t].

soixantième
• adj. et n. Qui occupe le rang ou la place numéro 60 dans une série. *La soixantième page d'un livre.*
• n. m. Chaque partie d'un tout qui a été divisé par soixante. *Un soixantième ou 1/60.*
On prononce [swasɑ̃tjɛm].

soixantaine
• n. f. *1* Ensemble formé d'à peu près soixante personnes ou choses. *Un groupe d'une soixantaine de personnes.* *2* Âge d'environ soixante ans. *Elle a dépassé la soixantaine.*
On prononce [swasɑ̃tɛn].

SOIXANTE-DIX

S'écrit **LXX** en chiffres romains.

- adj. inv. Sept fois dix. *Il y a soixante-dix ans que ce pont a été construit.*
- n. m. inv. Le chiffre ou le nombre soixante-dix. *Il habite au soixante-dix de la rue.*

On prononce [swasãtdis] **lorsqu'on emploie le mot seul,** [swasãtdi] **devant une consonne ou un « h » aspiré et** [swasãtdiz] **devant une voyelle ou un « h » muet.**

soixante-dixième

- adj. et n. Qui occupe le rang ou la place numéro 70 dans une série. *La soixante-dixième pièce d'une collection.*
- n. m. Chaque partie d'un tout qui a été divisé par soixante-dix. *Un soixante-dixième ou 1/70. Deux est le soixante-dixième de cent quarante.*

On prononce [swasãtdizjɛm].

soixantième adj., n. et n. m. → **soixante.**

soja n. m. Sorte de haricot, cultivé pour ses graines. *Avec le soja, on fait de l'huile et des farines pour les animaux.*

1. sol n. m. *1* Surface de la terre. *L'avion s'apprête à se poser au sol. 2* Terrain considéré du point de vue de sa nature, de ses qualités. *Un sol calcaire. En Beauce, le sol est riche. 3* Surface aménagée sur laquelle on marche. *Le sol de cette maison est en tomettes.*
Homonyme : sole.

2. sol n. m. inv. Cinquième note de musique de la gamme.
Homonyme : sole.

solaire adj. *1* Du soleil. *Les rayons solaires. 2* Qui est dû au soleil ou qui fonctionne grâce à lui. *L'énergie solaire. 3* Qui protège des rayons du soleil. *Cette crème solaire est très efficace.*

soldat n. m. *1* Homme engagé dans une armée. *Ces soldats sont logés dans une caserne. 2* Militaire sans grade.
Synonyme : militaire (1). Contraire : officier (2).

1. solde n. f. Salaire des soldats.

2. solde n. m. *1* Ce qui reste à payer sur une somme que l'on doit. *Ne payer le solde qu'au moment de la livraison. 2* En solde : vendre moins cher, au rabais. *3* Au pluriel. Marchandises vendues moins cher. *Ce magasin fait des soldes pour écouler ses stocks.*

solder v. → conjug. **aimer.** *1* Vendre des marchandises en solde. *Les articles d'été sont soldés à l'automne. 2* Se solder : aboutir à tel résultat. *L'enquête s'est soldée par l'arrestation du suspect.*

sole n. f. Poisson de mer au corps aplati, dont la chair est très appréciée.
Homonyme : sol.

La sole vit sur les fonds sableux peu profonds. Elle repose sur son côté gauche, aveugle. Les deux yeux se trouvent en effet sur le côté droit, tourné vers le haut. La bouche, en revanche, est en position normale. La sole mesure en moyenne une trentaine de centimètres. Elle se nourrit de petits crustacés et de mollusques.

soleil n. m. *1* Avec une majuscule. Astre autour duquel gravitent la Terre et les autres planètes. *C'est le Soleil qui fournit la lumière et la chaleur à la Terre. 2* Rayonnement, lumière et chaleur produits par cet astre. *Cette plante exotique a besoin de beaucoup de soleil.*

Situé à près de 150 millions de kilomètres de la Terre, le Soleil est une étoile qui s'est formée il y a environ cinq milliards d'années. Autour de lui tournent des planètes, dont la Terre, qui forment un ensemble appelé système solaire.
Regarde p. 998 et 999.

solennel, elle adj. *1* Qui est célébré officiellement et publiquement avec éclat. *L'ouverture solennelle des jeux Olympiques. 2* Qui est fait avec beaucoup de sérieux, de gravité. *Une promesse solennelle.*
On prononce [sɔlanɛl].
*Il a déclaré **solennellement** qu'il quittait ses fonctions, de façon solennelle (2). La **solennité** d'un discours, c'est son caractère solennel (2).*

solfège n. m. Écriture et lecture des notes de musique. *Apprendre le solfège.*

solfier v. → conjug. **modifier.** Chanter un morceau de musique en disant le nom des notes.

solidaire adj. *1* Se dit de personnes qui se soutiennent entre elles. *Ces employés sont solidaires des grévistes. 2* Se dit de choses qui sont liées entre elles pour pouvoir fonctionner. *La chaîne d'un vélo est solidaire du pédalier.*
*Agir **solidairement** pour lutter contre les licenciements, de façon solidaire (1). Se **solidariser** avec des*

grévistes, c'est se déclarer solidaires (*1*) d'eux. *Elles ont fait preuve de* **solidarité**, *elles ont été solidaires (1) des autres.*

solide adj. et n. m.

• adj. *1* Qui résiste bien aux chocs ou à l'usure. *Acheter des meubles solides.* *2* Qui n'est ni liquide ni gazeux. *La glace est de l'eau à l'état solide.* *3* Qui est fort, robuste, vigoureux. *C'est un garçon solide, il n'est jamais malade.*

Synonyme : résistant (*1* et *3*). **Contraire : fragile** (*1* et *3*). *Un pieu* **solidement** *enfoncé, de façon solide (1). Il a choisi cette voiture pour sa* **solidité**, *son caractère solide (1). L'eau* **se solidifie** *sous l'action du froid, elle devient solide (2). Il faut attendre la* **solidification** *du ciment avant de marcher dessus, qu'il se solidifie.*

• n. m. *1* Substance solide. *Les roches sont des solides.* *2* En géométrie, figure qui a un volume. *Le cône, le cube, la pyramide sont des solides.*

soliste n. Musicien ou chanteur qui interprète seul un morceau.

solitaire adj. et n. m.

• adj. *1* Se dit d'un endroit isolé, situé à l'écart. *Un hameau solitaire.* *2* Qui vit seul ou qui aime être seul. *Un vieil homme solitaire.*

Aimer la **solitude**, *le fait d'être solitaire (2).*

• n. m. *1* Diamant monté seul sur une bague. *2* Jeu de patience auquel on joue seul.

solive n. f. Pièce de bois ou de fer qui soutient un plancher.

solliciter v. → conjug. **aimer.** Demander quelque chose avec respect. *Les habitants ont sollicité un entretien avec le maire du village.*

Il a cédé aux **sollicitations** *de ses amis, aux demandes pressantes qu'ils sollicitaient.*

sollicitude n. f. Gentillesse, prévenance. *Soigner quelqu'un avec beaucoup de sollicitude.*

solo n. m. Morceau de musique joué ou chanté par une seule personne. *Un solo de violon.*

solstice n. m. Jour de l'année dont la durée est la plus longue ou la plus courte.

Le solstice d'été (le 21 ou le 22 juin), est, dans l'hémisphère Nord, la journée de l'année pendant laquelle le Soleil éclaire le plus longtemps la Terre. Il marque le début de l'été.
Le solstice d'hiver (le 21 ou le 22 décembre) est le jour le plus court. Il marque le début de l'hiver. Ces phénomènes sont inversés dans l'hémisphère Sud.

soluble adj. Qui peut être dissous dans un liquide. *Le sel et le sucre sont solubles dans l'eau.*

solution n. f *1* Réponse à une question ou à un problème. *La solution d'une addition, d'une division.* *2* Moyen de résoudre un problème ou une difficulté. *Chercher une solution pour faire garder son chat pendant les vacances.* *3* Liquide qui contient une substance dissoute.

solvable adj. Qui a de quoi payer ce qu'il doit. *Cette entreprise est en faillite et n'est plus solvable.*

Être sûr de la **solvabilité** *d'un acheteur, du fait qu'il est solvable.*

solvant n. m. Dissolvant.

Somalie

République de l'est de l'Afrique, ouverte sur l'océan Indien. Le nord de la Somalie est montagneux, l'intérieur est occupé par un plateau accidenté. Le climat, tropical, est tempéré en altitude mais excessivement chaud à l'intérieur où les températures dépassent souvent 45 °C. Le pays, dévasté par les luttes internes et les sécheresses, connaît une grave pénurie alimentaire. Sous domination successive de l'Italie et de la Grande-Bretagne à partir du XIXᵉ siècle, la Somalie devient indépendante en 1960. Elle est ravagée par la guerre civile depuis 1991.

637 660 km²
9 480 000 habitants :
les Somaliens
Langue : somali
Monnaie : shilling
somalien
Capitale : Mogadiscio

sombre adj. *1* Où il n'y a pas beaucoup de lumière. *Cette pièce orientée au nord est très sombre.* *2* Qui est foncé, tire sur le noir. *Porter un costume marron très sombre.* *3* Qui indique la tristesse ou l'inquiétude. *Il a l'air sombre et doit avoir des soucis.*

Synonymes : morose (*3*), **obscur** (*1*), **triste** (*3*). **Contraires : clair** (*1* et *2*), **gai** (*3*).

sombrer v. → conjug. **aimer.** *1* Être englouti au fond de l'eau. *Le voilier s'est rempli d'eau et a sombré.* *2* Au figuré. Être plongé brusquement dans un état. *Sombrer dans le désespoir.*
Synonyme : couler (*1*).

le Soleil et le système solaire

Le Soleil est une étoile. Autour de lui, gravitent les neuf planètes du système solaire auquel le Soleil dispense chaleur et lumière.

de l'énergie en fusion

Le Soleil est une sphère de gaz incandescents dont les plus importants sont l'hydrogène (71 %) et l'hélium (27 %). Au centre du Soleil se produisent de puissantes réactions nucléaires diffusant vers la surface une énergie considérable qui se change en lumière et en chaleur.

À la surface du Soleil, appelée photosphère, la température est de près de 6 000 °C. On évalue la température au centre à 15 millions de degrés. Malgré la distance, ses rayons nous réchauffent et peuvent même nous brûler sur la Terre !

Soleil

Diamètre : environ 1 390 000 km, soit 109 fois celui de la Terre. La lumière du Soleil met 8 min et 18 s pour parvenir sur la Terre, à la vitesse de 300 000 km par seconde.

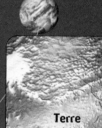

Vénus

Très chaude (+ 400 °C) avec des vents violents (300 km/h). Recouverte d'épais nuages.

Mercure

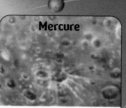

Très chaude (+ 400 °C). Très froide la nuit (– 200 °C).

Terre

Possède une atmosphèr et de l'eau.

à la surface du Soleil

■ La surface du Soleil est continuellement agitée. Il s'y produit sans cesse des jets de gaz incandescents appelés éruptions solaires. Sous la pression, ces jets s'élèvent à des altitudes considérables (des centaines de milliers de kilomètres).

■ Les taches solaires que l'on peut observer au télescope ressemblent à de gigantesques cratères bouillonnants d'où s'élèvent de longues colonnes de gaz chargé d'électricité, qui arrive parfois à perturber les communications terrestres.

Mars

Surface rouge, rocheuse, aride. Grands écarts de température.

Entre Mars et Jupiter, il existe une « ceinture d'astéroïdes ». Ce sont des blocs de roches. On ignore s'il s'agit d'une planète en formation ou d'une planète qui aurait explosé.

le Soleil et ses 9 planètes

■ **Le Soleil est animé d'un mouvement de rotation. Il tourne sur lui-même en environ 27 jours.**

■ **Chaque planète tourne autour du Soleil selon une trajectoire appelée orbite. En plus de ce déplacement, les planètes sont toutes animées d'un mouvement de rotation sur elles-mêmes. Ainsi la Terre tourne autour du Soleil en 365 jours et 6 heures, et sur elle-même en 24 heures.**

■ **Les planètes ne se ressemblent pas. Leur composition, leur aspect, leur taille les distinguent les unes des autres.**

■ **Les planètes n'émettent pas de lumière. Si elles paraissent brillantes c'est que, comme la Lune, elles réfléchissent la lumière du Soleil.**

■ **Grâce aux satellites, aux sondes spatiales, notre connaissance de la plupart des planètes s'est considérablement améliorée à la fin du XXe siècle. Nous en possédons aujourd'hui de nombreuses images.**

■ **Il semble actuellement que la Terre soit la seule planète du système solaire qui abrite la vie.**

Jupiter
La plus grande, composée d'un mélange de liquides et de gaz.

Uranus
Entourée d'anneaux, composée d'hydrogène et de méthane.

Saturne
Entourée d'anneaux de roches et de glace.

Neptune
Très froide (− 210 °C). Cernée de glace et de gaz.

Pluton
La plus éloignée. Très froide (− 230 °C).

sombrero n. m. Chapeau aux bords larges, porté en Amérique latine.
Mot espagnol qui se prononce [sɔ̃bʀeʀo].

sommaire adj. et n. m.
• adj. **1** Qui est très court et ne comporte pas beaucoup de détails. *Il a fait un compte rendu sommaire de la réunion.* **2** Qui est trop rapide. *Un procès sommaire.*
Synonymes : expéditif (2), bref (1).
Exposer sommairement ses intentions, de façon sommaire (1), brièvement.
• n. m. Liste des différents chapitres d'un livre ou d'un journal.

sommation n. f. Ordre impératif qu'un militaire ou un policier donne à quelqu'un pour qu'il se rende.

1. somme n. f. **1** Résultat d'une addition. *15 est la somme de 10 et 5.* **2** Quantité d'argent. *Emprunter une somme importante pour acheter une maison.* **3** *En somme* ou *somme toute :* tout compte fait, finalement. *On a eu quelques problèmes, mais somme toute nos vacances ont été agréables.*

2. somme n. f. *Bête de somme :* animal utilisé pour porter de lourdes charges. *Dans le désert, on se sert des dromadaires comme bêtes de somme.*

3. somme n. m. *Faire un somme :* dormir un court instant. *Faire un somme après le déjeuner.*

sommeil n. m. **1** État dans lequel on est quand on dort. *Avoir le sommeil léger.* **2** Besoin, envie de dormir. *J'ai sommeil, je vais me coucher.* **3** Au figuré. État provisoire d'inactivité. *Un volcan en sommeil.*
Sommeiller, c'est dormir d'un sommeil (1) léger.

sommelier, ère n. Personne chargée du choix et du service des vins dans un restaurant.

sommer v. → conjug. **aimer.** Ordonner fermement à quelqu'un de faire quelque chose. *La police a sommé les pirates de l'air de se rendre.*

sommet n. m. **1** Partie la plus élevée. *Grimper au sommet d'une montagne.* **2** Au figuré. Degré le plus haut, apogée. *Un artiste au sommet de la gloire.* **3** En géométrie, point où se coupent les deux côtés d'un angle. *Les sommets d'un polygone.* **4** *Conférence au sommet :* réunion entre des chefs d'État ou de gouvernement.

sommier n. m. Partie d'un lit sur laquelle on pose le matelas.

sommité n. f. Personne éminente dans un domaine ou une science. *Des sommités de la finance.*

somnambule adj. et n. Se dit d'une personne qui se lève et se déplace en dormant. *Les somnambules ne se souviennent de rien à leur réveil.*

Ce garçon est atteint de somnambulisme, il est somnambule.

somnifère n. m. Médicament qui fait dormir.

somnoler v. → conjug. **aimer.** Dormir à demi. *Ce serpent somnole, pense Séraphin.*
Après une nuit blanche, il est somnolent, il somnole, il est à moitié endormi. *Ce médicament peut entraîner la somnolence*, l'état d'une personne qui somnole.

somptuaire adj. *Dépenses somptuaires :* dépenses d'un luxe excessif.

somptueux, euse adj. Qui est très beau et très cher. *Ces gens riches ont une somptueuse villa au bord de la mer.*
Synonymes : fastueux, luxueux.
Un hôtel somptueusement décoré, de façon somptueuse.

1. son, sa adj. possessif. **Plur. : ses.** Correspond au pronom personnel de la troisième personne du singulier. *Elle a oublié son cartable, sa trousse et ses livres.*
Au féminin singulier, devant un nom ou un adjectif commençant par une voyelle ou un « h » muet, on emploie « son » au lieu de « sa » : son expérience, son habitude.

2. son n. m. Ce qu'on perçoit grâce à l'ouïe.
Les objets qui vibrent produisent des ondes sonores qui se propagent. Elles sont perçues par notre appareil auditif et interprétées par le cerveau : c'est ce qui produit le son.
Regarde page ci-contre.

3. son n. m. Ce qu'il reste de l'enveloppe des grains de céréales après qu'on l'a moulue.

sonate n. f. Morceau de musique pour un ou plusieurs instruments.

sondage n. m. **1** Action de sonder une étendue d'eau, un terrain, le sous-sol. *Mesurer par sondage la profondeur d'un lac.* **2** Enquête faite auprès d'un petit nombre de personnes pour connaître l'opinion de l'ensemble de la population. *Ce journal a publié un sondage sur la cote de popularité du chef de l'État.*

sonde n. f. **1** Instrument qui sert à connaître la profondeur de l'eau ou la nature du sous-sol. **2** *Sonde spatiale :* engin non habité envoyé dans l'espace pour recueillir des informations scientifiques.

sonder v. → conjug. **aimer.** **1** Examiner une étendue d'eau ou le sous-sol à l'aide d'une sonde. **2** Au figuré. Chercher à connaître les intentions de quelqu'un ou à savoir ce qu'il pense. *Sonder un ami sur ses projets.*

le son

Dans l'air, le son se déplace à la vitesse de 340 m par seconde (soit 1 224 km/h). Il se déplace beaucoup plus vite dans l'eau (1 435 m/s), et dans certains métaux comme l'acier, il peut atteindre 5 000 m/s.

le mur du son

Le mur du son est atteint par un avion lorsque sa vitesse avoisine celle du son, c'est-à-dire 1 224 km/h. Son franchissement s'accompagne d'un « double bang ». Un avion supersonique se déplace plus vite que le son qu'il produit.

avoir l'oreille

La fréquence du son est le nombre de vibrations produites en une seconde. On peut la mesurer à l'aide d'une unité appelée hertz. L'oreille humaine ne perçoit pas tous les sons. Elle est sensible entre 15 hertz et 20 000 hertz. Au-dessous (infrasons) et au-dessus (ultrasons), il n'y a pas d'audition. Certains animaux, par exemple le chien et la chauve-souris, perçoivent les ultrasons. Plus la fréquence du son est basse, plus le son est grave ; plus elle est élevée, plus le son est aigu.

baissez la musique !

Le bruit est une pollution sonore. Le son peut être plus ou moins intense. Cette intensité se mesure en décibels (dB). À partir de 110 décibels, le son devient dangereux pour nos tympans : il peut faire perdre une partie ou la totalité de l'audition. Baladeur : 90 dB ; tondeuse à gazon : 100 dB ; discothèque : 110 dB ; fusée au décollage : 180 dB.

Regarde aussi ouïe.

---

songe n. m. Littéraire. Rêve. *Faire un songe merveilleux.*

songer v. → conjug. **ranger.** *1* Penser à quelque chose. *À quoi songes-tu ?* *2* Envisager de faire quelque chose. *Il songe à quitter Paris pour la province.*

songeur, euse adj. Qui est perdu dans ses rêves, dans ses pensées. *Elle est songeuse et ne m'écoute pas.*

sonner v. → conjug. **aimer.** *1* Faire entendre un son. *Le réveil et le téléphone ont sonné en même temps.* *2* Faire fonctionner une sonnette, une sonnerie ou un signal. *J'ai sonné à la porte, mais personne n'a répondu.*

> *Je n'ai pas entendu la* sonnerie *du téléphone,* le son du téléphone quand il sonne (*1*). *La* sonnette *ne marche plus,* le mécanisme sur lequel on appuie pour sonner (*2*).

sonnet n. m. Poème composé de quatorze vers répartis en quatre strophes.

sonnette n. f. → **sonner.**

sonore adj. *1* Qui produit un son, un bruit. *Sur le répondeur, il faut attendre le signal sonore pour parler.* *2* Qui produit un son intense, puissant. *Il a une voix et un rire sonores.* *3* Où les bruits résonnent. *Ce gymnase est très sonore.*

sonoriser v. → conjug. **aimer.** Équiper un lieu d'appareils qui permettent d'amplifier les sons.

> *Installer la* sonorisation *sur la place d'un village pour le bal,* les appareils servant à sonoriser.

sonorité n. f. Qualité du son d'une voix ou d'un instrument. *La sonorité de cette chaîne hi-fi est excellente.*

sophistiqué, ée adj. *1* Se dit de quelqu'un qui manque de naturel, de simplicité. *S'habiller de façon sophistiquée.* *2* Se dit de quelque chose qui est très perfectionné. *Un appareil photo très sophistiqué.*

soporifique adj. et n. m.
- adj. Qui entraîne le sommeil. *L'action soporifique d'une tisane.*
- n. m. Produit soporifique.
Synonyme : somnifère.

soprano n. Chanteur ou chanteuse dont la voix produit des sons très aigus.

sorbet n. m. Glace sans crème à base de fruits. *Ce sorbet au cassis est délicieux.*

> *J'ai acheté une* sorbetière, *un appareil pour faire des sorbets et des glaces.*

sorbier n. m. Arbre dont certaines espèces produisent des baies rouges dont on fait des liqueurs.

sorcellerie n. f. Magie pratiquée par les sorciers.

sorcier, ère n. et adj.
● n. Personne qui prétend avoir des pouvoirs magiques. *Les sorcières sont souvent représentées à califourchon sur un balai.*
● adj. m. Familier. *Ce n'est pas sorcier :* c'est facile à faire ou à comprendre.

sordide adj. *1* Qui est très misérable et très sale. *Ces gens très pauvres vivent dans des taudis sordides. 2* Qui est moralement méprisable. *Il est d'un égoïsme sordide.*

sorgho n. m. Céréale des pays chauds.

Le sorgho est une graminée qui mesure jusqu'à 3 m de hauteur. Certaines espèces fournissent des grains pour l'alimentation humaine (en Afrique surtout), d'autres sont utilisées comme fourrage pour le bétail. Le sorgho est cultivé dans le midi de la France, en Amérique du Sud et en Afrique.

sornettes n. f. pl. Paroles frivoles, qui ne sont fondées sur rien. *Ne tiens pas compte de ces sornettes.*

sort n. m. *1* Puissance mystérieuse qui semble régler le cours des événements. *Il comptait venir, mais le sort en a décidé autrement. 2* Ce qui constitue l'existence et la situation de chacun. *Être satisfait de son sort. 3* Effet attribué à un acte de sorcellerie. *Jeter un sort à quelqu'un. 4* Tirer au sort : choisir au hasard. *On a tiré au sort les gagnants.*
**Synonymes : destin (*1*), maléfice (*3*), sortilège (*3*).
Homonyme : saur.**

sorte n. f. *1* Ensemble d'êtres ou de choses qui ont des caractéristiques communes. *Il y a toutes sortes d'animaux sauvages dans la forêt. 2* Chose qui ressemble à une autre chose. *Elle porte une sorte de foulard sur la tête. 3* De la sorte : de cette façon. *Je ne pensais pas qu'il pourrait réagir de la sorte. 4* De (telle) sorte que : de (telle) façon que. *Parle plus fort, de sorte que tout le monde entende. 5* Faire en sorte : faire ce qu'il faut. *Faire en sorte d'être à l'heure.*
Synonymes : espèce (*1* et *2*), genre (*2*), variété (*1*).

sortie n. f. *1* Endroit par lequel on sort. *Toutes les salles de cinéma ont une sortie de secours. 2* Moment où l'on sort. *Se donner rendez-vous à la sortie du théâtre. 3* Action de sortir, d'aller au spectacle, en promenade, en visite. *Faire une sortie au bord de la mer. 4* Fait de paraître, d'être présenté au public et à la vente. *La sortie d'un film.*

sortilège n. m. Procédé magique qui envoûte quelqu'un.
Synonymes : maléfice, sort.

sortir v. *1* Passer de l'intérieur vers l'extérieur. *Je l'ai vu sortir de chez lui. 2* S'échapper, se répandre au-dehors. *La fumée sort des cheminées. 3* Aller au spectacle, en promenade, en visite. *Le samedi, je sors avec des amis. 4* Commencer à apparaître, à pousser. *La dent du bébé est sur le point de sortir. 5* Être présenté au public puis mis en vente. *Ce livre doit sortir en mai. 6* Conduire à l'extérieur quelqu'un ou un animal. *Il sort son chien le soir. 7* Mettre dehors. *Sortir les poubelles. 8* S'en sortir :* venir à bout d'une tâche difficile.
Synonymes : paraître (*5*), promener (*6*). Contraire : entrer (*1*). Sortir se conjugue avec l'auxiliaire « être », sauf aux sens (*6*) et (*7*), quand il est transitif et suivi d'un complément d'objet.

La conjugaison du verbe **SORTIR** 3ᵉ groupe	
indicatif présent	**je sors, il ou elle sort, nous sortons, ils ou elles sortent**
imparfait	**je sortais**
futur	**je sortirai**
passé simple	**je sortis**
subjonctif présent	**que je sorte**
conditionnel présent	**je sortirais**
impératif	**sors, sortons, sortez**
participe présent	**sortant**
participe passé	**sorti**

S. O. S. n. m. Signal de détresse, appel au secours. *Lancer un S. O. S. par radio.*
On prononce [ɛsɔɛs].

sosie n. m. Personne qui a une ressemblance parfaite avec une autre.
On prononce [sɔzi].

sot, sotte adj. et n. Qui manque d'intelligence. *Il faut vraiment être sot pour croire une chose pareille.*
Synonymes : bête, idiot, stupide. Homonymes : saut, sceau, seau.
Il a agi sottement, de façon sotte.

sottise n. f. *1* Manque d'intelligence ou de réflexion. *J'ai eu la sottise de le croire. 2* Parole ou acte stupide. *Arrête de dire des sottises.*
Synonyme : bêtise (*1* et *2*).

sou n. m. *1* Pièce de monnaie qui valait autrefois cinq centimes. *2* Au pluriel et familier. Argent. *Il a perdu beaucoup de sous en jouant.*
Homonymes : soûl, sous.

soubassement n. m. Partie inférieure d'un bâtiment, s'appuyant sur les fondations.

soubresaut n. m. Mouvement involontaire et brusque du corps. *Elle a eu un soubresaut quand la porte a claqué.*

souche n. f. **1** Partie d'un arbre qui reste dans le sol après qu'il a été coupé. **2** Partie qui reste d'un carnet ou d'un chéquier. *Elle note sur la souche le montant de son chèque.* **3** Origine d'une famille. *Être de souche paysanne.*
Synonyme : talon (**2**).

1. souci n. m. Ce qui préoccupe, inquiète. *Cet enfant leur donne beaucoup de soucis.*
Synonymes : ennui, problème, tracas.
Se soucier de son avenir, c'est se faire du souci pour son avenir, s'en préoccuper. *Tu as l'air soucieux ce matin*, tu as l'air d'avoir des soucis.

2. souci n. m. Plante à fleurs jaunes ou orange.

se soucier v., **soucieux** adj. → **souci 1**.

soucoupe n. f. **1** Petite assiette que l'on met sous une tasse. *Je t'ai mis un sucre dans la soucoupe.* **2** *Soucoupe volante :* objet mystérieux qui volerait dans le ciel et qui serait habité par des extraterrestres.

soudain, aine adj. et adv.
• adj. Qui arrive tout à coup et de manière inattendue. *Une angoisse soudaine s'est emparée d'elle.*
Synonyme : subit.
Un pneu a soudainement éclaté, de façon soudaine. *La soudaineté de l'orage nous a surpris*, son caractère soudain.
• adv. Subitement, tout à coup. *Le temps était calme, quand soudain la tempête s'est levée.*

souder v. → conjug. **aimer**. Assembler des éléments métalliques en faisant fondre leurs extrémités ou en les recouvrant de métal fondu.
Le soudeur travaille avec un chalumeau, celui qui soude des pièces métalliques. *Le plombier refait la soudure des tuyaux*, l'endroit où ils sont soudés.

soudoyer v. → conjug. **essuyer**. Payer quelqu'un pour lui faire faire une action malhonnête. *L'accusé a tenté de soudoyer plusieurs témoins.*

soudure n. f. → **souder**.

souffle n. m. **1** Agitation de l'air. *Il n'y a pas un souffle de vent.* **2** Air rejeté par la bouche ou le nez quand on respire. *Retenir son souffle avant de plonger.* **3** *Être à bout de souffle :* être exténué.

soufflé n. m. Plat dont la pâte gonfle beaucoup à la cuisson. *Un soufflé au fromage.*

souffler v. → conjug. **aimer**. **1** Produire un courant d'air plus ou moins fort. *Le mistral souffle souvent dans le Midi.* **2** Envoyer de l'air par la bouche ou le nez. *Souffler dans un ballon pour le gonfler. Inspirez, puis soufflez.* **3** Dire quelque chose à voix basse à quelqu'un, sans être entendu par les autres. *Souffler la réponse à un candidat.* **4** *Ne pas souffler mot :* ne rien dire, ne pas parler.
Le parking est aéré grâce à une soufflerie, une machine qui souffle (**1**) de l'air. *Au théâtre, le souffleur est en contrebas de la scène*, la personne chargée de souffler (**3**) son texte à un acteur victime d'un trou de mémoire.

soufflet n. m. **1** Instrument qui souffle de l'air pour attiser un feu. **2** Partie souple et flexible qui relie deux wagons de chemin de fer.

Soudan

République de l'est de l'Afrique, ouverte sur la mer Rouge. Le Soudan est le plus grand pays d'Afrique. Le nord est désertique, le centre est irrigué par le Nil. Le sud est couvert d'une végétation tropicale. Le climat est très chaud et très sec au nord, équatorial humide au sud. La population comprend plus de cinq cents ethnies. L'économie du pays repose sur l'agriculture et l'extraction du pétrole. La plus grande partie de sa population est réduite à la misère et à la famine. Sous domination de la Grande-Bretagne et de l'Égypte à partir de 1899, le Soudan devient indépendant en 1956. Le pays est déchiré par les luttes armées entre les populations du nord et celles du sud.

2 505 810 km²
32 878 000 habitants :
les Soudanais
Langues : arabe,
anglais, dinka, nuer,
shilluck…
Monnaie : livre
soudanaise
Capitale : Khartoum

souffleur

souffleur, euse n. → souffler.

souffrance n. f. *1* Fait de souffrir, physiquement ou moralement. *Les guerres entraînent de grandes souffrances. 2* En souffrance : en attente. *Ce projet est resté en souffrance.*
Synonyme : douleur (*1*).

souffrant, ante adj. Qui est légèrement malade. *Elle ne viendra pas, car elle est souffrante.*

souffre–douleur n. m. inv. Personne qui est en butte aux mauvais traitements des autres. *Ce pauvre garçon est le souffre-douleur de sa classe.*

souffreteux, euse adj. Qui a une santé délicate. *Un enfant maigre et souffreteux.*

souffrir v. → conjug. **courir.** *1* Éprouver une douleur physique ou morale. *Souffrir du dos. Souffrir du racisme. 2* Être endommagé, abîmé. *Les cultures ont souffert de la grêle. 3* Ne pas pouvoir souffrir quelqu'un ou quelque chose :* ne pas le supporter. *Elle ne peut pas souffrir la vulgarité.*

soufre n. m. Matière jaune et friable qui brûle en dégageant une forte odeur. *Le soufre est utilisé pour fabriquer les allumettes.*

souhaiter v. → conjug. **aimer.** *1* Désirer, espérer. *On souhaite qu'il fasse beau pour la randonnée. 2* Faire des vœux pour quelqu'un. *Je te souhaite beaucoup de bonheur.*
Mon **souhait** est que tu réussisses ton examen, la chose que je souhaite (*1*). *Il est* **souhaitable** *de régler rapidement ce problème,* c'est ce qu'on peut souhaiter (*1*).

souiller v. → conjug. **aimer.** Littéraire. Salir, polluer. *Cette plage a été souillée par du pétrole.*

souillon n. f. Femme sale et négligée. *Elle n'est pas du tout soigneuse, c'est même une vraie souillon !*

souk n. m. Marché couvert, dans les pays arabes.

soûl, soûle adj. Familier. Ivre.
On prononce [su, sul]. On écrit aussi : saoul, saoule.
Homonymes : sou, sous.

soulager v. → conjug. **ranger.** *1* Faire diminuer ou disparaître une douleur. *Prendre de l'aspirine pour soulager sa migraine. 2* Faire cesser l'inquiétude. *Elle a été soulagée d'apprendre qu'ils étaient bien arrivés.*
Quel **soulagement** d'apprendre qu'elle est guérie ! comme nous avons été soulagés (*2*) !

soûler v. → conjug. **aimer.** *1* Familier. Enivrer. *Cet alcool est très fort et soûle rapidement. 2* Au figuré. Énerver quelqu'un en parlant trop. *Tu nous soûles avec tes discours !*
On écrit aussi : saouler.

soulever v. → conjug. **promener.** *1* Lever à une hauteur assez faible. *Séraphin voit le serpent soulever la tête. 2* Déclencher un sentiment ou une réaction. Ce projet a soulevé de nombreuses protestations. 3* Se soulever : se révolter contre une autorité. *Le peuple s'est soulevé contre le dictateur.*
Cette histoire raconte le **soulèvement** des esclaves contre leurs maîtres, le fait qu'ils se sont soulevés (*3*).

soulier n. m. Chaussure.

souligner v. → conjug. **aimer.** *1* Tracer un trait sous un ou plusieurs mots. *L'exercice consiste à souligner les verbes contenus dans ce texte. 2* Mettre en valeur avec insistance. *Le reporter souligne la gravité de la situation.*

soumettre v. → conjug. **mettre.** *1* Obliger quelqu'un à obéir. *Le général a réussi à soumettre les rebelles. 2* Présenter, proposer quelque chose à quelqu'un pour avoir son avis. Il m'a soumis son projet. 3* Se soumettre : se rendre en acceptant d'obéir. Après s'être insurgés, les rebelles ont fini par se soumettre.*
Il a pris un air **soumis**, de quelqu'un qui se soumet (*3*). *Forcer quelqu'un à la* **soumission**, au fait de se soumettre (*3*).

soupape n. f. Pièce mobile d'un mécanisme qui se soulève pour laisser passer un gaz ou un fluide.

soupçon n. m. *1* Sentiment que quelqu'un est coupable d'un délit, mais sans preuves précises. *Des soupçons pèsent sur lui. 2* Très petite quantité. Mettre un soupçon de lait dans son café.*
La maîtresse **soupçonne** un élève d'avoir triché, elle a des soupçons (*1*) sur lui. *Lancer à quelqu'un un regard* **soupçonneux**, qui exprime le soupçon (*1*).

soupe n. f. Potage plus ou moins épais, le plus souvent à base de légumes. *Manger une soupe à l'oignon.*
Servir la soupe dans une **soupière**, un récipient creux.

soupente n. f. Petite pièce aménagée sous un escalier pour servir de débarras.

souper v. et n. m.
● v. → conjug. **aimer.** Prendre un repas tard dans la nuit. *Souper rapidement en rentrant du théâtre.*
● n. m. Repas pris tard dans la nuit. *Un souper aux chandelles.*

soupeser v. → conjug. **promener.** Soulever quelque chose pour connaître approximativement son poids. *Soupèse cette valise, elle fait plus de 20 kg !*

soupière n. f. → soupe.

soupir n. m. *1* Expiration forte et prolongée. *Il exprime son mécontentement en poussant des soupirs. 2* Rendre le dernier soupir :* mourir.
Il n'arrête pas de **soupirer**, de pousser des soupirs (*1*).

soupirail n. m. **Plur : des soupiraux.** Petite fenêtre pratiquée dans une cave pour donner de l'air et de la lumière.

soupirant n. m. Homme amoureux d'une femme et qui lui fait la cour.

soupirer v. → **soupir.**

souple adj. **1** Qui se plie aisément, sans se casser. *Les branches de l'osier sont très souples.* **2** Qui est très agile et peut plier son corps. *Faire de la gymnastique pour rester souple.* **3** Qui s'adapte facilement aux circonstances ou aux changements. *Avoir un caractère souple.*
Synonyme : flexible (**1**). **Contraires : raide** (**1** et **2**), **rigide** (**1** et **3**).

souplesse n. f. **1** Caractère d'une personne souple, agile. *Admirer la souplesse des danseurs.* **2** Facilité à s'adapter. *Faire preuve de souplesse dans une situation délicate.*

source n. f. **1** Eau qui sort naturellement du sol. *Dans cette région, il y a des sources d'eau chaude.* **2** Origine d'un cours d'eau. *Remonter un fleuve jusqu'à sa source.* **3** Au figuré. Origine, point de départ de quelque chose. *La maladie de son enfant a été la source de nombreux soucis pour elle.*
*Nous avons rencontré un **sourcier**, un homme qui recherche des sources* (**1**) *à l'aide d'une baguette ou d'un pendule.*

sourcil n. m. Ligne de poils qui se trouve au-dessus des yeux. *Froncer les sourcils.*
On prononce [sursi].
*L'arcade **sourcilière** est l'endroit du visage où se trouvent les sourcils.*

sourciller v. → conjug. **aimer.** *Sans sourciller :* sans manifester son émotion ou son mécontentement. *L'accusé a écouté le verdict sans sourciller.*

sourd, sourde adj. et n.
• adj. et n. Qui n'entend pas ou pas bien. *Il devient sourd en vieillissant. Les sourds communiquent par gestes.*
• adj. **1** Qui a un son atténué, étouffé. *Un gémissement sourd.* **2** Qui ne se manifeste pas de façon nette et précise. *Avoir une douleur sourde dans le bras.* **3** Faire la sourde oreille : faire semblant de ne pas entendre ce qui est demandé. *Je lui ai demandé de m'aider, mais il a fait la sourde oreille.*
Contraire : aigu (**1** et **2**).
*On entend le tonnerre gronder **sourdement**, avec un bruit sourd* (**1**) *et étouffé.*

sourdine n. f. *En sourdine :* en faisant peu de bruit. *Mettre la radio tout doucement, en sourdine.*

sourd–muet, sourde–muette adj. et n. **Plur. : sourds-muets, sourdes-muettes.** Se dit d'une personne qui est à la fois sourde et muette.

souriceau n. m. **Plur. : des souriceaux.** Petit de la souris.

souricière n. f. Piège pour les souris.

sourire v. et n. m.
• v. → conjug. **rire.** **1** Faire un léger mouvement de la bouche et des yeux, qui exprime la gaieté, l'affection, la sympathie. *Dire bonjour en souriant.* **2** Convenir à quelqu'un, lui plaire, lui être agréable. *La perspective d'une opération ne lui sourit guère.* **3** Être favorable à quelqu'un. *La chance ne lui a pas souri.*
*C'est une personne **souriante**, qui sourit* (**1**) *souvent.*
• n. m. Mouvement de la bouche et des yeux quand on sourit. *Faites un sourire pour la photo !*

souris n. f. **1** Petit mammifère rongeur. *Tiens, voilà une souris, se dit Séraphin.* **2** Petit dispositif relié à un ordinateur, qui permet de cliquer et d'intervenir sur l'écran.

sournois, oise adj. Qui dissimule ses intentions ou ses sentiments, souvent dans un but malveillant.
Synonyme : hypocrite. Contraire : franc.
*Ne pas aimer les gens qui agissent **sournoisement**, de façon sournoise. Reprocher à quelqu'un sa **sournoiserie**, son caractère sournois.*

1. sous prép. Indique : **1** Une position plus basse ou un lieu situé à l'intérieur. *Se cacher sous la table. Une lettre sous enveloppe.* **2** Le temps ou l'époque. *Sous la IVᵉ République.* **3** La cause. *Le toit s'écroule sous le poids de la neige.* **4** L'infériorité. *Il travaille sous mes ordres.*
Homonymes : sou, soûl.

2. sous préfixe. Indique un degré inférieur.
Homonymes : sou, soûl.

sous–alimentation n. f. Fait de ne pas avoir suffisamment à manger. *La sous-alimentation peut provoquer de graves maladies.*
*Dans le monde, il y a beaucoup de gens **sous-alimentés**, qui souffrent de sous-alimentation.*

sous–bois n. m. inv. Végétation qui pousse sous les arbres d'un bois ou d'une forêt.

souscrire v. → conjug. **écrire.** **1** S'engager à verser une certaine somme pour participer à une dépense commune ou pour acheter un ouvrage en cours de parution. *Souscrire à un emprunt, à une encyclopédie.* **2** Dire qu'on est d'accord avec quelque chose. *Je souscris totalement à ce qu'il vient de dire.*
*Une série de fascicules vendue par **souscription**, on doit souscrire* (**1**) *pour les acheter. Les **souscripteurs** versent un acompte, les gens qui ont souscrit* (**1**).

sous-cutané, ée adj. **Plur.** : sous-cutanés, ées. Qui est situé ou pratiqué sous la peau. *Ce vaccin se fait sous forme d'une injection sous-cutanée.*

sous-développé, ée adj. **Plur.** : sous-développés, ées. Se disait d'un pays ou d'une région dont l'économie n'est pas suffisamment développée, aujourd'hui on dit plutôt en développement.

sous-entendre v. ➜ conjug. **répondre.** Faire comprendre quelque chose de façon indirecte. *Que sous-entend cette allusion ?*
Je n'aime pas vos *sous-entendus*, les choses que vous sous-entendez.

sous-estimer v. ➜ conjug. **aimer.** Estimer au-dessous de sa valeur, de son importance ou de ses capacités. *Sous-estimer le prix d'un tableau.*
Contraire : surestimer.

sous-main n. m. inv. *1* Rectangle de cuir ou de buvard qui protège un bureau. *2 En sous-main :* en cachette, en secret.

sous-marin, ine adj. et n. m. **Plur.** : sous-marins, ines.
• adj. Qui est situé ou qui s'effectue sous la mer. *La flore sous-marine. La chasse sous-marine.*
• n. m. Navire conçu pour pouvoir naviguer sous l'eau.

sous-officier n. m. **Plur.** : **des sous-officiers.** Militaire au grade inférieur à celui d'un officier.

sous-préfecture n. f. **Plur.** : **des sous-préfectures.** *1* Ville où réside le sous-préfet. *2* Bâtiment où se trouvent les services administratifs du sous-préfet.

sous-préfet n. m. **Plur.** : **des sous-préfets.** Représentant de l'État qui administre une partie d'un département, l'arrondissement.

sous-produit n. m. **Plur.** : **des sous-produits.** Produit tiré d'un autre produit. *Ces matières synthétiques sont des sous-produits du pétrole.*

soussigné, ée adj. S'emploie dans les formules administratives ou officielles pour certifier qu'on est bien la personne qui a signé la déclaration. *Je soussignée, madame X, déclare exacts les faits suivants.*

sous-sol n. m. **Plur.** : **des sous-sols.** *1* Partie du sol qui se trouve sous la surface de la terre. *Dans cette région, le sous-sol est riche en pétrole.* *2* Partie d'un bâtiment située au-dessous du rez-de-chaussée. *La cave est au sous-sol.*

sous-titre n. m. **Plur.** : **des sous-titres.** *1* Titre placé après le titre principal. *Le sous-titre est en caractères plus petits que le titre.* *2* Texte qui traduit les paroles d'un film et qui apparaît en bas de l'écran.
Sous-titrer un film, c'est y mettre des sous-titres (*2*).

soustraction n.f. Opération consistant à soustraire. ***Regarde ci-dessous.***

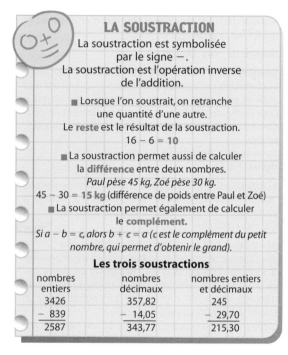

LA SOUSTRACTION
La soustraction est symbolisée par le signe −.
La soustraction est l'opération inverse de l'addition.

■ Lorsque l'on soustrait, on retranche une quantité d'une autre.
Le **reste** est le résultat de la soustraction.
$$16 - 6 = \textbf{10}$$

■ La soustraction permet aussi de calculer la **différence** entre deux nombres.
Paul pèse 45 kg, Zoé pèse 30 kg.
$45 - 30 = \textbf{15 kg}$ (différence de poids entre Paul et Zoé)

■ La soustraction permet également de calculer le **complément.**
Si a − b = c, alors b + c = a (c est le complément du petit nombre, qui permet d'obtenir le grand).

Les trois soustractions

nombres entiers	nombres décimaux	nombres entiers et décimaux
3426	357,82	245
− 839	− 14,05	− 29,70
2587	343,77	215,30

soustraire v. ➜ conjug. **traire.** *1* Faire l'opération arithmétique qui consiste à retrancher un nombre d'un autre. *Si on soustrait 5 de 35, il reste 30.* *2 Se soustraire à quelque chose :* y échapper. *Essayer de se soustraire à ses obligations.*
Synonymes : déduire (*1*), ôter (*1*). Contraires : additionner (*1*), ajouter (*1*).

sous-verre n. m. inv. Encadrement constitué d'une plaque de verre et d'un carton, dans lequel on place un dessin, une photo, une gravure.

sous-vêtement n. m. **Plur. : des sous-vêtements.** Vêtement qui se porte directement sur la peau, sous d'autres vêtements. *Les slips et les culottes sont des sous-vêtements.*

soutane n. f. Longue robe portée par les prêtres catholiques.

soute n. f. Partie d'un avion ou d'un bateau dans laquelle on met des bagages et du matériel.

soutenir v. ➜ conjug. **venir.** *1* Servir d'appui ou de support. *Des étais soutiennent ce vieux mur. Soutenir une personne qui vient d'être opérée.* *2* Défendre quelqu'un en prenant son parti ou en l'encourageant. *Soutenir un candidat aux élections.* *3* Affirmer

quelque chose avec conviction. *Je soutiens que c'est lui qui a raison.* 4 Faire en sorte que quelque chose dure et ne diminue pas. *Soutenir ses efforts. Soutenir l'intérêt de ses lecteurs.*

Il compte sur le soutien de ses amis, sur leur action pour le soutenir (2).

soutenu, ue adj. Qui ne faiblit pas, ne se relâche pas. *Garder une attention soutenue.*

souterrain, aine adj. et n. m.
● adj. Qui est situé sous la terre. *Un passage souterrain. Des galeries souterraines.*
● n. m. Chemin ou passage creusé sous terre. *Un souterrain long de 5 kilomètres.*

soutien n. m. → **soutenir.**

soutien-gorge n. m. **Plur. : des soutiens-gorge.** Sous-vêtement féminin qui soutient la poitrine.

soutirer v. → conjug. **aimer.** 1 Transvaser un liquide. *Soutirer du vin d'un tonneau dans une carafe.* 2 Au figuré. Extorquer quelque chose. *Soutirer de l'argent à ses parents.*

se souvenir v. et n. m.
● v. → conjug. **venir.** Avoir présent dans sa mémoire. *Séraphin se souvient que les serpents mangent les souris.*
Synonyme : se rappeler.
● n. m. 1 Chose dont on se souvient. *Garder un bon souvenir de ses vacances.* 2 Objet qui rappelle quelque chose. *Il rapporte toujours des souvenirs de ses voyages.*

souvent adv. De nombreuses fois. *Aller souvent à la bibliothèque pour emprunter des livres.*
Synonyme : fréquemment. Contraire : rarement.

souverain, aine adj. et n.
● adj. 1 Qui exerce un pouvoir de décision. *Le Parlement est souverain pour voter les lois.* 2 Que rien ne peut égaler, qui est infaillible. *Un remède souverain contre la toux.*
● n. Chef d'un royaume ou d'un empire. *La souveraine d'Angleterre.*

souverainement adv. Extrêmement. *Un film souverainement ennuyeux.*

souveraineté n. f. Autorité suprême. *Le référendum permet au peuple d'exercer sa souveraineté.*

soyeux, euse adj. Qui est doux et brillant comme la soie. *Un pull soyeux, agréable à porter.*

spacieux, euse adj. Qui bénéficie d'un grand espace. *Un appartement spacieux.*
Synonyme : vaste.

spaghetti n. m. Pâte alimentaire longue et très fine.
Mot italien qui se prononce [spagɛti].

sparadrap n. m. Ruban de tissu adhésif qui sert à fixer un pansement.
On prononce [sparadra].

spasme n. m. Contraction passagère et involontaire d'un muscle. *Des spasmes à l'estomac.*

Un rire spasmodique, accompagné de spasmes.

spatial, ale, aux adj. Qui concerne l'espace interplanétaire. *Une fusée est un engin spatial.*

spationaute n. Personne qui voyage dans un vaisseau spatial.
Synonymes : astronaute, cosmonaute.

spatule n. f. Instrument ou ustensile de cuisine composé d'un manche et d'une partie large et plate qui permet d'étaler ou de mélanger une matière.

spécial, ale, aux adj. 1 Qui convient à une activité précise, ou qui est fait exprès pour quelqu'un. *Des lunettes spéciales pour regarder l'éclipse du Soleil. Un tarif spécial.* 2 Qui constitue une exception ou une particularité. *Il n'y a rien de spécial à signaler.*
Synonymes : exceptionnel (2), particulier (2).

spécialement adv. 1 Exprès. *Je suis venu spécialement pour te voir.* 2 Particulièrement, surtout. *Aimer les coquillages, et spécialement les huîtres.*

se spécialiser v. → conjug. **aimer.** Se consacrer à une activité particulière. *Se spécialiser dans la restauration des tableaux.*

Ce médecin a fait une spécialisation en pédiatrie, il s'est spécialisé en pédiatrie.

spécialiste n. 1 Personne qui connaît très bien un domaine. *Confier des travaux de plomberie à un spécialiste.* 2 Médecin qui s'est spécialisé dans une partie de la médecine. *Un cardiologue est un spécialiste du cœur.*

spécialité n. f. 1 Domaine qu'on connaît le mieux, dans lequel on s'est spécialisé. *Sa spécialité est l'histoire grecque.* 2 Produit ou plat particulier à une région, à un pays. *La pizza est une spécialité italienne.*

spécificité n. f. → **spécifique.**

spécifier v. → conjug. **modifier.** Indiquer avec précision. *Spécifier le code postal sur l'enveloppe.*
Synonyme : préciser.

spécifique adj. Qui est particulier à une chose ou à une personne. *L'eau de Javel a une odeur spécifique.*
Synonymes : caractéristique, typique.

Une spécificité de l'eau est de bouillir à 100 degrés, un caractère spécifique.

spécimen n. m. Exemple qui représente bien l'espèce dont il fait partie. *Ce pur-sang est un beau spécimen de sa race.*
Mot latin qui se prononce [spesimɛn].

spectacle n. m. *1* Ce qui se présente au regard ou à l'attention. *Ce coucher de soleil offre un spectacle magnifique.* *2* Ce qu'on montre au public pour le distraire. *Assister à un spectacle de cirque.*

spectaculaire adj. Qui étonne ou impressionne les gens présents. *Les acrobates font des numéros spectaculaires.*

spectateur, trice n. *1* Personne qui assiste à un spectacle ou à une compétition sportive. *Certains spectateurs ont sifflé les joueurs.* *2* Témoin oculaire d'un événement. *Il a été spectateur d'un vol à la tire.*

spectre n. m. *1* Fantôme, revenant. *Un vieux château hanté par des spectres.* *2* Ensemble des couleurs de l'arc-en-ciel, qui résulte de la décomposition de la lumière du soleil.

spéculer v. → conjug. **aimer.** Faire des opérations financières en prévoyant une hausse ou une baisse des prix. *Gagner de l'argent en spéculant.*
Tirer des bénéfices d'une **spéculation**, *du fait de* spéculer. *Il joue en Bourse, c'est un* **spéculateur**, *quelqu'un qui spécule.*

spéléologie n. f. Exploration des grottes, des gouffres et des rivières souterraines.
Des **spéléologues** *ont découvert des peintures rupestres*, des spécialistes de spéléologie.

La spéléologie est à la fois un sport et une science. Les gouffres les plus profonds explorés dépassent 1 000 m de profondeur. Ils sont parfois longs de plus de 100 km et ponctués de siphons et d'étroits passages. L'équipement du spéléologue, en plus de sous-vêtements isolants et d'une combinaison étanche, comprend un casque muni d'une lampe, des échelles souples, des cordes, pitons et mousquetons, des appareils d'orientation et de mesure, une trousse d'urgence, des vivres et, parfois, un canot pneumatique. Le pionnier de la spéléologie est le Français Édouard Alfred Martel qui, à partir de 1883, explore les grottes des régions calcaires de France, puis d'autres pays du monde.

spermatozoïde n. m. Cellule mâle de la reproduction contenue dans le sperme. *L'union d'un spermatozoïde et d'un ovule aboutit à une fécondation.*

sperme n. m. Liquide blanchâtre que produisent les organes sexuels mâles et qui contient les spermatozoïdes.

sphère n. f. *1* Solide en forme de boule. *Le globe terrestre est une sphère.* *2* Au figuré. Domaine d'activité ou d'influence. *Ce comédien est très apprécié dans la sphère du théâtre.*
Une balle de tennis est un objet **sphérique**, *qui a la forme d'une sphère (1).*

Une sphère est un solide limité par des surfaces fermées, dont tous les points sont à égale distance d'un point intérieur appelé centre. La distance d'un de ces points au centre est appelée rayon.

La surface de la sphère est égale à : $4 \pi \times r^2$.

Le volume de la sphère est égal à : $\dfrac{4}{3} \pi \times r^3$.

sphinx n. m. *1* Monstre mythologique, qui avait un corps de lion, parfois pourvu d'ailes, et une tête humaine. *2* Grand papillon de nuit.

Le sphinx de Gizeh.

Dans l'Égypte ancienne, le sphinx symbolise la puissance et la protection. Les statues de sphinx sont là pour défendre les temples et les sanctuaires. Celle du plateau de Gizeh, qui date de 2 500 av. J.-C., se trouve à proximité de la pyramide de Khephren ; son visage serait celui de ce pharaon.

Dans la mythologie grecque, le Sphinx est un monstre cruel à corps de lion, queue de dragon et à poitrine et visage de femme. Installé aux environs de Thèbes, il pose des énigmes aux voyageurs et les dévore s'ils ne trouvent pas la solution. Œdipe l'affronte, parvient à résoudre son énigme, et le Sphinx se donne la mort.

spirale n. f. Ligne courbe qui tourne plusieurs fois sur elle-même autour d'un axe. *La coquille en spirale de l'escargot.*

spiritisme n. m. Science occulte qui prétend communiquer avec les âmes des morts.

spirituel, elle adj. *1* Qui concerne l'esprit. *Les valeurs spirituelles.* *2* Qui manifeste beaucoup d'esprit, de finesse ou de drôlerie. *Une remarque très spirituelle.*
Contraires : corporel (1), matériel (1).
Répondre **spirituellement** *à une question*, de manière spirituelle (2).

spiritueux n. m. Boisson qui contient un fort pourcentage d'alcool. *Un marchand de vins et de spiritueux.*

splendide adj. Très beau, magnifique, superbe. *De ce chalet, on a une vue splendide sur les montagnes.*
Ce tableau est une splendeur, une chose splendide.

spolier v. → conjug. **modifier.** Déposséder quelqu'un de ce qui lui appartient, en usant de procédés malhonnêtes.

spongieux, euse adj. Qui est mou et s'imbibe de liquide comme une éponge. *Un sol spongieux.*

sponsor n. m. Entreprise ou personne qui finance, dans un but publicitaire, une manifestation sportive, un spectacle, une exposition.
Mot anglais qui se prononce [spɔnsɔʀ].
Sponsoriser une manifestation culturelle, c'est en être le sponsor.

spontané, ée adj. **1** Qu'on fait librement, sans obligation. *Le soutien aux victimes a été spontané.* **2** Qui se conduit de façon naturelle et franche. *Il est très spontané et parle sans détour.*
Proposer spontanément son aide, de manière spontanée (**1**). *Apprécier la spontanéité de quelqu'un,* son caractère spontané (**2**).

sporadique adj. Qui se produit à des intervalles irréguliers. *Des coups de feu sporadiques.*
Déclencher sporadiquement des grèves, de manière sporadique.

spore n. f. Petit grain qui sert à la reproduction de certains végétaux comme les mousses, les fougères, les champignons.
Homonyme : sport.

sport n. m. Activité physique pratiquée pour le plaisir ou la compétition.
Homonyme : spore.

Dès son apparition sur Terre, l'homme doit se mesurer à la nature, aux animaux, aux autres hommes. Il développe ainsi très tôt certaines aptitudes physiques comme l'adresse, la rapidité, la force, qui vont peu à peu prendre place dans la vie sociale.
Regarde p. 1010 et 1011.

sportif, ive adj. et n.
• adj. Qui concerne le sport. *Une compétition sportive.*
• n. Qui pratique un ou plusieurs sports. *Les sportifs s'entraînent régulièrement.*

sportivement adv. Loyalement. *Il a sportivement reconnu ses torts.*

spot n. m. **1** Petit projecteur. *Acheter des spots pour éclairer des tableaux.* **2** Court film publicitaire.
Mot anglais qui se prononce [spɔt].

spray n. m. Vaporisateur. *Un déodorant en spray.*
Mot anglais qui se prononce [spʀɛ].

sprint n. m. Moment où un coureur accélère l'allure en fin de course. *Gagner au sprint.*
Mot anglais qui se prononce [spʀint].
Les coureurs commencent à sprinter avant l'arrivée, à faire un sprint. *Ce cycliste est un bon sprinteur,* il est bon au sprint.

squale n. m. Requin.
On prononce [skwal].

square n. m. Petit jardin public. *Emmener les enfants au square.*
Mot anglais qui se prononce [skwaʀ].

squash n. m. Sport pratiqué en salle, dans lequel deux joueurs se servent de raquettes pour renvoyer une balle qui rebondit contre les murs.
Mot anglais qui se prononce [skwaʃ].

squat n. m. Logement ou local vacant, qui est occupé illégalement par des gens.
Mot anglais qui se prononce [skwat].
Squatter une usine désaffectée, c'est l'occuper comme un squat. *Des squatteurs ont été expulsés,* des personnes qui squattaient.

squelette n. m. Ensemble des os du corps humain et du corps des vertébrés.
Regarde p. 1012.

squelettique adj. Extrêmement maigre, décharné. *Ces chats squelettiques font pitié.*

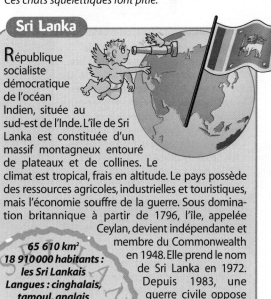

Sri Lanka

République socialiste démocratique de l'océan Indien, située au sud-est de l'Inde. L'île de Sri Lanka est constituée d'un massif montagneux entouré de plateaux et de collines. Le climat est tropical, frais en altitude. Le pays possède des ressources agricoles, industrielles et touristiques, mais l'économie souffre de la guerre. Sous domination britannique à partir de 1796, l'île, appelée Ceylan, devient indépendante et membre du Commonwealth en 1948. Elle prend le nom de Sri Lanka en 1972. Depuis 1983, une guerre civile oppose la minorité tamoule à la population cinghalaise, majoritaire.

65 610 km²
18 910 000 habitants :
les Sri Lankais
Langues : cinghalais,
tamoul, anglais
Monnaie : roupie
sri-lankaise
Capitale : Colombo

le sport

Les civilisations antiques les plus anciennes associent certaines pratiques sportives aux fêtes et aux rites religieux. Ces premières manifestations publiques, où les compétitions sont codifiées par des règles précises, sont à l'origine du sport.

un esprit sain dans un corps sain

■ Deux millénaires av. J.-C., les Égyptiens pratiquent des concours de tir à l'arc et des combats nautiques.

■ Au VIIIe siècle av. J.-C., les Grecs organisent à Olympie des jeux à la gloire de Zeus : ce sont les jeux Olympiques. Les cités grecques envoient leurs champions se mesurer entre eux, d'abord à la course pour les premiers jeux, puis au lancer (javelot, disque), au saut, à la lutte, au pugilat.

■ À partir de 776 av. J.-C., ces jeux ont lieu tous les quatre ans, période de temps appelée olympiade.

■ Les Grecs encouragent la pratique sportive. En même temps qu'ils reçoivent une éducation intellectuelle, les jeunes Grecs reçoivent une éducation sportive, considérée comme nécessaire à l'équilibre du bon citoyen. Cette éducation leur est donnée dans des établissements appelés gymnases.

le sport en sommeil

Les Romains ne donnent pas au sport la même importance que les Grecs et préfèrent les jeux du cirque. En 394 apr. J.-C., ils suppriment les jeux Olympiques. Pendant plusieurs siècles, la pratique sportive et la compétition suscitent peu d'intérêt. L'activité physique est un entraînement essentiellement associé au métier des armes (tournois, joutes équestres, tir à l'arc, escrime…).

le renouveau de l'esprit sportif

Au XIXe siècle, le sport renaît et prend la forme moderne que nous connaissons aujourd'hui. C'est l'Angleterre qui est à l'origine de ce renouveau. La pratique de la gymnastique, de l'escrime, de la natation, de la boxe et de l'aviron se développe rapidement.

Des compétitions opposent des universités renommées. Des sports d'équipe (rugby, football) naissent également à cette époque. La pratique des sports se répand à travers l'Europe, où fédérations et clubs sportifs se multiplient.

Les premiers jeux Olympiques modernes sont organisés en 1896 à Athènes par le Français Pierre de Coubertin. C'est un succès. Ces jeux sont désormais reconduits tous les quatre ans comme auparavant en Grèce. L'athlétisme y occupe une place de choix. Ces compétitions, où la plupart des nations sont représentées, sont aujourd'hui un événement international. De 43 épreuves disputées en 1896, avec 255 athlètes, on est passé à 275 épreuves et 10 200 athlètes en l'an 2000 ! En 1924 sont créés les jeux Olympiques d'hiver, qui se déroulent également tous les quatre ans.

on est les champions...

Les championnats ou tournois nationaux, les championnats d'Europe et des autres continents, les championnats du monde sont autant de manifestations qui attirent un nombreux public et tiennent une grande place dans la vie sociale. Certains sports d'équipe, en particulier le football, ont pris une dimension planétaire.

Les jeux Olympiques d'été 2000 au stade de Sydney (Australie).

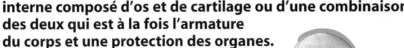

le squelette

Tous les vertébrés, tous les mammifères ont un squelette interne composé d'os et de cartilage ou d'une combinaison des deux qui est à la fois l'armature du corps et une protection des organes.

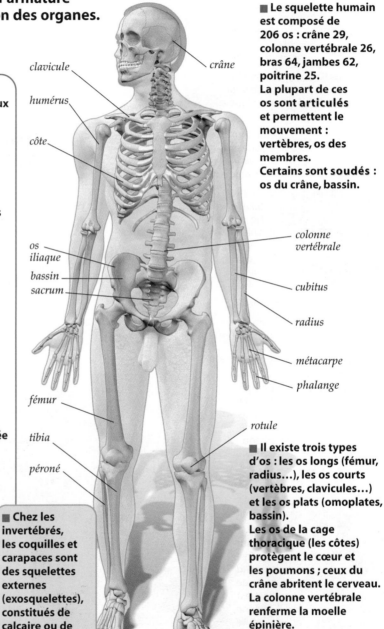

■ Le squelette humain est composé de 206 os : crâne 29, colonne vertébrale 26, bras 64, jambes 62, poitrine 25.
La plupart de ces os sont articulés et permettent le mouvement : vertèbres, os des membres.
Certains sont soudés : os du crâne, bassin.

un organe vivant

■ L'os est un organe dur mais vivant : il renferme des vaisseaux sanguins et des nerfs. Il est recouvert par une membrane coriace, le périoste. Au niveau des articulations, il est protégé par du cartilage. Les os longs contiennent dans leurs extrémités la moelle osseuse rouge, qui fabrique les globules rouges du sang.

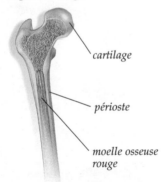

cartilage

périoste

moelle osseuse rouge

■ La rupture d'un os est appelée fracture. L'immobilisation plus ou moins prolongée permet à l'os de se ressouder grâce à la fabrication de nouveau tissu osseux. Dans le rachitisme, maladie due à un manque de vitamine D, les os sont fragilisés et souvent déformés.Les os grandissent et grossissent jusqu'à l'âge adulte. Chez l'homme, l'ossification se termine vers l'âge de vingt-cinq ans.

■ Chez les invertébrés, les coquilles et carapaces sont des squelettes externes (exosquelettes), constitués de calcaire ou de protéines rigides.

clavicule

crâne

humérus

côte

os iliaque

bassin

sacrum

colonne vertébrale

cubitus

radius

métacarpe

phalange

fémur

tibia

péroné

rotule

■ Il existe trois types d'os : les os longs (fémur, radius…), les os courts (vertèbres, clavicules…) et les os plats (omoplates, bassin).
Les os de la cage thoracique (les côtes) protègent le cœur et les poumons ; ceux du crâne abritent le cerveau.
La colonne vertébrale renferme la moelle épinière.

phalange

métatarse

stable adj. *1* Qui tient bien en équilibre. *Méfie-toi, cet escabeau n'est pas très stable.* *2* Qui ne varie pas. *Les prix n'ont pas changé, ils sont restés stables.*
Contraire : instable (*1* et *2*).
> *La stabilité des prix pendant l'année passée,* leur caractère stable (*2*). *Son poids s'est stabilisé,* il est devenu stable (*2*). *La stabilisation du prix de l'immobilier,* le fait qu'il soit devenu stable (*2*).

stade n. m. *1* Terrain aménagé pour faire du sport. *Les joueurs vont au stade pour s'entraîner.* *2* Chacune des étapes, des phases d'une évolution. *Les différents stades d'une maladie.*

stage n. m. Période de formation ou de perfectionnement. *Suivre un stage de plongée sous-marine.*
> *Cette entreprise emploie des stagiaires,* des personnes qui suivent un stage.

stagner v. → conjug. **aimer.** *1* Ne pas pouvoir s'écouler. *Cette eau qui stagne commence à sentir mauvais.* *2* Au figuré. Ne pas évoluer, rester dans le même état. *Les ventes ont stagné ce trimestre.*
On prononce [stagne].
> *Les eaux stagnantes d'une mare,* qui stagnent (*1*). *La stagnation des affaires est inquiétante,* le fait qu'elles stagnent (*2*).

stalactite n. f. Colonne de calcaire.
La stalactite est constituée de carbonate de calcium. Ce dépôt provient de la dissolution par l'eau de pluie du calcaire contenu dans le sous-sol. L'eau dépose du carbonate de calcium et la stalactite s'allonge en une sorte d'aiguille rocheuse qui pend au plafond d'une grotte ou d'une caverne. C'est un phénomène très lent : il faut environ deux cents ans pour que la stalactite s'allonge de 1 cm.

La stalactite tombe.

stalagmite n. f. Colonne de calcaire.
La stalagmite se forme sur le sol d'une grotte. C'est l'eau tombant du plafond qui dépose le carbonate de calcium dont elle est constituée. Il arrive qu'une stalactite et une stalagmite se rejoignent, formant alors une colonne qui va du sol au plafond. Pour ne pas les confondre, on dit que la stalactite tombe, alors que la stalagmite monte.

La stalagmite monte.

Homme politique russe né en 1879 et mort en 1953. Staline est un surnom qui signifie en russe « l'homme d'acier ». En octobre 1917, il participe à la révolution qui chasse le régime tsariste et, en 1922, devient secrétaire général du parti communiste. En 1924, à la mort de Lénine, Staline s'empare du pouvoir. Il élimine ses opposants et établit une violente dictature (arrestations, exécutions sommaires, déportations dans des camps appelés goulags) qui fait des millions de victimes. Après la Seconde Guerre mondiale, il impose l'autorité de l'URSS aux pays qu'elle a libérés de l'occupation allemande. Après sa mort, la révélation de ses crimes conduit à la « déstalinisation » de l'ensemble du pays.

stalle n. f. Box aménagé pour un cheval dans une écurie.

stand n. m. Emplacement qui est réservé à un vendeur dans une foire, une exposition ou un Salon. *Au Salon du livre, chaque éditeur a son stand.*
Mot anglais qui se prononce [stãd].

standard adj. et n. m.
• adj. Qui correspond à une série courante. *Cette voiture est un modèle standard.*
> *Ces prises sont fabriquées de façon standardisée,* conforme à un modèle standard. *La standardisation des pièces de rechange rend plus facile les réparations,* le fait qu'elles soient standardisées.
• n. m. Dispositif qui centralise les appels téléphoniques venus de l'extérieur et qui permet de les répartir vers les différents postes d'une entreprise.
> *Un standardiste est une personne qui travaille dans un standard téléphonique.*

standing n. m. Niveau de vie d'une personne ou niveau de confort d'un immeuble.
Mot anglais qui se prononce [stãdiŋ].

star n. f. Vedette de cinéma.

starter n. m. Dispositif qui facilite la mise en marche d'un moteur. *Le moteur est froid, il faut mettre le starter.*
Mot anglais qui se prononce [startɛr].

starting-block n. m. Plur. : des starting-blocks. Appareil sur lequel un coureur cale ses pieds au moment du départ d'une course de vitesse.
Mot anglais qui se prononce [startiŋblɔk].

station n. f. *1* Fait de se tenir dans une certaine position. *Pour certains handicapés, la station debout est pénible.* *2* Lieu aménagé pour l'arrêt de certains véhicules. *Une station de bus, de métro.* *3* Lieu où l'on séjourne en villégiature. *Une station de sports d'hiver.*

4 Ensemble des installations qui permettent d'émettre des programmes. *Une station de radio.*
5 Station météorologique : ensemble des installations scientifiques qui permettent d'observer le temps.

stationnaire adj. Qui ne varie pas. *Pour l'instant, l'état du malade est stationnaire.*

stationner v. → conjug. **aimer.** S'arrêter ou arrêter un véhicule un certain temps quelque part. *Il est interdit de stationner dans les couloirs d'autobus.*
  Dans ce quartier, le **stationnement** *est payant,* l'action de stationner.

station–service n. f. Plur. : **des stations-service.** Endroit où l'on peut acheter de l'essence et où sont assurés certains travaux d'entretien des véhicules.

statique adj. Qui manque de mouvement, ou qui n'évolue pas. *Une société statique.*

statistique n. f. Ensemble de chiffres qu'on enregistre à propos de certains phénomènes et qui permettent de faire des comparaisons et de comprendre certaines évolutions.
  Statistiquement, la délinquance est en hausse dans ce quartier, selon les statistiques.

statue n. f. Œuvre d'art sculptée, qui représente un être vivant en entier. *Cette statue symbolise la liberté.*
Homonyme : statut.
  Une collection de **statuettes,** *de petites statues.*

statuer v. → conjug. **aimer.** Prendre officiellement une décision. *Le gouvernement doit statuer sur le sort des sans-papiers.*

statuette n. f. → **statue.**

statu quo n. m. inv. État actuel des choses. *Ne rien changer au statu quo.*
Mots latins qui se prononcent [statykwo].

stature n. f. Taille de quelqu'un. *Un nain est une personne de petite stature.*

statut n. m. *1* Situation d'une personne dans un groupe ou dans la société. *Dans certains pays, le statut des femmes n'a pas évolué.* *2* Au pluriel. Textes qui déterminent les règles à suivre pour le fonctionnement d'une association. *Les statuts d'un club de foot.*
Homonyme : statue.

steak n. m. Bifteck. *Manger un steak grillé.*
Mot anglais qui se prononce [stɛk].

stégosaure n. m. Dinosaure herbivore dont la queue était munie de pointes.

stèle n. f. Pierre qui porte une inscription. *Une stèle où sont gravés les noms des soldats morts au cours de la Première Guerre mondiale.*

Stendhal

Écrivain français né en 1783 et mort en 1842. Son vrai nom est Henri Beyle. En 1800, Stendhal s'engage dans l'armée napoléonienne, qui lui fait découvrir l'Italie. À partir de 1802, il est chargé de plusieurs missions diplomatiques à l'étranger. Après la chute de l'empire napoléonien, en 1814, il partage son temps entre l'Italie et Paris et se tourne vers l'écriture. Il écrit d'abord des récits de voyages et des essais, puis des romans (*Rome, Naples et Florence,* 1921 ; *De l'amour,* 1922 ; *Armance,* 1827). En 1830, il publie un de ses chefs-d'œuvre, *le Rouge et le Noir,* roman dans lequel le héros cherche tous les moyens pour parvenir à son bonheur. On retrouve ce thème dans les autres écrits de Stendhal, en particulier *la Chartreuse de Parme* (1839). Son œuvre a surtout été reconnue après sa mort.

stentor n. m. *Voix de stentor :* voix très forte et retentissante.
On prononce [stãtɔʀ].

steppe n. f. Vaste plaine des climats secs.

La steppe est une vaste étendue aride parsemée de touffes d'herbe basse et de courts buissons épineux. Les steppes se développent dans les régions tropicales (en bordure des déserts), dans les régions au climat continental très froid et sec, et sous les climats méditerranéens arides. De grandes steppes existent en Asie centrale, en Amérique, en Afrique et en Australie.

stère n. m. Unité de volume du bois qui correspond à un mètre cube.

stéréophonie n. f. Procédé d'enregistrement et de reproduction du son qui donne l'impression d'être dans une salle de spectacle.
En abrégé : stéréo.
  Les deux haut-parleurs de cette chaîne donnent un son **stéréophonique** *ou* **stéréo,** *enregistré et reproduit en stéréophonie.*

stéréotype n. m. Cliché, banalité. *C'est un livre sans intérêt, rempli de stéréotypes.*
Faire un discours insipide et rempli de formules stéréotypées, qui ont le caractère de stéréotypes.

stérile adj. *1* Qui ne peut pas avoir d'enfants ou de petits. *Faire castrer un chat pour le rendre stérile. 2* Qui ne produit aucune récolte. *Une terre stérile. 3* Qui ne contient pas de microbes. *Un pansement stérile. 4* Au figuré. Qui est vain, inutile, n'aboutit à rien. *Un débat totalement stérile.*
Contraires : fécond (*1* et *4*), **fertile** (*2*).
La **stérilité** *d'une personne, d'un sol, d'une discussion,* c'est le fait qu'ils sont stériles (*1*, *2* et *4*).

stériliser v. → conjug. **aimer**. *1* Rendre stérile. *Faire stériliser son chien. 2* Débarrasser des germes, des microbes. *Après chaque intervention, le chirurgien stérilise ses instruments.*
Faire bouillir le lait provoque sa **stérilisation**, le fait qu'il est stérilisé (*2*).

stérilité n. f. → **stérile**.

sterne n. f. Sorte de grosse hirondelle des côtes.

sternum n. m. Os plat et allongé qui se trouve au milieu de la poitrine.
Mot latin qui se prononce [stɛrnɔm].

stéthoscope n. m. Instrument qui amplifie les bruits cardiaques et pulmonaires. *Le docteur ausculte le bébé à l'aide de son stéthoscope.*

steward n. m. Homme qui s'occupe des passagers à bord d'un avion ou d'un paquebot. *Le steward nous a proposé des boissons et des journaux.*
Mot anglais qui se prononce [stiwart].

stick n. m. Présentation d'un produit sous forme de bâtonnet. *Un stick de déodorant, de colle.*

stimulant, ante adj. et n. m.
• adj. Qui stimule, encourage. *Ses bons résultats sont très stimulants pour lui.*
• n. m. Médicament ou substance qui donne de l'énergie, des forces. *Le café est un stimulant.*

stimuler v. → conjug. **aimer**. Inciter à agir ou à poursuivre l'effort. *Ses succès l'ont stimulé.*
Synonyme : encourager.
Il a besoin d'une **stimulation** *pour finir son travail,* d'être stimulé.

stipuler v. → conjug. **aimer**. Indiquer avec précision. *Le bail stipule le montant des charges à payer.*
Synonymes : préciser, spécifier.

stock n. m. Ensemble de marchandises qui sont mises en réserve. *Des stocks de blé entreposés dans des silos.*
Mot anglais qui se prononce [stɔk].

Stocker des produits alimentaires, c'est les garder en stock, en réserve.

stoïque adj. Qui supporte courageusement la douleur ou le malheur. *Il reste stoïque malgré les épreuves qu'il subit.*
Synonyme : impassible.
Réagir **stoïquement,** de façon stoïque.

stop interj. et n. m.
• interj. Donne l'ordre de s'arrêter. *Stop ! La route est coupée, car il y a eu une avalanche.*
• n. m. *1* Panneau de signalisation routière qui indique qu'on doit s'arrêter. *2* Feu rouge à l'arrière d'une voiture, qui s'allume quand on freine. *3* Familier. Auto-stop. *C'est la grève des transports en commun, beaucoup de gens font du stop.*
Mot anglais qui se prononce [stɔp].

stopper v. → conjug. **aimer**. Arrêter. *Un médicament qui permet de stopper l'évolution d'une maladie.*

store n. m. Rideau en toile ou composé de lamelles orientables, qui s'enroule ou se déroule.

strabisme n. m. Défaut d'une personne qui louche.

strangulation n. f. Fait d'avoir été étranglé.

strapontin n. m. Petit siège d'appoint, qui se baisse ou se relève dans une salle de spectacle.

Strasbourg

Ville française de la Région Alsace, située sur les bords de l'Ill et du Rhin. Centre industriel, administratif, commercial et intellectuel, Stasbourg est le siège du Parlement européen et du Conseil de l'Europe. La ville abrite une cathédrale gothique (XIIe-XVe siècles), des maisons anciennes à colombage et plusieurs musées. Intégrée à la Germanie au IXe siècle, elle est ville libre du XIIe siècle à 1681, date à laquelle elle est rattachée à la France. Annexée par l'Allemagne en 1870, elle redevient française en 1918. Occupée à nouveau par l'Allemagne pendant la Seconde Guerre mondiale, elle est libérée en 1944.

67 *Préfecture du Bas-Rhin*
267 051 habitants : les Strasbourgeois

---

stratagème n. m. Moyen astucieux et rusé. *Imaginer un stratagème pour échapper à une corvée.*
Synonyme : subterfuge.

strate n. f. Chacune des couches d'un terrain. *Les strates sont formées de roches sédimentaires différentes.*

stratégie n. f. Manière d'organiser les opérations militaires pendant une guerre.
Un endroit **stratégique,** important pour la stratégie.

stratifié, ée adj. Qui se présente en couches superposées. *Des planches en bois stratifié.*

stratosphère n. f. Zone de l'atmosphère située entre 10 et 50 kilomètres d'altitude.

Stravinski Igor

Compositeur russe naturalisé français puis américain, né en 1882 et mort en 1971. Stravinski devient célèbre dès ses premières compositions : *l'Oiseau de feu* (1910), *le Sacre du printemps* (1913), des ballets où il surprend par l'originalité de sa musique dans laquelle s'exprime le folklore russe. La guerre et les apports du jazz marquent ses œuvres suivantes (*l'Histoire du soldat*, 1918 ; *Ragtime*, 1918). Il vit à Paris de 1920 à 1939, puis se réfugie aux États-Unis, au début de la Seconde Guerre mondiale, où il poursuit son abondante création.

streliztia n. m. Plante originaire d'Afrique, aux fleurs très colorées.

stress n. m. État de nervosité et d'angoisse. *Être dans un état de stress la veille d'un examen.*
Son travail la stresse, provoque du stress chez elle.

strict, stricte adj. *1* Qui doit être respecté de façon très rigoureuse. *Des consignes strictes. Suivre un régime très strict. 2* Qui est sévère, intransigeant. *Être strict sur la discipline. 3* Renforce le sens d'un mot dans certaines expressions. *Dire la stricte vérité. Une cérémonie qui a lieu dans la plus stricte intimité.*
Il est strictement interdit de fumer dans les transports en commun, de façon stricte (1).

strident, ente adj. Se dit d'un son aigu et perçant. *Le chant strident des cigales.*

strie n. f. Chacune des petites lignes parallèles qui marquent une surface. *Les stries d'une lime à ongles.*
La surface de ce carton est striée, marquée de stries.

strophe n. f. Partie d'un poème qui comprend un certain nombre de vers.

structure n. f. Manière dont les différentes parties d'un ensemble sont assemblées ou organisées. *La structure d'une phrase. Une structure métallique.*
Un roman bien structuré, qui possède une structure bien organisée.

stuc n. m. Matériau qui imite le marbre.

studieux, euse adj. Qui aime étudier et travailler avec application. *C'est un excellent élève, très studieux.*

studio n. m. *1* Appartement qui ne comporte qu'une seule pièce. *Quand il était étudiant, il habitait un studio. 2* Local aménagé pour tourner des films ou pour enregistrer des émissions ou des disques.

stupéfait, aite adj. Extrêmement étonné. *Il est stupéfait d'apprendre son échec.*
Cette catastrophe inattendue a plongé la région dans la stupéfaction, tout le monde était stupéfait.

stupéfiant, ante adj. et n. m.
● adj. Qui stupéfie. *On disait que le malade était perdu, sa guérison est stupéfiante.*
● n. m. Drogue. *Un trafic de stupéfiants.*

stupéfier v. → conjug. **modifier.** Étonner profondément quelqu'un au point de le laisser sans réaction. *Certaines révélations ont stupéfié le jury.*

stupeur n. f. Stupéfaction. *En apprenant la nouvelle, il est resté muet de stupeur.*

stupide adj. Qui manque d'intelligence. *Une personne stupide qui ne comprend rien. Sa réaction violente est stupide.*
Il a répondu stupidement, de façon stupide.

stupidité n. f. *1* Manque d'intelligence. *Une émission d'une stupidité navrante. 2* Chose ou parole stupide. *Arrête de dire de telles stupidités !*
Synonymes : **ânerie** (*2*), **bêtise** (*1* et *2*), **idiotie** (*2*), **sottise** (*1* et *2*).

style n. m. *1* Manière d'écrire. *Un écrivain au style très précieux. 2* Manière personnelle de se comporter ou d'agir. *Ce n'est pas son style de se moquer des autres. 3* Caractéristiques d'une œuvre d'art qui la rattachent à une époque. *Une église de style roman.*
Synonyme : **genre** (*2*).

stylé, ée adj. Qui accomplit son service dans les règles et avec beaucoup d'élégance. *Dans les palaces, le personnel doit être stylé.*

stylisé, ée adj. Représenté de façon simplifiée, dans un but décoratif. *Un tissu aux dessins stylisés.*

styliste n. Personne dont le métier est de créer des modèles pour l'habillement ou l'ameublement.

stylo n. m. Objet qui contient un réservoir d'encre et qui sert à écrire. *Un stylo à plume. Un stylo à bille.*

suaire n. m. Littéraire. Linceul.

suave adj. Doux et agréable. *Une voix suave.*
Aimer la suavité d'un parfum, son caractère suave.

subalterne adj. et n.
● adj. Qui est inférieur dans une hiérarchie ou qui a une importance secondaire. *Un emploi subalterne.*
● n. Personne soumise à l'autorité d'une autre personne. *Confier une tâche à un subalterne.*
Synonyme : **subordonné.**

subdiviser v. → conjug. **aimer.** Diviser à nouveau ce qui a déjà été divisé. *Les arrondissements sont subdivisés en cantons.*

Ce paragraphe est une subdivision d'un chapitre, la partie d'un chapitre qui a été subdivisé.

subir v. → conjug. **finir.** Supporter par obligation. *Subir un interrogatoire, une intervention chirurgicale.*

subit, ite adj. Qui se produit brusquement. *La formation subite du verglas a surpris les automobilistes.*
Synonyme : soudain.
L'orage a éclaté subitement, de façon subite.

subjectif, ive adj. Qui est lié à la personnalité de chacun et varie selon les goûts. *Ce journaliste a fait une critique trop subjective de ce film.*
Contraire : objectif.
On lui reproche de juger subjectivement, de manière subjective. *La subjectivité d'un point de vue*, c'est son caractère subjectif.

subjonctif n. m. Mode du verbe employé dans les subordonnées pour exprimer un ordre, un souhait, une possibilité. *Dans la phrase « je veux que tu viennes avec moi », le verbe « venir » est au subjonctif.*

subjuguer v. → conjug. **aimer.** Impressionner ou séduire vivement. *Ce clown a subjugué les enfants.*
Synonymes : envoûter, fasciner.

sublime adj. Admirable. *Cet air d'opéra est sublime.*

submerger v. → conjug. **ranger.** **1** Recouvrir complètement d'eau. *La crue a submergé les rives du fleuve.* **2** Au figuré. Accabler, surcharger. *Se plaindre d'être submergé de travail.*

submersible n. m. Sous-marin.

subodorer v. → conjug. **aimer.** Avoir l'intuition ou le pressentiment de quelque chose. *La police subodore que ce groupe prépare un coup monté.*

subordination n. f. *Conjonction de subordination :* en grammaire, conjonction qui relie une subordonnée à une principale. *« Comme », « quand », « que » sont des conjonctions de subordination.*

subordonné, ée adj., n. et n. f.
● adj. Qui dépend de quelque chose. *Notre départ est subordonné au temps qu'il va faire.*
● n. Subalterne. *Donner des ordres à ses subordonnés.*
Contraire : supérieur.
● n. f. Proposition qui dépend d'une proposition principale. *Dans la phrase « j'ai lu le livre dont tu m'as parlé », « dont tu m'as parlé » est une subordonnée relative.*

subordonner v. → conjug. **aimer.** Faire dépendre d'autre chose. *Subordonner un achat à l'obtention d'un crédit.*

subrepticement adv. Littéraire. Discrètement, sans se faire remarquer. *Quitter subrepticement la maison.*
Synonyme : en catimini.

subsides n. m. pl. Aide financière accordée à quelqu'un. *L'État a versé des subsides aux sinistrés.*

subsidiaire adj. *Question subsidiaire :* question supplémentaire pour départager des candidats ex aequo.

subsister v. → conjug. **aimer.** **1** Continuer à exister. *Des traditions subsistent dans cette région.* **2** Avoir le nécessaire pour vivre. *Il gagne à peine de quoi subsister.*
Ses moyens de subsistance sont insuffisants, ce qui lui permet de subsister (**2**).

substance n. f. Matière qui constitue un corps, un objet. *L'eau est une substance liquide, l'air est une substance gazeuse.*

substantiel, elle adj. **1** Qui est très nourrissant. *Un repas substantiel.* **2** Qui est relativement important. *Une augmentation de salaire substantielle.*
Contraire : négligeable (**2**).

substantif n. m. Nom. *« Train » est un substantif masculin, « voiture » est un substantif féminin.*

substituer v. → conjug. **aimer.** Mettre une chose ou une personne à la place d'une autre.
Séraphin substitue une pierre à la souris.
Il y a eu substitution des bagages à l'aéroport, ils ont été substitués.

subterfuge n. m. Ruse, stratagème.

subtil, ile adj. **1** Qui fait preuve d'une grande finesse d'esprit. *Une critique très subtile.* **2** Qui est difficile à percevoir, à saisir. *Une nuance subtile entre deux couleurs.*
La subtilité d'une réponse, son caractère subtil (**1**).

subtiliser v. → conjug. **aimer.** Voler habilement quelque chose, sans se faire remarquer.

subtilité n. f. → **subtil.**

subvenir v. → conjug. **venir.** Fournir à quelqu'un ce qu'il lui faut pour vivre. *Subvenir aux besoins de sa famille.*

subvention n. f. Aide financière accordée par l'État.
Le département subventionne l'entretien des routes, accorde des subventions.

subversif, ive adj. Qui perturbe l'ordre établi. *Des propos subversifs.*

suc n. m. **1** Liquide qui est à l'intérieur d'une plante ou d'un fruit. **2** *Suc gastrique :* liquide que l'estomac sécrète et qui sert à la digestion.

succédané n. m. Produit qui se substitue à un autre pour le remplacer. *Un succédané de sucre.*

succéder v. → conjug. **digérer.** **1** Se produire après quelque chose ou venir après quelqu'un. *L'hiver succède à l'automne. Le fils du notaire a succédé à son père.* **2** *Se succéder :* venir les uns après les autres. *Les visiteurs se sont succédé toute la journée.*

succès n. m. *1* Résultat heureux. *Fêter son succès à un examen.* *2 Avoir du succès :* plaire à quelqu'un ou à un large public.
Synonyme : réussite (*1*). Contraire : échec (*1*).

successeur n. m. Personne qui succède à quelqu'un dans un emploi.
Contraire : prédécesseur.

successif, ive adj. Se dit de choses ou de personnes qui se succèdent. *Des ennuis successifs l'ont découragé.*
Les élèves seront interrogés **successivement,** de façon successive, l'un après l'autre.

succession n. f. *1* Ensemble de choses ou de personnes qui se succèdent. *Cette succession d'attentats inquiète les autorités.* *2* Fait de succéder à quelqu'un dans une fonction. *Ce chef d'entreprise a pris la succession de son père.* *3* Biens transmis par quelqu'un à ses héritiers. *Payer des droits de succession.*
Synonymes : série (*1*), suite (*1*).

successivement adv. → **successif.**

succinct, incte adj. Qui est réduit à très peu de mots. *Un compte rendu succinct des événements.*
On prononce [syksɛ̃], [syksɛ̃t]. **Synonymes : bref, concis, sommaire. Contraire : détaillé.**
Dis-nous **succinctement** *ce que tu penses de ce projet*, de façon succincte, brièvement.

succomber v. → conjug. **aimer.** *1* Mourir. *Il a succombé à la suite d'une longue maladie.* *2* Cesser de résister à quelque chose. *Ne prenez pas la route si vous êtes fatigué, vous risquez de succomber au sommeil.*

succulent, ente adj. Qui est extrêmement bon. *Ce repas était succulent.*
Synonymes : délicieux, excellent, exquis.

succursale n. f. Établissement ou magasin qui dépend d'un autre. *Ce magasin parisien a des succursales en province.*

sucer v. → conjug. **tracer.** *1* Faire fondre dans la bouche. *Sucer une pastille contre le mal de gorge.* *2* Mettre dans la bouche en aspirant comme pour téter. *Sucer son pouce.*
Acheter une **sucette** *au caramel,* un bonbon à sucer (*1*) qui est fixé sur un bâtonnet.

sucre n. m. *1* Aliment à saveur très douce, qu'on tire de la canne à sucre ou d'une certaine variété de betteraves. *Le sucre est blanc quand il est raffiné.* *2* Morceau de sucre. *Mettre un sucre dans son café.*
Sucer sa tisane, c'est y mettre du sucre (*1*). *Des confitures trop* **sucrées,** qui contiennent trop de sucre (*1*).

sucrerie n. f. *1* Usine où le sucre est fabriqué. *2* Au pluriel. Friandises à base de sucre.

sucrier, ère adj. et n. m.
● adj. Qui produit du sucre. *L'industrie sucrière.*
● n. m. Récipient pour mettre le sucre.

sud n. m. et adj. inv.
● n. m. *1* Un des quatre points cardinaux, qui est à l'opposé du nord. *Cette chambre en plein sud est très lumineuse.* *2* Région située dans cette direction. *Il fait toujours meilleur au sud de la Loire.*
Quand ce mot est employé seul, sans complément, il commence par une majuscule : partir dans le Sud, les villes du Sud.
● adj. inv. Situé du côté du sud. *Nice est sur la côte sud de la France.*

sudoripare adj. Qui sécrète la sueur. *Les glandes sudoripares.*

Suède

Monarchie constitutionnelle du nord de l'Europe, ouverte à l'est sur la mer Baltique. Le nord et le nord-est de la Suède sont montagneux. L'Est est constitué d'un vaste plateau qui s'abaisse vers la mer. Le Sud, où se concentre la plus grande partie de la population, est une région de plaines fertiles. La forêt occupe plus de la moitié du territoire. Le climat est continental, plus froid à l'est qu'à l'ouest. La mer Baltique gèle fréquemment en hiver. Dans le nord du pays, proche du cercle polaire, la nuit dure deux mois en hiver, et le jour deux mois en été.
L'économie s'appuie sur l'agriculture, l'exploitation du bois, l'industrie et le commerce. Le tourisme est développé. Les Suédois jouissent d'un des niveaux de vie les plus élevés du monde. Les écarts de revenus sont peu marqués. Le pays est peuplé depuis le néolithique. En 1814, la Suède s'unit à la Norvège, qui rompt cette union en 1905. Elle reste neutre pendant les deux Guerres mondiales. Ce pays est une monarchie, mais le souverain n'a qu'une autorité symbolique.
La Suède est membre de l'Union européenne.

449 960 km²
8 867 000 habitants :
les Suédois
Langue : suédois
Monnaie : couronne suédoise
Capitale : Stockholm

suer v. → conjug. **aimer.** Être en sueur. *Les coureurs suent à grosses gouttes.*
Synonyme : transpirer.

Attraper une suée en grimpant la côte trop vite, le fait de suer.

sueur n. f. *1* Liquide qui sort des pores de la peau quand on sue. *Être ruisselant de sueur. 2 Sueurs froides : très grande peur. Ce film d'horreur nous a donné des sueurs froides.*

Suez (canal de)

Canal reliant la mer Méditerranée à la mer Rouge, situé au nord-est de l'Égypte. Le canal de Suez évite aux navires le contournement de l'Afrique. Il est long d'environ 195 km, large de 170 m et profond de 20 m. Il est creusé entre 1859 et 1869 sous la direction du Français Ferdinand de Lesseps.

suffire v. *1* Être en assez grande quantité. *Ce rôti ne suffira pas à nourrir huit personnes. 2 Il suffit :* il n'y a pas besoin d'autre chose. *Si tu veux venir dîner, il suffit que tu me préviennes.*

La conjugaison du verbe
SUFFIRE 3e groupe

indicatif présent	**je suffis,**
	il ou elle suffit,
	nous suffisons,
	ils ou elles suffisent
imparfait	**je suffisais**
futur	**je suffirai**
passé simple	**je suffis**
subjonctif présent	**que je suffise**
conditionnel présent	**je suffirais**
impératif	**suffis, suffisons,**
	suffisez
participe présent	**suffisant**
participe passé	**suffi**

suffisant, ante adj. *1* Qui suffit. *Ce poulet est suffisant pour quatre personnes. 2* Prétentieux, vaniteux. *Il est satisfait de lui et suffisant.*

Vous avez mangé suffisamment de pâtisseries, de façon suffisante (*1*), assez. *Elles agacent tout le monde car elles sont pleines de suffisance*, elles sont suffisantes (*2*).

suffixe n. m. Élément qui se place après un mot ou un radical pour former un mot dérivé.

LES SUFFIXES
Les suffixes sont très nombreux
dans la langue française.
Ils permettent de créer des mots
de différente nature.

● Il existe des suffixes de noms, de verbes, d'adjectifs.
❖ Noms :   salade → salad**ier**   piano → pian**iste**
❖ Verbes :   siffler → siffl**oter**   sucer → suç**oter**
❖ Adjectifs :   rouge → roug**eâtre**   simple → simpl**et**

● Les suffixes servent à former des verbes, des adjectifs et des adverbes.
❖ À partir de noms, on forme des verbes ou des adjectifs.
Verbes :   chant → chant**er**   chemin → chemin**er**
Adjectifs :   joie → joy**eux**   peur → peur**eux**
❖ À partir de verbes, on forme des adjectifs.
opérer → opér**able**   laver → lav**able**
❖ À partir d'adjectifs, on forme des adverbes.
gentil → gentil**ment**   fin → fine**ment**

● Certains suffixes ont un sens :
able (qu'on peut) : *portable, consommable ;*
et, ette (plus petit) : *poulet, chaînette, maisonnette ;*
eux, euse (indique la qualité) : *crémeux, soucieuse ;*
ée (indique le contenu) : *pincée, cuillerée ;*
el (qui cause) : *mortel, accidentel.*

suffoquer v. → conjug. **aimer.** *1* Avoir beaucoup de mal à respirer au point d'étouffer. *Il y a tellement de fumée qu'on suffoque. 2* Familier. Causer une grande surprise. *Son succès nous a suffoqués.*

L'atmosphère est suffocante, elle fait suffoquer (*1*). *L'asthme donne une impression de suffocation*, on a l'impression de suffoquer (*1*).

suffrage n. m. *1* Voix de chaque électeur. *Ce candidat n'a pas eu la majorité des suffrages, il n'est pas élu. 2* Jugement favorable. *Recueillir les suffrages du public. 3 Suffrage universel :* système de vote dans lequel tous les citoyens majeurs ont le droit de voter.
Synonyme : vote (*1*).

suggérer v. → conjug. **digérer.** Proposer une idée. *Je suggère qu'on prenne l'autoroute pour aller plus vite. J'attends tes suggestions*, ce que tu me suggères.

suicide n. m. Action de se donner volontairement la mort. *Faire une tentative de suicide.*

De désespoir, il a essayé de se suicider, de se tuer par suicide. *Conduire si vite est une attitude suicidaire*, qui ressemble à un suicide.

suie n. f. Matière noire déposée par la fumée dans les conduits de cheminée.

suinter v. → conjug. **aimer.** S'écouler goutte à goutte. *De l'eau suinte sur les parois de la grotte.*

Suisse

Suisse

République située au centre de l'Europe de l'Ouest. La Suisse est une confédération formée de 23 cantons, dont trois sont divisés en demi-cantons.

■ Le pays est montagneux. Les Alpes et le Jura forment deux chaînes parallèles séparées par le plateau suisse. Le massif alpin, creusé de vallées profondes, porte de hauts sommets (pointe Dufour, 4 634 m).

■ La Suisse est parcourue par de nombreux cours d'eau (Rhin, Rhône, Inn, Tessin) et compte de grands lacs : Léman, Constance, Quatre-Cantons, Neuchâtel, Zurich.

■ Le climat est tempéré à l'ouest, continental au nord et de type montagnard en altitude. La forêt, où dominent les conifères, couvre un quart du territoire.

■ Les Suisses parlent quatre langues différentes : l'allemand, majoritaire, parlé par environ 65 % de la population, le français (environ 20 %), l'italien (moins de 10 %) et le romanche (moins de 1%), parlé dans le canton des Grisons.

■ Les grandes villes suisses sont : Zurich, principale ville industrielle et commerciale ; Berne, la capitale ; Bâle, port de commerce sur le Rhin ; Genève, siège européen de plusieurs organisations internationales ; et Lausanne, au bord du lac Léman.

■ L'agriculture (élevage, produits laitiers) occupe une place importante, mais l'économie repose essentiellement sur les industries de haute technologie, l'agroalimentaire et le secteur bancaire. Les Suisses ont un des niveaux de vie les plus élevés du monde.

Le lac Léman vu de Genève.

Le téléphérique Jumbo peut contenir 150 skieurs.

41 288 km²
7 171 000 habitants :
les Suisses
Langues : allemand,
français, italien,
romanche
Monnaie : franc suisse
Capitale : Berne

Cantons et villes principales

---

suite n.f. **1** Ce qui vient après quelque chose. *Il ne m'a pas raconté la suite de ses aventures.* **2** Série d'événements qui se suivent. *Mon dernier voyage a été une suite de catastrophes !* **3** Personnes qui accompagnent un personnage important. *Cet homme d'affaires se déplace toujours avec sa suite.* **4** Conséquence qui résulte d'un événement. *Mourir des suites d'une longue maladie.* **5** À la suite de : après. *Être handicapé à la suite d'un accident.* **6** De suite : d'affilée, sans interruption. *Il a neigé trois jours de suite.* **7** Par la suite : ensuite, plus tard. **8** Par suite de : à cause de. *Par suite d'un déraillement, le trafic des trains risque d'être interrompu .* **Synonyme : succession (2).**

1. suivant prép. Selon. *Réagir suivant les circonstances.*

2. suivant, ante adj. et n. Qui suit, qui vient après. *La fin de l'article se trouve à la page suivante.* **Contraire : précédent.**

suivi, ie adj. Qui se fait de façon continue et régulière. *Une correspondance très suivie.*

suivre v. **1** Avancer derrière quelqu'un ou quelque chose. *Suis-moi, je vais te montrer le chemin. La voiture ne peut pas doubler et doit suivre le camion.* **2** Venir juste après. *Un gros orage a suivi les coups de tonnerre.*

3 Accompagner une personne qui se déplace. *Ses gardes du corps le suivent partout.* *4* Aller dans la même direction. *Ce chemin suit la rivière. Il faut suivre cette route jusqu'au carrefour.* *5* Aller régulièrement à un cours. *Suivre des leçons de piano.* *6* Se conformer à quelque chose. *Suivre la mode. Suivre les conseils de quelqu'un.* *7* Écouter avec attention. *Suivre une émission de radio.* *8* Comprendre ce qui est dit. *J'ai du mal à suivre son raisonnement. Vous me suivez toujours ?* *9* Approuver quelqu'un. *Je ne te suis pas sur ce sujet.* *10* Être apte à poursuivre des études. *S'il ne s'améliore pas en anglais, il ne pourra pas suivre en cinquième.* **Synonyme : succéder** (*2*). **Contraire : précéder** (*1* et *2*).

La conjugaison du verbe
SUIVRE 3e groupe

indicatif présent	**je suis, il ou elle suit, nous suivons, ils ou elles suivent**
imparfait	**je suivais**
futur	**je suivrai**
passé simple	**je suivis**
subjonctif présent	**que je suive**
conditionnel présent	**je suivrais**
impératif	**suis, suivons, suivez**
participe présent	**suivant**
participe passé	**suivi**

sujet, ette adj. , n. m. et n.
• adj. Qui souffre souvent de tel mal. *Elle est sujette à de violentes migraines.*
• n. m. *1* Ce dont il s'agit. *Quel est le sujet de ce film ?* *2* Cause, motif de quelque chose. *Parler politique est un sujet de querelle entre eux.* *3* Mot ou groupe de mots désignant l'être ou la chose dont on parle.
• n. Personne soumise à l'autorité d'un souverain. *Le roi s'adresse à ses sujets.*
Regarde ci-dessous.

sulfurique adj. *Acide sulfurique :* acide très toxique à base de soufre, qui attaque les métaux.

Sully

Homme politique français né en 1559 et mort en 1641. Sully se rend célèbre comme conseiller du roi Henri IV. Compagnon d'armes du souverain, il est nommé surintendant général des finances (ministre) en 1598. Il réorganise l'économie du royaume. Il améliore le système des impôts, encourage le commerce notamment en faisant aménager des routes et creuser des canaux. Il s'attache au développement de l'agriculture, fait assécher des marais et encourage l'élevage. Après la mort de Henri IV, Sully perd ses attributions et se retire de la vie politique. Le roi Louis XIII le fait maréchal de France en 1634.

sultan n. m. Dans certains pays musulmans, nom donné au souverain.

LE SUJET

Le sujet commande l'accord du verbe. Le sujet peut être : un nom, un groupe nominal, un pronom personnel, un verbe à l'infinitif, un adverbe, une subordonnée.

• La fonction sujet se présente sous trois formes.
❖ Le sujet **fait l'action** exprimée par le verbe :
  Le vent chasse les nuages.
❖ Le sujet **subit l'action** exprimée par le verbe :
  Manon reçoit une lettre.
❖ Le sujet **se trouve dans l'état** exprimé par le verbe :
  Les rues sont désertes.
• L'encadrement « c'est ... qui » ou « ce sont ... qui » permet de trouver le sujet de la phrase.
  C'est le vent qui... Ce sont les rues qui...
• Le sujet est également le mot qui peut être remplacé par un des pronoms : **il, ils, elle, elles.**
  Il chasse les nuages. Elle reçoit une lettre. Elles sont désertes.

• En règle générale, le sujet se place devant le verbe. Cependant, dans les cas suivants, il se place après ; on dit alors qu'il est inversé.
❖ Dans les phrases interrogatives.
  Comment vas-tu ? Voulez-vous des oranges ?
❖ Dans les dialogues.
  J'ai reçu une lettre, dit Manon. Il ne comprend vraiment rien ! s'exclama-t-elle.
❖ Lorsque le sujet est un pronom personnel et que la phrase commence par un adverbe tel que **sans doute, peut-être, ainsi.**
  Sans doute a-t-il oublié le rendez-vous.
❖ Lorsque la phrase commence par un complément circonstanciel et que l'on veut mettre le sujet en valeur.
  Juste à ce moment arriva un groupe de bandits.

Sumériens

Sumériens

Ancien peuple installé environ 3 500 ans av. J.-C. dans la partie sud de la Mésopotamie. Les Sumériens sont à l'origine d'une des plus brillantes civilisations du monde antique. Ils vivent dans des villes groupées autour d'un temple consacré au dieu souverain. Ils pratiquent la culture et l'élevage.

Les prêtres puis les princes sont les maîtres de la cité. Our, Lagash, Ourouk sont de grandes cités sumériennes. Les Sumériens sont les inventeurs de la roue, d'un système de numération, et de la première forme d'écriture, l'écriture cunéiforme.

***Regarde aussi* Mésopotamie.**

summum n. m. Le plus haut degré. *Un artiste au summum de la gloire.*
Mot latin qui se prononce [sɔmɔm]**.**

sumo n. m. *1* Lutte traditionnelle pratiquée au Japon par des hommes très gros. *2* Le lutteur lui-même.

1. super adj. inv. Familier. Très bien, formidable. *Tu passes en sixième ? C'est super !*
On prononce [sypɛʀ]**.**

2. super préfixe. Indique un degré élevé, une supériorité.

3. super n. m. Familier. Abréviation de supercarburant.
On prononce [sypɛʀ]**.**

superbe adj. Très beau. *Une vue superbe sur la vallée.*
Synonymes : magnifique, splendide.

supercarburant n. m. Essence de qualité supérieure.
En abrégé : super.

supercherie n. f. Tromperie. *Ce tableau était un faux, les experts ont découvert la supercherie.*

superficie n. f. Étendue d'un terrain, d'un appartement. *Calculer en mètres carrés la superficie d'un jardin.*
Synonyme : surface.

superficiel, elle adj. *1* Qui est peu profond et n'existe qu'en surface. *Une blessure superficielle.* *2* Au figuré. Qui ne va pas au fond des choses ou des idées. *Avoir des connaissances superficielles en informatique.*
*Évoquer **superficiellement** un sujet*, de façon superficielle (*2*).

superflu, ue adj. Qui n'est pas indispensable. *Évite de donner trop de détails superflus.*
Contraire : nécessaire.

supérieur, eure adj. et n.
● adj. *1* Situé en haut ou plus haut. *Inscrire ses coordonnées dans la partie supérieure de la page.*
La mâchoire supérieure. *2* Plus grand ou plus important. *Dix est un nombre supérieur à neuf. Se croire supérieur aux autres.* *3* Meilleur. *Un produit de qualité supérieure.*
*Prendre un air de **supériorité**, comme si l'on était supérieur (2).*
● n. Personne qui occupe un rang plus élevé dans une hiérarchie. *Attendre les ordres de son supérieur.*
Contraires : subalterne, subordonné.

superlatif n. m. Le plus haut degré de l'adjectif. *On distingue les superlatifs de supériorité (le plus gentil) et les superlatifs d'infériorité (le moins gentil).*

supermarché n. m. Magasin de grande surface où les consommateurs se servent eux-mêmes.

superposer v. → conjug. **aimer.** Mettre des choses les unes au-dessus des autres. *Superposer des disques sur une étagère.*

superproduction n. f. Film à grand spectacle et à gros budget.

supersonique adj. *Avion supersonique :* dont la vitesse peut dépasser celle du son.

superstition n. f. Fait de croire à des influences surnaturelles. *C'est de la superstition de croire que le chiffre 13 porte malheur.*
*Il est **superstitieux** et n'aime pas que le pain soit posé à l'envers,* il fait preuve de superstition.

superviser v. → conjug. **aimer.** Contrôler rapidement la qualité d'un travail. *Le surveillant supervise le travail des élèves qui restent à l'étude.*

supplanter v. → conjug. **aimer.** Prendre la place d'une personne ou d'une chose. *De nouvelles technologies supplantent les anciennes.*

suppléer v. → conjug. **créer.** *1* Remplacer provisoirement quelqu'un dans sa fonction. *La maîtresse est malade, une autre la supplée.* *2* Compenser quelque chose qui est insuffisant. *Il supplée à son manque de mémoire en prenant des notes.*
*Quand le maire n'est pas là, son adjoint est son **suppléant**,* la personne qui le supplée (*1*).

supplément n. m. Ce qui est ajouté et qui vient en plus. *Pour prendre ce train, il faut payer un supplément. Demander un supplément de légumes.*
*Il a beaucoup de travail et doit faire des heures **supplémentaires**,* qui viennent en supplément.

supplication n. f. Prière insistante de quelqu'un qui supplie.

supplice n. m. *1* Punition corporelle qu'on infligeait autrefois aux condamnés, et qui pouvait être mortelle. *2* Grande souffrance morale. *C'est un supplice pour lui de parler en public.*

supplier v. → conjug. **modifier.** Prier quelqu'un avec insistance. *Ne fais pas ça, je t'en supplie.*

1. supporter v. → conjug. **aimer.** *1* Soutenir quelque chose, lui servir d'appui. *Des piliers supportent la verrière.* *2* Accepter, tolérer quelque chose sans se plaindre. *Je ne supporte pas le chahut.* *3* Résister à quelque chose. *Ces fleurs ne supportent pas le soleil.*
> Acheter un *support* en bois pour poser une maquette, un objet destiné à la supporter (*1*). *Un froid vif mais* *supportable*, qu'on peut supporter (*3*).

2. supporter n. Personne qui encourage un sportif ou une équipe.
Mot anglais qui se prononce [supɔrtœr ou tɛr]. **On dit aussi supporteur, trice.**

supposer v. → conjug. **aimer.** *1* Penser quelque chose sans en être sûr. *Il est tard, je suppose que vous avez faim.* *2* Exiger comme condition nécessaire. *Réussir ce concours suppose un travail considérable.*
Synonymes : imaginer (*1*), **impliquer** (*2*), **présumer** (*1*).
> *L'incendie serait d'origine criminelle, mais ce n'est qu'une* *supposition*, une chose qu'on suppose (*1*).

suppositoire n. m. Médicament en forme de cône qu'on introduit dans l'anus.

supprimer v. → conjug. **aimer.** *1* Faire disparaître ou faire cesser quelque chose. *Supprimer un mur. Supprimer une douleur.* *2* Enlever quelque chose qui faisait partie d'un tout. *Supprimer un passage d'un texte.*
> *Dans ce secteur, on déplore la* *suppression* *de nombreux emplois*, le fait qu'ils ont été supprimés (*1*).

suppurer v. → conjug. **aimer.** Laisser du pus s'écouler. *Il faut désinfecter cette plaie qui suppure.*

suprématie n. f. Situation de puissance qui permet de dominer. *La suprématie militaire d'un pays.*

suprême adj. *1* Qui est au-dessus de tous les autres. *Le président de la République est le chef suprême de l'État.* *2* Qui est le dernier. *Faire un suprême effort pour essayer de gagner.*
> *Une personne* *suprêmement* *douée*, de façon suprême (*1*).

1. sur prép. Indique : *1* Un lieu situé plus haut, au-dessus. *Poser un miroir sur une cheminée.* *2* La direction. *Se rabattre sur la droite.* *3* Le thème. *Un documentaire sur les éléphants.* *4* La proportion. *Sur vingt personnes invitées, dix seulement sont venues.*
Homonyme : sûr.

2. sur– préfixe. Indique un degré supérieur : *suraigu, surexcité.*

3. sur, sure adj. Qui a une saveur aigre ou acide. *Cette compote est sure et manque de sucre.*
Homonyme : sûr.

sûr, sûre adj. *1* Dont on ne peut pas douter, qui est évident. *Il a bien travaillé, il sera reçu, c'est sûr.* *2* Qui est certain, convaincu de quelque chose. *Je suis sûre qu'il a raison.* *3* Qui ne présente aucun danger. *Ce quartier mal éclairé n'est pas très sûr.* *4* En qui on peut avoir confiance. *Tu peux compter sur lui, c'est un ami sûr.*
Synonymes : certain (*1* et *2*), **évident** (*1*). **Homonyme : sur.**

> *Il va* *sûrement* *gagner*, de façon sûre (*1*). *Séraphin va mettre la souris en* *sûreté*, dans un lieu sûr (*3*).

surabondant, ante adj. Qui est très ou trop abondant. *Des récoltes surabondantes.*
> *La* *surabondance* *des pluies a provoqué des inondations*, leur caractère surabondant.

suraigu, uë adj. Extrêmement aigu. *Ces cris suraigus sont pénibles.*

suranné, ée adj. Ancien et démodé. *La décoration surannée d'une vieille maison.*

surcharge n. f. *1* Poids excessif. *Payer une taxe pour une surcharge de bagages.* *2* Mot écrit par-dessus un autre. *Ce formulaire doit être rempli sans surcharge.*

surcharger v. → conjug. **ranger.** *1* Imposer une charge excessive. *Surcharger une voiture.* *2* Imposer un travail excessif. *Surcharger les élèves de devoirs.*
Synonymes : accabler (*2*), **écraser** (*2*).

surchauffé, ée adj. *1* Qui est trop chauffé. *Être mal à l'aise dans une pièce surchauffée.* *2* Qui est extrêmement excité. *Un public surchauffé.*

surclasser v. → conjug. **aimer.** Être d'un niveau nettement supérieur aux autres. *Surclasser tous ses adversaires.*
Synonyme : surpasser.

surcroît n. m. Ce qui s'ajoute à quelque chose. *Ce surcroît de travail l'a épuisé.*

surdité n. f. Fait d'être sourd. *Sa grand-mère commence à être atteinte de surdité.*

sureau n. m. **Plur. : des sureaux.** Arbuste qui a des baies rouges ou noires.

surélever v. → conjug. **promener.** Augmenter la hauteur. *Surélever une maison d'un étage.*
Synonyme : rehausser.

sûrement adv. → **sûr.**

surenchère n. f. Offre plus élevée que la précédente. *Il a fait de la surenchère pour obtenir ce tableau.*
> *Les acheteurs ont* *surenchéri*, fait une surenchère.

surestimer v. → conjug. **aimer.** Estimer au-dessus de sa valeur ou de son importance réelle. *Surestimer un prix. Surestimer un adversaire.*
Contraire : sous-estimer.

sûreté n. f. → sûr.

surexcité, ée adj. Très excité, très énervé. *Les élèves sont surexcités à l'approche des vacances.*

La veille de Noël, la **surexcitation** *des enfants est à son comble,* leur état surexcité.

surf n. m. Sport consistant à glisser, en équilibre sur une planche, sur les vagues ou sur la neige.
Mot anglais qui se prononce [sœʀf].

Originaire d'Océanie, le surf se développe au début du xxᵉ siècle en Australie et aux États-Unis. Il gagne le monde entier à partir des années 1950. La planche, fabriquée en fibre de verre ou en mousse de polyuréthane, mesure de 1,75 m à 3 m de longueur pour 0,50 m de largeur, et a un poids de 3 kg à 6 kg. Le surfeur se laisse porter par la vague qui déferle, en exécutant virages et figures variées. Des championnats d'Europe et du monde sont organisés. Les lieux privilégiés pour ce sport sont l'Australie, la Californie, Tahiti, Hawaii, la Nouvelle-Zélande, l'Afrique du Sud et le Brésil.
Le surf se pratique également sur la neige. Le surf des neiges est appelé couramment snowboard.
Regarde aussi **snowboard**.

surface n. f. *1* Mesure d'une superficie. *2* Partie extérieure et visible d'un corps ou d'un liquide. *Le sous-marin est remonté à la surface de l'eau. 3 Grande surface :* supermarché.
Synonymes : aire (*1*), superficie (*1*).
Regarde page ci-contre.

surfait, aite adj. Dont la réputation est surestimée. *Un artiste surfait.*

surgeler v. → conjug. **modeler.** Congeler un aliment à très basse température. *Une fois surgelés, les produits frais se conservent longtemps.*

Acheter des **surgelés**, *des aliments qui ont été surgelés.*

surgir v. → conjug. **finir.** Apparaître subitement. *Une difficulté inattendue a surgi.*

surhumain, aine adj. Qui semble dépasser les capacités humaines. *Ces naufragés ont dû faire des efforts surhumains pour survivre.*

Suriname

République du nord-est de l'Amérique du Sud, ouverte au nord sur l'océan Atlantique. Le Suriname comporte une large plaine côtière. Le climat est équatorial. L'économie repose sur la culture du riz, l'exploitation des forêts et, surtout, l'exportation de la bauxite. Sous domination anglaise au xviiᵉ siècle, cédé aux Hollandais en 1667, le pays prend le nom de Guyane hollandaise, puis, en 1948, celui de Suriname. Il acquiert son indépendance en 1975. Après de nombreux coups d'État, le Suriname vit toujours dans un climat d'insécurité.

163 270 km²
432 000 habitants :
les Surinamiens
Langues : néerlandais, anglais, sranan tongo
Monnaie : florin du Suriname
Capitale : Paramaribo

sur–le–champ adv. Aussitôt, immédiatement. *Les pompiers sont arrivés sur-le-champ.*
Synonyme : tout de suite.

surlendemain n. m. Jour qui succède au lendemain. *Mercredi est le surlendemain de lundi.*

surligneur n. m. Gros feutre à encre très lumineuse qui sert à mettre en valeur certains passages d'un texte.

surmener v. → conjug. **promener.** Imposer à quelqu'un ou à soi-même un travail excessif et épuisant.

Le **surmenage** *n'est pas bon pour la santé,* le fait d'être surmené.

surmonter v. → conjug. **aimer.** *1* Être situé au-dessus. *Un dôme surmonte la basilique. 2* Au figuré. Réussir à dominer ce qui constitue un obstacle. *Faire des efforts pour surmonter sa peur.*
Synonymes : maîtriser (*2*), vaincre (*2*).

Un obstacle **surmontable**, *qu'on peut surmonter (2).*

surnager v. → conjug. **ranger.** Se maintenir à la surface d'un liquide. *Des débris de l'épave surnagent.*

surnaturel, elle adj. Qui dépasse les lois de la nature. *Ce guérisseur prétend avoir un pouvoir surnaturel.*

surnom n. m. Nom inventé donné à quelqu'un en plus de son vrai nom. *«Le Hutin» est le surnom du roi Louis X.*

Comme elle n'est pas grosse, on l'a **surnommée** *«la puce»,* on lui a donné comme surnom.

LES SURFACES

Une surface est une étendue plane, une portion de l'espace. L'aire est le nombre qui exprime la mesure de cette surface. L'unité d'aire est choisie en fonction de la grandeur de la surface à mesurer. L'unité principale d'aire du système métrique est le mètre carré (m²).

■ Calcul d'une aire quelconque.

Pour mesurer l'aire des surfaces A, B et C (en rouge), on choisit d'abord l'unité d'aire **u** = un carreau.

A

B

C

Il faut réaliser un encadrement, car l'aire de C ne peut être donnée exactement. Elle est comprise entre le nombre d'unités inscrites dans le trait bleu (intérieur) et le nombre d'unités inscrites dans le trait noir (extérieur).
*Aire de C = 8 **u** < aire de C < 28 **u**.*

On compte le nombre de carreaux.
Aire de A = 10 **u**.

On compte le nombre de carreaux.
Aire de B = 20 **u**.

■ Calcul d'aires régulières.

c

c

L

l

Carré.
$A = c \times c$

Rectangle.
$A = L \times l$

h

h

B

L

Triangle.
$A = \dfrac{B \times h}{2}$

Parallélogramme.
$A = L \times h$

d 1

d 2

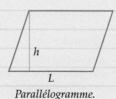

b

h

B

Losange.
$A = \dfrac{d\,1 \times d\,2}{2}$

Trapèze.
$A = \dfrac{B + b}{2} \times h$

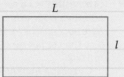

r

Cercle.
$A = \pi \times r \times r$

Tableau récapitulatif

■ **Les multiples du mètre carré** ont des valeurs 100 fois, 10 000 fois, 1 000 000 fois supérieures au mètre carré.

→ **kilomètre carré**
km²
100 hm²

→ **hectomètre carré**
hm²
100 dam²

→ **décamètre carré**
dam²
100 m²

→ **mètre carré**
m²
1 m²

■ **Les sous-multiples du mètre carré** ont des valeurs 100 fois, 10 000 fois, 1 000 000 fois inférieures au mètre carré.

→ **décimètre carré**
dm²
100 cm²

→ **centimètre carré**
cm²
100 mm²

→ **millimètre carré**
mm²
0,01 cm²

En agriculture, l'unité principale d'aire est l'**are** qui équivaut au **dam²**.

→ **hectare**
ha = hm²
100 a

→ **are**
a = dam²
100 ca

→ **centiare**
ca = m²
0,01 a

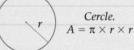
a b c d e f g h i j k l m n o p q r s t u v w x y z

surnombre n. m. *En surnombre :* en plus du nombre autorisé. *Le capitaine du bateau n'accepte pas de passagers en surnombre.*

surnommer v. → **surnom.**

suroît n. m. Chapeau imperméable des marins et des pêcheurs.

surpasser v. → conjug. **aimer.** *1* Faire mieux que les autres. *Surpasser les autres concurrents. 2 Se surpasser :* se dépasser. *Tu t'es surpassé pour préparer ce dîner !* Synonyme : surclasser (*1*).

surpeuplé, ée adj. Où il y a trop d'habitants. *Beaucoup de villes en Inde sont surpeuplées.*
Le **surpeuplement** *dans cette banlieue pose de nombreux problèmes,* son état surpeuplé.

surplomb n. m. Partie d'une construction ou d'une paroi qui est en saillie par rapport à la base. *Ce bâtiment* **surplombe** *la vallée,* est en surplomb au-dessus de la vallée.

surplus n. m. Excédent. *Des surplus agricoles.*

surpopulation n. f. Surpeuplement.

surprendre v. → conjug. **prendre.** *1* Arriver ou se produire sans qu'on s'y attende. *L'orage a surpris les randonneurs. 2* Étonner beaucoup. *On a été surpris d'apprendre cette nouvelle. 3* Prendre quelqu'un en train de commettre un délit. *Surprendre un élève en train de tricher.*
Synonyme : déconcerter (*2*).
Faire des progrès **surprenants,** qui surprennent (*2*).

surprise n. f. *1* Émotion provoquée par une chose inattendue. *À ma grande surprise, il n'a pas réagi. 2* Chose à laquelle on ne s'attendait pas. *Pour son anniversaire, on lui prépare une surprise. 3 Par surprise :* de façon inattendue. *Attaquer par surprise.*
Synonyme : étonnement (*1*).

surproduction n. f. Production trop importante. *Une surproduction de fruits entraîne la baisse de leur prix de vente.*

surréalisme n. m. Mouvement littéraire et artistique du début du xxᵉ siècle, qui privilégie le rêve, l'imaginaire et l'inconscient.
André Breton fut un poète **surréaliste,** *qui a fait partie du surréalisme.*

Le surréalisme naît officiellement en 1924, avec la publication du *Manifeste du surréalisme* d'André Breton. Celui-ci définit le surréalisme comme « un automatisme, sans contrôle de la raison, par lequel on exprime soit verbalement, soit par écrit, soit de toute autre manière, le fonctionnement réel de la pensée ». Les artistes surréalistes se libèrent de toutes les conventions, de tous les codes en usage.

L'étrange, le bizarre, le fantastique deviennent le réel. Parmi les grands écrivains et poètes surréalistes, il faut citer Louis Aragon, Robert Desnos, Paul Eluard, Antonin Artaud, René Char. Le mouvement gagne les arts plastiques, les artistes les plus représentatifs sont Giorgio de Chirico, Marcel Duchamp, Max Ernst, Salvador Dalí, René Magritte, Joan Miró.

sursaut n. m. Mouvement brusque et involontaire qui est dû à la surprise. *J'ai eu un sursaut quand il m'a tapé sur l'épaule.*
La porte a claqué si fort que nous avons **sursauté,** *que nous avons eu un sursaut.*

sursis n. m. *1* Fait de remettre à plus tard. *Accorder à quelqu'un un sursis pour rembourser ses dettes. 2* Délai accordé pendant lequel une peine n'est pas appliquée. *L'accusé a été condamné à une peine avec sursis.*

surtout adv. Avant toute autre chose. *Faire beaucoup de sport et surtout de la natation.*
Synonyme : principalement.

surveiller v. → conjug. **aimer.** *1* Observer de façon attentive pour exercer un contrôle. *Surveille ton petit frère pour qu'il ne fasse pas de bêtises. 2* Faire attention à ce qui est fait ou dit. *Le chef de chantier surveille les travaux.*
Ce collège manque de **surveillants,** *de personnes qui surveillent (1) les élèves. La* **surveillance** *de la frontière est assurée par des douaniers,* l'action de surveiller (*1*).

survenir v. → conjug. **venir.** Se produire brusquement et de façon inattendue. *Plusieurs incidents sont survenus.*

survêtement n. m. Vêtement chaud qu'on porte par-dessus une tenue de sport.
Synonyme : jogging.

survivre v. → conjug. **vivre.** *1* Continuer à vivre alors que d'autres sont morts. *Cette femme a survécu longtemps à son mari. Survivre à un tremblement de terre. 2* Continuer à vivre malgré des conditions difficiles. *L'explorateur égaré a survécu en mangeant des racines.*
La souris doit sa **survie** *au courage de Séraphin,* le fait qu'elle a survécu (*1*). *Cette coutume est une* **survivance** *du passé,* ce qui a survécu (*1*) à un passé disparu. *Les secours ont retrouvé des* **survivants** *sous les décombres,* des personnes qui ont survécu (*1*).

survoler v. → conjug. **aimer.** *1* Passer en avion au-dessus d'un lieu. *Pour aller de Paris à Nice, on survole les Alpes. 2* Au figuré. Lire ou voir rapidement et de façon superficielle. *Il n'a fait que survoler le problème.*
Le **survol** *de cette zone est interdit,* le fait de la survoler (*1*).

survolté, ée adj. Très énervé. *Une foule survoltée.*

en sus adv. Littéraire. En plus. *Une taxe vient en sus du prix indiqué.*
On prononce [ɑ̃sys].

susceptible adj. *1* Qui se vexe facilement. *Méfie-toi de ce que tu lui dis, car il est susceptible. 2* Qui peut avoir tel résultat. *Ce livre est susceptible de vous plaire.*
On lui reproche une trop grande **susceptibilité**, un caractère trop susceptible (*1*).

susciter v. → conjug. **aimer.** Faire naître, provoquer. *Ce projet d'autoroute suscite la colère des riverains.*
Synonyme : soulever.

suspect, ecte adj. et n.
• adj. Qui inspire de la méfiance. *Les douaniers ont fait ouvrir un paquet suspect.*
• adj. et n. Se dit d'une personne qui éveille des soupçons. *Plusieurs suspects sont interrogés par la police.*
On prononce [syspɛ], [syspɛkt].
Suspecter quelqu'un, c'est le considérer comme un suspect, le soupçonner.

suspendre v. → conjug. **répondre.** *1* Accrocher quelque chose en le laissant pendre. *Suspendre sa veste au portemanteau. 2* Interrompre momentanément. *La séance est suspendue. 3* Interdire provisoirement à quelqu'un d'exercer ses fonctions. *Un cycliste suspendu pour dopage.*

suspendu, ue adj. *1 Pont suspendu :* pont soutenu par des câbles. *2 Véhicule bien ou mal suspendu :* qui a une bonne ou une mauvaise suspension.

en suspens adv. Dans un état d'interruption momentanée. *Cette affaire est restée en suspens et n'est pas encore résolue.*
On prononce [ɑ̃syspɑ̃].

suspense n. m. Passage d'un film ou d'un livre qui fait attendre la suite dans l'impatience et dans l'angoisse. *Un roman policier plein de suspense.*
Mot anglais qui se prononce [syspɛns].

suspension n. f. *1* Système d'éclairage qui se suspend au plafond. *2* Fait d'interrompre quelque chose momentanément. *La suspension des travaux est due au mauvais temps. 3* Fait de suspendre quelqu'un de ses fonctions. *Ce policier fait l'objet d'une suspension. 4* Sur un véhicule, système de ressorts qui permet d'amortir les chocs. *5 Points de suspension :* signe de ponctuation indiquant qu'on n'énumère pas tout.

suspicion n. f. Fait d'avoir des soupçons. *Observer quelqu'un avec suspicion.*

susurrer v. → conjug. **aimer.** Dire à voix basse. *Susurrer quelques mots à son voisin de table.*
Synonymes : chuchoter, murmurer.

suture n. f. Fait de recoudre les bords d'une plaie. *Le médecin lui a fait des points de suture.*

suzerain n. m. Au Moyen Âge, seigneur qui donnait un fief à un vassal en échange de sa fidélité.
*Les seigneurs reconnaissaient la **suzeraineté** du roi,* son pouvoir de suzerain.

svelte adj. Élancé et mince. *Faire beaucoup de sport pour rester svelte.*
*La **sveltesse** d'une jeune fille,* son allure svelte.

Swaziland

Monarchie du sud de l'Afrique. Le territoire du Swaziland est montagneux à l'ouest et s'abaisse vers l'est. Le climat est tropical, tempéré en altitude. Les productions de sucre et de maïs dominent l'agriculture. L'industrie est bien diversifiée, mais connaît de nombreuses difficultés. Sous domination britannique à partir de 1902, le Swaziland devient indépendant en 1968, il est membre du Commonwealth.

17 360 km²
1 069 000 habitants :
les Swazi
Langues : swazi, anglais
Monnaie : lilangeni
Capitale : Mbabane

sweat-shirt n. m. Plur.: **des sweat-shirts.** Pull-over en coton épais.
Mot anglais qui se prononce [swɛt ou switʃœrt].

Swift Jonathan

Écrivain irlandais de langue anglaise né en 1667 et mort en 1745. Swift fait paraître en 1704 *la Bataille des livres*, une satire dirigée contre les cercles littéraires. Son chef-d'œuvre, *les Voyages de Gulliver*, paraît en 1726 et connaît un grand succès. Le héros de ce roman, naufragé, rencontre divers peuples dont il tourne en dérision les habitudes ridicules, qui sont en fait celles des contemporains de l'auteur.

syllabe n. f. Groupe de consonnes et de voyelles qui se prononce en une seule fois. « Mer » est un mot d'une syllabe, « pharmacie » est un mot de trois syllabes.

sylviculture n. f. Culture et entretien des forêts.

symbiose n. f. Association entre deux organismes d'espèces différentes qui ne peuvent pas vivre l'un sans l'autre.

symbole n. m. *1* Image concrète qui représente quelque chose d'abstrait. *La balance est le symbole de la justice. 2* Lettre ou signe conventionnel qui représente quelque chose. « H_2O » *est le symbole chimique de l'eau.*
> *Un cœur est la représentation **symbolique** de l'amour*, qui lui sert de symbole (*1*). *Représenter **symboliquement** une chose*, de manière symbolique. *La colombe **symbolise** la paix*, en est le symbole (*1*).

symétrie n. f. Correspondance et similitude parfaites des deux moitiés d'une chose de part et d'autre d'un axe. *Les deux ailes du château sont en symétrie.*
Contraire : asymétrie.
> *Les deux moitiés de notre corps sont **symétriques**, présentent une symétrie. Disposer des objets **symétriquement**, de manière symétrique.*

sympathie n. f. Sentiment spontané qui attire une personne vers une autre personne. *Je l'aime bien, j'ai beaucoup de sympathie pour lui.*
Contraire : antipathie.
> *Ces gens sont très **sympathiques**, ils attirent la sympathie. On **a** très vite **sympathisé** avec nos voisins, on a éprouvé une sympathie réciproque. Accueillir quelqu'un **sympathiquement**, avec sympathie.*

symphonie n. f. Morceau de musique composé de plusieurs mouvements et interprété par un orchestre.
> *Sa mère est musicienne dans un orchestre **symphonique**, qui interprète des symphonies.*

symptôme n. m. Signe révélateur d'une maladie. *Cette toux est le symptôme d'une bronchite.*

synagogue n. f. Lieu de culte des juifs.

synchroniser v. → conjug. **aimer.** Faire en sorte que l'image et le son d'un film concordent.
On prononce [sɛ̃kʀɔnize].
> *La bonne **synchronisation** d'un film*, c'est le fait qu'il soit bien synchronisé.

syncope n. f. Perte de connaissance brutale. *Tomber en syncope.*

syndic n. m. Représentant des copropriétaires d'un immeuble qui est chargé d'exécuter leurs décisions.

syndicat n. m. *1* Association de personnes, exerçant généralement la même profession, qui se groupent pour défendre leurs droits et leurs intérêts. *Adhérer à un syndicat. 2* *Syndicat d'initiative :* organisme chargé de renseigner les touristes.
> *Une réunion **syndicale**, des membres du syndicat (*1*). Des **syndicalistes**, des personnes membres d'un syndicat (*1*). Envisager de **se syndiquer**, de s'inscrire dans un syndicat (*1*).*

synonyme n. m. Mot qui a le même sens qu'un autre. « *Beau* » *et* « *joli* » *sont des synonymes.*
Contraires : antonyme, contraire.

syntaxe n. f. Partie de la grammaire qui étudie les relations entre les mots dans une phrase.

synthèse n. f. *1* Opération qui consiste à regrouper les points essentiels d'un sujet pour le résumer. *Faire la synthèse d'un long discours. 2* Fabrication artificielle d'une substance à partir des éléments qui la constituent. *Le polyester est un tissu de synthèse.*
> *Cette nappe est en tissu **synthétique**, fabriqué par synthèse (*2*).*

synthétiseur n. m. Instrument de musique électronique qui crée des sons.

Syrie

République du Proche-Orient, ouverte à l'ouest sur la mer Méditerranée. La Syrie est en partie montagneuse, désertique à l'est. Une étroite plaine longe la côte. Le climat, méditerranéen sur le littoral, est chaud et sec à l'intérieur. Les grandes villes sont réparties dans l'ouest du pays. L'agriculture est dynamique, mais l'économie repose principalement sur la production de pétrole et de gaz naturel. Le tourisme est en développement. Sous domination ottomane de 1516 à 1918, la Syrie devient indépendante en 1941, après avoir été sous mandat français de 1920 à 1944.

185 180 km²
17 381 000 habitants :
les Syriens
Langue : arabe
Monnaie : livre syrienne
Capitale : Damas

systématique adj. *1* Qui est fait avec méthode, en suivant un ordre logique. *Les secouristes font une recherche systématique pour retrouver des survivants. 2* Qui est fait par principe et dénote un parti pris. *Un refus systématique.*
> *Refuser **systématiquement** les invitations*, de façon systématique (*2*).

système n. m. *1* Ensemble d'éléments organisés et formant un tout. *Le système nerveux. Le Soleil et les planètes forment le système solaire. 2* Moyen, souvent habile, de parvenir à un but. *Débrancher le téléphone est un bon système pour ne pas être dérangé.*
> *Systématiser des recherches*, c'est les organiser en un système (*1*).

Tt

THÉODULE

Bien fait pour Théodule !

t' pron. → **te, toi.**

ta adj. possessif. → **ton.**

tabac n. m. **1** Plante dont les larges feuilles contiennent de la nicotine. **2** Feuilles de tabac séchées et préparées pour être fumées sous diverses formes. **3** Magasin qui vend des cigarettes, des articles pour fumeurs, des timbres, etc.

La plante de tabac mesure de 1,50 m à 2 m de hauteur. Séchées, ses feuilles sont utilisées pour fumer, priser ou chiquer ; elles servent à la fabrication de cigares et de cigarettes. Originaire d'Australie, puis propagé en Amérique, le tabac est introduit en Espagne et au Portugal en 1520. C'est le diplomate Jean Nicot (d'où vient le mot nicotine), ambassadeur de France au Portugal, qui fait connaître cette plante en France vers 1560, en la recommandant à la reine Catherine de Médicis pour soulager ses migraines. Le tabac est aujourd'hui cultivé dans le monde entier. La consommation de tabac est nocive pour la santé et favorise ou provoque de nombreuses maladies.

tabagie n. f. Pièce emplie de fumée de cigarette. *Quelle tabagie ici, ouvrez la fenêtre !*

tabagisme n. m. Toxicomanie due au tabac. *Le tabagisme est une des causes du cancer du poumon.*

tabatière n. f. Petite boîte destinée à contenir du tabac.

table n. f. **1** Meuble formé d'un plateau reposant sur un ou plusieurs pieds. **2** *Table ronde :* réunion de personnes ayant à débattre d'un sujet précis. **3** *Table des matières :* liste des chapitres d'un livre, avec renvois aux pages correspondantes. **4** *Table d'orientation :* support sur lequel sont représentés et nommés les détails d'un panorama. **5** *Table de montage :* pupitre qui permet de visionner la pellicule au ralenti pour sélectionner les plans du film. **6** *Mettre la table :* disposer les assiettes et les couverts avant le repas. **7** *Se mettre à table :* s'asseoir à table pour prendre un repas.

On a réuni une grande **tablée** pour mon anniversaire, des personnes assises à la même table.

tableau, eaux n. m. **1** Peinture réalisée sur un support rigide. *Un tableau abstrait.* **2** Panneau destiné à recevoir des informations. *Tableau noir. Tableau d'affichage.* **3** *Tableau de bord :* panneau qui regroupe les commandes et les voyants lumineux d'une voiture, d'un avion ou d'un bateau. **4** Au figuré. Description, récit imagé. *Brosser un tableau de la situation. Noircir le tableau.* **5** Liste des renseignements présentés de façon ordonnée. *Tableau des conjugaisons.*

tablée n. f. → **table.**

tabler v. → conjug. **aimer.** Compter sur quelque chose. *Peut-on tabler sur ta venue ?*

tablette n. f. **1** Petite étagère. **2** Produit alimentaire sous forme de plaquette. *Tablette de chewing-gum.*

tablier n. m. Morceau de tissu attaché dans la nuque et à la taille, servant à protéger les vêtements.

tabou, oue adj. et n. m.

• adj. Dont on ne parle pas, par pudeur ou par crainte. *Un sujet tabou.*

• n. m. Interdiction de nature religieuse ou rituelle portant sur certaines choses considérées comme sacrées ou comme impures.

taboulé n. m. Plat froid à base de couscous, auquel on mélange tomates, oignons, menthe fraîche, jus de citron et huile d'olive.

tabouret n. m. Siège sans dossier ni bras.

tac n. m. *Répondre du tac au tac :* riposter avec vivacité à une remarque, une critique.

tache n. f. *1* Trace laissée par une substance salissante. *Tache d'encre, de graisse. 2* Marque naturelle sur la peau humaine ou le pelage d'un animal. *Taches de rousseur.*
Ne pas confondre avec « tâche ».
> *Ne lis pas à table, tu vas tacher ton livre,* y faire des taches (*1*). *Les dalmatiens sont des chiens blancs tachetés de noir,* marqués de nombreuses petites taches (*2*).

tâche n. f. Travail à faire.

tacher v. → **tache.**

tâcher v. → conjug. **aimer.** Faire des efforts. *Tâche d'être à l'heure !*
Synonyme : s'efforcer de.

tacheté, ée adj. → **tache.**

tacite adj. Qui n'est pas exprimé. *Un accord tacite.*
Synonymes : implicite, sous-entendu.
> *Nous avons convenu tacitement, ma mère et moi, de ne pas raconter ma bêtise à mon père,* d'une manière tacite, sans en avoir parlé.

taciturne adj. Qui parle peu, renfermé.
Contraire : expansif.

tacot n. m. Familier. Vieille voiture.

tact n. m. Délicatesse, doigté, discernement dans les relations avec les autres. *Son manque de tact va finir par lui attirer des ennuis.*

tactile adj. Qui concerne le sens du toucher. *Un écran tactile réagit au toucher.*

tactique n. f. Ensemble de moyens qu'on choisit d'utiliser en vue d'un objectif précis. *Adopter la bonne tactique.*

Tadj Mahall

Monument indien situé près de la ville d'Agra, dans le nord de l'Inde. Le Tadj Mahall est bâti au XVIIe siècle à l'initiative de l'empereur Chah Djahan en mémoire de son épouse favorite, Mumtaz Mahall. Ce magnifique mausolée en marbre blanc, richement décoré, s'élève au milieu d'un vaste jardin entouré d'une enceinte. Il est construit sur une plate-forme de 144 m de longueur. Ses quatre minarets sont hauts de 47 m. Commencée en 1632, sa construction a duré près de 20 ans. Il est inscrit sur la liste du patrimoine mondial depuis 1983.

taffetas n. m. Tissu de soie. *Robe du soir en taffetas.*

tag n. m. Graffiti sur un lieu public, généralement fait à la peinture en bombe.
> *Le mur du lycée a été tagué pendant la nuit,* couvert de tags.

taie n. f. Enveloppe de tissu protégeant un oreiller.

taïga n. f. Forêt de conifères du Canada et de Russie.

La taïga est une immense forêt des régions froides composée surtout de conifères : épicéas, sapins et mélèzes de Sibérie.
La taïga forme une large ceinture de près de 10 000 km de longueur au nord de l'hémisphère Nord.
Des zones marécageuses, des lacs, des étangs occupent ces vastes étendues. La taïga est la plus importante forêt pour la production de bois.

Tadjikistan

République d'Asie centrale. Le Tadjikistan est montagneux. Le climat est continental, avec des étés chauds et des hivers rigoureux. La culture du coton et la production d'aluminium assurent quelques revenus d'exportation, mais les conditions de vie des Tadjiks sont difficiles. République de l'Union soviétique à partir de 1929, le Tadjikistan devient indépendant en 1991. Dès l'année suivante, une guerre civile se déclenche entre islamistes et partisans du communisme au pouvoir. Malgré un accord de paix signé en décembre 1996, les tensions restent vives.

143 100 km²
6 195 000 habitants :
les Tadjiks
Langues : tadjik, russe
Monnaie : somoni
Capitale : Douchanbé

taillader v. → conjug. **aimer**. Faire des entailles, des coupures dans la chair. *Il s'est tailladé la main en jouant avec son canif.*

taille n. f. *1* Hauteur du corps. *Un homme de haute taille, de petite taille.* *2* Mesure d'un vêtement. *Cette jupe te serre, il faut prendre la taille au-dessus.* *3* Partie du corps située entre le bas des côtes et les hanches. *Avoir la taille fine.* *4* Grandeur ou grosseur d'une chose, d'un animal. *Une truite de belle taille.* *5* Action de tailler une pierre, un arbre. *Immeuble en pierre de taille. La taille des rosiers.* *6* Impôt que les roturiers et les serfs devaient aux seigneurs, avant la Révolution de 1789. *7* *Être de taille à faire quelque chose :* en être capable. *Il n'est pas de taille à résister.*

taille–crayon n. m. **Plur. : des taille-crayons.** Petit instrument à lame pour tailler les crayons.

tailler v. → conjug. **aimer.** *1* Travailler une matière avec un instrument tranchant pour lui donner une certaine forme. *Tailler un diamant, un crayon.* *2* Couper certaines branches et certains bourgeons d'un arbre. *Tailler les rosiers, la vigne.* *3* Découper dans un tissu les morceaux à assembler pour faire un vêtement.

tailleur n. m. *1* Ouvrier qui taille une matière. *Tailleur de pierre, de pierres précieuses.* *2* Artisan qui confectionne des vêtements sur mesure pour hommes. *3* Tenue pour femme composée d'une veste et d'une jupe ou d'un pantalon de même tissu.

taillis n. m. Partie d'un bois constituée de petits arbres, régulièrement coupés.

tain n. m. Couche de métal posée sur une plaque de verre pour la transformer en miroir.
Homonymes : thym, teint.

taire v. → conjug. **plaire.** *1* Ne pas parler de quelque chose. *Taire un secret.* *2* *Se taire :* garder le silence. *Taisez-vous !*

talc n. m. Poudre blanche, fine et parfumée, qu'on utilise pour les soins de la peau.
Talquer les fesses d'un bébé, c'est les saupoudrer de talc.

talent n. m. Don ou aptitude particulière dans un domaine artistique ou intellectuel. *Un peintre de talent. Avoir un talent de conteur.*
C'est une pianiste talentueuse, qui a beaucoup de talent.

talisman n. m. Objet auquel on attribue un pouvoir magique.
Synonyme : porte-bonheur.

talkie–walkie n. m. **Plur. : des talkies-walkies.** Petit émetteur-récepteur de radio portatif.
Mot anglais qui se prononce [tokiwoki].

talon n. m. *1* Partie arrière du pied. *Avoir mal au talon.* *2* Partie arrière d'une chaussure. *Chaussures à hauts talons.* *3* Partie non détachable d'un carnet à souche. *Le talon d'un chéquier.* *4* *Le talon d'Achille de quelqu'un :* son point faible.

talonner v. → conjug. **aimer** Suivre de très près. *Le cheval de tête est talonné par le peloton.*

talquer v. → **talc.**

talus n. m. Pente naturelle ou aménagée le long d'une route ou d'une voie ferrée.

tamanoir n. m. Grand mammifère d'Amérique du Sud, également appelé *grand fourmilier*, qui capture avec sa longue langue les fourmis dont il se nourrit.

tamaris n. m. Arbuste des sols sableux, aux fines fleurs en épis.
On prononce [tamaʀis].

tambour n. m. *1* Instrument de musique à percussion, fait d'une caisse cylindrique dont les fonds sont formés de peaux tendues que l'on fait résonner avec

Taïwan

République de l'est de l'Asie, située dans l'océan Pacifique, au sud-est de la Chine. L'île de Taïwan est montagneuse. Elle est soumise au climat des moussons. La densité de population est l'une des plus fortes au monde. L'agriculture est diversifiée, mais l'économie repose essentiellement sur l'industrie. Les Taïwanais ont un niveau de vie élevé.

35 980 km²
22 548 000 habitants :
les Taïwanais
Langues : chinoises
(mandarin, taïwanais, hakka)
Monnaie : dollar de Taïwan
Capitale : Taipei

Anciennement appelée Formose, Taïwan passe en 1683 sous domination chinoise. Occupée par le Japon en 1895, elle est restituée à la Chine en 1945. Après la victoire des communistes en Chine, elle abrite les opposants et devient la République de la Chine nationaliste. La République populaire de Chine revendique le territoire et propose son intégration pacifique à Taïwan qui continue à la refuser.

des baguettes. *2* Joueur de tambour. *3* Cylindre en métal qui tourne dans un lave-linge. *4 Sans tambour ni trompette :* sans attirer l'attention. *5 Tambour battant :* rapidement, rondement. *Mener une affaire tambour battant.*

tambourin n. m. Instrument de musique constitué d'un cercle tendu d'une peau et muni de grelots.

tambouriner v. → conjug. **aimer.** Frapper à coups redoublés. *La pluie tambourine sur les vitres.*

tamis n. m. Ustensile formé d'un fin treillis tendu sur un cadre, servant à retenir les plus grosses particules d'un mélange.
Tamiser du sable, c'est le passer à travers un tamis.

Tamise

Fleuve de Grande-Bretagne. Longue de 338 km, la Tamise prend sa source sur les pentes des Cotswold Hills, dans le sud de l'Angleterre, et se jette dans la mer du Nord par un large estuaire. C'est un fleuve calme qui arrose les villes d'Oxford, de Reading, de Windsor et de Londres, où elle atteint 250 m de largeur. En anglais, la Tamise se dit *the Thames*.

tamisé, ée adj. *1* Qui a été passé dans un tamis. *De la farine tamisée. 2* Au figuré. *Lumière tamisée :* voilée, filtrée.

tampon n. m. *1* Boule de coton ou de tissu. *Tampon d'ouate. Tampon à récurer. 2* Petite plaque caoutchoutée portant un dessin ou des lettres en relief qu'on imprègne d'encre et qui sert à imprimer.

tamponner v. → conjug. **aimer.** *1* Nettoyer avec un tampon d'ouate, de gaze. *Tamponner une plaie. 2* Heurter violemment. *Les deux voitures se sont tamponnées au carrefour. 3* Apposer un tampon. *Faire tamponner son passeport.*
Tu es encore beaucoup trop jeune pour monter sur une auto tamponneuse, une voiture électrique avec laquelle on s'amuse à en tamponner (*2*) d'autres, dans une fête foraine.

tam-tam n. m. Plur. : des tam-tams. Tambour africain.
Le tam-tam est un tambour formé d'un cylindre de bois et d'une membrane en peau que l'on frappe à l'aide de baguettes ou directement à mains nues. En Afrique, il accompagne les danses. Autrefois, il servait à la transmission de messages d'une tribu à l'autre, à travers la forêt.

tanche n. f. Poisson d'eau douce.

tandem n. m. *1* Bicyclette pour deux personnes qui pédalent l'une derrière l'autre. *2* Association de deux personnes. *Travailler en tandem.*

tandis que conj. *1* Pendant que. *Il a neigé tandis que je dormais. 2* Alors que. *J'aime lire tandis que ma sœur déteste ça.*

tangage n. m. → tanguer.

tangent, ente adj. et n. f.
• adj. *1* Qui n'a qu'un seul point de contact avec une surface ou une ligne. *Droite tangente à un cercle. 2* Au figuré. Qui se réalise de justesse. *Il a réussi son examen, mais c'était tangent.*
• n. f. Droite tangente.

tangible adj. Dont la réalité est palpable, évidente. *Des preuves tangibles. Un fait tangible.*

tango n. m. Danse au rythme assez lent, originaire d'Argentine.

tanguer v. → conjug. **aimer.** Osciller d'avant en arrière, quand il s'agit d'un bateau.
Il y a une grosse mer et les passagers sont malades à cause du tangage, du fait que le bateau tangue.

tanière n. f. Abri d'un animal sauvage. *La tanière de l'ours, du renard.*

tank n. m. Char d'assaut muni de chenilles.

tanner v. → conjug. **aimer.** *1* Préparer une peau pour en faire du cuir. *2* Familier. Harceler avec des demandes incessantes. *Tanner ses parents pour avoir un chat.*
Le tannage assouplit les peaux et les empêche de pourrir, l'opération qui consiste à les tanner (*1*). *Une tannerie,* c'est le lieu où l'on tanne (*1*) les peaux. *Le tanneur* est un artisan qui tanne (*1*) les peaux.

tant adv. et conj.
• adv. *1* En si grande quantité, tellement. *Il a tant de jeux qu'il ne sait plus à quoi jouer. Ne fais pas tant d'histoires ! 2* En qualité de, comme. *En tant que responsable, c'est à toi de décider. 3 Tant bien que mal :* ni bien ni mal.
• conj. *Tant que :* aussi longtemps que. *Tu peux rester tant que tu veux.*

tante n. f. Sœur du père ou de la mère, ou femme de l'oncle.
Homonyme : tente.

un tantinet adv. Un peu, légèrement. *Il est un tantinet pédant.*

tant mieux adv. Exprime le contentement. « *J'ai retrouvé mes lunettes. – Tant mieux !* »

tantôt adv. *Tantôt… tantôt :* à un moment… à un autre moment. *On a dormi tantôt sous la tente, tantôt dans des refuges de montagne.*

tant pis adv. Exprime le dépit, le regret. *Il n'y a personne, tant pis, je rappellerai.*

Tanzanie

République de l'est de l'Afrique, ouverte sur l'océan Indien.

La Tanzanie comprend une partie continentale et plusieurs îles, dont Zanzibar et Pemba. Le territoire est constitué d'un plateau central et d'une zone montagneuse volcanique, qui comporte le mont Kilimandjaro (5 895 m), le point culminant de l'Afrique. Le climat est tropical et semi-aride. L'agriculture emploie 80 % de la population active. Le sous-sol renferme des ressources importantes et le tourisme se développe. La Tanzanie est créée en 1964 par la réunion de l'île de Zanzibar et du territoire du Tanganyika. Elle est membre du Commonwealth.

945 090 km²
36 276 000 habitants :
les Tanzaniens
Langues : swahili, anglais
Monnaie : shilling tanzanien
Capitale : Dodoma

taon n. m. Grosse mouche dont la femelle se nourrit de sang.
On prononce [tɑ̃].

tapage n. m. Bruit, cris accompagnés de désordre. *Tapage nocturne.*

tapageur, euse adj. *1* Qui fait du tapage. *2* Au figuré. Voyant, provocant. *Vivre dans un luxe tapageur.*

tape n. f. Claque légère. *Donner une tape dans le dos à un ami.*

tape-à-l'œil adj. inv. Voyant, criard, qui cherche à éblouir. *La décoration tape-à-l'œil d'un appartement.*

taper v. → conjug. **aimer**. *1* Donner des coups. *Son frère l'a tapée. Taper du poing sur la table. 2* Écrire avec une machine à écrire ou un ordinateur. *Taper un texte, une lettre.*

en tapinois adv. En se cachant. *Elle s'approche en tapinois pour le surprendre.*

tapioca n. m. Farine de manioc. *Potage au tapioca.*

1. se tapir v. → conjug. **finir**. Se cacher quelque part en se blottissant. *Le chat s'est tapi sous le lit.*

2. tapir n. m. Mammifère herbivore.

Le tapir est un animal trapu qui peut atteindre 2 m de longueur et peser jusqu'à 300 kg. Le pelage, ras, est de couleur brune (mais les jeunes sont roux avec des rayures blanches). Les courtes pattes portent de petits sabots et le museau se termine par une petite trompe. Le tapir, actif la nuit, se nourrit de feuilles, de fruits et de bourgeons. Bon nageur, il passe beaucoup de temps dans l'eau. On trouve des tapirs dans les forêts denses d'Amérique centrale, d'Amérique du Sud et d'Asie du Sud-Est. Ils sont menacés d'extinction.

tapis n. m.
1 Épais tissu de laine ou de matière synthétique, dont on recouvre les sols. *2 Mettre quelque chose sur le tapis :* en parler.

tapisser v. → conjug. **aimer**. Couvrir les murs d'une pièce de tissu ou de papier peint.

tapisserie n. f. *1* Tenture tissée, réalisée manuellement au métier à tisser. *Les tapisseries d'Aubusson sont réputées. 2* Ouvrage d'aiguille consistant à couvrir un canevas de petits points en suivant un dessin.

tapissier, ère n. *1* Poseur de papier peint ou de tissu. *2* Artisan qui confectionne des rideaux, des coussins, recouvre de tissus certains meubles et répare les fauteuils.

tapoter v. → conjug. **aimer**. Taper légèrement à petits coups répétés. *Tapoter sur l'épaule de quelqu'un.*

taquet n. m. Petit morceau de bois servant à maintenir une chose en place.

taquiner v. → conjug. **aimer**. S'amuser à agacer quelqu'un, un animal.
Un frère très taquin avec sa petite sœur, qui a l'habitude de la taquiner. *Ce n'est pas méchant, c'est juste de la taquinerie,* une action ou une parole pour taquiner.

tarabiscoté, ée adj. *1* Surchargé de décorations, d'ornements. *Le style tarabiscoté d'une façade d'église baroque.* *2* Inutilement compliqué. *Une phrase tarabiscotée.*
Contraires : simple, sobre.

tarabuster v. → conjug. **aimer**. *1* Harceler, houspiller, importuner sans cesse. *2* Causer du souci, tracasser. *Cette histoire me tarabuste.*

Tarbes

Ville française de la Région Midi-Pyrénées, située sur les bords de l'Adour. Tarbes est un marché agricole et un centre administratif, industriel et universitaire. C'est aussi une ville de garnison. Tarbes abrite une cathédrale en partie romane, Notre-Dame-de-la-Sède (remaniée du XIIIe au XIXe siècles). Capitale du comté de Bigorre à partir du IXe siècle, la ville passe aux Anglais de 1360 à 1604. Elle est rattachée au royaume de France en 1607.

65 *Préfecture des Hautes-Pyrénées*
49 343 habitants : les Tarbais

---

tard adv. *1* Après le moment habituel ou le moment voulu. *Elle a l'habitude de se lever tard. Il est arrivé trop tard à la gare.* *2* Tôt ou tard : un jour ou l'autre. *Je saurai ce qui s'est passé tôt ou tard.*

tarder v. → conjug. **aimer**. *1* Être lent à venir. *Ton colis ne va pas tarder à arriver.* *2* Être lent à faire quelque chose. *Ne tarde pas à te décider, le temps presse !*

tardif, ive adj. *1* Qui se produit, a lieu tard. *Ses parents n'aiment pas qu'elle rentre à une heure tardive.* *2* Qui se produit plus tard que d'habitude. *Les cerises sont tardives.*
Contraire : précoce (*2*).
  Il a compris tardivement qu'il s'était trompé, d'une manière tardive (*1*).

tare n. f. *1* Grave défaut. *L'argent est une tare de notre société.* *2* Poids de l'emballage d'une marchandise.
  Un chien né avec trois pattes est taré, il est porteur d'une tare (*1*).

tarentule n. f. Grosse araignée du sud de l'Europe, à la piqûre douloureuse.

targette n. f. Petit verrou plat.

se targuer v. → conjug. **aimer**. Littéraire. Se vanter de. *Il se targue de réussir ses examens.*

tarif n. m. Prix fixé. *Plein tarif. Demi-tarif.*

tarir v. → conjug. **finir**. *1* Assécher. *La source, la rivière se sont taries.* *2* Ne pas tarir sur quelque chose : en parler beaucoup. *Il ne tarit pas d'éloges sur toi.*
  Le tarissement du puits, le fait qu'il s'est tari (*1*).

tarot n. m. Jeu de 78 grandes cartes, que l'on utilise aussi pour prédire l'avenir.

tartare adj. *1* Sauce tartare : mayonnaise aux câpres, aux herbes et à la moutarde. *2* Steak tartare : bœuf haché servi cru avec diverses sauces.

tarte n. f. Pâtisserie faite d'une pâte garnie de fruits ou de légumes, de crème, etc. *Tarte aux framboises.*
  Pour le goûter, j'ai fait des tartelettes aux fraises, de petites tartes.

tartine n. f. Tranche de pain beurrée.
  Tartiner une tranche de pain, c'est la recouvrir de beurre pour en faire une tartine.

tartre n. m. *1* Dépôt jaunâtre qui se forme à la base des dents. *Le brossage énergique des dents est la seule façon d'éviter la formation du tartre.* *2* Dépôt calcaire laissé par l'eau dans les canalisations ou sur les ustensiles de cuisine.

tartufe n. m. et adj. Littéraire. Personne hypocrite. *Tartufe est le nom d'un personnage d'une pièce de Molière qui est devenu un nom commun.*
On écrit aussi : tartuffe.

Tarzan

Héros de fiction. Le personnage de Tarzan est créé par l'écrivain Edgar Rice Burroughs en 1912. Élevé depuis son enfance par des singes, au cœur de la jungle, c'est un «homme-singe» fort et intelligent. Il est le maître de tous les animaux, mais aussi leur ami ; il les défend contre l'homme «civilisé». Les aventures de Tarzan paraissent d'abord en feuilleton, puis sous forme de romans vers 1914. Elles connaissent de multiples adaptations au cinéma à partir de 1918, puis en bande dessinée à partir de 1929, assurant au héros une popularité mondiale.

---

tas n. m. *1* Amas de choses, de matériaux. *Tas de sable, de ciment. Tas de bois, de linge.* *2* Grand nombre ou grande quantité. *Elle a des tas d'idées.* *3* Sur le tas : par la pratique. *Il a appris son métier sur le tas.*

Tasmanie

Île située au sud-est de l'Australie. La Tasmanie est l'un des six États de l'Australie. C'est un petit territoire au relief accidenté. Elle abrite une faune étonnante, dont le célèbre diable de Tasmanie, un mammifère marsupial. L'économie est basée sur l'agriculture et le tourisme, en plein développement. Le secteur industriel croît régulièrement grâce aux ressources minières.
La Tasmanie est découverte par le navigateur hollandais Abel Tasman (d'où son nom) en 1642. Elle est rattachée à l'Australie en 1901.

tasse n. f. *1* Petit récipient muni d'une anse. *Tasse à thé, à café. Boire une tasse de lait.* *2* Familier. *Boire la tasse* : avaler de l'eau en nageant.

tasseau, eaux n. m. Petite pièce de bois servant à caler, à soutenir. *L'étagère repose sur deux tasseaux.*

tasser v. → conjug. **aimer.** *1* Comprimer, serrer le plus possible. *Tasser de la terre.* *2* *Se tasser* : s'affaisser sur soi-même. *Avec l'âge, il s'est tassé.* *3* Familier. *Se tasser* : s'arranger, revenir à la normale. *Attends que les choses se tassent un peu.*
⟶ Le *tassement* des vertèbres peut être dû à l'âge, le fait qu'elles se tassent (*2*).

tatami n. m. Tapis spécial des salles où l'on pratique le judo, le karaté.

tâter v. → conjug. **aimer.** *1* Explorer en touchant avec la main, palper. *Tâter un tissu. Tâter le pouls.* *2* Au figuré. *Tâter le terrain* : s'informer discrètement sur une situation, l'état d'esprit d'une personne, avant d'agir. *3* Familier. *Se tâter* : s'interroger avant de décider quelque chose. « *Tu vas commencer le violoncelle ? – Je ne sais pas encore, je me tâte.* »

tatillon, onne adj. Pointilleux, minutieux avec exagération. *Un esprit tatillon.*

tâtonner v. → conjug. **aimer.** *1* Avancer à l'aveuglette, en touchant les objets autour de soi. *Tâtonner dans l'obscurité.* *2* Au figuré. Faire toutes sortes d'essais avant de trouver une solution.
⟶ Elle a trouvé la réponse par *tâtonnements*, en tâtonnant (*2*).

à tâtons adv. En tâtonnant. *Avancer à tâtons dans le noir.*

tatou n. m. Petit mammifère d'Amérique du Sud.
Il existe une vingtaine d'espèces de tatous. Leur taille varie de 12 cm pour le tatou de Burmestier à 1 m sans la queue pour le tatou géant. Leur corps est recouvert d'une carapace formée de plaques osseuses articulées, mais le ventre est sans protection.

Pour se défendre de leurs prédateurs, ils se roulent en boule ou s'enfouissent très rapidement dans le sol. Les tatous habitent des terriers d'où ils ne sortent que la nuit. Ils se nourrissent d'insectes, de petits vertébrés (serpents par exemple) et aussi de fruits.

tatouer v. → conjug. **aimer.** Marquer la peau d'un dessin ou d'une inscription indélébiles au moyen de piqûres. *Tatouer un chien à l'intérieur de l'oreille.*
⟶ Un marin au torse couvert de *tatouages*, de dessins qu'il s'est fait tatouer.

taudis n. m. Logement misérable. *Un taudis sans électricité.*

taupe n. f. Petit mammifère insectivore aveugle, qui vit sous terre.
⟶ Les *taupinières* abîment la pelouse, les petits monticules de terre que la taupe forme en creusant des galeries.

La taupe possède des pattes antérieures très musclées, qui lui permettent de creuser des galeries souterraines.
Lorsque l'hiver menace d'être particulièrement rigoureux, la taupe s'enfonce très profondément sous terre dès le début de l'automne.

taureau, eaux n. m. Mâle de la vache.

tauromachie n. f. Art d'affronter les taureaux dans l'arène.

Tautavel (homme de)

Homme préhistorique découvert en 1971 dans la grotte appelée Caune de l'Arago, située sur la commune de Tautavel, près de Perpignan en France. L'homme de Tautavel, qui vivait il y a plus de 300 000 ans, fait partie des premiers Européens connus. Il appartient à l'espèce *Homo erectus* (« homme debout »). De taille moyenne, il a un épais bourrelet au-dessus des yeux. Il sait fabriquer des outils en os et en pierre taillée (bifaces) pour tuer et découper le gibier dont il se nourrit.

taux n. m. Pourcentage, rapport. *Dans la plupart des pays européens, au-delà d'un taux d'alcool de 0,5 g/l (0,5 gramme d'alcool par litre de sang), on est en infraction au volant.*

taverne n. f. Café-restaurant d'autrefois.

taxe n. f. Impôt perçu sur certaines denrées, certains services. *Taxe d'habitation. Taxes sur l'alcool, le tabac. Les entreprises se plaignent d'**être** lourdement taxées*, d'avoir de lourdes taxes à payer à l'État.

taxi n. m. Voiture munie d'un compteur, qu'un client loue avec son chauffeur pour faire certains trajets. *Prendre un taxi pour rentrer chez soi.*

taxidermiste n. Personne qui empaille les animaux morts en leur conservant l'apparence de la vie.

Tchad

République du centre de l'Afrique. Le territoire du Tchad comporte une région désertique et montagneuse au nord et une zone tropicale au sud, où se concentre la population. L'économie repose sur l'agriculture. Colonie française à partir de 1920, le Tchad devient indépendant en 1960. En 1969, une guerre civile éclate entre le Nord, soutenu par la Libye, et le Sud, soutenu par la France. Les conflits se sont apaisés en 1998, mais les tensions restent vives. Après quelque quarante ans de dictature, les premières élections démocratiques ont eu lieu en 1996.

1 284 200 km²
8 348 000 habitants :
les Tchadiens
Langues : français, arabe, sara, baguirmi, boulala…
Monnaie : franc CFA
Capitale : N'Djamena

Tchaïkovski Petr Ilitch

Compositeur russe né en 1840 et mort en 1893. Tchaïkovski est nommé professeur d'harmonie au Conservatoire de Moscou en 1866 et dès lors commence à composer. À partir de 1887, il se produit en tournée, triomphant en Europe et aux États-Unis. La musique de Tchaïkovski est inspirée par les compositions occidentales (italiennes et allemandes surtout). Il a notamment écrit des opéras, dont *Eugène Onéguine* (1879) et *la Dame de pique* (1890), des ballets, dont *le Lac des cygnes* (1876), *la Belle au bois dormant* (1890) et *Casse-Noisette* (1892), des symphonies, des concertos, de la musique de chambre.

Tchèque (République)

République d'Europe centrale. La République tchèque est formée des territoires de la Bohême à l'ouest et de la Moravie à l'est. Le centre, constitué de plaines et d'un vaste plateau, est entouré de montagnes. Le climat est continental. L'agriculture est bien développée, mais c'est surtout l'industrie qui assure le dynamisme de l'économie. Réunie en 1918 avec la Slovaquie pour constituer l'ancienne Tchécoslovaquie, la République tchèque devient indépendante en 1993. Adhère à l'Union européenne en 2004.

78 864 km²
10 246 000 habitants :
les Tchèques
Langues : tchèque, slovaque, allemand, rom
Monnaie : couronne tchèque
Capitale : Prague

Tchernobyl

Ville d'Ukraine. En 1986, un réacteur de la centrale nucléaire qui y est installée explose, entraînant une pollution radioactive dans plusieurs pays européens. Bien que les différents États tentent de minimiser l'importance de la catastrophe, les conséquences sont dramatiques (au moins 5 millions de personnes irradiées, 500 blessés, 42 morts). La centrale a été fermée le 15 décembre 2000.

te pron. Pronom personnel de la deuxième personne du singulier qui a la fonction de complément. *Je t'écoute. Ça te plaît ?*
« Te » devient « t' » devant une voyelle ou un « h » muet.

technique adj. et n. f.
● adj. *1* Qui concerne un domaine spécialisé. *Le vocabulaire technique de l'aviation, de la médecine. 2* Qui a rapport à une technique, à la technique. *Lycée, enseignement technique. Incident technique.*
● n. f. *1* Ensemble des procédés utilisés pour parvenir à un résultat précis dans un type d'activité. *Les techniques agricoles, informatiques. La technique du verre. 2* Savoir-faire, habileté dans un art, une activité. *Un pianiste qui a une excellente technique.*
*Un **technicien** en informatique est venu installer les ordinateurs en réseau,* un professionnel spécialisé

dans la technique (**1**) informatique. *Tes photos sont intéressantes même si elles ne sont pas toutes tech-niquement réussies*, du point de vue de la technique (**1**) photographique.

technocrate n. Homme politique ou haut fonctionnaire qui ne voit que les aspects techniques d'un problème, sans prendre en compte les hommes.

technologie n. f. Ensemble des procédés, des méthodes, des machines employées dans diverses branches de l'industrie. *Technologie de pointe.*

   Le progrès **technologique** *s'est accéléré depuis cinquante ans,* les progrès de la technologie.

teck n. m. Bois très dur et imputrescible dont on fait les ponts de bateaux et des meubles d'extérieur.

teckel n. m. Petit chien de compagnie au long corps et aux pattes très courtes.

tee-shirt n. m. **Plur. : des tee-shirts.** Maillot en forme de T. *L'été, il aime porter des tee-shirts en coton.* **Mot anglais qui se prononce [tiʃœʀt].**

teigne n. f. **1** Maladie du cuir chevelu causée par un champignon microscopique, qui fait perdre les cheveux. **2** Familier. Personne méchante. *Tout le monde se fâche avec lui, c'est une teigne !*

   Théodule est **teigneux**, *il est méchant comme une teigne* (**2**).

teindre v. → conjug. **peindre.** Utiliser un produit colorant pour changer la couleur de quelque chose. *Teindre un tissu. Se teindre les cheveux.*

teint n. m. Couleur de la peau du visage. *Avoir le teint mat. Un jeune homme au teint pâle.* **Homonymes : tain, thym.**

teinte n. f. Ton, nuance d'une couleur. *Le ciel a pris une teinte orangée au soleil couchant.*

   Une lumière bleue **teinte** *les murs de la pièce,* elle leur donne une teinte bleutée.

teinture n. f. Produit qui sert à teindre quelque chose ; substance colorante.

teinturier, ère n. Personne dont le métier consiste à nettoyer les vêtements.

   Porter une robe à nettoyer à la **teinturerie**, *le magasin tenu par un teinturier ou une teinturière.*

tek n. m. → **teck.**

tel, telle adj. **1** Si grand, si important. *Il y a un tel désordre dans cette pièce qu'on ne retrouve plus rien.* **2** De ce genre. *Je n'ai jamais vu un chien tel que le vôtre.* **3** *Tel quel :* qui n'a pas changé. *Après plusieurs années d'absence, il a retrouvé sa maison telle quelle.* **Synonymes : pareil, semblable (2 et 3).**

télé n. f. Familier. Abréviation de télévision. *Il passe son temps à regarder la télé.*

télé– préfixe. Signifie « au loin », « à distance ». *Télé-commande, télécommunications.*

télécabine n. f. Sorte de téléphérique.

télécarte n. f. Carte qui sert à téléphoner à partir d'une cabine publique. **Télécarte est le nom d'une marque, mais on l'écrit couramment sans majuscule.**

télécommande n. f. Appareil qui permet le contrôle, le réglage à distance. *La télécommande d'un téléviseur.*

   Pour son anniversaire, il a eu une voiture **télécommandée**, *que l'on dirige avec une télécommande.*

télécommunications n. f. pl. Ensemble de tous les moyens permettant de communiquer à distance. ***Regarde page suivante.***

télécopieur n. m. Appareil qui permet la reproduction à distance de documents écrits par l'intermédiaire du téléphone. **Synonyme : fax.**

   Pour transmettre ses messages, il utilise la **télécopie**, *le procédé utilisant un télécopieur.*

téléfilm n. m. Film de fiction tourné spécialement pour la télévision.

télégramme n. m. Message transmis par la poste.

   Je vous **télégraphierai** *l'heure de mon arrivée,* je vous enverrai un télégramme.

télégraphe n. m. Système qui permettait de transmettre des messages écrits à distance.

télégraphier v. → **télégramme.**

télégraphique adj. **1** Qui est envoyé par la poste. *Un mandat télégraphique.* **2** *Style télégraphique :* manière d'écrire un texte en utilisant seulement les mots très importants.

téléguidé, ée adj. Télécommandé. *Une fusée téléguidée.*

télématique n. f. Ensemble des techniques associant les télécommunications et l'informatique. *Le réseau Internet est une application de la télématique.*

téléobjectif n. m. Objectif d'un appareil photographique permettant d'obtenir des images nettes en photographiant de loin.

télépathie n. f. Transmission de pensée.

téléphérique n. m. Système constitué de câbles auxquels sont suspendues des cabines pour le transport des personnes en montagne.

les télécommunications

Les moyens permettant de communiquer à distance sont aujourd'hui très variés.

■ Le trafic téléphonique international a quadruplé entre 1990 et 2002.

■ Le nombre de téléphones mobiles dans le monde est passé de 11 millions en 1990 à près de 741 millions en 2000.

que transmet-on ?

■ Le son : **téléphone, radio** ;
■ L'image : **vidéographie, GPS automobile, Minitel** ;
■ Le son et l'image : **télévision, vidéophone** ;
■ L'écrit : **télex, télécopie (fax), télétexte.**
Les liaisons établies entre les télécommunications et l'informatique (Internet) offrent l'ensemble des possibilités : réception et transmission d'images, de sons, de textes, possibilités de dialogues quelle que soit la distance séparant les interlocuteurs.

circulez !

Les télécommunications nécessitent tout un réseau technique assurant la circulation des informations. Selon la rapidité souhaitée ou nécessaire, on fait appel aux câbles, aux fibres optiques, aux systèmes électromagnétiques, à la radioélectricité, aux satellites.

■ On estime à 131 millions le nombre de téléviseurs couleur vendus dans le monde en 2000 (dont 38 millions en Europe).

■ Installés sur le tableau de bord des véhicules, les systèmes GPS guident le conducteur et l'informent sur l'état de la circulation.

à distinguer...

■ **Télex** : transmission d'informations recueillies au moyen de téléimprimeurs.
■ **Télécopie ou fax** : système de télécommunication associé à la téléphonie et permettant de transmettre ou de recevoir, à l'aide d'un appareil particulier, un texte ou une image.
■ **Télétexte** : système de télécommunication permettant de recevoir des textes et des images sur l'écran de télévision.
■ **GPS** : système de guidage par satellite indiquant par exemple à l'automobiliste le meilleur trajet possible pour atteindre la destination qu'il a préalablement choisie.
■ **Internet** : réseau international qui permet, à l'aide d'un ordinateur, la consultation, la transmission et la réception de messages écrits ou sonores, d'images, etc.

■ Dans le monde, plus de 550 millions de personnes utilisent Internet.
■ Les États-Unis comptent le plus grand nombre d'internautes (166 millions), suivis par le Japon (62 millions) et la Chine (46 millions).
■ Le Canada possède le plus fort taux d'utilisateurs d'Internet : près de 62 personnes sur 100 l'utilisent.

www.@
http://www.@
http://
http://www.@

téléphone n. m. *1* Réseau qui relie tous les circuits permettant de transmettre la parole à distance. *2* Appareil relié à ce réseau et qui permet de transmettre les communications. *Un téléphone portable.*

Dès mon arrivée, je vous **téléphonerai**, *je vous appellerai par téléphone. J'ai reçu un appel* **téléphonique**, *par le téléphone.*

télescopage n. m. → **télescoper.**

télescope n. m. Instrument d'optique permettant les observations astronomiques.

télescoper v. → conjug. **aimer.** Heurter avec violence. *Le camion a télescopé une voiture.*

Le verglas a provoqué des **télescopages**, *des véhicules se sont télescopés.*

télescopique adj. Qui est composé d'éléments qui s'emboîtent les uns dans les autres. *Une antenne télescopique.*

télésiège n. m. Système constitué d'un câble auquel sont suspendus des sièges utilisés par les skieurs pour remonter les pentes.

téléski n. m. Remonte-pente.

téléspectateur, trice n. Personne qui regarde la télévision. *Cette émission de variétés a beaucoup de succès auprès des téléspectateurs.*

télévision n. f. *1* Système de transmission à distance d'images, par ondes électriques. *La télévision par câble.* *2* Poste de télévision. *Notre télévision est en panne.*
En abrégé : télé.

Une interview, un match, un reportage **télévisés**, *transmis par la télévision (1). Un* **téléviseur** *portable*, *un poste de télévision (2).*

télex n. m. Système qui permet la transmission à distance des textes écrits.

tellement adv. À un tel point. *Il a tellement vieilli que j'ai failli ne pas le reconnaître.*

téméraire adj. Qui est audacieux au point de devenir imprudent. *Aucun danger ne l'arrête, il est un peu trop téméraire.*

Ces alpinistes ont frôlé la mort par **témérité**, *par leur comportement téméraire.*

témoignage n. m. *1* Déclaration faite par un témoin. *La police a recueilli de nombreux témoignages.* *2* Ce qui est la marque, la preuve d'un sentiment. *Il a reçu de nombreux témoignages de sympathie.*

témoigner v. → conjug. **aimer.** *1* Faire un témoignage. *Plusieurs personnes ont témoigné en faveur de l'accusé.* *2* Exprimer, montrer un sentiment. *Il rend souvent visite à sa grand-mère pour lui témoigner son affection.*

témoin n. m. Personne qui a vu ou entendu quelque chose. *La police a interrogé les témoins de la bagarre.*

tempe n. f. Chacune des deux parties de la tête qui sont situées entre l'œil et l'oreille.

tempérament n. m. *1* Caractère, nature, personnalité de quelqu'un. *Elle est très timide, c'est son tempérament.* *2* À tempérament : à crédit. *Il a acheté son téléviseur à tempérament.*

tempérance n. f. Sobriété. *Les automobilistes doivent faire preuve de tempérance.*

température n. f. *1* Degré de froid ou de chaleur de l'atmosphère. *La météo annonce une hausse de la température à partir de demain.* *2* Degré de chaleur du corps. *Si tu ne te sens pas bien, tu devrais prendre ta température.* *3* Avoir de la température : avoir de la fièvre.

tempéré, ée adj. Qui n'est ni très chaud ni très froid. *Un climat tempéré.*

tempérer v. → conjug. **digérer.** Adoucir, modérer, atténuer. *Un sourire a tempéré la sévérité de ses paroles.*

tempête n. f. Vent violent, généralement accompagné de pluie ou d'orage. *Des arbres ont été arrachés par la tempête.*

tempêter v. → conjug. **aimer.** Manifester bruyamment sa colère. *Tempêter contre l'augmentation des impôts.*

temple n. m. *1* Édifice religieux consacré à une divinité. *Les temples grecs.* *2* Lieu de culte des protestants.

Templiers

Ancien ordre religieux et militaire français. L'ordre des Templiers est fondé en 1119 à Jérusalem. Les Templiers, «moines soldats», sont des chevaliers chargés de soigner et de protéger les pèlerins se rendant en Terre sainte. À partir de 1307, le roi Philippe le Bel fait arrêter et torturer de nombreux membres de l'ordre. Accusés d'hérésie et de crimes divers, beaucoup sont brûlés sur le bûcher. Une partie des biens de l'ordre, très riche, est confisquée par le roi. L'ordre des Templiers est supprimé en 1312 par le pape Clément V.

---

tempo n. m. Vitesse à laquelle un morceau de musique doit être exécuté. *Suivre le tempo.*
Mot italien qui se prononce [tɛmpo].

temporaire adj. Qui est limité dans le temps, qui dure peu. *Un travail temporaire.*
Synonymes : momentané, provisoire. Contraire : définitif.

   Les travaux ont été *temporairement* arrêtés, de façon temporaire, provisoirement.

temporiser v. → conjug. **aimer.** Retarder une action en attendant une meilleure occasion. *Si ton adversaire a l'avantage, il vaut mieux temporiser.*

temps n. m. *1* Durée. *Le temps se mesure en secondes, en minutes, en heures, en jours, en années. S'absenter un certain temps. Ce travail prend beaucoup de temps.* *2* Moment de liberté, loisir. *Cette semaine, je n'ai pas eu le temps de me reposer.* *3* Moment, époque. *Cette histoire de corsaires se passe au temps de la marine à voile.* *4* Forme du verbe indiquant si l'action se passe au passé, au présent ou au futur. *5* En musique, division

de la mesure. *Une danse à trois temps.* *6* État de l'atmosphère. *Un temps doux. Un temps chaud, orageux. Il fait beau temps.* *7* À *temps* : au moment voulu, à l'heure. *Le spectacle va commencer, vous arrivez à temps.* *8* Dans *le temps* : autrefois. *Dans le temps, on voyageait en diligence.* *9* De temps en temps : quelquefois. *Nous déjeunons ensemble de temps en temps.* *10* La plupart *du temps* : très souvent, presque toujours. *La plupart du temps, il rentre tard du bureau.* *11* Tout le temps : toujours, sans arrêt. *Il est tout le temps en retard.*
Homonymes : tant, taon.
Regarde ci-dessous.

tenable adj. Supportable. *Rester dehors par ce froid, ce n'est pas tenable !*
Contraire : intenable.

tenace adj. *1* Qui est difficile à enlever, à supprimer, à éliminer. *Une odeur tenace, une tache tenace.* *2* Qui

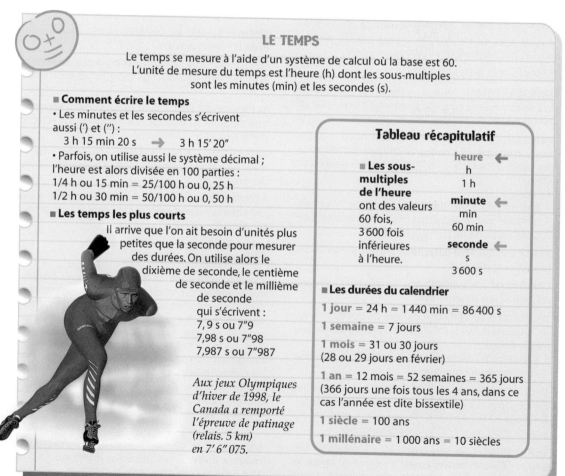

LE TEMPS

Le temps se mesure à l'aide d'un système de calcul où la base est 60.
L'unité de mesure du temps est l'heure (h) dont les sous-multiples
sont les minutes (min) et les secondes (s).

■ Comment écrire le temps

• Les minutes et les secondes s'écrivent aussi (') et (") :

   3 h 15 min 20 s ➡ 3 h 15'20"

• Parfois, on utilise aussi le système décimal ; l'heure est alors divisée en 100 parties :
1/4 h ou 15 min = 25/100 h ou 0,25 h
1/2 h ou 30 min = 50/100 h ou 0,50 h

■ Les temps les plus courts

   Il arrive que l'on ait besoin d'unités plus petites que la seconde pour mesurer des durées. On utilise alors le dixième de seconde, le centième de seconde et le millième de seconde qui s'écrivent :
7,9 s ou 7"9
7,98 s ou 7"98
7,987 s ou 7"987

Aux jeux Olympiques d'hiver de 1998, le Canada a remporté l'épreuve de patinage (relais. 5 km) en 7' 6" 075.

Tableau récapitulatif

	heure ←
■ Les sous-	h
multiples	1 h
de l'heure	**minute ←**
ont des valeurs	min
60 fois,	60 min
3 600 fois	**seconde ←**
inférieures	s
à l'heure.	3 600 s

■ Les durées du calendrier

1 jour = 24 h = 1 440 min = 86 400 s

1 semaine = 7 jours

1 mois = 31 ou 30 jours
(28 ou 29 jours en février)

1 an = 12 mois = 52 semaines = 365 jours
(366 jours une fois tous les 4 ans, dans ce cas l'année est dite bissextile)

1 siècle = 100 ans

1 millénaire = 1 000 ans = 10 siècles

ne renonce pas facilement à ses idées, à ses projets. *Il réussit malgré les difficultés, car il est très tenace.*
Synonymes : persévérant, obstiné, opiniâtre (2).

Il a beaucoup d'enthousiasme mais il manque de **ténacité**, *il n'est pas assez tenace (2).*

tenailler v. → conjug. **aimer**. Littéraire. Faire terriblement souffrir. *Être tenaillé par le remords.*
Synonymes : tourmenter, torturer.

tenailles n. f. pl. Sorte de pince qui sert à saisir, à serrer ou à couper, à arracher quelque chose.

tenancier, ère n. Personne qui dirige un établissement soumis à certaines réglementations particulières. *Le tenancier d'un bar.*

tenant, ante adj., n. et n. m.
• adj. *Séance tenante :* immédiatement, sur-le-champ. *Il a quitté la réunion séance tenante.*
• n. Sportif qui détient un titre. *Ce jeune athlète inconnu a battu le tenant du titre.*
• n. m. *D'un seul tenant :* qui forme un seul morceau. *Un domaine de cinquante hectares d'un seul tenant.*

tendance n. f. Ce qui pousse une personne à se comporter d'une certaine manière. *Il a tendance à se laisser aller.*

tendancieux, euse adj. Qui présente des faits en les déformant. *Ce journaliste écrit des articles tendancieux.*
Synonyme : partial. Contraire : objectif.

tendeur n. m. Courroie élastique que l'on tend pour fixer quelque chose.

tendinite n. f. Inflammation d'un tendon.

tendon n. m. Extrémité amincie d'un muscle par laquelle ce muscle se rattache à un os.

Les tendons sont constitués de fibres blanchâtres. Ils assurent le déplacement des os en fonction des mouvements des muscles.

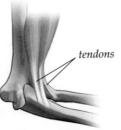

tendons

1. tendre v. → conjug. **répondre**. *1* Tirer pour allonger et raidir quelque chose le plus possible. *Tendre une corde entre deux poteaux. 2* Déployer, étendre quelque chose en l'étirant. *Tendre les voiles d'un bateau. 3* Couvrir de papier, de tissu, etc. *Les murs de la pièce sont tendus de tapisseries anciennes. 4* Avancer, déplacer vers l'avant. *Tendre la main. Tendre son verre pour être servi. 5* Évoluer de telle ou telle manière. *Certaines coutumes tendent à disparaître. 6* Avoir comme but. *Cette nouvelle loi tend*

à améliorer les conditions de travail. *7* Se tendre : devenir difficile à cause de désaccords. *La situation se tend entre le patron de l'usine et les grévistes.*

2. tendre adj. *1* Gentil, doux, affectueux. *Elle est tendre avec ses enfants. Un sourire tendre, des paroles tendres. 2* Qui peut se découper, se mâcher facilement. *Cette viande est tendre et juteuse.*

Un enfant a besoin de la **tendresse** *de ses parents, il a besoin que ses parents soient tendres (1) avec lui. Elle berce* **tendrement** *son bébé, de façon tendre (1). La* **tendreté** *d'une viande, c'est la qualité d'une viande tendre (2).*

tendu, ue adj. *1* Nerveux, préoccupé, contracté. *Avant une compétition, il est toujours un peu tendu. 2* Qui est rendu difficile par un désaccord. *La situation reste tendue entre ces deux pays.*

ténèbres n. f. pl. Littéraire. Obscurité profonde.

ténébreux, euse adj. Obscur, mystérieux. *La police enquête depuis des mois sur cette ténébreuse affaire.*

teneur n. f. Proportion d'une substance déterminée dans un mélange. *Ce vin a une forte teneur en alcool.*

ténia n. m. Ver qui vit en parasite dans l'intestin de l'homme et des mammifères.
Le ténia est aussi appelé : ver solitaire.

tenir v. → conjug. **venir**. *1* Avoir ou garder dans les mains, dans les bras. *Il tient son stylo de la main gauche. Tenir quelqu'un par le bras. 2* Être attaché, fixé, maintenu. *Cette affiche tient au mur avec des punaises. 3* Maintenir dans tel ou tel état. *Tenir un plat au chaud. 4* Occuper tel espace, tel endroit. *Cette armoire tient trop de place. Cet article tient la moitié de la page. 5* Être contenu dans tel espace. *Cette petite valise tient facilement dans le coffre. 6* Diriger quelque chose, en avoir la charge. *Tenir un restaurant, un magasin. 7* Avoir de l'affection, de l'attachement. *Tenir à ses amis, à sa famille. Il tient beaucoup à cette maison. 8* Souhaiter avec force. *Je tiens beaucoup à vous aider. 9* Se tenir : avoir telle ou telle position. *Se tenir debout. Se tenir droit. 10* Se tenir : se conduire de telle ou telle façon. *Se tenir tranquille. Il se tient bien en classe. 11* S'en tenir à quelque chose : ne pas changer. *Je m'en tiens à ce que je vous ai déjà dit. 12* Tenir une promesse, un engagement : les respecter. *13* Tenir de quelqu'un : lui ressembler moralement ou physiquement. *14* Tenir la route : garder sa stabilité, sa direction, en parlant d'un véhicule. *15* Être tenu de : être obligé. *Les élèves sont tenus de respecter le règlement.*

tennis n. m. et n. f.
• n. m. *1* Sport qui oppose deux joueurs ou deux équipes de deux joueurs et qui consiste à se renvoyer

ténor

une balle au-dessus d'un filet à l'aide de raquettes.
2 Tennis de table : ping-pong.
• n. m. ou n. f. Chaussure de sport. *Une paire de tennis.*
Des tennis blancs ou *des tennis blanches.*
Mot anglais qui se prononce [tenis].

Dérivé du jeu de paume français, le tennis est
inventé en 1874 en Angleterre. Le premier championnat y est orga-
nisé à Wimbledon, en
1877. Le tennis se pra-
tique sur un court en
gazon, en terre bat-
tue, en ciment ou en
matière synthétique.
Un filet le partage en
deux. La balle est en
caoutchouc, gonflée
à l'air comprimé. Le
jeu consiste à faire
passer la balle de
l'autre côté du filet,
dans les limites du
court, de façon à ce
que l'adversaire ne
puisse pas la renvoyer.
Chaque année ont
lieu des compétitions
au niveau internatio-
nal comme la coupe
Davis et les tournois
du Grand Chelem :
Internationaux de
Wimbledon

(en Angleterre), de Roland-Garros (en
France), de Flushing Meadow (aux
États-Unis), Open d'Australie…
Il existe un classement
national et international
des joueurs. Le tennis est
régulièrement inscrit
aux jeux Olympiques
depuis 1988.

Le tennis de table,
couramment appelé
ping-pong, est à l'ori-
gine un jeu de salon
anglais, très apprécié
au début du xxᵉ siècle.
Il devient un sport dans
les années 1920. Le tennis
de table se pratique sur une
table partagée en deux par un
filet. La balle, en plastique, pèse

2,5 grammes. Les raquettes sont des palettes ovales en
bois recouvert de caoutchouc. Le tennis de table se
joue à deux (simple) ou à quatre (double). Il existe des
championnats nationaux et internationaux.
Le sport est inscrit aux jeux Olympiques depuis 1988.

ténor n. m. Chanteur qui possède une voix aiguë.
Ils vont à l'Opéra pour écouter un célèbre ténor.

tension n. f. *1* Manière dont une chose est tendue.
Régler la tension des cordes d'une guitare. 2 Relations
difficiles entre des personnes ou des pays. *Les négociations de paix ont calmé la tension entre ces deux
pays. 3* Pression du sang qui circule dans les artères.
Il prend un médicament pour faire baisser sa tension.

tentacule n. m. Membre souple, allongé et mobile
de certains animaux invertébrés.

tentant, ante adj., **tentation** n. f., **tentative** n. f. → **tenter.**

tente n. f. Abri de toile qui se fixe à l'aide de piquets
et de cordes. *Les campeurs ont monté leur tente.*
Homonyme : tante.

tenter v. → conjug. **aimer. *1*** Faire envie. *Ce projet
de voyage me tente énormément. 2* Entreprendre
quelque chose en espérant réussir. *Les alpinistes vont
tenter une périlleuse ascension.*

> *Votre offre me paraît* **tentante***, elle me tente (**1***). Ce
> prisonnier a fait une* **tentative** *d'évasion, il a tenté (**2***)
> de s'évader. Il a fini par céder à la* **tentation** *(**1***).*

tenture n. f. Tissu que l'on tend le long d'un mur
pour le décorer.

ténu, ue adj. *1* Très fin, très mince. *Un fil ténu.*
2 Très léger, très faible. *Un brouillard ténu. Une voix
ténue.*

tenue n. f. *1* Manière de se tenir, de se
conduire. *Le professeur a félicité les élèves
de leur bonne tenue. 2* Manière de s'habiller. *Une tenue correcte. Une tenue
de sport, de soirée, de travail. 3* Tenue de
route :* façon de tenir la route, en parlant d'une voiture.

ter adj. inv. Qui signifie « troisième »,
quand il suit le même numéro d'une
rue.

térébenthine n. f. *Essence de térébenthine :* liquide obtenu par distillation de la résine de pin et qui sert à
diluer la peinture, le vernis.

tergal n. m. Tissu synthétique.
**Tergal est le nom d'une marque, mais on
l'écrit couramment sans majuscule.**

tergiverser v. → conjug. **aimer.** Trouver des prétextes pour éviter de prendre une décision. *Il faut agir vite, ce n'est plus le moment de tergiverser.*

> *Il se perd en **tergiversations**,* il tergiverse.

terme n. m. *1* Lieu ou moment où quelque chose se termine. *Nous sommes arrivés au terme de notre voyage.* *2* Date à laquelle une grossesse doit normalement se terminer. *Ce bébé est né avant terme.* *3* Montant d'un loyer. *Payer son terme en fin de mois.* *4* Mot qui s'utilise dans un domaine particulier. *Je ne comprends pas tous ces termes scientifiques.* *5* À court terme, à long terme : sur une courte ou une longue durée. *Faire des prévisions à long terme.* *6* Être en bons ou en mauvais termes avec quelqu'un :* avoir de bons ou de mauvais rapports avec lui. *Il est en bons termes avec ses voisins.* **Synonyme : fin** (*1*). **Contraire : début** (*1*). **Homonyme : thermes.**

terminaison n. f. Partie finale d'un mot. *La terminaison d'un nom change généralement au pluriel.*

terminal, ale, aux n. m., adj. et n. f.
● n. m. *1* Partie d'un aéroport réservée au départ et à l'arrivée des passagers. *2* Appareil qui permet l'accès à un ordinateur central.
● adj. *Classe terminale :* dernière classe du lycée.
● n. f. Classe terminale. *Les élèves passent le bac à la fin de la terminale.*

terminer v. → conjug. **aimer.** *1* Mettre fin, achever. *Terminer un travail. Terminer un repas.* *2* Constituer la dernière partie de quelque chose. *Cette histoire se termine par un mariage.*

terminus n. m. Dernière station d'une ligne de chemin de fer, de bus, de métro. *Je descends au terminus.* **On prononce** [tɛʀminys].

termite n. m. Insecte qui se nourrit de bois. *Les termites vivent en colonies.*

> *Une **termitière** est un nid de termites, fait d'un monticule de terre ou de débris de bois.*

terne adj. *1* Qui est sans éclat, sans reflet. *Une couleur terne. Des cheveux ternes.* *2* Qui manque d'intérêt ou d'originalité. *Mener une vie terne.* **Contraires : brillant** (*1* et *2*), **éclatant** (*1* et *2*), **vif** (*1*), **original** (*2*).

> *Ces couverts en argent **se ternissent**,* sont devenus ternes (*1*).

terrain n. m. *1* Les sols, la terre, quand on parle de leur composition, de leur relief. *Un terrain calcaire. Un terrain boisé. Un terrain très accidenté.* *2* Étendue de terre délimitée. *Acheter un terrain.* *3* Emplacement aménagé pour un usage particulier. *Un terrain de camping. Un terrain d'aviation.* *4* Terrain d'entente :* sujet sur lequel on parvient à se mettre d'accord.

terrasse n. f. *1* Plate-forme qui constitue le toit d'un bâtiment. *L'antenne de télévision est installée sur la terrasse de l'immeuble.* *2* Grand balcon. *L'été, on déjeune sur la terrasse.* *3* Partie d'un trottoir où sont installées les tables d'un café, d'un restaurant. *4* Terrain en pente aménagé de façon à former des gradins. *Pratiquer la culture du riz en terrasses.*

terrassement n. m. Travaux qui consistent à creuser et à déplacer la terre d'un terrain. *De gros travaux de terrassement sont prévus avant de pouvoir construire cette route.*

> *Sur le chantier, le bulldozer est manœuvré par un **terrassier**,* un ouvrier qui fait du terrassement.

terrasser v. → conjug. **aimer.** *1* Jeter quelqu'un à terre. *Dès le début du combat, il a terrassé son adversaire.* *2* Abattre, accabler. *Cette forte fièvre l'a terrassé.*

terrassier n. m. → **terrassement.**

terre n. f. *1* Avec une majuscule. Planète qui fait partie du système solaire et qui est habitée par les hommes. *La Terre tourne sur elle-même et autour du Soleil.* *2* Surface solide de cette planète. *L'avion décolle et s'éloigne de la terre. Un tremblement de terre.* *3* Matière qui constitue le sol. *Cultiver la terre. Une terre fertile.* *4* Territoire. *Partir à la découverte de terres inconnues.* *5* Terrain, étendue cultivable. *Ce fermier a vendu des terres à son voisin.* *6* Matière qui fait partie du sol et que l'on extrait pour certains usages. *Terre cuite. Terre glaise.* *7* Sol. *Tomber par terre.*
Quand il est en colère, Théodule se roule par terre.

Regarde p. 1044 à 1047.

terre à terre adj. inv. Qui ne se préoccupe que des problèmes de la vie quotidienne.

terreau n. m. Terre mélangée à des matières en décomposition d'origine végétale ou animale, et qui sert d'engrais. *Ces fleurs poussent mieux dans du terreau.*

terre-neuve n. m. inv. Chien de grande taille, au poil long et noir, que l'on dresse pour le sauvetage.

terre-plein n. m. **Plur. : des terre-pleins.** Bande de terrain séparant les deux chaussées d'une voie de circulation. *Le terre-plein central d'une autoroute.*

se terrer v. → conjug. **aimer.** Se cacher sous terre ou en s'allongeant contre le sol. *La chatte, affolée, s'est terrée sous l'armoire.*

terrestre adj. *1* Qui concerne la Terre en tant que planète. *L'atmosphère terrestre.* *2* Qui vit sur la terre, sur le sol. *La vache est un mammifère terrestre.*

terreur n. f. Peur intense. *Des pillards sèment la terreur dans la région.*

la Terre

La Terre est une planète du système solaire. Elle est composée d'un magma épais refroidi à sa surface, mais qui brûle encore en son centre.

La naissance de la Terre est relativement récente dans l'histoire de l'Univers. Celui-ci naît il y a 15 à 20 milliards d'années, quand le « big bang » provoque l'expansion de l'espace dans lequel se créent les galaxies.

- Tourne sur elle-même en 23 h 56 min 4 s.
- Tourne autour du Soleil en 365 jours 6 h 9 min 9 s.
- Recouverte sur les 2/3 de sa surface par les mers et les océans.
- Surnom : planète bleue.
- Habitée.

voyage au centre de la Terre

La Terre est composée de plusieurs couches superposées. Au centre se trouve le noyau. Il est constitué de nickel et de fer en fusion ; la température y atteint 3 700 °C. Ce noyau, d'environ 3 500 km de diamètre, est entouré d'un manteau de 2 900 km d'épaisseur composé de roches en fusion. La partie supérieure du manteau, moins chaude, est à la limite de la solidification. Au-dessus du manteau se trouve la lithosphère, épaisse de 70 km à 150 km. Celle-ci est composée d'une douzaine de plaques qui se déplacent très lentement. La partie supérieure de la lithosphère, rigide, est appelée croûte terrestre ; elle mesure de 10 à 35 km d'épaisseur.

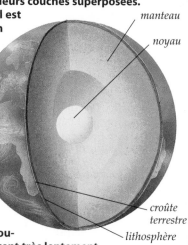

manteau

noyau

croûte terrestre

lithosphère

■ Il y a 255 millions d'années, les continents sont unis en un seul bloc : la Pangée. Ce bloc s'est ensuite brisé, et chacune des parties a dérivé sur le manteau pour donner naissance aux continents actuels. La dérive des continents se poursuit toujours.

■ Lors de ces glissements, des plaques s'éloignent les unes des autres, provoquant des failles ; d'autres se rencontrent, entraînant la formation de chaînes de montagnes. Ces déplacements sont aussi la cause de violents tremblements de terre.

■ Les éruptions volcaniques ont également pour origine ces mouvements de l'écorce terrestre. Comme les séismes, ces éruptions affectent les lieux géographiques qui se situent aux limites des plaques (Japon, Amérique centrale, Islande).

Il y a 255 millions d'années.

Il y a 70 millions d'années.

De nos jours.

eaux chaudes

La géothermie est une source d'énergie non polluante qui utilise la chaleur naturelle de la Terre. En certains endroits, Italie, Islande, France (Chaudes-Aigues), des roches chaudes situées près de la surface terrestre chauffent fortement les eaux souterraines. Vapeur et eau chaude sont récupérées et servent en particulier au chauffage de bâtiments.

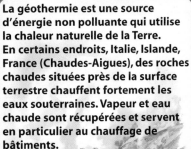

au fond des mers

Il existe une activité sous-marine importante. Dans l'océan Atlantique, dans l'océan Pacifique, à plus de 2 000 m de profondeur et sur 65 000 km de longueur, s'ouvre un large fossé, d'où s'échappe en permanence de la lave qui se refroidit au contact de l'eau.

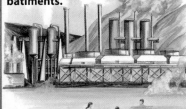

Regarde aussi volcan.

la Terre

La Terre est née il y a 4,6 milliards d'années. Si l'on ramène son histoire à une journée de 24 heures, la présence de l'homme devient une affaire de minutes...

0 heure

Naissance de la Terre

À l'origine, la Terre est une une énorme masse en fusion environnée de gaz qui se refroidit lentement. Une période de pluie commence, qui dure plusieurs millions d'années et donne naissance aux mers et aux océans. Les gaz nocifs se dissolvent dans les océans. L'atmosphère n'existe pas encore et ne peut protéger la planète des rayons ultraviolets du soleil, ce qui empêche toute forme de vie.

5 heures

Apparition de la vie

Il y a plus de 3,5 milliards d'années, utilisant l'énergie solaire et certains éléments chimiques simples, les premiers êtres vivants apparaissent au fond des océans. Ce sont des bactéries primitives qui vont permettre, au cours du temps, le développement d'autres formes de vie, notamment une vie végétale à l'origine de la production d'oxygène. Durant des milliards d'années, cet oxygène se répand dans les mers, puis à la surface de la Terre. L'atmosphère se forme.

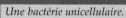

Une bactérie unicellulaire.

20 heures

L'arrivée des mollusques

■ Il y a moins d'un milliard d'années, vers, éponges, méduses, coraux apparaissent et se multiplient dans les mers et les océans. Puis viennent les animaux à carapaces tels les trilobites et les nautiles.
■ Il y a environ 430 millions d'années apparaissent les premiers vertébrés ; ce sont des poissons sans mâchoires.

Corail.

Éponge.

Méduse.

Trilobite.

21 heures

On a marché sur la Terre

Il y a 400 millions d'années, la vie végétale, puis animale sort des eaux pour se répandre sur la terre ferme. De grands arbres, de nombreuses plantes parmi lesquelles les fougères et les mousses envahissent le sol. Les premiers animaux terrestres sont des arthropodes (mille-pattes, insectes). Par la suite apparaissent les amphibiens, qui sont les premiers vertébrés terrestres. Viennent ensuite les reptiles.

Ichtyostéga.

Macrauchenia.

Smilodon.

23 heures 40

Le règne des mammifères

Voilà quelque 65 millions d'années, les dinosaures disparaissent de la surface de la Terre et les mammifères se diversifient.

Rhinocéros.

23 heures

L'ère des dinosaures

Il y a 200 millions d'années, les dinosaures règnent en maîtres sur la Terre. Les premiers oiseaux et mammifères font leur apparition.

Archéoptéryx.

23 heures 58

Un monde plus humain

Il y a environ 6 millions d'années, l'évolution des hominidés donne naissance à nos ancêtres. C'est l'histoire de l'homme moderne qui commence…

Brachiosaure.

Tyrannosaure.

Iguanodon.

Terreur

Période de la Révolution française s'étendant de l'automne 1793 à l'été 1794. En 1793, la Convention (assemblée révolutionnaire) doit faire face à la révolte des paysans vendéens qui refusent de servir dans l'armée républicaine et s'allient aux royalistes. Tout l'ouest de la France se soulève. À la suite de ces troubles, la Convention crée le Comité de salut public, qui devient un gouvernement de dictature. Il est notamment dirigé par Robespierre. Tous les opposants de la Révolution (réels ou supposés) sont arrêtés, puis jugés par le Tribunal révolutionnaire : c'est le régime de la Terreur. Près de 40 000 personnes sont exécutées pendant cette période.

terreux, euse adj. *1* Qui est sali par la terre. *J'ai les mains terreuses.* *2* Qui est terne, grisâtre. *Avoir le teint terreux.*

terrible adj. *1* Qui provoque la terreur. *Une arme terrible. Une terrible maladie.* *2* Qui est intense, très fort. *Un vent terrible.* *3* Insupportable. *Un enfant terrible.*
Synonymes : effrayant, terrifiant (*1*).

terriblement adv. Extrêmement, très. *Ce problème est terriblement compliqué.*

terrien, enne adj. et n.
• adj. Qui possède des terres. *Ce domaine appartient à un riche propriétaire terrien.*
• n. m. Habitant de la Terre. *Dans ce film, des extraterrestres essaient d'entrer en contact avec les terriens.*

terrier n. m. *1* Trou creusé dans la terre par certains animaux pour leur servir d'abri. *Le terrier d'un lapin, d'un renard.* *2* Chien dressé pour la chasse des animaux vivant dans des terriers.

terrifier v. → conjug. **modifier.** Terroriser. *Une bande de voyous terrifie le quartier.*
Pousser des cris terrifiants, qui terrifient.

terril n. m. Entassement de débris extraits d'une mine. *Des terrils s'élevaient près des mines de charbon.*

terrine n. f. *1* Récipient en terre pour cuire et pour conserver des viandes, des pâtés. *2* Pâté cuit dans un tel récipient. *Une terrine de lièvre, de canard.*

territoire n. m. *1* Étendue de terre dépendant d'un État, d'une administration. *L'avion vient d'atterrir sur le territoire français.* *2* Espace dans lequel vit un animal et qu'il défend contre les autres animaux.

territorial, ale, aux adj. *1* Du territoire. *Les limites territoriales d'un pays.* *2* *Eaux territoriales :* partie de la mer qui borde un État et qui lui appartient.

terroir n. m. Région où sont enracinées des habitudes, des traditions du passé. *Un vin de terroir.*

terroriser v. → conjug. **aimer.** Provoquer la terreur. *Cet énorme chien terrorise les enfants.*
Synonymes : épouvanter, terrifier.

terrorisme n. m. Ensemble des actes de violence commis par une organisation politique pour imposer ses revendications. *Le gouvernement a mis en place un plan de lutte contre le terrorisme.*
Les otages sont aux mains d'un groupe de terroristes, des personnes qui pratiquent le terrorisme.

tertiaire adj. *Ère tertiaire :* période géologique remontant à environ 70 millions d'années et durant laquelle se sont formées de grandes chaînes montagneuses comme la chaîne des Alpes.

tertre n. m. Petite butte. *La chapelle avait été construite au sommet d'un tertre.*

tes adj. possessif. → **ton.**

tesson n. m. Débris de verre ou de poterie. *Se couper avec un tesson de bouteille.*

test n. m. *1* Ensemble d'exercices destinés à évaluer les aptitudes, l'intelligence ou les connaissances. *2* Essai, vérification. *Faire des tests sur la qualité d'un produit avant de le mettre en vente.*

testament n. m. Document dans lequel une personne indique le nom de ses héritiers et les biens qu'ils recevront après sa mort. *Faire son testament.*

tester v. → conjug. **aimer.** *1* Faire passer un test. *Tester un élève.* *2* Essayer, contrôler, vérifier. *Tester la qualité d'un appareil, d'une voiture.*

testicule n. m. Glande qui produit des spermatozoïdes et sert à la reproduction, chez les hommes et les animaux mâles.

tétanos n. m. Maladie très grave due à un bacille qui se développe notamment sur une blessure salie par de la terre.
On prononce [tetanos].

têtard n. m. Larve de la grenouille.

Le têtard a une grosse tête, des branchies et une queue. Il vit dans l'eau et se nourrit de plantes aquatiques. Au cours de son développement, il perd sa queue au fur et à mesure que ses quatre pattes apparaissent ; ses branchies sont remplacées par des poumons, et son appareil digestif se modifie pour s'adapter à un régime carnivore.

tête n. f. *1* Partie supérieure du corps qui renferme le cerveau et qui est constituée du crâne et du visage. *Baisser la tête. Être blessé à la tête.* *2* Crâne. *Avoir mal à la tête.* *3* Visage. *Il a une tête antipathique.* *4* Centre des facultés mentales. *Avoir une idée en tête.* *5* Extrémité bombée d'un objet. *La tête d'une épingle, d'un clou.* *6* Partie qui est à l'avant. *Ce wagon est en tête du train.* *7* Position de celui qui se trouve à la première place, en avant ou au-dessus des autres. *Être en tête du classement. Prendre la tête d'une entreprise.* *8* Coup de tête : décision soudaine et irréfléchie. *Il a quitté son emploi sur un coup de tête.* *9* De tête : de mémoire, mentalement. *Savoir compter de tête.* *10* En tête à tête : en étant seul avec une autre personne. *11* Faire la tête : bouder. *12* Faire une tête : au football, frapper le ballon avec la tête. *13* Perdre la tête : perdre son sang-froid. *14* Tenir tête à quelqu'un : lui résister, s'opposer à lui. *Elle ne peut s'empêcher de lui tenir tête.*
Synonymes : cerveau, esprit (4).

tête-à-queue n. m. inv. Demi-tour brusque d'un véhicule qui pivote sur lui-même.

tête-à-tête n. m. inv. Rencontre ou discussion entre deux personnes qui sont seules l'une avec l'autre. **Le nom « tête-à-tête » s'écrit avec des traits d'union alors que l'adverbe « en tête à tête » s'écrit sans traits d'union.**

tête-bêche adv. En étant couché l'un près de l'autre, mais en sens inverse.

téter v. → conjug. **digérer.** Boire, aspirer, en suçant le sein de sa mère ou la tétine d'un biberon. *Les chatons tètent le lait de la chatte.*

Elle réveille son bébé à l'heure de la tétée, à l'heure à laquelle il doit téter pour se nourrir.

tétine n. f. Bouchon de caoutchouc qui s'adapte sur un biberon et qui sert à faire téter un bébé.

tétras n. m. Oiseau appelé aussi coq de bruyère.

têtu, ue adj. Buté, entêté, obstiné. *Être têtu comme une mule.*

texte n. m. Ensemble de phrases écrites. *Rédiger, lire, dicter, recopier un texte.*

textile adj. et n. m.
● adj. *1* Qui sert à fabriquer des tissus. *2* Qui se rapporte à la fabrication des tissus. *L'industrie textile.*
● n. m. Matière servant à fabriquer des tissus.

On distingue les textiles naturels, obtenus généralement à partir de plantes cultivées ou de toisons d'animaux, et les textiles chimiques fabriqués à partir de fibres artificielles et de fibres synthétiques.
Regarde ci-dessous.

les plantes textiles

Les fibres des plantes textiles ont de multiples utilisations.

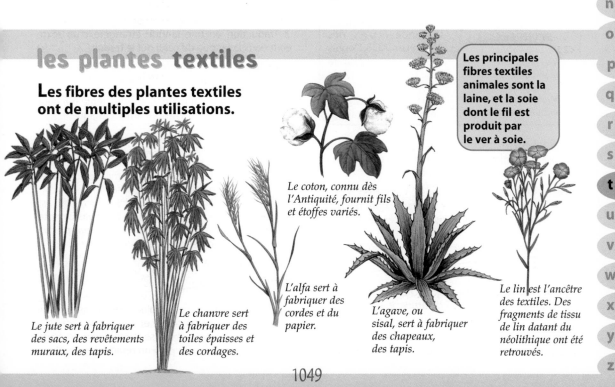

Les principales fibres textiles animales sont la laine, et la soie dont le fil est produit par le ver à soie.

Le coton, connu dès l'Antiquité, fournit fils et étoffes variés.

L'alfa sert à fabriquer des cordes et du papier.

Le jute sert à fabriquer des sacs, des revêtements muraux, des tapis.

Le chanvre sert à fabriquer des toiles épaisses et des cordages.

L'agave, ou sisal, sert à fabriquer des chapeaux, des tapis.

Le lin est l'ancêtre des textiles. Des fragments de tissu de lin datant du néolithique ont été retrouvés.

textuel, elle adj. Qui est exactement semblable à ce qui est écrit ou à ce qui a été dit. *Une citation textuelle.*

Répéter **textuellement** les paroles de quelqu'un, de façon textuelle, sans rien y changer.

TGV n. m. Train à grande vitesse.

Thaïlande

Monarchie constitutionnelle du sud-est de l'Asie, ouverte au sud-ouest sur l'océan Indien et au sud-est sur la mer de Chine. La Thaïlande est montagneuse au nord et à l'ouest. Les plaines centrales fertiles sont très peuplées. Le climat est tropical humide, soumis au régime des moussons. L'agriculture est bien développée, mais c'est l'industrie qui donne son dynamisme économique au pays. Le tourisme est en plein développement.

Anciennement appelé Siam, le pays est baptisé Thaïlande (« pays des Thaïs ») en 1938. Depuis les années 1930, la Thaïlande a connu de longues périodes de dictature et plusieurs coups d'État militaires.

513 120 km²
62 193 000 habitants :
les Thaïlandais
Langues : thaï, chinois, anglais
Monnaie : baht
Capitale : Bangkok

thalassothérapie n. f. Traitement médical qui repose sur l'action de l'eau de mer et du climat marin. *Faire une cure de thalassothérapie.*

thé n. m. *1* Feuilles d'un arbuste cultivé en Asie et que l'on fait sécher pour en faire une boisson. *2* Boisson obtenue par infusion de ces feuilles. *Une tasse de thé.*

Un **théier** est un arbre à thé (**1**). Une **théière** en argent, en porcelaine, en terre, un récipient dans lequel on prépare le thé (**2**).

théâtral, ale, aux adj. *1* Qui se rapporte au théâtre. *Une représentation théâtrale.* *2* Qui manque de naturel. *Un ton théâtral.*

théâtre n. m. *1* Art qui consiste à représenter des pièces devant un public. *Faire du théâtre. Une pièce de* théâtre. *2* Bâtiment où l'on joue des pièces de théâtre. *On s'est donné rendez-vous devant le théâtre.* *3* Endroit où se déroule un événement. *Cette chambre a été le théâtre d'un crime mystérieux.* *4* Coup de théâtre : événement soudain et imprévu qui change totalement la situation. *Son arrivée a été un véritable coup de théâtre.*

Thèbes

Ancienne ville du sud-est de l'Égypte, située sur les bords du Nil. Le site archéologique de Thèbes est l'un des plus importants d'Égypte. Pendant plus de 2 000 ans, Thèbes est la capitale de l'Égypte ancienne, et le lieu de culte du dieu Amon-Rê, premier dieu du pays. De nombreux monuments (temples, tombeaux de la Vallée des Rois et de la Vallée des Reines, allée des Sphinx) sont édifiés dans la ville et dans ses environs, notamment à Karnak et à Louxor. Thèbes décline à partir de 1085 av. J.-C. La ville est pillée et détruite par les Assyriens en 663 av. J.-C.

Regarde aussi Amon et Égypte ancienne.

théier n. m., **théière** n. f. → thé.

thème n. m. *1* Idée que l'on présente et que l'on explique dans une discussion, dans un ouvrage écrit. *Le thème de cette émission est la protection de la nature.* *2* Traduction en une langue étrangère d'un texte écrit dans la langue de celui qui le traduit.

théologie n. f. Étude qui concerne Dieu, les questions religieuses, les textes religieux.

théorème n. m. En mathématiques, règle qui peut être démontrée par un raisonnement logique.

théorie n. f. *1* Ensemble d'idées, de réflexions, d'explications concernant un sujet. *Une théorie scientifique.* *2* En théorie : en raisonnant de manière abstraite, sans tenir compte de la réalité. *En théorie, ton projet est bon, mais en pratique, il est irréalisable.*

Raisonner de façon **théorique**, d'une façon qui est vraie en théorie (**2**), mais qui ne tient pas compte des faits réels. *Théoriquement il n'aurait pas dû gagner ce match*, en théorie (**2**), en principe.

thérapeutique adj. Qui concerne les soins et la guérison des malades. *Les possibilités thérapeutiques d'un nouveau médicament.*

thermal, ale, aux adj. *1* Eau thermale : eau de source utilisée dans le traitement de certaines maladies. *2* Station thermale : lieu dans lequel les eaux thermales sont utilisées pour soigner des maladies.

thermes n. m. pl. Bains publics utilisés par les Grecs, les Romains, dans l'Antiquité.
Homonyme : terme.

thermidor n. m. Onzième mois du calendrier républicain (fin juillet, fin août).

thermique adj. Qui est relatif à la chaleur, qui produit de la chaleur. *L'énergie thermique.*

thermomètre n. m. Instrument qui sert à mesurer la température. *Ce matin, le thermomètre indique 10 °C.*

C'est Galilée qui invente le thermomètre en 1597 ; il s'agit d'un thermomètre à gaz. Son invention est progressivement perfectionnée. En 1714, Fahrenheit met au point le thermomètre à mercure. Les thermomètres courants (médicaux ou servant à mesurer la température ambiante) se composent d'un fin tube de verre qui comporte à sa base une partie renflée. Celle-ci contient un liquide. Les variations de température font se dilater ou se contracter le liquide, qui monte et descend dans le tube. Une échelle de graduation (généralement en degrés Celsius) permet de lire la température. Le liquide peut être de l'alcool ou un mélange non toxique. Celui-ci remplace le mercure longtemps utilisé, mais qui est aujourd'hui interdit. Il existe aussi des thermomètres médicaux électroniques. Le thermomètre à minimum et à maximum, utilisé en météorologie, permet de relever la plus basse et la plus haute température enregistrées sur une période.

Thermomètre à minimum et à maximum.

thermonucléaire adj. *Bombe thermonucléaire :* bombe atomique de très forte puissance.

thermos n. m. ou n. f. Bouteille dans laquelle un liquide peut garder la même température pendant plusieurs heures.
On prononce [tɛʀmos]. On dit aussi : bouteille thermos. Thermos est le nom d'une marque, mais on l'écrit couramment sans majuscule.

thermostat n. m. Appareil qui permet de régler et de maintenir la température à un certain niveau.

thésauriser v. → conjug. **aimer.** Amasser de l'argent au lieu de le dépenser ou de l'investir.

thèse n. f. Point de vue, théorie. *Il a trouvé des arguments valables pour défendre sa thèse.*

thon n. m. Grand poisson de mer dont la chair ferme est très appréciée.
  Les **thoniers** sont des bateaux équipés pour la pêche au thon.

thoracique adj. *Cage thoracique :* thorax.

thorax n. m. Partie du corps humain qui se trouve entre le cou et l'abdomen et qui renferme le cœur et les poumons.
Synonyme : cage thoracique.

thuya n. m. Arbre ornemental qui ressemble au cyprès. *Les thuyas sont des conifères.*
On prononce [tyja].

thym n. m. Plante aromatique qui pousse facilement dans le midi de la France.
On prononce [tɛ̃]. Homonymes : tain, teint.

thyroïde n. f. Glande située dans le cou. *La thyroïde joue un rôle important dans la croissance.*

tibia n. m. Os du devant de la jambe.

tic n. m. Mouvement brusque, involontaire et répété. *Il a un tic nerveux : il cligne tout le temps d'un œil.*

ticket n. m. Petit rectangle de carton ou de papier qui prouve que l'on a payé pour entrer quelque part, pour acheter ou utiliser quelque chose. *Un ticket de métro, d'autobus. Un ticket de parking. Un ticket de caisse.*

tic-tac n. m. inv. Petit bruit bref et régulier d'un mécanisme. *Le tic-tac d'une horloge.*

tie-break n. m. **Plur. : des tie-breaks.** Au tennis, jeu décisif à la fin d'un set quand le score est à 6 partout.
Mot anglais qui se prononce [tajbʀɛk].

tiède adj. Qui est à une température moyenne entre le chaud et le froid. *Se laver à l'eau tiède.*
  *Sentir l'agréable **tiédeur** de l'air,* la température tiède. *Laisser **tiédir** du lait avant de le boire,* le laisser devenir tiède.

le tien, la tienne pron. et n. m. pl.
• pron. possessif. Correspond au pronom personnel de la deuxième personne du singulier. *Mon cartable est moins pratique que le tien.*
• n. m. pl. Tes parents, ta famille, tes amis. *Si tu as des ennuis, tu sais que tu peux compter sur les tiens.*

tiens ! interj. Indique la surprise. *Tiens ! il est déjà parti !*

tierce adj. f. → **tiers.**

tiercé n. m. Jeu qui consiste à parier sur les trois chevaux qui arriveront les premiers dans une course.

tiers, tierce n. m. et adj.
• n. m. *1* Chaque partie d'un tout qui a été divisé par trois. *Chacun a droit à un tiers du gâteau. 2* Personne étrangère à un groupe. *Nous ne devons pas parler de cette affaire devant des tiers.*
• adj. Troisième. *Pour régler ce conflit, les deux adversaires ont fait appel à une tierce personne.*

Tiers état

La troisième des trois classes sociales qui constituent la France sous l'Ancien Régime, avant la Révolution française (les deux autres étant la noblesse et le clergé). Le tiers état comprend tous ceux qui travaillent et qui ne bénéficient pas de privilèges (ouvriers, paysans, artisans, commerçants, bourgeois).

tiers-monde n. m. Ensemble formé par les pays qui souffrent de la pauvreté parce que leur développement économique est insuffisant.

Expression inventée en 1952 par l'économiste français Albert Sauvy pour désigner l'ensemble des pays pauvres, appelés aujourd'hui « pays en développement ». Ils rassemblent environ les deux tiers de la population mondiale et reçoivent, pour la plupart, une aide financière internationale.

tige n. f. *1* Partie allongée d'une plante, qui porte les feuilles. *Les coquelicots ont des tiges très minces et fragiles. 2* Barre mince et allongée. *Une tige de fer.*

tignasse n. f. Familier. Cheveux épais et emmêlés.

tigre n. m. Grand félin d'Asie.

*Une chatte **tigrée**, dont le pelage est marqué de rayures comme celui du tigre. La **tigresse** est la femelle du tigre.*

Le tigre est le plus grand des félins. Il peut atteindre 2,80 m de longueur et peser plus de 200 kg. Animal solitaire, le tigre chasse à l'affût des animaux tels les cerfs, les sangliers, les bœufs sauvages. Il attrape aussi des poissons et de petits mammifères comme les lièvres. Il attaque rarement l'homme. Le tigre est menacé de disparition ; c'est une espèce protégée.

tilleul n. m. *1* Arbre à fleurs très odorantes. *Une avenue bordée de tilleuls. 2* Infusion préparée avec les fleurs séchées de cet arbre.

timbale n. f. *1* Gobelet de métal. *2* Instrument de musique à percussion. *La timbale est formée d'une caisse de cuivre arrondie sur laquelle est tendue une peau, que l'on frappe avec des baguettes.*

timbre n. m. *1* Vignette adhésive représentant le prix à payer pour l'envoi d'une lettre. *Coller un timbre sur une enveloppe. 2* Marque imprimée ou vignette collée sur certains documents officiels. *3* Caractère sonore particulier d'une voix, d'un instrument de musique.

Timbrer une lettre y coller un ou des timbres (*1*).

timbré, ée adj. *1* Qui porte un timbre ou un tampon officiel. *Une enveloppe timbrée. 2* Qui a telle ou telle sonorité. *Avoir une voix bien timbrée.*

timbrer v. → timbre.

timide adj. Qui manque d'assurance, d'audace. *Il est bien trop timide pour parler en public.*
Contraire : hardi.

*Elle nous a souri **timidement**, de manière timide. C'est un enfant d'une grande **timidité**, très timide.*

timonier n. m. Marin chargé de tenir la barre du gouvernail. *Le timonier a changé de cap.*

timoré, ée adj. Qui craint de prendre des risques, des responsabilités, qui est trop prudent. *Elle est bien trop timorée pour partir seule en voyage.*

Timor-Oriental

République créée en 2002 occupant la partie orientale de l'île indonésienne de Timor, proche de l'Australie. Cette île est occupée à partir du XVIe siècle par les Portugais puis par les Hollandais. En 1950, l'Indonésie en annexe la partie néerlandaise et occupe la partie portugaise en 1975. Les Timorais résistent à cette occupation. L'Indonésie tente d'écraser cette résistance par une féroce répression. En 1999, le peuple du Timor-Oriental demande par référendum son indépendance qu'il obtient en 2002, après une période d'administration de l'ONU.

14 870 km²
739 000 habitants :
les Timorais
Langues : tetun,
portugais, indonésien
Monnaie : dollar
des États-Unis
Capitale : Dili

tintamarre n. m. Ensemble de bruits discordants, assourdissants.
Synonymes : tapage, vacarme.

tinter v. → conjug. **aimer.** Produire des sons clairs, aigus et répétés. *Les cloches de la chapelle tintent.*
Homonyme : teinter.

*Quand il secoue sa tirelire, il entend le **tintement** des pièces de monnaie, le bruit des pièces de monnaie qui tintent.*

tique n. f. Acarien parasite de certains mammifères dont il suce le sang pour se nourrir.
Homonyme : tic.

tir n. m. **1** Action de tirer, de lancer un projectile avec une arme. **2** Action de lancer un ballon vers un but. *Il a marqué grâce à un tir très précis.*

L'e tir à la cible est une discipline olympique depuis 1896. La distance du tireur à la cible est différente selon le calibre du pistolet ou de la carabine. Les cibles sont des carrés de carton sur lesquels sont dessinés des cercles concentriques noirs et blancs. Le centre porte le nom de « mouche ». Des compétitions nationales et internationales sont organisées.

Le tir à l'arc, pratiqué depuis la préhistoire pour la chasse puis la guerre, devient un sport à la fin du XIXe siècle. Aujourd'hui, l'arc est en bois en fibre de verre, les flèches sont en aluminium ou en graphite. Elles sont propulsées à la vitesse d'environ 200 km/h ! La cible, au diamètre variable, comporte cinq zones de couleurs différentes : jaune, rouge, bleu, noir, blanc, dont la valeur, en nombre de points, va en diminuant du jaune (10) au blanc (1). Le tireur se place à distance variable selon la compétition. Le tir à l'arc donne lieu à de nombreuses compétitions nationales et internationales. Il est régulièrement inscrit aux jeux Olympiques depuis 1972.

tirade n. f. Texte assez long dit par un acteur au cours d'une pièce de théâtre.

tirage n. m. **1** Action de prendre au hasard des numéros dans une loterie. *Il a perdu au tirage au sort.* **2** Nombre d'exemplaires imprimés en une seule fois. *Le tirage d'un journal.* **3** Déplacement de l'air chaud qui monte dans le conduit d'une cheminée. *Régler le tirage d'une cheminée.*

tiraillement n. m. **1** Sensation douloureuse. *Des tiraillements d'estomac.* **2** Conflit, opposition, désaccord. *Il y a des tiraillements au sein de ce groupe.*

tirailler v. → conjug. **aimer.** **1** Tirer dans tous les sens. *Arrête de me tirailler par la manche !* **2** Être tiraillé : être hésitant. *Il est tiraillé entre le désir de travailler et l'envie de s'amuser.*

tirailleur n. m. Soldat envoyé en avant de la troupe pour harceler l'ennemi.

tirant n. m. *Tirant d'eau :* hauteur de la coque d'un navire entre la surface de l'eau et le dessous de la quille.

tire n. f. *Vol à la tire :* vol qui consiste à prendre de l'argent, des objets dans la poche ou dans le sac des gens.

tire-bouchon n. m. **Plur. : des tire-bouchons.** Ustensile servant à déboucher les bouteilles.

à tire-d'aile adv. En battant des ailes avec force et sans arrêt. *Les oiseaux s'envolent à tire-d'aile.*

tire-fesses n. m. inv. Familier. Téléski.

tirelire n. f. Boîte munie d'une fente dans laquelle on met des pièces de monnaie pour les économiser.

tirer v. → conjug. **aimer.** **1** Attirer vers soi en déplaçant ou en traînant. *Tirer la poignée d'une porte. Les chiens tirent le traîneau.* **2** Déplacer d'un côté ou d'un autre. *Le soir, elle tire les rideaux.* **3** Faire sortir, enlever, retirer. *Il tira un stylo de sa poche.* **4** Extraire. *On tire le sucre de la betterave.* **5** Choisir au hasard. *Tirer le bon numéro à la loterie. Le gros lot sera tiré au sort.* **6** Avoir une ressemblance, se rapprocher. *Un bleu qui tire sur le violet.* **7** Aboutir à quelque chose après un raisonnement. *Nous devons tirer les conclusions de cette enquête.* **8** Tracer. *Tirer un trait entre chaque paragraphe.* **9** Lancer un projectile avec une arme. *Tirer des coups de fusil. Tirer sur une cible.* **10** Lancer un ballon en direction du but. **11** Imprimer. *Tirer un livre à 5 000 exemplaires.* **12** En photographie, reproduire des négatifs. *Ces photos sont tirées sur papier mat.* **13** *S'en tirer :* trouver le moyen de se sortir d'une situation dangereuse ou désagréable. **14** *Tirer à sa fin :* être presque fini. *Il est tard, la fête tire à sa fin.* **15** *Tirer les cartes :* prédire l'avenir selon la position des cartes.

tiret n. m. Petit trait horizontal utilisé dans un texte pour couper un mot en fin de ligne ou pour signaler que les paroles sont dites par différents personnages.

tireur, euse n. **1** Personne qui se sert d'une arme à feu. *Le policier a désarmé le tireur.* **2** *Tireuse de cartes :* personne qui prétend lire l'avenir en tirant les cartes. **Synonyme : cartomancienne (2).**

tiroir n. m. Casier de rangement qui coulisse dans un meuble. *Ouvrir, fermer un tiroir.*

tiroir-caisse n. m. **Plur. : des tiroirs-caisses.** Tiroir qui s'ouvre automatiquement et qui sert à ranger l'argent payé par les clients d'un magasin.

tisane n. f. Boisson chaude faite à base de plantes infusées. *Une tisane de verveine, de tilleul.*

tison n. m. Morceau de bois à moitié brûlé et dont une partie est encore incandescente.

tisonnier n. m. Longue tige de fer avec laquelle on remue les tisons pour attiser le feu.

a
b
c
d
e
f
g
h
i
j
k
l
m
n
o
p
q
r
s
t
u
v
w
x
y
z

tisser v. → conjug. **aimer.** Entrecroiser des fils pour en faire un tissu. *Tisser de la laine, de la soie.*

Le tissage est l'action de tisser. *Un tisserand* est un ouvrier ou un artisan qui tisse.

tisserin n. m. Oiseau originaire d'Afrique et de Madagascar et qui a la particularité de construire des nids en forme de tunnel.

tissu n. m. **1** Matière faite de fils entrelacés. *La toile, le satin sont des tissus. Un tissu imprimé, uni.* **2** Ensemble des cellules d'un organisme vivant qui ont la même fonction. *Les muscles sont constitués de tissu musculaire.* **3** *Tissu de mensonges :* suite de mensonges qui s'enchaînent les uns aux autres.
Synonyme : **étoffe (1).**

tissu-éponge n. m. **Plur. :** des tissus-éponges. Étoffe de coton très absorbante.

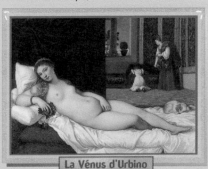
titre n. m. **1** Nom d'un ouvrage, d'un film, d'une chanson, etc. *Je ne me souviens plus du titre de ce roman.* **2** Phrase en caractères gras qui présente le sujet d'un article. *Lire les gros titres des journaux.* **3** Rang, distinction, qualification. *Détenir le titre de champion du monde d'escrime. Un titre de noblesse.* **4** *Titre de transport :* billet, ticket, carte qui prouve que l'on a payé pour utiliser un moyen de transport. *Le contrôleur lui a demandé son titre de transport.* **5** *À titre de :* en tant que. *Je vous raconte son histoire à titre d'exemple.* **6** *À juste titre :* en accord avec ce qui est juste, mérité. *Il s'est mis en colère à juste titre.* **7** *Au même titre :* de la même manière. *Elle a le droit de donner son avis au même titre que vous.*

tituber v. → conjug. **aimer.** Marcher en perdant l'équilibre. *Tituber sous l'effet de la fatigue.*
Synonymes : **chanceler, vaciller.**

titulaire adj. et n. **1** Qui est nommé officiellement et définitivement à un poste. *Un professeur titulaire.* **2** Qui possède légalement quelque chose. *Il est titulaire d'un permis de chasse.*

Titulariser un instituteur, le nommer titulaire (1) de son poste. *Ce fonctionnaire a obtenu sa titularisation,* il a été titularisé (1).

toast n. m. **1** Tranche de pain grillée. *Il prend du café et des toasts au petit déjeuner.* **2** *Porter un toast :* inviter des personnes à boire à la santé de quelqu'un ou à la réussite de quelque chose.
Mot anglais qui se prononce [tost]**.**

toboggan n. m. Sorte de piste inclinée sur laquelle on se laisse glisser pour s'amuser.

toc n. m. Familier. Imitation d'une matière ou d'un objet précieux. *Cette pierre brillante n'est pas un diamant, c'est du toc !*

tocsin n. m. Sonnerie de cloche qui donnait l'alarme. *On sonnait le tocsin pour signaler un incendie.*

toge n. f. **1** Dans l'Antiquité, pièce de tissu dans laquelle se drapaient les Romains. **2** Grande robe noire des magistrats, des avocats.

La toge romaine est une large et longue pièce de lin ou de laine de couleur blanche. Elle est drapée autour du corps et remontée sur l'épaule gauche. Seuls les citoyens (hommes libres par opposition aux esclaves) ont le droit de la porter. Celle des plus modestes est grise ou brune, celle des magistrats est bordée d'un liseré pourpre. Sous l'Empire, la toge n'est plus portée que lors des cérémonies.

Togo

République de l'ouest de l'Afrique, ouverte au sud sur le golfe de Guinée. Le Togo est boisé au centre et couvert par la savane au nord et au sud. Le climat est chaud et humide sur la côte, plus sec à l'intérieur. L'agriculture produit essentiellement du coton, du cacao et du café. Le tourisme se développe sur la zone côtière. Sous domination allemande à partir de 1884, la région est partagée entre la France et la Grande-Bretagne en 1919. La partie britannique est rattachée au Ghana, tandis que la partie française devient le Togo indépendant en 1960.

56 790 km²
4 801 000 habitants :
les Togolais
Langues : français, éwé,
kotokoli, kabiyé, moba
Monnaie : franc CFA
Capitale : Lomé

tohu–bohu n. m. inv. Familier. Agitation désordonnée et bruyante. *Au moment des départs en vacances, c'est le tohu-bohu dans la gare !*

toi pron. Pronom personnel de la deuxième personne du singulier qu'on utilise soit pour renforcer le sujet «tu», soit après «c'est», soit comme complément après une préposition. *Toi, tu m'attends ici. C'est toi qui choisis. Ce livre est à toi.*
Homonyme : toit.

toile n. f. **1** Tissu très résistant. *De la toile de tente. Un pantalon en toile.* **2** Tableau, peinture. *Les toiles de ce peintre célèbre se vendent très bien.* **3** Toile d'araignée : réseau de fils de soie sécrétés par une araignée pour prendre au piège les insectes dont elle se nourrit.

toilette n. f. **1** Ensemble des soins de propreté pour le corps. *Faire sa toilette.* **2** Ensemble des vêtements et des accessoires que porte une femme. *Porter une toilette d'été.* **3** Au pluriel. Cabinets, W.-C. *Aller aux toilettes.*

toise n. f. Grande règle posée verticalement pour mesurer la taille d'une personne. *Au cours de la visite médicale, on passe chaque élève à la toise.*

toiser v. → conjug. **aimer.** Regarder quelqu'un avec mépris ou avec un air de défi.

toison n. f. Pelage laineux et épais du mouton.

toit n. m. **1** Ce qui recouvre et protège un bâtiment. *Un toit de tuiles, d'ardoises.* **2** Partie supérieure d'un véhicule. *Le toit de la voiture est couvert de neige.* **3** Crier quelque chose sur les toits : le dire à tout le monde.
Homonyme : toi.

Après cet orage, il a fallu réparer la toiture de la maison, les éléments qui forment le toit.

Tokyo

Capitale du Japon, située dans l'île de Honshu. Tokyo, centre politique, administratif et commercial est l'un des ports les plus importants du pays. Avec environ 27 millions d'habitants, l'agglomération rassemble près du quart de la population japonaise. La ville elle-même compte plus de 8,5 millions d'habitants. La Bourse de Tokyo est la deuxième place financière au monde. La ville abrite de nombreuses universités, de grands musées et des théâtres prestigieux, ainsi que le Palais impérial et ses jardins.

tôle n. f. Plaque de métal peu épaisse, lisse ou ondulée. *Les toits en tôle des hangars.*

tolérable adj. → **tolérer.**

tolérance n. f. Fait de respecter le comportement, les idées, les opinions des autres.
Contraire : intolérance.

Il n'hésite pas à défendre ses idées, mais il se montre tolérant, il fait preuve de tolérance.

tolérer v. → conjug. **digérer.** **1** Laisser faire ce qui est normalement interdit. *L'infirmière ne tolère que les visites de la famille.* **2** Supporter ou admettre. *Il ne tolère pas la moindre critique. Je ne tolère pas ton insolence.*

Une telle injustice n'est pas tolérable, on ne peut pas la tolérer (**2**).

tollé n. m. Cris de protestation, d'indignation. *Le verdict a provoqué un tollé dans la salle du tribunal.*

Tolstoï Léon

Écrivain russe né en 1828 et mort en 1910. Après un voyage en Europe en 1857, Tolstoï rentre en Russie où il se consacre à l'éducation des paysans, pour lesquels il fonde une école modèle, et à celle de ses treize enfants. Il devient célèbre dès la publication de ses premiers textes. *Les Cosaques* (1863), puis les *Récits de Sébastopol* (1868) sont inspirés par son expérience militaire. Il est surtout connu pour ses deux chefs-d'œuvre, *Guerre et Paix* (1865-1869) et *Anna Karénine* (1875-1877).

tomate n. f. Fruit rouge et charnu qui se prépare comme un légume. *Des tomates en salade.*

tombal, ale, aux adj. → tombe.

tombant, ante adj. → tomber.

tombe n. f. Fosse creusée dans le sol, dans laquelle est enterré un mort.
> Le nom du mort est inscrit sur sa pierre **tombale**, sur la dalle placée sur sa tombe. *Dans cette église se trouve le* **tombeau** *d'un saint*, le monument qui a été construit au-dessus de sa tombe.

tomber v. → conjug. **aimer.** *1* Faire une chute. *Tomber par terre. Tomber d'un arbre. Tomber dans les escaliers.* *2* Approcher, arriver. *Le soir, la nuit tombe.* *3* Descendre vers le sol. *La neige, le brouillard tombe.* *4* Diminuer, faiblir, cesser. *Sa colère est tombée.* *5* Être brusquement dans tel état, dans telle situation. *Tomber malade. Tomber amoureux.* *6* Se produire, avoir lieu, arriver. *Cette année, mon anniversaire tombe un samedi. Tu tombes au bon moment.* *7* Être incapable de se tenir debout. *Tomber de fatigue.* *8* Familier. *Laisser tomber* : abandonner. *Il ne laisse jamais tomber ses amis.* *9* *Tomber sur quelqu'un* : le rencontrer par hasard. *Dans le train, il est tombé sur un vieil ami.*
> Elle est rentrée à la nuit **tombante**, quand la nuit a commencé à tomber (*2*). *Il fait frais à la* **tombée** *de la nuit*, quand la nuit tombe (*2*).

tombereau, eaux n. m. Contenu d'un camion ou d'une charrette qui peuvent basculer vers l'arrière.

tombola n. f. Loterie où les gagnants reçoivent des objets. *Acheter des billets de tombola.*

tome n. m. Chacun des volumes qui composent l'ensemble d'un ouvrage. *Un roman en deux tomes.* **Homonyme : tomme.**

tomette n. f. Petit carreau de terre cuite, en forme d'hexagone, généralement de couleur rouge. **On écrit aussi : tommette.**

tomme n. f. Variété de fromage à pâte pressée. **Homonyme : tome.**

tommette n. f. → tomette.

1. ton, ta adj. possessif. **Plur. : tes.** Correspond au pronom personnel de la deuxième personne du singulier. *N'oublie pas d'emporter ton cahier, ta trousse et tes crayons de couleur.* **Au féminin singulier, devant un nom ou un adjectif commençant par une voyelle ou un « h » muet, on emploi « ton » au lieu de « ta » : ton expérience, ton hésitation.**

2. ton n. m. *1* Manière de parler qu'une personne utilise pour exprimer tel ou tel sentiment. *Prendre un* ton sévère. *Répondre d'un ton sec.* *2* Hauteur du son, de la voix. *Chantez tous dans le même ton.* *3* Teinte, nuance, coloris. *Ce pull existe en différents tons de bleu.* **Homonyme : thon.**

tonalité n. f. *1* Caractère ou qualité d'un son, d'une voix. *Régler une chaîne hi-fi pour avoir une meilleure tonalité.* *2* Son émis par un téléphone quand on décroche pour composer un numéro d'appel.

tondeuse n. f. *1* Instrument qui sert à tondre, à raser les poils ou les cheveux. *2* *Tondeuse à gazon* : machine servant à tondre l'herbe.

tondre v. → conjug. **répondre.** *1* Couper à ras des poils, des cheveux. *Tondre des moutons. Le coiffeur lui a tondu le crâne.* *2* Couper l'herbe à ras.
> Le printemps est l'époque de la **tonte** des moutons, l'époque où on les tond (*1*).

Tonga

Monarchie du sud de l'océan Pacifique, située en Polynésie, à l'est de l'Australie. L'archipel des îles Tonga est constitué de quelque 170 îles et îlots volcaniques. Le climat est tropical. L'économie est basée sur l'agriculture (noix de coco, vanille, banane) et le tourisme.

Sous domination britannique à partir de 1900, les îles Tonga deviennent indépendantes en 1970. Elles sont membres du Commonwealth.

750 km²
103 000 habitants :
les Tonguiens
Langues : tongien,
anglais
Monnaie : pa'anga
Capitale : Nuku'Alofa

tonifier v. → conjug. **modifier.** Donner de l'énergie, du dynamisme. *L'air de la montagne tonifie l'organisme.*

tonique adj. Qui fortifie, stimule l'organisme. *Cette boisson vitaminée est tonique.*

tonitruant, ante adj. Se dit d'un bruit retentissant. *Une voix, un rire tonitruants.*

tonnage n. m. Volume de marchandises qu'un navire peut contenir et transporter.

tonne n. f. *1* Unité de poids égale à 1 000 kilos. *Cet éléphant pèse 6 tonnes.* *2* Familier. Très grande quantité. *Elle a emporté des tonnes de bagages.*

tonneau, eaux n. m. **1** Grand récipient de bois composé de planches maintenues ensemble par des cercles de fer. *Ce bon vin a vieilli en tonneau.* **2** Tour complet qu'un véhicule fait sur lui-même en se renversant. **3** Ancienne unité de mesure servant à mesurer le tonnage d'un bateau.

> *Ce commerçant vend du très bon rhum en tonnelets*, en petits tonneaux (1). *Un tonnelier* est un artisan qui fabrique et répare les tonneaux (1).

tonnelle n. f. Petit abri formé d'un treillage sur lequel poussent des plantes grimpantes. *Nous pourrons déjeuner à l'ombre sous la tonnelle.*

tonner v. → conjug. **aimer**. **1** Faire un bruit qui ressemble à celui du tonnerre. *Le canon tonnait.* **2** *Il tonne* : des coups de tonnerre se font entendre.

tonnerre n. m. **1** Bruit de la foudre accompagnant l'éclair au cours d'un orage. **2** Bruit assourdissant. *Un tonnerre d'applaudissements.*

tonsure n. f. Petit cercle rasé au sommet du crâne. *Certains religieux catholiques portent la tonsure.*

tonte n. f. → **tondre.**

tonton n. m. Oncle, dans le langage des enfants.

tonus n. m. Énergie, vigueur, dynamisme, vitalité. *Avoir du tonus. Manquer de tonus.*
On prononce [tɔnys].

topaze n. f. Pierre jaune transparente utilisée en bijouterie.

topinambour n. m. Plante qui donne des tubercules comestibles.

Le topinambour, dont les tiges peuvent atteindre 3 m de hauteur, a des fleurs qui ressemblent à celles du tournesol. Il est cultivé pour ses tubercules, qui évoquent ceux de la pomme de terre, et qui servent généralement à l'alimentation du bétail. Les feuilles sont utilisées comme fourrage.

top–modèle n. m. **Plur. : des top-modèles.** Homme ou femme qui présente des modèles de haute couture et qui a une renommée internationale.

topographie n. f. Relief d'un lieu, d'un terrain, d'un sol. *Avant de construire ce barrage, il faut étudier la topographie des lieux.*

> *Faire la carte topographique d'une région*, la carte détaillée de sa topographie.

toquade n. f. Envie brusque et passagère, qui paraît un peu bizarre.

toque n. f. Sorte de chapeau sans bord, de forme cylindrique. *Un cuisinier en toque blanche.*

toqué, ée adj. Familier. Fou, excentrique. *Elle a un vieil oncle un peu toqué.*

Torah

La Torah est constituée par les cinq premiers livres de la Bible. Elle se présente sous la forme d'un rouleau en parchemin. C'est un guide qui enseigne les commandements du judaïsme. La Torah est lue par le rabbin à la synagogue. Dans le langage courant, le mot désigne la Loi juive.

torche n. f. **1** Bâton enduit de résine ou de cire que l'on enflamme et qui sert à éclairer. *Le cortège a traversé la ville à la lueur des torches.* **2** *Torche électrique* : lampe électrique portative, très puissante, généralement cylindrique.

torchis n. m. Mélange de terre et de paille utilisé dans la construction de certains bâtiments.

torchon n. m. Morceau de tissu qui sert à essuyer la vaisselle.

tordant, ante adj. Familier. Très amusant. *Un film tordant. Il est tordant quand il fait des grimaces.*

tordre v. → conjug. **répondre.** **1** Tourner quelque chose en serrant chacune de ses extrémités en sens contraire. *Tordre du linge mouillé avant de l'étendre.* **2** Tourner ou plier violemment une articulation. *Il m'a tordu le bras. Se tordre la cheville.* **3** Plier, déformer. *Le choc a tordu la roue de mon vélo.* **4** *Se tordre de douleur* : se plier en deux sous l'effet de la douleur. **5** *Se tordre de rire* : rire beaucoup.

torero n. m. Homme qui affronte un taureau dans l'arène au cours d'une corrida.
Mot espagnol qui se prononce [tɔrero].

tornade n. f. Vent violent qui souffle en formant des tourbillons. *Le village a été dévasté par une tornade.*

torpeur n. f. Engourdissement, somnolence. *La chaleur nous plongeait dans une légère torpeur.*

torpille n. f. **1** Engin explosif sous-marin. *La coque du bateau a été touchée par une torpille.* **2** Poisson marin, proche de la raie, qui paralyse ses proies en produisant des décharges électriques.

> *Torpiller un navire, un sous-marin*, les détruire en utilisant des torpilles (1). *Un torpilleur* est un petit navire de guerre équipé de torpilles (1).

torréfier v. → conjug. **modifier.** Faire griller certaines graines ou certaines plantes. *On torréfie les grains de café.*

> *Pour utiliser les feuilles de tabac, on les fait sécher par torréfaction*, on les torréfie.

torrent n. m. *1* Cours d'eau à forte pente, dont le débit est rapide et irrégulier. *Ils ont descendu les eaux tumultueuses du torrent en canoë.* *2* *Il pleut à torrents :* il pleut énormément, abondamment.

Des vignobles ont été dévastés par des pluies **torrentielles**, des pluies violentes et abondantes comme les eaux d'un torrent.

Torricelli Evangelista

Physicien et mathématicien né en 1608 et mort en 1647. Élève de Galilée, Torricelli met en évidence, en 1643, l'existence de la pression atmosphérique. Son expérience, qui utilise un tube de verre rempli de mercure, sera à l'origine de l'invention du baromètre.

torride adj. D'une chaleur extrême, brûlant. *La végétation s'est desséchée durant cet été torride.*

torsade n. f. Ensemble de fils, de cheveux, etc., enroulés en spirale. *On a décoré la classe avec des torsades de papier crépon.*

Des guirlandes de fleurs **torsadées**, enroulées en torsade.

torse n. m. Haut du corps humain, entre la ceinture et le cou. *L'été, il préfère dormir torse nu.*

torsion n. f. Action de tordre. *Il a immobilisé son adversaire d'une torsion du poignet.*

tort n. m. *1* Action contraire à la morale, à la justice. *Il refuse de reconnaître ses torts.* *2* Erreur. *C'est un tort de ne pas accepter cet emploi.* *3* *Avoir tort :* commettre une erreur ou une injustice. *Tu as eu tort de le punir.* *4* *Faire du tort :* faire du mal, de la peine, causer des ennuis. *Toutes les critiques des journalistes lui ont fait du tort.* *5* *À tort :* injustement, sans raison. *Accuser quelqu'un à tort.* *6* *À tort et à travers :* sans réfléchir. *Il parle à tort et à travers.* *7* *Être en tort* ou *dans son tort :* être coupable par rapport à la loi, à un règlement. *Le chauffeur de taxi est dans son tort, il a brûlé un stop.*

torticolis n. m. Douleur musculaire qui raidit le cou et empêche de tourner la tête.

tortiller v. ➜ conjug. **aimer.** Tourner, tordre dans tous les sens. *Tout en parlant, elle n'arrête pas de tortiller son écharpe.*

tortionnaire n. Personne qui torture quelqu'un. *Les prisonniers se révoltent contre leurs tortionnaires.*

tortue n. f. Reptile dont le corps est protégé par une épaisse carapace et qui se déplace très lentement.

tortueux, euse adj. Qui fait de nombreux détours. *Un village de montagne aux ruelles tortueuses.*

torture n. f. *1* Souffrance physique que l'on inflige volontairement à quelqu'un. *Cet opposant politique a subi d'atroces tortures.* *2* Très grande souffrance morale. *C'est une torture pour cette femme d'être sans nouvelles de son enfant.*

torturer v. ➜ conjug. **aimer.** *1* Faire subir des tortures. *Ces soldats ont torturé leurs prisonniers.* *2* Faire beaucoup souffrir moralement. *Le souvenir de son crime le torture jour et nuit.*
Synonymes : tenailler, tourmenter.

tôt adv. *1* De bonne heure dans la journée. *Il a l'habitude de se lever tôt.* *2* Avant le moment habituel. *Aujourd'hui, elle est rentrée tôt.* *3* *Tôt ou tard :* à un moment ou à un autre. *Tôt ou tard, il dira la vérité.*
Contraire : tard (*1* et *2*).

total, ale, aux adj. et n. m.
• adj. *1* Complet, entier, absolu. *Cette panne a plongé la maison dans l'obscurité totale.* *2* Qui réunit tous les éléments d'un tout. *En additionnant toutes ces factures, tu obtiendras le montant total de tes dépenses.*

Il est **totalement** d'accord avec moi, d'une manière totale (*1*), complètement. *Il a remboursé la* **totalité** *de ses dettes*, leur montant total (*2*).

• n. m. Somme totale ou quantité totale que l'on obtient en faisant une addition. *Le total des frais du voyage s'élève à 500 euros.*

Le gagnant est celui qui **totalise** le plus grand nombre de points, qui obtient le total le plus élevé en additionnant ses points.

totalitaire adj. Qualifie un État dans lequel le pouvoir appartient à un parti politique unique qui gouverne de manière dictatoriale et où aucune opposition n'est admise.

Le **totalitarisme** est le système de gouvernement des pays totalitaires, des dictatures.

totalité n. f. ➜ total.

totem n. m. Sculpture représentant un animal considéré comme protecteur d'un individu ou d'une tribu.

Le totem est un allié auquel on attribue un pouvoir surnaturel, et qui dispense des bienfaits. Le totémisme (croyance dans les totems) se rencontre en Afrique, chez les Aborigènes d'Australie et chez certains peuples d'Amérique du Nord. Il est l'objet de représentations en bois sculpté dont la taille est parfois gigantesque.

Touareg

Peuple nomade du Sahara d'origine berbère, les Touareg habitent les régions montagneuses du Sahara. Longtemps, ils contrôlent les routes caravanières, prélevant des taxes sur les marchandises transportées. Guerriers redoutés, ils mènent également des « razzias » en direction des États africains du Sud. Essentiellement pasteurs, ils élèvent des moutons, des chèvres et surtout des chameaux. La société des touareg est divisée en trois classes distinctes : les nobles, les vassaux et les serfs longtemps considérés comme des esclaves. Les Touareg sont convertis à l'islam, mais il s'agit d'un islam libéral où les femmes jouissent d'une relative liberté. Le voile bleu porté par les hommes leur vaut le surnom d'« hommes bleus ». La création d'États indépendants africains a créé une division du peuple touareg qui est aujourd'hui réparti entre l'Algérie, le Mali, le Niger, la Tunisie et la Libye.

Toubkal

Sommet situé dans la chaîne du Haut Atlas, au nord-ouest du Maroc. Avec 4 165 m, le djebel Toubkal est le point culminant de l'Afrique du Nord.

toucan n. m. Oiseau d'Amérique tropicale.

Les toucans sont caractérisés par leur énorme bec coloré. Chez le toucan toco, qui mesure environ 65 cm, il atteint 20 cm ! Le plumage est généralement noir, avec des taches claires, notamment sur la gorge. Les toucans vivent et nichent dans les arbres. Ils se nourrissent surtout de fruits, mais peuvent aussi consommer des œufs, des oiseaux et des insectes. Les petits sortent de l'œuf totalement dépourvus de duvet.

touchant, ante adj. ➜ toucher.

touche n. f. **1** Chacune des pièces d'un clavier sur lesquelles on appuie avec les doigts. *Les touches d'un piano, d'un clavier d'ordinateur.* **2** Trace, marque de couleur faite par un coup de pinceau. *Ajouter quelques touches de blanc.* **3** Secousse qui agite la ligne d'une canne à pêche quand le poisson a mordu à l'hameçon. *Sentir une touche.* **4** Sortie du ballon au-delà des limites du terrain, au football et au rugby.

toucher v. et n. m.

• v. ➜ conjug. **aimer.** **1** Placer la main en contact avec quelqu'un, quelque chose. *Ne touche pas cette prise électrique, tu risques de t'électrocuter.* **2** Entrer en contact, atteindre. *Le ballon a touché le poteau. Toucher une cible.* **3** Être à côté, l'un contre l'autre. *Il habite la maison qui touche la nôtre.* **4** Émouvoir. *La générosité de cet homme m'a beaucoup touché.* **5** Recevoir de l'argent. *Toucher un salaire, une prime, des indemnités.* **6** Joindre quelqu'un, prendre contact avec lui. *Cette semaine, vous pourrez me toucher au bureau.* **7** *Toucher à sa fin :* être presque fini. *Notre voyage touche à sa fin.*

Dans ce film, le père et son fils se retrouvent au cours d'une scène très **touchante**, une scène émouvante qui touche (**4**) les spectateurs.

• n. m. L'un des cinq sens, grâce auquel on peut reconnaître une chose en la touchant. *Ce bois est rugueux au toucher.*

Regarde page suivante.

touffe n. f. Ensemble serré de brins, de fils, de poils. *Une touffe d'herbe. Une touffe de cheveux.*

Avoir une barbe **touffue**, une barbe drue, qui forme une touffe.

toujours adv. **1** Tout le temps, sans interruption. *Ici la mer est toujours agitée.* **2** Dans toutes les occasions. *Il cherche toujours à se rendre utile.* **3** De tout temps. *Il a toujours vécu à la campagne.* **4** Encore, en ce moment. *Il a toujours sa vieille voiture.* **5** *Pour toujours :* définitivement. *J'ai décidé de quitter cette ville pour toujours.*
Contraire : jamais (1).

Toulon

Ville française de la Région Provence-Alpes-Côte d'Azur, située en bordure de la mer Méditerranée. Toulon est, avec Brest, l'un des premiers ports militaires français. Les activités commerciales et la pêche y sont également importantes. L'université possède un département de biologie marine. Toulon abrite l'église romane Sainte-Marie-Majeure et une cathédrale du XVIIe siècle.
Ancienne cité romaine sous le nom de Telo Martius, la ville est rattachée à la couronne de France au XVe siècle. Le roi Henri IV y fonde l'arsenal ; sous Louis XIV, Vauban l'entoure de fortifications.

83

Préfecture du Var
166 442 habitants : les Toulonnais

le toucher

Le siège du toucher est la peau, par laquelle nous percevons l'ensemble des sensations relatives à la nature, la température, la texture des objets qui nous entourent.

la peau

Les terminaisons nerveuses du toucher sont situées dans la partie profonde de la peau, le derme. Ce sont des sortes de petits récepteurs qui transmettent les sensations au cerveau par l'intermédiaire des nerfs sensitifs et de la moelle épinière.

poils

épiderme

derme

hypoderme

terminaisons nerveuses

les récepteurs

Il existe trois sortes de récepteurs.

■ Ceux qui perçoivent les sensations douloureuses. Ce sont les plus nombreux, plus d'un million et demi répartis dans tout le corps. Certaines régions de la peau, comme celles du coude, ont très peu de récepteurs de la douleur et sont donc moins sensibles.

■ Ceux du contact et de la pression. Ils sont environ 600 000. Ils se concentrent dans les parties du corps spécialisées dans la perception de ces sensations : par exemple au bout des doigts et de la langue.

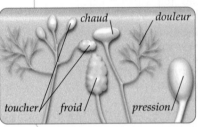

chaud   *douleur*

toucher   *froid*   *pression*

■ Ceux qui perçoivent les sensations de chaud et de froid. Ils sont environ 200 000 ; les récepteurs du froid étant les plus nombreux.

Regarde aussi peau.

Toulouse

Ville française de la Région Midi-Pyrénées, située sur les bords de la Garonne. Toulouse est le premier centre français de l'industrie aéronautique et spatiale et possède des universités renommées et un institut polytechnique. C'est un pôle européen de la recherche et de la haute technologie. Surnommée la « ville rose », la cité abrite la basilique romane Saint-Sernin (XIe siècle), la cathédrale gothique Saint-Étienne (XIIe-XVIe siècles), l'église des Jacobins (XIIIe-XIVe siècles), le Capitole (XVIIIe siècle), des hôtels et maisons de la Renaissance. Elle possède aussi de riches musées.
Capitale du royaume d'Aquitaine à partir de 781, la ville devient le siège des comtes de Toulouse au IXe siècle. Elle est rattachée à la France en 1271. Aux XVe et XVIe siècles, elle jouit d'une grande prospérité économique.

31

Préfecture de la Haute-Garonne
398 423 habitants : les Toulousains

toundra n. f. Steppe des régions de climat polaire, couverte d'une végétation pauvre.

La toundra croît durant les deux à trois mois que dure l'été dans l'extrême nord de l'hémisphère Nord (Alaska, Canada, Sibérie). Très colorée, elle est composée de plantes rases ou très basses : mousses, lichens, herbes et quelques arbres nains. L'eau issue de la fonte de la neige et de la glace forme des marécages.

toupet n. m. Familier. Effronterie, aplomb, audace. *Il a eu le toupet de fouiller dans mes tiroirs.*

toupie n. f. Jouet que l'on fait tourner en équilibre sur sa pointe.

1. tour n. f. *1* Construction bâtie en hauteur par rapport aux autres bâtiments. *2* Immeuble très élevé, plus haut que large. *3* *Tour de contrôle :* bâtiment en hauteur, dans un aéroport, d'où l'on contrôle les vols des avions au décollage et à l'atterrissage.

Il existe différents types de tours : le donjon du château fort, appelé aussi tour maîtresse, la tour ronde (tour de Pise), les tours des mosquées, les tours des cathédrales… Par extension, on appelle aussi « tour » tout type d'édifice bâti en hauteur (tour Eiffel, tour de contrôle), y compris certains immeubles de bureaux ou d'habitations (les tours d'une cité, la tour Montparnasse à Paris…).

2. tour n. m. *1* Circonférence, en parlant de certaines parties du corps. *Mesurer son tour de taille, son tour de hanche.* *2* Parcours que l'on fait en tournant autour d'un lieu. *Faire le tour du village.* *3* Voyage. *Il a fait le tour de l'Italie.* *4* Promenade. *Allons faire un petit tour sur la plage.* *5* Action de tourner un objet sur lui-même. *Donner un tour de clé. Fermer une porte à double tour.* *6* Exercice d'adresse. *Tour de magie. Un tour de cartes.* *7* Tour de force : exploit.* *8* Moment d'agir prévu pour chaque personne. *Chacun son tour.* *9* Farce amusante. *Il m'a joué un mauvais tour.* *10* Manière dont les choses se présentent ou évoluent. *La situation est en train de prendre un mauvais tour.* *11* Machine permettant de façonner des matériaux, de fabriquer des objets. *Un tour de potier.* *12* *En un tour de main :* en très peu de temps. *13* *Tour de chant :* interprétation, sur scène, d'une série de chansons par le même chanteur. **Synonymes : tournure (*10*), en un tournemain (*12*).**

tourbe n. f. Matière qui provient de la décomposition de végétaux. *La tourbe séchée peut être utilisée comme combustible.*
Une **tourbière** est un marécage dans lequel se forme la tourbe.

tourbillon n. m. Mouvement d'une masse d'air, de poussière, d'eau, etc., qui tourne sur elle-même. *Des tourbillons de sable, de fumée. La rivière fait des tourbillons.*
La neige tombe en flocons légers qui **tourbillonnent**, qui tombent en formant des tourbillons.

tourelle n. f. *1* Petite tour. *2* Sorte d'abri équipé d'armes de tir sur un char ou un navire de guerre.

tourisme n. m. Activité qui consiste à découvrir et à visiter des endroits au cours de voyages que l'on fait pour le plaisir. *Faire du tourisme.*
Cette agence de voyages organise des excursions et des visites guidées pour les **touristes**, pour les personnes qui font du tourisme.

touristique adj. *1* Qui se rapporte au tourisme. *Un guide touristique.* *2* Qui attire de nombreux touristes. *Paris est une ville très touristique.*

tourment n. m. → **tourmenter**.

tourmente n. f. Littéraire. Tempête violente.

tourmenter v. → conjug. **aimer**. *1* Faire souffrir, maltraiter, persécuter, harceler. *Arrête de tourmenter ce chien !* *2* *Se tourmenter :* se faire du souci, s'inquiéter. *Ne te tourmente pas, tout est arrangé !*
Le règlement de cette affaire nous a causé bien du **tourment**, nous nous sommes tourmentés (*2*).

tournage n. m. → **tourner**.

tournant n. m. Endroit où une route change de direction. *Le conducteur ralentit avant le tournant.* **Synonyme : virage.**

tournedos n. m. Tranche de filet de bœuf, épaisse et ronde. *Des tournedos grillés.*

tournée n. f. *1* Déplacement qui se fait suivant un itinéraire avec des arrêts fixés à l'avance. *Le facteur fait sa tournée.* *2* Voyage au cours duquel sont prévues des représentations, des concerts. *Une tournée théâtrale.*

en un tournemain adv. Synonyme de « en un tour de main ».

tourner v. → conjug. **aimer**. *1* Se déplacer en faisant une courbe. *La Terre tourne autour du Soleil.* *2* Se déplacer autour d'un axe. *Ma montre est cassée, les aiguilles se sont arrêtées de tourner.* *3* Faire bouger, faire changer de sens. *Tourne le bouton vers la gauche.* *4* Bouger ou se diriger en sens inverse. *Quand j'ai crié,* *elle a tourné la tête. Je me suis tourné vers lui pour lui dire bonjour.* **5** Changer de direction. *Va jusqu'à la mairie et tourne à gauche.* **6** Passer du recto au verso ou de l'endroit à l'envers. *Tourner les pages d'un livre. Tourner un matelas.* **7** Réaliser un film, en tant que metteur en scène, ou y jouer un rôle en tant qu'acteur. **8** Se transformer de telle ou telle façon. *La discussion a failli tourner à la bagarre.* **9** Devenir aigre. *Le lait a tourné.* **10** Avoir la tête qui tourne : être pris de vertiges.

> *Le metteur en scène a prévu six mois de **tournage**, pour tourner (**7**) son film.*

tournesol n. m. Plante qui produit de très grosses fleurs jaunes.

> Le tournesol, appelé aussi soleil, possède une forte tige qui peut atteindre 2 m de hauteur. Les feuilles sont larges, dentées et ovales. La grande « fleur », qui mesure jusqu'à 50 cm de diamètre, est en fait composée de nombreuses petites fleurs. Elle change d'orientation selon la place du soleil dans le ciel ; c'est de là que vient le nom de tournesol.
> Le tournesol est cultivé pour l'huile que l'on obtient par pressage de ses graines. Les résidus sont donnés comme nourriture au bétail. Les graines peuvent également servir d'aliments pour les volailles.

tourneur n. m. Ouvrier qui travaille sur un tour sur lequel il façonne des pièces métalliques.

tournevis n. m. Outil qui sert à visser ou à dévisser des vis.
On prononce [turnəvis].

Tournier Michel

Écrivain français né en 1924. Étudiant en philosophie, traducteur, homme de radio, Tournier se tourne assez tard vers l'écriture. Il est l'auteur d'une œuvre romanesque couronnée de succès. Son premier roman, *Vendredi ou les Limbes du Pacifique* (1967), reçoit le prix de l'Académie française. Son style est vif, réaliste. Avec son deuxième roman, *le Roi des Aulnes* (1970), il obtient le prix Goncourt. Il a écrit plusieurs autres romans, dont *les Météores* (1975).

tourniquet n. m. Appareil qui tourne en ne laissant passer qu'une seule personne à la fois. *Les accès du métro sont équipés de tourniquets.*

tournis n. m. Familier. Vertige, sensation d'étourdissement. *Ce bruit me donne le tournis.*

tournoi n. m. **1** Au Moyen Âge, combat à cheval où s'affrontaient les chevaliers armés de lances, d'épées. **2** Compétition qui comporte plusieurs matchs, plusieurs épreuves. *Un tournoi de tennis, de ping-pong.*

tournoyer v. → conjug. **essuyer.** Tourner en décrivant des cercles ou tourner sur soi-même. *L'aigle tournoyait au-dessus de sa proie.*

> Elle marchait dans les allées au milieu d'un **tournoiement** de feuilles mortes, au milieu de feuilles mortes qui tournoyaient.

tournure n. f. **1** Évolution d'une situation, d'une affaire. *Les événements prennent une tournure inquiétante.* **2** Manière dont les mots sont placés dans une phrase. *Ton devoir est plein de tournures incorrectes.* **3** Tournure d'esprit : façon de voir, de juger les choses.
Synonyme : tour (**1**).

Tours

Ville française de la Région Centre, située sur les bords de la Loire. Tours est un centre administratif et commercial actif et possède une université. La ville abrite l'église Saint-Julien du XIIIᵉ siècle, la cathédrale Saint-Gatien (XIIIᵉ-XVIᵉ siècles), des maisons du Moyen Âge et de la Renaissance, et un riche musée des Beaux-Arts. Tours est au cœur d'une région touristique très fréquentée (châteaux de la Loire). Capitale du peuple gaulois des *Turons*, d'où elle tire son nom, la ville devient ensuite capitale de la Touraine. Elle connaît la prospérité du XVᵉ au XVIIᵉ siècles, grâce à l'industrie de la soie. Elle a été un centre actif du protestantisme.

37 *Préfecture de l'Indre-et-Loire*
137 046 habitants : les Tourangeaux

tourteau, eaux n. m. Gros crabe comestible, très courant sur les côtes de l'Atlantique.

tourterelle n. f. Oiseau proche du pigeon, mais de plus petite taille. *Le roucoulement des tourterelles.*

> D'une taille de 25 à 30 cm, elle a un plumage gris ou roux, la tête et la nuque grises, avec une marque noire et blanche de chaque côté du cou. Elle vit dans les bois, se nourrissant de graines et, parfois, d'insectes. La tourterelle des bois est un oiseau migrateur qui passe l'hiver dans les régions tropicales d'Afrique.

tous adj. et pron. → **tout.**

Toussaint n. f. Fête catholique célébrée en l'honneur de tous les saints. *Le jour de la célébration de la Toussaint est le 1ᵉʳ novembre.*

tousser v. → conjug. **aimer.** Avoir un accès de toux. *Il s'est enrhumé et il n'arrête pas de tousser.*

toussoter v. → conjug. **aimer.** Tousser faiblement. *Il toussote pour s'éclaircir la gorge.*

Elle a signalé sa présence par quelques toussotements discrets, elle a toussoté.

tout, toute, tous, toutes adj., pron., adv. et n. m.
● adj. **1** Qui est complet, entier, intégral. *Il a fait beau tout l'été. Il a dépensé toute sa fortune.* **2** Qui représente l'ensemble, la totalité. *J'ai rangé tous mes jouets.* **3** Chaque, n'importe lequel. *Elles se téléphonent tous les jours. La situation peut changer à tout instant.*
● pron. Au pluriel. **1** L'ensemble des personnes. *Vous êtes tous invités à mon anniversaire.* **2** La totalité des choses. *Le coupable a tout avoué.*
● adv. **1** Entièrement, totalement. *Des livres tout neufs. Elle est tout échevelée.* **2** Très. *Ils étaient tout jeunes quand ils se sont mariés. Des serviettes toutes mouillées.* **« Tout », adverbe, s'accorde quand il est devant un adjectif féminin commençant par une consonne ou un « h » aspiré.**
● n. m. **1** La totalité, l'ensemble. *J'ai acheté cette veste et ce pantalon, le tout pour 100 euros.* **2** L'essentiel, le principal, le plus important. *Cette recette est facile, le tout est de bien surveiller la cuisson.* **3** Pas… du tout : absolument pas. *Il ne s'est pas fait mal du tout.* **4** Du tout au tout : entièrement, complètement. *Depuis qu'elle va à l'école, elle a changé du tout au tout.* **Homonyme : toux.**

tout à coup adv. Brusquement, soudain, subitement. *Tout à coup, le vent s'est levé.*

tout à fait adv. Entièrement, complètement. *Cette bouteille n'est pas tout à fait pleine.*

tout-à-l'égout n. m. inv. Système de canalisations servant à évacuer les eaux sales des maisons, des appartements jusqu'aux égouts.

tout à l'heure adv. **1** Dans un moment, un peu plus tard. *Tu finiras ton dessin tout à l'heure.* **2** Il y a un moment, un peu plus tôt. *Il s'est un peu calmé, mais tout à l'heure il était furieux.*

tout de suite adv. Immédiatement. *Nous devons partir tout de suite.*

toutefois adv. Malgré tout, pourtant, néanmoins. *C'est un assez bon film, toutefois il manque d'originalité.*

tout-petit n. m. **Plur. : des tout-petits.** Bébé. *Elle aime s'occuper des tout-petits.*

tout-puissant, toute-puissante adj. et n. **Plur. : tout-puissants, toutes-puissantes.** Qui a un très grand pouvoir. *Un roi tout-puissant.*

tout-terrain adj. inv. Qui est fait pour rouler sur n'importe quel terrain. *Une voiture tout-terrain.*

tout-venant n. m. Ce qui est de qualité ordinaire. *Ce bazar vend de très beaux objets et du tout-venant.*

toux n. f. Expiration brusque et bruyante de l'air contenu dans les poumons, généralement provoquée par une irritation des voies respiratoires. *Avoir une quinte de toux. Prendre du sirop contre la toux.* **Homonyme : tout.**

toxicomanie n. f. État d'intoxication d'une personne qui se drogue. *Les dangers de la toxicomanie.*

Ce médecin soigne les toxicomanes, les personnes atteintes de toxicomanie.

toxique adj. Qui est dangereux pour l'organisme des êtres vivants. *Respirer des gaz toxiques.*

trac n. m. Peur irraisonnée que l'on ressent au moment de dire ou de faire quelque chose en public.

tracas n. m. Souci, inquiétude, difficulté, ennui. *Se faire beaucoup de tracas pour quelqu'un.*

La préparation de cet examen le tracasse, lui cause du tracas. *Au bureau, il doit supporter des tracasseries quotidiennes*, des petits tracas quotidiens.

trace n. f. **1** Empreinte laissée sur le sol par quelqu'un ou quelque chose. *Des traces de pas, de pneus. Un animal a laissé des traces dans la neige.* **2** Marque, tache. *Il y a des traces de chocolat sur la nappe.* **3** Quantité minuscule. *On a retrouvé des traces de poison dans ce verre.*

Toutankhamon

Pharaon d'Égypte du XIVᵉ siècle av. J.-C. Succédant à Akhenaton (Aménophis IV), Toutankhamon monte sur le trône à l'âge de neuf ans. Sous son règne, le culte du dieu solaire Aton proclamé par Akhenaton est abandonné, et le culte du dieu Amon est rétabli. Toutankhamon meurt vers l'âge de vingt ans. Il est surtout célèbre par la richesse de sa sépulture, découverte intacte en 1922. Le sarcophage qui contenait la dépouille du pharaon est fait de 1 100 kg d'or pur ! Le visage et les épaules de Toutankhamon étaient recouverts d'un masque funéraire en or incrusté de pierres précieuses. Ces objets sont aujourd'hui exposés au musée du Caire, en Égypte.

tracer v. Dessiner en faisant des traits. *Prends un crayon et une règle et trace un carré.*

Ce plan de Paris indique en détail le tracé du métro, l'ensemble des lignes qui ont été tracées pour représenter le parcours du métro.

La conjugaison du verbe
TRACER 1er groupe

indicatif présent	**je trace, il ou elle trace, nous traçons, ils ou elles tracent**
imparfait	**je traçais**
futur	**je tracerai**
passé simple	**je traçai**
subjonctif présent	**que je trace**
conditionnel présent	**je tracerais**
impératif	**trace, traçons, tracez**
participe présent	**traçant**
participe passé	**tracé**

trachée n. f. Conduit qui fait communiquer la gorge et les bronches et permet le passage de l'air. **On dit aussi : trachée-artère.**

trachéite n. f. Inflammation de la trachée qui provoque la toux. **On prononce [trakeit].**

tract n. m. Feuille de papier imprimée que l'on distribue pour faire connaître des idées, des actions politiques. *Les ouvriers en grève distribuent des tracts.*

tractations n. f. pl. Négociations difficiles et plus ou moins secrètes.

tracteur n. m. Véhicule à moteur servant à tirer une remorque ou une machine agricole.

traction n. f. *1* Force motrice qui permet de tirer pour déplacer. *Un train à traction électrique.* *2* Mouvement de gymnastique qui consiste à soulever son corps en se servant de la force de ses bras.

tradition n. f. Coutume, usage, habitude, qui se transmettent au fil du temps, de génération en génération. *À Pâques, c'est la tradition d'offrir des œufs en chocolat aux enfants.*

Mon grand-père est très traditionaliste, il est très attaché aux traditions. *Dans notre famille, la dinde est le plat traditionnel de Noël,* le plat que l'on mange à chaque Noël, suivant la tradition. *On offre traditionnellement du muguet le 1er mai,* de façon traditionnelle.

traduire v. → conjug. **cuire**. *1* Exprimer dans une langue ce qui est dit ou écrit dans une autre langue. *Traduire un roman japonais en italien.* *2* Exprimer, manifester, révéler, montrer. *Le tremblement de sa voix traduisait sa peur.* *3* Traduire quelqu'un en justice : le faire comparaître devant un tribunal.

On vient de publier la traduction française d'un roman américain, le texte de ce roman traduit en français. *Un traducteur est une personne dont le métier est de traduire. Cette expression anglaise est difficilement traduisible en français,* elle est difficile à traduire.

trafic n. m. *1* Circulation de véhicules, sur terre, sur mer, dans les airs. *Trafic routier, maritime, fluvial, aérien.* *2* Commerce illégal. *Trafic de drogue.*

La police a découvert des trafiquants d'armes, des personnes qui font le trafic (*2*) des armes.

trafiquer v. → conjug. **aimer**. *1* Faire du trafic. *Cet escroc a bâti sa fortune en trafiquant.* *2* Falsifier. *Trafiquer un chèque.* *3* Modifier quelque chose pour tromper sur sa qualité. *Trafiquer du vin.*

tragédie n. f. *1* Pièce de théâtre qui met en scène des personnages au destin malheureux, tragique. *Les tragédies de Racine et de Corneille.* *2* Événement terrible. *Ce naufrage est une tragédie.* **Synonyme : drame (2).**

tragique adj. et n. m.
● adj. Dramatique, terrible. *Sans vivres et sans médicaments, ces réfugiés sont dans une situation tragique.*

Cette bagarre a failli se terminer tragiquement, de manière tragique.
● n. m. *1* Caractère de ce qui est tragique. *Il ne se rend pas compte du tragique de la situation.* *2* Prendre une chose au tragique :* la considérer comme très grave.

trahir v. → conjug. **finir**. *1* Dénoncer, livrer quelqu'un. *Trahir un ami. Trahir son pays.* *2* Révéler ou laisser paraître ce qui devrait rester caché. *Trahir un secret. Le coupable s'est trahi.*

Cet espion a été arrêté et condamné pour trahison, parce qu'il avait trahi (*1*) son pays.

train n. m. *1* Suite de wagons attachés les uns aux autres et tirés par une locomotive. *2* Suite de véhicules remorqués par un engin à moteur. *Un train de péniches.* *3* Manière d'avancer, de progresser, plus ou moins rapidement. *Si tu continues à ce train, tu auras fini ton travail très vite.* *4* Être en train de faire quelque chose :* être occupé à le faire. *Il est en train de téléphoner.* *5* Train d'atterrissage :* dispositif équipé de roues, servant à l'atterrissage d'un avion. *6* Train de vie :* manière de vivre, de dépenser son argent. **Synonymes : allure (3), vitesse (3).**

Regarde page suivante.

les trains

Au milieu du XVIIIᵉ siècle naît l'idée d'une machine terrestre capable de se propulser par la seule force de la vapeur. La locomotion à vapeur prend son essor au XIXᵉ siècle.

vapeur

Vers 1810, les trains à vapeur sont d'abord destinés au transport de marchandises, puis, à partir de 1825, à celui des voyageurs. En 1830, la locomotive *Rocket,* créée par l'anglais Stephenson, assure la première ligne régulière entre Liverpool et Manchester. Elle atteint la vitesse de 47 km/h. À partir de cette date, le transport par chemin de fer se développe dans le monde, en particulier dans les pays qui disposent de mines de charbon. À la veille de la Première Guerre mondiale, les locomotives perfectionnées atteignent 100 km/h.

Regarde aussi
chemin de fer.

toujours plus vite...

Dans les années 1980, sont créés des TGV, trains à grande vitesse, qui roulent sur des voies spécialement aménagées. En 1981, une rame du TGV Paris-Sud-Est bat le record mondial avec une vitesse de 380 km/h. En 1990, nouveau record par le TGV Atlantique, avec 515,3 km/h ! Le Japon, l'Allemagne, l'Italie et l'Espagne se lancent dans l'utilisation de TGV. Aujourd'hui, le Maglev, train expérimental japonais utilisant le magnétisme, détient le record avec 552 km/h. D'autres systèmes sont à l'étude tel l'aéro-train, un train circulant sur coussin d'air.

Un TGV sur le départ.

Diesel et électricité

Le moteur Diesel et la traction électrique sont mis au point à la fin du XIXᵉ siècle. La locomotive à moteur Diesel date de 1912, elle va peu à peu équiper de nombreuses lignes. Vers 1950, la traction électrique se répand progressivement sur tous les réseaux du monde et s'impose à partir des années 1970. En 1955, la France établit un record du monde avec une machine électrique qui roule à 331 km/h !

---

traînard, arde n. → **traîner.**

traîne n. f. *1* Bas d'un vêtement long qui traîne à terre, par-derrière. *Un manteau, une robe à traîne.* *2* *À la traîne :* en arrière, en retard sur les autres.

traîneau, eaux n. m. Véhicule monté sur patins qui sert à se déplacer en glissant sur la neige ou sur la glace. *Un attelage de chiens de traîneau.*

traînée n. f. Trace allongée. *Les fusées laissent derrière elles des traînées lumineuses.*

traîner v. → conjug. **aimer.** *1* Tirer derrière soi. *Le cheval traîne une lourde carriole.* *2* Pendre sur le sol. *Elle porte une jupe qui traîne jusqu'à terre.* *3* Être placé n'importe où, en désordre. *Des vêtements traînent partout dans sa chambre.* *4* Aller trop lentement. *Il vaut mieux ne pas traîner en route.* *5* Durer trop longtemps. *J'ai un rhume qui traîne depuis des semaines.* *6* Se traîner : se déplacer avec difficulté ou avancer en rampant. *Le randonneur, épuisé, s'est traîné jusqu'à un abri.* **Synonymes :** s'attarder (*4*), s'éterniser (*5*).

En arrière du groupe, il y a quelques traînards, des personnes qui traînent (4).

train-train n. m. Familier. Routine. *Elle rêve d'un voyage qui la changerait du train-train quotidien.*

traire v. Tirer le lait des mamelles d'une vache, d'une chèvre ou d'une brebis, en pressant leurs pis.

La conjugaison du verbe
TRAIRE 3e groupe

indicatif présent	**je trais, il ou elle trait, nous trayons, ils ou elles traient**
imparfait	**je trayais**
futur	**je trairai**
passé simple	*inusité*
subjonctif présent	**que je traie**
conditionnel présent	**je trairais**
impératif	**trais, trayons, trayez**
participe présent	**trayant**
participe passé	**trait**

trait n. m. *1* Ligne tracée sur une surface, sur un support, sur une feuille. *Tracer des traits à la craie.* *2* Marque distinctive. *La gaieté est le trait principal de son caractère.* *3* Avoir trait à quelque chose : la concerner, être en rapport avec elle. *Des livres qui ont trait à l'histoire.* *4* D'un trait : en une seule fois. *Vider un verre d'un trait.* *5* Au pluriel. Lignes du visage. *Avoir les traits tirés.* **Homonyme : très.**

traitant, ante adj. → **traiter.**

trait d'union n. m. **Plur. : des traits d'union.** Petit trait placé entre les différentes parties d'un mot composé. *« Rouge-gorge », « gratte-ciel » s'écrivent avec des traits d'union.*

traite n. f. *1* Trafic qui consiste à vendre des êtres humains. *La traite des esclaves.* *2* Somme qu'une personne doit payer à une certaine date pour un achat fait à crédit. *Il a fini de payer les traites de sa nouvelle voiture.* *3* Action de traire une vache, une chèvre. *4* D'une traite : en une seule fois. *Il a monté tous les escaliers d'une traite.*

traité n. m. *1* Livre qui concerne un sujet, un domaine particulier. *Un traité de philosophie.* *2* Texte écrit confirmant officiellement les conditions d'un accord entre les États. *Un traité de paix.*

traitement n. m. *1* Manière de traiter une personne, un animal. *Ce gardien est accusé de mauvais traite-*ments envers les prisonniers. *2* Ensemble des moyens, des médicaments employés pour soigner un malade. *Ce traitement est recommandé pour les asthmatiques.* *3* Ensemble des opérations nécessaires pour transformer une substance. *Le traitement des déchets radioactifs.* *4* Traitement de texte : programme qui permet de copier et d'imprimer un texte sur un ordinateur.

traiter v. → conjug. **aimer.** *1* Se conduire de telle ou telle façon envers une personne ou un animal. *Elle traite les enfants avec beaucoup de patience.* *2* Donner tel ou tel nom injurieux à quelqu'un. *Il a traité son frère d'imbécile.* *3* Donner un traitement. *Ce médecin traite certains malades par l'homéopathie.* *4* Faire subir un traitement à une chose dans le but de la modifier. *Ces fruits sont traités pour résister aux insectes nuisibles.* *5* Développer un sujet, par écrit ou oralement. *Ce livre traite des problèmes de pollution.* *6* Discuter, négocier en vue d'un accord. *La police a accepté de traiter avec les ravisseurs du petit garçon.* **Synonymes : qualifier (2), soigner (3).**

Elle a rendez-vous chez son médecin **traitant**, le médecin qui la traite (*3*) habituellement.

traiteur n. m. Commerçant qui prépare des plats à emporter.

traître, traîtresse n. et adj.
• n. *1* Personne qui trahit. *Il a dénoncé ses amis, c'est un traître.* *2* En traître : d'une manière déloyale. *Il a pris son adversaire en traître.*

Il a été facile de prouver sa **traîtrise**, de prouver qu'il s'est comporté en traître (*1*).
• adj. *1* Qui est plus dangereux qu'il ne paraît. *Le soleil est traître quand il est caché derrière les nuages.* *2* Pas un traître mot : pas un seul mot. *Je ne comprends pas un traître mot d'allemand.*

trajectoire n. f. Parcours suivi par un objet en mouvement. *La trajectoire d'une fusée.*

trajet n. m. Chemin que l'on doit parcourir pour aller d'un lieu à un autre. *Un trajet de 10 kilomètres.* **Synonyme : parcours.**

tram n. m. → **tramway.**

trame n. f. *1* Ensemble des fils tissés dans le sens de la largeur et qui croisent les fils tendus en longueur, pour former un tissu. *2* Structure d'un événement, d'une histoire, d'un écrit. *La trame d'un roman.*

tramer v. → conjug. **aimer.** Préparer secrètement. *Des extrémistes ont tramé une machination contre l'État.* **Synonymes : comploter, manigancer.**

tramontane n. f. Vent froid et sec venu du nord des Alpes et descendant vers les régions du sud de la France en direction de la mer.

trampoline n. m. Sorte de tremplin sur lequel on exécute des sauts et des figures acrobatiques.

Le trampoline s'est développé dans les années 1930. La toile élastique est fixée par de gros ressorts à un cadre métallique. Il existe des championnats nationaux et internationaux de trampoline. Les programmes des concurrents sont composés de figures imposées et de figures libres. La discipline a été inscrite aux jeux Olympiques en l'an 2000.

tramway n. m. Moyen de transport en commun composé de voitures électriques circulant sur des rails, utilisé dans certaines villes.
Mot anglais qui se prononce [tʀamwɛ]. **En abrégé : tram.**

tranchant, ante adj. et n. m.
• adj. *1* Qui est effilé et qui peut couper. *Les couteaux, les ciseaux sont des instruments tranchants. 2* Au figuré. Qui est sec et catégorique, sans réplique, cassant. *Il donne des ordres d'un ton tranchant.*
• n. m. Côté effilé et coupant d'un outil, d'un instrument servant à trancher. *Le tranchant d'un couteau.*

tranche n. f. ➜ **trancher.**

tranchée n. f. Sorte de fossé creusé dans le sol pour y installer des fondations, des canalisations.

trancher v. ➜ conjug. **aimer.** *1* Couper à l'aide d'un instrument tranchant. *Il a tranché les cordes qui immobilisaient le prisonnier. 2* Décider de façon nette, catégorique, définitive. *Chacun a donné son avis, il est temps de trancher. 3* Se détacher de façon nette. *Le jaune vif de son foulard tranche sur sa veste noire.*
Pour faire des bons sandwichs, il suffit de quelques **tranches** *de pain et de saucisson*, des morceaux de pain et de saucisson que l'on a tranchés (*1*).

tranquille adj. *1* Qui n'est pas troublé par le bruit, par l'agitation. *Une rue tranquille. 2* Qui n'est pas très remuant, ni très bruyant. *Un garçon très tranquille. 3* Qui n'éprouve pas d'inquiétude. *Avoir l'esprit tranquille. 4* Laisser quelqu'un tranquille : éviter de le déranger ou de l'ennuyer. *Laissez-moi tranquille, je réfléchis !*

Synonymes : calme, paisible (*1* et *2*), sage (*2*).
Les enfants discutent **tranquillement**, *d'une manière tranquille (2). Il aime savourer la* **tranquillité** *des soirs d'été sur la plage, leur caractère tranquille (1).*

tranquillisant n. m. Médicament destiné à calmer une personne qui souffre d'angoisses.

tranquilliser v. ➜ conjug. **aimer.** Rassurer. *Tu devrais téléphoner à tes parents pour les tranquilliser.*

tranquillité n. f. ➜ **tranquille.**

trans– préfixe. Signifie « à travers » ou « au-delà ». *Une matière transparente.*

transaction n. f. Opération concernant des échanges commerciaux ou boursiers.

transalpin, ine adj. Qui est au-delà des Alpes.

1. transat n. m. Familier. Chaise longue en toile.
On prononce [tʀãzat].

2. transat n. f. Course de voiliers traversant l'Atlantique.
On prononce [tʀãzat].

transatlantique adj. et n. m.
• adj. Qui traverse l'océan Atlantique. *Une course transatlantique.*
• n. m. Paquebot transatlantique.

transcrire v. ➜ conjug. **écrire.** Reproduire un texte en se servant d'un système d'écriture différent. *Transcrire un mot français en caractères chinois.*
La **transcription** *phonétique d'un mot*, le fait de le transcrire en caractères phonétiques.

transe n. f. *1* Être dans les transes : être dans un état d'angoisse, de vive anxiété. *2* Être en transe : être surexcité au point de perdre le contrôle de soi-même.

transept n. m. Dans une église, partie transversale croisant la nef au niveau du chœur.
On prononce [tʀãsɛpt].

transférer v. ➜ conjug. **digérer.** Déplacer, transporter d'un lieu à un autre. *Transférer un prisonnier.*
Les pompiers ont assuré le **transfert** *des blessés jusqu'à l'hôpital*, ils les y ont transférés.

transfigurer v. ➜ conjug. **aimer.** Transformer en donnant une beauté éclatante et inhabituelle.

transformateur n. m. Appareil qui sert à modifier la tension du courant électrique.

transformation n. f. *1* Action de transformer ou de se transformer. *La transformation de l'eau en glace.* *2* Changement, modification, aménagement. *Avant de nous installer dans cette maison, nous allons faire des transformations.*

transformer v. → conjug. **aimer.** *1* Donner une forme, un aspect différents. *Il a transformé le grenier en salle de jeux. La chenille se transforme en chrysalide, puis en papillon. 2 Transformer un essai :* au rugby, envoyer le ballon au-dessus de la barre entre les poteaux du but adverse, après avoir marqué un essai.

transfusion n. f. Opération qui consiste à injecter dans les veines d'un malade ou d'un blessé du sang prélevé sur une autre personne.

transgresser v. → conjug. **aimer.** Ne pas respecter une règle, une obligation, une loi. *Cet officier a transgressé les ordres.*
    Vous risquez des sanctions en cas de transgression du règlement, si vous le transgressez.

transhumance n. f. Déplacement des troupeaux que l'on conduit vers les lieux où ils peuvent paître, suivant les saisons.

transi, ie adj. Qui est engourdi, paralysé par le froid. *Les alpinistes ont été retrouvés, affamés et transis.*

transiger v. → conjug. **ranger.** Arriver à un accord en faisant des concessions réciproques.

transistor n. m. Poste de radio portatif.

transiter v. → conjug. **aimer.** Faire un arrêt dans un pays, au cours d'un voyage, sans y rester et sans passer par la douane.
    Pendant l'escale à Rome, les voyageurs pour Tunis sont restés en transit, ils ont transité par Rome.

transitif, ive adj. Qualifie un verbe qui peut avoir un complément d'objet. *« Regarder », « écouter » sont des verbes transitifs.*
Contraire : intransitif.

transition n. f. Passage d'un état à un autre. *Le temps doux des soirées fait la transition entre la chaleur du jour et le froid de la nuit.*
    Nous avons adopté une solution transitoire, qui sert de transition, provisoire.

translucide adj. Qui n'est pas complètement transparent.
Contraire : opaque.

transmettre v. → conjug. **mettre.** *1* Faire passer, faire parvenir, communiquer. *Transmettre un message, une nouvelle, des ordres. 2 Se transmettre :* se propager. *Ce virus se transmet par la salive.*
    Une maladie transmissible est une maladie qui se transmet (2), qui est contagieuse. Une panne d'ordinateur a interrompu la transmission de mon message, l'action de le transmettre (*1*).

transparaître v. → conjug. **connaître.** Être visible, se montrer, apparaître. *L'embarras transparaissait sur son visage.*

transparent, ente adj. Qui est facilement traversé par la lumière et laisse voir distinctement les choses. *Du plastique, du verre, du papier transparents.*
    La transparence d'un verre, son aspect transparent.

transpercer v. → conjug. **tracer.** *1* Percer de part en part. *2* Passer au travers, traverser. *La pluie transperce son manteau usé.*

transpirer v. → conjug. **aimer.** Éliminer de la sueur par les pores. *Cette chaleur me fait transpirer.*
    La transpiration, c'est le fait de transpirer, la sueur.

transplanter v. → conjug. **aimer.** *1* Déterrer une plante pour la replanter dans un autre endroit. *2* Greffer un organe sain dans le corps d'une personne malade. *Transplanter un cœur, un rein.*
    Les transplantations d'organes sont des opérations délicates, l'action de les transplanter (*2*).

transport n. m. *1* Action de transporter. *Camion aménagé pour le transport des fruits. 2* Au pluriel. Ensemble des moyens qui servent à transporter des personnes ou des marchandises. *Les transports en commun.*

transporter v. → conjug. **aimer.** Porter d'un endroit à un autre. *Ce bateau transporte des céréales.*
    Ce blessé grave n'est pas transportable, on ne peut pas le transporter. *Ces meubles seront livrés par un transporteur,* une personne dont le métier consiste à transporter des marchandises.

transvaser v. → conjug. **aimer.** Verser un liquide d'un récipient dans un autre récipient. *Transvaser le vin d'une bouteille dans une carafe.*

transversal, ale, aux adj. Qui coupe, qui traverse. *Une rue transversale.*

trapèze n. m. *1* Figure géométrique qui a quatre côtés dont deux sont parallèles. *2* Appareil de gymnastique formé d'une barre suspendue à deux cordes.
    Les trapézistes, les acrobates qui font du trapèze (*2*).

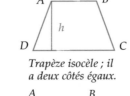

Trapèze isocèle ; il a deux côtés égaux.

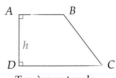

Trapèze rectangle ; il a deux angles droits.

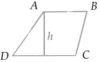

Trapèze quelconque ; deux de ses côtés opposés sont parallèles.

L'aire du trapèze est égale à la demi-somme des bases multipliée par la hauteur :
$$\text{aire } ABCD = \frac{CD + BA}{2} \times h$$

trappe n. f. *1* Ouverture faite dans un plancher ou un plafond et qui se ferme par un panneau mobile. *2* Piège formé d'un trou recouvert de branchages pour capturer des animaux sauvages.

trappeur n. m. Chasseur qui capture des animaux pour vendre leur fourrure, en Amérique du Nord.

trapu, ue adj. Qui est petit avec un corps massif.

traquenard n. m. Piège, guet-apens. *Tomber dans un traquenard. Tendre un traquenard.*

traquer v. → conjug. **aimer.** Poursuivre, pourchasser avec acharnement. *Le chasseur traque le gibier.*

traumatisme n. m. *1* Trouble physique causé par un choc, par un coup. *Un traumatisme crânien.* *2* Trouble psychologique dû à un violent choc affectif. *La perte de son emploi l'a complètement traumatisé, elle lui a causé un traumatisme (2).*

travail, aux n. m. *1* Occupation, activité qui permet de gagner de l'argent pour vivre. *Chercher, trouver du travail. Perdre son travail.* *2* Activité, effort faits pour atteindre un but. *Ce projet a demandé plusieurs mois de travail.* *3* Activité scolaire, devoirs et leçons. *L'institutrice nous a donné du travail pour demain.* *4* Au pluriel. Ensemble d'opérations effectuées pour réparer, aménager, construire. *Des travaux sont prévus pour rénover cet immeuble.* *5* Au pluriel. Recherches. *Ce nouveau médicament est le résultat de plusieurs années de travaux.*

travailler v. → conjug. **aimer.** *1* Avoir une activité professionnelle, un métier. *Il a commencé à travailler comme apprenti.* *2* Fournir des efforts pour obtenir un résultat. *Tout le monde a travaillé pour organiser cette fête.* *3* Agir sur une chose, une matière pour la modifier, la rendre utile. *Cet artisan travaille le cuir.* *4* Se déformer. *Le bois travaille sous l'action de la chaleur.*

travailleur, euse adj. et n.
• adj. Qui aime le travail. *Une élève travailleuse.*
Contraire : paresseux.
• n. Personne qui travaille, qui exerce un métier. *Un travailleur manuel. Des travailleurs immigrés.*

travée n. f. Rangée de bancs, de sièges.

travers n. m. *1* Trait de caractère un peu bizarre, inhabituel. *Elle est très maniaque, mais ce n'est qu'un petit travers.* *2* À travers : en traversant, en passant au milieu. *Il avance péniblement à travers les broussailles. On ne voit pas la route à travers le brouillard.* *3* De travers : qui n'est pas droit, ou, au figuré, qui est incorrect. *Le pied de ta chaise est posé de travers. Il a répondu de travers.* *4* En travers : dans le sens de la largeur. *Un arbre est tombé en travers de la route.* *5* Passer au travers de quelque chose : échapper à quelque chose de dangereux, de désagréable ou d'ennuyeux.

traverse n. f. *1* Barre de bois ou de métal placée en travers d'une voie ferrée pour maintenir l'écartement des rails. *2* Chemin de traverse : raccourci.

traverser v. → conjug. **aimer.** *1* Aller d'un côté, d'un bord à l'autre. *Traverser une rue, un désert.* *2* Passer au travers. *La plume du stylo a traversé le papier.*
Synonymes : franchir (1), transpercer (2).
   Il voudrait faire la traversée *de la Manche à la nage, le trajet pour la traverser (1).*

traversin n. m. Coussin long et cylindrique qui a la même largeur que le lit.

se travestir v. → conjug. **finir.** Se déguiser. *Pour le défilé du carnaval, tous les enfants se sont travestis.*

trayeuse n. f. Machine pour traire les vaches.

trébucher v. → conjug. **aimer.** Perdre l'équilibre en faisant un faux pas. *Il a trébuché sur le bord du trottoir.*

trèfle n. m. *1* Plante dont les feuilles sont formées de trois parties. *2* Dans un jeu de cartes, couleur représentant un trèfle noir.

Il existe environ 250 espèces de trèfles. Le trèfle des prés est le plus courant. Ses feuilles sont composées de trois folioles, parfois de quatre (c'est le fameux trèfle à quatre feuilles, dont la tradition veut qu'il porte bonheur). Plusieurs espèces de trèfles sont cultivées comme fourrage pour le bétail.

treillage n. m. Assemblage de lattes croisées, placé verticalement. *Des rosiers grimpent le long du treillage.*

treille n. f. Vigne que l'on fait pousser le long d'un mur ou d'un treillage.

treillis n. m. *1* Réseau de lattes ou de fils entrecroisés formant un grillage, une clôture. *2* Tenue militaire en toile épaisse.

TREIZE
S'écrit **XIII** en chiffres romains.

• adj. inv. Dix plus trois. *Vous pouvez passer me voir entre midi et* **treize** *heures.*
• n. m. inv. Le chiffre ou le nombre treize. *Il a misé sur le* **treize**, *car il pense que cela porte bonheur.*

treizième
• adj. et n. Qui occupe le rang ou la place numéro 13 dans une série. *Il est assis au treizième rang. Elle est la* **treizième** *du classement.*
• n. m. Chaque partie d'un tout qui a été divisé par treize. *Un* **treizième** *ou 1/13.*

tréma n. m. Signe formé de deux points qui se place sur le « e », le « i » ou le « u » pour indiquer qu'on prononce séparément la voyelle d'avant. *On met un tréma sur « maïs ».*

tremblant, ante adj. → trembler.

tremble n. m. Peuplier dont le feuillage léger tremble au moindre souffle de vent.

tremblement n. m. *1* Mouvement involontaire qui secoue le corps ou une partie du corps. *2 Tremblement de terre :* secousse brusque qui fait trembler la terre. **Synonyme : séisme (2).**

trembler v. → conjug. **aimer.** *1* Être pris de tremblements. *Trembler de froid, de fièvre.* *2* Être agité par des secousses. *La terre a tremblé plusieurs fois dans cette région.* *3* Au figuré. Avoir très peur. *Ils tremblent en pensant à la guerre qui menace le pays.*

> Après cette émotion, elle a les jambes **tremblantes**, les jambes qui tremblent (*1*). *Le vieillard a les mains qui **tremblotent**,* qui tremblent (*1*) légèrement.

trémolo n. m. Tremblement de la voix provoqué par une émotion réelle ou simulée.

se trémousser v. → conjug. **aimer.** Bouger son corps dans tous les sens. *Les danseurs se trémoussent.*

trempe n. f. Fermeté, énergie, force morale. *Un homme de sa trempe ne se laisse jamais aller.*

trempé, ée adj. *1* Très mouillé. *Ses vêtements sont trempés.* *2 Acier trempé :* acier durci par un traitement spécial. *3 Caractère bien trempé :* caractère ferme, énergique.

tremper v. → conjug. **aimer.** *1* Mouiller, imbiber. *La sueur avait trempé sa chemise.* *2* Plonger dans un liquide. *Tremper un pinceau dans l'eau.* *3* Baigner dans un liquide. *Faire tremper du linge.* *4* Être mêlé à quelque chose de malhonnête, d'illégal. *Tremper dans un chantage.*

tremplin n. m. Planche sur laquelle on prend appui pour sauter ou pour plonger.

trépasser v. → conjug. **aimer.** Littéraire. Mourir.
> *Il est passé de vie à **trépas**,* il a trépassé.

trépidant, ante adj. Très agité. *La vie trépidante des grandes villes.*

trépider v. → conjug. **aimer.** Être agité de secousses, de tremblements. *Le plancher s'est mis à trépider quand le train a accéléré.*

> On sent les **trépidations** du sol au passage du métro, on sent le sol trépider.

trépied n. m. Support à trois pieds. *Le photographe pose son appareil sur un trépied.*

trépigner v. → conjug. **aimer.** Frapper des pieds par terre avec nervosité, avec excitation.

très adv. À un degré très élevé. *Elle est très intelligente. Il est très tard. Je suis très en colère contre toi.* **Synonyme : extrêmement. Homonyme : trait.**

trésor n. m. *1* Ensemble d'objets précieux. *Chercher un trésor.* *2 Trésor public :* ensemble des services administratifs chargés de gérer les finances d'un État. *Payer ses impôts au Trésor public.*

trésorerie n. f. Argent dont dispose une entreprise pour pouvoir assurer ses dépenses.

> Le **trésorier** d'une association est la personne chargée de gérer sa trésorerie.

tressaillir v. → conjug. **assaillir.** Avoir le corps secoué d'un mouvement brusque et involontaire. *Le bruit le plus léger le fait tressaillir.*

> Quand il s'est cogné, il a eu un **tressaillement** de douleur, il a tressailli.

tresser v. → conjug. **aimer.** *1* Entrelacer trois longues mèches de cheveux qui tiennent ensemble. *Ma petite sœur ne sait pas encore tresser ses cheveux.* *2* Confectionner un objet en entrecroisant des fils, des brins de paille, des branches, etc. *Tresser une couronne, un panier, une corbeille.*

> Elle porte une longue **tresse** dans le dos, des mèches de cheveux tressées (*1*).

TRENTE
S'écrit XXX en chiffres romains.

- adj. inv. Trois fois dix. *Il habite ici depuis **trente** ans.*
- n. m. inv. Le chiffre ou le nombre trente. *Le **trente** du mois.*

- n. m. Chaque partie d'un tout qui a été divisé par trente. *Un **trentième** ou 1/30.*

trentième
- adj. et n. Qui occupe le rang ou la place numéro 30 dans une série. *On fête aujourd'hui le **trentième** anniversaire de ce festival.*

trentaine
- n. f. *1* Ensemble formé de plus ou moins trente personnes ou choses. *Il reste une **trentaine** de places assises.* *2* Âge d'environ trente ans. *Elle approche de la **trentaine**.*

tréteau, eaux n. m. Support formé d'une barre horizontale fixée sur quatre pieds.

treuil n. m. Cylindre autour duquel s'enroule un câble pour tirer, soulever ce qui pèse très lourd.

trêve n. f. *1* Arrêt temporaire pendant un combat, une guerre. *2 Sans trêve :* sans s'arrêter. *Ils ont combattu l'incendie sans trêve pendant plusieurs jours.*

tri n. m., **triage** n. m. → **trier**.

triangle n. m. *1* Figure géométrique à trois côtés. *2* Instrument de musique formé d'une tige d'acier repliée en triangle sur laquelle on frappe à l'aide d'une baguette.
Le voilier est décoré de petits drapeaux triangulaires, en forme de triangle (*1*).

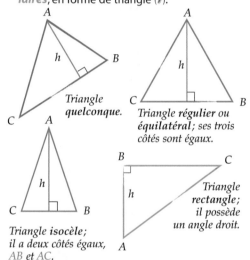

Triangle quelconque.

Triangle régulier ou équilatéral ; ses trois côtés sont égaux.

Triangle isocèle ; il a deux côtés égaux, AB et AC.

Triangle rectangle ; il possède un angle droit.

La somme des angles d'un triangle est égale à un angle plat soit, 180°. L'aire d'un triangle est égale au demi-produit de la base par la hauteur : $$\text{aire } ABC = \frac{BC \times h}{2}$$

tribord n. m. Côté droit d'un bateau, quand on regarde vers l'avant. *Virer à tribord.*
Contraire : bâbord.

tribu n. f. Ensemble de familles vivant généralement sous l'autorité d'un chef. *Les tribus indiennes d'Amérique.*
Homonyme : tribut.

tribulations n. f. pl. Suite d'aventures, de péripéties diverses. *Ils rentrent au port après bien des tribulations.*

tribunal, aux n. m. *1* Lieu où siègent les magistrats qui rendent la justice. *Les journalistes attendent à la porte du tribunal. 2* Ensemble des magistrats chargés de rendre la justice. *L'avocat plaide devant le tribunal.*

tribune n. f. *1* Endroit surélevé d'où un orateur parle au public. *2* Gradins réservés aux spectateurs. *Les tribunes d'un stade, d'un champ de courses.*

tribut n. m. Ce que l'on est obligé de payer ou de subir. *Payer un tribut au vainqueur.*
Homonyme : tribu.

tributaire adj. Qui est dépendant de quelqu'un ou de quelque chose. *Les pays pauvres sont tributaires des pays riches et développés.*

tricératops n. m. Reptile préhistorique appartenant à la famille des dinosaures.

tricher v. → conjug. **aimer.** Ne pas respecter les règles d'un jeu, d'un sport. *Tricher aux cartes.*
Tu as joué avant ton tour, c'est de la **triche,** *tu as triché. Il a remporté la partie sans* **tricherie,** *sans avoir triché. Je refuse de jouer aux cartes avec des* **tricheurs,** *des personnes qui trichent.*

tricolore adj. *1* Qui a trois couleurs. *La circulation est réglée par des feux tricolores. 2* Qui est aux trois couleurs de la France. *Le drapeau tricolore.*

tricot n. m. *1* Action de tricoter. *Elle apprend à faire du tricot. 2* Vêtement tricoté. *Un tricot de laine.*

tricoter v. → conjug. **aimer.** Faire un vêtement en formant des mailles avec des fils de laine à l'aide de grandes aiguilles. *Tricoter un pull.*

tricycle n. m. Petit vélo muni d'une roue avant et de deux roues arrière.

trident n. m. Fourche à trois pointes.

trier v. → conjug. **modifier.** *1* Choisir les choses les meilleures et éliminer les choses inutiles, abîmées. *Trier les cerises avant de les manger. 2* Classer, répartir en plusieurs groupes les différents éléments d'un ensemble. *Trier le courrier.*
Il a sorti toutes ses affaires pour faire un **tri,** *pour les trier (1 et 2). Une gare de* **triage** *est une gare où on trie (2) les wagons.*

trilingue adj. Qui parle trois langues.

trilobite n. m. Animal marin fossile.

trimaran n. m. Voilier dont la coque centrale est reliée à deux coques parallèles plus petites.

trimbaler v. → conjug. **aimer.** Familier. Transporter partout avec soi. *Trimbaler un gros sac.*

trimer v. → conjug. **aimer.** Familier. Travailler en se donnant beaucoup de peine. *Il a trimé des années pour s'acheter cette maison.*

trimestre n. m. Période de trois mois. *Une année est divisée en quatre trimestres.*

Les membres du club se retrouvent à l'occasion des réunions *trimestrielles*, tous les trimestres.

tringle n. f. Tige métallique pour suspendre des objets. *Tringle à rideaux.*

Trinité-et-Tobago

République des Petites Antilles. L'archipel de Trinité-et-Tobago est composé d'îles montagneuses, dont les principales sont Trinité, qui rassemble la majeure partie de la population, et Tobago. Le climat est tropical. L'économie repose surtout sur l'exploitation du pétrole et du gaz naturel.

Les îles de Trinité-et-Tobago sont découvertes par Christophe Colomb en 1498. Convoitées par les Espagnols, les Hollandais, les Français et les Britanniques, elles sont cédées à la Grande-Bretagne au début du XIXᵉ siècle. Réunies en 1889, elles sont indépendantes et membres du Commonwealth depuis 1962.

5 130 km²
1 298 000 habitants :
les Trinidadiens
Langues : anglais, hindi
Monnaie : dollar de Trinité-et-Tobago
Capitale : Port of Spain

trinquer v. → conjug. **aimer.** Boire ensemble après avoir heurté légèrement son verre contre les verres des autres convives. *Trinquer à la réussite d'un projet.*

trio n. m. *1* Groupe de trois musiciens jouant ensemble. *2* Groupe de trois personnes. *Ils ne se quittent jamais et forment un fameux trio !*

triomphal, ale, aux adj. Qui est plein d'éclat, d'enthousiasme. *Un accueil triomphal.*
Le champion a été reçu *triomphalement* dans son pays, de façon triomphale, avec éclat.

triomphant, ante adj. → triompher.

triomphe n. m. *1* Victoire remarquable ou succès éclatant. *Cette athlète a remporté un triomphe aux jeux Olympiques. 2* Porter quelqu'un en triomphe : le soulever et le porter pour qu'il soit acclamé par la foule.

triompher v. → conjug. **aimer.** *1* Vaincre, l'emporter. *Triompher d'un adversaire. Triompher de toutes les difficultés. 2* Manifester sa joie d'avoir gagné. *Il est*

trop tôt pour triompher, ne crions pas encore victoire !
Il nous a annoncé sa victoire avec un sourire *triomphant*, exprimant la joie d'avoir triomphé (*1*).

tripes n. f. pl. Parties de l'estomac et de l'intestin d'un ruminant dont on fait des plats cuisinés. *Manger des tripes.*
Les *tripiers* sont des commerçants qui vendent des tripes et des abats. *Une triperie* est un commerce tenu par un tripier ou une tripière.

triple adj. et n. m.
● adj. Qui comporte trois éléments. *Un bracelet à triple rang de perles.*
● n. m. Quantité trois fois plus grande. *Ce meuble est vendu le triple de sa valeur réelle.*
En un an sa fortune a *triplé*, elle est devenue le triple de celle qu'il possédait il y a un an.

triplés, ées n. pl. Trois enfants qui naissent au cours d'un même accouchement.

tripoter v. → conjug. **aimer.** Familier. Toucher, manipuler quelque chose de façon machinale ou peu délicate. *Arrête de tripoter les boutons de la télé !*

triptyque n. m. Œuvre littéraire ou artistique qui comporte trois parties.

trique n. f. Gros bâton, gourdin. *Frapper quelqu'un à coups de trique.*

triste adj. *1* Qui éprouve du chagrin. *Il est triste de quitter ses amis. 2* Qui cause du chagrin. *Une histoire triste.*
Synonyme : **malheureux** (*1*). Contraires : **content, gai, joyeux** (*1*), **heureux** (*1* et *2*).
Il nous a souri *tristement*, d'un air triste (*1*). Depuis la mort de sa femme, il est plongé dans la *tristesse*, dans un état triste.

triton n. m. Amphibien à queue aplatie, qui ressemble à une salamandre.

Les tritons mesurent entre 6 et 18 cm. Leur peau est rugueuse. Ils partagent leur vie entre les mares, les étangs et la terre ferme, où ils passent l'hiver. Ce sont des carnivores qui se nourrissent d'invertébrés, parfois de petits têtards et de poissons.

triturer v. → conjug. **aimer.** Tordre entre les doigts. *Triturer de la pâte à modeler.*

trivial, ale, aux adj. Vulgaire, choquant, de mauvais goût. *Une plaisanterie triviale.*
Il a été choqué par la *trivialité* de ce roman, par son caractère trivial, sa vulgarité.

troc n. m. Échange d'un objet contre un autre. *Le troc est une forme primitive de commerce.*

Il a **troqué** son stylo contre ma casquette, il l'a échangé en faisant un troc.

troène n. m. Arbuste à fleurs blanches odorantes souvent utilisé pour les haies.

troglodyte n. m. Personne qui vit dans une grotte, une caverne, une habitation creusées dans la roche.

trognon n. m. Partie non comestible d'un fruit, d'un légume. *Un trognon de pomme, de chou.*

Troie

Ancienne ville d'Asie Mineure, située au nord-ouest de la Turquie actuelle. Troie est citée dans des poèmes épiques tel l'*Iliade* d'Homère. La guerre de Troie, conflit entre les Grecs et les Troyens, dure dix ans. Le « cheval de Troie » en est un célèbre épisode : pour s'emparer de la ville, les guerriers grecs, sous la direction d'Ulysse, se dissimulent dans un gigantesque cheval de bois, qui leur permet de pénétrer dans la cité et de surprendre leurs adversaires. Troie a longtemps été considérée comme une cité légendaire, jusqu'à ce que l'archéologue allemand H. Schliemann, au XIXᵉ siècle, en découvre les vestiges.

troïka n. f. Traîneau russe tiré par trois chevaux attelés de front.

TROIS

S'écrit **III** en chiffres romains.

- adj. inv. Deux plus un. *Il vit ici depuis trois ans.*
- n. m. inv. Le chiffre ou le nombre trois. *Diviser une somme par trois.*

troisième

- adj. et n. Qui occupe le rang ou la place numéro 3 dans une série. *C'est la troisième fois que je le vois. Il habite au troisième.*
- n. f. Quatrième année de l'enseignement secondaire.

***Regarde aussi* tiers.**

trois-mâts n. m. Voilier à trois mâts.

trolleybus n. m. Autobus équipé de perches mobiles qui le relient à une ligne électrique aérienne. **On prononce [trɔlɛbys]. En abrégé : trolley.**

trombe n. f. **1** Averse très violente. *Des trombes d'eau.* **2** En trombe : très rapidement. *Démarrer en trombe.*

trombone n. m. **1** Instrument de musique à vent, appartenant à la catégorie des cuivres. **2** Attache faite d'un fil métallique replié en boucles, destinée à assembler des papiers.

trompe n. f. **1** Partie mobile qui prolonge le nez d'un éléphant. *Grâce à sa trompe, l'éléphant attrape les feuillages des hautes branches.* **2** Cor de chasse.

trompe-l'œil n. m. inv. Peinture réalisée avec des effets de perspective pour donner l'illusion de la réalité.

tromper v. → conjug. **aimer.** **1** Trahir la confiance de quelqu'un, l'induire en erreur. *Cet homme d'affaires a trompé ses associés.* **2** Être infidèle à son conjoint. *Elle a divorcé parce que son mari la trompait.* **3** Se tromper : commettre une erreur. *Cette addition est fausse, je me suis trompé. Se tromper d'adresse.*

Il m'a vendu très cher un appareil de mauvaise qualité, c'est de la **tromperie**, il m'a trompé (**1**). *Ses belles promesses sont* **trompeuses**, destinées à tromper (**1**).

trompette n. f. **1** Instrument de musique à vent muni de pistons. **2** Nez en trompette : retroussé.

Il est **trompettiste** dans un orchestre de jazz, il joue de la trompette.

trompette-de-la-mort n. f. **Plur. : des trompettes-de-la-mort.** Petit champignon.

La trompette-de-la-mort se présente comme un entonnoir creux de 5 à 10 cm de haut. Elle est de couleur grisâtre ou noire et dégage une odeur agréable. Elle pousse en touffes dans les lieux humides. On dit aussi trompette-des-morts. Malgré ces noms, c'est un champignon comestible très apprécié.

trompettiste n. → trompette.

trompeur, euse adj. → tromper.

tronc n. m. **1** Partie d'un arbre comprise entre ses racines et ses branches les plus basses. **2** Partie du corps qui porte la tête et les membres. **3** Boîte munie d'une fente dans laquelle on dépose ses offrandes dans une église.

tronçon n. m. **1** Morceau coupé d'un objet plus long que large. *Débiter un tronc d'arbre en tronçons.* **2** Partie d'une route.

Tronçonner des branches, les découper en tronçons (**1**). *Les bûcherons utilisent des* **tronçonneuses**, *des machines qui servent à tronçonner (**1**) le bois.*

trône n. m. *1* Siège de cérémonie réservé aux souverains. *2* Pouvoir appartenant à un roi, à un souverain. *Le fils aîné du roi est l'héritier du trône.*

trôner v. → conjug. **aimer.** *1* Occuper la place d'honneur. *Le chef de famille trône dans son fauteuil.* *2* Être placé en vue pour être admiré. *Une pendule ancienne trônait sur la cheminée.*

tronquer v. → conjug. **aimer.** Supprimer, couper quelque chose d'important. *Tronquer un texte.*

trop adv. *1* Plus qu'il ne faut, à un degré excessif. *Cet exercice est trop difficile. Il travaille trop.* *2* En trop : plus que ce qui est nécessaire. *Je ne peux pas fermer cette valise, il y a des affaires en trop.*
Homonyme : trot.

trophée n. m. Objet que l'on remet à quelqu'un en souvenir, en témoignage d'une victoire.

tropique n. m. *1* Chacun des deux cercles imaginaires qui font le tour du globe terrestre et qui sont situés de part et d'autre de l'équateur. *Le tropique du Cancer et le tropique du Capricorne.* *2* Au pluriel. Régions situées dans la zone délimitée par les deux tropiques.
Le climat tropical *est chaud et humide, de la région des tropiques.*

trop–plein n. m. **Plur. : des trop-pleins.** *1* Quantité de liquide qui est en trop. *Le bassin a débordé et le trop-plein d'eau s'est déversé tout autour.* *2* Dispositif d'écoulement qui permet d'évacuer l'eau qui est en trop dans un récipient, un réservoir.

troquer v. → **troc.**

trotter v. → conjug. **aimer.** *1* Courir d'une allure intermédiaire entre le pas et le galop, en parlant du cheval. *2* Se déplacer à petits pas rapides. *Mon petit frère trotte dans toute la maison.* *3* Avoir quelque chose qui revient sans arrêt à l'esprit. *Ce projet me trotte dans la tête.*
Le cheval dispute une course de trot*, en trottant* (*1*). *Cet entraîneur élève des* trotteurs*, des chevaux spécialement dressés à trotter* (*1*).

trotteuse n. f. Aiguille qui marque les secondes.

trottiner v. → conjug. **aimer.** Marcher à petits pas rapides. *Elle trottine derrière sa mère.*

trottinette n. f. Jouet composé d'une planchette munie d'une roue arrière et d'une roue avant qui se manœuvre avec un guidon.

trottoir n. m. Partie surélevée de chaque côté de la chaussée, réservée aux piétons.

trou n. m. *1* Creux, cavité. *Creuser des trous dans le sable.* *Théodule n'a pas vu le trou, il est tombé dedans.* *2* Ouverture, partie vide. *Les trous d'une passoire. Faire un trou dans un mur.* *3* Déchirure, accroc. *Elle a fait un trou à sa jupe.*
En grimpant aux arbres, il a troué *son pantalon*, il a fait un trou (*3*).

troubadour n. m. Au Moyen Âge, poète qui composait et chantait ses œuvres en langue d'oc.

troublant, ante adj. → **troubler.**

trouble adj., adv. et n. m.
• adj. *1* Qui n'est pas limpide. *L'eau de la mare est trouble.* *2* Qui manque de netteté. *Quand l'image devient trouble, il faut vérifier le réglage du téléviseur.* *3* Louche, suspect. *Une affaire trouble.*
Contraire : clair.
• adv. *Voir trouble :* ne pas voir distinctement, voir flou.
• n. m. *1* État d'inquiétude, de malaise, d'embarras. *Elle essaie de cacher son trouble.* *2* Au pluriel. Perturbation du fonctionnement d'un organe. *Il a des troubles respiratoires.* *3* Au pluriel. Agitation sociale, révolte, émeute. *Des opposants politiques ont provoqué des troubles.*

trouble–fête n. m. inv. Personne qui trouble le plaisir des autres. *Jouer les trouble-fête.*
Synonyme : rabat-joie.

troubler v. → conjug. **aimer.** *1* Rendre trouble. *De la boue trouble l'eau du ruisseau.* *2* Déranger, perturber, gêner. *Des intrus ont troublé cette réception.* *3* Impressionner, intimider, déconcerter. *Le regard sévère de l'examinateur trouble les candidats.*
Le détective enquête sur une affaire troublante*, une affaire qui trouble* (*3*)*, qui est déconcertante, inquiétante.*

trouée n. f. Large ouverture par laquelle on peut passer ou apercevoir quelque chose.

trouer v. → **trou.**

troupe n. f. *1* Groupe de personnes ou d'animaux. *Une troupe joyeuse d'invités entoure les mariés.* *2* Groupe d'artistes qui interprètent ensemble un spectacle. *3* Groupe de combattants. *Une troupe de maquisards.* *4* Ensemble organisé de soldats. *Des troupes gardent la frontière.*

troupeau, eaux n. m. Groupe d'animaux, domestiques ou sauvages, vivant ensemble.

trousse n. f. *1* Étui qui sert à ranger et à transporter les objets dont on a besoin. *Une trousse de toilette.* *2* Aux trousses de quelqu'un : à sa poursuite. *Le suspect a la police à ses trousses.*

trousseau, eaux n. m. *1* Ensemble des affaires nécessaires à un enfant qui part en pension, en colonie de vacances. *2* Trousseau de clefs : clefs réunies par un anneau.

trouvaille n. f. Chose intéressante que l'on découvre par hasard. *Elle fait toujours des trouvailles chez les brocanteurs.*

trouver v. → conjug. **aimer**. *1* Voir quelqu'un ou quelque chose que l'on cherchait. *J'ai trouvé mes clefs dans le fond de mon panier. 2* Découvrir par hasard. *Il a trouvé un billet de 10 euros dans la rue. 3* Faire une découverte. *Trouver un nouveau médicament. 4* Estimer, juger, penser. *Je trouve ce film très amusant. 5* Éprouver tel ou tel sentiment. *Elle trouve beaucoup de plaisir à faire la cuisine. 6 Se trouver :* être placé, situé à tel ou tel endroit. *La gare se trouve à l'autre bout de la ville. 7 Se trouver mal :* s'évanouir. **Synonyme : découvrir (***1, 2* et *3*). **Contraire : perdre (***2*).

trouvère n. m. Au Moyen Âge, poète qui composait et chantait ses œuvres en langue d'oïl.

> ## Troyes
>
> **V**ille française de la Région Champagne-Ardenne, située sur les bords de la Seine. Troyes est un centre administratif, commercial et industriel, renommé pour sa bonneterie. La ville abrite notamment la cathédrale Saint-Pierre-et-Saint-Paul (XIIIe-XVIe siècles), l'église Saint-Urbain (XIIIe siècle). Siège de la tribu gauloise des *Tricasses* (d'où elle tire son nom), puis cité romaine, la ville devient capitale des comtes de Champagne au XIIe siècle et connaît la prospérité grâce à ses grandes foires. Elle est rattachée à la France, avec la Champagne, en 1314.
>
> **10** *Préfecture de l'Aube*
> *62 612 habitants : les Troyens*

truand n. m. Malfaiteur, bandit, gangster.

truc n. m. Familier. *1* Procédé ingénieux. *Elle connaît un bon truc pour réussir la mayonnaise. 2* Objet quelconque. *Je me demande à quoi sert ce truc.* **Synonymes : astuce (***1*), **chose (***2*), **machin (***2*).

trucage n. m. → **truquage**.

truculent, ente adj. Qui est pittoresque et étonnant. *Obélix est un personnage truculent.*

truelle n. f. Outil de maçon constitué d'une lame plate et large fixée à un manche par une tige coudée.

truffe n. f. *1* Champignon noir qui pousse au pied des chênes, sous la terre, et qui est très recherché pour son goût parfumé. *2* Petit chocolat moelleux et fondant. *3* Bout du museau du chien et du chat.

truffé, ée adj. *1* Garni de truffes. *Du pâté truffé. 2* Au figuré. Rempli, plein, bourré. *Cette lettre est truffée de fautes d'orthographe.*

truie n. f. Femelle du porc.

truite n. f. Poisson de rivière ou de mer, de la même famille que le saumon, à la chair délicate.

truquage n. m. Procédé utilisé au cinéma pour créer un effet d'illusion. **On écrit aussi : trucage.**

truquer v. → conjug. **aimer**. Modifier quelque chose pour faire illusion ou pour tromper. *Des cartes truquées. Truquer les résultats des élections.*

trust n. m. Groupe d'entreprises qui a pour but de dominer totalement un secteur économique. **Mot anglais qui se prononce [trœst].**

tsar n. m. Titre porté par les empereurs de Russie.

tsé-tsé n. f. inv. Mouche africaine dont certaines espèces transmettent la maladie du sommeil.

La mouche tsé-tsé, qui vit près des lacs et des rivières d'Afrique centrale, mesure environ 2,5 cm. Elle est brune, avec des tâches jaunes sur l'abdomen. C'est un insecte piqueur qui se nourrit de sang. Par sa piqûre, elle peut transmettre un parasite qui provoque une maladie souvent mortelle, la « maladie du sommeil ».

tsigane adj. Qui se rapporte aux Tsiganes, peuple nomade qui s'est divisé, au cours des siècles, en plusieurs groupes : les Roms, les Manouches, les Gitans. **On écrit aussi : tzigane.**

tu pron. Pronom personnel de la deuxième personne du singulier qui a la fonction de sujet. *Tu es grand pour ton âge.*

tuant, ante adj. → **tuer**.

tuba n. m. *1* Gros instrument de musique à vent, muni de pistons et d'un large pavillon. *2* Tube utilisé pour respirer quand on nage la tête sous l'eau.

tube n. m. *1* Cylindre creux et allongé. *Un tube en verre, en plastique. 2* Emballage allongé fermé par un bouchon. *Un tube de dentifrice. 3* Familier. Chanson ou morceau de musique qui a beaucoup de succès. *Son disque est devenu le tube de l'été. 4 Tube digestif :* ensemble des conduits naturels qui servent au passage et à l'assimilation des aliments dans le corps.

tubercule n. m. Partie arrondie de la racine de certaines plantes. *La pomme de terre est un tubercule comestible.*

tuberculose n. f. Maladie contagieuse qui atteint principalement les poumons. *Le vaccin contre la tuberculose s'appelle le BCG.*

> Les sanatoriums étaient des établissements où l'on soignait autrefois les **tuberculeux**, les personnes atteintes de tuberculose.

tuer v. → conjug. **aimer**. *1* Faire mourir. *Le chasseur a tué plusieurs faisans.* *2* Causer la mort de quelqu'un. *Ce chauffard a tué un piéton.* *3* Familier. Épuiser. *Ce travail, cette chaleur me tue !* *4* Se tuer : se suicider. *5* Se tuer : mourir de façon accidentelle. *Il s'est tué en tombant du toit.* *6* Se tuer : se donner du mal. *Je me tue à lui expliquer toujours les mêmes choses.*

▸ *L'accident a fait plusieurs tués, plusieurs personnes ont été tuées (2). Ce voyage était tuant, il m'a tué (3). Ces bandes armées sont responsables d'épouvantables tueries, elles ont tué (2) avec sauvagerie un grand nombre de personnes.*

à tue-tête adv. D'une voix extrêmement forte. *Chanter à tue-tête.*

tueur, euse n. *1* Assassin, criminel, meurtrier. *On a arrêté le tueur en série.* *2* Tueur à gages : assassin qui se fait payer pour tuer quelqu'un.

tuile n. f. Plaque en terre cuite pour recouvrir les toits. *Le vent a arraché plusieurs tuiles.*

▸ *Une tuilerie est une fabrique de tuiles.*

tulipe n. f. Plante à bulbe qui donne une seule fleur.

tulle n. m. Tissu léger et transparent.

Tulle

Ville française de la Région Limousin, située sur la Corrèze. Tulle possède quelques industries. La ville conserve une cathédrale (XIIe-XIVe siècles) et des maisons du XVIe siècle. Elle s'est développée autour d'une abbaye bâtie vers le VIIe siècle. À la fin de la Seconde Guerre mondiale, Tulle est le théâtre d'une répression féroce : le 9 juin 1944, pour punir une action des résistants, les Allemands pendent 99 otages pris parmi les habitants.

19

Préfecture de la Corrèze
16 904 habitants : les Tullistes

tuméfié, ée adj. Enflé, gonflé. *Il s'est battu, il a les lèvres tuméfiées.*

tumeur n. f. Grosseur anormale qui se développe sur le corps ou à l'intérieur du corps.

tumulte n. m. Agitation accompagnée de cris. *Il est impossible de se parler dans ce tumulte.*
Synonymes : charivari, vacarme.

▸ *La discussion a été tumultueuse, accompagnée de tumulte.*

tumulus n. m. Amas de terre ou de pierres qui était élevé au-dessus d'une tombe.
On prononce [tymylys].

tuner n. m. Récepteur radio faisant partie d'une chaîne haute-fidélité.
Mot anglais qui se prononce [tynɛʀ].

tunique n. f. *1* Dans l'Antiquité, vêtement en forme de chemise plus ou moins longue. *2* Sorte de chemise mi-longue qui se porte sur une jupe ou un pantalon. *3* Veste d'uniforme militaire.

Tunisie

République d'Afrique du Nord, ouverte au nord et à l'est sur la mer Méditerranée. La Tunisie est montagneuse au nord et désertique au sud. Au nord et le long de la côte se concentre l'activité économique. Dans cette zone au climat méditerranéen, la culture des olives, des dattes et des céréales est développée. L'industrie est liée à l'exploitation du pétrole et des phosphates. Le tourisme est un secteur très dynamique. Le taux de chômage est toutefois important. Sous domination française à partir de 1881, la Tunisie devient indépendante en 1956.

163 610 km²
9 728 000 habitants :
les Tunisiens
Langue : arabe
Monnaie : dinar
Capitale : Tunis

tunnel n. m. Galerie souterraine servant au passage d'une voie de communication.

turban n. m. Coiffure faite d'une longue bande de tissu enroulée autour de la tête.

turbine n. f. Moteur composé d'une roue qui tourne sous la pression de l'eau ou d'un gaz.

turboréacteur n. m. Moteur d'avion à réaction comportant une ou plusieurs turbines à gaz.

turbot n. m. Poisson de mer au corps plat et ovale. *La chair du turbot est très appréciée.*

turbulence n. f. *1* Caractère d'une personne turbulente. *2* Tourbillon d'air. *L'avion va traverser une zone de turbulences.*

turbulent, ente adj. Qui est agité et bruyant. *Un élève turbulent.*
Synonyme : remuant. Contraires : calme, sage.

turfiste n. Personne passionnée de courses de chevaux et qui fait des paris.

Turkménistan

République d'Asie centrale, ouverte à l'ouest sur la mer Caspienne. La quasi-totalité du Turkménistan est occupée par le désert du Karakoum. Le climat est continental. L'irrigation permet l'agriculture. Le pays est riche en ressources minières. Les réserves en gaz naturel sont importantes et tiennent une large place dans l'économie.

Ancienne république de l'Union soviétique, le Turkménistan devient indépendant en 1991.

488 100 km²
4 794 000 habitants :
les Turkmènes
Langues : turkmène, russe
Monnaie : manat
Capitale : Achkhabad

Turner William

Peintre britannique né en 1775 et mort en 1851. Turner est influencé par le peintre paysagiste français Le Lorrain. D'abord classique, sa peinture se transforme : les contours et les formes sont estompés, les couleurs plus brillantes. À partir de 1835, les objets peints sont des masses diffuses de couleur ; l'ensemble semble tourbillonner : *l'Incendie au Parlement* (1835), *Lumière et couleur* (1843), *Pluie, vapeur, vitesse* (1844). Turner acquiert une grande renommée en Europe. Il est considéré comme l'un des précurseurs de l'impressionnisme.

Pluie, vapeur, vitesse

turpitude n. f. Conduite ou action indigne, déshonorante. *Les turpitudes d'un homme politique.*

Turquie

République du sud-ouest de l'Asie, ouverte au sud sur la mer Méditerranée et au nord sur la mer Noire. La partie de la Turquie située à l'ouest du Bosphore appartient au continent européen. Le territoire est constitué de plaines côtières, de collines et de plateaux (Anatolie centrale) au centre et de chaînes de montagnes (mont Ararat, 5 165 m) à l'est. Le climat est méditerranéen sur les côtes, continental à l'intérieur. L'agriculture produit du blé, de l'orge, des olives, du tabac, du coton. L'industrie (textile, automobile, agroalimentaire) est peu développée. Le tourisme est un secteur important. La République de Turquie est fondée et ses frontières établies en 1923, à la suite de la disparition de l'Empire ottoman.

774 820 km²
70 318 000 habitants :
les Turcs
Langues : turc, kurde
Monnaie : livre turque
Capitale : Ankara

turquoise n. f. et adj. inv.
• n. f. Pierre fine d'une couleur bleue ou verte.
• adj. inv. De la couleur de la turquoise. *Aujourd'hui la mer est bleu turquoise.*

tuteur, trice n. et n. m.
• n. Personne qui est légalement chargée de s'occuper d'un mineur et de veiller à ses intérêts.
Quand leurs parents sont morts, ces enfants ont été placés sous la **tutelle** *de leur oncle, leur oncle a été désigné comme tuteur.*
• n. m. Piquet planté dans le sol pour soutenir une plante.

tutoyer v. → conjug. **essuyer.** Dire «tu» en s'adressant à quelqu'un. *Je tutoie les personnes que je connais depuis longtemps.*
Contraire : vouvoyer.
Entre amis, on utilise le **tutoiement***, on se tutoie.*

tutu n. m. Jupe en tulle, très courte, que portent les danseuses de ballet.

Tuvalu

tuyau, aux n. m. Tube dans lequel on peut faire passer un liquide ou un gaz. *Un tuyau d'arrosage.*
*Le plombier va refaire la **tuyauterie** de la cuisine,* l'ensemble des tuyaux, des conduits d'eau, de gaz.

tweed n. m. Tissu de laine. *Un manteau en tweed.*
Mot anglais qui se prononce [twid].

tympan n. m. *1* Membrane située au fond de l'oreille qui transmet les vibrations de l'air et permet de percevoir les sons. *2* Partie située au-dessus du portail d'une église, ornée de sculptures.

type n. m. *1* Modèle, genre, sorte. *Ce nouveau type de téléviseur coûte très cher. 2* Ensemble des traits essentiels qui caractérisent des personnes ou des choses et permettent de les reconnaître. *Son père est le type même de l'homme d'affaires. 3* Familier. Homme quelconque, individu. *C'est un type très sympathique.*

typhon n. m. Cyclone des mers de l'Asie du Sud-Est.

typique adj. Qui est particulier à quelqu'un ou à quelque chose. *Le kilt est le costume typique des Écossais.*
Synonyme : caractéristique.
*La paella est un plat **typiquement** espagnol,* c'est un plat typique de la cuisine espagnole.

typographie n. f. Aspect graphique des caractères d'un texte imprimé. *La typographie de ce journal est à peine lisible.*
*Un **typographe** est un ouvrier chargé de la typographie des textes à imprimer. Il y a beaucoup de fautes **typographiques** dans cet article,* des fautes qui concernent la typographie.

tyran n. m. *1* Personne qui possède le pouvoir absolu et qui s'en sert pour opprimer ceux qu'il gouverne. *2* Personne qui abuse de son autorité. *Son mari est un vrai tyran.*
*Lutter contre la **tyrannie**,* contre le gouvernement autoritaire, injuste et cruel d'un tyran (*1*). *Il est très **tyrannique** avec ses employés,* il se comporte comme un tyran (*2*). *Je t'interdis de **tyranniser** ton petit frère,* de te montrer tyrannique envers lui, de le persécuter.

tyrannosaure n. m. Très grand reptile qui appartenait au groupe des dinosaures carnivores.

Le tyrannosaure apparaît sur Terre il y a quelque 70 millions d'années. Il mesure 14 m de longueur, 6 m de hauteur et pèse plus de 5 t ! Il marche sur ses deux pattes postérieures. Les pattes antérieures sont courtes ; elles portent deux doigts munis de griffes acérées. La tête peut atteindre près de 1,50 m de longueur, et les puissantes mâchoires sont garnies de dents de plus de 15 cm ! Le tyrannosaure, carnivore, est un terrible prédateur.
Il disparaît avec les autres dinosaures il y a 65 millions d'années.

tzigane adj. → tsigane.

Uu. Vv

URSULE ET VICTORIN

Ursule et Victorin
sont inséparables.

ulcère n. m. Plaie qui ne se cicatrise pas. *Un ulcère à l'estomac.*

ulcérer v. → conjug. **digérer.** Blesser moralement, froisser vivement. *Ces reproches injustes l'ont ulcérée.*

U. L. M. n. m. inv. Abréviation de *Ultra-Léger Motorisé*, petit avion à une ou deux places.

Fabriqué en matériaux ultralégers, l'U. L. M. pèse en général moins de 170 kg à vide. Équipé d'un petit moteur, sa vitesse ne dépasse guère 80 km/h. Pour le

conduire, il faut posséder une licence de pilotage. L'U.L.M. a été inventé dans les années 1970 aux États-Unis par des constructeurs amateurs.

ultérieur, eure adj. Qui vient après dans le temps. *Remettre une réunion à une date ultérieure.* **Synonyme : postérieur. Contraire : antérieur.**
*Le jour choisi pour la fête de l'école vous sera communiqué **ultérieurement**, à une date ultérieure.*

ultimatum n. m. Demande impérative, accompagnée de menaces, d'obéir à certaines conditions. **Mot latin qui se prononce [yltimatɔm].**

ultime adj. Dernier, final. *Faire ses ultimes recommandations avant un départ.*

ultra– préfixe. Signifie « au-delà de », indique un degré élevé.

ultramoderne adj. Extrêmement moderne. *Un matériel ultramoderne.*

ultrason n. m. Vibration sonore si aiguë qu'elle n'est pas perceptible par l'oreille humaine. *Certains animaux comme les chauves-souris émettent et détectent les ultrasons.*

ultraviolet n. m. Rayon lumineux invisible pour l'œil humain. *Les ultraviolets du rayonnement solaire sont la cause du bronzage et des coups de soleil.* **En abrégé : U. V.**

ululement n. m., **ululer** v. → **hululer.**

Ulysse

Ulysse

Personnage de la mythologie grecque. Roi d'Ithaque (une île grecque), Ulysse participe à la guerre de Troie, où il montre sa bravoure, son habileté et sa ruse. Usant du stratagème du « cheval de Troie », il réussit à s'emparer de la ville. Le poète antique grec Homère raconte cet épisode dans l'*Iliade*. Il fait aussi d'Ulysse le personnage principal de l'*Odyssée*, qui raconte les péripéties du héros pendant son voyage de retour. Ulysse, entre autres mésaventures, lutte contre le Cyclope Polyphème, affronte les tempêtes déclenchées par Poséidon, résiste au chant des sirènes qui rend les marins fous… Dix ans plus tard, il parvient enfin à Ithaque, où sa femme Pénélope l'attend.

un, une, des art., pron., adj. et n. m.
• art. Désigne une personne ou une chose de façon indéterminée. *Il y a une personne qui te demande, je ne sais pas qui c'est. J'ai vu des chamois.*
• pron. *1* Représente une personne ou une chose parmi d'autres. *Un de mes amis est chinois. 2 L'un et l'autre :* tous les deux. *J'ai deux chats. L'un et l'autre sont noirs. 3 L'un l'autre :* réciproquement. *Ils s'aident l'un l'autre à faire leurs devoirs.*
• adj. et n. m.
Regarde ci-dessous.

UN, UNE
S'écrit **I** en chiffres romains.

• adj. Premier des nombres entiers. Exprime l'unité. *Il est une heure et quart. Il me manque un euro pour acheter une brioche.*
• n. m. inv. Le chiffre ou le nombre un. *Il a un grand un jaune sur son dossard.*

premier, ère
• adj. et n. *1* Qui occupe le rang ou la place numéro un dans une série. *Janvier est le premier mois de l'année. La chambre se trouve au premier. 2 Nombre premier :* nombre qu'on ne peut diviser que par 1 ou par lui-même pour obtenir un nombre entier.
Contraire : dernier (1).
• n. f. Classe de l'enseignement secondaire qui suit la seconde.

unanime adj. Qui exprime un accord général. *Les témoins sont unanimes.*
*Il a été décidé **unanimement** d'organiser un voyage de fin d'année,* de façon unanime. *Le délégué de classe a été élu à l'**unanimité**,* les élèves de la classe ont voté de manière unanime.

une art., pron., adj. → **un.**

Unesco

Sigle de l'Organisation des Nations unies pour l'éducation, la science et la culture. L'Unesco est l'une des institutions spécialisées de l'ONU. Elle contribue au maintien de la paix et à la collaboration entre les peuples par la diffusion de la culture. Elle agit pour développer l'alphabétisation dans le monde, lutte contre le racisme et pour le droit d'expression de toutes les minorités. Une de ses priorités est le respect des droits de l'homme. Fondée en 1946, l'Unesco siège à Paris.

uni, ie adj. *1* Qui vit en bonne entente. *Une famille unie. 2* D'une seule couleur. *Une veste unie.*

Unicef

Sigle du Fonds des Nations unies pour l'enfance. L'Unicef est une organisation humanitaire de l'ONU. Son rôle est l'aide à l'enfance en difficulté dans le monde. Elle établit des programmes d'aide qui visent essentiellement la santé, les vaccinations, l'alimentation, l'instruction et travaille en relation avec l'OMS (Organisation mondiale de la santé). Créée en 1946, l'Unicef siège à New York et a reçu le prix Nobel de la paix en 1965.

unifier v. → conjug. **modifier.** Réaliser l'unité de quelque chose, rendre homogène. *Unifier un pays, un programme, une surface.*
*L'**unification** d'un pays divisé,* le fait de l'unifier.

uniforme adj. et n. m.
• adj. Qui ne varie pas, monotone, semblable. *Un paysage uniforme de champs de maïs à perte de vue.*
*Les vieilles femmes corses sont **uniformément** habillées de noir,* d'une manière uniforme. *Pour faire l'Europe, il faut **uniformiser** la monnaie,* la rendre uniforme. *Il a été frappé par l'**uniformité** des villes américaines,* leur caractère uniforme.
• n. m. Vêtement réglementaire dans l'armée, certaines professions, certaines écoles.

unijambiste n. m. Personne qui n'a plus qu'une jambe.

unilatéral, ale, aux adj. *1* Qui concerne un seul côté. *Stationnement unilatéral d'une rue. 2* Qui est fait sans demander l'avis des autres. *On reproche à ce responsable ses décisions unilatérales.*

Il a pris *unilatéralement* cette importante décision, de façon unilatérale (*2*), sans consulter les autres.

union n. f. *1* Fait de s'unir. *L'union conjugale est le mariage. 2* Regroupement de personnes, de partis politiques, de pays ayant des intérêts communs. *Union de consommateurs. Union de la gauche.*

L'Union européenne est une organisation destinée à regrouper les pays européens.
Regarde page suivante.

unique adj. *1* Seul. *Il est fils unique. L'école de ce village comprend une unique classe. 2* Exceptionnel, remarquable. *Un spectacle unique au monde.*

Il est *uniquement* préoccupé par l'argent, c'est son unique (*1*) préoccupation.

unir v. → conjug. **finir.** *1* Créer un lien. *L'affection qui unit ces deux personnes. 2* Mettre en commun, rassembler. *Unir ses forces. 3* Allier, associer deux qualités différentes. *Unir la force à la douceur.*

à l'unisson adv. D'une même voix, tous ensemble. *Chanter, parler, agir à l'unisson.*

unité n. f. *1* Caractère de ce qui est uni, cohérent. *Un ensemble architectural qui manque vraiment d'unité. 2* Grandeur ou quantité servant de mesure de base. *Le mètre est une unité de longueur, l'heure une unité de temps. 3* Élément qui sert à former un nombre. *Les centièmes, les dizaines et les unités. 4* Groupe de militaires autonome. *Unité d'infanterie, de cavalerie, de parachutistes. 5* À l'unité :* à la pièce, un par un. *Les grandes roses se vendent à l'unité.*

Les syndicats appellent à une manifestation *unitaire*, qui fasse l'unité (*1*).

univers n. m. *1* Le monde, la Terre, notre planète. *2* Avec une majuscule. Les galaxies, les étoiles, l'espace. *Une exposition universelle* représente tous les pays, elle concerne l'univers (*1*) entier. *Bach est un musicien universellement connu*, connu dans tout l'univers (*1*).

université n. f. Établissement d'enseignement supérieur.

Il a commencé des études *universitaires* de lettres, des études qu'il suit à l'université.

uppercut n. m. En boxe, coup de poing donné sous le menton, du bas vers le haut.
Mot anglais qui se prononce [ypɛrkyt].

uranium n. m. Élément métallique radioactif, utilisé comme combustible dans les centrales nucléaires.
On prononce [yranjɔm].

Uranus

Nom latin du dieu Ouranos de la mythologie grecque. Fils de Gaïa, déesse de la Terre, Ouranos est le dieu du Ciel. Avec Gaïa, il a de nombreux enfants, parmi lesquels les Titans et les Cyclopes. Un de ses fils, le Titan Cronos, se révolte contre lui, le mutile et lui prend son trône.
Uranus est aussi le nom d'une planète.
Regarde aussi **Soleil.**

urbain, aine adj. De la ville ou des villes. *Population urbaine. Transports urbains.*

urbanisation n. f. Concentration de la population d'une région dans les villes.

urbanisé, ée adj. Où il y a de nombreuses villes. *La Creuse, la Lozère sont des départements peu urbanisés.*

urbanisme n. m. Art de l'aménagement et de l'organisation des villes.

Les *urbanistes* sont des architectes spécialistes de l'urbanisme.

urgence n. f. *1* Caractère de ce qui est urgent. *Opérer quelqu'un en urgence. 2* Cas urgent. *Service des urgences d'un hôpital.*

urgent, ente adj. Dont on doit s'occuper le plus vite possible. *Un travail urgent.*

urine n. f. Liquide jaune sécrété par les reins. *L'urine permet à l'organisme d'évacuer l'eau et les déchets.*

L'appareil *urinaire* comprend les reins et la vessie. *Uriner*, c'est évacuer l'urine. *Les urinoirs* sont des endroits pour uriner destinés aux hommes.

urne n. f. *1* Vase contenant les cendres d'un mort, après son incinération. *2* Boîte munie d'une fente, dans laquelle on met son bulletin de vote.

URSS

Ancien état fédéral d'Europe de l'Est et d'Asie. URSS est le sigle de l'Union des républiques socialistes soviétiques. S'étendant sur 22 400 000 km², elle a été le plus vaste pays du monde jusqu'en 1991. Elle comptait 289 millions d'habitants. Proclamée en 1922, l'URSS est issue de la révolution russe de 1917. Elle rassemblait quinze Républiques d'Europe de l'Est et d'Asie. Lors de son démantèlement, les différentes Républiques qui la composaient reprirent leur indépendance.

urticaire n. f. Apparition sur la peau de petits boutons ou de plaques rouges provoquant des démangeaisons. *Crise d'urticaire.*

l'Union européenne

L'idée d'une coopération économique européenne est née après la Seconde Guerre mondiale. Elle a pour but, tout en relançant l'économie, de faire obstacle à un nouveau conflit.

les grandes dates

■ À l'initiative de deux Français, Jean Monnet et Robert Schuman, une **Communauté européenne du charbon et de l'acier (CECA)** est créée. La France, l'Allemagne de l'Ouest, la Belgique, l'Italie, le Luxembourg et les Pays-Bas signent un traité le 18 avril 1951.

■ Ces six pays ratifient le traité de Rome en 1957, qui crée la **Communauté économique européenne (CEE)**, et met en place une politique agricole commune instituant un Marché commun.

■ La Grande-Bretagne, l'Irlande et le Danemark adhèrent à la CEE en 1973, la Grèce en 1981, l'Espagne et le Portugal en 1986.

■ En février 1992, les accords de Maastricht renforcent l'intégration européenne dans tous les domaines : politique, économique, financier. Un statut de citoyen européen est défini. Ces accords débouchent sur la création, le 1er novembre 1993, de l'Union européenne (UE) qui remplace la CEE.

■ La Suède, l'Autriche et la Finlande rejoignent l'Union européenne en 1995.

■ Le traité de Maastricht crée une Union économique monétaire (UEM) chargée de mettre en place la monnaie unique, l'euro, qui se substitue aux monnaies nationales des États membres le 1er janvier 2002. Douze pays l'adoptent ; la Grande-Bretagne, le Danemark et la Suède gardent leur monnaie.

■ 2004 voit l'Europe des 15 devenir l'Europe des 25. Deux pays sont candidats pour une adhésion en 2007 : la Bulgarie et la Roumanie.

en résumé...

L'Union européenne ou Europe des 15, c'était :

- l'Allemagne
- l'Autriche
- la Belgique
- le Danemark
- l'Espagne
- la Finlande
- la France
- la Grande-Bretagne
- la Grèce
- l'Irlande
- l'Italie
- le Luxembourg
- les Pays-Bas
- le Portugal
- la Suède

En 2004, s'y ajoutent :

- l'Estonie
- la Lettonie
- la Lituanie
- la Pologne
- la République Tchèque
- la Slovaquie
- la Hongrie
- la Slovénie
- Malte
- Chypre

les institutions

■ **Le Conseil européen.**
Il siège à Bruxelles. Il réunit les représentants des gouvernements des 15 États membres, définit les grandes orientations de politique générale. Il est présidé pendant 6 mois par un État membre.

■ **La Commission.**
Elle siège à Bruxelles. Ses 20 commissaires sont nommés par les États membres et le Parlement européen. Elle gère les fonds de la Communauté, prépare les lois, les budgets, applique les décisions prises par le Conseil.

■ **Le Parlement européen.**
Il siège à Strasbourg. Ses 626 députés sont élus au suffrage universel dans chaque État membre. Il a des pouvoirs étendus en matière budgétaire et dispose du droit d'amendement en matière législative. Il peut aussi censurer la Commission.

■ **La Cour européenne de justice.**
Elle siège à Luxembourg. Ses 15 juges sont nommés par les gouvernements des États membres. Elle est chargée de régler tous les différends susceptibles de naître dans le fonctionnement des institutions.

Écu, florin, ducat, le choix du nom de la monnaie européenne a été difficile. C'est finalement le mot euro qui a été adopté.

Uruguay

République du sud-est de l'Amérique du Sud, ouverte au sud et à l'est sur l'océan Atlantique. L'Uruguay est constitué de plaines et de plateaux peu élevés, où se succèdent les prairies herbeuses, prolongement de la pampa Argentine. Le climat est tempéré. L'économie repose essentiellement sur l'élevage et l'exportation de peaux, de laine et de viande. Exploré dès le XVIᵉ siècle, puis longtemps disputé entre le Portugal et l'Espagne, l'Uruguay passe sous la domination de cette dernière vers 1770. Le pays devient indépendant en 1828.

176 220 km²
3 391 000 habitants :
les Uruguayens
Langue : espagnol
Monnaie : peso uruguayen
Capitale : Montevideo

us n. m. pl. *Us et coutumes :* habitudes, usages traditionnels d'une région, d'un pays.
On prononce [ys].

usage n. m. *1* Fait d'utiliser quelque chose. *Je n'ai pas l'usage d'un téléphone portable. Jette cette jupe, elle a fait assez d'usage.* *2* Habitude, coutume. *L'usage veut qu'on offre un cadeau aux mariés.*
> *Une robe usagée,* abîmée par un trop long usage.

usager n. m. Personne qui utilise un service public. *Les usagers du métro, du téléphone.*

usé, ée adj. *1* Qui est abîmé, usagé. *Un pull-over aux coudes usés.* *2* Eaux usées : eaux sales.

user v. → conjug. **aimer.** *1* Utiliser, employer. *User de son influence, de son charme.* *2* Consommer. *Voiture qui use beaucoup d'essence.* *3* Abîmer quelque chose à force de l'utiliser. *User ses chaussures.*

usine n. f. Entreprise industrielle où des machines transforment en produits finis des matières premières ou des produits intermédiaires. *Usine d'automobiles.*

usiner v. → conjug. **aimer.** Façonner à l'aide d'une machine. *Usiner une clé.*

usité, ée adj. Dont on se sert couramment, quand il s'agit d'un mot, d'une expression.
Synonymes : courant, usuel. Contraire : rare.

ustensile n. m. Objet dont on se sert quotidiennement dans la maison. *Ustensiles de cuisine, de ménage.*

usuel, elle adj. Qui est utilisé habituellement. *Ce dictionnaire contient les mots usuels du français.*
> *On dit usuellement « voiture » pour « automobile »,* de manière usuelle.

usure n. f. *1* État de ce qui est usé. *Usure des pneus.* *2* Action de prêter de l'argent en pratiquant un taux d'intérêt très élevé. *L'usure est illégale.*
> *Prêter de l'argent à un taux usuraire,* à un taux qui a le caractère de l'usure (2). *Un usurier,* c'est une personne qui pratique l'usure (2).

usurper v. → conjug. **aimer.** S'approprier quelque chose sans en avoir le droit. *Usurper le trône.*
> *Cet homme se prétend médecin mais c'est faux, c'est un usurpateur,* il a usurpé le titre de docteur. *Il est coupable d'usurpation de titre,* il l'a usurpé.

ut n. m. inv. Autre nom de la note de musique *do.*
On prononce [yt].

utérus n. m. Organe de la femme et de la femelle des mammifères dans lequel se développe l'embryon jusqu'à la naissance du bébé ou du petit.

utile adj. *1* Qui sert à quelque chose, qui est profitable. *Un renseignement utile. Le chien de garde est un animal utile.* *2* Se rendre utile : rendre service.
Contraire : inutile.
> *Il saura te conseiller utilement,* de façon utile (1).

utiliser v. → conjug. **aimer.** Employer, faire usage de quelque chose. *Apprendre à utiliser un ordinateur.*
> *Ce vieil appareil photo n'est plus utilisable,* on ne peut pas l'utiliser. *Les utilisateurs d'un marteau-piqueur doivent porter un casque antibruit,* les ouvriers qui l'utilisent. *L'utilisation de l'acide chlorhydrique demande des précautions,* le fait de l'utiliser.

utilitaire adj. *Véhicule utilitaire :* véhicule à usage commercial, tels les camions, les cars…

utilité n. f. Qualité de ce qui est utile. *Un couteau suisse est d'une grande utilité en camping.*

utopie n. f. Projet impossible à réaliser. *Une société sans conflits est une utopie.*
> *Ton projet est utopique,* c'est une utopie.

vacances n. f. pl. Période pendant laquelle on ne travaille pas. *Vacances d'été, d'hiver.*
Synonyme : congé.
> *Cette île attire beaucoup de vacanciers et de vacancières,* de personnes en vacances.

vacant, ante adj. Qui n'est pas occupé. *Un logement vacant.*
Synonymes : disponible, libre.

vacarme n. m. Bruit très fort, tapage, tumulte.

vacataire n. Personne chargée d'un emploi temporaire.

vaccin n. m. Produit qu'on inocule à une personne pour l'immuniser contre une maladie.

Il s'est fait *vacciner* contre le tétanos, immuniser par un vaccin. Certaines *vaccinations* sont obligatoires, l'administration d'un vaccin.

La vaccination crée une immunité, c'est-à-dire une protection naturelle contre l'infection. La première vaccination est effectuée en 1796 par le médecin anglais Edward Jenner. Constatant que des paysans atteints de la « variole de la vache », la vaccine, n'attrapent pas la variole, il administre cette vaccine à un enfant, qui se trouve ensuite protégé contre la variole. C'est Louis Pasteur, à la fin du XIXe siècle, qui développe le principe de la vaccination. Il invente notamment, en 1885, le vaccin contre la rage.

vache n. f. Mammifère ruminant domestique, femelle du taureau. *Du lait de vache.*

vacherin n. m. Gâteau fait de meringue, de glace et de crème fouettée.

vaciller v. → conjug. **aimer.** *1* Être en équilibre instable et risquer de tomber. *La fatigue le fait vaciller sur ses jambes. 2* Trembler, scintiller faiblement. *La flamme de la bougie vacille.*
Synonymes : chanceler (*1*), **tituber** (*1*).
Il s'éloigne d'une démarche *vacillante*, qui vacille (*1*).

va–et–vient n. m. inv. *1* Allées et venues de personnes ou de véhicules. *Cesse ton va-et-vient. 2* Installation électrique pour allumer et éteindre une lampe depuis plusieurs interrupteurs.

vagabond, onde n. Personne qui n'a ni domicile ni travail et qui erre à l'aventure.
Le *vagabondage* est le fait d'être un vagabond.

vagabonder v. → conjug. **aimer.** Errer çà et là, à l'aventure. *Laisser sa pensée vagabonder.*

vagin n. m. Organe génital interne de la femme et des femelles de mammifères qui relie l'utérus à l'extérieur du sexe.

vagir v. → conjug. **finir.** Pousser des petits cris, quand il s'agit d'un enfant nouveau-né.
Les *vagissements* du bébé l'ont réveillé, les petits cris du bébé qui vagit.

1. vague adj. et n. m.
• adj. *1* Qui manque de précision, de netteté. *Sa réponse est un peu vague. 2* Terrain vague : qui n'est ni cultivé ni construit, dans une ville.
Synonymes : flou (*1*), **imprécis** (*1*). **Contraires : net, précis** (*1*).

Se souvenir *vaguement*, d'une manière vague (*1*).
• n. m. *1* Ce qui est imprécis, incertain. *Rester dans le vague. 2* Avoir les yeux dans le vague :* ne rien regarder de précis. *3* Avoir du vague à l'âme :* être mélancolique sans raison apparente. *On dirait qu'Ursule a du vague à l'âme.*

2. vague n. f. *1* Masse d'eau qui se soulève et s'abaisse à la surface de la mer ou d'un lac. *2* Au figuré. Phénomène qui apparaît subitement et se propage massivement. *Une vague de chaleur. 3* Au figuré. Grand nombre de personnes qui arrivent en même temps. *Des vagues de touristes.*
Synonyme : lame (*1*).
Une *vaguelette*, c'est une petite vague (*1*).

vahiné n. f. Femme de Tahiti.

vaillant, ante adj. *1* Courageux. *De vaillants soldats. 2* N'avoir pas un sou vaillant :* ne pas avoir d'argent.
Résister *vaillamment*, de façon vaillante. Se battre avec *vaillance*, d'une manière vaillante (*1*).

vain, vaine adj. *1* Qui reste sans effet. *Toutes nos tentatives ont été vaines. 2* Qui est sans fondement, sans réalité. *De vains espoirs. 3* En vain :* sans obtenir de résultat, inutilement.
Synonymes : inefficace (*1*), **inutile** (*1*), **faux** (*2*), **illusoire** (*2*). **Contraires : efficace** (*1* et *3*), **réel** (*2*).
Homonymes : vin, vingt.
Il cherche *vainement* à nous impressionner, de façon vaine (*1*), en vain , inutilement.

vaincre v. *1* Remporter une victoire. *Une armée difficile à vaincre. 2* Venir à bout d'un obstacle, d'une difficulté. *Vaincre son angoisse.*
Synonymes : battre (*1*), **dominer** (*2*), **surmonter** (*2*).

La conjugaison du verbe
VAINCRE 3e groupe

indicatif présent	**je vaincs,**
	il ou elle vainc,
	nous vainquons,
	ils ou elles vainquent
imparfait	**je vainquais**
futur	**je vaincrai**
passé simple	**je vainquis**
subjonctif présent	**que je vainque**
conditionnel présent	**je vaincrais**
impératif	**vaincs, vainquons, vainquez**
participe présent	**vainquant**
participe passé	**vaincu**

Le vainqueur du match a salué le vaincu, le gagnant, celui qui a vaincu (*1*), a salué le perdant, celui qui a été vaincu.

vainement adv. → **vain.**

vainqueur n. m. et adj. → **vaincre.**

vair n. m. Fourrure d'un écureuil gris. *La pantoufle de Cendrillon était en vair.*
Homonymes : ver, verre, vers, vert.

vairon n. m. et adj. m.
• n. m. Petit poisson d'eau douce.
• adj. m. *Yeux vairons :* de couleur différente.

vaisseau n. m. **Plur. : des vaisseaux. 1** Conduit dans lequel circule le sang. *Les veines, les artères sont des vaisseaux sanguins.* **2** Grand navire de guerre d'autrefois. **3** *Vaisseau spatial :* engin pour voyager dans l'espace.

vaisselle n. f. **1** Ensemble des récipients et des accessoires dont on se sert à table. **2** *Faire la vaisselle :* laver les ustensiles qui ont servi pour un repas.
Un vaisselier est un meuble qui sert à ranger la vaisselle (1).

val n. m. **Plur. : des vaux ou des vals. 1** Vallée. *Le val de Loire.* **2** *Être par monts et par vaux :* être en train de voyager ou de se promener.

valable adj. **1** Qui est en règle et peut être utilisé. *Ce billet de train n'est plus valable.* **2** Qui est fondé et peut être accepté. *Ce n'est pas une raison valable.*
Synonymes : valide (1), acceptable (2), sérieux (2).
Contraire : périmé (1).

valériane n. f. Plante à fleurs roses ou blanches.

valet n. m. **1** Homme qui était au service de quelqu'un, serviteur, domestique. *Un valet de chambre.* **2** Carte à jouer représentant un écuyer. *Valet de cœur.*

valeur n. f. **1** Ce que vaut un objet si on veut l'échanger, le vendre ou l'acheter. *Ces bijoux n'ont aucune valeur.* **2** *Mettre en valeur :* faire ressortir les qualités d'une personne ou d'une chose. *Il sait se mettre en valeur.* **3** Ce qui rend une personne digne d'estime sur le plan moral, intellectuel, professionnel. *C'est une femme de grande valeur.* **4** Importance ou intérêt accordés à quelque chose. *Ton opinion a une grande valeur pour moi.* **5** Quantité approximative. *Ajoutez la valeur de deux verres d'eau.*
Synonymes : prix (1), mérite (3), équivalent (5).

valeureux, euse adj. littéraire. Courageux, vaillant. *De valeureux soldats.*

valide adj. **1** En bonne santé. *Il n'est pas très valide après ce rhume.* **2** En règle, valable. *Ce ticket n'est pas valide.*
Synonyme : valable (2). Contraire : invalide (1).
La validité d'une carte d'identité est de dix ans, elle est valide (2) pendant dix ans. *Composte ton billet pour le valider,* pour le rendre valide (2). *Elle a obtenu la validation de son diplôme,* il a été validé.

valise n. f. Bagage rectangulaire muni d'une poignée et dont le couvercle se rabat.

vallée n. f. Espace allongé entre deux montagnes ou deux collines, creusé par un cours d'eau ou un glacier.
Un vallon est une petite vallée. La région est vallonnée, il y a des vallons et des collines.

valoir v. **1** Avoir un certain prix, coûter. *Combien vaut ce vélo ?* **2** Avoir certaines qualités ou certains mérites. *Ce film ne vaut rien.* **3** Mériter, justifier. *Le paysage vaut le détour.* **4** Être valable. *Ma remarque vaut aussi pour toi.* **5** Procurer, avoir pour conséquence. *Sa paresse lui vaut bien des ennuis.* **6** *Se valoir :* avoir la même valeur, être équivalent. *Ces deux hôtels se valent.* **7** *Se faire valoir :* se montrer à son avantage, se vanter. **8** *Il vaut mieux :* il est préférable. *Il pleut, il vaut mieux rentrer.*

La conjugaison du verbe VALOIR 3ᵉ groupe

indicatif présent	je vaux, il ou elle vaut, nous valons, ils ou elles valent
imparfait	je valais
futur	je vaudrai
passé simple	je valus
subjonctif présent	que je vaille
conditionnel présent	je vaudrais
impératif	vaux, valons, valez
participe présent	valant
participe passé	valu

valoriser v. → conjug. **aimer**. Donner de la valeur ou plus de valeur, mettre en valeur. *Son succès l'a valorisé aux yeux de ses camarades.*

Le classement en parc naturel a contribué à la *valorisation de la région*, à la valoriser.

valse n. f. Danse à trois temps, où les couples se déplacent en tournant sur eux-mêmes.

Elle ne sait pas valser, danser la valse. *C'est un bon valseur*, il danse bien la valse.

valve n. f. **1** Chacune des deux parties de la coquille de certains mollusques et crustacés. *Les valves d'une moule, d'une huître.* **2** Système qui ne laisse passer du liquide ou du gaz que dans un seul sens. *La valve d'une chambre à air.*

vampire n. m. **1** Mort qui sort de son tombeau pour sucer le sang des vivants, selon certaines superstitions. **2** Chauve-souris d'Amérique du Sud qui suce le sang des mammifères pendant leur sommeil.

van n. m. Camion qui sert au transport des chevaux. **Homonyme : vent.**

vandale n. Personne qui détruit ou endommage des objets pour le plaisir de la violence gratuite. *Des vandales ont cassé les vitres des voitures.*

Le *vandalisme* est un acte de vandales.

vanesse n. m. Papillon aux ailes très colorées.

Van Eyck Jan

Peintre flamand né vers 1390 et mort vers 1441. De 1425 à sa mort, Van Eyck travaille au service de Philippe le Bon, duc de Bourgogne. Il jouit d'une grande renommée, confirmée avec l'*Agneau mystique* (achevé en 1432), tableau en douze panneaux considéré comme un chef-d'œuvre de la Renaissance flamande. Van Eyck reçoit des commandes en grand nombre : des scènes religieuses (*Vierge au chancelier Rolin*) et des portraits de grands personnages (*Arnolfini et sa femme, Marguerite Van Eyck*). Ses peintures sont remarquables par la précision du trait, l'utilisation de la lumière, la connaissance de l'anatomie et l'emploi de la perspective.

Arnolfini et sa femme

Van Gogh Vincent

Peintre néerlandais né en 1853 et mort en 1890. Van Gogh se consacre à la peinture à partir de 1880. Ses premiers tableaux représentent surtout des scènes de la vie quotidienne à l'atmosphère sombre. En 1886, il s'installe à Paris et subit l'influence des impressionnistes. Un an plus tard, il part pour la Provence. Sa peinture devient flamboyante, lumineuse : natures mortes (dont les célèbres *Tournesols*), vues (*Une vue d'Arles aux iris*). Le peintre Gauguin le rejoint, mais leur vie commune tourne au drame et Van Gogh se tranche une oreille d'un coup de rasoir. Interné en 1889 à Saint-Rémy-de-Provence, il peint de nombreux chefs-d'œuvre, dont *le Champ de blé au cyprès*, *la Chambre de Vincent à Arles*, et des autoportraits. Il sort d'asile en mai 1890, continue de peindre (*l'Église d'Auvers*) mais, désespéré, se donne la mort en juillet.

La Chambre de Vincent à Arles

vanille n. f. Fruit d'une plante exotique dont on extrait une substance aromatique utilisée en pâtisserie. *Une glace à la vanille.*

Une crème vanillée, une crème parfumée à la vanille.

vanité n. f. Défaut d'une personne qui est très satisfaite d'elle-même et qui en fait étalage. **Synonyme : prétention.**

C'est un vaniteux, il est plein de vanité.

vanne n. f. Panneau mobile qui permet de bloquer ou de débloquer le passage de l'eau. *Ouvrir les vannes d'un barrage.*

vanné, ée adj. Familier. Très fatigué. *Je suis complètement vanné.*

vannerie n. f. Fabrication d'objets tressés en rotin, en osier, en raphia.

varier

Vannes

Ville française de la Région Bretagne, située près du golfe du Morbihan (océan Atlantique). Vannes est un centre administratif régional actif. Le secteur industriel est développé. La ville conserve des remparts construits à partir du XIIIᵉ siècle, une cathédrale des XIIIᵉ-XVIIIᵉ siècles, des maisons du XVIᵉ siècle. Vannes devient un évêché au Vᵉ siècle. Devenue capitale du duché de Bretagne, la ville est réunie à la couronne de France en 1532.

56 — *Préfecture du Morbihan*
54 773 habitants : les Vannetais

vantail n. m. Plur. : **des vantaux.** Panneau mobile d'une porte, d'une fenêtre, d'une armoire.

vanter v. → conjug. **aimer.** *1* Présenter de façon très avantageuse. *Vanter les qualités d'un produit. 2 Se vanter :* exagérer ses mérites ou les inventer. *Il se vante quand il dit qu'il parle anglais couramment. Il se vante d'être arrivé le premier.*
Synonyme : louer (1). Homonyme : venter.
Ne crois pas ce qu'il dit, c'est un vantard, il a l'habitude de se vanter (2). Il nous ennuie avec ses vantardises, ses propos de vantard.

Vanuatu

République du Pacifique Sud, au nord-est de l'Australie. Constitué de plus de 80 îles et îlots volcaniques, l'archipel de Vanuatu a un relief montagneux. Le climat est équatorial, chaud et humide. La forêt dense couvre les trois quarts de l'archipel. L'économie s'appuie sur la culture de la noix de coco et la pêche. Le tourisme est en développement. Sous domination de la France et de l'Angleterre à partir de la fin du XIXᵉ siècle, Vanuatu devient indépendant en 1980. Le pays est membre du Commonwealth.

12 189 km²
207 000 habitants : les Vanuatuans
Langues : bislamar, anglais, français
Monnaie : vatu
Capitale : Port-Vila

va-nu-pieds n. inv. Personne très pauvre, qui vit misérablement.

vapeur n. f. *1* Eau sous forme de fines gouttelettes en suspension dans l'air. *De la vapeur s'échappe de la bouilloire. 2 À la vapeur :* se dit d'aliments cuits par de la vapeur d'eau en ébullition. *3 À vapeur :* qui utilise l'énergie produite par la vapeur d'eau. *Locomotive à vapeur. 4 À toute vapeur :* à toute vitesse. *5* Corps à l'état gazeux. *Des vapeurs d'essence.*

vaporeux, euse adj. Léger et transparent. *Un tissu vaporeux.*

vaporiser v. → conjug. **aimer.** Projeter un liquide en fines gouttelettes. *Vaporiser du parfum.*
Un vaporisateur, c'est un appareil qui permet de vaporiser un liquide. La vaporisation, c'est l'action de vaporiser.

vaquer v. → conjug. **aimer.** Faire ce qu'on a à faire. *Vaquer à ses occupations.*

varan n. m. Grand lézard carnivore d'Afrique et d'Asie.

varappe n. f. Escalade le long d'une paroi rocheuse. *Faire de la varappe.*

varech n. m. Algues rejetées par la mer.
On prononce [vaʁɛk].
Synonyme : goémon.
Le varech est composé de diverses espèces d'algues déposées par les marées sur les côtes de la Manche et de l'Atlantique. Le varech est riche en vitamines et en iode. On l'utilise généralement comme engrais, mais il peut aussi être consommé.

vareuse n. f. Veste courte et ample qui ne s'ouvre pas devant. *Une vareuse de marin.*

variable adj. → **varier.**

variante n. f. Forme légèrement différente que peut prendre une même chose. *Cette recette de cuisine a plusieurs variantes.*

variation n. f. → **varier.**

varice n. f. Dilatation anormale d'une veine, généralement située sur les jambes.

varicelle n. f. Maladie contagieuse due à un virus, qui donne des boutons sur tout le corps.

varié, ée adj. Qui présente des aspects multiples. *Un travail varié.*

varier v. → conjug. **modifier.** *1* Faire changer, diversifier. *Varier son alimentation. 2* Changer, être différent. *Mon opinion n'a pas varié. Selon les magasins, les prix varient du simple au double.*

variété

Le temps est variable *en ce moment, il peut varier (2), il est changeant. Il est sujet à des* variations *d'humeur, son humeur varie (2).*

variété n. f. **1** Caractère de ce qui est varié. *Ce travail manque de variété.* **2** Catégorie à l'intérieur d'une espèce. *Il existe de nombreuses variétés de pommes.* **3** Genre musical représenté par les chansons populaires. *Un chanteur de variétés. Préférer le rock à la variété.* **4** Au pluriel. Spectacle ou émission de télévision qui présente des chansons et des numéros variés.
Synonymes : diversité (1), type (2).

variole n. f. Grave maladie contagieuse due à un virus. *La vaccination a fait disparaître la variole.*

Vasarely Viktor

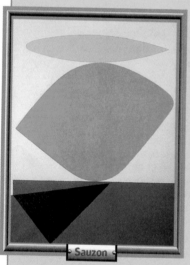

Sauzon

Peintre français d'origine hongroise né en 1908 et mort en 1997. Installé à Paris à partir de 1931, Vasarely travaille dans la publicité. Il mène des recherches graphiques qui le conduisent progressivement à la peinture abstraite. Il aboutit à des œuvres dans lesquelles la répétition de motifs géométriques et les contrastes de couleurs donnent une impression de relief et, surtout, de mouvement. Vasarely est l'un des principaux représentants de l'« op art » (pour art optique) fondé sur les illusions d'optique, une des tendances de l'art cinétique (lié au mouvement).

vasculaire adj. Qui concerne les vaisseaux sanguins. *Une maladie vasculaire.*

1. vase n. f. Dépôt boueux qui se forme au fond des eaux stagnantes.
Le fond de l'étang est vaseux, *rempli de vase.*

2. vase n. m. **1** Récipient destiné à recevoir des fleurs coupées. *Un vase en verre taillé.* **2** En vase clos : sans contact avec le monde extérieur. *Depuis qu'ils ne travaillent plus, ils vivent en vase clos.*

vaseline n. f. Substance grasse extraite du pétrole et utilisée comme pommade.

vaseux, euse adj. → vase 1.

vasistas n. m. Petit panneau vitré pouvant s'ouvrir au-dessus d'une porte ou d'une fenêtre.
Mot allemand qui se prononce [vazistas].

vasque n. f. Bassin peu profond recevant l'eau d'une fontaine.

vassal, ale, aux n. Au Moyen Âge, personne qui devait fidélité et assistance à un seigneur, le suzerain, en échange d'une terre.

vaste adj. Très grand. *Un appartement très vaste.*
Contraire : exigu.

Vatican

État placé sous l'autorité du pape, situé dans la ville de Rome, en Italie. Le Vatican, également appelé Saint-Siège, est le plus petit État souverain au monde. Il tire ses ressources de ses investissements bancaires et des dons des catholiques du monde entier. La Cité du Vatican abrite de superbes monuments : la basilique Saint-Pierre, le palais du Vatican en partie décoré par le peintre Raphaël, la chapelle Sixtine au plafond peint par Michel-Ange. Elle possède aussi de riches musées et une bibliothèque contenant des manuscrits de grande valeur. Elle fait paraître ses propres journaux. Sa radio (Radio Vatican) émet en plus de trente langues. Le Vatican est fondé en 1929 par les accords de Latran, signés entre la papauté et le gouvernement italien. C'est un État neutre. La sécurité est assurée par la garde pontificale suisse et la police italienne (pour la place Saint-Pierre).

0,44 km²
780 habitants
Langues :
italien, latin
Monnaie : euro
(ex-lire italienne)

va–tout n. m. inv. *Jouer son va-tout :* tenter sa dernière chance, jouer le tout pour le tout.

Vauban Sébastien Le Prestre de

Homme de guerre français, maréchal de France, né en 1633 et mort en 1707. Vauban est nommé ingénieur du roi en 1655. Il mène en 1667 les sièges victorieux de Lille et de Douai. Devenu commissaire général des fortifications en 1678, il est à l'origine de la construction de près de 300 places fortes. Il imagine de nouveaux procédés d'attaque et dote l'infanterie du fusil à baïonnette. Louis XIV le nomme maréchal de France en 1703. Mais Vauban critique la politique du roi. En 1707, il présente son projet d'une dîme royale, impôt sur le revenu que paieraient aussi les privilégiés. Il tombe en disgrâce peu de temps avant sa mort.

vaudou n. m. Religion d'origine africaine pratiquée à Haïti, qui mêle des rites chrétiens et des pratiques magiques.

à vau-l'eau adv. *Aller ou s'en aller à vau-l'eau :* aller à la dérive, péricliter.

vaurien, ienne n. Voyou, garnement.

vautour n. m. Grand oiseau de proie.

Il existe deux groupes de vautours : ceux d'Europe, d'Asie et d'Afrique, et ceux du continent américain. Les premiers vivent dans les montagnes et les régions désertiques. Ils mesurent jusqu'à 2,5 m d'envergure. Les seconds comprennent les condors, dont l'envergure peut atteindre 3 m. Les vautours ont le cou et la tête déplumés, un bec puissant et crochu, de larges et longues ailes permettant le vol plané, des pattes griffues.

se vautrer v. → conjug. **aimer.** Se coucher, se rouler ou s'installer à son aise. *Se vautrer dans un fauteuil.*

à la va-vite adv. Vite et sans s'appliquer. *Elle s'est coiffée à la va-vite.*

veau n. m. **Plur. : des veaux. 1** Petit de la vache et du taureau. **2** Viande de cet animal. *Du foie de veau.*

vécu, ue adj. Qui s'est passé dans la vie réelle. *Une histoire vécue.*

vedette n. f. **1** Acteur ou chanteur célèbre, star. *Une vedette de cinéma.* **2** *Se mettre en vedette :* attirer l'attention sur soi. **3** Petite embarcation rapide à moteur.

végétal, ale, aux adj. et n. m.
• adj. **1** Qui concerne les plantes. *Le règne végétal.* **2** Qui provient des plantes. *Une huile végétale.*

• n. m. Être vivant qui est fixé au sol où il puise les sels minéraux dont il se nourrit. *Les végétaux et les animaux.* **Synonyme : plante.**

végétarien, ienne adj. et n. Qui ne mange pas de viande.

végétatif, ive adj. Qui évoque la vie des plantes par son inaction. *Mener une vie végétative.*

végétation n. f. **1** Ensemble des végétaux d'un lieu ou d'une région. *Une végétation luxuriante.* **2** Au pluriel. Petites excroissances charnues qui se forment au fond du nez et de la gorge et gênent la respiration.

végéter v. → conjug. **digérer.** Ne pas évoluer, mener une existence médiocre et peu active. *Il végète à ce poste subalterne.*

véhément, ente adj. Qui s'exprime avec emportement, avec fougue. *Un ton véhément.*
Il proteste avec *véhémence*, de manière véhémente.

véhicule n. m. Tout moyen de transport. *Les voitures, les autobus, les camions, les motos sont des véhicules.*
Il *a véhiculé* ses cousins à travers la région, il les a transportés en véhicule.

veille n. f. **1** Jour qui précède celui dont on parle. *La veille de son mariage.* **2** *À la veille de :* peu avant, sur le point de. *Il est à la veille de commettre une bêtise.* **3** Fait de ne pas dormir, de rester éveillé. *Il a passé de longues heures de veille à terminer son travail.*

veillée n. f. Temps qui s'écoule entre le repas du soir et le coucher. *À la campagne autrefois, on se racontait des histoires à la veillée.*

veiller v. → conjug. **aimer. 1** Rester volontairement éveillé pendant le temps où l'on devrait dormir. *Il a veillé tard pour terminer ses devoirs.* **2** Rester la nuit près de quelqu'un. *Veiller un malade.* **3** S'occuper de quelque chose, y faire attention. *Veiller à ce que tout se passe bien.* **4** Protéger, surveiller. *Veiller sur ses enfants.*

veilleur n. m. *Veilleur de nuit :* personne chargée de surveiller un lieu pendant la nuit.

veilleuse n. f. **1** Petite lampe de faible intensité. *Mettre une veilleuse dans la chambre d'un bébé.* **2** Petite flamme d'un chauffe-eau ou d'une chaudière à gaz qui reste allumée en permanence. **3** Au pluriel. Lampes les plus faibles des phares d'une automobile. *Allumer ses veilleuses.*

veine n. f. **1** Vaisseau sanguin qui ramène le sang vers le cœur. *Avoir les veines apparentes.* **2** Ligne fine et colorée dans le bois ou la pierre. *Les veines du marbre.* **3** Familier. Chance. *Avoir de la veine.*
Contraire : déveine (3).
Il a gagné, quel *veinard*, il a de la veine (**3**). Ce marbre est *veiné* de rose, parcouru de veines (**2**) roses.

Vélasquez Diego

Peintre espagnol né en 1599 et mort en 1660. Les premières toiles de Vélasquez sont des scènes de la vie quotidienne (*le Porteur d'eau*), des thèmes religieux (*l'Adoration des Mages*) et des portraits. Il a le souci du détail et utilise les jeux d'ombre et de lumière ; ses personnages sont souvent très réalistes. Peintre officiel du roi d'Espagne, il exécute des portraits de la famille royale. Vers la fin de sa vie, au sommet de son art, Vélasquez réalise deux chefs-d'œuvre : *les Ménines* et *les Fileuses*.

Les Ménines

vêler v. → conjug. **aimer.** Donner naissance à un veau. *La vache a vêlé.*

véliplanchiste n. Personne qui pratique la planche à voile.
Synonyme : planchiste.

velléité n. f. Volonté faible ou hésitante, qui n'aboutit pas à une action. *Il a des velléités d'indépendance, mais il reste chez ses parents.*
> *C'est une* **velléitaire***, elle fait preuve de velléité.*

vélo n. m. Bicyclette. *Un vélo de course.*

vélocité n. f. Rapidité et agilité dans la pratique d'un instrument de musique.

vélodrome n. m. Piste pour les courses de vélo.

vélomoteur n. m. Petite moto équipée d'un moteur plus puissant que celui du cyclomoteur.

velours n. m. **1** Tissu dont l'endroit est couvert de poils courts et serrés, doux au toucher. **2** *Le chat fait patte de velours :* il rentre ses griffes.

velouté, ée adj. et n. m.
● adj. **1** Doux au toucher. *La peau veloutée des pêches.* **2** Doux au goût, onctueux. *Une sauce veloutée.*
● n. m. Potage velouté. *Un velouté de tomates.*

velu, ue adj. Couvert de poils. *Des bras velus.*

vénal, ale, aux adj. Qui est prêt à faire n'importe quoi pour de l'argent. *Un homme vénal.*

venant n. m. *À tout venant :* à tout le monde, au premier venu. *Il ouvre sa porte à tout venant.*

vendange n. f. Récolte du raisin destiné à produire du vin. *Faire les vendanges.*
> *C'est en automne qu'on* **vendange***, qu'on fait les vendanges.* Le viticulteur a engagé des **vendangeurs,** *des personnes pour faire les vendanges.*

Vendée (guerre de)

Insurrection contre certaines lois établies par la Révolution française, qui ensanglante la Vendée de 1793 à 1796. L'une de ces lois prévoit la levée de 300 000 hommes pour les armées de la Convention révolutionnaire, dont 18 000 Vendéens, tirés au sort. La colère paysanne se transforme en soulèvement le 10 mars 1793. Les Vendéens forment « l'armée catholique et royale », qui s'oppose à l'armée révolutionnaire (les « Bleus »). Les luttes, terriblement violentes et cruelles des deux côtés, ont fait près de 500 000 morts.

vendémiaire n. m. Premier mois du calendrier républicain (fin septembre, fin octobre).

vendetta n. f. Coutume corse qui consiste, pour les membres d'une famille, à se venger d'un meurtre sur les membres de la famille du meurtrier.

vendeur, euse n. **1** Personne dont la profession est de vendre. *Il est vendeur dans un grand magasin.* **2** Personne qui vend ou qui a vendu un bien. *Le vendeur de la maison a accepté de baisser son prix.*
Contraires : client (1), acheteur (2).

vendre v. → conjug. **répondre.** **1** Céder quelque chose contre de l'argent. *Il vend son vélo. Le boulanger vend du pain.* **2** Trahir, dénoncer. *C'est un complice qui l'a vendu.*

vendredi n. m. Jour de la semaine qui suit le jeudi.

vénéneux, euse adj. Se dit d'une plante qui contient du poison. *Des champignons vénéneux.*

vénérer v. → conjug. **digérer.** Respecter et admirer profondément. *Il vénère son professeur.*
> *Elle a de la* **vénération** *pour sa mère, elle la vénère. C'est un* **vénérable** *vieillard, qui mérite d'être vénéré.*

vénerie n. f. Art de la chasse à courre.

Venezuela

République du nord de l'Amérique du Sud, ouverte au nord sur la mer des Caraïbes et sur l'océan Atlantique. Le nord et le nord-est du Venezuela sont montagneux. Le climat est tropical sur le littoral et dans les plaines, tempéré en altitude. La population se concentre dans les villes du nord. L'agriculture, très peu développée, n'assure pas tous les besoins alimentaires du pays. L'économie se fonde surtout sur l'exploitation du pétrole. Le Venezuela, sous domination espagnole à partir de la fin du xve siècle, proclame son indépendance en 1811.
Il a, depuis cette date, connu de longues périodes de dictature.

910 050 km²
25 226 000 habitants :
les Vénézuéliens
Langue : espagnol
Monnaie : bolivar
Capitale : Caracas

venger v. → conjug. **ranger.** *1* Réparer l'offense ou le mal fait à quelqu'un en en punissant l'auteur. *Venger un ami. 2 Se venger :* punir quelqu'un en lui rendant le mal qu'il a fait. *Se venger d'une humiliation.*
   Je redoute sa **vengeance**, *ce qu'il va faire pour se venger (2).*

vengeur, eresse adj. et n. m.
• adj. Qui est inspiré par la vengeance. *Un cri vengeur. Des paroles vengeresses.*
• n. m. Personne qui venge, qui punit. *Il veut bien être notre vengeur.*

venin n. m. Substance toxique sécrétée par certains animaux qui l'injectent en piquant ou en mordant. *Du venin de vipère, de scorpion, d'araignée.*
   Le cobra est un serpent **venimeux**, *il produit du venin.*

venir v. *1* Se déplacer vers un lieu ou une personne. *Je lui ai demandé de venir. 2* Arriver, provenir d'un lieu. *Ce thé vient de Chine. 3* Découler, avoir pour cause. *Ses difficultés viennent d'un manque d'organisation. 4* Survenir, se produire. *Le moment est venu de partir. 5 À venir :* qui va arriver, futur. *Dans les jours à venir. 6 En venir à quelque chose :* finir par y arriver. *Venons-en au but. 7 Venir au monde :* naître. *8 Venir de faire quelque chose :* avoir juste fini de le faire. *Elle vient d'arriver.*

La conjugaison du verbe
VENIR 3e groupe

indicatif présent	je viens,
	il ou elle vient,
	nous venons,
	ils ou elles viennent
imparfait	je venais
futur	je viendrai
passé simple	je vins
subjonctif présent	que je vienne
conditionnel présent	je viendrais
impératif	viens, venons, venez
participe présent	venant
participe passé	venu

Venise

Ville du nord-est de l'Italie, située en bordure de la mer Adriatique, dont elle est séparée par un cordon de terre. Bâtie au milieu d'une lagune, sur 118 îlots, Venise est parcourue par 200 canaux enjambés par 400 ponts ! C'est une «ville-musée» très touristique : le palais des Doges, la basilique Saint-Marc, et les magnifiques palais qui bordent le Grand Canal. Venise possède aussi quatre-vingt-dix églises, de nombreux musées, des bibliothèques, des théâtres. Chaque année s'y déroulent un carnaval et un festival du cinéma. Venise doit lutter contre la pollution et contre son enfoncement dans les eaux de la lagune. Cité libre à partir du ixe siècle, Venise connaît son heure de gloire du iie au xve siècle, grâce au commerce maritime. Devenue autrichienne en 1797, elle est rattachée à l'Italie en 1866.

vent n. m. *1* Mouvement de l'air qui se déplace. *Le vent se lève. 2 Instrument à vent :* instrument de musique dans lequel le son est produit par le souffle. *L'orgue, la clarinette sont des instruments à vent. 3 Être dans le vent :* à la mode. *4 C'est du vent :* ce n'est pas sérieux. *5 Avoir vent de quelque chose :* en entendre parler. *6 Passer en coup de vent :* très rapidement.
Homonyme : van.
   Elle va à la plage même s'il **vente**, *s'il y a du vent (1).*
   Une région **venteuse**, *le vent (1) y souffle souvent.*

vente n. f. Action de vendre quelque chose. *Vente par correspondance. Mettre sa voiture en vente.*

venter v., **venteux, euse** adj. → **vent.**

ventilateur n. m. Appareil muni d'une hélice qui produit un courant d'air en tournant, pour rafraîchir l'atmosphère ou refroidir un moteur.

ventiler v. ➜ conjug. **aimer.** Aérer en faisant circuler de l'air. *Ventiler une pièce.*

Il n'y a aucune **ventilation** dans ce local, il n'est pas ventilé, il n'y a pas d'aération.

ventôse n. m. Sixième mois du calendrier républicain (fin février, fin mars).

ventouse n. f. *1* Organe de certains animaux qui leur permet de se fixer à un support ou à une proie. *Les ventouses d'une sangsue.* *2* Rondelle de caoutchouc qui adhère à une surface lisse quand on appuie dessus.

ventre n. m. Partie du corps opposée au dos et située au-dessous de la taille, qui contient les intestins. *Avoir mal au ventre. Dormir sur le ventre.*

La femelle des marsupiaux a une poche **ventrale**, située sur le ventre. *C'est un homme **ventru**, **ventripotent**, il a un gros ventre.*

ventricule n. m. Chacune des deux cavités inférieures du cœur.

ventriloque n. Personne qui réussit à parler sans remuer les lèvres, donnant ainsi l'illusion que ce n'est pas elle qui parle.

ventripotent, ente adj., **ventru, ue** adj. ➜ ventre.

venu, ue adj. et n.

• adj. *Être bien* ou *mal venu* : arriver à propos ou mal à propos. *Il serait mal venu d'insister.*

• n. *1 Nouveau venu, nouvelle venue :* personne arrivée depuis peu. *2 Le premier venu :* n'importe qui.

venue n. f. Fait de venir, arrivée. *Nous attendons sa venue avec impatience.*

Vénus

Divinité de la mythologie romaine, déesse de l'Amour et de la Beauté. C'est l'Aphrodite de la mythologie grecque. Vénus est née de l'écume de la mer. Mariée avec Vulcain, dieu du Feu et des Forges, elle a de nombreuses aventures amoureuses. Jules César instaure la célébration de Vénus durant le mois d'avril.
Vénus est aussi le nom d'une planète.

***Regarde aussi* Soleil.**

vêpres n. f. pl. Office catholique de l'après-midi.

ver n. m. *1* Petit animal mou et de forme allongée, sans pattes. *Le ver de terre est aussi appelé lombric.*

2 Ver solitaire : ténia. *3* Larve de certains insectes. *Le ver à soie est la chenille du papillon.*
Homonymes : vair, verre, vers, vert.

véracité n. f. Caractère de ce qui est conforme à la vérité. *Je ne crois pas à la véracité de son récit.*

véranda n. f. Pièce vitrée adossée à la façade d'une maison.

verbal, ale, aux adj. *1* Qui se fait de vive voix et non par écrit. *Il m'a fait une promesse verbale.* *2* Qui concerne le verbe.
Synonyme : oral (1).

Il s'est engagé **verbalement**, de façon verbale (*1*).

verbaliser v. ➜ conjug. **aimer.** Dresser un procès-verbal. *Il s'est fait verbaliser pour excès de vitesse.*

verbe n. m. Mot qui, dans une proposition, exprime l'action ou l'état du sujet.

LE VERBE

Les verbes sont classés en trois groupes.

■ Les verbes du 1er groupe se terminent par **er** à l'infinitif (*aimer, parler, marcher*).

■ Les verbes du 2e groupe se terminent par **ir** à l'infinitif et **issant** au participe présent (*finir, finissant*).

■ Les verbes du 3e groupe se terminent : par **ir** à l'infinitif – mais pas par **issant** au participe présent – (*partir, partant*), par **oir** (*apercevoir*) ou par **re** (*faire, vivre*).

● Les verbes **avoir** et **être** sont des verbes **auxiliaires** ; ils servent à la conjugaison des temps composés.

● La conjugaison du verbe dépend de cinq éléments.
❖ Le **mode** est la manière dont s'exprime l'état ou l'action. Il en existe six : indicatif, subjonctif, conditionnel, impératif, infinitif et participe.
❖ Le **temps,** simple (présent, imparfait, passé simple, futur simple) ou composé (passé composé, plus-que-parfait, passé antérieur, futur antérieur).
❖ La **personne** : 1re (je, nous) ; 2e (tu, vous) ; 3e (il, elle, ils, elles).
❖ Le **nombre** : singulier ou pluriel.
❖ La **voix** : active ou passive.

● Le verbe est composé d'un **radical** et d'une **terminaison** ou désinence :
marcher ➜ **march** (radical) **er** (terminaison). Lorsque le verbe est **régulier**, son radical ne varie pas au cours de sa conjugaison. Sinon, il est dit **irrégulier**. *Marcher* est régulier (*il marche*) ; *venir* est irrégulier (*il vient*).

● Le verbe est dit **impersonnel** lorsqu'il ne se conjugue qu'à la 3e personne du singulier (*il pleut, il faut*).

● Le verbe est dit **pronominal** lorsqu'il se conjugue avec deux pronoms (*se laver : **il se** lave*).

verbeux, euse adj. Qui utilise trop de mots, trop de paroles. *Un discours verbeux.*

verbiage n. m. Abondance de mots, de paroles inutiles. *Son discours n'est que du verbiage sans intérêt.*

Vercingétorix

Chef de la tribu gauloise des *Arvernes*, né vers 72 av. J.-C. et mort en 46 av. J.-C. Vercingétorix devient, en 52 av. J.-C., le chef suprême des Gaulois unis contre les légions romaines de Jules César. Assiégés dans Gergovie, les Gaulois sortent victorieux, mais sont contraints peu de temps après de se réfugier dans la ville d'Alésia. César en fait le siège pendant quarante jours, repoussant les renforts gaulois. Devant l'inutilité de la résistance, et pour sauver ses hommes, Vercingétorix se rend. Conduit à Rome, il est emprisonné, puis exécuté six ans plus tard dans son cachot.

Vercors

Vaste plateau calcaire des Préalpes françaises. Le Vercors possède un relief accidenté qui rend son accès difficile. C'est cette particularité qui en fait un des hauts lieux de la Résistance française au cours de la Seconde Guerre mondiale.

En juin 1944, environ 3 500 « maquisards » bloquent l'avancée allemande. Mais, encerclés par 10 000 soldats, harcelés par des commandos largués par planeurs, les résistants du Vercors tombent en juillet 1944. Cette bataille du Vercors fera plus de 600 victimes (résistants et civils).

verdâtre adj. Qui tire sur le vert ou qui est d'un vert un peu trouble. *Un teint verdâtre.*

verdeur n. f. Vigueur propre à la jeunesse chez quelqu'un qui n'est plus jeune.

Verdi Giuseppe

Compositeur italien né en 1813 et mort en 1901. En 1839, Verdi présente son premier opéra, *Oberto*, qui est apprécié du public, mais sa deuxième œuvre est un échec. Avec *Nabucco* (1842), puis *I Lombardi* (1843), il renoue avec le succès, devient célèbre dans toute l'Europe et reçoit de nombreuses commandes. Parmi ses chefs-d'œuvre figurent *Rigoletto* (1851), *la Traviata* (1853) et *Aïda* (1871).

verdict n. m. Décision d'un tribunal sur la culpabilité d'un accusé. *Le jury a rendu son verdict.*

verdir v. → conjug. **finir**. Devenir vert. *La forêt commence à verdir.*

verdoyant, ante adj. Couvert d'une verdure abondante. *Une vallée verdoyante.*

Verdun (bataille de)

Bataille de la Première Guerre mondiale qui se déroule à Verdun, dans le nord-est de la France. Depuis 1915, Français et Allemands mènent sur le front de l'est une guerre de tranchées. Le 21 février 1916, les Allemands attaquent les positions françaises avec des forces d'artillerie énormes. Les Français contre-attaquent ; l'« enfer de Verdun » dure jusqu'en décembre, sans qu'aucune des deux armées n'ait réalisé d'avancée significative. Le bilan est très lourd : environ 335 000 Allemands et 360 000 Français y perdent la vie.

verdure n. f. Ensemble d'herbes, de plantes et de feuilles vertes, végétation.

véreux, euse adj. *1* Qui est abîmé par des vers. *Un fruit véreux.* *2* Figuré. Malhonnête, corrompu. *Un avocat véreux.*

verge n. f. *1* Baguette souple qui servait autrefois à fouetter, à corriger. *2* Organe génital de l'homme et des mammifères mâles.
Synonyme : pénis (*2*).

verger n. m. Terrain planté d'arbres fruitiers.

verglas n. m. Mince couche de glace sur le sol. *Il a glissé sur une plaque de verglas.*
    La route est *verglacée*, couverte de verglas.

sans vergogne adv. Sans honte ni scrupules. *Il a menti sans vergogne.*

vergue n. f. Longue pièce placée en travers du mât d'un voilier pour soutenir la voile.

Verhaeren Émile

Poète belge de langue française né en 1855 et mort en 1916. Dans ses premiers poèmes, Verhaeren décrit son pays natal (*les Flamandes*, 1883). Sa poésie, un temps désespérée (*les Flambeaux noirs*, 1888-1891), devient fougueuse, rythmée, empreinte de lyrisme (*les Villages illusoires*, 1895 ; *les Villes tentaculaires*, 1895 ; *les Rythmes souverains*, 1910). Il est aussi l'auteur de contes et de pièces de théâtre.

véridique adj. Conforme à la vérité, authentique, exact. *C'est une histoire véridique.*

vérifier v. ➜ conjug. **modifier.** S'assurer que quelque chose est exact, en règle ou en bon état. *Vérifier une addition. Vérifier les freins d'une voiture.*

Cette information n'est pas **vérifiable**, on ne peut pas la vérifier. *Les douaniers procèdent à la **vérification** des bagages*, ils vérifient qu'ils sont en règle.

véritable adj. **1** Vrai, réel, authentique. *J'ignore son véritable nom. C'est du cuir véritable.* **2** Qui mérite le nom qu'on lui donne. *C'est une véritable catastrophe.* **Contraire : faux (1).**

Je ne suis pas **véritablement** étonné, d'une manière véritable (2), vraiment, réellement.

vérité n. f. **1** Ce qui est vrai, conforme à la réalité. *Dire la vérité.* **2** *En vérité* ou *à la vérité* : en fait, pour parler franchement.

Verlaine Paul

Poète français né en 1844 et mort en 1896. Employé de bureau, Verlaine consacre son temps libre à la poésie : *Poèmes saturniens* (1866) et *Fêtes galantes* (1869). Il perd son travail, mène une vie de bohème où l'alcool tient une large place. Il rencontre Rimbaud mais, en 1873, au cours d'une dispute, il tire sur celui-ci et le blesse. Emprisonné pour deux ans, Verlaine écrit *Romances sans paroles* (1874) puis des textes inspirés par la religion. Libéré, il mène une vie errante et miséreuse, mais poursuit son œuvre (*les Poètes maudits*, 1884 ; *Jadis et naguère*, 1884 ; *Chansons pour elle*, 1891).

verlan n. m. Argot consistant à inverser les syllabes des mots. En verlan, « énervé » se dit « vénère ».

Vermeer Johannes

Peintre néerlandais né en 1632 et mort en 1675. On ne connaît pas avec précision les détails de la vie de Vermeer, qui n'a été redécouvert qu'au XIXᵉ siècle. Il est le peintre des intérieurs, des scènes domestiques simples, où les personnages sont occupés à leurs tâches quotidiennes (*la Laitière, l'Atelier, Homme et Femme buvant du vin, la Dentellière*…). Vermeer a peint aussi des portraits (*la Jeune Fille au turban*) et quelques paysages (*Vue de Delft*). Une douce lumière baigne ses toiles ; une atmosphère chaleureuse s'en dégage. Moins de quarante de ses toiles sont parvenues jusqu'à nous.

vermeil, eille adj. et n. m.
● adj. D'un rouge vif. *Des lèvres vermeilles.*
● n. m. Argent recouvert d'une mince couche d'or. *Un plat en vermeil.*

vermicelle n. m. Pâtes à potage longues et fines.

vermifuge n. m. Médicament qui élimine les vers intestinaux.

vermillon adj. inv. D'un rouge vif qui tire sur l'orangé. *Des gants vermillon.*

vermine n. f. Ensemble des insectes parasites de l'homme et des animaux, comme les poux.

vermisseau n. m. **Plur. : des vermisseaux.** Petit ver.

vermoulu, ue adj. Se dit du bois ou d'un objet de bois rongé par les vers. *Une vieille planche vermoulue.*

Verne Jules

Écrivain français né en 1828 et mort en 1905. Jules Verne commence par écrire des pièces de théâtre, qui sont appréciées du public. En 1863, il publie son premier roman, *Cinq Semaines en ballon*, qui connaît le succès. *Voyage au centre de la Terre* (1864) puis *De la Terre à la Lune* (1865) confirment sa célébrité. Il puise l'inspiration de ses romans d'anticipation dans les textes scientifiques et les inventions de son époque, ainsi que dans ses nombreux voyages. Jules Verne est l'un des précurseurs de la science-fiction. Il écrit en tout quelque quatre-vingts romans, parmi lesquels *Vingt Mille Lieues sous les mers* (1870), *le Tour du monde en quatre-vingts jours* (1873), *l'Île mystérieuse* (1874), *Michel Strogoff* (1875) et *Mathias Sandorf* (1885).

Vue de Delft

verni, ie adj. *1* Recouvert de vernis. *Il a mis des souliers vernis.* *2* Familier. Chanceux.

vernis n. m. Produit brillant, transparent ou coloré, qui sert à protéger ou à décorer une surface. *Du vernis à bois. Du vernis à ongles.*

Elle se vernit les ongles, elle les recouvre de vernis.

vernissage n. m. Réception pour l'inauguration d'une exposition artistique.

verrat n. m. Porc mâle destiné à la reproduction.

verre n. m. *1* Matière dure, cassante et transparente, obtenue en faisant fondre divers minéraux. *Un saladier en verre.* *2* Plaque ou morceau de verre servant à protéger un objet. *Un verre de montre.* *3* Disque de verre ou de plastique destiné à corriger la vue. *Des lunettes à verres fumés. Porter des verres de contact.* *4* Récipient pour boire. *Des verres à pied en cristal.* *5* Contenu d'un verre. *Boire un verre de jus d'orange.* Homonymes : vair, ver, vers, vert.

Une verrerie, c'est une usine où l'on fabrique du verre (*1*) ou des objets en verre. *Un verrier* est une personne qui travaille dans une verrerie.

verrière n. f. Toit ou partie de toit faite de verre.

verrou n. m. *1* Système de fermeture fixé sur une porte et formé d'une barre métallique qu'on fait coulisser. *Tirer le verrou.* *2* Être sous les verrous : en prison.

verrouiller v. → conjug. **aimer.** *1* Fermer par un verrou. *Verrouiller une porte.* *2* Bloquer ou fermer par un dispositif spécial. *Verrouiller la mémoire d'un ordinateur.*

C'est une voiture à verrouillage centralisé, dont toutes les portes peuvent être verrouillées (*2*) en même temps.

verrue n. f. Petite excroissance qui se développe sous la peau.

1. vers prép. Indique : *1* La direction. *Il vient vers moi.* *2* L'approximation dans l'espace ou dans le temps. *Elle habite vers la mairie. Il est parti vers midi.* Homonymes : vair, ver, verre, vert.

2. vers n. m. Suite rythmée de mots qui forme une ligne d'un poème. *Écrire en vers.*

Versailles

Ville française de la Région Île-de-France, située au sud-ouest de Paris. Versailles est une ville résidentielle ainsi qu'un centre administratif régional. Son histoire et la présence du château en font l'un des grands centres touristiques de la France.

(78) *Préfecture des Yvelines*
88 476 habitants : les Versaillais

Versailles (château de)

L'histoire du château de Versailles commence en 1624. Louis XIII fait bâtir un pavillon de chasse, Louis XIV décide, en 1661, d'en faire une demeure royale. Les travaux de construction durent plus de quarante ans. Le roi fait appel aux architectes Le Vau, Le Brun, Mansard et à Le Nôtre, qui aménage les jardins. Louis XIV s'installe définitivement à Versailles en 1682. Le château possède une façade de plus de 550 m de longueur formée de deux ailes réunies par la splendide galerie des Glaces, des centaines de pièces à la décoration majestueuse, des jardins agrémentés de magnifiques bassins et de très nombreuses statues, œuvres de Girardon, Coyzevox, Le Gros… Versailles sera la véritable capitale de la France jusqu'à la Révolution française, qui débute dans les salles du château avec la réunion des États généraux.

Divers traités importants ont ensuite été signés à Versailles. Celui du 28 juin 1919, appelé « traité de Versailles », met fin à la Première Guerre mondiale.

---

versant n. m. Chacune des pentes d'une montagne ou d'une vallée.

versatile adj. Qui change souvent d'opinion.

à verse adv. *Il pleut à verse :* en abondance. Homonyme : averse.

versé, ée adj. Qui connaît très bien un domaine. *Il est très versé en architecture.*

verser v. → conjug. **aimer.** *1* Faire couler un liquide. *Verser de l'eau dans un verre.* *2* Répandre. *Verser des larmes.* *3* Remettre de l'argent. *Verser une pension alimentaire à son ex-femme.* *4* Tomber sur le côté, se renverser. *Le camion a versé dans le fossé.*

Il a payé en plusieurs versements, en versant (*3*) de l'argent à plusieurs reprises. *Le bec verseur de la théière est ébréché,* le bec qui sert à verser (*1*).

verset n. m. Chacun des petits paragraphes numérotés d'un texte sacré. *Les versets de la Bible, du Coran.*

verseur adj. m. → verser.

version n. f. *1* Exercice scolaire consistant à traduire dans sa propre langue un texte écrit dans une langue étrangère. *2* *Film en version originale* ou *en V.O. :* projeté dans sa langue d'origine avec des sous-titres, qui n'est pas doublé. *3* Façon de raconter un fait. *Chacun a donné sa version de l'accident.* Contraire : thème (*1*).

verso n. m. Envers de la feuille d'un livre, d'un cahier. Contraire : recto.

vert

vert, verte adj. et n. m.
• adj. **1** Qui est de la couleur de l'herbe et des feuilles. *Une chemise verte. Une robe vert pâle.* **2** Qui n'est pas mûr. *Le raisin est encore vert.* **3** Qui n'est pas sec ou pas séché. *Du bois vert. Des légumes verts.* **4** Qui est plein de verdeur. *Il est encore vert pour son âge.*
• n. m. **1** Couleur verte. *Le vert s'obtient en mélangeant du bleu et du jaune. Le feu est passé au vert.* **2** Les Verts : les écologistes.
Homonymes : vair, ver, verre, vers.

vert-de-gris n. m. inv. Dépôt verdâtre qui se forme à l'air humide sur le cuivre et le bronze.

vertèbre n. f. Chacun des os courts qui, superposés, forment la colonne vertébrale.
> La colonne *vertébrale* est l'ensemble des vertèbres. Les *vertébrés* sont les animaux qui ont une colonne vertébrale, comme les mammifères, les oiseaux, les poissons et les reptiles.

L'embranchement des vertébrés est formé des mammifères (dont l'homme), des oiseaux, des reptiles, des amphibiens et des poissons. Il rassemble près de 50 000 espèces. La plupart des vertébrés ont deux paires de membres.

vertement adv. D'une manière rude et sans ménagement. *Il s'est fait vertement réprimandé.*

vertical, ale, aux adj. et n. f.
• adj. Qui est perpendiculaire à l'horizontale. *Le mur n'est pas très vertical.*
• n. f. Ligne verticale. *La verticale suit la direction du fil à plomb.*
> L'hélicoptère s'élève *verticalement*, à la verticale.

vertige n. m. Malaise que l'on ressent au-dessus du vide, qui donne une sensation de perte d'équilibre.
> Il a fait une chute *vertigineuse*, qui donne le vertige.

vertu n. f. **1** Qualité morale particulière. *La patience est une vertu qu'il n'a pas.* **2** Capacité de produire un effet. *Les vertus calmantes d'un bain chaud.* **3** En vertu de : au nom de, en raison de. *En vertu de notre vieille amitié, je préfère oublier cette dispute.*
> **Synonyme : propriété (2). Contraire : vice (1).**
> Il veut passer pour un homme *vertueux*, qui a des vertus (1).

verve n. f. Façon vivante et brillante de s'exprimer, brio. *Raconter une histoire avec beaucoup de verve.*

verveine n. f. Plante dont les feuilles sont utilisées en tisane.

La verveine possède des tiges dressées de 20 à 60 cm de hauteur. Ses feuilles sont couvertes de petits « poils » rêches.

vésicule n. f. Organe en forme de sac. *La vésicule biliaire contient la bile, sécrétée par le foie.*

vesse-de-loup n. f. Plur. : des vesses-de-loup. Champignon comestible quand il est jeune.

Jeune, la vesse-de-loup est une sphère blanchâtre couverte de petites verrues. En vieillissant, elle prend une couleur brune ou rouge ; elle finit par se déchirer pour libérer une poudre formée de nombreux spores (les « graines »), qui sont dispersées par le vent.

vessie n. f. Organe situé dans le bas du ventre et où s'accumule l'urine, qui vient des reins.

La vessie est une poche située dans l'abdomen. Elle stocke l'urine, produite par les reins, qui s'y écoule par deux canaux appelés uretères. Elle s'ouvre sur un fin canal appelé urètre, par lequel l'urine est évacuée.

veste n. f. Vêtement à manches et ouvert devant, qui couvre le torse.

vestiaire n. m. **1** Endroit où l'on dépose son manteau, son parapluie, son chapeau dans un théâtre, un restaurant, une discothèque, etc. **2** Local où l'on se change dans un gymnase, un stade, une piscine, etc.

vestibule n. m. Pièce ou couloir d'entrée d'une maison ou d'un appartement.

vestiges n. m. pl. Ce qui reste d'une chose détruite ou disparue.
Synonymes : restes, ruines, traces.

vestimentaire adj. Qui concerne les vêtements. *Des dépenses vestimentaires.*

veston n. m. Veste d'un costume d'homme.

Vésuve

Volcan actif du sud de l'Italie, situé à proximité de Naples. Le Vésuve atteint 1 277 m d'altitude. Ses pentes fertiles sont couvertes de vignes ; de nombreux villages sont construits alentour.
En 79 apr. J.-C., une terrible éruption du Vésuve ensevelit les villes d'Herculanum, Pompéi et Stabies sous une couche de cendres de plusieurs mètres d'épaisseur. D'autres éruptions ont eu lieu depuis ; la dernière date de 1944.

---

vêtement n. m. Ce qui sert à couvrir le corps, habit. *Il faut ressortir les vêtements d'hiver.*

vétéran n. m. *1* Ancien combattant. *2* Sportif de plus de 35 ans pour les femmes et de plus de 40 ans pour les hommes.

vétérinaire n. Médecin pour animaux.

vétille n. f. Chose insignifiante. *S'amuser à des vétilles.*

vêtir v. Couvrir de vêtements. *Il est légèrement vêtu.*
Synonyme : habiller. Contraire : dévêtir.

La conjugaison du verbe
VÊTIR 3e groupe

indicatif présent	je vêts, il ou elle vêt, nous vêtons, ils ou elles vêtent
imparfait	je vêtais
futur	je vêtirai
passé simple	je vêtis
subjonctif présent	que je vête
conditionnel présent	je vêtirais
impératif	vêts, vêtons, vêtez
participe présent	vêtant
participe passé	vêtu

---

veto n. m. inv. *Mettre son veto :* s'opposer, refuser. *Le directeur a mis son veto à cette proposition.*
Mot latin qui se prononce [veto].

vétuste adj. Vieux et en mauvais état. *Un escalier vétuste.*
La vétusté de cet équipement le rend inutilisable, son état vétuste.

veuf, veuve adj. et n. Dont la femme ou le mari est mort.
Son veuvage est encore très récent, il est veuf depuis peu de temps.

veule adj. Qui manque de volonté, d'énergie et de courage. *Il a un air veule.*
Sa veulerie lui fait tout accepter, son caractère veule.

veuvage n. m. → **veuf.**

vexer v. → conjug. **aimer.** Faire souffrir quelqu'un dans son amour-propre. *Ta remarque l'a vexé. Il se vexe pour un rien.*
Synonymes : froisser, humilier.
Son refus est très vexant, il vexe. *Je ne lui pardonnerai pas cette vexation,* cette parole ou cette action vexantes, cette humiliation. *Ils ont pris des mesures vexatoires à l'égard des étrangers,* qui ont le caractère d'une vexation.

via prép. En passant par. *Aller de Paris à Montpellier via Lyon.*

viabilité n. f. *1* Bon état d'un chemin ou d'une route, permettant d'y circuler. *2* Fait d'être viable. *Étudier la viabilité d'un projet.*

viable adj. Qui peut se développer, durer, réussir. *Cette affaire n'est pas viable.*

viaduc n. m. Pont très long et très élevé sur lequel passe une route ou une voie ferrée.

viager, ère adj. et n. m.
• adj. *Rente viagère :* pension versée jusqu'à la mort de celui qui la reçoit.
• n. m. *En viager :* en échange d'une rente viagère. *Vendre une maison en viager.*

viande n. f. Chair des animaux, qui sert d'aliment. *La viande rouge est la viande de bœuf, de mouton et de cheval, la viande blanche est la viande de veau, de porc et de volaille.*

vibrer v. → conjug. **aimer.** *1* Être agité d'oscillations ou de tremblements légers et très rapides. *La musique fait vibrer le plancher.* *2* Ressentir ou manifester une très vive émotion. *Sa voix vibre de colère.*
Il a lancé un vibrant appel à la solidarité, un appel ardent et passionné, qui fait vibrer (*2*). *Elle s'endort dans la voiture, bercée par les vibrations du moteur,* le bruit et le tremblement du moteur qui vibre (*1*).

vicaire n. m. Prêtre qui aide le curé d'une paroisse.

vice

vice n. m. *1* Défaut, mauvais penchant. *Il a le vice du jeu.* *2* Défaut ou imperfection graves qui rendent une chose inutilisable. *Un vice de fabrication.*
Contraire : vertu (*1*). Homonyme : vis.

vice– préfixe. Indique, devant un nom de fonction, que celle-ci est exercée en second ou par intérim.

vice-président, ente n. **Plur. : des vice-présidents, des vice-présidentes.** Personne chargée d'assister le président et, éventuellement, de le remplacer.
Il a été nommé à la vice-présidence, à la fonction de vice-président.

vice versa adv. Réciproquement, inversement. *Elle le remplace quand il doit sortir et vice versa.*
On prononce [visvɛʀsa] **ou** [visevɛʀsa].

Vichy

Ville de la Région Auvergne, située dans le département de l'Allier. Le nom de Vichy est associé à ses sources d'eau minérale, déjà utilisées au temps des Romains. Célèbre à partir du XVIIe siècle, la station thermale est très fréquentée à la fin du XIXe et au début du XXe siècles. La ville est aussi connue pour avoir abrité le gouvernement de la France, dirigé par le maréchal Pétain de 1940 à 1944, pendant la Seconde Guerre mondiale.

vicié, ée adj. *Air vicié :* air pollué, malsain.

vicieux, euse adj. *1* Qui a des vices, des mauvais penchants. *Un enfant vicieux.* *2* Qui est fautif, incorrect. *Un raisonnement vicieux.*

vicinal, ale, aux adj. *Chemin vicinal :* petite route qui relie des villages voisins.

vicissitudes n. f. pl. Succession d'événements heureux ou surtout malheureux. *Il a su résister aux vicissitudes de la vie.*

vicomte, vicomtesse n. Personne dont le titre de noblesse est inférieur à celui de comte.

victime n. f. *1* Personne tuée ou blessée dans un accident, une guerre, un meurtre. *La tempête a fait plusieurs victimes.* *2* Personne, qui subit les conséquences désagréables ou pénibles de quelque chose. *Être victime d'un escroc.*

victoire n. f. Fait de vaincre dans une bataille, une compétition. *Remporter une victoire éclatante.*
Contraire : défaite.

victorieux, euse adj. Qui a remporté une victoire. *L'équipe victorieuse.*
Synonyme : gagnant.

victuailles n. f. pl. Nourriture, provisions. *Ils sont revenus du marché chargés de victuailles.*

vidange n. f. Opération qui consiste à vider une fosse, un réservoir, un récipient pour les nettoyer.
Vidanger un puits, c'est en faire la vidange.

vide adj. et n. m.
• adj. *1* Qui ne contient rien. *Une bouteille vide.* *2* Qui n'est pas occupé. *Un appartement vide.*
Contraires : plein (*1*), rempli (*1*).
• n. m. *1* Espace vertical où il n'y a rien pour se retenir. *Tomber dans le vide.* *2* Espace vide, non occupé. *Laisse un vide entre le lit et le mur.* *3* Espace où il n'y a pas d'air. *Emballage sous vide.* *4* À vide :* sans rien contenir, sans transporter personne. *Le bus est reparti à vide.*

vidéo n. f. et adj. inv.
• n. f. Technique qui permet d'enregistrer des images et des sons sur bande magnétique ou sur disque et de les retransmettre sur un écran. *Filmer en vidéo.*
• adj. inv. Qui concerne ou qui utilise la technique de la vidéo. *Une caméra vidéo. Des jeux vidéo.*

vidéocassette n. f. Cassette contenant une bande magnétique pour l'enregistrement en vidéo.

vidéodisque n. m. Disque sur lequel sont enregistrés des images et des sons que l'on peut reproduire sur un téléviseur.

vide-ordures n. m. inv. Conduit vertical qui permet d'envoyer dans une poubelle collective les ordures ménagères des étages d'un immeuble.

vide-poches n. m. inv. Récipient ou compartiment où l'on dépose divers petits objets.

vider v. → conjug. **aimer.** *1* Rendre vide. *Vider une armoire. Vider une baignoire. Paris se vide en été.* *2* Retirer les boyaux d'une volaille ou d'un poisson. *3* Enlever, jeter. *Vider les ordures.*

vie n. f. *1* Ensemble des phénomènes qui caractérisent les êtres vivants, animaux et végétaux, de la naissance à la mort, en particulier la croissance et la reproduction. *2* Fait de vivre, de ne pas être mort. *Être en vie. Il lui a sauvé la vie.* *3* Ensemble des événements qui se succèdent au cours de l'existence d'une personne. *Raconter sa vie.* *4* Manière de vivre. *Mener une vie agitée.* *5* Ensemble des moyens matériels nécessaires pour vivre. *Gagner sa vie. La vie est chère.* *6* Dynamisme et vitalité, animation. *Un enfant plein de vie. Un quartier plein de vie.*

vieil adj. m. → **vieux.**

vieillard n. m. *1* Homme très vieux. *2* Au pluriel : Personnes très âgées. *Une maison de vieillards.*

vieillerie n. f. Objet ancien, usé ou démodé. *Il garde un tas de vieilleries dans son garage.*

vieillesse n. f. *1* Fait d'être vieux. *Le chat est mort de vieillesse.* *2* Dernière période de la vie. *Avoir une vieillesse heureuse.*

vieillir v. → conj. **finir.** *1* Devenir vieux. *On ne devient pas forcément plus sage en vieillissant.* *2* Être marqué par l'âge, par la vieillesse. *3* Faire paraître plus vieux. *Le noir te vieillit.*
> *Le soleil accentue le vieillissement de la peau*, il la fait vieillir (*2*) plus vite.

vieillot, otte adj. Démodé et un peu ridicule. *Elle s'habille de manière vieillotte.*

vielle n. f. Ancien instrument de musique dont les cordes sont frottées par une roue à manivelle.

Vienne

Capitale de l'Autriche, située sur le Danube. Vienne est la résidence des empereurs du Saint Empire romain germanique du XVe au XVIIe siècles. En 1815, après la chute de Napoléon Ier, la ville abrite le Congrès de Vienne, qui redessine les frontières de l'Europe. Au XIXe siècle, elle est l'un des principaux centres culturels de l'Europe. En 1918, après l'effondrement de l'Empire austro-hongrois, Vienne devient la capitale de la République autrichienne. Aujourd'hui, la ville compte plus de 1,5 million d'habitants.

viennoiserie n. f. Produits fabriqués par le boulanger, en dehors du pain. *Les croissants, brioches, pains au chocolat sont des viennoiseries.*

vierge adj. *1* Qui n'a jamais eu de relations sexuelles. *2* Qui n'a pas encore été utilisé. *Une page vierge. Une cassette vierge.* *3* *Forêt vierge :* forêt tropicale ou équatoriale impénétrable.

vieux, vieille adj. et n.
• adj. *1* Qui a vécu longtemps, qui est avancé en âge. *Une vieille dame.* *2* Âgé. *Il est plus vieux que moi.* *3* Qui existe depuis longtemps. *Les vieux quartiers d'une ville.* *4* Usé, hors d'usage. *Une vieille voiture.* *5* Qui est depuis longtemps dans cet état, dans cette situation. *Un vieux client. Un vieil ami à moi.*
Synonymes : âgé (*1* et *2*), ancien (*3*), usagé (*4*). Contraires : jeune (*1* et *2*), nouveau (*3*), récent (*3*), neuf (*4*). Au masculin singulier, on emploie « vieil » devant un mot commençant par une voyelle ou un « h » muet.
• n. Personne âgée. *Un petit vieux, une petite vieille.*

vif, vive adj. et n. m.
• adj. *1* Qui est plein de vie, de vitalité, de vivacité. *Avoir le regard vif, l'esprit vif.* *2* Qui s'emporte facilement, brusque, violent. *Échanger des propos un peu vifs.* *3* Qui est intense. *Une lumière vive. Une vive douleur.* *4* Vivant. *Jeanne d'Arc a été brûlée vive.* *5* De vive voix :* en s'exprimant par la parole et non par écrit.
• n. m. *1* *Le vif du sujet :* ce qu'il y a de plus important. *2* *Être piqué* ou *touché au vif :* au point le plus sensible. *3* *Avoir les nerfs à vif :* être sensible à tout. *4* *Sur le vif :* dans un contexte naturel, spontané. *Une photo prise sur le vif.*

vigie n. f. Marin chargé de surveiller la mer.

vigilance n. f. Surveillance attentive. *Le gardien ne relâche jamais sa vigilance.*
> *Elle surveille son enfant d'un œil vigilant*, plein de vigilance.

vigile n. m. Personne chargée de surveiller certains lieux. *Les vigiles d'un centre commercial.*

vigne n. f. *1* Arbuste dont le fruit est le raisin, cultivé aussi pour la production de vin. *2* Plantation de vignes. *Une vigne de deux hectares.* *3* *Vigne vierge :*

Vietnam

République socialiste du sud-est de l'Asie, ouverte à l'est et au sud sur la mer de Chine méridionale. Le Vietnam est une étroite bande de terre au centre montagneux et couvert de forêts. Les plaines, au nord et au sud, abritent la plus grande partie de la population. Le climat est chaud, et le pays soumis au régime des moussons ; les inondations sont nombreuses et dévastatrices. L'essentiel des ressources provient de l'agriculture ; l'industrie ne se développe que lentement. Sous domination française à partir du XIXe siècle, le Vietnam proclame son indépendance en 1945. Après la guerre d'Indochine, qui l'oppose à la France de 1946 à 1954, il est partagé en deux : Vietnam du Nord et Vietnam du Sud. Le Nord, communiste, et le Sud, soutenu par les États-Unis, s'affrontent jusqu'en 1975 : c'est la guerre du Vietnam. Le Sud est vaincu ; en 1976, le Vietnam est réunifié et la République socialiste proclamée. Le pays connaît un régime de parti unique.

331 690 km²
80 278 000 habitants :
les Vietnamiens
Langue : vietnamien
Monnaie : dong
Capitale : Hanoi

plante grimpante décorative, qui s'accroche aux façades des maisons par des vrilles.

Les **vignerons**, ou viticulteurs, cultivent la vigne (*1*) pour produire du vin. Le **vignoble** français est réputé, l'ensemble des vignes (*2*).

vignette n. f. Étiquette imprimée prouvant qu'on a payé une taxe ou servant au remboursement d'un médicament par la Sécurité sociale.

vignoble n. m. ➔ vigne.

Vigny Alfred de

Écrivain français né en 1797 et mort en 1863. Engagé dans la carrière militaire, Vigny fait paraître ses premiers poèmes en 1822. *Eloa ou la Sœur des anges* (1824) le fait connaître, il se consacre alors entièrement à la littérature. Il devient célèbre avec *Poèmes antiques et modernes* (1826), le roman historique *Cinq-Mars* (1826) et la pièce de théâtre *Chatterton* (1835). Ses écrits sont marqués par un profond pessimisme (*la Mort du loup*, 1843 ; *la Bouteille à la mer*, 1854). Vigny est l'un des écrivains romantiques les plus célèbres de la littérature française.

vigogne n. f. Petit lama sauvage de la cordillère des Andes. *Une écharpe en laine de vigogne.*

vigueur n. f. *1* Force physique, énergie. *Il est jeune et plein de vigueur. 2 En vigueur :* en application, en usage. *Ce règlement est toujours en vigueur.*

Un arbre **vigoureux**, plein de vigueur (*1*). Il proteste **vigoureusement**, de façon vigoureuse.

Vikings

Navigateurs et guerriers scandinaves qui, entre le VIIIe et le début du XIe siècles, mènent des expéditions à la recherche de débouchés commerciaux et de terres pour s'installer. Les Vikings parcourent mers et fleuves à bord de longs bateaux, les drakkars. Ils s'aventurent en Angleterre, en France, en Russie, en Islande, au Groenland et même en Amérique du Nord (Canada). Ils mènent des raids, pillant, incendiant, massacrant parfois les habitants des villes qu'ils traversent. En France, le roi Charles III le Simple met fin à leur invasion en 911, en leur cédant une région qui s'appelle depuis la Normandie. Le chef normand, Rollon, devient le premier duc de Normandie.

vil, vile adj. Littéraire. Méprisable. *Un vil flatteur.*
Homonyme : ville.

vilain, aine adj. et n. m.
• adj. *1* Qui n'est pas gentil, qui ne se conduit pas bien. *C'est très vilain de désobéir. 2* Laid, désagréable à voir. *Il a une vilaine peau. 3* Pénible, mauvais. *Quel vilain temps !*
• n. m. Au Moyen Âge, paysan libre.

vilebrequin n. m. Outil que l'on fait tourner avec une manivelle et qui sert à percer des trous.

vilenie n. f. Littéraire. Action ou parole vile.
On prononce [vileni].

villa n. f. Grande maison avec un jardin.

Au temps des Romains, le mot « villa » désigne deux types de domaines. La *villa rustica* est une sorte de grande ferme qui rassemble les bâtiments agricoles autour de la maison du maître. La *villa urbana* est une demeure somptueuse qui sert de maison de campagne aux riches citoyens.

village n. m. Groupement d'habitations à la campagne. *Se réunir sur la place du village.*
Les **villageois** sont les habitants d'un village.

ville n. f. Agglomération regroupant un nombre important d'habitations. *Habiter une grande ville.*
Homonyme : vil.

villégiature n. f. Séjour de vacances à la campagne, à la mer… *Partir en villégiature à la montagne.*

Villon François

Écrivain français né en 1431 et mort après 1463. Ses démêlés avec la justice obligent Villon à quitter Paris à plusieurs reprises. C'est au cours de ces départs qu'il écrit ses œuvres principales, le *Lais* (1456) et le *Testament* (1461). Ce sont des recueils de ballades où, maniant le vers avec aisance et ironie, il aborde de nombreux thèmes : le pouvoir, l'argent, l'amour, la mort… Condamné à mort en 1463, il voit sa peine changée en dix ans d'exil. On perd sa trace à partir de cette date. Parmi ses plus célèbres ballades figurent : la *Ballade des dames du temps jadis* et l'*Épitaphe Villon* (ou la *Ballade des pendus*). Villon est considéré comme le premier poète lyrique moderne.

vin n. m. Boisson alcoolisée obtenue en faisant fermenter du jus de raisin. *Vin rouge, vin blanc ou vin rosé.*
Homonymes : vain, vingt.

Une région **vinicole**, c'est une région où l'on produit du vin. La **vinification**, c'est l'ensemble des opérations qui transforment le jus de raisin en vin.

vinaigre n. m. Liquide obtenu à partir du vin ou d'un autre liquide alcoolisé et qui sert à assaisonner.

La salade est trop **vinaigrée**, il y a trop de vinaigre dans l'assaisonnement. *Elle prépare une vinaigrette pour les artichauts,* une sauce à base d'huile et de vinaigre. *Le vinaigrier,* c'est un récipient pour fabriquer soi-même son vinaigre.

Vincent de Paul (saint)

Prêtre français né en 1581 et mort en 1660. Vincent de Paul crée plusieurs associations de charité destinées à s'occuper des pauvres, des malades et des enfants orphelins. Lors de la guerre de Trente Ans (1618-1648), il intervient pour porter secours aux victimes et aux réfugiés. Il se consacre toute sa vie à l'aide des plus déshérités. Vincent de Paul est canonisé en 1737.

Vinci Léonard de → Léonard de Vinci.

vindicatif, ive adj. Qui est animé par un désir de vengeance. *Avoir un caractère vindicatif.*
Synonyme : rancunier.

VINGT

S'écrit **XX** en chiffres romains.

- adj. inv. Deux fois dix. *Avoir vingt ans.*
- n. m. inv. Le chiffre ou le nombre vingt. *Habiter au vingt de la rue.*
On prononce [vɛ̃]. Homonymes : vain, vin. Vingt ne prend un « s » que dans « quatre-vingts ».

vingtième
- adj. et n. Qui occupe le rang ou la place numéro 20 dans une série. *Le vingtième, ou xxᵉ siècle.*
- n. m. Chaque partie d'un tout qui a été divisé par vingt. *Un vingtième ou 1/20. Le vingtième d'une somme.*

vingtaine
- n. f. Ensemble formé de plus ou moins vingt personnes ou choses. *Elles repartent dans une vingtaine de jours.*

vinicole adj., **vinification** n. f. → vin.
viol n. m. → violer.
violacé, ée adj. → violet.
violation n. f. → violer.

viole n. f. Instrument de musique à cordes et à archet, ancêtre du violon.
Homonyme : viol.

violemment adv. → violent.

violence n. f. *1* Force brutale et agressive exercée contre quelqu'un. *Commettre des actes de violence.* *2* Au pluriel. Actes violents. *Il a subi des violences.* *3* Intensité, force brutale de quelque chose. *La violence d'une explosion. Une tempête d'une rare violence.*

violent, ente adj. *1* Qui se comporte avec violence, qui est brutal, coléreux. *C'est un homme violent.* *2* Qui est très intense, très fort. *Un vent violent.* *3* Qui exige de la force, de l'énergie. *Un sport violent.*
   Il l'a frappé **violemment**, de manière violente (*1*), brutalement.

violer v. → conjug. **aimer**. *1* Ne pas respecter quelque chose, transgresser, enfreindre. *Violer la loi. Violer une promesse.* *2* Forcer quelqu'un par la violence ou la menace à avoir des relations sexuelles. *Il est recherché par la police pour avoir violé plusieurs femmes.*
   Il a été condamné pour **viol**, pour avoir violé (*2*) quelqu'un. *Il y a eu* **violation** *du règlement,* le règlement a été violé (*1*).

violet, ette adj. et n. m.
- adj. D'une couleur bleue mêlée de rouge.
- n. m. Couleur violette.
   Elle a les joues **violacées** à cause du froid, d'une couleur presque violette.

violette n. f. Petite fleur odorante de couleur violette.

violon n. m. Instrument de musique à quatre cordes que l'on frotte à l'aide d'un archet.
   C'est un bon **violoniste**, un musicien qui joue bien du violon.

violoncelle n. m. Instrument de musique à quatre cordes, sorte de grand violon dont on joue assis en le tenant entre ses jambes.
   C'est un **violoncelliste**, un musicien qui joue du violoncelle.

violoniste n. → violon.

vipère n. f. Serpent venimeux à la tête triangulaire, qui vit dans les endroits secs et ensoleillés.

virage n. m. Tournant. *Virage en épingle à cheveux.*

viral, ale, aux adj. → virus.

virer v. → conjug. **aimer**. *1* Changer de direction. *Le bateau a viré de bord.* *2* Transférer de l'argent d'un compte bancaire à un autre. *Le salaire de mon père est viré sur son compte.* *3* Changer de couleur. *Avec le temps, les murs blancs ont viré au gris sale.*

*Mes grands-parents ont fait un **virement** sur mon livret de Caisse d'épargne, ils ont viré (2) une somme d'argent.*

virevolter v. → conjug. **aimer.** Faire un demi-tour sur soi-même ou aller et venir en tous sens. *Enfants qui virevoltent dans toute la maison.*

Virgile

Poète latin né en 70 av. J.-C. et mort en 19 av. J.-C. Virgile étudie les lettres, les mathématiques, l'art du discours et la philosophie dans les grandes villes d'Italie. Dès ses premières œuvres, *les Bucoliques* et *les Géorgiques*, il connaît la gloire. Ces poèmes, qui célèbrent la nature et la vie des travailleurs des champs, abordent également les thèmes de la guerre et de la paix. Son chef-d'œuvre, *l'Énéide*, est un grand poème épique qui raconte les pérégrinations d'Énée et la fondation de la nation romaine.

virginité n. f. État d'une personne vierge qui n'a pas encore eu de rapports sexuels.

virgule n. f. *1* Signe de ponctuation destiné à marquer des pauses à l'intérieur d'une phrase. *2* Signe qui précède la décimale, dans un nombre décimal.

viril, ile adj. Qui possède les qualités physiques ou morales que l'on attribue traditionnellement aux hommes, comme la force et le courage.
*Cet homme a beaucoup de **virilité**, il a une allure et un comportement virils.*

virtuel, elle adj. *1* Qui n'existe encore qu'à l'état de possibilité. *Sa réussite à cet examen est virtuelle. 2 Image virtuelle :* image en trois dimensions, créée sur ordinateur, qui donne l'impression d'un objet réel.
*Ce candidat aux élections est **virtuellement** élu, de façon encore virtuelle (1) mais très probable.*

virtuose n. Musicien qui joue de son instrument avec brio.
*Ce violoniste est d'une **virtuosité** impressionnante, c'est un virtuose.*

virulent, ente adj. *1* Nocif, violent. *Un microbe virulent. 2* Agressif, mordant, véhément. *Des critiques virulentes.*
*La **virulence** de ses critiques a laissé son interlocuteur sans voix, leur caractère virulent (2).*

virus n. m. Organisme microscopique.
*La grippe, la varicelle sont des maladies **virales**, causées par des virus.*

Les virus se mesurent en millionièmes de millimètre. Ils ne sont visibles qu'avec un microscope électronique. Ce sont des parasites qui vivent au détriment des cellules des êtres vivants.
Chez l'homme, les virus sont la cause de nombreuses maladies infectieuses dont le rhume, la grippe, la rougeole, les oreillons, la variole, la rage, la varicelle, la poliomyélite, le sida. Les antibiotiques n'ont pas d'action sur les virus. On se protège d'un certain nombre de maladies virales grâce à la vaccination.

vis n. f. Petite tige de métal en forme de spirale, à extrémité pointue.
On prononce [vis]. **Homonyme : vice.**

visa n. m. Cachet porté sur un passeport par les services diplomatiques d'un pays, autorisant à y séjourner pour une durée déterminée.

visage n. m. *1* Figure humaine. *Avoir un visage ouvert. Un beau visage. Chercher un visage connu dans une assemblée. 2* Au figuré. Aspect d'une chose. *Le vrai visage d'une ville, d'un pays.*

vis–à–vis prép. et n. m.
• prép. *1* En face de. *Deux fenêtres qui se font vis-à-vis. 2* En comparaison de. *Notre maison est petite vis-à-vis de la leur. 3* Envers, à l'égard de. *Il est méfiant vis-à-vis des autres.*
• n. m. Bâtiment que l'on voit d'une fenêtre. *J'habite au 4ᵉ étage un appartement sans vis-à-vis.*

viscéral, ale, aux adj. *1* Qui concerne les viscères. *Cavité viscérale. 2* Au figuré. Intime, profond, irraisonné. *Une peur viscérale.*
*Elle est **viscéralement** dégoûtée par les serpents, de façon viscérale (2).*

viscère n. f. Organe contenu dans l'intérieur du corps. *Le cerveau, le cœur, l'estomac, l'intestin, les poumons sont des viscères.*

viscosité n. f. → **visqueux, euse.**

visées n. f. pl. Objectif, projet. *Il a des visées sur ce poste, il cherche à l'obtenir.*

viser v. → conjug. **aimer.** *1* Diriger son regard, une arme, un appareil photographique vers quelque chose. *2* Au figuré. Avoir comme but, comme objectif, chercher à atteindre. *Viser une promotion. 3* Concerner. *Seuls les élèves de CM 2 sont visés par cette décision.*
*Le **viseur** d'une arme est le dispositif servant à viser (1).*

visibilité n. f. Possibilité de voir plus ou moins bien, plus ou moins loin. *Ce virage sans visibilité est extrêmement dangereux.*

visible adj. *1* Que l'on peut voir. *Par beau temps, l'île est visible depuis la côte. 2* Qui est apparent, manifeste. *Il était visiblement mal à l'aise d'avoir à parler en public*, de façon visible (*2*).

visière n. f. Partie d'un casque, d'une casquette qui protège le front ou les yeux.

vision n. f. *1* Vue. *Avoir une bonne, une mauvaise vision, de près, de loin. 2* Au figuré. Façon de voir, de considérer quelque chose. *Avoir une vision pessimiste de la situation. 3* Familier. *Avoir des visions* : croire voir des choses qui n'existent pas.

visionnaire n. *1* Personne qui a des visions. *2* Personne dont l'imagination lui permet de pressentir l'avenir.

visionner v. → conjug. **aimer.** Regarder attentivement d'un point de vue technique un film ou des diapositives.
Nous regardons les diapositives des vacances avec une visionneuse, un petit appareil servant à visionner.

visite n. f. *1* Action de visiter un lieu. *Horaires de visite. 2* Action d'aller voir une personne. *Rendre visite à un ami. 3* Examen médical. *Visites au domicile d'un malade.*

visiter v. → conjug. **aimer.** Aller voir quelqu'un ou quelque chose. *Visiter un malade à l'hôpital. Visiter un monument, une ville, un pays.*
Les visiteurs d'une mosquée doivent enlever leurs chaussures, les personnes qui souhaitent la visiter.

vison n. m. Petit mammifère carnivore dont il existe deux espèces : le vison d'Amérique et le vison d'Europe.

Le corps fin du vison mesure de 45 à 60 cm, dont un tiers pour la queue. Son poids varie de 500 g à un peu plus de 1 kg. Son pelage épais est brun et lustré. Le vison vit près des rivières et des lacs. Il habite un terrier dont il sort généralement la nuit pour chasser poissons, grenouilles, rongeurs et gros insectes. Le vison d'Amérique est élevé pour sa fourrure, mais celui d'Europe est menacé de disparition.

visqueux, euse adj. Épais et collant, poisseux. *Un liquide visqueux.*
La viscosité d'une pâte, son caractère visqueux.

visser v. → conjug. **aimer.** *1* Fixer au moyen d'une ou de plusieurs vis. *Visser une étagère dans le mur. 2* Fermer un récipient en tournant le couvercle.
Contraire : dévisser.

visualiser v. → conjug. **aimer.** Rendre visible. *L'échographie permet de visualiser le fœtus.*

visuel, elle adj. Qui se rapporte à la vue. *La mémoire visuelle est la mémoire des choses vues.*

vital, ale, aux adj. *1* Indispensable à la vie. *Un organe vital. 2* Essentiel, fondamental, très important. *Une question vitale.*

vitalité n. f. Caractère d'un être plein de vie, d'énergie, de vigueur. *La vitalité d'un enfant bien portant.*

vitamine n. f. Substance nécessaire à l'organisme, qui se trouve en petite quantité dans les différents aliments.
Je donne à mon chien des croquettes vitaminées, contenant des vitamines.

vite adv. Rapidement, en peu de temps, dans peu de temps. *Courir vite. Comprendre vite. Tu auras vite fini.*
Contraire : lentement.

vitesse n. f. *1* Allure d'un véhicule. *Rouler à faible vitesse. 2* Rapidité à faire quelque chose. *Taper à la machine à toute vitesse. 3* Changement de vitesse* : mécanisme qui permet de régler l'effort fourni par le moteur d'une voiture.

viticole adj. Qui concerne la vigne et la production de vin. *La Champagne est une région viticole.*

viticulture n. f. Culture de la vigne.
Les viticulteurs cultivent la vigne pour produire du vin.

vitrage n. m. Vitre, paroi de verre. *Poser un double vitrage sur les fenêtres côté rue.*

vitrail, aux n. m. Panneau de pièces de verre coloré, assemblées par des lamelles de plomb.

Un vitrail sert à la décoration des fenêtres et des ouvertures. Dans les églises et les cathédrales, les vitraux représentent des scènes religieuses. Connue dès l'Antiquité, la technique est utilisée en Orient à partir du Vᵉ siècle. L'art du vitrail se développe considérablement au Moyen Âge en Europe, à partir du XIIᵉ siècle, pour les cathédrales romanes et, surtout, gothiques.

Un vitrail gothique.

vitre n. f. Panneau de verre généralement transparent, fixé sur les fenêtres ou les portes.
Le salon donne sur le jardin par une baie vitrée, garnie d'une vitre. *Le vitrier remplace les vitres.*

vitreux, euse adj. Terne, sans éclat. *Un regard vitreux.*

vitrifier v. → conjug. **modifier.** Recouvrir une surface d'une fine couche de vernis transparent.

vitrine n. f. *1* Baie vitrée d'un magasin, derrière laquelle sont exposés les produits à vendre. *2* Meuble vitré abritant des objets précieux.

vitriol n. m. Acide sulfurique, produit extrêmement corrosif.

vitupérer v. → conjug. **digérer.** Littéraire. Critiquer de manière véhémente, blâmer violemment.

> *Le gardien se répand en **vitupérations** contre les enfants mal élevés*, il vitupère contre eux.

vivable adj. Où l'on peut vivre, supportable. *Une atmosphère tendue, difficilement vivable.*

vivace adj. *1* Qui vit plusieurs années, quand il s'agit d'une plante. *2* Tenace, persistant. *Un souvenir vivace.*

vivacité n. f. *1* Caractère vif, rapide. *Vivacité d'un geste. Vivacité d'esprit. 2* Éclat, intensité d'une couleur. *3* Caractère intense d'une émotion, d'un sentiment.

Vivaldi Antonio

Compositeur italien né en 1678 et mort en 1741. Professeur de violon, puis de composition, Vivaldi écrit de nombreuses œuvres, connaît le succès et voyage en Europe. Il influence la musique européenne, notamment en rénovant la structure du concerto. Il en compose plus de 450, parmi lesquels figurent les célèbres *Quatre Saisons*. Vivaldi compose aussi des messes, des oratorios, des cantates et de nombreux opéras.

vivant, ante adj. et n. m.
• adj. *1* Qui vit. *Êtres vivants. 2* Qui est vif, plein de dynamisme. *Un enfant très vivant. 3* Animé. *Un quartier très vivant. 4* Langue vivante : que l'on parle aujourd'hui. *Le français est une langue vivante.*
Contraire : mort (*1, 2* et *3*).
• n. m. *1* Personne qui est en vie. *Les morts et les vivants. 2* Du vivant de quelqu'un :* pendant qu'il est en vie. *Peintre qui n'a pas connu la célébrité de son vivant.*

vivarium n. m. Cage vitrée où l'on élève des serpents, des insectes, des grenouilles, etc.
On prononce [vivaʀjɔm].

vivats n. m. pl. Acclamations enthousiastes. *Les vivats de la foule.*

vive ! interj. Indique le contentement. *Vive les vacances ! Vive la République !*

vivement adv. et interj.
• adv. *1* Rapidement, prestement. *Mener vivement une affaire. 2* D'un ton vif, brusquement. *Répliquer vivement. 3* Beaucoup, fortement, intensément. *Remercier vivement. Regretter vivement.*
• interj. Indique un souhait. *Vivement qu'il s'en aille !*

vivier n. m. Étang ou bassin destiné à l'élevage des poissons ou des crustacés.

vivifier v. → conjug. **modifier.** Donner de la vitalité, de la vigueur.
> *L'air de la montagne est **vivifiant**, il vivifie.*

vivipare adj. Se dit d'un animal dont les petits naissent déjà formés et non après éclosion d'un œuf. *La quasi-totalité des mammifères sont vivipares.*
Contraire : ovipare.

vivisection n. f. Dissection ou opération pratiquée sur un animal vivant pour l'étudier.

vivoter v. → conjug. **aimer.** Vivre difficilement, végéter. *Commerce qui vivote.*

vivre v. et n. m. pl.
• v. *1* Être en vie. *Mourir, c'est cesser de vivre. 2* Mener une certaine existence. *Vivre dans le luxe. Vivre au jour le jour. 3* Habiter quelque part pendant un certain temps. *Ils ont vécu trois ans aux États-Unis. 4* Avoir les moyens matériels d'assurer sa subsistance. *Vivre largement.*
• n. m. pl. *1* Provisions. *Prévoir les vivres à bord d'un bateau. 2* Couper les vivres à quelqu'un :* cesser de lui donner de l'argent ou de subvenir à ses besoins.

La conjugaison du verbe		
VIVRE 3ᵉ groupe		
indicatif présent	**je vis, il ou elle vit, nous vivons, ils ou elles vivent**	
imparfait	**je vivais**	
futur	**je vivrai**	
passé simple	**je vécus**	
subjonctif présent	**que je vive**	
conditionnel présent	**je vivrais**	
impératif	**vis, vivons, vivez**	
participe présent	**vivant**	
participe passé	**vécu**	

vivrière adj. f. *Culture vivrière :* culture destinée à l'alimentation.

vizir n. m. Ministre, du temps de l'Empire ottoman.

vocable n. m. Mot, terme. *Un vocable peu employé.*

vocabulaire n. m. Ensemble des mots dont disposent une personne, une profession ou une langue. *Avoir un riche vocabulaire. Le vocabulaire de la médecine.*

vocal, ale, aux adj. Qui concerne la voix. *Cordes vocales. Musique vocale.*

vocalise n. f. Exercice de la voix, consistant à chanter une suite de notes sur une ou plusieurs voyelles.

vocation n. f. Attirance très grande pour une activité ou un métier. *Avoir une vocation artistique.*

vociférer v. → conjug. **digérer.** S'exprimer en criant sous l'effet de la colère. *Vociférer des insultes.*

vodka n. f. Eau-de-vie de grain.

vœu, vœux n. m. **1** Désir profond. *Mon vœu le plus cher est que tu réussisses.* **2** Souhait de bonheur, de réussite. *Présenter, envoyer ses vœux pour la nouvelle année.* **3** Au pluriel. *Prononcer ses vœux :* entrer en religion, en faisant vœu de pauvreté, de chasteté et d'obéissance.

vogue n. f. Mode, succès, popularité. *La vogue des rollers. Un chanteur en vogue.*

voguer v. → conjug. **aimer.** Littéraire. Avancer sur l'eau, naviguer.

voici prép. **1** Indique ce qui est proche. *Voici mon frère. Voici l'orage qui arrive.* **2** Annonce ce dont on va parler. *Voici ce que j'ai à vous dire.*

voie n. f. **1** Chemin, route ou partie de route. *Se frayer une voie. Voie rapide, voie sur berge. Route à trois, quatre voies.* **2** *Voie ferrée :* chemin de fer. **3** Mode de transport. *Voyager par voie maritime. Les voies de communication d'un pays.* **4** Conduits du corps correspondant à une fonction. *Voies respiratoires, circulatoires, digestives.* **5** Au figuré. Ligne de conduite, direction que l'on choisit de prendre dans la vie. *Il a trouvé sa voie, il a choisi d'être musicien.* **6** *Voie d'eau :* brèche créée accidentellement dans la coque d'un bateau et par où l'eau rentre. **7** Avec une majuscule. *Voie lactée :* immense traînée d'étoiles correspondant à notre galaxie.

voilà prép. **1** Sert à présenter une chose ou une personne. *Voilà ma maison.* **2** Renvoie à ce dont on vient de parler. *Voilà, vous savez tout.*

voilage n. m. Rideau très léger.

1. voile n. f. **1** Grande toile fixée au mât, qui permet au bateau d'utiliser la force du vent pour avancer. *Ursule aperçoit une voile au loin.* **2** *Un club de voile :* sport consistant à naviguer sur des bateaux à voiles.

*Un **voilier** est un bateau à voiles (1). L'ensemble de ses voiles (1) constitue la **voilure**.*

2. voile n. m. **1** Tissu couvrant la tête et parfois les épaules. *Voile de mariée. Les femmes musulmanes portent un voile.* **2** Au figuré. Ce qui cache. *Jeter un voile sur une affaire. Un voile de brume.*

voiler v. → conjug. **aimer.** **1** Couvrir d'un voile. *Le ciel est voilé ce matin.* **2** Tordre une roue. *La roue arrière de mon vélo est voilée depuis que je suis tombé.* **3** *Se voiler la face :* refuser d'admettre quelque chose de désagréable.

voilier n. m., **voilure** n. f. → voile 1.

voir v. **1** Percevoir au moyen des yeux. *Les chats voient la nuit. Le vieillard voit de plus en plus mal. On voit bien l'île depuis la côte, aujourd'hui.* **2** Être le témoin ou le spectateur de quelque chose. *J'ai vu l'accident. Aller voir un film au cinéma.* **3** Rencontrer quelqu'un ou lui rendre visite. *Je vais voir mes grands-parents demain.* **4** Se rendre compte de quelque chose. *J'ai bien vu qu'il était furieux.* **5** Examiner, regarder attentivement. *Nous allons voir si c'est possible. Va voir dans le dictionnaire.* **6** Comprendre quelque chose. *Je ne vois pas du tout ce qui a pu se passer.* **7** Envisager, concevoir. *C'est une drôle de façon de voir les choses. Elle voit tout en noir.*
Homonyme : voire.

La conjugaison du verbe	
VOIR 3ᵉ groupe	
indicatif présent	**je vois, il ou elle voit, nous voyons, ils ou elles voient**
imparfait	**je voyais**
futur	**je verrai**
passé simple	**je vis**
subjonctif présent	**que je voie**
conditionnel présent	**je verrais**
impératif	**vois, voyons, voyez**
participe présent	**voyant**
participe passé	**vu**

voire adv. Littéraire. Et même. *La majorité des élèves de la classe, voire la totalité, était pour.*
Homonyme : voir.

voirie n. f. Service municipal chargé du nettoyage des rues et de l'enlèvement des ordures.

voisin, ine adj. et n.
● adj. **1** Tout proche. *La ville voisine.* **2** Au figuré. Proche, assez semblable. *La souris et le rat sont des espèces voisines. Toi et moi avons des idées voisines sur l'éducation.*

voisinage

● n. Personne qui se trouve ou qui habite à côté. *Mon voisin de palier. Des voisins de table.*

voisinage n. m. *1* Ensemble des voisins. *Ses hurlements ont ameuté tout le voisinage.* *2* Alentours, environs. *Je voudrais habiter la campagne, mais dans le voisinage d'une grande ville.*

voisiner v. → conjug. **aimer.** Être placé à côté. *Chez le brocanteur, des meubles de prix voisinent avec des bibelots sans valeur.*

voiture n. f. *1* Automobile. *La voiture est en stationnement interdit.* *2* Véhicule à roues servant à transporter. *Une voiture d'enfant. Voiture à cheval.* *3* Wagon. *Nous avons les places 22 et 23 en voiture 15.*

voix n. f. *1* Ensemble des sons produits par la gorge et la bouche d'une personne. *Avoir une voix grave, aiguë. Parler à voix basse.* *2* Suffrage, vote. *Être élu à la majorité des voix.* *3* Forme que prend le verbe selon que le sujet fait l'action, ou la subit. *Dans « je lis un poème », le verbe « lire » est à la voix active. Dans « ce livre va vous être lu par Pierre », le verbe « lire » est à la voix passive.* *4* De vive voix : oralement, verbalement.

1. vol n. m. *1* Façon de se déplacer dans l'air propre aux oiseaux et à certains insectes. *2* Trajet en avion. *Il y a huit heures de vol pour aller de Paris à New York.* *3* Groupe d'oiseaux qui volent ensemble. *Un vol d'étourneaux.* *4* Au vol : en l'air. *Rattraper une balle au vol.* *5* À vol d'oiseau : en ligne droite. *Le village est tout proche à vol d'oiseau.* *6* Vol à voile : sport consistant à piloter un planeur.

2. vol n. m. *1* Action de voler quelque chose. *Il y a eu un vol dans l'école.* *2* Familier. *C'est du vol !* C'est beaucoup trop cher pour ce que ça vaut.

volage adj. Infidèle en amour.
Synonymes : frivole, inconstant.

volaille n. f. Oiseau élevé dans une basse-cour. *Faire cuire une volaille à la broche.*
   Un volailler est un marchand de volailles.

1. volant, ante adj. *1* Qui vole ou qui peut voler. *Poisson volant.* *2* Qui peut être déplacé ou se déplacer facilement. *Pont volant. Brigade volante.*

2. volant n. m. *1* Pièce circulaire placée devant le conducteur d'une voiture et servant à diriger les roues. *2* Bande de tissu cousue au bas d'une jupe, d'une robe ou sur un rideau. *3* Petite balle légère qu'on utilise au badminton.

volatil, ile adj. Qui s'évapore facilement. *L'alcool est volatil.*
Homonyme : volatile.

volatile n. m. Oiseau de basse-cour.
Homonyme : volatil.

se volatiliser v. → conjug. **aimer.** *1* Devenir volatil. *L'essence se volatilise facilement.* *2* Au figuré. Disparaître.

volcan n. m. Montagne qui émet ou a émis de la lave et des gaz chauds sous pression à la surface de la croûte terrestre.
   Il n'y a plus d'activité volcanique en Auvergne, d'activité relative aux volcans. La volcanologie est une science qui étudie les volcans. Les volcanologues sont des spécialistes de volcanologie.
Regarde page suivante.

volée n. f. *1* Bande d'oiseaux en vol. *Une volée de moineaux.* *2* Familier. *Volée de coups :* raclée. *3* Volée de marches :* partie d'un escalier située entre deux paliers. *4* À la volée :* au vol, en l'air. *Semer à la volée.* *5* À toute volée :* avec force. *Joueur de tennis qui renvoie la balle à toute volée.*

1. voler v. → conjug. **aimer.** *1* Se déplacer dans l'air. *2* Se déplacer très vite. *Voler au secours de quelqu'un.* *3* Voler en éclats :* se détruire en produisant des éclats. *Le ballon a fait voler la vitre en éclats.*
   Les oisillons volettent, ils volent (1) à petits coups d'ailes.

2. voler v. → conjug. **aimer.** S'emparer de ce qui appartient à autrui.
   On n'a jamais retrouvé le voleur, celui qui avait volé.

volet n. m. *1* Panneau en bois ou en métal protégeant une fenêtre, une porte-fenêtre. *Tirer, fermer, replier les volets.* *2* Chacune des parties d'un objet qui se replie. *Le permis de conduire français a trois volets.*

voleter v. → voler 1.

voleur, euse n. → voler 2.

Volga

Fleuve de Russie. Longue de 3 690 km, la Volga est le plus grand fleuve d'Europe. Elle prend sa source dans le plateau du Valdaï, au nord-ouest de la Russie, et se jette, au sud, dans la mer Caspienne. Elle est navigable sur la plus grande partie de son cours, sauf pendant quatre mois en hiver, à cause du gel de ses eaux. De fortes crues ont souvent lieu au printemps. La Volga reçoit de nombreux affluents. Des canaux assurent sa liaison avec la mer Baltique, la mer Blanche, la mer d'Azov et la mer Noire. Des centrales hydroélectriques sont construites sur son cours.

volière n. f. Enclos grillagé dans lequel les oiseaux peuvent voler.

les volcans

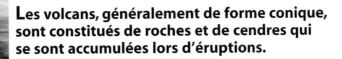

Les volcans, généralement de forme conique, sont constitués de roches et de cendres qui se sont accumulées lors d'éruptions.

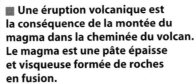

Volcan éteint (chaîne des Puys).

■ Une éruption volcanique est la conséquence de la montée du magma dans la cheminée du volcan. Le magma est une pâte épaisse et visqueuse formée de roches en fusion.

■ Si le cratère du volcan n'est pas obstrué, la lave, dont la température atteint souvent plus de 1 000 °C, s'écoule sur les flancs de la montagne. Si le cratère est obstrué ou si le magma est très épais et riche en gaz, il se produit de violentes explosions. Elles projettent en l'air et à des distances considérables (plusieurs dizaines de kilomètres) des roches ou des « bombes » constituées de paquets de magma.

■ Certaines éruptions projettent en l'air un nuage de cendres. Celles-ci, en retombant, s'accumulent autour du volcan, en couches pouvant atteindre plusieurs mètres d'épaisseur. C'est ainsi que Pompéi et Herculanum ont été ensevelies en 79 apr. J.-C.

Éruption de lave (Hawaï).

Éruption de cendres (St Helens).

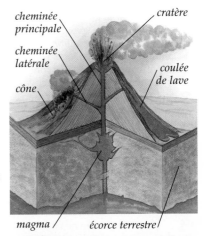

cheminée principale

cheminée latérale

cône

cratère

coulée de lave

magma

écorce terrestre

Il existe plus de 1 250 volcans actifs dans le monde, ainsi que de nombreux volcans sous-marins et des volcans éteints (le Massif central, en France, en compte plus de 1 000).

Regarde aussi **Terre.**

---

volley–ball n. m. Sport de ballon joué à la main, comportant deux équipes de six joueurs.
Mot anglais qui se prononce [vɔlɛbol]. **En abrégé : volley.**
Un volleyeur est un joueur de volley-ball.

Inventé aux États-Unis en 1895, le volley-ball est introduit en Europe par les troupes américaines au cours de la Première Guerre mondiale. Ce sport se pratique sur un terrain rectangulaire divisé en deux par un filet tendu à 2,43 m au-dessus du sol. Le jeu consiste à faire passer le ballon au-dessus du filet en le frappant, après un maximum de trois passes, et en essayant de lui faire toucher le sol du camp adverse. Il existe des compétitions nationales et internationales, dont des championnats du monde. Le volley-ball est inscrit aux jeux Olympiques depuis 1964.

volontaire adj. et n.
● adj. *1* Qualité d'une personne qui a de la volonté. *Elle a un caractère très volontaire, elle sait ce qu'elle veut. 2* Dû à la volonté, délibéré, intentionnel. *Un oubli volontaire. 3* Être volontaire pour faire quelque chose :* s'y engager librement, de par sa seule volonté.

*Le pyromane a **volontairement** mis le feu à la forêt,* d'une manière volontaire (**2**).

• n. Personne qui se porte volontaire pour faire quelque chose bénévolement. *Des volontaires ont nettoyé les plages du goudron.*

volonté n. f. **1** Qualité d'une personne décidée et énergique, capable de mener jusqu'au bout une résolution. *Avoir une volonté de fer.* **2** Décision. *Les dernières volontés d'un mourant.* **3** Mettre de la bonne volonté ou de la mauvaise volonté à faire quelque chose : le faire volontiers ou à contrecœur. **4** À volonté : autant que l'on veut. *Menu avec vin à volonté.*

volontiers adv. Avec plaisir, de bonne grâce. *Prêter volontiers ses affaires.*

volt n. m. Unité servant à mesurer l'intensité du courant électrique. *En France, on utilise le 220 volts.*

*Le **voltage** varie selon les pays,* l'intensité en volts du courant électrique.

Volta Alessandro, comte

Physicien italien né en 1745 et mort en 1827. Professeur de physique, Volta mène toute sa vie des recherches sur les phénomènes électriques. En 1800, il réalise la plus importante de ses inventions : la pile électrique. Il a laissé son nom à une unité électrique : le volt.

Voltaire

Écrivain français né en 1694 et mort en 1778. Son vrai nom est François Marie Arouet. L'insolence de ses premiers écrits envers le pouvoir le conduit en prison. Libéré, il prend le nom de Voltaire et écrit des tragédies, des ouvrages historiques…, mais surtout des ouvrages philosophiques, représentatifs de l'esprit du siècle des Lumières. Ses *Lettres philosophiques* (1734), qui abordent avec une grande liberté d'esprit les questions politiques et religieuses, sont interdites. Voltaire se tourne ensuite vers le conte pour exprimer ses idées, notamment avec *Zadig ou la Destinée* (1748) et *Micromégas* (1752), qui rencontrent un grand succès. Combattant l'oppression, l'injustice et l'intolérance, il publie un nouveau conte, *Candide ou l'Optimisme* (1759) et un *Traité sur la tolérance* (1763).

volte–face n. f. inv. **1** Demi-tour soudain. *Faire volte-face.* **2** Au figuré. Changement subit d'opinion.

voltige n. f. Acrobaties réalisées sur une corde, sur un trapèze volant ou sur un cheval.

voltiger v. → conjug. **ranger.** Voler çà et là. *Les feuilles d'automne voltigent.*

volubile adj. Qui parle facilement et avec rapidité. *Les gens du Midi sont réputés être volubiles.*

*L'enthousiasme la fait parler avec **volubilité**,* d'une manière volubile.

volubilis n. m Plante grimpante aux fleurs colorées.

volume n. m. **1** Place qu'occupe un objet dans l'espace. **2** Masse, quantité totale. *Le volume des exportations d'un pays.* **3** Livre. *Encyclopédie en 10 volumes.*
Regarde page ci-contre.

volumineux, euse adj. Qui occupe un volume important. *Un colis volumineux.*

volupté n. f. Grand plaisir.

*Des sensations **voluptueuses**,* qui procurent de la volupté. *Il s'est plongé **voluptueusement** dans un bain chaud,* avec volupté.

volute n. f. Spirale. *Des volutes de fumée.*

vomir v. → conjug. **finir.** Rejeter ce que l'on a mangé. *Enfant qui vomit en voiture.*

*Il a été pris de **vomissements**,* il a vomi.

vorace adj. Qui mange avec avidité. *Un appétit vorace. Manger **voracement**,* d'une manière vorace. *Se jeter avec **voracité** sur un plat,* d'une manière vorace.

vos adj. poss. → **votre.**

Vosges

Massif montagneux du nord-est de la France. Les Vosges s'étendent sur les départements du Haut-Rhin, du Bas-Rhin, des Vosges et le Territoire de Belfort. Le versant est, à pente raide, descend sur la plaine d'Alsace ; le versant ouest, plus doux, vers le plateau lorrain. C'est un massif ancien. Les sommets, arrondis, peu élevés et couverts par la forêt sont souvent appelés « ballons ». Le point culminant est le Grand Ballon (1 424 m).

votant, ante n. → **voter.**

vote n. m. **1** Opinion exprimée par chaque personne qui vote. *En France, chaque citoyen a le droit de vote à sa majorité.* **2** Action ou manière de voter. *Procéder à un vote. Vote à main levée.*
Synonymes : voix, suffrage (1).

voter v. → conjug. **aimer. 1** Exprimer son opinion lors d'une élection. *Voter pour ou contre un candidat, un parti politique.* **2** Adopter par un vote. *En France, les lois sont votées par le Parlement.*

*Les **votants** ont mis leur bulletin dans l'urne,* les personnes qui ont voté (**1**).

LES VOLUMES

Le volume d'un corps correspond à l'espace occupé par ce corps.
Le volume s'exprime à l'aide d'unités choisies en fonction de la grandeur mesurée.
L'unité principale de volume est le mètre cube (m^3) qui correspond à un cube de 1 mètre d'arête.
La mesure de volume d'un solide quelconque fait toujours intervenir trois dimensions.

Calcul de volumes (V) courants

La base (*b*) de la figure
est égale à $L \times l$

Parallélépipède rectangle.
$V = b \times h$

Prisme droit.
$V = b \times h$

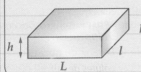

La base (*b*) de la figure
est égale à $\pi \times r \times r$

Cylindre.

Cône.

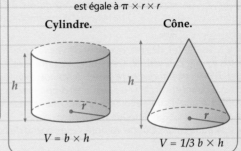

$V = b \times h$

$V = 1/3\ b \times h$

Cube.
a = arête

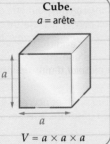

$V = a \times a \times a$

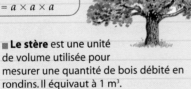

■ **Le stère** est une unité
de volume utilisée pour
mesurer une quantité de bois débité en
rondins. Il équivaut à 1 m^3.
Ce n'est toutefois pas une mesure légale.

Tableau récapitulatif

■ **Les sous-multiples du mètre cube** ont
des valeurs
1 000 fois,
1 000 000 fois,
1 000 000 000 fois
inférieures au
mètre cube.

→ **mètre cube**
m^3
1 000 dm^3

→ **décimètre cube**
1 dm^3
1 000 cm^3

→ **centimètre cube**
1 cm^3
1 000 mm^3

→ **millimètre cube**
1 mm^3
0,001 cm^3

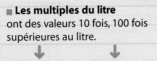

LES CAPACITÉS

La capacité est le volume, la contenance d'un récipient.
L'unité principale de capacité est le litre (l).

■ **Les multiples du litre**
ont des valeurs 10 fois, 100 fois
supérieures au litre.

■ **Les sous-multiples du litre**
ont des valeurs 10 fois, 100 fois,
1 000 fois inférieures au litre.

hectolitre	décalitre	litre	décilitre	centilitre	millilitre
hl	dal	l	dl	cl	ml
100 l	10 l	1 l	0,1 l	0,01 l	0,001 l

votre adj. possessif. **Plur. : vos.** Correspond au pronom personnel de la deuxième personne du pluriel. *Vos idées ne sont pas les miennes. C'est votre opinion.*

le vôtre, la vôtre les vôtres pron. et n.m. pl.
• pron. possessif. Correspond au pronom personnel de la deuxième personne du pluriel. *Ma place est ici, la vôtre est là. Ce sont mes chaussures, voici les vôtres.*
• n. m. pl. *Vos parents ou vos proches.*

vouer v. → conjug. **aimer.** *1* Témoigner un sentiment avec fidélité. *Vouer une amitié, un culte à quelqu'un. 2* Consacrer. *Vouer son temps aux autres. 3* Être voué à : être destiné à. *Quartier voué à la démolition.*

vouloir v. et n. m.
• v. *1* Souhaiter, désirer vivement. *On ne fait pas toujours ce que l'on veut. 2* Demander instamment, exiger. *Je ne veux pas que tu te battes. 3* Vouloir bien : être d'accord, accepter. *Je veux bien t'accompagner. 4* En vouloir à quelqu'un : avoir de la rancune envers lui. *5* Vouloir dire : signifier. *Que veut dire ce mot ?*
• n. m. *Bon vouloir :* bonne volonté. *Cela dépend du bon vouloir du directeur.*

La conjugaison du verbe
VOULOIR 3e groupe

indicatif présent	**je veux, il ou elle veut, nous voulons, ils ou elles veulent**
imparfait	**je voulais**
futur	**je voudrai**
passé simple	**je voulus**
subjonctif présent	**que je veuille**
conditionnel présent	**je voudrais**
impératif	**veux/veuille, voulons, voulez/veuillez**
participe présent	**voulant**
participe passé	**voulu**

---

vous pron. *1* Pronom personnel de la deuxième personne du pluriel, qui a la fonction de sujet ou de complément. *Vous êtes très nombreux aujourd'hui. C'est à vous tous que je m'adresse. 2* Pronom au singulier employé dans le vouvoiement. *Pourriez-vous m'indiquer l'heure, s'il vous plaît, monsieur ?*

voûte n. f. Plafond courbe. *Voûte d'une église.*

voûté, ée adj. *1* Couvert d'une voûte. *Ce château possède de superbes caves voûtées. 2* Dont le dos est courbé. *Un vieillard voûté.*

vouvoyer v. → conjug. **essuyer.** Dire « vous » à quelqu'un. *On vouvoie un inconnu ou quelqu'un à qui l'on témoigne du respect.*
Le vouvoiement entre parents et enfants est devenu très rare, le fait de se vouvoyer.

voyage n. m. *1* Trajet ou séjour effectués dans un lieu éloigné ou un autre pays. *C'est Victorin qui revient de voyage. 2* Allées et venues d'un endroit à un autre, pour transporter quelque chose. *Il faut faire plusieurs voyages pour monter les courses à l'étage.*
Il voyage beaucoup, il fait de nombreux voyages (*1*).
Les voyageurs compostent leur billet avant de prendre le train, les personnes qui voyagent (*1*).

voyant, ante adj., n. et n. m.
• adj. Qui attire le regard, éclatant, criard. *Des couleurs voyantes.*
• n. Personne qui prédit l'avenir de quelqu'un.
• n. m. Petite lumière qui s'allume sur un appareil et destinée à avertir. *Voyant d'essence, d'huile.*

voyelle n. f. Son du langage qui peut être prononcé seul (contrairement aux consonnes) ; lettre qui représente ce son. *A, e, i, o, u, y sont les six voyelles de l'alphabet français.*

voyou n. m. Garçon plus ou moins délinquant, qui traîne dans les rues.

en vrac adv. *1* Vendu au poids et non en sachets. *Thé en vrac. 2* Pêle-mêle, en désordre. *Jeter ses affaires en vrac sur son lit.*

vrai adj. et n. m.
• adj. *1* Qui est conforme à la vérité, qui existe ou a vraiment existé. *Une histoire vraie. Ta remarque est juste et ce que tu dis est vrai. 2* Authentique, non imité. *De vraies perles.*
Synonyme : exact (*1*). **Contraires : faux** (*1* et *2*), **factice** (*2*).
• n. m. *1* Ce qui est vrai. *Le vrai et le faux. 2* Être dans le vrai :* avoir raison. *3* À vrai dire : pour parler sincèrement, franchement.

vraiment adv. *1* Véritablement. *Tu as vraiment fait ce que tu dis ? 2* Sert à renforcer. *Il est vraiment bête.*

vraisemblable adj. Qui semble vrai, qui est crédible, plausible. *Cette hypothèse est vraisemblable.*
Contraire : invraisemblable.
Il a vraisemblablement raison, de façon vraisemblable. *Je m'interroge sur la vraisemblance de ton histoire,* sur son caractère vraisemblable.

vrille n. f. *1* Outil métallique, à bord en forme de vis pour percer le bois. *2* Pousse d'une plante grimpante qui s'enroule autour d'un support. *Les vrilles d'une* *vigne vierge.* **3** Mouvement d'un avion qui descend en tournant sur lui-même. *Descendre en vrille.*

vrombir v. → conjug. **finir.** Produire un bourdonnement vibrant. *L'avion vrombit avant de décoller.*

On entend le **vrombissement** d'une moto au loin, le bruit de son moteur qui vrombit.

V. T. T. n. m. Abréviation de vélo tout-terrain.

vu, vue adj., n. m. et prép.
• adj. *Être bien ou mal vu :* être bien ou mal considéré. *Il est mal vu à cause de son insolence.*
• n. m. *Au vu et au su de tout le monde :* ouvertement, sans se cacher.
• prép. Étant donné, considérant. *Vu la tête que tu fais, je suppose que tu as perdu.*

vue n. f. **1** Sens qui permet de voir. **2** Façon de voir, opinion. *Vous avez une vue pessimiste de la situation.* **3** Image, photo. *Une superbe vue aérienne de New York.* **4** Panorama. *D'ici, on a une belle vue sur les montagnes.* **5** *Connaître quelqu'un de vue :* être capable de le reconnaître, sans plus. **6** *À vue d'œil :* très rapidement. *Il maigrit à vue d'œil.* **7** *Avoir quelque chose en vue :* l'envisager. **8** *En vue de :* pour, afin de. *Faire des démarches en vue d'obtenir un visa.*
Regarde ci-dessous.

vulgaire adj. **1** Qui n'a ni élégance ni distinction, qui est grossier, trivial. *Une voix vulgaire. Une femme vulgaire.* **2** Ordinaire, commun. *Du vulgaire coton.* **3** Qui appartient à la langue courante, et non à la langue littéraire ou scientifique. *« Rhume » est un mot vulgaire pour « rhinite ».*

Il s'exprime **vulgairement**, d'une manière vulgaire (**1**). Il a des manières d'une grande **vulgarité**, elles sont très vulgaires (**1**).

vulgariser v. → conjug. **aimer.** Expliquer clairement des connaissances à un public non spécialiste. *Émission de télévision destinée à vulgariser la recherche scientifique.*

On m'a offert un livre de **vulgarisation** sur l'astronomie, un livre qui vulgarise cette science.

vulgarité n. f. → **vulgaire.**

vulnérable adj. Fragile, facile à blesser physiquement ou moralement, qui se défend mal. *Elle est très vulnérable en ce moment. Le point vulnérable de quelqu'un.*

La **vulnérabilité** de l'organisme d'un nouveau-né, c'est son caractère vulnérable.

vulve n. f. Organe génital externe de la femme et des femelles des mammifères.

la **vue**

Les yeux transmettent au cerveau, par l'intermédiaire du nerf optique, les images des objets que nous voyons et nous en précisent la nature.

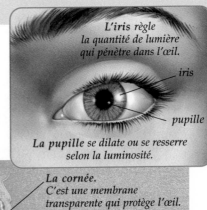

L'iris règle la quantité de lumière qui pénètre dans l'œil.

iris

pupille

La pupille se dilate ou se resserre selon la luminosité.

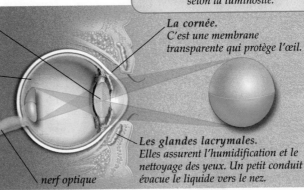

Le cristallin.
Il concentre la lumière et assure la netteté de l'image qui se forme sur la rétine.

La cornée.
C'est une membrane transparente qui protège l'œil.

La rétine.
C'est une membrane sur laquelle se forment les images, mais inversées. C'est le cerveau qui les remet à l'endroit. Sa surface est tapissée de bâtonnets (qui donnent au cerveau des informations sur les contrastes et assurent la vision quand il y a peu de lumière) et de cônes (qui permettent de voir les couleurs).

Les glandes lacrymales.
Elles assurent l'humidification et le nettoyage des yeux. Un petit conduit évacue le liquide vers le nez.

nerf optique

WXYZ

Le Week-end, Zozo joue du Xylophone sur son Youyou.

Wagner Richard

Compositeur allemand né en 1813 et mort en 1883. Wagner produit ses premiers opéras dès 1834. Il s'installe à Londres puis à Paris. Rentré en Allemagne en 1842, il est nommé maître de chapelle à Dresde en 1843. Mais il doit s'exiler en 1848 pour avoir participé à des mouvements révolutionnaires allemands. Pendant son exil, aidé par Liszt dont il épousera la fille en 1870, il continue à composer. Il regagne son pays en 1864 où il reçoit la protection de Louis II de Bavière. Wagner mêle dans ses créations le théâtre, la poésie et la musique. Parmi ses principales œuvres figurent *le Vaisseau fantôme* (1843), *Tristan et Isolde* (1865) et la *Tétralogie*, un ensemble dramatique formé de quatre œuvres : *l'Or du Rhin* (1869), *la Walkyrie* (1870), *Siegfried* (1876) et *le Crépuscule des dieux* (1876).

wagon n. m. **1** Voiture d'un train. *Ce train a vingt wagons.* **2** Voiture d'un train qui transporte des marchandises ou des bestiaux.

Le transport du charbon dans les mines se fait par wagonnets, *des petits wagons (2) sur rails.*

wagon–lit n. m. Voiture d'un train fermée, avec couchettes et eau courante.

wagonnet n. m. → wagon.

wagon–restaurant n. m. Wagon d'un train offrant un service de restauration aux voyageurs.

Walkman n. m. inv. Baladeur.
Mot anglais qui se prononce [wɔkman] et qui s'écrit avec une majuscule, car c'est le nom d'une marque.

wapiti n. m. Grand cerf d'Amérique du Nord.

Warhol Andy

Peintre américain d'origine slovaque né en 1928 et mort en 1987. Publicitaire, Warhol peint d'abord des extraits agrandis de bandes dessinées et des billets de banque. Puis, pour dénoncer le flot des images qui envahit la société moderne, il produit des visuels en série par un procédé mécanique (sérigraphie) : boîtes de conserve, portraits de personnages célèbres (Marilyn Monroe, Elvis Presley). Principal représentant d'un nouveau mouvement artistique appelé « pop art », il se tourne vers le cinéma, où il bouleverse les normes classiques.

Marilyn

Washington

Capitale des États-Unis, située au nord-est du pays sur le fleuve Potomac. Washington abrite la Maison-Blanche, où réside le président des États-Unis, le Capitole où siègent le Congrès et la Cour suprême. C'est un centre culturel important, qui possède de très nombreux musées. La ville porte le nom du président George Washington qui, en 1791, a choisi le lieu de son implantation. L'agglomération compte près de 4 millions d'habitants ; la ville elle-même, un peu plus de 600 000.

Washington George

Homme d'État américain né en 1732 et mort en 1799. En 1774, Washington prend position pour l'indépendance américaine contre l'autorité de la Grande-Bretagne. Commandant en chef de l'armée des *insurgents*, il remporte la victoire décisive de Yorktown, le 19 octobre 1781. En 1787, il participe au vote de la Constitution américaine, qu'il signe le 17 septembre. Élu premier président des États-Unis en 1789, réélu en 1792, Washington quitte la vie politique en 1797.

Waterloo

Ville de Belgique près de laquelle se déroule, le 18 juin 1815, une bataille qui oppose l'armée de Napoléon Iᵉʳ aux Anglais et aux Prussiens. L'armée napoléonienne y subit sa plus grande défaite. Napoléon doit abdiquer pour la seconde fois. C'est la chute définitive de l'Empire.

water–polo n. m. Jeu de ballon comparable au handball, qui se pratique dans l'eau.
Mot anglais qui se prononce [watɛʀpolo].

Le water-polo, né en 1869 en Grande-Bretagne, se pratique dans un bassin de 1,80 m de profondeur. À chaque extrémité est installé un but. Le ballon ressemble à un ballon de football. Un match oppose deux équipes de sept joueurs. Le jeu consiste, par une succession de passes, à lancer le ballon dans le but adverse, défendu par un gardien. Il existe des compétitions nationales

et internationales de water-polo. Le sport est inscrit aux jeux Olympiques depuis 1900.

waters n. m. pl. Abréviation de *water-closet*, lieu où l'on fait ses besoins.
Mot anglais qui se prononce [watɛʀ].

watt n. m. Unité servant à mesurer la puissance de l'électricité. *Ampoules de 25, 40, 60, 100 watts.*
Mot anglais qui se prononce [wat].

Watt James

Ingénieur et mécanicien écossais né en 1736 et mort en 1819. Watt est à l'origine du développement de la machine à vapeur. Dès 1769, il y apporte de nombreux perfectionnements, qui vont révolutionner l'industrie du XIXᵉ siècle. Le nom de cet ingénieur a été donné à une unité de puissance : le watt.

W.–C. n. m. pl. Abréviation de *water-closet*, lieu où l'on fait ses besoins.
On prononce [dublǝvese] **ou** [vese].

week–end n. m. **Plur. : des week-ends**. Congé de fin de semaine, le samedi et le dimanche.
Mot anglais qui se prononce [wikɛnd].

western n. m. Film dont l'action se déroule au Far-West au temps des pionniers et de la conquête des territoires appartenant aux Indiens.
Mot anglais qui se prononce [wɛstɛʀn].

whisky n. m. **Plur. : whiskys ou whiskies.** Eau-de-vie de grains.
Mot anglais qui se prononce [wiski].

windsurf n. m. inv. Planche à voile.
Mot anglais qui se prononce [wintsœrf].

Wisigoths

Peuple germanique du groupe des Goths, qui, à partir du IVᵉ siècle apr. J.-C, envahit l'ouest de l'Europe. Chassés par les Huns, les Wisigoths pénètrent dans l'Empire romain ; en 410, ils s'emparent de Rome et mettent la ville à sac. Ils s'installent au sud-ouest de la Gaule en 418, puis sur une partie de l'Espagne. Battus par Clovis à la bataille de Vouillé en 507, les Wisigoths doivent abandonner la Gaule. En Espagne, ils ne peuvent résister à la conquête arabe et, en 711, se retirent dans la province des Asturies.

xénophobe adj. Qui est hostile aux étrangers. *J'ai trouvé cette remarque xénophobe inacceptable.*

*La **xénophobie** est malheureusement trop répandue,* l'attitude des personnes xénophobes.

xylophone n. m. Instrument à percussion, composé de lattes en bois posées sur une caisse de résonance, dont on joue avec deux baguettes.

y adv. et pron.
• adv. Dans cet endroit. *Tu vois cette maison ? J'y ai habité longtemps.*
• pron. Pronom personnel qui remplace un complément introduit par la préposition « à ». *Penses-tu à elle ? Oui, j'y pense souvent. Je ne peux rien changer à cette situation, je n'y peux rien.*

yacht n. m. Bateau de plaisance, en général luxueux. **On prononce** [jɔt].

yachting n. m. Pratique de la navigation de plaisance. **Mot anglais qui se prononce** [jɔtiŋ].

yack n. m. Gros mammifère domestique ruminant à longs poils, qui vit dans les montagnes d'Asie. **On prononce** [jak].

Yangzi Jiang

Fleuve le plus long de Chine, appelé aussi Yang-tseu-kiang ou fleuve Bleu. Long de 5 980 km, le Yangzi Jiang naît dans le Tibet à 4 900 m d'altitude, et se jette dans la mer de Chine, par un vaste delta. Il fait vivre une importante population agricole (culture du riz). Il est navigable sur 1 500 km dans son cours inférieur. Avec ses nombreux canaux, c'est une voie commerciale vitale pour la Chine.

yaourt n. m. Lait fermenté à consistance plus ou moins fluide. **On prononce** [jaurt]. **On dit aussi : yogourt.**

yard n. m. Unité de mesure anglaise équivalant environ à 90 centimètres. **Mot anglais qui se prononce** [jaʀd].

Yémen

République du sud de la péninsule arabique, ouverte à l'ouest sur la mer Rouge et au sud sur le golfe d'Aden. Le nord-est du Yémen est désertique. Le climat est chaud, avec une saison des pluies au nord-ouest. L'agriculture et l'élevage occupent la moitié de la population active. Le pétrole est la ressource principale. Au XIXᵉ siècle, le nord du pays est sous l'autorité de l'Empire ottoman, le sud sous domination britannique. Le Yémen du Nord devient indépendant en 1918, le Yémen du Sud en 1967. Les deux pays sont réunis en un seul en 1990.

527 968 km²
19 315 000 habitants :
les Yéménites
Langue : arabe
Monnaie : riyal
Capitale : Sanaa

yen n. m. **Pluriel : des yens.** Monnaie du Japon. **On prononce** [jɛn]. **Homonyme : hyène.**

yeux n. m. pl. ➜ **œil.**

yoga n. m. Technique de relaxation originaire de l'Inde, comportant une série de postures, la maîtrise de la respiration et la pratique de la méditation.

yogourt n. m. ➜ **yaourt.**

yorkshire n. m. Très petit chien de compagnie à poils longs, d'origine anglaise. **Mot anglais qui se prononce** [jɔʀkʃœʀ].

Yougoslavie

République fédérale du sud-est de l'Europe, située dans la péninsule des Balkans et constitué de la Serbie (Kosovo et Vojvodine) et du Monténégro. La République de Serbie, au nord, qui occupe plus de 80 % du territoire, est constituée de plaines fertiles et de collines baignées par le Danube. La République du Monténégro, montagneuse, s'ouvre au sud-ouest sur la mer Adriatique. Le climat est continental à l'intérieur, méditerranéen sur les côtes. L'économie du pays, ruinée par une succession de conflits, est en pleine reconstruction. La République fédérale de Yougoslavie est créée en 1992, après l'éclatement de l'ancienne République yougoslave, quatre des six républiques qui la constituaient ayant proclamé leur indépendance. Elle n'a pas encore obtenu de reconnaissance officielle internationale.

102 200 km²
10 535 000 habitants :
les Yougoslaves
Langues : serbe,
albanais, hongrois, rom
Monnaie :
nouveau dinar
Capitale : Belgrade

yourte n. f. Tente de peau des populations nomades d'Asie centrale.

youyou n. m. Petit canot utilisé comme bateau de service sur les grands navires.

yo-yo n. m. inv. Jouet que l'on fait monter et descendre le long d'une ficelle.

yucca n. m. Plante d'ornement à feuilles pointues, originaire d'Amérique centrale.

Zaïre

Fleuve d'Afrique centrale, également appelé Congo. Long de 4 700 km, le Congo prend sa source sur le plateau du Katanga, à 1 420 m d'altitude, et se jette dans l'océan Atlantique par un large estuaire. Il est coupé de rapides qui gênent la navigation. Avec ses affluents, il forme cependant un réseau navigable de 13 000 km. La pêche y est très active.

Zambèze

Fleuve du sud de l'Afrique. Long de 2 660 km, le Zambèze prend sa source à 1 600 m d'altitude, au nord-ouest de la Zambie, et se jette dans l'océan Indien par un large delta. Son cours est coupé de rapides et de chutes, dont les plus célèbres sont celles de Victoria, où les eaux font un bond de 110 m. Le Zambèze est utilisé pour la production d'électricité.

Zambie

République du sud de l'Afrique. La plus grande partie de la Zambie est occupée par un haut plateau. Le climat tropical est tempéré par l'altitude. L'agriculture produit surtout du maïs, de la canne à sucre, du manioc ; le pays exporte du cuivre et du cobalt. Sous domination britannique à partir de la fin du XIXe siècle, la région est appelée Rhodésie du Nord en 1911. En 1964, elle devient indépendante sous le nom de Zambie et membre du Commonwealth.

752 610 km²
10 698 000 habitants :
les Zambiens
Langues : anglais, bantou
Monnaie : kwacha
Capitale : Lusaka

zapper v. → conjug. **aimer.** Passer rapidement d'une chaîne de télévision à une autre, au moyen de la télécommande.
Les enfants aiment faire du zapping, à zapper.

zèbre n. m. Mammifère sauvage ressemblant à un cheval, à la robe rayée de bandes noires, qui vit en troupeaux dans la savane africaine.
Les éclairs font des zébrures dans le ciel d'orage, des traînées qui font penser à la robe du zèbre.

zébré, ée adj. Marqué de rayures semblables à celles du zèbre. *Un tissu zébré.*

zébrure n. f. → **zèbre.**

zébu n. m. Bovidé domestique en Inde et en Afrique, qui porte une bosse sur le dos.

zèle n. m. Ardeur que l'on met à faire un travail, à aider quelqu'un. *Travailler avec zèle.*
Un employé zélé, plein de zèle.

zénith n. m. Point le plus haut atteint par le soleil au-dessus de l'horizon. *Le soleil est à son zénith.*
On prononce [zenit]**.**

ZÉRO
Ne s'écrit jamais en chiffres romains.

● n. m. *1* Nombre qui représente une valeur nulle, un ensemble vide (0). *Cinq moins cinq égale zéro. 2* Néant, rien. *Partir de zéro. 3* Note la plus basse, qui ne donne aucun point. *Avoir zéro en dictée. 4* Température à laquelle l'eau gèle. *Le thermomètre est descendu au-dessous de zéro.*

● adj. inv. Nul, pas un seul. *Avoir zéro faute.*

zeste n. m. Petit morceau de l'écorce d'un citron, d'une orange. *Ajouter un zeste de citron.*

Zeus

Dieu grec du Ciel, maître des dieux et du monde. Zeus est Jupiter dans la mythologie romaine. Son père, Cronos, maître de l'Univers, a dévoré ses enfants sauf Zeus sauvé par Rhéa sa mère. Adulte, Zeus oblige Cronos à rendre la vie à ses frères et sœurs. Il le frappe de la foudre, prend son trône et partage le pouvoir, donnant la Terre à Déméter, le monde souterrain à Hadès et la mer à Poséidon. Zeus a plusieurs épouses dont sa sœur Héra. Il règne sur le ciel et gouverne depuis l'Olympe, une montagne de Grèce.

zézayer

zézayer v. → conjug. **payer.** Prononcer les « j » comme des « z » et les « ch » comme des « s ».
Synonyme : zozoter.

Il a un léger zézaiement, un défaut de prononciation qui le fait zézayer.

zibeline n. f. Petit mammifère carnivore dont la fourrure est très recherchée.

zigzag n. m. Ligne en forme de Z, parcours sinueux. *Une route qui fait des zigzags.*

L'alcool le fait zigzaguer, il marche en zigzags.

Zimbabwé

République du sud de l'Afrique. Le Zimbabwé est constitué d'un haut plateau central et de montagnes. Le climat tropical est tempéré par l'altitude. L'économie repose sur l'agriculture et les ressources minières. Sous domination britannique à partir de la fin du XIXᵉ siècle, la région est baptisée en 1911 Rhodésie du Sud. En 1965, elle proclame son indépendance, non reconnue par la communauté internationale. Le pays devient indépendant sous le nom de Zimbabwé en 1980. Il est membre du Commonwealth.

390 760 km²
12 835 000 habitants :
les Zimbabwéens
Langues : anglais,
shona, ndebele
Monnaie :
dollar Zimbabwé
Capitale : Hararé

zinc n. m. Métal dur d'un blanc bleuâtre. *Comptoir d'un café en zinc. Gouttières en zinc.*
On prononce [zɛ̃g].

zinnia n. m. Plante à fleurs très colorées.

zizanie n. f. Discorde, mésentente. *Semer la zizanie.*

zodiaque n. m. Zone du ciel divisée en douze parties égales, et dans laquelle on voit se déplacer le Soleil, la Lune et les planètes.

Selon l'astrologie, la position des astres, figurée par les 12 signes du zodiaque, influence le caractère et la vie des hommes.

Zola Émile

Écrivain français français né en 1840 et mort en 1902. Journaliste, Zola s'engage dans le combat social. En 1867, il publie *Thérèse Raquin*. Ce roman « naturaliste » préfigure l'œuvre qu'il écrit à partir de 1869 : *les Rougon-Macquart, Histoire naturelle et sociale d'une famille sous le second Empire*. Vingt volumes, au rythme d'un par an, vont paraître jusqu'en 1893, parmi lesquels *le Ventre de Paris, l'Assommoir, Nana, Germinal, Au bonheur des dames* et *la Bête humaine*. Ils assurent à l'auteur un grand succès, mais aussi de violentes critiques. En 1898, Zola prend le parti du capitaine Dreyfus, accusé d'espionnage, et écrit pour le soutenir le célèbre article « J'accuse ».

zona n. m. Maladie due à un virus, consistant en une éruption très douloureuse de plaques en divers endroits de la peau.

zone n. f. *1* Grande partie du globe terrestre. *Zones tropicale, polaire, tempérée. 2* Portion de territoire. *Zone industrielle d'une ville.*

zoo n. m. Parc aménagé pour montrer au public des animaux sauvages ou rares.
Un jardin ou un parc zoologique, c'est un zoo.

zoologie n. f. Science qui étudie les animaux.
Un zoologiste est un spécialiste de la zoologie.

zoologique adj. → **zoo.**

zoologiste n. → **zoologie.**

zoom n. m. Objectif d'un appareil photo ou d'une caméra servant à obtenir un rapprochement ou un éloignement du sujet.
Mot anglais qui se prononce [zum].

zouave n. m. *1* Autrefois, soldat fantassin dans l'armée française en Algérie (de 1830 à 1962). *2* Familier. *Faire le zouave :* faire le guignol ou le malin.

zozoter v. → conjug. **aimer.** Synonyme de zézayer.

zut ! interj. Familier. Exclamation exprimant le dépit, l'impatience ou la colère.
Zut ! c'est déjà la fin du dictionnaire.

Bélier.

Taureau.

Gémeaux.

Cancer.

Lion.

Vierge.

Balance.

Scorpion.

Sagittaire. Capricorne.

Verseau.

Poissons.

Les histoires de nos héros

A comme Anatole

p. 14. accoster. *Le bateau d'Anatole vient d'accoster, il s'apprête à débarquer.*
p. 22. s'affaler. *Anatole s'affale dans son bateau.*
p. 28. aïe. *«Aïe! Je suis tombé!» crie Anatole.*
p. 63. appeler. *Anatole appelle le réparateur de bateaux.*
p. 64. approcher. *Le réparateur s'approche du bateau d'Anatole.*
p. 102. avarie. *Et voilà, l'avarie du bateau d'Anatole est réparée.*

B comme Barnabé

p. 113. balcon. *Barnabé prend le frais sur son balcon.*
p. 115. bandit. *Barnabé aperçoit un bandit.*
p. 133. bicyclette. *Barnabé court vers sa bicyclette.*
p. 142. bondir. *Barnabé bondit sur le bandit.*
p. 146. bouger. *«Plus un geste! Ne bouge plus!» dit Barnabé.*
p. 152. brailler. *Barnabé se met à brailler pour appeler les gendarmes.*
p. 154. brigadier. *Le bandit de Barnabé est arrêté par le brigadier.*

C comme Cunégonde

p. 192. cerise. *Cunégonde a ramassé un énorme panier de cerises.*
p. 223. clafoutis. *Cunégonde décide de faire un clafoutis aux cerises.*
p. 239. comestible. *Le clafoutis de Cunégonde n'a pas l'air comestible!*
p. 242. compact. *Le clafoutis de Cunégonde est compact.*
p. 244. compote. *Cunégonde décide alors de faire une compote de cerises.*
p. 252. consacrer. *Cunégonde se consacre à la cuisine.*
p. 256. continu. *Malgré ses efforts continus, les desserts de Cunégonde sont tous ratés.*
p. 260. contrôle. *Ces échecs répétés font perdre son contrôle à Cunégonde.*

D comme Daphné

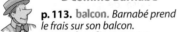

p. 300. déboires. *Aujourd'hui, Daphné ne s'attendait pas à tant de déboires.*
p. 302. déchaîner. *Au moment où Daphné sort dans la rue, le vent se déchaîne.*
p. 304. décoiffer. *Le vent et la pluie décoiffent Daphné.*
p. 305. décrocher. *Le vent est si violent qu'il décroche une tuile juste au-dessus de Daphné.*
p. 309. défiguré. *Daphné est défigurée.*
p. 313. se délecter. *Pendant que Daphné se remet, son chien se délecte de saucisses.*
p. 315. démesuré. *L'appétit du chien de Daphné est démesuré.*
p. 317. démoraliser. *Daphné est tout à fait démoralisée.*
p. 319. se dépêtrer. *Daphné parvient à se dépêtrer de tout ce qui l'entoure.*
p. 321. déposer. *Daphné ramasse ses paquets pour les déposer dans sa voiture.*
p. 322. déraper. *Daphné dérape sur une saucisse.*
p. 326. désopilant. *Le chien de Daphné trouve cette situation désopilante.*
p. 327. désormais. *Daphné est furieuse, désormais, elle sera plus sévère avec son chien.*
p. 328. détaler. *Le chien de Daphné détale.*
p. 329. détresse. *La fuite de son chien a plongé Daphné dans la détresse.*
p. 340. dissimuler. *Courageusement, Daphné décide de dissimuler sa peine.*
p. 341. distraire. *Daphné est au cinéma, le film va la distraire.*

E comme Elvis

p. 361. échevelé. *À son réveil, Elvis est échevelé.*
p. 370. édredon. *Elvis sort avec difficulté de sous son édredon.*
p. 377. électrique. *Elvis joue un morceau sur sa guitare électrique.*
p. 379. embaucher. *Elvis va sans doute être embauché pour un concert.*
p. 383. s'empresser. *Elvis s'empresse de partir à son rendez-vous.*
p. 386. encombrer. *Pauvre Elvis! La route est très encombrée.*
p. 388. énerver. *L'embouteillage énerve Elvis.*
p. 389. enjôler. *Elvis essaie d'enjôler le conducteur du camion.*
p. 394. entonner. *Elvis a réussi à passer, il entonne une chanson.*
p. 395. entrée. *Elvis arrive devant l'entrée de l'immeuble.*
p. 396. entretenir. *Elvis s'entretient avec le producteur.*
p. 400. épreuve. *Le producteur va mettre Elvis à l'épreuve.*
p. 425. exciter. *Elvis est tellement excité qu'il saisit sa guitare à l'envers.*
p. 426. exécrable. *La musique d'Elvis est exécrable.*
p. 428. exploser. *Le producteur laisse exploser sa colère contre Elvis.*
p. 429. expulser. *Le producteur expulse Elvis.*
p. 430. extrême (extrêmement). *Elvis est extrêmement déçu.*

F comme Fulbert

p. 435. fantôme. *Fulbert s'est déguisé en fantôme.*
p. 441. fesse (fessée). *Fulbert reçoit une bonne fessée.*
p. 446. fin. *Fulbert se dit qu'il faut qu'il fasse des plaisanteries plus fines.*
p. 456. folklore (folklorique). *Fulbert décide de mettre un costume folklorique.*
p. 459. formidable. *Fulbert reçoit un accueil formidable.*

G comme Gaspard

p. 486. général. *En général, rien n'effraie Gaspard.*
p. 496. gnome. *Gaspard rencontre un gnome.*
p. 502. grand. *Gaspard a très peur, il part en poussant de grands cris.*

H comme Herbert

p. 519. habitude. *D'habitude, Herbert fait du skate en sortant de l'école.*
p. 541. hoquet. *Hélas! Son hoquet empêche Herbert de faire du skate.*

I comme Isidore

p. 550. illustre. *Isidore rêve de devenir un peintre illustre.*
p. 551. immense. *Isidore a*

1117

acheté une immense toile.

p. 552. impeccable. *La toile d'Isidore est impeccable.*

p. 553. impondérables. *Isidore ne savait pas que la vie d'un artiste est pleine d'impondérables.*

p. 554. improviser. *Isidore doit improviser quelque chose.*

p. 556. inaccessible. *La toile d'Isidore reste inaccessible.*

p. 558. inconfort (inconfortable). *La position d'Isidore est très inconfortable.*

p. 559. incontrôlable. *Les gestes d'Isidore deviennent incontrôlables.*

p. 566. in extremis. *Isidore se rattrape in extremis.*

p. 567. infatigable. *Isidore est infatigable, il se remet au travail.*

p. 568. informe. *Le portrait d'Isidore est encore informe.*

p. 571. inopiné (inopinément). *Un insecte entre inopinément chez Isidore.*

p. 572. insecticide. *Isidore se saisit d'un insecticide.*

p. 576. instant (instantané). *L'insecticide d'Isidore a un effet instantané.*

p. 577. insupportable. *Isidore trouve cette odeur insupportable.*

p. 582. intéressant. *L'insecticide a produit un effet intéressant sur le tableau d'Isidore.*

p. 583. interloqué. *Isidore est interloqué devant le succès de son tableau.*

p. 585. interview (interviewer). *Isidore est célèbre ! Les journalistes accourent pour l'interviewer.*

J-K comme Justin et K.

Il n'arrive rien à Justin et à son chien Kalin.

L comme Lucy

p. 619. léger. *Lucy joue avec le feu, elle agit à la légère.*

p. 633. loger (logement). *La famille de Lucy n'a plus de logement.*

p. 644. lune. *À cause de Lucy, toute la famille est obligée de dormir au clair de lune.*

M comme Mélusine

p. 672. matériellement. *Est-il matériellement possible de rencontrer Mélusine ?*

p. 730. mystère. *Mélusine est une fée. Comment savoir si les fées existent vraiment ? C'est un mystère.*

N comme Nestor

Nestor est un homme sans histoire.

O comme Olive

p. 754. observateur. *Olive n'est pas très observatrice.*

p. 768. orage. *Olive n'avait pas vu qu'un énorme orage allait éclater.*

P comme Philomène

p. 797. patibulaire. *La mine patibulaire de cet homme terrifie Philomène.*

p. 810. personne. *Philomène appelle au secours, mais personne ne répond.*

p. 832. plateau. *Philomène se réfugie sur le plateau du théâtre.*

p. 867. présentateur. *Philomène se précipite sur le présentateur.*

p. 869. prévenir. *Philomène prévient le présentateur qu'il y a un individu bizarre.*

p. 872. proclamer. *L'homme proclame son innocence devant Philomène et le présentateur.*

p. 873. professeur. *L'homme explique à Philomène qu'il est professeur de grimaces.*

p. 878. proposer. *Philomène est ravie : l'homme lui a proposé de lui apprendre à faire des grimaces.*

R comme Radégonde

p. 895. radieux. *Radégonde est contente, le soleil est radieux.*

p. 897. ramasser. *Radégonde a décidé d'aller ramasser des coquillages.*

p. 901. rapporter. *Radégonde espère qu'elle va rapporter beaucoup de coquillages.*

p. 904. razzia. *Quelqu'un a fait une razzia sur les coquillages, se dit Radégonde en voyant les rochers vides.*

p. 907. recoin. *Radégonde regarde dans tous les recoins.*

p. 909. recul. *Radégonde a un mouvement de recul.*

p. 910. refléter (reflet). *Radégonde a vu le reflet d'un monstre dans l'eau.*

p. 912. se régaler. *Il se régale avec les coquillages, se dit Radégonde.*

p. 915. remarquer. *Radégonde se cache pour que le monstre ne la remarque pas.*

p. 924. repas. *Radégonde voit que le monstre a fini son repas de coquillages.*

p. 926. repousser. *Radégonde voit le monstre repousser son assiette.*

p. 936. retentissant. *Le cri retentissant du monstre fait sursauter Radégonde.*

p. 937. retomber. *Radégonde est retombée sur le rocher.*

p. 938. réveiller. *Sa chute a réveillé Radégonde.*

p. 939. rêver. *Radégonde s'était endormie sur la plage, elle a rêvé toute cette histoire.*

S comme Séraphin

p. 977. se. *Séraphin se réveille.*

p. 978. secouer. *Séraphin secoue ses ailes.*

p. 983. serpent. *Séraphin aperçoit un serpent.*

p. 1000. somnoler. *Ce serpent somnole, pense Séraphin.*

p. 1004. soulever. *Séraphin voit le serpent soulever la tête.*

p. 1005. souris. *Tiens, voilà une souris, se dit Séraphin.*

p. 1007. se souvenir. *Séraphin se souvient que les serpents mangent les souris.*

p. 1017. substituer. *Séraphin substitue une pierre à la souris.*

p. 1023. sûr (sûreté). *Séraphin va mettre la souris en sûreté.*

p. 1026. survivre (survie). *La souris doit sa survie au courage de Séraphin.*

T comme Théodule

p. 1037. teigne (teigneux). *Théodule est teigneux.*

p. 1043. terre. *Quand il est en colère, Théodule se roule par terre.*

p. 1074. trou. *Théodule n'a pas vu le trou, il est tombé dedans.*

U -V comme Ursule et Victorin

p. 1084. vague. *On dirait qu'Ursule a du vague à l'âme.*

p. 1105. voile. *Ursule aperçoit une voile au loin.*

p. 1110. voyage. *C'est Victorin qui revient de voyage.*

W-X-Y-Z

Le Week-end, Zozo joue du Xylophone sur son Youyou.

Nous tenons à remercier les organismes suivants qui nous ont aimablement fourni de la documentation :
Airbus industrie, Apple, les ambassades de Belgique, d'Égypte et de Suisse, la chambre de commerce de Paris, l'INRA d'Avignon,
Michelin, M. Verdier, professeur des écoles à Besson, *La Montagne*, les offices du tourisme des préfectures françaises,
le Parc naturel régional de Camargue, Philips, La Poste, Renault, le service de documentation du Musée des Arts et Métiers, Sony,
le Syndicat des producteurs français de ficelles, cordages et filets.
Nous remercions également nos amis québecois Jean O'Neil et André Bastien.

Les chiffres de population des préfectures françaises nous ont été fournis par l'INSEE.
Les informations concernant les États du monde (superficie, chiffre de population, langue, monnaie, capitale)
sont extraites de l'édition 2004 de l'*État du monde*, Éditions la Découverte.

Quelques dessins d'animaux et de plantes de William Fraschini sont extraits des ouvrages suivants publiés par
Sélection du Reader's Digest : collection *Regards sur le monde, la Nature en France, Tout reconnaître dans la nature, Guide des chats,
Guides des animaux des champs et des bois.* Ils sont reproduits avec l'aimable autorisation de l'éditeur.

Crédits photographiques

Abréviations : h = haut, c = centre, b = bas, g = gauche, d = droit

ALINARI-GIRAUDON, **Paris** : 1112, Niedersachsisches Landesmuseum, Hanovre, © Adagp, Paris 2001. ALL SPORT-FRANCE - VANDYSTADT : 29, 40, 91, 97, 103,110 (h), 119,120, 140, 150 (g), 150 (d), 151, 172, 192, 201 (h), 283, 293, 294, 314,373, 402, 404, 405, 457, 458, 497, 518, 523, 524,538, 601, 604, 607, 643, 645, 734, 787, 789, 798, 802, 811, 826, 834 (h), 834 (b), 843, 947, 957,992,993 (h), 993 (b), 994,1008, 1010-1011, 1024, 1042, 1054 (cg), 1054 (hg), 1068, 1107, 1113. AMNESTY INTERNATIONAL : 43. APPLE : 569. BRIDGMAN-GIRAUDON, Paris : 298, Agnew and Sons, Londres. 1078, National Gallery, Londres. 1086 (bg), National Gallery, Londres. CODE ROUSSEAU : 232. COLLECTION CHRISTOPHE L. : 218-219. COLLECTION PARTICULIÈRE : 868 (h) et 883 (g). CORBIS-SYGMA : 445 (hg1), 445 (hg2). CORBIS-SYGMA/COLL KIPA : 445 (bg1), 445 (bg2). G. DAGLI ORTI, Paris : 11 (hc), Collection Thyssen-Bornemisza, © Mondrian/ Holzman Trust/Adagp, Paris 2001. 11 (hd), Galerie d'art moderne, Rome, © Adagp, Paris 2001. 11 (bg), Musée d'art moderne, Rome, © Adagp, Paris 2001. 11 (bc), Fondation Peggy Guggenheim, Venise, © Adagp, Paris 2001. 11 (cd), Musée Unterlinden, Colmar, © Adagp, Paris 2001. 53, Musée Diocésain, Cortone. 110, Musée d'art moderne, Stockholm, © Adagp, Paris 2001. 114, Collection Thyssen-Bornemisza, © Adagp, Paris 2001. 142, Musée d'Orsay, Paris, © Adagp, Paris 2001. 143, Musée du Prado, Madrid. 145 (g), Musée des Offices, Florence. 145 (d), Musée du Louvre, Paris. 152, Musée national d'art moderne, Centre G. Pompidou, © Adagp, Paris 2001. 156, Musée Mayer Van der Bergh, Anvers. 176, Galerie Borghese, Rome. 193,

Musée d'Orsay, Paris. 194, Musée de Grenoble, © Adagp, Paris 2001. 201, Musée du Louvre, Paris. 229, Musée du Louvre, Paris. 265, Musée du Louvre, Paris. 266, Musée des offices, Florence. 277, Musée d'Orsay, Paris. 290 (bd), Musée d'Art moderne, Troyes, © L & M Services B. V. Amsterdam 20010504. 299, Château de Versailles. 311, Musée d'Orsay, Paris. 312, Musée du Louvre, Paris. 345, Musée du Bargello, Florence. 353, Musée du Prado, Madrid. 461, Musée du Louvre, Paris. 463, Musée Lambinet, Versailles. 483, Musée d'Orsay, Paris. 493, Fondation Maeght, St-Paul de Vence, © Adagp, Paris 2001. 494, Chapelle des Scrovegni, Padoue. 501, Musée du Prado, Madrid. 509, Musée du Louvre, Paris. 512, Musée du Louvre, Paris. 555 (cg), Musée d'Orsay, Paris. 555 (cd), Musée d'Orsay, Paris. 570, Musée du Louvre, Paris. 617, Musée du Louvre, Paris. 620, Musée du Louvre, Paris. 621, Musée du Louvre, Paris. 638, Musée du Louvre, Paris. 652, Collection particulière, © Adagp, Paris 2001. 654, Cathédrale, Moulins. 662, Musée d'Orsay, Paris. 680, Chapelle royale de la cathédrale, Grenade. 690, Académie, Florence. 693, Musée du Louvre, Paris. 697, Galerie d'Art Moderne, Rome, © Adagp, Paris 2001. 701, Musée d'Art de São Paulo. 706, Musée d'Orsay, Paris. 723, Musée du Louvre, Paris. 858, Musée du Louvre, Paris. 899, Musée du Louvre, Paris. 918, Musée du Prado, Madrid. 923, Musée d'Orsay, Paris. 955, Musée du Louvre, Paris. 1055, Musée des offices, Florence. 1086 (hd), Musée d'Orsay, Paris. 1090, Musée du Prado, Madrid. DISNEY PUBLISHING WORLDWIDE : 339. D.R. : 816. GIRAUDON, Paris : 126, Musée de la

Tapisserie, Bayeux. 290 (hg), Museum of Modern Art, New York, © Succession Picasso 2001. 290 (bg), Musée de l'Ermitage, Saint-Pétersbourg, © Adagp, Paris 2001. 290 (hd), Fondation Rupf, Berne, © Adagp, Paris 2001. 296, Museum of Modern Art, New York, © État espagnol, Fondation Gala-Salvador Dali, Adagp, Paris 2001. 303, Collection Jessi, Milan, © Adagp, Paris 2001. 351, Musée Carnavalet, Paris. 489, Musée du Louvre, Paris. 505, Musée paroissial Santo Tomé, Tolède. 555 (hd), Musée Marmottan-Monet, Paris. 555 (bg), Phillips Collection, Washington. 555 (bd), Musée d'Orsay, Paris. 673, Musée de l'Ermitage, St-Pétersbourg, © Succession H. Matisse 2001. 818, Centro de Arte Reina Sofia, Madrid, © Succession Picasso 2001. Couverture et 1088, Collection particulière, © Adagp, Paris 2001. 1094, Mauritshuis, La Haye. GRANDAMAM S./EXPLORER : 1065. HERGÉ/MOULINSART 2001 : 529. LA MONTAGNE : 868 (b). LA POSTE, Ève Luquet : 929. LAUROS-GIRAUDON, Paris : 11 (hg), Musée National d'art moderne, Paris, © Adagp, Paris 2001. 158, Musée d'Art moderne de la ville de Paris, Paris, © Adagp, Paris 2001. 171, Musée du Louvre, Paris. 231, Archives Larousse, Paris, © Adagp, Paris 2001. 290 (cd), Collection particulière, Bâle. 352, Musée Unterlinden, Colmar, © Adagp, Paris 2001. LES ÉDITIONS ALBERT RENÉ/GOSCINNY-UDERZO : 90 (hg). MICHELIN : 883(hd1, hd2, hd3, bd1, bd2, bd3). PHOTOTHÈQUE DES MUSÉES DE LA VILLE DE PARIS, Musée Carnavalet : 166. RENAULT : 1038. RUE DES ARCHIVES/BCA : 445 (hd1), 445 (fond), 445 (bd1). RUE DES ARCHIVES/CS/FF : 445 (hd2). RUE DES ARCHIVES/EVERETT : 445 (bd2). SONY : 816.

ISBN : 2-215-082-46-1
© Éditions Fleurus, 2004.
Loi n° 49-956 du 16 juillet 1949 sur
les publications destinées à la jeunesse.
Dépôt légal à la date de parution.
Imprimé en France par *Partenaires-Livres®* (JL).